D1223029

L'ENCYCLOPÉDIE MONDIALE DU VIN

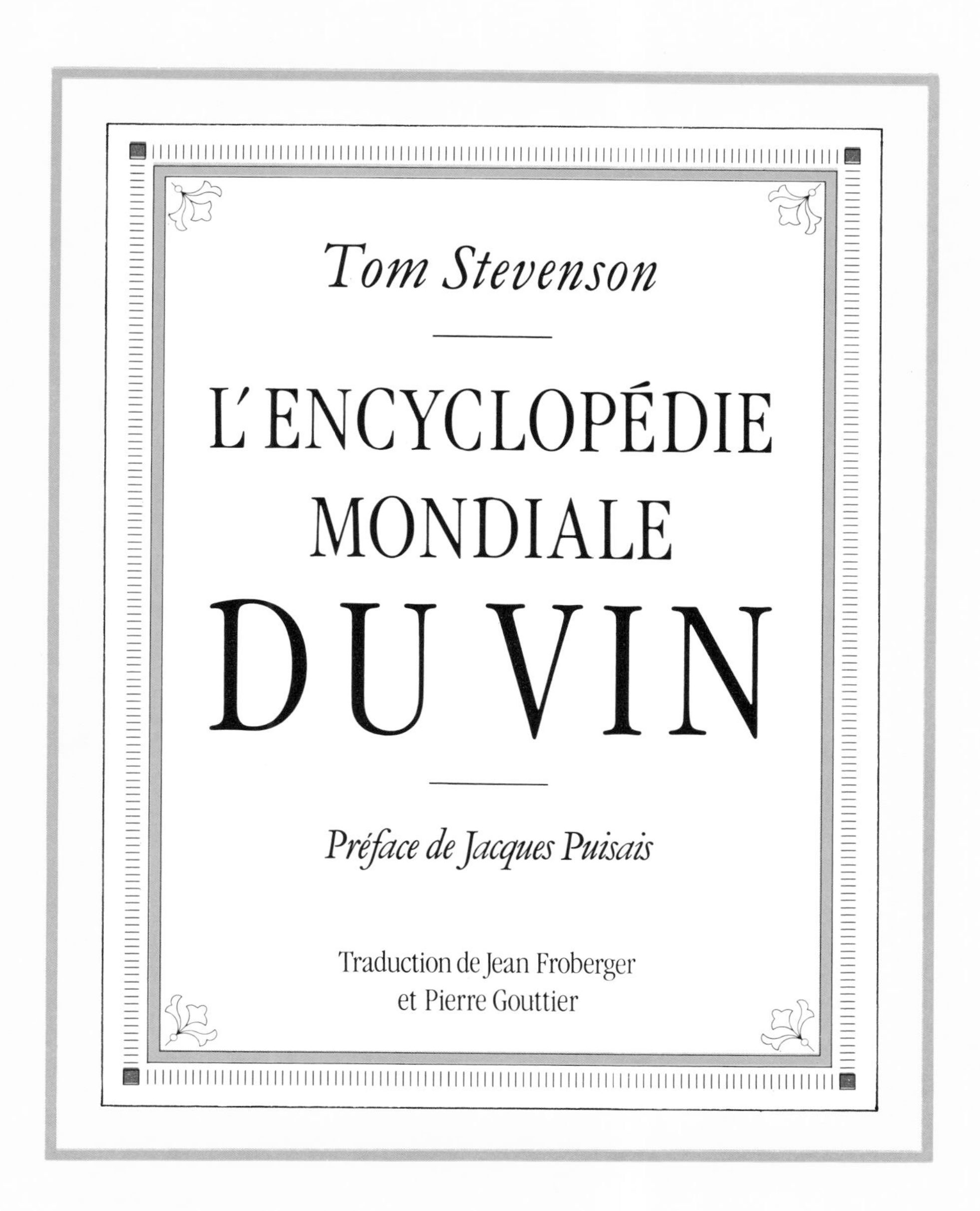

Tom Stevenson

L'ENCYCLOPÉDIE MONDIALE DU VIN

Préface de Jacques Puisais

Traduction de Jean Froberger
et Pierre Gouttier

Flammarion

Sommaire

Titre de l'ouvrage original :
Sotheby's World Wine Encyclopedia

ISBN : 2-08-200555-0
N° d'édition : 0106
Imprimé en Espagne par Mondadori

Préface

L'auteur d'un livre sur le vin soumet en quelque sorte à son lecteur un texte – distillat dont chaque goutte devra être dégustée et correspondre fidèlement aux réalités qu'il évoque. Ecrire sur le vin, c'est connaître les vignobles, leur intimité, le rôle des sols, des expositions, des climats, l'importance de la vigne et du cépage. Tom Stevenson, depuis de nombreuses années, sait nous proposer ces cheminements qui nous font aller à la découverte de la vigne et des vins du monde.

Voici, incontestablement, la plus exhaustive, la plus actuelle et la plus documentée des encyclopédies mondiales du vin. Bien qu'aucun ouvrage de ce type ne puisse être absolument complet et que le monde du vin continue d'évoluer très rapidement, ce livre constitue une véritable mine d'informations présentées sous une forme très accessible. On ne peut en effet vraiment apprécier le vin sans certaines connaissances et, devant la multitude de vins qui lui sont proposés, le lecteur sera certainement heureux de bénéficier de conseils judicieux. L'amateur de vin, qu'il s'intéresse aux produits de France, d'Italie, de Nouvelle-Zélande ou du Mexique, pourra, dans cet ouvrage, en trouver les caractères dominants et, ainsi, en comprendre l'expression.

Certains pourront trouver l'auteur un peu sévère pour les vins de caractère tannique ; en revanche, ceux qui sont attirés par les vins moelleux et tendres, seront ravis. Car tout doit transparaître dans une encyclopédie : la précision des informations, le savoir-faire mais aussi la patte de l'auteur, qui se révèle au travers de ses choix. Conçue et rédigée par un homme qui a dû tout apprendre sur le vin, puisqu'il n'est pas originaire d'un pays viticole, cette encyclopédie est en outre très utile pour l'ensemble des professionnels du vin. Elle met en lumière des aspects nouveaux touchant à la consommation mondiale du vin et, par voie de conséquence, à l'attente du consommateur. Ce nouvel éclairage est d'autant plus important que le rôle et les goûts du consommateur sont trop souvent passés sous silence. Pourtant, c'est bien de lui dont dépend le devenir du vin. C'est lui qui le dégustera, qui l'appréciera et le jugera. Tom Stevenson, par son immense travail de recherche et de dégustation, l'aidera à mieux comprendre le vin et à l'aimer ou le confirmera parmi les amateurs les plus chevronnés. Il lui offre dans cette encyclopédie le plus vaste choix de vins qu'il se puisse imaginer.

Jacques Puisais
Directeur du laboratoire d'analyses et de recherches de Tours
Président de l'Académie internationale du vin

Introduction

Mon objectif en écrivant cette **Encyclopédie mondiale du vin** était double : proposer un guide richement illustré des vins du monde entier, qui soit accessible au plus novice des lecteurs, et créer un ouvrage exhaustif, dans lequel les informations soient aussi détaillées que dans les livres de référence spécialisés.

L'*Encyclopédie* présente successivement chaque pays viticole et, s'il y a lieu, chacune de ses régions viticoles. Dans certains cas, le Bordelais ou la Californie par exemple, ces régions sont à leur tour subdivisées en sous-régions. Chaque chapitre comporte une carte vinicole créée spécialement pour cet ouvrage ainsi qu'une rubrique traitant des facteurs affectant le goût et la qualité des vins produits dans la région concernée. L'importance de ces facteurs – situation, climat, site, sol, viticulture, vinification et cépages – est, en outre, expliquée dans l'introduction de ce livre.

Dans chacun des chapitres, j'ai tenté de répondre aux questions suivantes : quel est le goût des vins ? d'où proviennent-ils ? lesquels peut-on recommander ? Le lecteur qui a un jour été frustré en recherchant dans un guide tel ou tel vin, pour découvrir qu'il n'était que cité en passant, sera heureux de constater que près de la moitié de cet ouvrage est consacré à des descriptions de vins et à des tableaux de dégustation qui passent en revue des milliers de vins rouges, blancs, rosés et mousseux. Pour la France, par exemple, sont cités tous les AOC, VDQS et Vins de pays – ce qui représente, pour le seul Bordelais, l'analyse de cinquante AOC et quelque 600 châteaux. La section traitant de l'Amérique du Nord explique le système d'appellation relativement récent des États-Unis. On y trouvera décrits près d'une centaine d'AVA (*Approved Viticultural Areas*) ainsi que des centaines de producteurs.

Enfin, un important glossaire et des tableaux de millésimes présentant les grands vins des vingt-huit dernières années permettent d'appréhender instantanément les informations essentielles.

TOM STEVENSON

Mode d'emploi du livre

Le corps de cette *Encyclopédie* comporte pour chaque pays ou région un texte général d'introduction et un guide de dégustation comprenant les appellations, les châteaux ou les producteurs.

TEXTE D'INTRODUCTION

Outre des informations d'ordre général, on trouvera dans l'introduction, pour chaque région, deux rubriques :

Comment lire les étiquettes

Cette rubrique fournit tous les renseignements permettant de bien comprendre les étiquettes de la région.

Facteurs affectant le goût et la qualité

On trouvera les données suivantes :

Situation

Climat

Site

Sol

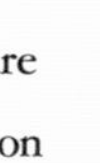

Viticulture et vinification

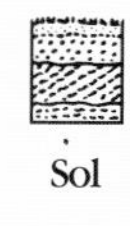

Cépages

LES CARTES

Les textes d'introduction sont accompagnés de **cartes nationales** qui font apparaître toutes les régions viticoles d'un pays donné, y compris les aires délimitées officiellement. **Des cartes régionales** et, dans certains cas, des **cartes de sous-régions** se trouvent dans les différents chapitres consacrés à chacune des régions viticoles des pays producteurs importants. Y sont situés les zones de viticulture intensive, les principaux châteaux et producteurs. Ces cartes font l'objet de renvois aux cartes nationales. Dans toutes les cartes, le nord est situé en haut.

LES GUIDES DE DÉGUSTATION

La description des vins d'un pays, d'une région ou d'une aire, peut emprunter différentes entrées, en fonction de la structure du commerce et de la législation viticole du pays. Un vin apparaîtra aussi bien sous son aire d'origine que sous le nom de son producteur.

Description des vins	**En-têtes**
1. Par région géographique ou sous-région	Vins génériques de... Les vins de...
2. Par appellation (catégories ou aires officielles)	Les régions viticoles de...
3. Par cépage	Les cépages et les vins de...
4. Par producteur	Les meilleurs châteaux de..., etc.

Les listes de producteurs

Dans les principales sections telles que le Bordelais ou l'Allemagne, où les producteurs de vins génériques sont nombreux, ceux-ci sont d'abord énumérés, avant les vins. Dans les sections comme l'Amérique du Nord, l'Australie ou l'Espagne, par exemple, les listes de producteurs se trouvent dans la région correspondante.

L'en-tête « Les grands châteaux de... » est utilisée pour les appellations classiques de Bordeaux ; « Les meilleurs châteaux de... » pour les autres. Les qualificatifs « meilleur », « plus grand », « principal » correspondent à des choix de l'auteur. Des listes intitulées « Les meilleurs autres vins » et « Autres producteurs de... », suivant l'importance du pays et de ses vins, complètent ces choix.

Les guides de dégustation

Les renseignements, donnés par ordre alphabétique, sont de plusieurs catégories. Dans les entrées les plus détaillées, l'histoire et les principales caractéristiques de l'aire viticole ou de l'exploitation font l'objet d'un résumé, puis les notes de dégustation sont précédées de la mention **ROUGE, BLANC, ROSÉ** ou **MOUSSEUX** ; les autres renseignements sont regroupés sous les symboles suivants :

Les cépages qui entrent dans la composition du vin sont indiqués, de même que les pourcentages imposés par les réglementations, s'il y a lieu. Sont également répertoriés les synonymes régionaux des cépages.

Meilleurs millésimes récents depuis 1980.

Age auquel il faut boire le vin.

☆ Viticulteurs ou producteurs recommandés. Pour l'Allemagne, ce symbole sert à désigner un vignoble recommandé (Einzellage), ainsi que les viticulteurs recommandés qui y produisent du vin.

* Un astérisque, en l'absence d'autre précision, indique toujours que le vin est recommandé.

LES SYSTÈMES D'APPELLATION

Le cas échéant, les sections consacrées aux principaux pays producteurs de vin comprennent une explication de leur système officiel d'appellation :

Classification des vins français, p. 34
La hiérarchie qualitative en Allemagne, p. 202
Comment utiliser les sections régionales (Allemagne) ? p. 208
Les lois viticoles d'Italie, p. 242
Les appellations espagnoles, p. 270
Portugal, *voir* « **Note** relative aux autres vins du Portugal », p. 307
Les systèmes d'appellation des États-Unis, p. 358

Le goût du vin

Boire et déguster : quelle est la différence ? On pourrait la comparer à celle que l'on ressent en essayant une voiture que l'on voudrait acheter puis en la conduisant pour son plaisir. Dans le premier cas, on se concentre sur ce qui se passe, en s'efforçant de déceler d'éventuels défauts ; dans le second, on se contente de savourer son plaisir. La dégustation est une affaire de concentration et la technique qu'elle demande est à la portée de tous.

COMMENT DÉGUSTER

Lorsqu'on déguste un vin, il est indispensable d'éliminer toutes les sources de distraction et, en particulier, les commentaires d'autrui. Il faut déguster le vin et consigner ses impressions avant toute discussion. Même dans le cas de dégustations organisées par des professionnels, le rôle des œnologues n'est pas de dicter leurs opinions mais de former les participants, de mettre en perspective les réactions naturelles de chacun à des parfums et à des goûts, au moyen d'explications claires et concises.

Les trois sens auxquels fait appel la dégustation sont la vue, l'odorat et le goût.

L'« ŒIL » OU L'ASPECT VISUEL DU VIN

La première étape pour juger de l'apparence d'un vin est d'en examiner la limpidité, qui doit toujours être parfaite. Bon nombre de vins montrent un dépôt, mais celui-ci n'est nullement gênant si, une fois tombé au fond, il laisse un vin clair et limpide. Tout vin qu'on a versé et laissé reposer et qui reste trouble ou brumeux doit être éliminé. Les minuscules bulles qui se forment sur le bord du verre sont parfaitement normales dans quelques types de vins, tels que le Muscadet sur lie ou le Vinho verde, mais ils sont généralement le signe d'un défaut dans la plupart des autres cas.

La deuxième étape consiste à faire tourner délicatement le vin dans le verre. Lorsqu'il redescend dans le fond du verre, le vin peut parfois former ce que l'on appelle des « jambes », effet de l'alcool sur la viscosité du vin et la manière dont il s'écoule. Plus la teneur en alcool est élevée, et moins le vin s'écoule librement, ou plus il est visqueux.

La couleur ou la robe du vin

C'est la lumière naturelle qui permet le mieux d'observer la couleur d'un vin – premier indice sur son identité après l'examen visuel préliminaire. Il faut regarder le vin sur un fond blanc, en tenant le verre par le pied et en l'inclinant légèrement vers l'avant. Les vins rouges varient en couleur du rouge clairet, qui est presque rose, à des nuances si foncées et opaques qu'elles paraissent noires. Les vins blancs vont de l'incolore à l'or profond, encore que la plupart d'entre eux soient d'un jaune paille clair. Curieusement, très peu de vins rosés sont d'un rose franc, la couleur étant presque toujours teintée de bleu, de violet ou d'orange. La couleur d'un vin vu sous une lumière artificielle ne sera jamais juste.

Facteurs affectant la couleur

La couleur et la nuance d'un vin, qu'il soit rouge, blanc ou rosé, sont déterminées par les cépages qui le composent et influencées par le degré de maturité des raisins, la région de production, la méthode de vinification et l'âge du vin. Les vins secs et légers provenant de climats frais ont la robe la plus claire, tandis que les vins plus corsés ou plus moelleux, issus de régions plus chaudes, sont les plus profonds. Les vins rouges jeunes présentent, en général, une nuance violacée, tandis que les vins blancs peuvent avoir une pointe de vert, en particulier s'ils proviennent d'un climat assez frais. Le processus de vieillissement s'accompagne d'une oxydation qui donne au vin une couleur brune.

LE « NEZ » OU L'ODEUR DU VIN

Lorsqu'un dégustateur prétend pouvoir reconnaître plus de mille parfums différents, bon nombre d'amateurs perdent tout espoir d'acquérir les compétences les plus élémentaires. C'est une erreur. Un dégustateur expérimenté *peut* déceler et distinguer plus de mille parfums différents, mais tout le monde peut en faire autant. Il s'agit le plus souvent des odeurs que l'on perçoit dans la vie de tous les jours. Il n'y a, en effet, pas de senteurs spécifiques au vin car toutes se rapprochent de quelque chose de connu.

Pour humer un vin, il faut le faire tourner dans le verre puis mettre le nez dans celui-ci et inspirer profondément. S'il est important que cette inspiration soit profonde, il n'est en revanche pas possible d'humer à nouveau le même vin pendant environ deux minutes. Chaque vin active en effet un réseau unique de terminaisons nerveuses dans le bulbe olfactif, situé au sommet du nez. Ces terminaisons nerveuses demandent un peu de temps pour se réactiver. C'est la raison pour laquelle les bouffées successives d'un même parfum sont de moins en moins instructives. En revanche, on peut parfaitement percevoir des parfums – et donc des vins – différents l'un après l'autre.

LA « BOUCHE » OU LE GOÛT DU VIN

Dès que l'on a humé un vin, la réaction naturelle est de le goûter. Il faut cependant attendre d'avoir posé toutes les questions relatives au nez. Pour goûter, on prend une bonne gorgée de vin puis on fait entrer de l'air dans la bouche à travers celui-ci. Le « gargouillis » ainsi provoqué est indispensable pour magnifier les qualités volatiles du vin à l'arrière de la gorge.

La langue elle-même ne révèle que peu de choses : la douceur à sa pointe, l'acidité ou l'aigreur sur ses côtés, l'amertume à l'arrière et sur le dessus, le salé sur le devant et sur les côtés. Ces quatre perceptions gustatives de base mises à part, on sent plutôt qu'on ne goûte les saveurs. Un aliment ou une boisson dégage toujours dans la bouche des vapeurs odorantes qui sont automatiquement transmises au nez par la voie rétro-nasale. C'est ensuite le bulbe olfactif qui les examine, les identifie et les classe mais, comme elles proviennent du palais, on a naturellement tendance à les percevoir comme des goûts.

QUALITÉ ET GOÛT : POURQUOI LES OPINIONS VARIENT

Qu'on soit novice ou œnologue, c'est en définitive la préférence personnelle qui arbitre lorsque l'on juge un vin. Les dégustateurs les plus expérimentés disputent d'ailleurs à l'infini des mérites et des défauts relatifs de certains vins.

Nous savons tous que la qualité existe, et nous sommes le plus souvent d'accord sur les vins qui la possèdent, et pourtant nous sommes incapables de la définir. Faute d'une définition rigoureuse, la plupart des dégustateurs expérimentés se contenteraient sans doute de dire qu'un bon vin doit présenter un équilibre et une finesse naturels et posséder un caractère précis, distinctif et personnel dans son propre type ou style.

Il est très difficile de communiquer à autrui des caractéristiques gustatives spécifiques, que ce soit en écrivant un livre ou en commentant une dégustation. Cette difficulté réside pour une bonne part dans le choix des mots, mais le problème n'est pas purement sémantique. Même dans un monde où la communication serait parfaite, la transmission d'impressions gustatives serait un art inexact, du fait des variations dans les seuils à partir desquels on perçoit les saveurs et les odeurs élémentaires, et du fait des différences dans les niveaux auxquels on les apprécie. S'il faut à des individus des quantités différentes d'acidité, de tanin, d'alcool, de sucre, d'esters et d'aldéhydes avant qu'ils ne puissent les déceler dans un vin, alors le même vin a, littéralement, un goût différent pour chacun d'eux. Dans le cas peu vraisemblable où des gens auraient le même seuil pour chaque composant et combinaison de composants, le désaccord résulterait sans doute des différents niveaux de tolérance : certains aimeraient précisément ce que d'autres n'aiment pas dans un vin. C'est l'une des raisons pour lesquelles certains préfèrent les vins jeunes aux vins mûrs, les doux aux secs, les astringents aux tendres. Le monde est peuplé de gens dont les seuils de perception et de tolérance varient.

La dégustation : que chercher, quelles questions poser ?

On ne peut répondre à la plupart des questions qui suivent sans une certaine expérience. De même, il serait difficile d'identifier un vin particulier sans l'avoir jamais goûté. Il ne faut cependant pas se décourager : la gamme des questions et des réponses dont on dispose croît à chaque dégustation.

L'ŒIL : la couleur est-elle claire ou profonde ? A-t-elle une qualité positive, par exemple une nuance précise qui rappelle un cépage particulier, le climat ou la région de production ? La robe est-elle jeune et vive ou un peu oxydée par l'âge ? Qu'indique le disque ? Retient-il l'intensité de la robe jusqu'au bord du verre – indice d'un produit de qualité – ou va-t-il en s'estompant ?

LE NEZ : si la première impression est très capiteuse, s'agit-il d'un vin viné ? Le vin a-t-il des arômes distinctifs, ou sont-ils obscurs, neutres ou tout simplement discrets ? Le vin paraît-il aussi jeune ou aussi mûr qu'à l'œil ? Est-il rond et harmonieux, prêt à être bu ? S'il n'est pas prêt, peut-on estimer quand il le sera ? Reconnaît-on l'arôme d'un cépage particulier ? Des nuances crémeuses ou vanillées laissent-elles deviner une fermentation ou un élevage dans le chêne neuf ? Si oui, quelles sont les régions où l'on utilise le chêne pour ce type de vin ? Est-ce un vin simple ou relativement complexe ? Décèle-t-on des indices révélant la région de production ? La qualité est-elle évidente ou doit-elle se confirmer en bouche ?

LE GOÛT : celui-ci doit refléter le nez du vin et donc confirmer tous les jugements déjà portés. Mais les organes sensoriels sont faillibles, de même que le cerveau, si bien qu'il faut rester vigilant et s'attendre à d'éventuelles contradictions. Les questions à poser sont les mêmes que pour le nez, mais il faut d'abord prendre conscience de ce que la bouche révèle de l'acidité, de la douceur et du degré alcoolique du vin – en sachant que ces facteurs influent l'un sur l'autre.

UN EXEMPLE DE DÉGUSTATION

Ce tableau donne un aperçu du vaste éventail de possibilités qu'offre l'univers de la dégustation. Il montre également qu'il est possible d'en avoir une approche rationnelle. Lors de la dégustation, il est important de garder l'esprit ouvert jusqu'au terme du troisième examen, tout en cherchant, à

L'ŒIL : la robe grenat, claire et bien définie, d'intensité moyenne, est l'indice d'un climat d'origine moyennement chaud, sans doute celui d'Europe. La nuance de violet sur le disque pourrait à la fois indiquer la jeunesse du vin et son cépage – Cabernet Sauvignon, Gamay ou Syrah.

LE NEZ : il est dominé par l'arôme caractéristique dû à la macération carbonique que subissent tous les crus du Beaujolais, à l'exception des plus grands. S'il s'agit d'un Beaujolais, la couleur serait celle d'un vin plus sérieux qu'un simple Beaujolais ou qu'un Beaujolais nouveau.

LA BOUCHE : l'équilibre entre fruit, acidité et alcool confirme qu'il s'agit bien d'un Beaujolais. La saveur profonde et épicée de raisin indique que celui-ci est à son apogée et supérieur à la moyenne.

CONCLUSION
Cépage : Gamay
Région : Beaujolais
Âge : 2-3 ans
Commentaire : Beaujolais Villages

L'ŒIL : ce vin blanc très clair est manifestement issu d'une région fraîche ; les minuscules bulles qui se forment sur le verre pourraient être celles d'un Vinho Verde, bien que les plus pâles d'entre eux aient généralement une nuance jaune paille révélatrice. Il s'agit sans doute d'un modeste Qualitätswein de Moselle-Sarre-Ruhr.

LE NEZ : son arôme nerveux et jeune de sorbet est typique du Riesling de la Moselle. Étant donné sa couleur très claire, le nez confirme qu'il s'agit d'un Qualitätswein, ou tout au plus d'un Kabinett d'un millésime modeste, mais provenant d'un très bon producteur situé très au nord.

LA BOUCHE : fruité jeune et piquant, avec la saveur florale du Riesling encore en évidence. Belle finale sèche et piquante.

CONCLUSION
Cépage : Riesling
Région : Moselle-Sarre-Ruhr
Âge : environ 18 à 24 mois
Commentaire : Kabinett, bon producteur

L'ŒIL : robe intense, presque noire, pratiquement opaque, provenant manifestement d'un cépage à peau très épaisse, comme la Syrah, ayant mûri sous un soleil très chaud. La Swan Valley en Australie, la vallée du Rhône ou la Californie ?

LE NEZ : aussi intense au nez qu'à l'oeil. Incontestablement issu de la Syrah et, à en juger d'après son arôme épicé et son parfum herbacé, provient presque certainement du nord de la vallée du Rhône. Plus massif que complexe, ce doit être un millésime exceptionnel.

LA BOUCHE : puissante et tannique, la saveur fruitée et épicée est pleine de prune, de cassis, de mûre et de canelle. Le vin a commencé à se développer, mais pourra évoluer encore longtemps. Il s'agit d'un vin de Syrah du Rhône de grande qualité.

CONCLUSION
Cépage : Syrah
Région : Cornas, vallée du Rhône
Âge : environ 5 ans
Commentaire : excellent producteur, grande année

L'ŒIL : la couleur rouge brique et le disque aqueux font aussitôt penser à un jeune Bordeaux d'un petit château.

LE NEZ : un séduisant arôme de violette avec une discrète nuance de fruit tendre et épicé. L'absence de tout parfum de cassis est le signe d'un Bordeaux comportant une forte proportion de Merlot plutôt que de Cabernet Sauvignon. C'est certainement un Bordeaux modeste, peut-être un petit Saint-Émilion d'environ deux ans d'âge ?

LA BOUCHE : la bouche reflète parfaitement le nez. Il s'agit d'un Bordeaux moyennement corsé, pas très âgé. Le fruit est bien rond, et la constitution peu tannique ; on peut donc penser que dans deux ou trois ans il sera à son apogée.

CONCLUSION
Cépage : vin dominé par le Merlot
Région : Bordelais
Âge : 2 ans
Commentaire : petit château ou bon vin générique

S'il s'agit d'un vin rouge, le contenu en tanins peut être révélateur. Les tanins proviennent de la peau du raisin : plus celle-ci est foncée et épaisse et plus le moût reste en contact avec les peaux, plus le vin contiendra de tanins. Un grand vin rouge est tellement riche en tanins que la bouche se plisse littéralement. Les vins destinés à être bus jeunes en comportent peu.

S'il s'agit d'un vin effervescent, sa mousse fournit des indications supplémentaires. Le degré d'effervescence détermine le style – mousseux, pétillant, crémant, perlant – tandis que la qualité du vin est inversement proportionnelle à la taille des bulles.

CONCLUSION : il faut essayer d'identifier le cépage et la région de production, et donner quelques indications sur l'âge et la qualité du vin.

LA FORME DU VERRE

Tout verre tulipe de taille correcte convient parfaitement pour boire ou déguster un vin. Sa forme concentre en effet les arômes en haut du verre, permettant au dégustateur de profiter pleinement du bouquet du vin. Le verre doit être assez grand pour qu'un « bon verre » remplisse à peine plus de la moitié du verre, afin que les arômes puissent circuler.

Les verres trop petits, qui ont les bords droits ou évasés, et les prétendues coupes à Champagne, d'où le bouquet et les bulles ne demandent qu'à s'échapper, sont les moins aptes à la dégustation.

chaque étape, à confirmer au moins l'une des possibilités entrevues lors de l'étape précédente. Il faut enfin savoir défendre ses propres opinions.

L'ŒIL : cette couleur jaune d'or conserve toute son intensité jusqu'au bord du verre. Les possibilités sont nombreuses.

LE NEZ : Gewurztraminer ! Plein, riche et épicé, l'arôme de ce cépage est des plus frappants et fait aussitôt songer à l'Alsace, mais il peut aussi s'agir d'un bon vin de Rhénanie-Palatinat ou d'Autriche ; ou encore d'un vin muté italien, ou d'un vin exotique de Californie ou d'Australie. Celui-ci semble cependant être un exemple classique d'un millésime alsacien à maturité, ayant peut-être quatre ans d'âge.

LA BOUCHE : une saveur riche. Plein, gras et fruité, avec des saveurs épicées bien développées et une finale tendre et succulente, il provient manifestement de raisins très mûrs.

CONCLUSION
Cépage : Gewurztraminer
Région : Alsace
Âge : environ 4-5 ans
Commentaire : très bonne qualité

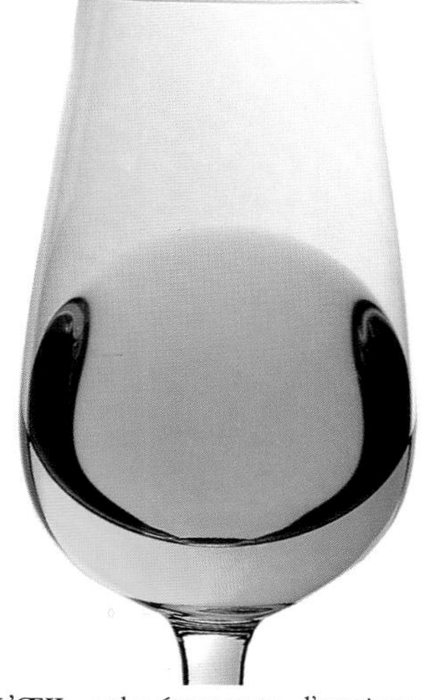

L'ŒIL : robe étonnante ; l'or vieux fait aussitôt songer à un vin riche et plein, et sans doute très moelleux. On pense d'abord au Sauternes, mais ce pourrait aussi être un vin d'Autriche, ou une curiosité d'Australie.

LE NEZ : c'est le nez fabuleusement riche, plein et opulent du *botrytis*. La nuance de chêne onctueuse et épicée permet d'éliminer l'Autriche, et la maturité – sans doute entre dix et quinze ans – exclut l'Australie.

LA BOUCHE : on y décèle tout, la pêche, l'ananas et la crème jusqu'aux arômes de miel d'un vin relativement mûr. Seul un Sauternes classique peut présenter des saveurs aussi intenses tout en gardant autant de finesse.

CONCLUSION
Cépage : essentiellement Sémillon
Région : Sauternais
Âge : environ 15 ans
Commentaire : Premier cru, grand millésime

L'ŒIL : la robe rose orangé de ce vin est l'indice quasi certain d'un vin de Provence ou de Tavel, encore que si la teinte orangée ne reflète pas le style et le mode de vinification du vin, il pourrait s'agir de presque n'importe quel rosé.

LE NEZ : erreur ! l'arôme marqué de Pinot noir contredit l'hypothèse d'un rosé de Provence ou de Tavel. Qu'est-ce donc ? Le vin n'est pas oxydé, et ne peut donc être un quelconque rosé connu qui aurait trop vielli. Il faut le goûter pour plus de précisions.

LA BOUCHE : saveur incontestablement bourguignonne du Pinot noir. Le vin est certainement à son apogée, mais non sur le déclin. Après élimination de toutes les autres hypothèses, il ne peut s'agir que d'un rosé de Marsannay.

CONCLUSION
Cépage : Pinot noir
Région : Bourgogne
Âge : 4-5 ans
Commentaire : qualité moyenne

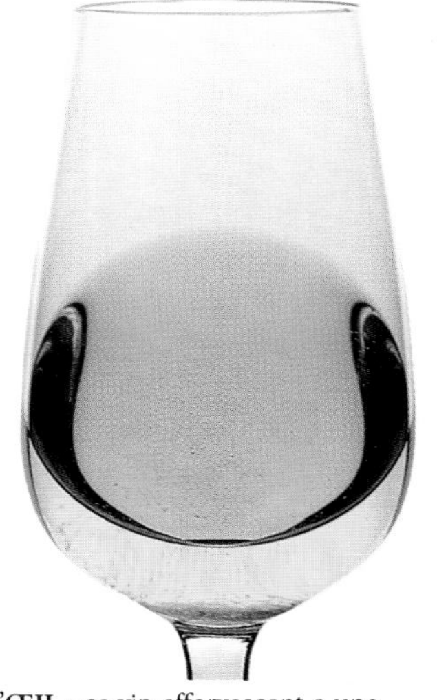

L'ŒIL : ce vin effervescent a une séduisante et alerte couleur jaune citron. Il n'est pas jeune, mais pas vieux non plus ; sa mousse est franche. Il semble s'agir d'un beau vin, peut-être en raison de sa parfaite limpidité.

LE NEZ : la qualité du vin est manifeste. Il a les caractéristiques d'un vin resté plusieurs années sur son premier bouchon. C'est un bon Champagne. Il a en outre le mordant du raisin de Chardonnay. Ce doit être un blanc de blancs, avec une forte proportion de vin provenant de la Côte des Blancs.

LA BOUCHE : mousse délicatement persistante faite de bulles ultra-fines . La saveur fraîche et alerte a une longue finale, mais demandera encore cinq ans pour parvenir à la perfection.

CONCLUSION
Cépage : Chardonnay
Région : Champagne
Âge : environ 5 ans
Commentaire : première qualité

Facteurs affectant le goût et la qualité

Le même raisin cultivé dans la même région peut donner deux vins totalement différents, tandis que deux cépages différents cultivés en des endroits différents peuvent donner des vins très semblables. Indépendamment de notre perception personnelle, il existe des facteurs qui influencent la qualité et le goût d'un vin, notamment : le cépage, qui est sans doute le facteur le plus important ; la situation géographique ; le climat, dont dépend la possiblité de cultiver le raisin ; le site qu'occupe le vignoble qui peut soit renforcer, soit atténuer les conditions locales ; le sol, prétend-on, mais a-t-il vraiment une influence ? ; la viticulture, car les techniques utilisées pour la culture de la vigne peuvent souligner ou masquer les caractères du cépage ; la vinification, qui est un peu comme la cuisine – on peut préparer des plats entièrement différents à partir des mêmes éléments de base ; le millésime, dont les caprices peuvent anéantir une récolte ; et le viticulteur.

Le cépage

Le cépage qui sert à faire le vin est le facteur qui influe le plus sur le goût.

Les facteurs qui déterminent la saveur propre d'un cépage sont les mêmes que pour tout autre fruit – pommes, cerises, oranges ou melons – et leur incidence sur le goût du vin est décrite ci-dessous. Pour plus de renseignements sur les cépages, *voir* p. 24.

La taille des baies

Plus le fruit est petit, plus la saveur est concentrée. C'est pourquoi la plupart des cépages classiques, le Cabernet Sauvignon ou le Riesling par exemple, portent de petites baies, encore que certains cépages dont les qualités sont plutôt l'élégance que la concentration puissent donner de plus gros fruits, comme le Pinot noir. De nombreux cépages possèdent une « petite » et une « grosse » variété, et c'est généralement la première qui est la plus réputée.

La structure de la peau

C'est la peau qui contient la plupart des caractéristiques aromatiques que l'on associe au caractère de telle ou telle variété d'un fruit quel qu'il soit. Sa constitution et son épaisseur sont donc de la première importance. Le Sauvignon blanc, à peau épaisse, produit un vin aromatique dont la saveur mordante peut évoquer la groseille à maquereaux ou le sureau, tandis que le Sémillon à peau mince produit un vin plutôt neutre, encore que cette peau mince lui permette d'être touché par la pourriture noble et donc de produire l'un des plus grands vins blancs moelleux du monde, aux arômes stupéfiants.

La couleur et l'épaisseur de la peau

Le Cabernet Sauvignon, à peau épaisse et foncée, donne des vins à la robe très profonde, tandis que le Merlot, à peau plus mince et plus claire, produit des vins aux couleurs moins intenses.

Le rapport sucre/acide et les autres constituants

C'est la teneur en sucre du raisin qui détermine la teneur en alcool du vin, ainsi que la possibilité d'obtenir naturellement des vins moelleux ; avec le taux d'acidité, elle détermine l'équilibre du vin. La proportion des autres constituants du vin, ou leurs produits après fermentation, forment les subtiles nuances qui différencient les divers caractères variétaux. Bien que le sol, le porte-greffe et le climat aient une incidence sur le goût ultime du raisin, la recette de base pour ces ingrédients est dictée par le patrimoine génétique de la vigne.

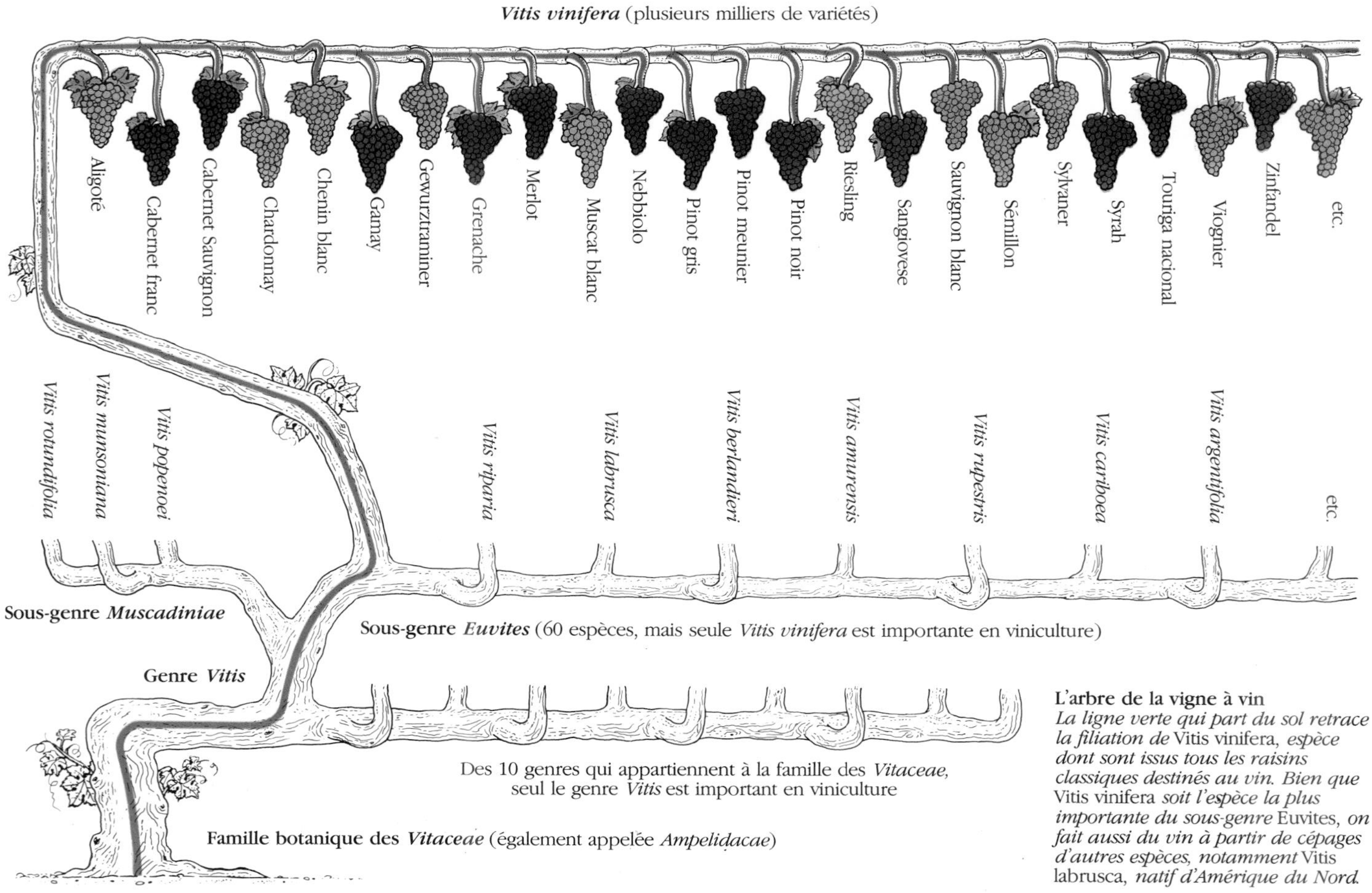

L'arbre de la vigne à vin
La ligne verte qui part du sol retrace la filiation de Vitis vinifera, *espèce dont sont issus tous les raisins classiques destinés au vin. Bien que* Vitis vinifera *soit l'espèce la plus importante du sous-genre* Euvites, *on fait aussi du vin à partir de cépages d'autres espèces, notamment* Vitis labrusca, *natif d'Amérique du Nord.*

LA FAMILLE *VITIS*

La vigne est une grande famille qui regroupe des plantes allant d'une vigne miniature appelée vigne kangourou à la vigne vierge. L'arbre de la vigne à vin (*voir* page ci-contre) permet de voir que *Vitis vinifera* est l'espèce botanique qui donne tous les cépages vinicoles classiques tels que Pinot noir, Cabernet Sauvignon ou Chardonnay. *Vitis vinifera,* ou tout simplement *vinifera,* est l'une des nombreuses espèces appartenant au sous-genre *Euvites.* D'autres espèces de ce sous-genre servent de porte-greffe.

PHYLLOXERA VASTATRIX – PLAIE OU BÉNÉDICTION ?

Le puceron de la vigne *phylloxera vastatrix* qui a dévasté les vignobles européens à la fin du XIXe siècle continue d'infester les sols de la plupart des régions viticoles du monde. Cette invasion est traditionnellement considérée comme le plus grand désastre de l'histoire du vin mais, avec du recul, on peut estimer que c'est peut-être ce qui pouvait arriver de mieux à l'industrie du vin en Europe.

Avant l'arrivée du phylloxéra, bon nombre des plus grands vignobles européens s'étaient progressivement dépréciés du fait de la demande croissante en vin, ce qui avait conduit à la plantation de cépages à haut rendement et à l'extension des vignobles sur des terres qui ne s'y prêtaient pas. A mesure que la maladie se répandait, il devenait clair qu'il faudrait greffer chaque vigne de chaque vignoble sur des porte-greffe américains résistant au phylloxéra. L'indispensable rationalisation qui s'ensuivit fut telle qu'on ne replanta que les meilleurs sites dans les régions traditionnelles, et uniquement avec des cépages nobles – opération coûteuse en temps et en argent, que les petits vignerons n'étaient pas en mesure d'entreprendre. Il fallut en France cinquante ans pour planter les porte-greffe américains, ce qui permit ensuite de fonder le système des Appellations d'origine contrôlées. On n'imagine guère quelles sont les identités régionales ou variétales qui existeraient encore aujourd'hui s'il n'y avait eu le phylloxéra, et c'est la solution singulière apportée à cette constante menace qui en a fait une bénédiction.

Les porte-greffe

Des centaines de variétés de porte-greffe ont été mises au point à partir de différentes espèces de vigne, généralement *berlandieri, riparia* ou *rupestris,* parce que ce sont les plus résistantes au phylloxéra. Le choix du porte-greffe est déterminé par sa compatibilité avec le greffon qu'il doit recevoir, mais est aussi fonction de la situation géographique. Le choix peut également augmenter ou diminuer la productivité de la vigne et a donc une incidence profonde sur la qualité du vin.

Vitis vinifera ci-dessus.

La situation

Les possibilités viticoles d'un vignoble dépendent directement de sa situation géographique et donc du climat.

Pratiquement, toutes les régions viticoles du monde sont situées entre 30° et 50° de latitude dans les deux hémisphères, dans des zones tempérées, où la température annuelle moyenne oscille entre 10 °C et 20 °C. Les vignobles les plus septentrionaux d'Allemagne se trouvent à la limite de cette zone, entre 50° et 51° de latitude, mais ils peuvent survivre grâce à l'influence climatique continentale.

Il est intéressant de noter que la plupart des grandes régions viticoles sont situées à proximité des côtes ouest qui ont tendance à être plus fraîches et moins humides que les côtes est. Les forêts et les chaînes de montagnes protègent les vignes de la pluie et du vent. Les régions boisées et les grandes étendues d'eau, si elles sont situées relativement près des vignobles, peuvent en outre influencer le climat par transpiration et évaporation, apportant une certaine humidité en période de sécheresse, mais provoquant aussi parfois la pourriture.

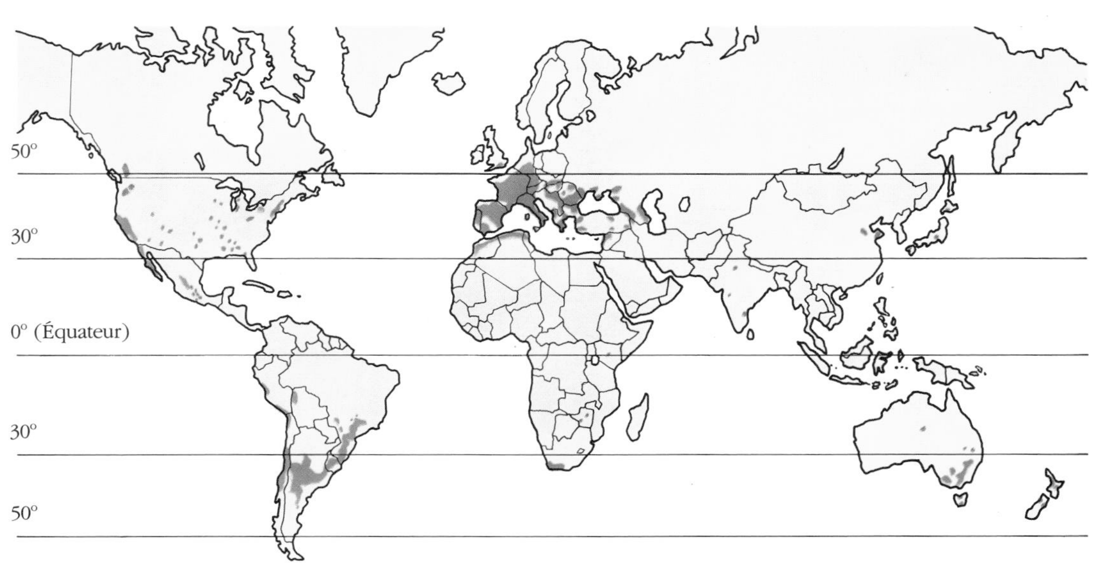

Le monde du vin, à droite
Les régions viticoles les plus importantes des deux hémisphères sont situées pour la plupart entre 30° et 50° de latitude. Un certain nombre de petites régions viticoles sont cependant plus proches de l'Équateur, comme celles de l'Equateur ou du Kenya. En termes purement géographiques, le monde du vin continue de s'étendre.

Le climat

Le climat, qui influe sur la croissance de la vigne, est l'un des facteurs les plus importants pour la qualité des vins. Le viticulteur doit choisir une région où le climat est propice et espérer que la nature se montrera clémente, car l'homme ne peut modifier le climat.

Bien que différentes espèces de vigne survivent dans des conditions extrêmes, la plupart des vignes vinifères sont confinées à deux bandes climatiques relativement étroites. Tout vignoble a besoin des éléments suivants :

La chaleur

La vigne ne donne pas de raisin qui permette de faire du vin si la température moyenne annuelle est inférieure à 10 °C, l'idéal étant 14-15 °C, avec une moyenne d'au moins 19 °C en été et de –1 °C en hiver.

Pour obtenir une bonne récolte de raisin mûr, la somme des températures actives minimum est de 1 000. Elle se mesure en additionnant pour chaque journée de la période de croissance de la vigne le nombre de degrés au-dessus de 10 °C et en multipliant cette somme par le nombre de jours.

Le tableau donne les sommes des températures actives (STA) pour quatre régions différentes.

Région	STA
Trier (Moselle, Allemagne)	945
Bordeaux (France)	1 320
McLaren Vale (Australie)	1 350
Russian River (Californie, États-Unis)	2 000

Le soleil

Si la photosynthèse – le processus biologique le plus important pour les plantes – nécessite de la lumière, elle peut se faire même par temps nuageux. Le soleil est d'ailleurs indispensable pour sa chaleur plutôt que pour sa lumière. Il faut environ 1 300 heures d'ensoleillement par saison et même, idéalement, 1 500 heures.

Les précipitations

La vigne a besoin de 675 mm de pluie par an. Le mieux serait que la plus grande part des précipitations tombe en hiver et au printemps par temps frais, et le reste en été, mais la pluie par temps chaud est en général plus nuisible que celle qui survient par temps frais. Par ailleurs, un peu de pluie, suivie de soleil et d'une douce brise, quelques jours avant les vendanges nettoiera le raisin de toute trace de traitement. Des pluies torrentielles risquent de faire éclater le raisin et de favoriser le développement de moisissures.

Le tableau ci-dessous donne la somme des précipitations pour les quatre mêmes régions.

Région	Précipitations
McLaren Vale (Australie)	600 mm
Trier (Moselle, Allemagne)	650 mm
Bordeaux (France)	900 mm
Russian River (Californie, États-Unis)	1 350 mm

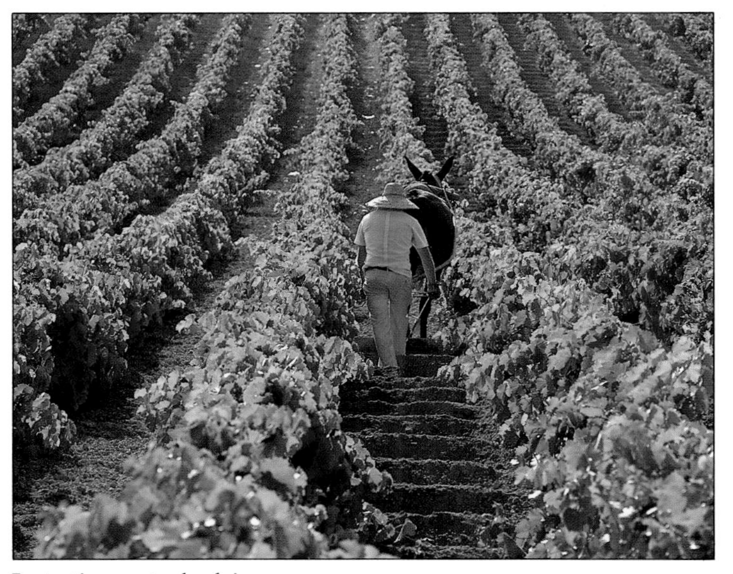

Protection contre la pluie
Dans le sud de l'Espagne, on creuse des sillons entre les rangs de vigne pour que les eaux de pluie puissent s'écouler.

Les gelées

Les gelées qui se produisent en hiver sont bénéfiques car elles durcissent le bois et tuent les spores et les parasites que peut abriter l'écorce.

LES CONDITIONS CLIMATIQUES

Favorables

- Les étés beaux et longs, avec un soleil chaud mais non brûlant, permettent au raisin de mûrir lentement et de parvenir à un bon équilibre acide-sucre.
- Un automne sec et ensoleillé est indispensable pour une bonne maturation sans pourriture ; lui non plus ne doit pas être excessivement chaud.
- Les mois d'hiver peuvent connaître d'importantes variations climatiques, mais la vigne peut supporter des températures allant jusqu'à –20 °C et toute intempérie, à l'exception des inondations ou de la sécheresse absolue.
- Le climat doit, en outre, convenir aux exigences viticoles des cépages cultivés.

Défavorables

- Les principaux dangers sont les gelées, la grêle et les vents violents, qui risquent tous de dénuder la vigne, et qui sont particulièrement néfastes au moment de la floraison de la vigne ou de la maturation du raisin.
- La pluie ou un temps trop froid au moment de la floraison peut entraver la fécondation et provoquer un phénomène physiologique appelé millerandage. Les raisins touchés n'ont pas de pépins et restent petits alors que le reste de la grappe mûrit.
- La pluie, juste avant ou pendant les vendanges, dilue la récolte, donc le vin, et provoque la pourriture qui pose à son tour des problèmes de vinification.
- Si le soleil est indispensable à la floraison, un excès d'ensoleillement encourage la sève à aller directement dans les feuilles et les branches au détriment des grappes de raisin embryonnaires. Ce phénomène s'appelle la coulure. La plupart des grains touchés par la coulure tombent au sol et ceux qui restent sur la vigne ne se développent pas.
- La chaleur au moment des vendanges pose de gros problèmes car elle fait rapidement chuter l'acidité du moût et le réchauffe excessivement, ce qui crée des difficultés au moment de la fermentation. Il est particulièrement difficile de récolter les raisins à une température acceptable dans des régions très chaudes comme l'Afrique du Sud ; dans certaines exploitations, on vendange même la nuit car le raisin est plus frais.

Le site du vignoble

L'orientation des vignes, l'inclinaison et la hauteur des coteaux, le climat, constituent autant d'éléments qui conditionnent la qualité d'un vignoble.

Il est très peu d'endroits au monde où l'on puisse cultiver le raisin de cuve à la faveur du climat prédominant. Il faut en général exploiter également les conditions locales, en tenant compte des éléments suivants :

Le soleil

Les coteaux orientés au sud (ou au nord dans l'hémisphère Sud) sont mieux ensoleillés. Dans les régions très chaudes, il est toutefois plus prudent de cultiver l'autre versant.

La puissance du soleil et le drainage

En raison de son inclinaison, une terre en pente permet aux vignes d'absorber davantage de puissance solaire. Dans les régions tempérées, le soleil ne se trouve jamais à la verticale, même à midi, et ses rayons sont donc plus ou moins perpendiculaires à l'un des versants.

En revanche, les rayons du soleil sont répartis sur une plus grande surface, mais avec moins de puissance, dans les sols situés en plaine. Ces derniers sont, en général, trop fertiles et donnent des rendements trop importants au détriment de la qualité. Ils risquent de plus d'être inondés. Les vallées et les rives de lac sont particulièrement propices à la vigne car l'eau reflète le soleil.

L'autre avantage que présentent les vignobles en pente est le drainage naturel dont ils bénéficient. Toutefois, les vignes cultivées au sommet de collines sont trop exposées au vent, à la pluie et aux orages, et ne bénéficient pas de la protection des zones boisées, lesquelles, non seulement constituent des réserves d'humidité en période de sécheresse, mais absorbent en outre les plus grosses pluies torrentielles qui, sans cela, risqueraient d'entraîner la couche arable en contrebas.

La température

Si les sites en pente sont propices à la viticulture, tous les cent mètres en altitude, la température baisse de 1 °C. Le raisin demandera alors peut-être dix à quinze jours de plus pour mûrir et son acidité sera plus élevée. Les vignobles situés en bordure de rivière ou de lac bénéficient non seulement de la réflection du soleil, mais aussi du réservoir de chaleur que constituent les masses d'eau, qui l'emmagasinent durant la journée pour la restituer pendant la nuit. Les chutes brutales de température, qui peuvent nuire à la vigne, s'en trouvent réduites, de même que les gelées. Les dépressions dans les coteaux et les fonds des vallées, qui retiennent l'air froid et sont sujets aux gelées, retardent la croissance de la vigne.

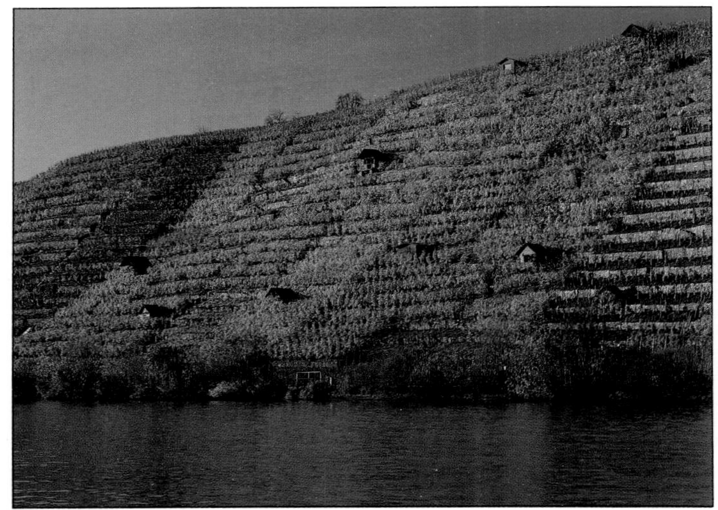

Vignobles en terrasses dominant le Rhin
Les vignobles situés au bord d'un cours d'eau reçoivent les rayons solaires réfléchis par l'eau, ce dont ils bénéficient heureusement dans les pays froids.

Le sol

Les cépages, tout comme les arbres, les arbustes, les fleurs ou les légumes, prospèrent mieux dans certains types de sol que dans d'autres.

A force d'être cultivée, la couche arable finit par être façonnée par l'homme. Celle-ci revêt donc une importance primordiale pour la vigne car c'est en elle que se trouvent la plupart des racines qui nourrissent la vigne. Le sous-sol conserve, en revanche, toutes ses caractéristiques géologiques.

Les racines principales pénètrent le sous-sol. Ce dernier est composé de plusieurs couches dont la structure influe sur le drainage, la profondeur du système radiculaire ainsi que sur sa faculté d'absorption des minéraux.

Le sol idéal pour la viticulture est composé d'une couche arable relativement fine et d'un sous-sol aisément pénétrable (donc bien drainé) et doué de bonnes propriétés de rétention d'eau. La température potentielle d'un sol, sa capacité de rétention de la chaleur et ses caractéristiques réflectives influent sur la période de maturation du raisin : les sols chauds (graves, sable, terreau) favorisent la maturation, tandis que les sols froids (argile) la retardent. Le calcaire se situe entre ces deux extrêmes. Les sols foncés et secs sont de toute évidence plus chauds que des sols clairs et humides. Les sols alcalins, au pH élevé, comme les sols calcaires, favorisent la production de sève et augmentent l'acidité du raisin. L'emploi continuel d'engrais a, d'ailleurs, fait baisser le pH de certaines régions viticoles en France, qui produisent maintenant des vins moins acides.

LES EXIGENCES MINÉRALES DE LA VIGNE

Les sols renferment certains minéraux indispensables à la croissance des végétaux. Mis à part l'oxygène et l'hydrogène, fournis par l'eau, les principaux éléments nutritifs sont : l'azote, qui sert à la production des feuilles ; le phosphore, qui favorise directement le développement des racines et indirectement une maturation précoce du raisin (en excès, il empêche l'assimilation du magnésium) ; le potassium, qui améliore le métabolisme de la vigne, enrichit la sève et est essentiel pour le développement de la récolte de l'année suivante ; le fer, indispensable à la photosynthèse (un manque de fer provoque la chlorose) ; le magnésium, qui est le seul composant minéral de la molécule de chlorophylle (un manque de magnésium provoque également la chlorose) ; et le calcium, qui nourrit le système radiculaire, neutralise l'acidité et contribue à la friabilité du sol (mais un excès de calcium freine l'absorption du fer et provoque la chlorose).

Pour plus de précisions sur les types de sol spécifiques, *voir* page suivante, « Les sols des vignobles ».

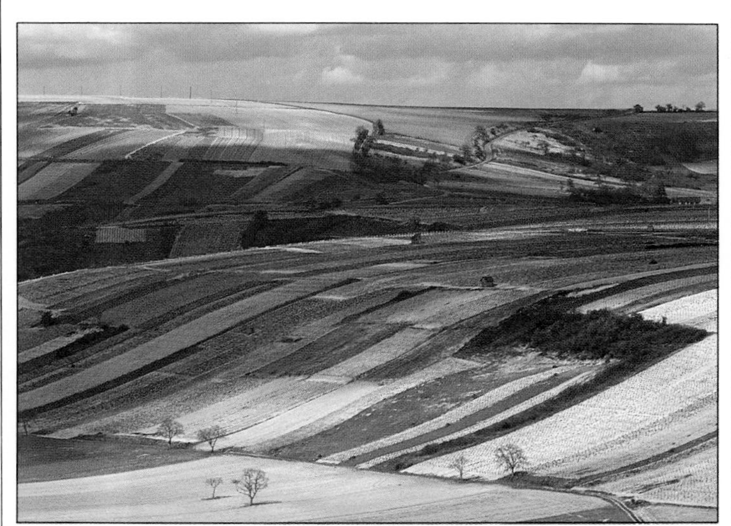

Coteaux dans les environs de Sancerre
Au printemps, les vignobles redonnent vie à la campagne de la vallée de la Loire, dont la plupart des sols présentent une dominante argileuse ou calcaire.

LES SOLS DES VIGNOBLES

Albariza : sol blanc en surface formé par des dépôts de diatomite, que l'on trouve dans le sud de l'Espagne.

Alluviaux (dépôts) : dépôts laissés par un cours d'eau, composés pour la plupart de limon, de sable et de gravier, et extrêmement fertiles.

Ardoise : roche dure, gris foncé, à grain fin, formée de plaques, résultant de la compression d'argile, de limon, de *shale* et d'autres sédiments. Elle se réchauffe rapidement, retient bien la chaleur et produit de nombreux vins fins, notamment en Moselle.

Argile : roche à grain fin, plastique et malléable, avec d'excellentes propriétés de rétention d'eau. C'est cependant un sol froid, acide, au drainage médiocre et difficile à travailler. Un excès d'argile risque d'étouffer le système radiculaire de la vigne, mais une petite proportion de particules d'argile mêlée à d'autres sols est bénéfique.

Argileux (sols) : groupe de sols sédimentaires comprenant les argiles, *shales*, glaises, marnes et limons.

Basalte : roche qui représente 90 % de toutes les roches volcaniques à base de lave. Elle contient divers minéraux, est riche en calcaire et en soude, mais pauvre en potasse.

Bâtard (sol) : nom bordelais d'un sol moyennement lourd, argilo-sableux, plus ou moins fertile.

Bentonite : argile fine contenant un dérivé volcanique appelé montmorillonite et servant à la clarification des vins.

Boulbène : nom bordelais d'un sol siliceux très fin très compressible et difficile à travailler, qui couvre une partie du plateau de l'Entre-Deux-Mers.

Calcaire : toute roche sédimentaire constituée essentiellement de carbonates. Sa dureté et sa rétention d'eau varient, mais en tant que roche alcaline, elle favorise généralement la production de raisin au taux d'acidité relativement élevé.

Calcaire (argile) : sol argileux comportant du carbonate de calcium qui neutralise l'acidité intrinsèque de l'argile. La fraîcheur de ce type de sol retarde cependant la maturation du raisin, si bien que les vins qui en sont issus sont plus acides.

Calcaire (sol) : tout sol ou mélange de sols où se trouvent accumulés des carbonates de calcium et de magnésium. Ces sols alcalins développent l'acidité du raisin, encore que le pH de chacun d'eux varie en fonction du taux de chaux « active ». A l'exception des argiles calcaires, ils permettent aux racines de pénétrer profondément la terre et assurent un excellent drainage.

Carboné (sol) : sol qui provient d'une végétation décomposée dans des conditions anaérobiques. Les sols carbonés les plus courants sont la tourbe, la lignite, le charbon et l'anthracite.

Colluvion : dépôt transporté par la pesanteur ou par les eaux de ruissellement.

Craie : type spécifique de calcaire, la craie est une roche alcaline tendre, fraîche, poreuse qui favorise la production de raisin au taux d'acidité particulièrement élevé. Elle permet également une bonne pénétration des racines et assure un bon drainage, tout en retenant suffisamment d'humidité.

Crasse de fer : couche riche en fer que l'on trouve dans le Libournais. Également appelé machefer.

Diatomite : *voir* ***Kieselguhr***.

Éolien (sol) : sédiments déposés par le vent.

Ferrugineuse (argile) : argile riche en fer.

Galestro : nom toscan du sol rocheux et schisteux présent dans la plupart des meilleurs vignobles de la région.

Granite : roche dure, riche en minéraux, qui se réchauffe rapidement et qui retient la chaleur. Son pH élevé réduit l'acidité du vin.

Graves : cailloux siliceux de taille différente. Ce sol peu compact, aéré, granuleux, assure un excellent drainage. Il est en outre acide, peu fertile et encourage la vigne à étendre ses racines en profondeur à la recherche d'éléments nutritifs. Les lits de graves situés sur des sous-sols calcaires produisent donc des vins nettement plus acides que ceux situés sur des sous-sols argileux.

Grès : roche sédimentaire composée de particules de la taille de grains de sable et agglomérés soit sous l'effet de la pression, soit par différents minéraux ferreux.

Humus : matière organique contenant des bactéries et d'autres micro-organismes capables de transformer des molécules chimiques complexes en aliments simples pour la plante.

Kieselguhr : sédiment siliceux couramment utilisé pour une filtration ultra-fine du vin.

Kimmeridgien (sol) : calcaire de couleur grise identifié dans le village de Kimmeridge, dans le Dorset en Angleterre.

Lignite : c'est le « charbon brun » d'Allemagne et l'« or noir » de Champagne. Il s'agit d'une matière carbonée intermédiaire entre le charbon et la tourbe. Chaude et très fertile, elle sert de fertilisant naturel en Champagne.

Limon : sol tendre, chaud et friable, composé de proportions pratiquement égales d'argile, de sable et de vase. Il convient parfaitement aux vins ordinaires à haut rendement, mais est trop fertile pour les vins fins.

Limon argileux : limon très fertile, mais difficile à travailler quand il est humide, et ayant tendance à se gorger d'eau.

Lœss : dépôt accumulé par le vent, fait essentiellement de limons, parfois calcaire, mais généralement altéré par les intempéries et décalcifié. Il se réchauffe rapidement et a de bonnes propriétés de rétention d'eau.

Marne : argile calcaire et froide qui retarde la maturation du raisin et en augmente l'acidité.

Mâchefer : *voir* **crasse de fer.**

Mica : nom générique recouvrant plusieurs roches siliceuses.

Molasse : grès tendre et friable, souvent calcaire, que l'on trouve dans certaines régions du Bordelais.

Moraine glaciaire : dépôt rocheux laissé par un glacier.

Palus : nom bordelais d'un sol très fertile d'origine alluviale récente, qui produit des vins de qualité moyenne, robustes, bien colorés.

Perlite : substance volcanique fine, poudreuse et légère, aux propriétés semblables à celles de la diatomite.

Porphyre : roche ignée colorée au pH élevé.

Quartz : minéral le plus commun et le plus abondant, présent dans de nombreux sols. Son pH élevé réduit l'acidité du vin.

Sable : petites particules de roches et de minéraux désagrégées par le temps, qui retiennent peu l'eau mais qui constituent un sol chaud et aéré, bien drainé.

Sableuse (terre) : terre chaude et bien drainée, facile à travailler et convenant bien aux cépages hâtifs.

Schiste : roche cristalline laminée, à gros grain, retenant la chaleur, riche en potassium et en magnésium mais pauvre en azote et en substances organiques.

Shale **(argile schisteuse)** : roche sédimentaire laminée, à grain fin, retenant la chaleur, modérément fertile.

Silex : roche siliceuse qui emmagasine et reflèchit la chaleur, souvent associée au parfum de « pierre à fusil » de certains vins.

Siliceux (sol) : sol acide de nature cristalline. Il peut être organique (silex, *kieselguhr*) ou inorganique (quartz) et bien conserver la chaleur, mais il ne retient pas l'eau à moins de se trouver sous une forme très fine dans le limon, l'argile ou d'autres sols sédimentaires. Les sols silicieux couvrent la moitié du Bordelais.

Terra rossa : sol sédimentaire rouge, argileux, comportant parfois du silex, qui se dépose une fois que les carbonates ont été extraits de calcaires.

Tuffeau : nom de diverses roches volcaniques, dont le tuffeau calcaire de la Loire est le plus important d'un point de vue viticole.

Vase : dépôt très fin, ayant une bonne rétention d'eau, plus fertile que le sable, mais froid et assurant un moins bon drainage.

Volcanique (sol) : les sols volcaniques ont une double origine : la lave d'une part, et les éléments projetés dans l'atmosphère lors d'une éruption de l'autre. 90 % des roches volcaniques à base de lave sont basaltiques, tandis que le reste est formé d'andésite, de rétinite, de rhyolite et de trachyte.

La viticulture

Si le cépage détermine le goût fondamental du vin, ce sont les pratiques culturales qui influent le plus profondément sur sa qualité.

LA CONDUITE DE LA VIGNE

L'exigence primordiale de la conduite de la vigne est qu'aucun rameau ne touche jamais le sol. Si un rameau venait à toucher terre, il y prendrait racine. En l'espace de deux ou trois ans, la plupart des vignes greffées seraient nourries non plus par les racines du porte-greffe, mais par le nouveau système radiculaire, ce qui non seulement mettrait la vigne à la merci du phylloxéra, mais la partie de la vigne qui serait encore alimentée par le porte-greffe risquerait de produire des fruits hybrides. La raison première qui impose la taille et la conduite des vignes est donc d'éviter le phylloxéra et d'assurer la pureté des fruits.

La manière dont la vigne est conduite détermine la hauteur et la forme du cep et lui permet donc de tirer le meilleur parti des conditions topographiques et climatiques. On peut la cultiver en hauteur pour éviter les gelées, ou près du sol pour profiter de la chaleur réfléchie par les pierres durant la nuit. On peut espacer les ceps pour laisser passer le soleil et éviter l'humidité, ou au contraire les serrer pour les protéger d'un excès de soleil.

LES TRAITEMENTS

Si les traitements de la vigne étaient autrefois destinés uniquement à la protéger des maladies et des parasites, ils connaissent aujourd'hui d'autres applications. Le viticulteur a en effet à sa disposition maintenant des engrais foliaires qui nourrissent directement la vigne, tandis que d'autres, qu'il administrera sous forme de pulvérisations, retardent la croissance du feuillage et permettent d'éviter la taille d'été.

Il existe enfin d''autres traitements, qui sont destinés à provoquer deux maladies appelées le millerandage et la coulure, afin de réduire les rendements et d'augmenter la qualité.

LES MODES RÉGIONAUX DE CONDUITE DE LA VIGNE

Il existe deux modes de conduite fondamentaux : la conduite en Guyot et la conduite en gobelet. Les vignes taillées en Guyot n'ont pas de branches permanentes, car les sarments sont coupés chaque année pour laisser les rameaux se reformer entièrement à chaque saison. Ce système donne beaucoup de fruits bien répartis et permet de contrôler aisément la production annuelle car on peut diminuer ou augmenter le nombre de bourgeons à fruits. La taille en gobelet donne en revanche une solide charpente à la vigne.

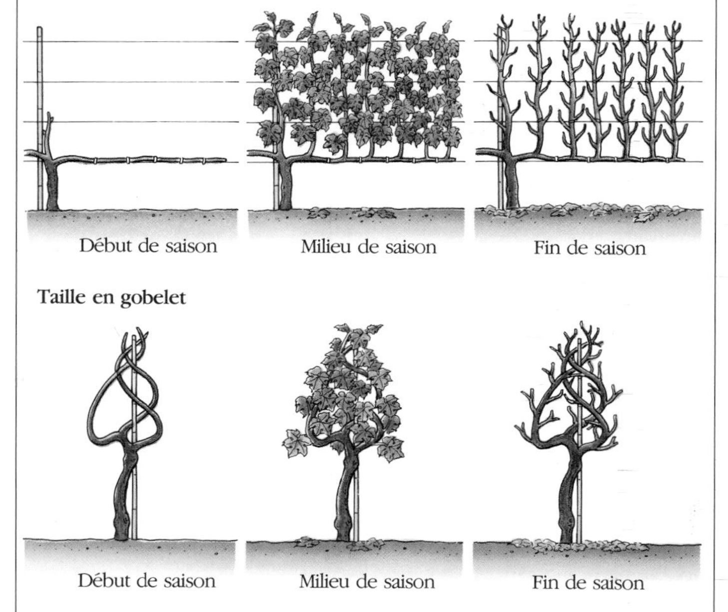

LA TAILLE

La taille est indispensable pour contrôler la quantité et la qualité des fruits. L'augmentation de la quantité se faisant toujours au détriment de la qualité, on limite le nombre de bourgeons à fruits.

LA FLORAISON

La floraison est le moment le plus critique du cycle végétatif de la vigne – la pluie, le vent, la grêle ou des températures excessivement froides ou chaudes peuvent alors anéantir une récolte entière. Ainsi, les viticulteurs les plus soucieux de la qualité laissent en général quelques bourgeons supplémentaires sur chaque cep au cas où le temps serait mauvais pendant la floraison. Si le temps permet une floraison parfaite, les grappes de raisin seront trop nombreuses et il faudrait, pour bien faire, en supprimer un certain nombre à l'état embryonnaire. La plupart des viticulteurs attendent le début de la véraison – moment où les raisins commencent à mûrir et à prendre leur couleur – pour supprimer les sarments indésirables. La vigne a alors dépensé beaucoup d'énergie pour ces fruits sacrifiés, mais leur suppression favorise la maturation des grappes restantes.

LA DATE DES VENDANGES

L'une des décisions les plus cruciales que prend le viticulteur chaque année est le choix du moment où il commence à vendanger. A mesure que le raisin mûrit, son acidité diminue tandis que sa teneur en sucre augmente. La date à laquelle il faut commencer à le cueillir varie en fonction du cépage, de l'emplacement du vignoble et du type de vin produit. Le vin blanc bénéficie généralement du surcroît d'acidité des raisins vendangés précocement, mais il a également besoin de l'arôme variétal et de la richesse présents dans les seuls raisins mûrs. Il est donc essentiel de trouver le bon équilibre. Le vin rouge exige du raisin moins acide et a besoin de la couleur, du sucre et des tanins du raisin récolté tardivement. Le viticulteur doit également tenir compte des conditions climatiques. Ceux qui osent attendre chaque année que le raisin soit parfaitement mûr produisent des vins exceptionnels même dans les années les plus médiocres, mais les gelées, la grêle ou la pourriture risquent d'anéantir la récolte – et les revenus – de toute une année. En revanche, ceux qui ne veulent prendre aucun risque peuvent toujours vendanger des raisins sains mais, dans les petites années, la récolte ne sera pas mûre et donnera un vin médiocre.

LES VENDANGES MÉCANIQUES

Les vendanges mécaniques demeurent l'objet de controverses. Les avantages en sont évidents : coûts de main-d'œuvre considérablement réduits et vendanges rapides de la récolte tout entière parvenue au stade de maturité optimal. Mais cela suppose des investissements pour adapter le vignoble à la machine choisie et pour agrandir les cuveries afin de pouvoir y recevoir cette production plus abondante. Les désavantages tiennent à l'efficacité des machines et à la qualité du vin ainsi produit.

De gigantesques machines parcourent les vignobles en frappant le tronc de chaque vigne d'une batterie de bâtons en caoutchouc ; le raisin tombe alors sur un tapis, avec des feuilles et des fragments de sarments dont la plupart sont éjectés grâce à un système de tri. Outre la présence de ces éléments indésirables, dont la quantité diminue à mesure que les machines se perfectionnent, le principal inconvénient de celles-ci est de ne pas savoir distinguer le raisin mûr du vert, le sain du malade ou du pourri, qui tombe d'ailleurs en premier quand on secoue le ceps.

Malgré ces inconvénients, bon nombre de vins rouges d'excellente qualité sont faits de raisin vendangé mécaniquement. On obtient de moins bons résultats avec les vins blancs, car ce procédé favorise l'éclatement des baies, donc l'oxydation et la déperdition des arômes.

Le cycle végétatif de la vigne

On trouvera présentés ci-dessous les différents stades phénologiques de la vigne, de même qu'une description des interventions de l'homme visant à favoriser la production du meilleur raisin possible pour élaborer le vin.

Le cycle végétatif de la vigne commence et finit généralement avec la fin et l'approche de l'hiver, encore que l'activité de l'homme s'étende presque tout au long de l'année puisque l'entretien du vignoble doit se poursuivre durant l'hiver.

LES PLEURS

Hémisphère Nord : février
Hémisphère Sud : août

A mesure que le sol se réchauffe, la vigne se réveille et fait pleurer l'extrémité de ses sarments.

Les pleurs sont le premier signe extérieur du réveil de la vigne après le repos hivernal. Lorsque la température du sol à une profondeur de 25 centimètres atteint 10,2 °C, les racines commencent à puiser de l'eau et la vigne envoie de la sève jusqu'aux extrémités de ses branches, lesquelles, taillées en hiver, se mettent alors à « pleurer ». Le phénomène se produit soudain, augmente rapidement en intensité puis va en diminuant peu à peu. Chaque cep perd ainsi entre un demi-litre et cinq litres et demi de sève, suivant l'emplacement du vignoble et le mode de conduite de la vigne. Les pleurs sont le signal de la taille de printemps pour le viticulteur, mais il s'agit toujours d'un moment délicat car c'est lorsqu'elle a été taillée que la vigne est le plus sensible aux gelées. Toutefois, on ne peut attendre que le risque de gelées disparaisse car ce serait gaspiller l'énergie précieuse de la plante et freiner sa croissance, et donc retarder la maturation du raisin d'une dizaine de jours parfois, l'exposant ainsi aux dangers des gelées automnales.

LE DÉBOURREMENT

Hémisphère Nord : mars à avril
Hémisphère Sud : septembre à octobre

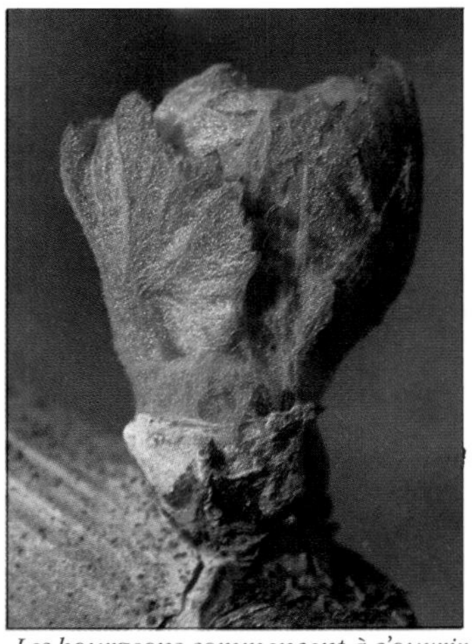

Les bourgeons commencent à s'ouvrir plus ou moins rapidement en fonction du climat et du cépage.

Au printemps, quelque 20 ou 30 jours après le début des pleurs, les bourgeons commencent à éclore : c'est ce que l'on appelle le débourrement. La vigne débourre à différents moments selon les cépages : tôt pour le Chardonnay par exemple, au milieu de la saison pour le Pinot noir, et tard pour le Merlot. Pour un même cépage, la date varie également en fonction des conditions climatiques et de la nature du sol ; l'argile, qui est froide, retarde le débourrement, tandis que le sable, plus chaud, le favorise. Les cépages au débourrement précoce sont exposés aux gelées dans les vignobles septentrionaux (ou méridionaux dans l'hémisphère Sud), de même que les cépages tardifs encourent le risque de subir des gelées automnales. Dans le vignoble, la taille se poursuit jusqu'en mars (en septembre dans l'hémisphère Sud). On palisse alors les vignes et on retire en même temps la motte de terre que l'on avait mise au pied de chaque cep à l'emplacement de la greffe pour le protéger de l'hiver, afin d'aérer le sol et de le niveler.

L'ÉMERGENCE DES BRANCHES, DES FEUILLES ET DES INFLORESCENCES

Hémisphère Nord : avril à mai
Hémisphère Sud : octobre à novembre

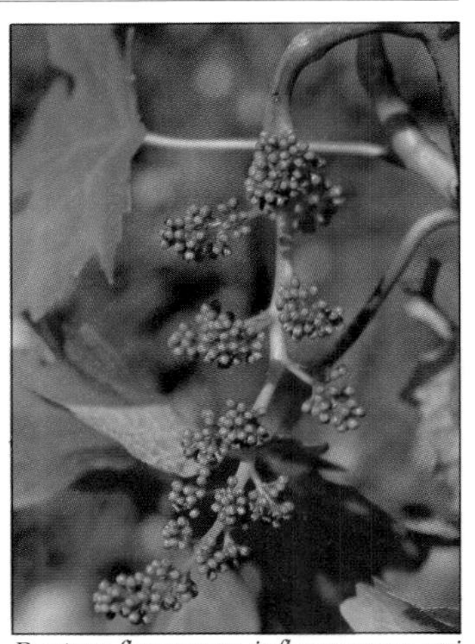

Boutons floraux ou inflorescences qui deviendront plus tard les grappes de raisin.

Après le débourrement, le feuillage et les rameaux se développent. A la mi-avril (mi-octobre dans l'hémisphère Sud), une fois la quatrième ou la cinquième feuille sortie, de petites grappes vertes se forment : ce sont les fleurs de la vigne, qui sont encore à l'état de boutons et qui doivent s'épanouir. Après la floraison, chaque fleur fécondée se transforme en un grain de raisin, si bien que ces inflorescences sont la première indication sur l'importance *potentielle* de la récolte. Dans le vignoble, les traitements préventifs ou curatifs commencent en mai (novembre dans l'hémisphère Sud) et se poursuivent jusqu'aux vendanges. Nombre de ces traitements contre les maladies et les parasites sont associés à des engrais systémiques qui alimentent la vigne directement à travers son feuillage. Ces pulvérisations se font normalement à la main, ou à l'aide d'un tracteur, mais nécessitent parfois l'emploi d'un hélicoptère. C'est à cette époque que la vigne risque d'être touchée par la coulure ou le millerandage.

LA FLORAISON

Hémisphère Nord : mai à juin
Hémisphère Sud : novembre à décembre

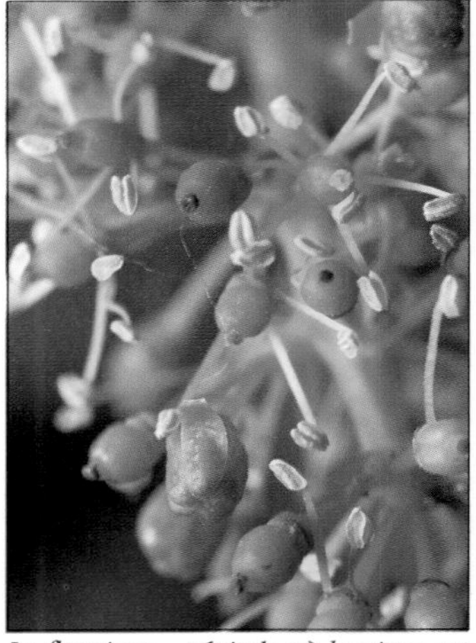

La floraison – période où la vigne est la plus vulnérable – s'étend sur une dizaine de jours.

Les inflorescences s'épanouissent une fois la quinzième ou seizième feuille sortie sur la branche, c'est-à-dire normalement quelque huit semaines après le débourrement, pour permettre la pollinisation et la fécondation. La floraison dure une dizaine de jours pendant lesquels il est indispensable que le temps soit sec et qu'il ne gèle pas. La température journalière moyenne doit être d'au moins 15 °C pour qu'une vigne puisse fleurir, la température idéale se situant entre 20 °C et 25 °C. La somme des températures actives comptant bien davantage que la température proprement dite, la longueur des jours a une grande incidence sur la durée de la floraison. La température du sol important plus que celle de l'air, la capacité de rétention de chaleur du sol est un facteur influent. Le grand danger au moment de la floraison est celui des gelées, et bon nombre de vignobles sont équipés de poêles ou de systèmes d'arrosage, ces derniers détournant en quelque sorte l'énergie du froid vers l'eau pour épargner la vigne.

LA NOUAISON

Hémisphère Nord : juin à juillet
Hémisphère Sud : décembre à janvier

Après la floraison, les inflorescences se transforment en grappes, chaque fleur fécondée devenant un grain de raisin. C'est ce que l'on appelle la nouaison. Le nombre de baies par inflorescence varie suivant le cépage, de même que le pourcentage de grains de raisin proprement dits. Les statistiques suivantes pour les cépages alsaciens illustrent le phénomène :

Les grains de raisins commencent à se former.

Cépage	Baies par grappe	Raisins par grappe	Pourcentage de nouaison
Chasselas	164	48	29 %
Gewurztraminer	100	40	40 %
Pinot gris	149	41	28 %
Riesling	189	61	32 %
Sylvaner	95	50	53 %

Dans le vignoble, les traitements se poursuivent et la taille d'été, destinée à concentrer l'énergie de la vigne dans le fruit, commence. Dans certains vignobles, on désherbe le sol, tandis que dans d'autres, on laisse pousser la mauvaise herbe jusqu'à une cinquantaine de centimètres avant de la biner et de l'enfouir dans le sol pour l'aérer et engraisser la vigne.

LA MATURATION

Hémisphère Nord : août
Hémisphère Sud : janvier

Lorsque le raisin se développe, il se produit très peu de transformations chimiques à l'intérieur de la baie jusqu'à ce que la peau commence à changer de couleur. Tant que le raisin reste vert, les taux de sucre et d'acide restent identiques, tandis que, au mois d'août (janvier dans l'hémisphère Sud), commence vraiment la maturation : la couleur de la peau change, le taux de sucre augmente considérablement, tandis que le taux d'acide malique diminue à mesure que celui d'acide tartrique augmente. Celui-ci commence à diminuer à son tour au bout de deux semaines, tout en restant le principal acide. C'est à ce stade que les tanins du raisin sont progressivement hydrolysés, moment crucial, car seuls les tanins hydrolysés sont à même de s'adoucir lorsque le vin mûrit. Dans le vignoble, les traitements et le désherbage se poursuivent. On désépaissit le feuillage de la vigne pour faciliter la circulation de l'air et réduire les risques de pourriture. Il ne faut cependant pas ôter trop de feuilles car c'est l'action du soleil sur celles-ci qui fait mûrir le raisin.

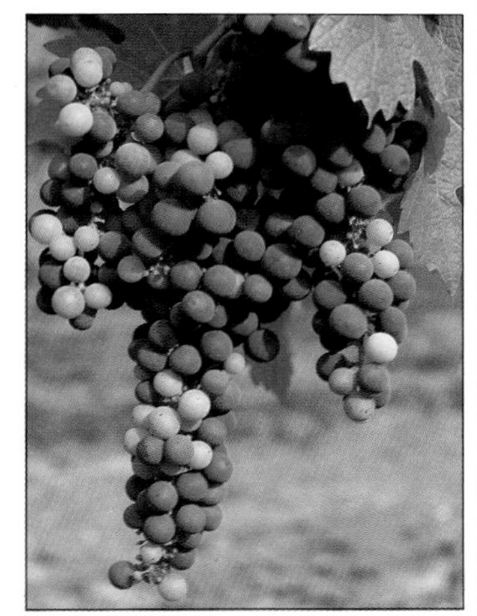

Lorsque le raisin change de couleur, débute la maturation.

LES VENDANGES

Hémisphère Nord : août à octobre
Hémisphère Sud : février à mars

Les vendanges commencent généralement dans la deuxième quinzaine de septembre (deuxième quinzaine de février dans l'hémisphère Sud) et peuvent se prolonger pendant un mois ou davantage. Comme pour toutes les opérations effectuées dans le vignoble, elles débutent plus tôt à mesure qu'on se rapproche de l'équateur, la date précise restant toujours fonction du temps. La cueillette peut donc commencer dès août et se terminer en novembre (février et avril pour l'hémisphère Sud).

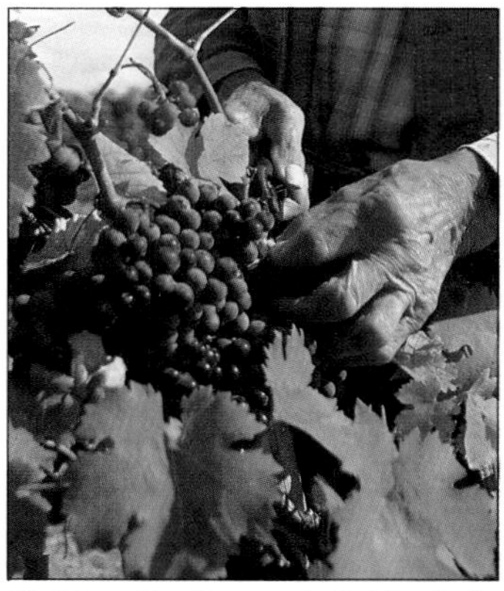

C'est le viticulteur qui décide de la date des vendanges.

LA POURRITURE NOBLE

Hémisphère Nord : novembre à décembre
Hémisphère Sud : août à mai

En novembre, la sève redescend afin de protéger le système radiculaire de la vigne. Les rameaux de l'année commencent à durcir et tous les raisins qui restent sur le cep, coupés du système métabolique de la vigne, se déshydratent. La chair concentrée est soumise aux effets du froid qui provoquent de complexes transformations chimiques au cours d'un processus appelé passerillage. Dans les régions productrices de vins moelleux, on laisse délibérément les raisins sur pied pour qu'ils subissent cette transformation bénéfique et, dans certains vignobles où le climat s'y prête, on attend que les raisins soient touchés par le *botrytis cinerea*.

Raisins touchés par la pourriture noble, qui donneront des vins moelleux.

EISWEIN

Hémisphère Nord : Décembre à janvier
Hémisphère Sud : mai à juin

En Allemagne, on peut encore voir du raisin sur les vignes en décembre et même en janvier. C'est en général parce que la pourriture noble, ou *Edelfaüle*, qu'attendait le viticulteur ne s'est pas manifestée. Si le raisin gèle, il peut alors donner de l'*Eiswein*, l'un des vins les plus spectaculaires au monde. Comme seule l'eau des raisins gèle, celle-ci peut être éliminée après pressurage du raisin pour donner une pulpe hyper-concentrée qui produira l'*Eiswein*.

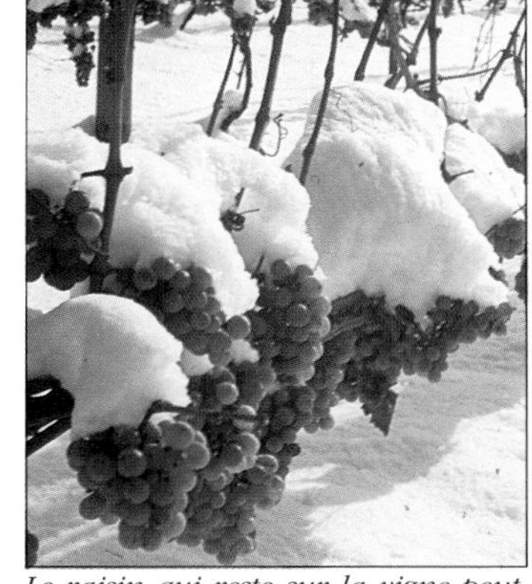

Le raisin qui reste sur la vigne peut encore donner du vin.

Le millésime

Les conditions météorologiques qui prévalent lors d'un millésime peuvent provoquer des désastres dans certains vignobles et des miracles dans d'autres.

Le millésime est façonné par les conditions météorologiques qu'il ne faut pas confondre avec le climat. Le climat est un ensemble de facteurs théoriques qui varient chaque année. Les variations météorologiques peuvent d'ailleurs se révéler extrêmement sélectives à l'intérieur d'une même région ; dans le cas d'un orage de grêle en été, par exemple, tel vignoble peut être ravagé alors que tel autre sera indemne. L'un produira un bon vin, tandis que l'autre n'en produira pas du tout. Une vigne située entre les deux donnera peut-être une récolte amputée d'où pourront être issus des vins de qualité exceptionnelle si elle bénéficie de deux ou trois mois de soleil avant les vendanges car la réduction des rendements donne des raisins aux saveurs plus concentrées.

Le viticulteur

Le viticulteur, comme le producteur, peut souligner ou atténuer par son talent les effets de la nature.

On constate sans cesse que des producteurs voisins peuvent produire des vins de qualité différente à partir de la même matière première et avec la même technologie : l'un des vins aura tout le caractère et la vivacité qui manqueront à l'autre. Sans doute la science trouvera-t-elle un jour des explications satisfaisantes mais actuellement, il faut se contenter de dire que ce sont toujours les viticulteurs passionnés qui sont en mesure de produire les vins les plus fins et les plus personnalisés. Bon nombre de vins médiocres sont bien entendu le résultat de technologies mal utilisées, mais j'ai vu des viticulteurs produire des vins littéralement envoûtants à l'aide d'équipements qui me paraissaient totalement inadéquats ou insuffisants. Ne pas hésiter à tailler pour réduire la production, choisir le bon moment pour commencer à vendanger, veiller avec soin à chaque étape de la fermentation et de l'élevage du vin, mettre en bouteilles au bon moment et à la bonne température, toutes ces opérations soulignent l'importance de l'élément humain dans le goût et la qualité d'un vin.

Le mûrissement du vin
Auguste Clape, l'un des meilleurs viticulteurs du nord de la vallée du Rhône, surveille les progrès de son vin élevé dans le chêne.

La vinification

Les méthodes de production varient non seulement d'un pays à l'autre, mais également d'une région à l'autre, et même d'un viticulteur à l'autre au sein d'un même village, selon que celui-ci reste fidèle aux valeurs traditionnelles ou cherche à innover et dispose pour cela de la technologie adéquate. Quels que soient les choix d'un viticulteur, certains principes restent fondamentalement les mêmes.

Les principes de la vinification

La qualité du raisin au moment où il arrive à la cuverie constitue le potentiel maximal du vin qui en sera tiré, mais le viticulteur réussit rarement à transférer à cent pour cent cette qualité au vin.

LA FERMENTATION

Le processus biochimique qui transforme le jus de raisin frais en vin s'appelle fermentation. Les cellules de levure sécrètent des enzymes qui transforment les sucres naturels du fruit en quantités pratiquement égales d'alcool et de gaz carbonique. Ce processus s'arrête lorsque la réserve de sucre est épuisée ou lorsque le taux d'alcool atteint un niveau où il devient toxique pour les enzymes (15° à 16° normalement, encore que certaines souches puissent survivre jusqu'à 20°-22°). Traditionnellement, le vigneron soutirait alors son vin de fût en fût jusqu'à ce qu'il soit sûr que la fermentation eût cessé, mais il existe bon nombre d'autres méthodes pour stopper la fermentation :

La chaleur

On utilise différentes formes de pasteurisation (pour les vins de table), la flash-pasteurisation (pour les vins plus fins) et des opérations de refroidissement pour stabiliser le vin. Toutes sont fondées sur le fait que les levures cessent d'agir au-dessus de 36 °C ou en dessous de –3 °C, et que les enzymes sont détruites au-dessus de 65 °C. La flash-pasteurisation soumet les vins à une température d'environ 80 °C pendant 30 secondes à une minute, tandis que la pasteurisation véritable nécessite des températures moins élevées (50 °C à 60 °C) pendant plus longtemps.

L'addition d'anhydride sulfureux ou d'acide sorbique

L'addition au moût d'une ou de plusieurs substances aseptisantes détruit les levures.

La centrifugation ou la filtration

La technologie moderne est en mesure d'ôter toutes les levures d'un vin par filtration, laquelle consiste à faire passer le vin dans un filtre retenant certaines substances, ou par centrifugation, qui sépare les substances indésirables du moût ou du vin.

L'addition d'alcool

L'addition d'alcool permet, elle aussi, d'anéantir les levures.

La pression

Les cellules de levure sont détruites par une pression qui dépasse 8 atmosphères.

Le gaz carbonique (CO_2)

Les cellules de levure sont détruites à partir de 15 grammes par litre de gaz carbonique.

LA FERMENTATION MALOLACTIQUE

La fermentation malolactique est parfois qualifiée – improprement – de fermentation secondaire. La fermentation malolactique, ou malo, ainsi qu'on l'appelle simplement est un processus biochimique qui transforme le « dur » acide malique du raisin immature en deux volumes de « doux » acide lactique (ainsi appelé parce que c'est lui qui donne son aigreur au lait) et un volume de gaz carbonique. L'acide malique est un acide à la saveur très forte, dont la teneur diminue avec la maturation du raisin, mais qui subsiste

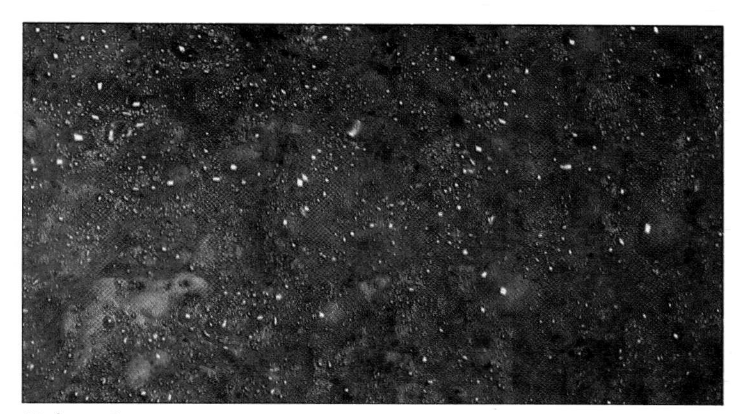

Moût en fermentation
Les levures présentes sur un seul grain de raisin sont capables de réduire jusqu'à un milliard de molécules de sucre à chaque seconde.

encore dans le fruit mûr et, bien que partiellement éliminé par la fermentation, dans le vin.

On peut estimer que la quantité d'acide malique présent dans le vin est excessive et préférer, voire remplacer, cet acide malique par deux tiers d'acide lactique beaucoup plus faible. Cette opération, indispensable pour les vins rouges, est facultative pour les vins blancs et rosés.

Certaines bactéries spécifiques, nécessaires pour que la fermentation malolactique puisse s'effectuer, se trouvent naturellement sur les peaux de raisin, parmi les levures et les autres micro-organismes. Pour entreprendre leur tâche, elles exigent une certaine chaleur, un faible taux de soufre, un pH situé entre 3 et 4, ainsi que divers éléments nutritifs qui se trouvent naturellement dans le raisin.

ACIER INOXYDABLE OU CHÊNE ?

Le choix de récipients en acier inoxydable ou en chêne pour la fermentation et le mûrissement du vin n'est pas simplement une affaire de coût ; suivant que le producteur souhaite ajouter du caractère à son vin ou au contraire lui garder toute sa pureté, il choisira le chêne ou l'acier inoxydable.

Une cuve en acier inoxydable est un récipient qui dure longtemps, facile à nettoyer, fait d'une matière hermétique et inerte qui convient parfaitement à toutes les formes de contrôle de température, et qui produit les vins les plus frais, avec le caractère variétal le plus pur.

Un fût en chêne a, en revanche, une durée de vie relativement limitée, n'est pas facile à nettoyer (on ne peut jamais le stériliser), rend le contrôle de la température très difficile, et n'est ni hermétique ni inerte. Il permet des échanges d'air avec l'extérieur, donc une oxydation plus rapide, mais provoque aussi une certaine évaporation qui concentre la saveur. La vanilline, arôme essentiel des gousses de vanille, est extraite du bois par oxydation, et, avec divers lactones du bois et sucres infermentescibles, donne une nuance vanillée caractéristique, douce et crémeuse, au vin. Ce caractère boisé devient plus complexe et fumé si le vin subit sa fermentation malolactique au contact du chêne et plus complexe encore, et mieux intégré, si la fermentation alcoolique s'est déroulée entièrement, ou pour la plus grande partie, en fûts. Le chêne communique également des tanins aux vins pauvres en tanin, absorbe une partie des tanins des vins très taniques, et permet des échanges de tanins avec certains vins.

Le choix du chêne

On utilise pour la vinification aussi bien du chêne américain qu'européen. Les différences dans la préparation du bois et les techniques de tonnellerie sont les facteurs essentiels déterminant les caractéristiques que le chêne apporte au vin. Les arômes du chêne américain, *Quercus alba*, sont plus incisifs, tandis que les chênes européens, *Quercus robur* et *Quercus sessilis*, sont plus riches en tanins. Bon nombre des propriétés qu'on pensait autrefois inhérentes au *Quercus alba* sont maintenant attribuées au fait que les Américains utilisent plutôt du bois scié en tonnellerie, alors qu'en Europe on préfère le bois fendu. Le sciage rompt les cellules du bois, ce qui donne un caractère agressif au vin. Autre différence essentielle : le chêne américain est le plus souvent séché en étuve, alors que le chêne européen est traditionnellement séché à l'air libre. Le chêne séché en plein air est soumis pendant plusieurs années aux intempéries, lesquelles atténuent la dureté du bois.

Plus la futaille est petite, plus le vin se trouve au contact du chêne. On a même conçu, pour augmenter encore ce rapport, des fûts carrés qui se sont révélés plus économiques et plus pratiques que les tonneaux traditionnels, car ils permettent un stockage plus rationnel, et qu'il suffit de retourner leurs parois droites pour faire un fût neuf d'un vieux.

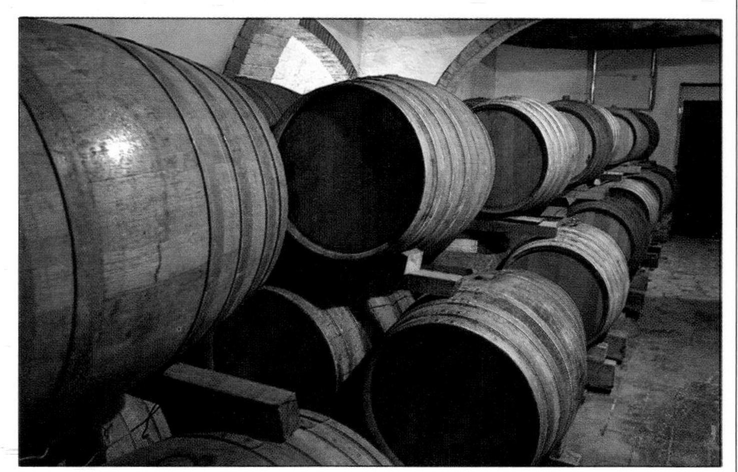

Élevage dans le chêne
Des centaines de litres de vin mûrissent ainsi à Chianti, en Italie. Le chêne, qui est rarement neuf, exerce une influence profonde sur la saveur de vin.

LES LEVURES ET LES FERMENTS

Les levures qui servent à la fermentation peuvent se diviser en deux groupes.

Les levures de culture sont des souches pures de levures naturelles cultivées en laboratoire. On les utilise lorsque le moût a été purifié de tous ses organismes, levures y comprises, avant la fermentation, ou lorsque le viticulteur les estime plus fiables, ou encore pour une de leurs caractéristiques précises, telle leur résistance à des taux d'alcool supérieurs ou à la pression osmotique accrue dans le cas de vins effervescents ayant fermenté en bouteille.

Les levures naturelles adhèrent à la pruine, substance cireuse qui couvre la peau du raisin mûr. Lorsque le raisin est parvenu à pleine maturité, la couche de levures comporte en moyenne 10 millions de cellules, dont seulement 100 000 sont intéressantes pour le vin. Une cellule de levure, qui ne mesure que 5 millièmes de millimètre, est pourtant capable, dans des conditions favorables, de réduire 10 000 molécules de sucre par seconde au cours de la fermentation.

LE COÛT DU CHÊNE NEUF

Deux cents barriques de chêne de 225 litres – soit une capacité totale de 450 hectolitres – coûtent entre quatre et dix fois plus cher qu'une seule cuve de 450 hectolitres en acier inoxydable. Au bout de deux ans, pendant lesquels le coût de la main-d'œuvre aura de plus été sensiblement élevé, le volume de vin produit dans les barriques est de 10 % inférieur en raison de l'évaporation, et le viticulteur doit s'apprêter à remplacer ses deux cents barriques.

Une firme australienne est même allée plus loin en construisant une cuve en inox avec deux panneaux de chêne fait de douves qui peuvent être remplacées, retournées et même ajustées en taille pour donner différents rapports chêne/vin.

LE SOUTIRAGE

On appelle soutirage l'opération consistant à séparer un vin de son dépôt en le faisant passer d'un fût ou d'une cuve à un autre. La vinification moderne impose en général plusieurs soutirages au long de la période de mûrissement en cuve ou en fût, le vin formant, au fur et à mesure, de moins en moins de dépôt. Certains vins, tel le Muscadet sur lie, ne sont jamais soutirés.

LE COLLAGE

Après la fermentation, le vin, qu'il paraisse ou non trouble à l'œil, contient des matières en suspension qui risquent de le rendre trouble en bouteille. Encore qu'on pratique parfois le collage sur le moût avant la fermentation, celui-ci permet de clarifier le vin à ce stade. En outre, on peut employer certains clarifiants pour lui ôter des caractéristiques indésirables. Lorsqu'il est ajouté au vin, le clarifiant adhère aux éléments en suspension, par attraction physique ou électrolytique, créant de petits agrégats qui tombent au fond de la cuve sous forme de sédiments. Les clarifiants les plus courants sont le blanc d'œuf, le tanin, la gélatine, la bentonite, la colle de poisson et la caséine. Les viticulteurs ont chacun leurs préférences et certains clarifiants possèdent aussi des usages spécifiques : ainsi le blanc d'œuf, chargé positivement, élimine les matières chargées négativement (par exemple les tanins indésirables ou les anthocyannes), tandis que les bentonites, chargées négativement, éliminent les matières dont la charge est positive (par exemple, les protéines et les autres matières organiques).

Le plus courant des collages spéciaux est le « collage bleu », qui est illégal dans certains pays.

LA STABILISATION PAR LE FROID

Lorsque des vins sont soumis à de basses températures, des cristaux de tartre peuvent former un dépôt sur la bouteille. Or il suffit de garder le vin à très basse température pendant plusieurs jours avant la mise en bouteille pour provoquer ce phénomène et éviter qu'il ne se forme un dépôt de tartre dans la bouteille. Au cours des vingt dernières années, cette opération était quasi obligatoire pour les vins à bon marché, mais la stabilisation par réfrigération est de plus en plus utilisée pour les vins de qualité. Cette généralisation est regrettable car ces cristaux inoffensifs sont le signe d'un vin bien plus « naturel ».

L'USAGE DE L'ANHYDRIDE SULFUREUX

L'anhydride sulfureux, ou SO_2, sert tout au long de la vinification, depuis le moment où la vendange arrive au chai jusqu'à la mise en bouteille. Ses propriétés, entre autres anti-oxydantes et antiseptiques, le rendent indispensable pour la production commerciale. Tous les vins sont oxydés, dans une certaine mesure, à partir du moment où le raisin est pressuré et le moût exposé à l'air ; mais il faut contrôler cette oxydation. Certains viticulteurs prétendent que le SO_2 est superflu, mais les vins produits sans SO_2 sont totalement oxydés ou franchement malpropres.

Il arrive que des vins soient excessivement soufrés. On les reconnaît aisément à leur odeur d'allumette qu'on vient de gratter, voire, dans les pires cas, d'œuf pourri. Les méthodes permettant de réduire les quantités de SO_2 sont bien connues, la plus importante étant un dosage judicieux au départ, car la résistance au soufre augmentant, les doses suivantes doivent être plus fortes.

DU RAISIN AU VIN

Pratiquement tous les constituants du moût se retrouvent dans le vin qui en est issu. Bien que la vinification donne naissance à de nouveaux constituants, et que tout sédiment soit éliminé du vin avant la mise en bouteille, la différence la plus significative dans les deux listes ci-dessous est la disparition des sucres fermentescibles et l'apparition d'alcool.

Composition du moût

Pourcentage du volume

73,5	**Eau**	
25	**Hydrates de carbone**, dont :	
	5 %	Cellulose
	20 %	Sucre (plus pentoses, pectine, inositol)
0,8	**Acides organiques**, dont :	
	0,54 %	Acide tartique
	0,25 %	Acide malique
	0,01 %	Acide citrique (plus traces possibles d'acide succinique et d'acide lactique)
0,5	**Minéraux**, dont :	
	0,025 %	Calcium
	0,01 %	Chlore
	0,025 %	Magnésium
	0,25 %	Potassium
	0,05 %	Phosphate
	0,005 %	Acide silicique
	0,035 %	Sulfate
	0,1 %	Autres (aluminium, bore, cuivre, fer, molybdène, rubidium, sodium, zinc)
0,13	**Tanins et matières colorantes**	
0,07	**Substances azotées**, dont :	
	0,05 %	Acides aminés (arginine, acide glutamique, proline, sérine, thréonine et autres)
	0,005 %	Protéines
	0,015 %	Autres substances azotées (humine, amides, ammonium et autres)
Traces	Essentiellement de vitamines (thiamine, riboflavine, pyridoxine, acide pantothénique, acide nicotinique et acide ascorbique)	

Composition du vin

Pourcentage du volume

86	**Eau**	
12	**Alcool** (alcool éthylique)	
1	**Glycérol**	
0,4	**Acides organiques**, dont :	
	0,20 %	Acide tartique
	0,15 %	Acide lactique
	0,05 %	Acide succinique (traces d'acides malique et citrique)
0,2	**Hydrates de carbone** (sucre infermentescible)	
0,2	**Minéraux**, dont :	
	0,02 %	Calcium
	0,01 %	Chlore
	0,02 %	Magnésium
	0,075 %	Potassium
	0,05 %	Phosphate
	0,005 %	Acide silicique
	0,02 %	Sulfate
	Traces	Aluminium, bore, cuivre, fer, molybdène, rubidium, sodium, zinc
0,1	**Tanin et matières colorantes**	
0,045	**Acides volatils** (essentiellement acide acétique)	
0,025	**Substances azotées**, dont :	
	0,01 %	Acides aminés (arginine, acide glutamique, proline, sérine, thréonine et autres)
	0,015 %	Protéines et autre substances azotées (humine, amides, ammonium et autres)
0,025	**Esters**	(acétate d'éthyle, mais traces de nombreux autres)
0,004	**Aldéhydes**	(essentiellement acétaldéhyde, un peu de vanilline et traces d'autres)
0,001	**Alcools supérieurs** (quantités infimes d'alcool amylique et traces éventuelles d'alcool isoamylique, butylique, isobutylique, hexylique, propylique et méthylique)	
Traces	**Vitamines**	dont thiamine, riboflavine, pyridoxine, acide pantothénique, acide nicotinique et acides ascorbiques

Les vins rouges

En arrivant au chai, le raisin passe presque toujours par un fouloir et généralement par un égrappoir ; jadis il était d'usage de laisser le raisin sur les rafles afin d'obtenir un vin plus tannique. On estima cependant que les tanins des rafles étaient trop durs et qu'ils ne s'arrondissaient pas à mesure que le vin mûrissait. Le viticulteur moderne, fort de ces connaissances, est à même de laisser une petite proportion de rafles si le cépage qu'il utilise demande davantage de charpente ou encore si le millésime demande à être raffermi.

La fermentation

Après l'égrappage et un léger foulage, le raisin est pompé dans une cuve et la fermentation peut commencer au bout d'une douzaine d'heures déjà, ou après plusieurs jours. Même les vins qui fermentent en fûts doivent d'abord passer en cuves, qu'il s'agisse d'anciens foudres en chêne ou de cuves modernes en acier inoxydable, en raison du « chapeau » formé par les peaux avec lesquelles il doit fermenter. Pour favoriser la fermentation, on peut réchauffer le moût ou lui ajouter des levures sélectionnées ou du vin partiellement fermenté provenant d'une autre cuve. Au cours de la fermentation, le moût est remonté par une pompe et déversé sur le chapeau afin de rester en contact avec les peaux, ce qui permet d'en extraire le maximum de matières colorantes. On peut également submerger manuellement le chapeau en l'enfonçant sous le moût à l'aide de perches. Certaines cuves sont équipées de grilles qui empêchent le chapeau de remonter, d'autres utilisent le gaz carbonique dégagé en cours de fermentation pour renfoncer régulièrement le chapeau sous la surface. On a également conçu un système qui garde le chapeau submergé dans une cuve en acier inoxydable fermée et en rotation, appelée « Vinimatic », fondé sur le principe de la bétonnière.

Plus la température est élevée en cours de fermentation, plus l'extraction de tanins et de couleur est importante ; plus la température est basse, meilleurs sont le bouquet, la fraîcheur et le fruit. La température optimale pour la fermentation du vin rouge est de 29,4 °C. Si elle trop élevée, les levures produisent certaines substances (acide décanoïque, acides octanoïques et esters correspondants) qui neutralisent leur propre faculté à se nourrir et meurent. Il vaut cependant bien mieux faire fermenter un moût frais et chaud que d'attendre quinze jours qu'il soit froid.

Les vins les plus pleins, les plus sombres, les plus tanniques et dont la durée de vie potentielle est la plus longue, restent en contact avec les peaux pendant 10 à 30 jours. Les vins plus légers sont en revanche séparés des peaux au bout de quelques jours seulement.

Vin de goutte et vin de presse

A partir du moment où les peaux sont séparées du moût, le vin, quel que soit son style, est divisé en deux : le vin de goutte et le vin de presse. Le vin de goutte, comme son nom l'indique, est celui qui s'écoule librement de la cuve lorsqu'on ouvre le robinet. Ce qui reste, c'est-à-dire les peaux, les pépins et les autres substances solides, est alors pressuré pour donner un vin très sombre et extrêmement tannique qu'on appelle vin de presse.

Le vin de goutte et le vin de presse sont pompés dans des récipients différents – cuves ou fûts, suivant le style de vin produit. Ces vins subissent alors leur fermentation malolactique séparément avant d'être soutirés à plusieurs reprises, clarifiés, soutirés à nouveau, assemblés, puis clarifiés et soutirés une deuxième fois et enfin mis en bouteilles.

LA MACÉRATION CARBONIQUE

Ce terme générique couvre de nombreuses variantes d'une même technique qui sert presque exclusivement à la vinification des vins rouges, et qui suppose une fermentation initiale en présence de gaz carbonique sous pression. Les raisins sont placés dans des cuves que l'on remplit ensuite de gaz carbonique provenant de bouteilles. La macération carbonique produit des vins légers, bien colorés, au fruit tendre et avec un arôme caractéristique de bonbon à la poire.

LA VINIFICATION EN ROUGE

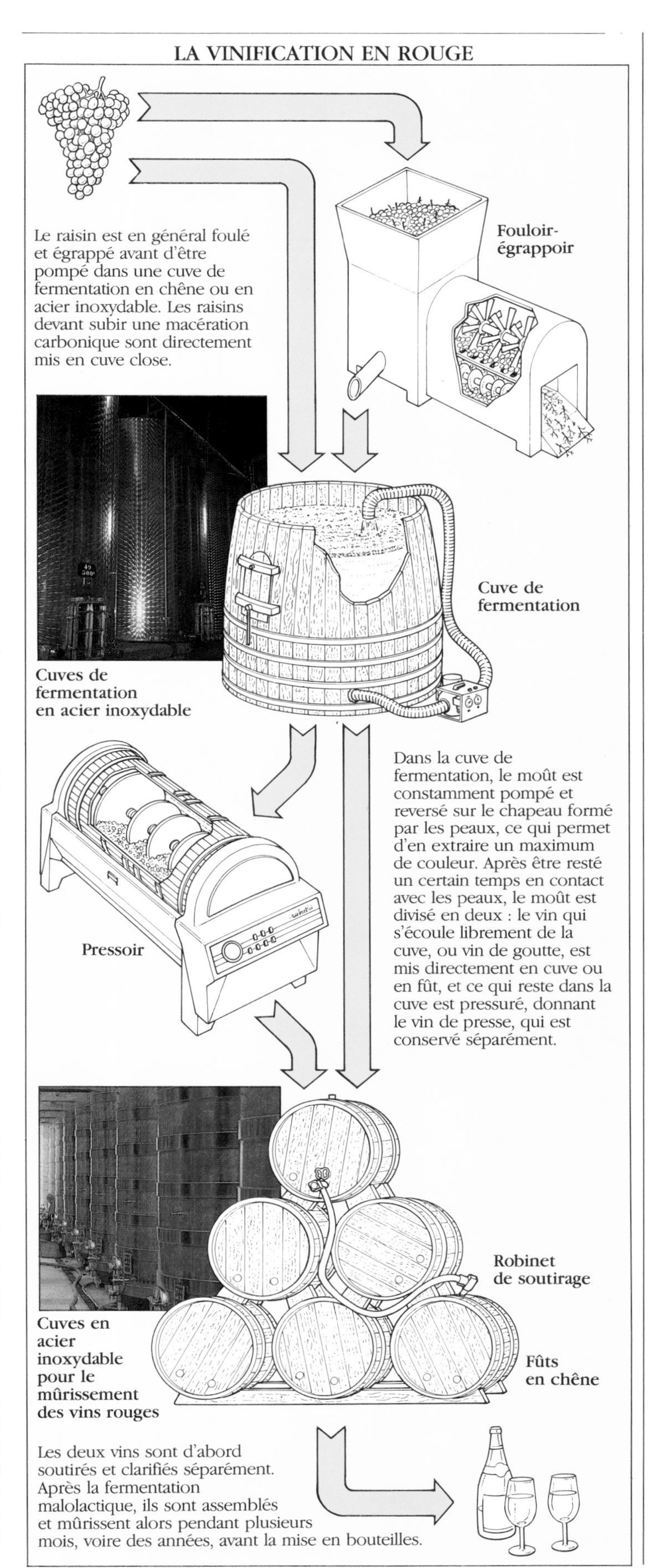

Les vins blancs

Jusqu'à une date récente, on pouvait dire que deux opérations initiales distinguaient la vinification en blanc de la vinification en rouge : tout d'abord un pressurage immédiat, destiné à extraire le jus et à le séparer des peaux ; ensuite, le débourbage, qui consiste à éliminer les matières en suspension dans le moût. Mais pour les vins au caractère variétal prononcé, on pressure maintenant souvent le raisin qu'on laisse alors macérer 12 à 48 heures en cuve pour extraire les arômes des peaux. Le vin de goutte et le vin de presse fermentent ensuite, après débourbage, comme tout autre vin blanc.

Sauf s'il s'agit de vins macérés, le raisin est pressuré aussitôt qu'il arrive au chai, après un léger foulage dans certains cas. Le moût résultant du dernier pressurage est trouble, amer et pauvre en acide et en sucre ; on ne doit donc utiliser pour la production de vin blanc que le premier pressurage, qui est en quelque sorte l'équivalent du moût de goutte pour le vin rouge et les éléments les plus riches du second. Une fois pressuré, le moût est pompé dans une cuve où il est débourbé. Le procédé de débourbage le plus simple consiste à laisser reposer le moût pour que les particules de peau et les autres impuretés tombent au fond. On peut accélérer le débourbage en refroidissant le moût, en lui ajoutant de l'anhydride sulfureux et, éventuellement, un clarifiant. On peut aussi le soumettre à une légère filtration ou centrifugation.

Après le débourbage, le moût est pompé dans la cuve de fermentation ou directement en barriques s'il doit fermenter en fûts. L'adjonction de levures sélectionnées est plus indiquée que dans le cas de vins rouges, car le moût est resté peu de temps en contact avec les peaux porteuses de levures, et le débourbage réduit la quantité potentielle de ces dernières. La température de fermentation optimale pour les vins blancs est de 18 °C, encore que nombre de vinificateurs travaillent entre 10 °C et 17 °C, et qu'on puisse descendre jusqu'à 4 °C. Les basses températures produisent davantage d'esters et d'arôme et moins d'acides volatiles, et nécessitent une dose moindre d'anhydride sulfureux ; les vins sont en revanche plus légers et contiennent moins de glycérol.

L'acidité étant un facteur essentiel dans l'équilibre avec le fruité et, le cas échéant, avec le moelleux des vins blancs, on évite, pour bon nombre d'entre eux, la fermentation malolactique et on ne les met en bouteille que quelque 12 mois après les vendanges. Les vins élevés en fûts de chêne, qui subissent du reste toujours la fermentation malolactique, peuvent être mis en bouteille au bout de 9 à 18 mois, tandis que les vins destinés à être bus jeunes sont soutirés, clarifiés, filtrés et mis en bouteille aussi rapidement que le permettent les différentes opérations afin de conserver autant de fruité et de fraîcheur que possible.

LA VINIFICATION EN BLANC

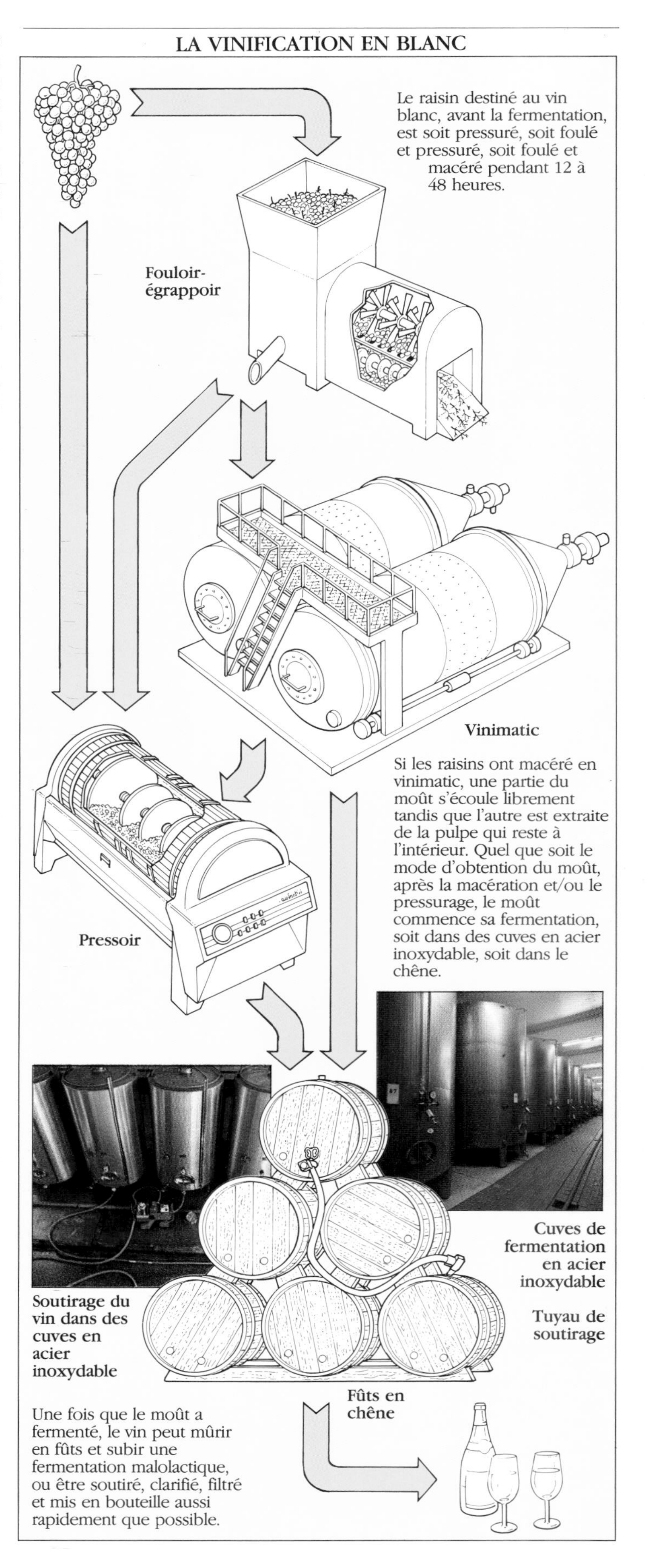

Le raisin destiné au vin blanc, avant la fermentation, est soit pressuré, soit foulé et pressuré, soit foulé et macéré pendant 12 à 48 heures.

Si les raisins ont macéré en vinimatic, une partie du moût s'écoule librement tandis que l'autre est extraite de la pulpe qui reste à l'intérieur. Quel que soit le mode d'obtention du moût, après la macération et/ou le pressurage, le moût commence sa fermentation, soit dans des cuves en acier inoxydable, soit dans le chêne.

Une fois que le moût a fermenté, le vin peut mûrir en fûts et subir une fermentation malolactique, ou être soutiré, clarifié, filtré et mis en bouteille aussi rapidement que possible.

Les vins rosés

A l'exception du Champagne rosé, qui se fait le plus souvent par addition d'un peu de vin rouge au vin blanc, tous les rosés de qualité sont produits par l'une des trois méthodes de base : saignée, pressurage ou macération très courte. Un rosé vinifié par saignée est fait du moût qui s'écoule de raisin noir pressuré par son propre poids. C'est une sorte de tête de cuvée qui, après fermentation, donne un vin gris de couleur très pâle, mais avec une saveur fruitée d'une richesse et d'une fraîcheur exquises. Le rosé vinifié par pressurage est fait de raisin noir pressuré jusqu'à ce que le moût ait pris suffisamment de couleur. Lui aussi a une couleur gris pâle, mais sans toute la richesse d'un rosé vinifié par saignée. La macération très courte est la méthode la plus courante : le rosé est vinifié exactement comme le vin rouge, mais la durée du contact avec les peaux est limitée au temps qu'il faut pour obtenir la teinte rosée désirée. Toutes les nuances de rosé existent, du gris le plus pâle au clairet quasi rouge. Dans certains pays où le climat ne permet pas de produire des vins rouges assez profonds, on laisse s'écouler un peu de moût de goutte qui donnera du rosé, de manière à laisser une plus forte proportion de pigments dans le mou qui reste.

Les vins effervescents

Une fois que le raisin a fermenté, le sucre est transformé en alcool et en gaz carbonique. Pour produire des vins tranquilles, on laisse s'échapper ce gaz. En revanche, si on l'en empêche, en couvrant la cuve ou en bouchant la bouteille, ce gaz reste dissous dans le vin jusqu'à ce que l'on ouvre la cuve ou la bouteille et forme alors des bulles dans le vin. Tel est le principe de base qui sert à faire tous les vins effervescents, selon l'une des méthodes suivantes :

La méthode champenoise

Le vin subit une seconde fermentation dans la bouteille dans laquelle il sera vendu. Les vins produits selon l'équivalent américain de la méthode champenoise sont étiquetés « fermenté individuellement dans cette bouteille ».

La fermentation en bouteille

Le vin subit une seconde fermentation en bouteille, mais il ne s'agit pas de la bouteille dans laquelle il sera vendu. Il fermente en bouteille, est transvasé en cuve et, sous pression à –3 °C, est filtré et mis dans une autre bouteille. Cette méthode est également appelée transvasement.

La méthode rurale

C'est le précurseur de la méthode champenoise, toujours en usage aujourd'hui, pour quelques rares vins peu connus. Il n'y a pas de seconde fermentation car le vin est mis en bouteille avant la fin de la première fermentation alcoolique.

La cuve close ou méthode Charmat

La plupart des vins effervescents à bon marché qui ont subi une seconde fermentation dans de grandes cuves, avant la filtration et la mise en bouteille sous pression à –3 °C, sont produits selon cette méthode. Contrairement à ce que l'on croit généralement, rien ne prouve que ce mode de production de vins effervescents soit intrinsèquement inférieur. C'est parce qu'il s'agit d'une méthode de production en gros qu'on l'utilise pour des vins médiocres et qu'elle encourage une élaboration rapide.

J'ai le sentiment qu'un vin de cuve close élaboré à partir des meilleurs vins de Champagne, et qui resterait au moins trois ans sur ses lies avant d'être mis en bouteille, serait sans doute impossible à distinguer d'un « vrai » Champagne.

LA GAZÉIFICATION

Il s'agit de la méthode la moins onéreuse pour mettre des bulles dans le vin : on y injecte tout simplement du gaz carbonique. Étant donné que c'est la méthode employée pour produire la limonade, on pense à tort que les bulles ainsi obtenues sont grosses et éphémères. Elles peuvent l'être, et les vins vraiment mousseux produits selon cette méthode seront incontestablement médiocres. Cependant, les usines de gazéification modernes ont la possibilité de produire des bulles des plus minuscules, au point de pouvoir imiter le léger perlant d'un vin mis en bouteille sur lie.

Production d'alcool
Dans une distillerie du Douro, au Portugal, la production de l'alcool destiné au Porto est entièrement mécanisée.

Les vins vinés

Tout vin, sec ou doux, rouge ou blanc, additionné d'alcool est considéré comme un vin viné, quelles que soient les différences inhérentes au mode de vinification. Les vins tranquilles normaux ont un taux d'alcool compris entre 8,5° et 18° ; les vins vinés titrent entre 17° et 24°. L'alcool ajouté est généralement, mais non toujours, une eau-de-vie produite à partir des vins de la région. Il est absolument neutre, sans la moindre nuance de saveur. La quantité d'alcool ajouté, le moment où se fait l'addition et la méthode employée sont des facteurs aussi importants pour le caractère d'un vin viné que son cépage ou sa région de production. On peut utiliser les méthodes suivantes :

Le mutage

Le mutage est l'addition au moût de raisin frais d'alcool qui empêche la fermentation et produit les vins de liqueur comme le Pineau des Charentes ou le Ratafia.

Le vinage précoce

Cette opération consiste à ajouter de l'alcool au moût une fois la fermentation commencée, en général en plusieurs opérations soigneusement dosées et réparties sur plusieurs heures, voire sur plusieurs jours. Le moment de la fermentation où se fait cette intervention dépend du type de vin produit et de la teneur en alcool du millésime. En moyenne, cependant, l'alcool est ajouté au Porto lorsque celui-ci atteint 6° à 8°, tandis que pour les vins doux naturels de France, tel que le Muscat de Beaumes de Venise, l'opération se fait à tout moment après que la fermentation a atteint 5°, mais avant 10°.

Le vinage tardif

Il s'agit de l'addition d'alcool une fois la fermentation terminée. L'exemple le plus classique en est le Xérès, toujours vinifié en sec, toute douceur éventuelle étant ajoutée après fermentation.

Les vins aromatisés

A l'exception du Retsina, le célèbre vin résiné grec, tous les vins aromatisés sont des vins vinés auxquels ont été ajoutés des substances aromatiques. Le plus connu des vins aromatisés est le Vermouth, fait de vin blanc neutre de deux ou trois ans d'âge auquel on mélange des extraits d'absinthe (Vermouth est une déformation de l'allemand *Wermut,* absinthe), de vanille et différentes autres herbes et épices. L'Italie produits des Vermouth en Apulie et en Sicile, et la France en Languedoc-Roussillon. Le Chambéry est un délicat Vermouth générique de Savoie et la Chambéryzette, un vin rouge rosé parfumé aux fraises des Alpes, mais de tels vins aromatisés régionaux sont peu nombreux. La plupart sont produits et vendus sous des noms de marques de renommée internationale, telles que Cinzano, Martini, Amer Picon, Byrrh, Dubonnet (rouge et blanc), Punt e Mes, Saint-Raphaël et Suze.

Répertoire des principaux cépages

Parmi les milliers de cépages cultivés dans le monde entier, les plus importants – qu'ils soient plantés dans une seule région ou sur tout un continent – sont regroupés ici.

CROISEMENTS ET HYBRIDES

Un croisement entre des variétés d'une même espèce s'appelle simplement un croisement, tandis qu'un croisement entre des variétés d'espèces différentes constitue un hybride. En croisant à plusieurs reprises les mêmes variétés, on n'obtient pas nécessairement les mêmes souches. Ainsi le Rieslaner et le Scheurebe – deux cépages entièrement différents – sont l'un et l'autre des croisements *Sylvaner* x *Riesling*. Il est également possible de croiser une variété avec elle-même et d'obtenir un cépage différent.

CLONES ET CLONAGE

Une sélection intensive peut, compte tenu des limites du cépage, produire une vigne qui convienne à des conditions spécifiques : par exemple une vigne à haut rendement, résistante à certaines maladies ou adaptée à un climat donné. On peut ensuite obtenir un nombre infini de clones identiques de cette vigne. Les clones sont désignés par un nombre et une initiale. Ainsi, le Riesling clone 88Gm est le 88e clone de Riesling produit à Geisenheim, station de recherche viticole allemande.

Un clone « localisé » est une vigne qui s'est développée naturellement dans des conditions spécifiques et dans un environnement donné. Il peut être désigné par son nom de variété suivi de la localité et être considéré comme une sous-variété. Le nom de la variété d'origine est cependant souvent omis au fil des années, si bien que le cépage finit par prendre un nom nouveau.

LES SYNONYMES

De nombreux cépages sont désignés sous plusieurs noms synonymes. Le Malbec en compte au moins 34 : il est appelé Pressac à Saint-Émilion, mais aussi Auxerrois, Balouzet, Cahors, Cot, Estrangey, Grifforin et ainsi de suite suivant les régions. La situation ne serait pas trop confuse si ces synonymes s'appliquaient uniquement au même cépage mais ce n'est pas le cas. Ainsi, le Malbec est appelé Auxerrois à Cahors, tandis que l'Auxerrois en Alsace ou dans le Chablisien est un cépage qui ressemble au Pinot blanc, le Malbec étant bien entendu un cépage noir. En outre, dans certaines régions de France, le Malbec est appelé Cahors !

Les synonymes qui se rapportent à des clones localisés ou à des sous-variétés sont souvent considérés comme des variétés séparées à part entière. Le Trebbiano italien, lui-même synonyme de l'Ugni blanc français, a de nombreuses sous-variétés reconnues par la législation vinicole italienne.

Les ampélographes font une distinction entre les dénominations erronées et trompeuses. Les premières correspondent à des variétés auxquelles on donne le nom d'une autre, totalement différente, tandis que les secondes laissent à penser, à tort, qu'elles sont apparentées à une autre variété – le Pinot Chardonnay, par exemple.

LA COULEUR DES RAISINS

La plupart des vins blancs sont faits à partir de raisins dits « blancs », dont la couleur peut aller du vert au jaune ambré. Les vins rouges et rosés sont quant à eux issus de raisins dits « noirs », qui vont du rouge au bleu-noir. Presque tous les cépages noirs peuvent donner du vin blanc, car seule la peau est colorée et non le jus (les quelques exceptions sont appelés cépages « teinturiers »). Le vin rouge, en revanche, ne peut être produit qu'avec du raisin noir, car ce sont des pigments contenus dans la peau, les anthocyannes, qui donnent au vin sa couleur. Par ailleurs, le taux d'acidité dans la sève de la peau affecte la couleur du vin : les taux d'acidité les plus élevés donnent des vins franchement rouges, tandis que le vin devient de plus en plus pourpre, voire violet, à mesure que l'acidité diminue.

Les cépages blancs

Note : certains cépages roses, tel le Gewurztraminer, figurent ici car ils servent essentiellement à la production de vin blanc.

ALBALONGA

Croisement *Rieslaner* x *Sylvaner* développé et cultivé en Allemagne pour sa haute teneur naturelle en sucre et sa maturation précoce.

ALTESSE

Le plus fin des cépages traditionnels de Savoie, ce raisin donne des vins parfumés d'une fraîcheur délicieuse.

Synonymes : *Mâconnais, Roussette*

ALIGOTÉ

Raisin à peau fine, d'une qualité exceptionnelle, cultivé en Bourgogne et en Bulgarie. Il donne des vins acides modérément alcoolisés mais, dans les années extrêmement chaudes, ceux-ci peuvent avoir du poids et de la richesse. Les meilleurs vins proviennent de certains villages bourguignons, en particulier Bouzeron, où la qualité peut être améliorée par l'addition d'un peu de Chardonnay.

Synonymes : *Blanc de Troyes, Chaudenet gras, Giboudot*

ALVARINHO

Cépage classique du Vinho verde, encore que en soi, il ne s'agisse peut-être pas d'un cépage classique.

ARBOIS

Cépage intéressant mais très localisé, cultivé dans la vallée de la Loire, où il est parfois associé à un autre raisin peu connu, le Romorantin.

Synonymes : *Menu Pineau, Petit Pineau, Verdet*

ARINTO

L'un des raisins blancs portugais au potentiel excellent. Il sert dans le Bucelas pour donner un vin nerveux, citronné, qui vieillit bien.

ASSYRTIKO

L'un des cépages indigènes de Grèce de bonne qualité.

AUXERROIS

Ce cépage donne les meilleurs résultats en Alsace ; on le rencontre également en Angleterre. Son vin est plus gras que celui du Pinot blanc et le cépage convient donc mieux aux situations fraîches.

BACCHUS

Croisement (*Sylvaner* x *Riesling*) x *Müller-Thurgau*, l'un des croisements de qualité supérieure d'Allemagne. On le cultive également en Angleterre en raison de son taux élevé de sucre. Il peut donner dans les deux pays des vins fruités et alertes.

BLANQUETTE

Synonyme de Colombard dans le Tarn-et-Garonne, de Clairette dans l'Aude et d'Ondenc dans le Bordelais.

BOUVIER

Raisin de qualité modeste largement cultivé en Autriche et qui, sous le nom de Ranina, donne le vin dit « Lait de tigre » en Yougoslavie.

Synonymes : *Bouviertraube, Ranina*

BUAL

Le plus riche et le plus gras des quatre cépages classiques de Madère. On le cultive également dans de nombreuses régions du sud du Portugal.

CHARDONNAY

Le plus grand cépage destiné aux vins blancs secs, malgré son utilisation de plus en plus fréquente dans la plupart des régions produisant des vins commerciaux. Autrefois rattaché à tort à la famille du Pinot, ce cépage classique produit les plus grands Bourgogne blancs et c'est également l'un des trois principaux cépages entrant dans la composition du Champagne.

Synonymes : *Arnaison, Aubaine, Beaunois, Chasselas, Épinette blanche, Feiner weisser Burgunder, Melon blanc, Melon d'Arbois, Muscadet, Petite Sainte-Marie, Pinot blanc, Pinot blanc Chardonnay, Pinot Chardonnay, Weisser Clevner*

CHASSELAS

Cépage de qualité modeste dont sont issus les petits vins de Pouilly-sur-Loire (à ne pas confondre avec les Pouilly-Fumé), qui donne sans doute ses meilleurs résultats dans le Valais, en Suisse, sous le nom de Fendant.

Synonymes : *Chardonnay, Chasselas blanc, Chasselas doré, Dorin, Fendant, Fendant blanc, Frauentraube, Golden Chasselas, Gutedel, Mosttraube, Royal Muscadine, Süssling*

CLAIRETTE

Raisin riche en sucre, connu surtout pour les nombreux vins qu'il produit dans le sud de la France. La Clairette de Die est cependant faite essentiellement de Muscat et non de Clairette.

Synonymes : *Blanquette, Clairette blanc, Clairette blanche*

COLOMBARD

Raisin qui produit un vin maigre et acide, idéal pour la distillation du Cognac et de l'Armagnac, mais qui s'est bien adapté aux régions viticoles plus chaudes de Californie et d'Afrique du Sud.

Synonymes : *Blanquette, Colombar, Colombier, French Colombard, Guenille, Pied-tendre, Queue-tendre, Queue-verte*

CRUCHEN BLANC

Cépage largement cultivé et habituellement associé, à tort, au Riesling.

Synonymes : *Cape Riesling* (Afrique du Sud), *Clare Riesling* (Australie), *Paarl Riesling* (Afrique du Sud)

DELAWARE

Hybride américain de parenté incertaine, développé à Frenchtown, New Jersey, et qui s'est répandu à Delaware, Ohio, au milieu du XIXe siècle. Quoique cultivé dans l'État de New York et au Brésil, il est bien plus apprécié au Japon.

EHRENFELSER

Nouveau croisement *Riesling* x *Sylvaner*, originaire d'Allemagne.

ELBLING

Cépage autrefois très estimé en Allemagne et en France. C'était le principal cépage de la Moselle au XIXe siècle, alors que, aujourd'hui, il est surtout confiné à la Haute-Moselle où sa saveur très acide et neutre sert dans l'industrie allemande du *Sekt*. En Alsace, on l'appelait Knipperlé et son rôle était tel qu'il donna son nom à l'un des Grands Crus de Guebwiller.

Synonymes : *Alben, Albig, Alva* (Portugal), *Briesgaver, Briesgaver Riesling, Burger Elbling, Elben, Gelder Ortlieber, Grossriesling, Kleinberger, Kleinergelber, Kleiner Räuschling, Klein Reuschling, Knipperlé, Kurztingel* (Autriche), *Ortlieber, Räuschling, Seretonina* (Yougoslavie), *Weisser Elbling*

EMERALD RIESLING

Croisement *Muscadelle* x *Riesling* développé pour la viticulture californienne afin de servir de contrepartie à son croisement *Ruby Cabernet*, combinaison de *Cabernet Sauvignon* et de *Carignan*.

FABER

Croisement *Weissburgunder* x *Müller-Thurgau* cultivé en Allemagne où il donne un vin fruité au léger arôme de Muscat.

FOLLE BLANCHE

Traditionnellement utilisé pour la distillation de l'Armagnac et du Cognac, ce cépage produit également le Gros Plant du Pays nantais.

Synonymes : *Camobraque, Chalosse, Enragé, Enrageade, Folle Enrageat, Gros Plant, Gros Plant du Nantais, Picpoul, Picpoule*

FORTA

Croisement *Madeleine angevine* x *Sylvaner*, cultivé un peu en Allemagne où il donne des raisins de bonne qualité et riches en sucre.

FREISAMER

Croisement *Sylvaner* x *Pinot gris* cultivé en Allemagne et qui produit un vin plein, neutre, proche du Sylvaner.

FURMINT

Raisin fort, à la saveur caractéristique, qui est le principal cépage du Tokay de Hongrie.

Synonyme : *Sipon*

GARGANEGA BIANCO

Cépage italien qui sert dans la production du Soave.

CHENIN BLANC

Cépage qui a tiré son nom du mont Chenin, en Touraine, mais dont on peut retracer les origines en Anjou jusqu'en 845. Le raisin, avec son bon niveau d'acidité, une peau mince et une forte teneur en sucre, convient aux vins mousseux ou moelleux, encore qu'il produise aussi quelques vins secs, notamment le Savennières.

Synonymes : *Blanc d'Anjou, Pineau blanc de Loire, Pineau de la Loire, Pinot de la Loire, Steen, White Pinot*

GEWURZTRAMINER

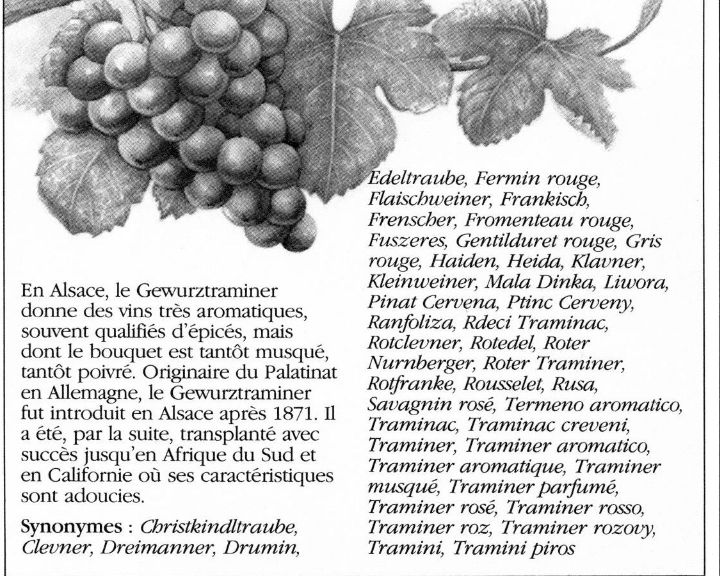

En Alsace, le Gewurztraminer donne des vins très aromatiques, souvent qualifiés d'épicés, mais dont le bouquet est tantôt musqué, tantôt poivré. Originaire du Palatinat en Allemagne, le Gewurztraminer fut introduit en Alsace après 1871. Il a été, par la suite, transplanté avec succès jusqu'en Afrique du Sud et en Californie où ses caractéristiques sont adoucies.

Synonymes : *Christkindltraube, Clevner, Dreimanner, Drumin, Edeltraube, Fermin rouge, Flaischweiner, Frankisch, Frenscher, Fromenteau rouge, Fuszeres, Gentilduret rouge, Gris rouge, Haiden, Heida, Klavner, Kleinweiner, Mala Dinka, Liwora, Pinat Cervena, Ptinc Cerveny, Ranfoliza, Rdeci Traminac, Rotclevner, Rotedel, Roter Nurnberger, Roter Traminer, Rotfranke, Rousselet, Rusa, Savagnin rosé, Termeno aromatico, Traminac, Traminac creveni, Traminer, Traminer aromatico, Traminer aromatique, Traminer musqué, Traminer parfumé, Traminer rosé, Traminer rosso, Traminer roz, Traminer rozovy, Tramini, Tramini piros*

GLORIA

Croisement *Sylvaner* x *Müller-Thurgau* cultivé en Allemagne, où il produit des raisins riches en sucre, mais des vins de caractère assez neutre.

GRENACHE BLANC

Très répandu en France et en Espagne, cet ancien cépage espagnol peut donner un vin corsé de bonne qualité.

Synonymes : *Garnacha blanca, Garnacho blanco, Garnaxta*

GRÜNER VELTLINER

C'est le plus important cépage en Autriche, où il donne des vins frais, bien équilibrés, avec une saveur légère et fruitée, parfois un peu épicée.

Synonymes : *Grüner, Grünmuskateller, Veltliner, Veltlini* (Hongrie), *Weissgipfler*

GUTENBORNER

Croisement *Müller-Thurgau* x *Chasselas* cultivé en Allemagne et en Angleterre. Il produit des raisins naturellement riches en sucre, mais des vins plutôt neutres.

HÁRSLEVELÜ

Raisin hongrois qui est le second cépage en importance pour le Tokay. Il donne un vin plein, riche, au parfum puissant.

HUXELREBE

Croisement *Chasselas* x *Muscat Courtillier* cultivé en Allemagne et en Angleterre, susceptible de donner des vins de bonne qualité.

JACQUÈRE

Cépage savoyard traditionnel.

Synonymes : *Buisserate, Cugnette*

JOHANNISBERG RIESLING

Synonyme souvent utilisé pour caractériser un vin fait du véritable raisin de Riesling. Nombre de gens croient que le Riesling donne les meilleurs résultats dans les vignobles de Johannisberg de Rheingau. La dénomination est donc sans doute une manière d'indiquer que le vin est fait de raisin de Riesling « tel qu'il est cultivé à Johannisberg ».

KANZLER

Croisement *Müller-Thurgau* x *Sylvaner* qui remplace bien le Sylvaner en Hesse rhénane.

KERNER

Croisement *Trollinger* x *Riesling* cultivé en Allemagne, Afrique du Sud et Angleterre. Il produit des vins de type Riesling, avec une haute teneur naturelle en sucre et une bonne acidité, mais à l'arôme très léger.

LEN DE L'ELH

Raisin savoureux, naturellement riche en sucre, cultivé à Gaillac.

Synonyme : *Cavalier*

MACABÉO

Cépage espagnol qui sert à « relever » un vin mousseux de Cava et à lui donner de la fraîcheur. Sous le nom de Viura, il entre également dans les vins blancs de Rioja de la « nouvelle école », frais et non élevés en chêne.

Synonymes : *Alcañol, Alcañon, Ilegó, Lardot, Maccabéo, Maccabeu, Viura*

MADELEINE ANGEVINE

Croisement *Précoce de Malingre* x *Madeleine royale* cultivé avec un certain succès en Angleterre où il donne un vin léger et aromatique.

MANSENG

Le Gros Manseng et le Petit Manseng, cultivés dans le sud-ouest de la France, donnent le légendaire Jurançon moelleux.

Synonymes : *Manseng blanc, Petit Mansenc*

MARIENSTEINER

Croisement *Sylvaner* x *Rieslaner* cultivé en Allemagne et généralement considéré comme supérieur au Sylvaner.

MARSANNE

Raisin qui donne des vins riches, pleins et gras ; l'un des deux cépages qui sert à produire les rares vins blancs de Châteauneuf-du-Pape et d'Hermitage.

Synonymes : *Grosse Roussette, Ermitage blanc, Hermitage blanc*

MAUZAC

Raisin à maturation tardive, avec une bonne acidité naturelle, cultivé dans le sud-ouest de la France. Il convient particulièrement aux vins mousseux.

Synonymes : *Blanc-Lafitte, Maussac, Mauzac blanc, Moisac*

MELON DE BOURGOGNE

Cépage transplanté de Bourgogne dans le Pays nantais, surtout connu pour le Muscadet qu'il produit. A pleine maturité, il donne des vins très mous, qui manquent d'acidité.

Synonymes : *Gamay blanc, Gamay blanc à feuille ronde, Gros Auxerrois, Lyonnaise blanche, Melon, Muscadet, Pinot blanc* (Californie), *Weisserburgunder* (Allemagne)

MERLOT BLANC

Cépage étonnamment répandu sur la rive droite de la Gironde. D'après l'ampélographe Pierre Galet, il n'a pas de parenté avec le Merlot noir.

MORIO-MUSKAT

Croisement *Sylvaner* x *Pinot blanc* largement cultivé dans le Palatinat rhénan. Son puissant caractère aromatique est à l'opposé des qualités neutres de ses deux parents.

MÜLLER-THURGAU

Cépage créé à Geisenheim en 1882 par le Pr Hermann Müller. On croyait à l'origine qu'il s'agissait d'un croisement *Riesling* x *Sylvaner*, mais aucun plant n'est jamais retourné au Sylvaner, et la plus forte ressemblance est avec un *Riesling* (clone 88Gm) x *Riesling* (clone 64Gm), ce qui semble confirmer la théorie selon laquelle le Müller-Thurgau est en réalité une graine de Riesling auto-pollinisée. Il est plus prolifique que le Riesling, possède un bouquet floral typique, mais n'a pas toute la précision de définition du Riesling. Le cépage joue un rôle important et justifié dans la production des *Tafelweine* allemands. Il est largement cultivé dans les vignobles d'Angleterre et de Nouvelle-Zélande.

Synonymes : *Mueller-Thurgau, Riesling-Sylvaner, Rivaner*

MULTANER

Croisement *Riesling* x *Sylvaner*. On le cultive peu en Allemagne car le raisin a besoin d'être très mûr pour donner des vins de bonne qualité.

MUSCADELLE

Cépage qui n'a rien à voir avec la famille du Muscat, bien qu'il ait effectivement un arôme musqué caractéristique. L'Afrique du Sud utilise, non sans prêter à confusion, le synonyme Muskadel pour le Muscat. A Bordeaux, en petites quantités, il donne une certaine persistance à l'arôme des vins moelleux, mais c'est en Australie, où on l'appelle Tokay, qu'il donne des résultats sublimes et produit un « vin de liqueur » d'une richesse et d'une douceur fabuleuses.

Synonymes : *Angélicant, Angélico, Auvernat blanc, Catape, Colle-Musquette, Douzanelle, Guêpie, Guêpie-Catape, Guillan, Guillan musqué, Muscade, Muscadet, Muscadet doux, Muskadel, Musquette, Muscat fou, Raisinotte, Resinotte, Sauvignon vert* (Californie), *Tokay* (Australie)

MUSCAT

Nom de famille de nombreuses variétés, sous-variétés et clones localisés de la même variété qui sont apparentés et ont tous un arôme musqué caractéristique et une saveur de raisin prononcée. Les vins qu'il produit vont du sec au doux, du tranquille au mousseux, et peuvent être ou non vinés.

MUSCAT A PETITS GRAINS

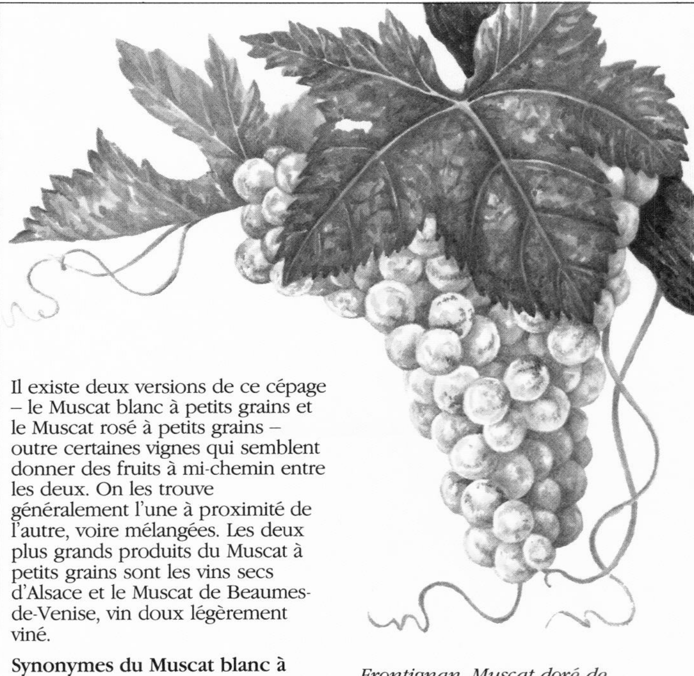

Il existe deux versions de ce cépage – le Muscat blanc à petits grains et le Muscat rosé à petits grains – outre certaines vignes qui semblent donner des fruits à mi-chemin entre les deux. On les trouve généralement l'une à proximité de l'autre, voire mélangées. Les deux plus grands produits du Muscat à petits grains sont les vins secs d'Alsace et le Muscat de Beaumes-de-Venise, vin doux légèrement viné.

Synonymes du Muscat blanc à petits grains : *Brown Muscat, Frontignac, Gelber Muscatel, Gelber Muscateller, Gelber Muskatel, Gelber Muskateller, Moscata, Moscata bianca, Moscatel, Moscatel dorado, Moscatel de grano menudo, Moscatel menudo bianco, Moscatello, Moscatello bianco, Moscato, Moscato d'Asti, Moscato di Canelli, Muscatel, Muscatel branco, Muscateller, Muscat, Muscat Cknelli, Muscat doré, Muscat d'Alsace, Muscat Canelli, Muscat de Frontignan, Muscat doré de Frontignan, Muskat, Muskateller, Muskotály, Muskuti, Sargamuskotaly, Tamyanka, Weisse Muskateller, Weiss Musketraube, Weissemuskateller, White Frontignan, Zuti Muscat, Beli Muscat*

Synonymes du Muscat rosé à petits grains : *Moscatel rosé, Muscat d'Alsace, Muscat rosé à petits grains d'Alsace, Rotter Muscateller, Rotter Muskateller*

MUSCAT D'ALEXANDRIE

Ce cépage est extrêmement utilisé en Afrique du Sud où il donne surtout des vins moelleux, mais aussi quelques vins secs. En France, il sert à produire le Muscat de Rivesaltes (on fait aussi à Rivesaltes une très petite quantité de Muscat sec non viné). Il est également utilisé en Californie.

Synonymes : *Gordo blanco, Hanepoot, Iskendiriye Misketi, Lexia, Moscatel, Moscatel de Alejandria, Moscatel gordo, Moscatel gordo blanco, Moscatel de Málaga, Moscatel romanó, Moscatel samso, Moscatel de Setúbal, Muscat gordo blanco, Muscat roumain, Muscatel, Panse musquée, Zibibbo*

MUSCAT OTTONEL

Cépage d'Europe de l'Est qui, en raison de sa relative rusticité, remplace le Muscat à petits grains en Alsace.

Synonymes : *Muscadel ottonel, Muskotály*

NOBLESSA

Croisement *Madeleine angevine* x *Sylvaner* peu productif, cultivé en Allemagne et qui donne des raisins riches en sucre.

NOBLING

Croisement *Sylvaner* x *Chasselas* cultivé dans le pays de Bade en Allemagne, qui donne des raisins riches en sucre et en acidité.

ONDENC

Cépage qui était autrefois très répandu dans le sud-ouest de la France, mais qui est maintenant plus cultivé en Australie qu'en France. Les vins mousseux bénéficient de son acidité naturellement élevée.

Synonymes : *Béquin* (Bordeaux), *Blanc select, Blanquette, Sercial* (Australie)

OPTIMA

Croisement (*Sylvaner* x *Riesling*) x *Müller-Thurgau* très largement cultivé en Allemagne car il est encore plus hâtif que le Müller-Thurgau.

ORTEGA

Croisement *Müller-Thurgau* x *Siegerrebe* cultivé en Allemagne et en Angleterre. Ses raisins aromatiques ont un taux de sucre naturellement élevé et donnent un vin agréablement parfumé et épicé.

PALOMINO

Cépage classique du Xérès.

PARELLADA

Principal cépage blanc de la Catalogne, qui sert pour les vins tranquilles et mousseux de Cava. Dans un assemblage de Cava, il donne un arôme caractéristique et permet d'adoucir le raisin ferme de Xarello.

Synonymes : *Montonec, Montonech*

PERLE

Croisement *Gewurztraminer* x *Müller-Thurgau* cultivé en Franconie, en Allemagne, qui peut résister à des températures de l'ordre de –30 °C. Il donne un vin léger, parfumé et fruité, mais avec des rendements faibles.

Synonyme : *Alzeyer Perle*

PINOT BLANC

Cépage qui donne sans doute ses meilleurs résultats en Alsace où il produit des vins fruités, bien équilibrés, avec du corps. Les plantations de Pinot blanc diminuent peu à peu à travers le monde.

Synonymes : *Beaunois, Chardonnay, Clevner, Fehérburgundi, Grau Clevner, Klevner, Pinot blanc vrai auxerrois, Weissburgunder, Weiss Clevner*

POULSARD

Célèbre raisin à peau et jus rose du Jura, qui peut produire un beau vin gris aromatique.

Synonyme : *Plousard*

PROSECCO

Cépage qui entre dans l'élaboration d'une grande quantité de vin mousseux italien très ordinaire.

Synonymes : *Glera, Serprina*

RABANER

Croisement *Riesling* (clone 88Gm) x *Riesling* (clone 64Gm). C'est le cépage qui ressemble le plus au Müller-Thurgau. Il est cultivé en Allemagne à titre expérimental.

RABIGATO

Principal cépage du Porto blanc.

Synonymes : *Estreito, Moscatel bravo, Rabo de Ovelha*

RKATSITELI

Cépage très répandu en Russie où il occupe une superficie qui représente au moins dix fois la Champagne. On le cultive également en Bulgarie, en Chine, en Californie et dans l'État de New York.

Synonyme : *Rcatzitelli*

REGNER

Croisement *Luglienca bianca* x *Gamay,* dont les parents forment une curieuse association. On a croisé un raisin de table avec le cépage noir du Beaujolais pour créer un cépage blanc allemand qui produit des raisins riches en sucre et des vins tendres, tels ceux du Müller-Thurgau.

REICHENSTEINER

Croisement *Müller-Thurgau* x *Madeleine angevine* x *Calabreser-Fröhlich* cultivé en Allemagne et en Angleterre. Il produit des raisins riches en sucre et donc un vin tendre et délicat, assez neutre, proche du Sylvaner.

RHODITIS

Cépage d'appoint dans la production du Retsina, et qui convient en outre très bien à la distillation.

RIESLANER

Croisement *Sylvaner* x *Riesling* cultivé essentiellement en Franconie, en Allemagne, où il produit des raisins riches en sucre et donne des vins corsés, assez neutres.

RIESLING

Voir ci-dessous.

ROBOLA

Cépage grec de bonne qualité confiné à l'île de Céphalonie.

ROMORANTIN

Cépage de la vallée de la Loire qui peut produire un vin séduisant et floral si les rendements en sont limités.

Synonymes : *Dannery, Petit Dannezy, Verneuil*

ROUSSANNE

L'un des deux principaux cépages servant à produire les rares vins blancs d'Hermitage et de Châteauneuf-du-Pape. Ce raisin donne des vins plus délicats et plus fins, tandis que ceux du Marsanne sont plus gras et plus riches.

Synonymes : *Bergeron, Greffou, Picotin blanc*

PINOT GRIS

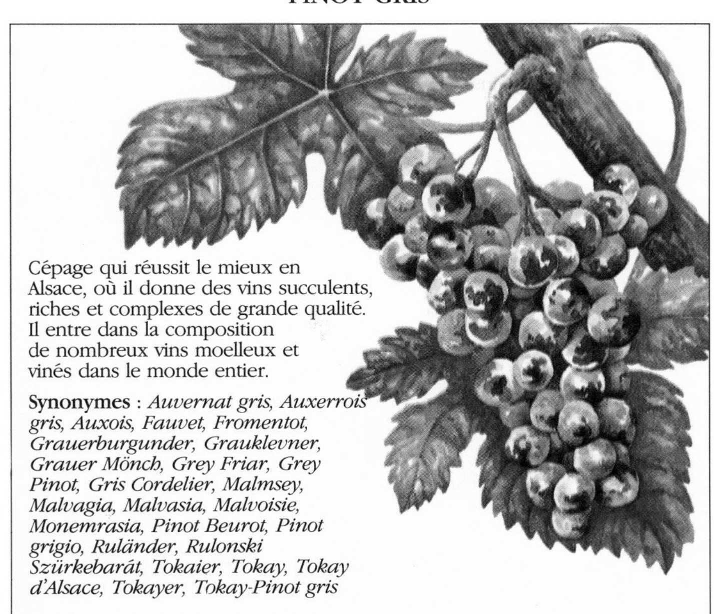

Cépage qui réussit le mieux en Alsace, où il donne des vins succulents, riches et complexes de grande qualité. Il entre dans la composition de nombreux vins moelleux et vinés dans le monde entier.

Synonymes : *Auvernat gris, Auxerrois gris, Auxois, Fauvet, Fromentot, Grauerburgunder, Grauklevner, Grauer Mönch, Grey Friar, Grey Pinot, Gris Cordelier, Malmsey, Malvagia, Malvasia, Malvoisie, Monemrasia, Pinot Beurot, Pinot grigio, Ruländer, Rulonski Szürkebarát, Tokaier, Tokay, Tokay d'Alsace, Tokayer, Tokay-Pinot gris*

RIESLING

Cépage allemand classique, le Riesling, s'il est bien vinifié, permet d'élaborer des vins d'un tel rapport fruit/acidité qu'ils sont d'une grande classe. Ce sont des vins légers, peu alcoolisés, avec cependant une saveur intense et une grande longévité. Avec quelques années de bouteille, les meilleurs Riesling développent un bouquet vif et nerveux qu'on associe parfois au pétrole. Le raisin, susceptible d'être touché par le botrytis, peut également donner des vins intensément moelleux.

Synonymes : *Hochheimer, Johannisberger, Johannisberg Riesling, Moselriesling, Mosel Riesling, Petit Rhin, Petit Riesling, Rajinski Rizling, Rajnai Rizling, Reno, Rezlink, Rezlink Rynsky, Rheingauer, Rheingau Riesling, Rheinriesling, Rhein Riesling, Rhine Riesling, Riesler, Rieslinger, Riesling du Rhin, Riesling renano, Rislig rejnski, Rizling rajinski bijeli, Rýnski Rizling, Rössling, Weisser Riesling, White Riesling*

SACY

Cépage mineur qui donne des vins neutres servant à en « allonger » d'autres, et qui est cultivé en petites quantités dans le Chablisien. Sa forte acidité le rendrait très utile dans la production de vins mousseux.

Synonymes : *Blanc vert, Farine, Gros blanc, Tresallier*

SAINT-ÉMILION

Synonyme d'Ugni blanc en France et de Sémillon en Roumanie.

SAVAGNIN

C'est le cépage qui donne le vin jaune du Jura, dont le plus célèbre est le Château-Chalon (nom d'une commune et non d'un château). On cultive un Savagnin rosé dans le village d'Heiligenstein en Alsace où on l'appelle Klevener, à ne pas confondre avec le Klevner qui, lui, est un synonyme du Pinot blanc.

Synonymes : *Formentin* (en Hongrie), *Fromenté, Naturé, Salvagnin, Savagnin blanc, Sauvagnin*

SAUVIGNON BLANC

Ce cépage produit des vins blancs secs à l'arôme caractéristique dans le centre de la France. A Bordeaux, les vins blancs qu'il donne paraissent un peu « poussiéreux », mais des vendanges plus précoces et des techniques de vinification améliorées les rendent aujourd'hui meilleurs. Le cépage entre également dans les assemblages de Sauternes et de Barsac.

Synonymes : *Sauvignon jaune, Blanc fumé, Surin, Fié dans le Neuvillois, Punechon, Puiechou, Gentin à Romorantin, Muskat-Silvaner, Savagnin musqué, Fumé blanc*

SÉMILLON

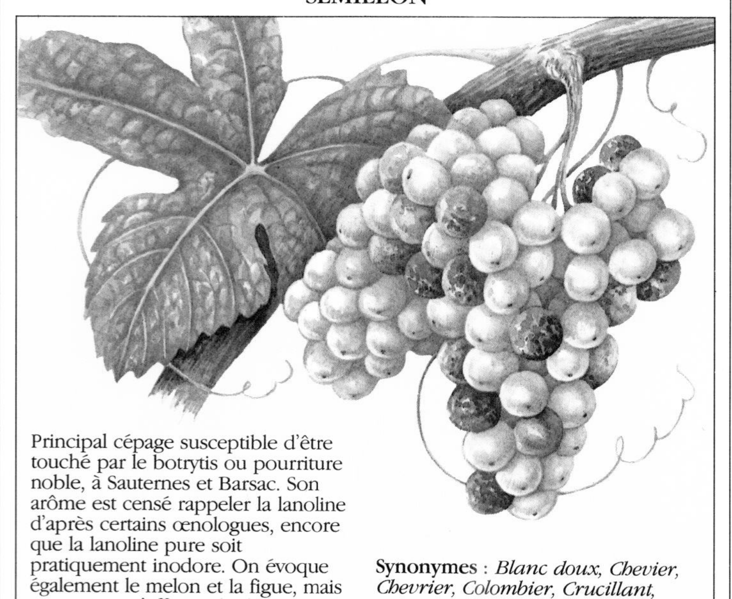

Principal cépage susceptible d'être touché par le botrytis ou pourriture noble, à Sauternes et Barsac. Son arôme est censé rappeler la lanoline d'après certains œnologues, encore que la lanoline pure soit pratiquement inodore. On évoque également le melon et la figue, mais souvent on s'efforce de décrire l'odeur et le caractère du raisin botrytisé plutôt que du Sémillon lui-même.

Synonymes : *Blanc doux, Chevier, Chevrier, Colombier, Crucillant, Hunter Riesling* (Australie), *Hunter River Riesling* (Australie), *Saint-Émilion* (Roumanie), *Semijon, Sémillon Muscat, Sémillon roux*

SAVATIANO

Cépage utilisé par les Grecs pour leur célèbre Retsina. On fait aussi un Savatiano pur, non résiné, en Attique, au cœur de la région productrice de Retsina.

SCHEUREBE

Ce croisement *Sylvaner* x *Riesling* est l'un des meilleurs nouveaux cépages allemands. A maturité, il donne de très bons vins de cépage.

SCHÖNBERGER

Croisement *Spätburgunder* x (*Chasselas rosé* x *Muscat Hamburg*) cultivé en Allemagne et en Angleterre. Il produit des raisins riches en sucre qui donnent un vin bien aromatique mais peu acide.

SÉMILLON

Voir ci-dessous, à gauche.

SEPTIMER

Croisement *Gewürztraminer* x *Müller-Thurgau* cultivé en Allemagne où il mûrit précocement. Il donne des raisins riches en sucre et des vins aromatiques.

SERCIAL

Ce cépage classique de Madère passe pour un parent éloigné du Riesling, mais ses feuilles sont totalement différentes de celles du Riesling.

SEYVAL BLANC

Cet hybride *Seibel 5656* x *Seibel 4986* est le plus réussi des nombreux croisements Seyve-Villard. Il est cultivé en France, dans l'État de New York et en Angleterre.

Synonymes : *Seyve-Villard, Seyve-Villard 5276*

SIEGERREBE

Croisement *Madeleine angevine* x *Gewürztraminer*, largement cultivé en Allemagne.

STEEN

C'est le synonyme accepté pour le Chenin blanc en Afrique du Sud, où on utilise également le terme « Stein », mais pour désigner des vins blancs demi-doux, dont beaucoup contiennent cependant un large pourcentage de raisin de Steen.

SYLVANER

Voir ci-dessous.

TROUSSEAU GRIS

Raisin aujourd'hui plus répandu en Californie et en Nouvelle-Zélande, où il a été baptisé à tort Riesling, que dans le nord du Jura où il est cultivé traditionnellement.

Synonymes : *Gray Riesling, Grey Riesling*

UGNI BLANC

Cépage donnant habituellement des vins légers, voire maigres, qui doivent être distillés. Ils conviennent parfaitement à la production de l'Armagnac et du Cognac. Les vins qu'il donne sont, dans le meilleur des cas, légers, frais et gouleyants.

Synonymes : *Clairette à grains ronds, Clairette ronde, Clairette de Vence, Graisse, Graisse blanc, Muscat aigre, Rossola, Roussan, Roussanne, Saint-Émilion, Trebbiano* (souvent suivi d'un nom de localité), *White Hermitage*

VERDELHO

Cépage classique du Madère.

SYLVANER

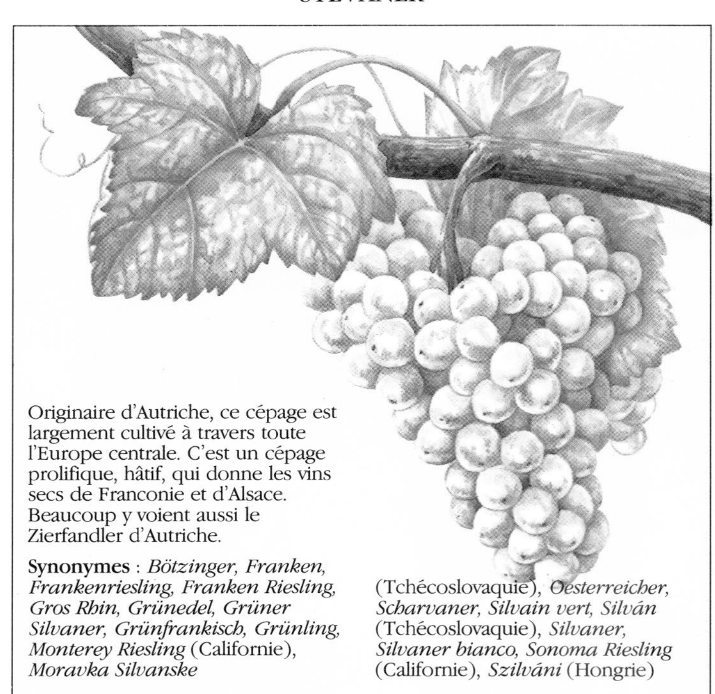

Originaire d'Autriche, ce cépage est largement cultivé à travers toute l'Europe centrale. C'est un cépage prolifique, hâtif, qui donne les vins secs de Franconie et d'Alsace. Beaucoup y voient aussi le Zierfandler d'Autriche.

Synonymes : *Bötzinger, Franken, Frankenriesling, Franken Riesling, Gros Rhin, Grünedel, Grüner Silvaner, Grünfrankisch, Grünling, Monterey Riesling* (Californie), *Moravka Silvanske* (Tchécoslovaquie), *Oesterreicher, Scharvaner, Silvain vert, Silván* (Tchécoslovaquie), *Silvaner, Silvaner bianco, Sonoma Riesling* (Californie), *Szilváni* (Hongrie)

VERDICCHIO
Ce cépage, qui donne le vin de Verdicchio, est aussi utilisé dans les assemblages.

Synonymes : *Marchigiano, Verdone, Uva marana*

VILLARD BLANC
Cet hybride *Seibel 6468* x *Seibel 6905* est le plus cultivé des croisements Seyve-Villard en France. Son vin légèrement amer, riche en fer, ne peut se comparer au séduisant vin du Seyve-Villard 5276 ou du Seyval blanc cultivé en Angleterre.

VIOGNIER
Voir ci-contre, à droite.

WELSCHRIESLING
Ce cépage, sans lien de parenté aucun avec le vrai Riesling, est cultivé dans toute l'Europe et donne des vins blancs ordinaires demi-secs à demi-doux.

Synonymes : *Banatski Rizling, Biela sladka grasica, Laskiriesling, Laski Rizling, Grassevina, Grasica, Italianski Rizling, Italiansky Rizling, Olaszriesling, Olasz Rizling, Riesling italico, Riesling italianski, Riesling italien, Rismi, Rizling vlassky, Talijanski Rizling, Wälschriesling*

WÜRZER
Cépage allemand venant du *Gewurztraminer* x *Müller-Thurgau.*

XARELLO
Raisin espagnol qui joue un rôle très important dans l'industrie des vins mousseux de Cava. Il donne des vins fermes et alcoolisés qu'on adoucit souvent avec du raisin de Parallada et de Macabéo.

Synonymes : *Pansa blanca, Xarel-lo*

VIOGNIER

Cépage qui produit les célèbres et superbes vins secs de Condrieu et de Château-Grillet dans la vallée du Rhône.

Synonyme : *Vionnier*

Cépages noirs

AGIORGITIKO
Excellent cépage indigène grec qui produit les vins riches, souvent vieillis en chêne, de Nemea.

ALICANTE BOUSCHET
Ce croisement *Petit Bouschet* x *Grenache* sert de cépage teinturier, avec son jus de couleur rouge vif. Il est très répandu en France, en particulier en Corse, et est l'un des cépages autorisés pour le Porto. On le cultive aussi en Italie, Yougoslavie, Afrique du Nord, Afrique du Sud et Californie. En Californie, il est généralement planté dans la Central Valley et sert à couper les vins bon marché.

ARAMON
Ce cépage produit des vins maigres et durs, mais il est cultivé de façon intensive.

Synonymes : *Pisse Vin, Ugni noir*

BAGA
Ce cépage représente 80 % de tous les raisins cultivés dans la région de Barraida au Portugal, mais il lui reste encore à faire preuve de caractéristiques variétales vraiment fines.

BARBERA
Cépage italien prolifique cultivé dans le Piémont, qui donne des vins légers, frais et fruités, parfois très bons.

BASTARDO
Cépage classique du Porto, identifié comme étant le Trousseau, cépage ancien autrefois très répandu dans le Jura.

BLAUFRÄNKISCH
Certains croient que ce cépage autrichien n'est autre que le Gamay et, à en juger à la légèreté et à la médiocrité de ses vins, ils pourraient bien avoir raison.

Synonymes : *Blauer Limberger, Crna Moravka, Gamé, Kékfrankos, Lemberger, Schwarze Frankishe*

CABERNET
Nom ambigu qui désigne le *Cabernet Sauvignon* ou le *Cabernet franc.*

CABERNET FRANC
Voir ci-contre, à droite.

CABERNET SAUVIGNON
Voir ci-dessous, à droite.

CAMINA
Croisement *Portugieser* x *Pinot noir* allemand qui donne des raisins plus riches en sucre et en acidité qu'aucun de ses deux parents.

CAMPBELL'S EARLY
Hybride américain particulièrement apprécié au Japon.

Synonyme : *Island Belle*

CANAIOLO NERO
Cépage secondaire qui sert à adoucir le cépage principal du Chianti, le Sangiovese.

CARIGNAN
Cépage espagnol très largement répandu dans le sud de la France et en Californie pour la production de vins de table. L'un des synonymes du Carignan – Mataro – est le nom courant du Mourvèdre, qui donne également un vin bien coloré et dur. Il existe également un Carignan blanc et un Carignan gris.

Synonymes : *Carignane, Carignan noir, Carinena, Catalan, Crujillon, Bois dur, Mataro, Mazuelo, Roussillonen, Tinto Mazuela*

CABERNET FRANC

Cépage cultivé dans tout le Bordelais, mais de façon irrégulière dans le Médoc, et de moins en moins dans les Graves. C'est sous le nom de Bouchet qu'il donne les meilleurs résultats à Saint-Émilion et à Pomerol, sur l'autre rive de la Dordogne, où le Cabernet Sauvignon est moins bien représenté. Le Cabernet franc a tendance à donner des vins légèrement plus rustiques, très aromatiques, mais moins fins en bouche que le Cabernet Sauvignon.

Synonymes : *Bouchet, Bouschet Sauvignon, Breton, Cabernet, Cabernet gris, Carmenet, Gros Bouchet, Gros Bouschet, Gros Cabernet, Gros Vidure, Petit-Fer, Véron*

CABERNET SAUVIGNON

C'est le plus noble cépage de Bordeaux, d'une importance vitale pour les vins classiques du Médoc, riches en arôme, en couleur et en profondeur. Bon nombre de ses caractéristiques se retrouvent dans les vins qu'il donne à travers le monde entier. Sa complexité va au-delà des comparaisons simplistes avec le cèdre, le cassis ou la violette.

Synonymes : *Bouchet, Bouschet Sauvignon, Petit Bouschet, Petit Cabernet, Petite-Vidure, Vidure*

CARMENÈRE

Cépage bordelais peu répandu qui produit des vins d'une délicieuse richesse, tendres et d'une excellente couleur.

Synonymes : *Cabarnelle, Carmenelle, Grande Vidure*

CÉSAR

Cépage mineur de qualité moyenne qui est encore utilisé dans certaines régions de Bourgogne, surtout pour le Bourgogne Irancy.

Synonymes : *Romain, Ronçain, Gros Monsieur, Gros Noir*

CINSAULT

Cépage prolifique cultivé surtout dans le sud de la vallée du Rhône et en Languedoc-Roussillon, où il produit des vins robustes, bien colorés. Il donne les meilleurs résultats dans les assemblages, en particulier à Châteauneuf-du-Pape.

Synonymes : *Black Malvoisie, Bourdalès, Cinq-Saou, Cinsault, Cuviller, Espagna, Hermitage, Malaga, Morterille noire, Picardin noir, Plant d'Arles*

CONCORD

Cépage le plus répandu en Amérique du Nord en dehors de la Californie. Il a une saveur foxée très prononcée.

CORVINA

Cépage italien prolifique, qui se trouve en Vénétie où il entre dans les vins de Bardolino et de Valpolicella, auxquels ses peaux épaisses donnent de la couleur et des tanins.

Synonymes : *Corvina veronese, Cruina*

DECKROT

Croisement *Pinot gris* x *Teinturier Färbertraube* qui produit un jus coloré apprécié des viticulteurs des régions froides d'Allemagne, car ils ne peuvent cultiver des raisins noirs à peau foncée pour produire normalement des vins rouges.

DOMINA

Croisement *Portugieser* x *Pinot noir* qui convient mieux aux vignobles allemands qu'aucun de ses deux parents.

GAMAY

Voir ci-dessous.

GRACIANO

Cépage important dans la production de Rioja où, en petite quantité, il donne de la richesse et du fruité au vin.

Synonymes : *Morrastel, Perpignanou*

GRENACHE

Cépage cultivé dans le sud de la France où il entre dans les vins de Châteauneuf-du-Pape et de Tavel entre autres. Ce cépage de base de Rioja produit des vins de type Porto et des rosés légers en Californie ; il est également cultivé en Afrique du Sud. Ses vins riches, chauds et alcoolisés, parfois trop, demandent à être coupés avec d'autres cépages.

Certains considèrent que l'Alicante (un des synonymes du Grenache) serait l'Alicante Bouschet (ou simple Bouschet en Californie), mais c'est également trompeur. L'Alicante ou Grenache donne un jus incolore, tandis que l'Alicante Bouschet a un jus rouge vif qui lui vient de sa parenté avec le cépage teinturier. Le Petit Bouschet est lui-même un croisement *Teinturier du Cher* x *Aramon.*

Synonymes : *Alicante, Alicante Grenache, Aragón, Garnacha, Garnache, Garnacho, Granaccia, Grenache nera, Roussillon tinto, Tinto Aragonés, Uva di Spagno*

GAMAY

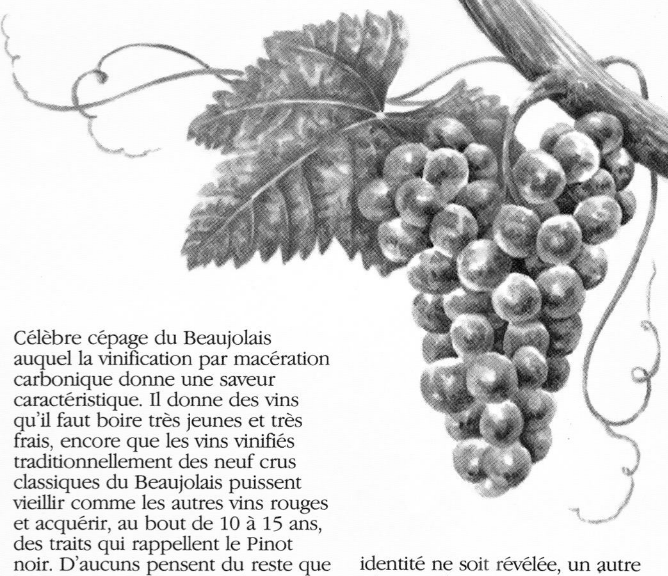

Célèbre cépage du Beaujolais auquel la vinification par macération carbonique donne une saveur caractéristique. Il donne des vins qu'il faut boire très jeunes et très frais, encore que les vins vinifiés traditionnellement des neuf crus classiques du Beaujolais puissent vieillir comme les autres vins rouges et acquérir, au bout de 10 à 15 ans, des traits qui rappellent le Pinot noir. D'aucuns pensent du reste que le raisin serait un ancien clone naturel du Pinot noir. En France, le synonyme Gamay Beaujolais désigne le vrai Gamay, tandis qu'en Californie il désigne le Pinot noir. Cette dénomination américaine erronée s'est imposée lorsque Paul Masson a rapporté dans ses chais plusieurs cépages bourguignons, dont un qu'il tenait pour le Gamay du Beaujolais. Il fut identifié comme étant le Pinot noir au milieu des années 60, mais à cette époque, plusieurs exploitations californiennes vendaient déjà leur propre marque de Gamay Beaujolais. Avant que sa véritable identité ne soit révélée, un autre cépage – le Napa Gamay –, que l'on cultivait en Californie depuis quelque temps, avait été identifié comme étant le véritable Gamay.

Synonymes : *Blaufränkisch, Borgogna crna, Bourguignon noir, Frankinja crna, Frankinja modra, Gaamez, Gamay Beaujolais, Gamay noir, Gamay noir à jus blanc, Gamay rond, Kékfrankos, Limberger, Napa Gamay, Petit Gamai*

Gamay teinturiers : *Fréaux hâtif, Gamay Fréaux, Gamay de Bouze, Gamay de Chaudenay, Gamay Castille, Gamay teinturier Mouro*

GROLLEAU

Raisin prolifique qui a naturellement un taux élevé de sucre, et qui joue un rôle important dans la production de l'Anjou rosé, bien qu'étant rarement de qualité intéressante.

Synonymes : *Groslot, Gros Lot, Plant Boisnard, Pineau de Saumur*

HEROLDREBE

Croisement *Portugieser* x *Limberger* qui peut produire des vins de couleur claire et de saveur neutre en Allemagne.

KADARKA

Cépage le plus cultivé en Hongrie et dans l'ensemble des Balkans. Il donne un vin plaisant, léger et fruité.

Synonymes : *Balkan Kadarka, Codarka, Gamza, Kadarska*

KOLOR

Croisement *Pinot noir* x *Teinturier Färbertraube,* l'un des cépages teinturiers allemands, développé pour donner de la couleur aux vins rouges du nord du pays.

LAMBRUSCO

Cépage italien, célèbre pour le vin rouge demi-doux, légèrement effervescent, qu'il produit dans la région d'Émilie-Romagne.

MALBEC

Cépage traditionnellement employé dans les assemblages bordelais pour ajouter de la couleur et du tanin. On le cultive également dans la vallée de la Loire, à Cahors et dans la région méditerranéenne. Il produisait le légendaire « vin noir de Cahors » au XIXe siècle. Le Cahors d'aujourd'hui, issu de plusieurs cépages, est infiniment supérieur à son prédécesseur.

Synonymes : *Auxerrois, Balouzet, Cahors, Cot, Estrangey, Étaulier, Étranger, Gourdoux, Grifforin, Gros noir, Guillan rouge, Jacobain, Luckens, Magret, Malbeck, Mausat, Mauzac, Mourane, Moustère, Negri, Noir doux, Noir de Pressac, Parde, Pied noir, Pied de Perdrix, Pied rouge, Piperdy, Prèchat, Pressac, Prolongeau, Quercy, Sème, Teinturier, Terranis*

MAVROUD

Cépage bulgare qui produit des vins sombres, riches, à la saveur de prune.

Synonyme : *Mavrud*

MAZUELO

Cépage cultivé dans la région de Rioja et qu'on croit être le Carignan, bien qu'il ne lui ressemble guère. Il donne des vins légers, mais riches, fruités et peu alcoolisés.

MERLOT

Voir p. 31, en haut à gauche.

MONASTRELL

Cépage espagnol sous-estimé, qui sert en général dans les assemblages. Il a cependant une saveur pleine et caractéristique et pourrait donner des vins d'une certaine séduction.

MERLOT

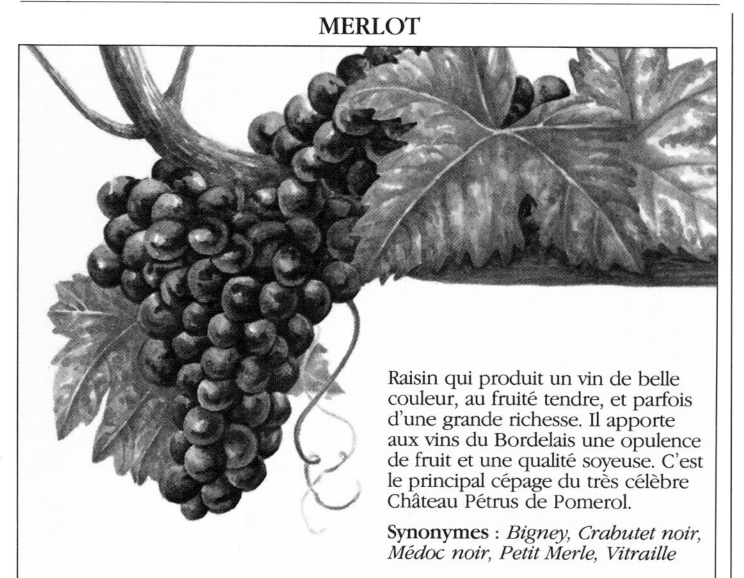

Raisin qui produit un vin de belle couleur, au fruité tendre, et parfois d'une grande richesse. Il apporte aux vins du Bordelais une opulence de fruit et une qualité soyeuse. C'est le principal cépage du très célèbre Château Pétrus de Pomerol.

Synonymes : *Bigney, Crabutet noir, Médoc noir, Petit Merle, Vitraille*

PINOT MEUNIER

Important cépage en Champagne où, vinifié en blanc, il donne plus de séduction immédiate au fruité que le Pinot noir quand il est jeune. Il est donc essentiel pour les Champagne destinés à être bus jeunes. Ses caractéristiques sont plus immédiates, mais moins raffinées et plus précoces que celles du Pinot noir.

Synonymes : *Auvernat gris, Blanche Feuille, Dusty Miller, Goujan, Gris Meunier, Morillon Taconé, Müllerrebe, Müller Rebe, Müller Schwarzriesling, Plant de Brie, Schwarzriesling, Wrotham Pinot*

MONDEUSE

Cépage qui pourrait provenir de Friuli dans le nord-est de l'Italie, où on l'appelle Refosco. Il est maintenant planté en Savoie, et jusqu'en Californie, en Suisse, en Yougoslavie, en Argentine et en Australie, où il est souvent l'un des cépages importants des vins vinés de type Porto.

Synonymes : *Grand Picot, Gros Rouge du pays, Grosse Syrah, Molette noir, Refosco, Savoyanche, Terrano*

MOURVÈDRE

Cépage d'excellente qualité, qui joue un rôle plus important que les cépages inférieurs dans les assemblages de Châteauneuf-du-Pape depuis quelques années. Il est largement répandu dans toute la vallée du Rhône et dans le midi de la France, ainsi qu'en Espagne sous le nom de Mataro.

Synonymes : *Balzac, Beni Carlo, Catalan, Espar, Esparte, Mataro, Negron, Tinto*

PAMID

Le plus cultivé des cépages noirs indigènes de Bulgarie. Il donne des vins gouleyants, légers et fruités.

PETIT VERDOT

Cépage qui a été judicieusement utilisé dans le Bordelais pour sa maturation tardive et l'acidité qu'il apporte ainsi à l'équilibre général des vins. Certaines techniques modernes de viticulture et de vinification l'ont rendu moins utile, ce qui pourrait se révéler regrettable car il donne également un vin tannique, avec une grande longévité et du caractère quand il est bien mûr.

Synonymes : *Carmelin, Petit Verdau, Verdot, Verdot rouge*

PINEAU D'AUNIS

Cépage surtout connu pour le rôle de soutien qu'il joue dans la production du Rosé d'Anjou.

Synonymes : *Chenin noir, Cot à queue rouge, Pineau rouge, Plant d'Aunis*

PINOTAGE

Croisement *Pinot noir* x *Cinsault* développé en 1925. Il joue un rôle important dans la viticulture d'Afrique du Sud, où son vin rustique et riche en nuances est très apprécié.

PINOT MEUNIER

Voir ci-dessus.

PINOT NOIR

Voir ci-dessous.

PORTUGIESER

Cépage noir le plus répandu en Allemagne, originaire de la vallée du Danube en Autriche. Il donne un vin rouge très ordinaire et extrêmement léger qui sert, dans les mauvaises années, à couper les vins blancs trop acides.

Synonymes : *Oporto, Portugais bleu, Portugalka*

PRIMITIVO

Cépage italien cultivé en Apulie, où il produit des vins riches, parfois moelleux ou vinés. Certains pensent qu'il s'agit de la même variété que le Zinfandel.

Synonymes : *Primativo, Zingarello, Zinfandel*

RONDINELLA

Cépage italien, le second en importance après le Corvina par la superficie qu'il occupe ; il est utilisé pour la production de Bardolino et de Valpolicella.

ROTBERGER

Croisement *Trollinger* x *Riesling*, étonnamment réussi, qui donne quelques excellents vins rosés.

RUBY CABERNET

Croisement *Carignan* x *Cabernet Sauvignon* mis au point en 1936, qui a donné ses premiers fruits en 1940 et son premier vin en 1946.

NEBBIOLO

Célèbre pour le Barolo qu'il produit, ce cépage entre également, seul ou associé, dans la composition d'autres vins superbes du Piémont : Gattinara, Barbaresco, Carema ou Donnaz. Il demande souvent à être adouci par l'adjonction de raisin de Bonarda qui joue le même rôle que le Merlot dans le Bordelais. Du reste le Merlot est utilisé en Lombardie pour adoucir le Nebbiolo dans la production des Valtelina et Valtelina superiore.

Synonymes : *Chiavennasca, Nebbiolo Lampia, Nebbiolo Michet, Nebbiolo-Spanna, Nebbiolo rosé, Picoutener, Picutener, Pugnet, Spanna, Spauna*

PINOT NOIR

C'est l'un des cépages champenois classiques. Dans une bonne situation, avec des conditions climatiques idéales, le Pinot noir peut produire les vins les plus riches et les plus soyeux du monde.

Synonymes : *Auvernat, Blauburgunder, Blauer Spätburgunder, Cortaillod, Klevner, Morillon, Nagi-burgundi, Nagyburgundi, Noiren, Pineau, Plant doré, Pinot Vérot, Rotclevner, Savagnin noir, Savignin, Schwartz Klevner, Spätburgunder, Vert doré*

SANGIOVESE

Principal cépage du Chianti. Dans sa forme variétale pure, il peut manquer de fruité et avoir une finale métallique.

Synonymes : *Brunello* (Montalcino), *Calabrese, Morellino, Nerino, Prugnolo* (Montepulciano) *Sangiovese dolce, Sangiovese gentile, Sangiovese di Lamole, Sangiovese Sanvicetro, Toscano*

SYRAH

Cépage dont le nom vient de Chiraz, capitale de la province du Fars en Iran ; la plupart croient donc que ce cépage est originaire de Perse, remontant peut-être jusqu'en 600 avant J.-C.
A Hermitage, dans le nord de la vallée du Rhône, ce raisin donne de grands vins tanniques, riches et bien fruités.

Synonymes : *Chira, Entournerien, Hignin, Hignin noir, Petite Syrah* (France), *Schiras, Serenne, Serine, Shiraz, Shyraz, Sirac, Sirah, Sirrah, Sirras, Syra, Syrac, Syras*

TANNAT

Ce raisin originaire du Pays basque peut produire des vins tanniques à la robe profonde, d'une grande longévité, encore que certaines méthodes de vinification modernes altèrent son caractère traditionnel. Les vins les plus connus tirés de ce cépage sont le Madiran et l'Irouléguy. Le Tannat sert également aux assemblages dans la région de Cahors.

Synonymes : *Bordeleza Belcha, Harriague, Madiran, Moustrou, Moustroun, Tanat*

TEMPRANILLO

Cépage le plus important de Rioja, où il est d'usage d'employer plusieurs cépages, encore qu'on y fasse des vins exclusivement de Tempranillo. Il peut produire des vins de très longue garde, fins et complexes. C'est également un cépage important en Argentine.

Synonymes : *Aragonez, Cencibel, Grenache de Logrono, Ojo de Liebre, Tempranilla, Tempranillo de la Rioja, Tinta roriz, Tinto fino, Tinto Madrid, Tinto de la Rioja, Tinto de Toro, Ull de llebre*

TINTA AMARELA

Cépage important du Porto.

TINTA BARROCA

L'un des cépages du Douro, qui donne des vins pleins et bien colorés, parfois assez rustiques de caractère comparés aux deux variétés de Touriga.

TINTA CÃO

L'un des meilleurs cépages du Porto.

TOURIGA FRANCESA

Cépage classique du Porto qui n'est pas apparenté au Touriga nacional. Son vin est moins concentré, mais de belle qualité.

TROLLINGER

Cépage confiné pour l'essentiel au Wurtemberg en Allemagne. Il donne un vin rouge frais et fruité.

Synonymes : *Black Hamburg, Blauer Malvasier, Frankenthaler, Grossvernatsch, Red Trollinger, Schiava-grossa*

VRANAC

Cépage indigène de Yougoslavie, où il donne des vins de couleur sombre, corsés, bien typés.

XYNOMAVRO

Excellent cépage grec qui donne un vin riche et souple, le Naoussa.

ZINFANDEL

Voir ci-dessous.

TOURIGA NACIONAL

Le meilleur cépage destiné au Porto de tout le Douro. Le vin est d'une richesse considérable, tannique, extrêmement fruité, complexe, et d'une grande longévité.

Synonyme : *Touriga*

ZINFANDEL

Qu'il s'agisse ou non du Primitivo du sud de l'Italie, ce cépage donne en Californie, où il passe pour indigène, un vin unique. Le style peut être léger et élégant, comme dans les vins blancs ou rosés, ou massif et tannique dans les vins rouges, mais le caractère du raisin ressort toujours.

Synonymes : *Primitivo, Zingarello*

LES VINS DE
FRANCE

France

Aucun autre pays au monde ne peut rivaliser avec la France par la qualité et la diversité de ses vins, et seule l'Italie présente un volume de production comparable. En France, la récolte moyenne atteint 76 millions d'hectolitres par an. Le vin de qualité ne pouvant malheureusement être produit qu'en quantités limitées, plus de la moitié de cette immense production se compose de vins de consommation courante officiellement désignés sous le terme de « Vins de table ». La hiérarchie officielle peut toutefois réserver des surprises : certaines appellations illustres se révèlent parfois décevantes, tandis que les vins de régions moins connues sont souvent exceptionnels.

LES CATÉGORIES DE VINS EN FRANCE

Appellation d'origine contrôlée (AOC)

28 % de la production totale
30 % exportés, 70 % consommés en France

La France fut le premier pays à instaurer un système destiné à contrôler l'origine et la qualité de ses vins. L'Institut national des appellations d'origine (INAO) fut fondé dès 1935 ; il recense aujourd'hui quelque 400 AOC différentes, qui couvrent 380 000 hectares et produisent en moyenne 21 millions d'hectolitres par an.

Les meilleurs vins français sont presque tous des AOC. Les cépages employés, les méthodes de viticulture, les rendements, le degré minimal d'alcool, les méthodes de vinification sont fixés par la législation, et la qualité du vin est contrôlée par une commission de dégustation officielle.

Vin délimité de qualité supérieure (VDQS)

1,3 % de la production totale
20 % exportés, 80 % consommés en France

Les VDQS sont soumis à des contrôles semblables à ceux des AOC, mais les rendements peuvent être supérieurs, tandis que le niveau d'ensemble exigé n'est pas aussi élevé. Bon nombre de VDQS ayant été récemment promus au rang d'AOC, la production moyenne de cette catégorie a sensiblement baissé au cours des dernières années.

Vin de pays

13 % de la production totale
10 % exportés, 90 % consommés en France

Créée récemment pour limiter la production de vins de qualité inférieure, cette catégorie fournit environ 10 millions d'hectolitres par an. Les Vins de pays sont divisés en trois catégories aux normes de contrôle différentes. L'étiquette doit mentionner l'origine du vin, mais la gamme des cépages autorisés est vaste et les rendements sont élevés, de sorte que les produits montrent une qualité très variable. La description des différentes catégories de Vins de pays et une carte détaillée des zones de production figurent à la page 197.

Vin de table

44,7 % de la production totale
12 % exportés, 88 % consommés en France

Également appelés Vins ordinaires ou Vins de consommation courante, les Vins de table sont des produits bon marché destinés à la consommation quotidienne. Forte de 34 millions d'hectolitres presque entièrement consommés en France, la récolte de cette catégorie est de loin la plus importante en volume. L'étiquette n'indique pas l'origine du vin, dont le degré d'alcool et la qualité sont, en outre, variables. Restent 13 % de la production française, soit 10 millions d'hectolitres par an ; ceux-ci sont classés Vins blancs de Cognac et sont distillés.

PRODUCTION ACTUELLE DE VIN EN FRANCE

	AOC	VDQS	Vin de pays	Vin de table
Rouge	55 %	52 %	70 %	73 %
Blanc	25 %	39 %	10 %	13 %
Rosé	10 %	9 %	20 %	7 %
Mousseux	10 %	négligeable	0 %	7 %

CONSOMMATION DU VIN FRANCAIS DANS LE MONDE

La France produit 76 millions d'hectolitres de vin par an dont 62 % de vin rouge. Si la consommation nationale est en baisse (83 litres par habitant, contre 120 en 1969), les exportations augmentent, en valeur et en pourcentage de la production.

La France exporte 13 millions d'hectolitres de vin par an. AOC / Autres

Échelle : 1 2 3 4 5 6 7 8 9 10 11 12 13

	A	B	C	D	E	F	G	H	I
AOC	29%	54%	55%	63%	65%	33%	93%	49%	–
Autres	71%	46%	45%	37%	35%	67%	7%	51%	–

A : RFA, 29 %. B : Grande-Bretagne, 16 %. C : Belgique-Luxembourg, 11 %. D : E.U., 8 %. E : Pays-Bas, 7,9 %. F : Canada, 5 %, G : Suisse, 5 %. H : Suède, 3 %. I : Autres pays, 14,1 %.

COMMENT LIRE UNE ÉTIQUETTE DE VIN FRANÇAIS

Les étiquettes comportent certaines mentions obligatoires, telles que le nom de l'embouteilleur, lequel, en France, est légalement responsable du vin. D'autres indications, comme la couleur ou le type de vin, le cépage, le millésime, ne sont pas toujours obligatoires, mais sont utiles.

AOC

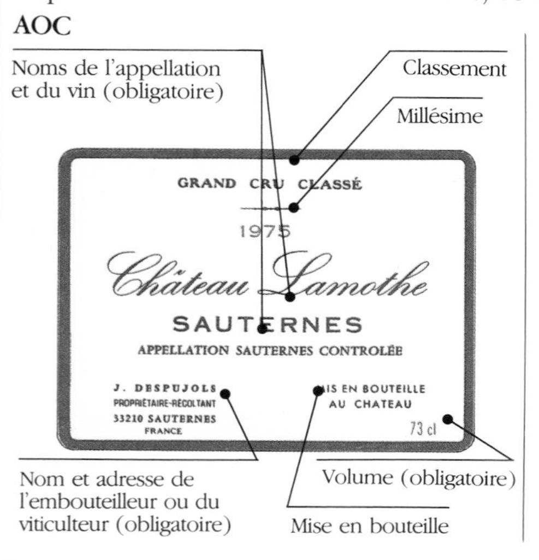

VDQS

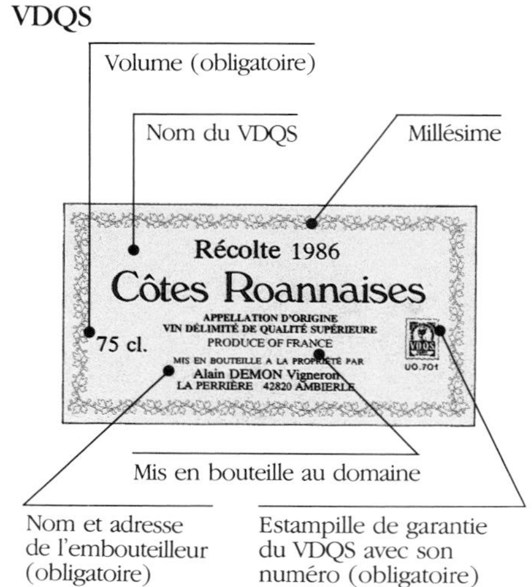

Vin de pays

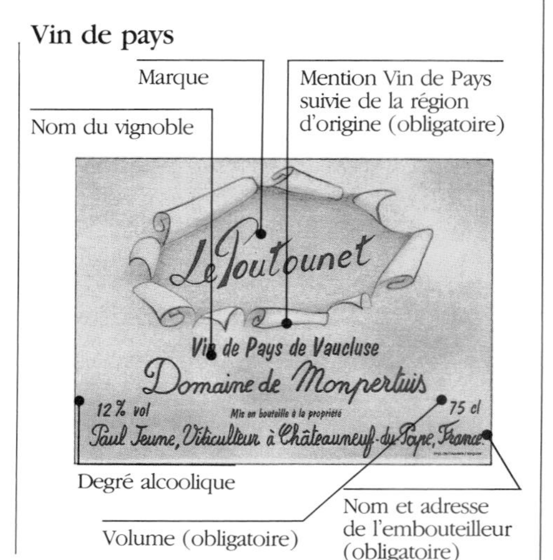

FRANCE

Les zones colorées sur cette carte correspondent aux dix principales régions viticoles de France, où sont concentrées les aires d'Appellation d'origine contrôlée. La France compte cependant plus d'un million d'hectares de vignobles, et d'autres régions produisent de bons vins ordinaires. Voir aussi *les cartes des* Vins de Pays, *p. 198 et 199.*

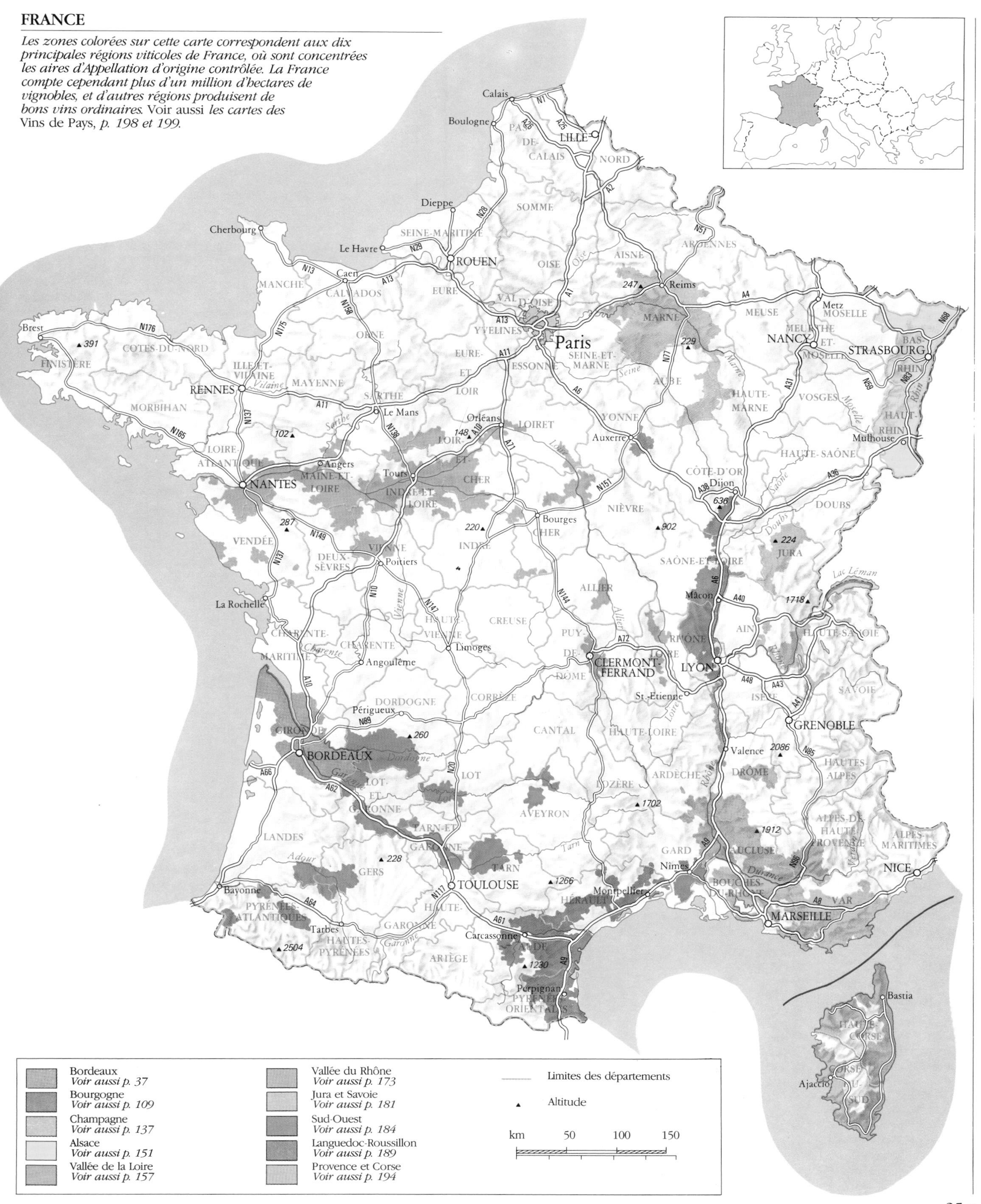

Bordelais

Des vins rouges classiques du Médoc, des Graves, de Saint-Émilion et de Pomerol aux grands vins blancs moelleux de Sauternes et Barsac, le Bordelais est la plus importante source de vins de qualité au monde.

Bordeaux occupe un site viticole presque parfait. La campagne environnante est pleine de charme, sinon spectaculaire. Les plus célèbres des crus classés sont représentés par de somptueux châteaux qui offrent un vaste éventail de styles architecturaux couvrant plus de sept siècles. Par ailleurs, une multitude de petits châteaux contribuent à forger le prestige de la région, même si certains sont tout à fait modestes.

L'APPELLATION BORDEAUX

Les limites de l'appellation Bordeaux coïncident avec celles du département de la Gironde, le plus étendu de France. Le vin qu'on y élabore est une source de revenus considérables et nul autre au monde ne suscite de plus vives controverses. Aujourd'hui, plus de 22 000 propriétaires de vignobles cultivent 100 000 hectares de terre et produisent chaque année 4 millions d'hectolitres de Bordeaux, soit plus de 44 millions de caisses. Parmi les 22 000 propriétés, la dernière édition du Féret – véritable « bible » du Bordeaux – répertorie quelque 7 000 châteaux et domaines vinicoles. Pourtant, la réputation de cette immense région est bâtie sur moins de 1 % des exploitations, et 3 % seulement de l'énorme production sont classés Grands crus, rang le plus élevé dans la hiérarchie des AOC bordelaises.

LE SYSTÈME DES CHÂTEAUX ET LE POUVOIR DES NÉGOCIANTS

Le système féodal d'exploitation des terres qui avait cours avant la naissance du concept de « château » vinicole n'a commencé d'évoluer qu'à la fin du XVIIe siècle. La renommée des domaines s'établit peu à peu à mesure que les courtiers bordelais prirent l'habitude de classer les vins selon leur cru (c'est-à-dire leur origine géographique) et leur prix.

Le XIXe siècle est marqué par l'influence sans cesse croissante des négociants à Bordeaux. Bon nombre de ces hommes d'affaires étaient anglais, mais l'on comptait également parmi eux des hommes d'affaires écossais, des Irlandais, des Néerlandais et des Allemands. Les meilleurs vins de Bordeaux n'étaient pas alors consommés par les Français, mais réservés à la clientèle d'Europe du Nord : Britanniques, Néerlandais et Allemands essentiellement. Au printemps, les négociants prenaient livraison de jeunes vins en fût en provenance de divers châteaux, puis les faisaient mûrir dans leurs chais avant de les exporter. Cette pratique de l'élevage du vin leur valut le nom de négociants-éleveurs.

Le négoce moderne des vins de Bordeaux

Les 400 négociants, ou négociants-éleveurs, de Bordeaux sont des intermédiaires inévitables. présents à tous les niveaux commerciaux. L'acheteur étranger gagnera donc à s'attacher les services d'un négociant ; il lui est difficile, en tous les cas, de faire autrement. Un certain nombre de châteaux appartiennent, en effet, à des négociants ou sont liés à eux par des contrats d'exclusivité. De nos jours, leur rôle d'éleveur se limite principalement aux vins de marque. Le courtier connaît parfaitement les vins de la région et les désirs de sa clientèle. Il ne possède pas de stocks, mais joue de multiples rôles : il met en relation le vendeur et l'acheteur, et est rétribué par les deux parties. À l'acheteur, il garantit que le vin livré sera identique aux échantillons dégustés ; au vendeur, il garantit le paiement de sa facture. Voir une sélection de négociants bordelais page 40.

LES CÉPAGES CLASSIQUES DE BORDEAUX

L'imitation du style bordelais dans le monde entier contribua à répandre très largement la culture du Cabernet Sauvignon, illustre cépage dont sont issus désormais toutes sortes de « Bordeaux » internationaux. Le Cabernet Sauvignon ne représente pourtant que 18 % de l'encépagement du Bordelais, alors que le Merlot, généralement considéré comme second, occupe plus de 32 % du vignoble et près de 40 % dans le Médoc où, cependant, évoquer son nom relève presque du blasphème.

Le Cabernet Sauvignon est certes un cépage classique, peut-être le plus grand cépage noir, mais son importance dans le Bordelais a été exagérée. Bien que la qualité des vins dépende de la proportion de raisin employée, il serait plus juste de dire que le Cabernet Sauvignon donne de la charpente au Merlot que de prétendre que le Merlot adoucit le Cabernet Sauvignon. Le Château Mouton-Rothschild ne contient pas moins de 90 % de Cabernet Sauvignon, tandis que le Château Pétrus, l'un des vins les plus chers du monde, comporte 95 % de Merlot.

Le Sémillon est le cépage blanc le plus important du Bordelais, tant par sa qualité que sa quantité. L'action du *Botrytis cinerea* – champignon qui, en produisant la pourriture noble, permet d'élaborer Sauternes et Barsac – le place au premier rang des cépages producteurs de vins liquoreux. Il donne naissance aussi à la majorité des vins blancs secs les plus fins de la région. Le Sauvignon blanc joue un rôle de soutien dans les vins moelleux et entre dans des proportions variables dans l'élaboration des vins secs. C'est l'unique cépage utilisé pour la production de nombreux vins blancs secs bon marché.

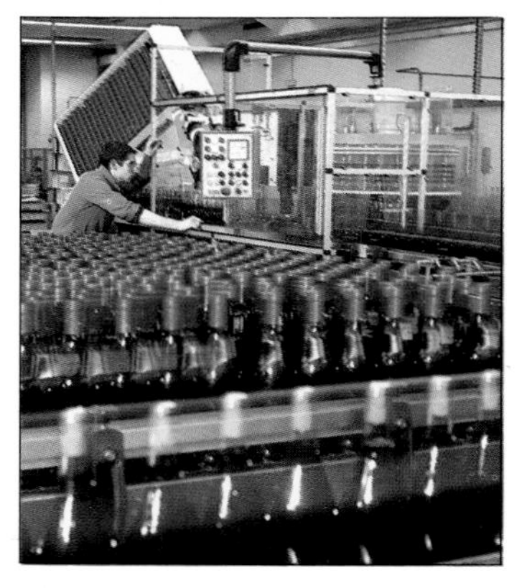

La Garonne et Bordeaux, ci-dessus
Le large estuaire de la Garonne traverse la ville de Bordeaux, capitale commerciale des vins de la région.

Production de masse, à gauche
Bouchage des vins dans l'usine d'embouteillage de la firme Alexis Lichine et Cie, qui produit environ 700 000 caisses (63 000 hectolitres) de vin par an.

Quai des Chartrons, Bordeaux, ci-dessous
La profondeur et la largeur de la Garonne permettent aux navires en provenance de l'océan d'accoster facilement et d'assurer commodément les exportations.

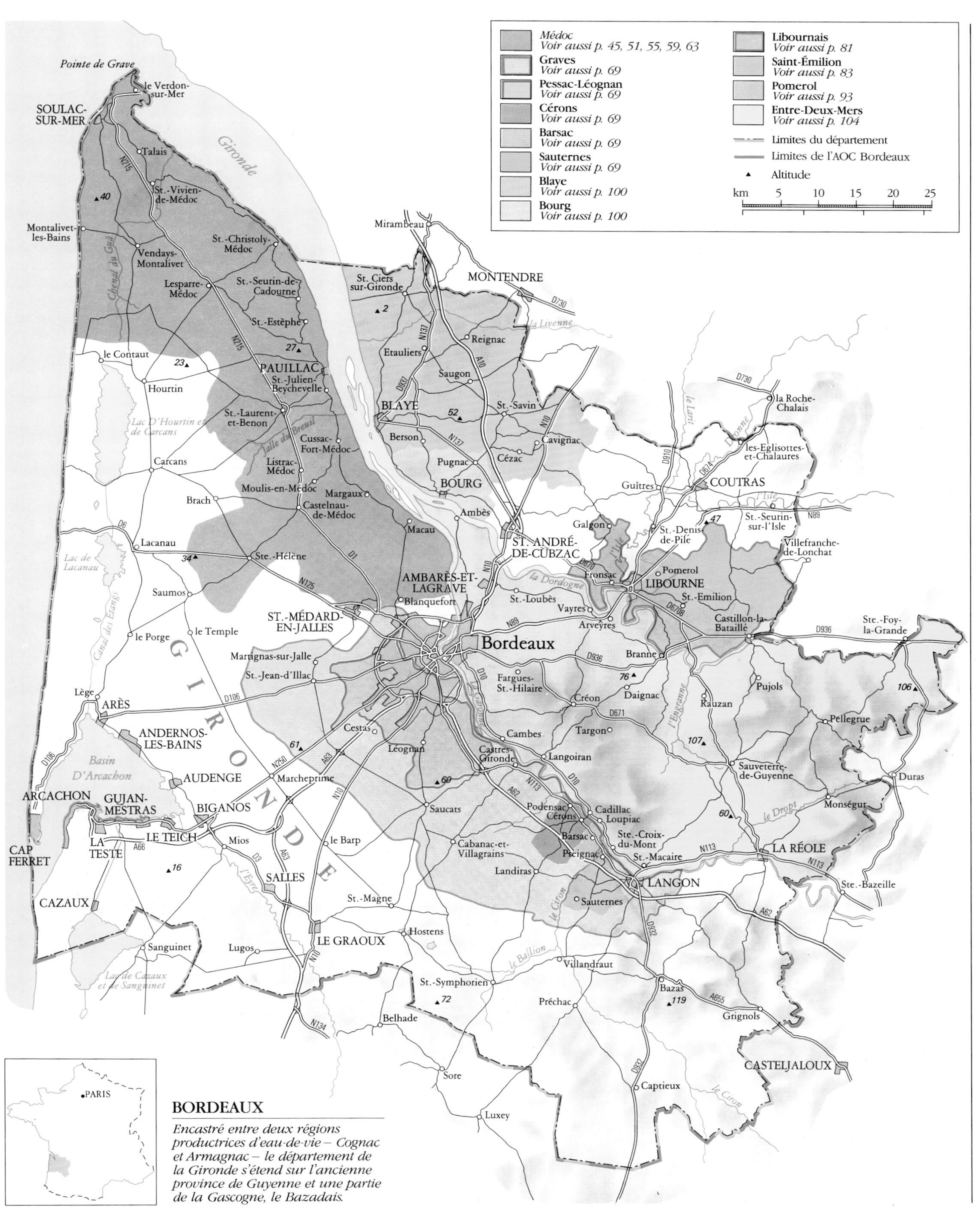

BORDEAUX

Encastré entre deux régions productrices d'eau-de-vie – Cognac et Armagnac – le département de la Gironde s'étend sur l'ancienne province de Guyenne et une partie de la Gascogne, le Bazadais.

LE RÔLE DES DIFFÉRENTS CÉPAGES DANS LA CUVÉE

Chaque cépage contribue à la personnalité d'un vin. Le Cabernet Sauvignon est le plus caractéristique et le plus complexe de tous ceux de la région bordelaise. Sa solide constitution tannique révèle avec le temps une saveur puissante, riche et longue. Les vins issus de ce raisin peuvent présenter beaucoup de finesse, et leur bouquet est souvent marqué par le cassis ou la violette. Le Cabernet franc a des caractéristiques analogues auxquelles s'ajoute, parfois, une saveur de feuilles, de sève ou d'humus suivant l'endroit où il est cultivé. Il paraît supérieur à Saint-Émilion et à Pomerol et peut rivaliser avec le Cabernet Sauvignon dans certaines parties des Graves. Le Merlot est tendre, soyeux et parfois opulent. C'est un raisin qui a du charme ; il peut donner des vins au fruité succulent et épicé. Le Petit Verdot mûrit tardivement et manifeste une forte acidité naturelle, tandis que le Malbec a une peau épaisse, riche en matières colorantes. De petites quantités de ces deux derniers cépages étaient traditionnellement utilisées pour corriger l'acidité et la couleur d'un assemblage. L'introduction des techniques modernes de viticulture et de vinification pousse leur culture vers le déclin depuis une vingtaine d'années.

Le raisin de Sémillon fournit un vin naturellement riche en saveur et en alcool. Il donne des vins blancs moelleux et succulents de longue garde, mais son acidité intrinsèquement faible ne convient pas aux vins blancs secs. Dans des circonstances exceptionnelles toutefois, un Sémillon de très bonne qualité donnera un beau vin sec à condition qu'il soit élevé dans du chêne neuf, qui souligne le caractère aromatique du vin et lui assure une constitution ferme, sans laquelle il paraîtra trop gras et mou.

Dans le Bordelais, le Sauvignon blanc est tendre, délicat, gouleyant. Il n'a pas le même mordant que dans les vignobles du Val-de-Loire, mais son caractère variétal est aujourd'hui plus prononcé qu'il y a quelques années. Des vendanges précoces, une macération préfermentaire au contact des peaux, afin d'en extraire les arômes, et une fermentation plus longue, à température plus basse, contribuent à améliorer la qualité des vins blancs secs.

LA FERMENTATION ET LE MÛRISSEMENT

Si certains crus classés ont conservé leurs cuves en chêne pour la fermentation – mus par des considérations plutôt financières que théoriques –, rares sont ceux qui investissent encore dans l'achat de cuves en chêne neuves. À l'exception du Château Margaux où l'on s'applique à suivre les conseils du Pr Peynaud, on préfère désormais les cuves en acier inoxydable... elles-mêmes souvent recommandées par le célèbre œnologue !

L'adjonction de vin de presse

L'une des techniques de vinification caractéristiques du Bordelais consiste à ajouter aux vins rouges une certaine quantité de vin de presse. Ce dernier est produit après que le vin a terminé sa

COMMENT LIRE L'ÉTIQUETTE D'UN BORDEAUX

Millésime
Il faut toujours considérer les différences de qualité d'un même millésime entre les sous-régions. L'excellent 1970 était un peu moins bon à Saint-Émilion, où le 1971 était plus réussi que dans le Médoc. Mais il ne faudrait pas se laisser décourager par la complexité de ces problèmes. Certains œnologues discutent encore des mérites respectifs du 1961 et du 1945 !

Nom
Est-ce une marque ou un château ? Les vins de marque sont le plus souvent des appellations génériques et doivent être vendus à un prix modéré. S'il s'agit d'un château, jouit-il d'une réputation en accord avec son prix ?

Grand Cru classé
Dans le Médoc et dans les Graves, cette mention est synonyme de Cru classé (voir ci-dessous).

Propriétaire
Nom et adresse du propriétaire du château.

Appellation
Les célèbres châteaux correspondent tous à des appellations spécifiques. Si le vin provient d'une des appellations génériques de Bordeaux, ou d'une aire moins prestigieuse, comme Bourg, Blaye ou Entre-Deux-Mers, il pourra être bon mais ne sera pas magnifique.

***Produce of France* ou Produit de France**
Toute bouteille de vin destinée à l'exportation est tenue légalement d'indiquer le pays producteur. Pour les Bordeaux, cette mention est parfois absente cependant car certaines bouteilles passent de main en main et transitent par plusieurs pays avant d'être consommées.

Mis en bouteille au château
Sur le bouchon et l'étiquette de tous les grands vins de Bordeaux est inscrite la mention « Mis en bouteille au château ». Toutefois, les millésimes plus anciens peuvent avoir été embouteillés par un négociant ou expédiés en barriques, puis mis en bouteille à l'étranger – dans ce cas, ils devraient être moins chers que les autres. Si l'embouteilleur est un négociant réputé, il peut s'agir d'une bonne affaire. Le Château Batailley 1966 mis en bouteille par Peter Dominic était superbe. Mais l'achat de millésimes anciens comporte toujours un certain risque, plus grand encore si le vin a été mis en bouteille à l'étranger.

Les étiquettes de Bordeaux peuvent indiquer les classements suivants ; certains ne s'appliquent qu'aux Saint-Émilion.

Cru bourgeois
Catégorie de vins de bonne qualité constituant le tiers de la production des diverses appellations du Médoc. Ces vins, qui se situent entre ce que l'on appelle les petits châteaux et les Crus classés, sont parfois exceptionnels.

Cru classé
Dans le Bordelais, cette mention ne peut figurer que si le domaine est officiellement classé.

Premier Cru ou Premier Grand Cru classé
Les Premiers Grands Crus de Bordeaux affichent parfois leur supériorité sur l'étiquette ; les Grands Crus suivants – des deuxièmes aux cinquièmes – précisent rarement leur classement.

Grand Cru
Classement attribué annuellement aux vins de Saint-Émilion, jusqu'au millésime 1985 inclus (*voir aussi* p. 83).

Grand Cru classé
Ce classement permanent s'applique à Saint-Émilion à des vins de qualité supérieure à celle des simples Grands Crus. Dans le Médoc et les Graves, cette mention équivaut à celle de Cru classé.

Premier Grand Cru
Placé au sommet de la hiérarchie à Saint-Émilion, le Premier Grand Cru dépasse les Grands Crus classés.

Grand Vin
Bien que cette expression n'ait aucune signification légale, elle correspond à la principale étiquette du château, les éventuels seconds vins étant vendus sous d'autres étiquettes.

fermentation alcoolique et sa transformation malolactique. Le vin est soutiré en fût et le marc résiduel au fond de la cuve est pressuré. Deux pressurages sont généralement nécessaires : le premier vin de presse est le meilleur ; il représente environ 10 % du total, le second, près de 5 %. Le vin de presse est relativement pauvre en alcool, puisque le marc est composé essentiellement de peaux, il est, en outre, très sombre et riche en acide tannique. Dans un vin destiné à être bu jeune, le vin de presse serait dur et déplaisant, mais à un Bordeaux classique vieilli en fût, il offre davantage de longévité et de corps.

L'élevage en fût de chêne

Après la fermentation et avant la mise en bouteille, tous les grands Bordeaux rouges mûrissent dans des barriques bordelaises en chêne de 225 litres. La durée de cet élevage et la proportion de barriques neuves employées dépendront entièrement de la qualité et de la constitution du vin et varieront selon le millésime : plus le vin est grand, plus il peut supporter de chêne neuf et plus longtemps il devra mûrir. Les vins les plus illustres – notamment les Premiers Crus – doivent séjourner de 18 à 24 mois au moins dans 100 % de chêne neuf. D'autres Bordeaux de bonne qualité mûrissent plus rapidement – 12 à 18 mois – et 30 à 50 % de la récolte seulement peuvent y être logés.

Une barrique neuve en chêne, avant d'avoir servi, exhale un arôme boisé, crémeux et vanillé, l'essence même de ce qui doit transparaître dans un beau vin élevé en fût.

LE CLASSEMENT DES VINS DE BORDEAUX

Lorsque l'on évoque « le » classement, il s'agit du classement de 1855 commandité par la Chambre de commerce de Bordeaux, à laquelle les autorités du Second Empire avaient demandé de présenter, à Paris, une sélection de ses vins lors de l'Exposition universelle de 1855. Pour leurs propres besoins, les courtiers bordelais classaient déjà les plus célèbres domaines en fonction du prix de vente des vins, mais cette liste n'était pas exhaustive. C'était donc l'occasion ou jamais de dresser une « liste complète des vins rouges de Bordeaux ainsi que des grands vins blancs ».

Les classements ci-après reprennent les noms du XIXe siècle dans l'ordre fixé par les courtiers le 18 avril 1855. Ont été respectés l'absence du mot « château », l'accent circonflexe sur « crû » et l'usage de « Seconds Crûs » pour les vins rouges et de « Deuxièmes Crûs » pour les blancs.

CLASSEMENT DE 1855 DES VINS ROUGES DE LA GIRONDE

PREMIERS CRÛS

Château Lafite, Pauillac (aujourd'hui Château Lafite Rothschild)

Château Margaux, Margaux

Château Latour, Pauillac

Haut-Brion, Pessac (Graves)

SECONDS CRÛS

Mouton, Pauillac (aujourd'hui Château Mouton-Rothschild et Premier Cru depuis 1973)

Rauzan-Ségla, Margaux (aujourd'hui Château Rausan-Ségla)

Rauzan-Gassies, Margaux

Léoville, St-Julien (aujourd'hui Châteaux Léoville-Las-Cases, Léoville-Poyferré et Léoville Barton)

Vivens Durfort, Margaux (aujourd'hui Château Durfort-Vivens)

Gruau-Laroze, St-Julien (aujourd'hui Château Gruaud-Larose)

Lascombe, Margaux (aujourd'hui Château Lascombes)

Brane, Cantenac (aujourd'hui Château Brane-Cantenac)

Pichon Longueville, Pauillac (aujourd'hui Châteaux Pichon-Longueville-Baron et Pichon-Longueville-Comtesse-de-Lalande)

Ducru Beau Caillou, St-Julien (aujourd'hui Château Ducru-Beaucaillou)

Cos Destournel, St-Estèphe (aujourd'hui Château Cos-d'Estournel)

Montrose, St-Estèphe

TROISIÈMES CRÛS

Kirwan, Cantenac

Château d'Issan, Cantenac

Lagrange, St-Julien

Langoa, St-Julien (aujourd'hui Château Langoa-Barton)

Giscours, Labarde

Saint-Exupéray, Margaux (aujourd'hui Château Malescot-Saint-Exupéry)

Boyd, Cantenac (aujourd'hui Châteaux Boyd-Cantenac et Cantenac-Brown)

Palmer, Cantenac

Lalagune, Ludon (aujourd'hui Château La Lagune)

Desmirail, Margaux

Dubignon, Margaux (n'existe plus, mais certains de ses vignobles appartiennent aujourd'hui aux Châteaux Malescot-Saint-Exupéry, Palmer et Margaux)

Calon, St-Estèphe (aujourd'hui Château Calon-Ségur)

Ferrière, Margaux

Becker, Margaux (aujourd'hui Château Marquis d'Alesme-Becker)

QUATRIÈMES CRÛS

Saint-Pierre, St-Julien (aujourd'hui Château Saint-Pierre-Sevaistre)

Talbot, St-Julien

Du-Luc, St-Julien (aujourd'hui Château Branaire-Ducru)

Duhart, Pauillac (aujourd'hui Château Duhart-Milon-Rothschild)

Pouget-Lassale, Cantenac (aujourd'hui Château Pouget)

Carnet, St-Laurent (aujourd'hui Château La Tour-Carnet)

Rochet, St-Estèphe (aujourd'hui Château Lafon-Rochet)

Château de Beychevele, St-Julien (aujourd'hui Château Beychevelle)

Le Prieuré, Cantenac (aujourd'hui Château Prieuré-Lichine)

Marquis de Thermes, Margaux (aujourd'hui Château Marquis-de-Terme)

CINQUIÈMES CRÛS

Canet, Pauillac (aujourd'hui Château Pontet-Canet)

Batailley, Pauillac (aujourd'hui Châteaux Batailley et Haut-Batailley)

Grand Puy, Pauillac (aujourd'hui Château Grand-Puy-Lacoste)

Artigues Arnaud, Pauillac (aujourd'hui Château Grand-Puy-Ducasse)

Lynch, Pauillac (aujourd'hui Château Lynch-Bages)

Lynch Moussas, Pauillac

Dauzac, Labarde

Darmailhac, Pauillac (aujourd'hui Château Mouton-Baronne-Philippe)

Le Tertre, Arsac (aujourd'hui Château du Tertre)

Haut Bages, Pauillac (aujourd'hui Château Haut-Bages-Libéral)

Pedesclaux, Pauillac (aujourd'hui Château Pédesclaux)

Coutenceau, St-Laurent (aujourd'hui Château Belgrave)

Camensac, St-Laurent

Cos Labory, St-Estèphe

Clerc Milon, Pauillac

Croizet-Bages, Pauillac

Cantemerle, Macau

CLASSEMENT DE 1855 DES VINS BLANCS DE LA GIRONDE

PREMIER CRÛ SUPÉRIEUR

Yquem, Sauternes

PREMIERS CRÛS

Latour Blanche, Bommes (aujourd'hui Château La Tour Blanche)

Peyraguey, Bommes (aujourd'hui Châteaux Lafaurie-Peyraguey et Clos Haut-Peyraguey)

Vigneau, Bommes (aujourd'hui Château Rayne-Vigneau)

Suduiraut, Preignac

Coutet, Barsac

Climens, Barsac

Bayle, Sauternes (aujourd'hui Château Guiraud)

Rieusec, Sauternes (aujourd'hui Château Rieussec-Fargues)

Rabeaud, Bommes (aujourd'hui Châteaux Rabaud-Promis et Sigalas-Rabaud)

DEUXIÈMES CRÛS

Mirat, Barsac (aujourd'hui Château Myrat)

Doisy, Barsac (aujourd'hui Châteaux Doisy-Daëne, Doisy-Dubroca et Doisy-Védrines)

Pexoto, Bommes (fait aujourd'hui partie du Château Rabaud-Promis)

D'arche, Sauternes (aujourd'hui Château d'Arche)

Filhot, Sauternes

Broustet Nérac, Barsac (aujourd'hui Châteaux Broustet et Nairac)

Caillou, Barsac

Suau, Barsac

Malle, Preignac (aujourd'hui Château de Malle)

Romer, Preignac (aujourd'hui Châteaux Romer et Romer-du-Hayot, Fargues)

Lamothe, Sauternes (aujourd'hui Châteaux Lamothe et Lamothe-Guignard)

Principaux négociants du Bordelais

Les chiffres de vente, en caisses, représentent la moyenne annuelle des ventes du négociant. Les châteaux cités sont soit la propriété, soit une exclusivité du négociant. Les « Deuxièmes vins » sont tous les vins autres que le « Grand vin » qui fait la gloire du château.

ABRÉVIATIONS
(Bsc)= Barsac ; **(B)**= Bordeaux ; **(BG)**= Bourg ; **(BL)**= Blaye ; **(BS)**= Bordeaux supérieur ; **(CC)**= Côtes de Castillon ; **(CF)**= Canon-Fronsac ; **(1res CdB)**= Premières Côtes de Bordeaux ; **(EDM)** = Entre-Deux-Mers ; **(F)**= Fronsac ; **(G)** = Graves ; **(GS)**= Graves supérieur ; **(L)**= Listrac ; **(LPO)**= Lalande de Pomerol ; **(LSE)**= Lussac-St-Émilion ; **(Mgx)**= Margaux; **(HM)**= Haut-Médoc; **(M)**= Médoc ; **(MSE)**= Montagne-St-Émilion ; **(MM)**= Moulis (en Médoc) ; **(P)**= Pauillac ; **(Pom)**= Pomerol ; **(PSE)**= Puisseguin-St-Émilion ; **(St-Est)**= St-Estèphe ; **(St-Em)**= St-Émilion ; **(SFB)**= Ste-Foy-Bordeaux ; **(SGSE)**= St-Georges-St-Émilion ; **(St-J)**= St-Julien; (S)= Sauternes

---

LA BARONNIE
BP 117,
33250 Pauillac

Ventes : *2 millions de caisses*
Marques : *« Mouton-Cadet »*
Châteaux : *Clerc-Milon* (P), *Mouton-Baronne-Philippe* (P), *Mouton-Rothschild* (P)

Antenne commerciale du baron Philippe de Rothschild, dont le « Mouton-Cadet » est la marque de Bordeaux la plus vendue.

BARTON & GUESTIER
Château du Dehez,
33290 Blanquefort

Ventes : *2,7 millions de caisses*
Marques : *« Fonset Lacour », « Prince Noir Bordeaux Supérieur »*
Château : *de Mangol* (HM)

Le plus grand négoce de vins de Bordeaux, fondé en 1725 par l'Irlandais Thomas Barton, dit « French Tom ». Son petit-fils, Hugh Barton, acheta les châteaux Langoa-Barton et Léoville-Barton.

BORIE-MANOUX
86-90, cours Balguerie-Stuttenberg,
33082 Bordeaux

Ventes : *700 000 caisses*
Marques : *« Beau-Rivage », « Chapelle de la Trinité », « Pont-Royal »*
Châteaux : *Baret* (G), *Batailley* (P), *Beau-Site* (St-Est), *Belair* (GS), *Bergat* (St-Em), *Domaine de l'Église* (Pom), *Grand Saint-Julien*, (St-J), *Haut-Bages Montpelou* (P), *Trottevieille* (St-Em)

Propriétaire de quelques bons châteaux, bien distribués en France.

CALVET
75, cours du Médoc,
33300 Bordeaux

Ventes : *2,3 millions de caisses*
Marques : *« Calvet Réserve »*

Entreprise fondée en 1818, aujourd'hui propriété de Allied-Lyons et Whitbread.

CASTEL FRÈRES
26, rue Georges-Guynemer,
33290 Blanquefort

Ventes : *2 millions de caisses*
Marque : *« de Lestiac »*

Spécialiste des vins en gros.

CHEVAL QUANCARD
Rue Barbère,
33440 la Grave d'Ambarès

Ventes : *1 million de caisses*
Marques : *« Canter », « Chai de Bordes », « Crin Rouge »*
Châteaux : *l'Annonciation* (St-Em), *Cossieu Coutelin* (St-Est), *Haut-Logat* (HM), *de Paillet* (1res CdB), *Ribeau Castenac* (M), *Rocher Belair* (St-Em), *Sadran* (BS), *de Terrefort* (BS), *Tour Saint-Joseph* (HM)

Établissement fondé en 1844 par Marcel Quancard.

CORDIER
7-13, quai de Paludate,
33800 Bordeaux

Ventes : *850 000 caisses*
Marques : *« Labottière », « Jean Cordier Sélection »*
Châteaux : *Cantemerle* (HM), *Le Gardera* (BS), *Gruaud-Larose* (St-J), *Clos des Jacobins* (St-Em), *Lafaurie-Peyraguey* (S), *Lauretan* (BS), *Meyney* (St-Est), *Plagnac* (M), *Talbot* (St-J), *Tanesse* (BS)
Deuxièmes vins : *« Connétable Talbot », « Prieuré de Meyney », « Sarget de Gruaud-Larose »*

Établissement qui commercialise des Crus classés, de très bons petits châteaux et une excellente marque « Labottière ».

EDMUND COSTE & FILS
6-10, rue de la Poste,
33210 Langon

Ventes : *500 000 caisses*
Châteaux : *Chicane* (G), *Domaine de Gaillat* (G)

Vins tendres et parfumés, à boire jeunes.

DOURTHE FRÈRES
35, rue de Bordeaux,
BP 70, Parempuyre,
33290 Blanquefort

Marque : *« Beau Mayne »*
Châteaux : *la Croix Landon* (M), *Maucaillou* (MM), *la Providence* (B), *Piada-Clos du Roy* (B), *Teyssier* (St-Em), *Tronquoy-Lalande* (St-Est)

Propriété du CVBG (Consortium vinicole de Bordeaux et de Gironde).

DUBOS FRÈRES
24, quai des Chartrons,
33000 Bordeaux

Marque : *« Lafleur Chevalier »*
Châteaux : *Calon* (MSE), *Calon* (SGSE), *Corbin-Michotte* (St-Em), *Pouget* (Mgx)

Un très honorable Vin de table, « Chevalier Dubos », des marques de Bordeaux génériques de bonne qualité, une liste de Grands Crus classés très étoffée.

LOUIS DUBROCA
Domaine du Ribet,
33450 St-Loubès

Ventes : *750 000 caisses*
Châteaux : *Guerry* (BG)

Cette maison s'est spécialisée dans la vente des petits châteaux et des Crus classés en primeur.

DULONG FRÈRES & FILS
29, rue Jules Guesde,
33270 Floirac

Ventes : *750 000 caisses*
Marques : *« Carayon la Rose », « La Parisian », « Michel Cravate »*

Un négociant bien implanté en Grande-Bretagne et aux États-Unis.

LOUIS ESCHENAUER
42, avenue Émile Counord,
33000 Bordeaux

Ventes : *400 000 caisses*
Marques : *« Baron Ségla », « Olivier de France »*
Châteaux : *la Garde* (G), *Rausan-Ségla* (Mgx), *Smith-Haut-Lafitte* (G)

Le Château la Garde mérite souvent mieux que son rang, et les Crus classés d'Eschenauer ont gagné en qualité au cours des dernières années. Ses vins génériques sont toujours sains.

GALLAIRE & FILS
(Parfois vendu sous le nom Peter A. Sichel)
19, quai de Bacalan,
BP 12,
33028 Bordeaux

Ventes : *400 000 caisses*
Marques : *« Le Prestige de Bordeaux »*
Châteaux : *d'Angludet* (Mgx), *Chaluimont* (G), *la Chartreuse* (S), *Durand Laplagne* (PSE), *Monlot Clapet* (St-Em), *Palmer* (Mgx), *Pierredon* (BS), *la Tulerie* (EDM)

La firme est dirigée par Peter Sichel. A Verdelais, il produit des vins de Bordeaux génériques tendres et fruités, et la création du « Bordeaux Prestige » n'est rien moins que révolutionnaire dans le marché des marques de Bordeaux.

VINS RENÉ GERMAIN
Château Perdoulle
Berson,
33390 Blaye

Ventes : *500 000 caisses*
Châteaux : *Barrière* (B), *Le Peuy-Saincrit* (B), *Peychaud* (BG), *Peyredoulle* (BL), *Yon Figeac* (St-Em)

Spécialiste des petits châteaux proposant des vins d'un bon rapport qualité/prix.

GILBEY DE LOUDENNE
(Parfois vendu sous le nom IDV France) **14, rue Scandri,**
93500 Pantin

Ventes : *2,2 millions de caisses*
Marques : *« la Cour Pavillon »*
Châteaux : *Giscours* (Mgx), *Loudenne* (M), *de Pez* (St-Est)

ROBERT GIRAUD
Domaine de Loiseau,
BP 31,
33240 St-André-de-Cubzac

Ventes : *250 000 caisses*
Marques : *« Baron de Vassal », « La Collection Robert Giraud », « Pavillon Cardinal », « Timerlay-Giraud »*
Châteaux : *Bertinat-Lartigue* (St-Em), *le Bocage* (B), *la Bridane* (St-J), *de Cadillac* (B), *du Canesse* (BG), *Domaine de Cheval Blanc* (B), *Decorde* (HM), *Flamand* (G), *la Fleur Fourcadet* (BS), *Galley* (BS), *Haut-Baillan* (G), *Haut-Bousquet* (EDM), *Haut-Fourtat* (B), *Moulin de Bel-Air* (M), *Puy-Lesplanques* (Mgx), *Sarabot* (HM), *Timerlay* (B), *la Vieille France* (G), *Vieux Duché* (LP), *Villemaurine* (St-Em)

Bon spécialiste des petits châteaux.

AURÉLIEN GRENOUILEAU
5, avenue Foch-Pineuilh,
33220 Sainte-Foy-la-Grande

Ventes : *500 000 caisses*
Marques : *« Guy de Beauchamp », « Louis Bert », « Cevim », « Chanceaulme de Sainte-Croix », « Pierre Dantrac », « Paul Davin », « Henri Duroux », « Entrepôts Agricoles Girondins », « Henri Marsal », « André Feraut », « Jean Peytraut », « Thomas Rival »*

Entreprise japonaise qui produit des Bordeaux de supermarché.

ROGER JOANNE
Fargues Saint-Hilaire,
BP 9,
33370 Tresses

Ventes : *1 million de caisses*
Marques : *« Chevalier de Vedrines », « Cuvée Petit Hallet », « Duc de Bordeaux »*
Châteaux : *Doizy-Vedrines* (Bsc), *Labat* (HM), *Domaine de l'Ile Margaux* (B) ; *Pindefleurs* (St-Em), *Vieille Tour* (EDM)

Ce négociant se spécialise dans les vins blancs de petits châteaux.

NATHANIEL JOHNSTON
93 *bis*, quai des Chartrons,
33300 Bordeaux

Cette entreprise familiale vend surtout des Bordeaux de grande classe.

KRESSMANN
72, quai de Baclan,
BP 58,
33028 Bordeaux

Ventes : *2,5 millions de caisses*
Marques : *« Cour Royale », « Kressmann Monopole Dry », « Kressmann Monopole Rouge », « Kressmann Sélectionné »*
Châteaux : *Belgrave* (HM), *Capbern* (St-Est), *la Commanderie* (St-Est), *Jean-Faure* (St-Em), *Lafon* (S), *la*

Marzelle (St-Em), *de la Pierrière* (CC), *la Tour Martillac* (G)

L'établissement appartient au CVBG.

ALEXIS LICHINE & CO

109, rue Archaud,
33028 Bordeaux

Ventes : *700 000 caisses*
Marques : *« Le Bordeaux d'Alexis Lichine », « Chevalier de Lascombes », « Margaux de Lascombes », « Le Reverdon », « Le Saint-Émilion d'Alexis Lichine », « Vin Sec Chevalier de Lascombes »*
Châteaux : *Canteloup* (B), *les Cardinaux* (B), *Castéra* (M), *Coutet* (Bsc), *Ferrière* (Mgx), *du Juge* (1res CdB), *Lachesnaye* (HM), *Lamote* (B), *Lanette* (G), *Laroque* (St-Em), *Lascombes* (Mgx), *Montgrand-Milon* (P), *Thomas* (LSE)
Deuxièmes vins : *« Vin Sec de Château Coutet », « Rosé de Lascombes », « Château Segonnes »*

ANDRÉ LURTON

Château Bonnet,
33420 Grézillac

Ventes : *175 000 caisses*
Châteaux : *Bonnet* (B), *Bonnet* (EDM), *Coucheroy* (G), *Coubins-Lurton* (G), *Cruzeau* (G), *Goumin* (B/EDM), *Guibon* (B/EDM), *la Louvière* (G), *Rochemorin* (G)

DE LUZE

90, quai des Chartrons
33300 Bordeaux

Ventes : *110 millions de francs*
Marque : *« Baron de Luxe »*
Châteaux : *de Malloret* (HM)

MÄHLER-BESSE

49, rue Camille-Godard,
33000 Bordeaux

Marques : *« La Barbanne », « Bois Gentil », « La Chapelle », « Les Cloches », « La Coquille », « La Cour », « Fort Anvin », « Fortin », « Gasquet », « Haut-Gravière », « La Perle Blanche », « Saint-Léon », « Le Vieux Moulin »*
Châteaux : *Cheval Noir* (St-Em), *Palmer* (Mgx)

YVON MAU

Rue de la Gare,
33190 Gironde-sur-Dropt

Ventes : *2,7 millions de caisses*
Marque : *« Prestige Vieux Cellier d'Yvecourt »*
Châteaux : *de Carles* (F), *la Chaume-Grillée* (EDM), *Coulonges* (B), *la Croix-du-Breuil* (M), *Ducla* (B), *Faugeras* (EDM), *Fernon* (G), *la Fleur-Villate* (B), *Girême* (EDM), *la Gravette* (B), *Lavison* (EDM), *de Malbat* (SFB), *Terrefort* (EDM)

MESTREZAT

17, cours de la Martinique,
BP 90,
33027 Bordeaux

Ventes : *400 000 caisses*
Marque : *« Les Douelles Bordeaux »*
Châteaux : *Blaignan* (M), *Grand Puy-Ducasse* (P), *Lamothe Bergeron* (HM), *Marsac Seguineau* (M), *Reysson* (HM), *Romefort* (HM), *Tourteau Chollet* (G)
Deuxième vin : *« Le Sec du Rayne Vigneau »*

ARMAND MOUEIX & FILS

Taillefer,
BP 137,
33500 Libourne

Ventes : *500 000 caisses*
Marques : *« Bordeaux », « Les Grands Vins de Bordeaux », « Les Beaux Vins de Bordeaux »*
Châteaux : *Clos Beauregard* (Pom), *la Croix Bellevue* (LP), *la Fleur Figeac* (St-Em), *Fonplégade* (St-Em), *Moulinet* (Pom), *Taillifer* (Pom), *Tauzinat l'Hermitage* (St-Em), *Toulifaut* (Pom), *la Tour du Pin Figeac* (St-Em)

Négociant proposant des vins de qualité, spécialisé dans les vins du Libournais d'un domaine unique.

JEAN-PIERRE MOUEIX

54, quai du Priourat,
33500 Libourne

Châteaux : *Canon-de-Brem* (CF), *Canon-Moueix* (CF), *de la Dauphine* (F), *la Fleur Pétrus* (Pom), *Fonroque* (St-Em), *Magdeleine* (Pom), *Pétrus* (Pom), *Trotanoy* (Pom)

L'une des très grandes réussites du siècle.

SCHRÖDER & SCHYLER

97, quai des Chartrons,
33900 Bordeaux

Ventes : *350 000 caisses*
Châteaux : *Kirwan* (M)

Fondée en 1739, cette entreprise ancienne est associée à J.-P. Moueix.

SDVF

(Société des Vins de France)
Z.I. de la Mouline,
33560 Carbon-Blanc

Ventes : *585 000 caisses*
Châteaux : *1 200 châteaux et millésimes différents*

Cet établissement s'est développé en vendant des Crus classés.

Importantes coopératives bordelaises

CAVES SAINT-ROCH

« Le Sable »,
Queyrac,
33340 Lesparre

Production : *50 000 caisses*
Marque : *« Saint-Roch »*
Châteaux : *Laubspin, Pessange, les Trois-Tétons*
Membres : *165*
Vignobles : *125 ha*
Date de création : *1939*

Cette coopérative et la suivante appartiennent à Uni-Médoc.

CAVE COOPÉRATIVE BELLEVUE

« Plautignan »,
Ordonnac,
33340 Lesparre

Production : *100 000 caisses*
Marque : *« Pavillon de Bellevue »*
Châteaux : *Belfort, de Brie, les Graves Lagorce, Moulin de Bouscateau, Moulin de la Rivière, l'Oume de Pey, la Rose Picot, Domaine du Grand-Bois*
Membres : *75*
Vignobles : *225 ha environ*
Date de création : *1936*

CAVE COOPÉRATIVE GRAND LISTRAC

33480 Castelnau-Médoc

Production : *65 000 caisses*
Marques : *« Grand Listrac », « Clos du Fourcas »*
Châteaux : *Capdet, Vieux Moulin, Guitignan*
Membres : *70 environ*
Vignobles : *160 ha*

Coopérative spécialisée dans les millésimes anciens et produisant des vins tendres, à boire jeunes.

CAVE COOPÉRATIVE LA PAROISSE

Saint-Seurin-de-Cadourne,
33250 Pauillac

Production : *65 000 caisses*
Marque : *« La Paroisse »*
Châteaux : *Maurac, Quimper, la Tralle, domaine du Haut-et-de-Brion et domaine de Villa*
Membres : *60*
Vignobles : *120 ha*
Date de création : *1935*

Coopérative située dans l'AOC Haut-Médoc.

CAVE COOPÉRATIVE LA ROSE PAUILLAC

La Rose-Pauillac,
33250 Pauillac

Production : *60 000 caisses*
Marque : *« La Rose Pauillac »*
Châteaux : *Haut-Milon, Haut-Saint-Lambert*
Membres : *125 (à l'origine 52)*
Date de création : *1933*

Les vins de cette coopérative, la plus ancienne du Médoc, se sont forgé une belle réputation.

CAVE COOPÉRATIVE SAINT-JEAN

Bégadan,
33340 Lesparre

Production : *300 000 caisses*
Châteaux : *Begadanet, le Barrail, le Bernet, Breuil-Renaissance, Haut-Condissas, Labadie, Lassus, Meilhan, la Monge, Pey-de-By, Rose-du-Pont, Vimenay*
Membres : *75*

CAVE COOPÉRATIVE DE SAINT-YZANS

Saint-Yzans-de-Médoc,
33340 Lesparre

Production : *100 000 caisses*
Marque : *« Saint-Brice »*
Châteaux : *Lestruelle, Taffard, Tour-Saint-Vincent*
Membres : *120*
Vignobles : *200 ha*

SOVICOP PRODUCTA

Maison du Paysan,
13, rue Foy,
33082 Bordeaux

Production : *6 millions de caisses*
Marques : *« Belle France », « Bordeaux Mousseux », « Cellier de Fontaurais », « Monsieur de Cyrano », « Marquis de Saint-Estèphe », « Médoc Prestige »*

Gigantesque groupement qui commercialise les vins de nombreuses coopératives, dont Uni-Médoc.

UNI-MÉDOC

Gaillan-en-Médoc,
33340 Lesparre-Médoc

Production : *150 000 caisses*
Marque : *« Prestige-Médoc »*

Réunion de coopératives dont les vins sont commercialisés par Sovicop.

UNION DE PRODUCTEURS

BP 27,
33330 Saint-Émilion

Production : *300 000 caisses*
Marques : *« Cuvée Galius », « Haut Quercus » (mûri en fût de chêne), « Côtes Rocheuses », « Royal Saint-Émilion »*
Châteaux : *Berliquet et 35 petits châteaux*
Membres : *380 (à l'origine 7)*
Vignobles : *1 000 ha*
Date de création : *1937*

La plus grande coopérative de France pour une appellation unique produit le quart des vins de St-Émilion

UNIVITIS

Les Lèves-et-Thoumeyragues,
33220 Ste-Foy-la-Grande

Production : *320 000 caisses*
Marques : *« Comte de Sansac », « Générique »*
Châteaux : *la Beauze, la Combe, la Mayne, Moulin des Gorins, la Tour, les Vergnes, Domaine de Grangeneuve*

Vins génériques de Bordeaux

BORDEAUX AOC

Comme toute appellation très étendue, l'AOC générique Bordeaux produit des vins de qualité variable. Dans l'ensemble, la qualité est cependant bonne, encore que les meilleurs vins répondent rarement aux descriptions élogieuses qui ont fait leur renommée. Les vins portant cette appellation peuvent être issus de tout vignoble AOC du département de la Gironde. Les plus intéressants proviennent d'aires où l'appellation plus spécifique est limitée à un type de vin précis ; par exemple, un Bordeaux rouge produit par un château de Sauternes. S'il s'agit d'une marque, le vin est en principe consommable immédiatement ; si c'est un château, l'étiquette doit indiquer sa provenance, et le prix donne une indication de qualité précieuse pour fixer le moment où il conviendra de le boire.

ROUGE. La plupart des vins sont assez légers, destinés à être bus jeunes, et en général adoucis par une forte proportion de Merlot.

Cabernet Sauvignon, Cabernet franc, Carmenère, Merlot, Malbec, Petit Verdot

1982, 1983, 1985, 1986

De 1 à 5 ans

BLANC. Tous les Bordeaux blancs contiennent au moins 4 grammes par litre de sucre résiduel, ce qui leur apporte une certaine douceur. C'est cependant la catégorie la plus variable de l'appellation, et les vins ont encore tendance à être gras, plats et mous, soufrés. Si le vin contient moins de 4 grammes par litre de sucre résiduel, il doit être appelé « Bordeaux sec » ou « Vin sec de Bordeaux ». La qualité de ces vins blancs reste très variable, mais on compte toutefois parmi eux la plupart des bons vins que produit l'appellation.

Sémillon, Sauvignon, Muscadelle, et jusqu'à 30 % au total de Merlot blanc, Colombard, Mauzac, Ondenc, Ugni blanc

1984, 1986

De 1 à 2 ans

ROSÉ. Lorsqu'il est produit par des domaines uniques, ce rosé moyennement corsé et sec peut être séduisant.

Cabernet Sauvignon, Cabernet franc, Carmenère, Merlot, Malbec, Petit Verdot

1983, 1984, 1985, 1986

Immédiatement

BORDEAUX CLAIRET AOC

L'appellation « Clairet », qui ne renferme aucune connotation péjorative, s'applique à des vins rouges légers de corps et de couleur. Ce terme signifiait, autrefois, limpide.

ROSÉ. Les meilleurs représentants de ce vin moyennement corsé et sec viennent de Quinsac, dans les Premières Côtes de Bordeaux.

Cabernet Sauvignon, Cabernet franc, Carmenère, Merlot, Malbec, Petit Verdot

1983, 1985

De 1 à 2 ans

BORDEAUX MOUSSEUX AOC

La région produit une bonne quantité de vin mousseux de qualité moyenne, élaboré selon la méthode champenoise, à partir des cépages bordelais. Moins acide que ses équivalents de la Loire, ce mousseux gagnerait à être moins sucré.

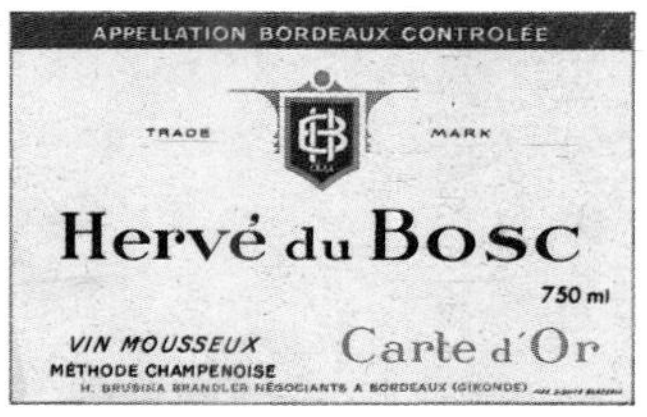

BLANC MOUSSEUX. Ce blanc effervescent, assez léger, varie du sec au demi-sec. La production est très faible comparée à celle du rosé, et pourtant les meilleurs mousseux sont presque tous des blancs.

Sémillon, Sauvignon, Muscadelle, Cabernet Sauvignon, Cabernet franc, Carmenère, Merlot, Malbec, Petit Verdot et jusqu'à 30 % maximum d'Ugni blanc, de Merlot blanc, de Colombard, de Mauzac et d'Ondenc

En principe, non millésimé

De 1 à 2 ans

ROSÉ MOUSSEUX. La qualité de ce vin relativement léger, sec à demi-sec, pourrait être améliorée si les réglementations autorisaient l'addition de cépages blancs.

Cabernet Sauvignon, Cabernet franc, Carmenère, Merlot, Malbec, Petit Verdot

En principe, non millésimé

Entre 2 et 3 ans

BORDEAUX ROSÉ AOC

En théorie, cette appellation est réservée aux vins vinifiés en rosé, tandis que « Bordeaux Clairet » s'applique à des vins rouges de couleur claire. Tous deux peuvent être simplement étiquetés « Bordeaux AOC ». *Voir* **Bordeaux AOC.**

BORDEAUX SEC

Cette appellation concerne les Bordeaux blancs contenant moins de 4 g par litre de sucre résiduel. *Voir* **Bordeaux AOC.**

BORDEAUX SUPÉRIEUR AOC

Fort d'un demi degré d'alcool de plus que les simples Bordeaux, la majorité des Bordeaux supérieurs témoignent d'une qualité plus constante que la plupart des vins génériques.

ROUGE. Vins légers ou relativement corsés, dans l'ensemble plus riches et plus pleins que les simples Bordeaux AOC.

Cabernet Sauvignon, Cabernet franc, Carmenère, Merlot, Malbec, Petit Verdot

1982, 1983, 1985

Entre 2 et 6 ans

BLANC. Vins blancs secs, parfois moelleux, relativement légers, qu'on ne voit guère.

Sémillon, Sauvignon, Muscadelle, avec jusqu'à 30 % de Merlot blanc, Colombard, Mauzac, Ondenc, Ugni blanc ; la proportion de Merlot blanc ne doit pas excéder 15 %

1985, 1986

De 1 à 2 ans

BORDEAUX SUPÉRIEUR CLAIRET AOC

Cette appellation est peu courante car les vins sont plutôt vendus sous l'appellation « Bordeaux supérieur » ou « Bordeaux clairet ».

ROSÉ. Vin moyennement sec et corsé, comme le Bordeaux clairet, mais riche d'un demi-degré d'alcool supplémentaire.

Cabernet Sauvignon, Cabernet franc, Carmenère, Merlot, Malbec, Petit Verdot

1983, 1984, 1985

De 1 à 2 ans

BORDEAUX SUPÉRIEUR ROSÉ AOC

Appellation rare, dominée par le Rosé de Lascombes de Château Lascombes.

ROSÉ. Il existe peu d'exemples de ce vin moyennement corsé et sec, assurément plus plein, plus riche et plus distingué dans l'ensemble que tout autre Bordeaux rosé.

Cabernet Sauvignon, Cabernet franc, Carmenère, Merlot, Malbec, Petit Verdot

1983, 1984, 1985

De 1 à 2 ans

MARQUES GÉNÉRIQUES DE BORDEAUX

Si le Bordelais fournit les vins les plus réputés qui soient, il produit aussi des vins ordinaires qui bénéficient des mêmes appellations que les plus grands vins. Rappelons que la différence entre un simple Margaux et un Château Margaux ne porte pas uniquement sur le prix : le premier est un assemblage de vins modestes récoltés n'importe où dans l'aire d'appellation, tandis que le second est une sélection des meilleurs vins d'un seul domaine, le Premier Cru de Margaux. Les vins génériques de marque constituent parfois l'introduction la plus décevante à la meilleure région viticole du monde ; c'est pourquoi sont regroupées ici les marques qui offrent régulièrement le plus juste rapport qualité/prix.

BORIE-MANOUX
« Beau-Rivage »

CORDIER
« Labottière »

DOURTHE FRÈRES
« Beau Mayne »

DUBOS FRÈRES
« Lafleur Chevalier »

ESCHENAUER
« Eschenauer Claret »

IDV FRANCE
« La Cour Pavillon »

JOANNE, ROGER
« Chevalier de Vedrines »

KRESSMANN
« Kressmann Sélectionné »

MOUEIX & FILS, Armand
« Les Beaux Vins de Bordeaux »

SICHEL
« Le Prestige de Bordeaux »

Les meilleurs châteaux de Bordeaux générique

VINS ROUGES

CHÂTEAU DE BERTIN
Cantois, 33760 Targon

Vin puissant dominé par le Cabernet Sauvignon. Vieillit bien.

CHÂTEAU FAUGAS
33410 Cadillac

Vin bien équilibré, avec de belles saveurs de fruits rouges.

CHÂTEAU LA LALNADE SAINT-JEAN
33450 St-Loubès

Vin frais, léger et gouleyant.

CHÂTEAU LAPEYÈRE
33410 Cadillac

Vin bien charpenté, dominé par le Cabernet Sauvignon.

CHÂTEAU DE LUGAGNAC
33790 Pellegrue

Vin ferme et charnu qui peut montrer de la finesse.

DOMAINE DE MALINEAU
33490 St-Macaire

Le vin, parfois léger, n'est jamais inintéressant.

CHÂTEAU MORILLON
33580 Monségur

Vin riche, gras et succulent.

CLOS DE PELIGON
33450 St-Loubès

Fin, corsé, avec une nuance de chêne.

CHÂTEAU POUCHAUD-LARQUEY
33190 La Réole

Plein et riche, avec beaucoup de fruité.

« LE PRESTIGE BORDEAUX » (marque de Peter A. Sichel)

Vin de marque élevé neuf mois durant en fût neuf ; le meilleur de sa catégorie.

CHÂTEAU ROC-DE-CAYLA
33760 Targon

Vins gouleyants, bien équilibrés, offrant un beau fruité et de la finesse.

CHÂTEAU THIEULEY
33580 Créon

Vins assez corsés, élégants, qui révèlent bien leur élevage en fût de chêne.

CHÂTEAU TIMBERLAY
33240 St-André-de-Cubzac

Vins de robe profonde, pleins de saveur, élégants.

VINS BLANCS

CHÂTEAU COURTEY
33490 St-Macaire

Vins de style ancien aux saveurs intenses et au bouquet remarquable.

CHÂTEAU GUIRAUD
Sauternes, 33210 Langon

Lorsque Hamilton Narby acheta ce Premier Cru de Sauternes, il s'employa à redonner à son vin liquoreux sa réputation d'autrefois. Il replanta donc du Sémillon et créa par ailleurs un vin blanc sec Bordeaux AOC, afin d'utiliser le Sauvignon blanc devenu surabondant. Celui-ci pourrait être amélioré par une macération préfermentaire.

« LE PRESTIGE BORDEAUX » (marque de Peter A. Sichel)

Bordeaux blanc vinifié en fût puis élevé sous bois pendant sept mois.

CHÂTEAU RENON
33550 Langoiran

Vin de profil Sauvignon agréablement frais et floral.

CHÂTEAU REYNON
33410 Cadillac

Ce château produit deux vins blancs secs excellents, mais la cuvée « Sauvignon Vieilles Vignes du Château Reynon » est tout à fait extraordinaire.

CHÂTEAU THIEULEY
33580 Créon

Vins frais, fins et floraux.

BORDEAUX SUPÉRIEURS

CHÂTEAU DES ARRAS
33240 St-André-de-Cubzac

Vins de couleur profonde, bien charpentés et riches d'une belle saveur fruitée.

MARQUIS DE BOIRAC
33350 Castillon-la-Bataille

Vin de coopérative d'un excellent rapport qualité/prix, au bouquet boisé équilibré par le fruit.

CHÂTEAU FONCHEREAU
33450 St-Loubès

Vins de garde bien charpentés et équilibrés d'excellente qualité.

CHÂTEAU FOUCHÉ
33710 Bourg-sur-Gironde

Vin ferme, avec un fruité gras et succulent et une finale souple.

CHÂTEAU LACOMBE-CADIOT
Ludon-Médoc, 33290 Blanquefort

Vins colorés au puissant bouquet fruité, nuancé de chêne et de vanille.

CHÂTEAU LAGRANGE-LES-TOURS
33240 St-André-de-Cubzac

Vins bien faits, amples et savoureux.

CHÂTEAU LATOUR
St-Martin-du-Puy 33540 Sauveterre-de-Guyenne

Vins de qualité constante, fruités et souples en bouche.

CHÂTEAU LAVILLE
St-Sulpice-et-Cameyrac, 33450 St-Loubès

Vins très riches, forts d'une puissante charpente tannique et de nuances fruitées épicées.

CHÂTEAU LA MICHELERIE
33240 St-André-de-Cubzac

Autre domaine produisant un grand vin tannique.

CHÂTEAU LES MOINES-MARTIN
33133 Galgon

Vin bien fait, à boire assez jeune, au séduisant bouquet, bien fruité et équilibré.

CHÂTEAU PUYFROMAGE
St-Cibbard 33570 Lussac

Vin séduisant, bien équilibré, assez corsé et gouleyant.

CHÂTEAU SARRAIL-LA-GUILLAMERIE
33450 St-Loubès

Vin riche et charnu qui s'adoucit agréablement en vieillissant.

CHÂTEAU TOUR-DE-L'ESPÉRANCE
33133 Galgon

Vins souples, pleins de fruits gras et mûrs, et pourtant fins.

CHÂTEAU TOUR PETIT PUCH
33750 St-Germain-du-Puch

Vins à la belle robe, harmonieux, avec des notes épicées.

CHÂTEAU VIEUX MOULIN
33141 Villegouge

Vins d'une belle rondeur, souples et longs en bouche, de bonne qualité.

BORDEAUX ROSÉS

CHÂTEAU BERTINERIE
33620 Cavignac

Rosé à l'arôme plaisant, fruité et délicatement floral, avec une finale souple.

CHÂTEAU CHANET
33420 Branne

Vin aromatique au bouquet floral.

CHÂTEAU LA MONGIE
33240 St-André-de-Cubzac

Aimable vin fruité et floral.

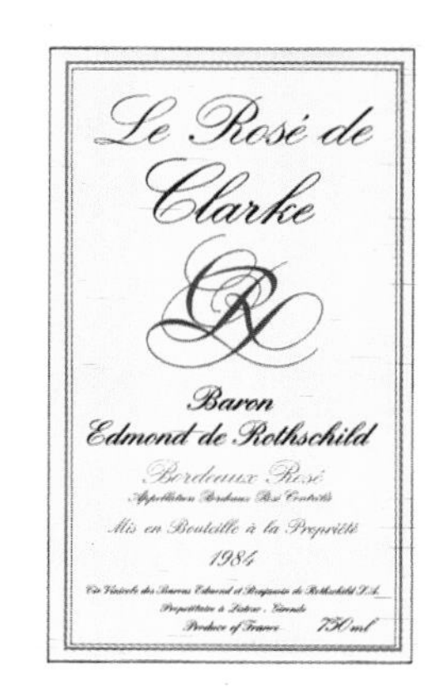

LE ROSÉ DE CLARKE
Listrac, 33480 Castelnau-de-Médoc

Cette création assez récente offre tout le bouquet qu'on attend d'un rosé sec classique.

BORDEAUX CLAIRET

DOMAINE DU BRU
St-Avit-St-Nazaire, 33220 Sainte-Foy-la-Grande

Vins rafraîchissants et gouleyants, légers de robe et de corps.

CAVE DE QUINSAC
Quinsac, 33360 La Tresne

Vins rosés légers de couleur délicate.

BORDEAUX MOUSSEUX

CORDELIERS
33330 St-Émilion

Gamme de vins mousseux de qualité fort honnête.

LAYTERON
Montagne, 33570 Lussac

Vin mousseux sans prétention produit à partir des cépages cultivés dans l'Entre-Deux-Mers.

CHÂTEAU LESCURE
Verdelais, 33490 St-Macaire

Intéressante petite production de mousseux qui sont mis en bouteille au château.

BORDEAUX ROSÉ SUPÉRIEUR

ROSÉ DE LASCOMBES

Vin rosé fruité de caractère rafraîchissant et fin.

Le Médoc

En quittant Bordeaux vers le nord-ouest en direction du Médoc, les premiers vignobles que l'on rencontre signent des vins tendres, sans grand caractère ; mais, à partir de Ludon, ils s'étoffent progressivement, acquièrent de la finesse et, après Margaux, prennent de plus en plus de corps. Au-delà de Saint-Estèphe les vins deviennent plus rustiques, la fermeté se transforme en dureté, et la finesse s'estompe.

Le Médoc tire son nom du latin *medio aquae*, qui signifie au milieu des eaux ; cette sous-région s'étend en effet entre la Gironde et l'Atlantique. Le centre de cette longue et mince bande de vignes, qui s'étend vers le nord-ouest des limites de la ville de Bordeaux jusqu'à la pointe de Grave, produit les Bordeaux les plus classiques et accueille les plus célèbres châteaux. Ce fut pourtant le dernier des grands vignobles de la région à être cultivé.

Si l'on récolte du vin à Saint-Émilion depuis l'occupation romaine, le Médoc n'installa ses premiers vignobles que dix siècles plus tard. Les Romains avaient vu en Bourg et sa campagne vallonnée un terrain bien plus propice à la vigne que ces terres marécageuses du Médoc, alors impraticables et impossibles à cultiver. Aujourd'hui, le Médoc est envié par les viticulteurs du monde entier, tandis que le Bourgeais produit des Bordeaux assez ordinaires, encore que d'un bon rapport qualité/prix.

Le style médocain : variations sur un thème

Les quatre célèbres communes du Médoc – Margaux, Saint-Julien, Pauillac et Saint-Estèphe – et les deux communes moins connues mais en plein essor – Listrac et Moulis – sont situées dans le Haut-Médoc, où les vins sont fins, fermes et charnus. Le Haut-Médoc commence à Blanquefort et Le Taillan, le long des vignobles du nord des Graves. Les vins y sont relativement neutres et manquent de caractère. Les plus grands vins du Haut-Médoc sont issus d'une zone qui commence à Ludon avec le Château la Lagune – le premier Cru classé au nord de Bordeaux. Ce n'est pas un hasard si les beaux Crus bourgeois, comme le Château d'Agassac, se trouvent également dans les environs.

SUPERFICIE D'AOC PLANTÉE DE VIGNE POUR LES CRUS CLASSÉS DU MÉDOC

Appellation	Total ha	*Crus classés* ha	*Crus classés* Proportion
Haut-Médoc	3 175	255	8 % de l'AOC, 9 % des Crus classés
Margaux	1 165	854	73 % de l'AOC, 31 % des Crus classés
Pauillac	950	842	89 % de l'AOC, 30 % des Crus classés
St-Estèphe	1 100	226	21 % de l'AOC, 8 % des Crus classés
St-Julien	750	628	84 % de l'AOC, 22 % des Crus classés
Listrac	555	–	pas de Crus classés
Moulis	605	–	pas de Crus classés
Médoc	3 075	–	pas de Crus classés
Total	11 375	2 805	25 % de l'AOC Médoc, 100 % des Crus classés

RÉPARTITION DES CRUS CLASSÉS DU MÉDOC ENTRE LES DIFFÉRENTES APPELLATIONS

APPELLATION	CRUS 1ers	2es	3es	4es	5es	TOTAL
Haut-Médoc	–	–	1	1	3	5
Margaux	1	5	10	3	2	21
Pauillac	3	2	–	1	12	18
St-Estèphe	–	2	1	1	1	5
St-Julien	–	5	2	4	–	11
TOTAL	4	14	14	10	18	60

FACTEURS AFFECTANT LE GOÛT ET LA QUALITÉ

Situation
Rive gauche de la Gironde, de Bordeaux à Soulac.

Climat
Les deux grandes masses d'eau – l'Océan et l'estuaire – agissent comme régulateurs de chaleur et créent un microclimat propice à la viticulture. Le Gulf Stream assure des hivers doux, des étés chauds et longs, des automnes ensoleillés. La bande continue de pinèdes bordant la côte parallèlement au Médoc protège la région des vents d'ouest et de nord-ouest.

Site
Collines arrondies où se succèdent buttes et pentes douces. Les meilleurs vignobles « regardent » le fleuve et tous ceux du Haut-Médoc descendent progressivement jusqu'à la Gironde. Mais la plupart des communes possèdent aussi des terres marécageuses.

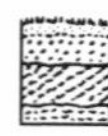

Sol
Le sol est constitué d'une combinaison de sols superficiels semblables établis sur des sous-sols différents. La couche arable comporte des affleurements de graves, qui mêlent des sables de la région landaise à des graviers siliceux de taille variable. Tantôt le sous-sol contient des graves, tantôt il se compose de sable, souvent riche en humus. Argile et calcaire sont également présents.

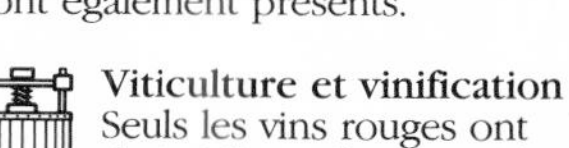

Viticulture et vinification
Seuls les vins rouges ont droit à l'appellation Médoc. Les vendanges mécaniques sont une pratique courante et tout le raisin doit être éraflé avant la fermentation, réalisée en cuve. L'usage de cuves en acier inoxydable se répand de plus en plus. La cuvaison dure d'une à deux semaines, encore que certains châteaux soient revenus aux quatre semaines traditionnelles.

Cépages principaux
Cabernet Sauvignon, Cabernet franc, Merlot.

Cépages secondaires
Carmenère, Malbec, Petit Verdot.

Fabrication des tonneaux à Lafite-Rothschild, ci-dessous
A Lafite-Rothschild, les vins sont élevés quelque temps en barriques neuves. Celles-ci sont encore fabriquées selon les méthodes traditionnelles.

Protection des vignes, à droite
On aperçoit, à l'extrémité des rangs de vigne, les traces bleues de la bouillie bordelaise, un traitement à base de sulfate de cuivre pour protéger la vigne des pourritures.

À Margaux naissent des vins d'excellente garde, tendres et soyeux, dotés d'un grand charme féminin.

Les vins de Saint-Julien sont remarquablement élégants, et révèlent une saveur très pure.

Les vins élaborés à Pauillac sont puissants, d'une grande finesse, souvent empreints d'une riche saveur de cassis et de curieuses nuances de cèdre et de tabac. Avec trois des quatre Premiers Crus, Pauillac peut être considéré comme la plus grande appellation du Médoc.

Saint-Estèphe compte de nombreux crus mineurs au charme rustique et quelques vins classiques. La technologie transforme peu à peu la robustesse de ses vins épicés en richesse.

Au-delà de Saint-Estèphe s'étend Saint-Seurin-de-Cadourne, dernière commune à jouir de l'AOC Haut-Médoc avant que celle-ci se transforme en simple Médoc. Cette région, appelée autrefois le Bas-Médoc, est moins réputée, encore qu'on y élabore nombre de vins exceptionnels : le triangle formé par Saint-Yzans, Lesparre et Valeyrac produit des crus aussi excellents que Loudenne, Potensac, la Cardonne, Blaignan, les Ormes-Sorbet, la Tour Saint-Bonnet, la Tour-de-By et Patache d'Aux. Certains de ces vins offrent une opulente touche de chêne neuf ; d'autres sont tout simplement stupéfiants. Leur style général est cependant plus simple que dans le Haut-Médoc.

LA LUTTE POUR LES GRAVES

Les meilleurs sols pour la viticulture correspondent aux meilleures carrières de graves. Malheureusement, après la guerre, en l'absence de toute législation, on commença d'exploiter les vignobles abandonnés pour en extraire des graves. Ces terres deviennent ainsi inutilisables pour la viticulture. Si aucune mesure de protection n'est prise par les pouvoirs publics, l'avenir du vignoble se trouve, à mon avis, gravement et définitivement compromis, car les ressources limitées du Médoc continueront d'être pillées.

MÉDOC, voir aussi p. 37

Étroite bande de terre entre la Gironde et l'Atlantique, le Médoc s'étire du nord de Bordeaux à la pointe de Grave.

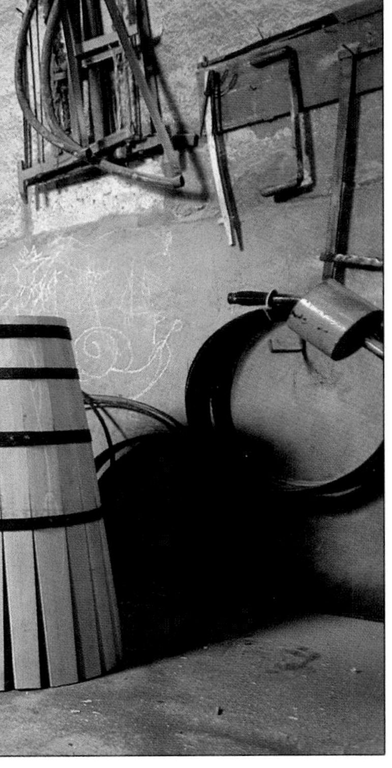

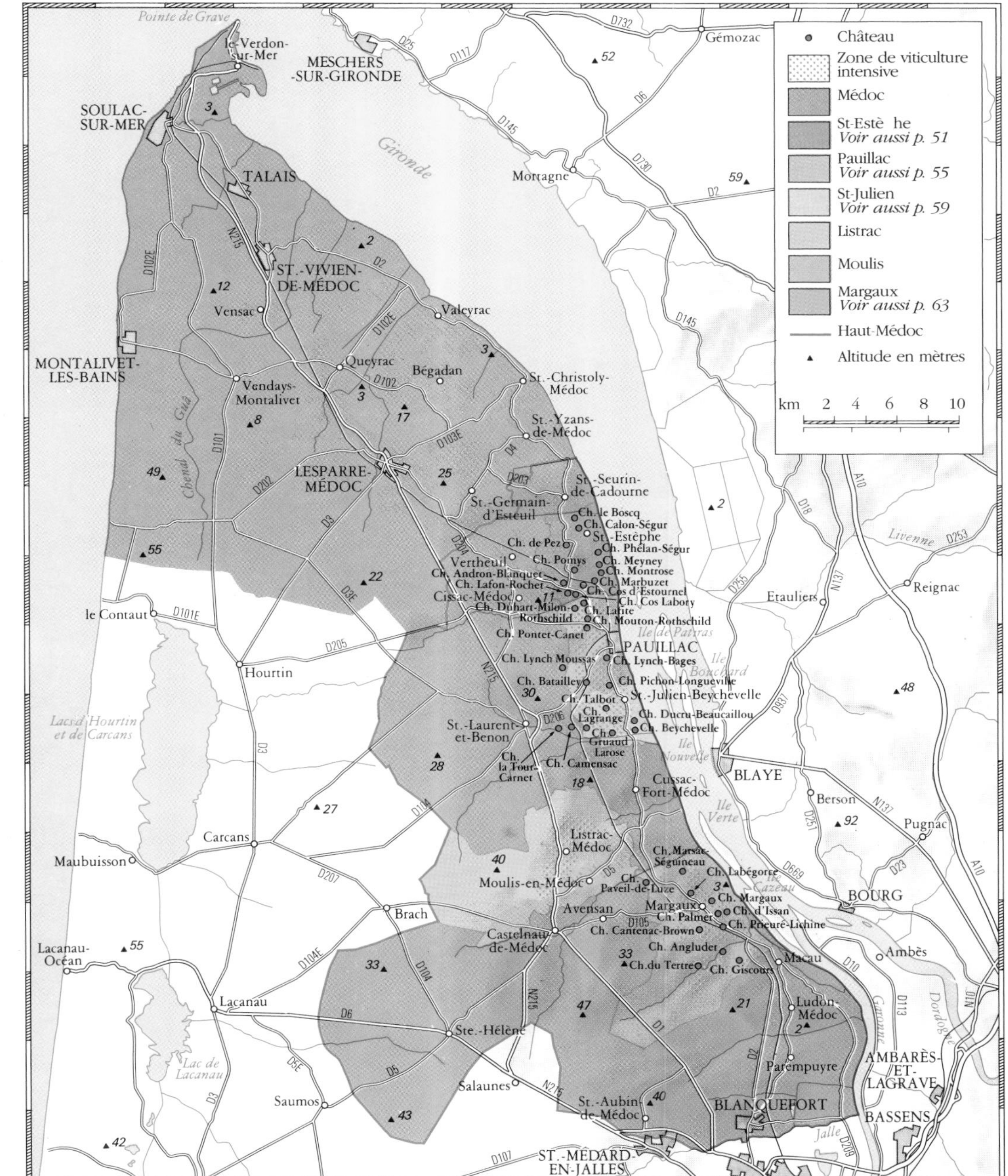

Les vins du Médoc

HAUT-MÉDOC AOC

Cette appellation, très fiable, fournit quelques Crus classés d'un excellent rapport qualité/prix et des Crus bourgeois de qualité.

ROUGE. Vins généreusement fruités et relativement corsés. Ils sont dotés d'une robuste constitution.

Cabernet Sauvignon, Cabernet franc, Merlot, Malbec, Petit Verdot, Carmenère

1981, 1982, 1983, 1985, 1986

De 6 à 15 ans pour les Crus classés, de 5 à 8 ans pour les autres

LISTRAC AOC

Les investissements considérables réalisés durant les dix dernières années donnent ici d'excellents résultats.

ROUGE. Ces vins assez corsés ont le fruité et la finesse des Saint-Julien, alliés à la fermeté des Saint-Estèphe.

Cabernet Sauvignon, Cabernet franc, Carmenère, Merlot, Malbec, Petit Verdot

1981, 1982, 1983, 1985, 1986

Entre 5 et 10 ans

MARGAUX AOC

Cette appellation couvre cinq communes, dont Cantenac et Margaux sont les plus importantes. Son château le plus célèbre porte le même nom que l'appellation.

ROUGE. Vins très fins et corsés qui allient une robe profonde, une fabuleuse richesse et une finale soyeuse.

Cabernet Sauvignon, Cabernet franc, Carmenère, Merlot, Malbec, Petit Verdot

1981, 1982, 1983, 1985, 1986

Entre 5 et 20 ans pour les Crus classés, de 5 à 10 ans pour les autres

MÉDOC AOC

L'appellation s'applique théoriquement à l'ensemble du Médoc, mais la plupart des vins proviennent du nord du Haut-Médoc. Ses vignobles ont connu un développement important dans les années 70.

ROUGE. Les meilleurs de ces vins sont assez proches, par leur style, des bons Haut-Médoc mais un peu moins raffinés.

Cabernet Sauvignon, Cabernet franc, Carmenère, Merlot, Malbec, Petit Verdot

1981, 1982, 1983, 1985, 1986

Entre 4 et 8 ans

MOULIS ou MOULIS-EN-MÉDOC AOC

Cette appellation est située sur la façade atlantique du Médoc, juste au sud de Listrac. Bien qu'elle jouxte Margaux, l'appellation qui regroupe le plus grand nombre de Crus classés n'en comporte pas elle-même.

ROUGE. Ces vins étoffés ont plus de puissance que les Margaux, mais moins de finesse. Ils ne manquent ni de caractère, ni de fruité, ni de longueur en bouche.

Cabernet Sauvignon, Cabernet franc, Carmenère, Merlot, Malbec, Petit Verdot

1981, 1982, 1983, 1985, 1986

Entre 5 et 12 ans

PAUILLAC AOC

Cette commune partage avec Margaux les honneurs de la célébrité, grâce à ses trois Premiers Crus : Latour, Lafite et Mouton.

ROUGE. Sombres et presque opaques, les grands Pauillac très charpentés sont dotés d'un arôme de cassis et de chêne neuf. Souvent fermés quand ils sont jeunes, ils deviennent riches et chauds en mûrissant.

Cabernet Sauvignon, Cabernet franc, Carmenère, Merlot, Malbec, Petit Verdot

1981, 1982, 1983, 1985, 1986

Entre 9 et 25 ans pour les Crus classés, de 5 à 12 ans pour les autres

SAINT-ESTÈPHE AOC

La force de cette appellation réside dans sa gamme de Crus bourgeois. La superficie plantée de vigne n'est que très légèrement inférieure à celle de Margaux – la plus vaste –, mais Saint-Estèphe compte un grand nombre de châteaux non classés.

ROUGE. Ces vins ont beaucoup de corps, ils sont massifs et puissants, et cependant majestueux et distingués. Il faut savoir apprécier les Saint-Estèphe lorsque une saison ensoleillée les rend richement fruités. Ils sont très agréables, avec des saveurs d'épices et de cèdre, souvent bien fruités ; Cos d'Estournel en est le plus beau fleuron.

Cabernet Sauvignon, Cabernet franc, Carmenère, Merlot, Malbec, Petit Verdot

1982, 1983, 1985

Entre 8 et 25 ans pour les Crus classés, de 5 à 12 ans pour les autres

SAINT-JULIEN AOC

C'est la plus petite des quatre célèbres appellations, mais la plus intensivement cultivée, avec près de 50 % de la commune plantée de vigne. Elle ne possède aucun Premier Cru, mais quatre Deuxièmes Crus, et ses vins sont d'une qualité constante.

ROUGE. Vins distingués et relativement corsés, de style très pur et parfois de longue garde. Équilibrés, élégants, ils se situent entre l'opulence des Margaux et la fermeté des Pauillac.

Cabernet Sauvignon, Cabernet franc, Carmenère, Merlot, Malbec, Petit Verdot

1981, 1982, 1983, 1985, 1986

Entre 6 et 20 ans pour les Crus classés, de 5 à 12 ans pour les autres

Les meilleurs châteaux du Haut-Médoc, de Listrac et de Moulis

CHÂTEAU BELGRAVE

St-Laurent

AOC Haut-Médoc
5e Cru classé
Production : *18 000 caisses*

Issu d'un bon coteau de graves situé derrière le Château Lagrange, ce vin mûrit en fût pendant 24 mois. Il tient rarement, cependant, toutes les promesses de son terroir.

ROUGE. Le 1983 présente un bon équilibre entre le fruité du cassis et l'acidité, une ferme charpente tannique et des nuances vanillées de chêne neuf.

Cabernet Sauvignon 60 %, Merlot 35 %, Petit Verdot 5 %

1983

Entre 8 et 16 ans

CHÂTEAU CAMENSAC

St-Laurent

AOC Haut-Médoc
5e Cru classé
Production : *20 000 caisses*

Ce domaine s'étend derrière le Château Belgrave. Rénové au milieu des années 60, il produit désormais des vins à la hauteur de son classement qui mûrissent en barrique pendant 14 à 18 mois, dont 40 % sous chêne neuf.

ROUGE. Vin bien charpenté, relativement fruité et fin.

Cabernet Sauvignon 60 %, Cabernet franc 20 %, Merlot 20 %

1982, 1983, 1985

Entre 8 et 20 ans

CHÂTEAU CANTEMERLE

Macau

AOC Haut-Médoc
5e Cru classé
Production : *20 000 caisses*

En 1980, de nouvelles cuves de fermentation en acier inoxydable ont remplacé les vieilles cuves en bois qui avaient donné quelques millésimes médiocres. Cette année-là, on n'utilisa que des barriques neuves, mais normalement 30 % seulement de la récolte vieillissent dans du chêne neuf pendant 18 à 20 mois.

ROUGE. Vins riches et équilibrés, fruités, avec des nuances crémeuses et boisées de chêne.

Cabernet Sauvignon 45 %, Cabernet franc 13 %, Merlot 40 %, Petit Verdot 2 %

1980, 1982, 1983, 1985

Entre 8 et 20 ans

Deuxième vin : « Baron Villeneuve de Cantemerle »

CHÂTEAU LA LAGUNE

Ludon

AOC Haut-Médoc
3e Cru classé
Production : *25 000 caisses*

Propriété de Jean-Michel Ducellier des champagnes Ayala, le vignoble impeccable de ce beau château s'étend sur un sol de sable et de graves. C'est le Cru classé le plus proche de Bordeaux. Le vin est toujours excellent.

ROUGE. Vins corsés mais souples, à la robe profonde, avec des saveurs complexes de cassis et de fruits à noyaux, nuancées de chêne et de vanille.

Cabernet Sauvignon 55 %, Cabernet franc, 20 %, Merlot 20 %, Petit Verdot 5 %

1981, 1982, 1983, 1985, 1986

Entre 10 et 30 ans

Deuxième vin : « Ludon-Pomies-Agassac »

CHÂTEAU LA TOUR-CARNET

St-Laurent

AOC Haut-Médoc
4e Cru classé
Production : *16 000 caisses*

Ce charmant château miniature du XIIIe siècle produit des vins qui ne sont guère réputés, encore que certains critiques les croient en progrès.

ROUGE. Vins assez corsés et d'une belle couleur, mais peu fruités et sans réelle étoffe.

Cabernet Sauvignon 53 %, Cabernet franc 10 %, Merlot 33 %, Petit Verdot 4 %

1982, 1983

Entre 6 et 12 ans

Deuxième vin : « Le Sire de Camin »

Les meilleurs autres châteaux

CHÂTEAU D'AGASSAC
Ludon

AOC Haut-Médoc
Cru bourgeois
Production : ***9 000 caisses***

Ce domaine produit l'un des meilleurs vins non classés du Haut-Médoc.

ROUGE. Vins de couleur foncée, au fruité tendre et mûr.

Cabernet Sauvignon 60 %, Merlot 40 %

1982, 1983, 1985

Entre 4 et 10 ans

CHÂTEAU D'ARSAC
Arsac

AOC Haut-Médoc
Production : ***5 500 caisses***

C'est le seul domaine de la commune à ne pas bénéficier de l'appellation Margaux. Les vins mûrissent en fût pendant 12 à 18 mois, pour 20 % sous chêne neuf.

ROUGE. Vins charpentés de couleur profonde.

Cabernet Sauvignon 80 %, Cabernet franc 5 %, Merlot 15 %

1982, 1985

Entre 7 et 15 ans

Deuxième vin : Château Ségur-d'Arsac
Autre vin : Château le Monteil-d'Arsac

CHÂTEAU BEAUMONT
Cussac

AOC Haut-Médoc
Cru bourgeois
Production : ***30 000 caisses***

Ce domaine produit régulièrement des vins de bonne qualité.

ROUGE. Vins à l'arôme séduisant, au fruité élégant et aux tanins souples.

Cabernet Sauvignon 56 %, Cabernet franc 7 %, Merlot 36 %, Petit Verdot 1 %

1980, 1981, 1982, 1983, 1985

Entre 4 et 8 ans

Deuxième vin : Château Moulin-d'Arvigny

CHÂTEAU BÉCADE
Listrac

AOC Haut-Médoc
Cru bourgeois
Production : ***13 000 caisses***

Ce vignoble bien situé remporte régulièrement des médailles.

ROUGE. Vins assez corsés, de belle robe, généreusement fruités et dotés d'un bon bouquet.

Cabernet Sauvignon 75 %, Merlot 25 %

1982, 1985

Entre 4 et 8 ans

Deuxième vin : « La Fleur Bécade »

CHÂTEAU BEL-AIR-LAGRAVE

AOC Moulis
Production : ***5 500 caisses***

Classé Cru bourgeois en 1932, ce vin fut déclassé en 1978. Il est pourtant supérieur à certains Crus bourgeois.

ROUGE. Vins de couleur vive, bien bouquetés et solidement charpentés.

Cabernet Sauvignon 60 %, Merlot 35 %, Petit Verdot 5 %

1982, 1983, 1985

Entre 8 et 20 ans

CHÂTEAU BEL-ORME-TRONQUOY-DE-LALANDE
St-Seurin-de-Cadourne

AOC Haut-Médoc
Cru bourgeois
Production : ***10 000 caisses***

À ne pas confondre avec le Château Tronquoy-Lalande de St-Estèphe.

ROUGE. Vins fermes, francs et fruités.

Cabernet Sauvignon 30 %, Cabernet franc 30 %, Merlot 30 %, Malbec et Petit Verdot 10 %

1982, 1983, 1985

Entre 7 et 15 ans

CHÂTEAU BISTON-BRILLETTE

AOC Moulis
Production : ***7 000 caisses***

Classé Cru bourgeois en 1932, mais déclassé en 1978, bien que supérieur à certains Crus bourgeois.

ROUGE. Vins de couleur riche, fruités, aux nuances épicées de cassis et à la souple charpente tannique.

Cabernet Sauvignon et Cabernet franc 50 %, Merlot 50 %

1981, 1982, 1983, 1985

Entre 5 et 15 ans

CHÂTEAU LE BOURDIEU

AOC Haut-Médoc
Production : ***25 000 caisses***

Situé entre Vertheuil et St-Estèphe, ce château fut classé Cru bourgeois en 1932, mais exclu de la liste établie par le Syndicat en 1978. Il est pourtant supérieur à certains vins qui y figurent.

ROUGE. Vins de belle robe, bien étoffés, au caractère robuste, et ne manquant pourtant pas de charme.

Cabernet Sauvignon 50 %, Cabernet franc 20 %, Merlot 30 %

1982, 1983, 1985

Entre 7 et 15 ans

Deuxième vin : Château les Sablons
Autre vin : Château la Croix des Sablons

CHÂTEAU BRANAS-GRAND-POUJEAUX

AOC Moulis
Production : ***4 000 caisses***

Excellents vins progressant rapidement, élevés en fût pendant 18 à 22 mois, pour un tiers sous chêne neuf.

ROUGE. Vins bien charpentés, fruités, à l'arôme charmant, gagnant en finesse avec le temps.

Cabernet Sauvignon 60 %, Merlot 35 %, Petit Verdot 5 %

1981, 1983, 1985

Entre 5 et 12 ans

CHÂTEAU BRILLETTE

AOC Moulis
Cru bourgeois
Production : ***11 000 caisses***

Le nom du château viendrait du sol de son terroir, composé de cailloux « brillants ».

ROUGE. Vins à la robe séduisante, corsés mais souples, aux arômes de fruits d'été et de vanille.

Cabernet Sauvignon 55 %, Merlot 40 %, Petit Verdot 5 %

1981, 1982, 1983, 1985

Entre 5 et 12 ans

CHÂTEAU CAMBON-LA-PELOUSE
Macau

AOC Haut-Médoc
Production : ***25 000 caisses***

Ce domaine appartient au même propriétaire que le Château Grand Barrail-Lamarzelle-Figeac. Il fut classé Cru bourgeois en 1932, mais déclassé en 1978.

ROUGE. Vins tendres assez corsés, aux saveurs fraîches et succulentes.

Cabernet Sauvignon 30 %, Cabernet franc 20 %, Merlot 50 %

1981, 1982, 1983, 1985

Entre 3 et 8 ans

CHÂTEAU CAP-LÉON-VEYRIN

AOC Listrac
Cru bourgeois
Production : ***7 000 caisses***

Ce domaine est composé de deux vignobles plantés sur un sol argilo-graveleux sur fond de marnes.

ROUGE. Vins de robe profonde, corsés, riches en extrait et dotés de tanins bien fondus.

Cabernet Sauvignon 45 %, Cabernet franc 2 %, Merlot 50 %, Petit Verdot 3 %

1980, 1981, 1982, 1983, 1985

Entre 8 et 20 ans

CHÂTEAU LA CARDONNE
Blaignan

AOC Médoc
Cru bourgeois
Production : ***35 000 caisses***

Cette propriété fut rachetée par les Rothschild de Lafite en 1973 qui, depuis, l'ont agrandie et rénovée.

ROUGE. Vins de style élégant, ronds et séduisants, avec un bel arôme de raisin et une texture soyeuse.

Cabernet Sauvignon 34 %, Cabernet franc 8 %, Merlot 58 %

1980, 1981, 1982, 1983, 1985

Entre 6 et 10 ans

CHÂTEAU CARONNE-SAINTE-GEMME
St-Laurent

AOC Haut-Médoc
Cru bourgeois
Production : ***23 000 caisses***

Superbe îlot de vigne sur un plateau de graves au sud du Château Lagrange.

ROUGE. Vins corsés et distingués, à la saveur riche, nuancée de chêne, et dotés d'une souple charpente.

Cabernet Sauvignon 65 %, Merlot 35 %

1981, 1982, 1983, 1985

Entre 8 et 20 ans

CHÂTEAU CASTÉRA
St-Germain d'Esteuil

AOC Médoc
Production : *15 000 caisses*

Le château d'origine fut détruit au XIVᵉ siècle par le Prince noir. Castéra fut classé Cru bourgeois en 1932 mais n'apparaît pas sur la liste de 1978.

ROUGE. Vins ronds et tendres à boire relativement jeunes.

Cabernet Sauvignon et Cabernet franc 60 %, Merlot 40 %

1981, 1983, 1985

Entre 4 et 8 ans

CHÂTEAU CHASSE-SPLEEN

AOC Moulis
Cru bourgeois
Production : *25 000 caisses*

Ce domaine appartient au propriétaire du Cru classé Château Haut-Bages-Libéral et de l'excellent cru non classé de Margaux, Château la Gurgue.

ROUGE. Vin charpenté, d'une grande finesse, avec une opulente saveur de cassis et de chocolat et de chaudes nuances de vanille et d'épices.

Cabernet Sauvignon 50 %, Cabernet franc 2 %, Merlot 45 %, Petit Verdot 3 %

1980, 1981, 1982, 1983, 1985, 1986

Entre 8 et 20 ans

CHÂTEAU CISSAC
Cissac-Médoc

AOC Haut-Médoc
Cru bourgeois
Production : *13 500 caisses*

Ce vin d'un bon rapport qualité/prix, en particulier dans les années chaudes, fermente dans des cuves en bois et vieillit en fût, sans adjonction de vin de presse.

ROUGE. Vins corsés de belle couleur.

Cabernet Sauvignon 75 %, Merlot 20 %, Petit Verdot 5 %

1982, 1983, 1985, 1986

Entre 8 et 20 ans

Deuxième vin : Château Abiet

CHÂTEAU CITRAN
Avensan

AOC Haut-Médoc
Cru bourgeois
Production : *32 000 caisses*

Domaine autrefois dirigé par Jean Miailhe, du Château Coufran, puis par son beau-frère Jean Casseline. Il est aujourd'hui propriété japonaise.

ROUGE. Solide Médoc de caractère robuste.

Cabernet Sauvignon 50 %, Cabernet franc 10 %, Merlot 40 %

1983, 1985

Entre 8 et 15 ans

CHÂTEAU CLARKE

AOC Listrac
Cru bourgeois
Production : *30 000 caisses*

En 1950, les vignes de ce domaine furent arrachées et le château fut démoli. Le terrain resta ensuite à l'abandon jusqu'à ce que le baron Edmond de Rothschild le rachète en 1973. Fort de son vignoble intégralement reconstitué et d'un nouveau chai ultramoderne, il réussit depuis le millésime 1981 une des ascensions les plus rapides du Médoc. Le vin fermente dans des cuves en acier inoxydable avant de mûrir 12 mois en fût, pour 60 % sous chêne neuf.

ROUGE. Vins bien colorés, assez corsés et tendrement fruités, nuancés de chêne.

Cabernet Sauvignon 48 %, Cabernet franc 14 %, Merlot 35 %, Petit Verdot 3 %

1981, 1982, 1983, 1985

Entre 7 et 25 ans

Deuxième vin : Château Malmaison
Autres vins : « Granges de Clarke », « Le Rosé de Clarke »

CHÂTEAU COUFRAN
Saint-Seurin-de-Cadourne

AOC Haut-Médoc
Cru bourgeois
Production : *33 600 caisses*

Les vins sont élevés en fût pendant 13 à 18 mois, pour un quart dans du chêne neuf.

ROUGE. Franc et fruité, ce vin assez corsé a une saveur chocolatée dominée par le Merlot.

Cabernet Sauvignon 10 %, Merlot 85 %, Petit Verdot 5 %

1982, 1983, 1985

Entre 4 et 12 ans

Deuxième vin : « Domaine de la Rose-Maréchale »

CHÂTEAU DUTRUCH-GRAND-POUJEAUX

AOC Moulis
Cru bourgeois
Production : *10 000 caisses*

Ce château est l'un des meilleurs Grand-Poujeaux. Dutruch produit deux autres vins issus des vignobles de « La Bernède » et « La Gravière ».

ROUGE. Vins fins et corsés, excellemment colorés et fruités.

Cabernet Sauvignon et Cabernet franc 60 %, Merlot 35 %, Petit Verdot 5 %

1981, 1982, 1983, 1985

Entre 7 et 15 ans

Autres vins : « La Bernède-Grand-Poujeaux », « La Gravière-Grand-Poujeaux »

CHÂTEAU FONRÉAUD

AOC Listrac
Cru bourgeois
Production : *20 500 caisses*

Les vignes de ce splendide château sont orientées au sud, plantées sur une éminence, le puy de Menjon.

ROUGE. Vins assez corsés, séduisants, bien fruités, dotés d'une certaine classe.

Cabernet Sauvignon 66 %, Merlot 31 %, Petit Verdot 3 %

1982, 1983

Entre 6 et 12 ans

Deuxième vin : Château Chemin-Royal-Moulis-en-Médoc
Autre vin : « Fontaine Royale »

CHÂTEAU FOURCAS-DUPRÉ

AOC Listrac
Cru bourgeois
Production : *22 000 caisses*

Les vignobles, situés sur des graves couvrant une couche de crasse de fer, peuvent produire d'excellents vins lors des années chaudes.

ROUGE. La belle robe et la charpente tannique sont largement équilibrées par la richesse du fruit.

Cabernet Sauvignon 50 %, Cabernet franc 10 %, Merlot 38 %, Petit Verdot 2 %

1982, 1983

Entre 6 et 12 ans

Deuxième vin : Château Bellevue-Laffont

CHÂTEAU FOURCAS-HOSTEN

AOC Listrac
Cru bourgeois
Production : *15 000 caisses*

Propriété multinationale (française, danoise et américaine) depuis 1972, dont les équipements ont été rénovés.

ROUGE. Vins corsés, à la robe profonde, riches en fruit, avec une ferme charpente tannique, bien que leur style ait tendance à s'assouplir, jusqu'à devenir assez gras dans certains millésimes, comme 1982.

Cabernet Sauvignon 50 %, Cabernet franc 10 %, Merlot 40 %

1981, 1982, 1983

Entre 8 et 20 ans

CHÂTEAU LE FOURNAS BERNADOTTE
St-Sauveur

AOC Haut-Médoc
Production : *10 000 caisses*

Ce vignoble est situé sur un sol graveleux qui bénéficiait autrefois de l'appellation Pauillac et faisait partie d'un Cru classé.

ROUGE. Vins très distingués, où le fruit du Cabernet est équilibré par la fermeté du chêne neuf.

Cabernet Sauvignon 60 %, Cabernet franc 10 %, Merlot 30 %

1980, 1981, 1982, 1983, 1985

Entre 6 et 12 ans

CHÂTEAU GRESSIER-GRAND-POUJEAUX

AOC Moulis
Production : *9 000 caisses*

Le vin fut classé Cru bourgeois en 1932 mais « oublié » en 1978, alors qu'il mériterait cette distinction.

ROUGE. Vins corsés, offrant beaucoup de fruité et de saveur.

Cabernet Sauvignon 50 %, Cabernet franc 10 %, Merlot 40 %

1982, 1985

Entre 6 et 12 ans

CHÂTEAU GREYSAC
Bégadan

AOC Médoc
Cru bourgeois
Production : *30 000 caisses*

Depuis qu'il a racheté ce domaine en 1973, le baron de Gunzbourg l'a considérablement modernisé. La qualité est excellente et l'avenir s'annonce prometteur.

ROUGE. Vins distingués, de texture soyeuse, aux saveurs de fruits mûrs.

Cabernet Sauvignon 50 %, Cabernet franc 10 %, Merlot 38 %, Petit Verdot 2 %

1981, 1982, 1983, 1985

Entre 6 et 10 ans

CHÂTEAU HANTEILLAN

Cissac-Médoc

AOC Haut-Médoc
Cru bourgeois
Production : *35 000 caisses*

Cette vaste propriété produit habituellement un vin de qualité.

ROUGE. Le vin, de belle robe, offre un bouquet épicé, nuancé de vanille, des saveurs de fruits mûrs et des tanins souples.

Cabernet Sauvignon 48 %, Cabernet franc 6 %, Merlot 42 %, Malbec et Petit Verdot 4 %

1981, 1982, 1983

Entre 6 et 12 ans

Deuxième vin : Château Larrivaux-Hanteillan

CHÂTEAU LAMARQUE

Lamarque

AOC Haut-Médoc
Cru bourgeois
Production : *25 000 caisses*

Ce grand domaine progresse très régulièrement.

ROUGE. Le vin a la souplesse du Médoc, il renferme beaucoup de fruité. Son bouquet est envoûtant.

Cabernet Sauvignon 50 %, Cabernet franc 20 %, Merlot 25 %, Petit Verdot 5 %

1981, 1982

Entre 5 et 12 ans

Deuxième vin : « Réserve du Marquis d'Évry »

CHÂTEAU LANESSAN

Cussac-Fort-Médoc

AOC Haut-Médoc
Production : *17 500 caisses*

Ce vin, classé Cru bourgeois en 1932, ne figure plus sur la liste de 1978.

ROUGE. Grands vins à la saveur intense, à la robe profonde, presque opaque, d'une qualité proche de celle d'un Cru classé.

Cabernet Sauvignon 75 %, Cabernet franc et Petit Verdot 5 %, Merlot 20 %

1980, 1981, 1983, 1985

Entre 7 et 20 ans

CHÂTEAU LAROSE-TRINTAUDON

St-Laurent

AOC Haut-Médoc
Cru bourgeois
Production : *80 000 caisses*

C'est le plus grand domaine du Médoc. Jusqu'en 1986, il appartenait au propriétaire du Château Camensac, qui a investi des sommes considérables pour le rénover. Si Camensac constitue un Cinquième Cru respectable, Larose-Trintaudon est un excellent Cru bourgeois. Il est élevé en fût pendant 24 mois, pour un tiers sous chêne neuf.

ROUGE. Vins assez corsés, pleins d'une riche saveur de fruits succulents, de vanille et de truffe soutenue par des tanins souples.

Cabernet Sauvignon 60 %, Cabernet franc 20 %, Merlot 20 %

1981, 1982, 1983, 1985

Entre 6 et 15 ans

CHÂTEAU LESTAGE-DARQUIER-GRAND-POUJEAUX

AOC Moulis
Production : *1 800 caisses*

Classé Cru bourgeois en 1932, mais absent de la liste de 1978, le vin assez rare de ce petit domaine mériterait pourtant, plus que d'autres, d'y figurer.

ROUGE. Ces vins ont une robe dense et une constitution puissante. Ils sont richement bouquetés et fruités.

Cabernet Sauvignon 50 %, Cabernet franc 10 %, Merlot 40 %

1982 est le seul millésime des années 80 à figurer dans mes notes, mais je conseille vivement d'en essayer d'autres

Entre 8 et 20 ans

CHÂTEAU LIVERSAN

St-Sauveur

AOC Haut-Médoc
Cru bourgeois
Production : *20 000 caisses*

Ce domaine fut racheté en 1984 par le prince Guy de Polignac. Le sol est composé de fines graves sableuses sur un sous-sol calcaire. Le vin fermente dans des cuves en acier inoxydable puis mûrit en fût pendant 18 à 20 mois, pour moitié sous chêne neuf.

ROUGE. Vins riches et savoureux avec beaucoup de corps et de caractère.

Cabernet Sauvignon 49 %, Cabernet franc 10 %, Merlot 38 %, Petit Verdot 3 %

1981, 1982, 1983, 1985

Entre 7 et 20 ans

CHÂTEAU LOUDENNE

St-Yzans

AOC Médoc
Cru bourgeois
Production : *15 000 caisses*

Ce château de couleur rose, bâti dans le style des chartreuses, appartient à W. & A. Gilbey. La qualité des cours d'œnologie qu'on y dispense le place au premier rang des écoles d'œnologie ouvertes au public. Les techniques de production sont très modernes. Le vin est élevé en fût pendant 15 à 18 mois, avec un quart de la récolte sous chêne neuf. Loudenne produit également un vin blanc sec très agréable à boire un ou deux ans après les vendanges.

ROUGE. Vins corsés, au bouquet épicé de cassis, parfois soyeux, avec des nuances de violette, de vanille et de chêne, très amples et longs en bouche. Ils offrent de riches saveurs de fruits mûrs et d'excellents extraits.

Cabernet Sauvignon 55 %, Cabernet franc 7 %, Merlot 38 %

1982, 1983, 1984, 1985

Entre 5 et 15 ans

CHÂTEAU DE MALLERET

Le Pilan

AOC Haut-Médoc
Cru bourgeois
Production : *25 000 caisses*

Ce vaste domaine, riche de 60 hectares de vignoble, est également consacré à l'élevage de chevaux pour la chasse et la course.

ROUGE. Ce sont d'agréables vins ronds au beau bouquet, fruités et succulents.

Cabernet Sauvignon 70 %, Cabernet franc 10 %, Merlot 15 %, Petit Verdot 5 %

1981, 1982, 1983, 1985

Entre 5 et 12 ans

Deuxième vin : Château Barthez
Autres vins : Château Nexon, Domaine de l'Ermitage Lamouroux

CHÂTEAU MAUCAILLOU

AOC Moulis
Production : *19 000 caisses*

Classé Cru bourgeois en 1932 mais « oublié » en 1978, le château Maucaillou est actuellement membre du Syndicat. Ses millésimes 1982, 1983 et 1984 ont été dégustés en juillet 1986, à côté de certains Crus bourgeois, et furent déclarés vainqueurs de cette confrontation.

ROUGE. Vins de robe profonde, avec du corps, un fruité soyeux, d'étonnantes saveurs de cassis et de vanille et des tanins souples.

Cabernet Sauvignon 45 %, Cabernet franc, 15 %, Merlot 35 %, Petit Verdot 5 %

1980, 1982, 1983, 1984, 1985

Entre 6 et 15 ans

CHÂTEAU LE MEYNIEU

Vertheuil

AOC Haut-Médoc
Cru bourgeois
Production : *5 000 caisses*

Son propriétaire possède aussi le Château Lavillotte, à Saint-Estèphe. Le vin n'est pas filtré avant sa mise en bouteille.

ROUGE. Le millésime 1982 est un vin sombre et profond, au bouquet dense et au fruité ferme ; il est très prometteur.

Cabernet Sauvignon 70 %, Merlot 30 %

1982

Entre 7 et 15 ans

CHÂTEAU MOULIN-À-VENT

AOC Moulis
Cru bourgeois
Production : *10 000 caisses*

Un tiers de ce domaine est situé sur la commune de Listrac, mais il utilise également l'appellation Moulis pour ses vins.

ROUGE. Vins ronds au bouquet élégant et à la saveur ample.

Cabernet Sauvignon 65 %, Merlot 30 %, Petit Verdot 5 %

1982, 1983

Entre 7 et 15 ans

Deuxième vin : « Moulin de Saint-Vincent »

CHÂTEAU LES ORMES-SORBET

Couquèques

AOC Médoc
Cru bourgeois
Production : *11 500 caisses*

Ces vins sont élevés en fût pendant 18 à 24 mois, un tiers d'entre eux sous chêne neuf.

ROUGE. Vins de caractère, très corsés, bien fruités, très savoureux.

Cabernet Sauvignon 65 %, Merlot 35 %

1982, 1983, 1985

Entre 7 et 15 ans

CHÂTEAU PATACHE-D'AUX

Bégadan

AOC Médoc
Cru bourgeois
Production : *25 000 caisses*

Ce domaine ancien appartenait autrefois à la famille Aux qui descend des comtes d'Armagnac.

ROUGE. Vin distingué, très parfumé, rond, au fruité aisément perceptible.

Cabernet Sauvignon 70 %, Cabernet franc 10 %, Merlot 20 %

1981, 1982, 1983, 1985

Entre 4 et 8 ans

CHÂTEAU PLAGNAC

Bégadan

AOC Médoc
Production : *15 000 caisses*

Depuis son rachat par Cordier, en 1972, ce château mériterait d'être plus apprécié. Le vin mûrit en fût pendant 18 à 20 mois, avec un peu de chêne neuf.

ROUGE. Ces vins corsés et racés, à l'ample saveur, marqués par le fruit du Merlot, ont une finale souple.

Cabernet Sauvignon 60 %, Merlot 40 %

1982, 1983, 1985, 1986

Entre 4 et 10 ans

CHÂTEAU POTENSAC

Potensac

AOC Médoc
Cru bourgeois
Production : *25 000 caisses*

Ce domaine appartient au même propriétaire que le Château Léoville-Las-Cases à St-Julien. Ses vins approchent souvent la qualité d'un Cru classé.

ROUGE. Vins étoffés d'une belle couleur rouge brique, très fruités, nuancés de chocolat et d'épices.

Cabernet Sauvignon 55 %, Cabernet franc 20 %, Merlot 25 %

1980, 1981, 1982, 1983, 1985, 1986

Entre 6 et 15 ans

Deuxième vin : Château Lassalle
Autre vin : Château Gallais-Bellevue

CHÂTEAU POUJEAUX

AOC Moulis
Cru bourgeois
Production : *21 000 caisses*

Après Chasse-Spleen, ce château produit le meilleur vin de Moulis.

ROUGE. Vins de robe profonde, corsés, au bouquet fruité, onctueux et épicé.

Cabernet Sauvignon 40 %, Cabernet franc 12 %, Merlot 36 %, Petit Verdot 12 %

1981, 1982, 1983, 1984, 1985, 1986

Entre 10 et 25 ans

Deuxième vin : Château la Salle-de-Poujeaux

CHÂTEAU RAMAGE-LA-BÂTISSE

St-Sauveur

AOC Haut-Médoc
Cru bourgeois
Production : *25 000 caisses*

Ce domaine s'est surpassé au cours des dernières années et produit des vins d'un bon rapport qualité/prix.

ROUGE. Vins riches, savoureux, qui marient le chêne au bouquet classique du Cabernet. Les millésimes légers, comme 1980, séduisent d'emblée.

Cabernet Sauvignon 60 %, Cabernet franc 10 %, Merlot 30 %

1980, 1981, 1982, 1983, 1985

Entre 7 et 15 ans

Deuxième vin : « Le Terrey »
Autre vin : Château Dutellier

CHÂTEAU SAINT-BONNET

St-Christoly

AOC Médoc
Cru bourgeois
Production : *20 000 caisses*

Environ 35 des 55 hectares de ce domaine sont plantés de vigne.

ROUGE. Vins à l'arôme séduisant et amplement bouquetés.

Cabernet Sauvignon 28 %, Cabernet franc 22 %, Merlot 50 %

1982, 1983, 1985

Entre 5 et 10 ans

CHÂTEAU SOCIANDO-MALLET

St-Seurin-de-Cadourne

AOC Haut-Médoc
Cru bourgeois
Production : *16 000 caisses*

La renommée de ce domaine s'accroît depuis son rachat par Jean Gautreau en 1970.

ROUGE. Vins de constitution puissante, riches en extraits et en couleur. Souvent dominés dans leur jeunesse par les arômes vanillés du chêne, ils sont équilibrés ensuite par le fruité du cassis.

Cabernet Sauvignon 60 %, Cabernet franc 10 %, Merlot 30 %

1980, 1981, 1982, 1983, 1985, 1986

Entre 10 et 25 ans

Deuxième vin : Château Lartigue-de-Brochon

CHÂTEAU LA TOUR-DE-BY

Bégadan

AOC Médoc
Cru bourgeois
Production : *39 000 caisses*

La tour qui donne son nom au domaine était autrefois un phare. Le vin est un Cru bourgeois toujours de très bonne qualité.

ROUGE. Ces vins de robe profonde offrent une saveur épicée et fruitée, équilibrée par une charpente tannique.

Cabernet Sauvignon 70 %, Cabernet franc 5 %, Merlot 25 %

1981, 1982, 1983, 1985, 1986

Entre 6 et 12 ans

Deuxième vin : « La Roque-de-By »
Autre vin : « Moulin de Roque »

CHÂTEAU TOUR-DU-HAUT-MOULIN

Cussac-Fort-Médoc

AOC Haut-Médoc
Cru bourgeois
Production : *12 000 caisses*

Vins bien faits, issus de coteaux graveleux puis élevés en fût pendant 18 mois, pour 25 % dans du chêne neuf.

ROUGE. Vin riche et concentré comparable au Château Sociando-Mallet, mais moins tannique et distingué.

Cabernet Sauvignon et Cabernet franc 50 %, Merlot 45 %, Petit Verdot 5 %

1981, 1982, 1983, 1985

Entre 7 et 15 ans

CHÂTEAU LA TOUR SAINT-BONNET

St-Christoly

AOC Médoc
Cru bourgeois
Production : *20 000 caisses*

Situé sur de beaux coteaux de graves, ce domaine s'appelait, au XIXe siècle, Château la Tour Saint-Bonnet-Cazenave.

ROUGE. Vins de qualité régulière, fermes, savoureux et bien colorés.

Cabernet Sauvignon 28 %, Cabernet franc 22 %, Merlot 50 %

1981, 1982, 1983, 1985

Entre 7 et 15 ans

Deuxième vin : Château la Fuie-Saint-Bonnet

CHÂTEAU VERDIGNAN

St-Seurin-de-Cadourne

AOC Haut-Médoc
Cru bourgeois
Production : *30 000 caisses*

Ce domaine appartient à la famille Miailhe depuis 1972. Le vin fermente dans des cuves en acier puis mûrit en barrique durant 18 à 20 mois.

ROUGE. Vins ronds, fruités, tendres et soyeux.

Cabernet Sauvignon 60 %, Cabernet franc 5 %, Merlot 35 %

1981, 1982, 1983, 1985

Entre 5 et 10 ans

Autre vin : Château Plantey-de-la-Croix

CHÂTEAU VILLEGORGE

Avensan

AOC Haut-Médoc
Production : *2 700 caisses*

Ce vin fut classé Cru bourgeois en 1932, mais Lucien Lurton, propriétaire du château depuis 1973, ayant quitté le Syndicat, il ne figure pas sur la liste de 1978 bien qu'il soit supérieur à des vins qui s'y trouvent.

ROUGE. Vins de belle robe, avec du corps et une bonne saveur épicée de Merlot.

Cabernet Sauvignon 30 %, Cabernet franc 10 %, Merlot 60 %

1983, 1985

Entre 6 et 12 ans

Saint-Estèphe

L'abondance de Crus bourgeois de haute qualité, tels que les Châteaux Andron-Blanquet, Beau-Site, le Bosq, Domeyne, la Haye, Lavilotte, Meyney et de Pez, pour n'en citer que quelques-uns, permet de réaliser à Saint-Estèphe certaines des « affaires » les plus intéressantes de tout le Bordelais. Cette appellation ne compte, en effet, que cinq Crus classés couvrant à peine 6 % de la commune. C'est une source précieuse de Bordeaux sous-estimés.

CHÂTEAU COS D'ESTOURNEL

Bien qu'elle manque de Crus classés, la commune ne manque pas de classe. Quand bien même elle n'accueillerait que le Château Cos d'Estournel, elle serait encore célèbre. La réputation de ce Château n'a fait que croître depuis que Bruno Prats l'a repris en main en 1971. Pour l'essentiel, il doit sa réussite au fait d'avoir su exploiter tout le potentiel du terroir, superbe croupe graveleuse orientée au sud et parfaitement drainée. Les vignobles plantés sur des sols plus lourds contenant moins de graves et davantage d'argile produisent des vins plus rustiques.

LA NOUVELLE ÉCOLE

Les vins de Saint-Estèphe, pour la plupart bien charpentés et de longue garde, sont plus fruités qu'autrefois, et ce dès leur jeune âge. Jadis, il fallait n'acheter que les plus grands millésimes et attendre vingt ans ou davantage avant de les boire. Les nouveaux vins peuvent néanmoins se garder longtemps, mais l'usage croissant du Merlot et de techniques de vinification qui extraient la couleur et le fruit de préférence aux tanins rend la plupart des millésimes plus riches, plus fruités et plus gouleyants.

LES CRUS CLASSÉS DE SAINT-ESTÈPHE

Crus classés de l'AOC Saint-Estèphe
5 châteaux (8 % de tous les crus classés) avec 226 ha de vignoble (8 % de tous les crus classés)

1ers Crus :	Aucun
2es Crus :	2 châteaux (14 % de tous les 2es crus) avec 121 ha de vignoble (15 % de tous les 2es crus)
3es Crus :	1 château (7 % de tous les 3es crus) avec 48 ha de vignoble (11 % de tous les 3es crus)
4es Crus :	1 château (10 % de tous les 4es crus) avec 45 ha de vignoble (10 % de tous les 4es crus)
5es Crus :	1 château (6 % de tous les 5es crus) avec 12 ha de vignoble (2 % de tous les 5es crus)

FACTEURS AFFECTANT LE GOÛT ET LA QUALITÉ

Situation
St-Estèphe, la plus septentrionale des communes, est située à 18 km au sud de Lesparre, au bord de la Gironde.

Climat
Le climat est le même que dans le Médoc, *voir* p. 44.

Site
Vignobles en pente douce, bien exposés et bien drainés. La crête de graves orientée au sud-est domine le Château Lafite-Rothschild, à Pauillac.

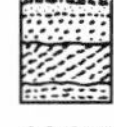

Sol
Couche de graves plus fertile que dans les communes situées plus au sud, avec un sous-sol argileux qui affleure par endroits, recouvrant de la crasse de fer.

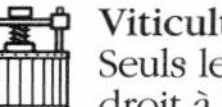

Viticulture et vinification
Seuls les vins rouges ont droit à l'appellation. Avec la part croissante accordée au Merlot – jusqu'à 50 % de l'encépagement – un usage moindre de vin de presse et des techniques de vinification améliorées, ces vins présentent une qualité constante, même dans les années les moins ensoleillées. Tout le raisin est éraflé, la cuvaison dure trois semaines et l'élevage en fût entre 15 et 24 mois.

Cépages principaux
Cabernet Sauvignon, Cabernet franc, Merlot

Cépages secondaires
Carmenère, Malbec, Petit Verdot

SAINT-ESTÈPHE

Aire d'appellation	**Superficie des Crus classés**
Ne couvre qu'une partie de la commune de St-Estèphe.	226 ha (6 % de la commune, 21 % du vignoble).
Étendue de la commune	**Particularités**
3 757 ha.	Environ 5 ha du vignoble sont classés AOC Pauillac.
Aire d'AOC plantée de vigne	
1 100 ha (29 % de la commune).	

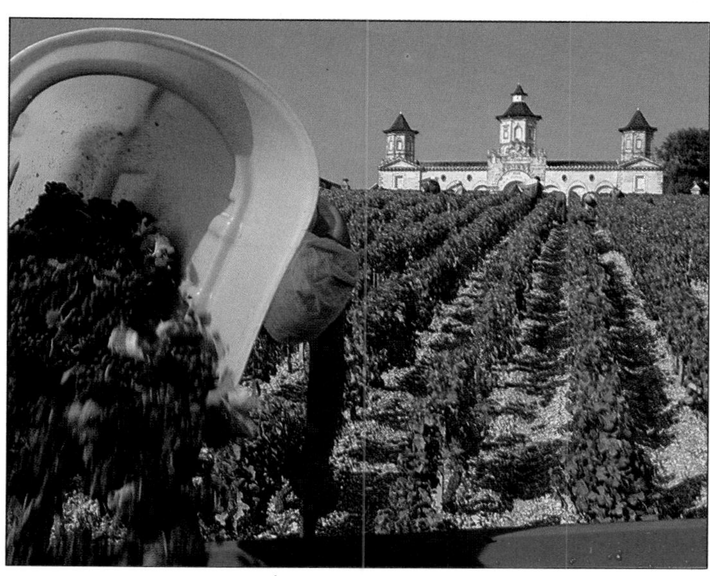

Vendanges au Château Cos d'Estournel, ci-dessus
L'armée des vendangeurs, dominée par la curieuse façade est du chai. Sous la direction de Bruno Prats, le vin tient toutes ses promesses.

SAINT-ESTÈPHE, *voir* aussi p. 45
Des quatre communes les plus célèbres du Haut-Médoc, St-Estèphe est la plus septentrionale, encore que l'aire d'appellation ne couvre qu'une partie de la commune.

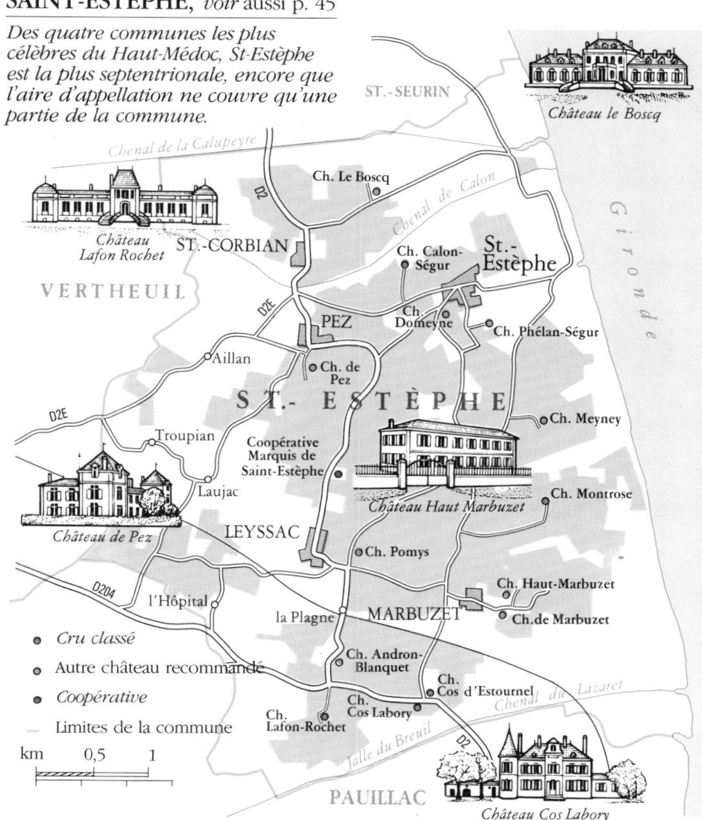

Les grands châteaux de Saint-Estèphe

CHÂTEAU CALON-SÉGUR

3e Cru classé
Production : *20 000 caisses*

La communauté de St-Estèphe s'est développée autour de ce château d'origine gallo-romaine. Premier domaine viticole établi dans la commune, il apposait autrefois la mention « Premier Cru de St-Estèphe » sur ses étiquettes.

ROUGE. Vins amples, fruités et bien charpentés, dotés d'une saveur riche et crémeuse. Ils montrent une qualité constante et vieillissent bien.

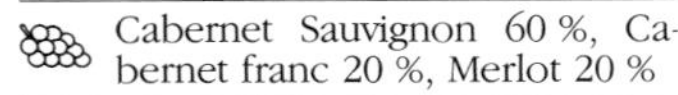
Cabernet Sauvignon 60 %, Cabernet franc 20 %, Merlot 20 %

1980, 1981, 1982, 1983, 1985

Entre 3 et 20 ans

Deuxième vin : « Marquis de Ségur »

CHÂTEAU COS D'ESTOURNEL

2e Cru classé
Production : *25 000 caisses*

Le château de Cos d'Estournel est uniquement voué à la production du vin. Une partie du vin est vinifiée dans des cuves en acier inoxydable, et le tout est élevé en fût pendant 18 à 24 mois. Dans les grandes années, toute la récolte est logée sous chêne neuf, alors que 70 % seulement l'est pour les autres millésimes.

ROUGE. Vin séduisant, riche et savoureux, avec beaucoup de corps, de classe et de distinction : sans aucun doute le meilleur vin de St-Estèphe. Complexe, d'une grande finesse, ce vin au fruité soyeux manifeste une étonnante longévité.

Cabernet Sauvignon, 60 %, Merlot 40 %

1980, 1981, 1982, 1983, 1984, 1986

Entre 8 et 20 ans

Deuxième vin : assemblé avec le Château Marbuzet

CHÂTEAU COS LABORY

5e Cru classé
Production : *6 500 caisses*

Jusqu'au XIXe siècle cette propriété faisait partie de Cos d'Estournel. Elle appartient aujourd'hui à Mme Audoy. Le vin est élevé en fût pendant 15 à 18 mois, pour un tiers dans du chêne neuf.

ROUGE. Les meilleurs de ces vins étaient naguère légers et élégants, avec une certaine finesse. Les millésimes récents marquent une heureuse évolution vers un style plus ample, fruité et gras.

Cabernet Sauvignon 40 %, Cabernet franc 20 %, Merlot 35 %, Petit Verdot 5 %

1980, 1981, 1982, 1985, 1986

Entre 5 et 15 ans

CHÂTEAU LAFON-ROCHET

4e Cru classé
Production : *15 000 caisses*

En 1959, Guy Tesseron acheta ce vignoble et décida d'accroître la proportion de Cabernet Sauvignon. Le vin est élevé en fût durant 18 à 24 mois, pour un tiers dans du chêne neuf.

ROUGE. Ce vin où domine le Cabernet Sauvignon n'est caractéristique ni du St-Estèphe traditionnel, ni de la nouvelle école, plus fruitée. Certains millésimes peuvent paraître verts et astringents, tandis que dans les bonnes années le vin devient velouté avec l'âge.

Cabernet Sauvignon 70 %, Merlot 20 %, Cabernet franc 8 %, Malbec 2 %

1982, 1985, 1986

Entre 8 et 15 ans

CHÂTEAU MONTROSE

2e Cru classé
Production : *27 000 caisses*

Jusqu'au début du XIXe siècle, les vignobles de ce Cru classé n'étaient qu'une friche appartenant au 3e Cru Calon-Ségur. Le vin est élevé en fût pendant 24 mois, pour un tiers dans du chêne neuf.

ROUGE. Vins longs à mûrir, de style un peu variable depuis dix ans, bien que 1982 et 1986 soient les meilleurs millésimes depuis 1962.

Cabernet Sauvignon 65 %, Cabernet franc 10 %, Merlot 25 %

1982, 1986

Entre 5 et 25 ans

Deuxième vin : « La Dame de Montrose »

Les meilleurs vins parmi les autres

CHÂTEAU ANDRON-BLANQUET

Cru bourgeois
Production : *6 000 caisses*

Les vignobles de ce domaine s'étendent au-dessus de la crête graveleuse des Crus classés qui dominent le Château Lafite-Rothschild, dans la commune voisine de Pauillac.

ROUGE. Vin rouge extrêmement bien fait, toujours au-dessus de son rang de petit château. Vinifié et élevé en fût, il a un beau fruité ainsi que du caractère.

Cabernet Sauvignon 30 %, Cabernet franc 30 %, Merlot 35 %, Petit Verdot 5 %

1981, 1982, 1983, 1985, 1986

Entre 4 et 10 ans

CHÂTEAU BEAU-SITE

Cru bourgeois
Production : *15 000 caisses*

Ne pas confondre ce domaine avec le Château Beau-Site Haut-Vignoble, moins prestigieux.

ROUGE. Vin distingué, assez corsé, doté souvent d'une élégante finale, nuancée de violette.

Cabernet Sauvignon et Cabernet franc 65 %, Merlot 35 %

1980, 1981, 1982, 1983, 1985, 1986

Entre 3 et 10 ans

CHÂTEAU LE BOSCQ

Production : *7 500 caisses*

Ce château a toujours produit de bons vins dont la qualité, depuis le millésime 1982, enregistre une progression spectaculaire.

ROUGE. Vin corsé, riche et élégant, à l'arôme presque exotique, aux saveurs de fruits d'été équilibrées par le chêne neuf.

Cabernet Sauvignon 60 %, Merlot 40 %

1982, 1983, 1985, 1986

Entre 5 et 12 ans

CHÂTEAU CAPBERN GASQUETON

Cru bourgeois
Production : *10 000 caisses*

Ce domaine appartient au propriétaire du Château Calon-Ségur. Ses vignobles s'étendent au nord et au sud de St-Estèphe.

ROUGE. Vin assez corsé et fruité, de qualité constante, arrondi par 24 mois passés en fût.

Cabernet Sauvignon 60 %, Cabernet franc 15 %, Merlot 25 %

1980, 1981, 1982, 1983, 1984, 1985, 1986

Entre 4 et 12 ans

CHÂTEAU CHAMBERT-MARBUZET

Cru bourgeois
Production : *3 800 caisses*

ROUGE. Ce vin techniquement irréprochable, à l'arôme séduisant, assez corsé, riche, mûr et fruité, renferme suffisamment de tanins pour mériter de vieillir.

Cabernet Sauvignon 70 %, Merlot 30 %

1980, 1981, 1982, 1983, 1985, 1986

Entre 3 et 10 ans

CHÂTEAU LE CROCK

Cru bourgeois
Production : *15 000 caisses*

Son propriétaire possède également le Château Léoville-Poyferré, à St-Julien.

ROUGE. Vins de couleur sombre, étoffés, riches en tanins, s'arrondissant avec le temps.

Cabernet Sauvignon 65 %, Merlot 35 %

1981, 1982, 1983, 1985

Entre 6 et 15 ans

CHÂTEAU DOMEYNE

Production : *1 700 caisses*

Ce château ne figure pas parmi les Crus bourgeois de 1932, ni sur la liste de 1978 ; nul doute qu'il le méritait pourtant.

ROUGE. Vin doté d'une robe profonde, richement savoureux, marqué par l'alliance parfaite du fruit et du chêne. Souple et rond, il peut se boire assez jeune.

Cabernet Sauvignon 75 %, Merlot 25 %

1982, 1983, 1985, 1986

Entre 3 et 8 ans

CHÂTEAU FAGET

Production : *2 000 caisses*

Classé Cru bourgeois en 1932 mais absent de la liste de 1978, ce vin de coopérative est pourtant un vin d'une qualité supérieure à celle de bien d'autres.

ROUGE. Vin bien fait, très ample en bouche, qui vieillit avec bonheur.

Cabernet Sauvignon 60 %, Cabernet franc 10 %, Merlot 30 %

1982, 1983, 1985

Entre 6 et 10 ans

CHÂTEAU LA HAYE

Production : *3 000 caisses*

Un équipement renouvelé, 25 % de chêne neuf chaque année et une bonne proportion de vieilles vignes s'allient ici pour produire des vins passionnants.

ROUGE. Toujours limpide, ce vin assez corsé, riche en couleur et en saveur, est bien équilibré avec des notes vanillées et boisées en finale.

Cabernet Sauvignon 65 %, Merlot 30 %, Petit Verdot 5 %

1982, 1983, 1985

Entre 5 et 8 ans

CHÂTEAU HAUT-MARBUZET

Cru bourgeois
Production : *18 500 caisses*

Ce domaine appartient à Henri Duboscq. Fait rare pour les Crus classés, à plus forte raison pour les Crus bourgeois, les vins séjournent ici 18 mois dans des barriques neuves.

ROUGE. Vins corsés, de robe profonde, gorgés d'un fruit qu'équilibrent les tanins, riches de nuances de pain grillé et de vanille.

Cabernet Sauvignon 40 %, Cabernet franc 10 %, Merlot 50 %

1980, 1981, 1982, 1983, 1985, 1986

Entre 4 et 12 ans

CHÂTEAU HOUISSANT

Production : *10 000 caisses*

Vin, classé Cru bourgeois en 1932, exclu de la liste de 1978, bien qu'il soit de grande qualité.

ROUGE. Vins bien faits, assez corsés, pleins en bouche.

Cabernet Sauvignon 70 %, Merlot 30 %

1980, 1981, 1982, 1983, 1985

Entre 3 et 8 ans

CHÂTEAU LAVILOTTE

Cru bourgeois
Production : *5 500 caisses*

Ce château produit d'excellents vins.

ROUGE. Vins de couleur sombre, au bouquet profond, corsés, intenses et complexes.

Cabernet Sauvignon 75 %, Merlot 25 %

1981, 1982, 1983, 1985

Entre 5 et 12 ans

CHÂTEAU DE MARBUZET

Cru bourgeois
Production : *10 000 caisses*

Cet élégant château est la demeure de Bruno Prats, de Cos d'Estournel.

ROUGE. Vins élégants, assez corsés, bien équilibrés et fruités, souples en finale.

Cabernet Sauvignon 44 %, Merlot 56 %

1981, 1982, 1983, 1985

Entre 4 et 10 ans

LE MARQUIS DE SAINT-ESTÈPHE

Production : *variable*

Ce vin est produit par la cave coopérative Marquis de St-Estèphe.

ROUGE. Vin assez corsé, de qualité constante, d'un bon rapport qualité/prix.

Cabernet Sauvignon et Cabernet franc 60 %, Merlot 35 %, Malbec et Petit Verdot 5 %

1982, 1983, 1985

Entre 3 et 6 ans

CHÂTEAU MEYNEY

Cru bourgeois
Production : *25 000 caisses*

Cette propriété appartient aux Domaines Cordier. Les bâtiments servent uniquement à la production du vin, lequel est beau pratiquement chaque année.

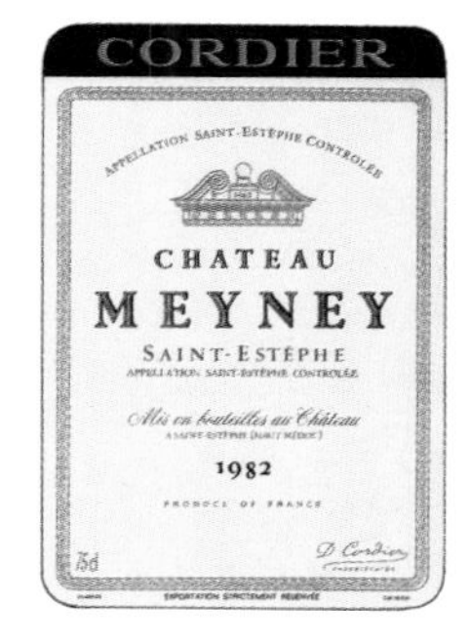

ROUGE. Ces vins, autrefois massifs et charnus, avaient de la mâche ; ils devaient vieillir en bouteille pendant au moins dix ans. Ils ont acquis aujourd'hui une texture fine et soyeuse et ne demandent plus à mûrir aussi longuement.

Cabernet Sauvignon 70 %, Cabernet franc 4 %, Merlot 24 %, Petit Verdot 2 %

1980, 1981, 1982, 1983, 1984, 1985, 1986

Entre 5 et 25 ans

Deuxième vin : « Prieuré de Meyney »

CHÂTEAU LES ORMES DE PEZ

Cru bourgeois
Production : *14 000 caisses*

Ce château, propriété de Jean-Michel Cazes du Château Lynch-Bages, est équipé depuis 1981 de cuves en acier inoxydable. Le vin est élevé en fût pendant 12 à 15 mois.

ROUGE. Beau vin assez corsé et fruité qui renferme parfois des nuances herbacées et de menthe.

Cabernet Sauvignon 55 %, Cabernet franc 10 %, Merlot 35 %

1981, 1982, 1983, 1985, 1986

Entre 3 et 15 ans

CHÂTEAU DE PEZ

Cru bourgeois
Production : *14 500 caisses*

Le vin est élevé en barrique durant 20 à 22 mois, pour un quart de la récolte dans du chêne neuf. Le propriétaire propose des bouteilles de différentes capacités.

ROUGE. L'un des meilleurs Crus bourgeois de tout le Médoc. Relativement corsé, doté d'une saveur profonde richement fruitée et d'une charpente tannique, ce vin devient sublime en vieillissant, avec ses notes d'épices et de cèdre.

Cabernet Sauvignon 70 %, Cabernet franc 15 %, Merlot 15 %

1980, 1981, 1982, 1983, 1984, 1985, 1986

Entre 6 et 20 ans

CHÂTEAU PHÉLAN-SÉGUR

Cru bourgeois
Production : *20 000 caisses*

Le nouveau propriétaire n'a pas amélioré la qualité du vin.

ROUGE. Le 1982 était bon, mais le dernier millésime vraiment séduisant était le 1955 !

Cabernet Sauvignon 50 %, Cabernet franc 10 %, Merlot 40 %

1982

Entre 4 et 6 ans

CHÂTEAU POMYS

Production : *3 000 caisses*

Ce vin, classé Cru bourgeois en 1932, est absent de la liste de 1978, malgré sa qualité. Le vin est élevé en fût pendant 24 mois, pour un quart dans du chêne neuf.

ROUGE. Vins sérieux et consistants, bien équilibrés entre le fruit et le tanin.

Cabernet Sauvignon 50 %, Cabernet franc 20 %, Merlot 25 %, Petit Verdot 5 %

1981, 1982, 1983, 1985

Entre 3 et 10 ans

CHÂTEAU LES PRADINES

Production : *3 500 caisses*

Ce vin de coopérative, mis en bouteille au château, fut « oublié » par le Syndicat en 1932 comme en 1978 ; il aurait mérité pourtant le classement de Cru bourgeois.

ROUGE. Vin plein de fruité et de caractère, avec une agréable finale.

Cabernet Sauvignon 60 %, Cabernet franc 5 %, Merlot 35 %

1982, 1983, 1985

Entre 2 et 7 ans

CHÂTEAU LA TOUR DE PEZ

Production : *4 500 caisses*

Ce vin témoigne des compétences de la coopérative locale.

ROUGE. Vin élégant, relativement corsé, où s'affirme la présence du fruit.

Cabernet Sauvignon 70 %, Cabernet franc 15 %, Merlot 15 %

1982, 1983, 1985

Entre 3 et 7 ans

CHÂTEAU TRONQUOY-LALANDE

Cru bourgeois
Production : *7 000 caisses*

Après la disparition tragique de Jean-Philippe Castéja en 1973, son épouse, Arlette, a su reprendre en main le domaine.

ROUGE. Vins tantôt agréablement fruités, tantôt plus imposants, sombres et tanniques.

Cabernet Sauvignon et Cabernet franc 50 %, Merlot 45 %, Petit Verdot 5 %

1980, 1981, 1982, 1983, 1985

Entre 3 et 7 ans

Pauillac

Parmi toutes les appellations de Bordeaux, Pauillac est sans doute la plus grande. Célèbre pour ses trois Premiers Crus – Latour, Lafite et Mouton – Pauillac est une appellation de contrastes : elle possède trois quarts des Premiers Crus du Médoc et deux tiers des Cinquièmes, mais peu de vins situés entre ces deux extrêmes. En outre, la présence de Crus bourgeois relève davantage de l'exception que de la règle.

Pour des vins de qualité aussi diverses, les généralités sont évidemment trompeuses mais on peut considérer que le Cabernet Sauvignon donne sans doute ses résultats les plus majestueux à Pauillac. Si son fameux caractère de cassis est parfois difficile à percevoir dans certains Bordeaux, chez les grands Pauillac, il est au contraire épanoui, parfois opulent et toujours merveilleusement équilibré par une charpente tannique incomparable.

Seul Margaux compte plus de Crus classés que Pauillac, mais les domaines de Pauillac sont plus étendus et la concentration de vignobles classés y est donc supérieure : à Pauillac, neuf ceps sur dix sont classés contre sept sur dix seulement à Margaux.

LES CRUS CLASSÉS À PAUILLAC

***Crus classés* de l'AOC Pauillac**
18 châteaux (30 % de tous les Crus classés) avec 842 ha de vignoble (30 % de tous les Crus classés)

1ers Crus :	3 châteaux (75 % de tous les 1ers Crus) avec 230 ha de vignoble (75 % de tous les 1ers Crus)
2es Crus :	2 châteaux (14 % de tous les 2es Crus) avec 90 ha de vignoble (11 % de tous les 2es Crus)
3es Crus :	Aucun
4es Crus :	1 château (10 % de tous les 4es Crus) avec 45 ha de vignoble (10 % de tous les 4es Crus)
5es Crus :	12 châteaux (67 % de tous les 5es Crus) avec 477 ha de vignoble (63 % de tous les 5es Crus)

PAUILLAC

Aire d'appellation
Couvre une partie de la commune de Pauillac, plus 34 ha à St-Sauveur, 16 ha à St-Julien, 5 ha à St-Estèphe et 1 ha à Cissac.

Étendue de la commune
2 539 ha.

Aire d'AOC plantée de vigne
950 ha (37 % de la commune).

Superficie de Crus classés
842 ha (33 % de la commune, 89 % de l'AOC).

FACTEURS AFFECTANT LE GOÛT ET LA QUALITÉ

Situation
Pauillac est encastré entre St-Estèphe au nord et St-Julien au sud.

Climat
Identique à celui du Médoc, *voir* p. 44.

Site
Deux larges plateaux bien exposés, peu élevés, l'un au nord-ouest de Pauillac, l'autre au sud-ouest, descendant en pente douce, vers l'est jusqu'à la Gironde, vers l'ouest jusqu'à la forêt, vers le nord et le sud jusqu'à des canaux et ruisseaux.

Sol
Imposants lits de graves, profonds. L'eau est drainée avant que la couche de crasse de fer ne soit atteinte. À l'ouest, St-Sauveur se compose d'une petite épaisseur de sable sur un sous-sol pierreux ; au centre et au sud, des graves recouvrent de la crasse de fer, ou d'autres graves.

Viticulture et vinification
Seuls les vins rouges ont droit à l'appellation. La plupart des châteaux utilisent un peu de vin de presse. La cuvaison dure de trois à quatre semaines en moyenne, et le mûrissement a lieu en fût, pendant 18 à 24 mois.

Cépages principaux
Cabernet Sauvignon, Cabernet franc, Merlot

Cépages secondaires
Carmenère, Petit Verdot, Malbec

Château Pichon-Lalande, ci-dessous
Un château plein de charme, d'une symétrie parfaite. Louis XIV y aurait séjourné et aurait été séduit par ses bois et ses vignobles.

Pauillac, ci-dessus
Le bourg de Pauillac est situé sur la rive ouest de la Gironde. Malgré son importance économique, il a su conserver son caractère rural.

Cave coopérative La Rose, ci-dessus
Cette coopérative est installée à Pauillac, où arrivent les vendanges. Elle jouit d'une réputation bien méritée.

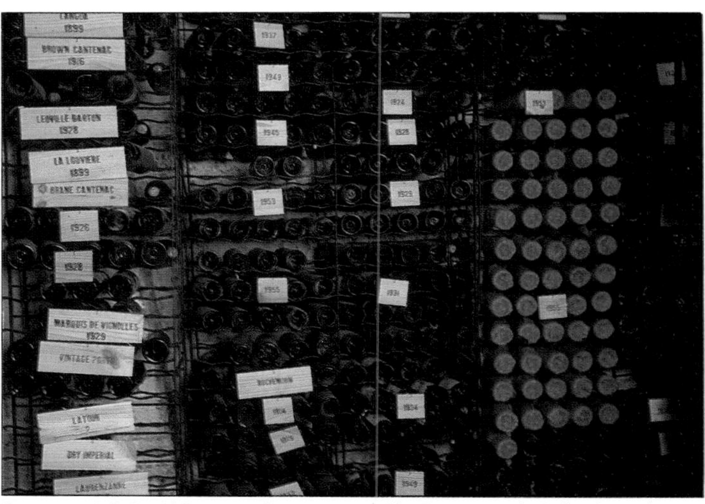

Caveau privé du Château Pichon-Longueville-Comtesse-de-Lalande, ci-dessus
L'un des caveaux du château abrite une histoire de la vinification dans le Bordelais, qui date de près de deux siècles.

PAUILLAC, *voir* aussi p. 45

Pauillac et ses trois Premiers Crus – Lafite-Rothschild et Mouton-Rothschild au nord, Latour au sud – cerné par St-Julien, St-Sauveur et St-Estèphe.

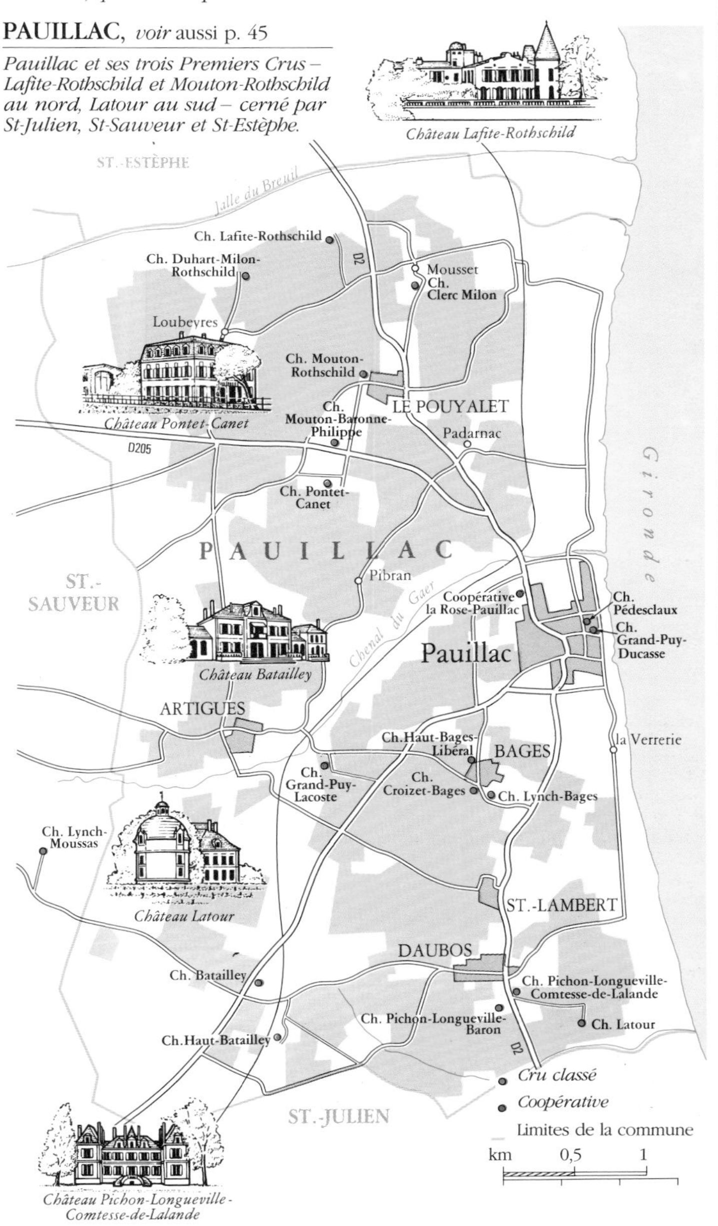

Les grands châteaux de Pauillac

CHÂTEAU BATAILLEY

5e Cru classé
Production : *22 000 caisses*

Ce château produit un vin sous-estimé, supérieur à son classement, en particulier dans les années ensoleillées. Le 1985 était peut-être la meilleure affaire du Bordelais, et le 1986 paraît encore plus intéressant. Le vin est élevé en fût pendant 16 à 18 mois, pour un tiers sous chêne neuf.

ROUGE. Ce vin, qui était parfois trop rustique et trop agressif par le passé, affirme aujourd'hui toute sa classe, avec son succulent fruité équilibré par une charpente tannique bien fondue et une arrière-bouche délicatement boisée.

Cabernet Sauvignon 73 %, Cabernet franc 5 %, Merlot 20 %, Petit Verdot 2 %

1981, 1982, 1985, 1986

Entre 10 et 25 ans

CHÂTEAU CLERC MILON

5e Cru classé
Production : *8 700 caisses*

Ce domaine fut racheté en 1970 par le baron Philippe de Rothschild. Au terme de plus de dix années d'investissements, le 1981 s'est révélé bon et le 1982 exceptionnel. Le vin mûrit en fût pendant 22 à 24 mois, pour 20 à 30 % sous chêne neuf.

ROUGE. Vin relativement corsé, de couleur profonde, à l'arôme de cassis, avec des notes épicées et boisées et de riches saveurs de fruits rouges équilibrées par une certaine acidité.

Cabernet Sauvignon 70 %, Cabernet franc 10 %, Merlot 20 %

1981, 1982, 1983, 1985, 1986

Entre 10 et 20 ans

CHÂTEAU CROIZET-BAGES

5e Cru classé
Production : *8 500 caisses*

Croizet-Bages, qui s'étend sur le plateau de Bages, appartient au même propriétaire que le Château Rauzan-Gassies de Margaux. C'est un exemple classique de « château sans château ». Son vin, élevé en fût pendant 18 mois, n'est pas sans séduction, mais manque généralement de classe. Il s'améliore peu à peu cependant.

ROUGE. La robe de ce Pauillac n'est pas des plus profondes, mais le vin est assez corsé, gouleyant, et possède une saveur fruitée.

Cabernet Sauvignon 37 %, Cabernet franc 30 %, Merlot 30 %, Malbec et Petit Verdot 3 %

1983

Entre 6 et 12 ans

CHÂTEAU DUHART-MILON-ROTHSCHILD

4e Cru classé
Production : *12 500 caisses*

Cet autre « château sans château », fut acheté en 1962 par la branche Lafite des Rothschild. Les vins antérieurs à cette date étaient issus presque exclusivement de Petit Verdot, un cépage à maturation tardive, traditionnellement cultivé pour son acidité qui ne leur permettait d'exceller que dans les années anormalement chaudes : sous la chaleur quasi tropicale de 1947, Duhart-Millon produisit un vin que beaucoup considérèrent comme le meilleur de l'année. Les Rothschild ont agrandi les vignobles qui jouxtent ceux de Lafite, et choisi des cépages plus adaptés à ce terroir. Le vin est élevé sous bois pendant 18 à 24 mois, pour un tiers sous chêne neuf.

ROUGE. Plus proches des St-Julien par leur style, ces vins de couleur vive ne présentent pas toute l'opacité de certains Pauillac. Élégamment parfumés, délicieusement fruités, avec des notes crémeuses et boisées, ils sont d'une finesse et d'une harmonie exceptionnelles.

Cabernet Sauvignon 70 %, Cabernet franc 5 %, Merlot 20 %, Petit Verdot 5 %

1980, 1981, 1982, 1983, 1985

Entre 8 et 16 ans

Deuxième vin : « Moulin de Duhart »

CHÂTEAU GRAND-PUY-DUCASSE

5e Cru classé
Production : *17 500 caisses*

Ce domaine appartient au même propriétaire que le Château Rayne-Vigneau de Sauternes. Il produit un vin sous-estimé, provenant de parcelles isolées et élevé en fût pendant 15 à 18 mois.

ROUGE. Vin assez corsé, bien équilibré, souple, à boire relativement jeune, qui possède le nez de cassis caractéristique des Pauillac.

Cabernet Sauvignon 70 %, Merlot 25 %, Petit Verdot 5 %

1982, 1983, 1985

Entre 5 et 10 ans

Deuxième vin : Château Artigues-Arnaud

CHÂTEAU GRAND-PUY-LACOSTE

5e Cru classé
Production : *14 000 caisses*

Grand-Puy-Lacoste qui appartient au propriétaire du Château Ducru-Beaucaillou, s'améliore constamment sous la direction de François-Xavier Borie. Le vin est élevé en fût pendant 18 à 20 mois, pour un tiers dans du chêne neuf.

ROUGE. Vin de robe profonde, avec un bouquet de cassis, d'épices et de vanille, beaucoup de fruit et de finesse, long en bouche.

Cabernet Sauvignon 70 %, Cabernet franc 5 %, Merlot 25 %

1980, 1981, 1982, 1983, 1985, 1986

Entre 10 et 20 ans

CHÂTEAU HAUT-BAGES-LIBÉRAL

5e Cru classé
Production : *10 000 caisses*

Entre les mains du même propriétaire que le Cru bourgeois Château Spleen, de Moulis, et l'excellent cru non classé de Margaux, Château la Gurgue, cette exploitation dynamique produit actuellement des vins exceptionnels qui mûrissent en fût pendant 18 à 20 mois, sous bois neuf pour 40 % d'entre eux.

ROUGE. Vin complet, sombre et très corsés, offrant des arômes concentrés de cassis et d'épices, une grande charpente tannique et des nuances crémeuses et vanillées de chêne.

Cabernet Sauvignon 75 %, Merlot 20 %, Petit Verdot 5 %

1982, 1983, 1985, 1986

Entre 10 et 20 ans

CHÂTEAU HAUT-BATAILLEY

5e Cru classé
Production : *11 000 caisses*

Ce domaine, racheté en 1942 par la famille Borie, appartient au même propriétaire que les Châteaux Grand-Puy-Lacoste et, à St-Julien, Ducru-Beaucaillou. Le vin est élevé en fût pendant 20 mois, pour un tiers dans du bois neuf.

ROUGE. Le vin de Haut-Batailley est bien coloré, moyennement corsé, plus élégant et fin que celui de Batailley, bien qu'il n'ait pas toujours l'ample fruité qui fait le charme de ce dernier.

Cabernet Sauvignon 65 %, Cabernet franc 10 %, Merlot 25 %

1981, 1983, 1985, 1986

Entre 7 et 15 ans .

Deuxième vin : Château La Tour l'Aspic

CHÂTEAU LAFITE-ROTHSCHILD

1er Cru classé
Production : *25 000 caisses*

Ce très illustre château, dont le vignoble comporte une petite parcelle à St-Estèphe, est dirigé de façon traditionnelle, avec un soin scrupuleux, par le baron Éric de la branche française des Rothschild. Les vignes plantées sur la commune de St-Estèphe bénéficient aussi de l'appellation Pauillac, puisqu'elles font partie de Lafite-Rothschild depuis plusieurs siècles.

Un changement de style est apparu au milieu des années 70, lorsqu'il fut décidé de laisser les vins moins longtemps en fût. Ils passent maintenant 18 à 24 mois dans des barriques de chêne neuf. Le second vin, « Moulin des Carruades », est produit depuis 1974.

ROUGE. S'il n'est pas le meilleur Premier Cru, Lafite n'en est pas moins l'un des Pauillac les plus caractéristiques : ses saveurs délicatement épicées de fruits, qui sans cesse se déploient, sont équilibrées par des nuances crémeuses de chêne et des tanins fondus.

Cabernet Sauvignon 70 %, Cabernet franc 13 %, Merlot 15 %, Petit Verdot 2 %

1980, 1981, 1982, 1983, 1985

Entre 25 et 50 ans

Deuxième vin : « Moulin des Carruades »

CHÂTEAU LATOUR

1er Cru classé
Production : ***16 000 caisses***

On a reproché au groupe londonien Pearson d'avoir transformé en laiterie ce Premier Cru en faisant installer en 1964 des cuves en acier inoxydable qui permettent de contrôler la température de fermentation. Le Château Haut-Brion avait fait de même trois ans auparavant. Ce changement n'a nui

en rien à la qualité du vin : Latour est en effet le plus constant des Premiers Crus, excellant même dans les petites années. Le vin est élevé en barrique neuve pendant 20 à 24 mois.

ROUGE. Malgré la proximité de St-Julien, Latour est l'archétype des Pauillac. Sa robe noire reflète parfaitement sa gigantesque constitution et ses saveurs extrêmement concentrées. Il montre à la fois une grande puissance et une finesse exceptionnelles.

Cabernet Sauvignon 80 %, Cabernet franc 10 %, Merlot 10 %

1980, 1981, 1982, 1983, 1984

Entre 30 et 60 ans

Deuxième vin : « Les Forts de Latour »
Autre vin : Pauillac AOC

CHÂTEAU LYNCH-BAGES

5e Cru classé
Production : ***28 000 caisses***

Ce château s'étend au bord du plateau de Bages, un peu à l'écart de Pauillac. Jean-Michel Cazes y produit un vin considéré par beaucoup comme le « Lafite (ou Mouton) du pauvre ». De nouveaux locaux de vinification et de vieillissement ont été construits et, depuis 1980, les réussites dans les petites années sont assez extraordinaires. Le vin est élevé en fût pendant 12 à 15 mois sous chêne neuf pour la moitié de la récolte. On y produit aussi un peu de vin blanc (*voir* p. 77).

ROUGE. Vin de couleur pourpre intense, de caractère séduisant et d'une distinction évidente. Le nez est complexe, la saveur riche, avec une charpente tannique souple et une arrière-bouche de cassis, d'épices et de vanille.

Cabernet Sauvignon 73 %, Cabernet franc 10 %, Merlot 15 %, Petit Verdot 2 %

1980, 1981, 1982, 1983, 1984, 1985

Entre 8 et 30 ans

Deuxième vin : Château Haut-Bages-Avérous

CHÂTEAU LYNCH MOUSSAS

5e Cru classé
Production : ***12 500 caisses***

Ce domaine a été rénové et son vin pourrait fort bien s'améliorer. Actuellement, il se rapproche davantage d'un Cru bourgeois que d'un cru classé. Le vin est élevé en fût pendant 18 à 20 mois, pour un quart sous chêne neuf.

ROUGE. Vin agréable et séduisant mais manquant de charpente et de caractère.

Cabernet Sauvignon 70 %, Merlot 30 %

1981, 1983, 1985

Entre 4 et 8 ans

CHÂTEAU MOUTON-BARONNE-PHILIPPE

5e Cru classé
Production : ***15 000 caisses***

Le baron Philippe de Rothschild, après avoir racheté le Château Mouton d'Armailhac en 1933, le rebaptisa Château Mouton-Baron-Philippe en 1956, puis Mouton-Baronne-Philippe à la mémoire de son épouse. Le domaine jouxte celui de Mouton. Les vins, qui mûrissent durant 22 à 24 mois en fût (20 % d'entre eux sous chêne neuf), sont élaborés avec le même soin que leurs voisins.

ROUGE. Austères lorsqu'ils sont jeunes, ces vins sont plutôt légers et peu typés, sans doute en raison du terroir.

Cabernet Sauvignon 65 %, Cabernet franc 5 %, Merlot 30 %

1981, 1982, 1986

Entre 10 et 20 ans

CHÂTEAU MOUTON-ROTHSCHILD

1er Cru classé
Production : ***20 000 caisses***

Lorsque Mouton fut promu au rang de Premier Cru en 1973, la longue lutte du baron Philippe de Rothschild était devenue une cause célèbre ; son vin est le seul a avoir été officiellement reclassé depuis 1855. En défendant le caractère unique de Mouton, il a sans doute largement contribué à donner au Cabernet Sauvignon son prestige actuel. Pour sa campagne, il avait notamment décidé de faire figurer sur ses étiquettes une œuvre artistique commandée pour chaque millésime. Son idée fut ensuite copiée dans les régions viticoles du monde entier. Le vin est élevé en barrique neuve pendant 22 et 24 mois.

ROUGE. Il est difficile de décrire ce vin sans utiliser les mêmes termes que pour le Latour. Peut-être la robe du Mouton évoque-t-elle davantage les prunes et son caractère sous-jacent est-il plus herbacé, avec parfois des notes de menthe ? S'il vieillit aussi bien que le Latour, il est accessible en général un peu plus tôt.

Cabernet Sauvignon 85 %, Cabernet franc 10 %, Merlot 5 %

1980, 1981, 1982, 1983, 1985, 1986

Entre 20 et 60 ans

CHÂTEAU PICHON-LONGUEVILLE-BARON

2e Cru classé
Production : ***14 000 caisses***

Le plus petit des deux Pichon produit également le vin le moins inspiré, bien que nombre d'experts estiment que son terroir est intrinsèquement supérieur à celui de Pichon-Comtesse. Peut-être un jour tiendra-t-il toutes ses promesses. Le vin est élevé en fût pendant 24 mois, un tiers dans du bois neuf.

ROUGE. Vin de couleur profonde, bien étoffé, offrant le véritable arôme de cassis du Pauillac. Sa légère austérité s'adoucit avec le temps.

Cabernet Sauvignon 75 %, Merlot 23 %, Malbec 2 %

1980, 1982, 1983

Entre 10 et 20 ans

Deuxième vin : « Le Baronnet de Pichot »

CHÂTEAU PICHON-LONGUEVILLE-COMTESSE-DE-LALANDE

2e Cru classé
Production : ***28 000 caisses***

À Pichon-Comtesse, l'extraordinaire Mme de Lencquesaing exige, et obtient, le maximum de son terroir. Si, comme on le dit, le potentiel de Pichon-Baron est encore supérieur, peut-être devrait-elle essayer de le racheter et de réunir les deux propriétés. Le vin est élevé en fût pendant 18 à 20 mois, pour moitié sous chêne neuf.

ROUGE. De texture soyeuse, très joliment équilibré et séduisant, ce vin se distingue par sa grande finesse, même dans les petites années.

Cabernet Sauvignon 58 %, Merlot 34 %, Petit Verdot 8 %

1980, 1981, 1982, 1983, 1985, 1986

Entre 10 et 30 ans

Deuxième vin : « Réserve de la Comtesse »

CHÂTEAU PONTET-CANET

5e Cru classé
Production : *30 000 caisses*

La réputation de ce château a souffert durant les dernières décennies. Il fut racheté en 1975 et, au terme d'une longue attente, le 1985 autorise les premières notes d'optimisme. Le vin est élevé en barriques, neuves pour un tiers, pendant 18 à 24 mois.

ROUGE. Le vin est trop austère et son caractère rustique ne saurait convenir à un vin de cette classe. Le 1985 est cependant fruité et gracieux, avec une riche nuance boisée.

Cabernet Sauvignon 68 %, Cabernet franc 10 %, Merlot 20 %, Malbec 2 %

1985

Entre 6 et 12 ans

Deuxième vin : « Les Hauts de Pontet »

CHÂTEAU PÉDESCLAUX

5e Cru classé
Production : *8 300 caisses*

Ce cru classé, assez peu répandu, provient de deux vignobles bien situés : l'un borde Lynch-Bages, l'autre s'étend entre Mouton-Rothschild et Pontet-Canet. Le vin est élevé en fûts pendant 20 à 22 mois, la moitié sous chêne neuf. La production écartée du grand vin est assemblée avec celle du Château Belle Rose, Cru bourgeois qui appartient au même propriétaire.

ROUGE. Ce Pauillac ample, ferme, de style traditionnel, est un vin de longue garde.

Cabernet Sauvignon 70 %, Cabernet franc 5 %, Merlot 20 %, Petit Verdot 5 %

1981, 1985

Entre 15 et 40 ans

Les meilleurs autres châteaux

CHÂTEAU BELLE ROSE

Cru bourgeois
Production : *2 000 caisses*

Ce domaine appartient à M. Jugla, propriétaire du Cru classé Château Pédesclaux.

ROUGE. Vin solide et bien fait, relativement corsé, aux nuances boisées, de longue garde.

Cabernet Sauvignon 55 %, Cabernet franc 20 %, Merlot 20 %, Petit Verdot 5 %

1981, 1982, 1983, 1985

Entre 5 et 12 ans

CHÂTEAU LA BÉCASSE

Production : *2 000 caisses*

Ce domaine a connu une ascension rapide ; si son vin n'a pas été classé Cru bourgeois en 1932 ni en 1978, il mériterait de l'être.

ROUGE. Vin bien charpenté, de couleur profonde, richement fruité, avec des nuances de cassis. Il est manifestement élevé dans une certaine proportion de chêne neuf.

Cabernet Sauvignon 70 %, Cabernet franc 10 %, Merlot 20 %

1982, 1983, 1985

Entre 5 et 12 ans

CHÂTEAU COLOMBIER-MONPELOU

Cru bourgeois
Production : *7 000 caisses*

Ce château, qui n'a jamais reçu de classement officiel, a un peu du panache d'un Cru classé. 30 % de la récolte est logée sous chêne neuf.

ROUGE. Riche, fruité et épicé, il présente bien les caractéristiques du Cabernet, équilibrées par une charpente tannique fondue et des nuances vanillées de chêne.

Cabernet Sauvignon 70 %, Cabernet franc 5 %, Merlot 20 %, Petit Verdot 5 %

1982, 1985

Entre 5 et 12 ans

CHÂTEAU DE CORDEILLAN

C'est à l'initiative de Jean-Michel Cazes, du Château Lynch-Bages, qu'un groupe de producteurs du Médoc a rénové ce Château, qui abrite désormais un hôtel-restaurant ainsi qu'une école d'œnologie. Cet ancien domaine viticole doit de nouveau bientôt commercialiser ses propres vins ; ceux-ci pourraient se révéler intéressants.

CHÂTEAU LA COURONNE

Production : *1 750 caisses*

Classé Cru bourgeois en 1932, mais absent de la liste du syndicat en 1978, ce vin est certainement l'un des meilleurs crus non classés de Pauillac. Il appartient à Mme de Brest-Borie et est dirigé par son frère, Jean-Eugène Borie, du Château Ducru-Beaucaillou à St-Julien. Une partie du vin du Château Batailley est vinifiée dans la cuverie du Château La Couronne.

ROUGE. Les meilleurs millésimes de ce vin relativement corsé sont épicés, souples, et révèlent un agréable arôme de cassis.

Cabernet Sauvignon 70 %, Merlot 30 %

1982, 1983, 1985

Entre 5 et 12 ans

CHÂTEAU LA FLEUR-MILON

Cru bourgeois
Production : *5 000 caisses*

« Château sans château », La Fleur-Millon produit un vin issu de diverses parcelles qui jouxtent des vignobles aussi célèbres que ceux de Lafite, Mouton et Duhart Milon.

ROUGE. Vin ferme, solide et honnête, mais qui n'est pas à la hauteur de ses vignobles.

Cabernet Sauvignon 45 %, Cabernet franc 20 %, Merlot 35 %

1982, 1985

Entre 4 et 10 ans

CHÂTEAU FONBADET

Production : *6 500 caisses*

Ce vin, classé Cru bourgeois en 1932, n'apparaît pas sur la liste de 1978 ; il est pourtant de belle qualité. Bon nombre des vignes sont très âgées et 15 % de la récolte est logée sous chêne neuf.

ROUGE. Ce Pauillac typique montre une robe profonde, presque opaque. Il offre un intense bouquet de cassis et de cèdre, une saveur concentrée, épicée et fruitée, aux nuances crémeuses et boisées, ainsi qu'une longue finale.

Cabernet Sauvignon 60 %, Cabernet franc 15 %, Merlot 19 %, Malbec 4 %, Petit Verdot 2 %

1981, 1982, 1983, 1985, 1986

Entre 6 et 15 ans

Deuxième vin : Château Tour du Roc Moulin

CHÂTEAU HAUT-BAGES-AVÉROUS

Production : *2 500 caisses*

Classé Cru bourgeois en 1932, mais écarté par le Syndicat en 1978, ce domaine, qui appartient à Jean-Michel Cazes du Château Lynch-Bages, est meilleur que certains Crus bourgeois.

ROUGE. Vin de très bonne qualité, assez corsé, épicé, équilibré et d'une belle acidité. Certains millésimes, comme le 1983, offrent des nuances herbacées.

Cabernet Sauvignon 75 %, Cabernet franc 10 %, Merlot 15 %

1982, 1983, 1984, 1985

Entre 5 et 12 ans

LA ROSE PAUILLAC

Production : *52 000 caisses*

Bon vin produit par la coopérative locale.

ROUGE. À son modeste niveau, ce vin rond et bien fruité est un authentique Pauillac qui ne déçoit pas.

Cabernet Sauvignon et Cabernet franc 45 %, Merlot 40 %, Petit Verdot 15 %

1982, 1983, 1985

Entre 5 et 10 ans

CHÂTEAU LA TOUR-PIBRAN

Production : *3 500 caisses*

Ce vin, classé Cru bourgeois en 1932, disparut de la liste en 1978, malgré sa belle qualité.

ROUGE. Vin très riche en saveur de cassis, qui conserve toutefois la charpente caractéristique des Pauillac et leur finale ferme. Le superbe 1985 rappelle presque un petit « Mouton ».

Cabernet Sauvignon 75 %, Cabernet franc 10 %, Merlot 15 %

1982, 1983, 1985

Entre 6 et 16 ans

Saint-Julien

La renommée de Saint-Julien n'est pas à la mesure de sa superficie, la moins étendue de toutes les appellations classiques du Médoc. C'est là, en revanche, qu'apparaît la plus forte concentration de vignobles d'AOC, et les domaines y sont assez vastes – 40 pour cent plus étendus que ceux de Margaux, par exemple.

Saint-Julien ne compte aucun Premier Cru ni Cinquième Cru, encore que plusieurs de ses vins présentent incontestablement la qualité de Premiers Crus. Forte de ses onze Crus classés, situés au milieu de la hiérarchie, la commune peut prétendre au titre d'appellation la plus homogène du Médoc. Les vins qu'elle produit ont une robe de couleur vive, un fruité élégant et montrent un superbe équilibre et une grande finesse.

Il est sans doute surprenant, compte tenu de la différence perceptible dans les styles, que le vin provenant de 16 hectares de la commune de Saint-Julien soit classé AOC Pauillac. Ce problème se manifeste lorsque les limites communales ne correspondent pas aux limites historiques des grandes propriétés viticoles et souligne toute l'importance de l'assemblage, y compris dans une région réputée pour ses vins issus d'un vignoble unique. C'est la raison pour laquelle, tout en soulignant les différences de style entre les différentes appellations, il convient de ne pas enfermer les vins dans le carcan artificiel des limites officielles. Le village de Saint-Lambert dépendait autrefois de Saint-Julien, et les deux noms comportaient le suffixe « Reignac ». Du temps où la péniche était le principal moyen de transport, le trafic était intense entre Saint-Lambert-de-Reignac, Saint-Julien-de-Reignac et le village de Reignac, situé dans le Blayais, sur la rive opposée de la Gironde. Si les limites communales respectaient l'Histoire régionale, Latour serait aujourd'hui à Saint-Julien ; comment décrirait-on alors les vins de cette commune ?

SAINT-JULIEN

Aire d'appellation
Couvre une partie seulement de la commune de St-Julien.

Étendue de la commune
1 554 ha

Aire d'AOC plantée de vigne
750 ha (48 % de la commune).

Superficie des Crus classés
628 ha (40 % de la commune, 84 % de l'AOC)

Particularités
Quelque 16 ha de St-Julien sont classés AOC Pauillac.

LES CRUS CLASSÉS À SAINT-JULIEN

***Crus classés* de l'AOC Saint-Julien**
11 châteaux (18 % de tous les Crus classés) avec 628 ha de vignoble (22 % de tous les Crus classés)

1ers Crus :	Aucun
2es Crus :	5 châteaux (36 % de tous les 2es Crus) avec 318 ha de vignoble (40 % de tous les 2es Crus)
3es Crus :	2 châteaux (14 % de tous les 3es Crus) avec 69 ha de vignoble (16 % de tous les 3es Crus)
4es Crus :	4 châteaux (40 % de tous les 4es Crus) avec 241 ha de vignoble (51 % de tous les 4es Crus)
5es Crus :	Aucun

FACTEURS AFFECTANT LE GOÛT ET LA QUALITÉ

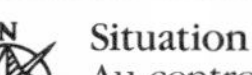

Situation
Au centre du Haut-Médoc, à 4 km au sud de Pauillac.

Climat
Identique à celui du Médoc, *voir* p. 44.

Site
La crête graveleuse de St-Julien descend presque imperceptiblement vers le village.

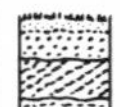

Sol
Les vignobles visibles de la Gironde s'étendent sur une couche de fines graves mêlées à d'assez gros cailloux. Plus loin du fleuve, les cailloux diminuent de taille et le sol laisse apparaître du lœss sableux. Le sous-sol est composé de crasse de fer, de marnes et de graves.

Viticulture et vinification
Seuls les vins rouges ont droit à l'appellation. Tout le raisin doit être éraflé. L'adjonction éventuelle d'un peu de vin de presse s'accorde aux besoins de chaque millésime. La cuvaison dure de deux à trois semaines et la plupart des châteaux élèvent leur vin en fûts pendant 18 à 22 mois.

Cépages principaux
Cabernet Sauvignon, Cabernet franc, Merlot

Cépages secondaires
Carmenère, Malbec, Petit Verdot

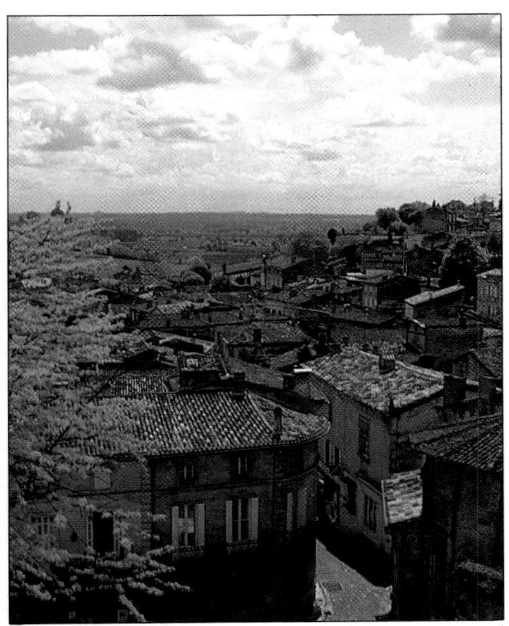

St-Julien-Beychevelle, ci-dessus
L'appellation la plus homogène du Médoc s'organise autour de deux centres : St-Julien-Beychevelle et, plus au sud, Beychevelle.

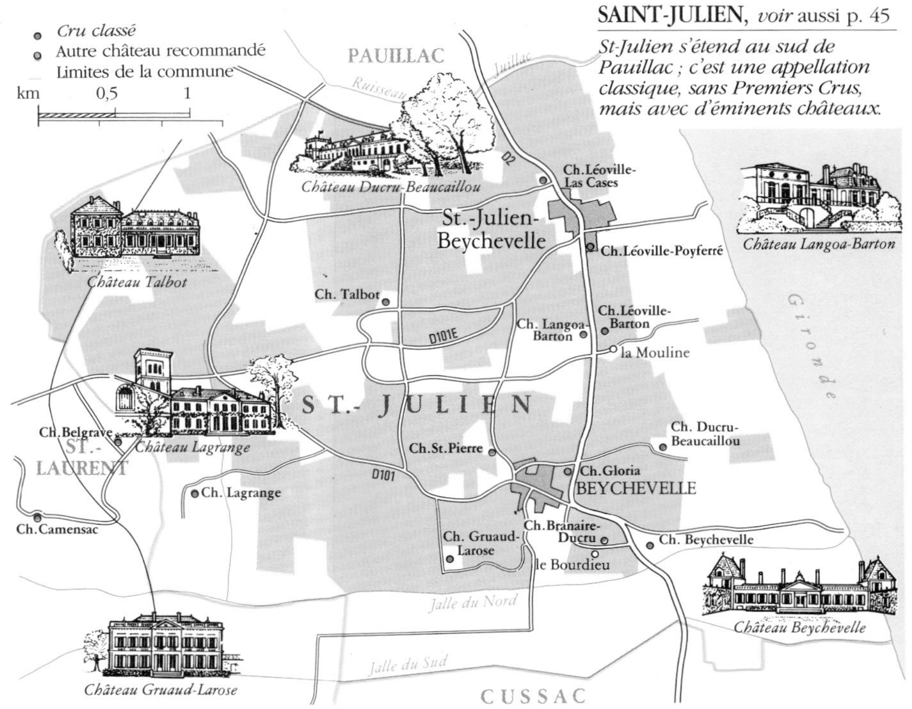

SAINT-JULIEN, *voir* aussi p. 45
St-Julien s'étend au sud de Pauillac ; c'est une appellation classique, sans Premiers Crus, mais avec d'éminents châteaux.

L'IMPORTANCE DU TERROIR

Le système des châteaux et des crus est fondé sur l'importance de la notion de terroir, qu'il ne faut pas confondre avec celle de sol. Le terroir est un concept agricole qui recouvre l'ensemble de l'environnement d'une région spécifique. À Saint-Julien, deux châteaux illustrent bien l'influence du terroir sur des vins produits pourtant à un jet de pierre l'un de l'autre. Château Talbot et Château Gruaud-Larose élaborent en effet deux vins entièrement différents dans des conditions étrangement semblables, puisqu'ils appartiennent tous deux au même propriétaire et sont gérés selon les mêmes principes.

CHÂTEAU TALBOT

Classement : Quatrième Cru

Superficie du vignoble : 100 ha

Situation : Plateau, à l'ouest de St-Julien

Site : Orienté au sud-ouest

Sol : Légèrement différent de celui que l'on observe à Gruaud-Larose, il se compose de sable et de graves siliceuses de taille moyenne sur des marnes crayeuses et un peu de crasse de fer

Vin de presse : 6 à 8 %

Chêne neuf : Un tiers

Mûrissement en fûts : 18 à 20 mois

Clarifiant : Blanc d'œuf

Filtration : Plaque légère

Œnologue : Georges Pauli

Encépagement :
71 % Cabernet Sauvignon
20 % Merlot
5 % Cabernet franc
4 % Petit Verdot

Densité des vignes :
7 500 à 10 000 par ha

Âge des vignes : 25 à 30 ans

Rendement moyen : 42 à 45 hectolitres à l'hectare

Production moyenne après élimination de tout vin insuffisant :
40 000 caisses

Deuxième vin :
« Connétable Talbot »
(15 à 20 % de la production)

Fermentation :
Dans des cuves en acier inoxydable vitrifiées, refroidissement à l'eau, 30 °C au maximum, levures naturelles

CHÂTEAU GRUAUD-LAROSE

Classement : Deuxième Cru

Superficie du vignoble : 84 ha

Situation : Plateau, à l'ouest de Beychevelle, légèrement plus haut que Talbot et plus près du fleuve

Site : Vallonné et orienté au sud

Sol : Lit profond de grosses graves caillouteuses sur des marnes crayeuses et davantage de crasse de fer qu'à Talbot

Vin de presse : 8 à 10 %

Chêne neuf : Un tiers

Mûrissement en fûts : 18 à 20 mois

Clarifiant : Blanc d'œuf

Filtration : Plaque légère

Œnologue : Georges Pauli

Encépagement :
65 % Cabernet Sauvignon
23 % Merlot
8 % Cabernet franc
4 % Petit Verdot

Densité des vignes :
7 500 à 10 000 par ha

Âge des vignes : 25 à 30 ans

Rendement moyen : 40 à 42 hectolitres à l'hectare

Production moyenne après élimination de tout vin insuffisant
35 000 caisses

Deuxième vin :
« Sarget de Gruaud-Larose »
(15 à 20 % de la production)

Fermentation :
Dans des cuves en ciment vitrifiées, refroidissement à l'eau, 30 °C au maximum, levures naturelles

Comparaison des deux vins :
La petite différence dans l'encépagement ne peut guère être perçue. En théorie, le vin qui contient la plus forte proportion de Cabernet Sauvignon – Talbot – devrait être légèrement plus plein. Pourtant, le vin de Talbot est régulièrement plus léger que son voisin de Gruaud-Larose, lequel est riche, corsé, presque gras tant il est fruité, et cependant équilibré et distingué. Bien que la densité de plantation, la conduite et la taille des vignes soient identiques, le rendement moyen de Talbot, qui comprend une proportion supérieure de Cabernet franc naturellement moins productif, est un peu plus élevé que celui de Gruaud-Larose. Ce qui explique en partie, mais non totalement, la différence de concentration. Cette différence de rendement, loin d'être délibérée, est fonction du terroir. Puisque les rendements sont plus élevés et que le vin est plus léger, la quantité de vin de presse que l'on peut ajouter à Talbot est nécessairement moindre, mais le mûrissement en fûts de chêne neuf est, curieusement, identique.

Les grands châteaux de Saint-Julien

CHÂTEAU BEYCHEVELLE

4e Cru classé
Production : *25 000 caisses*

Les jardins, bien entretenus et pittoresques de ce château, ne manquent jamais de ravir le visiteur. Le Château de Beychevelle se trouve au cœur de l'une des plus célèbres légendes du Bordelais. Son nom serait en effet une déformation de « baisse-voile ». Le duc d'Épernon, l'un des anciens propriétaires, qui était également amiral, aurait exigé des navires qui passaient par la Gironde qu'ils baissassent leurs voiles pour saluer sa demeure, après quoi son épouse agitait alors son foulard en signe de réponse. Cette histoire n'est malheureusement pas vraie, car le duc d'Épernon avait en fait le titre de baron de Beychevelle avant d'être nommé amiral de Valette, et, en outre, ne vivait pas à Beychevelle. Les vins sont élevés en fûts pendant 20 mois, sous chêne neuf pour 40 % d'entre eux.

ROUGE. Vins relativement corsés d'une belle couleur, riches d'un fruit mûr et d'une élégante charpente tannique et boisée.

Cabernet Sauvignon 60 %, Cabernet franc 8 %, Merlot 28 %, Petit Verdot 4 %

1982, 1983, 1985

Entre 12 et 20 ans

Deuxième vin : « Réserve de l'Amiral »
Autre vin : « Les Brulières de Beychevelle »

CHÂTEAU BRANAIRE-DUCRU

4e Cru classé
Production : *23 000 caisses*

Les vignobles de ce château sont situés plus à l'intérieur des terres. Le sol contient davantage d'argile et de crasse de fer, et donne donc un vin plus plein, qui peut paraître agressif mais n'est jamais austère. Ce vin mûrit en fûts pendant 18 mois, logé, pour moitié, sous chêne neuf.

ROUGE. Le bouquet caractéristique de ce vin le différencie des autres St-Julien. Il a beaucoup de corps, une saveur riche, avec parfois une note de chocolat.

Cabernet Sauvignon 75 %, Cabernet franc 5 %, Merlot 20 %

1980, 1981, 1982, 1983, 1985

Entre 12 et 25 ans

CHÂTEAU DUCRU-BEAUCAILLOU

2e Cru classé
Production : *20 000 caisses*

La qualité de ce St-Julien classique, le plus beau fleuron de l'empire Borie, est aussi légendaire qu'inimitable. Ce vin, d'une régularité remarquable, bien que relativement cher, n'atteint pas le prix des Premiers Crus. Il est élevé en fûts pendant 20 mois, pour moitié dans du chêne neuf.

ROUGE. Ce vin d'une belle couleur profonde est d'une incontestable élégance. Richement fruité, avec de complexes nuances de chêne, il fait preuve d'une grande finesse et d'une harmonie exquise.

Cabernet Sauvignon 65 %, Cabernet franc 5 %, Merlot 25 %, Petit Verdot 5 %

1980, 1981, 1982, 1983, 1985, 1986

Entre 15 et 30 ans

Deuxième vin : « La Croix »

CHÂTEAU GRUAUD-LAROSE

2e Cru classé
Production : *35 000 caisses*

Ce vaste domaine produit régulièrement des grands vins, bien plus charpentés que les St-Julien. Ni l'homme ni la nature ne semblent pouvoir influer sur la qualité des vins produits dans ce domaine, l'un des deux châteaux jumeaux de Cordier. Quiconque a goûté le millésime 1980, prétendument médiocre, de « Sarget de Gruaud-Larose » (élaboré avec les vins éliminés du grand vin), mesure le potentiel véritable du Château Gruaud-Larose, quel que soit le millésime. Le vin mûrit dans le bois pendant 18 à 20 mois, pour un tiers dans du chêne neuf.

ROUGE. Vin corsé, riche, très fruité, dont la saveur concentrée de cassis est bien équilibrée par une puissante charpente de tanins fondus.

Cabernet Sauvignon 65 %, Cabernet franc 8 %, Merlot 23 %, Petit Verdot 4 %

1980, 1981, 1982, 1983, 1985, 1986

Entre 10 et 40 ans

Deuxième vin : « Sarget de Gruaud-Larose »

CHÂTEAU LAGRANGE

3e Cru classé
Production : *20 000 caisses*

Les propriétaires japonais de ce domaine, depuis 1986, entendent produire au Château Lagrange le meilleur des vins de Saint-Julien. Pour Émile Peynaud, ce Château est un « domaine de rêve », ses locaux de vinification sont « différents de tous les autres du Bordelais », et chaque cuve est un « laboratoire de vinification ». Le vin passe 20 mois en fûts, pour 30 % dans du bois neuf dans les années légères et 50 % dans les grandes années.

ROUGE. Vin de couleur profonde avec d'intenses arômes d'épices et de fruits. Il est bien étoffé, de texture soyeuse, extrêmement riche et long, avec une finale et un équilibre exquis.

Cabernet Sauvignon 65 %, Merlot 25 %, Cabernet franc et Petit Verdot 10 %

1983, 1985, 1986

Entre 8 et 25 ans

Deuxième vin : « Fiefs de Lagrange »

CHÂTEAU LANGOA-BARTON

3e Cru classé
Production : *8 000 caisses*

Ce beau château s'appelait Pontet-Langlois lorsqu'il fut racheté en 1821 par Hugh Barton, le petit-fils de « French Tom » Barton, fondateur de la firme de négociants Barton & Guestier. Sous la direction de Anthony Barton, Langoa-Barton et Léoville-Barton sont tous les deux élaborés ici, selon des techniques très traditionnelles. Le vin est élevé en fûts pendant 24 mois, pour un tiers dans du chêne neuf.

ROUGE. Vin séduisant et coulant, bien fruité, avec une bonne acidité.

Plus léger que le Léoville, il semble parfois un peu rustique – mais cela fait partie de son charme.

Cabernet Sauvignon 70 %, Cabernet franc 7 %, Merlot 15 %, Petit Verdot 8 %

1980, 1981, 1982, 1983, 1985, 1986

Entre 10 et 25 ans

Deuxième vin : « Saint-Julien » (assemblage de Langoa-Barton et Léoville-Barton)

CHÂTEAU LÉOVILLE-BARTON

2e Cru classé
Production : *16 000 caisses*

Un quart seulement du domaine de Léoville fut vendu à Hugh Barton en 1826, si bien que l'actuelle propriété ne possède pas de château. Le vin est élaboré à Langoa-Barton (voir ci-dessus), où il mûrit en fûts pendant 24 mois, au moins pour un tiers dans du bois neuf.

ROUGE. Excellents vins racés d'une grande finesse, à la robe sombre et profonde. En mûrissant, ils développent des nuances complexes de cèdre qui finissent par l'emporter sur les arômes initiaux de cassis et de vanille des vins jeunes.

Cabernet Sauvignon 70 %, Cabernet franc 7 %, Merlot 15 %, Petit Verdot 8 %

1981, 1982, 1983, 1984, 1985, 1986

Entre 15 et 30 ans

Deuxième vin : « Saint-Julien » (assemblage de Langoa-Barton et Léoville-Barton)

CHÂTEAU LÉOVILLE-LAS CASES

2e Cru classé
Production : *30 000 caisses*

L'étiquette indique « Grand vin de Léoville du Marquis de Las Cases », mais on appelle plus couramment ce vin Château-Léoville-Las Cases. Ce domaine couvre la partie la plus étendue de l'ancien Léoville et ses vignobles sont proches du Château Latour, comme d'ailleurs l'est la qualité de son vin. C'est un très grand vin – pour beaucoup le plus grand des St-Julien. Il séjourne 18 mois en barriques. La moitié de la récolte est élevée dans du bois neuf.

ROUGE. Vin de couleur prune, sombre, corsé, plein d'une saveur intense. Complexe, distingué et étonnamment aromatique, il allie subtilement puissance et finesse.

Cabernet Sauvignon 65 %, Cabernet franc 14 %, Merlot 18 %, Petit Verdot 3 %

1980, 1981, 1982, 1983, 1985, 1986

Entre 15 et 35 ans

Deuxième vin : « Clos du Marquis »

CHÂTEAU LÉOVILLE-POYFERRÉ

2ᵉ Cru classé
Production : *23 000 caisses*

Ce château s'étend également sur un quart du domaine d'origine de Léoville et souffre sans doute de la comparaison avec les deux autres châteaux – Léoville-Barton et Léoville-Las Cases. Il occupe, en revanche, une place honorable parmi l'ensemble des St-Julien et enregistre depuis 1982 quelques réussites extraordinaires. Le vin est élevé en fûts pendant 18 mois, pour un tiers dans du chêne neuf.

ROUGE. Vin à la robe profonde, toujours tannique, mais aujourd'hui plus fruité, plus riche en saveur, avec de belles nuances de chêne.

Cabernet Sauvignon 65 %, Merlot 30 %, Cabernet franc 5 %

1981, 1982, 1983, 1985, 1986

Entre 12 et 25 ans

Deuxième vin : Château Moulin-Riche

CHÂTEAU SAINT-PIERRE

4ᵉ Cru classé
Production : *9 000 caisses*

Ce domaine fut racheté en 1982 par Henri Martin et le vin est élaboré désormais au Château Gloria. Ce Cru classé, autrefois sans éclat, commença de gagner en qualité au milieu des années 70, et continuera sans doute de progresser. Le vin est élevé en fûts pendant 18 à 20 mois, pour moitié dans du chêne neuf.

ROUGE. Ce vin autrefois astringent, voire âpre, est aujourd'hui mûr et gras, avec de complexes nuances de cèdre, d'épices et de fruits.

Cabernet Sauvignon 70 %, Cabernet franc et Petit Verdot 5 %, Merlot 25 %

1980, 1981, 1982, 1983, 1985, 1986

Entre 8 et 25 ans

Deuxième vin : Château Saint-Louis-le-Bosq

CHÂTEAU TALBOT

4ᵉ Cru classé
Production : *40 000 caisses*

Ce château, le second grand château de Cordier, porte le nom d'un commandant anglais tombé à la bataille de Castillon en 1453. On peut opposer le style de ces deux Saint-Julien mais non les comparer en qualité. Talbot est un grand vin qui illustre le « style St-Julien » sans posséder intrinsèquement ni la qualité ni la régularité de Gruaud-Larose (*voir aussi* p. 60). Le vin est élevé en fûts pendant 18 à 20 mois, pour un tiers dans du chêne neuf.

ROUGE. Vin gracieux, élégamment fruité, avec une délicate charpente de tanins fondus. Il atteint parfois une très grande finesse.

Cabernet Sauvignon 71 %, Cabernet franc 5 %, Merlot 20 %, Petit Verdot 4 %

1981, 1982, 1983, 1985, 1986

Entre 8 et 30 ans

Deuxième vin : « Connétable Talbot »

Les meilleurs autres châteaux

CHÂTEAU LA BRIDANE

Cru bourgeois
Production : *8 000 caisses*

On cultive la vigne ici depuis le XIVᵉ siècle.

ROUGE. Vin séduisant, fruité, coulant, rond et souple.

Cabernet Sauvignon 55 %, Merlot 45 %

1982, 1985

Entre 3 et 6 ans

CHÂTEAU DU GLANA

Cru bourgeois
Production : *20 000 caisses*

Son propriétaire possède aussi le Château Plantey à Pauillac et le Château la Commanderie à St-Estèphe.

ROUGE. Vin normalement sans prétention, de densité moyenne, qui excelle cependant dans les années chaudes, où il peut être délicieusement mûr et fruité.

Cabernet Sauvignon 68 %, Cabernet franc 2 %, Merlot 25 %, Petit Verdot 5 %

1982

Entre 3 et 6 ans

CHÂTEAU GLORIA

Production : *16 000 caisses*

Certains considèrent le Château Gloria comme l'équivalent de plusieurs Crus classés, tandis que d'autres estiment qu'il est vendu à un prix excessif, fondé sur la réputation de quelques millésimes seulement. Le 1970 vaut certains Crus classés. Le vin est élevé 16 mois durant en fûts, pour un tiers dans du bois neuf.

ROUGE. Vin à la robe profonde, corsé, très fruité, riche, presque exubérant.

Cabernet Sauvignon 65 %, Cabernet franc 5 %, Merlot 25 %, Petit Verdot 5 %

1980, 1982, 1983, 1985, 1986

Entre 12 et 30 ans

Deuxième vin : Château Peymartin
Autre vin : Château Haut-Beychevelle-Gloria

CHÂTEAU HORTEVIE

Production : *1 500 caisses*

Le domaine est dépourvu de château. Le vin est élaboré au Château Terrey-Gros-Caillou par Henri Pradère.

ROUGE. Vin tendre et soyeux, riche et succulent.

Cabernet Sauvignon et Cabernet franc 70 %, Merlot 25 %, Petit Verdot 5 %

1981, 1982, 1983, 1985

Entre 7 et 15 ans

CHÂTEAU DE LACOUFOURQUE

Production : *600 caisses*

La production de ce minuscule vignoble de 1,25 ha se distingue plus par le fait qu'elle est issue à 100 % de Cabernet franc que par ses résultats antérieurs.

ROUGE. Le vin est vendu en gros comme St-Julien générique.

Cabernet franc 100 %

CHÂTEAU LALANDE-BORIE

Production : *8 000 caisses*

Lalande-Borie, qui appartient au propriétaire du Château Ducru-Beaucaillou, est une bonne introduction peu onéreuse aux vins de St-Julien.

ROUGE. Ces vins bien colorés, dominés par le cassis du Cabernet Sauvignon, sont tantôt gras et succulents, tantôt plus tanniques.

Cabernet Sauvignon 65 %, Cabernet franc 10 %, Merlot 25 %

1981, 1982, 1983, 1985

Entre 5 et 10 ans

CHÂTEAU MOULIN-DE-LA-ROSE

Production : *2 000 caisses*

Le vignoble est presque entouré de Crus classés. Le vin fermente dans des cuves en acier inoxydable puis mûrit en fûts pendant 18 mois, pour un quart dans du chêne neuf.

ROUGE. Vin à l'arôme séduisant, étonnamment concentré et ferme pour un petit St-Julien. Il s'arrondit joliment avec le temps.

Cabernet Sauvignon 55 %, Cabernet franc 10 %, Merlot 30 %, Petit Verdot 5 %

1982, 1983, 1985

Entre 6 et 12 ans

CHÂTEAU TERREY-GROS-CAILLOU

Production : *8 000 caisses*

Ce domaine très performant appartient au même propriétaire que le Château Hortevie.

ROUGE. Vin relativement corsé, toujours richement fruité, doté d'une très belle robe.

Cabernet Sauvignon 65 %, Merlot 30 %, Petit Verdot 5 %

1982, 1983, 1985

Entre 5 et 12 ans

TERROIR DE LA CABANE

Production : *220 caisses*

Minuscule production issue de vieilles vignes, vendue en gros pour l'essentiel. Une cinquantaine de caisses sont toutefois commercialisées directement par le château.

ROUGE. Vin riche, gras et fruité, avec des tanins souples et une texture soyeuse : un vrai régal.

CHÂTEAU TEYNAC

Production : *2 500 caisses*

Ce beau vignoble de graves faisait partie autrefois du Cru classé Château Saint-Pierre.

ROUGE. Vin bien équilibré, assez corsé, avec des nuances épicées et une solide charpente tannique.

Cabernet Sauvignon 65 %, Merlot 35 %

1982, 1983, 1985

Entre 6 et 10 ans

Margaux

La plus célèbre de toutes les appellations de Bordeaux, Margaux, est auréolée de la gloire du Premier Cru qui porte son nom. C'est également la plus vaste des quatre appellations classiques du Médoc. Les trois autres forment une chaîne ininterrompue de vignobles, mais Margaux se tient seul, au sud, étendu sur cinq communes – Labarde, Arsac et Cantenac au sud, Margaux au centre et Soussans au nord.

Margaux et Cantenac sont les communes les plus importantes avec le Premier Cru Château Margaux à Margaux même. La superficie plantée de vigne est légèrement supérieure à Cantenac qui, en outre, ne compte pas moins de huit Crus classés, dont le très célèbre Château Palmer.

Margaux et Pauillac sont les seules appellations du Médoc comptant des Premiers Crus, mais seul Margaux possède des vignobles dans les cinq catégories du classement. Les Crus classés y sont plus nombreux que dans toute autre appellation du Médoc, avec en particulier dix Troisièmes Crus.

LES CRUS CLASSÉS À MARGAUX

***Crus classés* de l'AOC Margaux**
21 châteaux (35 % de tous les Crus classés) avec 854 ha de vignoble (35 % de tous les Crus classés)

1ers Crus : 1 château (25 % de tous les 1ers Crus) avec 75 ha de vignoble (25 % de tous les 1ers Crus)

2es Crus : 5 châteaux (36 % de tous les 2es Crus) avec 271 ha de vignoble (34 % de tous les 2es Crus)

3es Crus : 10 châteaux (72 % de tous les 3es Crus) avec 305 ha de vignoble (72 % de tous les 3es Crus)

4es Crus : 3 châteaux (30 % de tous les 4es Crus) avec 105 ha de vignoble (22 % de tous les 4es Crus)

5es Crus : 2 châteaux (11 % de tous les 5es Crus) avec 98 ha de vignoble (13 % de tous les 5es Crus)

Le Château Margaux, ci-dessus
Les superbes vignobles de l'illustre Premier Cru de Margaux sont à l'image de l'édifice qui leur donna son nom.

MARGAUX

L'appellation couvre une partie des communes d'Arsac, Cantenac, Labarde, Margaux et Soussans.

	Superficie de la commune	Aire d'AOC plantée de vigne	Superficie des vignobles par rapport à : la commune	l'appellation
Arsac	3 219 ha	95 ha	3 %	8 %
Cantenac	1 417 ha	400 ha	28 %	34 %
Labarde	475 ha	130 ha	27 %	11 %
Margaux	843 ha	390 ha	46 %	34 %
Soussans	1 558 ha	150 ha	10 %	13 %
TOTAL	**7 512 ha**	**1 165 ha**	**16 %**	**100 %**

Superficie totale des cinq communes : 7 512 ha

Aire totale d'AOC plantée de vigne : 1 165 ha (16 % des communes)

Superfice des Crus classés : 854 ha (11 % des communes, 73 % de l'AOC)

MARGAUX, *voir aussi* p. 45
La plus célèbre parmi toutes les appellations classiques du Médoc, Margaux est située au sud, à l'écart des autres, et possède plus de Crus classés qu'elles.

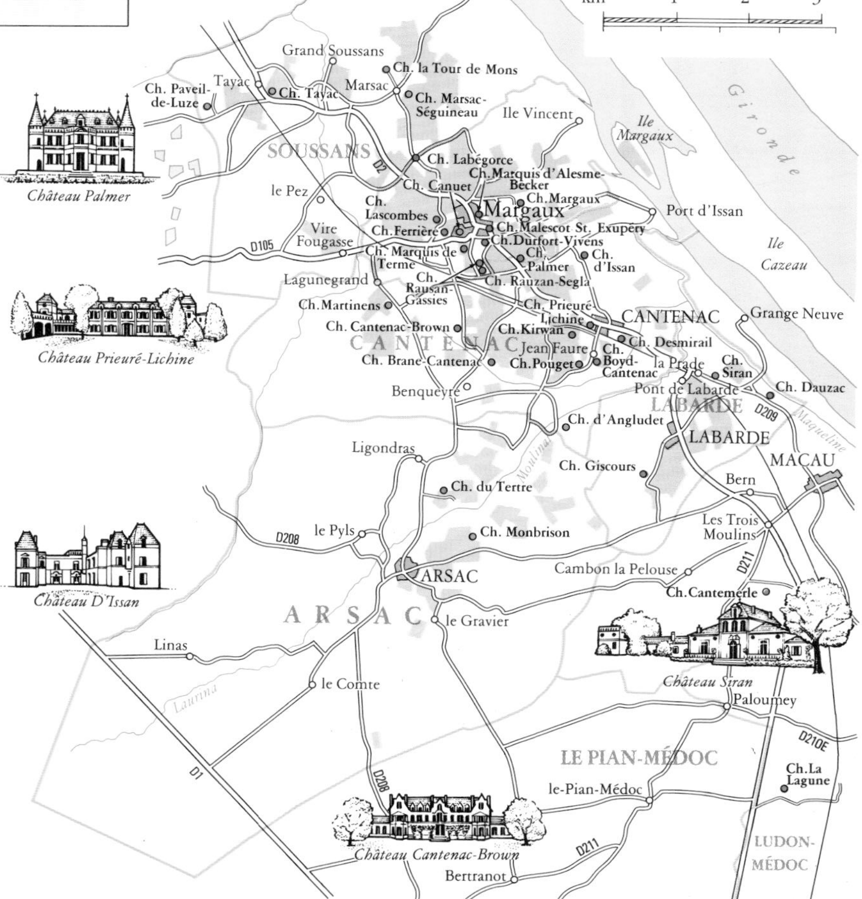

Un vin exceptionnel

Bernard Ginestet dans son livre *Margaux* rend un bel hommage à ce vin exceptionnel : « Alors que d'autres régions produisent des vins aux caractéristiques prononcées – comme un homme avec la barbe ou un grand nez – Margaux est le comble du raffinement et de la subtilité ».

Si les vins de Latour et de Mouton inondent les sens de puissance et de saveur, tout en conservant une remarquable finesse, les vins exquis de Margaux apportent en revanche la preuve que la complexité ne résulte pas nécessairement d'une intense concentration de saveur, encore que les vins de Margaux n'en soient pas dépourvus. Celle du Château Margaux est remarquable et ce cru est vraiment la quintessence de son appellation.

Les nouveaux chais à Margaux, ci-dessus
Depuis la fin des années 70, les investissements ont été considérables à Château Margaux comme en témoignent ces nouveaux chais et ces barriques.

FACTEURS AFFECTANT LE GOÛT ET LA QUALITÉ

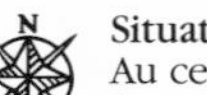

Situation
Au centre du Haut-Médoc, à environ 28 km au nord-ouest de Bordeaux, sur les communes de Cantenac, Soussans, Arsac, Labarde et Margaux.

Climat
Le même que dans le Médoc, *voir* p. 44.

Site
Large plateau peu élevé, centré sur Margaux, et quelques coteaux qui descendent vers l'ouest en direction de la forêt.

Sol
Graves peu profondes, caillouteuses et siliceuses, sur un sous-sol graveleux et calcaire par endroits.

Viticulture et vinification
Seuls les vins rouges ont droit à l'appellation. Tout le raisin doit être éraflé. On ajoute entre 5 et 10 % de vin de presse dans le vin, selon les besoins du millésime. La cuvaison dure en moyenne de 15 à 25 jours. Elle est suivie d'un élevage en fûts de 18 à 24 mois.

Cépages principaux
Cabernet Sauvignon, Cabernet franc, Merlot

Cépages secondaires
Carmenère, Malbec, Petit Verdot

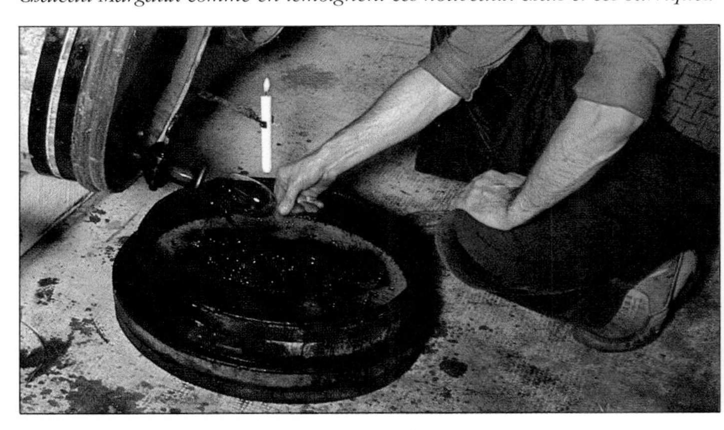

Le soutirage à Château Margaux
On vérifie régulièrement la limpidité du vin à mesure qu'il mûrit dans les barriques.

Peter Sichel, ci-dessus
L'un des grands négociants bordelais, Peter Sichel, propriétaire du Château Angludet et d'une partie du Château Palmer.

Château Giscours, à gauche
Propriété achetée et restaurée par la famille Tari en 1952.

Les grands châteaux de Margaux

CHÂTEAU BOYD-CANTENAC

3e Cru classé
Production : *9 000 caisses*

Ce domaine produit des vins traditionnels issus de vieilles vignes. Le vin est élaboré à Château Pouget, sous la supervision du Pr Peynaud. Il est élevé dans le bois pendant 24 mois, pour 30 % sous chêne neuf. Peut-être gagnerait-il à comporter davantage de Merlot et pas du tout de Petit Verdot.

ROUGE. Ce vin, à la robe soutenue, montre un corps ferme. Il demande. pour s'adoucir, à séjourner longtemps en bouteille.

Cabernet Sauvignon 70 %, Cabernet franc 5 %, Merlot 20 %, Petit Verdot 5 %

1980, 1982, 1983, 1985

Entre 12 et 20 ans

CHÂTEAU BRANE-CANTENAC

2e Cru classé
Production : *26 000 caisses*

Superbe plateau de vignes impeccablement entretenues, composé de graves sur un sous-sol calcaire. Le vin mûrit en fût pendant 18 mois, pour 25 à 30 % sous chêne neuf.

ROUGE. Ces vins distingués, au bouquet crémeux et fumé de chêne neuf, d'un fruité et d'une finesse exquis, sont en outre veloutés et merveilleusement équilibrés.

Cabernet Sauvignon 70 %, Cabernet franc 15 %, Merlot 13 %, Petit Verdot 2 %

1981, 1982, 1983, 1985, 1986

Entre 8 et 25 ans

Deuxième vin : Château Notton

CHÂTEAU CANTENAC-BROWN

3e Cru classé
Production : *15 000 caisses*

Depuis que j'ai bu une demi-bouteille de Cantenac-Brown 1926 en parfait état, j'ai pour ce château un faible qui n'est sans doute pas à la mesure de la qualité de ses vins. Ils mûrissent pendant 18 mois dans le bois, pour un tiers sous chêne neuf.

ROUGE. Vins de densité et de style comparables aux Brane-Cantenac, mais moins veloutés et généralement plus rustiques. Les millésimes des années 80 ont plus de finesse que ceux des années 70.

Cabernet Sauvignon 75 %, Cabernet franc 8 %, Merlot 15 %, Petit Verdot 2 %

1981, 1982, 1983, 1985

Entre 10 et 25 ans

CHÂTEAU D'AUZAC

5e Cru classé
Production : *15 000 caisses*

Le domaine appartient depuis 1978 à Félix Chatellier qui est également lié aux maisons champenoises Goulet-Lepitre-de-Saint-Marceaux. Il a rénové la cuverie et commencé à replanter le vignoble. Le vin, qui est élevé pendant 16 à 18 mois en fûts, pour un tiers dans du chêne neuf, s'améliore régulièrement.

ROUGE. Vins à la robe rubis, gouleyants, moyennement corsés et joliment fruités.

Cabernet Sauvignon 65 %, Cabernet franc 5 %, Merlot 25 %, Petit Verdot 5 %

1980, 1981, 1983, 1985

Entre 6 et 12 ans

Deuxième vin : Château Labarde

CHÂTEAU DESMIRAIL

3e Cru classé
Production : *4 000 caisses*

« Château sans château », le château Desmirail progresse régulièrement depuis qu'il a été racheté, en 1981, par Lucien Lurton de Brane-Cantenac et Durfort-Vivens. Le vin mûrit durant 20 mois dans le bois. 25 à 50 % de la récolte sont logés sous chêne neuf. Le Pr Émile Peynaud en est le conseiller.

ROUGE. Équilibré, pourvu d'agréables saveurs de fruits et de tanins souples, ce vin gagne progressivement en finesse.

Cabernet Sauvignon 80 %, Cabernet franc 9 %, Merlot 10 %, Petit Verdot 1 %

1982, 1983

Entre 7 et 15 ans

Deuxième vin : Château Baudry
Autre vin : Domaine de Fontarney

CHÂTEAU DURFORT-VIVENS

2e Cru classé
Production : *6 000 caisses*

Le domaine appartient au propriétaire de Brane-Cantenac. Le vin est élevé en fûts pendant 18 à 20 mois. Jusqu'à un tiers de la récolte est logé sous chêne neuf.

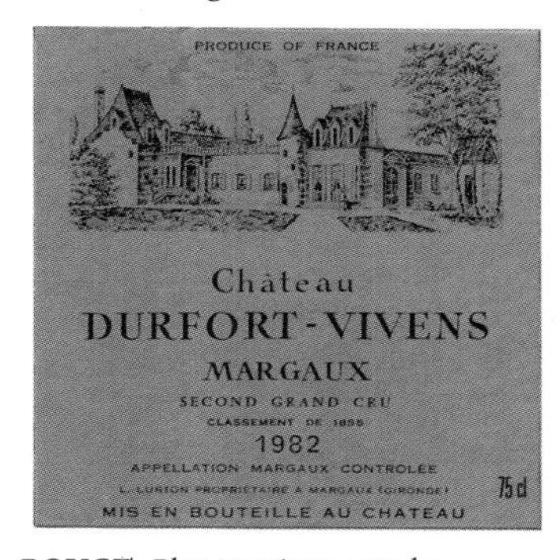

ROUGE. Plus tannique que le Brane-Cantenac, il n'en présente pas les nuances de chêne neuf et offre moins de fruité et de charme.

Cabernet Sauvignon 82 %, Cabernet franc 10 %, Merlot 8 %,

1981, 1983, 1985

Entre 10 et 25 ans

Deuxième vin : Domaine de Cure-Bourse

CHÂTEAU FERRIÈRE

3e Cru classé
Production : *2 500 caisses*

Ce vin assez peu répandu se rapproche davantage d'un second vin que d'un Troisième Cru. Il est issu d'un domaine d'à peine 5 hectares de vignes appartenant à Mme Durand-Feuillerat, mais exploités par le Château Lascombes.

ROUGE. Vin fruité et moyennement étoffé qui mûrit rapidement.

Cabernet Sauvignon 46 %, Cabernet franc 8 %, Merlot 33 %, Petit Verdot 12 %, Malbec 1 %

1981

Entre 4 et 8 ans

CHÂTEAU GISCOURS

3e Cru classé
Production : *25 000 caisses*

Ce domaine, situé dans la commune de Labarde, fut racheté en 1952 par la famille Tari qui a restauré le château, reconstitué le vignoble et redonné aux vins leur gloire d'antan. Ils sont élevés en fûts pendant 20 à 34 mois, pour 50 % sous chêne neuf.

ROUGE. Vin de couleur vive, richement fruité et fin, gardant sa fraîcheur longtemps.

Cabernet Sauvignon 75 %, Cabernet franc 3 %, Merlot 20 %, Petit Verdot 2 %

1980, 1981, 1982, 1983, 1984, 1985

Entre 8 et 30 ans

CHÂTEAU D'ISSAN

3e Cru classé
Production : *11 000 caisses*

Ce superbe château du XVIIe siècle est souvent considéré comme le plus impressionnant du Médoc. Les vins sont à son image, toujours spectaculaires. Ils sont élevés dans le bois pendant 18 moins, avec un tiers de la récolte sous chêne neuf.

ROUGE. Vin d'une exceptionnelle finesse, dont le somptueux bouquet, combien séduisant, s'accompagne de saveurs fruitées d'une richesse inouïe.

Cabernet Sauvignon 85 %, Merlot 15 %

1980, 1981, 1982, 1983, 1984, 1985, 1986

Entre 10 et 40 ans

CHÂTEAU KIRWAN

3ᵉ Cru classé
Production : *14 000 caisses*

Domaine bien géré et en progrès appartenant au négociant bordelais Schröder & Schÿler. Le vin est élevé en fûts pendant 18 à 24 mois, pour moitié sous chêne neuf.

ROUGE. Vin corsé, de couleur profonde, riche et concentré qui, chaque année, gagne en générosité et offre de nouvelles nuances de chêne neuf.

Cabernet Sauvignon 40 %, Cabernet franc 20 %, Merlot 30 %, Petit Verdot 10 %

1981, 1982, 1983, 1984, 1985

Entre 10 et 35 ans

CHÂTEAU LASCOMBES

2ᵉ Cru classé
Production : *20 000 caisses*

Ce domaine, propriété de Bass Charrington, a toujours donné de très bons vins ; les progrès enregistrés depuis 1982 sont pourtant spectaculaires. Les vins sont élevés en fûts durant 14 à 20 mois, pour un tiers sous chêne neuf.

ROUGE. Vins corsés et riches, mêlant aux saveurs de fruits mûrs une note de cèdre et des tanins souples.

Cabernet Sauvignon 52 %, Cabernet franc 11 %, Merlot 33 %, Petit Verdot et Malbec 4 %

1980, 1981, 1982, 1983, 1984, 1985

Entre 8 et 30 ans

Deuxième vin : Château Segonnes
Autres vins : « Chevalier Lascombes », Margaux AOC, « Rosé de Lascombes », « Vin Sec Chevalier Lascombes »

CHÂTEAU MALESCOT SAINT-EXUPÉRY

3ᵉ Cru classé
Production : *15 000 caisses*

Ce domaine fut racheté en 1955 par Roger Zuger, qui est également propriétaire du Château Marquis-d'Alesme-Becker. Le vin est élevé en fûts pendant 18 mois, pour 20 % sous chêne neuf.

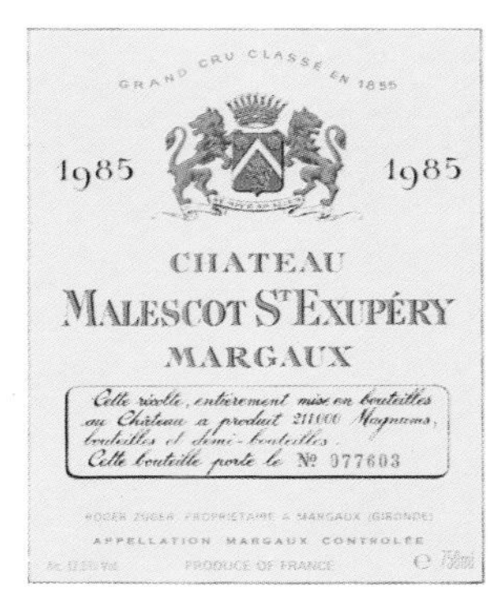

ROUGE. Ce vin passe pour être élégant et léger, mais à l'exception des millésimes 1982, 1983 et 1985, il semble manquer de fruité et de charme.

Cabernet Sauvignon 50 %, Cabernet franc 10 %, Merlot 35 %, Petit Verdot 5 %

1982, 1983, 1985

Entre 8 et 25 ans

Deuxième vin : Château de Loyac

CHÂTEAU MARGAUX

1ᵉʳ Cru classé
Production : *25 000 caisses*

Le vin le plus célèbre dans le monde est également le plus grand depuis sa renaissance en 1978. Si d'autres parviennent parfois à l'égaler, ils ne sauraient le dépasser. Acheté 72 millions de francs en 1977 par André Mentzepoulos, qui dépensa l'équivalent pour le rénover, ce joyau du Médoc est dirigé aujourd'hui par sa fille, Corinne Mentzepoulos-Petit, associée à son mari.

Longtemps, une rumeur infondée avança que la famille Mentzepoulos avait trop investi dans Margaux et cherchait des acquéreurs. Outre son immense fortune (qui en 1977 comprenait la chaîne des magasins Félix Potin, au chiffre d'affaires annuel de 3,5 milliards de francs), la famille Mentzepoulos a fait de Margaux une entreprise rentable en l'espace de trois ans seulement. En 1985, elle déclara 62,1 millions de francs de bénéfices avant impôts pour un chiffre d'affaires de 94 millions ; ainsi récupère-t-elle chaque année l'équivalent du prix d'achat du domaine. Château Margaux et son second vin, « Pavillon rouge », sont tous deux vinifiés dans des cuves en chêne, puis élevés en barriques neuves pendant 18 à 24 mois.

ROUGE. La douceur, la finesse et la texture veloutée de ce vin n'ont d'égales que sa profondeur et sa complexité. Il est remarquablement riche et concentré, doté d'une finale élégante, longue et complexe, équilibrée par des tanins fondus et de merveilleux arômes de chêne fumés et crémeux. Le vin de la perfection même !

Cabernet Sauvignon 75 %, Cabernet franc et Petit Verdot 5 %, Merlot 20 %

1981, 1982, 1983, 1984, 1985, 1986

Entre 15 et 50 ans

Deuxième vin : « Pavillon rouge du Château Margaux »
Autre vin : « Pavillon blanc du Château Margaux »

CHÂTEAU MARQUIS D'ALESME-BECKER

3ᵉ Cru classé
Production : *4 150 caisses*

Comme le Château Malescot-Saint-Exupéry, ce domaine fut propriété anglaise jusqu'à son rachat par Roger Zuger. Celui-ci lui adjoignit un château en acquérant la Desmirail. Le vin est élevé en fûts pendant 12 mois, pour un sixième sous chêne neuf.

ROUGE. Vins austères et sans charme à mon goût qui comptent cependant des admirateurs. Le potentiel du terroir est grand, les vins sont bien faits, mais la sélection est insuffisante et les résultats décevants. Pourtant, Zuger sut élaborer un superbe 1985 et exceller dans une année aussi médiocre que 1984.

Cabernet Sauvignon 40 %, Cabernet franc 20 %, Merlot 30 %, Petit Verdot 10 %

1984, 1985

Entre 8 et 20 ans

CHÂTEAU MARQUIS-DE-TERME

4ᵉ Cru classé
Production : *11 000 caisses*

Situé à côté du Château Margaux, ce domaine autrefois majestueux produisit longtemps des vins fermés, tanniques, sans relief, mais la qualité s'accroît depuis la fin des années 70 et les résultats sont très bons depuis 1983. Le vin est élaboré en fûts pendant 24 mois, pour un tiers sous bois neuf.

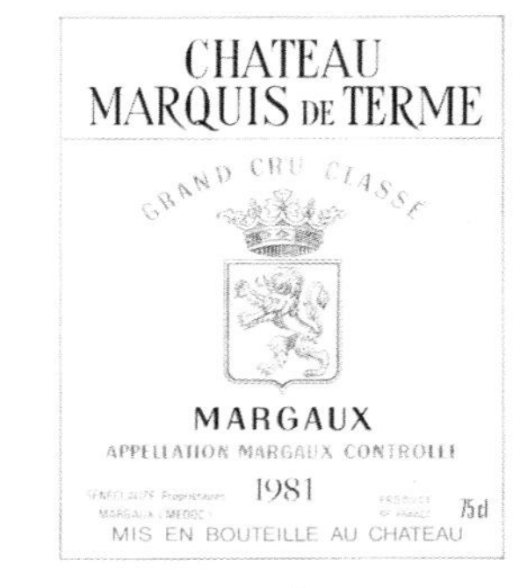

ROUGE. Le vin se montre riche et mûr, avec de délicieuses nuances de chêne neuf. Le 1984 fut une révélation.

Cabernet Sauvignon 45 %, Cabernet franc 15 %, Merlot 35 %, Petit Verdot 5 %

1983, 1984, 1985

Entre 10 et 25 ans

Deuxième vin : Domaine des Goudat

CHÂTEAU PALMER

3ᵉ Cru classé
Production : *12 500 caisses*

Seul le Château Margaux surpasse ce domaine qui appartient en copropriété aux négociants belge et anglais Mähler-Besse et Peter Sichel. Les millésimes 1961 et 1966 atteignent régulièrement en salles des ventes des prix comparables à ceux des Premiers Crus. Le vin est, certes, excellent, mais pourrait montrer toutefois une plus grande régularité. Il est élevé en fûts pendant 18 à 24 mois, pour un tiers sous chêne neuf.

ROUGE. Vin de robe profonde, presque opaque, ample, fruité de cassis. Riche et complexe, il allie des saveurs crémeuses et épicées de cèdre et de vanille et une charpente tannique.

Cabernet Sauvignon 55 %, Cabernet franc 3 %, Merlot 40 %, Petit Verdot 2 %

1980, 1981, 1982, 1986

Entre 8 et 20 ans

CHÂTEAU POUGET

4ᵉ Cru classé
Production : *3 500 caisses*

Ce domaine, qui appartient au propriétaire de Boyd-Cantenac, abrite la cuverie et les chais des deux châteaux. Le vin est élevé en fûts pendant 22 à 24 mois, pour 30 % sous chêne neuf.

ROUGE. Vin bien coloré et corsé, à la saveur profonde. Il gagnerait à se montrer plus constant.

Cabernet Sauvignon 70 %, Cabernet franc 8 % ; Merlot 17 %, Petit Verdot 5 %

1983, 1985

Entre 10 et 25 ans

CHÂTEAU PRIEURÉ-LICHINE

4e Cru classé
Production : *19 000 caisses*

Alexis Lichine acquit le Château Prieuré en 1951. Il agrandit le petit vignoble d'une soixante d'hectares en achetant de précieuses parcelles de vigne à Palmer, Kirwan, Giscours, Boyd-Cantenac, Brane-Cantenac et Durfort-Vivens. Les vins qui naissent au domaine sont désormais supérieurs à leur classement officiel. Ils sont élevés dans le chêne pendant 19 mois, pour un tiers sous bois neuf.

ROUGE. Vins joliment colorés, corsés et riches, dont le fruité de cassis est bien équilibré par des tanins souples et une nuance vanillée de chêne.

Cabernet Sauvignon 55 %, Cabernet franc 5 %, Merlot 35 %, Petit Verdot 5 %

1980, 1981, 1982, 1983, 1986

Entre 7 et 20 ans

Deuxième vin : Château de Clairefont

CHÂTEAU RAUSAN-SEGLA

2e Cru classé
Production : *16 000 caisses*

Propriété du négociant bordelais Eschenauer, ce château autrefois décevant progresse grâce à d'importants investissements et à une sélection bien plus rigoureuse du grand vin. Celui-ci est élevé en fûts pendant 20 mois, pour moitié sous chêne neuf.

ROUGE. Vin profond et sombre à la saveur intense, doté d'une puissante constitution tannique.

Cabernet Sauvignon 60 %, Cabernet franc 10 %, Merlot 30 %

1982, 1983, 1984, 1985, 1986

Entre 15 et 30 ans

CHÂTEAU RAUZAN-GASSIES

2e Cru classé
Production : *8 300 caisses*

Jusqu'à la Révolution, ce domaine et le Château Rausan-Ségla ne firent qu'un. Dans le classement de 1855, tous deux étaient orthographiés avec un « z ».

Afin de redonner au vin son prestige d'autrefois, le propriétaire sollicita, au début des années 80, le concours du Pr Peynaud. Le vin est élevé en fûts pendant 17 à 20 mois, pour 20 % sous chêne neuf, mais qu'on ne sent guère en bouche.

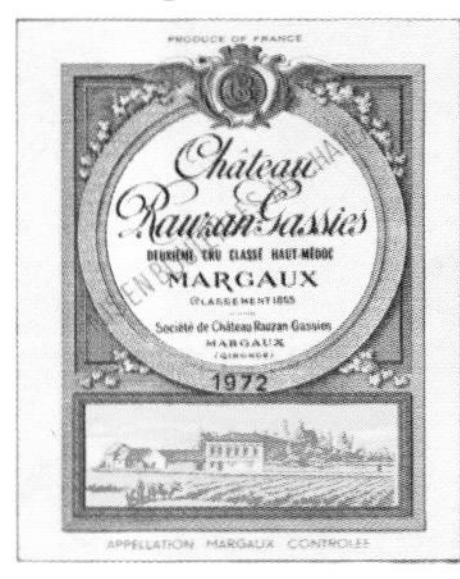

ROUGE. Vin corsé, fruste, rustique, tannique et peu généreux. Le 1982 contenait, certes, quelques saveurs de fruits mûrs, mais le dernier millésime vraiment réussi fut le 1961 – année où il était difficile de ne pas produire de bons vins.

Cabernet Sauvignon 40 %, Cabernet franc 20 %, Merlot 39 %, Petit Verdot 1 %

1982

Entre 7 et 15 ans

Deuxième vin : « Enclos de Moncabon »

CHÂTEAU DU TERTRE

5e Cru classé
Production : *14 000 caisses*

Cru classé assez rare et sous-estimé, issu de vignobles particulièrement bien situés. Le vin mûrit pendant 24 mois en barriques, pour un quart sous bois neuf.

ROUGE. L'un des rares Margaux où s'affirment vraiment les senteurs de violette que d'autres experts tiennent curieusement pour l'une des caractéristiques principales des vins de la commune. Ce vin relativement corsé, d'une richesse légère, allie un fruité agréable et parfumé, une excellente longueur, un très bon équilibre et une distinction évidente.

Cabernet Sauvignon 80 %, Cabernet franc 10 %, Merlot 10 %

1980, 1982, 1983, 1985, 1986

Entre 8 et 25 ans

Les meilleurs autres châteaux

CHÂTEAU D'ANGLUDET

Production : *12 000 caisses*

Ce domaine, qui appartient à Peter Sichel, co-propriétaire du Château Palmer, fut classé Cru bourgeois en 1932, mais n'apparaît pas sur la liste de 1978, bien qu'il soit supérieur à quelques-uns qui y figurent. Seul le jeune âge de ce vignoble l'empêche de rivaliser avec les meilleurs Margaux. Le vin est élevé en fûts pendant 12 mois, pour un tiers sous chêne neuf.

ROUGE. Vin à la robe vive, assez corsé, avec un beau fruité, une grande finesse et une finale excellente.

Cabernet Sauvignon 50 %, Cabernet franc 15 %, Merlot 30 %, Petit Verdot 5 %

1980, 1982, 1983, 1984, 1985, 1986

Entre 10 et 20 ans

Deuxième vin : Château Bory

CHÂTEAU BEL-AIR MARQUIS D'ALIGRE

Production : *4 500 caisses*

Classé Cru bourgeois en 1932, ce domaine était absent de la liste de 1978 ; il méritait pourtant d'y figurer. Le vignoble, planté sur un sous-sol calcaire, ne reçoit que des engrais organiques.

ROUGE. Vins bien faits, d'une belle couleur, élégamment fruités.

Cabernet Sauvignon 30 %, Cabernet franc 20 %, Merlot 35 %, Petit Verdot 15 %

1983, 1985

Entre 6 et 12 ans

CHÂTEAU CANUET

Cru bourgeois
Production : *5 000 caisses*

Propriété de Jean et Sabine Rooryck, le vignoble, relativement jeune, produit déjà un vin de très haut niveau.

ROUGE. Vin de style élégant, richement coloré et plein de saveurs, équilibré par une bonne charpente tannique.

Cabernet Sauvignon 45 %, Merlot 50 %, Petit Verdot 5 %

1980, 1981, 1982, 1985

Entre 4 et 10 ans

CHÂTEAU CHARMANT

Production : *2 500 caisses*

Ce domaine, qui ne fut jamais classé Cru bourgeois, mériterait certainement de l'être aujourd'hui.

ROUGE. Vin élégant, richement fruité, doté d'une finale tendre, très agréable à boire lorsqu'il est jeune.

Cabernet Sauvignon 60 %, Cabernet franc 5 %, Merlot 35 %

1982, 1983, 1985

Entre 3 et 8 ans

CHÂTEAU DEYREM-VALENTIN

Production : *5 000 caisses*

Classé Cru bourgeois en 1932, ce domaine n'apparaît pas sur la liste de 1978, bien qu'il soit supérieur à certains châteaux qu'elle incluait. Ses vignobles jouxtent ceux du Château Lascombes.

ROUGE. Vin rond, honnête, fruité, empreint d'une certaine élégance.

Cabernet Sauvignon 45 %, Cabernet franc 5 %, Merlot 45 %, Petit Verdot 5 %

1982, 1983

Entre 4 et 10 ans

CHÂTEAU LA GURGUE

Production : *5 000 caisses*

Depuis 1978, ce domaine, situé à proximité du Château Margaux, ne figure plus parmi les Crus bourgeois, bien qu'il soit supérieur à certains d'entre eux. Son propriétaire possède également le Cru classé Haut-Bages-Libéral et le Cru bourgeois Chasse-Spleen.

ROUGE. Vin tendre, élégant, assez corsé, avec une saveur séduisante et une certaine finesse.

Cabernet Sauvignon 70 %, Merlot 25 %, Petit Verdot 5 %

1983, 1985

Entre 4 et 12 ans

CHÂTEAU LABÉGORCE

Production : *13 500 caisses*

Domaine classé Cru bourgeois en 1932, mais non en 1978. Le vin est élevé en fûts pendant 18 mois, pour un tiers sous chêne neuf.

ROUGE. Vin bien coloré, où s'équilibrent concentration et finesse.

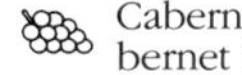
Cabernet Sauvignon 60 %, Cabernet franc 5 %, Merlot 35 %

1982, 1985

Entre 5 et 15 ans

CHÂTEAU LABÉGORCE-ZÉDÉ

Production : *9 500 caisses*

Classé Cru bourgeois en 1932, mais non en 1978, c'est l'un des meilleurs crus non classés de la commune.

ROUGE. Sa saveur fine, sa grande longueur et sa complexité le font surpasser légèrement le Château Labégorce.

Cabernet Sauvignon 50 %, Cabernet franc 10 %, Merlot 35 %, Petit Verdot 5 %

1980, 1983, 1985

Entre 5 et 15 ans

CHÂTEAU MARSAC-SÉGUINEAU

Production : *5 000 caisses*

Classé Cru bourgeois en 1932, mais absent de la liste de 1978, malgré sa qualité. Son vignoble comprend quelques parcelles qui appartenaient à l'origine à un Cru classé.

ROUGE. Vins relativement corsés, tendres, joliment bouquetés.

Cabernet Sauvignon 65 %, Merlot 35 %

1981, 1982, 1983

Entre 5 et 12 ans

CHÂTEAU MARTINENS

Cru bourgeois
Production : *9 000 caisses*

Le vignoble de 30 hectares est d'un seul tenant. Le vin est élevé en fûts pendant 12 mois, pour un quart sous chêne neuf.

ROUGE. Vins bien faits avec de bons arômes de Margaux et un fruité élégant.

Cabernet Sauvignon 30 %, Cabernet franc 10 %, Merlot 40 %, Petit Verdot 20 %

1983, 1985

Entre 5 et 10 ans

CHÂTEAU MONBRISON

Production : *5 500 caisses*

Ce domaine, qui faisait partie autrefois du Château Desmirail, fut classé Cru bourgeois en 1932, mais n'apparaît pas sur la liste de 1978, bien qu'il soit supérieur à certains qui y figurent.

ROUGE. Le grand vin, rigoureusement sélectionné, bien coloré, présente des nuances épicées de chêne, un fruité très riche et succulent, ainsi qu'une souple charpente tannique.

Cabernet Sauvignon 30 %, Cabernet franc 30 %, Merlot 35 %, Petit Verdot 5 %

1980, 1981, 1983, 1985, 1986

Entre 8 et 15 ans

Deuxième vin : « Clos Cordat »

CHÂTEAU MONTBRUN

Production : *3 500 caisses*

Classé Cru bourgeois en 1932, mais absent de la liste de 1978, malgré sa qualité, ce domaine faisait autrefois partie du Cru classé Château Palmer.

ROUGE. Vins très bien faits, mûrs et succulents, assez corsés, dominés par le Merlot.

Cabernet Sauvignon et Cabernet franc 25 %, Merlot 75 %

1982, 1983, 1985

Entre 5 et 12 ans

CHÂTEAU PAVEIL-DE-LUZE

Cru bourgeois
Production : *7 000 caisses*

Le vignoble qui s'étend sur un sol efficacement drainé fut replanté au début des années 70. Les vignes sont encore jeunes, et les vins devraient donc continuer de s'améliorer.

ROUGE. Vins tendres et gouleyants, assez étoffés, teintés d'élégance, mais manquant un peu de finesse.

Cabernet Sauvignon et Cabernet franc 70 %, Merlot 30 %

1980, 1981, 1982, 1983, 1985

Entre 4 et 8 ans

Deuxième vin : Château de la Coste

CHÂTEAU PONTAC-LYNCH

Production : *3 000 caisses*

Classé Cru bourgeois en 1932, le domaine est absent de la liste de 1978, bien qu'il soit supérieur à quelques-uns qui y figurent. Ses vignobles sont bien situés, entourés de Crus classés.

ROUGE. Ces vins richement parfumés, corsés et bien charpentés ont une robe profonde.

Cabernet Sauvignon et Cabernet franc 45 %, Merlot 47 %, Petit Verdot 8 %

1982, 1983, 1984, 1985, 1986

Entre 6 et 15 ans

CHÂTEAU SIRAN

Production : *12 500 caisses*

Classé Cru bourgeois en 1932, mais absent de la liste de 1978, ce domaine est pourtant supérieur à certains qui y figurent. Son vignoble bien situé et impeccablement entretenu jouxte ceux de Giscours et de Dauzac. Le vin est élevé en fûts pendant 24 mois dans des chais climatisés. Un quart de la récolte est logé sous bois neuf. M. Miailhe, le propriétaire, aime à guider ses hôtes dans son abri anti-nucléaire à la cave bien garnie.

ROUGE. Vins à l'arôme charmant, avec du corps, des nuances fruitées, crémeuses et épicées, une grande longueur.

Cabernet Sauvignon 50 %, Cabernet franc 10 %, Merlot 25 %, Petit Verdot 15 %

1980, 1981, 1982, 1983, 1985

Entre 8 et 20 ans

Deuxième vin : Château Bellegarde

CHÂTEAU TAYAC

Cru bourgeois
Production : *15 000 caisses*

Bernard Ginestet a écrit : « C'est l'un des plus grands des petits domaines et l'un des plus petits des grands. » Les vins sont élevés en fûts pendant 18 mois, un tiers sous chêne neuf.

ROUGE. Vins fermes, assez corsés, dotés d'un beau caractère, bien que légèrement rustiques. Ils sont un peu frustes dans les petites années.

Cabernet Sauvignon 65 %, Cabernet franc 5 %, Merlot 25 %, Petit Verdot 5 %

1981, 1982, 1983, 1985

Entre 6 et 12 ans

CHÂTEAU LA TOUR DE BESSAN

Production : *8 000 caisses*

Comme le Château Brane-Cantenac, ce domaine appartient à Lucien Lurton, le plus grand propriétaire de vignes du Médoc. Sous le nom de « château » se dressent en réalité les ruines d'une tour du XIIIe siècle, jadis offerte au duc de Gloucester par Henry V d'Angleterre.

ROUGE. Vin tendre, gouleyant et rond, au fruité léger mais séduisant.

Cabernet Sauvignon 90 %, Merlot 10 %

1982, 1983, 1985

Entre 3 et 8 ans

CHÂTEAU LA TOUR DE MONS

Production : *10 000 caisses*

Classé Cru bourgeois en 1932, le domaine n'apparaît pas sur la liste de 1978, malgré sa qualité. Les vins mûrissent en fûts pendant 22 mois, pour 20 % dans du chêne neuf.

ROUGE. Vins richement savoureux, assez musclés, dont le charme est trop souvent masqué par des tanins durs et une forte acidité. Ils ont une excellente aptitude au vieillissement, mais manquent généralement de fruité dès qu'ils se sont arrondis. Incontestablement, ces vins pourraient être meilleurs.

Cabernet Sauvignon 45 %, Cabernet franc 10 %, Merlot 40 %, Petit Verdot 5 %

1981, 1982, 1983

Entre 10 et 30 ans

CHÂTEAU DES TROIS-CHARDONS

Production : *800 caisses*

Minuscule production de vin de très haute qualité. Le château porte le nom de son propriétaire actuel, M. Chardon, et de ses deux fils.

ROUGE. Vin extrêmement net, tendre et fruité, d'un certaine finesse.

Cabernet Sauvignon 50 %, Cabernet franc 10 %, Merlot 40 %

1981, 1982, 1983, 1985

Entre 6 et 15 ans

Graves, Cérons, Sauternes et Barsac

Les meilleurs vins rouges naissent dans le nord des Graves ; ils sont encore très bons dans le centre de la région où, en outre, les vins blancs secs s'améliorent. Les grands vins blancs liquoreux proviennent quant à eux de Sauternes et de Barsac.

GRAVES

La région des Graves produit à la fois des vins rouges classiques et des vins blancs secs de qualité variable. La superficie plantée en raisin noir est d'environ 1 900 hectares, tandis que 1 430 hectares sont consacrés à la culture du raisin blanc. Sur la carte, la région des Graves paraît aussi vaste que le Médoc, mais en réalité le vignoble représente moins d'un tiers des 10 950 hectares de son voisin septentrional.

Les vins rouges souples et soyeux des Graves sont célèbres depuis le Moyen Âge, où ils étaient protégés par des lois locales qui punissaient quiconque osait les assembler avec d'autres vins de Bordeaux. Le Château Haut-Brion est le seul vin rouge du classement de 1855 à n'être pas un Médoc, et sa réputation était telle qu'il fut alors placé auprès des Premiers Crus de Latour, Lafite et Margaux. D'autres grands vins de la région – peu nombreux – valent ceux d'un Deuxième ou Troisième Cru. L'absence relative de châteaux très illustres dans les Graves est compensée par une meilleure qualité de base et une plus grande constance. Parmi les 43 communes que couvre l'appellation, Léognan, Talence et Pessac sont les meilleures ; viennent ensuite Martillac et Portet, puis Illats et Podensac. Tous les grands vins sont donc produits dans le nord des Graves, aux limites de la ville de Bordeaux qui s'étend de plus en plus.

L'urbanisation de la rive gauche de la Garonne gagne les domaines viticoles ; les vignobles sont peu à peu cernés, et beaucoup d'entre eux disparaissent. En 1908, la commune de Mérignac, qui accueille aujourd'hui l'aéroport de Bordeaux, comptait 30 domaines en activité ; il n'en reste plus qu'un désormais : le Château Picque-Caillou. Les communes suburbaines de Gradignan, Mérignac, Pessac, Talence, Léognan, Martillac, Cadaujac et Villenave-d'Ornan ont perdu 214 châteaux au cours de cette période.

Le problème des Graves

À côté des vins rouges, dont la réputation est bien établie, les vins blancs connaissent au contraire une situation délicate. Ni le climat ni le sol qu'envient les viticulteurs du monde entier, de la Californie à la Chine, ne sauraient être incriminés, pas plus que la variété et la qualité du raisin produit ou les techniques de vinification.

Graves est une appellation classique qui ne devrait proposer que des vins fiables, d'autant plus qu'ils sont relativement chers et que le consommateur s'attend à quelque chose de particulier quand il les paye leur juste prix. Malheureusement, hormis quelques exceptions notables, la plupart des Graves blancs ont été longtemps extrêmement décevants. Même les Graves blancs les moins chers devraient être fins et caractéristiques, à l'image des vins élaborés au Domaine de la Grave, au Domaine Benoit, au Château Constantin ou au Château La Garance. C'est au « magicien » Peter Vinding-Diers, le vinificateur anglo-danois du Château Rahoul, que l'on doit cette nouvelle génération de vins très étonnants qui livrent à merveille les saveurs fruitées du Sémillon, mêlées à une curieuse mais discrète nuance de chêne neuf. Son Château Rahoul, plus cher, est digne de rivaliser avec les meilleurs vins de la région.

Tant que les autres producteurs ne suivront pas l'exemple de Vinding-Diers et ne feront pas leurs vins blancs avec autant de soin que les rouges, peu de Graves blancs mériteront d'être achetés... sauf, bien sûr, si l'on peut s'offrir un Château Haut-Brion blanc ou un Château Laville-Haut-Brion.

Cuves de fermentation à Haut-Brion
L'un des premiers châteaux à utiliser des cuves en acier inoxydable.

Les vignobles de Haut-Brion
Les rosiers signalent l'apparition de parasites.

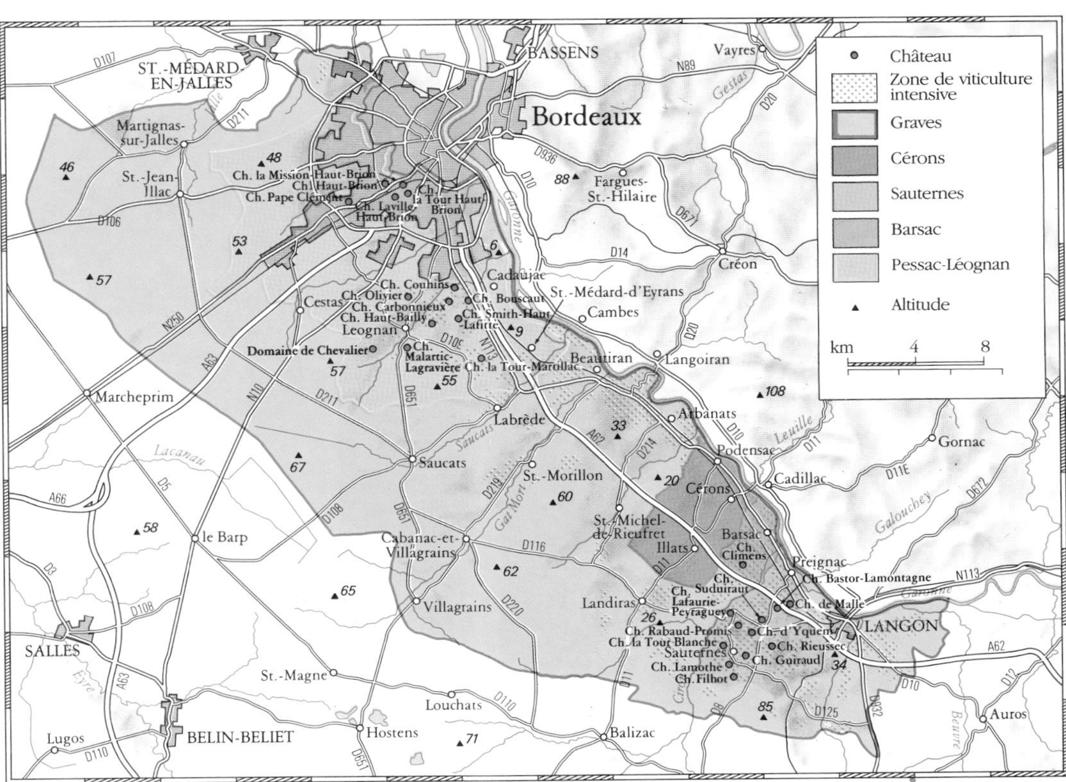

GRAVES, CÉRONS, SAUTERNES ET BARSAC, *voir* aussi p. 37

Les vignobles de Graves, Cérons, Sauternes et Barsac descendent depuis Bordeaux parallèlement à la Garonne.

LE CLASSEMENT DES GRAVES

Parmi les crus des Graves, seul le Château Haut-Brion fut classé en 1855. Le syndicat de défense de l'appellation Graves, désireux de créer son propre classement, n'y parvient qu'en 1953, après que la loi de 1921 a été modifiée en 1949. Ce premier classement fut ensuite révisé en 1959. Une distinction est faite entre vins rouges et vins blancs, mais à l'intérieur de chaque catégorie il n'existe aucune hiérarchie entre les différents crus : tous peuvent utiliser la mention Cru classé.

À défaut d'une élite officielle, il se dégage une élite réelle de châteaux qui sont nettement supérieurs aux autres, comparables aux meilleurs Crus classés du Médoc.

Les meilleurs châteaux sont marqués d'un astérisque dans le tableau ci-dessous qui montre que moins de 19 % des 1 900 hectares de raisin noir et moins de 5 % des 1 430 hectares de raisin blanc appartiennent à des Crus classés.

Vins rouges	Commune	Superficie plantée de vigne
Château Bouscaut	Cadaujac	50 ha
Château Carbonnieux	Léognan	35 ha
Domaine de Chevalier*	Léognan	15 ha
Château de Fieuzal*	Léognan	20 ha
Château Haut-Bailly*	Léognan	23 ha
Château Haut-Brion*	Pessac	40 ha
Château La Mission-Haut-Brion*	Pessac	18,5 ha
Château Latour-Haut-Brion	Talence	4,5 ha
Château La Tour-Martillac	Martillac	20 ha
Château Malartic-Lagravière	Léognan	14 ha
Château Olivier	Léognan	18 ha
Château Pape-Clément	Pessac	27 ha
Château Smith-Haut-Lafite	Martillac	45 ha
Total		**330 ha**

Vins blancs	Commune	Superficie plantée de vigne
Château Bouscaut	Cadaujac	20 ha
Château Carbonnieux	Léognan	35 ha
Domaine de Chevalier*	Léognan	3 ha
Château Couhins*	Villenave d'Ornan	6 ha
Château Haut-Brion*	Pessac	4 ha
Château La Tour-Martillac	Martillac	5 ha
Château Laville-Haut-Brion*	Talence	4 ha
Château Malartic-Lagravière	Léognan	2 ha
Château Olivier	Léognan	17 ha
Total		**96 ha**

CÉRONS

Au sein de la région des Graves, Cérons est un peu le trait d'union entre les vins blancs secs des Graves et les vins liquoreux de Barsac et de Sauternes. Ses châteaux ont le droit de produire des Graves rouges et blancs, des Graves supérieurs (un vin parfois sec, mais généralement moelleux) et bien entendu, des vins blancs liquoreux de Cérons. En réalité, 20 % seulement de la production sont vendus sous l'appellation Cérons – vins de modeste réputation depuis près de deux siècles. L'appellation couvre trois communes : Illats, Podensac et Cérons même. De nombreux vignobles sont constitués de parcelles isolées, dont certaines sont partiellement plantées d'acacias.

SAUTERNES ET BARSAC

Le fossé qui sépare les vins moelleux ordinaires des grands vins de Sauternes et Barsac est aussi large qu'entre les vins blancs secs et les vins moelleux. Cette différence tient à la « complexité » des Sauternes et, pour la percevoir, il faut humer l'arôme qu'ils exhalent à maturité. Ce ne sont pas seulement les vins les plus liquoreux qui soient, mais aussi les plus complexes, capables de séduire les adversaires les plus résolus des vins moelleux soudain désarmés devant les senteurs d'un Château Suduiraut. Je défie d'ailleurs quiconque de ne pas tomber en extase devant un Yquem 1967 !

Si le Château d'Yquem est incontestablement le prince de ces deux appellations, le tendre et liquoreux Suduiraut et le riche et puissant Rieussec se disputent depuis longtemps la deuxième place, suivis de près par Climens, Nairac et les crus non classés : Gilette et Fargues. Guiraud a le potentiel pour se placer au sommet, comme de nombreux autres châteaux qui accomplissent subitement des progrès spectaculaires et qui pourraient prétendre à la deuxième place.

Les riches couleurs du Château d'Yquem, ci-dessus
Millésimes d'Yquem, depuis 1980. L'opulente couleur dorée des vins les plus jeunes s'enrichit de reflets ambrés lorsqu'ils vieillissent.

Les vignobles du Château d'Yquem, à gauche
Le vignoble en hiver, avec les graves superficielles caractéristiques et les fils de fer sur lesquels sont palissées les vignes.

Yquem, la cour intérieure, à droite
Un immense puits en pierre domine la cour carrée centrale de ce superbe château, composé d'éléments disparates datant des XVe, XVIe et XVIIe siècles.

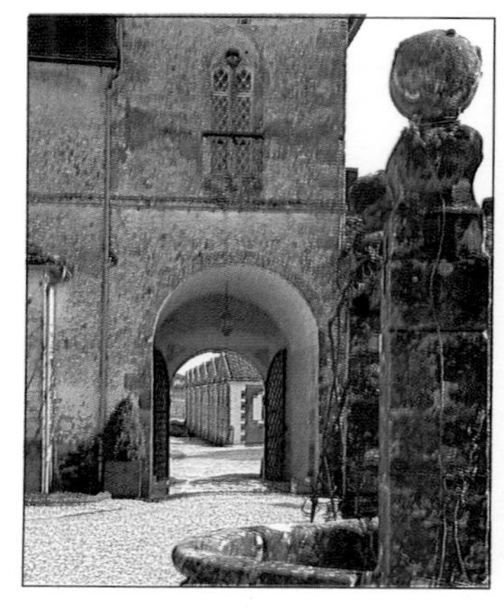

La pourriture noble

La complexité des vins de Sauternes et Barsac résulte en grande partie de la pourriture noble, c'est-à-dire du champignon *Botrytis cinerea*. Les collines ondulées et peu élevées de Sauternes et, dans une moindre mesure, de Barsac, associées à un climat chaud mais humide, sont particulièrement propices au développement du botrytis dont les spores sont naturellement présentes dans la région. Ces spores restent en dormance dans le sol du vignoble et l'écorce de la vigne jusqu'à ce qu'elles soient activées par des conditions atmosphériques favorables, caractérisées par une alternance d'humidité et de chaleur – quand aux brumes matinales succèdent, jour après jour, un beau soleil d'automne. Les spores adhèrent alors à la peau du raisin et y forment une moisissure qui se nourrit de son humidité. Elles absorbent également les cinq sixièmes de l'acidité du raisin et un tiers de ses sucres, mais comme la quantité d'eau absorbée est plus importante – entre la moitié et les deux tiers –, le jus se trouve concentré en une pulpe poisseuse et riche en sucre. Un raisin sain avec 13 degrés d'alcool potentiel est ainsi transformé en une baie d'apparence monstrueuse mais contenant de 17,5 à 26 degrés d'alcool potentiel.

Le botrytis ne se répand pas régulièrement dans le vignoble, si bien que les vendanges peuvent parfois se prolonger jusqu'à dix semaines, les vendangeurs passant à plusieurs reprises dans le vignoble pour y effectuer les différentes tries. Lors de chaque trie, les vendangeurs ne cueillent que les baies touchées par le champignon, mais veillent à laisser sur la grappe un peu de pourriture afin qu'elle puisse s'étendre. Plus les viticulteurs attendent la miraculeuse pourriture noble, qui en général n'est assez abondante que trois années sur dix, plus les vignes sont exposées aux dangers des gelées, de la grêle ou de la pluie, qui risquent de détruire la récolte tout entière. Les méthodes viticoles de Sauternes et Barsac sont les plus coûteuses en main-d'œuvre. Les rendements sont faibles : officiellement 25 hectolitres à l'hectare au maximum, soit la moitié de ceux du Médoc, mais en pratique beaucoup plus faibles encore, puisque les meilleurs châteaux ne dépassent pas 15 à 20 hectolitres à l'hectare, tandis qu'à Yquem, on obtient l'équivalent d'un verre de vin par cep. De plus, la vinification est extrêmement difficile à mener à bien et le mûrissement d'un beau vin liquoreux réclame une forte proportion de chêne neuf.

FACTEURS AFFECTANT LE GOÛT ET LA QUALITÉ

Situation
Ces vignobles de rive gauche de la Garonne s'étendent vers le sud-est, depuis le nord de Bordeaux jusqu'à 10 kilomètres à l'est de Langon. Cérons, Sauternes et Barsac sont nichés dans le sud de la région des Graves.

Climat
Très semblable à celui du Médoc, mais légèrement plus chaud et avec des précipitations un peu plus abondantes. Climat doux et humide à Sauternes et Barsac, marqué en automne par l'alternance de matinées brumeuses et de soleil, propice à la pourriture noble.

Site
Le terrain est bien plus vallonné dans les Graves que dans le Médoc ; il est composé de petites vallées sillonnées de nombreux ruisseaux qui se déversent dans la Garonne. Certains vignobles sont assez pentus. Les communes de Sauternes, Bommes et Fargues sont vallonnées, tandis qu'à Preignac et Barsac, de part et d'autre du Ciron, les pentes s'adoucissent.

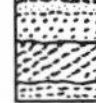

Sol
À Cérons, le sol est pierreux : des silex et des graves recouvrent des marnes. Sauternes montre des graves argileuses rougeâtres sur fond d'argile ou de crasse de fer graveleuse, et à l'argile calcaire de Fargues succède une couche de graves argileuses. Les coteaux de graves de Bommes sont parfois mêlés de lourdes terres argileuses, tandis que la plaine est constituée d'argile sableuse sur un sous-sol d'argile rougeâtre ou de calcaire. À Preignac, on trouve des sables, des graves et de l'argile qui s'étendent, dans le sud, sur des graves argileuses ; à l'approche de Barsac, les alluvions sont plus nombreuses et tapissent un sol de sable, d'argile et de calcaire. Les Crus classés de Barsac sont plantés sur des argiles calcaires au-dessus d'un sous-sol calcaire, tandis qu'ailleurs la couche superficielle comporte plus de graves sableuses.

Viticulture et vinification
Les châteaux des Graves qui produisent à la fois du vin blanc et du vin rouge élèvent souvent le blanc en barriques neuves pendant environ deux mois. Les Graves blancs classiques mériteraient cependant de passer plus que deux ou trois mois dans le chêne neuf.

Certains châteaux ajoutent un peu de vin de presse au vin rouge. La cuvaison dure de 8 à 15 jours (jusqu'à 25 dans quelques domaines), puis le mûrissement en fûts entre 15 et 18 mois, voire trois ans et demi pour les meilleurs vins. Les vins blancs liquoreux de Sauternes et Barsac sont faits de raisin surmûri vendangé tardivement en plusieurs tries, et touché si possible par la pourriture noble. L'éraflage est en général inutile. La fermentation d'un moût aussi riche en sucre est difficile à amorcer et à contrôler ; elle dure habituellement de deux à huit semaines, selon le style du vin.

Cépages principaux
Cabernet Sauvignon, Cabernet franc, Merlot, Sémillon, Sauvignon blanc

Cépages secondaires
Malbec, Petit Verdot, Muscadelle

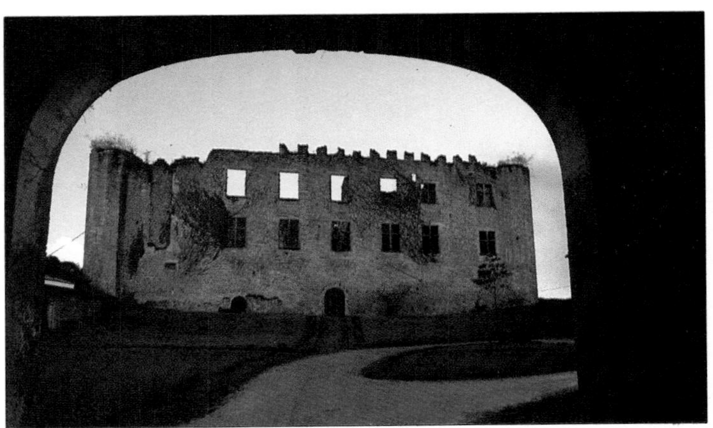

Labourage traditionnel, ci-dessus
Au Château d'Yquem, on utilise encore des chevaux pour labourer entre les rangs de vigne, après les vendanges puis à nouveau en mars.

Château de Fargues, à droite
L'ancienne demeure de la famille Lur Saluces n'est plus qu'une ruine aujourd'hui. La famille s'est installée à Yquem en 1785.

Variations de caractère

Le sucre n'est pas totalement épuisé par la fermentation et le vin produit est riche d'environ 14 à 15 degrés d'alcool. Les sucres non fermentés – souvent de 50 et 120 grammes par litre – donnent au vin sa douceur naturelle. En revanche, à la différence de ses cousins allemands, Beerenauslese et Trockenbeerenauslese, le taux d'alcool est essentiel pour le caractère du Sauternes, puisqu'en s'harmonisant avec la douceur, l'acidité et le fruité du vin, il donne à ce dernier une concentration liquoreuse qui n'a pas d'équivalent dans le monde. Mais la complexité du Sauternes n'est pas le résultat de la concentration, bien que des taux accrus de minéraux aient certainement une incidence. Elle est créée par certains éléments nouveaux qui s'introduisent dans le moût du raisin au cours des activités métaboliques du botrytis. Ces éléments sont le glycérol, l'acide gluconique, l'acide saccharique, la dextrine, diverses enzymes oxydantes et une substance antibiotique appelée « botrycine ». Il est impossible d'expliquer comment tous ces composants d'un vin botrytisé forment son caractère d'une complexité inimitable, mais tel est bien leur rôle.

La dégustation de vins d'un même château, issus de différentes tries, révèle que l'intensité du botrytis varie suivant l'« âge » du champignon au moment où le raisin est cueilli. Les vins faits du même pourcentage de raisins pourris cueillis au début, mais aussi à la fin des vendanges sont sensiblement moins éloquents que ceux provenant du milieu des vendanges, lorsque la pourriture est la plus active. On comprend que le jeune botrytis ait un caractère moins prononcé, mais le fait est plus étrange pour le raisin vendangé tardivement.

La pourriture noble, ci-dessus
Une grappe de raisin de Sémillon avant la première trie. Quelques baies ne sont pas encore touchées par le champignon. Certaines sont décolorées mais non encore flétries, d'autres sont sèches, flétries et couvertes de moisissure.

Traitement des vignes au Château Carbonnieux, Graves, à droite
La vigne est traitée avec du soufre et des fongicides qui la protègent contre l'oïdium, du mildiou et d'autres moisissures et parasites.

La réalité et l'avenir

Il est plus difficile, plus onéreux et plus frustrant de produire un bon Sauternes que tout autre vin. Le prix fabuleux qu'atteint le vin du Château d'Yquem – le plus grand des Sauternes – ne saurait masquer les difficultés que rencontrent l'immense majorité des producteurs de la région. La tendance incontestable en faveur des vins plus secs et plus légers conduit les propriétaires de Sauternes et Barsac à brader, en quelque sorte, leur récolte. Déjà, plusieurs d'entre eux ont dû abandonner la production de ces vins liquoreux. Le comte de Pontac a arraché toutes les vignes de son Deuxième Cru, le Château de Myrat à Barsac. Et même Tom Heeter, ancien propriétaire du Château Nairac, un autre Deuxième Cru, avoue, malgré son optimisme débordant : « Il faut être à moitié fou pour gagner sa vie avec ces vins. » Et pourtant, si la réglementation était assouplie et si les viticulteurs montraient un peu plus de sens commercial, les vins de Sauternes et de Barsac pourraient vraiment devenir de l'« or liquide ».

Les perspectives

Il faudrait autoriser les viticulteurs de Sauternes et de Barsac à vendre des vins rouges et des vins blancs secs sous l'appellation Graves, comme peuvent le faire leurs voisins de Cérons. Les nombreux châteaux qui produisent déjà de tels vins ne peuvent les commercialiser que sous la simple appellation Bordeaux, laquelle s'applique généralement à des vins plus modestes. En outre, ces productions ne servent qu'à subventionner les vins liquoreux, alors qu'elles devraient être perçues comme une source de revenus supplémentaires.

S'ils pouvaient employer une appellation plus prestigieuse et fixer des prix à l'avenant, les producteurs s'efforceraient sans doute d'élaborer chaque année d'excellents Graves rouges et Graves blancs secs. Et seulement quand les conditions sembleraient favorables, ils laisseraient sur les vignes une certaine proportion de raisin blanc dans l'espoir d'un botrytis abondant. Au lieu d'utiliser leurs barriques en chêne neuf pour des vins liquoreux de « modestes millésimes », ils devraient, au contraire, les réserver à l'élevage des vins rouges et des vins blancs secs. La réduction des rendements et la volonté de rivaliser avec les meilleurs Graves contribueraient à leur tour au succès de l'entreprise. Parallèlement, trois ou quatre fois par décennie, il en résulterait une récolte minuscule du vin le plus liquoreux qui soit. Alors, il ne serait plus nécessaire d'entreprendre cette tâche impossible qui consiste à vendre une image démodée à une génération nouvelle d'amateurs de vin ; l'offre limitée obligerait les consommateurs à payer un prix, certes plus élevé, mais surtout plus réaliste.

Après avoir observé pendant plus d'une trentaine d'années les vains efforts de cette région pour faire aimer ses vins, j'en suis venu à me ranger à l'avis du comte Alexandre de Lur Saluces. Lorsqu'on demande à celui-ci de justifier le prix d'un Château d'Yquem, il répond simplement que ses vins ne sont pas faits pour tout le monde... Je serais quant à moi prêt à payer plus cher les meilleurs vins de Sauternes et de Barsac si on leur rendait enfin le respect qu'ils méritent.

Vins génériques de Graves, Cérons, Sauternes et Barsac

BARSAC AOC

Cinq communes, Barsac, Preignac, Fargues, Bommes et Sauternes ont droit à l'appellation Sauternes. Si certains vins génériques vendus en gros l'utilisent effectivement, tous les domaines isolés commercialisent leurs vins sous l'appellation Barsac. Le vin doit comporter des raisins surmûris et botrytisés récoltés par tries successives.

BLANC. Vins onctueux, intensément moelleux, proches des Sauternes, mais peut-être plus légers, un peu plus secs et moins riches. 1983 est l'un des meilleurs millésimes du siècle.

Sémillon, Sauvignon blanc, Muscadelle

1981, 1983, 1985, 1986

Entre 6 et 25 ans pour la plupart des vins ; entre 15 et 60 ans pour les plus grands

CÉRONS AOC

Cette AOC, qui jouxte Barsac, donne des vins liquoreux offrant le meilleur rapport qualité/prix du Bordelais. Ils doivent comporter des raisins surmûris et botrytisés récoltés par tries successives.

BLANC. Plus légers que les Barsac, mais tout aussi onctueux, les meilleurs ont la vraie complexité du botrytis.

Sémillon, Sauvignon blanc, Muscadelle

1981, 1983, 1985, 1986

Entre 6 et 15 ans

GRAVES AOC

L'appellation, qui commence à Jalle-de-Blanquefort, s'étend sur 60 kilomètres le long de la rive gauche de la Garonne. Les vins rouges (les deux tiers de la production) sont toujours d'un bon rapport qualité/prix.

ROUGE. Les Graves à pleine maturité sont réputés, à tort, sentir la terre. Certes, les plus grands, nés dans les années chaudes, possèdent parfois une densité qui, alliée au caractère fumé du chêne neuf, peut produire une note de rôti ou de tabac, mais les Graves sont intrinsèquement des vins nets au style bien défini dont les principales caractéristiques sont le fruité, une texture soyeuse et des nuances de violette.

Cabernet Sauvignon, Cabernet franc, Merlot
Cépages secondaires : Malbec, Petit Verdot

1981, 1982, 1983, 1985

Entre 6 et 15 ans

BLANC. Les vins blancs de cette appellation, très divers, peuvent être décevants. Légers ou très charpentés, mous ou nerveux, marqués ou non par le chêne, ils peuvent être faits de Sauvignon ou Sémillon purs ou assemblés en diverses proportions. Pour se faire une idée du vin, le mieux est de se fier au château dont il provient.

Sémillon, Sauvignon blanc, Muscadelle

1981, 1983, 1984, 1985, 1986

De 1 à 2 ans pour les vins modestes ; entre 8 et 20 ans pour les meilleurs

GRAVES SUPÉRIEUR AOC

On rencontre rarement cette appellation bien qu'elle représente plus du cinquième de tous les Graves blancs produits. Elle cache certainement quelques bons Barsac.

BLANC. Certains vins sont secs, mais la plupart sont moelleux, proches des Barsac.

Sémillon, Sauvignon blanc, Muscadelle

1981, 1983, 1985, 1986

Entre 6 et 15 ans

PESSAC-LÉOGNAN AOC

Cette appellation, créée en septembre 1987, couvre les dix meilleures communes qui bénéficient de l'appellation Graves et doit répondre aux mêmes exigences techniques que cette dernière. Toutefois, le Carmenère peut entrer dans la composition des vins rouges, tandis que les vins blancs doivent contenir au moins 25 % de Sauvignon blanc.

Les petits producteurs réclamaient depuis longtemps une appellation plus spécifique que Graves, mais Pessac-Léognan jouira-t-elle jamais de la même notoriété que Margaux ?

SAUTERNES AOC

Les communes très vallonnées de Bommes, Fargues et Sauternes offrent les vins de dessert les plus riches du bordelais, tandis que les châteaux situés à Preignac produisent des vins très proches des Barsac. Le vin doit comporter des raisins surmûris et botrytisés récoltés par tries successives.

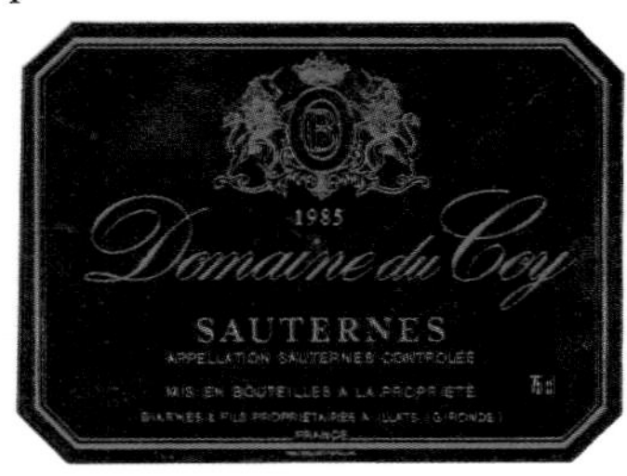

BLANC. Vins dorés, intenses, puissants et complexes, qui défient les sens et troublent l'esprit. Leur riche texture s'accompagne d'un fruité mûr et gras. Ananas, pêche, abricot, fraise comptent parmi les opulentes saveurs qu'ils recèlent, et la nuance crémeuse et vanillée du chêne neuf évolue vers une somptueuse saveur mielleuse, épicée et complexe. Surtout, ils sont imprégnés du caractère unique du botrytis. Le vin de l'année 1983 est l'un des meilleurs millésimes du siècle.

Sémillon, Sauvignon blanc, Muscadelle

1981, 1983, 1985, 1986

Entre 10 et 30 ans pour la plupart des vins ; entre 20 et 70 ans pour les plus grands

Les meilleurs châteaux des Graves

CHÂTEAU BOUSCAUT

Cadaujac
33140 Pont-de-la-Maye

Cru classé (rouge et blanc)
Vin rouge : *14 000 caisses*
Vin blanc : *3 000 caisses*

Ce château appartient à Lucien Lurton. Le vin rouge mûrit en fût pendant 18 mois, pour un quart sous chêne neuf ; le vin blanc est vinifié et élevé jusqu'à 6 mois en barriques neuves.

ROUGE. Jusque dans les années 80, le vin était massif, dur et tannique. Les millésimes récents sont de plus en plus souples mais cherchent encore leur forme. Le second vin, Château Valoux, est vraiment excellent.

Cabernet Sauvignon 35 %, Cabernet franc 5 %, Merlot 55 %, Malbec 5 %

1981, 1983, 1985

Entre 8 et 20 ans

Deuxième vin : Château Valoux

BLANC. Vin sec, assez étoffé, aux saveurs de fruits exotiques équilibrées par de délicates nuances boisées.

Sémillon 70 %, Sauvignon 30 %

1983, 1985, 1986

Entre 5 et 10 ans

CHÂTEAU CARBONNIEUX

33850 Léognan

Cru classé (rouge et blanc)
Vin rouge : *15 000 caisses*
Vin blanc : *15 000 caisses*

C'est le plus grand domaine viticole des Graves. Le vin blanc, le plus connu des vins produits, fermente à basse température dans des cuves en acier inoxydable avant de mûrir en barriques neuves pendant trois mois.

ROUGE. Nez crémeux de chêne, fruité, texture soyeuse et tanins souples, le 1985 est superbe.

Cabernet Sauvignon 55 %, Cabernet franc 10 %, Merlot 30 %, Malbec et Petit Verdot 5 %

1985

Entre 6 et 18 ans

BLANC. Vin solide et net, mais de qualité variable et qui trop souvent manque d'inspiration. Le 1982 est un vin de garde aux arômes d'agrumes, étonnamment bon ; le 1984, frais et nerveux, doit être bu jeune ; le 1985 présente un style rond et végétal.

Sémillon 40 %, Sauvignon 60 %

1982, 1984, 1985

Entre 2 et 5 ans

Deuxième vin : Château La Tour Léognan

DOMAINE DE CHEVALIER

33850 Léognan

Cru classé (rouge et blanc)
Vin rouge : *5 000 caisses*
Vin blanc : *800 caisses*

Les méthodes les plus traditionnelles sont employées pour produire d'exceptionnels vins rouges et blancs. La fermentation des vins rouges à des températures pouvant atteindre 32 °C occasionnerait sans doute des problèmes ailleurs, mais grâce au soin méticuleux dont fait preuve le Domaine de Chevalier, cette technique qui permet d'extraire le maximum de tanins et de matières colorantes constitue ici un avantage indéniable. Le vin rouge est élevé en fût jusqu'à 24 mois, pour 50 % sous chêne neuf ; le vin blanc est vinifié et élevé dans le bois pendant 18 mois, avec jusqu'à 25 % de chêne neuf.

ROUGE. Vins de couleur profonde, relativement corsés, riches en fruit et en saveurs de chêne, avec d'intenses nuances de cèdre et de tabac, et pourtant subtils, séduisants et pleins de finesse. Ces vins sont d'une longévité, d'une qualité et d'une complexité incomparables.

Cabernet Sauvignon 65 %, Cabernet franc 5 %, Merlot 30 %

1980, 1981, 1982, 1983, 1984, 1985, 1986

Entre 15 et 40 ans

BLANC. Vins secs de grande qualité, aux saveurs intenses, presque gras, ils débordent de saveurs exotiques et sont d'une finesse exemplaire.

Sémillon 30 %, Sauvignon 70 %

1980, 1981, 1982, 1983, 1984, 1985, 1986

Entre 8 et 20 ans

CHÂTEAU COUHINS

Villeneuve-d'Ornon
33140 Pont-de-la-Maye

Cru classé **(blanc uniquement)**
Production : ***1 500 caisses***

L'Institut national de la recherche agronomique et Lucien Lurton se partagent ce domaine. L'INRA produit seul ce vin vinifié à basse température et élevé en cuve.

BLANC. Vin blanc sec, net, nerveux et fruité.

Sémillon 50 %, Sauvignon 50 %

1983

Entre 2 et 4 ans

Note : Ce château produit également un Graves rouge non classé.

CHÂTEAU COUHINS-LURTON

Villenave-d'Ornon
33140 Pont-de-la-Maye

Cru classé **(blanc uniquement)**
Production : ***800 caisses***

C'est la moitié la plus prestigieuse du domaine de Couhins. Le vin fermente et mûrit en barriques neuves.

BLANC. Délicieux vin sec, étonnamment gras pour un pur Sauvignon, qui possède, à côté de la complexité du chêne, toutes les qualités de fraîcheur et de fruité.

Sauvignon 100 %

1982, 1983, 1985, 1986

Entre 3 et 8 ans

CHÂTEAU DE FIEUZAL

33850 Léognan

Cru classé **(rouge uniquement)**
Production : ***7 500 caisses***

Ce domaine, remarquablement tenu, occupe la crête de graves la plus haute et la mieux exposée de toute la commune. Les vins sont irréprochables.

ROUGE. Vin de couleur profonde, corsé, riche, distingué, avec la texture soyeuse typique des Graves et beaucoup de finesse.

Cabernet Sauvignon 60 %, Merlot 30 %, Malbec 5 %, Petit Verdot 5 %

1982, 1983, 1984, 1985, 1986

Entre 12 et 30 ans

Deuxième vin : « l'Abeille de Fieuzal »
Note : Fieuzal produit également un vin blanc sec riche, exotique et boisé, l'un des plus meilleurs Graves blancs.

CHÂTEAU HAUT-BAILLY

33850 Léognan

Cru classé **(rouge uniquement)**
Production : ***11 000 caisses***

Le vignoble bien entretenu occupe une excellente crête de graves à l'est de Léognan. Le vin est élevé jusqu'à 20 mois en fût, avec 50 % sous chêne neuf.

ROUGE. On décèle aussitôt la distinction du fruité et le caractère du chêne neuf dans le nez mûr et boisé de ce vin moyennement étoffé, jamais agressif, toujours élégant et raffiné.

Cabernet Sauvignon 60 %, Cabernet franc 10 %, Merlot 30 %

1981, 1983, 1984, 1985, 1986

Entre 12 et 25 ans

Deuxième vin : « Le Pardre de Haut-Bailly »
Note : Le château produit également un Graves blanc, non classé.

CHÂTEAU HAUT-BRION

33600 Pessac

Cru classé **(rouge et blanc)**
Production de vin rouge : ***12 000 caisses***
Production de vin blanc : ***800 caisses***

Dès 1663, l'écrivain anglais Samuel Pepys évoquait dans son Journal cet illustre château qu'il appelait « Ho Bryan ». Racheté en 1935 par le banquier Clarence Dillon, il est aujourd'hui dirigé par son fils Clarence Dillon, ancien ambassadeur des États-Unis en France. Le vin rouge est vinifié dans des cuves en acier inoxydable puis élevé en barriques neuves pendant 24 à 27 mois. Le vin blanc ne fermente et ne mûrit qu'en barriques neuves.

ROUGE. Ce vin souple, distingué, relativement corsé présente une saveur d'une densité surprenante pour son corps et une nuance de chocolat et de violette. Il évolue rapidement et vieillit avec grâce.

Cabernet Sauvignon 55 %, Cabernet franc 20 %, Merlot 25 %

1980, 1981, 1982, 1983, 1985, 1986

Entre 10 et 40 ans

Deuxième vin : « Bahans-Haut-Brion »

BLANC. Vin de garde, somptueux, avec des notes de chêne et d'agrumes et des saveurs de fruits exotiques, même s'il n'est pas l'un des plus grands Graves blancs.

Sémillon 50 %, Sauvignon 50 %

1981, 1982, 1983

Entre 5 et 20 ans

CHÂTEAU LAVILLE-HAUT-BRION

33400 Talence

Cru classé **(blanc uniquement)**
Production : ***2 000 caisses***

Depuis 1983, ce petit « château sans château » appartient à Clarence Dillon, propriétaire de Haut-Brion. Le vin, souvent considéré comme le vin blanc de La Mission, fermente et mûrit en fût.

BLANC. Jusqu'en 1982, ce vin était ample, riche, boisé et exubérant ; il tend à devenir plus mielleux et plus épicé, avec une certaine finesse florale, depuis le millésime 1983. Les deux styles sont étonnants et complexes.

Sémillon 40 %, Sauvignon 60 %

1981, 1982, 1983, 1984

Entre 6 et 20 ans

CHÂTEAU MALARTIC-LAGRAVIÈRE

33850 Léognan

Cru classé **(rouge et blanc)**
Production de vin rouge : ***8 000 caisses***
Production de vin blanc : ***900 caisses***

Le vignoble de 20 ha d'un seul tenant s'étend autour du château. Ce domaine a régulièrement produit des vins de très grande qualité dans les années 80. Le vin rouge est vinifié dans des cuves en acier inoxydable à basse température (16 °C) puis élevé en fût pendant 20 à 22 mois, pour un tiers sous chêne neuf. Le vin blanc mûrit désormais en barriques neuves durant 7 à 8 mois.

ROUGE. Ces vins riches, de couleur grenat, ont un nez de chêne opulent et moelleux, une saveur pénétrante et une souple charpente tannique.

Cabernet Sauvignon 50 %, Cabernet franc 25 %, Merlot 25 %

1981, 1982, 1983, 1985

Entre 7 et 25 ans

BLANC. Les millésimes récents de ce Graves blanc attestent l'importance du rôle du chêne neuf. On pourrait prendre ce vin mielleux, mûr et succulent pour un pur Sémillon.

Sauvignon 100 %

1983, 1985, 1986

Entre 5 et 12 ans

CHÂTEAU LA MISSION-HAUT-BRION

33600 Pessac

Cru classé **(rouge uniquement)**
Production : ***8 000 caisses***

Clarence Dillon ne manqua pas l'occasion d'acquérir La Mission en 1983. Celle-ci, qui appartenait à Henri Woltner, prétendait alors au trône des Graves occupé par Haut-Brion. Le vin rouge est élevé en fût pendant 24 mois, pour 50 % sous chêne neuf.

ROUGE. Malgré des techniques de vinification différentes, la Mission de Dillon n'est pas moins remarquable que celle de Woltner. Les deux vins sont plus profonds, plus sombres et plus denses qu'aucun autre. Ils sont avant tout puissants et demandent à vieillir longtemps en bouteille, mais manquent un peu de finesse.

Cabernet Sauvignon 60 %, Cabernet franc 10 %, Merlot 30 %

1980, 1981, 1982, 1983, 1984, 1986

Entre 15 et 45 ans

CHÂTEAU OLIVIER

33850 Léognan

Cru classé **(rouge et blanc)**
Production de vin rouge : ***10 000 caisses***
Production de vin blanc : ***11 000 caisses***

Le vin rouge mûrit en fût pendant 18 mois, le vin blanc, pendant 1 à 3 mois avec 100 % de chêne neuf.

ROUGE. Vin le plus souvent terne et sans éclat d'après les notes de dégustation. Je n'ai jamais trouvé de commentaires de dégustation favorables sur ce vin.

Cabernet Sauvignon 70 %, Merlot 30 %

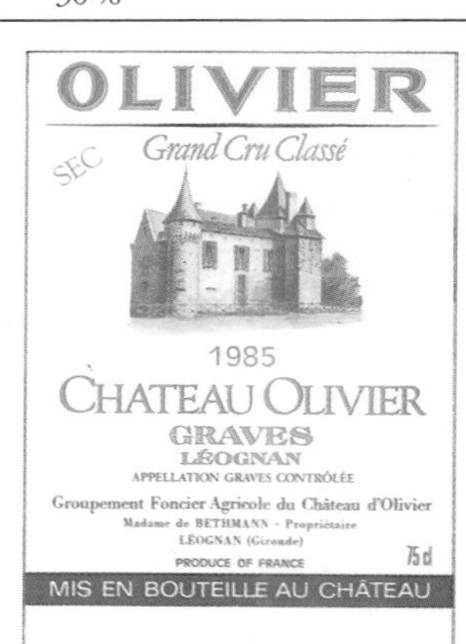

BLANC. Depuis 1985 ce vin a gagné en fraîcheur, en saveurs fruitées et en caractère. Il s'agit, je l'espère, d'un vin à suivre.

Sémillon 65 %, Sauvignon 30 %, Muscadelle 5 %

1985, 1986

Entre 3 et 7 ans

CHÂTEAU PAPE-CLÉMENT

33600 Pessac

Cru classé (rouge uniquement)
Production : *13 000 caisses*

Le vignoble serait capable de produire certains des plus beaux Graves, mais malheureusement le Pape-Clément est depuis longtemps décevant. Après lui avoir cherché beaucoup d'excuses, il est temps de reconnaître que son nez étrange est tout simplement une odeur de moisi, au demeurant assez inexplicable, et qui ne saurait être assimilée à un simple « goût de bouchon ». Le phénomène porte sur trop de bouteilles pour qu'il soit accidentel. Curieusement, certaines bouteilles sont parfaitement nettes, sans la moindre trace de cette senteur de moisi. J'espère que le Château a conscience de ce problème et saura redonner à ses vins le rang qui est le leur. Le vin rouge est élevé en fût pendant 24 mois, pour 50 % sous chêne neuf.

ROUGE. Ces vins ronds ont une belle robe profonde, un caractère typé et sont d'une grande finesse – suffisante en tout cas pour filtrer à travers le caractère « moisi ».

Cabernet Sauvignon 67 %, Merlot 33 %

Note : ce château produit également un Graves blanc non classé, fait de Sémillon, Sauvignon et Muscadelle en proportions égales.

CHÂTEAU SMITH-HAUT-LAFITTE

Martillac
33650 La Brède

Cru classé (rouge uniquement)
Production : *22 500 caisses*

Ce château est dirigé par Eschenauer, la maison de négoce bordelaise qui appartient à Lonrho. Le domaine comprend 50 ha de beaux vignobles et, depuis le milieu des années 70, il possède de nouveaux chais souterrains et une cuverie moderne. Au terme de toutes ces rénovations, les vins sont restés décevants jusqu'au millésime 1983, qui amorça une nette amélioration de la qualité. Le vin rouge mûrit en fût pendant 18 mois, pour 50 % sous chêne neuf.

ROUGE. Ces vins, montrent maintenant un style riche, avec des notes crémeuses de chêne, du fruité et une tendre finale.

Cabernet Sauvignon 69 %, Cabernet franc 11 %, Merlot 20 %

1983, 1984, 1985

Deuxième vin : Château Hauts-de-Smith-Haut-Lafitte
Note : ce château produit également un Graves blanc non classé.

CHÂTEAU LA TOUR-HAUT-BRION

33400 Talence

Cru classé (rouge uniquement)
Production : *2 500 caisses*

Ce château n'est séparé de La Mission-Haut-Brion que par une voie ferrée. Aux alentours de 1980, le vin vendu sous cette étiquette était simplement considéré comme le second vin du Château La Mission-Haut-Brion. Les raisins des deux domaines étaient vinifiés ensemble, et les deux vins étaient le résultat de la sélection.

Quand Clarence Dillon acquit le domaine en 1983, quelque 4,5 ha de vigne furent délimités pour constituer le Château La Tour-Haut-Brion et, depuis 1984, on peut dire que tous ses vins proviennent en effet d'un site réellement spécifique.

Il est probable que, sous la direction de Dillon, la réussite de ce domaine ne se démentira pas, mais déguster ce vin quand il est jeune est chose difficile et ne permet pas d'énoncer avec certitude la façon dont il évoluera entre de nouvelles mains. Le millésime 1982 est pour moi la référence, mais tous les autres méritent attention. Le vin est élevé en fût pendant 24 mois, pour 50 % sous chêne neuf.

ROUGE. Le 1982 est un vin extrêmement sombre et tannique qui possède beaucoup de corps, des arômes de fruits et de chocolat et une amertume sous-jacente provenant d'extraits non encore mûrs. S'il manque encore, il est vrai, d'équilibre et de finesse, les amateurs avisés sauront attendre le prochain millénaire pour porter leur jugement.

Cabernet Sauvignon 60 %, Cabernet franc 10 %, Merlot 30 %

1982

Entre 20 et 40 ans

CHÂTEAU LA TOUR-MARTILLAC

Martillac
33650 La Brède

Cru classé (rouge et blanc)
Production de vin rouge : *8 500 caisses*
Production de vin blanc : *2 500 caisses*

Ce domaine, qui appartient à Kressmann, possède son propre troupeau de bétail qui fournit la fumure destinée à son vin « de culture strictement biologique ». Le vin rouge n'a pas la constance des meilleurs Graves et a tendance à perdre son charme en fût ; aussi est-il généralement sous-estimé. Pour son élevage, long de 18 à 22 mois, est utilisé un tiers de barriques neuves. Le vin blanc est vinifié dans des cuves en acier inoxydable, puis élevé pendant 9 mois en barrique neuve.

ROUGE. Ces vins ne séduisent pas d'emblée, mais ils ont de l'élégance et une certaine finesse. Le fruité des millésimes récents est un peu plus rond, mais c'est en bouteille que ces vins acquièrent leur richesse, quand ils développent une saveur crémeuse de chêne.

Cabernet Sauvignon 60 %, Cabernet franc 6 %, Merlot 25 %, Malbec 5 %, Petit Verdot 4 %

1981, 1982, 1983, 1985

Entre 8 et 20 ans

Deuxième vin : Château La Grave-Martillac

BLANC. L'étonnant 1986 marque le début d'une nouvelle génération de vins blancs. Le fruité est très frais, élégant et distingué, équilibré par de complexes nuances de chêne.

Sémillon 55 %, Sauvignon 35 %, Muscadelle 3 %, divers 7 %

1986

Entre 4 et 8 ans

Les meilleurs autres vins (Cérons inclus)

CHÂTEAU D'ARCHAMBEAU

Illats
33720 Podensac

Situé dans l'une des trois communes de Cérons, cet excellent domaine appartient au Dr Jean Dubourdieu, le neveu de Pierre Dubourdieu du Château Doisy-Daëne, Deuxième Cru de Barsac.

Le Dr Dubourdieu produit ici un vin rouge de belle qualité, parfumé, aux arômes séduisants, qu'il élève en fût pendant 6 mois, et qui possède la texture soyeuse caractéristique des Graves. Son Graves blanc sec, délicieusement frais, nerveux et fruité est meilleur que ceux de certains Crus classés, et son Cérons est tendre, fruité et moelleux, plus parfumé que riche.

Deuxième vin : Château Mourlet

DOMAINE BENOIT

33640 Portets

Ce domaine porte le nom de son propriétaire actuel, Michel Benoit. Les vins sont élaborés par Peter Vinding-Diers du Château Rahoul voisin. Benoit produit 1 300 caisses d'un Graves rouge raffiné, tendre et fruité, d'une belle couleur, moyennement corsé, et doté d'une souple charpente tannique. Ce vin, issu de 70 % de Merlot, 10 % de Cabernet franc, 20 % de Malbec, atteint son apogée au bout de trois ou quatre ans, mais vieillit avec grâce. Le Graves blanc sec pur Sémillon, dont on produit 1 000 caisses, est un modèle que tous les autres domaines de la région devraient imiter. Fait dans le style classique de Vinding-Diers, il est léger et offre un fruité parfumé et des nuances moelleuses de chêne.

CHÂTEAU LA BLANCHERIE

33650 La Brède

Ce Graves blanc sec, frais et vif, est vinifié à basse température.

CHÂTEAU LA BLANCHERIE-PEYRAT

33650 La Brède

Le vin rouge de La Blancherie est vendu sous cette étiquette. C'est un vin relativement corsé, élevé en fût, avec un séduisant bouquet épicé et une saveur riche et fruitée.

CHÂTEAU DE CALVIMONT

Cérons
33720 Podensac

Ce vin rouge du Château de Cérons est un pur Cabernet Sauvignon intéressant. Son propriétaire, Jean Perromat, possède aussi à Cérons les Châteaux Mayne-Binet, de Bessanes, Ferbos et Ferbos-Lalanette, et à Barsac, le Château Prost.

CHÂTEAU DE CARDAILLAN

Toulenne
33210 Langon

Ce domaine, qui appartient au même propriétaire que son voisin, le Château de Malle, produit un brillant Graves rouge à la saveur voluptueuse de cassis, qui évolue rapidement tout en vieillissant bien. Il est issu de 80 % de Cabernet Sauvignon et de 20 % de Merlot.

CHÂTEAU LES CARMES-HAUT-BRION

33600 Pessac

De 1584 à la Révolution, ce domaine a appartenu à l'ordre du Carmel, dont il tire son nom. Son vin tendre, dominé par le Merlot, n'est que l'ombre de son célèbre voisin Haut-Brion.

CHÂTEAU DE CÉRONS

Cérons
33720 Podensac

Ce château du XVIIe siècle, qui produit un Cérons blanc moelleux et léger, appartient à Jean Perromat, le propriétaire des Châteaux Mayne-Binet, de Bessanes, Ferbos et Ferbos-Lalanette à Cérons, et du Château Prost à Barsac.

GRAND ENCLOS DU CHÂTEAU DE CÉRONS

Cérons
33720 Podensac

Ce domaine entièrement clos de murs formait autrefois la partie la plus importante du Château de Cérons. Les vins produits ici – bien supérieurs à ceux du Château de Cérons, peut-être les meilleurs de l'appellation – sont gras, riches et onctueux, avec une bonne aptitude au vieillissement et une certaine complexité.

CHÂTEAU DE CHANTEGRIVE

33720 Podensac

Ce château produit une quantité importante d'un excellent Graves rouge, tendre et fruité (Cabernet Sauvignon 50 %, Merlot 40 %, Cabernet franc 10 %), qui est élevé dans des cuves en bois pendant 6 mois, puis mis en barriques pendant encore 12 mois, pour 20 % sous chêne neuf. Il offre aussi un élégant et aromatique Graves blanc sec, vinifié à basse température et entièrement issu du premier pressurage (Sémillon 60 %, Sauvignon 30 %, Muscadelle 10 %).

Deuxième vin : Château Mayne-Lévêque
Autre vin : Château Bon-Dieu-des-Vignes

CHÂTEAU CHICANE

Toulenne
33210 Langon

Ce château, qui ne produit que des vins rouges, est représentatif de nombreux domaines qui élaborent d'excellents Graves. Celui-ci est élégant, rond, avec un bouquet de violettes et une texture fruitée nette et soyeuse.

CHÂTEAU CONSTANTIN

33640 Portets

Ce petit domaine, qui appartient à Robert Constantin, compte au nombre des « protégés » du maître-vinificateur Peter Vinding-Diers. Son Graves rouge, issu de 3 ha de vigne (Merlot 60 %, Cabernet franc 20 %, Malbec 20 %), est net et typé, moyennement corsé et élégamment fruité. Quelque 1 300 caisses sont produites chaque année, parallèlement à une petite quantité de vin rouge vendue sous l'appellation générique Bordeaux. Le Graves blanc sec, pur Sémillon, présente le style classique de Vinding-Diers, caractérisé notamment par une nuance moelleuse de chêne.

CHÂTEAU DE CRUZEAU

Saint-Médard-d'Eyrans,
33650 La Brède

Situé sur une crête élevée orientée au sud et composée de graves profondes, ce domaine appartient à André Lurton. De Cruzeau produit 18 000 caisses d'un Graves rouge corsé (Cabernet Sauvignon 60 %, Merlot 40 %), mûr et soyeux, doté de complexes nuances de cèdre, et environ 5 000 caisses d'un beau Graves blanc (Sémillon 10 %, Sauvignon 90 %) qui, après cinq ans de maturation, développe un bouquet intense et des saveurs d'agrumes.

CHÂTEAU FERRANDE

Castres
33640 Portets

Ce vaste domaine produit un vin rouge meilleur que le blanc. Son Graves rouge chocolaté (Cabernet Sauvignon 35 %, Cabernet franc 30 %, Merlot 35 %) est toujours de bonne qualité. Il est élevé en fût pendant 15 à 18 mois, pour 10 à 15 % sous chêne neuf. Le Graves blanc sec (Sémillon 60 %, Sauvignon 35 %, Muscadelle 5 %) est moins inspiré.

CLOS FLORIDÈNE

Pujols-sur-Ciron
33210 Langon

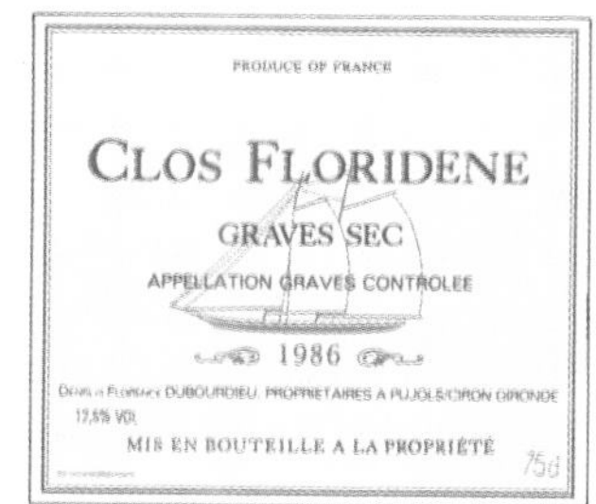

Le Graves blanc sec produit par ce petit domaine est révolutionnaire. Issu de 70 % de Sémillon et 30 % de Sauvignon, il marie à merveille la richesse du fruité à l'élégance du chêne neuf, et prouve qu'on peut faire d'excellents vins blancs dans la région. Son propriétaire, Denis Dubourdieu, produit d'autres vins remarquables dans son principal domaine, le Château Reynon, situé à Béguey dans les Premières Côtes de Bordeaux. Denis Dubourdieu cultive même, à titre expérimental, un peu de Chardonnay. Sous le même climat, dans n'importe quelle autre région, c'est le premier cépage que l'on planterait.

CHÂTEAU LA GARENCE

33640 Portets

Le vin de ce domaine mérite certainement d'être dégusté, puisque son propriétaire, M. Thiénot, a recours au talent de Peter Vinding-Diers. Quatre ha de vignes permettent de produire chaque année 1 800 caisses de Graves rouge (Merlot 60 %, Cabernet franc 40 %), et 2 ha, 1 000 caisses d'un vin blanc sec pur Sémillon.

DOMAINE DE LA GRAVE

33640 Portets

Ce domaine appartient à Peter Vinding-Diers, le vinificateur du Château Rahoul, qui élabore ici le plus réussi de ses vins rouges (Cabernet Sauvignon 50 %, Merlot 50 %). Quelque 1 800 caisses de ce vin très tendre, fruité et gouleyant mais pourvu de caractère et de distinction sont produites chaque année à partir de 3,5 ha de vignes.

Le domaine récolte également un vin rouge issu 100 % Merlot vendu sous l'appellation Bordeaux. Un hectare est consacré à la production de 500 caisses d'un Graves blanc sec pur Sémillon. Ce vin élégant possède un joli fruité léger et la nuance moelleuse de chêne caractéristique des vins de Vinding-Diers.

CHÂTEAU HAURA

Illats
33720 Podensac

Haura produit des vins sous l'appellation Cérons, qui en dépit d'une certaine inconstance, sont parfois fins, mielleux, empreints de distinction et de concentration. Des vins rouges et blancs, provenant de vignobles qui jouxtent ceux de Haura, sont vendus sous le nom de la demeure de cette propriété, le Château Hillot. Le propriétaire possède également le Château Tucau à Barsac.

CHÂTEAU LARRIVET-HAUT-BRION

33850 Léognan

Ce domaine, qui s'appelait à l'origine Château Canolle, fut d'abord rebaptisé Château Haut-Brion-Larrivet. Le Larrivet est un petit ruisseau qui traverse la propriété et Haut-Brion désigne le plateau de graves à l'ouest de Léognan sur lequel est situé le vignoble. Le Château Haut-Brion intenta alors une action en justice contre lui, et depuis 1941, les vins sont vendus sous l'étiquette Château Larrivet-Haut-Brion. Le vin rouge (Cabernet Sauvignon 60 %, Merlot 40 %), qui mûrit en fût pendant 18 mois, pour un quart sous bois neuf, est certainement au niveau de celui d'un Cru classé : il est bien coloré et corsé et montre une belle saveur, des nuances épicées de cèdre et une solide charpente tannique. Ce domaine, racheté en 1987 par une grande marque de confitures française, produit aussi une petite quantité de Graves blancs de bonne qualité. On espère que ce nouveau propriétaire saura maintenir la qualité des vins.

CHÂTEAU LA LOUVIÈRE

33850 Léognan

L'année 1985 marque un tournant en ce qui concerne la qualité des vins rouges pour ce château qui fait partie de l'empire d'André Lurton. Les beaux vins rouges de couleur vive et profonde de 1985 et 1986 ont en effet mis un terme à une série de millésimes ternes et sans vie. Ce sont maintenant des Graves corsés vraiment superbes, dont le riche fruité de cassis s'accompagne de nuances de chêne neuf (Cabernet Sauvignon 70 %, Cabernet franc 10 %, Merlot 20 %).

Les vins blancs de La Louvière ont toujours été excellents, mais pourtant ils ont eux aussi accompli d'immenses progrès. Passionnants et complexes, ces vins blancs mériteraient de figurer parmi les meilleurs Crus classés.

Deuxième vin : Château Coucheroy
Autres vins : Château Les Agunelles, Château Cantebau, Château Clos-du-Roy, Château Le Vieux Moulin

CHÂTEAU MAGENCE

Saint-Pierre-de-Mons
33210 Langon

Ce bon domaine produit 5 000 caisses d'un Graves rouge souple et parfumé (Cabernet Sauvignon 40 %, Cabernet franc 30 %, Merlot 30 %) et 11 000 caisses d'un séduisant Graves blanc sec vinifié à basse température (Sémillon 36 %, Sauvignon 64 %).

CHÂTEAU MAYNE-BINET

Jean Perromat, propriétaire du domaine, possède également à Cérons les Châteaux de Cérons, de Bessanes, Ferbos et Ferbos-Lalanette, et à Barsac le Château Prost. Il produit ici un beau Cérons blanc liquoreux.

CHÂTEAU MILLET

33640 Portets

M. Henri de la Mette, propriétaire du domaine, produit environ 12 000 caisses de Graves rouge, mais uniquement dans les bonnes années. Lorsque les millésimes sont jugés insuffisants, ils ne sont pas vendus sous l'étiquette Château Millet. Ce vin profond, issu de 80 % de Merlot et 20 % de Cabernet Sauvignon et Cabernet franc, a une robe sombre et une saveur dense et épicée de fruits. Sa ferme charpente tannique s'arrondit après quelques années en bouteille.

On produit presque autant de Graves blanc sec, mais celui-ci n'a ni l'audace ni le caractère du rouge.

Autre vin : Château du Clos Renon

CHÂTEAU RAHOUL

33640 Portets

C'est le domaine du maître Peter Vinding-Diers qui y produit quelque 6 000 caisses d'un Graves rouge élégamment équilibré (Cabernet Sauvignon 30 %, Merlot 70 %), élevé pendant 18 mois en fût pour un tiers sous chêne neuf. Mais la véritable passion de Peter Vinding-Diers est le vin blanc.

Sans être partisan des nombreux artifices technologiques, il n'est pas non plus un adepte des méthodes « biologiques », et préfère trouver des solutions naturelles. Son Graves blanc pur Sémillon subit d'abord une macération préfermentaire qui permet d'extraire des peaux le maximum d'arômes, puis la fermentation avec une souche spéciale de levures que Vinding-Diers estime déterminante pour la qualité et le caractère du Château Rahoul. Juste avant que celle-ci s'achève, les vins sont mis en barriques neuves, dans lesquelles ils mûriront pendant six mois. Vinding-Diers essaye actuellement de recourir à un début de fermentation malolactique pour souligner les composantes aromatiques et gustatives, mais sans que la transformation s'effectue vraiment. Il en résulte un vin étonnant, très typé, au départ légèrement riche et parfumé, avec une nuance sous-jacente de chêne, mûre et moelleuse, qui rappelle un Chardonnay australien délicatement boisé. En vieillissant en bouteille, il acquiert davantage de richesse, et une myriade de nouvelles saveurs exotiques et sauvages s'épanouissent alors.

Il est difficile de prévoir comment évolueront les vins de Vinding-Diers, puisqu'en cherchant constamment à améliorer leur qualité il change aussi leur style. Mais je suis sûr que l'on ne pourra jamais se lasser de vins aussi excitants.

CHÂTEAU RESPIDE-MÉDEVILLE

Toulenne
33210 Langon

Christian Médeville, responsable du Château Gilette, produit ici d'excellents vins mais sur des bases entièrement différentes. Les vins, rouges et blancs, témoignent du mariage réussi entre les techniques modernes de vinification et l'utilisation de barriques neuves en chêne. Le vin rouge, bien coloré, a un fruité riche et mûr, des notes épicées et une arrière-bouche crémeuse de chêne. Le blanc est richement vanillé, il possède un fruité doux et succulent et une finale grasse.

CHÂTEAU DE ROCHEMORIN

Martillac
33650 La Brède

Ce domaine est imprégné d'histoire : au VIIIe siècle, les Maures y défendirent Bordeaux contre l'attaque des Sarrasins. Aujourd'hui, le château appartient à André Lurton ; il y produit un beau Graves rouge fruité et élégant, bien équilibré, avec une bonne finale épicée (Cabernet Sauvignon 60 %, Merlot 40 %), ainsi qu'un Graves blanc sec très net et honnête.

CHÂTEAU DE ROQUETAILLADE-LA-GRANGE

Mazères
33210 Langon

Cette propriété ancienne produit quelque 12 000 caisses d'un Graves rouge séduisant et bien coloré, au bouquet aromatique et à la délicieuse saveur de cassis. Il est issu des Cabernets Sauvignon et franc (25 % chacun), du Merlot (40 %), du Malbec (5 %) et du Petit Verdot (5 %). Sa bonne charpente tannique lui permet de vieillir avec grâce pendant quinze ans ou davantage. Le vin blanc (Sémillon 80 %, Sauvignon 20 %) est moins réussi.

Autre vin : Château de Roquetaillade-le-Bernet

CLOS SAINT-GEORGES

Illats
33720 Podensac

Ce domaine, qui produit une petite quantité de Graves rouge, est surtout célèbre pour son éclatant Graves supérieur moelleux. C'est un vin étonnamment riche et savoureux qui offre toute la complexité du botrytis.

Les grands châteaux de Sauternes et Barsac

CHÂTEAU D'ARCHE

Sauternes

2e Cru classé
Production : *4 500 caisses*

Cette ancienne propriété, qui date de 1530, s'est appelée Cru de Bran-Eyre jusqu'à son rachat par le comte d'Arche au XVIIe siècle. Le changement de propriétaire, en 1981, s'accompagnera peut-être d'un redressement de la qualité des vins, qui ont été un peu inconstants par le passé. On utilise maintenant jusqu'à 50 % de barriques neuves pour l'élevage.

BLANC. Vin harmonieux, plus proche des Barsac que des Sauternes. Il offre les saveurs riches, moelleuses et complexes du botrytis, mais moins d'onctuosité que la plupart des Sauternes.

Sémillon 80 %, Sauvignon 15 %, Muscadelle 5 %

1983, 1986

Entre 8 et 25 ans

Autre vin : Château d'Arche « Crème de Tête »

CHÂTEAU BROUSTET

Barsac

2e Cru classé
Production : *2 000 caisses*

Le vin est élevé en fût pendant 20 mois. Depuis le millésime 1986 la proportion de chêne neuf est passée de 10 à 40 %.

BLANC. Vin parfois plaisant, avec une saveur de fruits et de crème, un équilibre très élégant et une certaine complexité épicée due au botrytis.

Sémillon 63 %, Sauvignon 25 %, Muscadelle 12 %

1985, 1986

Entre 8 et 25 ans

Deuxième vin : Château Ségur

CHÂTEAU CAILLOU

Barsac

2e Cru classé
Production : *4 000 caisses*

Ce domaine tire son nom des cailloux qui remontent à la surface au moment des labours. Ceux-ci ont déjà permis d'enclore tout le vignoble de 15 ha, de construire quelques courts de tennis, et pourtant M. Bravo, le propriétaire, continue d'en ramasser. Ce n'est pas l'un des Deuxièmes Crus les plus connus, mais il produit régulièrement des vins de très haut niveau.

BLANC. Vin riche, mûr et épicé, dont les saveurs concentrées de botrytis s'accompagnent de fines nuances boisées. L'un des plus riches Barsac.

Sémillon 90 %, Sauvignon 10 %

1981, 1981 Cuvée privée, 1983, 1985, 1986

Entre 8 et 30 ans

Autres vins : « Cru du Clocher » (rouge), Château Caillou Sec (blanc sec), « Rosé Saint-Vincent » (rosé sec)

CHÂTEAU CLIMENS

Barsac

1er Cru classé
Production : *5 000 caisses*

Ce domaine appartient au même propriétaire que les Crus classés de Margaux, Brane-Cantenac et Durfort-Vivens. Son vin est considéré depuis longtemps comme l'un des plus grands des deux appellations. Il est élevé en fût pendant 24 mois, pour un tiers sous chêne neuf.

BLANC. C'est le plus gras des Barsac, et pourtant sa belle acidité et ses nuances d'agrumes caractéristiques lui donnent un équilibre étonnamment frais. Ce vin très fruité recèle des notes crémeuses de botrytis et de belles saveurs de cannelle et de vanille.

Sémillon 98 %, Sauvignon 2 %

1980, 1981, 1983, 1985, 1986

Entre 10 et 40 ans

CHÂTEAU CLOS HAUT-PEYRAGUEY

Bommes

1er Cru classé
Production : *3 000 caisses*

Ce domaine, qui faisait partie à l'origine du Château Lafaurie-Peyraguey, appartient à la famille Pauly depuis 1934. Le bouquet des vins fut souvent terni par l'excès d'anhydride sulfureux utilisé pour arrêter la fermentation. Ce défaut a disparu depuis le millésime 1985 lorsque les vins ont commencé à bénéficier de barriques neuves. Ils sont élevés désormais dans le bois pendant 18 mois, pour un quart sous chêne neuf.

BLANC. Vin maintenant très distingué, qui possède un beau bouquet éloquent et une riche saveur aux nuances complexes de botrytis et de chêne.

Sémillon 83 %, Sauvignon 15 %, Muscadelle 2 %

1985, 1986

Entre 8 et 25 ans

CHÂTEAU COUTET
Barsac

1er Cru classé
Production : *8 000 caisses*

Ce château, que l'on classe généralement juste après le château Climens, est à même de l'égaler dans certains millésimes. D'ailleurs la petite production de tête de cuvée, baptisée « Cuvée Madame » le surpasse souvent. Le vin fermente et mûrit en barriques, dont 30 à 50 % sont neuves. Le « Vin sec » est quelque peu décevant.

BLANC. Ce vin a un bouquet crémeux de vanille et d'épices, une richesse délicate à l'attaque qui se développe en bouche, une belle note de botrytis et un fruité boisé.

Sémillon 75 %, Sauvignon 23 %, Muscadelle 2 %

1980, 1981, 1983, 1985

Entre 8 et 25 ans (15 à 40 ans pour la « Cuvée Madame »)

Autre vin : « Vin sec du Château Coutet »

CHÂTEAU DOISY-DAËNE
Barsac

2e Cru classé
Production : *4 000 caisses*

Le propriétaire, Pierre Dubourdieu, vinifie son vin dans des cuves en acier inoxydable à basse température jusqu'à obtenir l'équilibre souhaité entre alcool et sucre, puis l'élève brièvement en barriques neuves. Le vin est comparable à celui d'un Premier Cru de Barsac.

BLANC. Ce vin associe élégance et fraîcheur florale avec un agréable parfum de miel délicieusement fruité, une délicate nuance de botrytis, des notes crémeuses de chêne et un équilibre parfait.

Sémillon 100 %

1980, 1982, 1983, 1985, 1986

Entre 8 et 20 ans

Deuxième vin : Château Cantegril
Autre vin : « Vin sec de Doisy-Daëne »

CHÂTEAU DOISY-DUBROCA
Barsac

2e Cru classé
Production : *600 caisses*

Le vin, qui est de qualité constante mais inférieure toutefois à celle du Doisy-Daëne, est élevé pendant 24 à 30 mois en barriques, dont un quart de neuves.

BLANC. Vin tendre, léger et parfumé, avec une pointe d'épices et de chêne, mais qui manque un peu d'onctuosité.

Sémillon 90 %, Sauvignon 10 %

1980, 1982, 1983

Entre 6 et 15 ans

CHÂTEAU DOISY-VÉDRINES
Barsac

2e Cru classé
Production : *2 200 caisses*

C'est le plus grand des trois Doisy et celui où se dresse le château du domaine d'origine. Il appartient à Pierre Castéja. Le vin est élevé en fût pendant 18 mois, pour un tiers sous chêne neuf.

BLANC. Ce vin, un peu terne jusqu'en 1983, a brusquement acquis beaucoup de caractère. Aujourd'hui, il est riche, mûr et boisé, avec une concentration complexe de botrytis.

Sémillon 80 %, Sauvignon 20 %

1983, 1985, 1986

Entre 8 et 25 ans

CHÂTEAU FILHOT
Sauternes

2e Cru classé
Production : *9 500 caisses*

Le superbe château fut construit entre 1780 et 1850. Le vignoble, malgré son immense potentiel, produit régulièrement des vins sans intérêt. Il faudrait sans doute accroître la proportion de Sémillon, augmenter le nombre de tries, mettre plus de raisin botrytisé dans le vin et élever en partie celui-ci en barriques neuves.

BLANC. Dans les cas les plus favorables, les vins sont bien faits, fruités et moelleux.

Sémillon 60 %, Sauvignon 37 %, Muscadelle 3 %

CHÂTEAU GUIRAUD
Sauternes

1er Cru classé
Production : *7 000 caisses*

En 1981, le milliardaire canadien Hamilton Narby acheta ce domaine en fort mauvais état. Le Sauvignon, qui représentait 65 % de l'encépagement, fut en partie arraché et remplacé par du Sémillon, puis la cuverie fut entièrement rééquipée et le château rénové. Seul Yquem occupe des terres aussi hautes que Guiraud, et les possibilités de ce vignoble sont immenses. Le vin est maintenant élevé en fût pendant 30 mois, pour au moins 50 % sous chêne neuf. Les premiers millésimes du vin blanc sec « G » étaient ternes, mais celui-ci s'est amélioré depuis. Le vin rouge, vendu comme Bordeaux supérieur sous l'étiquette « Le Dauphin », était meilleur en 1982, lorsqu'il contenait davantage de Merlot (55 %). Il est prévu de ramener la proportion de ce cépage à 30 % au profit du Cabernet Sauvignon, mais « Le Dauphin » ne nécessite pas tant de Cabernet Sauvignon.

BLANC. Après deux décennies désastreuses, ce château a produit un très grand Sauternes en 1983. Le Guiraud est maintenant rond et gras, il conjugue le fruité du Sémillon avec le caractère du botrytis. C'est un vin délicieusement moelleux, avec d'opulentes notes de chêne neuf, de la finesse et une grande complexité.

Sémillon 55 %, Sauvignon 45 %

1983, 1985, 1986

Entre 12 et 35 ans

Autres vins : Vin blanc sec « G », vin rouge « Le Dauphin », Château Guiraud

CHÂTEAU LAFAURIE-PEYRAGUEY
Bommes

1er Cru classé
Production : *3 500 caisses*

Comme toutes les propriétés de Cordier, Lafaurie-Peyraguey propose des vins remarquablement constants, élevés en fût pendant 18 à 20 mois, avec jusqu'à 50 % sous chêne neuf.

BLANC. L'alliance du botrytis et du chêne donne à ce vin élégant des nuances crémeuses d'ananas et de pêche. Il reste frais et conserve une couleur très claire en vieillissant.

Sémillon 98 %, Sauvignon 2 %

1980, 1981, 1982, 1983, 1985, 1986

Entre 8 et 30 ans

CHÂTEAU LAMOTHE
Sauternes

2e Cru classé
Production : *2 000 caisses*

En 1961, le vignoble de Lamothe fut divisé en deux. Cette partie, propriété de Jean Despujols, aura été la plus décevante au moins jusqu'au millésime 1985 (1986 non encore dégusté).

BLANC. Vin sain, moyennement moelleux, de peu de caractère.

Sémillon 70 %, Sauvignon 20 %, Muscadelle 10 %

CHÂTEAU LAMOTHE-GUIGNARD
Sauternes

2e Cru classé
Production : *2 000 caisses*

Ce domaine, né du partage du vignoble de Lamothe, appartient aux Guignard. Jusqu'en 1981, il fut connu sous le nom de Lamothe-Bergey. Le vin mûrit pendant 24 mois en fût, pour 20 % sous chêne neuf.

BLANC. Vins riches, épicés et concentrés, avec beaucoup de corps et un beau caractère botrytisé.

Sémillon 85 %, Sauvignon 5 %, Muscadelle 10 %

1983, 1985, 1986

Entre 7 et 20 ans

CHÂTEAU DE MALLE
Preignac

2e Cru classé
Production : *2 700 caisses*

À la production d'un vin blanc sec vendu sous l'étiquette « Chevalier de Malle » s'ajoute celle d'un Graves rouge provenant de vignobles contigus, baptisé Château du Cardaillan. Ces vins sont parfois d'un excellent rapport qualité/prix.

BLANC. Les plus réussis sont délicieux, riches, onctueux, fermes et bien concentrés, souvent plus marqués par le passerillage que par le botrytis.

Sémillon 75 %, Sauvignon 22 %, Muscadelle 3 %

1983, 1986

Entre 7 et 20 ans

CHÂTEAU NAIRAC
Barsac

2e Cru classé
Production : *2 000 caisses*

Tom Heeter utilise pour la fermentation et l'élevage de ses vins jusqu'à 100 % de barriques neuves en chêne de Nevers pour la vanille et du Limousin pour la charpente.

BLANC. Ces vins, riches et boisés, ne révèlent toute leur finesse qu'après un long vieillissement en bouteille ; alors, les tanins et la vanille s'harmonisent avec le fruit, laissant émerger la riche complexité du botrytis.

Sémillon 90 %, Sauvignon 6 %, Muscadelle 4 %

1980, 1981, 1982, 1983, 1985, 1986

Entre 8 et 25 ans

CHÂTEAU RABAUD-PROMIS
Bommes

1er Cru classé
Production : *3 750 caisses*

Les vins de ce domaine autrefois prestigieux étaient encore médiocres récemment. Le millésime 1983 amorça un changement aussi

radical qu'heureux, qui s'amplifia avec le 1985, auquel succéda un vin 1986 très spécial.

BLANC. Beau vin de couleur or, avec des nuances pleines, grasses et mûres de botrytis au nez et en bouche.

Sémillon 80 %, Sauvignon 18 %, Muscadelle 2 %

1983, 1985, 1986

Entre 8 et 25 ans

CHÂTEAU RAYNE-VIGNEAU

Bommes

1er Cru classé
Production : *16 500 caisses*

La qualité fut extrêmement médiocre jusqu'en 1985. Le vin, qui est maintenant élevé en fût pendant 24 mois pour 50 % sous chêne neuf, comporte en fait plus de Sémillon que ne l'indique l'encépagement, puisque 5 000 caisses d'un Sauvignon blanc sec, le « Rayne Sec », sont également produites.

BLANC. Vin aujourd'hui de grande qualité, avec un caractère botrytisé aux nuances de pêches mûres.

Sémillon 65 %, Sauvignon 35 %

1985, 1986

Entre 8 et 25 ans

Deuxième vin : « Clos l'Abeilley »
Autre vin : « Rayne Sec »

CHÂTEAU RIEUSSEC

Fargues

1er Cru classé
Production : *6 000 caisses*

Les domaines Rothschild ont acquis ce château en 1984 pour produire des vins encore meilleurs. Ceux-ci sont élevés en fût 18 à 30 mois, pour 50 % d'entre eux sous chêne neuf.

BLANC. Sauternes riches et opulents, avec un caractère botrytisé prononcé. Le 1982, bien concentré, est, avec le tendre Suduiraut, le meilleur Sauternes après Yquem dans ce millésime difficile.

Sémillon 80 %, Sauvignon 18 %, Muscadelle 2 %

1980, 1981, 1982, 1983, 1985, 1986

Entre 12 et 35 ans

Deuxième vin : Clos Labère
Autre vin : « R » de Château Rieussec

CHÂTEAU ROMER

Fargues

2e Cru classé
Production : *1 500 caisses*

Le domaine d'origine fut partagé en 1881 ; avec cinq hectares seulement, ce château en constitue la plus petite partie. Ses vins me sont inconnus.

Sémillon 50 %, Sauvignon 40 %, Muscadelle 10 %

CHÂTEAU ROMER-DU-HAYOT

Fargues

2e Cru classé
Production : *4 000 caisses*

M. André du Hayot possède ces 10 ha de vignes plantées sur une belle crête argilo-graveleuse qui faisait partie de l'ancien Château Romer. Les vins sont d'un bon rapport qualité/prix.

BLANC. Le 1980 et le 1983 sont frais, pas trop moelleux, crémeux, avec un léger caractère botrytisé et un élégant équilibre.

Sémillon 70 %, Sauvignon 25 %, Muscadelle 5 %

1980, 1983

Entre 5 et 12 ans

CHÂTEAU SIGALAS-RABAUD

Bommes

1er Cru classé
Production : *3 000 caisses*

C'est la plus grande partie du domaine Rabaud d'origine. Le vin, qui fermente et mûrit en cuve, est à la hauteur de son classement.

BLANC. Vin distingué à boire jeune, avec un élégant bouquet botrytisé et une délicieuse fraîcheur fruitée en bouche.

Sémillon 85 %, Sauvignon 15 %

1981, 1983

Entre 6 et 15 ans

CHÂTEAU SUAU

Barsac

2e Cru classé
Production : *1 500 caisses*

Roger Biarnès possède le vignoble de Suau mais non son château ; aussi élabore-t-il ses vins à Cérons, au Château Navarro. Ceux-ci ne jouissent pas d'une très grande réputation mais il faut leur accorder le bénéfice du doute si l'on en juge d'après le séduisant vin produit en 1980, un millésime pourtant modeste.

BLANC. Le 1980 est un vin séduisant, frais, au fruité parfumé, avec de délicates nuances d'agrumes, d'épices et de botrytis.

Sémillon 80 %, Sauvignon 10 %, Muscadelle 10 %

1980

Entre 6 et 12 ans

CHÂTEAU SUDUIRAUT

Preignac

1er Cru classé
Production : *8 500 caisses*

Ce magnifique château du XVIIe siècle et son parc pittoresque est bien à l'image de la beauté gracieuse de ses vins liquoreux. Le superbe vignoble de 100 ha qui jouxte celui d'Yquem est propice à la pourriture noble. Les vins fermentent et mûrissent en barrique pendant 24 mois, pour au moins un tiers logé sous chêne neuf.

BLANC. Vin classique intensément moelleux, tendre, succulent et sublime. Il est riche, mûr et onctueux, empreint d'une grande complexité due au botrytis et gagne à vieillir en bouteille.

Sémillon 80 %, Sauvignon 20 %

1980, 1982, 1983, 1985, 1986

Entre 8 et 35 ans

CHÂTEAU LA TOUR BLANCHE

Sauternes

1er Cru classé
Production : *6 000 caisses*

Parmi les millésimes récents, seul le 1985 est digne d'un Premier Cru de Sauternes, et beaucoup espèrent qu'il inaugurera une ère nouvelle.

BLANC. Le 1985 est riche, succulent et fortement botrytisé.

Sémillon 72 %, Sauvignon 25 %, Muscadelle 3 %

1985

Entre 8 et 20 ans

CHÂTEAU D'YQUEM

Sauternes

1er Cru supérieur
Production : *5 500 caisses*

Le plus célèbre de tous les châteaux viticoles a appartenu à la couronne anglaise de 1152 à 1453, avant de revenir à Charles VII. En 1593, Jacques de Sauvage acquit le droit d'exploiter cette propriété royale, puis, en 1711, ses descendants achetèrent le fief d'Yquem. Il échut ensuite à la famille Lur-Saluces en 1785, et les générations successives s'en occupèrent avec passion, perpétuant inlassablement la tradition des tries, alors même que les autres châteaux l'avaient depuis longtemps oubliée.

Le marché du Sauternes a décliné pendant de nombreuses années et n'aurait sans doute pas survécu sans la gloire mondiale d'Yquem. On dit que chaque cep ici ne donne qu'un verre de vin. Comme pour Pétrus, l'un des « secrets » d'Yquem réside dans les vendanges qui sont toujours confiées à des ouvriers expérimentés capables de distinguer les baies à cueillir de celles qu'il faut laisser. Le délai entre les tries peut varier de trois jours à plusieurs semaines pendant lesquelles il faut loger et nourrir 120 vendangeurs qui restent de longs moments inactifs ! En 1972, les vendanges nécessitèrent onze tries réparties sur 71 jours... et, finalement, le vin ne porta jamais l'étiquette Château d'Yquem. Cela ne signifie pas cependant que les soins et la sélection rigoureuse ne donnent pas de bons résultats certaines « petites années ». Dans les « bonnes années », grâce à la sélection stricte opérée dans le vignoble, la proportion de vin utilisée peut atteindre 80 à 90 %.

Les vins sont élevés jusqu'à 42 mois en barriques neuves, ce qui serait excessif pour tout autre vin qu'Yquem. Certains terroirs de Sauternes et de Barsac sont potentiellement de qualité comparable, mais si scrupuleux que soient leurs propriétaires, aucun ne fait les mêmes sacrifices qu'ici.

BLANC. Ce vin représente le sommet de la richesse, de la complexité et de la classe. Aucun vin liquoreux ne possède autant de corps et de concentration alliés à tant de finesse, de distinction et d'équilibre. On y décèle la pêche, l'ananas, l'amande, la noix de coco, le melon, le citron, la muscade et la cannelle avec, en outre, les saveurs crémeuses de pain grillé, de vanille et de caramel qu'offre le chêne neuf.

Sémillon 80 %, Sauvignon 20 %

1980, 1981, 1982, 1983, 1985, 1986

Entre 20 et 60 ans

Autre vin : « Y » de Château d'Yquem

Les meilleurs autres vins

CHÂTEAU BASTOR-LAMONTAGNE

Preignac

Production : *7 500 caisses*

Ce large domaine vaut un Deuxième Cru. Le vin est élevé jusqu'à 36 mois en fût, pour 10 à 15 % sous chêne neuf. Les millésimes plus légers comme 1980, 1982 et 1985

manquent de botrytis, mais sont réussis, bien moelleux, pleins de nuances d'agrumes. Les vins des grands millésimes comme 1983 sont amples, riches et distingués, avec une saveur concentrée de botrytis et beaucoup de classe.

CHÂTEAU BOUYOT

Barsac

Production : *3 500 caisses*

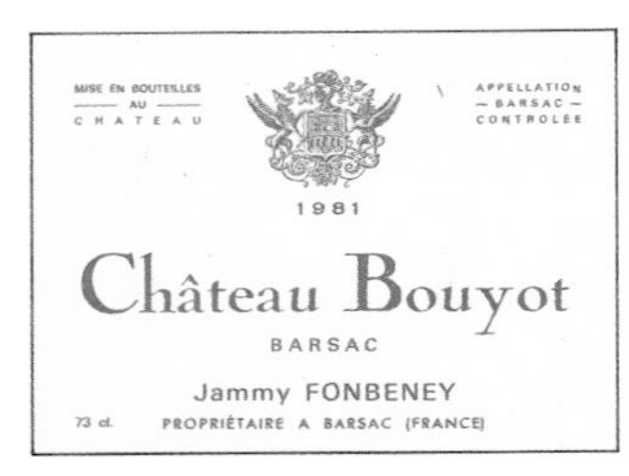

Jammy Fombeney, le jeune vinificateur de ce domaine, produit quelques vins étonnants qui ont l'élégance classique des Barsac, sont légers de corps mais non de goût et possèdent de riches saveurs fruitées d'ananas et de botrytis, des nuances d'épices et une belle longueur.

CHÂTEAU DE FARGUES

Fargues

Production : *1 000 caisses*

Les ruines du château sont les vestiges de l'ancienne demeure de la famille Lur-Saluces. La petite production de vin de très grande qualité est obtenue selon les mêmes méthodes draconiennes qu'à Yquem, avec une fermentation et une maturation en barriques neuves. C'est un vin puissant et onctueux, très riche, succulent et complexe, avec un caractère gras et une note de grillé (Sémillon 80 %, Sauvignon 20 %).

CHÂTEAU GILETTE

Preignac

Production : *400-900 caisses*

Christian Médeville conserve son précieux nectar en cuve pendant 20 ans avant de la mettre en bouteille et de le vendre. Le vin (Sémillon 83 %, Sauvignon 15 %, Muscadelle 2 %) est au niveau de celui d'un Premier Cru ; il a un bouquet puissant et une intense saveur botrytisée de réglisse, de pêche et de crème, suivie d'une longue arrière-bouche d'orge. Le superbe 1983 ne sera commercialisé qu'au siècle prochain, mais les magnifiques millésimes 1950, 1953 et 1955 sont d'une fraîcheur étonnante.

CHÂTEAU HAUT-BOMMES

Bommes

Production : *2 000 caisses*

Le propriétaire, Jacques Pauly, préfère vivre ici qu'à son Premier Cru, le Château Clos Haut-Peyraguey. Le vin est parfois excellent pour un cru non classé et les récentes améliorations réalisées au Clos Haut-Peyraguey s'étendront peut-être jusqu'ici.

CHÂTEAU LES JUSTICES

Preignac

Production : *3 000 caisses*

Ce domaine appartient à Christian Médeville du Château Gilette. Ici, le vin mûrit en cuve pendant quatre ans. Il est toujours d'excellente qualité, comparable à un Deuxième Cru, plus mûr et plus fruité que le Gilette.

CHÂTEAU LIOT

Barsac

Production : *6 500 caisses*

Ce vin élégant, d'un excellent rapport qualité/prix, possède un léger mais beau caractère botrytisé et les nuances crémeuses et vanillées du chêne neuf. Le propriétaire, Mme Nicole David, et son fils produisent également un Graves blanc sec, le Château Saint-Jean et un Graves rouge fruité, le Château Puisas.

CHÂTEAU DU MAYNE

Barsac

Production : *2 200 caisses*

La forte proportion de vieilles vignes donne à ces vins, plus gras que la moyenne des Barsac, concentration et poids. Le domaine appartient à la famille Sanders qui possède, dans les Graves, le superbe Château Haut-Bailly.

CHÂTEAU DE MÉNOTA

Barsac

Production : *4 000 caisses*

Cette propriété ancienne exporte ses vins vers l'Angleterre depuis le XVIe siècle. Elle produit de très bons Barsac malgré la très forte proportion de Sauvignon (Sémillon 40 %, Sauvignon 60 %).

CHÂTEAU PADOUËN

Barsac

Production : *2 000 caisses*

Récemment encore, les vins étaient faits par Peter Vinding-Diers, qui instaura un tri des raisins sur table dans la cuverie, afin de n'utiliser que des baies botrytisées pour le Barsac, le reste étant vinifié en Bordeaux blanc sec AOC. Le vin fermente à très basse température et mûrit dans le bois, avec une forte proportion de chêne neuf.

Autre vin : Château Padouën (blanc sec)

CHÂTEAU PERNAUD

Barsac

Production : *4 500 caisses*

Cette propriété faisait partie autrefois du domaine d'Yquem que détenait la famille Sauvage. Elle revint ensuite à la famille Lur-Saluces qui l'abandonna finalement après les ravages causés dans le Bordelais par l'oïdium à la fin du XVIIIe siècle. Aujourd'hui complètement replantée et rénovée, elle commence à acquérir une certaine réputation grâce à son Barsac assez riche et joliment équilibré (Sémillon 70 %, Sauvignon 25 %, Muscadelle 5 %).

CHÂTEAU RAYMOND-LAFON

Sauternes

Production : *1 000 caisses*

On comprend que les esprits s'égarent un peu à l'idée d'un vignoble aussi proche d'Yquem. Le vin de Raymond-Lafon, issu de 80 % de Sémillon et 20 % de Sauvignon, est surestimé et excessivement cher. Certes, les possibilités sont grandes, comme en témoignent le 1983, et même le 1984, mais trop de millésimes portent la marque du passerillage et non du botrytis et sont souvent ternis par un excès de soufre. Ils passent eux aussi 42 mois en barrique – une durée certainement excessive pour qui n'est pas issu des vignes d'Yquem. Ces Sauternes seraient sans doute meilleurs s'ils étaient plus riches en botrytis, s'ils contenaient moins d'anhydride sulfureux et restaient moins longtemps en fût. Alors, il serait possible d'utiliser non plus 25 % mais 40 à 50 % de barriques neuves en chêne – probablement pas 100 % toutefois comme le souhaite M. Meslier.

CHÂTEAU DE ROLLAND

Barsac

Production : *4 000 caisses*

Le château n'appartient pas aux propriétaires du vignoble, Jean et Pierre Guignard, qui possèdent également l'excellent Château de Roquetaillade-la-Grange à Mazères dans les Graves. Les vins sont frais, élégants, avec beaucoup de fruité (Sémillon 60 %, Sauvignon 20 %, Muscadelle 20 %).

CHÂTEAU ROUMIEU

Barsac

Production : *3 000 caisses*

Ce domaine, qui borde les Crus classés de Climens et Doisy-Védrines, produit, certaines années, des vins liquoreux bien plus riches que la moyenne (Sémillon 90 %, Sauvignon 10 %).

CHÂTEAU ROUMIEU-LACOSTE

Barsac

Production : *2 500 caisses*

Ce domaine, propriété de Dubourdieu, produit régulièrement un beau Barsac doté d'une bonne concentration en botrytis (Sémillon 80 %, Sauvignon 20 %).

CHÂTEAU SAINT-AMAND

Preignac

Production : *4 000 caisses*

Une partie de la production de ce château est vendue exclusivement par Sichel sous l'étiquette Château de la Chartreuse. C'est un vin élégant et distingué (Sémillon 67 %, Sauvignon 33 %), très séduisant quand il est jeune, dont certains millésimes sont d'une longévité exceptionnelle.

CHÂTEAU SIMON

Barsac

Production : *1 800 caisses*

La combinaison de méthodes modernes et traditionnelles donne ici un vin liquoreux délicat (Sémillon 70 %, Sauvignon 30 %). La plupart des Sauternes mûrissent dans des barriques en chêne de Nevers, du Limousin ou, parfois, de l'Allier.

Autre vin : Château Simon (blanc sec et rouge Bordeaux AOC)

Libournais

Le Libournais, situé sur la rive droite de la Dordogne, produit essentiellement des vins rouges dominés par le Merlot. À Saint-Émilion et à Pomerol, ils ont une robe profonde, sont soyeux ou veloutés et de qualité classique. Les appellations des environs proposent des vins plus modestes, mais d'un excellent rapport qualité/prix.

Pour englober tous les grands vins de cette région, il suffit de tracer une limite depuis le nord de Libourne jusqu'à la commune des Billaux, puis en direction du sud-est jusqu'à Saint-Christophe, vers le sud-ouest jusqu'à Saint-Laurent, et enfin de revenir à Libourne. Cette petite étendue regroupe tous les Pomerol et les meilleurs Saint-Émilion. Ici le Merlot règne sans partage ; il représente sept ceps sur dix, et son fruité succulent est indispensable au style régional.

Au milieu des années 50, de nombreux vins du Libournais étaient durs, et même les meilleures appellations n'étaient pas aussi réputées qu'aujourd'hui. Peu à peu, la plupart des viticulteurs furent convaincus qu'ils cultivaient trop de Cabernet Sauvignon et de Malbec pour leur terroir et envisagèrent de planter davantage de Cabernet franc. Quelques-uns militèrent pour l'introduction du Merlot, autorisé par la législation, afin d'offrir à leurs vins une souplesse accrue. Mais il aurait fallu beaucoup de temps et d'argent pour changer ainsi l'encépagement d'une région entière. C'est alors que les gelées de 1956 dévastèrent les vignobles. Les récoltes inéluctablement limitées des années suivantes firent grimper les prix, leur permettant paradoxalement de réaliser l'important programme de replantation qui paraissait trop onéreux avant la crise. De même que le phylloxéra avait eu des effets positifs, l'hiver de 1956 eut les siens : il est à l'origine de la culture du Merlot et du Cabernet franc qui a créé un style de vins totalement différent et fut en quelque sorte le catalyseur du spectaculaire succès d'après-guerre de Saint-Émilion et de Pomerol.

LES SATELLITES DE SAINT-ÉMILION ET POMEROL

Les vins de Lussac, Montagne, Puisseguin, Sables et Saint-Georges étaient autrefois vendus sous l'appellation Saint-Émilion, avant que ne leur fussent attribuées leurs propres appellations en 1936. L'objectif était alors de protéger l'image de marque des plus grands châteaux de Saint-Émilion, mais les appellations nouvellement créées, arguant des anciennes traditions, gagnèrent le droit d'accoler à leur nom celui, illustre, de Saint-Émilion. La petite région des Sables fut ensuite réclamée par l'appellation Saint-Émilion, tandis que Parsac et Saint-Georges furent intégrés à Montagne-Saint-Émilion. Il était logique de réduire le nombre de ces appellations qui proposaient des vins assez semblables, mais le décret élargissant l'appellation Montagne-Saint-Émilion ne supprimait pas Parsac-Saint-Émilion ni Saint-Georges-Saint-Émilion.

Tous les vins de Parsac utilisent l'appellation Montagne-Saint-Émilion, mais de nombreux domaines de Saint-Georges vendent encore leurs vins sous l'étiquette Saint-Georges-Saint-Émilion. Il conviendrait en fait de fusionner les cinq appellations en une seule, car toutes produisent des vins de nature fondamentalement semblable et sont soumises à des réglementations identiques.

Le Château Figeac, à droite *Thierry de Manoncourt, le propriétaire du château, se promène dans ses vignobles après les vendanges.*

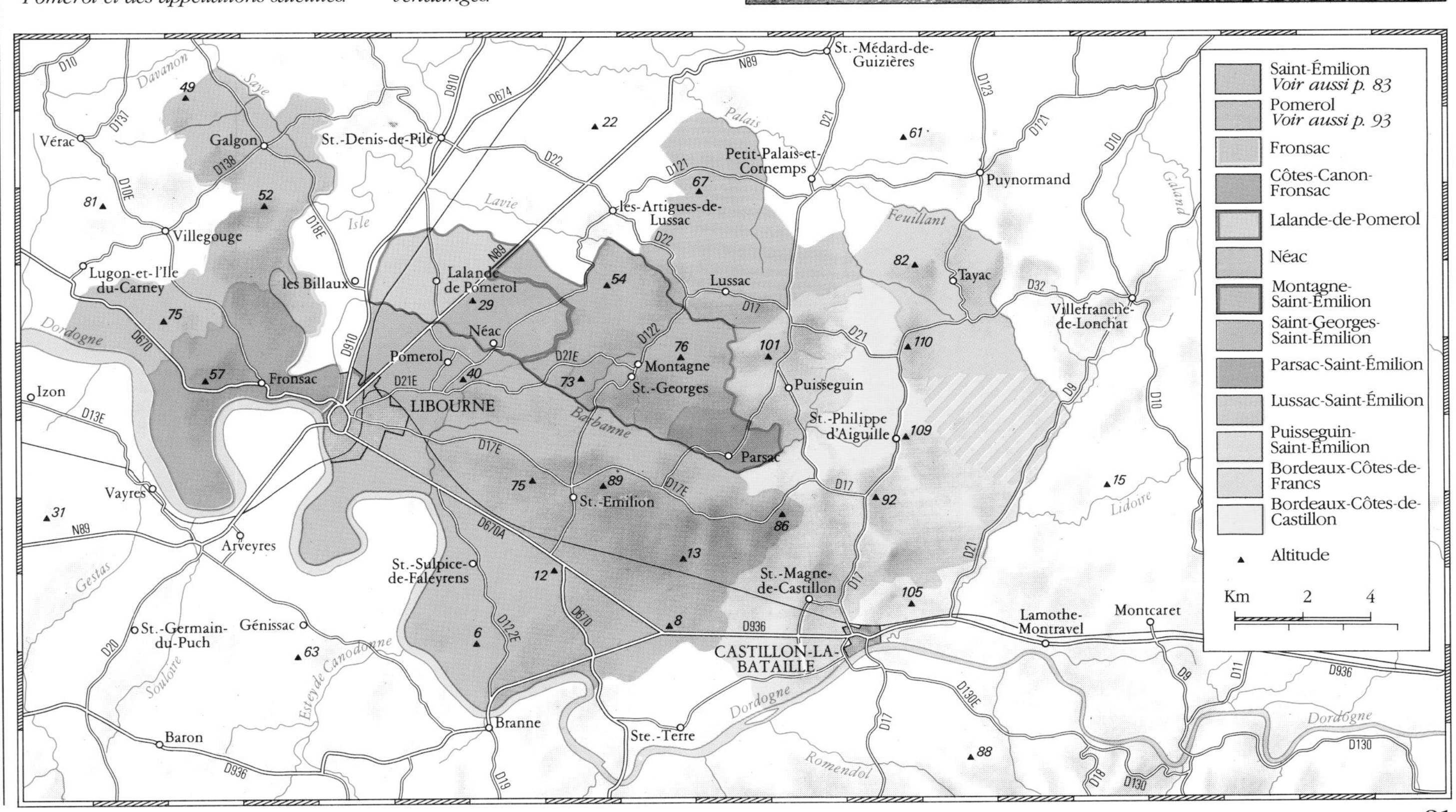

LIBOURNAIS

Cette grande région productrice de vins rouges regroupe Saint-Émilion, Pomerol et des appellations satellites.

Les vins du Libournais

BORDEAUX-CÔTES-DE-CASTILLON AOC

Cette région vallonnée est située entre Saint-Émilion et la Dordogne. Son vin est apprécié depuis longtemps pour sa qualité, sa constance et son prix raisonnable. La mention Bordeaux supérieur indique un titre alcoométrique plus élevé.

ROUGE. Vins fermes, corsés, joliment colorés, de belle robe, densément fruités et fins.

Cabernet Sauvignon, Cabernet franc, Carmenère, Merlot, Malbec, Petit Verdot

1982, 1983, 1985, 1986

Entre 5 et 15 ans

BORDEAUX-CÔTES-DE-FRANCS AOC

Les vignobles de cette région sont plantés dans une couche de calcaire argileux recouvrant du calcaire et de la crasse de fer. La mention Bordeaux supérieur n'indique qu'un titre alcoométrique plus élevé.

ROUGE. Vins robustes, rustiques et corsés, adoucis par une forte proportion de Merlot.

Cabernet Sauvignon, Cabernet franc, Merlot, Malbec

1982, 1983, 1985, 1986

Entre 5 et 10 ans

BLANC. Vins assez peu répandus, secs, demi-secs ou moelleux, au caractère franc et fruité.

Sémillon, Sauvignon blanc, Muscadelle

1982, 1983, 1985, 1986

Entre 5 et 10 ans

BORDEAUX-CÔTES-DE-FRANCS LIQUOREUX AOC

Cette appellation s'applique à des vins naturellement moelleux qui doivent être élaborés à partir de raisins surmûris contenant au moins 223 g de sucre par litre. Les vins doivent présenter un titre minimal de 11,5° et comporter 27 g par litre de sucre résiduel.

BLANC. Authentiques vins liquoreux, riches et rares, produits en très petites quantités.

Sémillon, Sauvignon blanc, Muscadelle

1982, 1983, 1985, 1986

Entre 5 et 15 ans

BORDEAUX SUPÉRIEUR CÔTES-DE-CASTILLON AOC

Voir Bordeaux-Côtes-de-Castillon AOC.

BORDEAUX SUPÉRIEUR CÔTES-DE-FRANCS AOC

Voir Bordeaux-Côtes-de-Francs AOC.

CANON-FRONSAC AOC

Voir Côtes-Canon-Fronsac AOC.

CÔTES-CANON-FRONSAC AOC

Cette région sera peut-être la prochaine que « découvriront » les amateurs de Bordeaux en quête de bonnes affaires. Les meilleurs Fronsac portent l'appellation Côtes-Canon-Fronsac ou Canon-Fronsac.

ROUGE. Vins corsés, de couleur profonde, riches et vigoureux, qui allient un fruité dense, de fines nuances d'épices, à une grande finesse et une bonne longueur en bouche.

Cabernet Sauvignon, Cabernet franc, Merlot, Malbec

1982, 1983, 1985, 1986

Entre 7 et 20 ans

FRONSAC AOC

Bien qu'elle couvre sept communes – La Rivière, Saint-Germain-la-Rivière, Saint-Aignan, Saillans, Saint-Michel-de-Fronsac, Galgon et Fronsac – cette appellation générique n'est pas très étendue.

ROUGE. Vins corsés et bien colorés dotés d'un beau fruité et d'un bouquet ample et chocolaté. Sans posséder toute la finesse épicée des Côtes-Canon-Fronsac, ils sont d'un excellent rapport qualité/prix.

Cabernet Sauvignon, Cabernet franc, Merlot, Malbec

1982, 1983, 1985, 1986

Entre 6 et 15 ans

LALANDE-DE-POMEROL AOC

Cette appellation offre des vins d'un bon rapport qualité/prix et couvre les communes de Lalande-de-Pomerol et Néac, coiffant ainsi Pomerol. Si bons soient-ils, les meilleurs vins ne sont que le pâle reflet des Pomerol classiques.

ROUGE. Vins de Merlot fermes et charnus, avec beaucoup de caractère mais sans la texture et la richesse des Pomerol.

Cabernet Sauvignon, Cabernet franc, Merlot, Malbec

1982, 1983, 1985, 1986

Entre 7 et 20 ans

LUSSAC-ST-ÉMILION AOC

L'appellation ne couvre qu'une seule commune située à 9 km au nord-est de Saint-Émilion.

ROUGE. Les vins produits sur le petit plateau de graves, à l'ouest de cette commune, sont les plus légers comme les plus fins. Ceux qui proviennent des sols argileux froids du nord sont robustes et sentent la terre, tandis que ceux qui sont issus des calcaires argileux du sud-est présentent le meilleur équilibre entre couleur, richesse et finesse.

Cabernet Sauvignon, Cabernet franc, Merlot, Malbec

1982, 1983, 1985, 1986

Entre 5 et 12 ans

MONTAGNE-ST-ÉMILION AOC

Cette appellation regroupe Parsac-Saint-Émilion et Saint-Georges-Saint-Émilion. Les vins de Saint-Georges et de Montagne sont les meilleurs

ROUGE. Vins amples, riches, aux saveurs intenses, qui mûrissent bien.

Cabernet Sauvignon, Cabernet franc, Merlot, Malbec

1982, 1983, 1985, 1986

Entre 5 et 15 ans

NÉAC AOC

Cette appellation n'a plus cours depuis que les viticulteurs ont le droit d'utiliser l'appellation Lalande-de-Pomerol. Elle devrait donc être supprimée.

PARSAC-ST-ÉMILION AOC

Cette ancienne appellation fait maintenant partie de Montagne-Saint-Émilion. Les vins peuvent encore être vendus sous l'appellation Parsac-Saint-Émilion.

POMEROL AOC

Les vins de Pomerol atteignent des prix supérieurs à ceux de toutes les autres appellations bordelaises. La proportion moyenne de Merlot dans un Pomerol typique est d'environ 80 %.

ROUGE. Les Pomerol sont souvent considérés comme les plus veloutés de tous les vins classiques, mais ils possèdent également la bonne charpente tannique indispensable à un mûrissement réussi. Les plus fins ont en outre une robe étonnamment profonde et offrent des nuances complexes d'épices et de chêne d'une grande finesse.

Merlot, Cabernet franc, Cabernet Sauvignon, Malbec

1982, 1983, 1985, 1986

Entre 5 et 15 ans (crus modestes) ; entre 10 et 30 ans (grands crus)

PUISSEGUIN-ST-ÉMILION AOC

Le sol de cette commune est fait d'argile calcaire sur un sous-sol pierreux, et les vins qui y naissent sont généralement plus rustiques que les Montagne-Saint-Émilion.

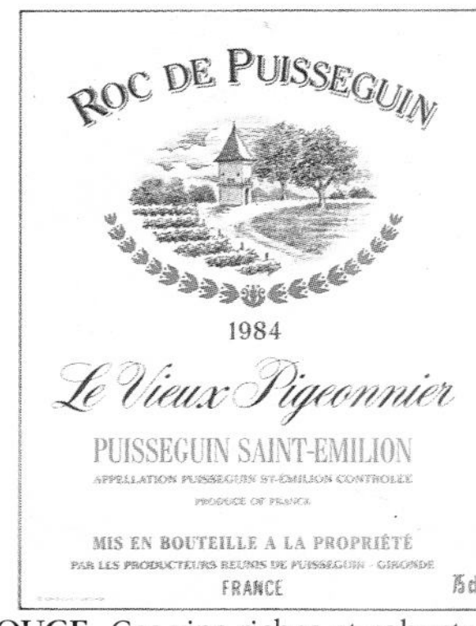

ROUGE. Ces vins riches et robustes ont une saveur profonde, un ample fruité et une couleur soutenue.

Cabernet Sauvignon, Cabernet franc, Merlot, Malbec

1982, 1983, 1985, 1986

Entre 5 et 10 ans

SAINT-ÉMILION AOC

Ces vins doivent titrer au moins 10,5°, mais lorsque la chaptalisation est autorisée, le titre alcoométrique maximal est fixé à 13°.

ROUGE. Même chez les Saint-Émilion les plus modestes, le fruité mûr, épicé et succulent du Merlot doit être équilibré par la fermeté et la finesse du Cabernet franc. Les grands châteaux réussissent cette alliance de façon superbe : les vins sont amples, riches et concentrés, avec des nuances de chocolat et de fruits confits.

Cabernet Sauvignon, Cabernet franc, Merlot, Malbec, Carmenère

1982, 1983, 1985, 1986

De 6 à 12 ans (crus modestes) ; De 12 à 35 ans (grands crus)

ST-GEORGES ST-ÉMILION AOC

Avec la commune de Montagne, Saint-Georges est la meilleure des environs de Saint-Émilion.

ROUGE. Vins de couleur profonde, au fruité épicé et succulent soutenu par une bonne charpente tannique.

Cabernet Sauvignon, Cabernet franc, Merlot, Malbec

1982, 1983, 1985, 1986

Entre 5 et 15 ans

Saint-Émilion

Les Romains furent les premiers à cultiver la vigne dans la région de Saint-Émilion, petite région qui exporte ses vins dans différentes parties du monde depuis plus de huit siècles. La première moitié du XXe siècle l'a vu sombrer dans l'obscurité, mais, depuis une trentaine d'années, Saint-Émilion renaît de ses cendres.

Nombreux sont encore les témoins de la longue histoire de cette région viticole : le célèbre Château Ausone, qui porte le nom du poète romain, comme le bourg de Saint-Émilion entouré de ses murs, qui est demeuré presque intact depuis le Moyen Âge. À l'opposé, l'Union de producteurs, la plus grande coopérative en France pour une appellation unique, illustre on ne peut mieux la technologie moderne. Aujourd'hui, quelque 1 000 crus situés à moins de 10 km de Saint-Émilion peuvent revendiquer cette appellation.

LE STYLE DU SAINT-ÉMILION

Pour ceux qui trouvent certains vins de Bordeaux rouges trop durs ou trop amers, le Saint-Émilion est l'un des meilleurs compromis, car son élégance et sa finesse lui confèrent une séduction particulière. La différence entre Saint-Émilion et les appellations environnantes est la même qu'entre la soie et le satin, tandis qu'entre le Saint-Émilion et le Pomerol on retrouve ce qui distingue la soie du velours : l'aspect chatoyant est similaire, mais non la texture – encore qu'il faille nuancer cette observation. Les sols de graves qui produisent deux des meilleurs Saint-Émilion, Cheval Blanc et Figeac, ont plus de points communs avec ceux de Pomerol qu'avec ceux du reste de l'appellation.

UNE IMPORTANTE PRODUCTION

Il est surprenant qu'une aire d'appellation aussi modeste que Saint-Émilion produise plus de vin que celles de Listrac, Moulis, Saint-Estèphe, Pauillac, Saint-Julien et Margaux réunies. En 1986, par exemple, ces six appellations ont récolté 291 000 hectolitres (3,2 millions de caisses), alors que Saint-Émilion en produisait 305 000 (3,4 millions de caisses).

Élaboration du marc à Figeac, ci-dessus
Les peaux et les rafles qui restent au fond du pressoir sont distillées pour donner du marc.

Le bourg médiéval de Saint-Émilion, à gauche
Les viticulteurs membres de la Jurade de Saint-Émilion se réunissent au sommet de la vieille tour.

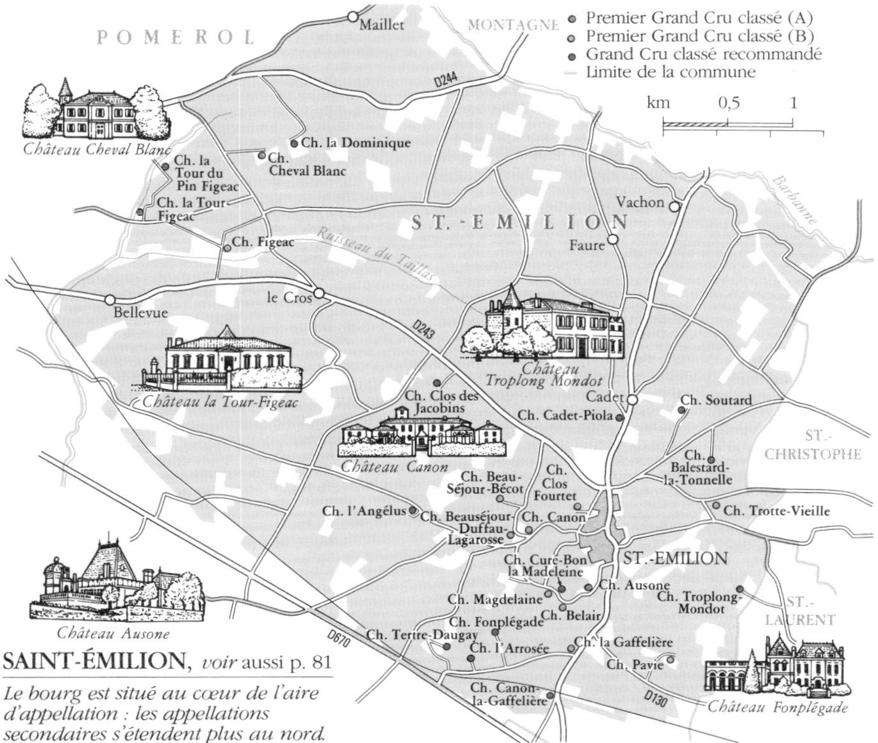

SAINT-ÉMILION, *voir* aussi p. 81
Le bourg est situé au cœur de l'aire d'appellation : les appellations secondaires s'étendent plus au nord.

Le Château Ausone, ci-dessus
Du sommet de sa colline, le château domine une vaste étendue de vignobles.

LE CLASSEMENT DES SAINT-ÉMILION

Un décret du 7 octobre 1954 instaura le premier classement des vins de Saint-Émilion lequel devait être révisé ensuite tous les dix ans au regard des résultats de chaque domaine. Après plusieurs vaines tentatives, ce premier classement fut établi en 1958 ; il comprenait trois catégories de base : Premier Grand Cru classé, Grand Cru classé et Grand Cru. Parmi les 12 châteaux classés Premiers Grands Crus, Ausone et Cheval Blanc furent placés dans une sous-catégorie supérieure. Les autres étaient simplement rangés par ordre alphabétique de même que les 64 Grands Crus classés. Le classement d'origine fut révisé en 1969, puis seulement en 1985. L'un des Premiers Grands Crus classés baissa d'un rang dans la hiérarchie et six Grands Crus classés furent déclassés. En revanche, un cru non classé produit par une coopérative rejoignit l'aristocratie des Grands Crus classés. Cette promotion était certainement justifiée, de même peut-être que quatre des déclassements qui, cependant, ne sauraient être tout à fait exempts d'arbitraire.

Classement des Saint-Émilion de 1958, 1969 et 1985 (avec l'indication des types de sols)

Premiers Grands Crus classés (A)

1 Château Ausone
(Sol : *côte et plateau de Saint-Émilion*)

2 Château Cheval Blanc
(Sol : *graves et sables anciens*)

Premiers Grands Crus classés (B)

3 Château Beau-Séjour-Bécot[1]
(Sol : *plateau de Saint-Émilion et côte*)

4 Château Beauséjour (Duffau Lagarosse)
(Sol : *côte*)

5 Château Canon
(Sol : *côte et plateau de Saint-Émilion*)

6 Château Belair
(Sol : *plateau et côte de Saint-ÉmilionCC)*

7 Clos Fourtet
(Sol : *plateau de Saint-Émilion et sables anciens*)

8 Château Figeac
(Sol : *graves et sables anciens*)

9 Château la Gaffelière
(Sol : *côte et pied de côte*)

10 Château Magdelaine
(Sol : *plateau de Saint-Émilion, côte et pied de côte*)

11 Château Pavie
(Sol : *côte et plateau de Saint-Émilion*)

12 Château Trottevieille
(Sol : *plateau de Saint-Émilion*)

Grands Crus classés

13 Château l'Angélus
(Sol : *pied de côte et sables anciens*)

14 Château l'Arrosée
(Sol : *côte*)

15 Château Baleau (aujourd'hui Château Côtes Baleau)[1 et 3]
(Sol : *côte et sables anciens*)

16 Château Balestard la Tonnelle
(Sol : *plateau de Saint-Émilion*)

17 Château Bellevue
(Sol : *côte et plateau de Saint-Émilion*)

18 Château Bergat
(Sol : *côte et plateau de Saint-Émilion*)

19 Château Berliquet[2]
(Sol : *côte et pied de côte*)

20 Château Cadet-Bon[1]
(Sol : *côte et plateau de Saint-Émilion*)

21 Château Cadet-Piola
(Sol : *côte et plateau de Saint-Émilion*)

22 Château Canon-la-Gaffelière
(Sol : *pied de côte et graves sableuses*)

23 Château Cap de Mourlin
(Sol : *côte et sables anciens*)

Château la Carte[4]
(Sol : *plateau de Saint-Émilion et sables anciens*)

Château Chapelle-Madeleine[5]
(Sol : *côte et plateau de Saint-Émilion*)

24 Château le Châtelet
(Sol : *côte et sables anciens*)

25 Château Chauvin
(Sol : *sables anciens*)

26 Château la Clotte
(Sol : *côte*)

27 Château la Clusière
(Sol : *côte*)

28 Château Corbin
(Sol : *sables anciens*)

29 Château Corbin Michotte
(Sol : *sables anciens*)

30 Château la Couspaude
(Sol : *plateau de Saint-Émilion*)

31 Château Coutet[1]
(Sol : *côte*)

Château le Couvent[6]
(Sol : *plateau de Saint-Émilion*)

32 Couvent des Jacobins[3]
(Sol : *sables anciens et pied de côte*)

33 Château Croque Michotte
(Sol : *sables anciens et graves*)

34 Château Curé Bon la Madeleine
(Sol : *plateau de Saint-Émilion et côte*)

35 Château Dassault[3]
(Sol : *sables anciens*)

36 Château la Dominique
(Sol : *sables anciens et graves*)

37 Château Faurie de Souchard
(Sol : *pied de côte*)

38 Château Fonplégade
(Sol : *côte*)

39 Château Fonroque
(Sol : *côte et sables anciens*)

40 Château Franc-Mayne
(Sol : *côte*)

41 Château Grand Barrail Lamarzelle Figeac
(Sol : *sables anciens*)

42 Château Grand-Corbin-Despagne
(Sol : *sables anciens*)

43 Château Grand Corbin
(Sol : *sables anciens*)

44 Château Grand Mayne
(Sol : *côte et sables anciens*)

45 Château Grandes Murailles[1]
(Sol : *côte et sables anciens*)

46 Grand Pontet
(Sol : *côte et sables anciens*)

47 Château Guadet-Saint-Julien
(Sol : *plateau de Saint-Émilion*)

48 Château Haut-Corbin
(Sol : *sables anciens*)

49 Château Haut-Sarpe[3]
(Sol : *plateaux et côtes de Saint-Émilion et de Saint-Christophe*)

50 Château Jean Faure[1]
(Sol : *sables anciens*)

51 Château Clos des Jacobins
(Sol : *côte et sables anciens*)

52 Château Laniote[3]
(Sol : *sables anciens et pied de côte*)

53 Château Larcis Ducasse
(Sol : *côte et pied de côte*)

54 Château Larmande
(Sol : *sables anciens*)

55 Château Laroze
(Sol : *sables anciens*)

56 Clos la Madeleine
(Sol : *plateau de Saint-Émilion et côte*)

57 Clos Saint-Martin
(Sol : *côte et sables anciens*)

58 Château la Marzelle (aujourd'hui Château Lamarzelle)
(Sol : *sables anciens et graves*)

59 Château Matras[3]
(Sol : *pied de côte*)

60 Château Mauvezin
(Sol : *plateau de Saint-Émilion et côte*)

61 Château Moulin du Cadet
(Sol : *côte et sables anciens*)

62 Château Pavie Decesse
(Sol : *plateau de Saint-Émilion et côte*)

63 Château Pavie Macquin
(Sol : *plateau de Saint-Émilion, côte et graves sableuses*)

64 Château Pavillon-Cadet
(Sol : *côte et sables anciens*)

65 Château Petit-Faurie-de-Soutard
(Sol : *sables anciens et côte*)

66 Château le Prieuré
(Sol : *plateau de Saint-Émilion et côte*)

67 Château Ripeau
(Sol : *sables anciens*)

68 Château Saint-Georges (Côtes Pavie)
(Sol : *côte et pied de côte*)

69 Château Sansonnet
(Sol : *plateau de Saint-Émilion*)

70 Château la Serre
(Sol : *plateau de Saint-Émilion*)

71 Château Soutard
(Sol : *plateau de Saint-Émilion et côte*)

72 Château Tertre Daugay[3]
(Sol : *plateau de Saint-Émilion et côte*)

73 Château la Tour Figeac
(Sol : *sables anciens et graves*)

74 Château la Tour du Pin Figeac (Giraud-Belivier)
(Sol : *sables anciens et graves*)

75 Château la Tour du Pin Figeac (Moueix)
(Sol : *sables anciens et graves*)

76 Château Trimoulet
(Sol : *sables anciens et graves*)

Château Trois-Moulins[4]
(Sol : *plateau de Saint-Émilion et côte*)

77 Château Troplong Mondot
(Sol : *plateau de Saint-Émilion*)

78 Château Villemaurine
(Sol : *plateau de Saint-Émilion*)

79 Château Yon-Figeac
(Sol : *sables anciens*)

80 Clos de l'Oratoire[3]
(Sol : *pied de côte*)

Voir ci-contre l'explication des types de sols

Notes

1 Un Premier Grand Cru classé et six Grands Crus classés furent déclassés lors de la révision de 1985.

2 Ce domaine ne figurait pas dans le classement de 1958 ni dans la révision de 1969 ; il ne fut promu au rang de Grand Cru classé qu'en 1985.

3 Ces domaines ne figuraient pas dans le classement de 1958 mais furent promus au rang de Grands Crus classés en 1969.

4 Ces deux domaines furent intégrés au Premier Grand Cru classé Château Beau-Séjour-Bécot en 1979. On peut encore trouver des bouteilles antérieures à cette date portant ces deux étiquettes qui, en outre, pourraient réapparaître à l'avenir, car l'extension de Beau-Séjour-Bécot est la raison première de son déclassement en 1985.

5 Ce domaine fut intégré au Premier Grand Cru classé Château Ausone en 1970. On trouve des vins sous cette étiquette jusqu'au millésime 1969.

6 Ce domaine a changé de main juste avant la dernière révision pour laquelle il n'a pas posé sa candidature ; il n'a donc pas été déclassé, mais passé sous silence.

LA QUESTION DE LA QUALITÉ

La diversité des sols de Saint-Émilion a suscité bon nombre de généralisations visant à mettre en relation le caractère des vins et les sols dont ils sont issus. À l'origine, les vins étaient répartis en deux catégories, les côtes et les graves. Les vins des côtes étaient censés être relativement corsés et évoluer rapidement tandis que les vins des graves, plus pleins, plus fermes et plus riches, étaient réputés mûrir plus lentement.

Cette simplicité était séduisante, mais ne tenait pas compte des nombreux vins produits sur la bande de sables profonds située entre Saint-Émilion et Pomerol, ni de ceux du plateau dont le sol est plus lourd que celui des côtes. Elle ne faisait pas davantage la distinction entre les côtes érodées et les sols plus profonds en contrebas. Mais surtout, elle ignorait que beaucoup de châteaux s'étendent sur plusieurs types de sol (*voir* la liste des Crus classés p. 84) et que le terroir se définit par d'autres facteurs, en particulier le site et le drainage, qui affectent aussi le caractère et la qualité du vin (*voir* « Les sols de Saint-Émilion », ci-dessous).

La carte ci-dessous montre l'emplacement des 80 Crus classés de Saint-Émilion qui figurent sur la liste, page 84, avec leur type de sol. Les Châteaux la Carte et Chapelle-Madeleine n'apparaissent pas cependant sur la carte (*voir* « Notes », p. 84).

FACTEURS AFFECTANT LE GOÛT ET LA QUALITÉ

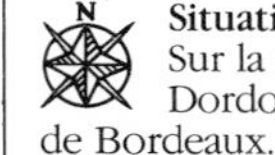

Situation
Sur la rive droite de la Dordogne, à 50 km à l'est de Bordeaux.

Climat
Moins d'influence maritime que dans le Médoc, avec une plus grande amplitude de la variation diurne des températures. Légèrement plus de pluie au printemps, et sensiblement moins en été et en hiver.

Site
Saint-Émilion même s'étend sur un plateau où la vigne est cultivée à une altitude de 25 à 100 m. Ces vignobles sont assez pentus, en particulier au sud du bourg. Le plateau se poursuit vers l'est par des collines arrondies. Au nord et à l'ouest du bourg, les vignobles sont plantés sur des terres plus plates.

Sol
Sol de nature extrêmement complexe. Les Châteaux Cheval Blanc et Figeac sont situés sur les graves de Pomerol-Figeac.

Viticulture et vinification
De nombreux châteaux estiment qu'un peu de vin de presse est indispensable ; en général, celui-ci provient du premier pressurage. La cuvaison dure de 15 à 21 jours, mais peut se prolonger jusqu'à quatre semaines. Beaucoup de vins passent au moins 12 mois en barrique, avec une moyenne de 15 à 22 mois.

Cépages principaux
Cabernet franc, Cabernet Sauvignon, Merlot

Cépages secondaires
Malbec, Carmenère

LES SOLS DE SAINT-ÉMILION

La carte montre que les différents types de sols se chevauchent et indique l'emplacement des Premiers Grands Crus classés et des Grands Crus classés et des châteaux listés page 84.

Carte des sols de Saint-Émilion
Chaque type de sol est décrit à droite et correspond à une couleur sur la carte. (voir *ci-dessous*)

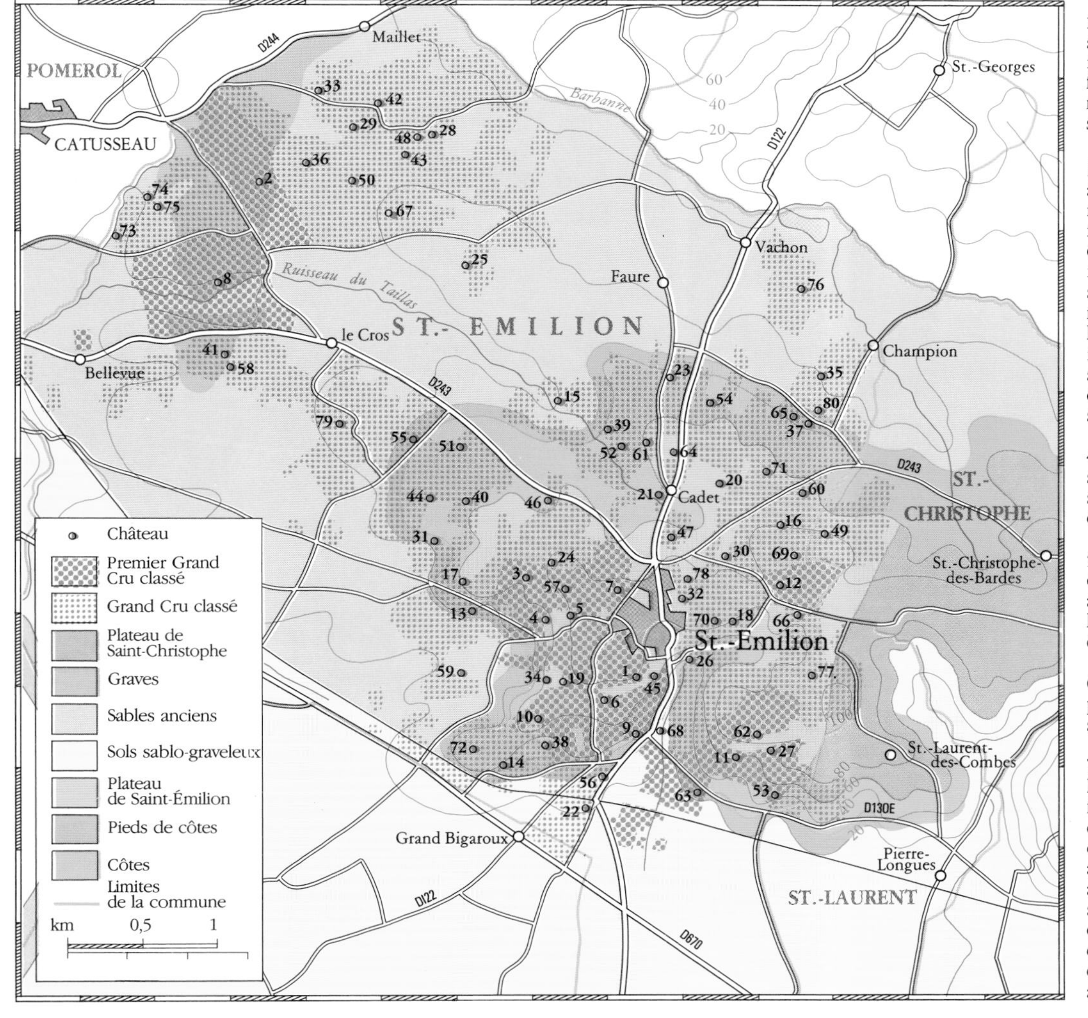

1 Plateau de Saint-Christophe : argile calcaire et argile sableux sur un sous-sol de calcaire et de *terra rossa* (sol argileux rouge).

2 Graves : graves profondes sur un sous-sol fait de sable à gros grains recouvrant une couche très profonde de roche dure et imperméable, appelée molasse. Les graves sont semblables à celles du Médoc.

3 Sables anciens : lit épais de sable à gros grains sur un sous-sol de molasse. Ces sables s'étendent au nord-est de Saint-Émilion, en direction de Pomerol. Bien que la région paraisse vallonnée et que le sable soit très perméable, la molasse est plate et imperméable ; l'eau y stagne, saturant les systèmes racinaires et augmentant l'acidité du sol. Certains châteaux ont installé des systèmes de drainage souterrains.

4 Graves sableuses : sols sableux et sablo-graveleux sur des graves sableuses, des graves ferrugineuses et de la crasse de fer.

5 Plateau de Saint-Émilion : argile calcaire peu profonde et sables argileux, débris de coquillages et limons sur un sous-sol calcaire érodé.

6 Pieds de côtes : terreau sableux profond, rouge-brun, sur un sous-sol de sable jaune.

7 Côtes : à partir de la mi-hauteur, les côtes ont un sol peu profond fait de calcaire, de terreau argileux et limoneux avec une forte teneur en chaux. Il devient assez sableux au milieu des côtes et la couche arable s'amincit vers le sommet. Le sous-sol se compose essentiellement d'une molasse désagrégée constituée de grès ou de calcaire, extrêmement absorbante.

Les grands châteaux de Saint-Émilion

CHÂTEAU L'ANGÉLUS

Grand Cru classé
Production : *12 000 caisses*

Le vignoble est situé sur les côtes exposées au sud. Le château produisait autrefois des vins dans l'ancien style « fermier », lequel a disparu avec le millésime 1980. Les deux tiers sont élevés pendant 14 à 16 mois en barrique neuve. Le vin est maintenant très prometteur.

ROUGE. Vin tendre, soyeux et séduisant. L'opulence du chêne neuf a une incidence positive sur la qualité, le caractère et l'aptitude au vieillissement du vin.

Cabernet Sauvignon 5 %, Cabernet franc 50 %, Merlot 45 %

1983, 1985

Entre 7 et 20 ans

Deuxième vin : « Jean du Nayne »

CHÂTEAU L'ARROSÉE

Grand Cru classé
Production : *5 000 caisses*

Le domaine s'étend sur les côtes qui dominent la coopérative. Grâce à une excellente sélection qui ne retient que les plus beaux vins, ce Grand Cru classé surpasse régulièrement nombre de ses pairs.

ROUGE. Ce vin d'un beau rubis, assez corsé, possède un bouquet voluptueux et des saveurs fruitées tendres et crémeuses équilibrées par les souples tanins du chêne.

Cabernet Sauvignon 35 %, Cabernet franc 15 %, Merlot 50 %

1981, 1982, 1983, 1985

Entre 5 et 15 ans

CHÂTEAU AUSONE

Premier Grand Cru classé (A)
Production : *2 500 caisses*

Depuis que le talentueux Pascal Delbeck a repris en main ce domaine, en 1975, la qualité des vins est stupéfiante et ne dément jamais le prestigieux classement du château. Le vignoble jouit d'un site exceptionnel exposé au sud-est et les vignes sont assez vieilles, de 40 à 45 ans. Elles sont capables d'offrir des vins très concentrés qui sont ensuite élevés en barriques neuves pendant 16 à 22 mois.

ROUGE. Ces vins riches, corsés et bien colorés, offrent des arômes opulents et des saveurs scintillantes. Leur constitution compacte et leur caractère raffiné s'accompagnent d'un ample fruité de cassis et de nuances crémeuses de chêne. La quintessence de la classe, de la complexité et de la finesse.

Cabernet franc 50 %, Merlot 50 %

1981, 1982, 1983, 1985, 1986

Entre 15 et 45 ans

CHÂTEAU BALESTARD LA TONNELLE

Grand cru classé
Production : *5 000 caisses*

L'étiquette de ce vin comporte des vers de François Villon où se trouve cité le nom du château. Un tiers du vin est élevé jusqu'à 24 mois en barriques neuves, un tiers en fût de deux ans et le reste dans des cuves en acier inoxydable. Les trois vins sont assemblés avant la mise en bouteille.

ROUGE. En dépit de son style traditionnel, ce vin a des arômes délicats et mûrs. Très corsé, riche en extraits, en tanins et en acidité, il demande du temps pour s'adoucir, mais, grâce à son fruité, il mûrit avec élégance.

Cabernet Sauvignon 10 %, Cabernet franc 20 %, Merlot 65 %, Malbec 5 %

1982, 1983, 1985

Entre 10 et 30 ans

CHÂTEAU BEAU-SÉJOUR-BÉCOT

Premier Grand Cru classé jusqu'en 1985
Production : *7 000 caisses*

Depuis 1979, ce domaine a pratiquement doublé de superficie en fusionnant avec deux vignobles de Grands Crus classés, Château la Carte et Château Trois Moulins. En 1985, lors de la révision du classement de 1958, ce fut le seul Premier Grand Cru classé qui rétrograda. Si l'on en juge d'après les résultats obtenus entre 1969 et 1985, cette décision paraît justifiée. Le 1982 et le 1983, les deux millésimes de qualité les plus récents que l'on pouvait déguster, montrent cependant que les investissements réalisés ici, suivant les conseils du célèbre Pr Peynaud, ont commencé à porter leurs fruits. En fait, le déclassement de Beau-Séjour-Bécot et de six autres châteaux semble au mieux un peu arbitraire. Dès lors que la révision ne porte que sur des résultats passés, d'autres châteaux méritaient également d'être déclassés.

À travers cette mesure, c'est d'abord l'extension de Beau-Séjour-Bécot qu'on entendait stigmatiser. Pourtant, en 1979, le Château Ausone fut autorisé à ajouter le Grand Cru classé Château Chapelle-Madeleine à son propre vignoble. Certes, il ne s'agissait que de 0,2 ha, mais le principe était le même et, en se fondant sur ce principe, il faudrait sanctionner presque tous les châteaux classés en 1855 !

Le vin fermente dans des cuves en acier inoxydable avant de mûrir pendant 18 mois en fût, pour 90 % sous chêne neuf.

ROUGE. Ces vins sont aujourd'hui amples, riches et bien typés. Le fruité soyeux du Merlot se développe rapidement, mais il est bien équilibré par les nuances crémeuses du chêne neuf.

Cabernet Sauvignon 15 %, Cabernet franc 15 %, Merlot 70 %

1982, 1983, 1986

Entre 7 et 25 ans

Deuxième vin : « La Tournelle des Moines »

CHÂTEAU BEAUSÉJOUR
(Propriétaire : Duffau Lagarosse)

Premier Grand Cru classé
Production : *3 000 caisses*

Les vins assez peu répandus de ce château n'avaient jamais brillé quand, dans les années 80, ils commencèrent à devenir plus sombres, plus pleins et plus racés.

ROUGE. Les meilleurs vins présentent une ample saveur, une couleur profonde et une certaine séduction.

Cabernet Sauvignon 25 %, Cabernet franc 25 %, Merlot 50 %

1981, 1983, 1985, 1986

Entre 7 et 15 ans

Deuxième vin : « La Croix de Mazerat »

CHÂTEAU BELAIR

Premier Grand Cru classé (B)
Production : *4 500 caisses*

Pascal Delbeck, le talentueux vinificateur du Château Ausone, vit à Belair où il fait le vin avec autant de soin et d'attention. Celui-ci mûrit en fût pendant 16 à 20 mois, une moitié en barriques neuves, le reste dans des barriques ayant déjà servi au Château Ausone. C'est l'un des meilleurs Premiers Grands Crus.

ROUGE. Avec une robe profonde et de riches saveurs de prune, de chocolat, de cerise noire et de cassis, ce vin a beaucoup de finesse, une allure séduisante et des nuances complexes d'épices et de cèdre.

Cabernet franc 40 %, Merlot 60 %

1982, 1983, 1986

Entre 10 et 35 ans

Deuxième vin : Château Roc Blanquet

CHÂTEAU BELLEVUE

Grand Cru classé
Production : *3 000 caisses*

Ce petit domaine s'appelait à l'origine « Fief-de-Bellevue » et appartint à la famille Lacaze de 1642 à 1938. Il est situé sur les côtes et produit un vin qu'on ne voit guère hors de France.

ROUGE. Seul le 1982 a été dégusté. Il est rond, séduisant, fruité et élégamment bouqueté, sans être meilleur toutefois que beaucoup de Saint-Émilion non classés.

Cabernet Sauvignon 16,5 %, Cabernet franc 16,5 %, Merlot 67 %

1982

Entre 5 et 10 ans

CHÂTEAU BERGAT

Grand Cru classé
Production : *2 000 caisses*

Ce petit domaine est dirigé par Philippe Castéja du Château Trottevielle. Je n'ai jamais goûté ce vin difficile à trouver.

Cabernet Sauvignon 10 %, Cabernet franc 40 %, Merlot 50 %

CHATEAU BERLIQUET

Grand Cru classé
Production : *4 000 caisses*

C'est le seul domaine promu au rang de Grand Cru classé lors de la révision de 1985, et si son ascension actuelle se poursuit, il sera difficile de refuser à Berliquet le statut de Premier Grand Cru classé lors d'une prochaine révision. Le vin, fait sous la supervision de la coopérative locale, fermente dans des cuves en acier inoxydable, puis mûrit dans le bois pendant 18 mois, pour un tiers sous chêne neuf.

ROUGE. Vins profonds, sombres et denses, dotés d'un fruité épicé de cassis et de bonnes nuances vanillées de chêne.

Cabernet Sauvignon et Cabernet franc 30 %, Merlot 70 %

1981, 1982, 1983, 1985, 1986

Entre 10 et 30 ans

CHÂTEAU CADET-BON

Grand Cru classé jusqu'en 1985
Production : *2 000 caisses*

Déclassé lors de la révision de 1985, ce château n'a rien produit d'exceptionnel depuis 1966.

Cabernet franc 40 %, Merlot 60 %

CHÂTEAU CADET-PIOLA

Grand Cru classé
Production : ***3 000 caisses***

À l'exception de deux millésimes très légers, en 1980 et 1981, ce domaine offre des vins de qualité constante au style exquis. Quelque 50 % du vin mûrissent en barriques neuves.

ROUGE. Vins corsés à la saveur intense, avec de puissantes nuances de chêne neuf et une grande charpente tannique.

Cabernet Sauvignon 28 %, Cabernet franc 18 %, Merlot 51 %, Malbec 3 %

1981, 1983, 1985, 1986

Entre 12 et 25 ans

CHÂTEAU CANON

***Premier grand cru classé* (B)**
Production : ***7 500 caisses***

Il y a de nombreuses années ce château produisait un deuxième vin « Saint-Martin-de-Mazerat », qui portait le nom d'une commune intégrée aujourd'hui à St-Émilion. Le vin fermente dans des cuves en chêne puis mûrit en fût pendant 20 mois, pour 50 % sous bois neuf. C'est l'un des meilleurs Premiers Grands Crus classés.

ROUGE. À sa robe pourpre profonde, à son opulent bouquet de cassis, ce vin très riche et voluptueux en bouche ajoute un ample et succulent fruit de Merlot et des notes épicées complexes.

Cabernet Sauvignon 3 %, Cabernet franc 40 %, Merlot 55 %, Malbec 2 %

1980, 1981, 1982, 1983, 1985, 1986

Entre 8 et 30 ans

CHÂTEAU CANON-LA-GAFFELIÈRE

Grand Cru classé
Production : ***10 000 caisses***

C'est l'une des plus anciennes propriétés de Saint-Émilion. Son vin fermente dans des cuves en acier inoxydable à 28-32 °C, puis est élevé pendant 18 mois en fût.

ROUGE. Certaines années, lorsque ce château excelle et utilise 50 % de bois neuf, le vin peut être vraiment rond et fruité, avec des nuances crémeuses de chêne.

Cabernet Sauvignon 5 %, Cabernet franc 30 %, Merlot 65 %

1981, 1985, 1986

Entre 8 et 20 ans

Autre vin : Château la Mondotte

CHÂTEAU CAP DE MOURLIN

Grand Cru classé
Production : ***6 000 caisses***

Jusqu'en 1982, il existait deux versions de ce vin, qui portaient les noms de Jacques et de Jean Capdemourlin. Le domaine est dirigé par Jacques. Le vin est élevé jusqu'à 24 mois en fût, pour un tiers sous chêne neuf.

ROUGE. Vins ronds, séduisants et bien faits, avec une exquise fraîcheur fruitée et une finale souple.

Cabernet Sauvignon 12 %, Cabernet franc 25 %, Merlot 60 %, Malbec 3 %

1981 (Jacques), 1982 (Jacques), 1983, 1985

Entre 6 et 15 ans

Deuxième vin : Château Mayne d'Artagnon

CHÂTEAU LA CARTE

Grand Cru classé

Depuis 1980, les vignobles de ce château font partie du Premier Grand Cru classé Château Beau-Séjour-Bécot.

CHÂTEAU CHAPELLE-MADELEINE

Grand Cru classé

Depuis 1971, les vignobles de ce château font partie du Premier Grand Cru classé Château Ausone.

CHÂTEAU LE CHÂTELET

Grand Cru classé
Production : ***3 000 caisses***

Ce domaine, qui occupe pourtant un site privilégié, est souvent décevant.

ROUGE. Ce vin, généralement moyennement corsé est dépourvu des qualités d'un vrai Grand Cru classé. Le 1985 était cependant très beau et fruité.

Cabernet Sauvignon 33 %, Cabernet franc 33 %, Merlot 34 %

1985

Entre 4 et 10 ans

CHÂTEAU CHAUVIN

Grand cru classé
Production : ***6 500 caisses***

Le vin est élevé en fût pendant 18 mois, pour un tiers de chêne neuf.

ROUGE. Les millésimes 1982 et 1983 ont une superbe robe, un bouquet aromatique, du corps et de belles saveurs fruitées.

Cabernet Sauvignon 10 %, Cabernet franc 30 %, Merlot 60 %

1982, 1983

Entre 4 et 10 ans

CHÂTEAU CHEVAL BLANC

***Premier Grand Cru classé* (A)**
Production : ***12 500 caisses***

La singularité de ce vignoble provient de la forte proportion de Cabernet franc, héritée de la pratique d'avant les gelées de 1956. Si la majorité des domaines du Libournais ont eu raison de privilégier le Merlot, les 60 % de Cabernet franc de Cheval Blanc sont incontestablement un avantage. Le vin est élevé pendant 20 mois en barriques neuves.

ROUGE. Ce vin recèle toute la richesse moelleuse et épicée digne d'un Saint-Émilion classique des graves.

Cabernet Sauvignon 1 %, Cabernet franc 60 %, Merlot 34 %, Malbec 5 %

1980, 1981, 1982, 1983, 1985, 1986

Entre 12 et 40 ans

CLOS FOURTET

***Premier Grand Cru classé* (B)**
Production : ***7 500 caisses***

Les vins les plus réussis ne sauraient rivaliser avec ceux des meilleurs Premiers Grands Crus classés. Les vins sont élevés en fût pendant 12 à 18 mois, pour 70 % sous chêne neuf.

ROUGE. Les meilleurs vins sont opulents, ronds et livrent le fruité soyeux du Merlot.

Cabernet Sauvignon 20 %, Cabernet franc 20 %, Merlot 60 %

1982, 1985, 1986

Entre 6 et 12 ans

CHÂTEAU CLOS DES JACOBINS

Grand Cru classé
Production : ***4 500 caisses***

Ce château est impeccablement entretenu. Les vins « des petites années » sont très impressionnants.

ROUGE. Vin riche et gras, plein de saveurs de chocolat et de cerises noires.

Cabernet Sauvignon 5 %, Cabernet franc 10 %, Merlot 85 %

1980, 1981, 1982, 1983, 1985, 1986

Entre 8 et 25 ans

CLOS LA MADELEINE

Grand Cru classé
Production : ***1 000 caisses***

Le petit vignoble de 2 ha est très bien situé, mais n'a pas tenu, jusqu'à présent, ses promesses.

ROUGE. Vin honnête et bien fait, séduisant, souple et fruité.

Cabernet franc 50 %, Merlot 50 %

1980, 1981

Entre 5 et 10 ans

Autre vin : Château Magnan la Gaffelière

CLOS SAINT-MARTIN

Grand Cru classé
Production : ***1 600 caisses***

Les vins de Clos Saint-Martin, comme ceux du Château Grandes Murailles, sont élaborés et élevés au Château Côte Baleau. De ces trois domaines, seul Clos Saint-Martin a conservé le rang de Grand Cru classé après la révision de 1985.

ROUGE. Les millésimes 1981 et 1982 sont de robe vive et montrent le fruité mûr du Merlot, une texture soyeuse et un style élégant.

Cabernet Sauvignon 10 %, Cabernet franc 20 %, Merlot 70 %

1981, 1982

Entre 6 et 15 ans

CLOS DE L'ORATOIRE

Grand Cru classé
Production : ***4 000 caisses***

Ce domaine appartient à Michel Boutet qui possède également le Château Peyreau, un Saint-Émilion non classé dont les vignobles du Clos de l'Oratoire faisaient partie jusqu'en 1860. Le vin est élevé en fût pendant 18 mois, pour un quart sous chêne neuf.

ROUGE. Vins fins à l'ample saveur. Ceux des années les plus chaudes montrent plus de concentration que de style.

Cabernet franc 25 %, Merlot 75 %

1980, 1983

Entre 7 et 15 ans

CHÂTEAU LA CLOTTE

Grand Cru classé
Production : *1 500 caisses*

Même propriétaire que le restaurant le Logis de la Cadène à Saint-Émilion, où une bonne partie du vin est vendue.

ROUGE. Vins moins constants que ceux de certains Grands Crus classés. Les plus réussis sont séduisants et élégants, avec un fruité abondant, tendre et soyeux.

Cabernet franc 30 %, Merlot 70 %

1982, 1983, 1985

Entre 5 et 12 ans

CHÂTEAU LA CLUSIÈRE

Grand Cru classé
Production : *900 caisses*

Petite enclave dans le Château Pavie. Le vin fermente dans des cuves en acier inoxydable puis mûrit jusqu'à 24 mois en barriques de deux ans qui proviennent du Château Pavie.

ROUGE. Ce vin présente une certaine élégance mais manque de finesse et est un peu léger à mon goût. Toutefois, les amateurs de ce style le trouvent souvent solide et typé.

Cabernet Sauvignon 10 %, Cabernet franc 20 %, Merlot 70 %

1981, 1982, 1983

Entre 5 et 10 ans

CHÂTEAU CORBIN

Grand Cru classé
Production : *6 500 caisses*

Même propriétaire que le Château Grand Corbin. Le domaine d'origine est aujourd'hui divisé en cinq propriétés séparées qui bordent l'appellation Pomerol. Le vin fermente dans des cuves en acier inoxydable et un tiers de la production est élevé en barriques neuves.

ROUGE. Vins de couleur profonde, corsés et délicieusement riches, mais assez rustiques pour un Cru classé.

Cabernet Sauvignon et Cabernet franc 33 %, Merlot 67 %

1982, 1983

Entre 6 et 12 ans

Autres vins : Château Latour Corbin, Château Corbin-Vieille-Tour

CHÂTEAU CORBIN MICHOTTE

Grand Cru classé
Production : *3 000 caisses*

Ce domaine est l'un des cinq Corbin et des deux Michotte ! Le vin est vinifié dans des cuves en acier inoxydable et élevé pour une part en fût, pour un tiers sous chêne neuf.

ROUGE. Vin sombre à la saveur profonde, avec beaucoup de corps, un fruité de Merlot riche et succulent et une certaine finesse.

Cabernet Sauvignon 5 %, Cabernet franc 30 %, Merlot 65 %

1982, 1983

Entre 6 et 15 ans

CHÂTEAU CÔTE BALEAU

Grand Cru classé jusqu'en 1985
Production : *4 500 caisses*

Ce domaine fut injustement déchu de son statut de Grand Cru classé en 1985. Il appartient au même propriétaire que le Clos Saint-Martin et le Château Grandes Murailles qui, lui aussi, fut déclassé à tort. Le vin est élevé dans le bois ; un quart des barriques sont renouvelées tous les quatre ans.

ROUGE. Vins amples, riches, bien équilibrés, agréablement fruités et gras, qui renferment une belle nuance sous-jacente de vanille.

Cabernet Sauvignon 20 %, Cabernet franc 10 %, Merlot 70 %

1980, 1981, 1983, 1984, 1985, 1986

Entre 4 et 12 ans

Deuxième vin : Château des Roches Blanches

CHÂTEAU LA COUSPAUDE

Grand Cru classé jusqu'en 1985
Production : *3 500 caisses*

Ce château, qui appartient au même propriétaire que le Domaine Roudier de Montagne-Saint-Émilion et le Domaine de Musset de Lalande-de-Pomerol, fut déchu de son statut de Grand Cru classé en 1985. Le vin est élevé en barriques ; certaines d'entre elles sont neuves.

ROUGE. Vins légers, maigres et ternes, qui manquent de fruité et de caractère et dont l'équilibre laisse à désirer. Le 1982 était honnête, avec une note vanillée de chêne, mais restait léger.

Cabernet Sauvignon et Cabernet franc 50 %, Merlot 50 %

1982

Entre 3 et 7 ans

Deuxième vin : Château Hubert

CHÂTEAU COUTET

Grand Cru classé jusqu'en 1985
Production : *4 500 caisses*

Ce domaine fut déchu de son statut de Grand Cru classé en 1985. Il est réputé produire de plus beaux vins que la Couspaude, mais manque tout autant de constance.

ROUGE. Le 1983 est léger mais élégant, avec une bonne charpente tannique.

Cabernet Sauvignon 5 %, Cabernet franc 45 %, Merlot 45 %, Malbec 5 %

1983

Entre 4 et 8 ans

CHÂTEAU LE COUVENT

Grand Cru classé jusqu'en 1985
Production : *500 caisses*

Ce domaine, acheté par Marne & Champagne en 1982, n'a pas posé sa candidature lors de la révision de 1985. Le vin est élevé pendant 24 mois en barriques neuves.

ROUGE. Les millésimes 1982 et 1983, parmi d'autres sans doute, sont très réussis : bien colorés, relativement corsés, richement fruités, avec quelques notes crémeuses et épicées de chêne.

Cabernet Sauvignon 20 %, Cabernet franc 25 %, Merlot 55 %

1982, 1983, 1985

Entre 6 et 15 ans

COUVENT DES JACOBINS

Grand Cru classé
Production : *3 500 caisses*

Le vin issu des vignes jeunes de ce domaine n'est pas assemblé avec le grand vin, mais sert à produire un second vin baptisé Château Beau Mayne. Un tiers de la production est élevé en barriques neuves.

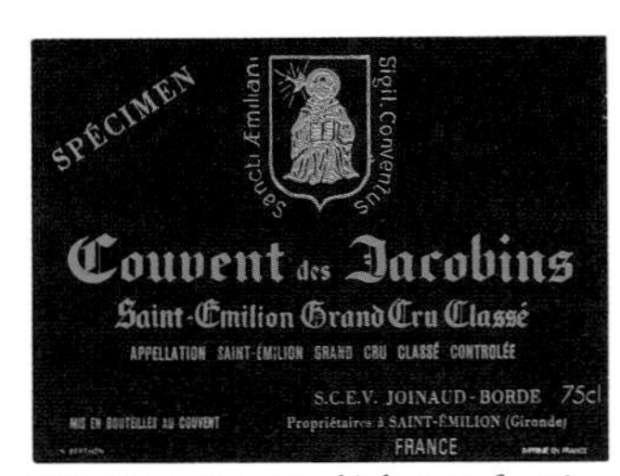

ROUGE. Avec son décliceux fruité, soyeux et séduisant, ce vin toujours réussi est très distingué.

Cabernet Sauvignon et Cabernet franc 33 %, Merlot 66 %, Malbec 1 %

1982, 1983, 1985, 1986

Entre 5 et 15 ans

Deuxième vin : Château Beau Mayne

CHÂTEAU CROQUE MICHOTTE

Grand Cru classé
Production : *7 500 caisses*

Ce domaine mérite son statut de Grand Cru classé. Après fermentation dans des cuves en acier inoxydable, le vin mûrit en fût pendant 18 à 24 mois, pour un tiers sous chêne neuf. Les millésimes les plus récents sont certainement à l'image de leurs aînés.

ROUGE. Vin plaisant et élégant marqué par le fruité tendre, succulent et soyeux du Merlot.

Cabernet Sauvignon et Cabernet franc 20 %, Merlot 80 %

1980, 1981, 1982

Entre 5 et 12 ans

CHÂTEAU CURÉ BON LA MADELEINE

Grand Cru classé
Production : *2 500 caisses*

Ce domaine, entouré de Premiers Grands Crus classés comme Ausone, Belair et Canon, obtient d'excellents résultats qui pourraient être meilleurs encore grâce à une sélection plus rigoureuse et à l'utilisation accrue de barriques neuves pour l'élevage du vin, lequel dure actuellement de 18 à 24 mois.

ROUGE. Vin élégant et bien typé, avec un beau fruité, une constitution souple et une certaine finesse.

Merlot 90 %, Cabernet franc 5 %, Malbec 5 %

1980, 1981, 1982, 1983, 1985

Entre 7 et 20 ans

CHÂTEAU DASSAULT

Grand Cru classé
Production : *8 500 caisses*

Ce domaine fut promu, à juste titre, au rang de Grand Cru classé en 1969. Son vin fermente dans des cuves en acier inoxydable avant de mûrir 12 mois durant en barriques, pour un tiers sous chêne neuf. Pendant l'élevage, on procède parfois à six soutirages. Avec sa discrète étiquette, la présentation de Dassault est parfaite.

ROUGE. Vins d'une suprême élégance, avec un équilibre parfait entre le fruit et le chêne, une belle acidité et des tanins souples.

Cabernet Sauvignon 15 %, Cabernet franc 20 %, Merlot 65 %

1980, 1981, 1982, 1983, 1985, 1986

Entre 8 et 25 ans

Deuxième vin : Château Merissac

CHÂTEAU LA DOMINIQUE

Grand Cru classé
Production : *6 000 caisses*

Ce château, situé près de Cheval Blanc, sur les graves à l'extrémité ouest de Saint-Émilion, est l'un des meilleurs Grands Crus classés. Le vin fermente dans des cuves en acier inoxydable équipées de grilles pour maintenir le marc submergé pendant la cuvaison, puis passe 24 mois en fût, pour 50 % sous chêne neuf.

ROUGE. Vins très ouverts et expressifs, ronds et séduisants, pleins d'un fruité crémeux et mûr, avec d'élégantes notes de chêne.

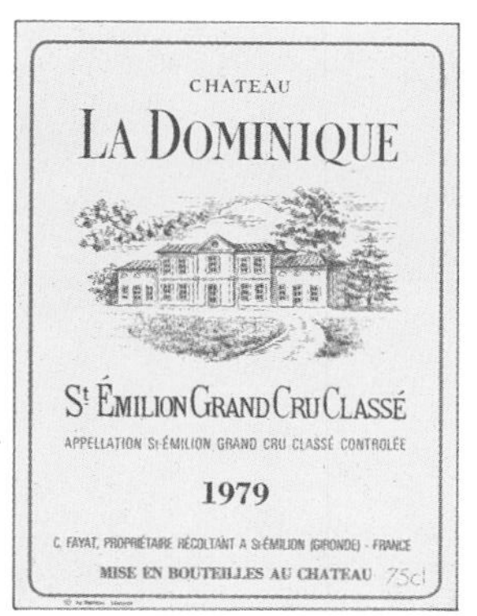

Cabernet Sauvignon 15 %, Cabernet franc 15 %, Merlot 60 %, Malbec 10 %

1981, 1983, 1985

Entre 8 et 25 ans

CHÂTEAU FAURIE DE SOUCHARD

Grand Cru classé
Production : ***4 000 caisses***

On ne saurait dire de ce château, contrairement à quelques autres, qu'il s'est efforcé de produire de bons millésimes « de dernière minute » à l'approche de la révision de 1985. Il est à souhaiter toutefois que le modeste mais séduisant 1986 annoncera un renouveau.

ROUGE. La plupart des millésimes ont une robe légère, sont moyennement corsés, maigres ou acides, mais le 1986, agréable à boire, n'est pas sans charme.

Cabernet Sauvignon 9 %, Cabernet franc 26 %, Merlot 65 %

1986

Entre 4 et 7 ans

Autre vin : Château Cadet-Peychez

CHÂTEAU FIGEAC

Premier Grand Cru classé **(B)**
Production : ***12 500 caisses***

Certains critiques estiment que la forte proportion de Cabernet Sauvignon dans l'encépagement de cet illustre château est une erreur, mais le propriétaire, Thierry de Manoncourt, récuse cette idée. Il me semble que le grand vin qu'il produit chaque année constitue le meilleur des arguments. Ce château appartient incontestablement à l'élite des Saint-Émilion, avec Ausone et Cheval Blanc. Le vin est élevé pendant 18 à 20 mois en barriques neuves.

ROUGE. Vins étonnamment mûrs, riches et concentrés, qui ont une belle couleur, un beau bouquet, des saveurs fruitées stupéfiantes, une grande finesse et de merveilleuses notes épicées.

Cabernet Sauvignon 35 %, Cabernet franc 35 %, Merlot 30 %

1981, 1982, 1983, 1985, 1986

Entre 12 et 30 ans

Deuxième vin : Château de Grangeneuve

CHÂTEAU FONPLÉGADE

Grand Cru classé
Production : ***7 500 caisses***

Ce domaine, comme le Château La Tour du Pin Figeac, appartient à Armand Moueix, cousin de Jean-Pierre Moueix de Pétrus. Le vin est élevé en fût pendant 12 à 15 mois, pour un tiers sous chêne neuf.

ROUGE. Jusqu'à une époque très récente je trouvais à ces vins un caractère astringent et végétal. Ils sont maintenant nets et séduisants, et débordent de saveurs fruitées tendres, succulentes et mûres, de framboise et de fraise.

Cabernet Sauvignon 5 %, Cabernet franc 35 %, Merlot 60 %

1983, 1985

Entre 5 et 12 ans

CHÂTEAU FONROQUE

Grand Cru classé
Production : ***8 000 caisses***

Ce domaine isolé, qui s'étend juste au nord-ouest de Saint-Émilion, appartient au négociant Jean-Pierre Moueix depuis 1931. Le vin mûrit en fût pendant 24 mois.

ROUGE. Vin sombre, bien fait, doté d'un beau caractère de prune plus perceptible au nez et à l'attaque en bouche qu'en finale.

Cabernet franc 30 %, Merlot 70 %

1982, 1983, 1985

Entre 6 et 15 ans

CHÂTEAU FRANC-MAYNE

Grand Cru classé
Production : ***3 500 caisses***

Cette propriété souffre d'une réputation modeste que je ne puis ni infirmer ni confirmer car je n'ai goûté le 1982 qu'en une ou deux occasions.

ROUGE. Le millésime 1982 allie une couleur profonde à un caractère solide et franc.

Cabernet Sauvignon et Cabernet franc 30 %, Merlot 70 %

1982

Entre 6 et 12 ans

CHÂTEAU LA GAFFELIÈRE

Premier Grand Cru classé
Production : ***9 000 caisses***

Le propriétaire, le comte Léo de Malet-Roquefort possède aussi le Château Tertre Daugay, un Grand Cru classé. Après une série de millésimes agressifs et peu généreux, la Gaffelière a produit un bon 1983, un exceptionnel 1985 et un extraordinaire 1986. Le vin est élevé pendant 18 mois en barriques neuves.

ROUGE. Vins concentrés et tanniques, mais qui offrent désormais bien plus de finesse, de gras et de richesse en bouche.

Cabernet Sauvignon 15 %, Cabernet franc 20 %, Merlot 65 %

1983, 1985, 1986

Entre 12 et 35 ans

Deuxième vin : « Clos la Gaffelière »

CHÂTEAU GRAND BARRAIL LAMARZELLE-FIGEAC

Grand Cru classé
Production : ***15 000 caisses***

Le vignoble – environ 36 ha d'un seul tenant – s'étend sur un sol essentiellement sableux mais le nom du château terminé par « Figeac » manifeste la présence de quelques graves ; elles parsèment ici deux hectares seulement. Le vin séjourne pendant 18 à 24 mois dans le bois.

ROUGE. Les vins des bonnes années ont une robe profonde, sont corsés, très fruités, amples et savoureux, mais manquent un peu de finesse.

Cabernet Sauvignon et Cabernet franc 30 %, Merlot 70 %

1982, 1985

Entre 7 et 15 ans

Deuxième vin : Château Lamarzelle-Figeac

CHÂTEAU GRAND CORBIN

Grand Cru classé
Production : ***6 500 caisses***

L'histoire de ce domaine rappelle celle du Château Corbin : comme lui, il appartenait autrefois au Prince noir et est aujourd'hui la propriété d'Alain Giraud. Les techniques de production diffèrent cependant, car le vin fermente dans des cuves en béton et non pas en acier inoxydable, avant de mûrir en fût, pour un quart sous chêne neuf.

ROUGE. Ces vins sont de couleur un peu plus claire que ceux du Château Corbin, ils possèdent moins de richesse et de corps mais sont bien faits et ont leur charme propre.

Cabernet Sauvignon 20 %, Cabernet franc 20 %, Merlot 60 %

1981, 1982

Entre 4 et 10 ans

CHÂTEAU GRAND-CORBIN-DESPAGNE

Grand Cru classé
Production : ***13 000 caisses***

Cette partie du domaine Corbin d'origine appartient à la famille Despagne. Le vin fermente dans des cuves en acier inoxydable puis est élevé jusqu'à 18 mois en fût, sous chêne neuf pour une petite quantité.

ROUGE. Les millésimes postérieurs à 1983 me sont inconnus mais, jusque là, le vin était toujours bien coloré, très corsé et fruité, avec des nuances de chêne et des tanins souples.

Cabernet franc 10 %, Merlot 90 %

1981, 1982, 1983

Entre 7 et 25 ans

Deuxième vin : Château Reine-Blanche

CHÂTEAU GRANDES MURAILLES

Grand Cru classé **jusqu'en 1985**
Production : ***4 500 caisses***

Ce domaine fut injustement déchu de son statut de Grand Cru classé en 1985, car ses vins sont meilleurs et plus constants que ceux de nombreux châteaux classés. Le vin fermente dans des cuves en acier inoxydable avant son élevage en fût, long de 20 mois. Jusqu'à 25 % de la récolte sont logés sous chêne neuf.

ROUGE. Vins extrêmement élégants et harmonieux, avec de bons extraits et une souple structure tannique qui s'adoucit rapidement. Ils sont très agréables à boire quand ils sont jeunes, encore qu'ils mûrissent avec grâce.

Cabernet Sauvignon 20 %, Cabernet franc 20 %, Merlot 60 %

1981, 1982, 1983, 1985

Entre 5 et 20 ans

CHÂTEAU GRAND MAYNE

Grand Cru classé
Production : *10 000 caisses*

Les vins de ce domaine sont vinifiés dans des cuves en acier inoxydable, puis élevés en fût avec une proportion variable de chêne neuf.

ROUGE. Vin frais, ferme et fruité, qui a la réputation d'être assez inconstant. Les millésimes postérieurs à 1982 me sont inconnus.

Cabernet Sauvignon 10 %, Cabernet franc 40 %, Merlot 50 %

1981, 1982

Entre 4 et 10 ans

Deuxième vin : Château Beau Mazerat
Autre vin : Château Cassevert

CHÂTEAU GRAND-PONTET

Grand Cru classé
Production : *7 000 caisses*

Depuis 1980, ce domaine appartient au même propriétaire que le Château Beau-Séjour-Bécot.

ROUGE. Après une série de millésimes ternes, ce domaine produit aujourd'hui des vins corsés de belle qualité et de caractère, qui sont gras et mûrs, richement fruités et tanniques, dotés d'agréables notes de chêne.

Cabernet Sauvignon et Cabernet franc 40 %, Merlot 60 %

1985, 1986

Entre 6 et 15 ans

CHÂTEAU GUADET SAINT-JULIEN

Grand Cru classé
Production : *2 000 caisses*

Ce domaine produit régulièrement des vins dignes de son classement. Ils sont élevés en fût pendant 18 à 20 mois, avec un tiers de bois neuf.

ROUGE. Après l'apparition très précoce de la texture soyeuse du Merlot, les vins se ferment pendant quelques années puis s'épanouissent et acquièrent finesse et plénitude.

Cabernet Sauvignon et Cabernet franc 25 %, Merlot 75 %

1980, 1981, 1983, 1985, 1986

Entre 7 et 20 ans

CHATEAU HAUT-CORBIN

Grand Cru classé
Production : *3 500 caisses*

Ce domaine appartient à Édouard Guinaudie qui est également propriétaire d'un autre Saint-Émilion, Château le Jurat. Le vin est élevé pendant 24 mois en fût, avec jusqu'à 20 % de chêne neuf. Je ne l'ai pas goûté.

Cabernet Sauvignon et Cabernet franc 30 %, Merlot 70 %

Deuxième vin : Vin d'Édouard

CHÂTEAU HAUT-SARPE

Grand Cru classé
Production : *6 000 caisses*

Ce château mérite certainement son classement. Le vin est élevé en fût pendant 20 à 22 mois, avec 25 % de chêne neuf.

ROUGE. Vins ronds, élégants, soyeux et distingués, à boire jeunes.

Cabernet franc 30 %, Merlot 70 %

1982, 1983, 1985, 1986

Entre 4 et 8 ans

CHÂTEAU JEAN FAURE

Grand Cru classé jusqu'en 1985
Production : *8 000 caisses*

Ce domaine fut déchu en 1985, mais je n'ai pas goûté aux millésimes postérieurs à 1983. Le vin mûrit pendant 24 mois en fût, avec 25 % de chêne neuf.

ROUGE. Ces vins ont une belle robe, un fruité souple et séduisant.

Cabernet franc 60 %, Merlot 30 %, Malbec 10 %

1980, 1981, 1983

Entre 3 et 8 ans

CHÂTEAU LANIOTE

Grand Cru classé
Production : *2 500 caisses*

Ce domaine abrite la « sainte grotte » où vivait Saint-Émilion au VIIIe siècle. Le vin est vinifié et élevé dans le bois, avec 25 % de chêne neuf.

ROUGE. Les millésimes 1982 et 1983, relativement légers, montrent une certaine élégance.

Cabernet Sauvignon 10 %, Cabernet franc 20 %, Merlot 70 %

1982, 1983

Entre 6 et 12 ans

CHÂTEAU LARCIS DUCASSE

Grand Cru classé
Production : *5 000 caisses*

Le vignoble s'étend au-dessous de Château Pavie. Le vin fermente en cuve puis mûrit en fût pendant 24 mois.

ROUGE. À l'exception du 1980, léger mais séduisant, le vin me semble pourtant fermé, maigre et desséché.

Cabernet Sauvignon et Cabernet franc 35 %, Merlot 65 %

1980

Entre 4 et 8 ans

CHÂTEAU LARMANDE

Grand Cru classé
Production : *7 000 caisses*

L'un des meilleurs Grands Crus classés de Saint-Émilion. Le vin fermente dans des cuves en acier inoxydable puis mûrit 12 à 18 mois en fût, pour 35 à 50 % sous chêne neuf.

ROUGE. Vins superbes caractérisés par une grande concentration en couleur et fruité. Ils sont riches et mûrs, avec d'abondantes saveurs de cassis et de vanille qui acquièrent des nuances de cèdre.

Cabernet Sauvignon 5 %, Cabernet franc 30 %, Merlot 65 %

1980, 1981, 1982, 1983, 1985, 1986

Entre 8 et 25 ans

Deuxième vin : Château des Templiers

CHÂTEAU LAROZE

Grand Cru classé
Production : *12 000 caisses*

Ce charmant château du XIXe siècle doit son nom à la senteur caractéristique de rose que l'on prête à ses vins. Ceux-ci passent de un à trois ans en fût.

ROUGE. Ce vin possède en effet un bouquet tendre et séduisant. Empreint d'une certaine finesse, toujours agréable à boire jeune, il séduit immédiatement.

Cabernet Sauvignon 5 %, Cabernet franc 45 %, Merlot 50 %

1980, 1981, 1982, 1983, 1985

Entre 4 et 10 ans

CHÂTEAU MAGDELAINE

Premier Grand Cru classé (B)
Production : *4 500 caisses*

Le Pétrus de Saint-Émilion ? C'est en effet le fleuron de l'empire de Jean-Pierre Moueix dans cette appellation. Mais si beau soit le terroir et si efficaces soient les efforts de Moueix, ce domaine ne saurait rivaliser avec Pétrus. Le vin est élevé 18 mois en fût, pour un tiers sous chêne neuf.

ROUGE. Vins bien colorés qui montrent une excellente concentration, une bonne finesse et une certaine délicatesse de style. Leur saveur s'exprime à plusieurs niveaux et ils ont une finale longue, élégante et complexe.

Cabernet franc 20 %, Merlot 80 %

1981, 1982, 1983, 1985, 1986

Entre 10 et 35 ans

CHÂTEAU MATRAS

Grand Cru classé
Production : *6 500 caisses*

Le vin est élevé 12 mois durant en cuve puis 12 mois en barriques neuves. Non dégusté.

Cabernet franc 60 %, Merlot 30 %, Malbec 10 %

CHÂTEAU MAUVEZIN

Grand Cru classé
Production : *1 500 caisses*

Ce domaine est digne de son statut de Grand Cru classé. Le vin fermente et mûrit en barriques neuves.

ROUGE. Jusqu'en 1982, les vins étaient souples et aromatiques, avec de fines nuances de chêne.

Cabernet Sauvignon 10 %, Cabernet franc 50 %, Merlot 40 %

1980, 1982

Entre 7 et 15 ans

CHÂTEAU MOULIN DU CADET

Grand Cru classé
Production : *1 800 caisses*

Ce domaine, exploité par Jean-Pierre Moueix, est régulièrement l'un des meilleurs Grands Crus classés. Le vin séjourne 18 mois dans le bois, pour une petite proportion sous chêne neuf.

ROUGE. Ces vins présentent une belle couleur, un bouquet délicieusement fruité, une excellente finesse et une certaine complexité. Ils compensent, par leur distinction, leur manque d'ampleur ou de puissance.

Cabernet franc 15 %, Merlot 85 %

1980, 1981, 1982, 1983, 1985

Entre 6 et 15 ans

CHÂTEAU PAVIE

Premier Grand Cru classé (B)
Production : *15 000 caisses*

Ce château est potentiellement l'un des meilleurs Premiers Grands Crus classés. Le vin est élevé en fût pendant 18 à 20 mois, pour un tiers sous chêne neuf.

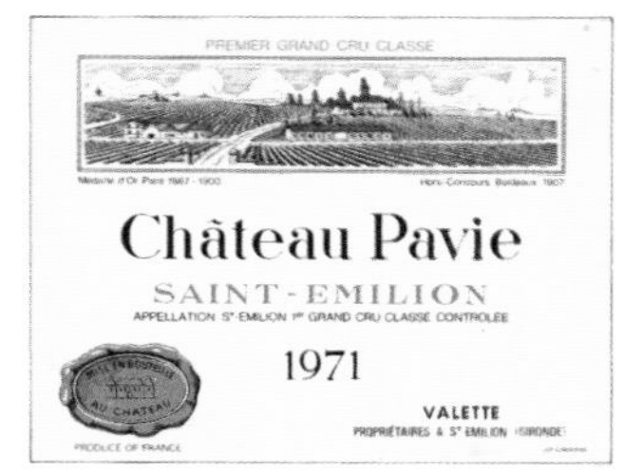

ROUGE. Grands vins distingués, gorgés de fruits et équilibrés par une exquise nuance de chêne neuf, tantôt moelleuse et épicée, tantôt riche et évoquant le pain grillé, mais qui donne toujours à ces vins une texture soyeuse.

- Cabernet Sauvignon 20 %, Cabernet franc 25 %, Merlot 55 %
- 1981, 1982, 1983, 1985, 1986
- Entre 8 et 30 ans

CHÂTEAU PAVIE DÉCESSE

Grand Cru classé
Production : *4 500 caisses*

Ce domaine, qui appartient au même propriétaire que le Château Pavie, n'est pas l'un des meilleurs Grands Crus classés, mais son vin de qualité constante est digne de son rang. Plaisant, agréable à boire jeune, il mûrit pendant 18 à 20 mois en barriques, dont un tiers sont neuves.

ROUGE. Ces vins assez légers sont beaucoup moins corsés et fruités que les Pavie, mais ont une certaine élégance.

- Cabernet Sauvignon 15 %, Cabernet franc 25 %, Merlot 60 %
- 1981, 1982, 1983, 1985, 1986
- Entre 6 et 12 ans

CHÂTEAU PAVIE MACQUIN

Grand Cru classé
Production : *4 000 caisses*

Ce domaine porte le nom d'Albert Macquin, l'un des pionniers dans le greffage des vignes européennes sur les porte-greffe américains. Deux tiers de la production mûrissent en fût de chêne neuf pour moitié et un tiers en cuve.

ROUGE. Vins légers et souples, avec une certaine élégance épicée.

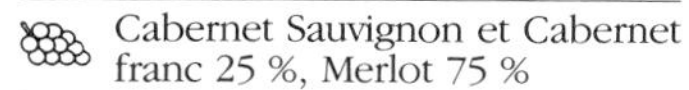

- Cabernet Sauvignon et Cabernet franc 25 %, Merlot 75 %
- 1982
- Entre 4 et 8 ans

CHÂTEAU PAVILLON-CADET

Grand Cru classé
Production : *1 500 caisses*

Ce petit vignoble produit un vin assez peu exporté. Il mûrit jusqu'à 24 mois en fût.

ROUGE. Le millésime 1982, le seul dégusté, est un vin bien coloré, au bouquet généreux, aux saveurs fruitées et chocolatées. Il est certes agréable, mais n'est peut-être pas à la hauteur d'un Grand Cru classé.

- Cabernet franc 50 %, Merlot 50 %
- 1982
- Entre 4 et 8 ans

CHÂTEAU PETIT-FAURIE-DE-SOUTARD

Grand Cru classé
Production : *3 500 caisses*

Cet excellent domaine est aujourd'hui dirigé par Jacques Capdemourlin des Châteaux Cap de Mourlin et Balestard la Tonnelle. La moitié de la production est élevée jusqu'à un an en fût.

ROUGE. Ce vin a de tendres arômes crémeux, une certaine concentration de fruit de Merlot en bouche, une texture soyeuse et une finale tannique sèche. Jeune, il est tout à fait délicieux.

- Cabernet Sauvignon 10 %, Cabernet franc 30 %, Merlot 60 %
- 1980, 1981, 1983, 1985
- Entre 3 et 8 ans

CHÂTEAU LE PRIEURÉ

Grand Cru classé
Production : *2 300 caisses*

Ce domaine appartient au même propriétaire que le Château Vray Croix de Gay à Pomerol et le Château Siaurac de Lalande-de-Pomerol. Le vin est élevé en fût 18 à 24 mois, pour un quart sous chêne neuf.

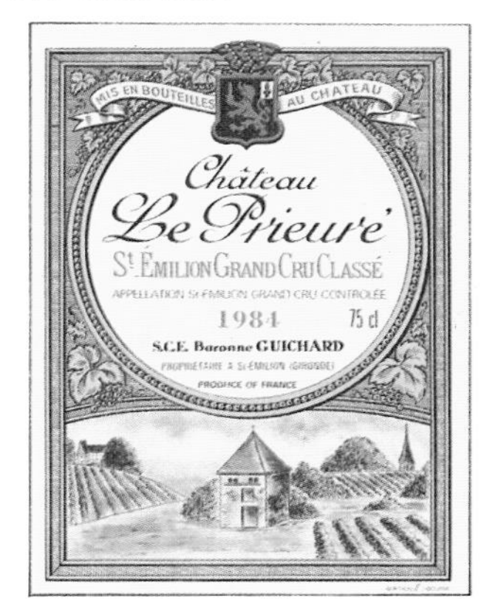

ROUGE. Vins légers mais longs, d'une certaine élégance, à boire quand ils sont jeunes et frais.

- Cabernet Sauvignon 10 %, Cabernet franc 30 %, Merlot 60 %
- 1980, 1982, 1985
- Entre 4 et 8 ans

CHÂTEAU RIPEAU

Grand Cru classé
Production : *7 500 caisses*

Ce domaine, situé près du Château Cheval Blanc, mais sur un sol sableux et non graveleux, a changé de main en 1976. Depuis, il a été considérablement rénové et agrandi. Bien que ses résultats soient encore irréguliers, d'importants progrès seront sans doute accomplis dans un avenir proche. Une partie de la production est élevée en fût, avec une proportion croissante de chêne neuf.

ROUGE. Ce vin, lorsqu'il est réussi, possède un beau caractère aromatique et un ample fruité aux nuances de chêne.

- Cabernet Sauvignon 20 %, Cabernet franc 30 %, Merlot 50 %
- 1982, 1983
- Entre 4 et 10 ans

CHÂTEAU ST-GEORGES (CÔTE PAVIE)

Grand Cru classé
Production : *2 000 caisses*

Le vignoble de ce petit domaine, propriété de Jacques Masson, est bien situé, à proximité de ceux de Pavie et de la Gaffelière. Le vin fermente dans des cuves en acier inoxydable puis mûrit en barriques pendant 24 mois.

ROUGE. Vin délicieux, moyennement étoffé, au fruité de Merlot charnu et succulent, destiné à être bu jeune.

- Cabernet Sauvignon 25 %, Cabernet franc 25 %, Merlot 50 %
- 1980, 1981, 1982, 1983
- Entre 4 et 8 ans

CHÂTEAU SANSONNET

Grand Cru classé
Production : *4 000 caisses*

Le propriétaire du domaine, Francis Robin, possède également le Château Doumayne, un cru non classé de Saint-Émilion et le Château Gontet à Puisseguin. Le vin de Sansonnet passe 18 mois en fût.

ROUGE. De nombreux millésimes de ce vin irrégulier manquent de concentration. Le 1982, très léger pour l'année, est cependant souple et séduisant.

- Cabernet Sauvignon 20 %, Cabernet franc 30 %, Merlot 50 %
- 1982
- Entre 3 et 7 ans

CHÂTEAU LA SERRE

Grand Cru classé
Production : *3 000 caisses*

Le vin de ce domaine s'est considérablement amélioré mais manque encore de constance. Il fermente en cuves doublées de béton, puis mûrit pendant 16 mois en fût, pour une petite proportion sous chêne neuf.

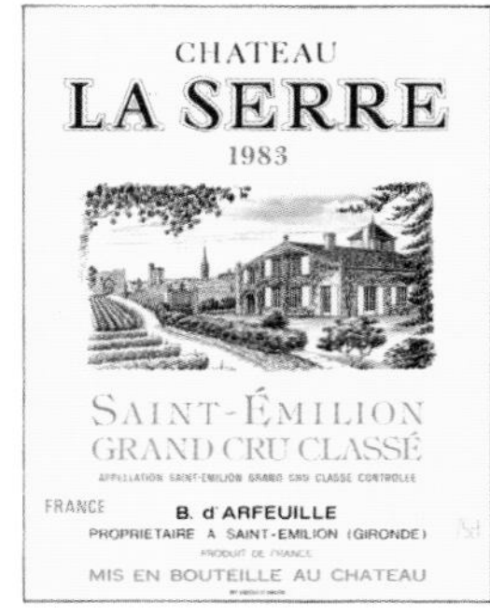

ROUGE. Au départ, le vin est charmeur, puis il se referme pendant quelque temps, un peu à la manière du vin de Guadet-Saint-Julien. Leurs styles sont cependant très différents. Jeune, le vin est assez mûr et charnu mais totalement dominé par le chêne neuf. Avec le temps, le fruité émerge dévoilant un Saint-Émilion onctueux et distingué, empreint de finesse et de complexité.

- Cabernet franc 20 %, Merlot 80 %
- 1980, 1982, 1983, 1986
- Entre 8 et 25 ans

CHÂTEAU SOUTARD

Grand Cru classé
Production : *7 500 caisses*

Le vaste et très beau château fut construit en 1740 pour servir de résidence d'été à la famille Soutard. On cultive la vigne sur ces terres depuis l'époque romaine. Le vin est élevé en fût pendant 18 mois en barriques neuves.

ROUGE. Ce vin sombre, musclé et corsé est un authentique vin de garde, avec une grande concentration de couleur, de fruité, de tanins et d'extraits. Avec le temps, il peut acquérir la finesse et la complexité.

- Cabernet Sauvignon 5 %, Cabernet franc 30 %, Merlot 65 %
- 1981, 1982, 1983, 1985
- Entre 12 et 35 ans

CHÂTEAU TERTRE DAUGAY

Grand Cru classé
Production : *6 500 caisses*

Acheté en 1978 par le comte Léo de Malet-Roquefort, le propriétaire du Premier Grand Cru classé Château la Gaffelière, ce domaine produit déjà un vin excellent qui s'améliore, en outre, à chaque millésime. Il est élevé en fût, pour un tiers sous chêne neuf.

ROUGE. Vins riches, charnus et fruités, avec un beau bouquet, une nuance mûre de chêne et une grande finesse.

Cabernet Sauvignon 10 %, Cabernet franc 30 %, Merlot 60 %

1980, 1981, 1982, 1983, 1985, 1986

Entre 7 et 20 ans

Deuxième vin : Château de Roquefort
Autre vin : Château «Moulin du Biguey»

CHÂTEAU LA TOUR FIGEAC

Grand Cru classé
Production : *6 000 caisses*

Ce domaine, rattaché au Château Figeac en 1879, est aujourd'hui l'un des meilleurs Grands Crus classés. Le vin est élevé pendant 18 mois en fût, pour un tiers sous chêne neuf.

ROUGE. Vins gras et souples, au bouquet séduisant, avec d'amples arômes de cassis, mûrs et riches.

Cabernet franc 40 %, Merlot 60 %

1980, 1982, 1983, 1985, 1986

Entre 4 et 8 ans

CHÂTEAU LA TOUR DU PIN FIGEAC
(Propriétaire : Giraud-Bélivier)

Grand Cru classé
Production : *4 000 caisses*

Ce domaine est dirigé par André Giraud, qui est également propriétaire du Château le Caillou à Pomerol. Ses vins ne m'ont malheureusement jamais séduit.

Cabernet franc 25 %, Merlot 75 %

CHÂTEAU LA TOUR DU PIN FIGEAC
(Propriétaire : Moueix)

Grand Cru classé
Production : *4 000 caisses*

Ce domaine est l'un des meilleurs Grands Crus classés, et compte aujourd'hui au nombre des châteaux d'Armand Moueix. Le vin est élevé en fût pendant 12 à 15 mois, pour un tiers sous chêne neuf.

ROUGE. Vins régulièrement bien faits où s'équilibrent toujours avec bonheur le fruit épicé du Merlot, les nuances crémeuses du chêne et les tanins souples.

Cabernet Sauvignon et Malbec 10 %, Cabernet franc 30 %, Merlot 60 %

1980, 1981, 1982, 1983, 1985

Entre 6 et 15 ans

CHÂTEAU TRIMOULET

Grand Cru classé
Production : *7 500 caisses*

Cette vieille propriété domine Saint-Georges-Saint-Émilion. Le vin mûrit 12 mois durant en barriques neuves.

ROUGE. Ce vin bien coloré a un arôme fruité et mûr, d'abondantes nuances de chêne, une élégante saveur fruitée et des tanins souples.

Cabernet Sauvignon 20 %, Cabernet franc 20 %, Merlot 60 %

1980, 1981, 1982, 1983, 1985

Entre 7 et 20 ans

CHÂTEAU TROIS-MOULINS

Grand Cru classé

Ces vignobles furent intégrés à ceux du Château Beau-Séjour-Bécot en 1979.

CHÂTEAU TROPLONG MONDOT

Grand Cru classé
Production : *11 000 caisses*

Ce domaine est dirigé par Claude Valette, le frère de Jean-Paul Valette des Châteaux Pavie, Pavie-Décesse et La Clusière.
La moitié de la production est élevée en barriques neuves pendant 18 mois.

ROUGE. Depuis le millésime 1985, certains critiques estiment que ce vin est l'égal de celui d'un Premier Grand Cru classé. Toutefois, bien qu'il se soit beaucoup amélioré, il garde un caractère agressif assez contestable.

Cabernet Sauvignon 15 %, Cabernet franc et Malbec 20 %, Merlot 65 %

1985, 1986

Entre 4 et 8 ans

CHÂTEAU TROTTEVIEILLE

Premier Grand Cru classé (B)
Production : *4 000 caisses*

Ce domaine a la réputation de produire des vins exceptionnels environ tous les cinq ans, séparés par des vins très médiocres. D'aucuns espèrent que les deux beaux millésimes consécutifs – 1985 et 1986 – en annoncent d'autres. Le vin est élevé pendant 18 mois, parfois pour totalité en barriques neuves.

ROUGE. Si le 1985 est prometteur, le 1986 est d'une autre envergure : il a un fruité d'une richesse fabuleuse, des nuances de chêne neuf et la puissance d'un véritable Premier Grand Cru classé.

Cabernet Sauvignon 10 %, Cabernet franc 40 %, Merlot 50 %

1985, 1986

Entre 8 et 25 ans (pour les grandes années uniquement)

CHÂTEAU VILLEMAURINE

Grand Cru classé
Production : *4 000 caisses*

Ce domaine appartient au négociant Robert Giraud qui possède une vingtaine de petits châteaux dans le Bordelais. Le vin mûrit en fût pendant 18 à 24 mois, pour 50 % sous chêne neuf.

ROUGE. Vins corsés dotés d'un excellent fruité de Merlot, d'une belle note de chêne et d'une ferme charpente.

Cabernet Sauvignon 30 %, Merlot 70 %

1982, 1983, 1985

Entre 8 et 25 ans

Autres vins : «Maurinus» et «Beausoleil»

CHÂTEAU YON-FIGEAC

Grand Cru classé
Production : *10 000 caisses*

Les vins de cet important domaine situé près de Pomerol sont élevés pendant 18 mois en barriques neuves.

ROUGE. Vin séduisant et gouleyant, avec un riche bouquet fruité et une texture soyeuse.

Cabernet Sauvignon et Cabernet franc 70 %, Merlot 30 %

1982, 1983, 1985

Entre 5 et 15 ans

Les meilleurs autres vins

Les châteaux énumérés ci-après produisent régulièrement les meilleurs vins dans cette catégorie ; ceux qui sont suivis d'une astérisque sont souvent d'une qualité supérieure à celle de bon nombre de Grands Crus classés.

Château du Barry
Château Cheval Noir
Château la Commanderie*
Château Destieux*
Château de Ferrand
Château la Fleur*
Château Fleur Cardinale*
Château la Fleur Pourret
Château Fombrauge*
Château Franc Bigoroux
Château Grand Champs
Château la Grave Figeac*
Château Haut Brisson*
Château Haut Plantey*
Château Haut-Pontet
Haut-Quercus* (marque)
Clos Labarde
Château Lapelletrie
Château Laroque*
Château Magnan la Gaffelière
Château Martinet
Clos des Menuts
Château Monbousquet*
Château Patris
Château Pavillon Figeac*
Château Petit-Figeac*
Château Petit-Gravet
Château Petit Val*
Château Peyreau
Château Pindefleurs*
Château Puy Razac
Château Roc Blanquant
Château Rolland-Maillet*
Château Tour Saint-Christophe

Pomerol

En traversant Pomerol, petit bourg rural où subsistent de vieilles fermes, montrant peu de véritables châteaux et aucun édifice superbe, le voyageur se demandera certainement comment cette région réussit à produire des vins vraiment magnifiques, célèbres dans le monde entier.

La prospérité de ces dernières années a certes permis aux propriétaires de rénover leurs domaines, mais ils se sont contentés de restaurer ce qui existait déjà et ils n'ont rien créé par ailleurs.

Même le Château Pétrus, le plus grand cru de Pomerol, qui produit sans doute le vin le plus cher du monde, n'est qu'une simple ferme. Nul doute que si son vin avait acquis sa réputation et son cours actuel sous l'Empire, on aurait fait venir ici le meilleur architecte du pays pour qu'il y bâtisse un magnifique château qui serait un monument éternel élevé à sa gloire.

MA SÉLECTION DE CHÂTEAUX DE POMEROL

Les vins de Pomerol n'ont jamais été officiellement classés, mais Pétrus est unanimement reconnu comme le meilleur cru, et puisque son vin atteint des prix supérieurs à ceux de Mouton et Margaux, on ne saurait lui refuser un statut équivalent à celui d'un Premier Cru. Quant aux autres grands Châteaux, les opinions peuvent varier sur la liste complète, mais compte tenu des résultats récents, peu d'œnologues contesteront la mention des domaines suivants :

- Château Certan de May
- Château Certan-Giraud
- Château la Conseillante
- Clos l'Église (Moreau)
- Château l'Église-Clinet
- Château l'Évangile
- Château la Fleur Pétrus
- Château la Grave-Trigant-de-Boisset
- Château Latour à Pomerol
- Château Petit-Village
- Château le Pin
- Château Trotanoy
- Vieux Château Certan

FACTEURS AFFECTANT LE GOÛT ET LA QUALITÉ

Situation
Petite région à l'extrémité ouest du Saint-Émilionnais, juste au nord-est de Libourne.

Climat
Le même qu'à Saint-Émilion, *voir* p. 84

Site
La modeste colline qui accueille en son centre les Châteaux Pétrus et Vieux Certan est le prolongement oriental des graves de Pomerol-Figeac. Les vignes sont à une altitude de 35 à 40 m, étendues sur des coteaux légèrement ondulés. À 2 km de là, aux abords de Libourne, l'altitude redescend à 10 m.

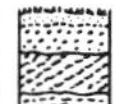

Sol
Le sol est sableux à l'ouest de la nationale ainsi qu'à l'est, où les meilleurs châteaux sont situés sur les graves sableuses de Pomerol-Figeac. Le sous-sol est composé de ce que l'on appelle la crasse de fer, avec des graves à l'est et de l'argile au nord et au centre. Pétrus s'étend au centre des graves de Pomerol-Figeac sur la « boutonnière » de Pétrus, une formation géologique unique où à l'argile sableuse succède la molasse.

Viticulture et vinification
Certains châteaux utilisent un peu de vin de presse selon les besoins du millésime. À Pétrus, il est ajouté plus tôt que de coutume, car on estime que le résultat est moins dur si le vin de presse mûrit en même temps que le reste du vin. La cuvaison dure en général de 15 à 21 jours, mais peut varier, dans certains cas, entre 10 jours et 4 semaines. Les vins séjournent en fût pendant 18 à 20 mois.

Cépages principaux
Cabernet franc, Cabernet Sauvignon, Merlot

Cépages secondaires
Malbec

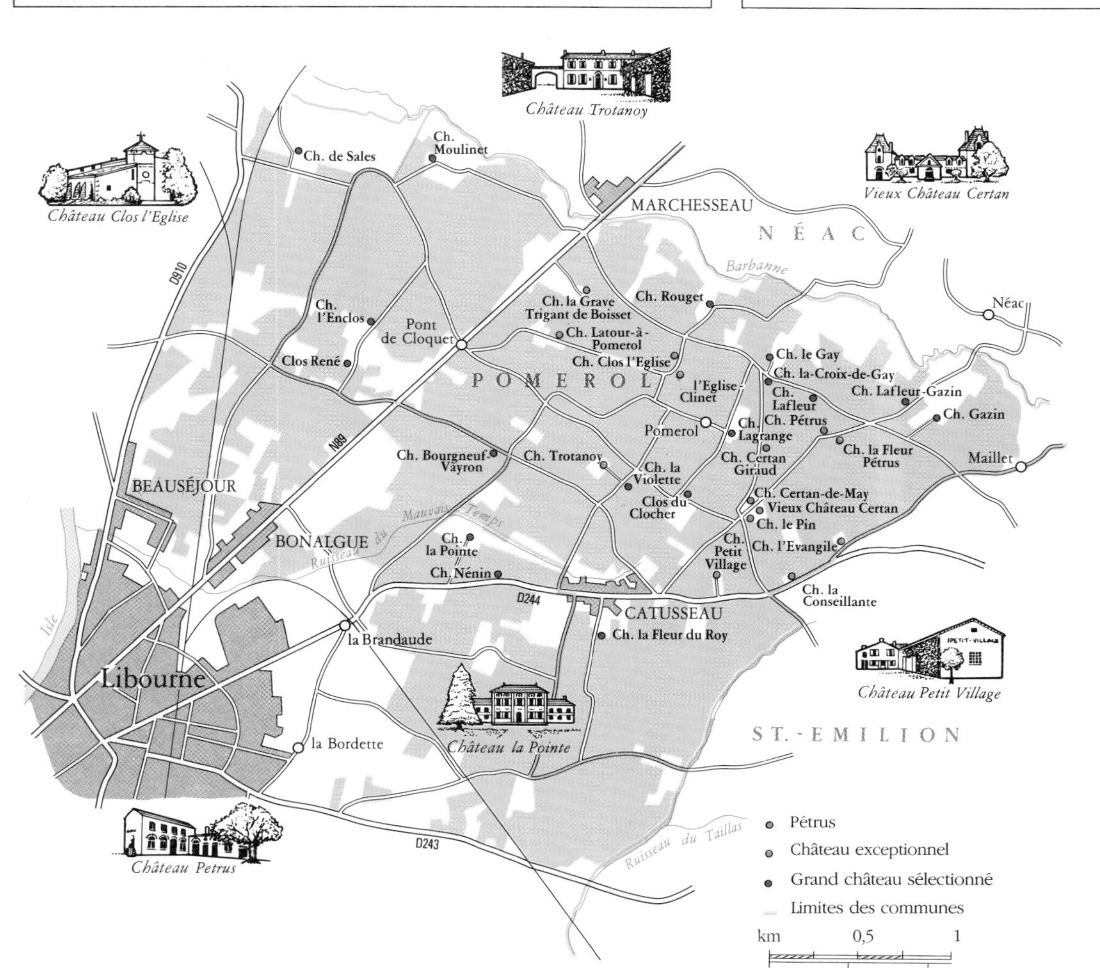

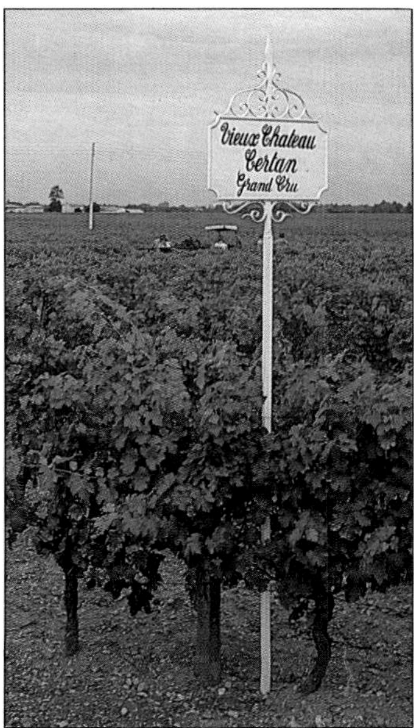

Les vignobles de Vieux Château Certan, ci-dessus
Après Pétrus, ce château produit l'un des meilleurs vins de Pomerol. Le panneau marque la limite des vignobles.

POMEROL, *voir* aussi p. 81

Pomerol et Lalande-de-Pomerol forment une paisible région qui s'allonge au-dessus de Libourne. Aucun château n'est particulièrement imposant ; Château Nénin et Vieux Château Certan comptent parmi les plus beaux.

POURQUOI PÉTRUS EST-IL LE VIN LE PLUS CHER DU MONDE ?

À l'heure actuelle, la caisse de Margaux, Mouton, Latour ou Lafite millésime 1961 atteint entre 17 000 et 23 000 francs en salle des ventes ; la caisse d'Yquem 1967 se négocie aux alentours de 16 000 francs (le 1961, moins exceptionnel, 12 500 francs), le Romanée Conti 1961 dépasse rarement 9 000 francs, tout comme le Champagne Krug de la même année. Dans le même temps, la caisse de Pétrus 1961 est vendue 81 000 francs. Pourquoi une telle différence ? La réponse n'a rien à voir avec le climat. Pétrus ne jouit pas d'un microclimat particulier capable d'expliquer son caractère exceptionnel ; tous les vignobles voisins bénéficient exactement des mêmes conditions climatiques. D'autres facteurs déterminent la qualité du vin.

Château Pétrus, le plus grand cru de Pomerol.

Le raisin de Merlot
Sur les 11,5 hectares du vignoble, à peine 4 % sont plantés de Cabernet franc, et la plus grande partie n'est pas utilisée pour le grand vin, à moins qu'il ne soit exceptionnellement mûr. Le plus souvent, le vin de Pétrus est fait presque exclusivement de Merlot.

Les gelées
Les gelées réduisent souvent la récolte des vignobles et donnent des vins d'une plus grande concentration.

La taille
J.-P. Moueix n'attend jamais les gelées pour tailler et ne conserve que huit bourgeons par cep. Avec dix bourgeons, elle augmenterait les rendements de 25 %, mais le vin perdrait un peu de son caractère unique.

La suppression de fruits
La suppression de grappes saines au mois de juillet est considérée comme pure folie par la plupart des viticulteurs, mais ceux-ci ne produisent pas un vin aussi concentré et cher que Pétrus.

Les vendanges
Les vendangeurs ne cueillent le raisin que le jour où il est parfaitement mûr et que la pluie ne menace pas. Ils travaillent l'après-midi, quand le soleil a fait s'évaporer toute la rosée qui risquerait de diluer le vin. Les raisins se trouvent ainsi récoltés à une température propice à la fermentation.

Vin de presse
Celui-ci n'est pas ajouté lors de l'assemblage du grand vin ; il est mélangé aussitôt avec le moût de goutte. Christian Moueix pense en effet que le vin de presse peut prendre un goût amer s'il est conservé séparément, alors qu'il s'adoucit si on le laisse mûrir avec le grand vin.

La fermentation malolactique
On essaye de faire coïncider ce processus avec la fermentation alcoolique en ajoutant au vin des bactéries lactiques.

Le chêne neuf
Le vin est élevé pendant 18 à 22 mois en barriques neuves.

Un sol unique
Tous les facteurs précédents pouvant être copiés par n'importe quel château voisin, l'élément crucial est le sol. Le site est en effet unique : la « boutonnière » de Pétrus est une anomalie géologique sans équivalent. Elle est située au centre de la région de graves qui déborde sur Saint-Émilion, les graves de Pomerol-Figeac, qui sont à l'origine de la qualité exceptionnelle de Cheval Blanc, Figeac et des meilleurs vins de Pomerol. Et c'est la couche argilo-sableuse anormalement présente dans ces graves qui explique la qualité encore plus exceptionnelle de Pétrus.

L'argile de la « boutonnière » ne ressemble nullement à celle qui s'étend plus près de la rivière et qui produit des vins assez frustes. Pétrus est situé sur un lit de molasse qui est resté dénudé lorsque le banc de graves anciennes s'est déposé. Exposée au vent et à la pluie, la molasse fut érodée et altérée chimiquement, créant une couche d'argile sableuse. La décomposition ultérieure et les divers changements climatiques ont fini par former trois types de sols : terreau sableux, terreau argilo-sableux et argile. Bien que ces sols soient par essence acides, les vins qui en proviennent le sont assez peu.

Les environs de Pomerol, ci-dessus
La campagne autour de Pomerol est plate et peu avenante ; divisée en petites parcelles, elle accueille des propriétés d'allure modeste mais qui produisent quelques superbes vins.

Les vendanges dans un vignoble de Pomerol, à gauche
Les vendanges, et en particulier la date de leur début, sont déterminantes. « Il faut faire les choses le jour où elles doivent être faites », dit Christian Moueix.

Les grands châteaux de Pomerol

CHÂTEAU BEAUREGARD

Production : *5 500 caisses*

Un architecte américain a fait bâtir à Long Island, une copie de ce château qu'il baptisa « Mille Fleurs ». Le vin est élevé 24 mois en fût, pour 30 % sous chêne neuf.

ROUGE. Vin ferme et élégant, d'une richesse légère, dont le fruité floral évoque aussi le cèdre.

Cabernet Sauvignon 6 %, Cabernet franc 44 %, Merlot 48 %, Malbec 2 %

1981, 1982, 1985

Entre 5 et 10 ans

Deuxième vin : « Domaine des Douves »

CHÂTEAU BONALGUE

Production : *2 000 caisses*

Petit domaine situé sur un sol de graves et de sable au nord-ouest de Libourne. Le vin est élevé en fût.

ROUGE. Ce vin relativement corsé a toujours été de qualité respectable. Il présente une attaque franche, des saveurs rafraîchissantes de fruits, une souple charpente tannique et une finale nerveuse.

Cabernet franc et Cabernet Sauvignon 30 %, Merlot 65 %, Malbec 5 %

1981, 1982, 1983, 1985

Entre 5 et 10 ans

CHÂTEAU LE BON PASTEUR

Production : *3 500 caisses*

Le bon vin, qui s'améliore progressivement, est élevé 24 mois en fût, pour 35 % sous chêne neuf.

ROUGE. Vins corsés, riches, de couleur intense, gorgés de saveurs de cassis, de prune et de cerise noire.

Cabernet franc 25 %, Merlot 75 %

1982, 1983, 1984, 1985, 1986

Entre 8 et 25 ans

CHÂTEAU BOURGNEUF-VAYRON

Production : *5 000 caisses*

Le vignoble de 25 ha, situé près du Château Trotanoy, produit des vins honorables.

ROUGE. Vins frais et légers qui mûrissent rapidement, dotés d'un fruité tendre et d'une légère touche d'herbe en finale.

Cabernet franc 15 %, Merlot 85 %

1981, 1982, 1983, 1985

Entre 4 et 8 ans

CHÂTEAU LA CABANNE

Production : *5 000 caisses*

Beau domaine dont les vins s'améliorent constamment. Ils sont élevés pendant 18 mois en fût, pour un tiers sous chêne neuf.

ROUGE. Vins assez corsés, avec un fruité fin et riche et une note de chocolat.

Cabernet franc 30 %, Merlot 60 %, Malbec 10 %

1982, 1983, 1985

Entre 7 et 20 ans

Deuxième vin : Château de Compostelle

CHÂTEAU CERTAN DE MAY DE CERTAN

Production : *2 000 caisses*

D'ordinaire, ce domaine est appelé « Château Certan de May ». L'étiquette peut faire naître une confusion. Le vin passe 24 mois en barriques, dont la moitié sont neuves.

ROUGE. Vin ferme et tannique, au bouquet puissant et concentré de fruits, d'épices et de vanille.

Cabernet Sauvignon et Malbec 10 %, Cabernet franc 25 %, Merlot 65 %

1980, 1981, 1982, 1983, 1985, 1986

Entre 15 et 35 ans

CHÂTEAU CERTAN-GIRAUD

Production : *3 500 caisses*

Ce domaine, qui s'appelait autrefois Château Certan-Marzelle, a changé de nom en 1956. Le vin est élevé pendant 24 mois en fût, pour 15 % sous chêne neuf.

ROUGE. Vins mûrs et voluptueux qui s'améliorent à chaque millésime.

Cabernet et Cabernet Sauvignon 33 %, Merlot 67 %

1982, 1985, 1986

Entre 8 et 20 ans

Autres vins : Château Certan-Marzelle, « Clos du Roy »

CHÂTEAU CLINET

Production : *3 000 caisses*

Le vin de ce domaine, qui est élevé en fût, pour un tiers sous chêne neuf, risque de décevoir les amateurs de Pomerol gras et succulents. Pour les œnologues, cela tient à la forte proportion de Cabernet Sauvignon.

ROUGE. Le 1985 plus charnu, plus succulent est plus prometteur que les millésimes précédents.

Cabernet Sauvignon 20 %, Cabernet franc 20 %, Merlot 60 %

1985

Entre 5 et 10 ans

CLOS DU CLOCHER

Production : *3 000 caisses*

Le vin est élevé tour à tour en barriques neuves, en barriques d'un an et en cuves, à raison d'un tiers de la production dans chaque récipient. C'est sans doute l'un des Pomerol les plus sous-estimés.

ROUGE. Ces vins délicieusement sombres et relativement corsés, montrent un fruit mûr et charnu, une constitution souple, d'intéressantes nuances de vanille et beaucoup de finesse.

Cabernet 20 %, Merlot 80 %

1982, 1985, 1986

Entre 8 et 20 ans

Deuxième vin : Château Monregard-Lacroix

CHÂTEAU LA CONSEILLANTE

Production : *5 000 caisses*

Après l'illustre Pétrus, ce domaine est incontestablement l'une des grandes étoiles de Pomerol. Le vin mûrit en fût pendant 20 à 24 mois, pour 50 % sous chêne neuf.

ROUGE. Ce vin a toute la puissance et la concentration des plus grands Pomerol, mais ses principales qualités sont la finesse et la complexité. Le résultat est époustouflant.

Cabernet franc 45 %, Merlot 45 %, Malbec 10 %

1980, 1981, 1982, 1983, 1985, 1986

Entre 10 et 30 ans

CHÂTEAU LA CROIX

Production : *4 500 caisses*

Ce domaine appartient à la Société civile J. Janoueix. Le vin est élevé en fût pendant 20 à 24 mois.

ROUGE. Ces vins séduisants, aux belles notes épicées de Merlot, ont beaucoup de corps mais restent élégants. Ils mûrissent rapidement.

Cabernet Sauvignon 20 %, Cabernet franc 20 %, Merlot 60 %

1981, 1982, 1983, 1985

Entre 5 et 10 ans

Deuxième vin : « Le Gabachot »

CHÂTEAU LA CROIX DE GAY

Production : *6 000 caisses*

Situé au nord de Pomerol sur un sol sablo-graveleux, ce domaine produit un vin élevé pendant 18 mois en fût avec jusqu'à 30 % sous chêne neuf.

ROUGE. Vin un peu léger mais honnête, séduisant et facile à boire.

Cabernet Sauvignon 10 %, Cabernet franc 10 %, Merlot 80 %

1983, 1985

Entre 4 et 8 ans

Autres vins : Château le Commandeur, Vieux-Château-Groupey

CHÂTEAU DU DOMAINE DE L'ÉGLISE

Production : *3 000 caisses*

Le vin est élevé en fût 18 à 24 mois, pour un tiers sous chêne neuf.

ROUGE. Vin élégant au corps et au fruité légers.

Cabernet franc 10 %, Merlot 90 %

1985, 1986

Entre 4 et 8 ans

CLOS L'ÉGLISE

Production : *2 500 caisses*

Le vin est élevé en fût pendant 24 mois. Sont utilisées un certain nombre de barriques neuves.

ROUGE. Vins toujours séduisants, avec un fruité de Merlot élégant et épicé et une ferme charpente. Ils sont dominés à terme par les parfums de violette du Cabernet.

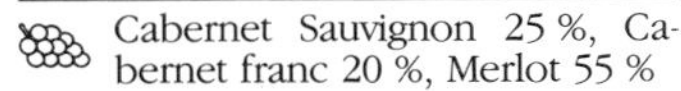

Cabernet Sauvignon 25 %, Cabernet franc 20 %, Merlot 55 %

1981, 1982, 1985, 1986

Entre 6 et 15 ans

CHÂTEAU L'ÉGLISE-CLINET

Production : *2 500 caisses*

Le vin, élevé jusqu'à 24 mois en fût, avec 50 % sous chêne neuf, est l'un des Pomerol les plus intéressants.

ROUGE. Vins sombres, dotés d'un bouquet riche, séduisant et de saveurs imposantes et grasses, gorgées de notes épicées de cassis et de nuances vanillées de chêne.

Cabernet franc 20 %, Merlot 80 %

1982, 1983, 1985, 1986

Entre 8 et 30 ans

CHÂTEAU L'ENCLOS

Production : *5 000 caisses*

Le vignoble est situé sur un prolongement du sol sablo-graveleux qui s'étend surtout au sud-est de la N 89. Le vin est élevé pendant 20 mois en fût, avec une petite proportion de chêne neuf.

ROUGE. Vins tendres, délicieux, riches, voluptueux et épicés, marqués par le Merlot.

Cabernet franc 19 %, Merlot 80 %, Malbec 1 %

1982, 1983, 1985, 1986

Entre 7 et 15 ans

CHÂTEAU L'ÉVANGILE

Production : *4 500 caisses*

Ce domaine, dirigé par la famille Ducasse, est situé à proximité de deux très grands Pomerol, Vieux Château Certan et Château la Conseillante. Il produit d'excellents vins, élevés en fût de chêne pendant 15 mois, avec un tiers de bois neuf.

ROUGE. Vins sombres et riches, débordant de fruits d'été et de nuances de cèdre.

Cabernet franc et Cabernet Sauvignon 29 %, Merlot 71 %

1982, 1983, 1985, 1986

Entre 8 et 20 ans

CHÂTEAU FEYTIT-CLINET

Production : *2 800 caisses*

Bien que le domaine n'appartienne pas à J.-P. Moueix, celui-ci fait le vin et le commercialise. Certaines des vignes ont plus de 70 ans. Le vin mûrit en fût pendant 18 à 22 mois.

ROUGE. Vins toujours bien colorés et distingués, aux saveurs succulentes de prune et de cerise noire.

Cabernet franc 20 %, Merlot 80 %

1982, 1983, 1985, 1986

Entre 7 et 15 ans

CHÂTEAU LA FLEUR-PÉTRUS

Production : *3 000 caisses*

C'est l'un des meilleurs Pomerol ; il est situé près de Pétrus, mais sur un sol plus graveleux. Le vin est élevé en fût pendant 18 à 22 mois.

ROUGE. Bien que les millésimes récents soient relativement gras et imposants, ce sont avant tout des vins élégants, soyeux, tendres et souples, plus fins que riches.

Cabernet franc 20 %, Merlot 80 %

1980, 1982, 1983, 1985, 1986

Entre 6 et 20 ans

CHÂTEAU LE GAY

Production : *2 800 caisses*

Ce château est lié au négociant libournais J.-P. Moueix. Le vin est élevé en fût pendant 18 à 22 mois.

ROUGE. Fermes et mûrs, ces vins imposants ont un fruité dense, des arômes de café, de caramel et de chêne.

Cabernet franc 30 %, Merlot 70 %

1982, 1983, 1985, 1986

Entre 10 et 25 ans

CHÂTEAU GAZIN

Production : *10 000 caisses*

Les vins sont élevés pendant 18 mois en fût, jusqu'à un tiers d'entre eux sous chêne neuf.

ROUGE. Le 1985, merveilleusement riche et mûr, aura un bel avenir. Les autres millésimes recommandés sont beaucoup moins charnus.

Cabernet Sauvignon 5 %, Cabernet franc 15 %, Merlot 80 %

1981, 1982, 1985, 1986

Entre 8 et 20 ans

CHÂTEAU LA GRAVE TRIGANT DE BOISSET

Production : *3 500 caisses*

Le vignoble s'étend sur un sol graveleux et les vins s'améliorent à mesure que les vignes vieillissent. Le domaine, qui appartient à Christian Moueix, est exploité par J.-P. Moueix. Le vin mûrit en barriques, dont un quart sont neuves.

ROUGE. Ce vin assez corsé, riche, souple et fruité, s'améliore. Le 1986 est le meilleur millésime à ce jour.

Cabernet franc 5 %, Merlot 95 %

1982, 1985, 1986

Entre 7 et 15 ans

CHÂTEAU LAFLEUR

Production : *1 500 caisses*

Seul le potentiel de Pétrus surpasse celui de cette propriété, dont la production est cependant de qualité irrégulière. Depuis 1981, elle est administrée à J.-P. Moueix et la qualité de ses vins a considérablement progressé.

ROUGE. Vin bien coloré dont le riche bouquet de prune et de Porto livre aussi maints arômes de cassis et des nuances complexes de pain grillé, de café et de chêne. Le 1985 était stupéfiant.

Cabernet franc 50 %, Merlot 50 %

1982, 1983, 1985, 1986

Entre 10 et 25 ans

CHÂTEAU LAFLEUR-GAZIN

Production : *3 500 caisses*

J.-P. Moueix dirige ce domaine depuis 1976 pour le compte de ses propriétaires. Le vin est élevé en fût pendant 18 à 22 mois.

ROUGE. Ces vins bien faits, qui séduiront par leur couleur et leur beau bouquet, ont une constitution souple, de la richesse et de la concentration.

Cabernet franc 30 %, Merlot 70 %

1982, 1983, 1985, 1986

Entre 6 et 15 ans

CHÂTEAU LAGRANGE

Production : *3 500 caisses*

Ce domaine appartient à la firme J.-P. Moueix. Le vin est élevé en fûts pendant 18 à 22 mois, avec un peu de chêne neuf.

ROUGE. Les millésimes récents de ce vin corsé sont impressionnants ; leur style est séduisant et accessible.

Cabernet franc 10 %, Merlot 90 %

1982, 1985, 1986

Entre 8 et 20 ans

CHÂTEAU LATOUR À POMEROL

Production : *2 500 caisses*

Ce château appartient à Mme Lily Lacoste, également propriétaire d'un tiers de Pétrus. Les vins sont élevés en fût pour un quart sous chêne neuf.

ROUGE. Vins sombres, succulents, voluptueux et veloutés, avec une grande concentration de fruité et une formidable complexité de saveurs.

Cabernet franc 10 %, Merlot 90 %

1980, 1981, 1982, 1983, 1985, 1986

Entre 12 et 35 ans

CHÂTEAU MAZEYRES

Production : *4 500 caisses*

Deux tiers de la production sont élevés en fût, avec 25 % sous chêne neuf, un tiers mûrit en cuve.

ROUGE. Ces vins ne sont pas de toute première qualité mais néanmoins excellents. Riches, mûrs et fruités, ils offrent le soyeux du Merlot et de fines notes de chêne.

Cabernet franc 30 %, Merlot 70 %

1980, 1982, 1983, 1985

Entre 5 et 12 ans

CHÂTEAU MOULINET

Production : *7 500 caisses*

Ce grand domaine appartient à Armand Moueix. Le vin est élevé pendant 18 mois en fût, pour un tiers sous chêne neuf.

ROUGE. Vins souples et séduisants, légèrement fruités et boisés.

Cabernet Sauvignon 30 %, Cabernet franc 10 %, Merlot 60 %

1980, 1982, 1983, 1985

Entre 5 et 10 ans

CHÂTEAU NÉNIN

Production : *12 000 caisses*

Domaine vaste et bien connu situé entre Catussau et les faubourgs de Libourne. Le vin est décevant.

ROUGE. Le millésime recommandé ne livre guère les saveurs du chêne dans lequel, dit-on, il fut élevé. C'est un vin plaisant, simple et fruité.

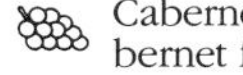 Cabernet Sauvignon 20 %, Cabernet franc 30 %, Merlot 50 %

 1985

Entre 4 et 8 ans

Deuxième vin : Château Saint-Roche

CHÂTEAU PETIT-VILLAGE

Production : *4 000 caisses*

Le domaine de Bruno Prats, propriétaire du Château Cos d'Estournel à St-Estèphe, jouxte les vignobles de Vieux Château Certan et de Château la Conseillante. Grâce à un terroir superbe et à un propriétaire méticuleux, il produit des vins de qualité exceptionnelle même dans les petites années. Ceux-ci sont élevés pendant 18 mois en barriques, dont au moins 50 % sont neuves.

ROUGE. Ces vins semblent avoir toutes les qualités. Ils sont amples et riches, débordants de couleur et d'un fruité onctueux. Ils possèdent une structure ferme, avec des tanins souples et fondus, et une texture veloutée. Des vins classiques, complexes et pleins.

Cabernet Sauvignon 10 %, Cabernet franc 10 %, Merlot 80 %

1980, 1981, 1982, 1983, 1984, 1985

Entre 8 et 30 ans

CHÂTEAU PÉTRUS

Production : *4 000 caisses*

Le négociant libournais J.-P. Moueix assume la responsabilité technique de ce domaine depuis 1947. Avant son décès en 1961, le propriétaire précédent, Mme Loubat, lui offrit un tiers de Pétrus, afin d'éviter sans doute que d'éventuelles mésententes familiales nuisent à la gestion du domaine. En 1964, Moueix racheta un deuxième tiers ; il contrôle, depuis, la destinée du château.

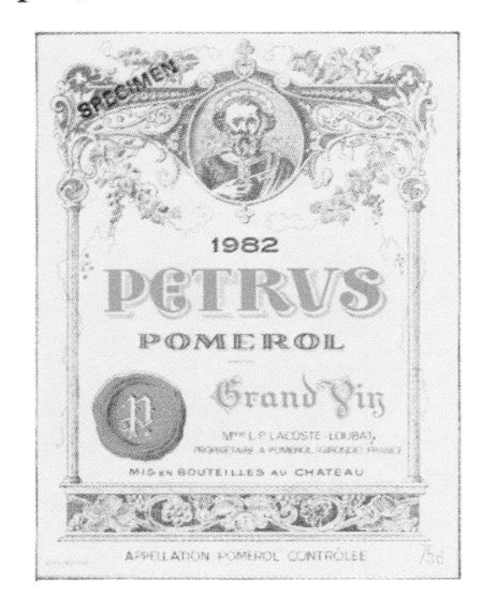

ROUGE. La faible acidité du Château Pétrus en fait un vin intrinsèquement tendre, ce qui, combiné au moelleux inhérent au raisin de Merlot, donne des vins de couleur intense, extrêmement concentrés.

Cabernet franc 5 %, Merlot 95 %

1981, 1982, 1983, 1985, 1986

Entre 20 et 50 ans

CHÂTEAU LE PIN

Production : *350 caisses*

Ce minuscule domaine d'un hectare fut acheté en 1979 par la famille Thienpont, propriétaire du Vieux Château Certan voisin. Depuis 1981, elle s'efforce d'y produire un vin qui aurait la dimension de Pétrus, sa qualité et – bien évidemment – son prix. Les rendements sont très faibles. Le vin fermente dans des cuves en acier inoxydable puis mûrit pendant 18 mois en barriques neuves. Jusqu'à présent, les Thienpont semblent avoir gagné leur pari, puisque les vins sont meilleurs d'année en année.

ROUGE. Ces vins ont beaucoup de corps, un arôme puissant et une merveilleuse saveur épicée de cassis, à laquelle le chêne ajoute de très riches nuances de caramel, de café et de pain grillé. Des dégustateurs sceptiques se demandent si le vin est suffisamment concentré pour équilibrer le chêne. Il semble bien qu'il le soit, mais il faudra patienter longtemps avant de formuler une réponse définitive.

Cabernet franc 12 %, Merlot 88 %

1981, 1982, 1983, 1985, 1986

Entre 15 et 40 ans

CHÂTEAU PLINCE

Production : *3 500 caisses*

Ce domaine appartient à la famille Moreau, mais le vin est vendu par J.-P. Moueix. Il est élevé en cuve pendant 6 mois puis en fût pendant 18 mois, avec 15 % de chêne neuf.

ROUGE. Vins bien faits, gras, mûrs et gorgés des saveurs succulentes du Merlot. Ils sont délicieux en dépit d'un certain manque de distinction.

Cabernet Sauvignon 5 %, Cabernet franc 20 %, Merlot 75 %

1981, 1982, 1983, 1985, 1986

Entre 4 et 8 ans

CHÂTEAU LA POINTE

Production : *10 000 caisses*

Jusqu'en 1985, qui marquera peut-être un tournant, les vins légers et ternes de cet important château donnaient l'impression que les rendements étaient trop élevés. Le vin est élevé pendant 18 à 20 mois, pour 35 % sous chêne neuf.

ROUGE. Le 1985 et le 1986 ont un caractère élégant, distingué, mûr et boisé, qui manque aux millésimes antérieurs.

Cabernet franc 15 %, Merlot 80 %, Malbec 5 %

1985, 1986

Entre 5 et 12 ans

CLOS RENÉ

Production : *5 500 caisses*

Ce domaine est situé juste au sud de l'Enclos, à l'ouest de la N 89. Le vin est élevé pendant 24 mois en fût, avec jusqu'à 15 % sous chêne neuf. C'est un vin sous-estimé, d'un bon rapport qualité/prix.

ROUGE. Ces vins au splendide bouquet épicé de cassis ont de fines saveurs fruitées de prune et beaucoup de finesse. Parfois complexes, ils sont toujours d'excellente qualité.

Cabernet franc 30 %, Merlot 60 %, Malbec 10 %

1981, 1982, 1983, 1985, 1986

Entre 6 et 12 ans

Autre vin : Château Moulinet-Lasserre

CHÂTEAU ROUGET

Production : *6 000 caisses*

C'est l'un des plus anciens domaines de Pomerol, classé cinquième dans l'édition de 1868 du *Cocks et Féret*. Le propriétaire actuel possède également le domaine voisin, le Vieux Château des Templiers. Le vin mûrit pendant 24 mois en fût.

ROUGE. Vin excellent, au bouquet fin et à la saveur élégante. Riche et gras, bien fruité, doté d'une bonne charpente, il est très impressionnant à maturité.

Cabernet franc 10 %, Merlot 90 %

1982, 1983, 1985, 1986

Entre 10 et 25 ans

CHÂTEAU DE SALES

Production : *20 000 caisses*

Avec ses 48 ha, c'est de loin le plus grand domaine de Pomerol. Il s'étend dans le nord-ouest de l'appellation. Malgré une production inconstante, il a montré l'étendue de ses qualités en de nombreuses occasions. Son vin, élevé pendant 18 mois en fût, pour 35 % sous chêne neuf, mérite d'être suivi à l'avenir.

ROUGE. Lorsqu'ils sont réussis, ces

vins ont un bouquet pénétrant et de délicieuses saveurs de fruits : prune, cerise noire et abricot.

Cabernet Sauvignon 15 %, Cabernet franc 15 %, Merlot 70 %

1982, 1985, 1986

Entre 7 et 20 ans

Deuxième vin : Château Chantalouette
Autre vin : Château de Délias

CHÂTEAU DU TAILHAS

Production : *5 000 caisses*

Les vins de ce domaine sont élevés pendant 18 mois en fût, pour 50 % sous chêne neuf.

ROUGE. Vin toujours séduisant qui, au fruité soyeux du Merlot, associe des nuances crémeuses de chêne.

Cabernet Sauvignon 10 %, Cabernet franc 10 %, Merlot 80 %

1980, 1982, 1983, 1985

Entre 5 et 12 ans

CHÂTEAU TAILLEFER

Production : *7 500 caisses*

Cet excellent domaine appartient à Armand Moueix depuis 1926. Les vins sont élevés en fût pendant 18 à 22 mois, avec un certain nombre de barriques neuves.

ROUGE. Le 1982 et le 1983 sont des vins très séduisants et fruités. Les autres millésimes des années 80 me sont inconnus.

Cabernet Sauvignon 15 %, Cabernet franc 30 %, Merlot 55 %

1982, 1983

Entre 4 et 8 ans

Deuxième vin : Clos Toulifaut

CHÂTEAU TROTANOY

Production : *3 000 caisses*

Ce très grand cru se classe juste après Pétrus. Le vin est élevé jusqu'à 24 mois en barriques, dont 50 % sont neuves.

ROUGE. Ce vin sombre, couleur d'encre, a un bouquet puissant et de riches saveurs de prune, de cerise noire et de chocolat, équilibrées par une ferme charpente tannique et de complexes nuances épicées de caramel et de café résultant du chêne. Le 1985 est extraordinaire.

Cabernet franc 10 %, Merlot 90 %

1981, 1982, 1983, 1985, 1986

Entre 15 et 35 ans

VIEUX CHÂTEAU CERTAN

Production : *6 000 caisses*

Ce domaine passait autrefois pour le meilleur cru de Pomerol. Il n'a certes pas régressé, mais a assisté, impuissant, à l'ascension d'une nouvelle étoile : Pétrus. Le vin est élevé en fût pendant 18 à 24 mois, avec jusqu'à 60 % sous chêne neuf.

ROUGE. Ce vin de couleur grenat a du corps et une saveur tendre et moelleuse qui recèle beaucoup de finesse et de complexité.

Cabernet Sauvignon 20 %, Cabernet franc 25 %, Merlot 50 %, Malbec 5 %

1981, 1982, 1983, 1985, 1986

Entre 12 et 35 ans

Deuxième vin : « La Gravette de Certan »

CHÂTEAU LA VIOLETTE

Production : *1 800 caisses*

De même que le Château Laroze de Saint-Émilion est supposé devoir son nom à l'arôme de rose de ses vins, ce domaine devrait le sien à leur parfum de violette. Les vignobles sont répartis sur la commune de Catussau. Le vin, élevé jusqu'à 24 mois en fût, est de qualité irrégulière, mais son potentiel semble considérable.

ROUGE. Les deux millésimes 1982 et 1985, comme d'autres certainement mais que je n'ai pas goûtés, sont enthousiasmants. Ils possèdent une saveur riche et alerte marquée par le raisin mûr et gras du Merlot.

Cabernet franc 5 %, Merlot 95 %

1982, 1985

Entre 5 et 15 ans

CHÂTEAU VRAY CROIX DE GAY

Production : *2 000 caisses*

Ce petit domaine est situé sur un bon sol graveleux près du Château le Gay. Le vin est élevé en fût pendant 18 mois.

ROUGE. Le 1982 est un vin ample et plein, à la saveur de chocolat et de cerise noire. Le 1985 est plus gras et plus boisé.

Cabernet Sauvignon 5 %, Cabernet franc 15 %, Merlot 80 %

1982, 1985

Entre 5 et 10 ans

Les meilleurs châteaux des environs de Pomerol et de St-Émilion

CHÂTEAU DES ANNEREAUX

AOC Lalande-de-Pomerol et Néac

Vins séduisants, fruités, ronds, dotés d'une certaine élégance.

CHÂTEAU BEL-AIR

AOC Puisseguin-Saint-Émilion

Vins généreux et fruités à boire jeunes.

CHÂTEAU DE BEL-AIR

AOC Lalande-de-Pomerol et Néac

L'un des meilleurs vins de l'appellation. Il est issu d'un beau sol sablo-graveleux.

CHÂTEAU BELAIR-MONTAIGUILLON

AOC Saint-Georges-Saint-Émilion

Vin toujours riche et délicieusement fruité.

CHÂTEAU DE BELCIER

AOC Bordeaux-Côtes-de-Francs et Bordeaux supérieur Côtes-de-Francs

Vins fruités qui peuvent revendiquer les appellations Côtes-de-Castillon ou Côtes-de-Francs.

CHÂTEAU CALON

AOC Montagne-Saint-Émilion

Même propriétaire que le Grand Cru classé Château Corbin-Michotte. Vin de bonne qualité, succulent, très marqué par le caractère du Merlot.

CHÂTEAU CALON

AOC Saint-Georges-Saint-Émilion

Une petite partie de ce vignoble de Montagne-Saint-Émilion est située dans l'aire Saint-Georges-Saint-Émilion ; le vin qui en provient est donc vendu sous cette appellation.

CHÂTEAU CANON

AOC Côtes Canon-Fronsac

Minuscule domaine de 1,5 ha qui produit le meilleur vin de cette appellation.

CHÂTEAU CANON DE BREM

AOC Côtes Canon-Fronsac

Bien plus grand que le Château Canon, ce domaine est géré par Moueix dans le même esprit et offre des vins de garde, fins, fermes et savoureux, qui ont une robe profonde, sont puissants et cependant complexes et épicés.

Deuxième vin : Château Pichelèbre

CHÂTEAU CAP DE MERLE

AOC Lussac-Saint-Émilion

Le meilleur vin de Robert Parker dans l'appellation Lussac, pour les millésimes 1981 à 1983.

CHÂTEAU CASSAGNE-HAUT-CANON

AOC Côtes Canon-Fronsac

Vins amples et gras aux saveurs de fruits confits, séduisants quand ils sont jeunes.

CHÂTEAU CASTEGENS

AOC Bordeaux-Côtes-de-Castillon et Bordeaux supérieur Côtes-de-Castillon

Vin rouge, rond, de bonne qualité.

Autre vin : Château de Fontenay

CHÂTEAU DE CLOTTE

AOC Bordeaux-Côtes-de-Castillon et Bordeaux supérieur Côtes-de-Castillon

Ce domaine, qui produit en moyenne 6 000 caisses de vin rouge par an, peut utiliser les appellations Côtes-de-Castillon ou Côtes-de-Francs, mais n'emploie que la première.

CHÂTEAU DU COURLAT

AOC Lussac-Saint-Émilion

Vin épicé et tannique, bien fruité.

CHÂTEAU COUSTOLLE VINCENT

AOC Côtes Canon-Fronsac

Vins savoureux, élevés parfois dans 20 % de barriques neuves.

CHÂTEAU DALEM

AOC Fronsac

Vins tendres et soyeux qui se développent rapidement, tout en gardant leur fraîcheur.

CHÂTEAU DE LA DAUPHINE

AOC Fronsac

Vins frais et fruités élevés en fût, dont 20 % sont neufs.

CHÂTEAU DURAND LAPLAIGNE

AOC Puisseguin-Saint-Émilion

Un sol argilo-calcaire, une sélection rigoureuse et des techniques modernes donnent un vin excellent.

CHÂTEAU DU GABY

AOC Côtes Canon-Fronsac

Vins à la saveur intense, bien charpentés, d'une grande longévité.

CHÂTEAU GRAND-BARIL

AOC Montagne-Saint-Émilion

Vin fruité et séduisant produit par le lycée agricole de Libourne.

CHÂTEAU HAUT-CHAIGNEAU

AOC Lalande-de-Pomerol et Néac

Excellent domaine qui produit des vins charnus, de grande qualité.

CHÂTEAU HAUT-CHATAIN

AOC Lalande-de-Pomerol et Néac

Vins gras, riches et succulents, avec les nuances vanillées du chêne neuf.

CHÂTEAU HAUT-TUQUET

AOC Bordeaux-Côtes-de-Castillon et Bordeaux supérieur Côtes-de-Castillon.

Vins rouges régulièrement bien faits.

CHÂTEAU LES HAUTS-CONSEILLANTS

AOC Lalande-de-Pomerol et Néac

Un bon domaine de Néac.

Autre vin : Château les Hauts-Tuileries

CHÂTEAU JEANDEMAN

AOC Fronsac

Vin frais et fruité, au bel arôme.

CHÂTEAU JUNAYME

AOC Côtes Canon-Fronsac

Vins fins, bien connus.

CHÂTEAU DES LAURETS

AOC Puisseguin-Saint-Émilion

Le plus grand domaine de l'AOC.

Autres vins : Château la Rochette, Château Maison Rose

CHÂTEAU DE LUSSAC

AOC Lussac-Saint-Émilion

Vin bien équilibré, à boire jeune.

CHÂTEAU DU LYONNAT

AOC Lussac-Saint-Émilion

Le plus grand domaine de l'AOC.

Autre vin : « La Rose Peruchon »

CHÂTEAU MAISON BLANCHE

AOC Montagne-Saint-Émilion

Vin séduisant, fruité, gouleyant.

CHÂTEAU MAQUIN-SAINT-GEORGES

AOC Saint-Georges-Saint-Émilion

Beau vin, fait de 70 % de Merlot.

Autre vin : Château Bellonne-Saint-Georges

CHÂTEAU MAUSSE

AOC Côtes Canon-Fronsac

Vin savoureux, au bel arôme.

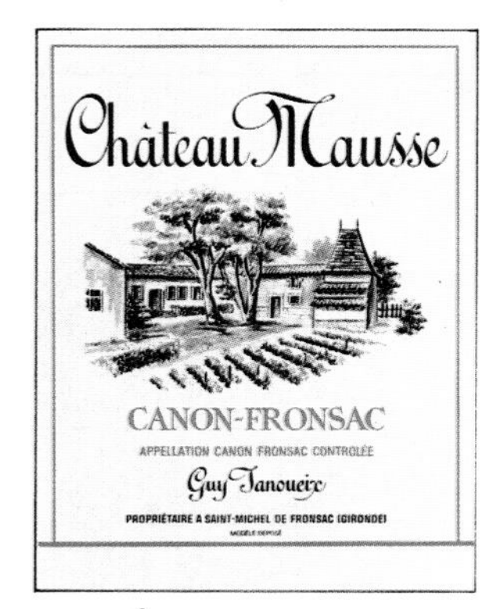

CHÂTEAU MAZERIS

AOC Côtes Canon-Fronsac

Vins dans lesquels la proportion de Cabernet Sauvignon est inhabituellement forte.

CHÂTEAU MAYNE-VIEIL

AOC Fronsac

Vins gouleyants, avec les notes fruitées et épicées du Merlot.

CHÂTEAU MILON

AOC Lussac-Saint-Émilion

Vin bouqueté, de belle qualité.

CHÂTEAU MONCETS

AOC Lalande-de-Pomerol et Néac

Un vin riche, fin et élégant, qui ressemble à un Pomerol.

CHÂTEAU MOULIN HAUT-LAROQUE

AOC Fronsac

Vins bien parfumés, assez gras, avec un fruité très développé et de bons tanins.

CHÂTEAU MOULIN NEUF

AOC Bordeaux-Côtes-de-Castillon et Bordeaux supérieur Côtes-de-Castillon

Ces vins sont régulièrement primés.

CHÂTEAU MOULIN ROUGE

AOC Bordeaux-Côtes-de-Castillon et Bordeaux supérieur Côtes-de-Castillon

Vin rond et gouleyant.

CHÂTEAU LA PAPETERIE

AOC Montagne-Saint-Émilion

Nez riche, bouche ample et fruitée.

CHÂTEAU DU PONT DE GUESTRES

AOC Lalande-de-Pomerol et Néac

Vins de qualité, pleins, mûrs et gras.

CHÂTEAU DU PUY

AOC Bordeaux-Côtes-de-Francs et Bordeaux supérieur Côtes-de-Francs

Vins rouges rustiques et très fruités.

CHÂTEAU PUYCARPIN

AOC Bordeaux-Côtes-de-Castillon et Bordeaux supérieur Côtes-de-Castillon

Vin rouge bien fait, ainsi qu'un peu de vin blanc sec.

CHÂTEAU PUYGUERAUD

AOC Bordeaux-Côtes-de-Francs et Bordeaux supérieur Côtes-de-Francs

Vins à l'arôme séduisant, riches d'une belle couleur et d'un fruité souple.

CHÂTEAU LA RIVIÈRE

AOC Fronsac

Vins magnifiques faits pour durer, élevés parfois dans 40 % de barriques neuves.

CHÂTEAU ROBIN

AOC Bordeaux Côtes-de-Castillon et Bordeaux supérieur Côtes-de-Castillon

Vins rouges souvent primés.

CHÂTEAU ROCHER-BELLEVUE

AOC Bordeaux-Côtes-de-Castillon et Bordeaux supérieur Côtes-de-Castillon

Vins qui ressemblent à des Saint-Émilion et remportent régulièrement des médailles. Autres vins : « La Palène », « Coutet-Saint-Magne »

CHÂTEAU ROUDIER

AOC Montagne-Saint-Émilion

Vins de qualité, bien colorés, empreints d'une riche saveur, joliment équilibrés, longs et souples.

CHÂTEAU SIAURAC

AOC Lalande-de-Pomerol et Néac

Vins fins, fermes et fruités.

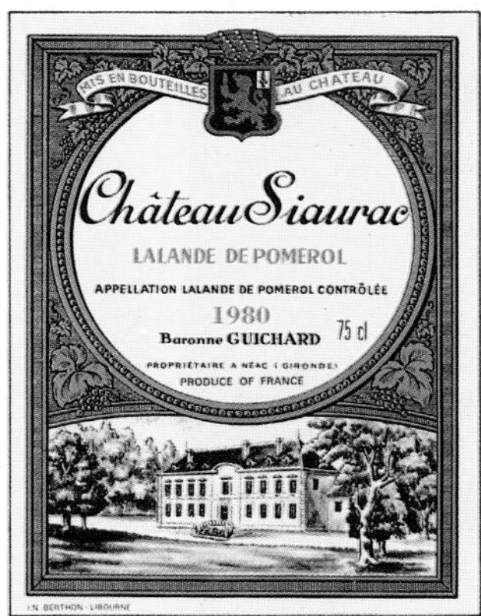

CHÂTEAU ST-GEORGES

AOC Saint-Georges-Saint-Émilion

Vins d'une grande finesse et d'excellente qualité.

CHÂTEAU TARREYO

AOC Bordeaux-Côtes-de-Castillon et Bordeaux supérieur Côtes-de-Castillon

Vignobles situés sur une éminence calcaire, comme le suggère, en gascon, le nom du château.

CHÂTEAU THIBAUD-BELLEVUE

AOC Bordeaux-Côtes-de-Castillon et Bordeaux supérieur Côtes-de-Castillon

Vin rouge, rond et fruité.

CHÂTEAU TOUMALIN

AOC Côtes Canon-Fronsac

Vin ferme et fruité, provenant d'un domaine qui appartient au Château La Pointe à Pomerol.

CHÂTEAU TOUR-DU-PAS-SAINT-GEORGES

AOC Saint-Georges-Saint-Émilion

Excellent vin, relativement bon marché.

CHÂTEAU DES TOURELLES

AOC Lalande-de-Pomerol et Néac

Vins fins, fermes et séduisants, aux tendres nuances fruitées et vanillées.

CHÂTEAU TOURNEFEUILLE

AOC Lalande-de-Pomerol et Néac

Le meilleur vin de l'appellation : imposant, riche, de longue garde.

CHÂTEAU DES TOURS

AOC Montagne-Saint-Émilion

Le domaine, le plus vaste de l'appellation, est la propriété de Marne & Champagne. Vin ample et charnu, qui reste tendre et coulant.

CHÂTEAU LA VALADE

AOC Fronsac

Vins élégants et aromatiques, à la texture soyeuse, faits exclusivement de raisins de Merlot.

CHÂTEAU LA VIEILLE CURE

AOC Fronsac

Vins fruités, nets et bien faits, qui deviennent coulants au bout de trois à quatre ans.

CHÂTEAU VILLARS

AOC Fronsac

Vins tendres, gras et succulents, élevés pour un tiers en barriques neuves.

VIEUX-CHÂTEAU-ST-ANDRÉ

AOC Montagne-Saint-Émilion

Vin tendre gorgé de saveurs de cerise, de vanille et d'épices. Le domaine appartient à Jean-Claude Berrouet, l'œnologue de Pétrus.

CHÂTEAU VRAI-CANON-BOYER

AOC Côtes Canon-Fronsac

Vin rond et fruité, agréable à boire jeune.

Bourg et Blaye

Quatre-vingt-quinze pour cent de la production sont des vins rouges d'un bon rapport qualité/prix. Bourg récolte plus de vin que son voisin Blaye, pourtant cinq fois plus étendu, et la plupart des vins du Blayais proviennent de quelques châteaux situés près des limites du Bourgeais.

D'après certaines sources, le vigne était déjà cultivée à Bourg et à Blaye lorsque les Romains arrivèrent dans la région. Ils utilisèrent d'ailleurs Blaye comme *castrum* pour défendre Bordeaux. Quoi qu'il en soit, les vignobles y sont certainement antérieurs de beaucoup à ceux du Médoc, sur l'autre rive de la Gironde.

Le Bourgeais est une région compacte, très cultivée, avec de nombreux jolis vignobles en coteau. La vigne joue en revanche un rôle moins important à Blaye où se développent d'autres activités, en particulier l'industrie du caviar dans l'ancien port de pêche que fréquentent encore quelques beaux esturgeons. Les vignobles du Blayais sont regroupés pour la plupart dans la campagne qui borde le Bourgeais mais, malgré la similitude du site, produisent traditionnellement des vins de qualité légèrement inférieure. La D 18 semble marquer la frontière avec un arrière-pays moins cultivé, parsemé de bois isolés, où la topographie change entièrement.

LE POTENTIEL DE BOURG ET DE BLAYE

Les Romains virent dans ces coteaux exposés au sud, dominant la Gironde, le site idéal pour planter des vignes. S'il leur était sans doute impossible d'entrevoir les possibilités que recelait le Médoc au-delà de ses marécages pratiquement impénétrables, ils surent mesurer les ressources de Bourg et de Blaye. La qualité des vins que produisent aujourd'hui ces deux vignobles aurait même dépassé les espoirs les plus optimistes des viticulteurs d'autrefois. Depuis lors, le redéfinition des vins classiques a confiné ces deux régions dans un rôle secondaire, mais leur potentiel demeure inchangé. Dans une vingtaine d'années, quand les amateurs auront découvert les vins de Fronsac et compris que ceux de Canon-Fronsac pouvaient rivaliser avec leurs voisins de Pomerol, ils reconnaîtront certainement les vins de Bourg et de Blaye à leur juste valeur, et accepteront une augmentation de leur prix. Alors, les producteurs pourront limiter les rendements, améliorer les techniques de vinification et employer une certaine proportion de barriques neuves.

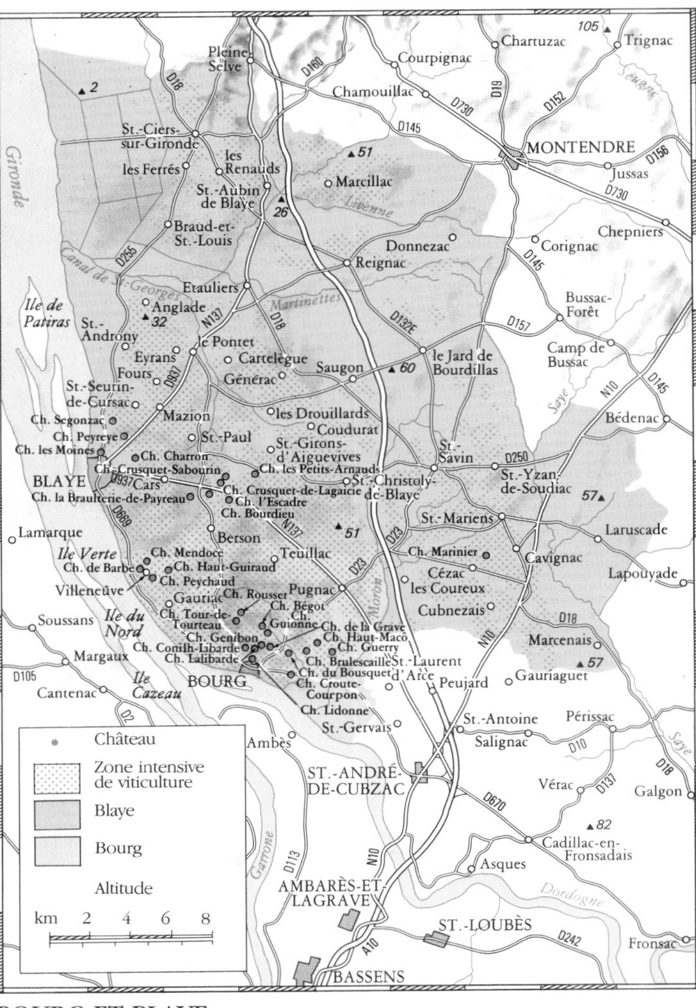

BOURG ET BLAYE, *voir* aussi p. 37

La plupart des meilleurs crus de ces deux régions sont regroupés derrière les ports de Bourg et de Blaye. Le Bourgeais montre la plus forte concentration de vignobles et produit généralement les meilleurs vins.

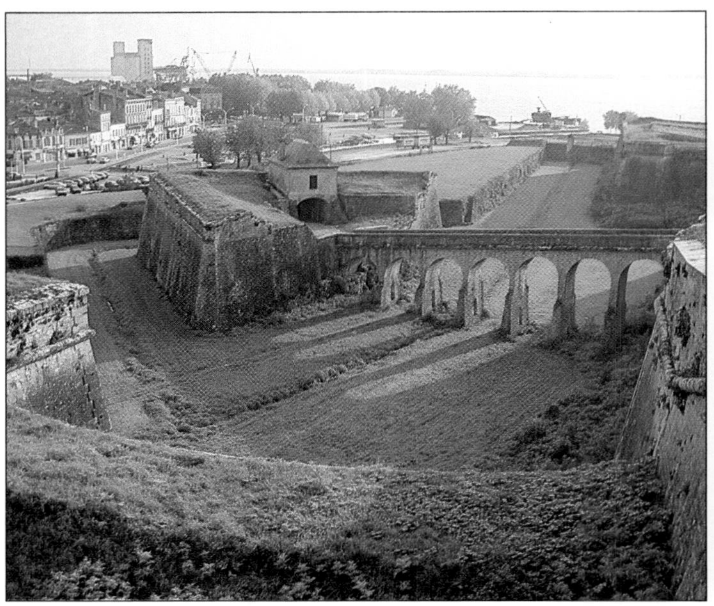

Le bourg de Blaye, ci-dessus
Le charmant port de pêche de Blaye avec, au premier plan, les ruines de l'ancienne citadelle qui le protégeait.

FACTEURS AFFECTANT LE GOÛT ET LA QUALITÉ

Situation
Les vignobles s'étendent derrière Bourg, sur la rive droite de la Gironde, au confluent de la Dordogne et de la Garonne. Le Blayais est une aire plus vaste située au-delà de Bourg.

Climat
Ces deux régions sont moins protégées que le Médoc des vents d'ouest et de nord-ouest, et reçoivent davantage de précipitations.

Site
Le Bourgeais est très vallonné et certaines vignes sont plantées sur des coteaux calcaires pentus qui culminent à 80 m. Dans le sud du Blayais, la campagne est riche et vallonnée ; les pentes abruptes qui dominent la Gironde sont en réalité le prolongement de celles du Bourgeais. Les terres du nord sont plus plates.

Sol
Le sol du Bourgeais est constitué d'argile calcaire ou d'argile graveleuse sur un sous-sol de calcaire dur qui, à l'est, s'accompagne parfois d'argile et de graves. Dans le Blayais, le sol est fait d'argile ou d'argile calcaire recouvrant une couche de calcaire dur dans les collines qui dominent la Gironde, mais devenant de plus en plus sableux vers l'est.

Viticulture et vinification
Les cépages cultivés ici sont très nombreux et certains sont bien trop médiocres ou trop peu fiables. Bourg produit les meilleurs vins rouges, Blaye les meilleurs blancs, mais la proportion de blancs reste faible dans les deux appellations – 10 % dans le Blayais et moins de 1 % dans le Bourgeais. Une grande partie des vins de Bourg sont faits par les cinq coopératives.

Cépages principaux
Cabernet franc, Cabernet Sauvignon, Merlot, Sauvignon blanc, Sémillon.

Cépages secondaires
Malbec, Prolongeau, Cahors, Béguignol (Fer), Petit Verdot, Merlot blanc, Folle blanche, Colombard, Chenin blanc, Muscadelle, Ugni blanc.

Les vins de Bourg et de Blaye

Le nombre des appellations dans cette double région et les différences entre elles ne vont pas sans créer une certaine confusion chez le consommateur. Il conviendrait de simplifier la réglementation et de ne conserver peut-être que deux appellations – Côtes de Blaye et Côtes de Bourg – pour tous les vins produits.

BLAYE AOC

Appellation vaste et contrastée qui s'applique à des vins de qualité variable.

ROUGE. L'appellation est pratiquement inusitée car peu de viticulteurs cultivent les obscurs cépages qu'elle autorise ; la plupart d'entre eux préfèrent utiliser l'appellation Premières Côtes de Blaye.

Cabernet Sauvignon, Cabernet franc, Merlot, Malbec, Prolongeau, Béguignol, Petit Verdot

1982, 1983, 1985, 1986

Entre 3 et 7 ans

BLANC. Les meilleurs vins – frais, secs, légers et plaisants – sont dominés par le Sauvignon. Autrefois, les vins étaient produits pour être distillés ensuite en Cognac, d'où l'importance, aujourd'hui encore, des raisins à haut rendement, très acides et peu alcoolisés qui offrent des vins médiocres.

Merlot blanc, Folle blanche, Colombard, Chenin blanc, Sémillon, Sauvignon blanc, Muscadelle, Ugni blanc

1983, 1984, 1985, 1986

1 à 2 ans au maximum

BLAYAIS AOC

Voir Blaye AOC

BOURG AOC

Cette appellation, qui couvre à la fois vins blancs et vins rouges, est tombée en désuétude car les viticulteurs préfèrent employer l'AOC Côtes de Bourg.

BOURGEAIS AOC

Voir Bourg AOC

CÔTES DE BLAYE AOC

À la différence des appellations Blaye, Bourg ou Côtes de Bourg, qui s'appliquent à des vins blancs et rouges, Côtes de Blaye ne concerne que des vins blancs.

BLANC. La production est équivalente à celle de Blaye. Les vins se ressemblent par leur qualité et leur style.

Merlot blanc, Folle blanche, Colombard, Chenin blanc, Sémillon, Sauvignon blanc, Muscadelle

1983, 1985, 1986

1 à 2 ans au maximum

CÔTES DE BOURG AOC

Le Bourgeais a beau être cinq fois plus petit que le Blayais, il produit davantage de vins et, surtout, ceux-ci sont de meilleure qualité.

ROUGE. Vins d'un excellent rapport qualité/prix, joliment colorés, pleins de saveurs fermes et fruitées. Nombre d'entre eux sont très distingués.

Cabernet Sauvignon, Cabernet franc, Merlot, Malbec

1981, 1982, 1983, 1985, 1986

Entre 3 et 10 ans

BLANC. Très petite production d'un vin sec et léger.

Sémillon, Sauvignon blanc, Muscadelle, Merlot blanc, Colombard, plus un maximum de 10 % de Chenin blanc

1983, 1985, 1986

1 à 2 ans au maximum

PREMIÈRES CÔTES DE BLAYE AOC

Cette appellation couvre la même aire que Blaye et Côtes de Blaye, mais n'autorise que les cépages classiques et impose un titre alcoométrique minimal supérieur.

ROUGE. Une ou deux excellentes propriétés utilisent du chêne neuf.

Cabernet Sauvignon, Cabernet franc, Merlot, Malbec

1982, 1983, 1985, 1986

Entre 4 et 10 ans

BLANC. Vins secs et légers à la saveur fraîche et alerte de raisin.

Sémillon, Sauvignon blanc, Muscadelle

1983, 1984, 1985, 1986

1 à 2 ans au maximum

Les meilleurs châteaux de Bourg

CHÂTEAU DE BARBE

Villeneuve
33710 Bourg-sur-Gironde

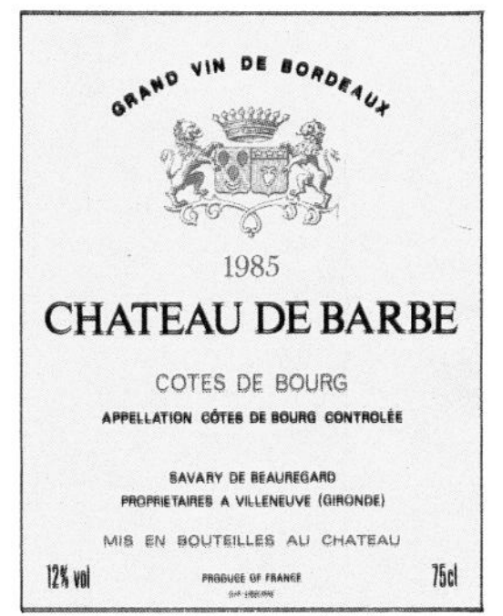

Importante production d'un vin rouge coulant, léger, délicatement fruité, dominé par le Merlot.

CHÂTEAU BÉGOT

Lansac
33710 Bourg-sur-Gironde

Quelque 5 000 caisses d'un vin rouge agréablement fruité, à boire jeune.

CHÂTEAU BRULESCAILLE

Tauriac
33710 Bourg-sur-Gironde

Vignobles bien situés qui produisent des vins agréables, à boire jeunes.

CHÂTEAU DU BOUSQUET

33710 Bourg-sur-Gironde

Grande propriété bien connue qui produit environ 40 000 caisses d'un vin rouge d'un excellent rapport qualité/prix. Ce vin, au bouquet imposant et à la texture souple, est vinifié dans des cuves en acier inoxydable, puis élevé dans le chêne.

CHÂTEAU CONILH-LIBARDE

33710 Bourg-sur-Gironde

Vin rouge tendre et fruité provenant d'un petit vignoble qui domine Bourg-sur-Gironde et la Dordogne.

CHÂTEAU CROUTE-COURPON

33710 Bourg-sur-Gironde

Petit domaine qui produit d'honnêtes vins rouges fruités.

CHÂTEAU EYQUEM

Bayon-sur-Gironde
33710 Bourg-sur-Gironde

Le château appartient à la famille Bayle-Carreau qui possède plusieurs autres propriétés. Le vin est léger, agréable au déjeuner, mais peut-être l'acheteur est-il désireux surtout de servir un Eyquem rouge ?

CHÂTEAU GÉNIBON

33710 Bourg-sur-Gironde

Petit vignoble qui produit des vins séduisants, faciles à boire.

CHÂTEAU GRAND-LAUNAY

Teuillac
33710 Bourg-sur-Gironde

Cette propriété regroupe en fait les vignobles de trois domaines : le Domaine Haut-Launay, le Château Launay et le Domaine les Hermats. On y produit principalement des vins rouges, mais également un peu de vin blanc. Le meilleur vin est une superbe cuvée spéciale rouge vendue sous l'étiquette Château Lion Noir.

CHÂTEAU DE LA GRAVE

33710 Bourg-sur-Gironde

Importante propriété étendue sur l'un des points culminants de Bourg-sur-Gironde, qui produit une grande quantité d'un vin rouge léger et fruité, ainsi qu'un peu de vin blanc.

CHÂTEAU GUERRY

Tauriac
33710 Bourg-sur-Gironde

Sont produites environ 10 000 caisses d'un vin rouge très fin et fruité, élevé en fût, riche d'une bonne charpente et d'une saveur élégante et souple.

CHÂTEAU GUIONNE

Lansac
33710 Bourg-sur-Gironde

Vins rouges coulants, joliment fruités, qui montrent une saveur succulente et une certaine finesse ; petite production d'un vin blanc assez intéressant.

CHÂTEAU HAUT-GUIRAUD

Saint-Ciers-de-Canesse
33710 Bourg-sur-Gironde

Vin rouge uniquement, relativement corsé, bien charpenté, doté de saveurs de fruits mûrs. Le propriétaire possède aussi, dans la commune, les Châteaux Castaing et Guiraud-Grimard.

CHÂTEAU HAUT-MACÔ

Tauriac
33710 Bourg-sur-Gironde

Vins dont l'apparence légère et rustique est trompeuse ; ils sont pleins de saveurs riches et fruitées et d'une bonne acidité. Les propriétaires possèdent également le Domaine de Lilotte à Bourg-sur-Gironde, qui produit, sous l'appellation Bordeaux supérieur, d'agréables vins rouges gouleyants, à boire jeunes.

Autre vin : « Les Bascauds »

CHÂTEAU HAUT-ROUSSET

33710 Bourg-sur-Gironde

Propriété qui produit quelque 12 000 caisses d'un honnête vin rouge et 1 000 caisses de blanc. D'autres vins rouges, provenant d'un vignoble voisin, sont vendus sous l'étiquette « Château la Renardière ».

CHÂTEAU DE LIDONNE

33710 Bourg-sur-Gironde

Ce très vieux château récolte un vin rouge d'excellente qualité, à l'arôme puissant, débordant de nuances de Cabernet. Il fut baptisé ainsi parce que les moines qui l'habitaient au XVᵉ siècle offraient l'hospitalité aux pèlerins de passage : ils leur « donnaient le lit ».

CHÂTEAU MENDOCE

Villeneuve
33710 Bourg-sur-Gironde

Ce château jouit d'une réputation méritée ; son vin rouge est riche, ample, souple et long en bouche.

CHÂTEAU PEYCHAUD

Teuillac
33710 Bourg-sur-Gironde

Cette belle propriété produit des vins rouges séduisants, élégants et fruités, agréables à boire quand ils sont jeunes, ainsi qu'une petite quantité de vin blanc. Les propriétaires possèdent également le Château Peyredoulle à Berson, une commune du Blayais, et le Château le Peuy-Saincrit qui relève de l'AOC.

CHÂTEAU ROUSSET

Samonac
33710 Bourg-sur-Gironde

Beaux vignobles situés sur un sol graveleux, qui produisent des vins assez riches, succulents, d'une certaine finesse, dominés par le Merlot, à boire de préférence lorsqu'ils ont deux ou trois ans.

CHÂTEAU SAUMAN

Villeneuve
33710 Bourg-sur-Gironde

Vignobles impeccables qui produisent un vin rouge de bonne qualité, dont l'âge moyen de maturité s'élève à quelques années. Le propriétaire possède aussi dans la commune le Domaine du Moulin de Mendoce.

CHÂTEAU TOUR-DE-TOURTEAU

Samonac
33710 Bourg-sur-Gironde

Cette propriété faisait partie autrefois du Château Rousset. Ses vins sont cependant plus amples et plus riches que ceux de Rousset.

Les meilleurs châteaux de Blaye

CHÂTEAU BARBÉ

Cars
33390 Blaye

L'une des propriétés détenues par la famille Bayle-Carreau. Vins rouges et blancs très fruités et bien faits.

CHÂTEAU BOURDIEU

Berson
33390 Blaye

Vieille propriété bien connue dont les vins rouges, élevés en fût, sont dominés par le Cabernet et possèdent une très ferme charpente. Sont récoltés aussi des vins blancs qui progressent en qualité. Il y a sept siècles, ce domaine obtint le privilège de vendre du « clairet » – une tradition qu'il maintient aujourd'hui en élevant en barriques la production de divers vignobles.

CHÂTEAU LA CARELLE

Saint-Paul
33390 Blaye

On produit plus de 11 000 caisses d'un agréable vin rouge et 1 500 caisses de vin blanc.

CHÂTEAU DE CASTETS

Plassac
33390 Blaye

Domaine prometteur, qui produit de séduisants vins rouges et blancs à boire jeunes.

CHÂTEAU CHARRON

Saint-Martin-Lacaussade
33390 Blaye

Le vin rouge, dominé par le Merlot, est élevé en barriques, dont certaines sont neuves. Il est bien fait, très séduisant, riche et succulent. Le château récolte aussi un peu de vin blanc.

CHÂTEAU CRUSQUET-DE-LAGARCIE

Cars
33390 Blaye

Vin rouge de grande qualité, qui montre une robe profonde, de l'ampleur et de la richesse, avec d'abondantes saveurs de fruits, de vanille et d'épices. La petite production de vin blanc sec est vendue sous l'étiquette « Clos-des-Rudel » et quelques caisses de vin moelleux, sous le nom « Clos-Blanc de Lagarcie ».

CHÂTEAU L'ESCADRE

Cars
33390 Blaye

Vins rouges bien colorés, pleins, élégants et fruités, que l'on peut boire jeunes bien qu'ils se bonifient avec l'âge. On produit également un peu de vin blanc fruité.

DOMAINE DU GRAND BARRAIL

Plassac
33390 Blaye

Même propriétaire que le Château Gardut-Haut-Cluzeau et le Domaine du Cavalier à Cars. Vin rouge de belle qualité qui séduit par la pureté de son fruit et petite production de vin blanc.

CHÂTEAU DU GRAND PIERRE

Berson
33390 Blaye

Si les vins rouges récoltés chaque année ressemblent au millésime 1982, ils sont alors relativement corsés, montrent un fruité mûr et moelleux et un excellent rapport qualité/prix. Ce château produit aussi un peu de vin blanc.

CHÂTEAU DE HAUT SOCIONDO

Cars
33390 Blaye

Vins rouges et blancs agréables, légers et fruités.

CHÂTEAU LAMANCEAU

Saint-Androny
33390 Blaye

Ce domaine produit uniquement un vin rouge d'excellent niveau qui, à côté d'une riche couleur, offre les saveurs épicées du Merlot.

CHÂTEAU MARINIER

Cézac
33620 Cavignac

La récolte de vin rouge est le double de celle du vin blanc. Le rouge est agréablement fruité, mais le blanc souple, bien équilibré, riche et élégant, est assurément plus réussi. Ce château produit également des vins rouges et rosés sous l'appellation Bordeaux.

CHÂTEAU MENAUDAT

Saint-Androny
33390 Blaye

Vins rouges extrêmement séduisants, amples et fruités.

CHÂTEAU LES MOINES

33390 Blaye

Vin rouge uniquement, assez léger, frais et fruité, facile à boire.

CHÂTEAU PARDAILLAN

Cars
33390 Blaye

Vins rouges bien faits, agréables, fruités, à boire jeunes.

CHÂTEAU LES PETITS ARNAUDS

Cars
33390 Blaye

Vins rouges à l'arôme séduisant, ronds et fruités, et production d'un Blaye blanc sec et d'un Bordeaux blanc moelleux.

CHÂTEAU PEYREDOULLE

Berson
33390 Blaye

Domaine qui produit un vin rouge de bonne qualité et un peu de vin blanc. Même propriétaire que le Château Peychaud à Teuillac, une commune du Bourgeais, et que le Château le Peuy-Saincrit, qui relève de l'AOC Bordeaux.

CHÂTEAU PEYREYRE

Saint-Martin-Lacaussade
33390 Blaye

Vins rouges bien charpentés, richement savoureux, dotés d'une certaine finesse, et production d'un Bordeaux rosé.

CHÂTEAU SEGONZAC

Saint-Genès-de-Blaye
33390 Blaye

Vins rouges bien faits, à la fois coulants, légers, frais, fermes et agréablement fruités.

Entre-Deux-Mers

L'Entre-Deux-Mers est situé entre la Dordogne et la Garonne. C'est la plus grande région viticole du Bordelais. Elle offre des vins blancs secs de qualité modeste, mais qui progressent régulièrement, ainsi qu'un volume croissant de vins rouges vendus sous les appellations Bordeaux ou Bordeaux supérieur.

Cette région était tristement célèbre autrefois pour ses vins blancs demi-doux, excessivement soufrés, mous et fatigués. En réalité, la respectable région des Graves continua de produire, bien après l'Entre-Deux-Mers, de tels médiocres vins. Un décret de 1977, entérinant une tendance déjà sensible sur le terrain, interdit aux producteurs de vendre sous cette appellation d'autres vins que les vins blancs secs. Cette décision ne suffit pas cependant à protéger le consommateur de quelques mauvaises surprises.

Dès les années 50 et 60, les viticulteurs commencèrent à renoncer au mode traditionnel de conduite de la vigne au profit du système révolutionnaire de la taille dite « haute ». Puis dans les années 70, ils adoptèrent les techniques de fermentation à basse température. De nombreux châteaux produisaient alors des vins secs, frais et légers, et les marchés d'exportation comprirent qu'il serait plus facile de vendre de l'Entre-Deux-Mers que de ternes Bordeaux blancs, en particulier si le vin provenait d'un quelconque petit château.

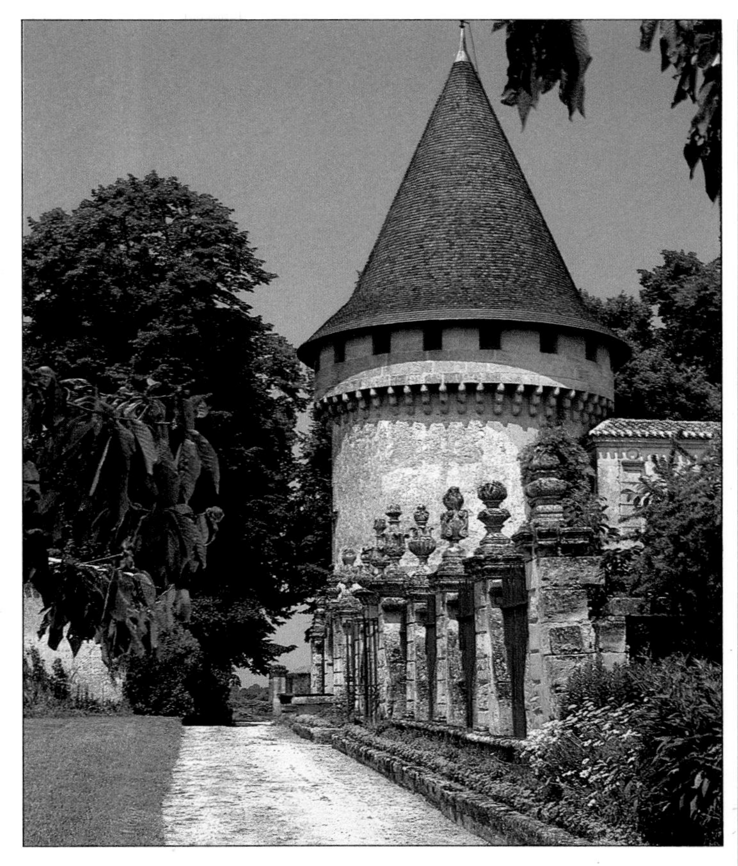

Château Mouchac, à droite
Ce château, situé à Grézillac, appartient à la famille Du Serech de Saint-Avit. Il produit des vins d'AOC Bordeaux supérieur.

Château Bonnet, ci-dessous
En 1898, ce vignoble fut acheté par Léonce Recapet, qui fut l'un des premiers à replanter des vignes dans le Bordelais après les ravages causés par le phylloxera. Son gendre, François Lurton, lui succéda, puis le château revint à son petit-fils, André Lurton, en 1956.

LA TAILLE HAUTE

À la fin des années 40 et au début des années 50, la situation de l'Entre-Deux-Mers était très critique : les vins étaient vendus en gros et le déclin de l'ensemble du Bordelais était particulièrement sensible ici. Les viticulteurs de l'après-guerre, mécontents de cet état de fait, s'avisèrent alors que les boulbènes compactes de la région étouffaient les vignes et que les méthodes ancestrales n'étaient pas adaptées à ces conditions.

En dépit des difficultés économiques du moment, ils prirent un risque financier considérable pour redresser la situation : ils arrachèrent un rang de vignes sur deux, augmentant ainsi l'espace entre les rangs, et adoptèrent un mode de conduite analogue à celui qu'on utilisait plus au sud, à Madiran et à Jurançon, ainsi qu'en Autriche, où ce système fut mis au point sous le nom de Lenz Möser. Celui-ci permettait d'utiliser des machines dans les vignobles pour aérer le sol tout en développant le feuillage des ceps, ce qui augmentait l'assimilation de chlorophylle et favorisait la maturation.

LA FERMENTATION À BASSE TEMPÉRATURE

Dans les années 70, les coopératives de l'Entre-Deux-Mers, dont le personnel avait reçu une formation universitaire, investirent dans des cuves de fermentation en acier inoxydable à température contrôlée. Auparavant, la température de fermentation dépassait souvent 28 °C, alors que plus la température est basse, plus les composants aromatiques se trouvent libérés. On découvrit bientôt que la fermentation pouvait se faire à des températures aussi basses que 4 °C, mais que des risques d'arrêt de fermentation étaient à craindre. La température doit donc se situer, de préférence, entre 10 et 18 °C – 18 °C étant, ce que l'on sait depuis peu, la température optimale. Ainsi, les vinificateurs de l'Entre-Deux-Mers augmentaient-ils la teneur en alcool, ainsi que les composants aromatiques et gustatifs, tout en réduisant la perte de gaz carbonique, l'acidité volatile et l'emploi d'anhydride sulfureux.

Vendanges près du Puch, ci-dessus
Depuis les années 50 l'Entre-Deux-Mers est l'une des régions bordelaises ayant connu la plus importante modernisation.

Château du Grand Puch, ci-dessous
Propriété de la Société viticole du Château du Grand Puch, ce château date du XIIIe siècle.

FACTEURS AFFECTANT LE GOÛT ET LA QUALITÉ

Situation
Vaste région à l'est de Bordeaux, entre la Dordogne et la Garonne.

Climat
Région plus ventée et plus humide que le Médoc, avec des risques d'inondation près des cours d'eau.

Site
Campagne paisible et très attirante, où se succèdent des vignobles vallonnés, des vergers et des prés.

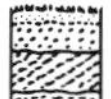

Sol
Les sols sont très variés : alluvions près des cours d'eau, graves sur certaines collines et crêtes, graves argileuses ou argile calcaire sur certains plateaux. À l'ouest, les boulbènes dominent. Ce sont des sols très fins et sableux qui tendent à former une barrière imperméable et qui nécessitent le greffage des vignes sur des porte-greffe spéciaux. Le sous-sol est en grande partie calcaire, avec par endroits des argiles sableuses, des argiles calcaires, une roche appelée aslar et un grès contenant des graves et des dépôts ferreux, le ribot.

Viticulture et vinification
Cette région est réputée pour son mode de conduite des vignes en hauteur, développé au début des années 50, semblable au système Lenz Möser utilisé en Autriche. On accorde maintenant plus d'importance au raisin de Sauvignon et à la fermentation à basse température, dans des cuves en acier inoxydable.

Cépages principaux
Sémillon, Sauvignon blanc, Muscadelle

Cépages secondaires
Merlot blanc, Colombard, Mauzac, Ugni blanc

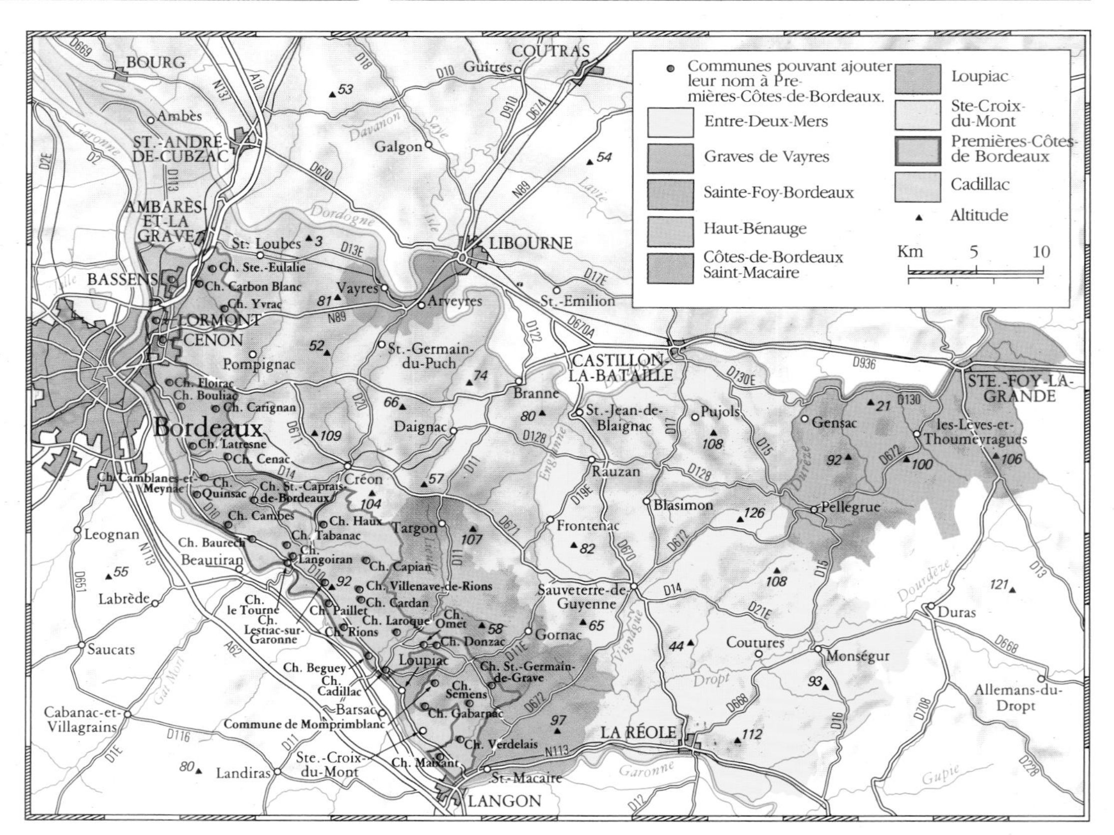

ENTRE-DEUX-MERS,
voir aussi p. 37

Les paysages variés de l'Entre-Deux-Mers s'étendent entre la Dordogne et la Garonne que longe la bande étroite des Premières Côtes le long de l'extrémité sud.

Les vins de l'Entre-Deux-Mers

BORDEAUX HAUT-BENAUGE AOC

Située au-dessus des Premières Côtes, en face de Cérons, cette aire correspond à l'ancien petit comté de Bénauge. À la différence de l'appellation Entre-Deux-Mers-Haut-Bénauge, celle-ci n'autorise que les trois cépages classiques, et les raisins doivent contenir au minimum 195 g de sucre par litre, au lieu de 170 g. Les rendements sont inférieurs de 10 % et le degré alcoométrique est supérieur de 1,5°.

BLANC. Vins secs, demi-secs et moelleux, légers et fruités.

Sémillon, Sauvignon blanc, Muscadelle

1983, 1984 (sec), 1985 (sec et demi-sec), 1986

1 à 3 ans au maximum pour les vins secs et demi-secs ; entre 3 et 6 ans pour les vins liquoreux

CADILLAC AOC

Parmi les trois aires productrices de vins liquoreux de la rive droite de la Garonne, Cadillac est la moins connue. Elle regroupe 21 communes, dont 16 forment le canton de Cadillac. La production est très faible sous cette appellation, puisqu'elle atteint en moyenne 2 000 hectolitres par an (22 222 caisses), l'équivalent du cinquième de celle de Loupiac et du dixième de celle de Sainte-Croix-du-Mont. La réglementation impose que les vins soient faits de raisins touchés par la pourriture noble et récoltés par tries successives, mais la présence du botrytis n'est guère sensible ; dans le meilleur des cas, on ne décèle que le passerillage. Ce terroir pourrait produire des vins de qualité supérieure, mais au prix d'investissements coûteux impossibles à réaliser tant que les vins ne seront pas vendus plus cher.

BLANC. Vins séduisants, de couleur miel, aux arômes frais et floraux et à la saveur moelleuse et fruitée.

Sémillon, Sauvignon blanc, Muscadelle

1982, 1983, 1986

Entre 3 et 8 ans

CÔTES-DE-BORDEAUX-SAINT-MACAIRE AOC

L'aire de cette appellation est située à l'extrémité est des Premières-Côtes-de-Bordeaux. Sur les 2 300 ha de vignes susceptibles de l'utiliser, seuls une trentaine le font.

BLANC. Vins moyennement corsés, demi-secs ou liquoreux, joliment fruités, mais sans prétention.

Sémillon, Sauvignon blanc, Muscadelle

1982, 1983, 1985, 1986

1 à 3 ans au maximum

ENTRE-DEUX-MERS AOC

C'est l'aire d'appellation la plus vaste de la région et, après l'appellation générique Bordeaux blanc, la plus importante quantitativement pour les vins blancs. De plus en plus, l'Entre-Deux-Mers est réputé produire des vins d'un exceptionnel rapport qualité/prix et d'un haut niveau technique.

BLANC. Vins secs, nerveux et légers, qui sont parfumés, aromatiques et généralement dominés par le Sauvignon blanc.

Au moins 70 % de Sémillon, Sauvignon blanc et Muscadelle, jusqu'à 30 % de Merlot blanc et 10 % de Colombard, Mauzac et Ugni blanc

1983, 1984, 1985, 1986

1 à 2 ans au maximum

ENTRE-DEUX-MERS-HAUT-BENAUGE AOC

L'appellation s'applique à des vins secs exclusivement, qui proviennent des neuf communes que couvre aussi l'appellation Bordeaux-Haut-Benauge. Toutefois, les vins peuvent être issus d'un plus grande nombre de cépages et obéissent à une réglementation moins rigoureuse que ceux de l'Entre-Deux-Mers. La production est quatre fois plus élevée que celle de Bordeaux-Haut-Benauge, sauf pour le millésime 1983, particulièrement propice aux vins liquoreux.

BLANC. Vins blancs secs, proches de ceux de l'Entre-Deux-Mers.

Au moins 70 % de Sémillon, Sauvignon blanc et Muscadelle, jusqu'à 30 % de Merlot blanc et 10 % de Colombard, Mauzac et Ugni blanc

1983, 1984, 1985, 1986

1 à 3 ans au maximum

GRAVES DE VAYRES AOC

Enclave de sols graveleux, située sur la rive gauche de la Dordogne, qui produit 30 000 hectolitres, de vins rouges et blancs d'un excellent rapport qualité/prix.

ROUGE. Vins bien colorés, aromatiques et moyennement corsés, au fruité parfumé, succulent et épicé, dominé par le Merlot. Ils sont plus riches que les autres vins de l'Entre-Deux-Mers.

Cabernet Sauvignon, Cabernet franc, Carmenère, Merlot, Malbec, Petit Verdot

1982, 1983, 1985

Entre 4 et 10 ans

BLANC. Vins secs pour la plupart, frais, parfumés et fruités, destinés à être bus jeunes, auxquels s'ajoutent parfois quelques vins plus moelleux.

Sémillon, Sauvignon blanc et Muscadelle, et jusqu'à 30 % de Merlot blanc

1983, 1984, 1985, 1986

Avant 1 à 3 ans

LOUPIAC AOC

Cette appellation, située sur la rive droite de la Garonne, en face de Barsac, offre de loin les meilleurs vins liquoreux de l'Entre-Deux-Mers, toujours d'un excellent rapport qualité/prix. Ils doivent être faits avec des raisins surmûris touchés par la pourriture noble et, en effet, ils montrent souvent la complexité mielleuse qui naît du botrytis. Les meilleurs vins proviennent de vignobles plantés sur des sols argilo-calcaires.

BLANC. Vins relativement corsés, onctueux, mielleux et savoureux. Ils sont parfois très complexes et, dans les bonnes années, largement marqués par le botrytis.

Sémillon, Sauvignon blanc, Muscadelle

1983, 1986

Entre 5 et 15 ans (exceptionnellement 25 ans)

PREMIÈRES-CÔTES-DE-BORDEAUX AOC

Longue bande de coteaux exposés au sud, qui s'étire sur 60 km et regroupe 37 communes : Bassens, Carbon-Blanc, Lormont, Cenon, Floirac, Bouliac, Carignan, La Tresne, Cenac, Camblanes, Quinsac, Cambes, St-Caprais-de-Bordeaux, Haux, Tabanac, Baurech, Le Tourne, Langoiran, Capian, Lestiac, Paillet, Villenave-de-Rions, Cardan, Rions, Laroque, Béguey, Omet, Donzac, Cadillac, Monprimblanc, Gabarnac, Semens, Verdelais, St-Maixant, Ste-Eulalie, St-Germain-de-Graves, Yrac.

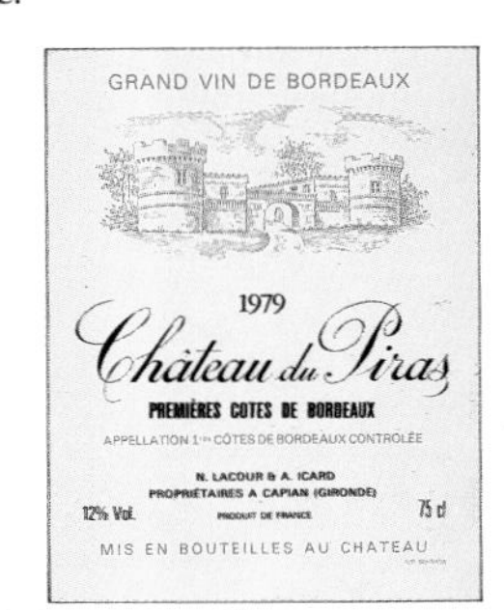

ROUGE. Les meilleurs vins rouges proviennent des communes du nord. Ils sont bien colorés, tendres et fruités, légèrement supérieurs aux simples Bordeaux AOC.

Cabernet Sauvignon, Cabernet franc, Carmenère, Merlot, Malbec, Petit verdot

1981, 1982, 1983, 1985, 1986

Entre 4 et 8 ans

BLANC. Depuis les vendanges de 1981, les vins blancs secs ne sont plus autorisés sous cette appellation. La plupart des vins sont demi-secs, simples et fruités, généralement bien faits, mais manquent de caractère.

Sémillon, Sauvignon blanc, Muscadelle

1982, 1983, 1986

Entre 3 et 7 ans

STE-CROIX-DU-MONT AOC

Après Loupiac, cette appellation offre les meilleurs vins liquoreux de la région. Les vins doivent être faits notamment avec des raisins surmûris touchés par la pourriture noble. La complexité du botrytis est moins sensible que dans les vins de Loupiac, mais ils sont souvent plus fins.

BLANC. Vins fins, onctueux et mielleux, plus légers et plus clairs que les Loupiac. D'un excellent rapport qualité/prix quand ils sont bien botrytisés.

Sémillon, Sauvignon blanc, Muscadelle

1983, 1986

Entre 5 et 15 ans (exceptionnellement 25 ans)

STE-FOY-BORDEAUX AOC

Sainte-Foy-Bordeaux était surtout renommé pour ses vins blancs, mais aujourd'hui, on y produit autant de vin rouge.

ROUGE. Vin rond, de couleur rubis, tendre et gouleyant.

Cabernet Sauvignon, Cabernet franc, Merlot, Malbec, Petit Verdot

1982, 1983, 1985

Entre 3 et 7 ans

BLANC. Vins demi-secs peu inspirés et vins blancs secs, frais et nerveux, au bel arôme, agréables à boire jeunes.

Sémillon, Sauvignon blanc et Muscadelle, et jusqu'à 10 % au total de Merlot blanc, Colombard, Mauzac et Ugni blanc

1982, 1983, 1985, 1986

1 à 3 ans au maximum

Les meilleurs châteaux de l'Entre-Deux-Mers

CHÂTEAU LA BLANQUERIE
Mérignas
33350 Castillon-la-Bataille

Vin blanc sec au caractère de Sauvignon, avec une belle finale.

CHÂTEAU BONNET
Grézillac
33420 Branne

Le meilleur château d'André Lurton dans l'Entre-Deux-Mers. Vins blancs typés et nerveux et vins rouges très réussis, tendres et fruités (Bordeaux supérieur).

Autres vins : Château Tour-de-Bonnet, Château Gourmin, Château Peyraud

CHÂTEAU CANET
Guillac
33420 Branne

Excellents vins blancs, nets et nerveux, bien fruités; harmonieux.

CHÂTEAU FONGRAVE
Gornac
33420 Branne

Vins blancs secs, frais et mordants.

CHÂTEAU GOUMIN
Dardenac
33420 Branne

Goumin produit jusqu'à 10 000 caisses d'un vin rouge fruité, tendre et plaisant, et 5 000 caisses de vin blanc ; celui-ci est légèrement plus plein que les autres vins comparables de Lurton.

CHÂTEAU GRAND MONTEIL
Salleboeuf
33370 Tresses

À peine un millier de caisses de vin blanc sont produites chaque année, à côté de 35 000 caisses d'un vin rouge gouleyant, tendre, d'excellente qualité.

CHÂTEAU LATOUR
Saint-Martin-du-Puy
33540 Sauveterre-de-Guyenne

Ce vieux château, dont certaines parties datent du XIVe siècle, produit 10 000 caisses d'un Bordeaux supérieur rouge séduisant, souple, bien équilibré. Ce vin techniquement parfait remporte souvent des prix.

CHÂTEAU LAUNAY
Soussac
33790 Pellegrue

Cette vaste propriété récolte 40 000 caisses d'un vin blanc sec et frais et 15 000 caisses d'un vin rouge vendu sous l'étiquette « Haut-Castanet ».

Autres vins : Château Bradoire, Château Dubory, Château Haut-Courgeaux, Château la Vaillante

CHÂTEAU MOULIN DE LAUNAY
Soussac
33790 Pellegrue

Malgré l'ampleur de la production, le vin blanc sec est nerveux et fruité et d'un très bon niveau. On y fait aussi un peu de vin rouge.

Autres vins : Château Plessis, Château Tertre-de-Launay, Château de Tuilerie, Château la Vigerie

CHÂTEAU PEYREBON
Grézillac
33420 Branne

Ce château produit des vins rouges et blancs en quantités égales. Les vins blancs sont fins et savoureux.

CHÂTEAU THIEULEY
La Sauve
33670 Créon

Le château est dirigé par le Pr Courselle qui enseignait l'œnologie et la viticulture. Il produit un vin blanc sec, qui allie un beau fruité à la finesse du Sauvignon, et un très bon rouge soyeux.

Les meilleurs châteaux de la région de l'Entre-Deux-Mers

CHÂTEAU ARNAUD-JOUAN
33410 Cadillac
AOC Premières-Côtes-de-Bordeaux et Cadillac

Grand vignoble, bien situé, qui produit des vins intéressants et séduisants.

DOMAINE DU BARRAIL
Monprimblanc
33410 Cadillac
AOC Premières-Côtes-de-Bordeaux et Cadillac

Le Premières-Côtes rouge et le Cadillac blanc liquoreux produits ici sont particulièrement intéressants.

CHÂTEAU BALLUE-MONDON
AOC Sainte-Foy-de-Bordeaux

Ce château produit 4 000 caisses d'un vin rouge « biologique » d'AOC Bordeaux.

CHÂTEAU DE BEAUREGARD
AOC Entre-Deux-Mers et Bordeaux-Haut-Benauge

Vins blanc et rouge bien faits. Le rouge a une bonne constitution, adoucie par les notes épicées du Merlot.

CHÂTEAU BEL-AIR
Vayres
AOC Graves de Vayres

L'essentiel de la production est un vin rouge bien coloré, aromatique, dominé par le Cabernet.

CHÂTEAU BIROT
Béguey
33410 Cadillac
AOC Premières-Côtes-de-Bordeaux et Cadillac

Ce château renommé pour ses vins blancs gouleyants produit également des vins rouges bien équilibrés, d'une certaine finesse.

CHÂTEAU LA BOURGETTE
AOC Sainte-Foy-de-Bordeaux

Domaine qui produit certains des vins les plus réussis de la région. Le rouge représente deux tiers de la récolte et le blanc un tiers.

CHÂTEAU BRÉTHOUS
Camblanes-et-Meynac
33360 Latresne
AOC Premières-Côtes-de-Bordeaux et Cadillac

Vins rouges francs, très séduisants et cependant bien charpentés, et vins blancs liquoreux succulents.

DOMAINE DE CHASTELET
Quinsac
33360 Latresne
AOC Premières-Côtes-de-Bordeaux et Cadillac

Vin rouge complexe, avec une note de vanille, bien équilibré, d'une longueur extraordinaire.

CHÂTEAU LA CLYDE
Tabanac
33550 Langoiran
AOC Premières-Côtes-de-Bordeaux et Cadillac

Vins rouges d'un rubis profond, aromatiques, bien épicés et fruités, et vins blancs fins et élégants.

CHÂTEAU COURSOU
AOC Sainte-Foy-de-Bordeaux

Vins rouges et blancs « biologiques » vendus respectivement sous les appellations Bordeaux supérieur et Bordeaux.

CHÂTEAU DU CROS
AOC Loupiac

Le vin blanc liquoreux, beau, gras et succulent, compte parmi les meilleurs de l'appellation.

CHÂTEAU DINTRANS
Sainte-Eulalie
33560 Carbon-Blanc
AOC Premières-Côtes-de-Bordeaux et Cadillac

Vins rouges joliment colorés et fruités.

CHÂTEAU FAYAU
33410 Cadillac
AOC Premières-Côtes-de-Bordeaux et Cadillac

Vins liquoreux succulents et vins rouges, vins clairets et blancs secs.

Autre vin : Clos des Capucins

CHÂTEAU LE GARDERA
33550 Langoiran
AOC Premières-Côtes-de-Bordeaux et Cadillac

Vin rouge tendre, produit par Cordier.

CHÂTEAU DE GORCE
Haux
33550 Langoiran
AOC Premières-Côtes-de-Bordeaux et Cadillac

Vin rouge fruité et vin blanc frais et floral.

CHÂTEAU GOUDICHAUD
Vayres
AOC Graves de Vayres

La propriété s'étend également sur Saint-Germain-du-Puch dans l'Entre-Deux-Mers, où elle produit des vins très respectables.

CHÂTEAU GRAVELINES
Semens
33490 Cadillac
AOC Premières-Côtes-de-Bordeaux et Cadillac

Ce vaste domaine produit en quantités égales d'excellents vins blancs et rouges.

CHÂTEAU DU GUA
33440 Ambarès-et-Lagrave
AOC Premières-Côtes-de-Bordeaux et Cadillac

Le vignoble de 8 ha planté sur de fines graves offre un séduisant vin rouge de bonne constitution.

CHÂTEAU HAUT-BRIGNON
Cénac
33360 Latresne
AOC Premières-Côtes-de-Bordeaux et Cadillac

Château en progrès qui produit 150 000 caisses de vin rouge et 10 000 caisses de vin blanc.

CLOS JEAN
AOC Loupiac

Vin semblable en qualité au Cros, mais plus éthéré.

CHÂTEAU DU JUGE
33410 Cadillac
AOC Premières-Côtes-de-Bordeaux et Cadillac

Vins rouge et blanc sec honorables, et certaines années, un peu d'excellent vin blanc liquoreux d'un extraordinaire rapport qualité/prix.

CHÂTEAU DU JUGE
Haux
33550 Langoiran
AOC Premières-Côtes-de-Bordeaux et Cadillac

Vins blancs honnêtes et vins rouges prometteurs, pleins de saveurs gouleyantes et succulentes.

CHÂTEAU LABATUT
Saint-Maixant
33490 Cadillac
AOC Premières-Côtes-de-Bordeaux et Cadillac

Vins rouges bien colorés, aromatiques et savoureux, vins blancs secs honnêtes et vins blancs liquoreux extrêmement harmonieux. Certains des vins rouges sont également élaborés au Château Fayon.

CHÂTEAU LAFITTE
Camblanes-et-Meynac
33360 Latresne
AOC Premières-Côtes-de-Bordeaux et Cadillac

Vin qui ne ressemble nullement à son homonyme, mais qui est bien charpenté et capable de s'améliorer en vieillissant.

CHÂTEAU LAFUE
AOC Sainte-Croix-du-Mont

Vins blancs liquoreux séduisants, plus fruités que botrytisés. Le vin rouge représente un quart de la production.

CHÂTEAU LAMOTHE
Haux
33550 Langoiran
AOC Premières-Côtes-de-Bordeaux et Cadillac

Ce château, qui doit son nom à la motte rocheuse qui protège ses vignobles, a produit quelques vins exceptionnels au cours des dernières années.

CHÂTEAU LATOUR
Camblanes-et-Meynac
33360 Latresne
AOC Premières-Côtes-de-Bordeaux et Cadillac

Un bon Bordeaux de tous les jours au nom prestigieux.

CHÂTEAU LAURETTE
AOC Sainte-Croix-du-Mont

Ce domaine appartient au propriétaire du Château Lafue qui l'exploite selon les mêmes principes.

CHÂTEAU LOUBENS
AOC Sainte-Croix-du-Mont

Ce château produit des vins blancs liquoreux riches et bien équilibrés. Les vins blancs secs sont vendus sous l'étiquette « Fleur Blanc » ; on récolte aussi un peu de vin rouge.

Autre vin : « Fleur Blanc de Château Loubens »

CHÂTEAU LOUPIAC-GAUDIET
AOC Loupiac

Beaux vins blancs liquoreux avec des nuances de fruits confits.

CHÂTEAU LOUSTEAU-VIEIL
AOC Sainte-Croix-du-Mont

Vins blancs liquoreux, richement savoureux, de bonne qualité.

CHÂTEAU DE LUGUGNAC
AOC Sainte-Foy-de-Bordeaux

Ce beau château du XVe siècle développe une grosse production d'un séduisant vin rouge.

CHÂTEAU MACHORRE
AOC
Côtes-de-Bordeaux-Saint-Macaire

Le vin blanc liquoreux, avec sa belle saveur fraîche de salade de fruits, est l'un des meilleurs de l'appellation. Un vin rouge et un Sauvignon sec, tous deux très honorables, sont vendus sous l'appellation Bordeaux.

CHÂTEAU DES MAILLES
AOC Sainte-Croix-du-Mont

Ce château, parfois décevant, est capable toutefois de produire des vins blancs liquoreux exceptionnels.

CHÂTEAU LA MAUBASTIT
AOC Sainte-Foy-de-Bordeaux

Environ 5 000 caisses de vin blanc et 2 000 caisses de vin rouge, tous deux « biologiques », sont vendues sous l'appellation Bordeaux.

CHÂTEAU MAZARIN
AOC Loupiac

Excellents vins blancs liquoreux.

CHÂTEAU MORLAN-TUILIÈRE
AOC Entre-Deux-Mers-Haut-Benauge et Bordeaux Haut-Benauge

L'un des meilleurs châteaux de la région. Il produit un Entre-Deux-Mers-Haut-Benauge vibrant et cristallin, un Bordeaux supérieur moelleux et un vin rouge d'AOC Bordeaux relativement corsé.

CHÂTEAU MOULIN DE ROMAGE
AOC Sainte-Foy-de-Bordeaux

Ce château produit des vins rouges et des vins blancs « biologiques » en égales quantités.

CHÂTEAU PETIT-PEY
AOC
Côtes-de-Bordeaux-Saint-Macaire

Bon Saint-Macaire blanc liquoreux et Bordeaux rouge tendre et agréable.

CHÂTEAU PEYRINES
AOC Entre-Deux-Mers-Haut-Benauge et Bordeaux Haut-Benauge

Le vignoble de ce château jouit d'une excellente exposition au sud et offre des vins rouges et blancs fruités.

CHÂTEAU PICHON-BELLEVUE
Vayres
AOC Graves de Vayres

Vins rouges de qualité variable, mais vins blancs délicats et raffinés.

CHÂTEAU PONTETTE-BELLEGRAVE
Vayres
AOC Graves de Vayres

Ce château est réputé produire des vins blancs secs fins, à la saveur subtile.

CHÂTEAU LA RAME
AOC Sainte-Croix-du-Mont

L'un des meilleurs vins de l'appellation, avec de merveilleuses saveurs de fruits, de crème et de miel.

CHÂTEAU REYNON-PEYRAT
Béguey
33410 Cadillac
AOC Premières-Côtes-de-Bordeaux

Excellent Premières-Côtes rouge élevé en barriques et, sous l'étiquette du Château Reynon, deux vins blancs secs.

CHÂTEAU DE RICAUD
AOC Loupiac

Les vins de ce domaine, autrefois les meilleurs de l'appellation, ont connu par la suite une période de déclin.

L'arrivée d'un nouveau propriétaire a amorcé leur redressement.

CHÂTEAU ROC DE CAYLA
AOC Entre-Deux-Mers-Haut-Benauge et Bordeaux Haut-Benauge

Le vin rouge représente les deux tiers de la production.

CHÂTEAU LE RONDAILH
AOC
Côtes-de-Bordeaux-Saint-Macaire

Vins séduisants d'une couleur profonde.

CHÂTEAU DE LA SABLIÈRE-FONGRAVE
AOC Entre-Deux-Mers-Haut-Benauge et Bordeaux Haut-Benauge

Le Bordeaux supérieur rouge est assez robuste et demande à vieillir en bouteille pour s'arrondir. Le vin blanc sec, vendu sous l'appellation Entre-Deux-Mers, est de bien meilleure qualité.

CHÂTEAU TANESSE
33550 Langoiran
AOC Premières-Côtes-de-Bordeaux et Cadillac

Ce château de la maison Cordier produit d'honnêtes vins rouges dominés par le Cabernet et de beaux vins blancs de style Sauvignon.

CHÂTEAU DES TASTES
AOC Sainte-Croix-du-Mont

Vin blanc liquoreux très intéressant, doté d'une texture opulente, avec de riches saveurs crémeuses et les nuances complexes du botrytis.

CHÂTEAU TERFORT
AOC Sainte-Croix-du-Mont

Petite production d'un excellent vin blanc liquoreux.

CHÂTEAU DE TOUTIGEAC
AOC Entre-Deux-Mers-Haut-Benauge et Bordeaux Haut-Benauge

Le meilleur vin de ce domaine bien connu est un vin rouge plein et riche, à boire jeune.

Bourgogne

La Bourgogne, qui s'étend de la Champagne au Rhône, produit les plus grands vins de Chardonnay et de Pinot noir au monde, ainsi que les seuls vins de Gamay de haut niveau.

La Bourgogne est une région d'une grande richesse historique, gastronomique et vinicole. À la différence des grands châteaux bordelais – et conséquence directe de la Révolution –, les meilleurs vignobles bourguignons appartiennent à de très nombreux petits propriétaires. Avant 1789, l'Église possédait, en effet, la plupart des vignobles de Bourgogne, qui furent alors confisqués et morcelés. En revanche, dans le Bordelais, si certains grands domaines appartenaient à l'aristocratie, nombre d'entre eux étaient la propriété de bourgeois qui, du fait de leurs liens anciens avec l'Angleterre, étaient anti-papistes, et échappèrent ainsi à la fureur des révolutionnaires. Les vignobles bourguignons se sont trouvés plus fragmentés encore par les lois sur les successions, qui obligeaient à les diviser en parcelles de plus en plus petites, si bien que certains appartiennent aujourd'hui à 85 viticulteurs différents.

L'effet premier de ce morcellement fut de favoriser la suprématie du négoce. Avant le milieu du XVIIIe siècle, il existait peu de maisons de commerce du fait de la difficulté d'exporter à partir d'une région entourée de terres. Avec les progrès des moyens de transport, et en l'absence d'opposition de la part de la noblesse terrienne, le pouvoir des négociants crut rapidement. Les courtiers devenaient experts de toutes petites régions, et à mesure que les propriétaires se multipliaient, ceux qui maîtrisaient bien cette situation très complexe devenaient de plus en plus indispensables. Le négoce devint peu à peu un élément essentiel du commerce international et contribua donc à renforcer la réputation de la Bourgogne à travers le monde.

Le rôle du négociant

En Bourgogne, plus que partout ailleurs en France, il est de bon ton de médire du négociant, de mépriser la qualité de ses vins et de laisser entendre que ses produits anonymes et inexpressifs ne sauraient se comparer aux vins d'un viticulteur. Il y a là une grande part d'injustice.

Le négociant a non seulement forgé la réputation de la Bourgogne (fondée sur les vins issus de ses plus grands vignobles) mais il demeure aujourd'hui, plus que jamais, indispensable pour la préserver. Si l'on supprimait les négociants, les nombreux viticulteurs n'auraient plus de débouchés pour vendre leurs vins et seraient incapables de préserver une image de marque internationale sans laquelle, qu'on le veuille ou non, on ne peut espérer toucher une clientèle mondiale de plus en plus raffinée. Il est absurde de déclarer que les vins de négoce sont médiocres : il existe de bons et de mauvais négociants, de même qu'il existe de bons et de moins bons viticulteurs. On oublie souvent que bon nombre de négociants sont aussi des viticulteurs qui possèdent des vignobles très bien exploités. S'il est logique que leurs plus grands vins – et les plus chers – soient ceux qui proviennent de leur propre domaine, cela ne signifie pas pour autant qu'il faille décrier la qualité de certains assemblages. L'assemblage n'est peut-être pas caractéristique d'un terroir unique mais il ne donne pas non plus nécessairement un vin anonyme ; il peut même contribuer au caractère du vin à l'instar des vins de Champagne. Il est vrai que de nombreux vignobles bourguignons ne donnent pas seuls des vins complets et satisfaisants, certains produisent même des vins notoirement médiocres. Ainsi, un assemblage judicieusement composé peut donner une production substantielle de Bourgogne honnête, agréable et abordable. Par ailleurs, le fait d'utiliser les petits vins des très grands vignobles pour soutenir des vignobles plus modestes permet d'opérer une sélection plus rigoureuse en faveur des crus les plus réputés.

Tant que la demande pour les Bourgogne restera forte, le négociant continuera de jouer un rôle important. Je suis un ardent défenseur du grand nombre de viticulteurs qui produisent régulièrement et bien des vins qui sont parmi les plus fabuleux de la région, mais à la différence de ceux qui aimeraient voir diminuer le pouvoir du négociant, je pense qu'il est des circonstances qui justifieraient qu'il soit encore accru. Les Bourguignons et les consommateurs seraient les uns et les autres gagnants si l'une des grandes firmes achetait une partie des domaines les plus morcelés, tel que le Clos de Vougeot par exemple, et assemblait les vins après une sélection rigoureuse.

COMMENT LIRE LES ÉTIQUETTES DE BOURGOGNE

MOREY SAINT-DENIS
APPELLATION MOREY SAINT-DENIS CONTROLÉE
1982
DOMAINE DUJAC
75 cl
PRODUCE OF FRANCE

Vin non filtré – décantation recommandée
Jacques Seysses colle ses vins au blanc d'œuf, estimant que le soutirage suffit pour les clarifier, il ne les filtre donc pas avant la mise en bouteille. Il conseille, par conséquent, de les décanter avant de les servir.

Mis en bouteille au domaine

Le producteur
Si c'est le vin d'un négociant, l'étiquette ne cite ni le propriétaire ni le domaine, à moins bien entendu que le vin ne soit entièrement issu du propre domaine de la firme, ce qui est toujours un avantage. Ce vin particulier provient du Domaine Daujac dont les appellations communales sont en fait meilleures que bien des Premiers Crus.

Le millésime
1982 est une année sous-estimée, très agréable à boire jeune.

Le volume
75 cl correspondent à la bouteille standard.

L'origine
L'origine est indiquée dans l'une des catégories officielles – AOC, VDQS ou Vin de pays. Ce vin porte la mention « Appellation Morey-Saint-Denis contrôlée », ce qui signifie qu'il provient de la commune de Morey-Saint-Denis dans la Côte de Nuits, l'une des meilleures appellations communales de Bourgogne. Les vins de Morey-Saint-Denis peuvent être rouges ou blancs. Celui-ci est rouge.

Peuvent également apparaître les renseignements suivants :

Le classement
Si l'étiquette comporte le nom d'un vignoble spécifique outre celui du village, il peut s'agir d'un Premier Cru, auquel cas la mention peut figurer, généralement avec l'appellation. Si ce vin-ci était un Premier Cru (ce n'est pas le cas), l'étiquette pourrait être marquée

APPELLATION
MOREY-SAINT-DENIS
PREMIER CRU
CONTROLÉE
MONTS LOUISANTS

Bon nombre de Premiers Crus ne font cependant figurer aucune indication de leur classement et c'est alors au consommateur de savoir si le vin en fait partie (tous les Premiers Crus sont cités sous chaque appellation dans les pages suivantes). Le nom sur l'étiquette peut être celui d'un vignoble non classé (ou d'une partie non classée d'un vignoble classé), ou peut ne correspondre à aucun vignoble et être un simple nom de fantaisie pour un vin d'assemblage. En cas de doute, il faut toujours vérifier.

BOURGOGNE

La route qui relie Dijon à Lyon est bordée des noms illustres des plus grands crus de Bourgogne. Au nord-ouest se trouvent les appellations de l'Yonne, dont Chablis.

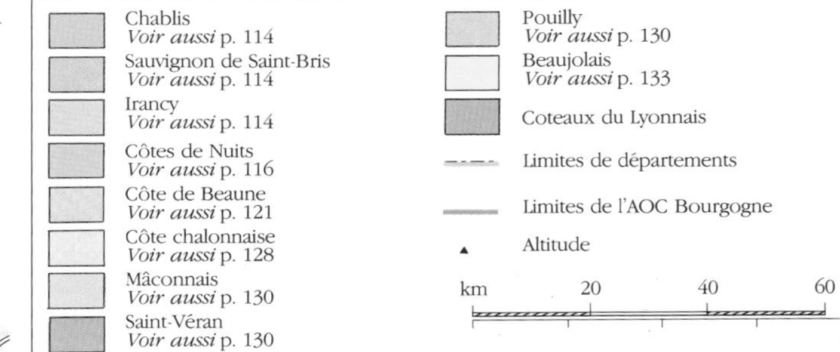

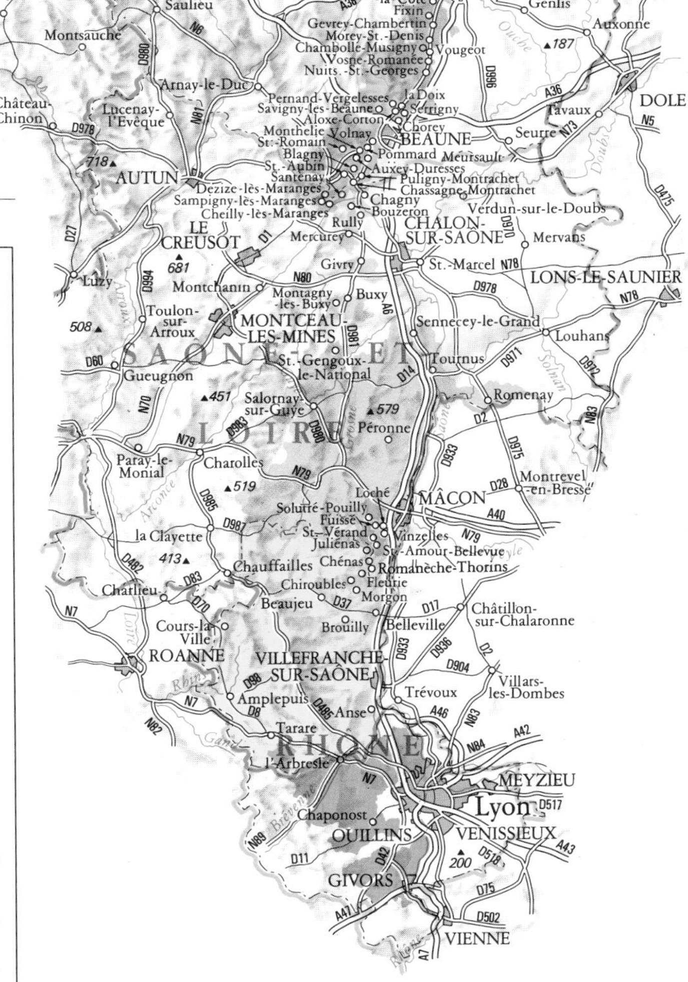

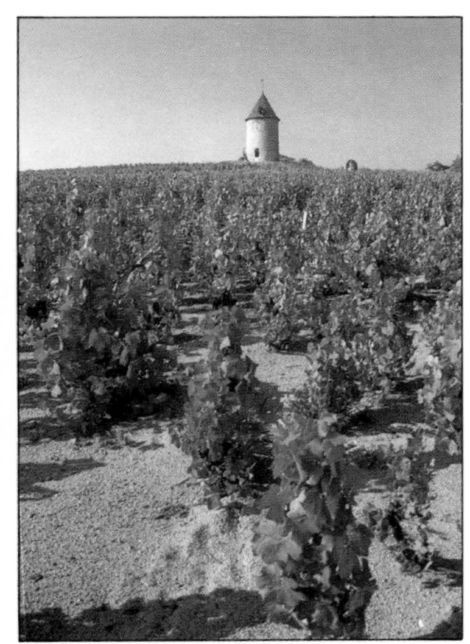

Vignobles du Beaujolais, ci-dessus
Un moulin sans ailes domine les vignobles de Moulin-à-Vent, l'un des meilleurs crus du Beaujolais.

LA BOURGOGNE EN CHIFFRES

% DE LA BOURGOGNE	RÉGION	PRODUCTION EN HECTOLITRES	ROUGE/ROSÉ	BLANC	*GRANDS CRUS*
13,0 %	AOC génériques	279 500 3 105 500 caisses	70 %	30 %	–
4,7 %	Chablis[1]	100 500 1 116 700 caisses	2 %	98 %	5 %
2,4 %	Côte de Nuits	52 500 583 300 caisses	99,75 %	0,25 %	15 %
0,8 %	Hautes-Côtes de Nuits	16 500 183 300 caisses	90 %	10 %	–
5,8 %	Côte de Beaune	125 000 1 388 900 caisses	27 %	73 %	4 %
1,1 %	Hautes-Côtes de Beaune	23 000 255 500 caisses	99,6 %	0,4 %	–
2,1 %	Mercurey	45 000 500 000 caisses	73 %	27 %	–
10,9 %	Mâconnais	235 000 2 611 110 caisses	75 %	25 %	19 %[2]
59,2 %	Beaujolais	1 275 000 14 166 700 caisses	99,5 %	0,5 %	24 %[3]
100 %	TOTAL	2 152 000 23 911 000 caisses	70,65 %[4]	29,35 %[4]	7,4 %[4]

[1] Y compris d'autres vins de l'Yonne. [2] Pouilly-Fuissé. [3] Les crus du Beaujolais.
[4] Pourcentage moyen.

Principaux négociants de Bourgogne

PIERRE ANDRÉ
Château de Corton-André
Aloxe Corton
21420 Savigny-lès-Beaune

Ventes : ***95 000 caisses***

Fondé en 1923 par Pierre André, également propriétaire de la Reine Pédauque qu'il créa en 1950, ce vaste domaine viticole d'une soixantaine d'hectares regroupe le Clos des Guettes, la Juvinière et Les Terres vineuses dans la Côte-d'Or et le Domaine viticole des Carmes. Si la plupart de ses vins sont simplement de qualité honnête, ses Aloxe-Corton sont excellents ; ses appellations communales surpassent souvent les crus.

☆ Aloxe-Corton

BACHEROY-JOSSELIN
Rue Auxerroise
89800 Chablis

Ventes : ***100 000 caisses***

Les vins de la famille Laroche sont exportés sous la marque « Bacheroy-Josselin ». L'essentiel de l'activité de négoce se situe à Chablis où les deux domaines de la famille ont un style contrasté. Les vins de Laroche sont fermes et de longue garde, tandis que les La Jouchère sont tendres, avec souvent des nuances beurrées, et faits pour être bus plus jeunes.
Sous-marques : « Ferdinand Bacheroy », « Jean Baulat », « Alain Combard », « Roland Foucard », « Henri Josset », « Jacques Millar ».

☆ Vins du Domaine Laroche

A. BICHOT
Boulevard Jacques-Copeau
21200 Beaune

Ventes : ***1 million de caisses***

L'un des plus importants négociants bourguignons avec plus de 90 ha de vignes. Dans le domaine des sous-marques, Bichot est au Bourgogne ce que Marne & Champagne est au Champagne, avec une cinquantaine d'étiquettes différentes dont « Jean Bouchard », « Paul Bouchard », « Buchot-Ludot », « Maurice Dard », « Charles Drapier », « Fortier-Picard », « Rémy Gauthier » et « Léon Rigault ». La qualité des vins est dans une large mesure fonction du prix, comme chez Marne & Champagne. C'est pourquoi on fait à Bichot une réputation d'inconstance. J'ai pourtant dégusté chez lui quelques bouteilles extraordinaires.

☆ Chablis « La Mouton », Chablis du Domaine Long-Depaquit et Vosne-Romanée Malconsorts et Échézeaux du Domaine Clos Frantin

JEAN-CLAUDE BOISSET
2, rue des Frères-Montgolfier
21700 Nuits-St-Georges

En 1982, Boisset acquit la firme de Charles Viénot, y compris ses sous-marques « L. J. Bruck » et « Thomas Bassot », puis en 1986, reprit en mains « Pierre Ponnelle ». Si dans le passé les vins étaient bien faits, sans plus, Boisset demeure l'un des rares négociants à produire un excellent Bourgogne Grand-Ordinaire rouge avec tout le caractère du Pinot. Ses Hautes-Côtes de Nuits sont excellents et ses vins, dans l'ensemble, commencent à être plus typés.

☆ Bourgogne Grand-Ordinaire, Bourgogne Hautes-Côtes de Nuits, Gevrey-Chambertin, Nuits-Saint-Georges

BOUCHARD AÎNÉ & FILS
36, rue Sainte-Marguerite
21203 Beaune

Ventes : ***300 000 caisses***

Fondée en 1750 par la même famille que Bouchard Père, l'entreprise en est aujourd'hui totalement séparée. Bouchard Aîné possède un vignoble de 22 ha dans la région de Mercurey, qui donne régulièrement des vins de bonne qualité.

☆ Clos de Bèze, Fixin « La Mazière », Mercurey blanc, Mercurey Clos la Marche, Mercurey « Clos du Chapitre »

BOUCHARD PÈRE & FILS
Au Château
21200 Beaune

Grande maison bourguignonnne avec le plus vaste vignoble de la Côte-d'Or. Environ 90 % des 95 ha de son domaine du Château de Beaune sont classés Grand Cru.

☆ Vins vendus sous l'étiquette Domaines du Château de Beaune, dont « Beaune Grèves Vigne de l'Enfant Jésus »

ÉMILE CHANDESAIS
BP 1 – Fontaines
71150 Chagny

Ventes : ***210 000 caisses***

Cette belle entreprise familiale, fondée par Émile Chandesais en 1933, est située dans la région de Mercurey. Ses vins riches, francs et fruités, aux incontestables nuances de chêne neuf, sont toujours d'un excellent rapport qualité/prix.

☆ Vins du Domaine de la Folie et du Domaine de l'Hermitage, Gevrey-Chambertin

CHANSON PÈRE & FILS
10, rue Paul-Chanson
21200 Beaune

Ventes : ***250 000 caisses***

Ce négociant possède 45 ha de vignes, pour la plupart dans l'appellation Beaune, qui donnent des vins légers mais élégants.

☆ Beaune « Bressandes », Beaune Clos des Fèves, Beaune « Teurons » et Savigny « La Dominode »

CHANUT FRÈRES
Romanèche-Thorins
71570 La Chapelle-de-Guinchay

Ventes : ***180 000 caisses***

Maître du Beaujolais sous toutes ses formes, de son délicieux Beaujolais nouveau à ses crus vraiment exceptionnels.

☆ Tous les Beaujolais

F. CHAUVENET
6, route de Chaux
21700 Nuits-St-Georges

Grande entreprise avec 45 ha de vignes, qui prétend être la troisième de Bourgogne. Sa gamme de vins, en général sans éclat, comporte quelques beaux Puligny-Montrachet.

☆ Puligny-Montrachet

CORON PÈRE & FILS
21200 Beaune

Fondée en 1864 par un instituteur, Claude Coron, cette petite entreprise produit des Bourgogne d'une grande élégance, en particulier ceux qui proviennent de son propre domaine, constitué de parcelles dans cinq des Premiers Crus de Beaune.

☆ Beaune « Les Cent Vignes », Beaune « Clos du Roi », Beaune « Les Grèves »

DAVID & FOILLARD
69830 St-Georges-de-Reneins

Ventes : ***200 000 caisses***

Vaste gamme de vins du sud de la Bourgogne et de la vallée du Rhône.

ANDRÉ DELORME
Rully
71150 Chagny

Ce négociant joue un rôle important dans la région de Mercurey où il contrôle 60 ha de vignes appartenant à différents membres de sa famille. Ses vins, y compris ses vins de négociant, sont d'un bon niveau, et son Crémant de Bourgogne a bonne réputation.

☆ Crémant de Bourgogne brut, Crémant de Bourgogne blanc de blancs brut, vins du Domaine de la Renarde

MAISON DOUDET-NAUDIN
1, rue Henri-Cyrot
21420 Savigny-lès-Beaune

Cette petite maison, fière de sa « méthode ancienne », estime qu'elle produit un vin ample et riche. Les vins ne ressemblent guère à des Bourgogne ou à des Pinot noir. Longs en bouche, ils sont, à mon goût, trop épais et pâteux, avec, quand ils sont jeunes, une saveur poivrée qui devient brûlante en mûrissant.

JOSEPH DROUHIN
7, rue d'Enfer
21200 Beaune

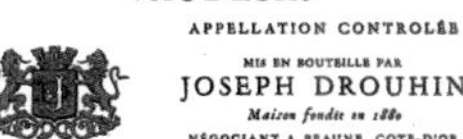

Cette grande entreprise possède une soixantaine d'hectares de vignes, dont plus de la moitié à Chablis. Les vins sont élaborés avec un soin méticuleux. Les blancs offrent une délicieuse note de chêne et beaucoup de finesse.

☆ Tous les Chablis, Montrachet ; le Beaune Clos des Mouches est son meilleur vin de vignoble unique

GEORGES DUBŒUF
71570 Romanèche-Thorins

Ventes : ***1 million de caisses***

Georges Dubœuf, qui s'est proclamé lui-même roi du Beaujolais, excelle dans l'achat, l'assemblage et l'élevage des vins fruités de Gamay. Ses vins génériques sont les Beaujolais vinifiés en macération carbonique. Ils sont très onéreux. Ses crus de Beaujolais offrent, en revanche, beaucoup de caractère, de force et de finesse, et ses techniques de vinification donnent des vins de table d'une extraordinaire élégance, qui valent bien leur prix.

☆ La plupart des crus de Beaujolais

MAISON FAIVELEY
8, rue du Tribourg
21700 Nuits-St-Georges

Avec plus de 100 ha, Faiveley est le plus grand propriétaire de vignes en

Bourgogne. Ses vins aromatiques gardent longtemps leur fraîcheur.

☆ La plupart des Mercurey, en particulier le Mercurey « Clos de Myglands »

PIERRE FERRAUD & FILS

31, rue Maréchal-Foch
69823 Belleville

Ventes : ***110 000 caisses***

Négociant du Beaujolais avec un petit vignoble de 8 ha et des contrats d'exclusivité avec divers domaines. Ses vins, élaborés selon des techniques modernes, expriment bien les qualités du terroir.

☆ La plupart des crus de Beaujolais

GEISWEILER

1, rue de la Berchère
21700 Nuits-St-Georges

Ventes : ***500 000 caisses***

Avec un total de 90 ha, Geisweiler est le deuxième propriétaire de Bourgogne. Son Domaine des Hautes Dames à Nuits-St-Georges produit des vins sains, amples et riches, mais le Domaine de Bévy dans les Hautes-Côtes de Nuits est son vin le plus renommé. Bien qu'il soit de niveau plus modeste, il est d'un bien meilleur rapport qualité/prix.

☆ Domaine de Bévy dans les Hautes-Côtes de Nuits

JABOULET-VERCHERRE

5, rue Colbert
21200 Beaune

Ventes : ***200 000 caisses***

Les Bourgogne de cette maison, très abordables, sont prisés de ceux qui aiment les vins riches et amples.

LOUIS JADOT

5, rue Samuel-Legay
21200 Beaune

Les vins de cette grande maison bourguignonne sont toujours d'une incontestable classe. La qualité n'a pas changé depuis qu'elle a été acquise par son importateur américain Kobrand, ce qui a permis à Jadot d'acheter les Domaines Clair-Daü en 1986. Son vignoble est alors passé de 24 à 40 hectares. En 1987, Jadot a signé un contrat de vingt ans pour produire et vendre les vins du Domaine de Magenta.

☆ Toute la gamme des vins est de bonne qualité.

JAFFELIN

2, rue Paradis
21200 Beaune

Ventes : ***70 000 caisses***

Entreprise familiale achetée par Joseph Drouhin en 1969 et qui continue de produire de beaux vins dans le style qui lui est propre.

☆ Clos de Vougeot

LABOURÉ-ROI

21700 Nuits-St-Georges

Cette petite entreprise, soucieuse de qualité, possède 2,5 ha de vignes à Nuits-St-Georges et commercialise les Meursault de René Manuel.

☆ Chablis, Pommard

LAMBLIN & FILS

Maligny
89800 Chablis

Ventes : ***60 000 caisses***

Ce négociant produit des Chablis très frais et élégants, et un excellent Bourgogne Aligoté de style chablisien. Ses sous-marques : « Jacques Arnouls », « Jacques de la Ferté », « Paul Javry » et « Bernard Miele ».

☆ Bourgogne Aligoté, Chablis

MAISON LOUIS LATOUR

18, rue des Tonneliers
21204 Beaune

Ventes : ***300 000 caisses***

Louis Latour possède un vaste vignoble de 50 ha recélant d'excellents sites qui produisent de très bons vins rouges et des vins blancs exceptionnels. On apprit en 1982 que ses vins rouges subissaient une pasteurisation à 70 °C. Cela ne les a, cependant, pas empêchés d'obtenir souvent de très bonnes notes lors de dégustations à l'aveugle. Les amateurs devraient revoir leurs idées sur la pasteurisation.

☆ Château Corton Grancey, Santenay et Gevrey-Chambertin, et pratiquement tous les vins blancs.

LEROY

Auxey-Duresses
21290 Meursault

Ventes : ***37 158 caisses***

Cette importante maison de négoce appartient à Mme Bize-Leroy, copropriétaire du Domaine de la Romanée-Conti. Le vignoble ne couvre ici que 4 ha, mais il comprend de fort beaux sites à Auxey-Duresses, Meursault et Pommard, auxquels s'ajoutent des parcelles des Grands Crus de Chambertin, Musigny et Clos de Vougeot.

☆ Toute la production.

LORON & FILS

Pontanevaux
71570 La Chapelle-de-Guinchay

Ventes : ***1,4 million de caisses***

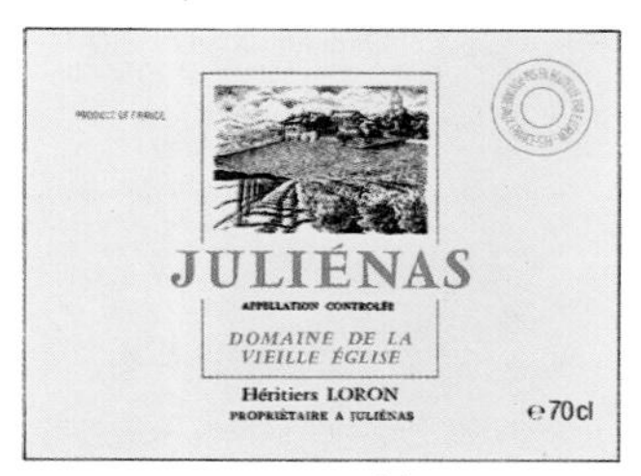

Connu pour ses assemblages réussis de Beaujolais et de vins de table vendus en supermarché, ce négociant produit aussi de très bon crus de Beaujolais.

☆ Certains crus de Beaujolais

LUPÉ-CHOLET

21700 Nuits-St-Georges

Les vins étaient autrefois très bons lorque cette entreprise les achetait elle-même, en particulier ceux de Chambolle-Musigny, mais la qualité a baissé depuis qu'elle a été reprise en main par Chauvenet. Elle s'est ensuite améliorée après son acquisition par Moillard. Elle appartient maintenant à Bichot.

P. DE MARCILLY FRÈRES

21200 Beaune

Les vins génériques de Marcilly, riches et épais, sont censés provenir de Chambertin et d'autres grands vignobles, d'où leur prix relativement élevé. Rien ne garantit leur origine et leurs noms demeurent mystérieux : « Bourgogne Première » (Côte de Nuits, essentiellement Gevrey-Chambertin), « Bourgogne Réserve » (région de Beaune), « Bourgogne spécial » (Côte de Beaune-Villages).

PROSPER MAUFOUX

21590 Santenay

L'une des grandes maisons bourguignonnes qui utilise un fort pourcentage de chêne neuf. Ses vins, de qualité constante, ont une couleur vive, une richesse stupéfiante et une grande finesse.

☆ La plupart des vins de la gamme

MOILLARD

2, rue François-Mignotte
21701 Nuits-St-Georges

Ventes : ***650 000 caisses***

Fondée en 1850 par Symphorien Moillard, cette entreprise appartient aujourd'hui à la famille Thomas et produit de beaux vins d'un bon rapport qualité/prix. Elle excelle surtout dans les vins de son propre domaine vendus sous l'étiquette « Moillard-Grivot ».

☆ Bourgogne rouge, Bourgogne blanc et la plupart des « Moillard-Grivot », Meursault Cromin, Bâtard Montrachet et Échézeaux

MOMMESSIN

La Grange Saint-Pierre
71009 Mâcon

Ventes : ***1,5 million de caisses***

Bien que spécialisé dans les vins du Beaujolais et du Mâconnais, Mommessin met tout son orgueil dans le Grand Cru Clos de Tart de Morey-St-Denis, dont il est l'unique propriétaire. Les vins, riches et fins, sont d'excellente qualité.

☆ Le Clos de Tart est irréprochable, et tous les vins du Mâconnais et du Beaujolais sont à conseiller

J. MOREAU & FILS

Route d'Auxerre
89800 Chablis

Cette maison de négoce, pour moitié propriété de Hiram Walker, est la plus importante de Chablis. Ses 75 ha de vignes sont cependant des propriétés familiales et l'entreprise est dirigée par Jean Moreau. La plupart de ses propres Chablis sont vraiment superbes mais sa gamme de vins de négoce manque de caractère.

☆ Chablis Grand Cru et Premier Cru

PASQUIER-DESVIGNES

Saint-Lager
69220 Belleville

Les Desvignes sont les plus anciens producteurs de Bourgogne, mais on peut regretter que, malgré leur expérience, leurs vins manquent encore d'expression. La plupart des Beaujolais et des Mâconnais se vendent sous leur marque.

PATRIARCHE PÈRE & FILS

7, rue du Collège
21201 Beaune

Vins assez modestes dans l'ensemble, sans doute parce que Patriarche produit davantage que toutes les autres maisons bourguignonnes. Le Clos du Château est cependant un Meursault peu cher de qualité fabuleuse, qui rivalise avec le Château de Meursault lui-même. Il ne peut revendiquer l'appellation qu'il mérite car le vignoble faisait partie du jardin du château lorsque Meursault fut délimité.

☆ Presque tous les Châteaux de Meursault et Clos du Château

PIAT PÈRE ET FILS

71570 la Chapelle-de-Guinchay

Célèbre pour sa bouteille de forme spéciale, inspirée du « pot » traditionnel du Beaujolais, la firme produit des vins sains mais sans grand intérêt, encore que Le Piat de Mâcon Viré soit généralement frais et séduisant. C'est sans doute pour ses Vins de table qu'elle est le plus renommée, en particulier pour les très populaires Piat d'Or rouge, le vin rouge le plus vendu au monde. Ce négociant doit son succès à ses arguments de vente très persuasifs.

☆ Le Piat de Mâcon Viré

MAISON PIERRE PONNELLE
Abbaye Saint-Martin
53, avenue de l'Aigue
21200 Beaune

Petit négociant soucieux de qualité, avec un petit domaine de 4 ha mais une large gamme de vins, réalisant un bel équilibre entre l'élégance et la longévité.

☆ La plupart des vins de la gamme

F. PROTHEAU & FILS
Château d'Etroyes
Mercurey
71640 Givry

Ventes : ***200 000 caisses***

Cette importante maison du Chalonnais possède un vignoble de 45 ha qui produit un vin de très bonne qualité. Celui-ci est en général à la fois ferme et fin, et il offre souvent un bon rapport qualité/prix.

CAVES DE LA REINE PÉDAUQUE
Aloxe-Corton
21420 Savigny-lès-Beaune

Ventes : ***966 000 caisses***

Il s'agissait au départ d'une gamme de vins lancée par Pierre André en 1950 dont les ventes ont vite dépassé celles de la maison-mère, puisqu'elles sont aujourd'hui dix fois plus importantes que celles de Pierre André.

REMOISSENET PÈRE & FILS
21200 Beaune

Important négociant qui ne possède guère que 3 ha de Beaune Premier Cru.

☆ La plupart des vins, en particulier les blancs.

ANTONIN RODET
71640 Mercurey

Ventes : ***675 000 caisses***

Cet important négociant de Mercurey y possède environ 25 ha de vignes et produit un vin distingué, riche et soyeux.

☆ Les appellations de Mercurey

ROPITEAU FRÈRES
Les Chanterelles
21190 Meursault

Ventes : ***230 000 caisses***

Fondée en 1848 et reprise par Chantovent en 1974, cette maison doit sa réputation à ses Meursault de vignoble unique, en particulier Charmes, Genevrières, Goutte d'Or et Poruzots. La plus grande partie (Domaine Ropiteau-Mignon) a été rachetée par Chauvenet en 1987.

☆ Tous les vins de Meursault sont à conseiller sans aucune réserve jusqu'en 1987.

SARRAU
St-Jean-d'Ardières
69822 Belleville-sur-Saône

Ventes : ***650 000 caisses***

Grande maison, progressant régulièrement, se spécialise dans la production de Beaujolais frais, fruités et de bonne qualité.

☆ La plupart des crus de Beaujolais

SIMONNET-FEBVRE
9, avenue d'Oberwesel
89800 Chablis

Outre ses Chablis Premiers Crus issus de ses 10 ha de vigne, Simmonet-Febvre produit de superbes vins mousseux, ce qui n'est pas étonnant : le sol est fait de marnes calcaires et Chablis est plus proche de la Champagne que du reste de la Bourgogne.

☆ Crémant de Bourgogne, Chablis Grand Cru et Premier Cru

THORIN S.A.
Pontanevaux
71570 La Chapelle-de-Guinchay

Cette firme excellait dans la vente de Bourgogne déclassés au Royaume-Uni avant que les règlements de la CEE ne le lui interdisent. Bon nombre de ces vins étaient du reste meilleurs que la plupart des vins que Thorin vend aujourd'hui. Sa spécialité est le Beaujolais. Elle possède le Château des Jacques à Moulin-à-Vent.

☆ Château des Jacques

CHARLES VIENOT
5, quai Dumorey
21700 Nuits-St-Georges

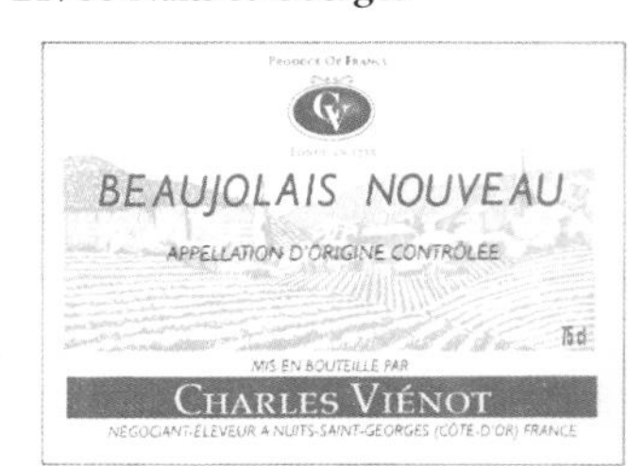

Cette maison, vieille de 250 ans, possède un beau domaine de 10 ha et utilise en moyenne pour ses vins un quart de chêne neuf. Les beaux vignobles de Richebourg et de Corton donnent des vins de style quelque peu démodé.

HENRI DE VILLAMONT
Rue du Docteur-Guyot
21420 Savigny-lès-Beaune

Cette firme produit quelques vins d'un bon rapport qualité/prix, mais qui se mêlent souvent à des vins plus ordinaires et qui peuvent se cacher sous l'une des nombreuses sous-marques : « Arthur Barolet », « Mesnard », « Paul Rolland », « Louis Serrignon » et « Caves de Vaclair ».

☆ Savigny-lès-Beaune, Hautes-Côtes de Beaune

Importantes coopératives bourguignonnes

Les grandes coopératives sont peu nombreuses en Bourgogne, en dehors du Mâconnais et du Beaujolais. Ces deux régions n'en comptent pas moins de 36, d'importance variable. Il est impossible de connaître l'origine exacte de la production car les appellations se chevauchent. Les coopératives du Mâconnais et du Beaujolais se trouvent à Aze, Bissey-sous-Cruchaud, Le Bois d'Oingt, Bully, Buxy, Chaintre, Chardonnay, Charnay-lès-Mâcon, Chassagne, Chénas, Chiroubles, Clessé (« La Vigne Blanche »), Corcelles, Fleurie, Genouilly, Gleizé, Igé, Juliénas, Létra, Liergues, Lugny, Mancey, Le Perréon, Prissé, Quincié, St-Bel, St-Jean-d'Ardières, St-Laurent, St-Vérand, St-Etienne-des-Ouillières, Sennecé-lès-Mâcon, Sologny, Theizé, Verzy, Vinzelles et Viré. La plupart des grandes coopératives bourguignonnes sont décrites ci-après.

CAVE COOPÉRATIVE LA CHABLISIENNE
8, boulevard Pasteur
89800 Chablis

Production : ***350 000 caisses***
Membres : ***190***
Vignobles : ***472 ha***
Fondation : ***1932***

La Chablisienne assure un tiers de la production totale de Chablis et propose tous les Grands Crus sauf un. Son Chablis générique l'emporte parfois sur certains Premiers Crus.

CAVE COOPÉRATIVE DES HAUTES CÔTES DE BEAUNE ET NUITS
Route de Pommard
21200 Beaune

Production : ***125 000 caisses***
Fondation : ***1961***

Cette coopérative dynamique est née de la petite coopérative des Orches, fondée après la création des appellations Hautes-Côtes en 1961. Elle s'est spécialisée dans la production de vins des Hautes-Côtes à bon marché.

CELLIER DES SAMSONS
Le Pont de Samsons
Quincié-en-Beaujolais
69430 Beaujeu

Production : ***425 000 caisses***

Le Cellier des Samsons regroupe dix des plus importantes coopératives du Beaujolais. Elle a la réputation de vendre des vins d'un excellent rapport qualité/prix.

CAVE DES VIGNERONS DE BUXY
Les Vignes-de-la-Croix
71390 Buxy

Production : ***300 000 caisses***
Membres : ***plus de 200***
Vignobles : ***550 ha***
Fondation : ***1931***

Cette coopérative novatrice produit un Bourgogne rouge, avec ou sans nuances de chêne, d'excellente qualité et d'un très bon rapport qualité/prix. Après s'être longtemps fait une spécialité de l'emploi du chêne, elle a commencé récemment à faire fermenter en fût une sélection de vins blancs, dont le stupéfiant Montagny.

CAVE DE VIR
En Vacheron, Viré
71260 Lugny

Production : ***175 000 caisses***
Membres : ***235***
Vignobles : ***250 ha***

La Cave de Viré est une entreprise moderne équipée pour vinifier une multitude de vins de village qui sont généralement d'un très haut niveau. Elle produit également un excellent Crémant de Bourgogne à partir de raisins sélectionnés.

GROUPEMENT DE PRODUCTEURS DE LUGNY-SAINT-GENGOUX-DE-SCISSÉ
71260 Lugny

Production : ***800 000 caisses***
Membres : ***490***
Vignobles : ***850 ha***

Cette très grande coopérative produit une excellente gamme de vins remportant régulièrement des médailles lors des concours.

UNION DES COOPÉRATIVES VINICOLES DE BOURGOGNE DE SAÔNE-ET-LOIRE
Charnay-lès-Mâcon
71008 Mâcon
Production : ***750 000 caisses***
Membres : ***1 400***
Vignobles : ***1 250 ha***

Ce groupement distribue et commercialise les vins des 10 coopératives qui en sont membres.

Vins génériques de Bourgogne

BOURGOGNE AOC

Cette appellation très vaste est, à mes yeux, aussi intéressante que les autres appellations bourguignonnes, car un producteur qui se soucie de la qualité de son vin ne ménagera pas plus ses efforts pour ses Bourgogne courants que pour ceux de plus haut niveau. Je préfère dénicher des Bourgogne gouleyants, en découvrir qui s'améliorent au bout de quelques années, plutôt que d'acheter une appellation supérieure qui, compte tenu de sa renommée et de son prix, ne peut que bien vieillir.

ROUGE. Les seuls Bourgogne qui vaillent la peine d'être recherchés sont ceux qui ont la saveur et l'arôme du Pinot noir pur. Bon nombre de producteurs indiquent le cépage sur l'étiquette. Il faut donc prendre la peine de la regarder.

Pinot noir, Pinot gris, Pinot Liébault, plus, dans l'Yonne, César, Tressot

1980, 1982, 1983, 1985

Entre 2 et 5 ans

BLANC. Bon nombre de vins sans intérêt sont produits sous cette appellation. Il est plus prudent d'acheter un Mâcon à bon marché. Le Clos du Château de Meursault est le plus beau de ces vins (*voir* Patriarche, p. 111).

Chardonnay, Pinot blanc

1981, 1983, 1984, 1985, 1986

Entre 1 et 4 ans au maximum

ROSÉ. Michel Goubard élabore un étonnant Bourgogne rouge, la Cuvée Mont-Avril. Son Bourgogne rosé n'a en revanche rien d'exceptionnel.

Pinot noir, Pinot gris, Pinot Liébault, plus, dans l'Yonne, César, Tressot

1982, 1983, 1985, 1986

Entre 1 et 4 ans au maximum

☆ Paul Beaudet, Pierre Bernollin, Alain Berthault, Michel Colin-Deléger, Jean Deligny, Jean-Claude Desrayaud, Domaine Fougeray, Michel Goubard, Henri Jayer, Michel Lafarge, André Lhéritier, René Martin, Domaine Parent, Domaine Pitoiset-Uréna, Philippe Rossignol, Simon Fils, Gérard Thomas, Domaine de la Tour Bajole, Vallet Frères, A. & P. de Villaine

BOURGOGNE-ALIGOTÉ AOC

Le meilleur Bourgogne-Aligoté provient de la commune de Bouzeron qui a sa propre appellation (*voir* Bourgogne-Aligoté Bouzeron AOC, p. 129). À l'exception de ceux qui sont recommandés ci-dessous, la meilleure façon de boire les Aligoté est sous forme de kir, additionné de crème de cassis.

BLANC. Vins secs, généralement maigres et acides.

Aligoté et un maximum de 15 % de Chardonnay

1981, 1983, 1984, 1985, 1986

Entre 1 et 4 ans au maximum

☆ N. & J.-M. Capron-Manieux, Coche-Dury, Michel Colbois, Claude Cornu, Gabriel Fournier, Guillemard-Dupont, Hubert Lamy, Laeure-Piot, Henri Naudin-Ferrand, Parigot Père & Fils, Domaine de Prieuré, Henri Prudhon, Daniel Rion, Maurice Rollin & Fils, Thévenot-le-Brun

BOURGOGNE CLAIRET AOC

Vin rare dont le nom ancien désigne un vin situé à mi-chemin entre le rouge et le rosé.

Pinot noir, Pinot gris, Pinot Liébault, plus, dans l'Yonne, César, Tressot

BOURGOGNE GRAND-ORDINAIRE AOC

Il ne faut pas oublier que le qualitatif grand s'applique ici à ordinaire et non à Bourgogne.

ROUGE. Ce sont pour la plupart des vins de Gamay de qualité inférieure mais on trouve quelques vins intéressants issus de Pinot noir.

Pinot noir, Gamay, plus, dans l'Yonne, César, Tressot

1980, 1982, 1983, 1985

Entre 2 et 6 ans

BLANC. Ces vins secs sont encore plus décevants que les Bourgogne blancs. Mieux vaut acheter un Mâcon.

Chardonnay, Pinot blanc, Aligoté, Melon de Bourgogne, plus, dans l'Yonne, Sacy

1981, 1983, 1984, 1985, 1986

Entre 1 et 4 ans au maximum

ROSÉ. La coopérative des Hautes-Côtes produit un vin sec, léger, mais élégant, le « Rosé d'Orches

Pinot noir, Gamay, plus, dans l'Yonne, César, Tressot

1982, 1983, 1985, 1986

Entre 1 et 3 ans au maximum

☆ Gérard Borgnat, d'Heilly-Huberdeau

BOURGOGNE GRAND-ORDINAIRE CLAIRET AOC

Ce vin passé de mode, également situé à mi-chemin entre un rouge et un rosé, a pratiquement disparu des rayons des détaillants.

Pinot noir, Gamay, plus, dans l'Yonne, César, Tressot

BOURGOGNE MOUSSEUX AOC

Depuis décembre 1985, cette appellation est limitée au Bourgogne rouge mousseux, dont elle est du reste le seul débouché.

ROUGE MOUSSEUX. Vin autrefois apprécié dans les pubs anglais d'avant guerre, mais dont la douceur ne répond plus aux goûts du consommateur d'aujourd'hui.

Pinot noir, Gamay, plus, dans l'Yonne, César, Tressot

Généralement non millésimé

Immédiatement

BOURGOGNE ORDINAIRE AOC

***Voir* Bourgogne Grand-Ordinaire Clairet AOC**

BOURGOGNE ORDINAIRE CLAIRET AOC

***Voir* Bourgogne Grand-Ordinaire Clairet AOC**

BOURGOGNE PASSETOUTGRAINS AOC

Ce Bourgogne, constitué d'un mélange de Pinot noir et de Gamay, est le descendant d'un authentique vin paysan élaboré autrefois à partir de tous les cépages qui poussaient dans le vignoble et que le vigneron faisait fermenter ensemble. Le Pinot noir et le Gamay étaient cependant les plus répandus et sont naturellement devenus les deux cépages de ce vin. Jusqu'en 1943, il devait comporter un minimum d'un cinquième de Pinot noir et aujourd'hui, au moins un tiers.

ROUGE. Un vin sec, moyennement corsé, à l'agréable couleur grenat. Bon nombre de Passetoutgrains sont bus trop jeunes, alors que l'aristocratie du Pinot noir ne se révèle avec le temps.

Un maximum d'un tiers de Gamay, plus Pinot noir, Pinot Liébault

1980, 1982, 1983, 1985

Entre 2 et 6 ans

ROSÉ. Ce rosé sec, assez rare, mérite d'être goûté.

Un maximum d'un tiers de Gamay, plus Pinot noir, Pinot Liébault

1982, 1983, 1985, 1986

Entre 1 et 3 ans maximum

☆ Jean Laboureau, Pascal Laboureau, Robert Landré, Mazilly Père & Fils

CRÉMANT DE BOURGOGNE AOC

Cette appellation fut créée en 1975 pour remplacer le Bourgogne mousseux dont l'image de marque n'était pas bonne du fait des nuances péjoratives que l'on prête au mot « mousseux ». Le Bourgogne mousseux est obligatoirement un vin rouge. Les trois principaux centres de production en sont l'Yonne, le Chalonnais et le Mâconnais. Nombre de ces vins sont très intéressants, et leur qualité ne peut que s'améliorer car les producteurs préfèrent se consacrer à la culture de cépages destinés aux vins effervescents, plutôt que d'employer des surplus de production ou des cépages inférieurs.

BLANC MOUSSEUX. Vin sec mais rond, tantôt frais et léger, tantôt plus riche.

Pinot noir, Pinot gris, Pinot blanc, Chardonnay, Sacy, Aligoté, Melon de Bourgogne et un maximum de 20 % de Gamay

1982, 1983, 1985, 1986

Entre 3 et 7 ans

ROSÉ MOUSSEUX. Jusqu'à présent, le meilleur Crémant rosé produit en dehors de la Champagne provenait d'Alsace. La Bourgogne en élabore maintenant de bons spécimens, perfectibles cependant.

Pinot noir, Pinot gris, Pinot blanc, Chardonnay, Sacy, Aligoté, Melon de Bourgogne et un maximum de 20 % de Gamay

1982, 1983, 1985, 1986

Entre 2 et 5 ans

☆ Caves de Bailly, Pierre Bernollin, André Bonhomme, Dom Marly, François Laugerotte, Meurgis, Armand Monassier, Roux Père & Fils

Chablisien

Les vins blancs classiques de Chablis sont dominés par le Chardonnay, cultivé sur des sols et dans des conditions climatiques semblables à ceux de la Champagne voisine.

Chablis est un îlot de vignobles plus proches de la Champagne que du reste de la Bourgogne. Situé dans l'Yonne, dont une grande partie faisait autrefois partie de l'ancienne province de Champagne, Chablis donne au voyageur l'impression d'être une région coupée non seulement du reste de la Bourgogne mais aussi du reste du pays. Les grands négociants visitent rarement ces terres et n'ont jamais vraiment réussi à s'y implanter – encore que les jeunes viticulteurs de la Côte-d'Or s'intéressent de plus en plus aux méthodes chablisiennes. Cependant, il n'est pas sage d'acheter un Chablis à un négociant de Beaune, de même qu'il ne faut pas acheter un vin de la vallée du Rhône à un négociant de Chablis.

Les différents styles de Chablis

Le Chablis est traditionnellement décrit comme un vin de couleur pâle, avec une nuance de vert. On le dit également très franc, avec un caractère agressif et métallique, une attaque très directe et un haut niveau d'acidité qui demande quelques années pour s'arrondir. Cette description est aujourd'hui périmée.

Il y a vingt ou trente ans en effet, la plupart des Chablis ne subissaient pas de fermentation malolactique ; ils montraient donc naturellement une forte acidité et étaient durs, verts et peu généreux dans leur jeune âge, même s'ils acquéraient souvent, en mûrissant, une finesse incomparable. Aujourd'hui, la plupart des Chablis, après la fermentation malolactique, sont stabilisés par réfrigération, ce qui précipite les tartres si bien que les vins sont maintenant plus pleins, plus tendres et plus ronds. Certains vins vinifiés ou élevés en petits fûts de chêne ne sont cependant pas soumis à ces traitements. Par ailleurs, certains producteurs ont tendance à trop chaptaliser leurs vins, ce qui leur donne un équilibre alcool-extrait qui ne correspond pas aux normes de Chablis.

Au sommet de la hiérarchie, se trouvent deux types de vins issus de deux écoles différentes. Certains, vinifiés dans des cuves en acier inoxydable sont mis en bouteille rapidement pour donner des vins francs et très incisifs, tandis que d'autres sont élevés en fût, ce qui leur donne un style plus gras et plus riche, proche de celui de la Côte-d'Or.

AUTRES VINS DE L'YONNE

Les deux autres vins les plus connus de l'Yonne sont le vin rouge d'Irancy et le Sauvignon de Saint-Bris. Le premier est une AOC vendue sous l'appellation Bourgogne-Irancy, le second un VDQS élaboré à partir du Sauvignon. Les meilleurs Irancy sont simples et fruités, tandis que le Sauvignon donne à Saint-Bris un meilleur vin que dans certaines parties du Bordelais ou du Val-de-Loire, où les vins ont pourtant le statut d'AOC.

CHABLISIEN
voir aussi p. 109

Chablis est situé au centre de l'aire d'appellation qui porte son nom.

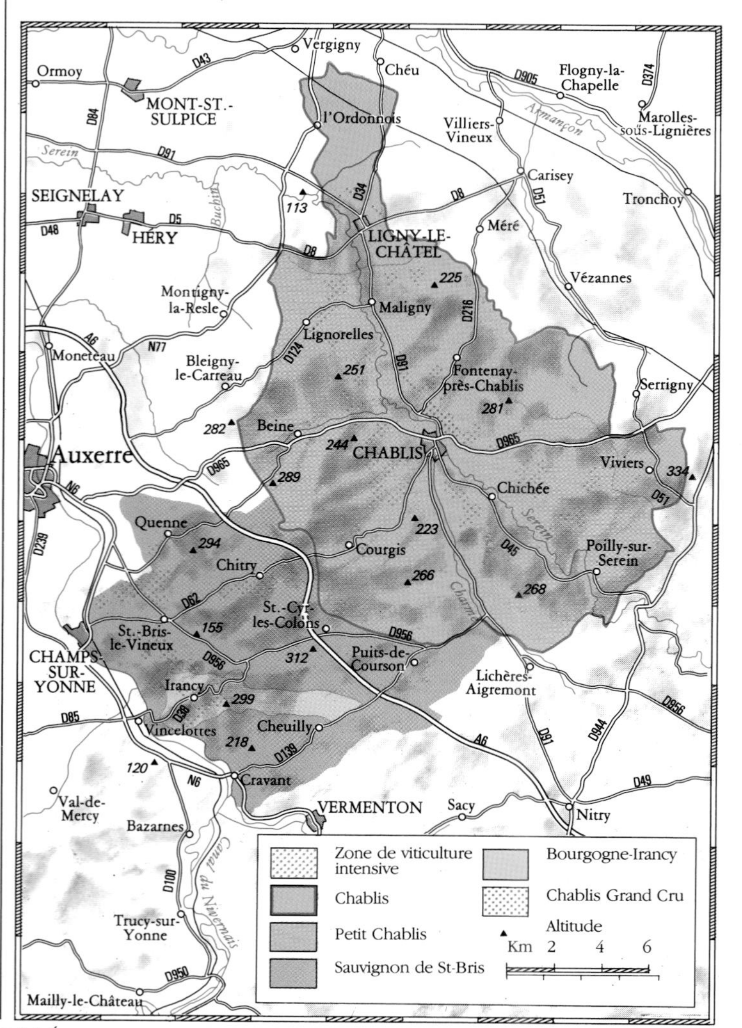

Vignobles de Chablis, à droite
La vigne couvre les versants orientés au sud-est et au sud-ouest des collines qui bordent le Serein, petit affluent de l'Yonne.

FACTEURS AFFECTANT LE GOÛT ET LA QUALITÉ

Situation
A mi-chemin entre Beaune et Paris, à 30 km à peine des vignobles les plus méridionaux de Champagne, mais à 100 km du reste de la Bourgogne.

Climat
Semi-continental, peu soumis aux influences de l'Atlantique, avec des hivers longs et froids, des printemps humides et des étés assez chauds et ensoleillés. Les plus grands risques sont les gelées printanières et les orages de grêle.

Site
Tous les Grands Crus s'étendent sur les coteaux exposés au sud-ouest juste au nord de Chablis même, où les vignobles sont à une altitude de 150 à 200 m. Mis à part « Fourchaume » et « Montée de Tonnerre », tous les Premiers Crus sont orientés au sud-est.

Sol
Cette région est couverte d'argile calcaire. On distingue deux types de sol, le kimmeridgien et le portlandien. Certains prétendent que seul le kimmeridgien convient pour obtenir un Chablis classique... Géologiquement cependant, ils ont la même origine et datent du Jurassique supérieur. Toute différence géographique intrinsèque devrait donc être due au site, au microclimat et à la nature variable des roches sédimentaires.

Viticulture et vinification
Les vignobles ont connu une extension rapide, en particulier dans l'appellation générique et dans les Premiers Crus, qui ont doublé de superficie depuis le début des années 70. Les Grands Crus commencent à recourir aux vendanges mécaniques.

Cépage principal
Chardonnay

Cépages secondaires
Pinot noir, Pinot blanc, Pinot gris, Pinot Liébault, Sauvignon blanc, Gamay, César, Tressot, Sacy, Aligoté, Melon de Bourgogne

Les vins du Chablisien

BOURGOGNE AOC COULANGES-LA-VINEUSE et BOURGOGNE ÉPINEUIL

Il n'existe pas d'appellation à proprement parler pour les vins rouges de Coulanges-la-Vineuse ni pour les vins rouges, blancs et rosés d'Épineuil. Mais tout vin provenant de ces deux communes peut mentionner sur son étiquette le nom du village après celui de l'appellation Bourgogne. Je n'ai pas eu l'occasion de déguster ces vins mais on dit qu'Épineuil fait un beau vin gris et que les producteurs suivants sont intéressants :

☆ **Bourgogne Coulanges-la-Vineuse :** Serge Hugot, André Martin, Simmonet-Febvre

☆ **Bourgogne Épineuil :** André Durand, Jean-Claude Michaut

BOURGOGNE IRANCY AOC

Le « célèbre » vin rouge de Chablis n'est en fait pas très connu, bien qu'il ait sa propre appellation depuis plus de dix ans.

ROUGE. La plupart de ces vins, élaborés à partir de Pinot noir et d'un peu de César, sont francs et fruités. Quant à ceux issus des authentiques cépages régionaux, César et Tressot, ils ressemblent à des Beaujolais maigres et âpres.

Pinot noir, Pinot Liébault, Pinot gris plus César et Tressot

1980, 1982, 1983, 1985

Entre 2 et 5 ans

☆ Léon Bienvenu, Bernard Cantin, Robert Meslin, Jean Renaud, Luc Sorin

CHABLIS AOC

Choisi avec soin, le Chablis est un vin classique de Chardonnay d'un excellent rapport qualité/prix, en particulier dans les bons millésimes. Cependant, l'appellation couvre une aire relativement vaste ne réunissant pas toujours les conditions nécessaires à la production de vins de qualité et les vins ne sont pas toujours élaborés avec soin. *Voir aussi* Chablis Premier Cru AOC et Petit Chablis AOC.

BLANC. Lorsqu'ils sont réussis, ces vins sont la quintessence du vrai Chablis – secs, nets, verts, expressifs, avec juste assez de fruité pour équilibrer le « métal ».

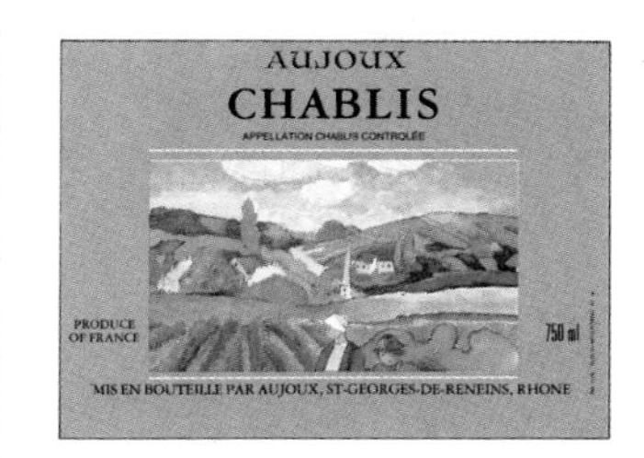

Chardonnay

1981, 1983, 1985, 1986

Entre 3 et 8 ans

☆ Christian Adine, Jean-Marc Brocard, Jean Durup, Étienne Defaix, Alain Geoffroy, Albert Pic, Thomas Bassot, A. Régnard & Fils, Michel Rémon

CHABLIS GRAND CRU AOC

Les sept Grands Crus sont tous situés sur une colline dominant Chablis même. « Blanchot », avec son arôme floral, est le plus délicat des Grands Crus ; les autres sont « Bougros », « Les Clos », « Grenouilles », « Les Preuses », « Valmur » et « Vaudésir ».

Le vignoble de « La Moutonne », bien qu'il ne soit pas classé dans l'appellation comme Grand Cru, est autorisé à faire figurer la mention sur son étiquette car il fait physiquement partie d'autres Grands Crus. Au XVIIIe siècle, « La Moutonne » était un climat de 1 hectare de Vaudésir. Lorsque Louis Long-Depaquit en était propriétaire, ses vins étaient assemblés avec ceux de trois autres Grands Crus, Les Preuses, Les Clos et Valmur. Cette pratique cessa en 1950 lorsque Long-Depaquit, dans l'espoir de voir « La Moutonne » classé comme Grand Cru à part entière, accepta de limiter la production à sa superficie actuelle, un seul vignoble de 2,3 ha, recoupant des parties de « Vaudésir » et des « Preuses ».

Ce classement ne fut jamais officialisé, mais « Vaudésir » et « Les Preuses » sont sans doute les plus beaux des Grands Crus, et le vin qu'il produit est toujours superbe.

BLANC. Les Grands Crus, toujours secs, sont les plus grands, les plus riches et les plus complexes de tous les vins de Chablis. Le style dépend beaucoup du mode de vinification et d'élevage. « Blanchot » offre cependant un arôme floral qui en fait le plus délicat des Grands Crus, « Bougros », une saveur vibrante et pénétrante ; « Les Clos » est riche, onctueux et complexe ; « Grenouilles » peut être élégant et aromatique ; « Les Preuses » est vif, expressif et complexe, avec une grande finesse ; « Valmur » montre un bouquet fin et une saveur riche, « Vaudésir », des saveurs complexes et intenses d'une grande finesse ; et « La Moutonne » est fin, long et expressif.

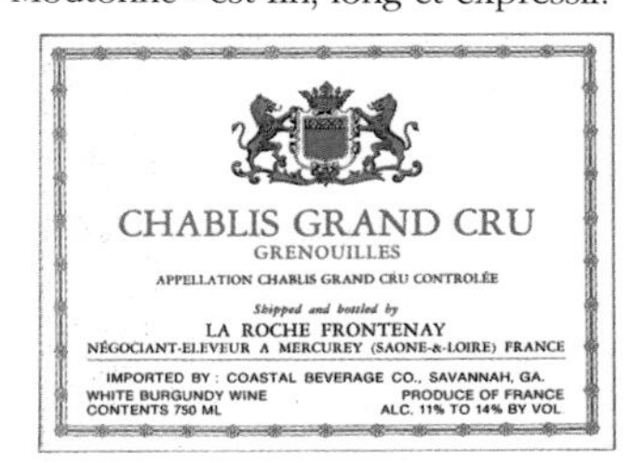

Chardonnay

1981, 1983, 1985, 1986

Entre 8 et 20 ans

☆ René Dauvissat, Jean-Paul Droin, Maurice Duplessis, William Fèvre, Domaine de la Maladière, Louis Michel, Louis Pinson, J.-M. Raveneau, A. Regnard, Marcel Servin, Philippe Testut, Robert Vocoret

CHABLIS PREMIER CRU AOC

***Premiers Crus :* Beauroy, Côte de Léchet, Fourchaume, Les Fourneaux, Mélinots, Montée de Tonnerre, Montmains, Monts de Milieu, Vaillons, Vaucoupin, Vaudevey et Vosgros. À la différence des Grands Crus, les Premiers Crus ne sont pas confinés à la commune de Chablis mais se trouvent répartis parmi les vignobles de 15 communes environnantes avec des vins de style et de qualité variables. Montée de Tonnerre est le meilleur chez les différents producteurs et dans la plupart des millésimes, tandis que Côte de Léchet, Les Forêts (climat de Montmains), Fourchaume et Monts de Milieu se disputent la deuxième place.**

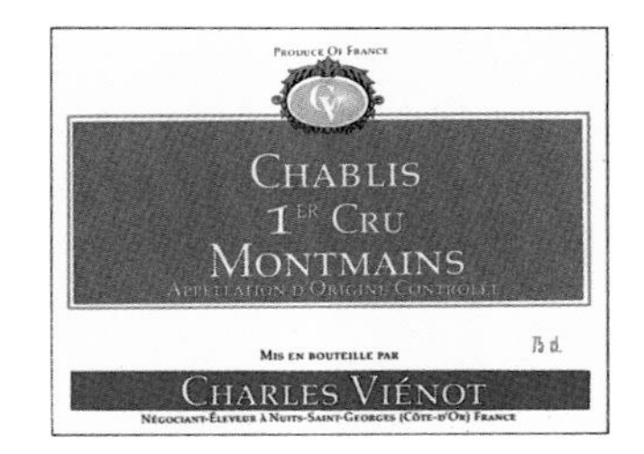

BLANC. Ce sont des vins secs allant du léger au relativement corsé, qui devraient toujours être plus fins et de plus longue garde que les simples Chablis. Ils n'offrent cependant pas la concentration de saveur qu'on attend d'un Grand Cru.

Chardonnay

1981, 1983, 1985, 1986

Entre 5 et 15 ans

☆ Jean Dauvissat, Jean-Paul Droin, Jean Durup, William Fèvre, Domaine de la Meulière, Louis Michel, Louis Pinson, J.-M. Raveneau, A. Regnard, Domaine Servin, Philippe Testut

PETIT CHABLIS AOC

Cette appellation couvre la même aire d'appellation que le Chablis générique à l'exception des communes de Ligny-le-Châtel, Viviers et Collan. Il faudrait soit la ramener au rang de VDQS, soit la transformer en Coteaux du Chablis ou quelque chose d'analogue. On a à plusieurs reprises proposé de la remplacer par Chablis-Villages, mais le suffixe « Villages » correspond à un vin supérieur dans tout le reste de la Bourgogne et serait trompeur ici.

BLANC. Vins maigres et secs pour la plupart, relativement légers. À ma connaissance, le seul producteur qui fasse un Petit Chablis honnête est la cave coopérative « La Chablisienne ».

Chardonnay

1981, 1983, 1985, 1986

Entre 2 et 3 ans

SAUVIGNON DE SAINT-BRIS VDQS

Les vins de cette appellation communale sont aussi bons que la plupart des Sauvignon blancs qui ont le rang d'AOC, et bien meilleurs que d'autres vins blancs AOC faits de cépages inférieurs. Mais il est peu probable que le Sauvignon de Saint-Bris ne deviendra jamais une appellation contrôlée en raison de la concurrence qui pourrait s'instaurer avec les autres vins blancs bourguignons issus de Chardonnay.

BLANC. Beaux arômes d'herbe mouillée, saveurs fumées, avec une bonne finale sèche et nerveuse.

Sauvignon blanc

1981, 1983, 1984, 1985, 1986

Entre 2 et 5 ans

☆ Bersan & Fils, Philippe Defrance, Jean-Hugues Goisot, Luc Sorin, Philippe Sorin

Côte de Nuits et Hautes-Côtes de Nuits

Les vins, rouges pour la plupart, deviennent de plus en plus fermes et denses à mesure que l'on remonte vers le nord. Avec 22 des 23 Grands Crus de Bourgogne, la Côte de Nuits est le vignoble du Pinot noir par excellence.

La Côte de Nuits est située dans le nord du département de la Côte-d'Or qui englobe à la fois la Côte de Nuits et la Côte de Beaune. Les villages y portent les plus célèbres noms de la Bourgogne : Gevrey-Chambertin, Vosne-Romanée, Chambolle-Musigny et Nuits-Saint-Georges – et les vins atteignent parfois des prix astronomiques.

LA CONFRÉRIE DES CHEVALIERS DU TASTEVIN

Après les trois millésimes terribles de 1930, 1931 et 1932 et quatre années de dépresssion, Camille Rodier et Georges Faiveley fondèrent la Confrérie des chevaliers du tastevin dans l'espoir de redorer le blason des vins de Bourgogne. Inspirée de l'Ordre de la boisson, confrérie qui avait prospéré sous le règne de Louis XIV avant de disparaître, la Confrérie des chevaliers du tastevin adopta plusieurs de ses rites initiatiques.

La hiérarchie de la confrérie compte quatre rangs : Chevalier, Commandeur, Commandeur-Major et Grand Officier. Tous les membres sont revêtus de pittoresques costumes à l'ancienne. Le tastevin, avec son ruban or et écarlate, fait partie des insignes du Chevalier.

La première investiture eut lieu le 16 novembre 1934 dans une cave de Nuits-Saint-Georges ; la Confrérie compte aujourd'hui des milliers d'adhérents et de nombreux bureaux à l'étranger. Elle organise en moyenne une vingtaine de banquets par an au Château du Clos de Vougeot. Quelque 600 membres et leurs invités y festoient pendant plus d'une demi-journée.

FACTEURS AFFECTANT LE GOÛT ET LA QUALITÉ

Situation
La Côte de Nuits forme une bande étroite et continue s'étendant de Dijon au nord de Beaune. Les Hautes-Côtes de Nuits sont situées au sud-ouest.

Climat
Climat semi-continental, avec un minimum d'influence océanique, aux hivers longs et froids, aux printemps humides et aux étés assez chauds et bien ensoleillés. Les plus grands dangers viennent de la grêle et des fortes pluies.

Site
Série de coteaux tournés vers l'est et qui s'arrondissent pour placer quelques vignobles vers le nord-est et le sud-est. La vigne croît à 225-350 m d'altitude et, à l'exception de Gevrey-Chambertin et Prémeaux-Prissey, les vignobles ayant droit aux appellations communales et supérieures sont rarement situés à l'est de la N 74.

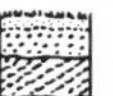

Sol
Sous-sol sablo-calcaire affleurant par endroits, mais généralement couvert d'éboulis crayeux, mêlés de marnes et de particules d'argile sur les çoteaux les plus élevés,et de dépôts alluviaux plus riches sur les coteaux inférieurs.

Viticulture et vinification
Les vignes sont conduites de manière à bénéficier de la chaleur restituée par le sol durant la nuit. Pour les vins rouges, le raisin est presque toujours éraflé et la cuvaison dure de 8 à 10 jours. Le vin blanc, rare et généralement de haute qualité, fermente en fût. Les meilleurs vins sont élevés dans le chêne.

Cépages principaux
Pinot noir, Chardonnay

Cépages secondaires
Pinot gris, Pinot Liébault, Pinot blanc, Aligoté, Melon de Bourgogne, Gamay

L'ÉTIQUETTE DU TASTEVINAGE

Deux fois par an, on soumet des vins à la Confrérie des Chevaliers du tastevin dans l'espoir d'obtenir la prestigieuse étiquette du Tastevinage. Tous les vins de Bourgogne peuvent être présentés : les appellations rouges autres que le Beaujolais au printemps, les Beaujolais et les vins blancs en septembre. Les producteurs ne soumettent bien entendu que leurs meilleurs vins et pourtant 50 % d'entre eux en moyenne sont rejetés. Le principal avantage de ce système est de permettre d'identifier, au sein des appellations de base, les vins qui se situent au-dessus de leur rang.

CÔTE DE NUITS ET HAUTES-CÔTES DE NUITS, *voir aussi* p. 109

*Les meilleurs vignobles de la Côte de Nuits forment une bande plus dense et plus compacte que ceux de la Côte de Beaune (*voir *p. 121) ; leurs vins sont eux aussi plus denses et plus compacts.*

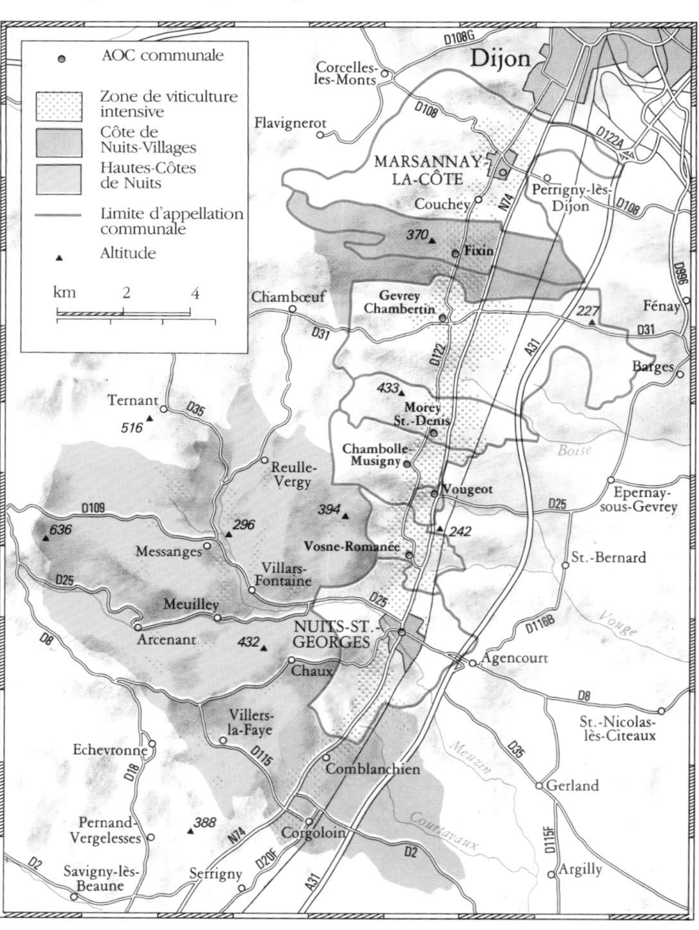

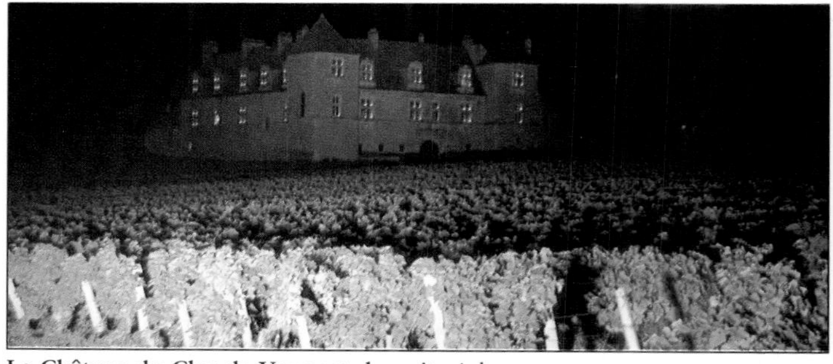

Le Château du Clos de Vougeot de nuit, ci-dessus
Acheté à Étienne Canazet par la Confrérie des chevaliers du tastevin en 1933, le château accueille les somptueux banquets de la société.

Les vins de la Côte de Nuits et des Hautes-Côtes de Nuits

Note : Tous les Grands Crus de la Côte de Nuits ont leur propre appellation et sont donc cités ci-dessous. Les Premiers Crus qui n'ont pas d'appellation spécifique, sont cités sous l'appellation du village dans lequel sont situés les vignobles. Les Premiers Crus contigus aux Grands Crus de la même appellation apparaissent en italique.

BONNES MARES AOC

Grand Cru

Bonnes Mares, le plus vaste des deux Grands Crus de Chambolle-Musigny, couvre 13,5 ha au nord de la commune, à l'opposé de Musigny, l'autre Grand Cru du village, et s'étend sur 1,5 ha sur la commune de Morey-St-Denis.

ROUGE. Vin extrêmement féminin à la saveur étonnamment profonde ; il possède un caractère onctueux, riche, complexe et complet.

Pinot noir, Pinot gris, Pinot Liébault

1980, 1982, 1983, 1985

Entre 12 et 25 ans

☆ Domaine Bertheau, Domaine Dujac, Robert Groffier, Georges Lignier, Georges Roumier & Fils, Domaine des Varoilles, Comte Georges de Vogüé

BOURGOGNE CLAIRET HAUTES-CÔTES DE NUITS AOC

Appellation peu usitée, soumise aux réglementations du Bourgogne AOC, qui couvre des vins mi-rouges mi-rosés.
Voir Bourgogne AOC.

BOURGOGNE HAUTES-CÔTES DE NUITS AOC

Les vins, qui offrent un bon rapport qualité/prix, sont issus de vignobles en extension depuis les années 70. La qualité s'améliore sensiblement.

ROUGE. Vins ronds et relativement corsés, bien fruités, avec le véritable caractère de la Côte de Nuits et, chez certains producteurs, de belles nuances de chêne.

Pinot noir, Pinot Liébault, Pinot gris

1980, 1982, 1983, 1985

Entre 4 et 10 ans

BLANC. 5 % de la production sont des vins blancs secs, bien fruités dans l'ensemble mais peu raffinés.

Chardonnay, Pinot blanc

1983, 1984, 1985, 1986

1 à 4 ans au maximum

ROSÉ. Vins secs rares, mais fruités et délicieux, avec une certaine richesse.

Pinot noir, Pinot Liébault, Pinot gris

1982, 1983, 1985, 1986

1 à 3 ans au maximum

☆ Guy Dufouleur, Fribourg, Maurice Gavignet, Henri Hudelot, Patrick Hudelot, Robert Jayer-Gilles, Domaine Montmain, Thévenot-le-Brun & Fils

CHAMBERTIN AOC

Grand Cru

L'un des neuf Grands Crus de Gevrey-Chambertin. La renommée de Chambertin est telle que tous les Grands Crus de Gevrey-Chambertin ajoutent son nom au leur. Le Clos de Bèze a le droit de vendre ses vins sous l'appellation d'origine contrôlée Chambertin.

ROUGE. Malgré son corps et sa richesse en extraits, le Chambertin n'est pas aussi puissant que le Corton, mais il est gracieux et féminin et offre une robe vive, une saveur stupéfiante, une riche texture veloutée, un équilibre parfait.

Pinot noir, Pinot gris, Pinot Liébault

1980, 1982, 1983, 1985

Entre 12 et 30 ans

☆ Hubert Camus, Pierre Damoy, Domaine Leflaive, Domaine Ponsot, Henri Rebourseau, Domaine Tortochot, Louis Trapet

CHAMBERTIN-CLOS DE BÈZE AOC

Grand Cru

L'un des neuf Grands Crus de Gevrey-Chambertin. Si le vin du Clos de Bèze peut se vendre sous l'appellation Chambertin, Grand Cru voisin, l'inverse n'est pas vrai.

ROUGE. Ce vin sublime passe pour avoir plus de finesse que le Chambertin, mais moins de corps.

Pinot noir, Pinot gris, Pinot Liébault

1980, 1982, 1983, 1985

Entre 12 et 30 ans

☆ Pierre Damoy, Drouhin-Laroze, Domaine Gelin, Armand Rousseau

CHAMBOLLE-MUSIGNY AOC

Grand Cru

Village qui occupe un site très favorable, avec des vignes abritées par une combe.

ROUGE. Les vins, moyennement ou fortement corsés, font preuve d'une finesse et d'une fragrance surprenantes.

Pinot noir, Pinot gris, Pinot Liébault

1980, 1982, 1983, 1985

Entre 8 et 15 ans

☆ Bernard Amiot, Gaston Barthod-Noëllat, Daniel Funès, Alain Hudelot-Noëllat, Jacques-Frédéric Mugnier, Domaine Pernot-Fourrier, Georges Roumier & Fils, Bernard Serveau, Domaine des Varoilles, Comte Georges de Vogüé

CHAMBOLLE-MUSIGNY PREMIER CRU AOC

***Premiers Crus :* Les Sentiers, *Les Baudes,* Les Noirots, *Les Lavrottes, Les Fuées,* Aux Beaux Bruns, Aux Échanges, Les Charmes, Les Plantes, Aux Combottes, Les Combottes, Derrière la Grange, Les Gruenchers, Les Groseilles, Les Châtelots, Les Grands Murs, Les Feusselottes, Les Cras, Les Carrières, Les Chabiots, *Les Borniques, Les Amoureuses,* Les Hauts Doix, *La Combe d'Orveau.* Les Amoureuses est le plus exceptionnel des Premiers Crus, suivi par Les Charmes.**

ROUGE. Les meilleurs vins ont un séduisant bouquet et une flaveur délicieusement parfumée.

Pinot noir, Pinot gris, Pinot Liébault

1980, 1982, 1983, 1985

Entre 10 et 20 ans

☆ G. Barthod-Noëllat, Alain Hudelot-Noëllat, Daniel Rion, Georges Roumier & Fils, Bernard Serveau

CHAPELLE-CHAMBERTIN AOC

Grand Cru

Un des neuf Grands Crus de Gevrey-Chambertin, composé de deux climats situés sous le Clos de Bèze, « En la Chapelle » et « Les Gémeaux ».

ROUGE. Le plus léger des Grands Crus offre néanmoins un bouquet et une saveur des plus plaisants.

Pinot noir, Pinot gris, Pinot Liébault

1980, 1982, 1983, 1985

Entre 8 et 20 ans

☆ Pierre Damoy, Drouhin-Laroze, Louis Trapet

CHARMES-CHAMBERTIN AOC

Grand Cru

Le plus vaste des neuf Grands Crus de Gevrey-Chambertin. La partie du vignoble appelée « Mazoyères » est à l'origine de l'autre dénomination possible Mazoyères-Chambertin.

ROUGE. Vins tendres et somptueux, aux saveurs de fruits mûrs, manquant un peu de finesse.

Pinot noir, Pinot gris, Pinot Liébault

1980, 1982, 1983, 1985

Entre 10 et 20 ans

☆ Hubert Camus, Jean Raphet, Henri Rebourseau, Joseph Roty, Armand Rousseau, Domaine Tortochot

CLOS DE BÈZE AOC

Autre appellation pour Chambertin-Clos de Bèze. *Voir* Chambertin-Clos de Bèze AOC.

CLOS DES LAMBRAYS AOC

Grand Cru

Ce vignoble ne fut vraiment classé comme l'un des quatre Grands Crus de Morey-Saint-Denis qu'en 1981, alors même que les étiquettes antérieures portaient la mention « Grand Cru classé ».

ROUGE. Le vignoble, replanté par le nouveau propriétaire, est encore trop jeune pour qu'on puisse porter un jugement. Le site est cependant excellent et mérite d'être bien exploité.

Pinot noir, Pinot gris, Pinot Liébault

1980, 1982, 1983, 1985

Entre 10 et 20 ans

☆ Domaine des Lambrays

CLOS DE LA ROCHE AOC

Grand Cru

Couvrant près de 17 ha, le vignoble est deux fois plus étendu que les autres Grands Crus de Morey-Saint-Denis.

ROUGE. Vin de garde, à la robe profonde, riche, de saveur puissante et de texture soyeuse, le meilleur peut-être des Grands Crus de Morey.

Pinot noir, Pinot gris, Pinot Liébault

1980, 1982, 1983, 1985

Entre 10 et 20 ans

☆ Pierre Amiot, Domaine Dujac, Georges Lignier, Armand Rousseau

CLOS ST-DENIS AOC

Grand Cru

Le village de Morey a attaché à son nom celui de ce Grand Cru au temps où il était le meilleur de la commune, position que contestent aujourd'hui le Clos de la Roche et le Clos de Tart.

ROUGE. Vins puissants, fermes et fins, aux saveurs de réglisse et de fruits rouges.

Pinot noir, Pinot gris, Pinot Liébault

1980, 1982, 1983, 1985

Entre 10 et 25 ans

☆ Domaine Bertagna, Domaine Dujac, Georges Lignier, Domaine Ponsot

CLOS DE TART AOC

Grand Cru

L'un des quatre Grands Crus de Morey-Saint-Denis, propriété du négociant Mommessin. Outre le Clos de Tart lui-même, une petite partie du Grand Cru Bonnes Mares a également le droit d'utiliser cette appellation.

ROUGE. Les vins à la saveur pénétrante de Pinot révèlent aussi les notes vanillées et épicées du chêne neuf. Il leur faut mûrir de longues années en bouteille pour s'harmoniser parfaitement.

Pinot noir, Pinot gris, Pinot Liébault

1980, 1982, 1983, 1985

Entre 15 et 30 ans

☆ Mommessin

CLOS DE VOUGEOT AOC

Grand Cru

Le Grand Cru de Vougeot est un imposant vignoble de 50 ha, partagé entre 85 propriétaires et produisant donc des vins très variables. On s'y réfère souvent pour illustrer la différence entre la Bourgogne et le Bordelais, où chaque vignoble, propriété d'un seul château, peut produire un vin de style et de qualité homogènes d'une année sur l'autre.

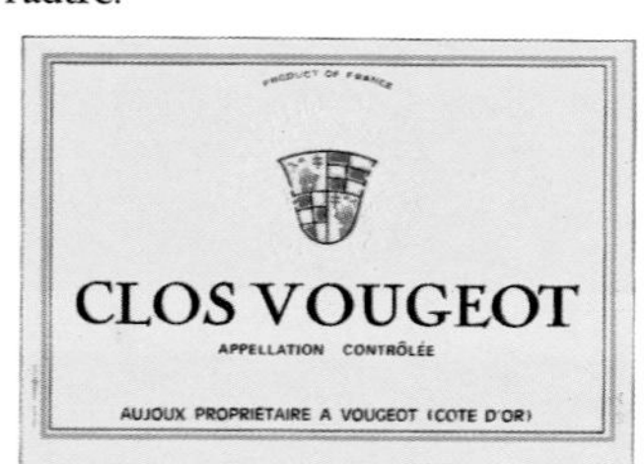

ROUGE. La production varie selon les parcelles exploitées par des viticulteurs aux talents divers. Il est donc impossible de définir le Clos de Vougeot par des caractéristiques intrinsèques. Les meilleurs vins présentent une texture fruitée et soyeuse, un équilibre élégant et plus de finesse que de plénitude.

Pinot noir, Pinot gris, Pinot Liébault

1980, 1982, 1983, 1985

Entre 10 et 25 ans

☆ Robert Arnoux, Christian Confuron, Drouhin-Laroze, Engel, Jean Grivot, Jean Gros, Jacqueline Jayer, Mongeard-Mugneret, Charles Noëllat, Henri Rebourseau, Daniel Rion, Domaine des Varoilles, Noémie Vernaux

CLOS VOUGEOT AOC

Voir Clos de Vougeot AOC.

CÔTE DE NUITS-VILLAGES AOC

Cette appellation couvre les vins produits dans une ou plusieurs des cinq communes suivantes : Fixin et Brochon au nord, Comblanchien, Corgoloin et Prissy au sud.

ROUGE. Vins fermes, fruités et distingués, dans l'authentique style bien charpenté des Côte de Nuits.

Pinot noir, Pinot gris, Pinot Liébault

1980, 1982, 1983, 1985

Entre 6 et 10 ans

BLANC. Très petite production – tout juste 4 hectolitres en 1985.

Chardonnay, Pinot blanc

☆ Bertrand Ambroise, Gachot-Monot, Robert Jayer-Gilles, Jean Jourdan-Guillemier, Domaine Gérard Julien, Daniel Rion

ÉCHÉZEAUX AOC

Grand Cru

Ce vignoble de 30 ha, le plus étendu des deux Grands Crus de Flagey-Échézeaux, se compose de 11 climats.

ROUGE. Les meilleurs vins ont une saveur fine et parfumée plus délicate que puissante. Beaucoup ne mériteraient qu'une appellation communale.

Pinot noir, Pinot gris, Pinot Liébault

1980, 1982, 1983, 1985

Entre 10 et 20 ans

☆ Jacques & Patrice Cacheux, Desvignes Aîné et Fils, Domaine Engel, Robert Jayer-Gilles, Henri Jayer, Jacqueline Jayer, Mongeard-Mugneret, Domaine de la Romanée-Conti

FIXIN AOC

Fixin était autrefois la résidence d'été des ducs de Bourgogne.

ROUGE. Vins de garde bien colorés, qui peuvent être fermes et tanniques, de qualité excellente.

Pinot noir, Pinot gris, Pinot Liébault

1980, 1982, 1983, 1985

Entre 6 et 12 ans

BLANC. Vins secs, riches et concentrés, rares mais qui valent la peine d'être recherchés. Bruno Clair montre bien tout le parti qu'on peut tirer du Pinot blanc.

Chardonnay, Pinot blanc

1980, 1984, 1985, 1986

Entre 3 et 8 ans

☆ Domaine Berthaut, Bruno Clair, Gelin & Molin, Pierre Gelin, Alain Guyard, Jean-Pierre Guyard, Philippe Joliet

FIXIN PREMIER CRU AOC

***Premiers Crus :* Le Meix Bas, Le Village, Aux Cheusots, Clos du Chapitre, La Perrière, En Suchot, Queue de Hareng (situé à Brochon), Les Arvelets, Les Hervelets, Meix Bas. Les meilleurs Premiers Crus sont La Perrière et le Clos du Chapitre. Le Clos de la Perrière, qui appartient à Philippe Joliet, recouvre En Souchot, Queue de Hareng et La Perrière.**

ROUGE. Vins de robe profonde, avec du corps et des saveurs de cassis et de groseille, équilibrées par une charpente tannique.

Pinot noir, Pinot gris, Pinot Liébault

1980, 1982, 1983, 1985

Entre 10 et 20 ans

BLANC. Je n'en ai jamais dégusté, mais on peut penser qu'il est au moins aussi bon que le simple Fixin blanc.

☆ Domaine Berthaut, Gelin & Molin, Pierre Gelin, Philippe Joliet, Cie des Vins d'Autrefois

GEVREY-CHAMBERTIN AOC

Célèbre pour son Grand Cru de Chambertin, cette appellation donne également des vins superbes. Certains vignobles empiètent sur la commune de Brochon.

ROUGE. Vins bien colorés, riches, amples et élégants, avec une texture soyeuse et une arrière-bouche fruitée.

Pinot noir, Pinot gris, Pinot Liébault

1980, 1982, 1983, 1985

Entre 7 et 15 ans

☆ Bernard Bachelet, Alain Burguet, Pierre Damoy, Drouhin-Laroze, Domaine Dujac, Philippe Leclerc, Henri Magnien, Mortet & Fils, Domaine Pernot-Fourrier, Domaine des Perrières, Ponsot, Henri Richard, Philippe Rossignol, Joseph Roty, Georges Roumier & Fils, Armand Rousseau, Louis Trapet, Domaine des Varoilles

GEVREY-CHAMBERTIN PREMIER CRU AOC

***Premiers Crus :* La Bossière, La Romanée Poissenot, Étournelles, Les Varoilles, Lavaut, Clos du Chapitre, Clos Saint-Jacques, Les Cazetiers, Petits Cazetiers, Champeaux, Combe au Moine, Les Goulots, *Aux Combottes, Bel Air, Cherbandes, Champitenois* (ou *Petite Chapelle*), En Ergot, *Clos Prieur-Haut, La Perrière, Au Closeau, Plantigone* (ou *Issarts*), *Les Corbeaux,* Fonteny, Champonnet.**

ROUGE. Ces vins ont en général plus de couleur, de concentration et de finesse que les appellations communales mais, à l'exception peut-être du Clos Saint-Jacques, ils ne valent pas tout à fait les Grands Crus.

Pinot noir, Pinot gris, Pinot Liébault

1980, 1982, 1983, 1985

Entre 10 et 20 ans

☆ Bernard Bachelet, Alain Burguet, Pierre Damoy, Claudine Deschamps, Drouhin-Laroze, Domaine Dujac, Henri Magnien, Marchand-Grillot & Fils, Philippe Leclerc, Pernot-Fourrier, Domaine des Perrières, Domaine Ponsot, Henri Rebourseau, Philippe Rossignol, Joseph Roty, Georges Roumier & Fils, Armand Rousseau, Gabriel Tortochot, Domaine des Varoilles

GRANDS ÉCHÉZEAUX AOC

Grand Cru

Le meilleur et le plus petit des deux Grands Crus de Flagey-Échézeaux séparé du Clos de Vougeot par la limite de la commune.

ROUGE. Vins fins et complexes au bouquet soyeux, évoquant souvent la violette. La saveur, parfois très ronde et riche, est équilibrée par un fruité délicat.

Pinot noir, Pinot gris, Pinot Liébault

1980, 1982, 1983, 1985

Entre 10 et 20 ans

☆ Mongeard-Mugneret, Domaine Engel, Domaine de la Romanée-Conti, Robert Sirugue

GRIOTTES-CHAMBERTIN AOC

Grand Cru

Le plus petit des neuf Grands Crus de Gevrey-Chambertin.

ROUGE. Les meilleurs producteurs font des vins veloutés à la robe profonde, délicieux, avec des saveurs tendres et fruitées.

Pinot noir, Pinot gris, Pinot Liébault

1980, 1982, 1983, 1985

Entre 10 et 20 ans

☆ Pernot-Fourrier, Domaine Gouroux, Domaine Ponsot, Joseph Roty

LATRICIÈRES-CHAMBERTIN AOC

Grand Cru

L'un des neuf Grands Crus de Gevrey-Chambertin, situé au-dessus du climat de Mazoyères de Charmes-Chambertin. Une petite partie du Premier Cru contigu, Aux Combottes, a également le droit d'utiliser cette appellation.

ROUGE. Qu'ils soient de longue garde ou à boire jeunes, ces vins montrent une constitution solide et une certaine austérité. Ils manquent parfois de fruité et de générosité.

Pinot noir, Pinot gris, Pinot Liébault

1980, 1982, 1983, 1985

Entre 10 et 20 ans

☆ Hubert Camus, Drouhin-Laroze, Domaine Ponsot, Louis Trapet

MARSANNAY AOC

Cette commune, située tout à fait au nord de la Côte de Nuits, célèbre depuis longtemps pour son rosé, commence à être réputée pour son vin rouge. En mai 1987, l'appellation Bourgogne-Marsannay fut promue au rang de véritable appellation communale.

ROUGE. Vins fermes et fruités, aux saveurs de groseille, nuancées de réglisse, de cannelle, et parfois de vanille.

Pinot noir, Pinot gris, Pinot Liébault

1980, 1982, 1983, 1985

Entre 4 et 8 ans

BLANC. Jusqu'en mai 1987, tout vin blanc produit à Marsannay ne pouvait être vendu que sous l'appellation générique Bourgogne. Voyons comment les viticulteurs vont réagir à cette nouvelle possibilité.

Chardonnay

ROSÉ. Vins secs et riches, parfumés, gorgés de saveurs de fruits mûrs où l'on décèle la mûre, le cassis, la framboise et la cerise. Il vaut mieux les boire jeunes, encore que d'aucuns les apprécient lorsqu'ils ont trop mûri et pris une teinte orangée.

Pinot noir, Pinot gris, Pinot Liébault

1982, 1983, 1985, 1986

1 à 3 ans maximum

☆ André Bart, René Bouvier, Bruno Clair, Fougeray, Jean Fournier, Huguenot Père et Fils

MARSANNAY LA CÔTE AOC

Voir Marsannay AOC.

MAZIS-CHAMBERTIN AOC

Grand Cru

Parfois orthographié Mazy-Chambertin, c'est l'un des neuf Grands Crus de Gevrey-Chambertin.

ROUGE. Vins complexes que seuls surpassent Chambertin et le Clos de Bèze, avec une robe fine et brillante, une texture soyeuse et une saveur délicate.

Pinot noir, Pinot gris, Pinot Liébault

1980, 1982, 1983, 1985

Entre 10 et 20 ans

☆ Henri Rebourseau, Joseph Roty, Armand Rousseau, Gabriel Tortochot

MAZOYÈRES-CHAMBERTIN AOC

Voir Charmes-Chambertin AOC.

MOREY-SAINT-DENIS AOC

Excellente appellation communale située entre les très illustres vignobles de Gevrey-Chambertin et de Chambolle-Musigny. Cette situation et le fait que le Clos Saint-Denis ne soit plus considéré comme son meilleur Grand Cru ne contribuent pas à promouvoir sa réputation.

ROUGE. Les meilleurs de ces vins ont une robe vive, un bouquet très expressif, une grande finesse et de la souplesse. Certains d'entre eux, comme ceux du domaine de Dujac, peuvent atteindre le niveau d'un Premier Cru.

Pinot noir, Pinot gris, Pinot Liébault

1980, 1982, 1983, 1985

Entre 8 et 15 ans

BLANC. Le Domaine Ponsot produit un Morey-Saint-Denis blanc, riche et d'une fraîcheur superbe.

Chardonnay, Pinot blanc

1983, 1984,,1985, 1986

Entre 3 et 8 ans

☆ Pierre Amiot, Georges Bryczek & Fils, Domaine Dujac, Georges Lignier, Ets Nicolas, Domaine Ponsot, Armand Rousseau, Taupenot-Merme, Gabriel Tortochot

MOREY-ST-DENIS PREMIER CRU AOC

***Premiers Crus : Les Genevrières, Monts Luisants, Les Chaffots,* Clos Baulet, Les Blanchards, Les Gruenchers, *Les Millandes, Les Faconnières, Les Charrières, Clos des Ormes, Aux Charmes,* Aux Cheseaux, Les Chénevery, Les Sorbès, Clos Sorbè, La Bussière, *Les Ruchots,* Le Village, Côte Rôtie, La Riotte.**

ROUGE. Ces vins ont la couleur, le bouquet, la saveur et la finesse de l'appellation mais en expriment mieux le terroir. Les meilleurs Premiers Crus sont le Clos des Ormes, le Clos Sorbè et Les Sorbès.

Pinot noir, Pinot gris, Pinot Liébault

1980, 1982, 1983, 1985

Entre 10 et 20 ans

BLANC. Le seul Morey-Saint-Denis blanc que je connaisse est issu de la partie supérieure de Monts Louisants, qui est classé comme appellation communale.

☆ Pierre Amiot, Georges Bryczek & Fils, Domaine Dujac, Georges Lignier, Louis Rémy, Bernard Sereau, Taupenot-Merme, Gabriel Tortochot

MUSIGNY AOC

Grand Cru

Le plus petit des deux Grands Crus de Chambolle-Musigny couvre une dizaine d'hectares à l'opposé du village par rapport à Bonnes Mares.

ROUGE. Les plus distingués de ces vins offrent une robe fabuleuse et un bouquet souple, séduisant et épicé. La saveur veloutée et fruitée se déploie en une succession d'expériences gustatives.

Pinot noir, Pinot gris, Pinot Liébault

1980, 1982, 1983, 1985

Entre 10 et 30 ans

BLANC. Le Musigny blanc est un vin sec, rare et cher, produit uniquement au Domaine Comte Georges de Vogüé. Il allie le caractère métallique du Chablis à la richesse d'un Montrachet, bien qu'il n'en ait pas tout à fait la qualité.

Chardonnay

1983, 1984, 1985, 1986

Entre 8 et 20 ans

☆ Georges Roumier & Fils, Comte Georges de Vogüé

NUITS AOC

Voir Nuits-St-Georges AOC.

NUITS PREMIER CRU AOC

Voir Nuits-St-Georges Premier Cru AOC.

NUITS-ST-GEORGES AOC

Plus que tout autre, ce nom évoque la saveur pleine et la robuste constitution qui ont fait la juste renommée des vins de la Côte de Nuits.

ROUGE. Vins de robe profonde, amples et fermes, n'ayant pas toujours la distinction et le caractère des Gevrey, Chambolle et Morey.

Pinot noir, Pinot gris, Pinot Liébault

1980, 1982, 1983, 1985

Entre 7 et 15 ans

BLANC. Vin que je n'ai jamais eu l'occasion de déguster.

☆ Michel Dupasquier, Roger Dupasquier & Fils, Michel Gavignet, Henri Jayer, Jacqueline Jayer, Henri Remoriquet, Daniel Rion

NUITS-ST-GEORGES PREMIER CRU AOC

Premiers Crus :* Aux Champs Perdrix, En la Perrière Noblet, Les Damodes, Aux Boudots, Aux Cras, La Richemone, Aux Murgers, Aux Vignerondes, Aux Chaignots, Aux Thorey, Les Argillats, Aux Bousselots, Les Crots, Rue de Chaux, Les Hauts Pruliers, Les Procès, Les Pruliers, Roncière, Les Saint-Georges, Les Cailles, Les Porets, Les Vallerots, Les Poulettes, Les Perrières, Les Chaboeufs, Les Vaucrains, Chaine-Carteau, Les Grandes Vignes*, Clos de la Maréchale*, Clos Arlot*, Les Didiers*, Les Forêts*, Aux Perdrix*, Clos des Corvées*, Les Argillières

***Dans la commune de Prémeaux-Prissey**

ROUGE. Vins de robe splendide, au bouquet riche et épicé, à la saveur fruitée, vibrante, parfois joliment nuancée de vanille.

Pinot noir, Pinot gris, Pinot Liébault

1980, 1982, 1983, 1985

Entre 10 et 20 ans

BLANC. Le « La Perrière » de Henri Gouge est un vin sec, puissant, presque gras, à l'arrière-bouche épicée. Il est issu d'un Pinot noir mutant qui produisait des grappes de raisin blanc et noir. Gouge préleva un rameau donnant des fruits blancs au milieu des années 30. Ces vignes couvrent maintenant un peu moins d'un demi-hectare et n'ont jamais redonné de raisin noir.

Chardonnay, Pinot blanc

1983, 1984, 1985, 1986

Entre 5 et 10 ans

☆ Robert Chevillon, J.-J. Confuron, Claudine Deschamps, Robert Dubois & Fils, Michel Gavignet, Henri Gouge, Jean Grivot, Machard de Gramont, Jacqueline Jayer, Alain Michelot, Gérard Mugneret, Domaine de la Poulette, Henri Remoriquet, Daniel Rions

RICHEBOURG AOC

Grand Cru

L'un des cinq Grands Crus situés au cœur des vignobles de Vosne-Romanée.

ROUGE. Vin d'une merveilleuse richesse, au bouquet divin, empli de saveurs fruitées veloutées.

Pinot noir, Pinot gris, Pinot Liébault

1980, 1982, 1983, 1985

Entre 12 et 30 ans

☆ Jean Grivot, Jean Gros, Domaine de la Romanée-Conti

LA ROMANÉE AOC

Grand Cru

Le vignoble appartient au Domaine du Château de Vosne-Romanée, et le vin est produit et vendu par Bouchard Père & Fils. Avec moins d'un hectare, c'est le plus petit des Grands Crus de Vosne-Romanée.

ROUGE. Vin ample, fin et complexe sans avoir toute la séduction d'un Richebourg.

Pinot noir, Pinot gris, Pinot Liébault

1980, 1982, 1983, 1985

Entre 12 et 30 ans

☆ Domaine du Château de Vosne-Romanée

ROMANÉE-CONTI AOC

Grand Cru

Ce Grand Cru de Vosne-Romanée de moins de 2 ha appartient tout entier au célèbre Domaine de la Romanée-Conti.

ROUGE. Ce vin, d'une concentration fabuleuse et d'une extrême complexité, le plus cher des Bourgogne, surpasse tous les autres. Il ne manque jamais d'émerveiller par l'étonnant éventail de saveurs qu'il déploie l'une après l'autre.

Pinot noir, Pinot gris, Pinot Liébault

1980, 1982, 1983, 1985

Entre 15 et 35 ans

☆ Domaine de la Romanée-Conti

ROMANÉE-ST-VIVANT AOC

Grand Cru

Le plus étendu des cinq Grands Crus, situé sur les coteaux les moins élevés du village.

ROUGE. Le plus léger des Grands Crus de Vosne-Romanée compense ce qui pourrait lui manquer de force et de poids par sa finesse et son harmonie.

Pinot noir, Pinot gris, Pinot Liébault

1980, 1982, 1983, 1985

Entre 10 et 25 ans

☆ Robert Arnoux, Alain Hudelot-Noëllat, Domaine de la Romanée-Conti (Marey-Monge)

RUCHOTTES-CHAMBERTIN AOC

Grand Cru

Après Griottes-Chambertin, c'est le plus petit des neuf Grands Crus de Gevrey-Chambertin. Situé au-dessus de Mazis-Chambertin, il est le dernier Grand Cru avant que le coteau ne s'oriente au nord.

ROUGE. C'est normalement l'un des Chambertin les plus légers, mais certains producteurs savent lui conférer une splendide richesse.

Pinot noir, Pinot gris, Pinot Liébault

1980, 1982, 1983, 1985

Entre 8 et 20 ans

☆ Georges Roumier & Fils, Armand Rousseau

LA TÂCHE AOC

Grand Cru

Ce fabuleux vignoble, l'un des cinq Grands Crus de Vosne-Romanée, appartient au très célèbre Domaine de la Romanée-Conti, également propriétaire du Grand cru de la Romanée-Conti.

ROUGE. Si riche et complexe que soit ce vin, il n'offre pas tout à fait la richesse du Richebourg ni la complexité de la Romanée-Conti. Il montre cependant la texture soyeuse des meilleurs Bourgogne et surpasse sans aucun doute tous les autres vins en finesse.

Pinot noir, Pinot gris, Pinot Liébault

1980, 1982, 1983, 1985

Entre 12 et 30 ans

☆ Domaine de la Romanée-Conti

VOSNE-ROMANÉE AOC

Grand Cru

La plus méridionale des grandes communes de la Côte de Nuits a quelques vignobles situés dans le village voisin de Flagey-Échézeaux.

ROUGE. Vin brillant, distingué, rond, soyeux, offrant le plus authentique caractère du Pinot noir.

Pinot noir, Pinot gris, Pinot Liébault

1980, 1982, 1983, 1985

Entre 10 et 15 ans

☆ Robert Arnoux, Daniel Bissey, Jacques Cacheux, Jean Grivot, Jean Gros, Alain Hudelot-Noëllat, Henri Jayer, Jacqueline Jayer, René Mugneret, Marcel Niquet-Jayer, Daniel Rion

VOSNE-ROMANÉE PREMIER CRU AOC

Premiers Crus : **Les Hauts Beaux Monts, Les Beaux Monts, *Les Beaux Monts Bas**, Les Beaux Monts Hauts*, *Les Rouges du Dessus**, En Orveaux*, *Les Brûlées,* La Combe Brûlée, *Les Suchots, La Croix Rameau,* Clos des Réas, *La Grande Rue, Les Gaudichots,* Les Chaumes, *Aux Malconsorts, Cros-Parantoux, Aux Reignots, Les Petits Monts.***
***Ces Premiers Crus de Vosne-Romanée sont à Flagey-Échézeaux.**

ROUGE. Vins de belle robe dont le bouquet rappelle souvent la violette et la mûre. Ils ont la texture soyeuse et la saveur distinguée du Pinot noir. Les meilleurs Premiers Crus sont La Grande Rue, Les Brûlées, Cros-Parantoux, Les Petits Monts, Les Suchots et les Beaumonts (qui regroupe les divers Beaux Monts, hauts et bas).

Pinot noir, Pinot gris, Pinot Liébault

1980, 1982, 1983, 1985

Entre 10 et 20 ans

☆ Robert Arnoux, Daniel Bissey, Jacques Cacheux, François Gerbet, Jean Grivot, Jean Gros, Alain Hudelot-Noëllat, Henri Jayer, Jacqueline Jayer, Mongeard-Mugneret, Gérard Mugneret, René Mugneret, Marcel Niquet-Jayer, Michel Noëllat, Daniel Rion

VOUGEOT AOC

Compte tenu des 50,6 ha du Grand Cru Clos de Vougeot et des 11,7 ha que couvrent les quatre Premiers Crus, les vins issus des 4,7 ha qui restent des 67,1 ha de Vougeot sont assez rares !

ROUGE. Vins bien équilibrés et de saveur fine, vendus à des prix excessifs. Il vaut mieux acheter un Premier Cru ou un bon Clos de Vougeot.

Pinot noir, Pinot gris, Pinot Liébault

1980, 1982, 1983, 1985

Entre 8 et 20 ans

BLANC. Appellation qui, à ma connaissance, n'existe qu'en théorie.

☆ Robert Arnoux, Domaine Bertagna, Jean Grivot, Jean Gros, Mongeard-Mugneret

VOUGEOT PREMIER CRU AOC

Premiers Crus : Les Crâs, La Vigne Blanche, Les Petits Vougeots, Clos de la Perrière

Les Premiers Crus, situés entre le Clos de Vougeot et Musigny, compte tenu de leur terroir, devraient donner des vins bien meilleurs.

ROUGE. Les vins de belle robe, ronds, offent une saveur séduisante, un bon équilibre et une certaine finesse.

Pinot noir, Pinot gris, Pinot Liébault

1980, 1982, 1983, 1985

Entre 10 et 20 ans

BLANC. L'Héritier-Guyot produit le Clos Blanc de Vougeot, un vin net, riche et nerveux de qualité variable issu du Premier Cru La Vigne Blanche.

Chardonnay, Pinot blanc

1983, 1984, 1985, 1986

Entre 4 et 10 ans

☆ Domaine Bertagna, L'Héritier-Guyot, Henry Lamarche

Côte de Beaune et Hautes-Côtes de Beaune

Tendresse et finesse, telles sont les principales qualités de ces vins, lesquelles deviennent d'autant plus évidentes qu'on progresse vers le sud. Malgré quelques beaux vins rouges, les vins blancs prédominent. Avec sept des huit Grands Crus blancs de Bourgogne, c'est le vignoble par excellence du cépage Chardonnay.

Lorsqu'on arrive dans la Côte de Beaune en venant de Nuits-Saint-Georges, on est frappé par l'aspect plus ouvert du vignoble et le contraste entre les sols profonds, sombres et manifestement riches situés en bas et à l'est de la N 74 et les maigres terres caillouteuses qui couvrent les coteaux à l'ouest de la route.

On dit souvent que les coteaux de la Côte de Beaune sont moins escarpés que ceux de la Côte de Nuits mais les terres y sont souvent aussi pentues, encore que les meilleurs vignobles soient situés à mi-hauteur des coteaux où les pentes sont assez douces. Les coteaux supérieurs, plus escarpés, produisent de bons vins mais généralement de qualité moindre, à l'exception des vignobles d'Aloxe-Corton – qu'il serait du reste plus logique de rattacher à la Côte de Nuits qu'à la Côte de Beaune. La Côte de Beaune commence en fait avec des vignobles qui appartiennent à la Côte de Nuits et se termine en dehors de la Côte-d'Or, dans une région qui appartient déja à Côte chalonnaise.

Le célèbre Hôtel-Dieu de Beaune, avec sa toiture caractéristique, a donné naissance aux vins des hospices de Beaune.

Vignobles de la Côte de Beaune, ci-dessus
Les vignobles de la Côte de Beaune sont généralement un peu moins pentus que ceux de la Côte de Nuits. Les deux cépages les plus répandus y sont le Pinot noir et le Chardonnay.

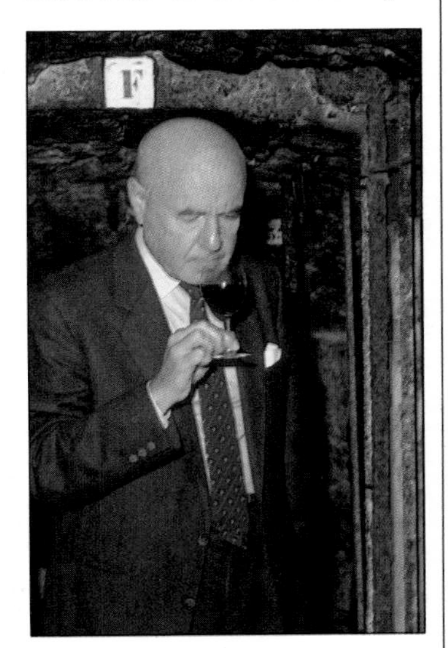

Claude Bouchard, ci-dessus
La grande maison bourguignonne Bouchard Père & Fils produit d'excellents Grands Crus issus de ses vignobles en Côte-d'Or.

Appellations communales
Zone de viticulture intensive
Hautes-Côtes de Beaune
Côte de Beaune-Villages
Blagny
Limites d'appellation communale
Altitude
km 2 4

CÔTE DE BEAUNE ET HAUTES-CÔTES DE BEAUNE, *voir aussi* p. 109

La Côte-d'Or est essentiellement constituée d'une crête de collines parallèle à l'autoroute du soleil. La plupart des appellations communales sont regroupées entre Nuits-St-Georges, au nord, et Chagny, au sud.

FACTEURS AFFECTANT LE GOÛT ET LA QUALITÉ

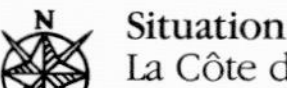

Situation
La Côte de Beaune prolonge la Côte de Nuits à son extrémité sud sur près de 30 km au-delà de Beaune, jusqu'à Cheilly-lès-Maranges. Le vignoble est d'un seul tenant, encore que les Hautes-Côtes de Beaune, à l'ouest, soient scindées en deux par les vignobles de Saint-Romain qui appartiennent à la Côte de Beaune.

Climat
Climat légèrement plus humide et tempéré que celui de la Côte de Nuits. Le raisin y mûrit un peu plus tôt. Les risques de grêle sont moins importants, mais les vents humides et les fortes pluies causent des dégâts.

Site
Succession de coteaux orientés à l'est, sur une largeur de 2 km, qui s'incurvent pour donner quelques vignobles exposés au nord-est et au sud-est. La vigne y pousse à une altitude de 225-380 m, sur des pentes légèrement moins accentuées que dans la Côte de Nuits. Les vignes s'étendant au-delà de la N 74, sur des terres plates et fertiles, au sud de Beaune, ne peuvent prétendre aux appellations communales ou supérieures.

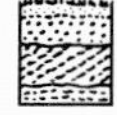

Sol
Sous-sol calcaire couvert de sols siliceux, argileux et calcaires avec des couches sporadiques de minerai de fer oolithique. On trouve à Chassagne et à Puligny un sol clair de marnes.

Viticulture et vinification
La vigne est conduite de manière à bénéficier de la chaleur restituée par le sol, la nuit. Dans le sud de la région, le mode de conduite employé diffère de celui qui est utilisé en Côte de Beaune. Pour les vins rouges, le raisin est presque toujours éraflé et la cuvaison dure de huit à dix jours. Les vins blancs classiques fermentent en fût. Les meilleurs vins, rouges et blancs, sont élevés dans le chêne. La saveur du Pinot noir risquant d'être couverte par le chêne, on le laisse mûrir moins longtemps en fût que le Chardonnay.

Cépages principaux
Pinot noir, Chardonnay

Cépages secondaires
Pinot gris, Pinot Liébault, Pinot blanc, Aligoté, Melon de Bourgogne, Gamay

L'ÉTIQUETTE DES HOSPICES DE BEAUNE

Cette étiquette indique que le vin provient de vignobles appartenant aux Hospices de Beaune, œuvre de bienfaisance pour les malades et les pauvres depuis 1443. Un demi-millénaire de dons et de legs lui permet aujourd'hui de totaliser quelque 55 ha de Grands Crus et de Premiers Crus.

Depuis 1859, ces vins sont vendus aux enchères et la publicité qui entoure cet événement annuel leur fait atteindre des prix qui dépassent généralement de beaucoup les cours habituels ; il faut donc être prêt à payer des prix plus forts si l'on veut aider cette cause.

Les critiques formulées sur la qualité de certains des vins des Hospices amenèrent à construire une nouvelle cuverie à l'arrière du célèbre Hôtel-Dieu, dont on connaît la magnifique toiture polychrome. Tous les vins sont maintenant élevés en fûts de chêne neufs. Il subsiste cependant des variations de qualité dues à des modes d'élevage différents selon les acheteurs.

Une fois vendus, en effet, les vins d'une même cuvée sont sous la responsabilité de l'acheteur qui les laisse mûrir plus ou moins longtemps selon son gré. De plus, les conditions hygrométriques et de température peuvent modifier sensiblement les taux d'alcool et d'extraits du vin, notamment au moment de l'élevage du vin. La gestion des stocks intervient également – on sait que les caves obscures de certains négociants ont caché des pratiques peu recommandables. Pour le consommateur, dès lors, les problèmes qui se posent sont les mêmes que ceux qui président à l'achat de tout autre Bourgogne ; si bien qu'en dernier ressort c'est sa confiance dans le négociant, dont le nom figure sur l'étiquette, qui doit le guider.

LES CUVÉES DES HOSPICES DE BEAUNE

VINS ROUGES

Cuvée Clos des Avaux
AOC Beaune et Les Avaux

Cuvée Billardet
AOC Pommard
Assemblage de Petits-Épenots, Les Noizons, Les Arvelets, Les Rugiens

Cuvée Blondeau
AOC Volnay
Assemblage de Champans, Taille-Pieds, Roceret, En l'Ormeau

Cuvée Boillot
AOC Auxey-Duresses
Les Duresses

Cuvée Brunet
AOC Beaune
Assemblage de Les Teurons, La Mignotte, Les Bressandes, Les Cent Vignes

Cuvée Madeleine Collignon
AOC Mazis-Chambertin
Mazis-Chambertin

Cuvée Cyrot Chaudron
AOC Beaune et Beaune

Cuvée Cyrot Chaudron
AOC Pommard
Pommard

Cuvée Dames de la Charité
AOC Pommard
Assemblage de Les Épenots, Les Rugiens, Les Noizons, La Refène, Les Combes Dessus

Cuvée Dames Hospitalières
AOC Beaune
Assemblage de Les Bressandes, La Mignotte, Les Teurons, Les Grèves

Cuvée Maurice Drouhin
AOC Beaune
Assemblage de Les Avaux, Les Grèves, Les Bourcherottes, Champs Pimont

Cuvée Charlotte Dummay
AOC Corton
Assemblage de Renardes, Les Bressandes, Clos du Roi

Cuvée Forneret
AOC Savigny-lès-Beaune
Assemblage de Les Vergelesses, Aux Gravains

Cuvée Fouquerand
AOC Savigny-lès-Beaune
Assemblage de Basses Vergelesses, Les Talmettes, Aux Gravains, Aux Serpentières

Cuvée Gauvain
AOC Volnay
Assemblage de Les Santenots, Les Pitures

Cuvée Arthur Girard
AOC Savigny-lès-Beaune
Assemblage de Les Peuillets, Les Marconnets

Cuvée Guigone de Salins
AOC Beaune
Assemblage de Les Bressandes, En Sebrey, Champs Pimont

Cuvée Hugues et Louis Bétault
AOC Beaune
Assemblage de Les Grèves, La Mignotte, Les Aigrots, Les Sizies, Les Vignes Franches

Cuvée Lebelin
AOC Monthélie
Les Duresses

Cuvée Jehan de Massol
AOC Volnay-Santenots
Les Santenots

Cuvée Muteau
AOC Volnay
Assemblage de Volnay-Village, Carelle sous la Chapelle, Cailleret Dessus, Fremiet, Taille-Pieds

Cuvée Docteur Peste
AOC Corton
Assemblage de Les Bressandes, Chaumes, Voirosses, Clos du Roi, Fiètre, Les Grèves

Cuvée Rameau-Lamarosse
AOC Pernand-Vergelesses
Les Basses Vergelesses

Cuvée Nicolas Rolin
AOC Beaune
Assemblage de Les Cent Vignes, Les Grèves, En Genêt

Cuvée Rousseau-Deslandes
AOC Beaune
Assemblage de Les Cent Vignes, Les Montrevenots, La Mignotte, Les Avaux

VINS BLANCS

Cuvée de Bahèzre de Lanlay
AOC Meursault-Charmes
Assemblage de Les Charmes Dessus, Les Charmes Dessous

Cuvée Baudot
AOC Meursault-Genevrières
Assemblage de Genevrières Dessus, Les Genevrières Dessous

Cuvée Philippe le Bon
AOC Meursault-Genevrières
Assemblage de Genevrières Dessus, Les Genevrières Dessous

Cuvée Paul Chanson
AOC Corton-Vergennes
Corton-Vergennes

Cuvée Goureau
AOC Meursault
Assemblage de Le Poruzot, Les Pitures, Les Crâs

Cuvée Albert-Grivault
AOC Meursault-Charmes
Les Charmes Dessus

Cuvée Jehan Humblot
AOC Meursault
Assemblage de Le Poruzot, Grands Charrons

Cuvée Loppin
AOC Meursault
Les Criots

Cuvée Françoise-de-Salins
AOC Corton-Charlemagne
Corton-Charlemagne

Les vins de la Côte de Beaune et des Hautes-Côtes de Beaune

Note : Si tous les Grands Crus de la Côte de Beaune ont leur propre appellation, les Premiers Crus n'ont pas d'appellation spécifique et sont donc cités sous l'appellation du village dans lequel se trouvent les vignobles. Les Premiers Crus, contigus aux Grands Crus de la même appellation, apparaissent en italique.

ALOXE-CORTON AOC

Cette commune se rattache davantage à la Côte de Nuits qu'à la Côte de Beaune, comme en témoigne sa production à 99 % de vin rouge.

ROUGE. Vins de couleur profonde, de constitution ferme, au fruité compact, d'un excellent rapport qualité/prix. Ils rappellent les vins du nord de la Côte de Nuits.

Pinot noir, Pinot gris, Pinot Liébault

1982, 1983, 1985

Entre 10 et 20 ans

BLANC. La production d'Aloxe-Corton blanc est très faible, mais Daniel Senard fait un très beau vin de Pinot gris, concentré et riche.

Chardonnay

1981, 1983, 1984, 1985, 1986

Entre 4 et 8 ans

☆ Adrien Belland, Bonneau du Martray, Hubert Bouzereau-Gruère, Chandon de Briailles, Louis Chapuis, Dubreuil-Fontaine, Michel Gaunoux, Antonin Guyon, Guyot Père & Fils, Didier Meunevaux, Domaine Parent, Rapet Père & Fils, Rollin Père & Fils, Daniel Senard, Tollot-Beaut

ALOXE-CORTON PREMIER CRU AOC

Premiers Crus : Les Chaillots*, Les Fournières, Les Meix, Les Guérets, Les Vercots, *Les Valozières, Les Paulands, Les Maréchaudes, La Maréchaude*, La Toppe au Vert*, Les Petites Lolières*, Les Moutottes*, La Coutière*
***Vignobles Premiers Crus d'Aloxe-Corton à Ladoix-Serrigny**

ROUGE. Vins fermes au bouquet intense et à la saveur fruitée et épicée. Les meilleurs Premiers Crus sont Les Fournières, Les Valozières, Les Paulands et Les Maréchaudes.

Pinot noir, Pinot gris, Pinot Liébault

1982, 1983, 1985

Entre 10 et 20 ans

BLANC. Je n'en ai jamais dégusté.

☆ Capitain-Cagnerot, Louis Chapuis, Antonin Guyon, Didier Meunevaux, André Nudant & Fils

AUXEY-DURESSES AOC

Très beau village situé dans un cadre idyllique derrière Monthélie et Meursault.

ROUGE. Vins séduisants, de robe légère, au fruité tendre, avec une certaine finesse.

Pinot noir, Pinot gris, Pinot Liébault

1982, 1983, 1985

Entre 6 et 12 ans

BLANC. Vins moyennement étoffés à l'ample saveur épicée.

Chardonnay, Pinot blanc

1981, 1983, 1984, 1985, 1986

Entre 3 et 7 ans

☆ Robert Ampeau, Julien Coche-Débord & Fils, Jean-Pierre Diconne, Olivier Leflaive, Claude Maréchal-Jacquet, Naudin-Varrault, Michel Prunier, Guy Roulot, Bernard Roy, Cie des Vins d'Autrefois

AUXEY-DURESSES-CÔTES DE BEAUNE AOC

Autre appellation pour les vins rouges seulement. *Voir* **Auxey-Duresses AOC.**

AUXEY-DURESSES PREMIER CRU AOC

***Premiers Crus :* Climat du Val, Les Bretterins, Reugne, Les Duresses, Bas des Duresses, Les Grands-Champs, Les Écusseaux**

ROUGE. Les Premiers Crus sont tendres et raffinés. Les meilleurs offrent des notes de groseille et la nuance vanillée du chêne.

Pinot noir, Pinot gris, Pinot Liébault

1982, 1983, 1985

Entre 7 et 15 ans

BLANC. Vins d'excellent rapport qualité/prix, souples et distingués.

Chardonnay, Pinot blanc

1981, 1983, 1984, 1985, 1986

Entre 4 et 10 ans

☆ Gérard Creusfond, Jean-Pierre Diconne, Charles Jobard, Bernard Roy, Jean Prunier

BÂTARD-MONTRACHET AOC

Grand Cru

Ce Grand Cru est situé sur le coteau sous Le Montrachet, à la fois sur l'aire de Chassagne et de Puligny.

BLANC. Vin d'une richesse intense, avec beaucoup de corps, gorgé de saveurs de miel et de pain grillé, l'un des meilleurs vins blancs secs au monde.

Pinot Chardonnay

1981, 1983, 1984, 1985, 1986

Entre 8 et 20 ans

☆ Blain-Gagnard, Gagnard-Delagrange, Lequin-Roussot, Pierre Morey, Michel Niellon, Etienne Sauzet

BEAUNE AOC

La commune de Beaune donne son nom à des vins de village et à des Premiers Crus.

ROUGE. Vins de qualité au tendre bouquet et au fruité délicat.

Pinot noir, Pinot gris, Pinot Liébault

1982, 1983, 1985

Entre 6 et 14 ans

☆ Chantal-Lescure, Bertrand Darviot, Bernard Delagrange, Michel Gaunoux, Machard de Gramont, Albert Morey, Château Saint-Nicolas, Thévenin-Monthélie, Tollot-Beaut, Domaine Voiret

BEAUNE PREMIER CRU AOC

***Premiers Crus :* Les Boucherottes, Les Chouacheux, Les Beaux Fougets, Les Épenottes, Le Clos des Mouches, Les Montrevenots, Les Vignes Franches, Pertuisots, Les Aigrots, Les Sizies, Clos Landry, Les Tuvilains, Belissand, Les Avaux, Champ Pimont, Les Seurey, Le Clos de la Mousse, Les Reversées, Les Blanches Fleurs, Clos du Roi, Les Fèves, Les Cent Vignes, À l'Écu, Les Bressandes, Les Toussaints, Les Marconnets, En Genêt, En l'Orme, Les Perrières, Les Grèves, Aux Coucherias, Sur les Grèves, Aux Cras, Le Bas des Teurons, Les Teurons, Montée Rouge, La Mignotte, Les Longes**

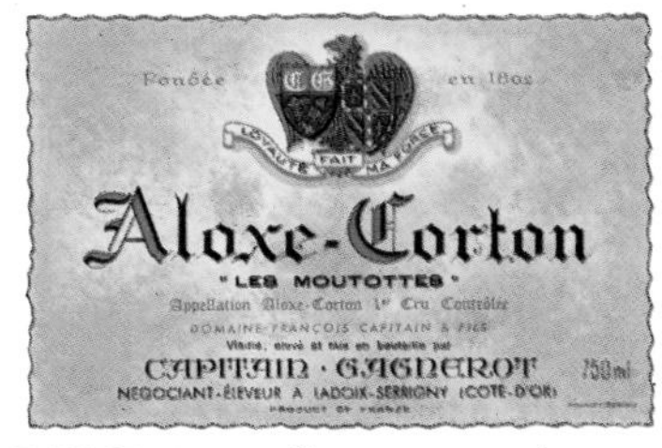

ROUGE. Les meilleurs crus rendent agréablement le tendre fruité du Pinot.

Pinot noir, Pinot gris, Pinot Liébault

1982, 1983, 1985

Entre 10 et 20 ans

BLANC. Ces vins de grande finesse offrent parfois la saveur de pain grillé des grands crus.

Chardonnay, Pinot blanc

1981, 1983, 1984, 1985, 1986

Entre 5 et 12 ans

☆ Robert Ampeau, Arnoux Père & Fils, Besancenot-Mathouillet, Jacques Germain, Michel Lafarge, Chantal Lescure, Lycée agricole et viticole de Beaune, Machard de Gramont, Albert Morey, Domaine Mussy, Domaine Parent, Prieur-Brunet, Jacques Prieur, Tollot-Beaut, Cie des Vins d'Autrefois, Louis Violland, Domaine Voiret

BIENVENUES-BÂTARD-MONTRACHET AOC

Grand Cru

L'un des quatre Grands Crus de Puligny-Montrachet.

BLANC. Ces vins montrent une très grande finesse, un équilibre parfait et offrent un peu des saveurs de miel, de noix et de pain grillé qu'on attend de tous les Montrachet.

Chardonnay

1981, 1983, 1984, 1985, 1986

Entre 8 et 20 ans

☆ Carillon Louis & Fils, Domaine Leflaive

BLAGNY AOC

Appellation couvrant uniquement les vins rouges de Blagny.

ROUGE. Vins rouges riches, de saveur ample, souvent sous-estimés.

Pinot noir, Pinot gris, Pinot Liébault

1982, 1983, 1985

Entre 8 et 15 ans

☆ Robert Ampeau, Domaine Matrot

BLAGNY-CÔTE DE BEAUNE AOC

Autre appellation pour Blagny. *Voir* **Blagny AOC.**

BLAGNY PREMIER CRU AOC

***Premiers Crus :* La Jeunelotte, La Pièce sous le Bois, Sous le Dos d'Âne, Sous Blagny (à Meursault) et Sous le Puits, La Garenne ou Sur la Garenne, Hameau de Blagny (à Puligny-Montrachet).**

ROUGE. Les vins rouges ont encore plus d'attaque que les simples Blagny.

Pinot noir, Pinot gris, Pinot Liébault

1982, 1983, 1985

Entre 10 et 20 ans

☆ Robert Ampeau, Domaine Matrot

BOURGOGNE CLAIRET HAUTES-CÔTES DE BEAUNE AOC

Autre appellation peu usitée. Les vins sont soumis aux réglementations des Bourgogne AOC. *Voir* **Bourgogne AOC.**

BOURGOGNE HAUTES-CÔTES DE BEAUNE AOC

Appellation plus vaste et plus diversifiée que Hautes-Côtes de Nuits.

ROUGE. Vins moyennement corsés à la robe rubis, au séduisant parfum de Pinot.

- Pinot noir, Pinot gris, Pinot Liébault
- 1982, 1983, 1985
- Entre 4 et 10 ans

BLANC. Vin peu répandu, mais le pur Pinot Beurot (Pinot gris) de Guillemard-Dupont est un vin riche, sec et expressif. Il est blanc, rosé ou rouge, suivant les réglementations !

- Chardonnay, Pinot blanc
- 1981, 1983, 1984, 1985, 1986
- 1 à 4 ans au maximum

ROSÉ. Vins secs, fruités, assez riches, avec une finale tendre.

- Pinot noir, Pinot gris, Pinot Liébault
- 1982, 1983, 1985, 1986
- 1 à a 3 ans au maximum

☆ François Charles, Guillemard-Dupont, Stéphane Demangeot, Lucien Jacob, Jean Joliot & Fils, Domaine Mazilly, Claude Nouveau, Michel Serveau, Domaine des Vignes des Demoiselles

CHARLEMAGNE AOC

Grand Cru

Ce Grand Cru blanc d'Aloxe-Corton qui empiète sur Pernand-Vergelesses est presque identique au Corton-Charlemagne.

CHASSAGNE-MONTRACHET AOC

Appellation communale moins réputée que celle de Puligny-Montrachet.

ROUGE. Vins fermes, plus colorés et moins tendres que la plupart des Côte de Beaune rouges.

- Pinot noir, Pinot gris, Pinot Liébault
- 1982, 1983, 1985
- Entre 10 et 20 ans

BLANC. Une bonne façon de s'initier aux grands vins de Montrachet.

- Chardonnay, Pinot blanc
- 1981, 1983, 1984, 1985, 1986
- Entre 5 et 10 ans

☆ Adrien Belland, Blain-Gagnard, Madame François Colin, Marc Colin, Michel Colin-Deléger, Jean-Noël Gagnard, Gagnard-Delagrange, Fontaine-Gagnard, Château Génot-Boulanger, L'Héritier-Guyot, Bernard Morey, Jean-Marc Morey, Michel Niellon, Jean & Fernand Pillot, André Ramonet

CHASSAGNE-MONTRACHET-CÔTE DE BEAUNE AOC

Autre appellation pour les vins rouges uniquement. *Voir* Chassagne Montrachet AOC.

CHASSAGNE-MONTRACHET PREMIER CRU AOC

***Premiers Crus :* Clos St-Jean, Les Rebichets, Les Murées, Chassagne du Clos St-Jean, Chassagne, Les Combards, En Cailleret, Vigne Derrière, Les Chaumées, Petingeret, Les Pasquelles, Les Vergers, Les Commes, Les Chenevottes, Les Bondues, Les Macherelles, En Remilly, *Dent de Chien, Vide Bourse, Blanchot Dessus, Les Places, La Maltroie,* Ez Crets, La Grande Borne, La Cardeuse, Les Brussonnes, Les Boirettes, Clos Chareau, Francemont, Clos Pitois, Les Morgeots, La Chapelle, Vigne Blanche, Ez Crottes, Guerchère, Tête du Clos, Les Petits Clos, Les Grands Clos, La Roquemaure, Champ Jendreau, Les Chaumes, La Boudriotte, Les Fairendes, Les Petites Fairendes, Les Baudines, La Romanée, En Virondot, Les Grandes**

Ruchottes, Les Champs Gain, La Grande Montagne

ROUGE. Le poids d'un Côte de Nuits et la tendreté d'un Côte de Beaune.

- Pinot noir, Pinot gris, Pinot Liébault
- 1982, 1983, 1985
- Entre 10 et 25 ans

BLANC. Savoureux vins secs.

- Chardonnay, Pinot blanc
- 1981, 1983, 1984, 1985, 1986
- Entre 6 et 15 ans

☆ Bernard Bachelet & ses Fils, Adrien Belland, Madame François Colin, Marc Colin, Michel Colin-Deléger, Georges Deléger, Jean-Noël Gagnard, Gagnard-Delagrange, Château Génot Boulanger, René Lamy, Jean-Marc Morey, Paul Pillot, Prieur-Brunet, André Ramonet, Roux Père & Fils

CHEILLY-LÈS-MARANGES AOC

L'un des trois villages qui se partagent le cru autrefois célèbre de Marange.

ROUGE. Vins légers de corps et de robe.

- Pinot noir, Pinot gris, Pinot Liébault
- 1982, 1983, 1985
- Entre 2 et 7 ans

BLANC. Vin rare, mais les statistiques officielles des vingt dernières années révèlent qu'on en a produit 45 caisses en 1985 et 75 caisses en 1983 !

CHEILLY-LÈS-MARANGES CÔTE DE BEAUNE AOC

Autre appellation pour les vins rouges uniquement. *Voir* Cheilly-lès-Maranges AOC.

CHEILLY-LÈS-MARANGES PREMIER CRU AOC

***Premiers Crus :* En Marange, La Boutière, Les Plantes de Marange. Les vins d'un quart des vignobles sont classés Premiers Crus.**

CHEVALIER-MONTRACHET AOC

Grand Cru

L'un des quatre Grands Crus de Puligny-Montrachet.

BLANC. Plus gras et riches que les Bienvenues-Bâtard-Montrachet, ces vins ont une saveur plus explosive que les Bâtard-Montrachet.

- Chardonnay
- 1981, 1983, 1984, 1985, 1986
- Entre 10 et 20 ans

☆ Domaine Leflaive, Michel Niellon

CHOREY-LÈS-BEAUNE AOC

Cette appellation produit d'intéressants vins sous-estimés.

ROUGE. Chorey présente tout le charme tendre et sensuel caractéristique des vins de Beaune.

- Pinot noir, Pinot gris, Pinot Liébault
- 1982, 1983, 1985
- Entre 7 et 15 ans

BLANC. Les vins blancs représentent moins de 1 % de la production.

☆ Gay Père & Fils, Jacques Germain, Tollot-Beaut & Fils, Tollot-Voarick

CHOREY-LÈS-BEAUNE CÔTE DE BEAUNE AOC

Autre appellation pour les vins rouges. *Voir* Chorey-lès-Beaune AOC.

CORTON AOC

Grand Cru

L'un des Grands Crus d'Aloxe-Corton – dont une partie qui s'étend sur Ladoix-Serrigny et Pernand-Vergelesses – et le seul Grand Cru de la Côte de Beaune comportant à la fois des vins rouges et blancs. Les climats spécifiques du vignoble de Corton sont traditionnellement indiqués sur l'étiquette.

ROUGE. Ces vins peuvent parfois paraître intenses et fermés dans leur jeune âge mais, à pleine maturité, un grand Corton offre une finesse et une complexité extraordinaires.

- Pinot noir, Pinot gris, Pinot Liébault
- 1982, 1983, 1985
- Entre 12 et 30 ans

BLANC. Vin relativement corsé, de saveur fine et riche.

- Chardonnay
- 1981, 1983, 1984, 1985, 1986
- Entre 10 et 25 ans

☆ Adrien Belland, Bonneau-du-Martray, Hubert Bouzereau-Gruère, Cachat-Ocquidant, Capitain-Gagnerot, Chandon de Briailles, Dubreuil-Fontaine, Michel Gaunoux, Domaine Parent, Rapet Père & Fils, Daniel Senard

CORTON-CHARLEMAGNE AOC

Grand Cru

Ce célèbre Grand Cru d'Aloxe-Corton s'étend jusqu'à Ladoix-Serrigny et Pernand-Vergelesses.

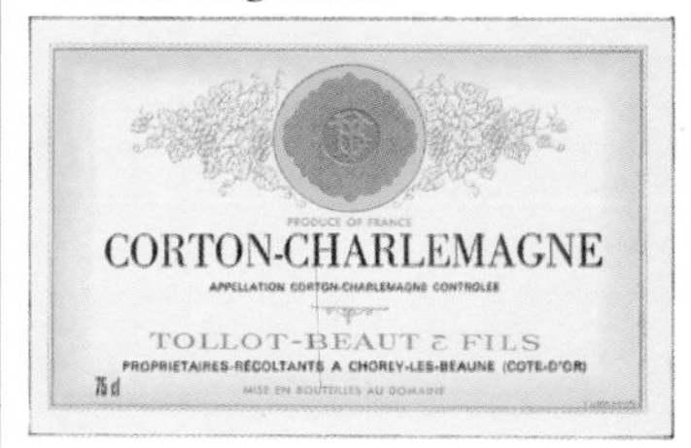

BLANC. Ses saveurs riches, étonnamment équilibrées par l'acidité, avec de délicieuses nuances de vanille, de miel et de cannelle, en font le plus somptueux de tous les Bourgogne blancs.

- Chardonnay
- 1981, 1983, 1984, 1985, 1986
- Entre 10 et 25 ans

☆ Bonneau du Martray, Capitain-Gagnerot, Laleure-Piot, Domaine Leflaive, Rollin Père & Fils, André Thiély

CÔTE DE BEAUNE AOC

L'appellation Côte de Beaune proprement dite est confinée à quelques vignobles de la Montagne de Beaune autour de Beaune.

ROUGE. Vins distingués qui révèlent le pur fruit du Pinot noir, dans le style tendre des Beaune.

- Pinot noir, Pinot gris, Pinot Liébault
- 1982, 1983, 1985
- Entre 10 et 20 ans

BLANC. Vin sec peu répandu.

- Chardonnay, Pinot blanc

1981, 1983, 1984, 1985, 1986

Entre 3 et 8 ans

☆ Lycée agricole et viticole de Beaune, Machard de Gramont, Maurice Joliette, Rossignol Frères, Domaine Voiret

CÔTE DE BEAUNE-VILLAGES AOC

L'AOC Côte de Beaune-Villages est réservée aux vins rouges, dans une région qui produit les plus grands Bourgogne blancs.

ROUGE. Vins fruités d'un excellent rapport qualité/prix, élaborés dans le style tendre caractéristique de la Côte de Beaune.

Pinot noir, Pinot gris, Pinot Liébault

1982, 1983, 1985

Entre 7 et 15 ans

☆ Bernard Bachelet & Fils, Lequin Roussot

CRIOTS-BÂTARD-MONTRACHET AOC

Le plus petit des trois Grands Crus de Chassagne-Montrachet.

BLANC. Le vin, qui a un peu du poids de ses très grands voisins, est le plus pâle et le plus parfumé de tous les Montrachet.

Pinot Chardonnay

1981, 1983, 1984, 1985, 1986

Entre 8 et 20 ans

☆ Joseph Belland, Blain-Gagnard

DEZIZE-LÈS-MARANGES AOC

L'un des trois villages qui se partagent le cru autrefois célèbre de Maranges.

ROUGE. Production irrégulière, dont l'essentiel est vendu en gros aux négociants qui l'assemblent avec les Côte de Beaune-Villages.

Pinot noir, Pinot gris, Pinot Liébault

BLANC. À l'exception de 22 caisses en 1984, le peu de vin blanc est en général assemblé avec les Bourgogne blancs.

Chardonnay, Pinot blanc

DEZIZE-LÈS-MARANGES-CÔTE DE BEAUNE AOC

Autre appellation pour les vins rouges uniquement. *Voir* Dezize-lès-Maranges AOC.

DEZIZE-LÈS-MARANGES PREMIER CRU AOC

***Premier Cru :* Marange.**
Les vins rouges et blancs de la moitié des vignobles ont le droit au statut de Premier Cru.

LADOIX AOC

Certaines parties de Ladoix-Serrigny ont le droit d'utiliser l'appellation Aloxe-Corton Premier Cru ou Corton et Corton-Charlemagne Grand Cru. Cette appellation couvre le reste de la production.

ROUGE. En général, ces vins sont des versions plus rustiques de l'Aloxe-Corton, mais certains allient le fruité compact et la constitution d'un Côte de Nuits à la tendreté d'un Côte de Beaune.

Pinot noir, Pinot gris, Pinot Liébault

1982, 1983, 1985

Entre 7 et 20 ans

BLANC. Les blancs ne représentent que 5 % de la production.

Chardonnay, Pinot blanc

1981, 1983, 1984, 1985, 1986

Entre 4 et 8 ans

☆ Pierre André, Capitain-Gagnerot, Christian Gros, Maillard Père & Fils, Michel Mallard, Domaine Rougeot

LADOIX-CÔTE DE BEAUNE AOC

Autre appellation pour les vins rouges uniquement. *Voir* Ladoix AOC.

LADOIX PREMIER CRU AOC

***Premiers Crus :* La Micaude, La Corvée, Le Clou d'Orge, Les Joyeuses, Bois Roussot, Basses Mourottes, Hautes Mourottes.**
Les Premiers Crus de l'appellation Ladoix sont distincts de ceux de l'appellation Aloxe-Corton.

ROUGE. Ces vins à la robe profonde sont de qualité supérieure à celle des simples appellations communales.

Pinot noir, Pinot gris, Pinot Liébault

1982, 1983, 1985

Entre 7 et 20 ans

BLANC. Je n'en ai jamais dégusté.

☆ Capitain-Gagnerot, André Nudant & Fils, Domaine G. et P. Ravaut

MEURSAULT AOC

Bien que les plus grands Côte de Beaune blancs soient les Montrachet ou les Corton-Charlemagne, les Meursault sont plus renommés.

ROUGE. Le Meursault rouge, souvent considéré comme une curiosité, est un beau vin à part entière.

Pinot noir, Pinot gris, Pinot Liébault

1982, 1983, 1985

Entre 8 et 20 ans

BLANC. Les Meursault même les plus simples sont délicieusement secs et richement nuancés de beurre et de noisette.

Chardonnay, Pinot blanc

1981, 1983, 1984, 1985, 1986

Entre 5 et 12 ans

☆ Robert Ampeau, Hubert Bouzereau-Gruère, Jean-François Coche Dury, Bernard Delagrange, Sélection Jean Germain, François Jobard, Domaine des Comtes Lafon, Domaine du Duc de Magenta, Domaine Matrot, Michelot-Buisson, Jean Monnier & Fils, Pierre Morey, Guy Roulot

MEURSAULT-BLAGNY AOC

Autre appellation pour les vins de Meursault provenant de vignobles de Blagny. *Voir* Meursault AOC.

MEURSAULT-CÔTE DE BEAUNE AOC

Autre appellation pour les vins rouges de Meursault uniquement. *Voir* Meursault AOC.

MEURSAULT PREMIER CRU AOC

***Premiers Crus :* Les Crâs, Les Caillerets, Les Plures, Les Santenots Blancs, Les Santenots du Milieu, Les Charmes Dessus, Les Charmes Dessous, Aux Perrières, Les Perrières Dessus, Les Perrières Dessous, Les Chaumes des Perrières, Les Genevrières Dessus, Les Chaumes de Narvaux, Les Genevrières Dessous, Le Porusot Dessus, Les Porusot Dessous, Le Porusot, Les Bouchères, Les Gouttes d'Or, La Jeunelotte, La Pièce sous le Bois, Sous le Dos d'Âne, Sous Blagny.**

ROUGE. Plus fins et fermes que les appellations communales, ces vins demandent du temps pour s'arrondir.

Pinot noir, Pinot gris, Pinot Liébault

1982, 1983, 1985

Entre 10 et 20 ans

BLANC. Les grands Meursault sont riches, parfois même gras. Dans leur jeune âge, les différentes saveurs de noisette, de beurre et d'épices du Chardonnay sont souvent submergées par celles de miel, de cannelle et de vanille du chêne neuf.

Chardonnay, Pinot blanc

1981, 1983, 1984, 1985, 1986

Entre 6 et 15 ans

☆ Robert Ampeau, François Jobard, Michelot Buisson, Jean-François Coche Dury, Henri Germain, Sélection Jean Germain, Domaine des Comtes Lafon, Domaine du Duc de Magenta, Jean Monnier, Pierre Morey, Domaine Pitoiset-Uréna, Domaine Prieur-Brunet, Domaine Rougeot, Guy Roulot

MEURSAULT-SANTENOTS AOC

Autre appellation pour les Meursault Premiers Crus provenant d'une partie de l'appellation Volnay-Santenots. *Voir* Volnay-Santenots.

MONTHÉLIE AOC

Les vins de Monthélie, en particulier les Premiers Crus, sont les plus sous-estimés de Bourgogne.

ROUGE. Ces vins ont une robe vive, un fruité expressif, une constitution ferme et une finale soyeuse.

Pinot noir, Pinot gris, Pinot Liébault

1982, 1983, 1985

Entre 7 et 15 ans

BLANC. La production est assez faible.

Chardonnay, Pinot blanc

1981, 1983, 1984, 1985, 1986

Entre 3 et 7 ans

☆ Thomas-Bassot, Jacques-Biogelot, Denis Boussey, Éric Boussey, Xavier Bouzerand, M. Deschamps, Paul Garaudet, Château de Monthélie, Monthélie-Douhairet, Charles Vienot

MONTHÉLIE-CÔTE DE BEAUNE AOC

Autre appellation pour les vins rouges uniquement. *Voir* Monthélie.

MONTHÉLIE PREMIER CRU AOC

***Premiers Crus :* Les Riottes, Sur la Velle, Le Meix Bataille, Le Clos Gauthey, Les Vignes Rondes, Le Cas Rougeot, La Taupine, Les Champs Fulliot, Le Village de Monthélie, Le Château Gaillard, Les Duresses**

ROUGE. Difficiles à trouver, ils valent la peine d'être recherchés.

Pinot noir, Pinot gris, Pinot Liébault

1982, 1983, 1985

Entre 8 et 20 ans

BLANC. Je n'en ai jamais dégusté.

☆ Jacques Boigelot, Denis Boussey, Paul Garaudet, Maison Pierre Porrot

MONTRACHET AOC

Grand Cru

Beaucoup le considèrent comme le plus grand vin blanc sec au monde.

BLANC. À pleine maturité, le somptueux Montrachet offre des arômes de miel, de pain grillé, de fleurs, de noisette et d'épices.

Pinot Chardonnay

1981, 1983, 1984, 1985, 1986

Entre 10 et 30 ans

☆ Domaine de la Romanée-Conti, Delagrange-Bachelet, Gagnard-Delagrange, René Fleurot, Jacques Prieur, Ramonet-Prudhon, Domaine Baron Thénard

LE MONTRACHET AOC

***Voir* Montrachet AOC.**

PERNAND-VERGELESSES AOC

Cette appellation, située juste au-dessus d'Aloxe-Corton, est la plus septentrionale de la Côte de Beaune.

ROUGE. À l'exception des vins soyeux recommandés ci-dessous, bon nombre de ces vins sont rustiques et surfaits.

Pinot noir, Pinot gris, Pinot Liébault

1982, 1983, 1985

Entre 7 et 15 ans

BLANC. Village célèbre pour son Aligoté, où l'on produit des vins souples et bien équilibrés.

Chardonnay, Pinot blanc

1981, 1983, 1984, 1985, 1986

Entre 4 et 8 ans

☆ Denis Père & Fils, Dubreuil-Fontaine, Jacques Germain, Domaine de la Guyonnière, Laleure-Piot, Olivier Leflaive, Rollin Père & Fils, André Thiely, Michel Voarick

PERNAND-VERGELESSES-CÔTE DE BEAUNE AOC

Autre appellation pour les vins rouges uniquement. *Voir* Pernand-Vergelesses AOC.

PERNAND-VERGELESSES PREMIER CRU AOC

***Premiers Crus :* Creux de la Net, En Caradeux, Les Fichots, Île des Vergelesses, Les Vergelesses.**

ROUGE. Ces vins de classe méritent d'être gardés jusqu'à ce que leur fruité devienne soyeux et s'harmonise gracieusement avec leur charpente.

Pinot noir, Pinot gris, Pinot Liébault

1982, 1983, 1985

Entre 10 et 20 ans

BLANC. Chanson Père et Fils à Beaune produit un vin de qualité constante, moyennement corsé, sec, mais onctueux.

Chardonnay, Pinot blanc

1981, 1983, 1984, 1985, 1986

Entre 4 et 8 ans

☆ Dubreuil-Fontaine, Laleure-Piot, Rapet Père & Fils

POMMARD AOC

Très illustre village animé par un groupe de producteurs consciencieux et compétents.

ROUGE. Les vins sombres, capiteux et pâteux appartiennent maintenant au passé. De très beaux vins raffinés les remplacent.

Pinot noir, Pinot gris, Pinot Liébault

1982, 1983, 1985

Entre 8 et 16 ans

☆ Billard-Gonnet, Henri Boillot, Domaine de Coucel, Michel Gaunoux, Louis Glantenay, Guillemard-Dupont & ses Fils, Olivier Leflaive, Domaine Lejeune, Machard de Gramont, Domaine de Montille, Domaine Mussy, Domaine Parent, Pothier-Rieusset

POMMARD PREMIER CRU AOC

***Premiers Crus :* La Chanière, Les Charmots, La Platière, Les Arvelets, Les Saussilles, Les Pézerolles, En Largillière, Les Grands Épenots, Les Petits Epenots, Les Boucherottes, Clos Micot, Les Combes Dessus, Clos de Verger, Clos de la Commaraine, La Refène, Clos Blanc, Village, Derrière Saint-Jean, Les Chaponnières, Les Croix Noires, Les Poutures, Les Bertins, Les Fremiers, Les Jarolières, Les Rugiens Bas, Les Rugiens Hauts, Les Chanlins Bas**

ROUGE. Les meilleurs crus sont les climats des Rugiens (profonds et voluptueux) et des Épenots (tendres et parfumés).

Pinot noir, Pinot gris, Pinot Liébault

1982, 1983, 1985

Entre 10 et 20 ans

☆ Domaine Comte Armand, Billard-Gonnet, Henri Boillot, Domaine de Courcel, Michel Gaunoux, Jules Guillemard, Louis Glantenay, Domaine Lejeune, Machard de Gramont, Mazilly Père & Fils, Jean Monnier, Monthélie-Douhairet, Hubert de Montille, Domaine Parent, Pothier-Rieusset

PULIGNY-MONTRACHET AOC

L'une des deux communes de Montrachet, qui produit certains des plus grands vins blancs secs au monde.

ROUGE. Quelle que soit leur finesse, les Puligny-Montrachet rouges sont excessivement chers.

Pinot noir, Pinot gris, Pinot Liébault

1982, 1983, 1985

Entre 10 et 20 ans

BLANC. Vin de très grande qualité : corsé, raffiné. Après plusieurs années de bouteille, il acquiert une saveur de noisette, de miel et de pain grillé.

Chardonnay, Pinot blanc

1981, 1983, 1984, 1985, 1986

Entre 5 et 12 ans

☆ Robert Ampeau, Philippe Bouzereau, Gérard Chavy, Henri Clerc, Madame François Colin, Domaine Leflaive, Étienne Sauzet

PULIGNY-MONTRACHET-CÔTE DE BEAUNE AOC

Autre appellation pour les vins rouges uniquement. *Voir* Puligny-Montrachet AOC.

PULIGNY-MONTRACHET PREMIER CRU AOC

***Premiers Crus :* Sous le Courthil, Les Chalumeaux, Champ Canet, La Jaquelotte (ou Champ Canet), Clos de la Garenne (ou Champ Canet), La Garenne (ou Sur la Garenne), Sous le Puits, Hameau de Blagny, La Truffière, Champ Gain, Ez Folatières, En la Richarde, Peux Bois, Au Chaniot, *Le Cailleret, Les Pucelles,* Clos des Meix, Clavaillon, Les Perrières, Les Referts, Les Combettes**

ROUGE. Je n'en ai jamais dégusté.

Pinot noir, Pinot gris, Pinot Liébault

BLANC. Un Premier Cru, élaboré par un bon producteur, est l'une des expériences gustatives les plus riches que l'on puisse faire.

Chardonnay, Pinot blanc

1981, 1983, 1984, 1985, 1986

Entre 7 et 15 ans

☆ Robert Ampeau, Philippe Bouzereau, Madame François Colin, Domaine Leflaive, Olivier Leflaive, Domaine Matrot, Domaine Monnot, Étienne Sauzet

ST-AUBIN AOC

Ce village sous-estimé compte des producteurs talentueux et produit des vins d'un excellent rapport qualité/prix.

ROUGE. Vins rouges délicieux, mûrs mais légers, parfumés, avec une saveur de fraise des bois.

Pinot noir, Pinot gris, Pinot Liébault

1982, 1983, 1985

Entre 4 et 8 ans

BLANC. Vin d'un extraordinaire rapport qualité/prix.

Chardonnay, Pinot blanc

1981, 1983, 1984, 1985, 1986

Entre 3 et 8 ans

☆ Domaine Bachelet, Raoul Clerget, Aimé Langoureau, André Moingeon, Henri Prudhon & Fils

ST-AUBIN-CÔTE DE BEAUNE AOC

Autre appellation pour les vins rouges uniquement. *Voir* St-Aubin AOC.

ST-AUBIN PREMIER CRU AOC

***Premiers Crus :* Derrière la Tour, En Créot, Bas de Vermarain à l'Est, Les Champlots, En Montceau, Sous Roche Dumay, Sur Gamay, La Chatenière, Le Bas de Gamay à l'Est, Les Cortons, En Remilly, Les Murgers des Dents de Chien, Les Combes au Sud, Pitangeret, Le Charmois, En Vollon à l'Est, Le Village, Les Castets, Derrière chez Édouard, Le Puits, Les Travers de Marinot, Vignes Moingeon, En la Ranché, Sur le Sentier du Clou, Marinot, Échaille, Les Perrières, Les Frionnes, Es Champs.**

Les meilleurs sont Les Frionnes et Les Murgers des Dents de Chien, suivis de La Chatenière, Les Castets, En Remilly et Le Charmois.

ROUGE. Vins séduisants aux nuances de fraise et de vanille. Délicieux jeunes, ils s'améliorent en vieillissant.

Pinot noir, Pinot gris, Pinot Liébault

1982, 1983, 1985

Entre 5 et 15 ans

BLANC. Ces vins secs, souvent supérieurs aux appellations communales de Puligny, sont beaucoup moins chers.

Chardonnay, Pinot blanc

1981, 1983, 1984, 1985, 1986

Entre 4 et 10 ans

☆ Raoul Clerget, Marc Colin, Hubert Lamy, Aimé Langoureau, Henri Prudhon et Fils, Roux Père & Fils, Gérard Thomas

ST-ROMAIN AOC

Petit village dans les collines qui dominent Auxey-Duresses.

ROUGE. Vins rouges rustiques, moyennement corsés, d'un bon rapport qualité/prix.

Pinot noir, Pinot gris, Pinot Liébault

1982, 1983, 1985

Entre 4 et 8 ans

BLANC. Vins blancs secs, frais et vifs, relativement légers, de style Chardonnay.

Chardonnay, Pinot blanc

1981, 1983, 1984, 1985, 1986

Entre 3 et 7 ans

☆ Fernand Bazenet, Henri Buisson, Alain Gras, René Gras-Boisson, Domaine du Château de Puligny-Montrachet, Thévenin-Monthélie

ST-ROMAIN-CÔTE DE BEAUNE AOC

Autre appellation pour les vins rouges uniquement. *Voir* St-Romain AOC.

SAMPIGNY-LÈS-MARANGES AOC

L'un des trois villages qui se partagent le cru autrefois célèbre de Maranges. Avant 1980, la production était sporadique et il lui reste encore à se faire une réputation.

SAMPIGNY-LÈS-MARANGES-CÔTE DE BEAUNE AOC

Autre appellation pour les vins rouges uniquement. *Voir* Sampigny-lès-Maranges AOC.

SAMPIGNY-LÈS-MARANGES PREMIER CRU AOC

Premiers Crus : Le Clos des Rois, Maranges. *Voir* Sampigny-lès-Maranges AOC.

SANTENAY AOC

Cette appellation, la plus méridionale de la Côte-d'Or, produit des Bourgogne d'un bon rapport qualité/prix.

ROUGE. Vins frais et francs, où le fruité du Pinot noir est bien rendu, soutenu par une ferme charpente.

Pinot noir, Pinot gris, Pinot Liébault

1982, 1983, 1985

Entre 7 et 15 ans

BLANC. 2 % seulement de la production mais on peut faire quelques bonnes affaires chez les meilleurs producteurs.

Chardonnay, Pinot blanc

1981, 1983, 1984, 1985, 1986

Entre 4 et 8 ans

☆ Domaine de l'Abbaye de Santenay, Adrien Belland, Hubert Bouzereau, Jean Giradin, Hervé Olivier, Lequin-Roussot, Bernard Morey, Domaine de la Pousse d'Or

SANTENAY-CÔTE DE BEAUNE AOC

Autre appellation pour les vins rouges uniquement. *Voir* Santenay AOC.

SANTENAY PREMIER CRU AOC

Premiers Crus : **La Comme, Clos de Tavannes, Les Gravières, Beauregard, Comme Dessus, Clos Faubard, Clos des Mouches, Passetemps, La Maladière, Grand Clos Rousseau, Le Chainey, Petit Clos Rousseau, Les Fourneaux.**

Les meilleurs sont le Clos de Tavannes, Les Gravières, La Maladière et La Comme Dessus.

ROUGE. Vins de Pinot noir francs et bien typés.

Pinot noir, Pinot gris, Pinot Liébault

1982, 1983, 1985

Entre 6 et 15 ans

BLANC. Vins rares.

Chardonnay, Pinot blanc

1981, 1983, 1984, 1985, 1986

Entre 5 et 10 ans

☆ Domaine de l'Abbaye de Santenay, Adrien Belland, Roger Belland, Michel et Denis Clair, Jean Giradin, Jessiaume Père & Fils, Lequin-Roussot, Mestre Père & Fils, Bernard Morey, Lucien Muzard, Hervé Olivier, Domaine de la Pousse d'Or, Roux

SAVIGNY AOC

Voir Savigny-lès-Beaune AOC.

SAVIGNY-CÔTE DE BEAUNE AOC

Autre appellation pour les vins rouges uniquement. *Voir* Savigny-lès-Beaune AOC.

SAVIGNY-LÈS-BEAUNE AOC

Ce village compte nombre de producteurs talentueux dont les vins sont sous-estimés et méconnus.

ROUGE. Vins délicieux, gouleyants, moyennement étoffés, très tendres.

Pinot noir, Pinot gris, Pinot Liébault

1982, 1983, 1985

Entre 7 et 15 ans

BLANC. Quelques excellents vins secs avec une bonne concentration de saveur, une texture souple et une certaine finesse.

Chardonnay, Pinot blanc

1981, 1983, 1984, 1985, 1986

Entre 4 et 10 ans

☆ Robert Ampeau, Simon Bize & Fils, Maurice Giboulot, Girard-Vollot, Pierre Guillemot, Lucien Jacob, Domaine Parent, Jean-Marc Pavelot, Domaine du Prieuré, Rollin Père & Fils, Tollot-Beaut

SAVIGNY-LÈS-BEAUNE-CÔTE DE BEAUNE AOC

Autre appellation pour les vins rouges uniquement. *Voir* Savigny-lès-Beaune AOC.

SAVIGNY PREMIER CRU AOC

Voir Savigny-lès-Beaune Premier Cru AOC.

SAVIGNY-LÈS-BEAUNE PREMIER CRU AOC

Premiers Crus : **Les Charnières, Les Talmettes, Aux Vergelesses, Basses Vergelesses, Aux Fournaux, Les Lavières, Aux Gravains, Petits Godeaux, Aux Serpentières, Aux Clous, Aux Guettes, Les Rouvrettes, Les Narbantons, Les Jarrons (ou La Dominodes), Hauts Jarrons, Redrescut, Les Peuillets, Bas Marconnets, Les Hauts Marconnets.**

ROUGE. Ces vins offrent une très élégante saveur de Pinot, tendre et raffinée, nuancée de fraise, de cerise et de violette. Les meilleurs sont : Les Lavières, La Dominodes, Aux Vergelesses, Les Marconnets et Aux Guettes.

Pinot noir, Pinot gris, Pinot Liébault

1982, 1983, 1985

Entre 7 et 20 ans

BLANC. Petite production peu répandue, mais le Domaine des Terregelesses produit un vin splendide.

Chardonnay, Pinot blanc

1981, 1983, 1984, 1985, 1986

Entre 5 et 15 ans

☆ Pierre Bitouzet, Simon Bize & Fils, Valentin Bouchotte, N. & J.-M. Capron-Manieux, Domaine Chandon de Brailles, Maurice Écard, Girard-Vollot, Pierre Guillemot, Guyot Père & Fils, Lucien Jacob, Domaine Parent, Jean-Marc Pavelot, Domaine des Terregelesses, Tollot-Beaut

VOLNAY AOC

Les vins de ce modeste village rivalisent avec d'aussi grands crus que Gevrey-Chambertin et Chambolle-Musigny.

ROUGE. Ces vins chers mais fermes et colorés offrent plus de finesse qu'on n'en attendrait d'une appellation communale.

Pinot noir, Pinot gris, Pinot Liébault

1982, 1983, 1985

Entre 6 et 15 ans

☆ Marquis d'Angerville, Bernard Delagrange, Louis Glantenay, Michel Lafarge, Olivier Leflaive, Domaine de Montille, Domaine de la Pousse d'Or

VOLNAY PREMIER CRU AOC

Premiers Crus : **Chanlin, Pitures Dessus, Lassolle, Clos de Ducs, Le Village, La Barre, Bousse d'Or, Les Brouillards, Les Mitans, En l'Ormeau, Les Angles, Pointes d'Angles, Frémiets, La Gigotte, Les Grands Champs, Les Lurets, Robardelle, Carelles sous la Chapelle, Carelles Dessous, Le Ronceret, Les Aussy, En Champans, Cailleret Dessus (dont une partie peut s'appeler Clos des 60 Ouvrées), En Cailleret, En Chevret, Taille-Pieds, En Verseuil, Clos des Chênes.**

ROUGE. Vins soyeux, souples et parfumés. Les meilleurs sont le Clos des Chênes, Taille-Pieds, Bousse d'Or, Clos des Ducs, les divers climats de Cailleret, Clos des 60 Ouvrées, En Champans.

Pinot noir, Pinot gris, Pinot Liébault

1982, 1983, 1985

Entre 8 et 20 ans

☆ Marquis d'Angerville, Henri Boillot, Félix Clerget, Bernard Delagrange, Bitouzet Prieur, Michel Lafarge, Monthélie-Douhairet, Hubert de Montille, Domaine de la Bousse d'Or, Domaine Prieur-Brunet

VOLNAY-SANTENOTS AOC

Cette appellation est située à Meursault et non à Volnay. Les vins blancs doivent être vendus sous l'appellation Meursault ou, s'ils sont issus des deux tiers de ce vignoble les plus éloignés de la limite de Volnay, sous l'appellation Meursault Premier Cru ou Meursault-Santenots.

ROUGE. Vins peu répandus ressemblant aux Volnay mais sans leur élégance soyeuse.

Pinot noir, Pinot gris, Pinot Liébault

1982, 1983, 1985

Entre 8 et 20 ans

☆ Robert Ampeau, Domaine des Comtes de Lafon, Jacques Prieur, Prieur-Brunet

Côte chalonnaise

Cette région ne comprend que cinq appellations seulement de bonne qualité, dont deux s'appliquent uniquement à des vins blancs, et trois à des vins rouges et blancs.

La Côte chalonnaise, ou région de Mercurey, est restée longtemps méconnue. Tandis que le Chablisien et la Côte-d'Or passaient à juste titre pour produire les plus grands vins de Bourgogne, le Mâconnais et le Beaujolais étaient appréciés pour leurs vins peu chers, sans prétention, frais et légers. La Côte chalonnaise produisait, en revanche, des vins dont le style savoureux était assez proche de celui de la Côte de Beaune, mais les négociants la tenaient pour une région inférieure et prétentieuse.

La Côte chalonnaise n'aurait sans doute pas sombré dans l'oubli si les négociants l'avaient comparée au Mâconnais plutôt qu'à la Côte de Beaune. Or, depuis une dizaine d'années, les négociants du monde entier recherchent activement des vins moins connus, c'est ainsi que la Côte chalonnaise a acquis la réputation d'être l'une des meilleures sources de Bourgogne de qualité à des prix abordables.

Zone de viticulture intensive
Bouzeron
Rully
Mercurey
Givry
Montagny
Altitude
km 2 4

CÔTE CHALONNAISE,
voir aussi p. 109

Les régions viticoles forment trois îlots séparés à l'ouest de Chalon.

LA QUALITÉ DES NÉGOCIANTS

L'amateur de Bourgogne peut trouver d'excellents négociants dans la région de Mercurey, en particulier Chandesais, Delorme et Faivelay. Cette région comporte également une très bonne coopérative à Buxy et compte un grand nombre de viticulteurs talentueux. La région produit en outre une grande quantité de bon Crémant de Bourgogne ainsi que le seul Aligoté bénéficiant d'une appellation communale.

L'ÉTIQUETTE CHANTE FLÛTE DE MERCUREY

Depuis 1972, la Confrérie Saint-Vincent et les Disciples de la Chante Flûte de Mercurey organisent des dégustations annuelles sur le modèle du Tastevinage de la Côte de Nuits (voir p. 116), mais celles-ci sont consacrées aux seuls vins de Mercurey.

Bien que l'appellation Mercurey dans l'ensemble ait une excellente réputation de constance et de qualité, les vins de Chante Flûte sont toujours parmi les meilleurs de la région.

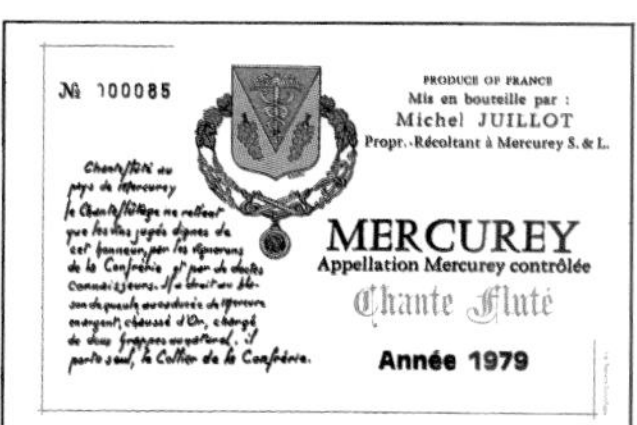

FACTEURS AFFECTANT LE GOÛT ET LA QUALITÉ

Situation
Trois îlots de vigne situés à l'ouest de Chalon-sur-Saône, à 350 km au sud-est de Paris, entre la Côte de Beaune au nord et le Mâconnais au sud.

Climat
Légèrement plus sec que celui de la Côte-d'Or, avec beaucoup de bons coteaux protégés des orages de grêle et des gelées.

Site
Région discontinue, où le grand plateau de la Côte-d'Or se décompose en une chaîne complexe de petites collines. Les vignes s'accrochent aux coteaux les plus favorables, à une altitude de 230-320 m.

Sol
Sous-sol calcaire couvert d'argiles sableuses parfois enrichies de dépôts ferreux. À Mercurey, les calcaires oolithiques se mêlent à des marnes enrichies de fer.

Viticulture et vinification
Les vins sont produits suivant les mêmes principes qu'en Côte-d'Or, sans qu'interviennent des techniques de viticulture ou de vinification particulières (*voir* p. 122).

Cépages principaux
Pinot noir, Chardonnay

Cépages secondaires
Pinot gris, Pinot Liébault, Pinot blanc, Aligoté, Melon de Bourgogne, Gamay

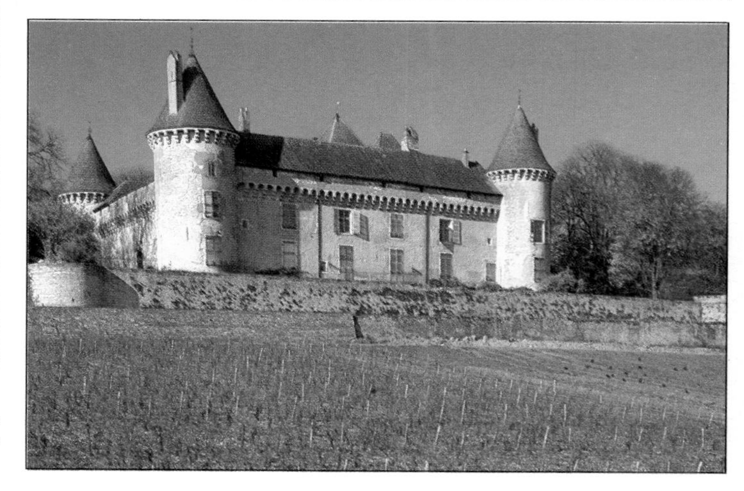

Le vignoble et le château de Rully
Au nord de la Côte chalonnaise, Rully produit d'excellents vins secs de Chardonnay, ainsi que quelques vins rouges agréables.

Les vins de la Côte chalonnaise

BOURGOGNE ALIGOTÉ BOUZERON AOC

En 1979, Bouzeron devint le seul cru à bénéficier de sa propre appellation pour le cépage Aligoté.

BLANC. Excellent vin sec, le plus ample des Aligoté. Son poids, son fruité, ses épices le rapprochent du Pinot gris plutôt que du Chardonnay.

Aligoté avec jusqu'à 15 % de Chardonnay

1981, 1983, 1984, 1985, 1986

Entre 2 et 6 ans

☆ Ancien Domaine Carnot, Chanzy Frères, A. et P. de Villaine

GIVRY AOC

Ce village au sud de Mercurey produit des bons vins sous-estimés. Les meilleurs vins équivalent à des Premiers Crus.

ROUGE. Vins assez légers, tendres et fruités, avec d'agréables notes de cerise et de groseille.

Pinot noir, Pinot gris, Pinot Liébault

1980, 1982, 1983, 1985

Entre 5 et 12 ans

BLANC. Le Givry blanc ne représente que 10 % de la production ; c'est un Chardonnay sec, net et délicieux.

Chardonnay, Pinot blanc

1981, 1983, 1984, 1985, 1986

Entre 3 et 8 ans

☆ Jean Chofflet, Jean Cléau, Propriété Desvignes, Domaine Joblot, Domaine Ragot, Clos St-Pierre, Domaine du Gardin, Bernard Tatraux, Domaine Baron Thénard

MERCUREY AOC

Les vins de Mercurey, Premiers Crus y compris, représentent deux tiers de la production de toute la Côte chalonnaise. Le vin blanc constitue 5 % des deux appellations de Mercurey.

ROUGE. Vins moyennement corsés, de belle robe, d'un rapport qualité/prix exceptionnel.

Pinot noir, Pinot gris, Pinot Liébault

1980, 1982, 1983, 1985

Entre 5 et 12 ans

BLANC. Vins secs qui allient la légèreté et la fraîcheur du Mâconnais au caractère gras et beurré de la Côte de Beaune.

Pinot Chardonnay

1981, 1983, 1984, 1985, 1986

Entre 3 et 8 ans

☆ Domaine Brintet, Michel Juillot, Paul de Launay, Jean Maréchal, Jean-Pierre Muelien, Domaine Saier, Yves de Suremain

MERCUREY PREMIER CRU AOC

***Premiers Crus :* Le Clos, Clos Voyens (ou Les Voyens), Clos du Roi, Les Fourneaux (ou Clos des Fourneaux), Les Grands Voyens, Le Marcilly (ou Clos Marcilly), Les Montaigus (ou Clos des Montaigus), Les Petits Voyens**

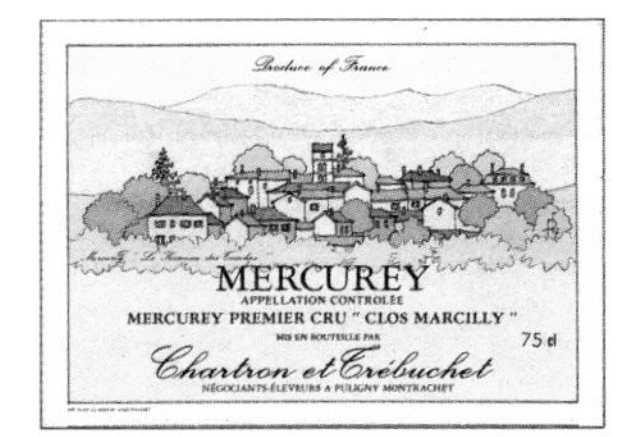

ROUGE. Ces vins présentent les caractéristiques du Pinot noir comme les simples Mercurey mais avec davantage de finesse et de profondeur.

Pinot noir, Pinot gris, Pinot Liébault

1980, 1982, 1983, 1985

Entre 5 et 15 ans

BLANC. Je ne connais que les appellations communales.

☆ Chanzy Frères, Yves de Suremain

MONTAGNY AOC

Vins blancs uniquement, du sud de la Côte chalonnaise. Tous les vignobles de Montagny sont des Premiers Crus, si bien que les seuls vins vendus sous l'appellation communale sont ceux qui n'atteignent pas les 11,5° obligatoires avant chaptalisation.

BLANC. Vins blancs secs, relativement légers, d'un bon rapport qualité/prix, ressemblant à des Mâcon plus amples.

Chardonnay

1981, 1983, 1984, 1985, 1986

Entre 3 et 10 ans

☆ Arnoux Père & Fils, Producteurs de Buxy, Bernard Michel, Jean Vachet

MONTAGNY PREMIER CRU AOC

***Premiers Crus :* Les Bassets, Les Beaux Champs, Les Bonnevaux, Les Bordes, Les Bouchots, Le Breuil, Les Burnins, Les Carlins, Les Champs-Toiseau, Les Charmelottes, Les Chandits, Les Chazelles, Clos Chaudron, Le Choux, Les Clouzeaux, Les Coères, Les Combes, La Condemine, Cornevent, La Corvée, Les Coudrettes, Les Craboulettes, Les Crets, Creux des Beaux Champs, L'Épaule, Les Garchères, Les Gouresses, La Grand-Pièce, Les Jardins, Les Las, Les Males, Les Marais, Les Marocs, Les Monts Cuchots, Le Mont Laurent, La Mouillère, Moulin l'Échenaud, Les Pandars, Les Pasquiers, Les Pidans, Les Platières, Les Resses, Les St-Mortille, Les St-Ytages, Sous les Roches, Les Thilles, La Tillonne, Les Treuffères, Les Varignys, Le Vieux Château, Vignes Blanches, Vignes sur le Clou, Les Vignes Couland, Les Vignes Derrière, Les Vignes Dessous, La Vigne Devant, Vignes Longues, Vignes du Puits, Les Vignes St-Pierre, Les Vignes du Soleil.**

Avec ses 60 vignobles tous classés Premiers Crus, Montagny est unique parmi les communes bourguignonnnes.

BLANC. Ces délicieux vins secs ont une saveur riche et grasse de Chardonnay, plus proche de celle des vins de la Côte de Beaune que du Mâconnais voisin. Les meilleurs vins, élevés en fût, sont fermes avec de belles nuances mûres de vanille.

Chardonnay

1981, 1983, 1984, 1985, 1986

Entre 4 et 12 ans

☆ Arnoux Père & Fils, Producteurs de Buxy, Château de la Saule, Jean Vachet

RULLY AOC

Cette appellation, la plus septentrionale de la Côte chalonnaise, produit les vins les plus proches par leur style de ceux du sud de la Côte de Beaune. Le vin blanc représente plus de la moitié de la production.

ROUGE. Vins délicieusement frais et fruités, assez légers, simples dans leur jeune âge mais évoluant bien.

Pinot noir, Pinot gris, Pinot Liébault

1980, 1982, 1983, 1985

Entre 5 et 12 ans

BLANC. Vins secs à l'équilibre plus nerveux que ceux produits plus au sud, à Montagny, encore que certains puissent être assez gras.

Chardonnay

1981, 1983, 1984, 1985, 1986

Entre 3 et 8 ans

☆ Belleville, Raymond Betes, H. & P. Jacqueson, Noël-Bouton, Château de Rully

RULLY PREMIER CRU AOC

***Premiers Crus :* Bas de Vauvry, La Bressaude, Champ-Clou, Chapitre, Les Cloux, La Fosse, Grésigny, Margotey, Marrissou, Meix Caillet, Mont Palais, Moulesne, Phillot, Préau, Raboursay, Raclot, La Renarde.**

ROUGE. Vins ronds dont la texture soyeuse s'ajoute aux saveurs de fruits d'été des simples appellations communales.

Pinot noir, Pinot gris, Pinot Liébault

1980, 1982, 1983, 1985

Entre 5 et 15 ans

BLANC. Vins généralement fins, amples et riches et assez complexes.

Chardonnay

1981, 1983, 1984, 1985, 1986

Entre 4 et 12 ans

☆ Domaine Belleville, René Brelière, H. & P. Jacqueson, Domaine du Prieuré, Château de Rully, Robert de Suremain

Mâconnais

Le Mâconnais produit trois fois plus de vin blanc que le reste de la Bourgogne et, bien qu'il n'atteigne jamais les sommets de qualité de la Côte-d'Or, il est certainement le vin de Chardonnay qui offre le meilleur rapport qualité/prix.

Le Mâconnais est une ancienne région viticole dont la renommée remonte à 1 600 ans puisque Ausone, le poète romain de Saint-Émilion, évoque déjà ses vins. Aujourd'hui, il est logique de l'associer au Beaujolais car, si le Chardonnay est le cépage blanc dominant dans les deux régions, le Gamay est le principal cépage noir. Si l'on assemblait ces deux régions et que l'on en fasse un vaste ensemble viticole, le Mâconnais serait la partie essentiellement vouée à la production de vins blancs, tandis que le Beaujolais ne produirait presque que des vins rouges.

LE MÂCON ROUGE : UN VESTIGE DU PASSÉ ?

Dans cette région essentiellement productrice de vins blancs, quelque 25 % des vignes plantées sont du Gamay, et 7,5 % du Pinot noir. Le Gamay ne donne cependant pas de très bons résultats sur les sols calcaires du Mâconnais et, malgré les techniques de vinification modernes, les vins gardent un caractère rustique et une certaine dureté. Je me souviens d'une dégustation à l'aveugle que j'avais organisée, où les participants savaient uniquement que tous les vins étaient issus de raisin de Gamay et provenaient pour la plupart du Beaujolais. Un expert en vin, le britannique Christopher Tatham, nota à propos de l'un des vins : « Le problème vient du calcaire ! ». Il s'agissait du Mâcon rouge.

Il est possible de produire des Mâcon rouges de Pinot noir uniquement mais, dans l'esprit des consommateurs, cette appellation est associée au Gamay, c'est pourquoi peu de viticulteurs sont enclins à planter un autre cépage.

Le Pinot serait pourtant capable de produire des vins d'une certaine finesse dans ces vignobles calcaires. Peut-être faudrait-il créer une appellation Mâcon rouge Pinot noir, ou bien mentionner sur l'étiquette le nom du cépage ?

FACTEURS AFFECTANT LE GOÛT ET LA QUALITÉ

Situation
Situés à mi-chemin entre Lyon et Beaune, les vignobles jouxtent ceux de la Côte chalonnaise au nord et empiètent sur ceux du Beaujolais au sud.

Climat
Le climat est proche de celui de la Côte chalonnaise, mais l'influence méditerranéenne commence à se faire sentir au sud, avec des risques d'orage plus fréquents.

Site
Les collines arrondies du nord du Mâconnais, qui prolongent celles de la Côte chalonnaise, laissent place ensuite à une topographie plus dense, avec des pentes plus accentuées et des contours plus découpés à mesure qu'on avance vers le sud.

Sol
Sol d'éboulis et d'alluvions ou d'argile et d'argile sableuse, sur un sous-sol calcaire.

Viticulture et vinification
Quelques vins exceptionnels (comme le Château de Fuissé « Vieilles Vignes ») supportent l'influence du chêne mais la plupart sont vinifiés dans des cuves en acier inoxydable et mis rapidement en bouteille. Les vins rouges subissent une macération carbonique, totale ou partielle.

Cépages principaux
Chardonnay, Gamay

Cépages secondaires
Pinot noir, Pinot gris, Pinot Liébault, Pinot blanc, Aligoté, Melon de Bourgogne

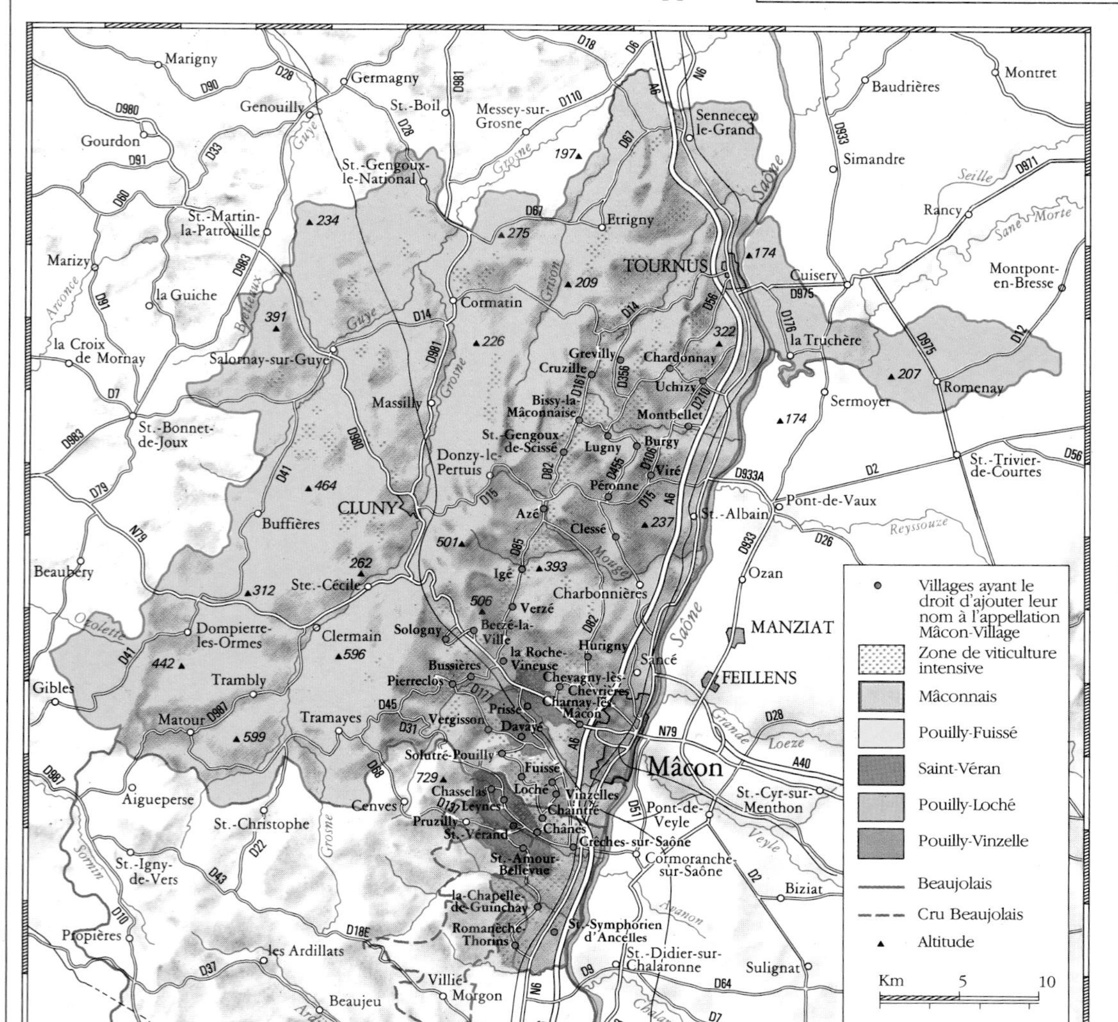

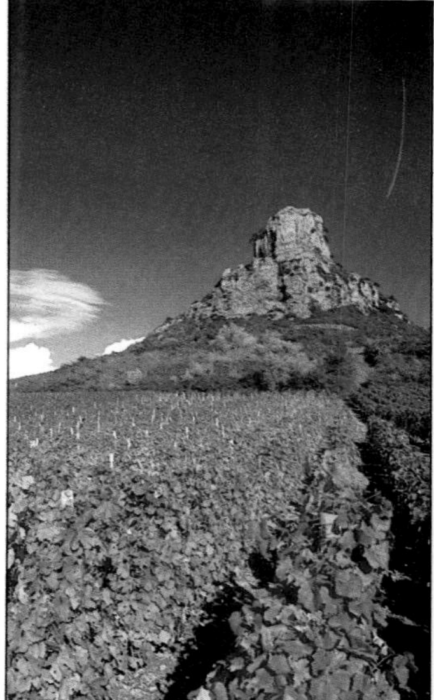

La roche de Solutré, ci-dessus
La roche escarpée de Solutré, l'un des quarante-deux villages de l'appellation Mâcon-Villages et l'une des communes de Pouilly-Fuissé, domine le vignoble.

MÂCONNAIS,
voir aussi p. 109

Concentrées à l'ouest de la Saône, les célèbres appellations du Mâconnais sont imbriquées dans celles du Beaujolais au sud et s'étendent au nord-ouest de Mâcon.

Les vins du Mâconnais

MÂCON AOC

La plupart des vins proviennent d'une zone située au nord de l'appellation Mâcon-Villages.

ROUGE. De nouvelles techniques de vinification ont permis d'améliorer les vins de Gamay, lequel ne donne pas sa meilleure expression dans le calcaire.

Gamay, Pinot noir, Pinot gris

1982, 1983, 1985, 1986

Entre 2 et 6 ans

BLANC. Vin de Chardonnay franc, gouleyant et savoureux, d'un excellent rapport qualité/prix.

Chardonnay, Pinot blanc

1981, 1983, 1984, 1985, 1986

1 à 4 ans

ROSÉ. Vins légers, avec une belle robe framboisée et une saveur légère et fruitée.

Gamay, Pinot noir, Pinot gris

1982, 1983, 1985, 1986

1 à 3 ans

MÂCON-VILLAGES AOC

Cette appellation réservée aux vins blancs couvre 42 villages, dont 8 sont également situés dans l'appellation Beaujolais-Villages (*voir* p. 134) ; 4 d'entre eux ont également le droit d'utiliser l'appellation St-Véran (*voir* p. 132). Si le vin provient d'un seul village, le nom de celui-ci peut remplacer la mention « Villages ».

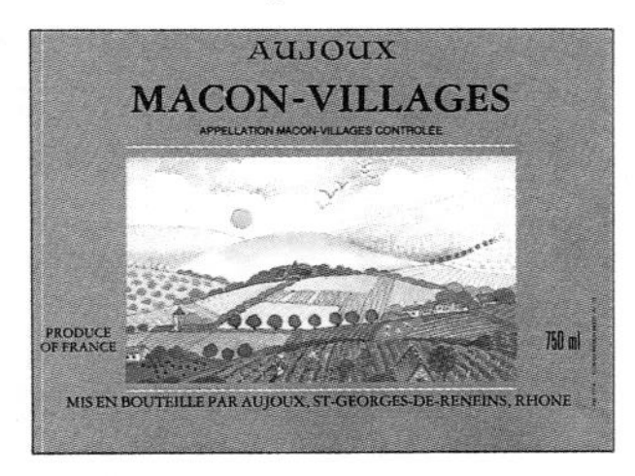

BLANC. Ces vins gouleyants sont parmi les plus délicieux des Chardonnay. Ils offrent un exceptionnel rapport qualité/prix.

Chardonnay, Pinot blanc

1981, 1983, 1984, 1985, 1986

1 à 4 ans

☆ Arcelin, André Bonhomme, Cave coopérative de Chaintré, Cave des Crus blancs, Jean Thévenet, Jean Signorêt, Pierre Mahuet, René Michel & Fils, Gilbert Mornand, Henri Goyard

Les 42 villages de Mâcon-Villages
Quarante-deux villages produisent la même appellation Mâcon-Villages pour les vins blancs :

MÂCON-AZE AOC

Ce village a une bonne coopérative et ses vins sont assez réputés. Je n'ai jamais eu l'occasion de les déguster.

MÂCON-BERZÉ-LA-VILLE AOC

Je n'ai jamais goûté aux vins issus de ces vignobles pentus.

MÂCON-BISSY-LA-MÂCONNAISE AOC

Le village, situé au nord de l'aire d'appellation, a une bonne coopérative.

MÂCON-BURGY AOC

Je n'ai que rarement dégusté ces vins, mais certaines bouteilles du Domaine de Chervin témoignent de ses possibilités.

☆ Domaine de Chervin

MÂCON-BUSIÈRES AOC

Je n'ai jamais dégusté ce vin.

MÂCON-CHAINTRE AOC

Une des cinq communes qui forment l'appellation Pouilly-Fuissé ; ses vins peuvent prétendre aux deux appellations.

☆ Cave coopérative de Chaintre

MÂCON-CHÂNES AOC

Les vins de ce village font également partie des appellations Beaujolais-Villages et St-Véran et ont donc le droit d'utiliser les trois appellations.

MÂCON-LA CHAPELLE-DE-GUINCHAY AOC

Ce village fait également partie de l'aire Beaujolais-Villages et ses vins peuvent prétendre à l'une ou l'autre des deux appellations.

MÂCON-CHARDONNAY AOC

Ces vins ont un certain succès dû sans doute à leur nom, encore que la coopérative produise de beaux vins.

☆ Cave coopérative de Chardonnay

MÂCON-CHARNAY-LÈS-MACON AOC

Ces excellents vins sont produits juste à l'est de Pouilly-Fuissé.

☆ Chevalier & Fils, Domaine Manciat

MÂCON-CHASSELAS AOC

Le Chasselas est malheureusement aussi le nom d'un cépage inférieur. Les producteurs préfèrent généralement vendre leurs vins comme simples Mâcon ou comme St-Véran.

MÂCON-CHEVAGNY-LES-CHEVRIÈRES AOC

Je n'ai jamais dégusté ce vin.

MÂCON-CLESSÉ AOC

L'un des meilleurs Mâcon-Villages parfumé et d'une grande finesse.

☆ René Michel, Gilbert Mornand, Jean Signoret, Jean Thévenet

MÂCON-CRÈCHES-SUR-SAÔNE AOC

Je n'ai jamais dégusté ce vin.

MÂCON-CRUZILLE AOC

Vins peu répandus provenant d'un minuscule hameau à l'extrême nord de l'aire d'appellation.

☆ Guillot-Broux

MÂCON-DAVAYE AOC

On fait ici quelques excellents vins généralement vendus sous l'appellation St-Véran.

MÂCON-FUISSÉ AOC

Cette commune est l'une des cinq qui forment l'appellation Pouilly-Fuissé, et rares sont les producteurs qui préfèrent ne pas employer l'appellation plus prestigieuse de Pouilly-Fuissé.

☆ Jean-Paul Thibert

MÂCON-GRÉVILLY AOC

Village jouissant d'une bonne réputation, situé à l'extrême nord de l'aire d'appellation.

☆ Guillot-Broux

MÂCON-HURIGNY AOC

Je n'ai jamais dégusté le vin produit dans ce village.

MÂCON-IGÉ AOC

Ces vins rares jouissent d'une bonne réputation.

☆ Cave coopérative d'Igé

MÂCON-LEYNES AOC

Ce village fait également partie des AOC Beaujolais-Villages et St-Véran, ce qui laisse le choix entre les trois appellations.

☆ André Depardon

MÂCON-LOCHÉ AOC

Ce village peut également employer les AOC Pouilly-Loché et Pouilly-Vinzelles, ce qui laisse le choix entre trois appellations.

☆ Caves des Crus blancs, Château de Loché

MÂCON-LUGNY AOC

Louis Latour a beaucoup contribué à promouvoir les vins de ce village.

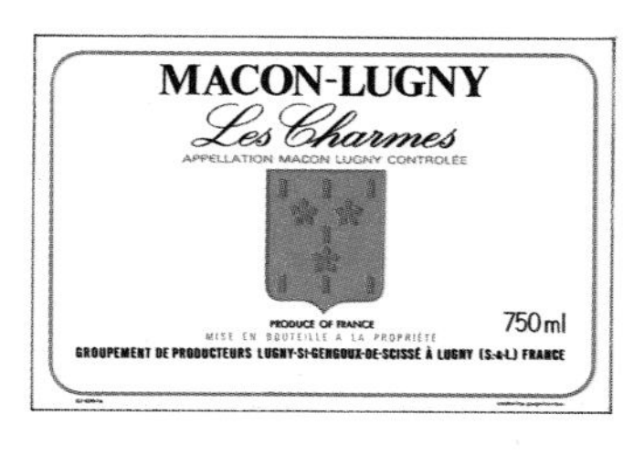

☆ Louis Latour, Producteurs de Lugny-Saint-Gengoux-de-Scissé, Domaine du Prieuré

MÂCON-MILLY-LAMARTINE AOC

Je n'ai jamais dégusté le vin produit dans ce village.

MÂCON-MONTBELLET AOC

Je n'ai jamais dégusté le vin produit dans ce village.

MÂCON-PÉRONNE AOC

J'ai rarement dégusté ces vins dont certains semblent pourtant prometteurs.

☆ Maurice Josserand, Domaine du Mortier, Daniel Rousset

MÂCON-PIERRECLOS AOC

Je n'ai jamais dégusté le vin produit dans ce village.

MÂCON-PRISSÉ AOC

Ce village fait également partie de l'aire d'appellation St-Véran et les vins peuvent donc utiliser les deux appellations.

☆ Groupement Producteurs de Prissé

MÂCON-PRUZILLY AOC

Ce village, situé dans l'aire d'appellation Beaujolais-Villages, peut utiliser l'une ou l'autre appellation.

MÂCON-LA ROCHE VINEUSE AOC

Vins sous-estimés, produits sur des coteaux orientés à l'ouest et au sud, au nord de Pouilly-Fuissé.

☆ Arcelin, René Gaillard, Pierre Mahuet, Pierre Santé

MÂCON-ROMANÈCHE-THORINS AOC

Les vins de ce village peuvent également être vendus sous l'appellation Beaujolais-Villages et les producteurs ont le choix entre les deux appellations. Le vin rouge représente l'essentiel de la production.

MÂCON-ST-AMOUR-BELLEVUE AOC

Ce village, célèbre pour son cru de Beaujolais, St-Amour, fait partie des aires Beaujolais-Villages et St-Véran. Il y a donc quatre choix d'appellations possibles, celle-ci étant la moins séduisante.

MÂCON-ST-GENGOUX-DE-SCISSÉ AOC

L'excellente coopérative de ce village fait partie des Producteurs de Lugny-St-Gengoux-de-Scissé.

MÂCON-ST-SYMPHORIEN-D'ANCELLES AOC

Ce village fait également partie de l'aire Beaujolais-Villages. Les deux appellations sont donc possibles pour les viticulteurs.

MÂCON-ST-VÉRAND AOC

Le village fait aussi partie de l'aire Beaujolais-Villages ainsi que de l'aire St-Véran. Les producteurs sont libres d'utiliser celle des trois appellations qui leur convient.

MÂCON-SOLOGNY AOC

Ce village, situé juste au nord de Pouilly-Fuissé, possède une bonne coopérative.

☆ Ets Bertrand

MÂCON-SOLUTRÉ AOC

Ce village, l'une des cinq communes de l'appellation Pouilly-Fuissé, fait partie aussi de l'appellation St-Véran, ce qui laisse le choix aux viticulteurs entre trois possibilités pour l'appellation de leurs vins.

MÂCON-VERGISSON AOC

Ce village est l'une des cinq communes de l'appellation Pouilly-Fuissé.

MÂCON-VERZÉ AOC

Je n'ai jamais dégusté le vin produit dans ce village.

MÂCON-VINZELLES AOC

Les vins de ce village peuvent également prétendre à l'appellation Pouilly-Vinzelles.

☆ Caves des Crus blancs

MÂCON-VIRÉ AOC

Il s'agit du vin le plus connu de l'appellation Mâcon-Villages. Sa qualité constante en fait un bon ambassadeur des Mâcon-Villages. Les plus belles bouteilles montrent que Viré est capable de produire certains des meilleurs vins du Mâconnais.

☆ André Bonhomme, Jean-Noël Chaland, Domaine des Chazelles, Jacques Depagneux, Henri Goyard, Guillemot-Michel, Château de Viré

MÂCON-UCHIZY AOC

Vins de bonne qualité, d'un village voisin de Chardonnay.

☆ Paul & Philibert Talmard

MÂCON (SUIVI D'UN NOM DE VILLAGE) AOC

Cette appellation diffère des autres Mâcon-Villages cités ci-dessus. Elle ne couvre pas exactement les mêmes villages, la mention du nom du village est obligatoire et elle est réservée uniquement à des vins rouges et rosés. Mâcon-Bissy, Mâcon-Braye, Mâcon-Davaye et Mâcon-Pierreclos sont les appellations les plus répandues.

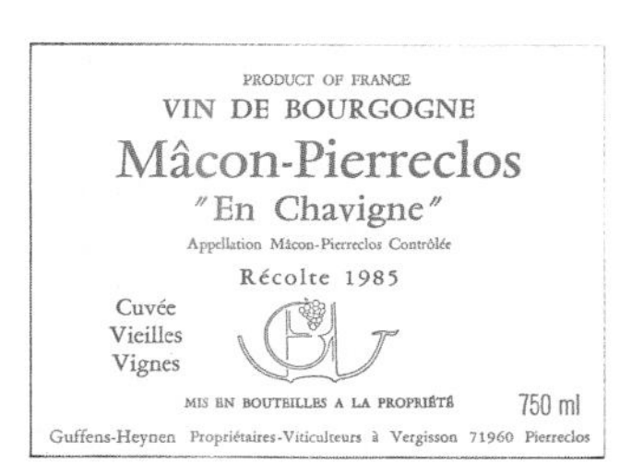

ROUGE. Il semble que certains villages, ou plus exactement certains viticulteurs possédant des parcelles de vigne plantées sur des sols favorables, soient en mesure de produire des vins meilleurs que ceux que le Gamay donnait jusqu'ici dans le Mâconnais.

Gamay, Pinot noir, Pinot gris

1982, 1983, 1985, 1986

Entre 2 et 6 ans

ROSÉ. Je n'en ai jamais goûté.

☆ Pierre Mahuet, Domaine de Prieuré, Jean-Claude Thévenet

MÂCON SUPÉRIEUR AOC

Toutes les appellations où figure le terme « supérieur » correspondent simplement à un taux d'alcool supérieur, en général de 1°.

ROUGE. Mis à part les quelques vins conseillés ci-dessous, ces vins bien colorés et moyennement corsés n'ont rien d'exceptionnel.

Gamay, Pinot noir, Pinot gris

1982, 1983, 1985, 1986

Entre 3 et 8 ans

BLANC. 23 % des Mâcon supérieur sont des vins blancs, qui pourraient employer la simple appellation Mâcon.

Chardonnay, Pinot blanc

1981, 1983, 1984, 1985, 1986

1 à 4 ans au maximum

ROSÉ. Vins à la robe séduisante, avec une saveur fraîche et fruitée.

Gamay, Pinot noir, Pinot gris

1981, 1982, 1983, 1984, 1985, 1986

1 à 2 ans au maximum

☆ Collin & Bourisset, Henri Lafarge, Pierre Santé, Jean Signoret, Jean-Claude Thévenet

MÂCON SUPÉRIEUR (SUIVI D'UN NOM DE VILLAGE) AOC

Voir Mâcon (suivi d'un nom de village) AOC.

PINOT CHARDONNAY-MÂCON AOC

Voir Mâcon AOC.

POUILLY-FUISSÉ AOC

Cette appellation couvre une grande aire de bons vignobles, mais la qualité y varie beaucoup.

BLANC. Ces vins secs vont du style mâconnais jusqu'au très puissant Château Fuissé « Vieilles Vignes », aux riches saveurs de chêne, qu'on tient généralement pour le meilleur Pouilly-Fuissé.

Chardonnay

1981, 1983, 1984, 1985, 1986

Entre 3 et 8 ans

☆ Daniel Balvay, André Besson, Roger Cordier, J.-J. Vincent & Fils, Jean Goyon, Charles Gruber, Jean-Paul Paquet, Bernard Léger-Plumet

POUILLY-LOCHÉ AOC

L'une des deux appellations des environs de Pouilly-Fuissé.

BLANC. Ce village peut produire des Mâcon-Loché, des Pouilly-Loché ou des Pouilly-Vinzelles. Quelle que soit l'appellation utilisée, les vins sont de type Mâcon.

Chardonnay

1981, 1983, 1984, 1985, 1986

1 à 4 ans

☆ Caves des Crus blancs

POUILLY-VINZELLES AOC

L'une des deux appellations des environs de Pouilly-Fuissé.

BLANC. Les vins ressemblent plutôt à des Pouilly-Fuissé de type Mâcon.

Chardonnay

1981, 1983, 1984, 1985, 1986

1 à 4 ans

☆ René Boulay, Collin & Bourisset, Jean Mathias, Thomas-Bassot, Château de Vinzelles

SAINT-VÉRAN AOC

Cette appellation, couvrant à la fois les régions du Mâconnais et du Beaujolais, fut créée en 1971 dans le but d'offrir aux vins blancs produits dans le Beaujolais un débouché plus adéquat que l'appellation Beaujolais blanc. Les producteurs avaient à juste titre senti que tous les vins produits dans le Mâconnais devaient être désignés comme tels.

BLANC. Vins de Chardonnay secs et fruités, très proches du style des Mâcon-Villages. Vincent, le propriétaire de Château Fuissé, produit un vin d'une richesse étonnante, proche des Pouilly-Fuissé, avec des nuances de chêne et de miel.

Chardonnay

1981, 1983, 1984, 1985, 1986

1 à 4 ans

☆ Caves des Crus blancs, Domaine des Deux Roches, Roger Luquet, Roger Tissier, M. Vincent & Fils

Beaujolais

Cette immense région est renommée pour produire le seul vin de Gamay vraiment classique, un vin à la robe pourpre, frais, léger et gouleyant, qui représente six dixièmes de la production totale de Bourgogne chaque année.

La plupart des vins du Beaujolais sont définis par le cépage, la méthode de vinification et le volume de la production. On produit ainsi chaque année deux fois et demie plus de vins dans le Beaujolais que dans le reste de la Bourgogne, rouges et blancs compris. Et plus de la moitié est vendue comme Beaujolais primeur (ou Beaujolais nouveau).

Le Beaujolais primeur représente un marché considérable et lucratif mais il ne faut pas en exagérer les qualités. Aucun producteur de Beaujolais ne prétendra d'ailleurs que son primeur est un grand vin et, si l'un d'eux s'y risquait, il serait désavoué par ses pairs, car cela nuirait à l'image commerciale soigneusement entretenue d'un vin jeune qui se boit en grandes quantités. Le Beaujolais primeur est un vin honnête, amusant, qui permet de faire mieux connaître le vin de façon générale. Il s'agit là d'un rôle nécessaire, qui attire vers le vin une nouvelle clientèle, mais il faut, toutefois, savoir que l'odeur de bonbon anglais de l'acétate d'éthyle n'a rien à voir avec l'arôme d'un Cru classique de Beaujolais.

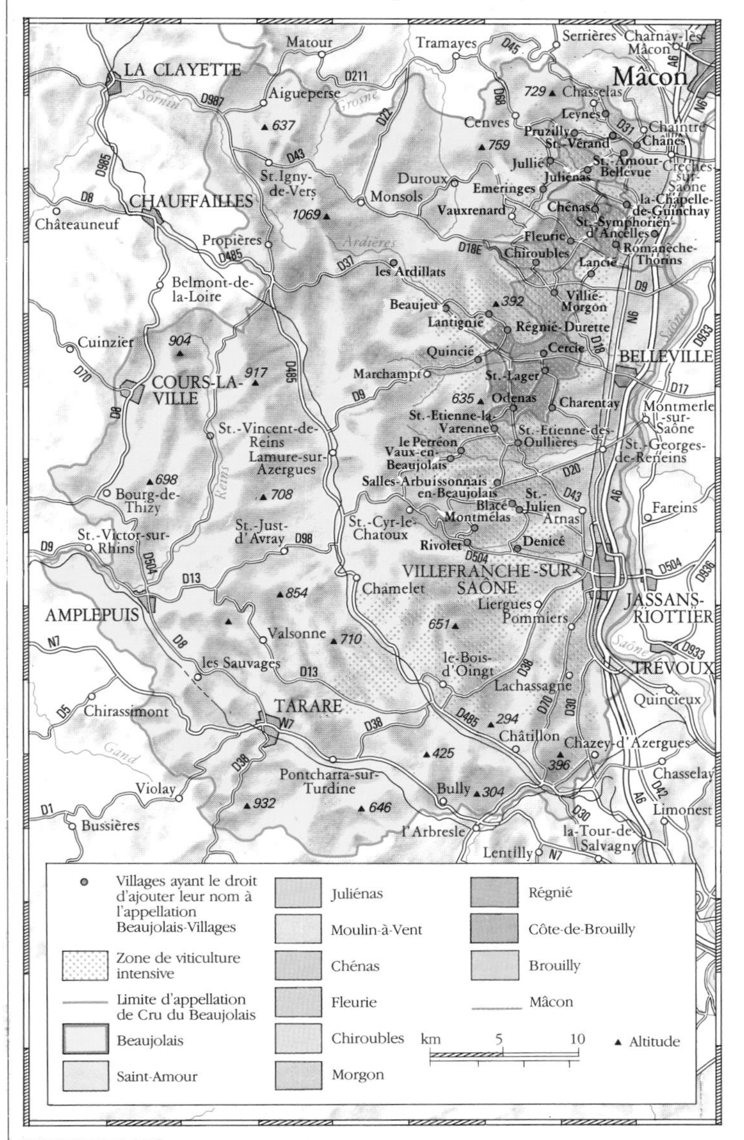

BEAUJOLAIS, *voir aussi* p. 109

Le Beaujolais, formant la partie la plus méridionale de la Bourgogne, s'étend sur à peu près 50 km de long et une quinzaine de kilomètres de large en moyenne.

FACTEURS AFFECTANT LE GOÛT ET LA QUALITÉ

Situation
Le Beaujolais, le plus méridional des vignobles bourguignons, est situé dans le département du Rhône, à 400 km au sud-est de Paris.

Climat
Les influences atlantiques, méditerranéennes et continentales tempèrent un climat ensoleillé. Bien que les précipitations et les températures annuelles soient parfaites pour la viticulture, les orages soudains peuvent éclater.

Site
Région vallonnée, où la vigne pousse entre 150 et 550 m d'altitude, sur des coteaux à l'exposition variable.

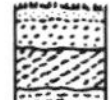

Sol
Le sol granitique du nord du Beaujolais, qui regroupe tous les Crus célèbres et les communes qui ont droit à l'appellation Beaujolais-Villages, est le seul où le Gamay ait jusqu'ici donné de bons résultats. Les sols superficiels sont souvent schisteux, ou composés de granite décomposé mêlé de sable et d'argile. Dans la partie sud, essentiellement calcaire, le Gamay donne des vins bien plus légers.

Viticulture et vinification
Les vignes, à la différence de celles du reste de la Bourgogne, sont taillées et conduites en gobelet. La vinification se fait généralement par macération carbonique, bien que les Crus soient produits de façon plus traditionnelle et puissent même être élevés en fût de chêne neuf.

Cépage principal
Gamay

Cépages secondaires
Chardonnay, Pinot noir, Pinot gris, Pinot Liébault, Pinot blanc, Aligoté, Melon de Bourgogne.

LA LÉGENDE DU « PISSE-VIEILLE »

Le vignoble de Pisse-Vieille à Brouilly doit son nom à une amusante anecdote.

Un jour, une vieille femme du nom de Mariette alla se confesser. Le prêtre, qui était nouveau dans le village, n'en parlait pas le patois ; il ne savait pas non plus que Mariette était un peu dure d'oreille. Lorsqu'elle eut achevé sa confession, il se contenta de lui dire : « Allez ! Et ne péchez plus ! » Or, Mariette comprit « Allez ! Et ne pichez plus ! » ce qui, dans son patois, signifiait : « Allez ! Et ne pissez plus ! »

Profondément croyante, Mariette obéit à la lettre au curé. Son mari voulut savoir quel terrible péché elle avait bien pu commettre pour subir une telle punition mais elle refusa de le lui dire. Au bout de plusieurs jours, il alla voir le prêtre. En apprenant la vérité, il se précipita chez lui et, dès qu'il fut à portée de voix, il se mit à crier « Pisse, vieille ! ».

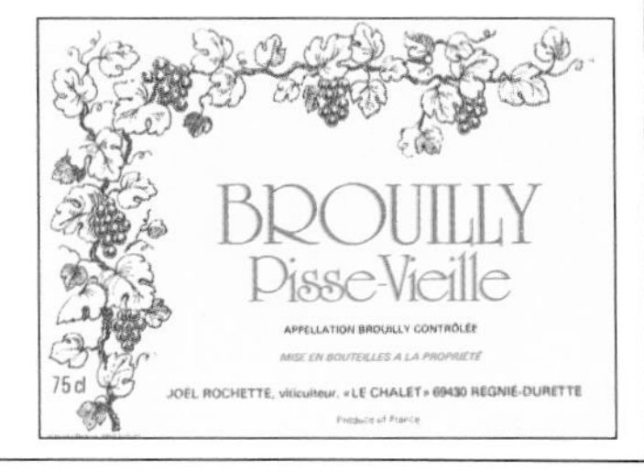

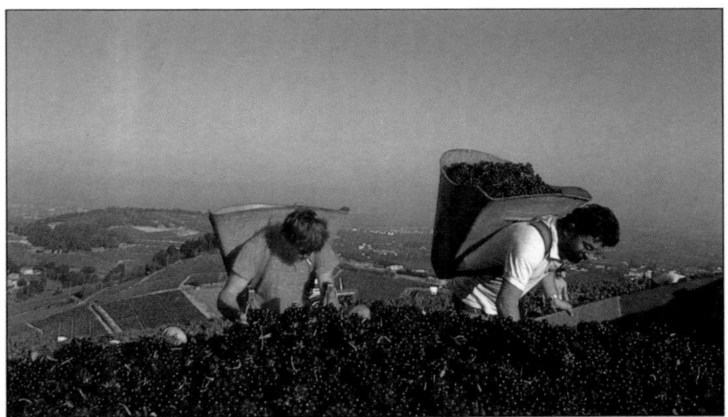

Vendanges à Fleurie

Pour la macération carbonique, les raisins de Gamay doivent arriver à la cuverie par grappes entières, sur leurs rafles, aussi peu écrasés que possible.

Les vins du Beaujolais

BEAUJOLAIS AOC

L'appellation générique Beaujolais représente la moitié du vin produit dans la région dont plus de la moitié est vendue en primeur. Il ne faut pas acheter ces vins aux grands négociants de la Côte-d'Or.

ROUGE. En raison de leur mode de vinification, tous ces vins ont un fruité nuancé de « bonbon anglais ». Les meilleurs ont en outre une fraîcheur et une franchise qui invitent à en consommer de grandes quantités.

Gamay, Pinot noir, Pinot gris

1981, 1982, 1983, 1985, 1986

Avant 1 à 3 ans

BLANC. Le vin blanc sec, en général très beau, représente moins de 0,5 % de l'appellation de base.

Chardonnay, Aligoté

1981, 1983, 1984, 1985, 1986

Avant 1 à 3 ans

ROSÉ. Jolis vins frais et fruités.

Gamay, Pinot noir, Pinot gris

1982, 1983, 1985, 1986

Avant 1 à 3 ans

☆ Charles Bréchard, Jean-Paul Brun, Blaise Carron, Chanut Frères, Pierre Charmet, Jean Garlon, Philippe Jambon, René Marchand, René Riottot, Château de Tanay, Louis Tête, Trenel

BEAUJOLAIS (SUIVI D'UN NOM DE VILLAGE) AOC

Parmi les 38 villages qui ont le droit d'ajouter leur nom à l'appellation Beaujolais, peu le font. L'une des raisons en est que tout ou partie de 15 de ces villages (marqués d'un astérisque ci-dessous) peuvent prétendre à l'une des appellations supérieures réservées aux Crus du Beaujolais. De plus, 8 des villages ont le droit d'utiliser l'appellation Mâcon-Villages (marquée [M]), dont 4 qui se trouvent aussi dans l'aire St-Véran AOC (marquée [S-V]), à cheval sur le Mâconnais et le Beaujolais ; la production de certains de ces villages est bien entendue vouée davantage aux vins blancs qu'aux vins rouges. Parmi ceux qui utilisent cette appellation, seul Saint-Véran m'a parfois impressionné. Par ailleurs, Régnié est devenu le dixième Cru du Beaujolais depuis le 20 décembre 1988.

Voici la liste complète des villages qui ont droit à l'appellation : Arbuisonnas ; Les Ardillats ; Beaujeu ; Blacé ; Cercié* ; Chânes[M; S-V] ; La Chapelle-de-Guinchay[M] ;* ; Denicé ; Durette ; Emeringes* ; Fleurie* ; Juliénas* ; Jullié* ; Lancié ; Lantignié ; Leynes[M; S-V] ; Marchampt ; Montmelas ; Odenas ; Le Perréon ; Pruzilly[M; *] ; Quincié* ; Régnié ; Rivolet ; Romanèche-Thorins[M; *] ; Saint-Amour-Bellevue[M; S-V; *] ; Saint-Étienne-des-Ouillères ; Saint-Étienne-la-Varenne* ; Saint-Julien ; Saint-Lager ; Saint-Symphorien-d'Ancelles[M] ; Saint-Véran[M; S-V] ; Salles ; Vaux ; Vauxrenard ; Villié Morgon*

☆ **Saint-Vérand** : Norbert Pauget

☆ **Régnié AOC** : Paul Cinquin, Paul Collogne, René Desplace, Jean Durand, Roland Magrin, Patrick Péchard, Claude et Bernard Roux.

BEAUJOLAIS NOUVEAU AOC

Voir Beaujolais primeur AOC.

BEAUJOLAIS PRIMEUR AOC

Le Beaujolais primeur est un vin obtenu par une macération carbonique intensive, ce qui lui permet d'être consommé sur les marchés d'exportation à partir du troisième jeudi du mois de novembre. La dénomination « Beaujolais nouveau », plus fréquente, est employée dans le même sens et figure le plus souvent sur les étiquettes. Il ne faut rien attendre d'exceptionnel de ces vins. *Voir* Beaujolais AOC.

BEAUJOLAIS SUPÉRIEUR AOC

Seul 1 % de tous les vins de Beaujolais portent cette appellation qui suppose simplement un degré d'alcool supplémentaire.

ROUGE. Ce n'est en aucune façon un vin supérieur au simple Beaujolais AOC. Il vaut mieux acheter un des Crus.

Gamay, Pinot noir, Pinot gris

1981, 1982, 1983, 1985, 1986

3 à 8 ans

BLANC. Le vin blanc représente à peine 5 % de cette appellation. Si fin qu'il soit, il ne montre aucune supériorité intrinsèque sur le simple Beaujolais blanc.

Chardonnay, Aligoté

1981, 1983, 1984, 1985, 1986

Avant 1 à 3 ans

ROSÉ. Je n'ai jamais vu de vins rosés portant cette appellation.

☆ Cave Beaujolais du Bois-d'Oingt

BEAUJOLAIS-VILLAGES AOC

Les 38 villages qui peuvent ajouter leur nom à l'AOC Beaujolais ont également le droit d'utiliser cette appellation-ci. Ce droit devient une obligation si le vin provient de plusieurs de ces villages.

ROUGE. Vins de Gamay bien colorés, de saveur riche.

Gamay, Pinot noir, Pinot gris

1981, 1982, 1983, 1985, 1986

Entre 3 et 8 ans

BLANC. Vin peu répandu, bien que la production du Beaujolais-Villages blanc soit supérieure à celle du simple Beaujolais blanc.

Chardonnay, Aligoté

1981, 1983, 1984, 1985, 1986

Avant 1 à 3 ans

ROSÉ. C'est un vin qu'on ne voit guère, mais dont la Cave Beaujolais du Bois-d'Oingt produit un bel exemple.

Gamay, Pinot noir, Pinot gris

1982, 1983, 1984, 1985, 1986

Avant 1 à 3 ans

☆ Cave Beaujolais du Bois-d'Oingt, Geny de Flammerécourt, Paul Gauthier, Château du Grand Vernay, Jean-Charles Pivot, Georges Roux, Jean Verger, Patrick Vermorel

BROUILLY AOC

Cru du Beaujolais

Le plus grand et le plus méridional des dix Crus du Beaujolais et, avec l'AOC Côte de Brouilly, le seul qui autorise des cépages autres que le Gamay.

ROUGE. La plupart des Brouilly sont des vins sérieux. Sans avoir toute l'intensité des Côte de Brouilly, ils sont amples, fruités et souples, normalement riches et peuvent se révéler assez tanniques.

Gamay, Chardonnay, Aligoté, Melon de Bourgogne

1981, 1983, 1985, 1986

2 à 7 ans (4 à 12 ans pour les 1983 et 1985)

☆ Château de la Chaize, Crêt des Garanches, Jean Lathuilière, Vignoble de l'Écluse, Domaine Rolland, Jean-Paul Rouet, Château Thivin, Patrick Vermorel

CHÉNAS AOC

Cru du Beaujolais

Chénas, le plus petit des dix Crus du Beaujolais, se trouve sur les coteaux situés au-dessus de Moulin-à-Vent autrefois occupés par des chênes, d'où son nom.

ROUGE. Si, pour la plupart, ils ne peuvent rivaliser en puissance avec les Moulin-à-Vent voisins, ce sont néanmoins des vins amples et généreux. De bons producteurs, comme Jean Benon, en font des vins d'une richesse séduisante avec des nuances de chêne.

Gamay

1981, 1983, 1985, 1986

3 à 8 ans (5 à 15 ans pour les 1983 et 1985)

☆ Jean Benon, Louis Champagnon, Château de Chénas, Michel Crozet,

Gérard Lapierre, Hubert Lapierre, Henri Lespinasse, Pierre Perrachon, Domaine des Pins, Domaine Robin

CHIROUBLES AOC

Cru du Beaujolais

Le plus parfumé de tous les Crus du Beaujolais occupe les collines qui dominent la plaine du Beaujolais.

ROUGE. Ces vins légers ont un bouquet parfumé et une délicieuse et délicate saveur de raisin écrasé. Ils sont charmants quands ils sont jeunes. Les bouteilles exceptionnelles s'améliorent avec l'âge.

Gamay

1981, 1983, 1985, 1986

Avant 1 à 8 ans (5 à 15 ans pour les 1983 et 1985)

☆ Domaine de la Combe au Loup, Domaine Cheysson-les-Farges, Gérard-Roger Méziat, Domaine du Moulin, Georges Passot, Trenel

CÔTE DE BROUILLY AOC

Cru du Beaujolais

S'il existait des Grands Crus dans le Beaujolais, le Côte de Brouilly serait certainement le Grand Cru de Brouilly, dont les vignobles entourent ceux de cette appellation.

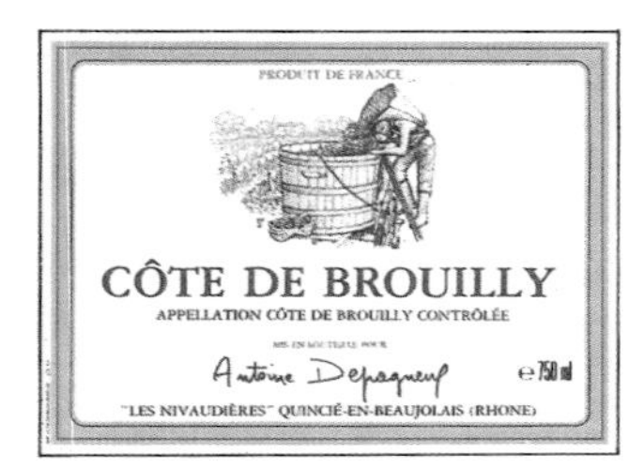

ROUGE. Un beau Côte de Brouilly est un vin plein, riche et savoureux. Son fruité doit être vif et intense, sans aucune de ces nuances de terre qu'on trouve parfois dans les Brouilly.

Gamay, Pinot noir, Pinot gris

1981, 1983, 1985, 1986

3 à 8 ans (5 à 15 ans pour les 1983 et 1985)

☆ Domaine de Chavanne, Jacques Dépagneux, Domaine des Fournelles, Château du Grand Vernay, André Large, Robert Verger, Château Thivin

COTEAUX DU LYONNAIS AOC

Cette AOC ne fait pas vraiment partie du Beaujolais, mais elle en utilise les cépages classiques. En mai 1984, le vin fut promu de VDQS au rang d'AOC.

ROUGE. Vins légers, avec la fraîcheur fruitée du Gamay et un équilibre tendre.

Gamay

1981, 1983, 1985, 1986

2 à 5 ans

BLANC. Vin de Chardonnay frais et sec, plus tendre qu'un Mâcon, mais moins typé qu'un Beaujolais blanc.

Chardonnay, Aligoté

1981, 1983, 1984, 1985, 1986

Avant 1 à 3 ans

ROSÉ. Je n'en ai jamais dégusté.

☆ Bolieu Père & Fils, François Descotes, Gilbert Mazille, Cave coopérative des Coteaux du Lyonnais

FLEURIE AOC

Cru du Beaujolais

Le Fleurie est le plus cher de tous les Crus de la région et ses meilleurs vins sont la quintessence du Beaujolais classique.

ROUGE. Ces vins qui développent très rapidement un style frais, floral et parfumé, ne sont pas aussi légers et délicats que d'aucuns le prétendent. En vieillissant, ils acquièrent une solide charpente et un fruité profond.

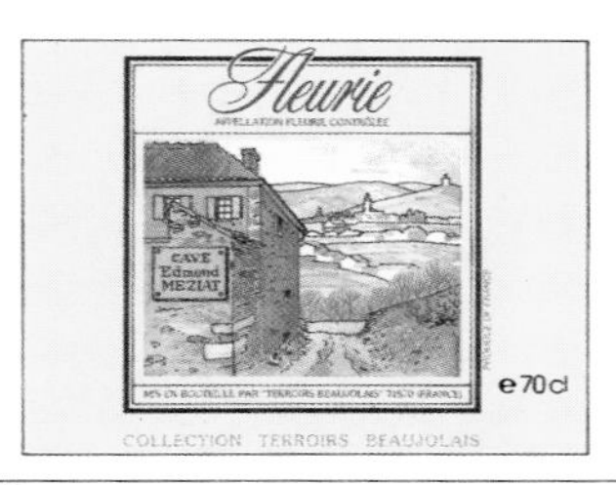

Gamay

1981, 1983, 1985, 1986

2 à 8 ans (4 à 16 ans pour les 1983 et 1985)

☆ Michel Chignard, Château de Labourons, Domaine de Montgenas, Domaine de Quatre Vents, Fernand Verpoix

JULIÉNAS AOC

Cru du Beaujolais

Situé dans les collines au-dessus de Saint-Amour, Juliénas est sans doute le plus sous-estimé des dix Crus du Beaujolais.

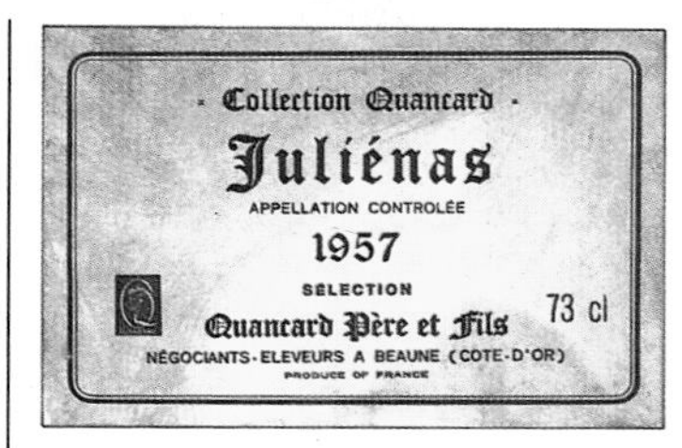

ROUGE. Le fruité riche et épicé d'un jeune Juliénas acquiert une fine texture satinée si on le laisse vieillir en bouteille.

Gamay

1981, 1983, 1985, 1986

3 à 8 ans (5 à 15 ans pour les 1983 et 1985)

☆ Ernest Aujas, Jean Benon, François Condemine, Coopérative des Grands Vins, Henri Lespinasse, André Pelletier

MORGON AOC

Cru du Beaujolais

De même que les Côte-de-Brouilly sont plus fins et plus concentrés que les Brouilly, de même le Mont du Py, au centre de Morgon, donne des vins bien plus puissants que ceux des vignobles environnants de la commune.

ROUGE. Bien que de caractère et de qualité variables, les meilleurs Morgon sont, avec les Moulin-à-Vent, les plus robustes de tous les Beaujolais. Densément fruités, ils ont un bouquet très pénétrant.

Gamay

1981, 1983, 1985, 1986

4 à 9 ans (6 à 20 ans pour les 1983 et 1985)

☆ Noël Aucouer, Georges Brun, Paul Collonge, Roger Condemine-Pillet, Louis-Claude Desvignes, Château Gaillard, Marcel Lapierre, Pierre Savoye, Domaine de Versauds, Syndicat viticole de Villié-Morgon

MOULIN-À-VENT AOC

Cru du Beaujolais

En raison de son ampleur, de sa puissance et de sa longévité réputée, le Moulin-à-Vent passe pour le « roi des Beaujolais ». Le caractère exceptionnellement puissant du Moulin-à-Vent serait dû, selon certains, au fort taux de manganèse contenu dans son sol, ce qui est absurde. L'assimilation du manganèse par le métabolisme de la vigne dépend en effet du pH du sol et le sol granitique et acide du Beaujolais est bien trop favorable à l'absorption du manganèse. Comme une vigne saine n'en requiert que des quantités infimes, son abondance à Moulin-à-Vent pourrait donc être considérée comme toxique (pour la vigne, non pour le consommateur !). De plus, elle risquerait de provoquer sa chlorose et d'altérer la composition du raisin.

ROUGE. Une belle robe, un fruité intense, une excellente charpente tannique et des nuances de chêne.

Gamay

1981, 1983, 1985, 1986

4 à 9 ans (6 à 20 ans pour les 1983 et 1985)

☆ Louis Champagnon, Robert Diochon, Jacky Janodet, Domaine Lemonon, Château du Moulin-à-Vent, Jean Picolet

RÉGNIÉ AOC

Cru du Beaujolais

***Voir* Beaujolais (suivi d'un nom de village) AOC.**

ST-AMOUR AOC

Cru du Beaujolais

Le plus septentrional des dix Crus est plus renommé pour son Mâcon.

ROUGE. Une belle couleur, un bouquet séduisant, une saveur parfumée. Tendres et fruités quand ils sont jeunes.

Gamay

1981, 1983, 1985, 1986

2 à 8 ans (4 à 12 ans pour les 1983 et 1985)

☆ Domaine des Ducs, Raymond Durand, Elie Mongénie, Guy Patissier, Jean Patissier, André Poitevin, Château de St-Amour

Champagne

Alors que dans d'autres régions l'assemblage est souvent une pratique mal considérée, les meilleurs vins provenant d'un seul domaine et d'un seul millésime, en Champagne les conceptions traditionnelles sont exactement à l'opposé : les Champagne non millésimés classiques sont faits d'un assemblage de différents cépages, issus de différentes régions et de différentes récoltes.

Tous les événements heureux de l'existence sont fêtés au Champagne, mais nombreux sont ceux qui éprouvent une curieuse déception à le boire. Peut-être leur a-t-on servi un mousseux à bon marché, tout en bulles et sans saveur, ou leur a-t-on offert un verre pour accompagner la pièce montée ? Or, le goût sucré du gâteau se marie fort mal avec la saveur sèche du Champagne et même le meilleur de ces vins paraîtra alors agressif et déplaisant. Le Champagne est pourtant l'une des boissons les plus remarquables que l'homme ait su tirer de la vigne – un vin de couleur pâle, de saveur riche, et cependant délicat, animé par un flot constant de bulles ultra-fines.

La production limitée, les prix relativement élevés et une excellente promotion ont contribué à créer l'image d'un produit inimitable ; mais les bons Champagne montrent vraiment une finesse et une qualité qu'aucun autre vin effervescent n'a su égaler.

Qu'est-ce que le Champagne ?

Le Champagne est une appellation spécifique réservée au vin issu de trois cépages, le Chardonnay, le Pinot noir et le Pinot Meunier, et provenant d'une aire délimitée du nord-est de la France. Au sein de la CEE, aucun autre vin effervescent ne peut porter cette appellation ; les autres pays producteurs, qui vendaient autrefois sans vergogne des vins étiquetés Champagne, commencent à être fiers de l'origine et de la personnalité de leurs propres produits et renoncent volontairement à ce terme.

L'HISTOIRE DU CHAMPAGNE

La vigne est cultivée en Champagne depuis l'époque romaine au Ier siècle après J.-C. mais, à l'origine, celle-ci donnait des vins tranquilles. Personne ne sait avec précision quand le vin de Champagne est devenu effervescent, mais on en trouvait en Angleterre avant son « invention » – si l'on en croit la légende – par l'un des moines de l'abbaye bénédictine de Hautvillers, Dom Pérignon.

En 1676, avant que le nom de Dom Pérignon ne soit célèbre, l'auteur dramatique Sir George Etherege parlait de « Champagne mousseux » dans sa comédie *The Man of Mode.*

La présence du Champagne mousseux en Angleterre à cette époque plutôt qu'en France tient peut-être à un concours de circonstances. Durant les rigueurs de l'hiver champenois, les vignerons considéraient que l'inactivité du vin était la preuve que la fermentation était achevée. Or, le vin contenait sans doute encore des sucres non fermentés et n'avait pas subi de fermentation malolactique (*voir* p. 19). C'est dans cet état de somnolence que les fûts de vin tranquille étaient expédiés en Angleterre car, en France, on n'utilisait pas encore les bouteilles pour expédier ni pour faire vieillir le vin. Les aubergistes anglais, en revanche, mettaient le vin en bouteille et le conservaient jusqu'au moment de la consommation. Cette conservation, grâce à la chaleur de l'auberge, pouvait réactiver la fermentation en bouteille. Le verre anglais, assez résistant, pouvait supporter la pression du gaz carbonique. En outre, le bouchon en liège était d'un usage courant en Angleterre à cette époque et il empêchait le gaz carbonique de s'échapper.

Dom Pérignon

Si Dom Pérignon n'a pas inventé le Champagne, que lui doit-on exactement ? On sait qu'il fut le premier à développer le concept d'assemblage des vins issus de différents cépages et de différents villages afin d'obtenir un vin plus équilibré ; il utilisait un pressoir à base peu profonde pour produire un moût non teinté à partir de

LES CINQ GRANDES ZONES

Le vignoble champenois se divise en cinq grandes zones qui produisent des vins de base différents ; ceux-ci, assemblés dans des proportions variables, peuvent donner des vins de style contrasté. La meilleure manière de percevoir ces influences régionales est de rechercher des Champagne provenant de crus uniques.

Montagne de Reims
Ces vignobles, généralement exposés au nord ou au nord-est, sont plantés d'une forte proportion de Pinot noir et produisent des vins bien charpentés de saveur profonde. Les vins élaborés autour de Bouzy et d'Ambonnay ont autant de corps, mais plus de qualités aromatiques.

Meilleurs villages : Bouzy, Vernezay, Verzy

Côte des Blancs
Le nom de cette zone lui vient de la culture presque exclusive de raisin blanc de Chardonnay. Très recherchés, les vins issus de ce cépage apportent finesse et délicatesse et acquièrent, en mûrissant, une intensité de saveur sans égale. Les meilleurs vignobles sont situés entre Cramant et Mesnil-sur-Oger, où le raisin de Chardonnay possède un parfum très spécial et réussit, même en très petites quantités, à dominer une cuvée.

Meilleurs villages : Cramant, Avize, Oger, Le Mesnil-sur-Oger

Vallée de la Marne
Ces vins faciles à boire, francs et fruités, contiennent une très forte proportion de Pinot Meunier. Ce cépage est cultivé dans les vignobles exposés aux gelées car il bourgeonne tardivement et mûrit précocement.

Meilleurs villages : Ay, Mareuil-sur-Ay

Aube
Cette zone du sud de la Champagne produit des vins honnêtes, riches, mûrs et fruités, plus nets et de meilleure qualité que dans les régions marginales de la vallée de la Marne autour de Château-Thierry. Bon nombre de grandes marques en achètent régulièrement et la région produit du reste maintenant des Champagne honorables.

Meilleur village : Les Riceys

Côte de Sézanne
Cette zone se développe rapidement au sud de la Côte des Blancs et favorise le raisin de Chardonnay. Les grandes maisons champenoises, depuis des années, n'utilisent ces vins que pour compléter les assemblages, mais ils mériteraient plus d'estime.

Meilleurs villages : Bethon, Villenauxe-la-Grande

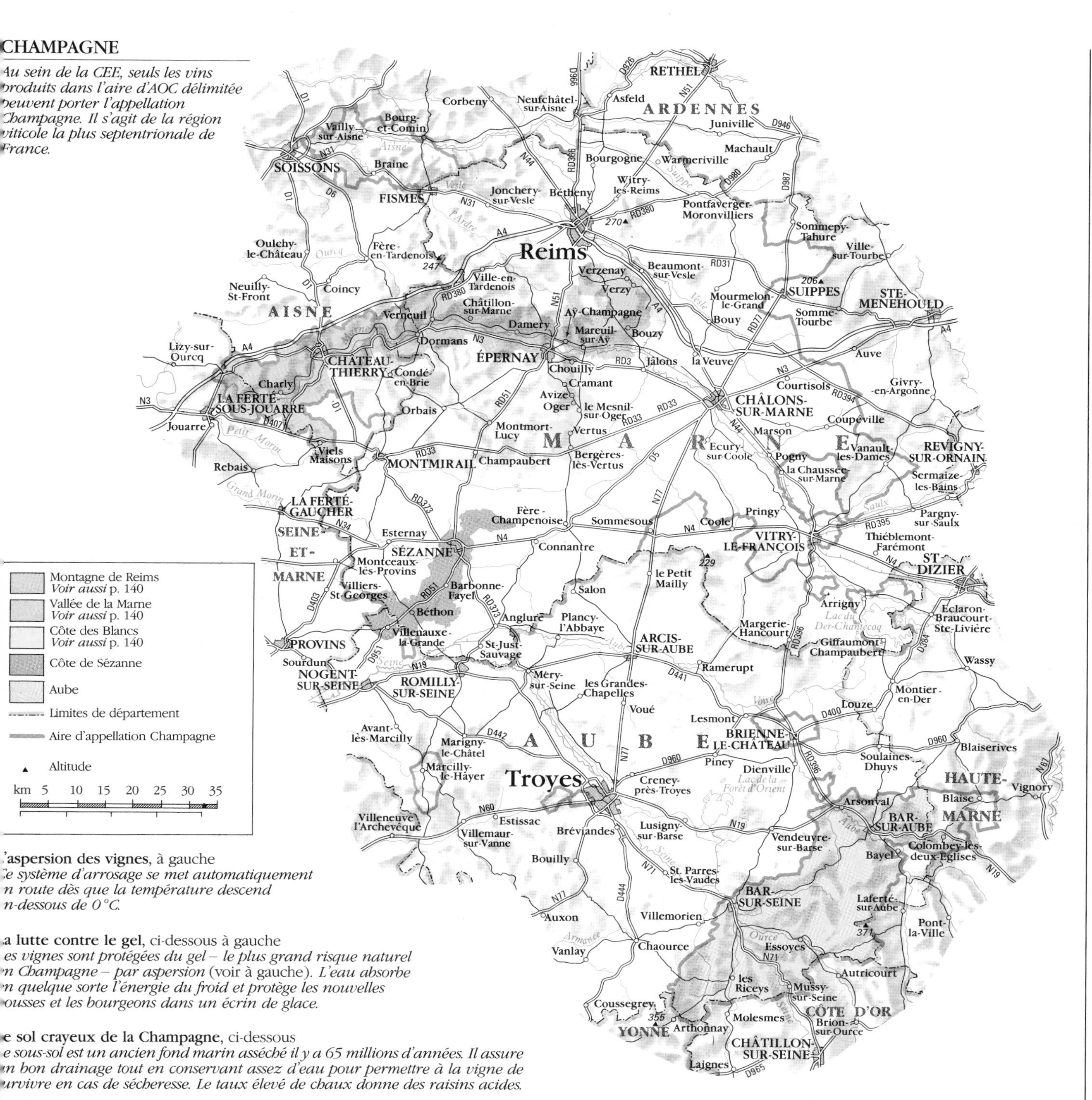

CHAMPAGNE

Au sein de la CEE, seuls les vins produits dans l'aire d'AOC délimitée peuvent porter l'appellation Champagne. Il s'agit de la région viticole la plus septentrionale de France.

L'aspersion des vignes, à gauche
Ce système d'arrosage se met automatiquement en route dès que la température descend au-dessous de 0 °C.

La lutte contre le gel, ci-dessous à gauche
Les vignes sont protégées du gel – le plus grand risque naturel en Champagne – par aspersion (voir à gauche). *L'eau absorbe en quelque sorte l'énergie du froid et protège les nouvelles pousses et les bourgeons dans un écrin de glace.*

Le sol crayeux de la Champagne, ci-dessous
Le sous-sol est un ancien fond marin asséché il y a 65 millions d'années. Il assure un bon drainage tout en conservant assez d'eau pour permettre à la vigne de survivre en cas de sécheresse. Le taux élevé de chaux donne des raisins acides.

raisin noir ; il réintroduisit dans le nord du pays l'usage du liège, qui s'était perdu en France depuis le départ des Romains, et on sait qu'il essaya, grâce à des fourneaux à charbon, de créer un verre plus épais. Ses vins étaient appelés vins de Pérignon.

La méthode champenoise

Si l'on doit à Dom Pérignon les premières ébauches de ce que fut la méthode champenoise, celle-ci est le résultat de deux siècles de pratiques, dont la plus importante est la deuxième fermentation du vin dans la bouteille où il sera vendu. Bon nombre d'autres vins sont faits selon cette méthode, mais la CEE songe à bannir l'emploi du terme pour tous les vins autres que le Champagne, ce qui ne permettra malheureusement plus de distinguer les bons vins mousseux, faits à l'extérieur de la Champagne, de vins médiocres élaborés selon d'autres méthodes.

L'ÉLABORATION DU CHAMPAGNE

On vendange habituellement à la mi-octobre en Champagne, encore que selon les conditions climatiques du millésime les vendanges peuvent commencer dès le mois d'août, ou au mois de novembre seulement.

Bien qu'on utilise maintenant des pressoirs modernes horizontaux, pneumatiques ou hydrauliques, le plus apprécié reste un petit pressoir vertical, peu profond, d'une capacité de 4 000 kilos. Le raisin garde ses rafles au pressurage, ce qui favorise l'écoulement du jus. Ce pressurage doit s'effectuer rapidement, en particulier avec le Pinot noir, dont les matières colorantes contenues dans les peaux risquent de donner au moût une teinte indésirable. Chaque lot de 4 000 kilos de raisin s'appelle un marc, et un marc ne doit pas donner plus de 2 666 litres de moût. Le premier pressurage en extrait 2 050 litres – qu'on appelle la cuvée et qui donne le moût de meilleure qualité – le suivant 410 litres de première taille et le dernier 205 litres de deuxième taille.

Les tailles étant de qualité inférieure à la cuvée, bon nombre de maisons déclarent ne jamais les utiliser dans leurs Champagne et préfèrent les vendre aux firmes spécialisées dans les marques dites d'acheteur.

La première fermentation alcoolique

La première fermentation du Champagne donne un vin sec tranquille, très acide au goût, de caractère quelconque. Comme pour le Porto, le vin de base ne doit pas être équilibré car seul le produit fini acquiert une harmonie véritable. Autrefois, la première fermentation se faisait dans des fûts de chêne, mais les cuves en acier inoxydable les ont aujourd'hui remplacés dans une large mesure, encore que certaines maisons parmi les plus traditionalistes, de même que plusieurs milliers de récoltants-manipulants, continuent de faire fermenter tout ou en partie de leur vin en fût.

La fermentation malolactique

Le Champagne subit normalement ce qu'on appelle une fermentation malolactique, laquelle n'est pas à proprement parler une fermentation mais est plutôt un processus biochimique, qui transforme l'acide malique en acide lactique. Les vins fermentés en fût sont généralement mis en bouteille avant que cette transformation n'ait commencé, car il est difficile de la mener à bien dans le bois et on considère qu'elle ne se produit ensuite pas en bouteille. Un Champagne qui n'a pas subi de transformation malolactique est souvent de caractère austère et difficile à apprécier avant sa pleine maturité ; en revanche, il restera à son apogée bien plus longtemps qu'un autre Champagne.

L'assemblage

L'assemblage est une opération critique et laborieuse qui demande de grandes compétences. Assembler un Champagne non millésimé d'une maison donnée, à partir parfois de soixante-dix vins, dont chacun change de caractère d'une année sur l'autre, relève de l'exploit. Même un Champagne millésimé demande à être assemblé de façon à rendre à la fois la qualité et le caractère du millésime, mais aussi le style de la maison.

La deuxième fermentation ou prise de mousse

Une fois que le vin assemblé a subi son dernier soutirage, on y ajoute la liqueur de tirage, un mélange de Champagne tranquille, de sucre et de levures sélectionnées. La quantité de sucre ajoutée dépend du degré d'effervescence souhaité et de la quantité de sucres naturels que contient le vin. Après avoir reçu la quantité adéquate de liqueur, les vins sont mis en bouteille et bouchés provisoirement. On utilisait autrefois un bouchon en liège retenu par une agrafe, mais aujourd'hui, on emploie une capsule-couronne (comme on le fait pour la bière), qui tient en place un bouchon en plastique destiné à recueillir les sédiments laissés par la seconde fermentation.

Les vins sont alors emmagasinés dans les caves les plus profondes, souvent dans les célèbres crayères, des carrières creusées par les Romains. Dans la fraîcheur de ces caves, la fermentation se fait

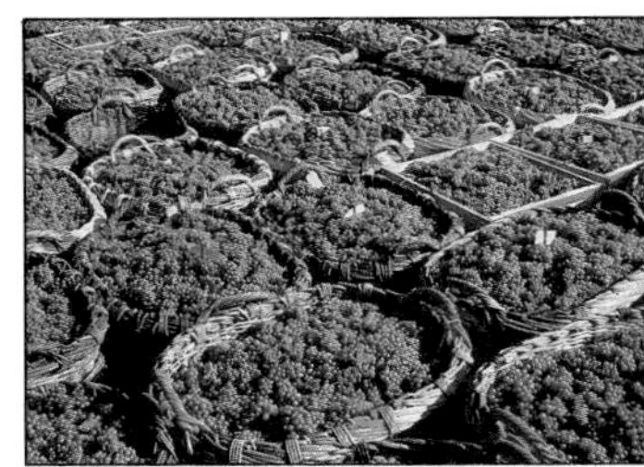

Les vendanges, ci-dessus
En Champagne, les vendanges et le tri du raisin se font obligatoirement à la main.

Paniers de mannequin, à gauche
Une fois trié, le raisin est entassé dans de grands paniers.

Pressoir champenois, ci-dessous
La forme de base du pressoir coquart n'a pas évolué depuis l'époque de Dom Pérignon.

Fermentation traditionnelle, à gauche
Certains producteurs continuent de préférer la fermentation en fût ou en cuve de bois, qui donne au vin plus de complexité.

Méthodes de vinification modernes, ci-dessous à gauche
Les cuves en acier inoxydable donnent des Champagne plus frais et nets.

L'assemblage, ci-dessous
L'art difficile de l'assemblage fait les grands Champagne.

La lie, ci-dessus
La seconde fermentation du Champagne crée un dépôt sur les flancs de la bouteille qu'on amène ensuite dans le col grâce au remuage.

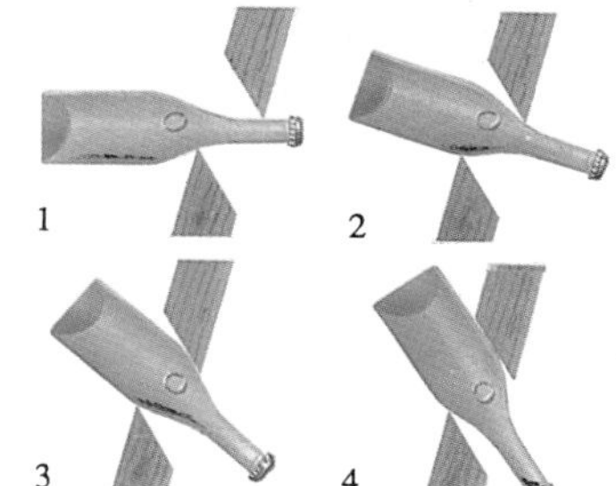

Le remuage, ci-dessous et à droite
De la position horizontale, la bouteille passe progressivement à la position verticale en huit semaines à peu près. Certaines firmes ont adopté des méthodes modernes plus rapides.

Les bouchons, à droite
De gauche à droite : une capsule-couronne et un bouchon en plastique ; un bouchon de liège avant emploi ; le bouchon d'un jeune Champagne ; le bouchon d'un Champagne plus mûr.

Dégorgement à la volée, ci-dessous
Le dégorgement se fait encore à la main dans certaines maisons.

très lentement, ce qui donne des vins aux propriétés très aromatiques, aux saveurs complexes et aux bulles minuscules. Le gaz carbonique reste prisonnier du vin et c'est uniquement quand la bouteille est débouchée qu'il pourra s'en échapper, se précipitant à la surface sous forme de bulles. C'est cette seconde fermentation que l'on appelle « prise de mousse ».

Le remuage

Lorsque la seconde fermentation est achevée, ce qui peut demander entre dix jours et trois mois, les bouteilles sont rangées sur des pupitres, de lourdes planches rectangulaires, articulées comportant 60 trous. Celles-ci permettent de tenir les bouteilles par le goulot à une inclinaison variable de l'horizontale à la verticale. Le remuage consiste alors à faire tourner la bouteille pour amener les dépôts dans son col. Cette opération, effectuée manuellement, demande environ huit semaines mais un certain nombre de firmes ont installé un équipement informatisé qui gère des palettes de 500 bouteilles et qui fait le même travail en huit jours.

Remuage ou capsules de levure

On expérimente depuis quelque temps de nouvelles techniques qui permettraient de se dispenser du remuage. On introduit dans les bouteilles des capsules poreuses de levure qui provoquent une seconde fermentation tout en emprisonnant les sédiments. Si ces pilules sont officiellement approuvées, elles remplaceront les très onéreuses gyropalettes informatisées dans les années 90. On cherche également à mettre au point une autre technique, à partir d'une levure agglomérante qui ne nécessite pas de système spécial de répartition.

Le vieillissement du vin

Après le remuage, bon nombre de bouteilles vieilliront pendant un certain temps avant que le dépôt ne soit ôté. Ce laps de temps est de un an (à partir du mois de janvier qui suit la récolte), pour les Champagne non millésimés, et de trois ans pour les Champagne millésimés. Plus le Champagne vieillit, meilleur il est, car le dépôt contient des cellules de levure mortes dont la décomposition progressive donne au Champagne sa saveur et son bouquet particuliers. Ce processus qu'on appelle autolyse contribue dans une large mesure à la qualité des cuvées de prestige.

Le dégorgement

Le dégorgement consite à ôter le dépôt qui s'est formé dans le bouchon en plastique retenu par la capsule. On plonge le goulot de la bouteille dans un bain de saumure à –25 °C, ce qui fait adhérer le dépôt à la base du bouchon de plastique. On peut ainsi retourner la bouteille sans agiter le dépôt. On retire alors la capsule et le dépôt se trouve éjecté par le gaz sous pression. La quantité de vin perdu est faible, car la glace réduit la pression.

La liqueur d'expédition

Avant le bouchage, les bouteilles sont complétées avec la liqueur d'expédition, qui peut comporter une petite quantité de sucre. Plus le vin est jeune, plus le dosage de sucre est fort pour équilibrer l'acidité. Un beau Champagne a besoin d'être acide, car c'est l'acidité qui communique la saveur au palais à travers l'effet tactile de milliers de bulles qui éclatent. Mais cette acidité s'arrondit avec l'âge et plus le Champagne est vieux, moins il a besoin de sucre.

Le bouchage

L'étape suivante consiste à boucher les bouteilles à la machine. Une capsule métallique protectrice est placée sur le bouchon de liège, lequel prend sa forme caractéristique de champignon sous l'effet de la pression. Un fil métallique fixe l'ensemble, après quoi on agite automatiquement la bouteille pour mélanger le vin et la liqueur. Les meilleures cuvées sont en général gardées quelque temps pour que la liqueur se marie au vin. Un bon Champagne mérite toujours d'être conservé un an ou deux avant d'être bu.

LE CLASSEMENT DES VIGNOBLES DE CHAMPAGNE

Tous les vignobles champenois ont un rang sur une « échelle de crus » exprimé par un pourcentage qui varie de 100 % à 80 %. Avant chaque récolte, le prix de vente du raisin est fixé par une commission faite d'officiels, de viticulteurs et de producteurs. Les villages qui sont à 100 % ont le statut de Grands Crus et se font payer 100 % de ce prix pour leur raisin, tandis que les Premiers Crus (entre 99 % et 90 %) et les autres villages placés plus bas sur l'échelle, vendent leur raisin à un certain pourcentage de ce prix.

La carte ci-dessous montre l'emplacement de tous les Grands Crus et Premiers Crus de Champagne dans les trois principales zones que sont la Montagne de Reims, la vallée de la Marne et la Côte des Blancs. Aujourd'hui, 17 villages ont officiellement le rang de Grand Cru. En 1985, ils n'étaient que 12, les 5 villages promus étant Chouilly, Le Mesnil-sur-Oger, Oger, Oiry et Verzy. Cette promotion supposait des changements dans l'encépagement. La proportion du Chardonnay, en particulier, est passée de près d'un tiers à plus de la moitié dans les Grands Crus, tandis qu'elle a baissé d'environ 10 % dans le secteur des Premiers Crus.

LES GRANDS CRUS ET LES PREMIERS CRUS

Dans les trois zones importantes situées autour d'Epernay, 17 villages sont classés Grands Crus et 40 Premiers Crus.

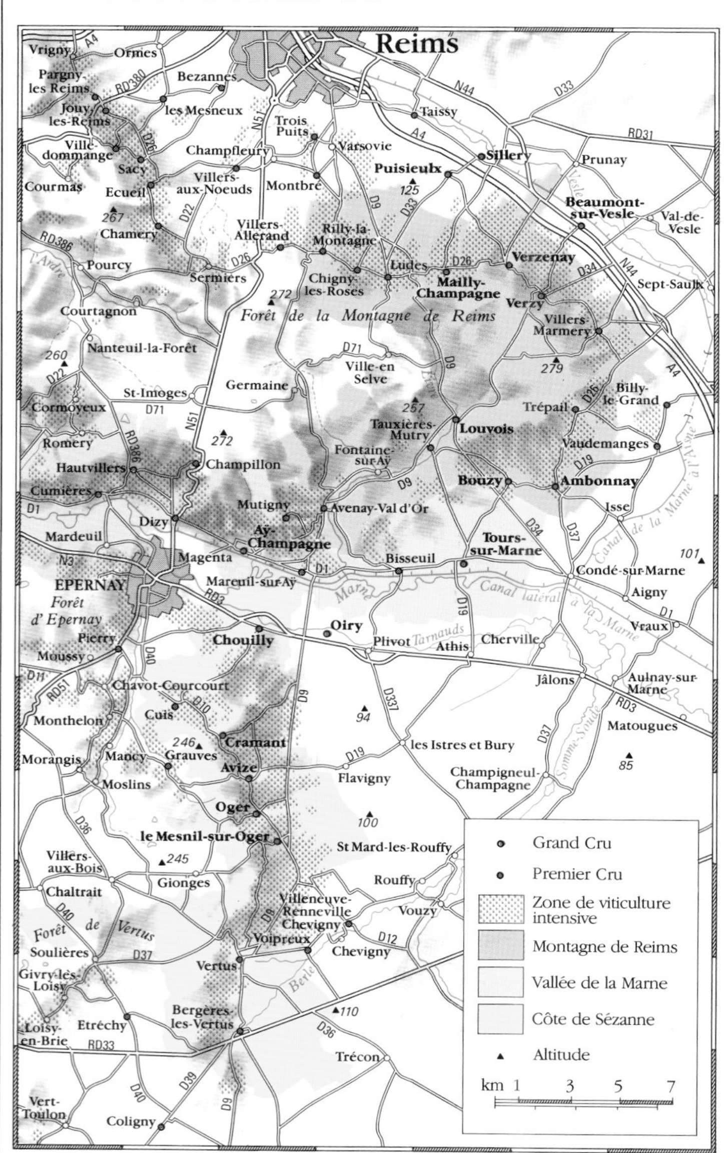

FACTEURS AFFECTANT LE GOÛT ET LA QUALITÉ

Situation
C'est la plus septentrionale des aires d'AOC de France, à quelque 145 km au nord-est de Paris, séparée de la Belgique par les collines boisées des Ardennes. Les quatre cinquièmes de la région sont dans le département de la Marne, le reste étant réparti sur l'Aube, l'Aisne, la Seine-et-Marne et la Haute-Marne.

Climat
Climat froid et humide, très influencé par l'Atlantique qui en rafraîchit les étés et qui donne un temps très variable. La situation septentrionale des vignobles rallonge le cycle végétatif de la vigne au maximum, l'exposant aux risques de gelées au printemps et en automne.

Site
Les vignes sont plantées sur les coteaux arrondis, exposés à l'est et au sud-est, de la Côte des Blancs, à une altitude de 120-200 m. Le plateau de la Montagne de Reims est à peu près à la même altitude. Les meilleurs vignobles des vallées sont sur la rive droite de la Marne.

Sol
La Côte des Blancs, la Montagne de Reims, la vallée de la Marne et la Côte de Sézanne ont un sous-sol crayeux et poreux de 300 m d'épaisseur. Cette craie, qui donne des raisins aux taux d'acidité relativement élevés, est couverte d'une mince couche de sédiments faite, en diverses proportions, de sable, lignite, marne, terreau, d'argile et de craie.

Viticulture et vinification
Les vendanges mécaniques ne sont pas autorisées, et la plupart des raisins sont encore pressurés dans les pressoirs champenois traditionnels. On utilise de plus en plus les cuves en acier inoxydable qui permettent de contrôler la température pour la première fermentation, mais de nombreux viticulteurs continuent d'employer les fûts.

Cépages principaux
Chardonnay, Pinot noir et Pinot Meunier

Cépages secondaires
Arbanne, Petit Meslier et Pinot blanc vrai

Vignoble champenois en hiver, ci-dessus
Au plus froid de l'hiver, les vignes sont protégées du gel par une aspersion d'eau qui les enferme dans une gangue de glace.

Vignoble champenois en été, ci-dessus
En été, le paysage se transforme et les rangs de vigne s'étendent au loin. Ces vignobles-ci, situés au-dessus du village d'Ay-Champagne, appartiennent à la firme Bollinger.

LES STYLES DE CHAMPAGNE

Non millésimé

Le Champagne non millésimé représente trois quarts de la production de la région. L'essentiel de l'assemblage est constitué de la récolte de l'année, mais on peut lui ajouter entre 10 à 20 % de vin de réserve de deux à sept millésimes plus anciens. La législation impose pour les Champagne non millésimés un vieillissement d'au moins un an (à compter du 1er janvier qui suit la récolte), mais les meilleures maisons donnent à leurs vins au moins trois années de bouteille. Les Champagne non millésimés, sans être généralement les plus fins des Champagne, sont parfois excellents, et dans les années où le caractère du vin ne convient pas à son goût personnel (par exemple le 1976 pourrait sembler trop lourd aux amateurs de Champagne élégants) ou dans les petites années, il vaut mieux acheter le non-millésimé que le millésimé, plus cher.

Millésimé

Si le Champagne millésimé est supérieur au non-millésimé, c'est d'une part parce que la production relativement faible permet un contrôle bien plus rigoureux des vins de départ, d'autre part parce qu'il est vendu alors qu'il est à peu près deux fois plus vieux. Ce sont 80 % de la récolte au maximum qui peuvent être vendus sous forme de Champagne millésimés ; ce qui laisse au moins 20 % dans les bonnes années pour l'assemblage futur de vins non millésimés. Certaines maisons ne vendent d'ailleurs des Champagne millésimés que dans les années exceptionnelles.

Blanc de blancs (millésimé et non millésimé)

Ces vins de couleur très claire sont entièrement issus de raisin blanc de Chardonnay, et ont la plus grande aptitude au vieillissement de tous les Champagne. Toutes les zones champenoises peuvent produire du Blanc de blancs, mais les meilleurs proviennent d'une petite partie de la Côte des Blancs entre Cramant et Le Mesnil-sur-Oger. Bien mûr, ce type de Champagne développe un bouquet citronné et grillé et emplit la bouche de saveurs intenses de fruits mûrs.

Blanc de noirs (millésimé et non millésimé)

Ce sont des Champagne faits exclusivement de raisin noir : Pinot noir ou Pinot Meunier, ou un assemblage des deux. Un Blanc de noirs pur Pinot noir est de couleur jaune d'or, avec une riche saveur fruitée. Seuls quelques producteurs font de tels Champagne. Bollinger propose ainsi, à des prix très élevés, de très petites quantités de Vieilles Vignes françaises faits entièrement de vignes non greffées de Pinot noir; la petite firme de Collery à Ay-Champagne produit deux beaux exemples de Blanc de noirs.

Rosé (millésimé et non millésimé)

Le premier Champagne rosé commercialisé que l'on connaisse fut produit en 1777 par Clicquot, et, depuis lors, ce type de Champagne a connu des vogues éphémères. C'est le seul vin rosé européen qui peut être obtenu par assemblage de vin blanc avec un peu de vin rouge; tous les autres rosés, tranquilles ou effervescents, doivent résulter de la macération du moût avec les peaux. Le Champagne rosé est en revanche produit plus souvent par assemblage que par macération, et lors de dégustations à l'aveugle il est impossible de faire la différence. La plupart des Champagne rosés ont une plus forte proportion de raisin noir, et certains sont de purs Pinot noir; mais bon nombre de maisons se contentent d'ajouter un peu de vin rouge à leur cuvée de base, millésimée ou non. Un bon Champagne rosé a une belle couleur, parfaitement limpide, et une mousse blanc neige. Le goût ne diffère guère de celui d'un Champagne blanc et l'attrait est purement visuel.

Crémant (millésimé et non millésimé)

La plupart des Champagne sont « mousseux », c'est-à-dire qu'ils ont une pression interne de 5 à 6 atmosphères. Un Champagne « crémant » est sensiblement moins effervescent, traditionnellement de 3,6 atmosphères, et la mousse doit être constituée de bulles minuscules que se déploient très lentement. Ces qualités sont difficiles à obtenir et les vrais Champagne crémants sont rares, mais Besserat de Bellefon, Alfred Gratien, Abel Lepitre et Mumm en proposent tous de beaux exemples. On considère que le Chardonnay donne des bulles plus petites que le Pinot, et les meilleurs crémants contiennent souvent une forte proportion de ce cépage.

Extra-brut (millésimé et non millésimé)

Le Champagne non sucré n'est pas une nouveauté. Laurent Perrier vendait un « Grand Vin sans sucre » dès 1889. Mais sous des noms divers – Brut zéro, Brut sauvage, Ultra-brut, Sans sucre – une vogue nouvelle pour ces vins est née au début des années 80 avec le goût pour les vins plus légers et plus secs. On leur a reproché d'être trop acides, sans générosité et même désagréables à boire, et il est vrai qu'un bon Champagne a besoin soit d'un peu de sucre, soit de dix années de bouteille. Ce Champagne qu'on qualifie maintenant officiellement d'Extra-brut n'atteint à une certaine complexité et profondeur qu'avec l'âge.

Cuvées de prestige (millésimées et non millésimées)

Ces Champagne sont les fleurons des maisons champenoises. Une cuvée de prestige peut être issue entièrement de vignobles classés Grands Crus, et si ce n'est pas un Champagne millésimé fait uniquement dans les plus grandes années, elle sera « un assemblage des meilleurs millésimes ». Bon nombre de ces vins sont produits suivant les méthodes les plus traditionnelles, vieillis plus longuement et vendus dans des bouteilles spéciales à des prix très élevés. Certains sont excessivement raffinés et sont trop arrondis pour rester vigoureux et éclatants. D'autres, comme la « Grande Année rare » de Bollinger ou le « Clos des Goisses » de Philipponat sont des Champagne vraiment passionnants de la plus haute qualité.

COMMENT LIRE LES ÉTIQUETTES DE CHAMPAGNE

La marque
La marque est généralement le nom de la firme ou du vigneron qui a produit le vin, mais ce peut être aussi une marque commerciale, comme René Florancy, utilisée par Union Champagne à Avize. Les firmes qui ont le statut de Grande Marque sont en général la source la plus fiable de bons Champagne, mais ceux-ci sont plus chers et parfois décevants.

Le village
Les noms de village indiquent que le Champagne est fait de raisins provenant de cette commune. Sinon, il s'agit simplement de l'adrese du producteur. Le René Florancy est ainsi fait à Avize, mais le raisin ne provient sans doute pas uniquement d'Avize, qui est un Grand Cru, puisque ce Champagne ne prétend qu'au rang de Premier Cru.

Le type
L'étiquette peut comporter des indications sur le degré d'effervescence (ici crémant), les cépages (Blanc de blancs pour le pur Chardonnay, Blanc de noirs s'il est issu de pur Pinot), la couleur (rosé), la quantité de sucre (extra-brut, brut, sec, demi-sec ou doux) et éventuellement le millésime. Ces mentions sont facultatives, et si aucune ne figure sur l'étiquette on peut supposer qu'il s'agit d'un Champagne brut non millésimé fait de raisin de Chardonnay et de Pinot.

Le numéro d'enregistrement
Chaque producteur a son numéro d'enregistrement précédé de deux lettres qui indiquent son statut : NM désigne le négociant-manipulant, une maison commerciale qui produit du Champagne mais achète du raisin dans toute la région ; CM la coopérative-manipulant ; RM le récoltant-manipulant, vigneron qui vend lui-même le produit de ses raisins ; MA une marque auxiliaire, qui appartient au producteur ou à l'acheteur.

Les maisons de Champagne

RD Récemment dégorgé

GM Grande marque, *voir* p. 141

NM Non millésimé

M Millésimé

CP Cuvée de prestige, *voir* p. 141

CC Coteaux champenois, *voir* p. 148

Le style du Champagne
Pour chaque maison, outre la description d'un Champagne non millésimé caractéristique de son style, les vins recommandés sont suivis d'un astérisque.

AYALA & CO [GM]

Château d'Ay
51160 Ay

Production : *75 000 caisses*

La firme porte le nom d'Edmond d'Ayala, le fils d'un diplomate colombien qui fonda la maison en 1860. Depuis 1937, elle appartient à Jean-Michel Ducellier, qui possède également le Château La Lagune dans le Médoc. Les Champagne Ayala sont toujours honnêtes, fruités et généreux, d'un exceptionnel rapport qualité/prix.

Extra Quality brut non millésimé*
Élégant Champagne relativement léger, bien équilibré, avec une agréable arrière-bouche de levure.

Chardonnay 25 %, Pinot noir 50 %, Pinot Meunier 25 %

Avant 2 à 4 ans

Autres vins
NM Carte blanche demi-sec*, Rosé brut
M Brut*, Blanc de blancs brut*

BARANCOURT

Place André-Tritant
Bouzy
51150 Tours-sur-Marne

Production : *30 000 caisses*

Les trois jeunes vignerons qui ont fondé cette maison en 1969 ont repris le nom de Barancourt, l'un des plus anciens et des plus respectés à Bouzy. Avec d'importants vignobles installés dans les meilleurs sites, Barancourt produit un Réserve brut NM d'un bon niveau commercial et quelques excellents Champagne de crus uniques. Le NM et le Bouzy brut M bénéficient tous deux d'un vieillissement prolongé en bouteille, mais si le NM peut se boire relativement jeune, il faut attendre que le M ait au moins sept ou huit ans d'âge. L'élégant Cramant brut de Barancourt a le style fin, intense et très parfumé qu'on attend des plus grands vins de ce village.

Bouzy brut non millésimé*
Millésimé ou non, le Bouzy brut est un vin qui a beaucoup de corps, de saveur puissante, avec une mousse fine et persistante.

Chardonnay 20 %, Pinot noir 80 %

Entre 2 et 5 ans

Autres vins
NM Réserve brut, Bouzy brut rosé*, Cramant brut*
M Bouzy brut*
CC Bouzy rouge millésimé

BESSERAT DE BELLEFON

Allée du Vignoble
RN 51, Murigny
51001 Reims

Production : *167 000 caisses*

Cette maison, fondée à Ay en 1843 par Edmond Besserat, la première à se spécialiser dans le Champagne crémant, appartient au groupe Pernod-Ricard et a toujours la réputation d'être l'un des meilleurs producteurs de Crémant. Le Crémant blanc est un Champagne ample, fin et puissant. La Cuvée de prestige B de B utilise des vins de réserve ayant six ou sept ans d'âge pour donner un assemblage au goût biscuité. Le Rosé millésimé est le seul vin décevant.

Réserve brut non millésimé*
Champagne quasi sec, moyennement corsé, bien fruité, avec une bonne acidité et une mousse persistante

Chardonnay 33 %, Pinot noir 50 %, Pinot Meunier 17 %

Avant 1 an

Autres vins
NM Crémant blanc brut*, Crémant des Moines brut*, Crémant des Moines rosé brut ; **CP** brut*
M Réserve brut*, Brut intégral, Rosé brut

BILLECART-SALMON [GM]

40, rue Carnot
51160 Mareuil-sur-Ay

Production : *42 000 caisses*

Cette discrète maison familiale fondée en 1818 par Nicolas-François Billecart produit des Champagne de haute qualité mais ne possède pas de vignes. Billecart-Salmon est adepte d'une première fermentation très lente, ce qui donne à ses Champagne un caractère léger très raffiné. La spécialité de la maison est son Champagne rosé, produit depuis 1830.

Brut non millésimé*
Élégant Champagne léger et bien fait, légèrement moins sec que les autres bruts NM.

Chardonnay 25 %, Pinot noir 25 %, Pinot Meunier 50 %

Peut se garder jusqu'à 3 ans

Autres vins
NM Sec, Demi-sec, Rosé brut*
M Blanc de blancs brut* ; **CP** Brut Cuvée N. F. Billecart*

J. BOLLINGER [GM]

Rue Jules-Lobet
51160 Ay

Production : *125 000 caisses*

Joseph Bollinger, originaire du Wurtemberg en Allemagne, commença sa carrière dans le négoce champenois en 1822. En 1829, il fonda avec Paul Renaudin une maison pour vendre les vins issus des vignobles du comte de Villermont sous le nom de Renaudin, Bollinger et Cie. La force de Bollinger réside dans l'importance de ses vignobles – 140 ha environ dans les meilleurs sites –, qui lui fournissent 70 % de ses besoins. Deux tiers des vins fermentent en fût, ne sont pas filtrés et ne subissent sans doute pas de transformation malolactique. Les vins de réserve pour les Champagne NM de Bollinger sont conservés non pas en fût ou en cuve mais en magnum. Tous les Champagne millésimés fermentent en fût et ne commencent à acquérir le style classique de Bollinger qu'au bout de huit ans au moins. Le Champagne RD mûrit plus longtemps sur ses lies que les Champagne millésimés normaux, et le nouveau Champagne Année rare RD plus longtemps encore. Le « Vieilles Vignes françaises » est une curiosité de Bollinger, puisqu'il est issu uniquement de vignes non greffées de Pinot noir.

Spécial Cuvée brut non millésimé*
Champagne très sec et corsé, nerveux et frais, qui a traditionnellement une saveur mûre et une mousse persistante.

Chardonnay 20-25 %, Pinot noir 65-70 %, Pinot Meunier 5 %

S'améliore pendant une dizaine d'années après l'achat

Autres vins
M Grande Année brut*, « RD »*, Année rare*, Vieilles Vignes françaises Blanc de noirs, Grande Année rosé*
CC La Côte aux Enfants*

CANARD DUCHÊNE [GM]

1, rue Edmond-Canard
51500 Ludes
Rilly-la-Montagne

Production : *192 000 caisses*

Fondée en 1868, cette maison appartient depuis 1978 à Veuve Clicquot. Malgré l'équipement moderne et la gestion avisée, les Champagne sont rarement impressionnants. Le meilleur est la Cuvée de prestige Charles VII brut.

Extra Quality brut non millésimé*
Champagne relativement léger, assez fruste.

Chardonnay 25 %, Pinot noir 67,5 %, Pinot Meunier 7,5 %

Autres vins
NM Demi-sec
M Brut, Imperial Star brut, Blanc de blancs brut ; **CP** Charles VII brut*

DE CASTELLANE

57, rue de Verdun
51204 Épernay

Production : *125 000 caisses*

Laurent-Perrier vient d'acquérir 20 % de cette maison fondée en 1890. Ses Champagne se caractérisaient autrefois par leur maturité et leur fruité mais cette maison produit depuis peu des vins d'un style plus léger et plus frais. La richesse revient peu à peu, à mesure que la société reconstitue ses stocks.

Brut non millésimé*
Champagne moyennement corsé, bien fait, avec une mousse fine, d'un excellent rapport qualité/prix.

Chardonnay 15 %, Pinot noir 30 %, Pinot Meunier 55 %

1 à 3 ans au maximum

Autres vins
NM Blanc de blancs*
M Brut*, Blanc de blancs brut*, Rosé brut* ; **CP** Cuvée Commodore*

A. CHARBAUT & FILS
17, avenue de Champagne
51200 Épernay

Production : ***67 000 caisses***

Cette firme familiale fondée en 1948 par André Charbaut, aujourd'hui dirigée par ses fils René et Guy, avec 56 ha de vignes situés pour la plupart à Mareuil-sur-Ay, peut produire d'excellents Champagne. Malheureusement, la qualité a été très inégale, en particulier au début des années 80 quand la demande dépassait l'offre.

Sélection brut non millésimé*
Champagne moyennement sec, relativement léger ; un assemblage commercial net et frais.

Chardonnay 20 %, Pinot noir 60 %, Pinot Meunier 20 %

1 à 2 ans au maximum

Autres vins
NM Sélection sec, Sélection demi-sec, Brut extra, Cuvée de réserve, Blanc de blancs brut, Rosé brut
M Brut ; **CP** Blanc de blancs Cuvée de réserve

COLLERY
4, rue Anatole-France
51160 Ay-Champagne

Production : ***5 000 caisses***

La famille Collery, établie à Ay depuis des siècles, fournissait du raisin à l'abbaye de Hautvilliers avant l'époque de Dom Pérignon. Elle possède 7 ha de vignes à Ay et 2 ha à Mareuil-sur-Ay. Ses Champagne élégants et fruités sont, à part la Cuvée réserve NM, issus uniquement de Pinot.

Cuvée réserve brut non millésimé
Champagne moyennement corsé, bien équilibré, plein de saveur.

Chardonnay 10 %, Pinot noir 70 %, Pinot Meunier 20 %

1 à 2 ans au maximum

Autres vins
NM Cuvée réserve extra dry, Rosé brut*
M Cuvée Herbillon brut*, Cuvée spécial club brut*

DEUTZ ET GELDERMAN [GM]
16, rue Jeanson
51160 Ay-Champagne

Production : ***63 000 caisses***

Cette entreprise, fondée en 1838, possède aujourd'hui 40 ha de vignes dont certains sont complantés dans les meilleurs sites. Les vins ne sont ni clarifiés ni filtrés avant la seconde fermentation et vieillissent encore six mois en bouteille après le dégorgement. Ce sont des Champagne de grande classe, délicats et racés.

Brut non millésimé*
Champagne moyennement corsé, avec une mousse vive, un nez parfumé et une élégante finale.

Chardonnay 25 %, Pinot noir 60 %, Pinot Meunier 15 %

Entre 1 et 4 ans

Autres vins
NM Extra dry, Demi-sec, Crémant brut de brut, Blanc de blancs brut, Rosé
M Brut, Cuvée William Deutz, Cuvée Georges Mathieu

DUVAL-LEROY
Rue du Mont-Cheril
51130 Vertus

Production : ***200 000 caisses***

Cette maison, née en 1859, est dirigée par la famille Duval. Elle produit des vins bien faits, avec une belle saveur et une bonne aptitude au vieillissement, d'un excellent rapport qualité/prix. Jusqu'à 70 % de la production sont vendus sous d'autres étiquettes, dont diverses marques d'acheteurs qui sont supérieures à la plupart des autres Champagne de ce type.

Fleur de Champagne brut non millésimé*
Vin moyennement étoffé et fruité, qui est certainement d'un meilleur rapport qualité/prix que certaines des marques plus connues.

Chardonnay 70 %, Pinot noir 30 %

Entre 1 et 5 ans

Autres vins
NM Crémant blanc de blancs brut*, Rosé brut, Cuvée du Roy brut
M Fleur de Champagne brut*
CC Vertus rouge, Blanc de blancs de Chardonnay

GOSSET
69, Rue Blondeau
51160 Ay-Champagne

Production : ***32 500 caisses***

Fondée en 1584, Gosset, la plus ancienne maison de Champagne, fait fermenter ses plus grands vins en fût, en évitant la transformation malolactique pour obtenir des Champagne plus frais et d'une plus grande longévité. Ces vins ont une mousse à la texture somptueuse et, mis à part le Réserve brut NM, ils sont bien équilibrés, riches et tendres. Le Grand Millésime est l'un des plus grands Champagne millésimés.

Spéciale Réserve brut non millésimé*
Il vaut mieux acheter ce Champagne délicat, moyennement étoffé, tendrement fruité, que le décevant Réserve brut NM.

Chardonnay 35 %, Pinot noir 65 %

Entre 1 à 5 ans

Autres vins
NM Réserve brut, Rosé brut*
M Brut*, Grand Millésime*, **CP** Cuvée du quatrième centenaire, Brut intégral
CC Bouzy rouge, Blanc de blancs

GEORGES GOULET
2 et 4, avenue du Général-Giraud
51100 Reims

Production : ***30 000 caisses***

Cette maison, fondée en 1834, acquise par Abel Lepitre en 1960, fait des vins d'un rapport qualité/prix exceptionnel, de style souple, pleins et riches, très influencés par le Pinot noir.

Extra Quality brut non millésimé
Champagne moyennement corsé, avec beaucoup de fruit, bien équilibré par l'acidité, mais dont la mousse est parfois décevante.

Chardonnay 40 %, Pinot noir 50 %, Pinot Meunier 10 %

Entre 1 et 5 ans

Autres vins
NM Goulet « G » blanc de blancs brut
M Extra Quality brut*, Crémant blanc de blancs brut, Extra Quality rosé brut, Cuvée du centenaire*

ALFRED GRATIEN
Gratien, Meyer, Sedoux & Cie,
30, rue Maurice-Cerveaux
51201 Épernay

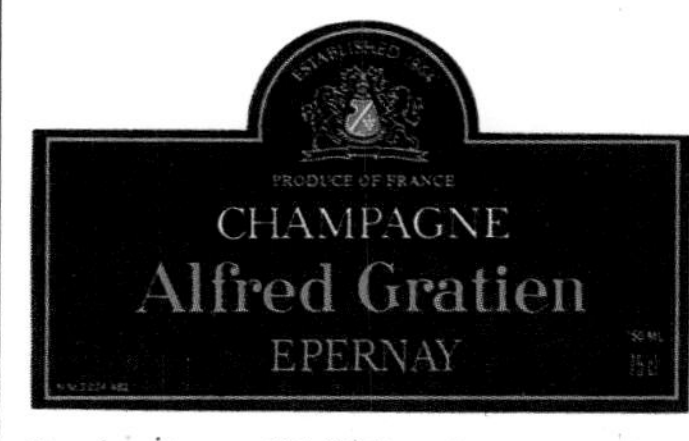

Production : ***17 000 caisses***

Les Champagne Alfred Gratien, de la maison Gratien, Meyer, Seydoux et Cie, les plus traditionnellement produits de tous les Champagne de négociant-manipulant, fermentent en fût, et les vins de réserve sont conservés en cuve de bois. Le Crémant brut millésimé est un Champagne classique qui développe une saveur biscuitée riche et complexe après au moins dix années de bouteille.

Cuvée réserve brut non millésimé
Champagne très sec, avec beaucoup de corps. Les vins non millésimés peuvent paraître trop oxydés à certains mais si on ajoute cinq ans de bouteille aux trois ou quatre que leur donne Gratien, ils acquièrent beaucoup de grâce.

Chardonnay 33 %, Pinot noir et Pinot Meunier 67 %

Au moins 6 ans

Autres vins
NM Rosé brut
M Crémant brut*

CHARLES HEIDSIECK [GM]
3, place des Droits-de-l'Homme
51055 Reims

Production : ***292 000 caisses***

La maison Heidsieck, qui ne possède pas de vignobles, fut fondée en 1785 par un Allemand, Florens-Louis Heidsieck. Son petit-neveu, Charles-Camille Heidsieck – que l'on surnomma par la suite « Champagne Charlie » aux États-Unis –, créa en 1851 la firme Charles Heidsieck. Des trois maisons qui portent ce nom, c'est la seule qui soit encore dirigée par la famille, bien qu'elle appartienne à

Rémy Martin, maison de Cognac qui contrôle également Krug. Malgré des ventes substantielles, la qualité a baissé à une ou deux reprises dans le passé. Toutefois, les Champagne sont généralement très bien faits et d'un bon rapport qualité/prix.

Brut non millésimé
Champagne moyennement sec, rond, bien fruité, avec une bonne longueur et une mousse fine.

Chardonnay 20 %, Pinot noir 40 %, Pinot Meunier 40 %

1 à 2 ans au maximum

Autres vins
NM Blanc de blancs brut
M Brut, Cuvée Royale brut, Rosé brut* ; **CP** Cuvée « Champagne Charlie »*

HEIDSIECK & Cie MONOPOLE GM

83, rue Coquebert
51054 Reims

Production : ***134 000 caisses***

Un autre parent de Florens-Louis Heidsieck fonda cette maison en 1834. La célèbre marque « Monopole » fut déposée pour la première fois en 1860 et fait partie du nom de la maison depuis 1923. En 1972, Heidsieck & Cie Monopole fut vendu à Mumm, propriétaire de Perrier-Jouët, elle-même partie de la multinationale Seagram.

Avec 110 ha de beaux vignobles, Heidsieck produit des vins de haute qualité. La mousse est fine mais manque parfois de puissance, à l'exception de la Cuvée de prestige Diamant bleu, un assemblage composé pour moitié de Chardonnay et de Pinot noir, à l'équilibre parfait.

Dry Monopole brut non millésimé
Brut commercial extrêmement bien fait, relativement corsé, bien fruité.

Chardonnay 33 %, Pinot noir et Pinot Meunier 67 %

1 à 2 ans au maximum

Autres vins
NM Red Top sec, Green Top demi-sec
M Dry Monopole brut, Rosé brut ; **CP** Cuvée Diamant bleu brut*

HENRIOT GM

3, place des Droits-de-l'Homme
51066 Reims

Production : ***125 000 caisses***

Cette maison fut fondée en 1808 par Appoline Henriot. Depuis, le vignoble s'est agrandi et la firme a été reprise par Veuve Clicquot en 1985 moyennant une participation de 11 %. Les cuves en acier inoxydable avec contrôle de la température sont parmi les plus récentes de la région et la maison produit des Champagne tendres, d'une richesse délicate, qui mériteraient d'être plus renommés.

Souverain brut non millésimé*
Champagne à l'ancienne, assez étoffé, pas tout à fait sec, bien fruité, avec une bonne longueur.

Chardonnay 50-60 %, Pinot noir et Pinot Meunier 40-50 %

2 à 3 ans au maximum

Autres vins
NM Crémant blanc de blancs brut*
M Souverain brut, Blanc de blancs brut*, Rosé brut, Le Premier brut ; **CP** Réserve baron Philippe de Rothschild, Cuvée Baccarat

IRROY GM

44, boulevard Lundy
51100 Reims

Production : ***chiffres non communiqués***

On retrouve le nom d'Irroy dès le XVe siècle à Mareuil-sur-Ay et Avenay, bien que la maison qui porte son nom n'ait été fondée qu'en 1820. À la fin du XIXe siècle c'était une des grandes maisons champenoises, mais aujourd'hui elle n'est guère qu'une sous-marque de Taittinger.

Cuvée Marie-Antoinette millésimé
Vin sec à moyennement sec, relativement léger.

Inconnu

1 à 2 ans au maximum

Autre vin
NM Brut

JACQUESSON & FILS

68, rue du Colonel-Fabien
Dizy
51318 Épernay

Production : ***30 000 caisses***

Fondée en 1798, cette maison possède actuellement 11 ha de vignes à Ay-Champagne, Dizy et Hautvillers et 11 ha de superbes vignobles à Avize. Les Champagne sont essentiellement légers et délicats. La réputation de la maison repose non pas sur son Champagne NM, mais sur son exceptionnel Blanc de blancs.

Perfection brut non millésimé
Champagne léger qui, lorsqu'il a bien mûri, témoigne d'une grande finesse.

Chardonnay 10-20 %, Pinot noir et Pinot Meunier 80-90 %

Après 2 à 3 ans

Autres vins
NM Blanc de blancs brut*, Rosé brut
M Perfection brut ; **CP** Signature brut*, Brut zéro blanc de blancs*
CC Avize blanc de blancs, Dizy rouge

KRUG & CIE GM

5, rue Coquebert
51051 Reims

Production : ***37 000 caisses***

La firme, fondée en 1843 par Johan-Josef Krug, de Mayence, est toujours dirigée par la famille, bien qu'elle soit sous le contrôle de Rémy Martin.

Krug emploie les méthodes traditionnelles : le vin fermente en fût, sans être filtré et sans subir de transformation malolactique. Tous les Champagne Krug sont censés vieillir au moins six ans avant d'être vendus mais ils gagnent énormément à mûrir encore quatre ans en bouteille. Même s'ils sont difficiles à apprécier, au terme d'un bon mûrissement, les Krug sont d'une profondeur et d'une complexité insurpassables.

Grande Cuvée brut non millésimé*
Ce Champagne très sec, avec beaucoup de corps, est un assemblage de 40 ou 50 vins différents de 7 ou 8 millésimes. Il est complexe au nez et en bouche, avec une saveur profonde et oxydée classique.

Chardonnay 35 %, Pinot noir 50 %, Pinot Meunier 15 %

Après au moins 4 ans

Autres vins
NM Rosé brut*
M Brut*, Krug Collection* ; **CP** Clos du Mesnil blanc de blancs*

LANSON PÈRE & FILS GM

12, boulevard Lundy
51056 Reims

Production : ***417 000 caisses***

La maison fut fondée en 1760 par François Delamotte sous le nom Delamotte Père et Fils. Jean-Baptiste Lanson s'y est associé en 1828 et Lanson fait désormais partie du groupe BSN, qui possède également Pommery & Greno. Ses 210 ha de vignes fournissent 40 % de ses besoins. La fermentation se fait dans des cuves en acier inoxydable avec contrôle de la température.

Les Champagne produit par cette maison sont de style tendre et floral, ce qui est rare pour des vins n'ayant pas subi de transformation malolactique. Les Champagne millésimés sont excellents et de qualité plus constante que les non-millésimés.

Black Label brut non millésimé
Champagne léger, moyennement sec, avec une tendre finale fruitée.

Chardonnay 45 %, Pinot noir 45 %, Pinot Meunier 10 %

Autres vins
NM Sec, Demi-sec, Rosé brut
M Brut* ; **CP** Spécial Cuvée 225
CC Blanc, Rouge

LAURENT-PERRIER GM

Avenue de Champagne
51150 Tours-sur-Marne

Production : ***580 000 caisses***

Émile Laurent, issu d'une famille de tonneliers, fonda cette maison en 1812. À sa mort en 1887, sa veuve Mathilde Perrier ajouta son nom au sien. Laurent-Perrier est l'une des plus grandes firmes champenoises et, bien qu'elle produise quelques Champagne superbes, l'augmentation rapide des ventes a beaucoup fait varier la qualité.

Son Rosé brut NM, riche, complexe, d'une tendre saveur fruitée, est toujours bon ; le distingué « LP » brut millésimé est un beau vin charnu qui ne demande guère à vieillir davantage en bouteille, et la Cuvée Grand Siècle est exquise.

« LP » brut non millésimé*
Champagne léger, avec une saveur fruitée nerveuse et une mousse fine.

Chardonnay 35 %, Pinot noir 50 %, Pinot Meunier 15 %

1 à 2 ans au maximum

Autres vins
NM Crémant brut, Ultra-brut, Rosé brut* ; **CP** Grand Siècle*
M « LP » brut* ; **CP** Millésimé rare brut
CC Bouzy rouge, Pinot franc, Blanc de blancs de Chardonnay

ABEL LEPITRE
2 et 4, avenue du Général-Giraud
51055 Reims

Production : ***42 000 caisses***

Fondée en 1944 par Abel Lepitre dans le village de Ludes, cette maison fait aujourd'hui partie des Grands Champagnes de Reims, propriété de Félix Chatelier, qui possède également le Château Dauzac, cinquième Cru classé de Margaux. Le Rosé brut est un beau vin et le Champagne Prince A. de Bourbon-Parme est un assemblage tendre et ample, dominé par le Chardonnay.

Carte blanche brut non millésimé
Champagne sec à moyennement sec, relativement léger, décevant parce que moins bon que l'Idéal cuvée NM qu'il remplace.

Chardonnay 40 %, Pinot noir 50 %, Pinot Meunier 10 %

Après 2 à 3 ans

Autres vins
NM Blanc de blancs Cuvée n° 134
M Crémant blanc de blancs brut*, Idéal cuvée brut, Rosé brut* ; **CP** Prince A. de Bourbon-Parme brut*

MARNE & CHAMPAGNE
22, rue Maurice-Cerveaux
51205 Épernay

Production : ***34 000 caisses***

Marne & Champagne, le deuxième détenteur de stocks de toute la Champagne, est le plus grand fournisseur de marques d'acheteur. Ses Champagnes sont vendus sous 300 marques différentes. Son vin de base est constitué jusqu'à 40 % de vin de taille, et, bien que nombre de grandes maisons champenoises affirment n'utiliser que du vin de cuvée, il est notoire qu'elles vendent leur vin de taille à Marne & Champagne et vraisemblable qu'elles rachètent ces vins de taille sous forme de Champagne sur lattes dans les moments de pénurie. Si certains Champagne risquent d'être assez médiocres, d'autres, plus chers, sont étonnamment bons.

A. Rothschild brut réserve non millésimé
Champagne moyennement étoffé, vendu sous la plus prestigieuse des étiquettes de Marne & Champagne, « A. Rothschild », toujours d'un bon rapport qualité/prix.

Chardonnay 20 %, Pinot noir 80 %

Autres vins
M A. Rothschild brut réserve*, A. Rothschild rosé brut réserve ; **CP** A. Rothschild Grand Trianon brut*

MASSÉ GM
48, rue de Courlancy
51100 Reims

Production : ***58 000 caisses***

Fondée en 1853, cette maison fut rachetée par Lanson en 1976 et n'est guère plus qu'une sous-marque de la maison mère.

Brut non millésimé
Vin léger, moyennement sec.

Chardonnay 35 %, Pinot noir 45 %, Pinot Meunier 20 %

Non recommandé

Autres vins
NM Cuvée Henry Massé
M Brut

MERCIER GM
75, avenue de Champagne
51200 Épernay

Production : ***500 000 caisses***

Cette maison, fondée en 1858 par Eugène Mercier, née de la fusion de cinq firmes champenoises, était le premier propriétaire de la marque Dom Pérignon, qu'elle vendit à Moët & Chandon en 1930. La société tout entière fut rachetée en 1970 par Moët & Chandon.

Mercier est la marque la plus vendue sur le marché national, mais pour une raison mal définie, les vins, qui sont assemblés par le chef de caves de Moët, semblent bien meilleurs sur les marchés d'exportation qu'en France.

Brut réserve non millésimé
Champagne moyennement corsé qui manque de finesse. Les vins d'exportation sont plus amples et plus fruités que ceux vendus en France.

Chardonnay 35 %, Pinot noir 45 %, Pinot Meunier 20 %

Non recommandé

Autres vins
NM Demi-sec réserve, Crémant brut
M Réserve brut*, Rosé brut ; **CP** Réserve de l'Empereur brut

MOËT & CHANDON GM
20, avenue de Champagne
51205 Épernay

Production : ***1 500 000 caisses***

La maison Moët fut fondée en 1743 par Claude Moët. L'amitié qui liait son petit-fils Jean-Rémy à Napoléon contribua à faire de Moët la plus célèbre firme champenoise de son temps. En 1880, la firme comptait 350 employés dans ses caves et 800 ouvriers dans ses vignobles ; elle possédait 350 ha de vignes bien situées ; ses stocks s'élevaient à plus de 12 millions de bouteilles et ses ventes annuelles à 2,5 millions de bouteilles. L'importance de son vignoble permit à Moët de dominer le commerce du Champagne au XXe siècle. Aujourd'hui, son Champagne est exporté dans 150 pays et sa marque est la plus vendue dans nombre d'entre eux. En 1971, Moët & Chandon et Hennessy ont fusionné pour former le puissant groupe Moët-Hennessy. Le style propre de Moët est difficile à définir : son Première Cuvée brut NM est en général un honnête vin commercial, mais de caractère très variable. En Suisse et sur d'autres marchés prestigieux, il est parfois tel qu'on le prendrait pour un Champagne millésimé. Les Champagne millésimés de Moët sont toujours très beaux, Dom Pérignon étant constamment l'un des meilleurs.

Première Cuvée brut non millésimé
Champagne moyennement corsé avec une bonne mousse puissante.

Chardonnay 30 %, Pinot noir 50 %, Pinot Meunier 20 %

Autres vins
NM Crémant demi-sec
M Brut impérial*, Brut impérial rosé ; **CP** Dom Pérignon*, Dom Pérignon rosé*
CC « Saran » blanc de blancs*

MONTEBELLO GM
Château de Mareuil-sur-Ay
51160 Mareuil-sur-Ay

Production : ***20 000 caisses***

Cette maison fut fondée en 1834 par le duc de Montebello, fils aîné du maréchal de Lannes. La fille du duc épousa Édouard Werlé, principal associé de Veuve Clicquot. En 1936, la firme fut vendue à René Chayoux qui acheta ensuite Ayala, maison à laquelle elle appartient aujourd'hui. Ce Champagne, à la tendre saveur fruitée, est considéré comme une sous-marque, mais sa qualité est légèrement supérieure à son rang, et il n'est pas impossible qu'il retrouve un jour sa belle réputation d'autrefois.

Brut non millésimé
Champagne léger, à boire quand il est jeune et frais.

Chardonnay 25 %, Pinot noir 50 %, Pinot Meunier 25 %

À boire jeune

Autres vins
NM Sec, Demi-sec
M Brut

G. H. MUMM & CO GM
29 et 34, rue du Champ-de-Mars
51053 Reims

Production : ***790 000 caisses***

La maison Mumm, fondée en 1827 par deux Allemands, lança, en 1873, sa célèbre marque Cordon rouge, qui est à l'origine de son expansion et de son succès. Après la Première Guerre, la maison fut dirigée par René Lalou qui en fit l'une des plus grandes firmes champenoises. Mumm racheta Perrier-Jouët en 1959 avant d'être racheté à son tour en 1969 par le groupe Seagram, l'immense multinationale d'origine canadienne qui en était l'un des actionnaires.

Les Champagne de Mumm ont un style léger, élégant et parfumé, ses bruts étant relativement doux, à l'exception du justement célèbre Crémant de Cramant, qui est un beau vin sec et délicat.

Cordon rouge brut non millésimé
Champagne moyennement sec, léger, avec une belle finale nette et parfumée.

Chardonnay 25 %, Pinot noir et Pinot Meunier 75 %

Autres vins
NM Cordon vert demi-sec ; **CP** Crémant de Cramant blanc de blancs brut*
M Cordon rouge brut ; **CP** René Lalou brut, Rosé brut*

NAPOLÉON GM
2, rue de Villiers-aux-Bois
51130 Vertus

Production : ***12 500 caisses***

Fondée en 1825 sous le nom de Prieur-Pageot, cette firme est la seule à avoir le droit d'utiliser le nom de Napoléon sur ses étiquettes. Elle ne possède pas de vignes et achète du moût fraîchement pressuré plutôt que du raisin. Un tiers environ des vins fermentent en fûts.

Les Champagne sont riches, honnêtes et généreux. Le Carte orange brut est un vin crémeux et riche avec une belle mousse. Le Napoléon millésimé surpasse bon nombre de grandes marques plus renommées.

Carte verte blanche brut non millésimé*
Champagne moyennement corsé qui a de trompeuses nuances de terre quand il est jeune, mais qui se développe extrêmement bien pour un vin comportant trois quarts de Pinot Meunier.

Chardonnay 25 %, Pinot Meunier 75 %

1 à 2 ans au maximum

Autres vins
NM Carte orange brut*, Rosé brut
M Brut*

OUDINOT
12, rue Roger-Godart
51207 Épernay

Production : ***50 000 caisses***

Cette maison fut rachetée en 1981 par Michel Trouillard, qui possédait déjà 62 ha de beaux vignobles. La qualité des Champagne Oudinot et Jeanmaire, marque achetée par Oudinot en 1979, semble bonne actuellement.

Brut non millésimé*
Champagne sec, moyennement corsé, bien fait, net, plein et fruité.

Chardonnay 33 %, Pinot noir 77 %

1 à 2 ans au maximum

Autres vins
NM Demi-sec, Blanc de blancs brut*
M Brut*, Rosé, Blanc de blancs brut, Blanc de noirs ; **CP** Cuvée particulière*

BRUNO PAILLARD
Rue Jacques-Maritain
51100 Reims

Production : ***20 000 caisses***

Bruno Paillard apparut sur le marché en 1981 comme marque auxiliaire, mais accéda au statut de négociant-manipulant en 1984. Certains de ses Champagne sont assez exceptionnels, et maintenant que Bruno Paillard produit la plupart de ses vins dans une nouvelle cuverie à température contrôlée à Murigny, la qualité est plus régulière.

Brut non millésimé*
Champagne moyennement corsé, élégant et fruité, équilibré par la fraîcheur, avec une certaine rondeur.

Chardonnay 25 %, Pinot noir 35 %, Pinot Meunier 40 %

2 à 3 ans au maximum

Autres vins
NM Crémant blanc de blancs brut*, Rosé brut*
M Brut*

JOSEPH PERRIER [GM]
69, avenue de Paris
51005 Châlons-sur-Marne

Production : ***50 000 caisses***

Lorsque Joseph Perrier fonda cette firme en 1825, Châlons-sur-Marne occupait une place plus importante dans le commerce champenois qu'aujourd'hui, puisqu'on y comptait 15 maisons.

Joseph Perrier produit des vins tendres et fruités, où l'on sent nettement la présence des raisins de Pinot. S'ils se boivent facilement quand ils sont jeunes, la fraîcheur des vieux millésimes classiques témoigne de leur longévité potentielle.

Cuvée royale brut non millésimé*
Champagne corsé et élégant, avec beaucoup de fruit et de profondeur.

Chardonnay 30 %, Pinot noir 25 %, Pinot Meunier 45 %

Bon quand il est jeune, mais meilleur au bout de 3 ou 4 ans

Autres vins
NM Cuvée royale sec, Cuvée royale demi-sec, Cuvée royale blanc de blancs brut*, Cuvée royale rosé brut ; **CP** Cuvée du cent cinquantenaire brut*
M Cuvée royale brut*
CC Cumières rouge, Blanc de blancs de Chardonnay

PERRIER-JOUËT [GM]
28, avenue de Champagne
51200 Épernay

Production : ***235 000 caisses***

Cette entreprise fut fondée en 1811 par l'oncle de Joseph Perrier, qui ajouta à son nom le nom de jeune fille de son épouse. La maison Perrier-Jouët fut rachetée en 1959 par Mumm et fait partie maintenant du groupe Seagram depuis 1969.

Perrier-Jouët possède 108 ha de beaux vignobles et, bien que le simple Grand brut non millésimé paraisse un peu jeune, les autres vins sont toujours très élégants et racés.

Grand Brut non millésimé
Champagne léger, avec une bonne acidité et un parfum fruité qui se développe avec l'âge.

Chardonnay 30 %, Pinot noir et Pinot Meunier 70 %

Attendre au moins 2 à 3 ans

Autres vins
NM Grand sec, Grand demi-sec, Blason de France brut, Blason de France rosé brut
M Blason de France brut*, Blason de France rosé brut, Extra-brut, Rosé brut ; **CP** Belle-Époque brut*, **CP** Belle-Époque rosé brut*

PHILIPPONNAT
13, rue du Pont
Mareuil-sur-Ay
51160 Ay-Champagne

Production : ***42 000 caisses***

Cette maison fut fondée en 1912 par la famille Philipponnat qui vit en Champagne depuis le XVIe siècle. En 1935, elle racheta le vignoble pentu et exposé au sud du Clos des Goisses. Seuls les vins de Salon et le Clos du Mesnil de Krug peuvent se comparer en qualité, mais non en style, avec le Champagne issu de ce vignoble. Le reste de la gamme Philipponnat est de saveur riche et délicate, grâce aux importants stocks de vins de réserve de la firme.

Royal réserve brut non millésimé
Champagne relativement léger dont le riche fruité est équilibré par une bonne acidité et une mousse délicate.

Chardonnay 25 %, Pinot noir 35 %, Pinot Meunier 40 %

1 à 2 ans au maximum

Autres vins
NM Royal réserve rosé brut*
M Royal réserve rosé brut*, Première blanc de blancs brut* ; **CP** Clos des Goisses*

PIPER-HEIDSIECK [GM]
51, boulevard Henri-Vasnier
51100 Reims

Production : ***400 000 caisses***

Cette maison, fondée par un autre neveu de Florens-Louis Heidsieck en 1834, commença à vendre du Champagne sous l'étiquette Piper-Heidsieck en 1845. Après la première fermentation, le vin est centrifugé mais ne subit pas de fermentation malolactique. Il en résulte des vins qui paraissent fermés quand ils sont jeunes, mais qui acquièrent une profondeur et une finesse remarquables si on les laisse suffisamment vieillir.

Brut extra non millésimé*
Champagne ayant beaucoup de corps, avec une saveur parfumée qui s'allonge et s'approfondit avec l'âge.

Chardonnay 30 %, Pinot noir 40 %, Pinot Meunier 30 %

Après 3 à 5 ans

Autres vins
M Brut extra*, Rosé brut, Brut sauvage ; **CP** Florens-Louis brut, **CP** Rare

POL ROGER & CO [GM]
1, rue Henri-Lelarge
51206 Épernay

Production : ***142 000 caisses***

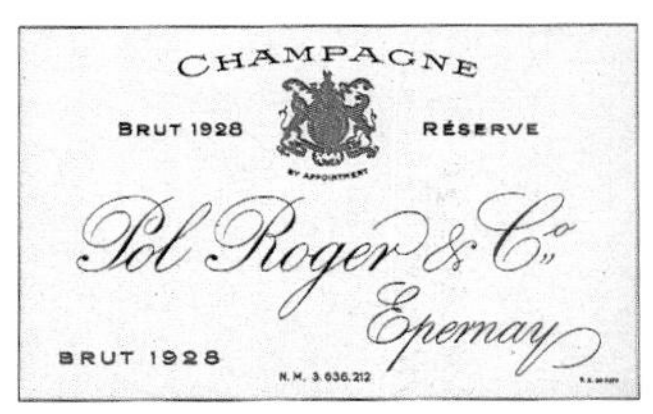

Cette maison fut fondée en 1849 par Pol Roger. Sir Winston Churchill y commandait ses Champagne en pintes impériales. Toutes les cuvées qui étaient disponibles au moment de sa disparition portent un liseré noir. Pol Roger possède 70 ha de vignes et produit régulièrement des Champagne classiques de grande qualité. Le Réserve spécial PR brut est d'une longueur et d'une profondeur extraordinaires, et la Cuvée Sir Winston Churchill est la plus belle cuvée de prestige lancée récemment.

Brut non millésimé*
Champagne assez corsé qui n'est pas aussi sec que certains bruts. C'est un assemblage classique dominé par le Pinot noir. Sa mousse persistante est composée de bulles minuscules.

Chardonnay 30 %, Pinot noir 25 %, Pinot Meunier 45 %

Après 2 à 3 ans

Autres vins
NM Sec, Demi-sec
M Brut*, Rosé brut*, Chardonnay brut* ; **CP** Réserve spéciale PR brut*, Cuvée Sir Winston Churchill*

POMMERY & GRENO [GM]
5, place Général-Gouraud
51053 Reims

Production : ***417 000 caisses***

Cette firme, fondée en 1836, revint en 1856, à la mort de Louis Pommery, à sa veuve Louise. Elle acheta des terres comportant de grandes crayères où elle fit creuser 18 km de caves et construire une étrange maison qu'on disait inspirée des demeures de ses cinq plus importants clients britanniques. Aujourd'hui Pommery & Greno appartient au gigantesque groupe BSN.

Avec un superbe domaine de 307 ha, cette maison produit des Champagne totalement secs, amples de saveur, avec une mousse persistante.

Brut royal non millésimé*
Séduisant Champagne de couleur très claire, à la mousse persistante faite de bulles minuscules, qui montre beaucoup de corps. Il acquiert une saveur profonde avec au moins cinq années de bouteille.

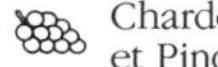 Chardonnay 25-30 %, Pinot noir et Pinot Meunier 70-75 %

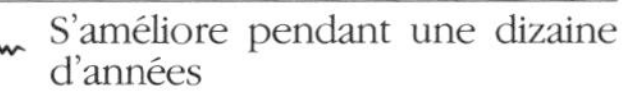
S'améliore pendant une dizaine d'années

Autres vins
NM Extra dry, Drapeau sec, Demi-sec
M Brut* ; **CP** Louise Pommery*

LOUIS ROEDERER [GM]
21, boulevard Lundy
51100 Reims

Production : *142 000 caisses*

Les origines de cette maison remontent à 1760, mais Louis Roederer n'y fit son entrée qu'en 1827. En 1876, à la demande du tsar Alexandre II de Russie, Louis Roederer produisit les désormais célèbres Champagne Cristal exclusivement destinés à la famille impériale. Aujourd'hui Roederer, avec 185 ha de vignes bien situées qui couvrent 80 % de ses besoins, possède le domaine viticole le plus harmonieux de toutes les firmes champenoises. Les Champagne de Roederer, de haute qualité et de style très traditionnel, ne subissent la transformation malolactique que dans les années de forte acidité : les vins de réserve sont conservés en fût, et les Champagne non millésimés vieillissent deux fois plus longtemps que la moyenne. Le Blanc de blancs millésimé est le brut le plus sec de la gamme et les deux Champagne Cristal sont d'une saveur tellement riche et raffinée que le sucre ne la masque pas ; les autres bruts sont en revanche relativement sucrés.

Premier brut non millésimé*
Champagne moyennement sec, mais avec assez de corps, de richesse et de saveur.

Chardonnay 34 %, Pinot noir 66 %

Jusqu'à 5 ans

Autres vins
NM Grand Vin sec, Demi-sec, Carte blanche, Rosé brut*
M Brut, Blanc de blancs brut*, Cristal brut millésimé*, Cristal rosé brut millésimé*, Ratafia

RUINART PÈRE & FILS [GM]
4, rue de Crayère
51053 Reims

Production : *109 000 caisses*

Cette maison fondée en 1727 par Nicolas Ruinart, reprise en 1963 par Moët & Chandon, a su conserver sa propre image de marque raffinée bien que sa production ait doublé.

Sa réputation est solidement fondée sur la Cuvée Dom Ruinart, et non sur son Champagne NM parfois décevant. Le Dom Ruinart Blanc de blancs est un assemblage de vins d'Avize, de Cramant et du Mesnil-sur-Oger, auquel des vins de Verzy et de Sillery ajoutent force et densité.

Brut tradition non millésimé
Champagne moyennement sec et corsé, nerveux et fruité, mais un peu court en bouche.

Chardonnay 25-30 %, Pinot noir 30-40 %, Pinot Meunier 30-40 %

2 à 3 ans au maximum

Autres vins
M Brut ; **CP** Dom Ruinart blanc de blancs brut*, Dom Ruinart rosé brut*
CC Ruinart Chardonnay

DE SAINT-MARCEAUX
4, avenue du Général-Giraud
51100 Reims

Production : *14 000 caisses*

Les Champagne de cette maison fondée en 1837 par Jean Alexandre de Saint-Marceaux se sont rapidement bâti une haute réputation à travers toute l'Europe, en particulier en Russie. De Saint-Marceaux est passé entre de nombreuses mains avant d'arriver entre celles de Jacques Lepitre en 1947. Cette maison appartient maintenant à Félix Chatelier. Sous l'égide de la Société des Grands Champagnes de Reims, elle produit des Champagne de qualité honnête.

Brut non millésimé
Vin sec à moyennement sec, relativement léger, qui peut toujours être conseillé pour son bon rapport qualité/prix.

Chardonnay 40 %, Pinot noir 50 %, Pinot Meunier 10 %

2 à 3 ans au maximum

Autres vins
NM Sec, Demi-sec
M Brut

SALON [GM]
Le Mesnil-sur-Oger
51190 Avize

Production : *5 000 caisses*

Salon fut fondé en 1914 par Eugène-Aimé Salon, fourreur parisien qui nourrissait l'ambition de créer le premier blanc de blancs commercial. Il était persuadé que la qualité du raisin de Chardonnay cultivé au Mesnil-sur-Oger lui permettrait de produire un vin parfaitement équilibré sans Pinot. Il acheta donc 5 ha de vignes dans le village et son Champagne connut un tel succès que dès les années 20 il était devenu le vin maison de chez *Maxim's*. Salon fut racheté en 1963 par Besserat de Bellefon, et les deux firmes appartiennent aujourd'hui à Pernod-Ricard.

Salon conserve les méthodes de production traditionnelles : jamais de transformation malolactique, vins de réserve conservés dans des grands fûts et dégorgement fait à la main. La seule cuvée, un Champagne millésimé fait uniquement de vins de cuvée et limité aux meilleures années, est véritablement un vin d'exception.

Cuvée S millésimé
Champagne très sec, d'une saveur à la légèreté trompeuse quand il est jeune, mais qui acquiert une richesse onctueuse avec l'âge et une gamme complexe de saveurs raffinées, avec des nuances de noix, de noisette et de macarons. Il a une belle mousse souple mais persistante.

Chardonnay 100 %

1 à 50 ans

TAITTINGER [GM]
9, place Saint-Nicaise
51601 Reims

Production : *333 000 caisses*

La firme, fondée en 1734, est l'une des plus anciennes de Champagne mais elle ne fut acquise par la famille Taittinger qu'au lendemain de la Première Guerre mondiale. Avec 250 ha de vignes qui lui fournissent la moitié de ses besoins, Taittinger produit des Champagne classiques qui se distinguent par leur longueur, leur style et leur élégance, dominés par le Chardonnay.

Avec suffisamment de bouteille – six ou sept ans pour le Brut millésimé et au moins dix années pour le superbe Comtes de Champagne – ils parviennent à un équilibre parfait et à une grande intensité de saveur.

Brut réserve non millésimé
Champagne sec moyennement corsé, de qualité très irrégulière : tantôt suffisamment bon pour passer pour un Brut millésimé, tantôt trop jeune, dur et malique.

Chardonnay 40 %, Pinot noir et Pinot Meunier 60 %

Avant 2 à 5 ans

Autres vins
M Brut*, Collection* ; **CP** Comtes de Champagne blanc de blancs brut*, Comtes de Champagne rosé brut*

VEUVE CLICQUOT-PONSARDIN [GM]
12, rue du Temple
51054 Reims

Production : *542 000 caisses*

En 1772, Philippe Clicquot Muiron ouvrit à Reims un négoce qui, outre le commerce des tissus et les finances, opérait de modestes transactions en Champagne. En 1805, son fils, François Clicquot disparut soudain en laissant une jeune veuve, Nicole Barbe-Clicquot, qui connut une telle réussite qu'elle devint une véritable légende de son vivant. La firme possède 280 ha de vignes dans toutes les bonnes régions.

Les Champagne de Veuve-Clicquot-Ponsardin sont d'une maturité exceptionnelle, bien que la qualité moyenne de ses vins NM de base, comme dans toutes les maisons champenoises, ait souffert de la pénurie au début des années 80. Le Brut est ample et riche mais assez doux.

Brut non millésimé*
Champagne moyennement sec, montrant beaucoup de corps, riche en fruit, avec une belle longueur.

Chardonnay 30 %, Pinot noir 50 %, Pinot Meunier 20 %

1 à 5 ans au maximum

Autres vins
NM Demi-sec
M Brut*, Rosé brut* ; **CP** Grande Dame brut*

Champagne de récoltants recommandés

Henri Abelé Sourire de Reims brut NM

Beaumet Chaurey Cuvée Malakoff brut millésimé

Boizel Brut NM, Brut millésimé

Bonnet Blanc de blancs brut

Bricout & Koch Rosé brut NM, Charles Koch brut millésimé

Albert Le Brun Blanc de blancs brut NM

René Brun Brut millésimé

A. Chauvet Cachet vert blanc de blancs brut

Cheurlin Spécial Réserve, Prestige

A. Desmoulins Cuvée Prestige NM

André Drappier Brut NM, Grande Sendrée brut

H. Germain & Fils Carte blanche brut NM, Blanc de blancs brut millésimé, Grande Cuvée Vénus brut millésimé

Lang-Biémont Blanc de blancs millésimé, Cuvée III*

R. & L. Legras Cuvée Saint-Vincent millésimé

Médot & Cie Clos des Chaulins millésimé

De Meric Blanc de blancs brut NM, Rosé brut

Montaudon Brut millésimé

Ployez-Jacquemart Brut millésimé

J. de Telmont Grande Réserve brut NM, Crémant blanc de blancs brut NM

Bons Champagne de coopératives

Champagne Richard de Ayala Union des propriétaires récoltants au Mesnil-sur-Oger.

Champagne Bur Centre vinicole de la Champagne à Chouilly.

Champagne Raoul Collet Coopérative générale des vignerons à Ay-Champagne.

Champagne A. Deveaux Union Auboise

Champagne René Florancy, Champagne Saint-Gall et **Champagne Orpale** Union Champagne à Avize.

Champagne Gruet & Fils Coopérative des Coteaux de Bethon.

Champagne Jacquart Coopérative régionale des vins de Champagne à Reims.

Champagne Lancelot Coopérative vinicole de Mancy.

Champagne Mailly-Champagne Société de producteurs Mailly-Champagne.

Champagne Palmer Société coopérative de producteurs des Grands Terroirs de Champagne à Reims.

Champagne Saint-Reol ou Nectar de noirs Sélection des producteurs associés à Ambonnay.

Champagne Saint-Simon Coopérative la Crayère à Bethon.

Autres bons Champagne

Il existe plus de 4 000 étiquettes différentes de récoltants-manipulants. Beaucoup d'entre eux vendent le même Champagne que celui produit en coopérative sous des noms différents. Dans certains cas, il est même meilleur que celui d'un producteur indépendant. Les noms ci-dessous, bien qu'ils ne prétendent aucunement constituer une liste exhaustive, réunissent un certain nombre de petits producteurs dont on peut normalement attendre de bons Champagne.

Jean-Paul Arvois, Chavot-Courcourt

G. E. Autreau Père & Fils, Champillon

Paul Bara, Bouzy

H. Beaufort & Fils, Bouzy

Yves Beautrait, Louvois

Gilbert Bertrand, Chamery

Bonnaire-Boquemont, Cramant

Alexandre Bonnet, Les Riceys

M. Brugnon, Écueil

Lucien Carré, Vertus

Cattier, Chigny-les-Roses

Jacques Copinet, Montgenost

Pierre Delabarre, Vandières

Denois Père & Fils, Cumières

Paul Déthune, Ambonnay

Raymond Devilliers, Villedommange

Gallimard Père & Fils, Les Riceys

Pierre Gimmonet & Fils, Cramant

Bertrand Godmé, Verzenay

Michel Gonnet, Avize

P. Guiborat, Cramant

Bernard Hatté, Verzenay

Horiot Père & Fils, Les Riceys

André Jacquart, Le Mesnil-sur-Oger

Jeeper, Damery

Michel Laroche, Vauciennes

J. Lassalle, Chigny-les-Roses

Launois Père & Fils, Le Mesnil-sur-Oger

Lilbert Fils, Cramant

Henri Loriot, Festigny

Yves Mignon, Cumières

Pierre Paillard, Bouzy

Pierre Peters, Le Mesnil-sur-Oger

Ricciuti-Révolte, Avenay

Camille Savès, Bouzy

Jacques Selosse, Avize

Christian Senez, Fontette

Séverin-Doublet, Vertus

Sugot-Feneuil, Cramant

Vazart-Cocquart, Chouilly

Jean Vesselle, Bouzy

Maurice Vesselle, Bouzy

Les vins tranquilles de Champagne

COTEAUX CHAMPENOIS AOC

Les vins tranquilles produits en Champagne, qu'ils soient rouges ou blancs, sont de qualité médiocre et de prix élevé. À quelques exceptions près, les vins blancs de cette appellation ont été considérés comme une source officieuse de vins de base pour l'élaboration du Champagne à moins qu'ils ne soient reclassifiés en période de pénurie comme ce fut le cas en 1975, 1976 et 1977.

ROUGE. La plupart des vins sont relativement légers et ne reflètent qu'à peine le fruité des bons Bourgogne. Les trop rares exceptions peuvent être très impressionnants, avec leur couleur profonde, leur fruité riche et leur style légèrement fumé de Pinot noir. Bouzy est le vin le plus célèbre de cette appellation, mais on n'y voit de bon millésime qu'une année sur dix à peu près. Il vaut mieux essayer d'autres bons crus comme Ambonnay, Ay et Mareuil.

Essentiellement Pinot noir mais aussi Pinot Meunier

1982, 1985

Tantôt à boire aussitôt, tantôt à garder 6 à 7 ans

BLANC. Si la Champagne utilisait avec modération la *Süssreserve* (*voir* p. 204), elle pourrait produire un bon vin fruité. À l'exception de ceux de Saran et de Ruinart, la plupart de ses vins sont secs, maigres et acides. Les vins de réserve de Bollinger montrent cependant qu'on pourrait faire en Champagne des vins classiques de Chardonnay. Vinifiés en fût et conservés en magnum, ils restent d'une fraîcheur remarquable pendant 25 ans parfois, et atteignent à une grande richesse.

ROSÉ DES RICEYS AOC

Cette appellation ne fait pas partie des Coteaux Champenois. Le rosé tranquille, pur Pinot noir, est élaboré dans la commune des Riceys, dans l'Aube. Sa couleur doit être assez soutenue. La production est très faible et irrégulière, car les producteurs savent que le caractère particulier du Rosé des Riceys n'émerge que dans les meilleures années.

ROSÉ. Vins moyennement corsés, secs, dont les bons exemples sont aromatiques, avec des nuances de chocolat et d'herbes ; ils ont parfois une saveur fruitée pénétrante, avec une longue finale souple.

Pinot noir

1981, 1982

Entre 3 et 5 ans

Alsace

L'Alsace est la seule grande région viticole française dont la renommée repose sur des vins de cépage. Il s'agit pour 95 % d'entre eux de vins blancs issus de différents cépages français et allemands.

Le vignoble alsacien est ponctué de petits bourgs médiévaux abritant des maisons à colombages et des rues pavées. Cette région, où l'influence allemande s'est toujours fait sentir, en particulier dans le domaine culinaire, est bordée à l'ouest par le versant le plus abrupt des Vosges et par le puissant cours du Rhin qui la sépare de l'Allemagne.

Ce mélange haut en couleur de cultures différentes est le résultat des nombreuses guerres et luttes frontalières dont la région a été le théâtre depuis que la Paix de Westphalie a mis un terme à la guerre de Trente Ans en 1648 et donné à la France la souveraineté sur l'Alsace. Des décrets royaux de 1662, 1682 et 1687 offraient des terres à quiconque était disposé à les exploiter, ce qui attira dans la région quantité de Suisses, d'Allemands, de Tyroliens et de Lorrains.

En 1871, au terme de la guerre contre la Prusse, la région est retombée sous contrôle allemand jusqu'à la fin de la Première Guerre mondiale. C'est alors que l'Alsace commença à réorganiser l'administration de son vignoble conformément au nouveau système des AOC. Lorsque l'Allemagne annexa la province en 1940, ce processus n'était pas encore achevé et il fallut attendre la fin de la Seconde Guerre mondiale pour le reprendre. Ce n'est finalement qu'en 1962, dix-sept ans après, que les vins d'Alsace accédèrent au statut d'AOC.

Les Grands Crus d'Alsace

Les premiers textes officiels sur les Grands Crus virent le jour en 1975, mais ce n'est qu'en 1983 que fut publiée la première liste de 25 sites classés Grands Crus. Trois ans plus tard, 23 autres noms y furent ajoutés.

D'aucuns pensent que cette liste de 48 Grands Crus est trop considérable. Que la liste actuelle soit ou non trop importante, y manque pourtant quelques très grands crus, l'exemple le plus célèbre étant le Kaefferkopf de Wintzenheim. Et si certains des Grands Crus ne peuvent fonder leur réputation sur une longue tradition, cela ne signifie pas que les vins qu'ils produisent ne sont

Les locaux de Hugel, ci-dessus
La petite boutique, les caves et les bureaux de la maison de négoce Hugel sont signalés, à Riquewihr, par une pancarte alsacienne typique.

Colmar, la petite Venise, ci-dessus
Renommé dans le domaine vinicole, Colmar compte également quelques merveilles architecturales ainsi que des canaux pleins de charme.

COMMENT LIRE LES ÉTIQUETTES DES VINS D'ALSACE

Cépage
La première mention à regarder – Riesling en l'occurrence – est celle du cépage. L'éventuel nom ajouté à celui du cépage est le plus souvent celui de la marque, mais il peut aussi désigner un village ou un vignoble, comme c'est le cas ici. Le vignoble de Schlossberg s'étend sur les coteaux exposés au sud de Kaysersberg et de Kientzheim. Si aucun nom de cépage n'est indiqué, il s'agit soit d'un Crémant d'Alsace, qui est un bon vin mousseux fait selon la méthode champenoise, soit d'un assemblage de plusieurs cépages, qui peut ou non être marqué Edelzwicker.

ALSACE GRAND CRU

BLANCK

Domaine des Comtes de Lupfen

APPELLATION ALSACE GRAND CRU CONTRÔLEE

Riesling Schlossberg

1983

70 cl

Mise en Bouteilles au Domaine des Comtes de Lupfen.
Propriété de Paul Blanck et ses fils à Kientzheim (Kaysersberg)
Haut-Rhin - France

Producteur et millésime
Les deux mentions peuvent figurer sur l'étiquette. Dans le cas présent, 1983 est un grand millésime et Blanck un bon producteur qui possède quelques vignobles superbement situés regroupés sous le nom « Domaine des Comtes de Lupfen ». La contenance et le fait que le vin a été mis en bouteille au domaine par le propriétaire sont également cités. L'adresse et le pays d'origine sont obligatoires si le vin doit être exporté.

Appellation
Tous les vins d'Alsace sont issus de l'aire d'appellation Alsace. Si le vignoble est classé Grand Cru, la mention fait partie de l'appellation.

D'autres renseignements relatifs au style ou à la qualité du vin peuvent figurer sur l'étiquette :

Médaille d'or
On trouve nombre d'excellents vins portant la vignette dorée des médailles de Paris, Mâcon et Colmar, mais celle-ci est maintenant tellement répandue que sa présence a perdu pratiquement toute signification. Une distinction, cependant, vaut la peine d'être recherchée, le « Sigille de qualité », attribué par la Confrérie Saint-Étienne.

Vendanges tardives
Vin issu de vendanges tardives, riche et puissant, parfois moelleux.

Sélection de grains nobles
Vin botrytisé relativement rare, très moelleux mais cependant réellement élégant.

Élevé en fût
Si le vin a été élevé en fût, on doit sentir au nez ou en bouche des nuances de chêne.

Sélection, Réserve, Cuvée spéciale
Ces termes désignent généralement des vins de qualité supérieure.

pas aujourd'hui du niveau d'un Grand Cru. De nombreuses dégustations m'ont persuadé, par exemple, que Furstentum deviendra l'un des meilleurs de tous les Grands Crus. Par ailleurs, nul ne sait quelle sera l'influence qu'exercera, d'ici une trentaine d'années, sur les autres crus la nouvelle génération de jeunes viticulteurs qui se forge une expérience.

Si l'on peut en contester le nombre de grands crus, il ne fait aucun doute que l'aspect le plus contestable de la législation sur les Grands Crus est la limitation aux vins de quatre cépages uniquement – Muscat, Riesling, Gewurztraminer et Tokay-Pinot gris. Non seulement elle interdit aux célèbres Sylvaner de Zotzenberg à Mittelbergheim et de Sonnenglanz à Beblenheim le statut de Grand Cru qu'ils méritent, mais elle nous prive en outre de la possibilité de boire des Pinot noir, Pinot blanc, Sylvaner et Chasselas de la meilleure qualité possible.

Même s'ils ne sont pas d'une qualité comparable, pourquoi interdire leur culture pour l'AOC Alsace Grand Cru alors que la réalité économique du marché obligerait de toute façon la plupart des vignerons à planter les quatre cépages classiques dans leurs meilleurs vignobles Grands Crus, puisqu'ils se vendent automatiquement plus chers ?

Les vins de Lorraine

Du temps où les départements de Meurthe-et-Moselle et Moselle faisaient partie de l'ancienne province de Lorraine, leurs vignobles couvraient quelque 30 000 hectares, soit deux fois plus que ceux de l'Alsace voisine aujourd'hui. Ils ne s'étendent plus maintenant que sur 70 hectares, presque tous situés en Meurthe-et-Moselle. Les quelques parcelles de vigne de la Moselle sont loin de refléter sa gloire d'antan et aujourd'hui la route de la mirabelle y est plus fréquentée que celle du vin. Il est vrai que la culture de la mirabelle est moins risquée que celle du vin.

FACTEURS AFFECTANT LE GOÛT ET LA QUALITÉ

Situation
L'Alsace, dans le nord-est de la France, est bordée par les Vosges d'un côté, par le Rhin et la Forêt noire de l'autre. Six rivières prennent leur source dans les sommets boisés des Vosges et traversent les 97 km du vignoble alsacien pour se jeter dans l'Ill.

Climat
Protégés des influences de l'Atlantique par les Vosges, ces vignobles bénéficient d'un climat très ensoleillé et reçoivent peu de précipitations.

Site
Les vignobles sont nichés sur les coteaux inférieurs des Vosges, tournés vers l'est, entre 180 et 360 m d'altitude, à une inclinaison de 25° pour les plus bas, et de 65° pour les plus élevés. Les meilleurs vignobles sont orientés au sud ou au sud-est mais on trouve aussi de bons crus sur les versants nord ou nord-est. Les meilleurs sites sont toujours protégés par des sommets boisés. Certains vignobles des plaines donnent cependant de très bons vins du fait de la nature favorable des sols, mais cette culture a entraîné des problèmes de surproduction.

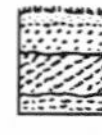

Sol
L'Alsace comprend trois grandes zones morphologiques et structurales : l'extrémité siliceuse des Vosges, les collines calcaires et la plaine alluviale. Les sols de la première comportent des colluvions et des sables fertiles sur fond de granite, des sols argilo-pierreux sur des schistes, divers sols fertiles sur des roches volcaniques sédimentaires et des sols sableux pauvres et légers sur du grès ; ceux de la deuxième des sols alcalins bruns, secs et pierreux, sur du calcaire, des sols bruns sablo-calcaires sur du grès et du calcaire, de lourds sols fertiles sur des calcaires argileux, des sols alcalins bruns sur des marnes calcaires ; et ceux de la troisième des argiles sableuses et des graves sur des alluvions, des lœss bruns décalcifiés et des sols calcaires sombres sur du lœss.

Viticulture et vinification
Les vignes sont palissées en hauteur sur fil de fer pour éviter les gelées de printemps. Traditionnellement, les vins sont vinifiés aussi secs que possible, encore qu'on puisse trouver du sucre résiduel dans les « Vendanges tardives ». Les rares « Sélection de grains nobles » sont intensément moelleux, bien que comportant jusqu'à 16 et 17° d'alcool après fermentation.

Cépages
Chasselas, Sylvaner, Pinot blanc, Pinot gris, Pinot noir, Auxerrois, Gewurztraminer, Muscat blanc à petits grains, Muscat rosé à petits grains, Muscat Ottonel, Riesling, Chardonnay

GRANDS CRUS D'ALSACE

Dans la liste complète des Grands Crus donnée ci-dessous, les noms suivis d'un astérisque sont ceux qui ont une réputation historique pour les cépages cités (en italique).

Altenberg de Bergbieten

Altenberg de Bergheim* : *Gewurztraminer*

Altenberg de Wolxheim

Brand*, Turckheim : *Tokay-Pinot gris*

Eichberg*, Eguisheim : *Gewurztraminer*

Engelberg, Dahlenheim

Frankstein, Dambach-la-Ville

Froehn, Zellenberg

Furstentum, Kientzheim

Geisberg*, Ribeauvillé : *Riesling*

Gloeckelberg, Rodern et Saint-Hippolyte

Goldert, Gueberschwihr

Hatschbourg, Hattstatt et Voegtlinshoffen

Hengst, Wintzenheim

Kanzlerberg*, Bergheim : *Riesling, Gewurztraminer*

Kastelberg, Andlau

Kessler, Guebwiller : Kitterlé, et Wanne sont les sites vraiment renommés de ce village

Kitterlé, Guebwiller : renommé pour le Clevner

Kirchberg de Barr* : *Gewurztraminer*

Kirchberg de Riveauvillé

Mambourg, Sigolsheim

Mandelberg*, Mittelwihr : *Riesling*

Markrain, Bennwihr

Moenchberg, Andlau et Eichhoffen

Muenchberg, Nothalten

Ollwiller, Wuenheim

Osterberg, Ribeauvillé

Pfersigberg*, Eguisheim : *Gewurztraminer*

Pfingstberg, Orschwihr

Praelatenberg, Orschwiller

Rangen*, Thann : *Tokay-Pinot gris*

Rosacker*, Hunawihr : *Riesling*

Saering, Guebwiller

Schlossberg, Kaysersberg et Kientzheim

Schoenenbourg*, Riquewirh : *Riesling* et *Muscat*

Sommerberg, Niedermorschwirh et Katzenthal

Sonnenglanz*, Beblenheim : renommé pour le *Sylvaner*, mais aussi pour le *Riesling* et le *Gewurztraminer*

Spiegel, Bergholtz et Guebwiller

Sporen*, Riquewirh : *Gewurztraminer* et *Tokay*

Steinert, Pfaffenheim

Steingrubler, Wettolsheim

Steinklotz, Marlenheim

Vorbourg, Rouffach-Westhalten

Wiebelsberg, Andlau

Wineck-Schlossberg, Katzenthal

Winzenberg, Blienschwiller

Zinnkoepflé*, Westhalten-Soultzmatt : *Gewurztraminer* et *Tokay-Pinot gris*

Zotzenberg*, Mittelbergheim : renommé pour le *Sylvaner*

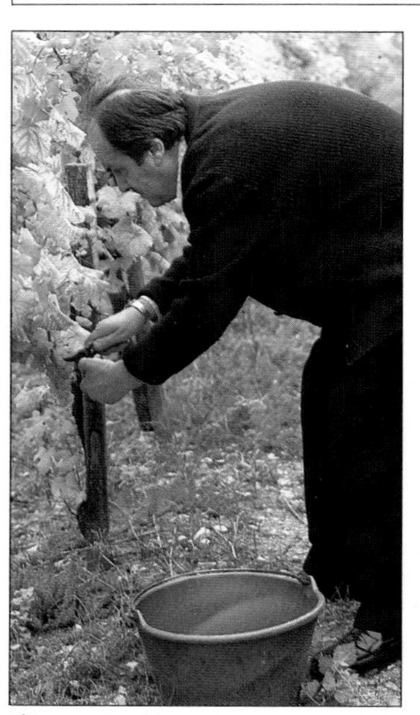

L'inspection des vignes
Émile Boeckel suit la maturation du raisin dans ses vignobles de Mittelbergheim.

Après les vendanges
Les comportes en bois utilisées pour transporter le raisin sont rincées dans les rues d'Eguisheim.

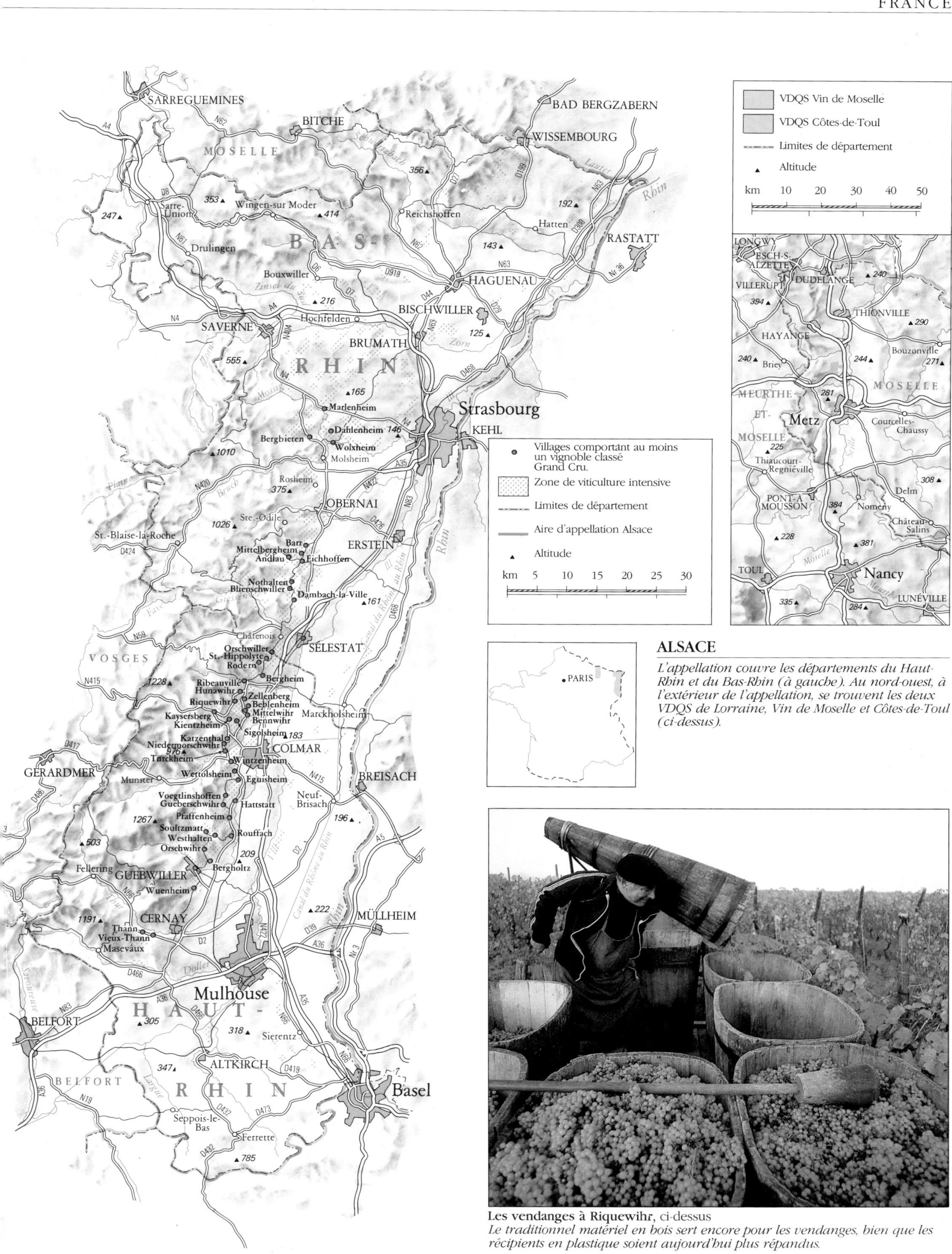

ALSACE

L'appellation couvre les départements du Haut-Rhin et du Bas-Rhin (à gauche). Au nord-ouest, à l'extérieur de l'appellation, se trouvent les deux VDQS de Lorraine, Vin de Moselle et Côtes-de-Toul (ci-dessus).

Les vendanges à Riquewihr, ci-dessus
Le traditionnel matériel en bois sert encore pour les vendanges, bien que les récipients en plastique soient aujourd'hui plus répandus.

Principales maisons de production d'Alsace

LÉON BEYER
2, rue de la 1re-Armée
68420 Eguisheim

Production : ***20 000 caisses***
Vignobles : ***20 ha dont 4 ha de*** **Grands Crus** ***Eichberg et Pfersigberg***

Grande maison renommée pour ses vins très secs.

☆ Riesling (« Cuvée les Écaillers », « Cuvée particulière »), Tokay-Pinot gris (« Cuvée particulière », « Sélection de grains nobles »), Gewurztraminer (« Cuvée des Comtes d'Eguisheim », « Sélection de grains nobles »)

PAUL BLANCK
32, Grand-rue
Kientzheim, 68240 Kaysersberg

Production : ***20 000 caisses***
Vignobles : ***27 ha, dont 9 ha de*** **Grands Crus** ***Schlossberg et Furstentum.***

Marcel Blanck et son neveu, qui dirigent ensemble cette firme de haut rang, encouragent les meilleurs viticulteurs de la région à produire des vins qui soient l'expression de leur terroir.

☆ Pinot noir (« Furstentum Grand Cru »), Riesling (« Furstentum Grand Cru », « Schlossberg Grand Cru » après 10 ans, « Sélection de grains nobles »), Tokay-Pinot gris (« Furstentum Grand Cru », « Altenbourg Grand Cru », « Sélection de grains nobles »), Gewurztraminer (« Furstentum Grand Cru », « Altenbourg Grand Cru Vendange tardive », « Sélection de grains nobles »)

DOMAINE MARCEL DEISS
15, route du Vin
68750 Bergheim

Production : ***12 500 caisses***
Vignobles : ***20 ha, dont 3 ha de*** **Grands Crus** ***Altenberg de Bergheim et Schoenenbourg***

Dirigée par Jean-Michel Deiss, cette maison produit certains des vins d'Alsace les plus saisissants. Tous les vins proviennent de ses vignobles.

☆ Pinot blanc (« Bennwihr »), Riesling (« Bennwihr », « Bergheim Engelgarten », « Schoenenbourg Grand Cru », « Altenberg de Bergheim Grand Cru »), Tokay-Pinot gris (« Bergheim »)

DOPFF « AU MOULIN »
68340 Riquewihr

Production : ***200 000 caisses***
Vignobles : ***58 ha, dont 13 ha de*** **Grands Crus** ***Sporen, Schoenenbourg et Brand***

C'est à cette maison que l'on doit le succès commercial des vins effervescents d'Alsace, mais elle produit également d'excellents vins tranquilles.

☆ Crémant d'Alsace (« Blanc de noirs », « Cuvée Bartholdi »), Sylvaner et, issu de son propre domaine : Sylvaner (« Riquewihr »), Tokay-Pinot gris (« Riquewihr »), Riesling (« Schoenenbourg Grand Cru »), Gewurztraminer (« Riquewihr », « Brand Grand Cru », « Sélection de grains nobles »)

DOPFF & IRION
68340 Riquewihr

Production : ***300 000 caisses***
Vignobles : ***30 ha, dont 5 ha de*** **Grand Cru** ***Schoenenbourg***

Cette maison ne fut fondée qu'en 1945. Les vins issus de vignobles uniques de Dopff et Irion – « Les Sorcières », « Les Maquisards », « Les Murailles » et « Les Amandières » – sont de la plus grande finesse.

☆ Muscat (« Les Amandières »), Tokay-Pinot gris (« Les Maquisards », « Sélection de grains nobles »), Gewurztraminer (« Seigneur d'Alsace », « Les Sorcières », « Vendanges tardives », « Sélection de grains nobles »), Riesling (« Les Murailles ») et la nouvelle gamme baptisée « La Cuvée René Dopff »

HUGEL
68340 Riquewihr

Production : ***100 000 caisses***
Vignobles : ***25 ha, dont 12 ha de*** **Grands Crus** ***Sporen et Schoenenbourg***

Cette maison a ouvert les marchés d'exportation aux vins d'Alsace. Lors d'une dégustation, en 1987, Pierre Trimbach, le vinificateur du grand rival de Hugel, Trimbach, jugeait le Gewurztraminer « Sélection de grains nobles » 1961 de Hugel « le plus proche de la perfection, pour autant que la perfection existe ».

☆ Pinot noir (« Réserve personnelle »), Tokay-Pinot gris (« Cuvée Tradition », « Sélection Jean Hugel »), Riesling (« Réserve personnelle », « Vendange tardive sélection Jean Hugel »), Gewurztraminer (« Vendange tardive sélection Jean Hugel »)

ANDRÉ KIENTZLER
50, route de Bergheim
68150 Ribeauvillé

Production : ***6 000 caisses***
Vignobles : ***10 ha, dont 2,5 ha de*** **Grands Crus** ***Geisberg et Kirchberg***

André Kientzler produit des vins issus de ses vignobles, d'une très grande finesse, dont un Auxerrois qui est le plus bel exemple de vin blanc d'Alsace élevé en fût. Il produit régulièrement aussi un Chasselas ainsi qu'un vin de glace, sorte d'*Eiswein* français.

☆ Auxerrois (« Réserve », « Élevé en fûts de chêne »), Sylvaner (« Réserve »), Chasselas (« Réserve »), Tokay-Pinot gris (« Réserve », « Geisberg Grand Cru », « Vendange tardive », « Sélection de grains nobles »), Riesling (« Geisberg Grand Cru », « Geisberg Grand Cru Vendange tardive », « Geisberg Grand Cru Sélection de grains nobles », « Geisberg Grand Cru – Vin de glace »), Gewurztraminer (« Vendange tardive », « Sélection de grains nobles »), Muscat (« Kirchberg de Ribeauvillé Grand Cru »)

DOMAINE KLIPFEL
6, avenue de la Gare
67140 Barr

Production : ***100 000 caisses***
Vignobles : ***35 ha, dont 8,5 ha de*** **Grands Crus** ***Kastelberg et Kirchberg de Barr (dont le célèbre Clos Zisser)***

Fondée en 1824, cette grande maison sous-estimée possède d'excellents vignobles.

☆ Pinot noir (« Rouge de Barr élevé en fûts de chêne »), Muscat (« Côtes de Barr »), Gewurztraminer (« Clos Zisser »)

MARC KREYDENWEISS
12, rue Deharbe
Andlau, 67140 Barr

Production : ***4 500 caisses***
Vignobles : ***10 ha, dont 2 ha de*** **Grands Crus** ***Kastelberg, Wiesbelsberg et Moenchberg***

Après l'Auxerrois de Kientzler, le Sylvaner Kritt de Marc Kreydenweiss est sans doute le meilleur vin blanc d'Alsace élevé en fût. Tous les vins sont issus de ses propres vignobles.

☆ Crémant d'Alsace, Sylvaner (« Kritt élevé en barrique »), Muscat (« Clos Rebgarten »), Gewurztraminer (« Kritt », « Kritt-Vendange tardive »), Riesling (« Wiebelsberg Grand Cru », « Kastelberg Grand Cru »), Tokay-Pinot gris (« Moenchberg Grand Cru Vendange tardive »)

KUENTZ-BAS
14, route du Vin
Husseren-les-Châteaux
68420 Herrlisheim près Colmar

Production : ***25 000 caisses***
Vignobles : ***12 ha, dont 2 ha de*** **Grands Crus** ***Eichberg et Pfersigberg***

Cette petite maison de très grande qualité, fondée en 1795, produit d'authentiques vins de Vendange tardive avec mention de la date des vendanges.

☆ Crémant d'Alsace (« Brut de Chardonnay »), Pinot noir (« Rouge d'Alsace »), Tokay-Pinot gris (générique et « Vendange tardive »), Riesling (« Réserve personnelle » et cuvées avec date des vendanges), Muscat (« Réserve personnelle »), Gewurztraminer (« Réserve personnelle », « Cuvée Caroline-Vendange tardive »)

MAISON MICHEL LAUGEL
102, rue du Général-de-Gaulle
67520 Marlenheim

Production : ***300 000 caisses***
Vignobles : ***7 ha***

La production de cette firme n'est guère impressionnante, mais elle propose toutefois quelques très bonnes cuvées de prestige.

☆ Crémant d'Alsace (« Rosé »), Pinot noir (« Pinot rouge de Marlenheim »), Tokay-Pinot gris (« Cuvée Jubilaire »), Gewurztraminer (« Wangen », « Sélection de grains nobles »)

GUSTAVE LORENTZ
35, Grand-rue
68750 Bergheim

Production : ***170 000 caisses***
Vignobles : ***26 ha, dont 12 ha de*** **Grands Crus** ***Altenberg de Bergheim et Kanzlerberg***

Cette maison est située à deux pas de la superbe *Winstub du sommelier.*

☆ Tokay-Pinot gris (« Réserve », « Cuvée particulière »), Riesling (« Réserve », « Altenberg de Bergheim Grand Cru »), Gewurztraminer (« Cuvée particulière », « Altenberg de Bergheim Grand Cru », « Sélection de grains nobles »)

JOS MEYER
76, rue Clemenceau
Wintzenheim, 68000 Colmar

Production : ***33 000 caisses***
Vignobles : ***8 ha, dont 2 ha de*** **Grands Crus** ***Hengst et Brand, plus 4 ha de vignobles de location***

Fondée en 1854 par Aloyse Meyer, la maison est aujourd'hui dirigée par Jean Meyer dont la passion pour la qualité n'a pas de bornes. « Si je veux cultiver du Chasselas dans le Hengst, dit-il, pourquoi un bureaucrate de Paris m'interdit-il de marquer Chasselas Hengst Grand Cru sur l'étiquette ? »

☆ Chasselas (consommé dans la région), Pinot blanc (« Les Lutins »), Auxerrois (« H-Vieilles Vignes »), Muscat (« Les Fleurons »), Riesling (« Hengst Grand Cru », « Herrenweg Grand Cru », « Herrenweg Grand Cru Vendange tardive », « Les Pierrets »), Tokay-Pinot gris (« Cuvée du centenaire-Vieilles Vignes »), Gewurztraminer (« Hengst Grand Cru », « Herrenweg Grand Cru »)

MURÉ et CLOS SAINT-LANDELIN
Route du Vin
RN 83, 68250 Rouffach

Production : ***60 000 caisses***
Vignobles : ***21 ha, dont 16 ha de*** **Grand Cru** ***Vorbourg***

Les vins vendus sous l'étiquette Muré sont riches et mûrissent rapidement ; les Clos Saint-Landelin sont en revanche fermés quand ils sont jeunes, mais leur grande longévité leur permet d'acquérir une finesse considérable.

☆ Crémant d'Alsace (« Riesling Brut O »), Tokay-Pinot gris (générique et « Clos St-Landelin »), Riesling (« Clos St-Landelin »), Muscat (« Clos St-Landelin »), Gewurztraminer (générique, « Zinnkoepflé Grand Cru », « Clos St-Landelin »), Pinot noir (« Clos St-Landelin vieilli en pièces de chêne »)

DOMAINE OSTERTAG
87, rue Finkwiller
67680 Epfig

Production : ***6 000 caisses***
Vignobles : ***8 ha, dont 1,5 ha de*** **Grand Cru** ***Muenchberg***

Dans ce domaine fondé en 1966 par Adolphe Ostertag, André Ostertag élabore de beaux vins qui s'améliorent à chaque nouveau millésime. Il vinifie une partie de son Pinot blanc et la totalité de son Tokay-Pinot gris dans de petites barriques de chêne.

☆ Pinot blanc, Riesling (« Muenchberg Grand Cru »), Tokay-Pinot gris (« Barrique »), Riesling (« Fronholz », « Muenchberg Grand Cru »), Gewurztraminer (« Fronholz », « Fronholz Vendanges tardives »)

JEAN PREISS-ZIMMER
42, rue du Général-de-Gaulle
68340 Riquewihr

Production : ***20 000 caisses***
Vignobles : ***9 ha, dont 2,5 ha de*** **Grand Cru** ***Schoenenbourg***

Cette firme familiale, fondée en 1848, est située au centre de Riquewihr.

☆ Riesling (« Réserve Comte de Beaumont » et « Réserve année exceptionnelle »), Gewurztraminer (« Réserve année exceptionnelle », « Réserve cuvée personnelle J.-J. Zimmer »), Muscat (« Réserve »)

ROLLY GASSMANN
1-2, rue de l'Église
Rorschwihr, 68590 Saint-Hippolyte

Production : ***12 500 caisses***
Vignobles : ***17 ha***

Les Gassmann ont la réputation de produire des vins d'une qualité et d'une richesse exceptionnelles, presque tous issus de leurs propres vignes.

☆ Sylvaner (« Réserve Millésime »), Pinot blanc (générique), Auxerrois (« Moenchreben »), Tokay-Pinot gris (« Réserve Rolly Gassmann »), Riesling (« Réserve millésime », « Pflaenzereben », « Kappelweg Réserve Rolly Gassmann »), Muscat (« Moenchreben »), Gewurztraminer (générique, « Kappelweg », « Réserve Rolly Gassmann », « Cuvée Anne »)

DOMAINES SCHLUMBERGER
100, rue Théodore-Deck
68500 Guebwiller

Production : ***85 000 caisses***
Vignobles : ***140 ha, dont 58 ha de*** **Grands Crus** ***Kitterlé, Saering, Kessler et Spiegel***

Ce domaine, qui représente le plus grand vignoble alsacien, est renommé pour sa « Cuvée Christine ».

☆ Pinot blanc (générique), Tokay-Pinot gris (« Réserve spéciale »), Riesling (« Saering Grand Cru », « Kitterlé Grand Cru »), Gewurztraminer (« Kessler Grand Cru », « Cuvée Christine Schlumberger », « Cuvée Anne Schlumberger »)

LOUIS SIPP
5, Grand-rue, 68150 Ribeauvillé

Production : ***100 000 caisses***
Vignobles : ***31 ha, dont 4 ha de*** **Grands Crus** ***Kirchberg de Ribeauvillé et Osterberg.***

Les vins de cet important négociant sont faits pour être gardés. Ses Riesling acquièrent en mûrissant une belle nuance citronnée de pétrole, caractéristique des Riesling les plus classiques.

☆ Riesling (« Kirchberg Grand Cru »), Tokay-Pinot gris (« Vendange tardive »), Gewurztraminer (« Osterberg Grand Cru » et « Vendange tardive »)

PIERRE SPARR
2, rue de la Première-Armée
68240 Sigolsheim

Production : ***175 000 caisses***
Vignobles : ***30 ha, dont 4 ha de*** **Grands Crus** ***Mambourg et Brand***

Ces vins, riches et mûrs, séduisants quand ils sont jeunes, vieillissent néanmoins avec grâce.

☆ Pinot blanc (« Réserve »), Tokay-Pinot gris (« Cuvée particulière »), Riesling (« Sparr prestige tête de cuvée », « Cuvée particulière SPS », « Altenberg Cuvée centenaire », « Altenberg Vendange tardive »), Gewurztraminer (« Brand Grand Cru », « Sparr prestige tête de cuvée »), « Kaefferkopf » (assemblage de 80 % de Gewurztraminer et de 20 % de Tokay)

F. E. TRIMBACH
15, route de Bergheim
68150 Ribeauvillé

Production : ***80 000 caisses***
Vignobles : ***14 ha, dont 4 ha de*** **Grands Crus** ***Geisberg, Osterberg et Rosacker.***

Les vins de Trimbach, fermes et puissants, semblent parfois trop secs et austères dans leurs cinq premières années, mais ils finissent par acquérir une grande finesse et une belle profondeur de saveur. Le « Clos Saint-Hune » est le plus grand Riesling d'Alsace.

☆ Riesling (« Cuvée Frédéric Émile », « Clos Saint-Hune »), Gewurztraminer (« Cuvée des seigneurs de Ribeaupierre »), Pinot noir (« Réserve personnelle »), Tokay-Pinot gris (« Réserve personnelle »)

DOMAINE WEINBACH
Clos des Capucins
68240 Kaysersberg

Production : ***13 000 caisses***
Vignobles : ***25 ha, dont 2 ha de*** **Grand Cru** ***Schlossberg (Kientzheim)***

Le directeur d'une célèbre firme alsacienne me confia un jour : « Je ne sais pas au juste ce que cette magicienne de Colette Faller met dans ses cuves, mais elle réussit toujours à produire des vins de la plus étonnante qualité. » C'est en réalité Jean Mercky qui élabore les vins, mais Mme Faller ne lui laisse aucun doute quant à ce qu'elle exige ! Le Tokay-Pinot gris 1983 « Quintessence de grains nobles » du Domaine Weinbach est le plus phénoménal vin d'Alsace que j'aie jamais goûté.

☆ Pinot (c'est-à-dire Pinot blanc, « Réserve »), Riesling (« Cuvée Théo », « Cuvée Ste-Catherine », « Schlossberg Grand Cru », « Vendange tardive »), Muscat (générique), Tokay-Pinot gris (« Réserve particulière », « Cuvée Ste-Catherine », « Vendange tardive », « Quintessence de grains nobles »), Gewurztraminer (« Réserve particulière », « Cuvée Théo », « Cuvée Laurence », « Vendange tardive », « Quintessence de grains nobles »)

DOMAINE ZIND HUMBRECHT
34, rue Maréchal-Joffre
68000 Wintzenheim

Production : ***18 000 caisses***
Vignobles : ***30 ha, dont 7,5 ha de*** **Grands Crus** ***Brand, Goldert, Hengst et Rangen***

Léonard Humbrecht s'est longtemps battu pour faire réduire les rendements. Tous ceux qui le connaissent ont beaucoup de respect pour ses compétences et ses opinions.

☆ Muscat (« Goldert Grand Cru »), Tokay-Pinot gris (générique, « Clos St-Urban », « Rotenberg Sélection de grains nobles »), Riesling (« Clos Haüserer », « Brand Grand Cru », « Clos St-Urban »), Gewurztraminer (« Herrenweg », « Heimbourg Vendange tardive », « Hengst Vendange tardive », « Goldert Vendange tardive », « Heimbourg Sélection de grains nobles », « Clos St-Urban Sélection de grains nobles »)

Importantes coopératives alsaciennes

CAVE VINICOLE DE PFAFFENHEIM-GUEBERSCHWIHR
5, rue du Chai
BP 33, 68250 Pfaffenheim

Production : ***190 000 caisses***
Vignobles : ***200 ha, dont 40 ha de*** **Grand Cru** ***Goldert***

Cette coopérative produit une superbe gamme de Crémants d'Alsace sous l'étiquette « Hartenberger », dont le Tokay-Pinot gris est le plus étonnant. Les vins sont également vendus sous la marque « E. Wein ».

☆ Crémant d'Alsace, Edelzwicker (« Message d'Alsace », « Gentil d'Alsace »), Pinot blanc (ce cépage a un caractère de Tokay quand il est cultivé à Pfaffenheim ; celui qui porte la « Médaille d'Or J. Colmar » est particulièrement bon), Tokay-Pinot gris (« Steinert Grand Cru »), Gewurztraminer (« Goldert Grand Cru »)

CAVE VINICOLE DE TURCKHEIM
16, rue des tuileries
68230 Turckheim

Production : ***220 000 caisses***
Vignobles : ***280 ha, dont 15 ha de*** **Grands Crus**

Je situe cette coopérative à la troisième place. Le nom de « Mayerling » pour son Crémant suggère un vin issu de Tokay mais il est fait de 50 % de Pinot blanc et de 50 % d'Auxerrois.

☆ Crémant d'Alsace (« Mayerling »), Pinot blanc (« Côtes du Val St-Grégoire »), Klevner (« Pinot d'Alsace »), Pinot noir (« Cuvée à l'ancienne »), Tokay-Pinot gris (« Brand Grand Cru », « Vendange tardive », « Sélection de grains nobles »), Riesling (« La Décapole », « Brand Grand Cru », « Vendange tardive »), Gewurztraminer (« Hengst Grand Cru », « Brand Grand Cru », « Vendange tardive »)

WOLFBERGER-CAVE VINICOLE D'EGUISHEIM
6, Grand-Rue
68420 Eguisheim

Production : ***900 000 caisses***
Vignobles : ***505 ha, dont 40 ha*** **de Grands Crus** ***Hengst, Pfersigberg, Eichberg, Steingrubler et Spiegel, plus les vignobles de deux filiales : la Cave vinicole de Dambach-la-Ville avec 362 ha, et la Cave vinicole de Soultz-Wuenheim avec 100 ha.***

Cette coopérative, la meilleure d'Alsace, produit régulièrement le meilleur vin rouge élevé en fût et propose une belle gamme de bouteilles « armoriées » et quelques Grands Crus spectaculaires. Mais son importante production de Crémant nuit un peu à son image de marque. Outre sa célèbre marque « Wolfberger », qui représente 80 % de la production, cette coopérative utilise également les marques « Rotgold », « Meierheim » et « Aussay ».

☆ Crémant (« Prestige », « Millésime » et « Rosé brut »), Pinot noir (« Rouge d'Alsace » avec une étiquette de bande dessinée), plus toute la gamme des Grands Crus et toutes les bouteilles « armoriées »

Note : Les coopératives d'Ingersheim, de Kientzheim-Kaysersberg, Ribeauvillé et Westhalten produisent également de bons vins, avec une mention spéciale pour les Crémants millésimés de Kientzheim-Kaysersberg et le célèbre Clos de Zahnacker à Ribeauvillé. Le Clos de Zahnacker est un site unique planté de quantités égales de Pinot gris, Riesling et Gewurztraminer ; il donne un grand vin de garde qui peut durer plus de vingt ans.

Les vins d'Alsace et de Lorraine

ALSACE AOC

Cette appellation couvre tous les vins produits en Alsace (à l'exception des Grands Crus et du Crémant d'Alsace), mais 95 % de ces vins sont vendus sous le nom de leur cépage. Ces « appellations variétales », regroupées sous une AOC globale, sont citées ici séparément.

ALSACE GRAND CRU AOC

La production actuelle de Grands Crus représente environ 2,5 % du volume total de l'AOC Alsace. Chaque cru donnant un vin de caractère spécifique, interprété ensuite par chaque viticulteur, il est impossible d'en donner une description générale.

BLANC. *Voir* les Grands Crus d'Alsace (p. 149), les principales firmes d'Alsace (p. 152) et, dans cette section, les entrées correspondant aux différents cépages.

Muscat, Riesling, Gewurztraminer, Pinot gris

ALSACE SÉLECTION DE GRAINS NOBLES AOC

Ces vins rares et recherchés sont faits de raisins touchés par la pourriture noble, mais à la différence du Sauternais, l'Alsace n'y est pas propice et le botrytis s'y manifeste au gré du hasard, sous des formes beaucoup moins concentrées. Les vins, parmi les plus grands au monde, sont donc produits en quantités infimes et vendus à des prix très élevés.

BLANC. Il est impossible de décrire de façon générale le goût et le caractère de ces vins uniques, mais tous les beaux exemples ont une qualité commune : une finesse et un équilibre tout à fait étonnants, une intense douceur et une grande puissance alcoolique. Les chiffres qui suivent les noms des différents cépages indiquent le taux minimal de sucre, le degré Oechsle équivalent et le taux d'alcool potentiel.

Gewurztraminer (279 g/l, 120°, 16,4°), Pinot gris (279 g/l, 120°, 16,4°), Riesling (256 g/l, 110°, 14,3°), Muscat (256 g/l, 110°, 14,3°)

1983, 1985, 1986

Entre 7 et 30 ans

ALSACE VENDANGE TARDIVE AOC

Les vins de Vendange tardive sont de qualité et de caractère inconstants. Ils devraient être le produit de raisins vendangés tardivement dont la constitution chimique diffère de celle des raisins vendangés normalement. En fait, beaucoup de producteurs font des vins qui satisfont aux normes techniques à partir de raisin vendangé normalement. La mention Vendange tardive couvre, en outre, des taux de sucre qui peuvent correspondre à des vins secs ou moelleux, ce point ne faisant l'objet d'aucune norme. Les chiffres qui suivent les noms des différents cépages indiquent le taux minimal de sucre, le degré Oechsle équivalent et le taux d'alcool potentiel.

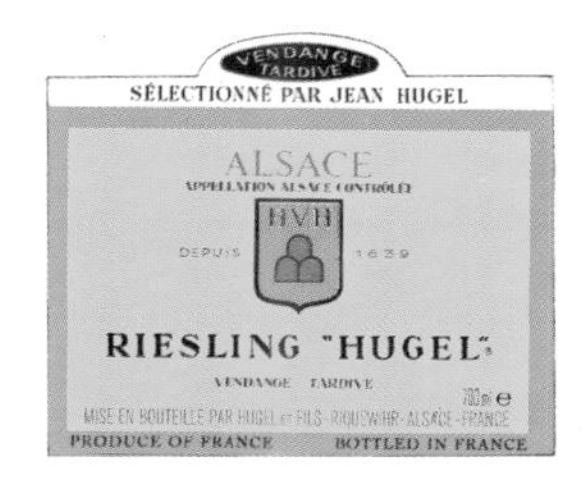

BLANC. Très sec, sec, demi-doux ou moelleux, ce vin relativement corsé devrait toujours montrer le véritable caractère du passerillage, résultat de complexes transformations chimiques qui s'opèrent à l'intérieur d'un raisin resté sur le cep jusqu'en novembre ou décembre.

Gewurztraminer (243 g/l, 105°, 14,3°), Pinot gris (243 g/l, 105°, 14,3°), Riesling (220 g/l, 95°, 12,9°), Muscat (220 g/l, 95°, 12,9°)

1981, 1983, 1985, 1986

Entre 5 et 20 ans

AUXERROIS AOC

Cette appellation n'est pas autorisée en théorie, mais elle est tolérée par les autorités. *Voir* aussi Pinot blanc AOC.

CHASSELAS AOC

Vin très peu répandu, généralement commercialisé sous le nom Chasselas plutôt que Gutedel.

BLANC. Vins généralement ternes, minces et sans caractère, mais les délicieux échantillons prélevés directement à la cuve amènent à se demander si les producteurs ne devraient pas les mettre en bouteille sur lie.

Chasselas

1985, 1986

Aussitôt

☆ Kientzler, Robert Schoffit

CLAIRET AOC

Cette appellation s'applique à des vins de Pinot noir vinifiés dans le style clairet. *Voir* Pinot noir AOC.

CLEVNER AOC

Voir Pinot blanc AOC.

CÔTES DE TOUL VDQS

Ces vestiges du vignoble autrefois florissant de Lorraine sont répartis sur huit communes à l'ouest de Toul.

ROUGE. Le Pinot noir donne les meilleurs vins, lesquels sont généralement vendus comme vins de cépage. La couleur est parfois étonnamment belle avec les jolies nuances de cerise du Pinot.

Pinot Meunier, Pinot noir

1982, 1983, 1985

1 à 4 ans au maximum

BLANC. Ces vins représentent moins de 2 % du VDQS. L'Auxerrois en est le meilleur cépage, car son gras le rend idéal dans une zone aussi septentrionale avec un sol calcaire.

Aligoté, Aubin, Auxerrois

1982, 1983, 1985, 1986

1 à 3 ans au maximum

ROSÉ. La plus grande partie du Côtes de Toul est vendue sous forme de vin gris, délicieux quand il est jeune.

Gamay, Pinot Meunier, Pinot noir, plus un maximum de 15 % d'Aligoté, Aubin et Auxerrois

1982, 1983, 1985, 1986

Aussitôt

☆ Marcel Gorny, Laroppe Frères, Lelièvre Frères, Yves Masson, Fernand Poirson, Société vinicole du Toulouis, Michel Vosgien

CRÉMANT D'ALSACE AOC

Cette appellation fut créée en 1976 pour les vins produits selon la méthode champenoise. La qualité, déjà bonne, continuera de progresser si les vignerons sont prêts à cultiver des raisins destinés spécifiquement au Crémant.

BLANC. Bien que le Pinot blanc ait une acidité parfaite pour ce type de vin, il manque parfois de richesse. Je pense que le cépage idéal serait plutôt le Pinot gris.

Pinot blanc, Pinot gris, Pinot noir, Auxerrois, Chardonnay, Riesling

1981, 1982, 1983, 1985, 1986

Entre 5 et 8 ans

ROSÉ. Vins très plaisants, qui ont parfois un parfum et une saveur plus pure que bien des Champagne rosés.

Pinot noir

1983, 1985, 1986

Entre 3 et 5 ans

☆ Jean-Claude Buecher, Paul Buecher, Joseph Cattin, Ehrhart, Jean Freyburger, Frey-Sohler, Jérôme Geschickt, Willy Gisselbrecht, Bernard Haegi, Paul Scherer, H. & J. Heitzmann, Raymond Klein, Denis-Fernand Meyer

EDELZWICKER AOC

Cette appellation est réservée aux vins faits de plusieurs des cépages autorisés – *Edel* signifiant « noble » et *zwicker* « assemblage ». Il s'agissait effectivement d'un noble assemblage autrefois. Depuis la suppression de l'AOC Zwicker, cette appellation a été tellement dépréciée que nombre de producteurs préfèrent vendre leurs Alsace AOC les moins chers sous des noms de marque plutôt que de faire figurer le redoutable « Edelzwicker » sur l'étiquette.

BLANC. Vins secs, légers, de saveur nette, à boire jeunes. La plupart des Edelzwicker sont à base de Sylvaner ou de Pinot blanc, les meilleurs vins comportant une généreuse proportion de Gewurztraminer qui engraisse l'assemblage. Le seul exemple vraiment exceptionnel de ce vin que je connaisse est l'Edelzwicker 1985 Ehrhart (« Ammerschwihr »).

Chasselas, Sylvaner, Pinot blanc, Pinot gris, Pinot noir, Auxerrois, Gewurztraminer, Muscat blanc à petits grains, Muscat rosé à petits grains, Muscat Ottonel, Riesling

1983, 1985, 1986

Aussitôt (entre 2 et 10 ans pour le Ehrhart 1985)

GEWURZTRAMINER AOC

Le caractère voluptueux et franc de ce vin est d'une séduction immédiate.

BLANC. Le plus gras et le plus étoffé des vins d'Alsace. Les bouteilles classiques ont un arôme de banane quand elles sont jeunes et acquièrent de riches nuances de pain d'épices à maturité. C'est traditionnellement un vin sec, mais il comporte souvent aujourd'hui un taux de sucre étonnamment élevé qui, associé à sa faible acidité, risque de le rendre trop gras et déséquilibré.

Gewurztraminer

1981, 1983, 1985

Entre 3 et 10 ans (les grandes bouteilles peuvent se garder 20 ou 30 ans)

☆ Baumann et Fils, J.-P. Bechtold, Dirler, Jérôme Geschickt, André-Rémy Gresser, Frédéric Mallo, Muhlberger, René Schaefle, Gerard Schueller, Bruno Sorg, Fernand Stentz, Lucien Albrecht, Bott Frères, Brucker, Joseph Cattin, Théo Cattin, Domaine viticole de la ville de Colmar, Dietrich, R. Faller, Fleith, Willy Gisselbrecht, Jean Sipp, Maison Wiederhirn, Adam, J. Hauller & Fils, Charles Wantz, Alsace Willm

GUTEDEL AOC

Voir Chasselas AOC.

KLEVENER DE HEILIGENSTEIN AOC

Ce vin est une curiosité en Alsace pour trois raisons : il est fait d'un cépage originaire du Jura, qu'on ne trouve nulle part ailleurs en Alsace ; de toutes les célèbres appellations communales (Rouge d'Ottrott, Rouge de Rodern, Rosé de Marlenheim, etc.), seul le Klevener de Heiligenstein est spécifiquement défini par la législation ; enfin, c'est le seul cépage confiné à une aire géographique en Alsace, le village de Heiligenstein. Il ne faut pas confondre le nom de Klevener avec celui du synonyme courant du Pinot blanc, qui s'écrit Klevner.

BLANC. Vins secs et légers, à l'arôme subtil et épicé, d'une délicate saveur fruitée.

Savagnin rosé

1983, 1985

Entre 2 et 4 ans

KLEVNER AOC

Voir Pinot blanc AOC.

MUSCAT AOC

Certains viticulteurs pensent que le meilleur vin de Muscat, riche et ample, est issu du Muscat dit d'Alsace, synonyme qui regroupe les Muscat à petits grains blanc et rosé. D'autres pensent que le Muscat Ottonel, plus léger et plus floral, est supérieur. Un assemblage des deux serait sans doute préférable. Ces vins sont meilleurs dans les années moyennes ou du moins dans les millésimes qui ont une bonne acidité, plutôt que dans les grands millésimes.

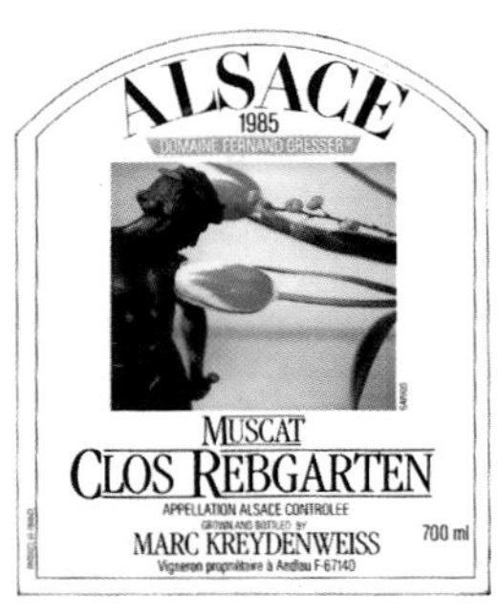

BLANC. Vins secs et aromatiques, avec de belles nuances florales, au parfum d'eau de fleur d'oranger et au goût de pêche. Un Muscat de bonne qualité qui exprime bien son terroir est un grand vin.

Muscat blanc à petits grains, Muscat rosé à petits grains, Muscat Ottonel

1981, 1984, 1985, 1986

Aussitôt

☆ Becker, Paul Ginglinger, Kuehn, Frédéric Mochel, Bruno Sorg, Maison Wiederhirn

PINOT

Voir Pinot blanc AOC.

PINOT BLANC AOC

L'Auxerrois, plus gras que le Pinot blanc, sert dans le nord de la région où le Pinot blanc risque d'être trop léger dans sa forme pure. L'Auxerrois peut en revanche se révéler trop gras. Trop mûr, il devient mou et prend une saveur nettement foxée.

BLANC. Certains de ces vins, issus de Pinot blanc, manquent encore d'ossature et de personnalité, mais beaucoup d'entre eux sont agréables et charnus, avec une saveur succulente et bien mûre.

Pinot blanc, Auxerrois, Pinot noir (vinifié en blanc), Pinot gris

1983, 1985 pour le Pinot blanc ; 1984, 1986 pour l'Auxerrois

Entre 2 et 4 ans

☆ Jean-Pierre Bechtold, Brucker, Théo Cattin, Jean-Paul Eckle, Ehrhart, Kuehn, René Schaefle, Schleret, Jean Sipp

PINOT GRIS AOC

Voir Tokay-Pinot gris AOC.

PINOT NOIR AOC

Il y a dix ans, la plupart de ces vins étaient de style rosé. La tendance actuelle est aux vins rouges de couleur bien plus profonde, élevés dans de petites barriques, pour 25-50 % sous chêne neuf.

ROUGE. Parmi les vins élevés en fût, le « Rouge d'Alsace » de Wolfberger, est le plus constant en qualité et en caractère. C'est aussi l'un des plus abordables.

Pinot noir

1983, 1985

Entre 2 et 6 ans (12 ans pour les cuvées exceptionnelles)

ROSÉ. Les meilleures bouteilles de ce vin sec et léger ont un arôme délicieusement parfumé et une saveur fruitée.

Pinot noir

1983, 1985, 1986

Entre 1 et 2 ans

Recommandés pour les vins rouges :
☆ Adam, Paul Bluecher et Fils, André-Rémy Gresser, Charles Koehly, Schaetzel, Fernand Stentz ;
Recommandés pour les vins rosés :
☆ Jérôme Fritsch, Mosbach, Joseph Cattin, Théo Cattin, Charles Wantz

RIESLING AOC

Le Riesling est le cépage le plus sensible aux différences dans la nature du sol : gras et riche sur les sols argileux, plus ferme et plus fin sur les sols granitiques, fin mais moins riche sur le calcaire, d'une saveur puissante sur les sols volcaniques.

BLANC. Dans leur jeune âge, les Riesling sont parfois tellement austères et fermes qu'ils ne laissent pas deviner les beautés qu'ils acquerront par la suite. Le « Clos Saint-Hune » de Trimbach est, à mon avis, régulièrement le plus grand des Riesling d'Alsace.

Riesling

1981, 1983, 1985

Entre 4 et 20 ans

☆ Albert Boxler & Fils, Brucker, Joseph Cattin, Dirler, Roger et Roland Geyer, Paul Ginglinger, André-Rémy Gresser, Jean-Pierre Klein & Fils, Frédéric Mallo, Frédéric Mochel, Mochel-Lorentz, Muhlberger, Marcel Mullenbach, Michel Nartz, Edgar Schaller, Maurice Schoech, Robert Schoffit, Seltz, Sick-Dreyer, Bruno Sorg, A. Zimmermann, Lucien Albrecht, Théo Cattin, Ehrhart, Edgar Schaller, Jean Sipp, Maison Wiederhirn, Adam, J. Hauller & Fils, Kuehn, Preiss Henny, Ringenbach-Moser, Alsace Willm

SCHILLERWEIN AOC

Cette appellation germanique qui couvre les vins de Pinot noir vinifiés en rosé date de l'époque où bon nombre de termes allemands étaient d'un usage courant. *Voir* Pinot noir AOC.

SYLVANER AOC

Comme l'a fait remarquer très justement Hugh Johnson, c'est directement tiré des grandes cuves en acier inoxydable qu'il faut boire le Sylvaner, lorsqu'il a encore tout le mordant et le piquant du gaz carbonique naturel, éliminé lors de la mise en bouteille. Comme le Muscat, ce cépage n'aime pas la chaleur des grands millésimes, et il faut l'acheter dans les petites années.

BLANC. Un Sylvaner d'Alsace caractéristique est un vin sec, sans prétention, relativement léger, plus fragrant que fruité. Il vaut mieux le boire jeune, mais comme pour le Muscat, on peut en trouver des exemples d'une longévité exceptionnelle. Marc Kreydenweiss produit un très étrange Sylvaner vieilli en fût que bien des œnologues auraient du mal à identifier.

Sylvaner

1982, 1984, 1986

Aussitôt

☆ Boeckel, Raymond Engel, J. Hauller & Fils, Jean-Pierre Klein & Fils

TOKAY D'ALSACE AOC

Cette appellation est théoriquement interdite par la CEE, mais bon nombre de producteurs continuent délibérément de l'utiliser puisqu'elle est employée depuis quatre siècles. L'ancien nom peut figurer sur l'étiquette à condition qu'il soit toujours accompagné de la mention Pinot gris. *Voir* Tokay-Pinot gris AOC.

TOKAY-PINOT GRIS AOC

Cette appellation est désormais la plus courante pour les vins issus de raisin de Pinot gris. Pour moi, c'est le plus grand des vins d'Alsace.

BLANC. Ce vin sec, relativement

corsé, est d'une richesse décadente mais il a une excellente acidité et l'ampleur de sa saveur ne lasse jamais le palais. Un jeune Tokay peut avoir un nez ou une saveur de banane mais en mûrissant il devient mielleux et succulent.

Pinot gris

1981, 1983, 1985

Entre 5 et 10 ans

☆ Landmann-Ostholt, Bruno Sorg, Lucien Albrecht, Bott Frères, Joseph Cattin, Théo Cattin, Dietrich, Ehrhart, R. Faller, Fleith, Willy Gisselbrecht, Maison Wiederhirn, Kuehn, Preiss-Henny, Ringenbach-Moser, Edgar Schaller, Schleret, Jean Sipp

VIN d'ALSACE AOC

Voir Alsace AOC.

VIN DE MOSELLE VDQS

Bon nombre de restaurants continuent d'écrire à la française le nom des vins de « Mosel » allemands, qui risquent d'être confondus avec les vins produits en France.

ROUGE. Les quelques vins que je connais ne sont guère impressionnants.

Un minimum de 30 % de Gamay, plus Pinot Meunier, Pinot noir

1982, 1983, 1985

Aussitôt

BLANC. Vins légers, secs et sans substance.

Auxerrois, Pinot blanc, Pinot gris, Riesling, Gewurztraminer, un maximum de 30 % de Sylvaner, et, jusqu'à ce qu'il soit remplacé par d'autres cépages, 20 % d'Ebling

1982, 1983, 1985, 1986

Aussitôt

La vallée de la Loire

Le vignoble de la vallée de la Loire s'étend le long du fleuve. Il offre à ses deux extrémités des vins blancs nerveux et, en son centre, des vins plus amples de tous types.

Depuis sa source dans les Cévennes, la Loire, le plus long fleuve du pays, parcourt environ 1 000 kilomètres, traverse douze départements dans une campagne paisible, ponctuée d'anciens bourgs et de châteaux, avant de se jeter dans l'Atlantique. La diversité des sols, des climats et des cépages qui marquent son cours et celui de ses affluents se reflète dans la vaste gamme de vins issus des quatre principales régions viticoles : le Pays nantais, l'Anjou et le Saumurois, la Touraine et le Centre.

Vins rouges, blancs et rosés, tranquilles, pétillants ou mousseux, quelque soixante appellations différentes, du brut au liquoreux, s'étendent sur la moitié de la largeur du pays.

Des vins blancs secs – le Muscadet dans le Pays nantais et les vins de Sauvignon de Sancerre, Pouilly et Ménetou-Salon dans les vignobles du Centre –, encadrent des vins de tous les types en Touraine et dans l'Anjou et le Saumurois : Anjou rosé, Saumur et Vouvray mousseux, vins moelleux de Bonnezeaux et Quarts-de-Chaume dans les Coteaux du Layon, vins rouges de Bourgueil, Chinon et Champigny.

LE CÉPAGE PRINCIPAL DE LA LOIRE

Le raisin de Chenin blanc donne quatre types de vins différents – sec, demi-sec, moelleux et effervescent –, résultat de pratiques imposées aux vignerons par les caprices du temps. Ce cépage, qui présente une abondante acidité naturelle, montre un fort taux de sucre s'il reçoit suffisamment de soleil.

Mais la Loire, d'un point de vue viticole, est une région septentrionale qui est sujette aux gelées de printemps, aux vents froids et aux étés incertains. Dans une année ensoleillée, le viticulteur cherchera à élaborer le vin le plus riche possible avec son raisin sucré et acide mais, dans de nombreux cas, il ne peut obtenir qu'un vin sec ou demi-sec. À quelques exceptions près, dont le Savennières, les vins secs faits de Chenin blanc sont trop souvent maigres, durs et acides.

Si les vins tranquilles issus du Chenin blanc sont souvent décevants et ne contribuent guère à rehausser la réputation vinicole de la Loire, tout comme en Champagne, les vins effervescents sont merveilleux. Il n'est donc pas étonnant que l'industrie du vin mousseux, née à Saumur, soit aujourd'hui le point de départ du plus grand des marchés dans ce secteur en dehors de la Champagne elle-même.

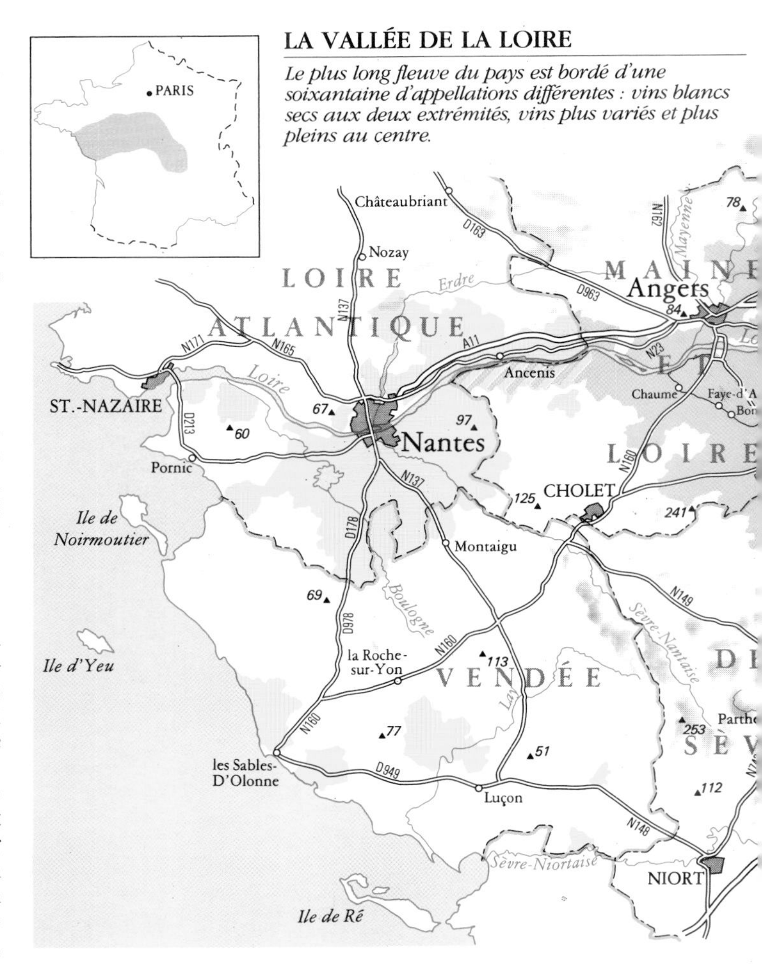

LA VALLÉE DE LA LOIRE

Le plus long fleuve du pays est bordé d'une soixantaine d'appellations différentes : vins blancs secs aux deux extrémités, vins plus variés et plus pleins au centre.

Vignobles à Vouvray, ci-dessus
Dans les années ensoleillées, cette région située à l'est de Tours produit des vins moelleux qui mûrissent lentement, estimés pour leur longévité.

La Loire vue de Champtoceaux, à gauche
Le bourg qui domine le fleuve offre une belle vue panoramique sur la campagne environnante.

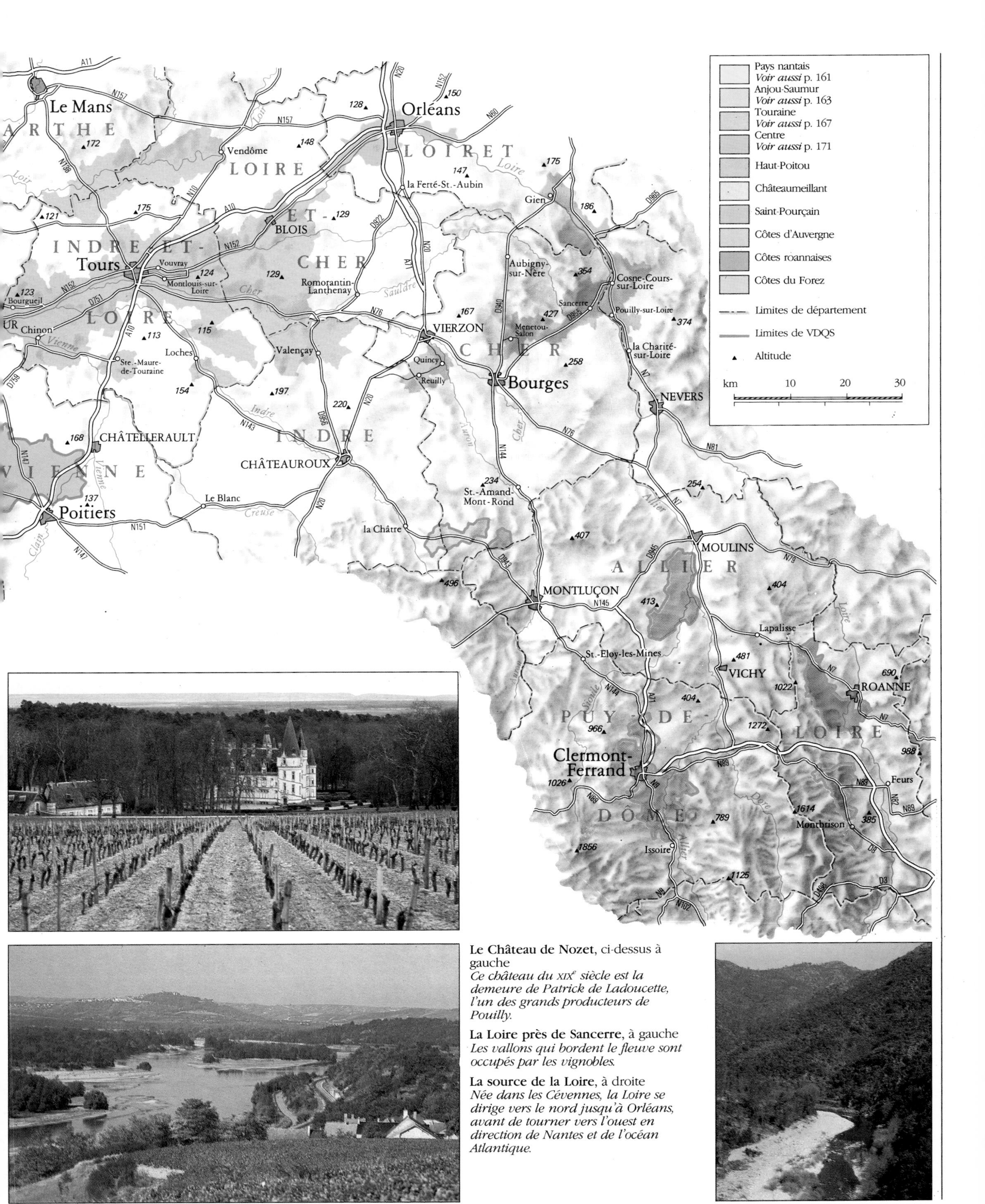

Le Château de Nozet, ci-dessus à gauche
Ce château du XIXe siècle est la demeure de Patrick de Ladoucette, l'un des grands producteurs de Pouilly.

La Loire près de Sancerre, à gauche
Les vallons qui bordent le fleuve sont occupés par les vignobles.

La source de la Loire, à droite
Née dans les Cévennes, la Loire se dirige vers le nord jusqu'à Orléans, avant de tourner vers l'ouest en direction de Nantes et de l'océan Atlantique.

Principales entreprises viticoles de la vallée de la Loire

ACKERMANN-LAURANCE
Saint-Hilaire
Saint-Florent
49416 Saumur

Ventes : ***650 000 caisses***

Fondée en 1811, Ackermann-Laurance est la plus ancienne et plus grande entreprise de vins mousseux de Loire. Elle produit également une vaste gamme d'autres vins de la Loire, mais les vins effervescents sont les meilleurs.

☆ Saumur d'origine « 1811 » brut, Cuvée privée brut.

PIERRE ARCHAMBOULT
Caves la Perrière
Verdigny
18300 Sancerre

Ventes : ***55 000 caisses***

Petite maison de négoce de bonne qualité dont les principales marques sont des Sancerre rouges et blancs, vendus sous l'étiquette « Caves du Clos de la Perrière ».

AUBERT FILS
La Varenne
49270 Saint-Laurent-des-Autels

Ventes : ***400 000 caisses***

Cette maison, qui possède des vignes dans les AOC Muscadet et Anjou, appartient au négociant bordelais Louis Eschenauer.

☆ Domaine des Joutières Muscadet des Coteaux de la Loire, Domaine des Hardières Coteaux du Layon

ALBERT BESOMBES
Moc-Baril
49404 Saumur

Ventes : ***30 000 caisses***

Petite maison de négoce familiale qui produit d'honnêtes Vouvray et Saumur mousseux, d'intéressants vins pétillants et de bons vins tranquilles dans diverses appellations de la Loire.

☆ Quincy Domaine de Maison blanche, Cabernet d'Anjou « Moc-Baril »

PIERRE BONNET
La Bronière
44330 Vallet

Ventes : ***120 000 caisses***

Ce négociant de la région du Muscadet vend ses vins sous l'étiquette P. Brévin mais produit également une large gamme de vins sous diverses étiquettes.

☆ Chinon Séraphin Roze

BOUVET LADUBAY
Saint-Hilaire
Saint-Florent
49416 Saumur

Ventes : ***130 000 caisses***

Cet établissement fondé en 1851, l'un des plus anciens producteurs de Saumur mousseux, est dirigé par Patrice Monmousseau. Bouvet est l'une des rares maisons qui utilise le Chenin blanc pour tous ses vins sauf le Saumur rosé. Parmi les autres vins mousseux, on retiendra le Blanc de blancs et le Brut.

☆ Saumur rosé, Crémant blanc de blancs millésimé

COMPAGNIE FRANÇAISE DES GRANDS VINS
77220 Tournon-en Brie

Ventes : ***2,5 millions de caisses***

Cet important producteur de vins mousseux appartient à la société Saint-Raphaël. Son vin le plus réputé est le Cadre noir Saumur brut, nommé d'après la célèbre école d'équitation. Il vend également de grandes quantités de vins mousseux qui ne sont pas des AOC sous diverses étiquettes, dont « Opéra », « Montparnasse », « Grand Impérial », « Aubel » et « Les Monopoles Alfred Rothschild » (à ne pas confondre avec la marque de Champagne « Alfred Rothschild », vendue par Marne & Champagne d'Épernay).

DONATIEN BAHUAUD
La Loge
44330 La Chapelle-Heulin

Ventes : ***800 000 caisses***

Donatien Bahuaud, l'un des plus anciens et des meilleurs négociants du Val de Loire, prétend que le vignoble du Château de la Cassemichère fut le premier à être planté de raisin de Muscadet en 1740. Il produit également une vaste gamme de vins de la Loire, y compris des Saumur et Vouvray mousseux vendus sous l'étiquette « Comte de Montesonge », et un vin de pays baptisé « Le Chouan » (ou « La Colombe » sur certains marchés), issu d'un petit vignoble entièrement planté de Chardonnay.

La plantation expérimentale de Chardonnay a débuté à la fin des années 60, et les premiers vins furent commercialisés sous la désignation « Vins de pays de Loire-Atlantique ». Depuis 1987, ils sont vendus sous le nom de « Vin de pays du Jardin de la France » (*voir aussi* p. 200). Actuellement ce vin provient de 5 hectares de vignes plantées au Château de la Cassemichère.

☆ Muscadet de la Cassemichère, Muscadet Cuvée des Aigles, Muscadet Domaine de Fief-Joyeux, Muscadet Le Master de Donatien, Fringant Muscadet, Pouilly-Fumé Les Chaumes, Sancerre Coteaux de Maimbray, Vouvray Domaine des Giraudières, « Le Chouan » (« La Colombe »)

LA FRANÇAISE D'EXPORTATION
Route de Saumur
49260 Montreuil-Bellay

Ventes : ***670 000 caisses***

Cette filiale d'une très grande maison dont les ventes mondiales totalisent 3,4 millions de caisses provenant de diverses régions de France commercialise sa production en gros sous diverses étiquettes.

GRATIEN, MEYER & SEYDOUX
Château de Beaulieu
49401 Saumur

Ventes : ***125 000 caisses***

En 1864, Alfred Gratien fonda une maison champenoise à Épernay et une firme de vins mousseux à Saumur. Gratien, Meyer & Seydoux possède aujourd'hui 20 ha de vignes et achète du raisin à envion 200 viticulteurs de la région Anjou-Saumur. Les vins mousseux élaborés sous les appellations Anjou, Saumur et Crémant de Loire ne sont vendus qu'après avoir mûri pendant 18 à 24 mois. Les vins sont également vendus sous les étiquettes « Henri d'Arlan » et « Rosset ».

☆ Crémant de Loire, Saumur Cuvée Flamme

MONMOUSSEAU
41401 Montrichard

Ventes : ***175 000 caisses***

Cette maison, fondée en 1986 par Alcide Monmousseau, appartient aujourd'hui, comme Bouvet, à Taittinger. Bien qu'elle produise une large gamme de vins de la Loire, ses 70 ha de vignes lui permettent d'exceller dans la production limitée de cuvées de prestige. Le Touraine brut et le Brut de Mosny sont extrêmement bien faits.

☆ Cuvée J.M. 93, Cuvée J.M. Rosé

DE NEUVILLE
Saint-Hilaire
Saint-Florent
49416 Saumur

Ventes : ***250 000 caisses***

Vaste gamme de vins de Loire, bien faits mais sans grande inspiration, dont une partie provient des 45 ha de vignes de ce négociant.

☆ Saumur rosé brut

RÉMY-PANNIER
Rue Léopold-Palustre
Saint-Hilaire
Saint-Florent
49400 Saumur

Ventes : ***2,2 millions de caisses***

Fondée en 1885, cette maison propose de vastes quantités de vins fiables de toutes les AOC de la Loire.

☆ Chinon, Saumur Crémant brut

MARCEL SAUTEJEAU
Domaine de l'Hyvernière
44330 Le Pallet

Ventes : ***900 000 caisses***

Cette grande maison de négoce familiale commercialise une large gamme de vins de Loire ; le Muscadet est le plus renommé.

☆ Muscadet Clos des Orfeuilles, Muscadet Domaine de l'Hyvernière

SAUVION & FILS
Château du Cléray
44330 Vallet

Ventes : ***25 000 caisses***

Le Château du Cléray, qui fut acheté en 1935 par Ernest Sauvion, est aujourd'hui dirigé par son fils et ses trois petits-fils. Cette entreprise familiale, qui exporte dans le monde entier, produit certains des plus beaux Muscadet qui soient. De plus, elle est à l'avant-garde du progrès dans cette région.

☆ Tous les Muscadet, en particulier Château du Cléray, Cardinal Richard et ceux vendus sous l'étiquette « Découverte ».

ANTOINE SUBILEAU
6, rue Saint-Vincent
44330 Vallet

Ventes : ***420 000 caisses***

Importante maison nantaise qui produit un beau Muscadet.

☆ Muscadet Domaine des Montys, Muscadet Château Fromenteau

LES VINS TOUCHAIS
25, avenue du Maréchal-Leclerc
49700 Doué-la-Fontaine

Cette maison, fondée en 1947 par une famille de viticulteurs, possède 190 ha de vignes en Anjou-Saumur. L'essentiel de sa production est représenté par les AOC génériques, bien que sa publicité soit axée sur son célèbre Moulin Touchais. Il s'agit d'un vin exceptionnel que l'on trouve sous les appellations d'origine contrôlée Coteaux du Layon et Anjou.

Coopératives importantes de la vallée de la Loire

UNION VINICOLE DU VAL DE LOIRE
23, rue Fouquet
Saint-Hilaire
Saint-Florent
49400 Saumur

Ventes : ***550 000 caisses***

Cette maison, fondée en 1877 par Marcel Goblet, vend aujourd'hui une vaste gamme de vins de qualité standard sous l'étiquette « Jacques Goblet ».

CIE DE LA VALLÉE DE LA LOIRE
Montreuil-Bellay
Route de Loudon
49260 Cedex 48

Ventes : ***1,6 million de caisses***

Fondée il y a vingt ans par Henri Verdier, cette maison commercialise une importante production sous de nombreuses étiquettes, dont « Sébastien Aubert » (Bourgueil), « Monique Verdier » (Muscadet), « Georges Verdier » (Vouvray), « Alban Saint Pré » et « Jean Monfermy » (Anjou), « Jean Montbray » (Touraine) et « Veuve Béranger » (Sancerre).

CLAUDE VERDIER
Boulevard Jean-Moulin
49401 Saumur

Ventes : ***750 000 caisses***

Les Muscadet, Anjou et Vouvray de cette maison sont vendus sous le nom de « Claude Verdier », tandis que « Lecluse et Claude Verdier » est utilisé pour le Saumur brut et « Nicolas Verdier » pour le Crémant de Loire.

☆ Nicolas Verdier Crémant de Loire

VEUVE AMIOT
19-21, rue Jean-Ackerman
Saint-Hilaire
Saint-Florent
49416 Saumur

Ventes : ***200 000 caisses***

Fondée en 1884 par Élisa Amiot, cette maison appartient maintenant à Martini & Rossi.

☆ Crémant de Loire, Saumur Haute Tradition

ANDRÉ VINET
10, rue de Prugres
Vallet

Ventes : ***450 000 caisses***

Important négociant en Muscadet dont on voit plus souvent les vins en France qu'à l'étranger. Il produit également des vins d'autres régions dont un Saumur brut.

☆ Muscadet Domaine Guerande, Muscadet Château Guerande, Muscadet Château La Cormerais, Muscadet Château La Touche

LA VINICOLE DE TOURAINE
Cour-Cheverny

Ventes : ***2,2 millions de caisses***

Immense production d'AOC Touraine, généralement quelconque, et de vins de table en gros.

CAVE COOPÉRATIVE CÔTES DU FOREZ
Trelins
42130 Boen

Ventes : ***120 000 caisses***
Membres : ***environ 260***
Vignobles : ***450 ha***
Fondation : ***1962***

La plupart des membres cultivent le Gamay et produisent soit le VDQS Côtes du Forez soit le Vin de pays d'Urfé.

CAVE COOPÉRATIVE DU HAUT-POITOU
32, rue Alphonse-Plault
86170 Neuville-de-Poitou

Ventes : ***900 000 caisses***
Membres : ***environ 1 200***
Vignobles : ***1 000 ha***

Une politique commerciale moderne assure une bonne distribution aux vins de cette coopérative bien équipée techniquement. Le superbe Chardonnay mousseux Diane de Poitiers vieillit bien mais n'a pas d'appellation officielle. Il en existe aussi une version en rosé faite de Cabernet Sauvignon et de Cabernet franc. Le VDQS de Chardonnay n'est pas très intéressant mais il s'améliore.

☆ Vin du Haut-Poitou Sauvignon, Vin du Haut-Poitou Cabernet, Vin du Haut-Poitou Gamay, Diane de Poitiers

VIGNERONS DE LA NOËLLE CANA
44150 Ancenis

Ventes : ***200 000 caisses***
Membres : ***380***
Vignobles : ***450 ha***
Fondation : ***1955***

Cette coopérative produit divers VDQS, AOC et Vins de pays.

☆ Prime de la Noëlle Crémant de Loire

LES CAVES DE LA LOIRE
49380 Thouarce

Ventes : ***1,1 million de caisses***
Membres : ***environ 500***
Vignobles : ***2 000 ha***

Avec des établissements à Brissac, Beaulieu et Tigné, cette union de trois coopératives produit une vaste gamme de vins, dont une bonne partie est vendue en gros.

☆ Comte de Treillière Crémant de Loire

CAVE DES VIGNERONS DE SAUMUR À SAINT-CYR-EN-BOURG
49260 Montreuil-Bellay

Ventes : ***350 000 caisses***
Vignobles : ***environ 800 ha***

Les membres de cette coopérative produisent une gamme diversifiée de vins mousseux et tranquilles.

☆ Saumur Cuvée spéciale

LA CONFRÉRIE DES VIGNERONS DE OISLY ET THESEE
Oisly
41700 Contres

Ventes : ***150 000 caisses***

Cette coopérative produit des vins séduisants et bien faits, à l'équilibre élégant.

☆ Touraine Gris, Oisly et Thesée, Cuvée Prestige Crémant de Loire, Baronnie d'Aignan blanc, Baronnie d'Aignan rouge

UNION DE VIGNERONS
Quai de la Ronde
03500 Saint-Pourçain-sur-Sioule

Ventes : ***150 000 caisses***
Membres : ***350***
Vignobles : ***350 ha***

Ces vignerons, qui possèdent en moyenne 1 ha chacun, produisent des VDQS Saint-Pourçain-sur-Sioule rouges, rosés et blancs, de qualité honnête et qui progressent.

Vins génériques du Val de Loire

CRÉMANT DE LOIRE AOC

Ce vin, sous-estimé, élaboré selon la méthode champenoise avec des vins de Touraine et d'Anjou-Saumur, offre une qualité plus constante que d'autres vins mousseux de la Loire plus célèbres.
Un crémant est moins effervescent qu'un vin mousseux, avec une pression de 3,5 atmosphères au lieu de 5 à 6.

BLANC MOUSSEUX. Les mieux équilibrés de ces vins bruts à demi-secs, relativement légers, sont normalement faits d'un assemblage de Chenin blanc, Cabernet franc et Chardonnay. La France sous-estime les possibilités de ces cépages dans le Val de Loire, où le climat, le sol et la législation leur semblent tellement favorables.

Le Perry de Malleyrand brut tradition est un vin techniquement parfait, avec une mousse qui se déploie lentement et une délicate combinaison de saveurs.

Chenin blanc, Cabernet franc, Cabernet Sauvignon, Pineau d'Aunis, Pinot noir, Chardonnay, Arbois et Grolleau noir

Généralement non millésimé

1 à 3 ans au maximum

ROSÉ MOUSSEUX. Les meilleurs de ces vins relativement légers sont bruts et contiennent généralement une forte proportion de Cabernet franc et de Grolleau noir. Il serait cependant intéressant de goûter à un Crémant pur Pinot noir, qui serait du reste facile à faire.

Chenin blanc, Cabernet franc, Cabernet Sauvignon, Pineau d'Aunis, Pinot noir, Chardonnay, Arbois et Grolleau noir

Généralement non millésimé

La plupart se boivent aussitôt, encore que certains gagnent à être gardés 1 à 2 ans

☆ Alain Arnault, Perry de Malleyrand Brut Tradition (Michel Lateyron), Noël Pinot

ROSÉ DE LOIRE AOC

Appellation d'origine contrôlée créée en 1974 pour les rosés secs afin d'exploiter le succès commercial international du Rosé d'Anjou et le goût pour les vins secs. Le résultat est très décevant.

ROSÉ. Rosé sec, relativement léger, qui pourrait être le plus séduisant de son type. Seuls quelques producteurs comme Pierre et Philippe Cady et M. Aguilas-Gaudard font vraiment des efforts. Le Domaine de Varinelles est régulièrement un bon vin.

Pineau d'Aunis, Pinot noir, Gamay, Grolleau et au moins 30 % de Cabernet franc et de Cabernet Sauvignon

1983, 1985

Immédiatement

☆ Clos de l'Abbaye, Aguilas-Gaudard, Domaine de Beillant, Domaine des Varinelles

Autres vins de la vallée de la Loire

CHÂTEAUMEILLANT VDQS

Dans cette zone qui a sombré dans l'oubli, située à la limite des départements du Cher et de l'Indre, la tradition viticole remonte au XIIe siècle. Bien que l'on n'y cultive que des cépages noirs, on y faisait autrefois de bons vins blancs. La production en est d'ailleurs toujours autorisée.

ROUGE. Cultivé sur des sols volcaniques, le raisin de Gamay domine généralement ces vins à la robe rubis, légers mais fermes, qu'il faut boire le plus tôt possible.

Gamay, Pinot gris, Pinot noir

1983, 1985

6 à 12 mois au maximum

ROSÉ. Ces vins gris secs et légers sont les meilleurs de Châteaumeillant. Obtenus par saignée, ils sont fruités, frais et délicatement équilibrés.

Gamay, Pinot gris, Pinot noir

1983, 1985

6 à 12 mois au maximum

☆ Maurice Lanoix, Henri Raffinat.

CÔTES ROANNAISES VDQS

Ces vins rouges et rosés sont issus d'un clone localisé de Gamay, le Gamay Saint-Romain, qui pousse sur des terres volcaniques exposées au sud et au sud-ouest sur la rive gauche de la Loire, à quelque 40 km seulement du Mâconnais. Cette appellation mérite depuis longtemps déjà le statut d'AOC.

ROUGE. Certains de ces vins relativement corsés sont obtenus par une forme de macération carbonique et quelques-uns vieillissent en fût. Il en résulte tantôt des vins bien colorés, typés et boisés, tantôt des vins fruités de type Beaujolais, à boire jeunes.

Gamay

1983, 1985

1 à 5 ans au maximum

ROSÉ. Vins secs, moyennement étoffés, bien faits, nerveux et fruités.

Gamay

1983, 1985

Entre 2 et 3 ans

☆ Chargros, Desormières, Pierre Gaume, Maurice Lutz, Robert Serol, Villeneuve

CÔTES D'AUVERGNE VDQS

Cette appellation, située au sud de Saint-Pourçain et à l'ouest des Côtes du Forez, aux confins du Massif Central, est la plus excentrée de toutes les zones de la vallée de la Loire. Certaines communes qui produisent des vins supérieurs peuvent utiliser les appellations communales suivantes : Côtes d'Auvergne-Boudes (Boudes, Chalus et Saint-Hérant) ; Côtes d'Auvergne-Chanturgues (Clermont-Ferrand et Cézabat [en partie]) ; Côtes d'Auvergne-Châteaugay (Châteaugay et Cézabat [en partie]) ; Côtes d'Auvergne-Corent (Corent, Les Martres-de-Veyre, La Sauvetat et Veyre-Monton) ; et Côtes d'Auvergne-Madragues (Riom).

ROUGE. Les meilleurs de ces vins légers et fruités portent l'appellation d'origine Chanturgues. La plupart sont issus de raisin de Gamay, cépage traditionnel dans cette région, et ressemblent aux Beaujolais.

Gamay, Pinot noir

1983, 1985

1 à 2 ans au maximum

BLANC. Ces vins secs et légers issus de Chardonnay sont méconnus, alors qu'avec la vogue de ce cépage, ils pourraient connaître un certain succès commercial.

Chardonnay

1983, 1985

1 à 2 ans au maximum

ROSÉ. Vins secs et légers à la séduisante saveur de cerise, produits à Clermont-Ferrand sous l'appellation Chanturgues.

Gamay, Pinot noir

1983, 1985, 1986

1 an au maximum

☆ Caves des Coteaux, Pierre Lapouge

CÔTES DU FOREZ VDQS

Ce vin ressemble à un Beaujolais VDQS produit dans le département de la Loire. Il s'améliore grâce aux efforts de la coopérative et de quelques producteurs soucieux de qualité, mais il pourrait être encore meilleur.

ROUGE. Ce sont des vins légers et quelque peu fruités, qu'il convient de boire jeunes et frais.

Gamay

1983, 1985

Immédiatement

ROSÉ. Les Côtes du Forez produisent des rosés simples, secs et légers, qui conviennent parfaitement pour un pique-nique.

Gamay

1983, 1985, 1986

Immédiatement

☆ Paul Gammon

SAINT-POURÇAIN VDQS

L'aire Saint-Pourçain couvre dix-neuf communes au sud-est de Bourges dans le département de l'Allier. Les viticulteurs y sont très ambitieux et leurs vins suscitent beaucoup d'enthousiasme, ce qui est particulièrement encourageant pour l'avenir. Les vignobles s'étendent sur 500 ha.

ROUGE. Ces vins relativement légers ressemblent tantôt à des Beaujolais très légers, tantôt à des imitations de Bourgogne Passe-tout-grains suivant l'encépagement.

Gamay, Pinot noir et jusqu'à 10 % maximum de Gamay teinturier

1983, 1985

1 à 2 ans au maximum

BLANC. Vins secs et relativement légers. Le raisin de Tressalier (qu'on appelle Sacy à Chablis), assemblé avec le Chardonnay et le Sauvignon, donne un vin de saveur ample, nerveux, qui n'est pas sans qualités.

Un maximum de 50 % de Tressallier et 10 % de Saint-Pierre-Foré, plus Aligoté, Chardonnay et Sauvignon blanc

1984, 1985, 1986

1 à 2 ans au maximum

ROSÉ. Ces vins secs et nerveux, relativement légers, exhalent un parfum qui rappelle les fruits d'été. Les rosés sont en général plus réussis que les vins rouges, mais les deux types de vins sont particulièrement rafraîchissants et gouleyants.

Gamay, Pinot noir et jusqu'à 10 % au maximum de Gamay teinturier

1983, 1985, 1986

1 à 2 ans au maximum

☆ Jean Cherillat, Maurice Faure, Joseph Laurent, Jean Ray

VINS DU HAUT-POITOU AOC

À quelque 100 km au sud-est de Tours, dans un climat chaud et sec, plus propice en fait aux cultures fermières qu'à la viticulture, le Haut-Poitou produit cependant des vins très réputés.

ROUGE. C'est un vin à suivre : bien que les vins rouges vraiment réussis soient jusqu'ici peu nombreux et limités au Cabernet, on a nettement l'impression que la situation va changer. La qualité de l'ensemble de l'appellation progressera vraisemblablement de façon significative et l'on verra sans doute émerger quelques vins de cépage passionnants.

Pinot noir, Gamay, Merlot, Malbec, Cabernet franc, Cabernet Sauvignon et un maximum de 20 % chacun de Gamay de Chaudenay et Grolleau

1982, 1983, 1985

3 ans au maximum

BLANC. Vins de cépage secs et relativement légers. Les purs Sauvignon sont plus tendres et plus floraux que la plupart de leurs équivalents du nord, tout en conservant la fraîcheur et la vitalité indispensables à ce cépage. Ils sont de qualité très constante depuis 1978, quelles que soient les conditions du millésime. Le Chardonnay qui, jusqu'à présent, s'est révélé décevant dans la région de Poitiers, donne toutefois un superbe vin de méthode champenoise baptisé « Diane de Poitiers ».

Sauvignon blanc, Chardonnay, Pinot blanc et jusqu'à 20 % au maximum de Chenin blanc

(Sauvignon) 1980, 1981, 1982, 1983, 1984, 1985, 1986

1 an au maximum

ROSÉ. Vins secs, relativement légers, frais et fruités. La coopérative produit un Cabernet à la robe framboise un peu trop vive, mais on en trouve des exemples plus subtils.

Pinot noir, Gamay, Merlot, Malbec, Cabernet franc, Cabernet Sauvignon et un maximum de 20 % chacun de Gamay de Chaudenay et de Grolleau

1982, 1983, 1985, 1986

3 ans au maximum

☆ Cave coopérative du Haut-Poitou (Sauvignon et méthode champenoise « Diane de Poitiers »), Robert Champalou, Gérard Descoux, Fournier Frères

Pays nantais

Le Pays nantais est le lieu d'élection du Muscadet. Le plus riche est produit en Sèvre-et-Maine. Les vins des Coteaux de la Loire, plus au nord, présentent plus d'acidité. Ailleurs, la production est dominée par des vins de qualité ordinaire.

Les vignobles du Muscadet se trouvent au sud-est de Nantes. Les meilleurs sont ceux de Sèvre-et-Maine, du nom des deux rivières qui traversent cette contrée bien plus vallonnée que la campagne environnante et protégée des vents du nord-ouest par la ville de Nantes. Cette région ne représente qu'un quart de l'aire d'appellation seulement, mais elle assure 85 % de toute la production de Muscadet. Ce n'est que dans les années exceptionnellement chaudes ou sèches que les Muscadet des Coteaux de la Loire peuvent parfois surpasser ceux de Sèvre-et-Maine.

LE RAISIN DE MUSCADET ET SES VINS

On ne sait pas avec certitude à quand remonte la culture du Muscadet dans cette région. Une plaque au Château de la Cassemichère affirme que le premier pied de Muscadet fut transplanté de Bourgogne en 1740, mais l'ampélographe Pierre Galet nous apprend qu'« après le terrible hiver de 1709, Louis XIV ordonna que les vignobles de la Loire-Atlantique détruits par le gel soient replantés de Muscadet blanc ».

Le vin issu du raisin de Muscadet est de saveur neutre et ne présente aucune des nuances musquées sous-entendues par son nom. Il faut le vendanger précocement pour lui conserver son acidité, mais le viticulteur risque alors de faire un vin qui manque de fruité. Si le vin est laissé en contact avec son dépôt et mis en bouteille « sur lie », il devient plus fruité, acquiert des nuances de levure et, en conservant davantage de gaz carbonique libéré par la fermentation, se fait vif et frais. Récemment encore, l'emploi de l'expression « sur lie » n'était pas contrôlé et les producteurs peu scrupuleux se contentaient d'apposer cette mention pour un simple vin filtré afin de le vendre plus cher. Un Muscadet sur lie doit aujourd'hui rester sur ses lies pendant un hiver et ne pas être mis en bouteille avant le 15 février qui suit la récolte. En outre, la mise en bouteille s'effectue directement, sans soutirage ni filtration. Certains producteurs affirment que l'effet du contact avec les lies dans les cuves immenses est négligeable et aimeraient que le terme soit réservé aux vins conservés en barrique.

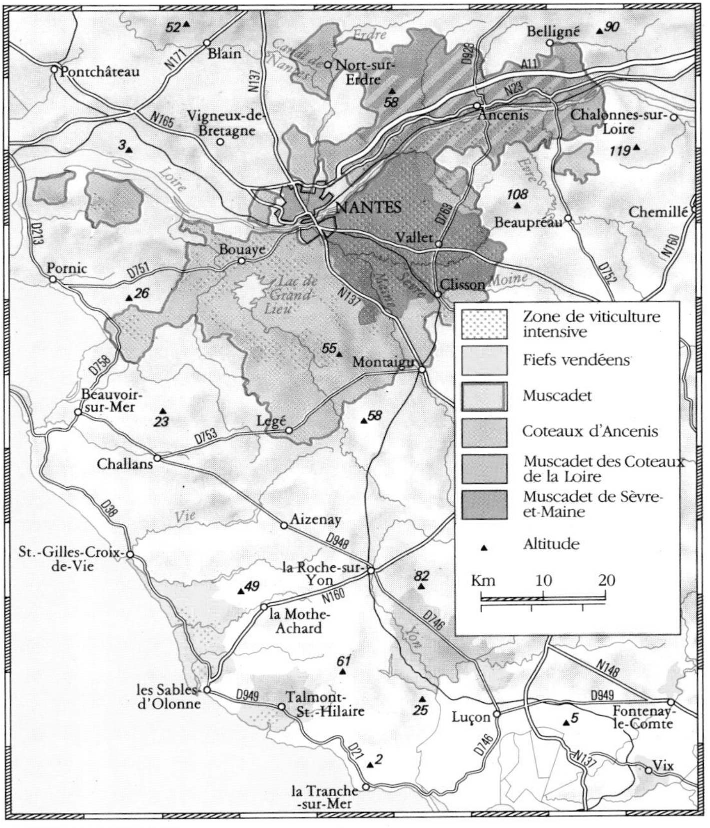

PAYS NANTAIS, *voir aussi* p. 156

Les vignobles de Sèvre-et-Maine et des Coteaux de la Loire produisent les meilleurs vins de la région. Le Muscadet de Sèvre-et-Maine est le plus réputé des deux et le meilleur, sauf parfois dans les années chaudes.

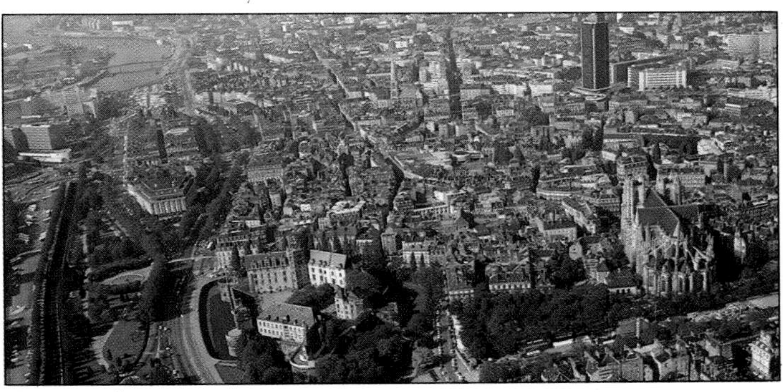

Nantes, ci-dessus
Le charme des vieux quartiers contraste avec l'architecture de la ville moderne.

Vignes de Muscadet, ci-dessus
Au cœur du pays du Muscadet, au sud-est de Nantes, le bourg de Saint-Fiacre-sur-Maine domine les vignobles environnants.

FACTEURS AFFECTANT LE GOÛT ET LA QUALITÉ

Situation
Le Pays nantais se trouve à l'ouest de la vallée de la Loire, près de la côte, avec des vignobles dans la Loire-Atlantique et le Maine-et-Loire.

Climat
Climat doux et humide, avec parfois des hivers rigoureux et des gelées printanières. Les étés sont généralement chauds et ensoleillés mais pluvieux.

Site
Certains des vignobles se trouvent sur les terres plates de l'embouchure de la Loire, au sud-ouest de Nantes. Les Coteaux de la Loire et le Sèvre-et-Maine sont plus vallonnés et leurs meilleurs vignobles occupent les versants doux en bord de cours d'eau. Quand les vallées sont trop pentues, la vigne est plantée au sommet des coteaux.

Sol
Les meilleurs vignobles de Sèvre-et-Maine sont plantés sur des sols légers et pierreux composés en proportions variables d'argile, de sable et de graves sur un sous-sol schisteux et volcanique riche en potassium et magnésium. Ces sols assurent un bon drainage.

Viticulture et vinification
Le Muscadet est un cépage qui résiste bien aux gelées, mûrit précocement et s'adapte bien au climat humide du Pays nantais. On le vendange précocement, afin de conserver au raisin son acidité. Le meilleur Muscadet est conservé « sur lies » jusqu'à la mise en bouteille, ce qui lui donne davantage de fruité et de profondeur, ainsi qu'un léger pétillement.

Cépages principaux
Muscadet, Folle blanche

Cépages secondaires
Gamay, Gamay de Chaudenay, Gamay de Bouze, Négrette, Chardonnay, Cabernet franc, Cabernet Sauvignon, Pinot gris, Chenin blanc, Groslot gris

Les vins du Pays nantais

COTEAUX D'ANCENIS VDQS

Ces VDQS, provenant de la même aire que le Muscadet des Coteaux de la Loire, mériteraient le statut d'AOC.

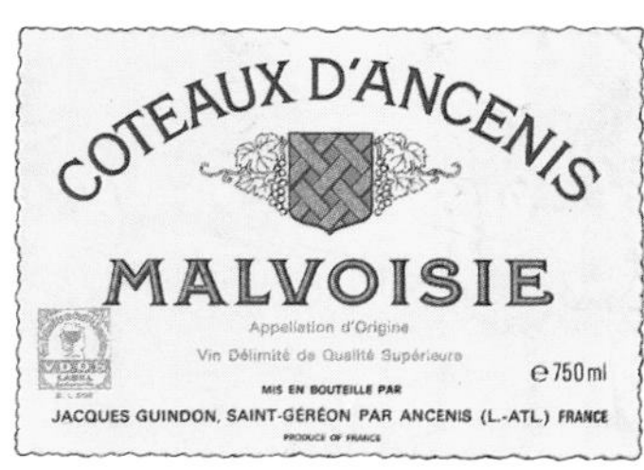

ROUGE. Vins relativement légers, dont des Cabernet issus de Cabernet franc et de Cabernet Sauvignon, mais qui connaissent curieusement moins de succès que les vins de Gamay, lesquels représentent quelque 80 % de la production totale de cette appellation.

Cabernet Sauvignon, Cabernet franc, Gamay et jusqu'à 5 % au total de Gamay de Chaudenay et Gamay de Bouze

1981, 1983, 1985, 1986

2 ans au maximum

BLANC. Vins secs à demi-secs, légers. Le Pinot gris ou Malvoisie, moins alcoolisé que son cousin alsacien, peut avoir une certaine richesse qui persiste en bouche. Le Chenin blanc, appelé ici Pineau de la Loire, est rarement effervescent.

Chenin blanc, Pinot gris

1983, 1985, 1986

12 à 18 mois au maximum

ROSÉ. Rosés secs et relativement légers, dont certains sont frais, fermes et vifs. Le Gamay est le cépage le plus apprécié.

Cabernet Sauvignon, Cabernet franc, Gamay et jusqu'à 5 % au total de Gamay de Chaudenay et Gamay de Bouze

1981, 1983, 1985, 1986

2 ans au maximum

☆ Domaine des Genaudières, Jacques Guindon

FIEFS VENDÉENS VDQS

Cette appellation s'améliore régulièrement et mérite bien son statut de VDQS, qui a succédé à celui de Vin de pays, obtenu en 1984. La réglementation relative aux cépages de ce vin est unique : elle détermine la proportion de chaque raisin dans l'encépagement du vignoble, mais non dans le vin ; on peut donc, malgré les pourcentages imposés pour la culture de chaque cépage, produire des vins de cépage unique ou des assemblages.

ROUGE. Les communes de Vix et de Mareuil-sur-Lay-Disais produisent les meilleurs vins dans cette appellation. Fermes et moyennement corsés, ils ne se gardent pas. Ils ont parfois une nuance herbacée qui leur vient du Cabernet franc, le cépage prédominant cultivé dans ces deux communes.

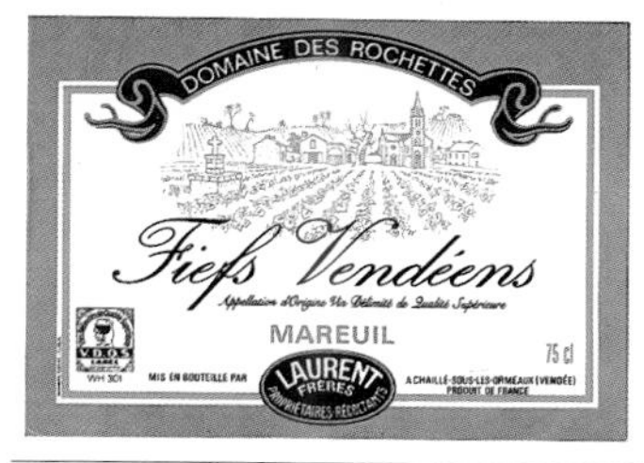

Un minimum de 50 % de Gamay et Pinot noir plus Cabernet franc, Cabernet Sauvignon, Négrette et jusqu'à 15 % au maximum de Gamay de Chaudenay

1985, 1986

18 mois au maximum

BLANC. Vins légers, très secs à secs, qui, à part ceux de Vix et de Pissotte, sont de qualité moindre. Peut-être est-ce dû au Chenin blanc, qui mûrit ici rarement de façon satisfaisante. La qualité pourrait s'améliorer si certains des autres cépages autorisés étaient cultivés à une plus grande échelle.

Un minimum de 50 % de Chenin blanc, plus Sauvignon blanc et Chardonnay. Un maximum de 20 % de Melon de Bourgogne dans les communes de Vix et Pissotte et un maximum de 40 % (réduit à 30 % à partir de 1994) de Groslot gris dans les vignobles côtiers autour des Sables-d'Olonne

1985, 1986

Immédiatement

ROSÉ. Vins secs et relativement légers. Les meilleurs vins de Vix et de Mareuil-sur-Lay-Disais sont tendres, délicats et sous-estimés. Ils valent la peine d'être achetés.

Un minimum de 50 % de Gamay et Pinot noir, plus Cabernet franc, Cabernet Sauvignon, Négrette et un maximum de 15 % de Gamay de Chaudenay. Un maximum de 40 % (réduit à 30 % à partir de 1994) de Groslot gris dans les vignobles côtiers autour des Sables-d'Olonne

1985, 1986

18 mois au maximum

☆ Domaine de la Chaignée, Philippe et Xavier Coirer, Michel Paupion, Arsène Rambaud, Domaine des Rochettes

GROS PLANT ou GROS PLANT NANTAIS VDQS

Le Gros Plant est le synonyme régional de la Folle blanche, l'un des raisins qui sert à faire le Cognac.

BLANC. Le Gros Plant est généralement tellement sec, acide et peu fruité qu'il paraît dur au goût. Mis en bouteille sur lie, il peut équilibrer son mordant naturel, un peu comme le Muscadet (*voir* Muscadet de Sèvre-et-Maine AOC).

Gros Plant

1983, 1985, 1986

Immédiatement

☆ Clos-des-Rosiers, Domaine du Bois-Bruley, Joseph Hallereau, La Cuvée de Marquisat, Domaine de la Seigneurie du Cléray

MUSCADET AOC

Cette appellation de base couvre l'ensemble de l'aire d'appellation du Muscadet, mais les vins produits sous cette AOC ne représentent que 10 % de la production totale.

BLANC. Ces vins très secs et légers sont, pour la plupart, au mieux des vins ordinaires et manquent souvent d'équilibre.

Muscadet

1983, 1985, 1986, 1987

Immédiatement

☆ Domaine de la Garanderie, Domaine des Genaudières, Domaine des Herbauges

MUSCADET DES COTEAUX DE LA LOIRE AOC

Les Coteaux de la Loire sont le vignoble côtier le plus septentrional de France. La combinaison d'une situation côtière septentrionale et d'un sol calcaire avec de nombreux coteaux exposés au nord explique la forte acidité caractéristique des vins de la région.

BLANC. Ces vins très secs et légers, de qualité variable, manquent souvent de fruité mais, dans les années chaudes, ils peuvent être les meilleurs des Muscadet.

Muscadet

1982, 1985

Immédiatement

☆ Château la Berrière « Clos Saint-Roch », Domaine de la Garanderie, Jacques Guindon, Domaine des Herbauges, Château de la Roulière.

MUSCADET DE SÈVRE-ET-MAINE AOC

Ce Muscadet classique provient d'une petite aire qui regroupe la plupart des meilleurs vignobles. Quelque 45 % de cette appellation sont mis en bouteille sur lie, après être restés en contact avec le dépôt pendant un hiver au moins.

BLANC. Vins très secs à secs et légers. Les meilleurs doivent être à la fois fruités et acides, avec une profondeur qui peut rappeler un modeste Bourgogne blanc.

Muscadet

1983, 1984, 1985, 1986, 1987

2 ans, encore que certains puissent se garder 3 ou 4 ans

☆ Domaine de la Bigotière, Domaine de la Blanchetière, Domaine de Bois-Bruley, Domaine de la Botinière, Domaine de Bourguignon, André-Michel Bregeon, Château de la Bretesche, Fief de la Brie, Château de la Cantrie, Domaine de Chasseloir, Domaine des Chausselières, Domaine de la Févrie, Domaine de la Forchetière, Domaine de la Hautière, La Foilette, Marquis de Goulaine, Les Mesnil, Château de la Mercredière, Coupe « Louis Métaireau », Cuvée Millénaire Goulaine, Château de Moutonnière, Château la Noë, Château de l'Oiselinière, Château l'Oiselinière de la Ramée, Clos des Roches Gaudinières, Clos des Rosiers, Le Soleil nantais Guibaud Frères

Anjou et Saumurois

Les viticulteurs de l'Anjou et du Saumurois élaborent une gamme de vins représentative de l'ensemble de la vallée de la Loire. On retrouve en effet ici presque tous les styles de vins de cette vaste région vinicole, ainsi que les cépages dont ils sont issus.

Angers, l'ancienne capitale de l'Anjou, demeure un centre important à la fois pour l'industrie textile et pour ses vins. La ville abrite un château du IXe siècle, une cathédrale du XIIe siècle et l'hôpital Saint-Jean du XIIIe siècle, où l'on visitera le petit musée du Vin d'Anjou.

La seule autre ville importante de la région est Saumur, capitale des vins mousseux de la Loire, où de nombreux touristes viennent visiter en été les caves creusées directement dans le tuffeau. Le magnifique château en pierre blanche qui domine la ville, bâti au XIVe siècle, est le siège de la Confrérie des Chevaliers du Sacavins, l'une des confréries vineuses d'Anjou.

LES VINS D'ANJOU

Bien que le rosé soit sur le déclin, il représente encore jusqu'à 55 % de la production totale. Mais comme il est essentiellement issu d'un assemblage de cépages mineurs comme le Grolleau et le Pineau d'Aunis, le cépage le plus renommé d'Anjou est le Chenin blanc, cultivé dans la région depuis plus de mille ans. Ses synonymes sont nombreux, de Pineau de la Loire à Franc-blanc, mais son nom véritable vient de Mont-Chenin en Touraine où il est mentionné au XVe siècle. On le retrouve dès 845 sous d'autres noms à l'abbaye de Glanfeuil, au sud de la Loire, en Anjou.

Le mordant caractéristique du Chenin blanc lui vient de son fort taux d'acide tartrique, lequel, combiné à un taux d'extraits naturellement élevé, donne souvent des vins secs et demi-secs trop acides et amers. Les exceptions à cette règle sont peu nombreuses et confinées pour l'essentiel aux quatre coteaux ensoleillés de Savennières. Les vignerons d'Anjou ont donc pour habitude d'attendre le plus tard possible pour vendanger. Ils s'exposent au risque de pluie, mais en vendangeant en plusieurs tries et en ne cueillant à chaque fois que les fruits les plus sains et les plus mûrs, ils peuvent produire un vin miraculeux. Bien que cette pratique soit onéreuse, aussi bien en temps qu'en travail, la qualité unique des raisins surmûris peut donner le plus succulent et le plus harmonieux des vins moelleux.

À la différence des vins secs médiocres et ternes issus de Chenin blanc, qui se détériorent avec l'âge, ces trésors constituent de véritables placements qui peuvent mûrir longuement et acquérir de merveilleuses nuances de miel.

L'INDUSTRIE DU SAUMUR MOUSSEUX

Avec le développement rapide du marché du Champagne au XIXe siècle, les producteurs de la Loire se sont mis à copier ces vins effervescents en pensant avoir enfin trouvé un débouché pour le surplus de vins maigres et acides que donnait le Chenin blanc même chez les viticulteurs les plus consciencieux. Le premier vin mousseux de la Loire fut produit par Jean Ackermann. En 1811, il fonda la firme Ackermann-Laurance qui réussit à monopoliser le marché pendant près de quarante ans. Le Saumur mousseux devint la plus grande industrie dans le domaine des vins effervescents en dehors de la Champagne.

Dans bon nombre de régions de la Loire, le Chenin blanc a une acidité parfaite pour donner un vin mousseux de qualité, bien que les amateurs du caractère véritable du Champagne, marqué par les levures, puissent trouver son bouquet étrangement sucré et affirment que sa saveur est tout simplement trop typée pour être correctement transmutée par la méthode champenoise. Les vins connaissent cependant un succès immense auprès du public, et l'apport de Chardonnay et d'autres cépages neutres peut considérablement améliorer l'assemblage. Même le plus ardent admirateur de Champagne succombe aux charmes d'un pur Chenin blanc mousseux de qualité.

ANJOU-SAUMUR, *voir aussi* p. 156

Entre les vins mousseux de Saumur et la gamme des vins des environs d'Angers, l'Anjou et le Saumurois produisent la plupart des types de vin que l'on trouve dans l'ensemble de la vallée de la Loire.

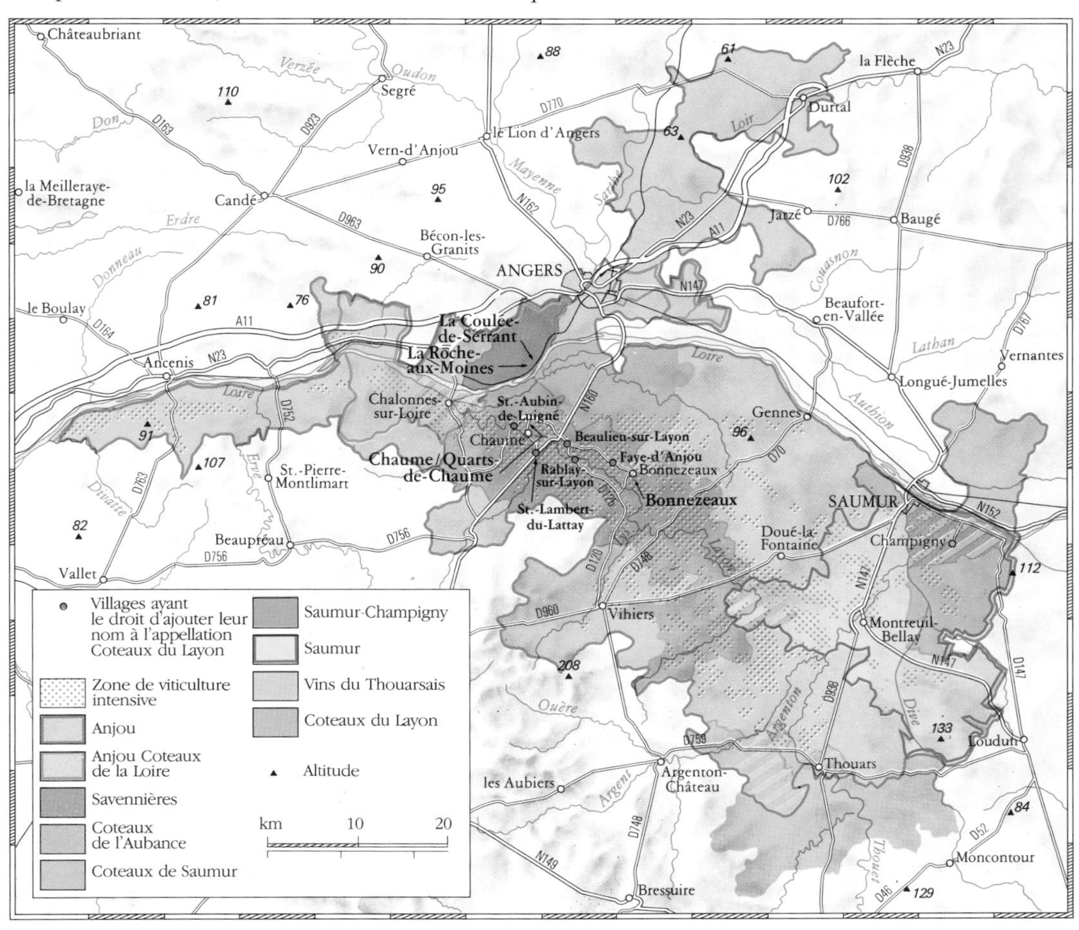

Mise en bouteille
Saumur-Champigny produit certains des meilleurs vins rouges de la Loire.

LES VINS ROUGES DE LA RÉGION

C'est en Anjou, et plus spécialement dans les communes au sud de Saumur, que le Cabernet franc s'affirme comme le meilleur cépage rouge de la Loire. Mais au-delà de la Touraine voisine, sa culture diminue rapidement. La vallée de la Loire est la plus grande région viticole de France et, curieusement, elle ne produit que trois vins rouges classiques : le Saumur-Champigny, le Bourgueil et le Chinon. Mais il n'est pas étonnant de voir les vignobles qui donnent ces vins regroupés dans une toute petite partie de la région. Les vignes constituent en effet une zone compacte à la confluence de la Vienne et de la Loire – deux cours d'eau qui ont formé il y a longtemps les terrasses de graves si précieuses pour la culture du Cabernet franc.

Les vignes cultivées en haut des coteaux de tuffeau donnent de bons vins, mais les meilleurs proviennent d'abord des terrasses. La plupart des vignobles, exposés au sud, bénéficient donc d'un bon ensoleillement. De plus, protégés des vents du nord, ils reçoivent moins de précipitations.

LES PERSPECTIVES D'AVENIR

L'Anjou s'efforce aujourd'hui de faire oublier un passé où son nom était synonyme de médiocres rosés bon marché et semble pouvoir y réussir. L'avenir de l'Anjou et du Saumurois repose non seulement sur l'industrie des vins mousseux, mais aussi sur la production de vins rouges, d'ailleurs en plein essor.

FACTEURS AFFECTANT LE GOÛT ET LA QUALITÉ

Situation
La plupart des vignobles sont situés sur la rive gauche de la Loire, entre Angers et Saumur.

Climat
Climat océanique, avec de faibles précipitations, des étés chauds et des automnes doux. Risques de gelées à Savennières.

Site
Collines arrondies qui freinent les vents d'ouest. Les meilleurs sites sont les coteaux rocheux de Savennières et la vallée encaissée du Layon.

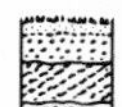

Sol
À l'ouest et autour du Layon, le sol schisteux est recouvert d'une couche d'humus sombre et peu profonde qui retient bien la chaleur et aide le raisin à mûrir. Certains sols argileux, plus froids, donnent des vins plus lourds. Le tuffeau, à l'est de la région, produit des vins plus légers. Les graves de Saumur-Champigny sont propices à la culture du Cabernet franc.

Viticulture et vinification
Le Chenin blanc mûrit lentement et reste souvent sur pied jusqu'en novembre, en particulier dans les Coteaux du Layon. L'effet du soleil sur les raisins trempés de rosée peut encourager la pourriture noble, en particulier à Bonnezeaux et Quarts-de-Chaume. La plupart des vins sont mis en bouteille au printemps qui suit la récolte, ou parfois à l'automne suivant, car les moûts issus de raisins sucrés demandent au moins trois mois pour fermenter.

Cépages principaux
Chenin blanc, Cabernet franc, Gamay, Grolleau

Cépages secondaires
Chardonnay, Sauvignon blanc, Cabernet Sauvignon, Pineau d'Aunis, Malbec

Saumur, ci-dessus
Le château domine la ville, dont les édifices sont en pierre blanche de tuffeau, caractéristique de la région.

Vignobles des Coteaux du Layon, à gauche
Dans les sites favorables, les raisins sont parfois touchés par la pourriture noble. La vallée est réputée pour ses vins blancs moelleux.

Caves de tuffeau, ci-dessous
Si le tuffeau domine l'architecture, il a également permis de creuser des caves idéales pour les vins effervescents.

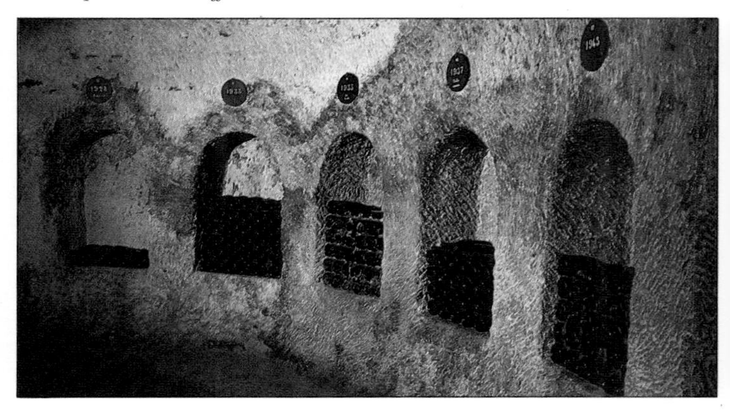

Les vins de l'Anjou et du Saumurois

ANJOU AOC

L'Anjou couvre aussi les vignobles de Saumur, si bien que le Saumur peut également se vendre sous l'appellation Anjou. Les vins rouges sont de loin les meilleurs, les vins blancs les moins bons, et les rosés les plus renommés. En raison des connotations péjoratives du terme « mousseux », les vins officiellement désignés « Anjou mousseux » sont parfois commercialisés sous la simple étiquette Anjou.

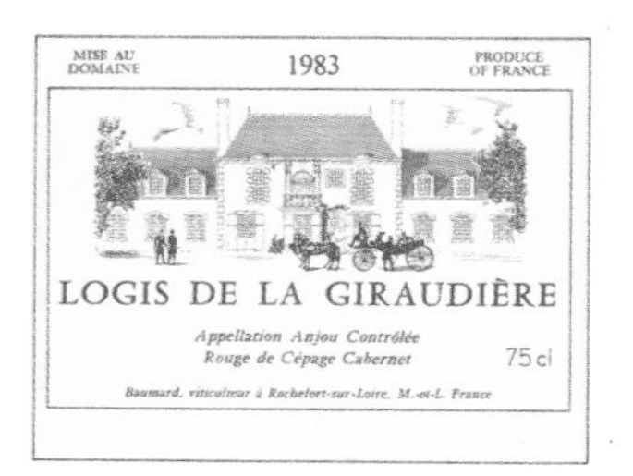

ROUGE. Vins relativement corsés, issus pour la plupart de Cabernet franc, pur ou associé à un peu de Cabernet Sauvignon. Ces vins agréables se boivent jeunes ; certains, élevés en fût, montrent une certaine complexité.

Cabernet franc, Cabernet Sauvignon, Pineau d'Aunis

1983, 1985

1 à 3 ans au maximum

☆ Domaine des Charbottières, Clos de Coulain, Domaine de la Croix des Loges, Château de Fesles, Logis de la Giraudière, Domaine des Rochelles

BLANC. Bien qu'allant du sec au moelleux et du léger au corsé, ce sont trop souvent des vins agressifs de Chenin blanc, secs ou demi-secs. Les viticulteurs qui utilisent les 20 % de Chardonnay et de Sauvignon autorisés font des progrès et obtiennent de meilleurs résultats ; le Moulin de Touchais, qui se soucie plus de la qualité que de la quantité, en est un bel exemple.

Un minimum de 80 % de Chenin blanc et un maximum de 20 % de Chardonnay et Sauvignon blanc

1985, 1986

Immédiatement

☆ Domaine des Hauts-Perrays, Domaine de Montchenin, Moulin Touchais, « Chauvigné » Richou Père et Fils

ROSÉ. Autrefois véritable miracle commercial, l'Anjou rosé se vend aujourd'hui moins bien. Les vins rosés demi-doux, relativement légers, de couleur rose corail peuvent être délicieux au printemps qui suit la récolte, mais ils se fatiguent rapidement en bouteille.

Essentiellement Grolleau, avec des proportions variables de Cabernet franc, Cabernet Sauvignon, Pineau d'Aunis, Gamay, Malbec

1983, 1985

Immédiatement

ANJOU COTEAUX DE LA LOIRE AOC

La faible production de cette appellation réservée aux vins blancs diminue à mesure que les vignobles sont replantés de Cabernet destiné à l'appellation Anjou rouge.

BLANC. Le vin était officiellement défini en 1946 comme un vin moelleux. Les producteurs d'aujourd'hui qui essayent de s'adapter au goût pour les vins plus secs sont gênés par des réglementations démodées.

Chenin blanc

1985

1 an au maximum

☆ Boré Frères, Cuvée Vieille Sève

ANJOU GAMAY AOC

Le Gamay n'est autorisé ici que si le nom du cépage suit l'appellation sur l'étiquette.

ROUGE. Vins légers qui ne présentent guère d'intérêt.

Gamay

1983, 1985

Immédiatement

☆ Alain Arnault, Domaine Cady

ANJOU MOUSSEUX AOC

Ce vin de méthode champenoise est plus tendre, mais moins apprécié, que son équivalent de Saumur.

BLANC. Vin relativement léger, sec à demi-sec, qui aurait besoin de contenir un peu de Chardonnay. Mais il faudrait modifier les textes officiels...

Un minimum de 60 % de Chenin blanc plus Cabernet Sauvignon, Cabernet franc, Malbec, Gamay, Grolleau, Pineau d'Aunis

Le plus souvent non millésimé

1 à 2 ans au maximum

ROSÉ. Ce vin relativement léger, généralement vendu en demi-sec, ressemble à un rosé d'Anjou effervescent

Cabernet Sauvignon, Cabernet franc, Malbec, Gamay, Grolleau, Pineau d'Aunis

Le plus souvent non millésimé

Immédiatement

☆ Château de Beaulieu, Domaine Cady, Château Montbenault

ANJOU PÉTILLANT AOC

Appellation peu usitée pour des vins légèrement effervescents produits selon la méthode champenoise, restant au moins neuf mois en bouteille. Ils doivent être vendus dans les mêmes bouteilles et avec les mêmes bouchons que les vins tranquilles.

BLANC PÉTILLANT. Vin pétillant léger, sec à demi-sec. Étant donné la qualité variable de l'Anjou blanc, nombre de producteurs seraient bien avisés de le vendre sous cette appellation.

Un minimum de 80 % de Chenin blanc et un maximum de 20 % de Chardonnay et Sauvignon blanc

Le plus souvent non millésimé

Immédiatement

ROSÉ PÉTILLANT. Vins légers, secs à demi-secs, qui peuvent être étiquetés Anjou pétillant, Anjou rosé pétillant ou Rosé d'Anjou pétillant.

Grolleau, Cabernet franc, Cabernet Sauvignon, Pineau d'Aunis, Gamay, Malbec

Le plus souvent non millésimé

Immédiatement

ANJOU ROSÉ AOC

Voir Anjou AOC

BONNEZEAUX AOC

Issu de trois coteaux orientés au sud dans la commune de Thouarcé dans les Coteaux du Layon, il s'agit de l'un des grand vins moelleux produits en France. Les raisins doivent être vendangés par tries.

BLANC. Vins très moelleux, plus riches et avec plus de corps que le Quarts-de-Chaume, l'autre grand vin moelleux de la vallée du Layon. Ce vin a un taux minimal de sucre plus élevé que le Sauternes ou le Barsac, mais plus d'acidité.

Chenin blanc

1982, 1983, 1985

Jusqu'à 20 ans ou davantage

☆ Domaine des Charbottières, Domaine de la Croix des Loges, Château de Fesles, Château des Gauliers, Domaine des Rochelles

CABERNET D'ANJOU AOC

Cette appellation couvre également les vins de Saumur. Un Saumurois, Taveau, élabora en 1905 le premier Rosé d'Anjou de raisin de Cabernet. Malgré son cépage noble et un degré d'alcool supplémentaire, ce vin n'est pas à ce point supérieur au Rosé d'Anjou même si les ventes en gros à bas prix en ont déprécié la réputation.

ROSÉ. Les bons exemples de ces vins demi-secs à demi-doux, moyennement étoffés, ont un caractère net et fruité avec des arômes de framboise.

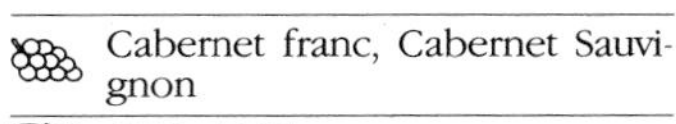

Cabernet franc, Cabernet Sauvignon

1983, 1985

Immédiatement

☆ Domaine de Bablut, Château de Breuil, Domaine des Maurières

CABERNET DE SAUMUR AOC

Tous les Cabernet de Saumur peuvent prétendre à l'appellation Cabernet d'Anjou. Ceux qui sont vendus sous l'étiquette Saumur sont en général de meilleure qualité.

ROSÉ. Vin délicat, demi-doux, relativement léger, avec une robe nuancée de paille et un arôme caractéristique de framboise.

Cabernet franc, Cabernet Sauvignon

1983, 1985

Immédiatement

☆ Domaine de Champteloup, Jean-Pierre Charruau

COTEAUX DE L'AUBANCE AOC

Issu de vieilles vignes plantées sur les rives schisteuses de l'Aubance, ce vin est rare car le raisin doit être bien mûr et vendangé en tries.

BLANC. Quelques producteurs élaborent encore ce vin riche, demi-doux, relativement étoffé et d'une excellente longévité.

Chenin blanc

1983, 1985

Entre 5 et 10 ans

☆ Domaine Richou Père et Fils, Domaine des Rochelles, Domaine des Rochettes

COTEAUX DU LAYON AOC

Les vins moelleux de cette région sont justement célèbres depuis le IVe siècle. Dans les sites favorables, le raisin est parfois touché par la pourriture noble, mais il doit, dans tous les cas, être extrêmement mûr et vendangé par tries. Le titre alcoométrique minimal est de 13° et le rendement maximal de 30 hl/ha. Étant donné les prix relativement bas de ces vins, seuls les plus grands domaines peuvent se permettre les tries successives.

BLANC. Vert doré à jaune doré, de texture tendre, ce vin moelleux relativement corsé est richement fruité et de longue garde.

Chenin blanc

1982, 1983, 1985

Entre 5 et 15 ans

☆ Château de Fesles, Domaine de la Martereaux, Moulin Touchais, Logis du Prieuré, Clos des Rochettes, Château de la Roulerie, Clos de Sainte-Catherine

COTEAUX DU LAYON-CHAUME AOC

Cette appellation se distingue de la précédente par son titre alcoométrique minimal de 13° et de la suivante par son rendement maximal inférieur de 25 hl/ha.

BLANC. Vin moelleux, relativement corsé, onctueux, supérieur au simple Coteaux du Layon.

Chenin blanc

1983, 1985

Entre 5 et 15 ans

☆ Château de la Guimonière, Château du Plaisance, Château de la Roulerie (Les Aunis)

COTEAUX DU LAYON VILLAGES AOC

Historiquement, six villages ont toujours produit les meilleurs de tous les Coteaux du Layon, et ont donc le droit d'ajouter leur nom à l'appellation.

BLANC. Ces vins moelleux sont relativement étoffés. D'après le Club des Layon Villages,
Beaulieu-sur-Layon a un arôme tendre et léger ; Faye-d'Anjou une senteur qui rappelle la broussaille ;
Rablay-sur-Layon est un vin imposant, audacieux et rond ;
Rochefort-sur-Loire est corsé, tannique et mûrit bien ;
Saint-Aubin-de-Luigné a un arôme délicat qui se développe ; enfin,
Saint-Lambert-du-Lattay est un vin robuste mais rond.

Chenin blanc

1983, 1985

Entre 5 et 15 ans

☆ Domaine d'Ambinois (Beaulieu), Jean-Pierre Chené (Beaulieu), Domaine de la Motte (Rochefort)

COTEAUX DE SAUMUR AOC

Depuis que la CEE a banni la mention « méthode champenoise », on s'est efforcé de développer cette appellation peu utilisée pour les vins tranquilles de Saumur afin de promouvoir une AOC Saumur réservée aux vins effervescents.

BLANC. Vin relativement rare, demi-doux, assez corsé, à la saveur riche, qui vaut la peine d'être recherché.

Chenin blanc

1983, 1985

Entre 5 et 10 ans

☆ Château de Brézé, Domaine des Hautes-Vignes

QUARTS-DE-CHAUME AOC

Situé sur le plateau, derrière le village de Chaume, sur le territoire de Rochefort-sur-Loire, commune des Coteaux du Layon, le vignoble de Quarts-de-Chaume était autrefois exploité par l'abbaye de Ronceray.

BLANC. Vins relativement corsés, demi-doux à moelleux. Bien que vendangé par tries et élaboré de la même façon, le Quarts-de-Chaume, provenant d'un vignoble plus septentrional, est légèrement plus léger et moins moelleux que le Bonnezeaux.

Chenin blanc

1982, 1983, 1985

Jusqu'à 15 ans ou plus

☆ Domaine des Beaumard, Château de Belle Rive, Château de l'Écharderie, Château de Surronde Vieilles Vignes

ROSÉ D'ANJOU AOC

Voir Anjou AOC.

ROSÉ D'ANJOU PÉTILLANT AOC

Voir Anjou pétillant AOC.

SAUMUR AOC

Saumur, situé au sein de l'appellation Anjou, est considéré comme la perle de l'Anjou. À moins qu'ils ne soient issus de raisin de Cabernet, tous les rosés doivent adopter l'AOC Rosé d'Anjou. Comme pour l'Anjou, les vins blancs sont de qualité variable, tandis que les vins rouges sont excellents.

ROUGE. Ces beaux vins relativement corsés ressemblent souvent aux Anjou rouges. Ils peuvent être tantôt légers et fruités, tantôt de couleur soutenue et tanniques.

Cabernet franc, Cabernet Sauvignon, Pineau d'Aunis

1983, 1985

Entre 1 et 10 ans, suivant le style

☆ Lycée d'enseignement professionnel agricole, Clos de l'Abbaye, Château de Montreuil-Bellay, Domaine des Nerleux, Château de Passavent, Château de Targé, Réserve des Vignerons

BLANC. Ces vins, qui vont du très sec au moelleux et du léger au corsé, ressemblent plus aux Vouvray qu'aux Anjou, en raison du sol composé de calcaire et de tuffeau. Dans les petites années, le Saumur se distingue par sa légèreté, son fruité maigre et son goût acide qui a parfois une nuance métallique en finale.

Un minimum de 80 % de Chenin blanc et un maximum de 20 % de Chardonnay et de Sauvignon blanc

1985, 1986

Immédiatement

☆ Jean-Pierre Charruau, Domaine des Hauts de Sanziers, Château de Villeneuve

SAUMUR-CHAMPIGNY AOC

Les vignobles, au sud-est de Saumur, qui peuvent ajouter le nom de Champigny à l'appellation, produisent certains des meilleurs vins rouges de la vallée de la Loire.

ROUGE. Vins bien étoffés, avec une robe soutenue et d'amples arômes de framboise, souvent tanniques et de longue garde.

Cabernet franc, Cabernet Sauvignon, Pineau d'Aunis

1983, 1985

Entre 5 et 10 ans

☆ Domaine Filliatreau, Domaine des Roches neuves, Alain Sanzay, Domaine des Varinelles

SAUMUR PÉTILLANT AOC

Appellation peu usitée pour des vins légèrement effervescents produits selon la méthode champenoise avec un minimum de neuf mois de bouteille. Ils doivent être vendus dans des bouteilles ordinaires, bouchés comme les vins tranquilles.

BLANC PÉTILLANT. Beaux vins légers et fruités, secs à demi-secs.

Un minimum de 80 % de Chenin blanc et un maximum de 20 % de Chardonnay et de Sauvignon blanc

Le plus souvent non millésimé

Immédiatement

SAUMUR MOUSSEUX AOC

Vins mousseux blancs et rosés élaborés selon la méthode champenoise et souvent vendus sous la simple appellation Saumur. Les vins rouges produits ainsi ne peuvent prétendre au statut d'AOC.

BLANC. Bien que d'un rendement supérieur de un tiers à l'hectare à celui de l'Anjou mousseux, le Saumur blanc mousseux est un vin moyennement corsé, brut à doux, supérieur en qualité et en style grâce à la présence de Chardonnay et au sol calcaire.

Chenin blanc plus un maximum de 20 % de Chardonnay et de Sauvignon blanc et jusqu'à 60 % de Cabernet Sauvignon, Cabernet franc, Malbec, Gamay, Grolleau, Pineau d'Aunis, Pinot noir

Le plus souvent non millésimé

3 à 10 ans au maximum

☆ Bouvet Crémant Saumur millésimé, Saumur Cuvée spéciale – Cave coopérative des Vignerons de Saumur

ROSÉ. Hormis quelques exceptions délicieuses, ces vins secs à doux, relativement corsés, sont à peine supérieurs aux Anjou rosés mousseux.

Cabernet Sauvignon, Cabernet franc, Malbec, Gamay, Grolleau, Pineau d'Aunis, Pinot noir

Le plus souvent non millésimé

Immédiatement

☆ Jean Douet, Domaine des Nerleux, de Neuville Saumur brut, Noël Pinot

SAVENNIÈRES AOC

Du temps où cette petite partie d'Anjou-Coteaux de la Loire ne produisait que des vins moelleux, la législation avait imposé un rendement maximal très bas. De nos jours, elle donne le plus grand vin sec de Chenin blanc, issu de quatre coteaux exposés au sud-est et constitués de débris volcaniques.

BLANC. Vins très secs à secs, encore que les vins demi-doux, autrefois en vogue, commencent à réapparaître.

Chenin blanc

1983, 1985

Entre 5 et 8 ans

☆ Château de la Bizolière, Domaine du Closel, Château d'Épiré, Clos du Papillon, La Roche-aux-Moines (Domaine de la Bizolière ou Château de Chamboureau), Coulée de Serrant

VINS DU THOUARSAIS VDQS

Michel Gigon reste le seul de la centaine de producteurs de Vins du Thouarsais.

ROUGE. Vins fruités relativement légers, qui évoquent parfois la cerise et d'autres fruits à noyau.

Cabernet franc, Cabernet Sauvignon, Gamay

1983, 1985

1 à 2 ans au maximum

BLANC. Version plus légère, mais bien plus parfumée, de l'Anjou blanc sec ou demi-doux.

Chenin blanc plus jusqu'à 20 % de Chardonnay

1983, 1984, 1985

Immédiatement

ROSÉ. Vin sec, léger, parfait pour un déjeuner sur l'herbe.

1983, 1985

Immédiatement

☆ Michel Gigon

Touraine

La tradition viticole en Touraine remonte à l'époque romaine. Les vignobles, en ce jardin de la France, se sont installés sur les bords de la Loire et de ses affluents, et ont donné des vins marqués à la fois par les influences maritime et continentale.

Le Cabernet franc, qu'on appelle Breton dans la région, était déjà cultivé dans les vignobles de l'abbaye de Bourgueil. Le Chenin blanc, cépage aujourd'hui prédominant en Touraine, doit son nom à Mont-Chenin, dans le sud de la région.

LES VINS DE TOURAINE

À l'exception peut-être du Saumur-Champigny, les meilleurs vins rouges de la Loire viennent des appellations Chinon et Bourgueil, de part et d'autre de la Loire, juste à l'ouest de Tours. Faits essentiellement de Cabernet franc, les bons millésimes, élevés en fût, peuvent être complexes et comparables à des Bordeaux, tandis que les vins plus ordinaires, aux arômes rafraîchissants de fraise et de framboise, se boivent jeunes et frais.

À l'est de Tours, Vouvray et Montlouis produisent, dans les années ensoleillées, de riches vins moelleux de garde, issus de raisin de Chenin blanc surmûri. Au nord de Tours, les vins de Jasnières sont issus du même cépage, mais les vins secs montrent un style différent. Jasnières est une sous-appellation de vins blancs au sein d'une AOC plus vaste : Coteaux du Loir couvrant vins rouges, blancs et rosés. Situés sur le Loir, les Coteaux du Vendômois produisent toute une gamme de VDQS, de même que Cheverny à l'est, dont un vin blanc sec caractéristique issu d'un obscur cépage, le Romorantin. Outre ses vins tranquilles rouges, blancs et rosés, Cheverny élabore des vins effervescents rouges, blancs et rosés, qui sont les seuls VDQS élaborés selon la méthode champenoise. Le Sauvignon blanc de Touraine peut remplacer un Sancerre, tandis que le Gamay donne de jolis vins rouges et rosés fruités. D'autres vins rouges sont issus du Grolleau et du Pineau d'Aunis.

Le Chenin blanc est toujours le cépage prédominant et, comme en Anjou, les viticulteurs font traditionnellement des vins moelleux dans les grandes années quand ses raisins sont riches en sucre. Avec le goût pour les vins plus légers, ce sont cependant les vins secs qui se développent.

FACTEURS AFFECTANT LE GOÛT ET LA QUALITÉ

Situation
La plupart des vignobles sont situés dans le département de l'Indre-et-Loire, mais ils s'étendent jusque dans le Loir-et-Cher, l'Indre et la Sarthe.

Climat
Le climat de la Touraine est moins océanique que celui du Pays nantais ou de l'Anjou-Saumurois. La région est protégée des vents du nord par les Coteaux du Loir. Les étés sont chauds, et les précipitations faibles en octobre.

Sol
Argile et calcaire sur un sous-sol de tuffeau à l'est de Tours, autour de Vouvray et de Montlouis. Le tuffeau est une roche calcaire, riche en minéraux, qui a subi l'action volcanique. Les graves sableuses des vignobles de Bourgueil et de Chinon donnent des vins souples et fruités, tandis que les coteaux d'argile sableuse produisent des vins plus fermes.

Site
Les vignes sont plantées sur des coteaux aux pentes douces, souvent face au sud, entre 40 et 100 m d'altitude.

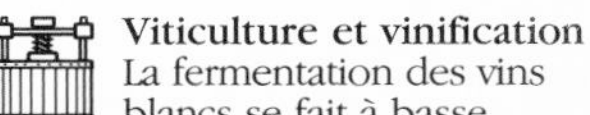

Viticulture et vinification
La fermentation des vins blancs se fait à basse température, pendant plusieurs semaines pour les vins secs, et plusieurs mois pour les vins moelleux. Les vins rouges subissent une fermentation malolactique. Certains Bourgueil et Chinon sont élevés jusqu'à 18 mois en fût avant la mise en bouteille.

Cépages principaux
Chenin blanc, Cabernet franc, Sauvignon blanc, Grolleau

Cépages secondaires
Cabernet Sauvignon, Pinot noir, Meslier, Gamay, Gamay teinturier, Pineau d'Aunis, Romorantin, Arbois, Chardonnay, Malbec

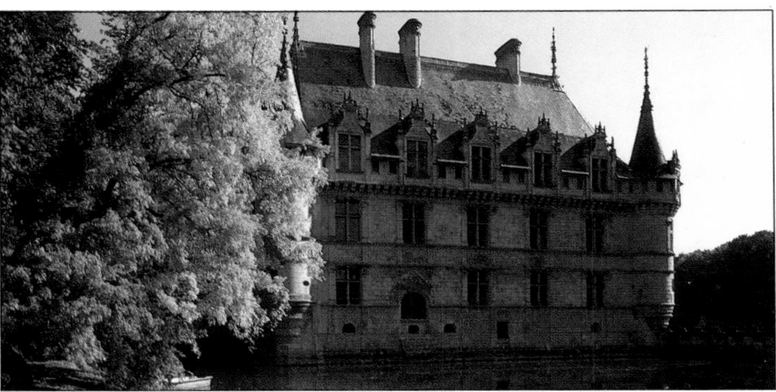

Azay-le-Rideau
François Ier acquit ce château après qu'un scandale financier eut obligé son propriétaire à quitter le pays.

TOURAINE, *voir aussi* p. 156

L'historique ville de Tours est au centre d'une région qui produit, sous différentes appellations, des vins d'une grande diversité.

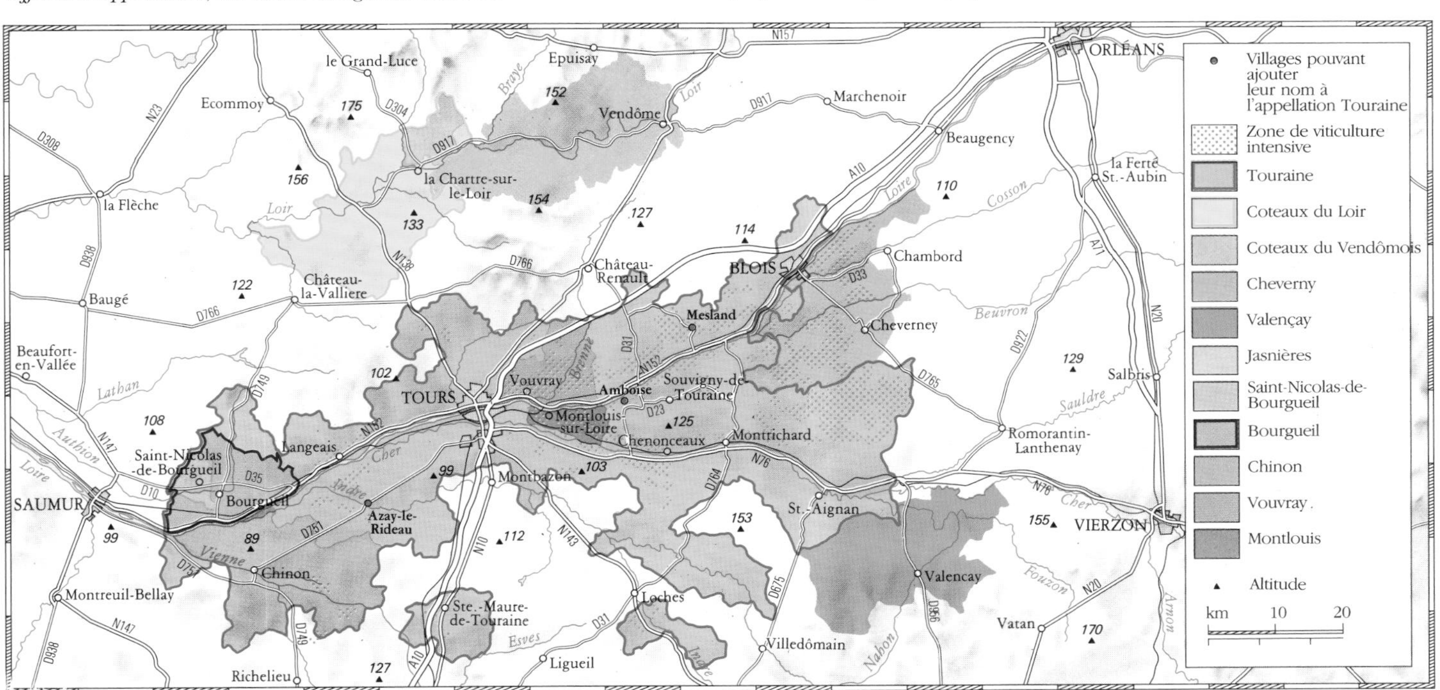

Les vins de Touraine

BOURGUEIL AOC

La plupart des vignes poussent sur une terrasse de sable et de graves près du fleuve, ce qui donne au vin un caractère fruité prononcé, délicieux quand il a moins de 6 mois. Les raisins cultivés sur les coteaux d'argile et de tuffeau orientés au sud mûrissent plus tôt et donnent des vins plus étoffés qui se gardent plus longtemps.

ROUGE. Vins vifs et ronds, pleins de tendres saveurs fruitées, souvent élevés en fût. Ils se boivent bien quand ils ont moins de six mois mais ils se referment souvent une fois mis en bouteille et demandent du temps pour s'arrondir. Les vins des vignobles de la terrasse se boivent jeunes, tandis que ceux des coteaux méritent d'être gardés. L'assemblage donne de l'équilibre à nombre de ces vins.

Cabernet franc avec jusqu'à 10 % de Cabernet Sauvignon

1981, 1983, 1985

Avant 6 mois ou après 6 ans

ROSÉ. Vins relativement légers, très secs à secs, très fruités, avec des arômes de framboise et de mûre et une bonne saveur profonde.

Cabernet franc avec jusqu'à 10 % de Cabernet Sauvignon

1981, 1983, 1985

2 à 3 ans au maximum

☆ Claude Ammeux, Robert Caslot, Max Cognard, Paul Gambier, Pierre Grégoire, Lamé-Delille-Boucard, Anselme & Marc Jamet, Pierre Jamet, Paul Poupineau, Joël Taluau, Jean-Baptiste Thouet.

CHEVERNY VDQS

Beaux vins nerveux et fruités d'un bon rapport qualité/prix qui mériteraient le rang d'AOC. Ce sont en général des vins de cépage dont l'étiquette doit mentionner le nom.

ROUGE. Vins relativement légers qui chez les plus petits producteurs sont généralement des purs Gamay de qualité acceptable. L'adjonction de 10 % de Pinot noir leur apporte de la souplesse.

Gamay avec Cabernet franc, Cabernet Sauvignon, Pinot noir, Malbec et jusqu'à 15 % de Gamay teinturier de Chaudenay

1983, 1985

1 à 2 ans au maximum

BLANC. Le raisin de Romorantin donne le Cheverny blanc le plus intéressant : vin sec, léger, modeste, avec un beau nez floral, une saveur délicate et un équilibre nerveux.

Principalement Sauvignon blanc, Chenin blanc et Romorantin, mais on peut aussi utiliser Arbois et Chardonnay

1985

1 à 2 ans au maximum

ROSÉ. La production est faible, mais ces vins légers et plaisants sont de qualité très constante.

Gamay, Pineau d'Aunis et Pinot gris

1981, 1982, 1983, 1985

1 à 2 ans au maximum

ROUGE MOUSSEUX. On produit une petite quantité de ces vins secs à demi-secs de qualité médiocre.

Essentiellement Cabernet franc et Cabernet Sauvignon, mais aussi Chenin blanc, Arbois, Chardonnay, Meslier, Saint-François et Pineau d'Aunis

Généralement non millésimé

Immédiatement

BLANC MOUSSEUX. Le Cheverny mousseux est le seul VDQS de méthode champenoise. Les vins, secs ou doux, sont surtout destinés à la consommation locale.

Essentiellement Cabernet franc et Cabernet Sauvignon, mais aussi Chenin blanc, Arbois, Chardonnay, Meslier, Saint-François et Pineau d'Aunis

Généralement non millésimé

2 à 3 ans au maximum

ROSÉ MOUSSEUX. Vin sec à demi-sec, moyennement étoffé, qu'on voit rarement.

Essentiellement Cabernet franc, Cabernet Sauvignon et Pineau d'Aunis, mais aussi Chenin blanc, Arbois, Chardonnay, Meslier et Saint-François

Généralement non millésimé

1 à 2 ans au maximum

☆ Michel Cadoux, Bernard Cazin, Gilbert Chesneau, André Coutoux, Claude Locquineau, Le Chai des Vignerons

CHINON AOC

Les appellations de Chinon et de Bourgueil produisent les meilleurs vins rouges de Touraine, issus de raisin de Cabernet franc, qui est appelé Breton dans la région.

Les Chinon sont généralement plus légers et plus délicats que les Bourgueil, mais les vins qui proviennent des coteaux de tuffeau présentent une plus grande profondeur, une saveur plus accentuée et vieillissent bien.

ROUGE. Vins relativement légers, vifs, tendres et délicats. La plupart des producteurs font des vins de très bonne qualité, élevés dans de petites barriques de chêne.

Cabernet franc avec jusqu'à 10 % de Cabernet Sauvignon

1981, 1983, 1985

2 à 3 ans au maximum

BLANC. C'est une petite production de vins nets, secs, relativement légers, et très aromatiques pour des Chenin blanc.

Chenin blanc

1985

1 à 2 ans au maximum

ROSÉ. Vins secs, assez légers, souples et fruités. Comme les Bourgueil rosés, ils mériteraient d'être mieux connus.

Cabernet franc avec jusqu'à 10 % de Cabernet Sauvignon

1981, 1983, 1985

2 à 3 ans au maximum

☆ Guy Caille, G. & D. Chauveau, Jean-Marie Dozon, P.-J. Druet, Charles Joguet, Pierre Manzagol, Jean-François Olek, Plouzeau & Fils, Serge Sourdais, Mme Jean Spelty.

COTEAUX DU LOIR AOC

Les vignobles, très étendus ici au XIXe siècle, sont sur le déclin et les vins ne sont généralement pas très intéressants.

ROUGE. Vins moyennement corsés qui peuvent avoir un caractère vif et de bons extraits dans les années ensoleillées.

Un minimum de 30 % de Pineau d'Aunis avec Gamay, Pinot noir, Cabernet franc et Cabernet Sauvignon

1983, 1985

1 à 2 ans au maximum

BLANC. Vins légers, très secs à secs, à l'acidité élevée, parfois maigres et astringents.

Chenin blanc

1985

Immédiatement

ROSÉ. Vins secs et relativement légers, parfois fruités et bien équilibrés.

Pineau d'Aunis, Cabernet franc, Gamay et Malbec avec jusqu'à 25 % de Grolleau

1983, 1985

1 an au maximum

☆ André Fresneau

COTEAUX DU VENDÔMOIS VDQS

Cette appellation en progrès produit des vins bien faits, issus des deux rives du Loir, en amont de Jasnières.

ROUGE. Vins relativement légers, gouleyants, pleins de saveurs tendres de fruit.

Un minimum de 30 % de Pineau d'Aunis avec Gamay, Pinot noir, Cabernet franc et Cabernet Sauvignon

1983, 1985

1 à 2 ans au maximum

BLANC. Vin sec et relativement léger qui, lorsqu'il est fait de pur Chenin blanc, a tendance à être très astringent. Les viticulteurs qui y ajoutent une bonne proportion de Chardonnay produisent des vins mieux équilibrés.

Principalement Chenin blanc avec 20 % de Chardonnay

1984, 1985

1 an au maximum

☆ Minier & Fils, Jean-Baptiste Pinon

JASNIÈRES AOC

C'est la meilleure zone des Coteaux du Loir, et ses vins, dans les années chaudes, peuvent être d'une richesse comparable à celle des Savennières d'Anjou (*voir* p. 166).

BLANC. Vins moyennement corsés, qui peuvent être secs ou moelleux. Élégants, ils vieillissent bien dans les bonnes années mais manquent

parfois de maturité dans les petits millésimes.

Chenin blanc

1983, 1985

2 à 4 ans au maximum

☆ André Fresneau, Domaine Gigou, Domaine Legreau, André Paul, Jean-Baptiste Pinon

MONTLOUIS AOC

Comme son voisin plus illustre, Vouvray, Montlouis produit des vins qui peuvent être secs, demi-secs ou moelleux suivant le millésime, très proches par leur style des Vouvray. Si les Vouvray sont généralement surestimés, les Montlouis sont en revanche sous-estimés.

BLANC. Vins relativement légers, secs ou moelleux. Plus tendres et plus francs que les Vouvray, ils ont parfois la même saveur de miel dans les belles années. Le Montlouis moelleux est élevé en fût, tandis que les meilleurs vins demi-secs sont vinifiés dans des cuves en acier inoxydable.

Chenin blanc

1983, 1985

1 à 3 ans au maximum pour les vins demi-secs, jusqu'à 10 ans pour les vins moelleux

☆ Berger Frères, Guy Deletang & Fils, Claude Levasseur, Daniel Mosny, Dominique Moyer

MONTLOUIS MOUSSEUX AOC

Dans les petites années, le raisin sert à produire des Montlouis de méthode champenoise ; les demi-secs sont particulièrement appréciés.

BLANC MOUSSEUX. Ces vins relativement légers peuvent être bruts, secs, demi-secs ou moelleux. Les deux derniers types ne sont produits que dans les années bien ensoleillées.

Chenin blanc

Généralement non millésimé

Immédiatement

MONTLOUIS PÉTILLANT AOC

Ces vins légèrement effervescents connaissent régulièrement un vif succès.

BLANC PÉTILLANT. Vins relativement légers, secs ou moelleux, de qualité très constante. Leur riche saveur fruitée est équilibrée par une délicate mousse de bulles fines.

Chenin blanc

Généralement non millésimé

Immédiatement

☆ Domaine de la Bigarrière, Jean Chaneveau, Guy Deletang & Fils, Alain Joulin, Maurice Lelarge

SAINT-NICOLAS-DE-BOURGUEIL AOC

Cette commune est située au nord-ouest de Bourgueil, sur un sol plus sableux. Les vins, parmi les meilleurs vins rouges de la Loire, sont plus légers que les Bourgueil, mais certainement de qualité égale.

ROUGE. Vins ronds qui vieillissent bien et qui ont plus de finesse que les Bourgueil.

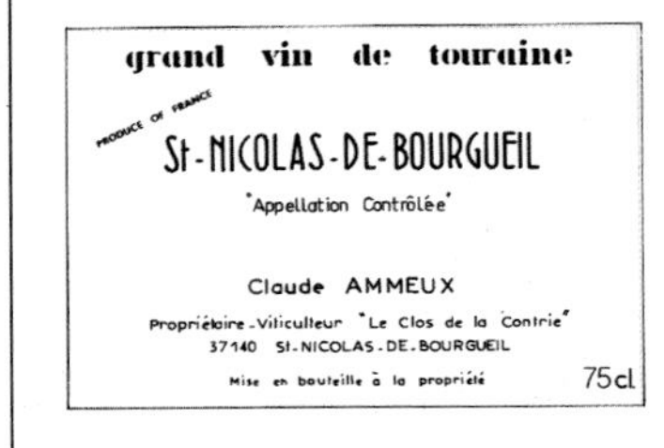

Cabernet franc avec jusqu'à 10 % de Cabernet Sauvignon

1981, 1983, 1985

Après 5 et 6 ans

ROSÉ. Petite production de rosé sec, moyennement corsé, avec une saveur ferme et fruitée.

Cabernet franc avec jusqu'à 10 % de Cabernet Sauvignon

1985

Immédiatement

☆ Claude Ammeux, Robert Caslot, Max Cognard, Paul Gambier, Pierre Grégoire, Lamé-Delille-Boucard, Marc & Anselme Jamet, Pierre Jamet, Paul Poupineau, Joël Taluau, Jean-Baptiste Thouet.

TOURAINE AOC

Cette appellation prolifique regroupe des vins tranquilles et effervescents, blancs secs et demi-secs, rouges et rosés provenant de l'ensemble de la Touraine. La plupart sont des vins de cépage dont le nom doit figurer sur l'étiquette.

ROUGE. Vins relativement légers, particulièrement frais et fruités quand ils sont issus de Gamay.

Principalement Gamay et Cabernet franc, mais aussi Cabernet Sauvignon, Malbec, Pinot noir, Pinot meunier, Pinot gris et Pineau d'Aunis

1981, 1983, 1985

3 ans au maximum

BLANC. Ces vins moyennement étoffés, très secs à secs, lorsqu'ils sont faits de pur Sauvignon sont frais, aromatiques et fruités. Un bon Sauvignon de Touraine est supérieur à un Sancerre moyen.

Principalement Sauvignon blanc pur, mais aussi Chenin blanc, Arbois et un maximum de 20 % de Chardonnay

1983, 1984, 1985

1 à 2 ans au maximum

ROSÉ. Les vins issus de Pineau d'Aunis sont plus secs et plus subtils que les Rosés d'Anjou.

Cabernet franc, Gamay, Grolleau et Pineau d'Aunis avec jusqu'à 10 % de Gamay teinturier de Chaudenay ou Gamay de Bouze

1983, 1985

1 à 2 ans au maximum

☆ Maurice Barbou, Jean-Claude Bodin, Jacques Delaunay, Joël Delaunay, Michel Lateyron, Lucien Launay, Jean Louet, René Pinon, Jean-Jacques Sard, Étienne Saulquin, Hubert Sinson, J.-P. Trouve, Closerie du Val-de-la-Leu

TOURAINE-AMBOISE AOC

Amboise et sept autres communes des environs produisent des vins blancs modestes et des vins rouges et rosés légers. L'aire, répartie sur les deux rives de la Loire, jouxte celles de Vouvray et Montlouis.

ROUGE. Vins légers qui, pour la plupart, sont des assemblages. Ceux qui contiennent une forte proportion de Malbec sont les meilleurs.

Cabernet franc, Cabernet Sauvignon, Malbec et Gamay

1983, 1985

2 à 3 ans

BLANC. Vins de Chenin blanc, très secs à secs, légers, généralement peu inspirés.

Chenin blanc

1983, 1985

Immédiatement

ROSÉ. Vins secs et légers, bien faits et gouleyants, supérieurs aux blancs.

Cabernet franc, Cabernet Sauvignon, Malbec et Gamay

1983, 1985

1 an au maximum

☆ Hubert Denay, Dutertre & Fils, Michel Lateyron, Yves Moreau, Château de Pocé

TOURAINE AZAY-LE-RIDEAU AOC

Vins de bonne qualité provenant de huit communes situés de part et d'autre de l'Indre.

BLANC. Vins légers et délicats, généralement secs, parfois demi-secs.

Chenin blanc
1983, 1985
1 à 2 ans au maximum

ROSÉ. Vins secs, séduisants et rafraîchissants, à la robe rose corail et à l'arôme de fraise.

Malbec et Gamay
1983, 1985
1 à 2 ans au maximum

☆ Château d'Aulée, Gaston Pavy, Gaston Pibaleau

TOURAINE-MESLAND AOC

Vins provenant de Mesland et de cinq communes des environs sur la rive droite de la Loire, juste en amont d'Amboise. Ces vins rouges et rosés sont intéressants.

ROUGE. Ces vins assez corsés, les meilleurs de l'appellation, valent parfois les Bourgueil ou les Chinon.

Cabernet franc, Cabernet Sauvignon, Malbec et Gamay
1981, 1983, 1985
1 à 3 ans au maximum

BLANC. Vins secs et légers, avec une forte acidité, meilleurs dans les années bien ensoleillées.

Chenin blanc
1983, 1985
1 à 2 ans au maximum

ROSÉ. Vins secs et moyennement corsés, qui ont plus de profondeur et de caractère que ceux de Touraine-Amboise.

Cabernet franc, Cabernet Sauvignon, Malbec et Gamay
1982, 1983, 1985
1 à 3 ans au maximum

☆ Philippe Brossillon, José Chollet, François Girault, Yves Moreau, André Rediguère

TOURAINE MOUSSEUX AOC

Vins rouges, blancs ou rosés, élaborés selon la méthode champenoise, d'un très bon rapport qualité/prix. Pour les vins blancs et rosés, le raisin peut provenir de toute l'aire d'appellation Touraine, tandis que pour le Touraine mousseux rouge, il ne peut être issu que de Bourgueil, Saint-Nicolas-de-Bourgueil et Chinon.

ROUGE MOUSSEUX. Vins relativement légers, fruités et rafraîchissants.

Cabernet franc
Généralement non millésimé
Immédiatement

BLANC MOUSSEUX. Vins assez légers, secs ou moelleux, de qualité constante, car l'importance de la production permet des assemblages complexes.

Principalement Chenin blanc, mais aussi Arbois et 20 % de Chardonnay, et un maximum de 30 % de Cabernet, Pinot noir, Pinot gris, Pinot meunier, Pineau d'Aunis, Malbec et Grolleau
Généralement non millésimé
Immédiatement

ROSÉ MOUSSEUX. Vins passablement légers, séduisants quand ils sont bruts, un peu écœurants s'ils sont plus doux.

Cabernet franc, Malbec, Noble, Gamay et Grolleau
Généralement non millésimé
1 à 2 ans au maximum

☆ J.-M. Beaufreton, Dutertre Père et Fils, Prince Poniatowski

TOURAINE PÉTILLANT AOC

Vin légèrement effervescent et rafraîchissant, rouge, blanc ou rosé, fait des mêmes cépages que le Touraine mousseux, surtout réservé à la consommation locale.

ROUGE PÉTILLANT. Vins légers qui ne sont pas très appréciés.

Cabernet franc
Généralement non millésimé
Immédiatement

BLANC PÉTILLANT. Vins rafraîchissants, bien faits, légers, secs ou moelleux.

Chenin blanc, Arbois, Sauvignon blanc et 20 % de Chardonnay
Généralement non millésimé
Immédiatement

ROSÉ PÉTILLANT. Beaux vins légers et gouleyants, qui peuvent être secs ou moelleux.

Cabernet franc, Malbec, Noble, Gamay et Grolleau
Généralement non millésimé
Immédiatement

☆ *Voir* Touraine mousseux

VALENÇAY VDQS

Vins séduisants et bien faits provenant de vignobles situés dans le sud-ouest de la Touraine sur les rives du Cher. Ces vins méritent largement leur statut de VDQS.

ROUGE. Vins légers et parfumés qui, lorsqu'ils sont issus de pur Malbec – qu'on appelle Cot dans la région – sont très souples et pleins de caractère.

Cabernet franc, Cabernet Sauvignon, Malbec, Gamay et 25 % de Gascon, Pineau d'Aunis et un maximum de 10 % de Gamay de Chaudenay
1983, 1985
1 à 2 ans au maximum

BLANC. Vins secs et légers, simples, améliorés par un peu de Chardonnay ou de Romorantin.

Arbois, Chardonnay, Sauvignon blanc et un maximum de 40 % de Chenin blanc et Romorantin
1983, 1984, 1985
1 à 2 ans au maximum

ROSÉ. Vins légers, secs à demi-secs, qui peuvent être emplis de saveurs tendres de fruits mûrs. Ils sont supérieurs à bien des rosés de la Loire AOC.

Cabernet franc, Cabernet Sauvignon, Malbec, Gamay et 25 % de Gascon, Pineau d'Aunis et un maximum de 15 % de Gamay teinturier de Chaudenay
1983, 1985
Immédiatement

☆ Jacky Augis, Julienne Beschon, Hubert Sinson.

VOUVRAY AOC

Vins blancs qui peuvent être secs, demi-secs ou moelleux suivant le millésime. Dans les années ensoleillées, certains viticulteurs produisent encore le Vouvray classique fait de raisin surmûri et touché par la pourriture noble. Dans les années plus fraîches, les vins sont plus secs et plus acides, et on produit davantage de vins mousseux.

BLANC. Le Vouvray moelleux est parfois l'un des plus riches de tous les vins moelleux de la Loire. Dans les bonnes années, les vins montrent beaucoup de corps, une texture riche et le goût de miel du Chenin blanc bien mûr.

Chenin blanc, mais aussi Arbois
1983, 1985
Généralement entre 2 et 3 ans, les vins moelleux peuvent se garder jusqu'à 50 ans.

☆ Chevreau-Vigneau, Bernard Courson, Alain Ferrand, Jean-Pierre Freslier, Sylvain Gaudron, Germain Gautier-Peltier, Gaston Huet, Jean-Pierre Laisement, Mme Henri Laisement, Jean-Baptiste Pinon, Prince Poniatowski

VOUVRAY MOUSSEUX AOC

Dans les années où le raisin ne mûrit pas correctement, il est transformé en vin mousseux selon la méthode champenoise et assemblé avec des vins de réserve provenant de meilleurs millésimes pour obtenir une qualité constante.

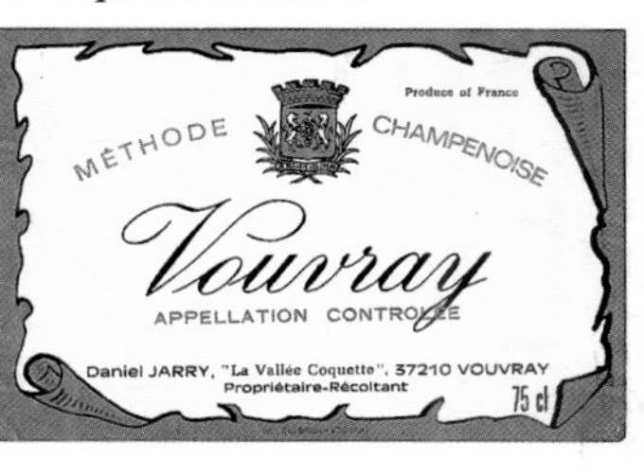

BLANC MOUSSEUX. Vins relativement corsés, secs ou moelleux ; ils sont plus riches et plus tendres que les Saumur mousseux, avec plus de mordant que les Montlouis mousseux.

Chenin blanc et Arbois
1983, 1985
Non millésimé entre 2 et 3 ans, brut millésimé entre 3 et 5 ans, demi-sec millésimé entre 5 et 7 ans

☆ Bernard Courson, Alain Ferrand, Jean-Pierre Freslier, Sylvain Gaudron, Germain Gautier-Peltier, Jean-Pierre Gilet, Claude Metivier, Prince Poniatowski, Viticulteurs de Vouvray (Tête de cuvée)

VOUVRAY PÉTILLANT AOC

Version pétillante du Vouvray ; ce vin distingué et de qualité constante est rare.

BLANC. Vins relativement corsés qui peuvent être secs ou moelleux. Il faut les boire jeunes car ils perdent leur fraîcheur en bouteille.

Chenin blanc et Arbois
Généralement non millésimé
Immédiatement

☆ *Voir* Vouvray mousseux

Les vins du Centre

Les vignobles du Centre, situés au cœur du pays et à l'extrémité est de la vallée de la Loire, sont célèbres pour leurs vins blancs secs issus de raisin de Sauvignon.

Dans cette région où les vignobles sont dispersés, les vins classiques sont tous des vins blancs secs issus de Sauvignon blanc. Les vignobles de Sancerre sont d'ailleurs assez proches de ceux de Chablis et ne sont guère plus éloignés de la Champagne que de Tours. De plus, ils se trouvent à mi-distance exactement de régions productrices de vins aussi différents que le Muscadet et l'Hermitage, ce qui ne saurait se deviner au goût du vin auquel ils donnent naissance.

Les deux grandes villes de la région sont Orléans au nord, et Bourges au sud, l'ancienne capitale du duché de Berry, entourée des communes viticoles de Reuilly, Quincy et Menetou-Salon. Romorantin, qui a donné son nom à l'un des cépages les moins connus de la Loire, se trouve à l'ouest. Quant au vignoble de Pouilly, il est séparé de celui de Sancerre par la Loire.

LES VINS BLANCS DE SAUVIGNON DE LA RÉGION

Le Sauvignon blanc est aux vignobles du Centre ce que le Muscadet est au Pays nantais. Il produit les vins classiques de la région qui, comme ceux du Pays nantais, sont des vins blancs et secs. Mais les deux vins ne sauraient être plus différents de style et de goût. Le meilleur Muscadet doit avoir une plénitude nuancée de levure, qu'on pourrait parfois confondre avec celle d'un modeste vin de Chardonnay du Mâconnais. Les vins du Centre, en revanche, qu'ils viennent de Sancerre ou de Pouilly-sur-Loire – voire de l'un des villages moins connus de l'appellation et dont la qualité n'est certainement pas inférieure –, présentent tous un arôme frappant, parfois stupéfiant. La saveur sèche du vin qui saisit le nez est le propre d'un seul cépage.

Cultivé dans un climat frais comme celui de la Loire, la caractéristique variétale classique du Sauvignon blanc est son arôme et sa saveur de groseille à maquereaux. Celle-ci est parfois moins prononcée et le bouquet peut alors évoquer davantage l'herbe ou la paille fraîche. Certains de ces vins peuvent également faire songer à la laine mouillée, au chien mouillé ou au sureau.

Un cépage unique, des vins différents

Tous les vins blancs produits dans cette région sont en fait des variations sur un thème unique – le caractère net, nerveux, parfois vert et agressif du Sauvignon blanc ; mais on peut y discerner certaines différences.

Un Sancerre a une saveur concentrée, tandis que les meilleurs Pouilly-Fumé sont d'une grande finesse. Le Menetou-Salon est généralement frais et floral, le Reuilly plus léger mais non de qualité moindre et le Quincy pur et extrêmement souple. Mais les styles peuvent varier davantage d'un viticulteur à l'autre que d'un village à l'autre. L'effet du millésime est en outre différent sur chaque vin : même ceux qui préfèrent généralement le Pouilly-Fumé au Sancerre peuvent apprécier davantage la verdeur de ce dernier dans les années très chaudes.

LES STYLES DU SANCERRE

L'aire d'appellation Sancerre se compose de quatorze communes qui produisent chacune plusieurs styles de vin suivant le site, l'exposition et la nature du sol des vignobles.

Dans la commune de Sancerre même, qui comprend le hameau de Chavignol (nom que l'on voit de plus en plus sur les étiquettes), les vignobles les plus réputés sont le Clos Beaujeu, le Clos du Paradis et Les Monts damnés. À quatre kilomètres au sud-ouest, Bué produit régulièrement les meilleurs Sancerre de l'appellation dans les vignobles du Clos du Chêne Marchand et du Grand Chemarin. Le Clos de la Poussie à Bué devrait faire un vin étonnamment bon, mais celui-ci n'est pas à la hauteur de son site superbe. Or, son unique propriétaire, la firme Cordier, renommée pour la qualité de ses vins de Bordeaux, produit pourtant chaque année un Sancerre manquant totalement de la vitalité qu'on attend d'un vin de Sauvignon blanc.

L'INFLUENCE BOURGUIGNONNE

Historiquement, cette région faisait autrefois partie du duché de Bourgogne, ce qui explique la présence de vignes de Pinot noir. Après les ravages du phylloxéra, la superficie de l'encépagement a diminué ; la plupart des vignobles replantés ont été consacrés au Sauvignon blanc devenu dominant mais quelques parcelles de Pinot noir ont été préservées. Certains des vins qu'elles donnent sont parfois très bons et d'une extrême délicatesse ; mais quelle que soit leur qualité, ils ne sont que le pâle reflet des Pinot de Bourgogne.

FACTEURS AFFECTANT LE GOÛT ET LA QUALITÉ

Situation
Les vignobles de l'est de la vallée de la Loire se trouvent principalement dans le Cher, la Nièvre et l'Indre.

Climat
Plus continental que dans le reste de la vallée de la Loire ; les étés sont plus courts et plus chauds, les hivers plus longs et plus froids. Pouilly est exposé aux risques de gelées printanières et de grêle.

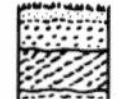

Sol
Graviers et cailloux siliceux recouvrent des sols argileux ou calcaires. Mêlés au tuffeau, les sols graveleux donnent des vins plus fins et plus légers ; combinés à l'argile, ils produisent des vins plus fermes à la saveur puissante.

Site
La vigne occupe les meilleurs sites sur les collines crayeuses et les plateaux. À Sancerre, elle pousse sur des coteaux pentus, ensoleillés et abrités, à 200 m d'altitude.

Viticulture et vinification
Certains des vignobles de Sancerre étant très pentus, la culture et les vendanges se font manuellement. La plupart des domaines, de petites dimensions, utilisent des cuves en bois pour la fermentation.

Cépages principaux
Sauvignon blanc, Pinot noir

Cépages secondaires
Chasselas, Pinot blanc, Pinot gris, Cabernet franc, Chenin blanc, Gamay

LES VIGNOBLES DU CENTRE, *voir aussi* p. 156

Les vignobles situés à l'est de la vallée de la Loire sont renommés pour les vins blancs secs issus de raisin de Sauvignon.

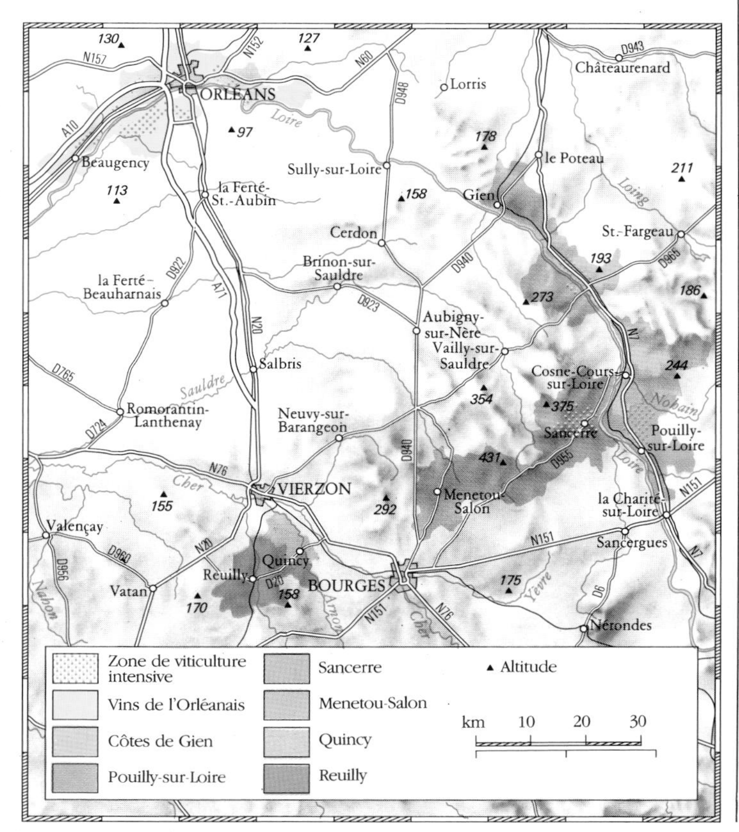

Les vins du Centre

BLANC FUMÉ DE POUILLY AOC

Voir Pouilly-Fumé.

BLANC FUMÉ DE POUILLY-SUR-LOIRE AOC

Voir Pouilly-Fumé.

COTEAUX DU GIENNOIS VDQS

ROUGE. Vins rouges légers, souvent moins colorés que bien des rosés.

Gamay, Pinot noir

1983, 1985

1 à 2 ans au maximum

BLANC. Vins secs et légers, très simples et sans intérêt.

Sauvignon blanc, Chenin blanc

1983, 1985, 1986

1 an au maximum

☆ Domaine Balland-Chapuis, René Berthier, Paul Paulat & Fils, Poupat & Fils, Station viticole INRA

COTEAUX DU GIENNOIS COSNE-SUR-LOIRE VDQS

ROUGE. Vins à la robe rubis clair. Souvent pleins au goût, ils manquent généralement de corps et sont parfois plus tanniques que les simples Coteaux du Giennois.

Gamay, Pinot noir

1983, 1985

1 à 2 ans au maximum

BLANC. Vins secs, moyennement corsés, étrangement aromatiques, issus essentiellement de Sauvignon, avec une saveur ample.

Sauvignon blanc, Chenin blanc

1983, 1985

1 à 4 ans au maximum

☆ René Berthier, Paul Paulat & Fils, Station viticole INRA

CÔTES DE GIEN VDQS

Voir Coteaux du Giennois.

CÔTES DE GIEN COSNE-SUR-LOIRE VDQS

Voir Coteaux du Giennois Cosne-sur-Loire.

MENETOU-SALON AOC

Appellation sous-estimée mais en pleine expansion, qui couvre la commune de Menetou-Salon et neuf villages des environs.

ROUGE. Vins légers, nerveux et fruités, au bel arôme variétal. S'il vaut mieux les boire jeunes, certains vins élevés en fût vieillissent bien.

Pinot noir

1983, 1985

2 à 5 ans au maximum

BLANC. Vins très secs à secs, plus amples que les rouges. Ils ont incontestablement le caractère du Sauvignon, mais avec une saveur parfois inattendue.

Sauvignon blanc

1983, 1984, 1985

1 à 2 ans au maximum

ROSÉ. Vins secs et légers de très bonne qualité, aromatiques et bien fruités.

Pinot noir

1983, 1985

1 an au maximum

☆ Domaine de Chatenoy, Denis de Chavignol, Jacques Cœur, Paul & Jean-Paul Gilbert, Alphonse Mellot, Henry Pellé, Jean Teiller

POUILLY BLANC FUMÉ AOC

Voir Pouilly-Fumé AOC.

POUILLY-FUMÉ AOC

À Pouilly-sur-Loire et dans six communes voisines, sont produits les plus grands vins de Sauvignon blanc au monde. Seuls les vins de pur Sauvignon ont le droit de faire figurer le mot Fumé dans l'appellation, lequel évoque le caractère « fumé » du cépage.

BLANC. Vins moyennement étoffés, très secs à secs, nerveux, avec une pointe de verdeur et la saveur classique de groseille à maquereaux du Sauvignon. Même dans les années les plus chaudes, la finesse et la délicatesse de ces vins les empêche d'être trop gras, bien qu'on y perçoive la maturation parfaite du fruit.

Sauvignon blanc

1983, 1984, 1986

Entre 2 et 5 ans

☆ Baron de L (Patrick de Ladoucette), Maurice Bailly, Guy Baudin, Jean-Claude Chatelain, Paul Corneau, Patrick Coulbois, Didier Dagueneau, Serge Dagueneau, Thibault-André Dezat, Gitton Père & Fils, Georges Guyot, Jean-Claude Guyot, Les Loges-aux-Moines, Masson-Blondelet, Raymond & Patrick Moreux, Roger Pabiot, Robert Pesson, Michel Redde, Domaine Saget, Château de Tracy

POUILLY-SUR-LOIRE AOC

Ce vin provenant de la même aire que le Pouilly-Fumé est issu de Chasselas, bien que le Sauvignon soit autorisé dans les assemblages. Le Chasselas est un bon raisin de table, mais il donne des vins très ordinaires.

BLANC. Vins secs et légers, pour la plupart neutres, fatigués, voire franchement médiocres.

Chasselas, Sauvignon blanc

1985

Immédiatement

☆ Paul Figeat, Robert Pesson

QUINCY AOC

Ces vignobles plantés sur un plateau de graves ne donnent que des vins blancs de Sauvignon.

BLANC. Vins très secs à secs, relativement corsés, où le caractère variétal du Sauvignon est évident. La saveur ronde et pure semble les priver de la finale rapeuse qu'on attend de ce type de vins.

Sauvignon blanc

1983, 1985

1 à 2 ans au maximum

☆ Brisset-Surtel, Claude Houssier, Domaine de Maison Blanche, Raymond Pipet, Maurice Rapin

REUILLY AOC

La richesse en chaux du sol de Reuilly donne des vins au taux d'acidité plus élevé qu'à Quincy.

ROUGE. Vins moyennement étoffés dont certains sont étonnamment bons, bien qu'ils évoquent davantage la fraise ou la framboise que la saveur classique de groseille du Pinot noir.

Pinot noir, Pinot gris

1983, 1985

2 à 5 ans au maximum

BLANC. Vins ronds, très secs à secs, à la saveur d'herbe plutôt que de groseille à maquereaux, avec une finale austère et sèche caractéristique.

Sauvignon blanc

1983, 1985

1 à 2 ans au maximum

ROSÉ. Vin sec et léger issu de pur Pinot gris, mais étiqueté Pinot.

Pinot gris

1983, 1985

2 à 5 ans au maximum

☆ Henri Beurdin, Robert & Gérard Cordier, Claude Lafond, Guy Malbléte, Didier Martin, Gilbert Roussie, Sorbe & Fils

SANCERRE AOC

Appellation célèbre pour ses vins blancs, alors qu'à l'origine ses vins rouges étaient plus connus. Les vins rouges et rosés connaissent depuis peu une certaine vogue.

ROUGE. Ces vins relativement légers, au bel arôme floral et à la saveur délicate, de qualité plus variable que les vins blancs, s'améliorent.

Pinot noir

1982, 1983, 1985

Entre 2 et 3 ans mais certains peuvent se bonifier pendant 8 ans

BLANC. Vins très secs à secs, relativement corsés, de saveur concentrée et extrêmement aromatiques. Le Sancerre classique présente souvent une riche saveur de groseille à maquereaux dans les grandes années.

Sauvignon blanc

1983, 1985

1 à 3 ans au maximum

ROSÉ. Beaux rosés secs et légers, aux saveurs de framboise et de fraise

Pinot noir

1983, 1984, 1985, 1986

18 mois au maximum

☆ Pierre Archambault, Bernard Bailly-Reverdy, Domaine Balland-Chapuis*, Philippe de Benoist, Henri Bourgeois, Lucien Crochet, Vincent Delaporte, André Dezat*, Pierre Girault, Serge Lalou*, Alphonse Mellot, Georges Millerioux, Henry Natter, Lucien Picard, Pierre Prieur & Fils, Paul Prieur & Fils, Bernard Reverdy, Jean Reverdy, Pierre et Étienne Riffault*, Georges Roblin, Jean-Max Roger, Maurice Roger, Michel Thomas*, Jean Vacheron*, Jean Vatan*, Léon Vatan
**Particulièrement recommandé pour le Sancerre rouge*

VINS DE L'ORLÉANAIS AOC

On produit ici des vins depuis des siècles mais un tiers seulement de l'appellation est exploité.

ROUGE. Vins ronds, frais et fruités, de texture étonnamment tendre en raison d'une courte macération. Ils sont généralement vendus comme vins de cépage ; le Pinot noir est parfois délicat, le Cabernet franc plus ample.

Pinot noir, Pinot Meunier, Cabernet franc

1983, 1985

1 à 2 ans au maximum

BLANC. Très petite production de vins blancs intéressants issus de Chardonnay. Ce sont des vins secs et ronds, étonnamment souples et fruités.

Auvernat blanc (Chardonnay), Auvernat gris (Pinot gris)

1983, 1985

1 à 2 ans au maximum

ROSÉ. Cette spécialité locale est un rosé sec et relativement léger qu'on appelle Meunier gris – un vin gris aromatique à la finale nerveuse et sèche.

Pinot noir, Pinot Meunier, Cabernet franc

1983, 1985

1 an au maximum

☆ Coopérative Covifruit, Arnold Javoy, Jacky Legroux, Cave coopérative Mareau-des-Prés, Roger Montigny & Fils

La vallée du Rhône

Renommée surtout pour ses vins rouges amples, riches et épicés, la vallée du Rhône produit également quelques rosés, au sud, de très rares vins blancs, dans l'ensemble de la région, ainsi que des vins effervescents et vinés.

L'aire d'appellation Côtes-du-Rhône s'étire, sur 200 kilomètres, de Vienne à Avignon, le long du Rhône. Les rives du fleuve n'accueillent pas seulement les vignobles de l'appellation ; elles montrent une succession presque ininterrompue de vignes, depuis celles de Visp dans le canton du Valais, à 50 kilomètres seulement de la source du Rhône, jusqu'à celles qui donnent naissance aux vins de pays, dans les Bouches-du-Rhône, là où le fleuve se jette dans la Méditerranée.

Le département du Rhône n'abrite que les quelques vignobles les plus septentrionaux de cette région viticole ; il assure en revanche 70 % de la production totale de la Bourgogne.

Le contraste n'est pas mince au sein de ce département, entre le caractère des vins qui relèvent des AOC de la vallée du Rhône et celui de ceux qui ont droit au statut des AOC de Bourgogne. Il devrait inviter à plus de modestie tous ceux (dont je suis) qui s'étendent sur les styles régionaux. Quoi de plus éloigné, par exemple, qu'un Condrieu riche et classique et un Mâcon frais et léger, ou qu'un Côte-Rôtie noir et intense et un Beaujolais rouge cerise gouleyant ?

Le prix des vins du Rhône

Au cours des vingt dernières années, beaucoup ont souligné à quel point les vins du Rhône étaient bon marché comparés aux Bordeaux et aux Bourgogne. Leurs prix de vente ont augmenté récemment et les bonnes affaires sont moins fréquentes, mais ils étaient tellement sous-estimés à l'origine qu'ils restent d'un bon rapport qualité/prix, lequel, en outre, s'améliore à mesure que l'on monte dans l'échelle de qualité des vins. Nul ne peut dire si cette situation durera longtemps car l'enthousiasme pour les vins de la vallée du Rhône ne fait que croître.

Une région divisée

S'agissant de l'encépagement, la vallée du Rhône est nettement divisée en deux – le nord, dominé par la Syrah, et le sud, sous l'influence du Grenache –, encore que certains distinguent, sans doute inutilement, une troisième zone centrale.

Le contraste entre le nord et le sud n'est pas uniquement d'ordre viticole ; le sol et le climat y sont radicalement différents et les disparités sociales, culturelles et gastronomiques ne sont pas moins marquées.

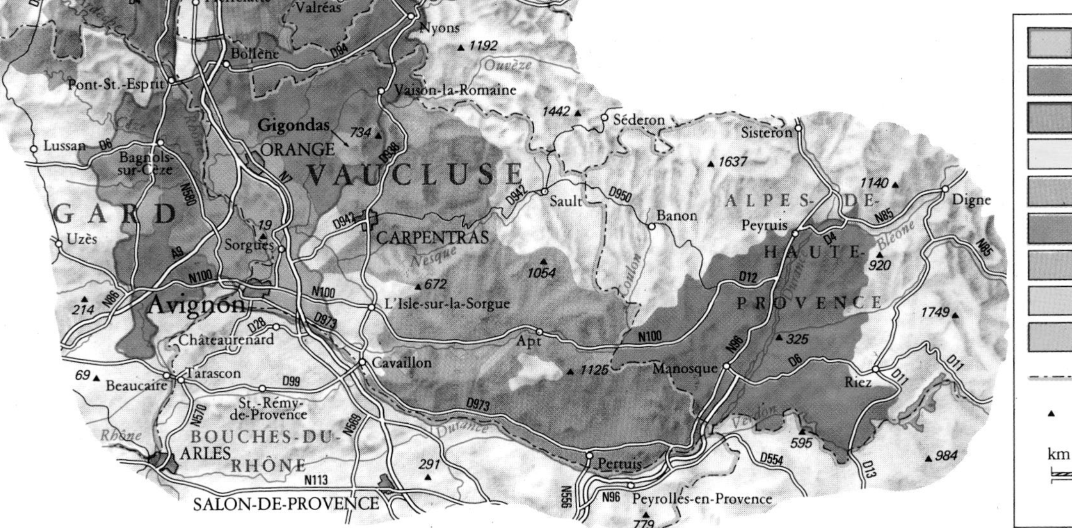

LA VALLÉE DU RHÔNE

La région viticole de la vallée du Rhône couvre une aire étendue, qui commence à Vienne, au sud de Lyon, et descend jusqu'au cœur de la Provence.

Le nord de la vallée du Rhône

Le nord de la vallée du Rhône est dominé par les vins noirs issus de la Syrah – le seul cépage noir vraiment classique de la région –, auxquels s'ajoutent une petite production de vin blanc et, au sud, à Saint-Péray et Die, de vins effervescents.

Si le nord de la vallée du Rhône est un peu la porte d'accès vers le sud, cette région a cependant plus de points communs avec ses voisins septentrionaux qu'avec ceux du sud, mais ses vins sont bien typés. Il serait tout à fait justifié d'isoler le nord et d'en faire une région viticole séparée, qu'on appellerait le Rhône, et de considérer le sud comme un prolongement de grande qualité des vignobles du Midi.

La qualité des vins du nord de la vallée du Rhône

Les sombres vins classiques d'Hermitage et de Côte-Rôtie, en termes de qualité, sont les équivalents de ceux des Crus classés de Bordeaux, tandis que l'élite, les Hermitage de Chave et de Jaboulet ou les Côte-Rôtie de Guigal et de Jasmin, mérite autant de respect que des Premiers Crus comme Lafite, Mouton ou Latour.

Les vins de Cornas sont encore plus imposants et noirs que ceux de l'Hermitage et de Côte-Rôtie. D'ailleurs, un grand millésime d'Auguste Clape peut rivaliser en qualité avec les meilleurs de ses illustres voisins.

Si les beaux vins blancs secs de Condrieu et Château-Grillet sont uniques par leur caractère, leur présence n'est pas aussi surprenante que celle des vins effervescents que l'on élabore à Saint-Péray et, surtout, à Die.

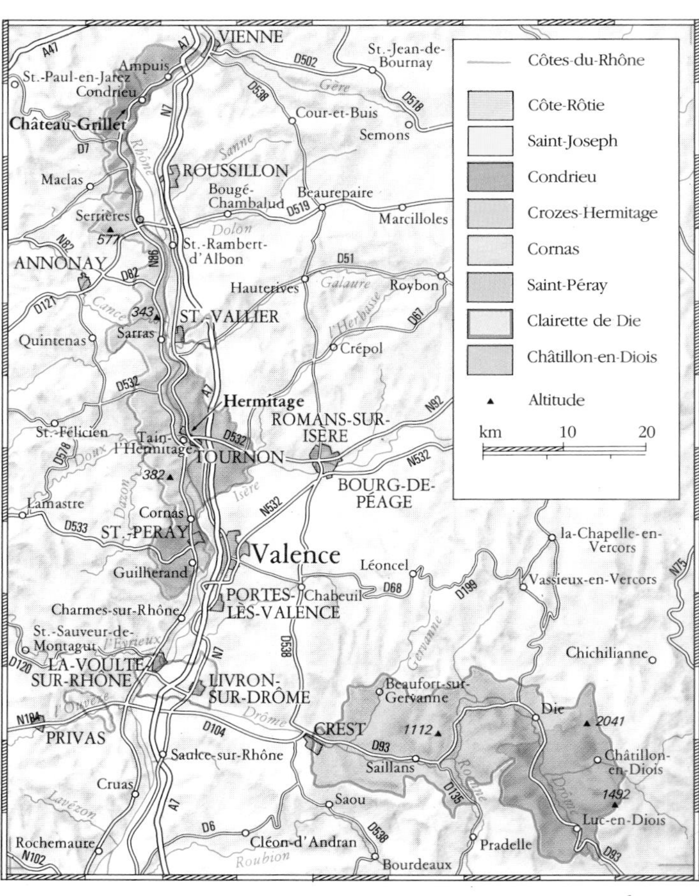

LE NORD DE LA VALLÉE DU RHÔNE (*voir aussi* p. 173)

De ces vignobles naissent de très grands vins rouges, tels ceux de Côte-Rôtie et de l'Hermitage. Tain et Tournon sont situés au cœur de la région.

Château-Grillet, à gauche
Château-Grillet est la propriété d'André Neyret-Cachet. Il est à cheval sur deux communes rattachées à Condrieu, et on le considère souvent comme une sorte de Grand Cru. Son beau vin blanc est mis en bouteille au domaine depuis 1830.

Ampuis sous la neige, ci-dessous
Les vignobles pentus de Côte-Rôtie, exposés au sud-est, sur la rive droite du Rhône, sont particulièrement difficiles à travailler.

FACTEURS AFFECTANT LE GOÛT ET LA QUALITÉ

Situation
Les vignobles se succèdent formant une bande étroite qui commence à Vienne et se poursuit jusqu'à Valence.

Climat
Bien que l'influence de la Méditerranée soit perceptible, le climat reste semi-continental, marqué par l'alternance d'étés chauds et d'hivers froids. Il est plus proche de celui du sud de la Bourgogne que de celui des Côtes du Rhône méridionales. Le mistral peut cependant y souffler à 145 km/h, arrachant ceps, feuilles, sarments et fruits. Les vignes exposées au mistral sont protégées par des peupliers et des cyprès. Le vent n'a pas qu'une action négative toutefois : au moment des vendanges, il contribue à assécher l'humidité ambiante.

Site
La campagne est généralement moins aride que dans le sud, et les arbres fruitiers y sont nombreux. Les vignobles de la vallée sont, en outre, bien plus pentus que ceux des Côtes du Rhône méridionales.

Sol
Le sol du nord de la vallée du Rhône est généralement léger et sec, granitique et schisteux : sol sablo-granitique sur la Côte-Rôtie (sable calcaire sur la Côte-blonde et sable ferrugineux sur la Côte-brune) ; sol sablo-granitique à Condrieu et Hermitage, avec une fine couche de silex, de craie et de mica décomposés que l'on appelle ici arzelle ; sol plus lourd à Crozes-Hermitage, avec des nappes d'argile ; sables granitiques avec un peu d'argile entre Saint-Joseph et Saint-Péray, qui deviennent plus pierreux vers le sud de la région, où apparaissent parfois des affleurements de calcaire ; calcaire et argile sur une solide base rocheuse aux environs de Die.

Viticulture et vinification
À la différence des vins du sud de la vallée, ceux de la partie septentrionale sont issus principalement, voire uniquement, d'un seul cépage, la Syrah. Les nombreux cépages secondaires (*voir* liste ci-dessous) ne servent qu'occasionnellement.

Les conditions de culture sont particulièrement difficiles dans le nord de la région et les coûts d'exploitation très élevés ont failli conduire par le passé à l'abandon pur et simple des vignobles. Les vins de Côte-Rôtie sont aujourd'hui assez onéreux, mais du moins continuent-ils d'être produits. Les techniques de vinification sont tout à fait traditionnelles et, lorsque les vins sont élevés en fût, le recours au chêne neuf revêt moins d'importance que dans le Bordelais ou en Bourgogne.

Cépages principaux
Syrah, Viognier

Cépages secondaires
Aligoté, Bourboulenc, Calitor, Camarèse, Carignan, Chardonnay, Cinsault, Clairette, Counoise, Gamay, Grenache, Marsanne, Mauzac, Mourvèdre, Muscardin, Muscat blanc à petits grains, Pascal blanc, Picardan, Picpoul, Pinot blanc, Pinot noir, Roussanne, Terret noir, Ugni blanc, Vaccarèse

Les vins du nord de la vallée du Rhône

CHÂTEAU-GRILLET AOC

Château-Grillet est l'unique appellation en France qui ne couvre qu'un seul domaine. Malgré sa renommée justifiée, peut-être ne tient-il pas toutes ses promesses.

BLANC. Vin de couleur or pâle, doté d'un bouquet floral envoûtant, d'une saveur délicate et persistante et d'une élégante arrière-bouche de pêche. Un vin d'une grande finesse et d'un caractère complexe.

Viognier

1981, 1983, 1984, 1985

Entre 4 et 8 ans

☆ Château-Grillet

CHÂTILLON-EN-DIOIS AOC

Vignoble promu au rang d'AOC en 1974, mais il est difficile de justifier cette distinction.

ROUGE. Vin de peu de caractère, clair et léger, au fruité mince.

Gamay et jusqu'à 25 % de Syrah et Pinot noir

BLANC. Vins vendus sous le nom de leur cépage producteur. L'Aligoté, léger et frais, délicatement aromatique, est aussi bon que le Chardonnay plus riche et plus ample, mais un peu anguleux.

Aligoté, Chardonnay

ROSÉ. Jamais dégusté.

Gamay et jusqu'à 25 % de Syrah et Pinot noir

☆ UPVF du Diois

CLAIRETTE DE DIE AOC ou CLAIRETTE de DIE MOUSSEUX AOC

Vin sec effervescent élaboré selon la méthode champenoise.

BLANC MOUSSEUX. Vin mousseux relativement neutre de qualité moyenne.

Au moins 75 % de Clairette, plus Muscat à petits grains

Généralement non millésimé

1 à 3 ans au maximum

☆ Buffardel Frères, UPVF du Diois, Domaine de Magord, Georges Raspail, Caves Salabelle

CLAIRETTE DE DIE TRADITION AOC ou CLAIRETTE DE DIE DEMI-SEC AOC

Les vins de cette appellation sont faits selon la méthode dioise, c'est-à-dire avec une seule fermentation, et non deux comme dans la méthode champenoise.

BLANC MOUSSEUX. Vin délicieusement mûr à la saveur de pêche.

Au moins 50 % de Muscat à petits grains, plus Clairette

Généralement non millésimé

Immédiatement

☆ Archard-Vincent, Buffardel Frères, UPVF du Diois, Domaine de Magord, Georges Raspail, Caves Salabelle

CONDRIEU AOC

Avec Château-Grillet, élaboré dans le même style à partir du même cépage et qui peut être considéré, du moins officieusement, comme le même vin, c'est le plus grand vin blanc de la vallée du Rhône.

BLANC. Les vins or pâle de Condrieu, autrefois moelleux et demi-doux, sont généralement secs désormais, exhalant un bel arôme floral de muguet et de violette, associant gras, fraîcheur et finesse, et développant rapidement d'élégantes nuances de pêche.

Viognier

1981, 1983, 1984, 1985

Entre 4 et 8 ans

☆ André Dézormeaux, Pierre Dumazet, Pierre et André Perret, Château du Rozay, Georges Vernay

CORNAS AOC

Les vignobles ensoleillés de Cornas produisent les vins rouges de la vallée du Rhône qui offrent le meilleur rapport qualité/prix.

ROUGE. Vins noirs purs Syrah, bien corsés, à la saveur puissante, auxquels il manque simplement un peu de finesse.

Syrah

1982, 1983, 1985

Entre 7 et 20 ans

☆ Auguste Clape, Guy de Barjac, Paul Jaboulet Aîné, Marcel Juge, Jean Lionnet, Robert Michel, Noël Verset, Alan Voge

CÔTES-DU-RHÔNE AOC

Cette appellation générique couvre l'ensemble de la région, mais assez peu de producteurs l'utilisent dans la partie septentrionale. *Voir* Côtes-du-Rhône dans « Les vins du sud de la vallée du Rhône ».

CÔTE-RÔTIE AOC

Les vignobles en terrasse de Côte-Rôtie doivent être cultivés manuellement, mais ils offrent en récompense des vins rouges d'une grande classe qui, avec ceux de l'Hermitage, sont les plus beaux vins de Syrah au monde.

ROUGE. Vin grenat, avec beaucoup de corps, d'ardeur et de puissance, auquel un peu de Viognier donne plus de parfum. Il est d'une grande finesse, d'une grande longévité, complexe, teinté de nuances d'épices et de violette.

Syrah, plus jusqu'à 20 % de Viognier

1982, 1983, 1985

Entre 10 et 25 ans

☆ Pierre Barge, Domaine de Boisseyt, Bernard Burgaud, Émile Champet, Edmund Duclaux, Gentaz-Dervieux, E. Guigal, Paul Jaboulet Aîné, Joseph Jamet, Georges & Robert Jasmin, Vidal-Fleury

CROZES-HERMITAGE AOC ou CROZES-ERMITAGE AOC

Cette appellation couvre un périmètre relativement étendu autour de Tain.

ROUGE. Vins bien colorés et corsés proches de ceux de l'Hermitage, mais généralement moins intenses. Leur saveur rustique de framboise ne s'enrichit de nuances de cassis que lorsqu'ils sont nés dans les années les plus chaudes.

Syrah

1982, 1983, 1985

Entre 6 et 12 ans (entre 8 et 20 ans pour les meilleurs vins dans les grandes années)

BLANC. Ces vins blancs secs s'améliorent et acquièrent davantage de fraîcheur, de fruité et d'acidité.

Roussanne, Marsanne

1984, 1985, 1986

1 à 3 ans au maximum

☆ Cave des Clairmonts, Domaine des Entrefaux, Domaine des Voussières

ERMITAGE AOC

Voir Hermitage AOC.

HERMITAGE AOC ou L'ERMITAGE AOC ou L'HERMITAGE AOC

Cette appellation offre l'un des grands vins rouges classiques de France, presque toujours pur Syrah, encore qu'un peu de Roussanne et de Marsanne puisse être ajouté. Les vignes sont cultivées sur un superbe coteau orienté au sud, qui domine Tain.

ROUGE. Ces vins ont une couleur profonde et soutenue, beaucoup de corps et une belle saveur fruitée, charnue et épicée de violette et de cassis qui, en dépit de son ampleur, ne trouble jamais l'immense finesse des grands Hermitage.

Syrah, jusqu'à 15 % de Roussanne et Marsanne

1982, 1983, 1985

Entre 12 et 30 ans

BLANC. Vins secs, imposants et riches, avec une saveur ample et ronde de noisette et d'abricot sec. Malgré les progrès accomplis récemment, ils demeurent de simples curiosités.

Roussanne, Marsanne

1981, 1983, 1985

Entre 6 et 12 ans

☆ Max Chapoutier, Jean-Louis Chave, E. Guigal, Jean-Louis Grippat, Paul Jaboulet Aîné, H. Sorrel

HERMITAGE VIN DE PAILLE AOC

En 1974, Gérard Chave élabora pour « s'amuser », déclara-t-il, le dernier vin de paille d'Hermitage. Le succès fut grand. Pourtant, aucun viticulteur n'a, depuis, tiré parti de cette appellation. Les derniers vins de paille proviennent aujourd'hui des vignobles du Jura.

SAINT-JOSEPH AOC

Jusqu'ici, les vins de St-Joseph n'ont guère été enthousiasmants.

ROUGE. Vins assez corsés et fruités, avec une nuance poivrée qui évoque les vins du sud de la vallée.

Syrah et jusqu'à 10 % de Marsanne et Roussanne

1983, 1985

Entre 3 et 8 ans

BLANC. Vins secs ; les meilleurs sont nets, riches, citronnés et résineux.

Marsanne, Roussanne

1984, 1985, 1986

1 à 3 ans au maximum

☆ Jean-Claude Boisset, Jean-Louis Chave, Pierre Coursodon, Philippe Faury, Bernard Gripa, Jean-Louis Grippat, Alain Paret, Coopérative de Saint-Désirat-Champagne

SAINT-PÉRAY AOC

Commune vouée exclusivement aux vins blancs, une pratique étonnante pour la région.

BLANC. Vins fermes et fruités, qui montrent une belle acidité mais manquent généralement de charme.

Marsanne, Roussanne

1984, 1985, 1986

1 à 3 ans au maximum

☆ J.-F. Chaboud

SAINT-PÉRAY MOUSSEUX AOC

Vin effervescent élaboré selon la méthode champenoise, issu de cépages inadéquats cultivés sur un sol inadéquat.

BLANC MOUSSEUX. Vin sec surestimé à la mousse grossière.

Marsanne, Roussanne

Le sud de la vallée du Rhône

Si la chaleur moelleuse du Grenache se retrouve dans la plupart des vins du sud de la vallée du Rhône, cette région n'est pas vouée à un cépage unique. C'est au contraire le paradis des assemblages, avec un choix de 23 cépages parfois, d'où résultent de nombreux vins rouges, blancs, rosés et doux de styles et de qualités divers.

Le sud de la vallée du Rhône est dominé par la garrigue et balayé par une brise au parfum d'épices et de sucre. Le vignoble est bien plus étendu qu'au nord et sa production est naturellement beaucoup plus importante. Le nord produit 10 % de Côtes-du-Rhône génériques, tandis que le sud assure à lui seul 95 % de l'ensemble de la récolte. Par endroits, dans le nord de la vallée, l'aire plantée de vignes ne dépasse pas quelques centaines de mètres de largeur, alors qu'elle mesure jusqu'à 60 kilomètres dans le sud.

Vins du Midi ou vins de Provence

Au moins la moitié du vignoble du sud de la vallée fait partie du Midi dont on admet généralement qu'il couvre les départements de l'Aude, de l'Hérault et du Gard. Or, ceux qui entendent préserver l'image de marque de ces vins ne le soulignent jamais, car le Midi était tristement réputé autrefois pour son immense production de vins ordinaires. Le Rhône marque la limite est du Midi et les appellations les plus célèbres, Châteauneuf-du-Pape, Muscat de Beaumes-de-Venise et Gigondas, font géographiquement partie de la Provence. D'un point de vue viticole, cependant, elles n'utilisent pas les cépages quasi italiens qui dominent les vignobles de Provence et se définissent plutôt comme un prolongement de qualité des appellations du Midi, où règnent le Grenache et le Mourvèdre.

FACTEURS AFFECTANT LE GOÛT ET LA QUALITÉ

Situation
La région s'étend de Montélimar jusqu'au sud d'Avignon puis, vers l'est, au-delà de Manosque.

Climat
Au climat semi-continental des Côtes du Rhône septentrionales succède ici le climat méditerranéen qui soumet les vignobles à des changements de temps plus soudains et à des orages violents. Le facteur climatique commun au nord et au sud de la vallée est le mistral, dont les effets sont tantôt négatifs, tantôt bénéfiques.

Site
Paysage méditerranéen, avec des oliviers, des champs de lavande, des garrigues et des affleurements rocheux.

Sol
Les affleurements calcaires, qui apparaissent déjà dans le nord de la vallée du Rhône, deviennent ici plus abondants et sont souvent mêlés de dépôts d'argile, tandis qu'en surface, le sol est sensiblement plus pierreux. Châteauneuf-du-Pape est célèbre pour ses cailloux de couleur claire dont la taille varie suivant le site. On les trouve à une profondeur de quelques centimètres à près d'un mètre et ils recouvrent parfois un sol alluvial rougeâtre. Les sols de Gigondas contiennent des marnes ; du sable gris s'étend à Lirac, Tavel et Chusclan où le sol comprend également des débris calcaires, des argiles sableuses, des pierres argileuses, des argiles calcaires et de gros cailloux.

Viticulture et vinification
Les vignes sont traditionnellement plantées inclinées, de sorte que le mistral les redresse à mesure qu'elles vieillissent. Dans cette région, l'assemblage est la règle : même les vins de Châteauneuf-du-Pape sont des assemblages – généralement de quatre ou cinq cépages, parfois jusqu'à treize. Certains domaines sont restés fidèles aux méthodes traditionnelles, mais la technologie moderne est bien implantée.

Cépages principaux
Carignan, Cinsault, Grenache, Mourvèdre, Muscat blanc à petits grains, Muscat rosé à petits grains

Cépages secondaires
Aubun, Bourboulenc, Calitor, Camarèse, Clairette, Clairette rosé, Counoise, Gamay, Grenache blanc, Grenache gris, Maccabéo, Marsanne, Mauzac, Muscardin, Œillade, Pascal blanc, Picardan, Picpoul blanc, Picpoul noir, Pinot blanc, Pinot noir, Roussanne, Syrah, Terret noir, Ugni blanc, Vaccarèse, Viognier

LE SUD DE LA VALLÉE DU RHÔNE, *voir aussi* p. 173

Les Côtes du Rhône méridionales courent vers le sud en direction de la Provence et vers l'est jusqu'aux Alpes. On y trouve notamment l'illustre appellation Châteauneuf-du-Pape.

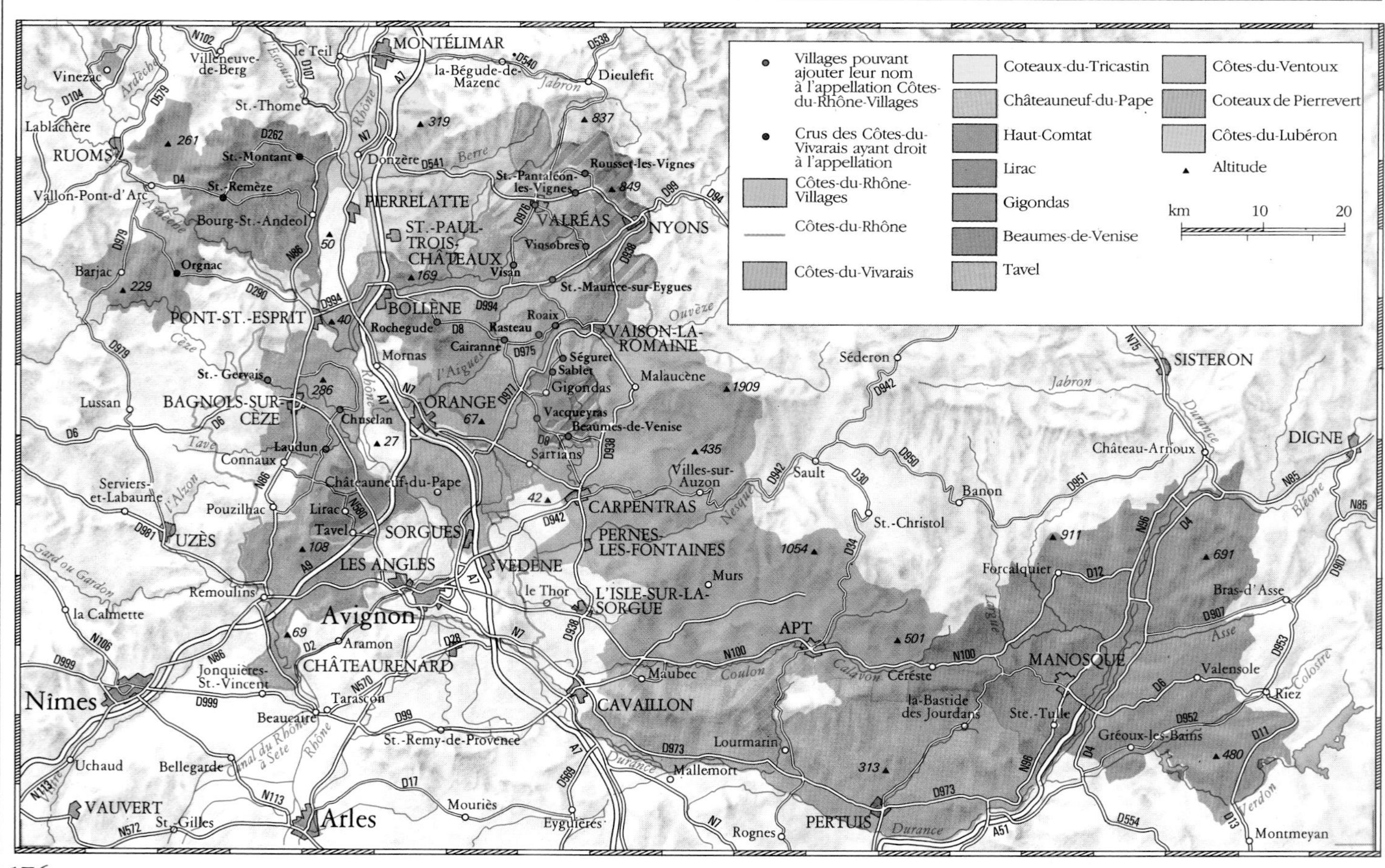

Les vins du sud de la vallée du Rhône

CHÂTEAUNEUF-DU-PAPE AOC

Le nom de Châteauneuf-du-Pape date de l'époque de la double papauté. L'appellation est célèbre pour son sol étonnamment pierreux, qui restitue, la nuit, la chaleur emmagasinée durant le jour. La taille, le type, la profondeur et la répartition de ces pierres varient énormément, de même que l'aspect des vignobles. Ces variations, auxquelles s'ajoutent les innombrables combinaisons des treize cépages autorisés, expliquent la diversité des vins produits. Au début des années 80, certains viticulteurs commencèrent à contester les concepts d'encépagement et de vinification jusqu'alors acceptés ; ils sont encore en évolution à Châteauneuf-du-Pape. Le déclin régulier du Grenache s'est accéléré au profit de la Syrah et du Mourvèdre. Le Cinsault et le Terret noir sont encore appréciés, et la Counoise, qui allie fruité et fermeté, commence à l'être. L'emploi de barriques en chêne neuf pour l'élevage en est encore au stade expérimental, mais il semble déjà que le vin blanc s'y prête mieux que le vin rouge. Si le chêne neuf est utilisé plus largement à l'avenir, ce sera certainement en association avec l'acier inoxydable et non avec le chêne usagé, car l'assemblage de vins élevés en fûts neufs et en fûts vieux peut être désastreux.

Pour garantir l'emploi des seuls raisins parfaitement sains et mûrs, la législation impose aux producteurs de rejeter entre 5 et 20 % des raisins compris dans le rendement maximal de cette AOC ; la récolte écartée ne peut servir qu'à la fabrication de vins de table. Cette disposition, qui exclut des raisins, est appelée le « rapé ».

ROUGE. Un Châteauneuf-du-Pape typique est plus chaud et plus épicé que les plus grands Hermitage et Côte-Rôtie.

Grenache, Syrah, Mourvèdre, Picpoul, Terret noir, Counoise, Muscardin, Vaccarèse, Picardan, Cinsault, Clairette, Roussanne, Bourboulenc

1981, 1983, 1985, 1986

Entre 6 et 25 ans

BLANC. Les progrès techniques ont permis d'abaisser la température de fermentation, si bien que ces vins, blancs secs amples et riches, se sont considérablement améliorés, gagnant ainsi à la fois en fraîcheur, nervosité et qualité.

Grenache, Syrah, Mourvèdre, Picpoul, Terret noir, Counoise, Muscardin, Vaccarèse, Picardan, Cinsault, Clairette, Roussanne, Bourboulenc

1984, 1985, 1986

1 à 3 ans au maximum (et, dans les cas exceptionnels, entre 4 et 10 ans)

Note : *voir* ma sélection personnelle des meilleurs Châteauneuf-du-Pape p. 179.

COTEAUX-DE-PIERREVERT VDQS

Quelque 400 ha de vigne, surtout adaptés à la production de vin rosé.

ROUGE. Vins ternes et peu inspirés manquant de caractère.

Carignan, Cinsault, Grenache, Mourvèdre, Œillade, Syrah, Terret noir

1983, 1985

Entre 2 et 5 ans

BLANC. Vins secs légers, assez quelconques, avec plus de corps que de fruité.

Clairette, Marsanne, Picpoul, Roussanne, Ugni blanc

1984, 1985, 1986

1 à 3 ans au maximum

ROSÉ. Vins rose bleuté bien faits, à la saveur nerveuse, légère et fine.

Carignan, Cinsault, Grenache, Mourvèdre, Œillade, Syrah, Terret noir

1983, 1985, 1986

1 à 3 ans au maximum

☆ Domaine de la Blaque

COTEAUX-DU-TRICASTIN AOC

Excellente appellation (pour les vins rouges), classée VDQS en 1964, puis AOC en 1973, qui commence à susciter l'attention qu'elle mérite.

ROUGE. Très bons vins, en particulier les purs Syrah, de couleur profonde, riches, poivrés, réellement délicieux après quelques années de bouteille.

Grenache, Cinsault, Mourvèdre, Syrah, Picpoul noir, Carignan, et jusqu'à 20 % au total de Grenache blanc, Clairette, Bourboulenc et Ugni blanc

1983, 1985

Entre 2 et 7 ans

BLANC. Très faible production de modestes vins blancs.

Grenache blanc, Clairette, Picpoul, Bourboulenc, et jusqu'à 30 % d'Ugni blanc

ROSÉ. Petite production de rosés secs frais et fruités parfois exceptionnels.

Grenache, Cinsault, Mourvèdre, Syrah, Picpoul noir, Carignan, et jusqu'à 20 % au total de Grenache blanc, Clairette, Picpoul blanc, Bourboulenc et Ugni blanc

1983, 1984, 1985, 1986

Immédiatement

☆ Le Cellier des Templiers, Domaine de la Grangeneuve, Domaine Pierre Labeye, Domaine de la Tour d'Elyssas, Domaine du Vieux Micocoulier, Vignerons ardéchois

CÔTES-DU-LUBÉRON VDQS

Le vignoble semble mûr pour être promu au rang d'AOC grâce, notamment, à Jean-Louis Chancel dont les 125 ha de vignobles, au Château Val-Joannis, si jeunes soient-ils, sont tellement prometteurs qu'ils passent déjà pour le joyau de Lubéron.

ROUGE. Vins d'une belle couleur vive, bien fruités et typés, qui s'améliorent à chaque millésime.

Grenache, Syrah, Mourvèdre, Cinsault, Counoise, au maximum 50 % de Carignan et jusqu'à 20 % au total de Pinot noir, Gamay et Picpoul

1983, 1985

Entre 3 et 7 ans

BLANC. Les meilleurs vins blancs contiennent une petite proportion de Chardonnay, mais qui tend à augmenter. Ce cépage n'est pourtant pas autorisé officiellement – une erreur qu'il conviendra de réparer si le vignoble est classé AOC.

Clairette, Bourboulenc et jusqu'à 30 % au total de Grenache blanc, Pascal blanc, Roussanne et Ugni blanc

1984, 1985

1 à 3 ans au maximum

ROSÉ. Vins joliment colorés, frais et fruités, de bien meilleure qualité que la plupart des rosés de Provence.

Grenache, Syrah, Mourvèdre, Cinsault, Counoise, au maximum 50 % de Carignan et jusqu'à 30 % au total de Pinot noir, Gamay et Picpoul

1983, 1985

Immédiatement

☆ Château la Canorgue, Château de l'Isolette, Clos Mirabeau, Château Val-Joanis

CÔTES-DU-RHÔNE AOC

Cette appellation générique s'applique à toute la vallée du Rhône, mais l'essentiel de la récolte provient du sud. Elle recouvre de superbes nectars comme des vins très médiocres. La qualité et le caractère des Côtes-du-Rhône sont trop divers pour être décrits en termes généraux.

Les vins rouges sont les plus réussis, et bon nombre des meilleurs rosés sont supérieurs à ceux, plus chers, qui bénéficient d'appellations plus illustres dans la région.

Les vins blancs ont accompli des progrès considérables au cours des dernières années.

Les cépages et les proportions autorisés sont les mêmes pour les vins rouges, blancs et rosés : Grenache, Clairette, Syrah, Mourvèdre, Picpoul, Terret noir, Picardan, Cinsault, Roussanne, Marsanne, Bourboulenc, Viognier, au maximum 30 % de Carignan et jusqu'à 30 % au total de Counoise, Muscardin, Vaccarèse, Pinot blanc, Mauzac, Pascal blanc, Ugni blanc, Calitor, Gamay et Camarèse

1982, 1983, 1985 (rouge et rosé) ; 1984, 1985 (blanc)

Entre 2 et 8 ans (rouge) ; 1 à 3 ans au maximum (blanc et rosé)

☆ Domaine de Bel-Air, Brézème (Jean-Marie Lombard), Domaine de la Berthete, Coopérative vinicole « Comtadine Dauphinoise », Cave des Vignerons Rasteau, Cave coopérative de Vénéjan, Cave coopérative « La Vigneronne », Château du Domazan, Château de Fonsalette, Château du Grand Moulas, Domaine de la Grand'Ribe, La Reviscoulado, Château du Prieuré, Domaine Rabasse-Charavin, Domaine de la Renjardière, Domaine du Roure, Château Saint-Estève, Domaine du Vieux Chêne

CÔTES-DU-RHÔNE-VILLAGES AOC

Généralement, ces vins surpassent les Côtes-du-Rhône génériques en profondeur, en caractère et en qualité. L'appellation, composée à l'origine de quatre villages – Gigondas, Cairanne, Chusclan et Laudun –, en compte aujourd'hui dix-sept, tous situés dans le sud de la vallée du Rhône. Si le vin provient d'une seule commune, le nom de cette dernière peut être ajouté à l'appellation. La commune de Gigondas ne relève plus des Côtes-du-Rhône-Villages puisque son vignoble a été classé AOC en 1971.

ROUGE. Vins excellents pour la plupart.

Au maximum 65 % de Grenache, au minimum 25 % de Syrah, Mourvèdre et Cinsault, et jusqu'à 10 % au total de Clairette, Picpoul, Terret noir, Picardan, Roussanne, Marsanne, Bourboulenc, Viognier, Carignan, Counoise, Muscardin, Vaccarèse, Pinot blanc, Mauzac, Pascal blanc, Ugni blanc, Calitor, Gamay et Camarèse

1981, 1983, 1985, 1986

Entre 3 et 10 ans

BLANC. Vins en progrès (Vieux Manoir du Frigoulas étant le meilleur).

Au minimum 80 % de Clairette, Roussanne et Bourboulenc, au maximum 10 % de Grenache blanc et jusqu'à 10 % au total de Grenache, Syrah, Mourvèdre, Picpoul, Terret noir, Picardan, Cinsault, Bourboulenc, Viognier, Carignan, Counoise, Muscardin, Vaccarèse, Pinot blanc, Mauzac, Pascal blanc, Ugni blanc, Calitor, Gamay et Camarèse

1983, 1985, 1986

1 à 3 ans au maximum

ROSÉ. Vins parfois très bons.

Au maximum 60 % de Grenache et 10 % de Carignan, au minimum 10 % de Camarèse et Cinsault, et jusqu'à 10 % au total de Clairette, Picpoul, Terret noir, Picardan, Roussanne, Marsanne, Bourboulenc, Vaccarèse, Pinot blanc, Mauzac, Pascal blanc, Ugni blanc, Calitor, Gamay, Syrah et Mourvèdre

1982, 1983, 1985, 1986

1 à 3 ans au maximum

☆ Domaine de Cabasse, Domaine le Clos des Cazaux, Cave coopérative Saint-Hilaire d'Ozilhan, Domaine Sainte-Anne, Vieux Manoir du Frigoulas

CÔTES-DU-RHÔNE BEAUMES-DE-VENISE AOC

Célèbre pour son délicieux vin doux de Muscat, Beaumes-de-Venise produit aussi un agréable vin rouge à la saveur fruitée et poivrée de framboise. Les vins blancs secs et les rosés sont vendus sous l'AOC générique.

☆ Château Redortier

CÔTES-DU-RHÔNE CAIRANNE AOC

Excellents vins rouges chauds, épicés et riches, qui vieillissent très bien. Cairanne et Vacqueyras produisent les meilleurs vins de Côtes-du-Rhône-Villages.

☆ Cave des Coteaux de Cairanne, L'Oratoire Saint-Martin, Domaine Rabasse Charavin, Domaine du Grand-Jas, Domaine des Travers

CÔTES-DU-RHÔNE CHUSCLAN AOC

Chusclan, situé juste au nord de Lirac et de Tavel, célèbres pour leurs vins rosés, produit aussi un excellent rosé. Toutefois, la plupart des vins sont rouges, bons et gouleyants. Le vin blanc est frais et vif.

☆ Cave des Vignerons de Chusclan, Domaine du Lindas

CÔTES-DU-RHÔNE LAUDUN AOC

Laudun, l'un des quatre villages de l'appellation d'origine, produit de beaux vins rouges frais et épicés, les meilleurs vins blancs des appellations communales et un rosé plaisant.

☆ Cave des Quatre Chemins, Domaine Pelaquié, Domaine Rémy Estournel, Louis Rousseau & Fils

CÔTES-DU-RHÔNE RASTEAU AOC

Ce village est renommé surtout pour son Rancio (*voir* p. 179), bien qu'il produise près de quatre fois plus de vins rouges, blancs et rosés. Le vin rouge est le plus réussi ; de couleur profonde, ample, riche et épicé, il peut se bonifier pendant une dizaine d'années.

☆ Caves des Vignerons de Rasteau, Domaine de la Grangeneuve, Domaine de la Soumade, Domaine des Coteaux des Travers, Francis Vache

CÔTES-DU-RHÔNE ROAIX AOC

Je n'ai jamais dégusté ces vins dont la Cave coopérative de Roaix-Séguret assure l'essentiel de la production. Les vins de Florimond Lambert ont bonne réputation.

CÔTES-DU-RHÔNE ROCHEGUDE AOC

Cette appellation ne s'applique qu'aux vins rouges. Seul le vin rouge de Rochegude peut prétendre à la mention « Villages ». Comme à Beaumes-de-Venise, les vins blancs et rosés sont vendus sous l'appellation générique Côtes-du-Rhône. Le vin rouge de la coopérative locale est de très bonne qualité, bien coloré, tendre et charnu.

☆ Cave coopérative vinicole de Rochegude

CÔTES-DU-RHÔNE ROUSSET-LES-VIGNES AOC

Les villages voisins de Rousset-les-Vignes et Saint-Pantaléon-les-Vignes possèdent les vignobles les plus septentrionaux des Côtes-du-Rhône-Villages. Le vin, monopole de la Cave coopérative vinicole de Saint-Pantaléon, est tendre et gouleyant.

CÔTES-DU-RHÔNE SABLET AOC

Les vins rouges et rosés, tendres et fruités, mûrissent rapidement. Ils sont réguliers et d'un bon rapport qualité/prix.

☆ René Bernard, Domaine du Parandou, Paul Roumanille, Château du Trignon

CÔTES-DU-RHÔNE ST-GERVAIS AOC

Les vignobles de Saint-Gervais sont plantés sur les rives du Cèze, l'un des nombreux affluents du Rhône. Les vins rouges sont délicieusement profonds et fruités ; les vins blancs sont frais, aromatiques, nerveux, étonnamment bien équilibrés pour des vins aussi méridionaux.

☆ Domaine le Baine, Cave coopérative de St-Gervais, Domaine Ste-Anne

CÔTES-DU-RHÔNE SAINT-MAURICE-SUR-EYGUES AOC

Vin rouge et vin rosé légers et coulants. La coopérative locale a le monopole de la production.

CÔTES-DU-RHÔNE ST-PANTALÉON-LES-VIGNES AOC

Voir Côtes-du-Rhône Rousset-les-Vignes AOC.

CÔTES-DU-RHÔNE SÉGURET AOC

Vin rouge, ferme et fruité, d'une belle couleur vive, ainsi qu'un peu de vin blanc et de vin rosé.

☆ Jean-Pierre Brotte, Domaine de Cabasse, Domaine Garancière, Domaine du Sommier

CÔTES-DU-RHÔNE VACQUEYRAS AOC

Vins riches, robustes et chauds, qui peuvent s'améliorer pendant douze ans ou plus.

☆ Domaine les Clos des Cazaux, Domaine la Fourmone, Paul Jaboulet Aîné, Domaine de Montuac, Château des Roques, Domaine de Verquière

CÔTES-DU-RHÔNE VALRÉAS AOC

Beaux vins rouges à la saveur bien fruitée, ainsi qu'un peu de rosé.

☆ Domaine de la Fuzière, Domaine des Grands Devers, Le Val des Rois

CÔTES-DU-RHÔNE VINSOBRES AOC

Vins rouges fermes de bonne qualité et un peu de rosé honnête.

☆ Domaine des Ausellons, Domaine du Coriançon

CÔTES-DU-RHÔNE VISAN AOC

Vins rouges d'une belle couleur et de bonne garde et vins blancs frais.

☆ Cave coopérative « les Coteaux de Visan », Domaine de la Cantharide, Domaine de la Costechaude, Clos du Père Clément

CÔTES-DU-VENTOUX AOC

Le sous-sol calcaire donne un vin plus léger que d'habitude dans la vallée du Rhône.

ROUGE. Vins frais, coulants et fruités, les meilleurs de l'AOC.

Grenache, Syrah, Cinsault, Mourvèdre, au maximum 30 % de Carignan et jusqu'à 20 % au total de Picpoul noir, Counoise, Clairette, Bourboulenc, Grenache blanc, Roussanne, Ugni blanc, Picpoul et Pascal blanc

1983, 1985, 1986

Entre 2 et 5 ans

BLANC. Petite production de vin blanc sans grand intérêt.

Clairette, Bourboulenc et jusqu'à 30 % au total de Grenache blanc, Roussanne, Ugni blanc, Picpoul blanc et Pascal blanc

ROSÉ. Vins frais et fruités.

Grenache, Syrah, Cinsault, Mourvèdre, au maximum 30 % de Carignan et jusqu'à 20 % au total de Picpoul noir, Counoise, Clairette, Bourboulenc, Grenache blanc, Roussanne, Ugni blanc, Picpoul et Pascal blanc

1983, 1985, 1986

Immédiatement

☆ Domaine des Anges, Cave coopérative des coteaux du Mont Ventoux, Domaine de Tenon, Domaine Ste-Croix, Domaine St-Sauveur, « Vieille Ferme », Château du Vieux-Lazaret

CÔTES-DU-VIVARAIS VDQS

Les Côtes du Vivarais s'étendent sur la rive droite du Rhône. Les meilleurs crus – Orgnac, Saint-Montant et Saint-Remèze –

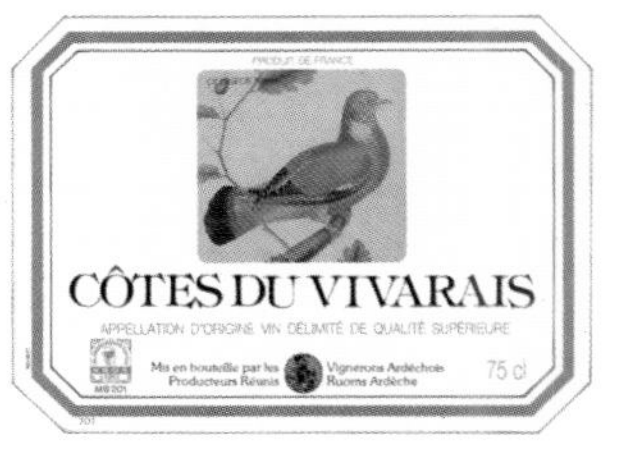

peuvent ajouter leur nom à l'appellation.

ROUGE. Les vins rouges, légers et gouleyants, sont de loin les plus réussis.

Cinsault, Grenache, Mourvèdre, Picpoul, Syrah et jusqu'à 40 % au total d'Aubun et Carignan. Seuls les crus dont les vins ne contiennent ni Picpoul ni Aubun et pas plus de 25 % de Carignan peuvent ajouter leur nom à l'appellation Côtes-du-Vivarais.

1983, 1985, 1986

1 à 3 ans au maximum

BLANC. Vins le plus souvent ternes et décevants ; celui du Domaine Gallety est cependant frais et honnête.

Bourboulenc, Clairette, Grenache, Maccabéo, Marsanne, Mauzac, Picpoul, Ugni blanc. Seuls les crus dont les vins de contiennent ni Maccabéo, ni Mauzac, ni Ugni blanc, peuvent ajouter leur nom à Côtes-du-Vivarais.

1983, 1985

1 à 3 ans au maximum

ROSÉ. Ces jolis vins secs, avec parfois une saveur mûre et fruitée, sont généralement plus réussis que les blancs.

La réglementation sur les cépages est en tous points identique à celle qui s'applique aux vins rouges.

1983, 1984, 1985, 1986

1 à 3 ans au maximum

GIGONDAS AOC

Excellente appellation qui offre certains des vins rouges les plus mésestimés du Rhône.

ROUGE. Les meilleurs vins sont d'un rouge-noir intense et ont une saveur ample.

Au maximum 80 % de Grenache, au moins 15 % de Syrah et Mourvèdre et jusqu'à 10 % au total de Clairette, Picpoul, Terret noir, Picardan, Cinsault, Roussanne, Marsanne, Bourboulenc, Viognier, Counoise, Muscardin, Vaccarèse, Pinot blanc, Mauzac, Pascal blanc, Ugni blanc, Calitor, Gamay et Camarèse

1981, 1983, 1985, 1986

Entre 7 et 20 ans

ROSÉ. Vins secs de bonne qualité.

Au maximum 80 % de Grenache et jusqu'à 25 % au total de Clairette, Picpoul, Terret noir, Picardan, Cinsault, Roussanne, Marsanne, Bourboulenc, Viognier, Counoise, Muscardin, Vaccarèse, Pinot blanc, Mauzac, Pascal blanc, Ugni blanc, Calitor, Gamay et Camarèse

1983, 1985, 1986

Entre 2 et 5 ans

☆ Domaine le Clos des Cazaux, Domaine les Gouberts, Domaine de Grand Montmirail, Domaine de Longue-Toque, Château de Montmirail, L'Oustau Fauquet, Domaine les Palières, Domaine du Pesquier, Domaine Raspail-Ay, De Rocasère, Domaine Saint-Gayan

HAUT-COMTAT VDQS

Les vins rouges et rosés doivent être issus d'au moins 50 % de Grenache, auxquels s'ajoutent Carignan, Cinsault, Mourvèdre et Syrah.

LIRAC AOC

Cette appellation, vouée autrefois aux rosés, produit de plus en plus de vins rouges.

ROUGE. Dans les très grandes années, la Syrah et le Mourvèdre, pourtant minoritaires, donnent un vin soyeux et épicé.

Au moins 40 % de Grenache et 20 % au total de Cinsault, Mourvèdre, Syrah, Clairette, Bourboulenc, Ugni blanc, Maccabéo, Picpoul, Calitor, et jusqu'à 10 % de Carignan

1983, 1985

Entre 4 et 10 ans

BLANC. Vin blanc sec parfumé.

Au moins 33 % de Clairette et jusqu'à 25 % chacun de Bourboulenc, Ugni blanc, Maccabéo, Grenache, Picpoul et Calitor

1984, 1985, 1986

1 à 3 ans au maximum

ROSÉ. Ces vins ont une belle saveur fraîche de fruits d'été. La production est en baisse au profit des vins rouges.

Au moins 40 % de Grenache et 20 % au total de Cinsault, Mourvèdre, Syrah, Clairette, Bourboulenc, Ugni blanc, Maccabéo, Picpoul, Calitor, et jusqu'à 10 % de Carignan

1983, 1985, 1986

1 à 3 ans au maximum

☆ Domaine de Castel-Oualou, Domaine de Devoy, Domaine les Garrigues, Domaine Maby, Gabriel Roudil & Fils, Château de Ségriès, Philip Testut, Domaine de la Tour de Lirac

MUSCAT DE BEAUMES-DE-VENISE AOC

C'est le vin doux de Muscat le plus élégant au monde. Jusqu'à la Seconde Guerre mondiale, la récolte était très faible. Quand l'AOC fut créée en 1945, le vin fut classé dans la catégorie des Vins doux naturels. Il est obtenu par « mutage », c'est-à-dire par addition d'alcool pur de raisin, lorsque le moût a atteint 5° par fermentation naturelle. Le vin doit contenir au moins 110 g/l de sucre résiduel pour un titre alcoométrique minimal de 15°. La Coopérative des Vins et Muscats, fondée en 1956, assure 90 % de la production. Contrairement à une idée répandue, ce vin est parfois millésimé ; une bouteille sur dix mentionne l'année de sa naissance.

BLANC/ROSÉ. La couleur varie entre l'or pâle, rare, et l'or abricot, plus courant. Le bouquet aromatique évoque les fleurs séchées.

Muscat blanc à petits grains, Muscat rosé à petits grains

Le millésime n'est guère significatif pour ce vin.

1 à 2 ans au maximum

☆Domaine des Bernadins, Coopérative des Vins et Muscats Beaumes-de-Venise, Domaine de Coyeux, Domaine de Durban, Domaine de Saint-Sauveur

RASTEAU AOC

Le Rasteau est historiquement le premier Vin doux naturel de la vallée du Rhône. Il fut élaboré pour la première fois au début des années 30 et son vignoble fut classé AOC dès le 1er janvier 1944.

ROUGE. Vin riche, sucré, à la saveur de raisin, avec beaucoup de mordant, un arôme d'alcool un peu gauche et une arrière-bouche de peau d'abricot.

Au moins 90 % de Grenache, Grenache gris ou Grenache blanc, et jusqu'à 10 % au total de Clairette, Syrah, Mourvèdre, Picpoul, Terret noir, Picardan, Cinsault, Roussanne, Marsanne, Bourboulenc, Viognier, Carignan, Counoise, Muscardin, Vaccarèse, Pinot blanc, Mauzac, Pascal blanc, Ugni blanc, Calitor, Gamay et Camarèse

Généralement non millésimé

1 à 5 ans au maximum

BLANC/FAUVE/ROSÉ. Ce vin, qui n'a pas le mordant du rouge, est plus moelleux.

Au moins 90 % de Grenache, (gris ou blanc), et jusqu'à 10 % au total de Clairette, Syrah, Mourvèdre, Picpoul, Terret noir, Picardan, Cinsault, Clairette, Roussanne, Bourboulenc, Viognier, Carignan, Counoise, Muscardin, Vaccarèse, Pinot blanc, Mauzac, Pascal blanc, Ugni blanc, Calitor, Gamay et Camarèse

Généralement non millésimé

1 à 5 ans au maximum

☆ Domaine de Char-à-Vin, Domaine de la Grangeneuve, Domaine de la Soumade, Francis Vache, Caves des Vignerons

RASTEAU RANCIO AOC

Les vins sont semblables à ceux de l'AOC Rasteau, mais doivent être conservés en fûts de chêne « suivant les usages locaux », c'est-à-dire en barriques exposées à la lumière du soleil pendant au moins deux ans. Pour les cépages et les millésimes, *voir* Rasteau AOC.

TAVEL AOC

Le Tavel est le rosé sec français le plus célèbre, mais seuls les meilleurs domaines produisent des vins dignes de cette réputation.

ROSÉ. Certains domaines s'en tiennent encore aux anciennes méthodes de vinification, si bien que les vins sont déjà trop vieux avant même d'être vendus. Les meilleurs producteurs élaborent des vins francs, aux arômes frais et aux fines saveurs fruitées.

Au moins 15 % de Cinsault, jusqu'à 60 % au total de Grenache, Clairette, Clairette rose, Picpoul, Calitor, Bourboulenc, Mourvèdre et Syrah, et au maximum 10 % de Carignan

1983, 1985, 1986

1 à 3 ans au maximum

☆ Château d'Aquéria, Domaine de la Forcadière, Domaine de la Genestière, Prieuré de Montezargues, Seigneur de Vaucrose, Le Vieux Moulin de Tavel

Ma sélection des meilleurs vins de Châteauneuf-du-Pape

Mes « Premiers Grands Crus »

CHÂTEAU DE BEAUCASTEL

C'est l'un des trois domaines qui utilisent la totalité des treize cépages autorisés. Les rendements sont très faibles et le raisin est extrêmement concentré. Il produit le plus beau vin blanc de Châteauneuf-du-Pape.

ROUGE. Vins succulents d'une merveilleuse couleur profonde, gorgés de saveurs mûres et épicées de cassis, d'une grande complexité.

Grenache 30%, Mourvèdre 30%, Syrah 10%, Cinsault 5%, plus 25% au total de Picpoul, Terret noir, Counoise, Muscardin, Vaccarèse, Picardan, Clairette, Roussanne, Bourboulenc

1981, 1983, 1984, 1985, 1986

Entre 10 et 30 ans

DOMAINE DU VIEUX TÉLÉGRAPHE

Le style des vins a évolué, mais la qualité reste élevée.

ROUGE. L'éclat chaud, moelleux et épicé du Grenache est bien équilibré par la Syrah et le Mourvèdre.

Grenache 70 %, Syrah 15 %, Mourvèdre 10 %, Cinsault 5 %

1981, 1983, 1984, 1985, 1986

Entre 8 et 25 ans

Mes « Grands Crus »

CHÂTEAU FORTIA

Outre le vin rouge, ce château fait aussi un beau vin blanc.

ROUGE. Vins bien colorés, aux saveurs mûres de fruits rouges, avec une arrière-bouche nette et épicée.

Grenache 80 %, Syrah 10 %, Mourvèdre et Counoise, 10 %

1981, 1983, 1985, 1986

Entre 8 et 25 ans

DOMAINE LES CAILLOUX

Domaine dirigé par le talentueux André Brunel.

ROUGE. Vin plein de couleur et de saveur mais non sans finesse, qui livre toute la complexité de la Syrah.

Grenache 70 %, Mourvèdre 15 %, Syrah 10 %, Cinsault 5 %

1981, 1983, 1984, 1985, 1986

Entre 10 et 30 ans

CHANTE CIGALE

Les vins sont élevés plus longtemps que de coutume dans de grands foudres en bois.

ROUGE. Vins d'une jolie couleur, riches et épicés, avec de complexes nuances fumées.

Grenache 80 %, Syrah 10 %, Mourvèdre 5 %, Cinsault 5 %

1981, 1982, 1985, 1986

Entre 8 et 20 ans

CLOS DU MONT-OLIVET

Ces vins élaborés traditionnellement seraient encore meilleurs si la mise en bouteille intervenait au bon moment pour chaque millésime.

ROUGE. Ces vins ont une superbe robe, un bouquet extrêmement fruité, d'abondantes saveurs fruitées élégantes et mûres, accompagnées de nuances de cèdre.

Grenache 80 %, Syrah 10 %, Cinsault 5 %, cépages divers 5 %

1981, 1983, 1984, 1985, 1986

Entre 8 et 20 ans

CHÂTEAU LA NERTE

Depuis le rachat du château par le négociant David & Foillard en 1985, les vignobles et la cuverie ont été considérablement rénovés.

ROUGE. Vins sombres, imposants et complexes, à la saveur profonde et tannique.

Grenache 60 %, Mourvèdre 30 % et 10 % au total de Syrah, Counoise, Muscardin et Cinsault

1981, 1983, 1985, 1986

Entre 12 et 25 ans

CLOS DES PAPES

Les vins sont parmi les meilleurs de Châteauneuf-du-Pape.

ROUGE. Vins délicieux, sombres et profonds, riches, fruités, mûrs et épicés.

Grenache 70 %, Mourvèdre 20 %, Syrah 8 % et 2 % au total de Vaccarèse et Muscardin

1981, 1983, 1984, 1985, 1986

Entre 6 et 18 ans

CLOS PIGNAN

Ce vin ressemble incontestablement au château Rayas dans certaines années.

1981, 1983

Entre 8 et 20 ans

CHÂTEAU RAYAS

Château Rayas est souvent considéré comme le plus beau Châteauneuf-du-Pape. Les vignes, très âgées, produisent un raisin très concentré et le vin est issu uniquement du Grenache – ce qui explique son caractère unique.

ROUGE. Un grand Rayas déborde de saveurs de fruits rouges, mûres et épicées, avec de complexes nuances d'herbe et de cèdre.

Grenache 100 %

1981, 1983, 1985, 1986

Entre 8 et 20 ans

Mes « Premiers Crus »

CUVÉE DU BELVÉDÈRE LE BOUCOU

Vin peu répandu en dehors de la localité.

ROUGE. Ce vin de couleur profonde a une saveur riche et chaude des fruits d'été.

Grenache 80 %, Counoise 15 %, Syrah 5 %

1983, 1985, 1986

Entre 8 et 20 ans

BOSQUET DES PAPES

Vins que l'on voit rarement, toujours de belle qualité.

ROUGE. Vins richement savoureux, très accessibles quand ils sont jeunes, mais qui méritent d'être gardés.

Grenache 70 %, et 30 % au total de Syrah, Mourvèdre et Cinsault

1983, 1984, 1985, 1986

Entre 7 et 15 ans

DOMAINE DE CABRIÈRES

Très grand domaine bien connu au nord de Châteauneuf-du-Pape.

ROUGE. Vins précoces et fruités, qui ont pourtant de la finesse et de l'éclat.

Grenache 55 %, Syrah 10 %, Mourvèdre 10 %, Cinsault 10 %, plus 15 % au total de Counoise et Muscardin

1981, 1985, 1986

Entre 5 et 12 ans

LES CÈDRES

Parmi les cuvées de Châteauneuf-du-Pape de Paul Jaboulet Aîné, celle-ci, excellente, est la plus constante.

ROUGE. Beau fruité épicé de cassis, et finesse soyeuse.

1981, 1983, 1985, 1986

Entre 5 et 20 ans

CLOS DE L'ORATOIRE DES PAPES

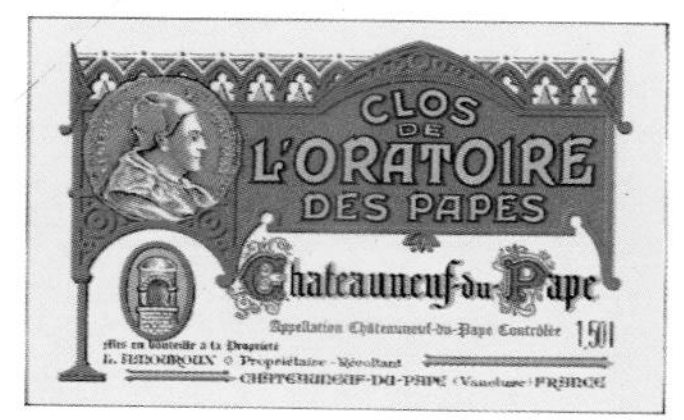

À l'excellent Châteauneuf-du-Pape traditionnel, élaboré autrefois, succèdent depuis quelques années des vins très décevants. Mais le potentiel est inchangé ; il est celui d'un « Premier Cru ».

CHANTE PERDRIX

On utilise ici les meilleures méthodes traditionnelles de vinification.

ROUGE. Vin de couleur profonde et soutenue. Jeune, il semble souvent fermé, mais devient ensuite l'un des plus exubérants Châteauneuf-du-Pape.

Grenache 80 % et Muscardin 20 %

1981, 1983, 1984, 1985, 1986

Entre 8 et 20 ans

LES CLEFS D'OR

Jolis vins de style traditionnel, dont un beau Châteauneuf-du-Pape blanc.

ROUGE. Ces vins, richement savoureux, ont un bouquet opulent et une saveur caractéristique de prune, de cerise et d'autres fruits à noyau.

Grenache 80 %, plus 20 % au total de Syrah, Mourvèdre, Muscardin et Vaccarèse

1983, 1985, 1986

Entre 8 et 20 ans

DOMAINE DURIEU

Petit domaine bien entretenu qui produit des vins souvent primés.

ROUGE. Ce vin montre une texture soyeuse et une saveur de prune, mais ce sont ses nuances complexes qui lui donnent son caractère.

Grenache 70 %, Syrah 10 %, et 20 % de Mourvèdre et de Counoise

1983, 1984, 1985, 1986

Entre 8 et 20 ans

CHÂTEAU DES FINES-ROCHES

Ce célèbre château appartient à la maison de négoce Musset. La qualité des vins a faibli dans les années 70, mais elle remonte depuis 1981.

ROUGE. Vins joliment colorés, au fruité plus fin qu'intense.

Grenache 65 %, Syrah 15 %, plus 20 % de Cinsault, Mourvèdre et Counoise

1981, 1983, 1985, 1986

Entre 6 et 15 ans

DOMAINE FONT DU LOUP

Domaine prometteur qui produit déjà un beau vin de style traditionnel.

ROUGE. Vin bien coloré, au bouquet moelleux et à la saveur de cerise, de cassis et de framboise.

Grenache 70 %, plus 30 % au total de Syrah, Cinsault et Mourvèdre

1981, 1984, 1985, 1986

Entre 7 et 20 ans

DOMAINE FONT DE MICHELLE

Le domaine est dirigé par deux neveux d'Henri Brunier, propriétaire du Vieux Télégraphe.

ROUGE. Vins riches et bien colorés, dotés d'un bouquet profond et épicé de cassis.

Grenache 70 %, Syrah 10 %, Mourvèdre 10 %, Cinsault 10 %

1981, 1983, 1984, 1985, 1986

Entre 6 et 15 ans

CHÂTEAU DE LA GARDINE

Le vin n'est pas l'un des plus constants de l'appellation, mais il est parfois excellent. Ce domaine produit aussi un beau Châteauneuf-du-Pape blanc.

ROUGE. Les meilleurs millésimes sont d'une remarquable profondeur, avec des saveurs fumées, grillées et épicées.

Grenache 60 %, Syrah 23 %, plus 17 % au total de Mourvèdre, Cinsault et Muscardin

1980, 1981, 1985, 1986

Entre 8 et 20 ans

DOMAINE DE MARCOUX

Ce domaine produit un beau Châteauneuf-du-Pape blanc.

ROUGE. Vin ample et profond, bien charpenté, plein d'un fruit épicé.

Grenache 70 %, Cinsault 15 %, Mourvèdre 15 %

1981, 1983, 1985, 1986

Entre 8 et 20 ans

DOMAINE DE MONT-REDON

Vins de qualité constante, même dans les « petites années ».

ROUGE. Vins d'une jolie couleur, bien fruités, fermes et fins, qui recèlent parfois dans les « grandes années » des nuances complexes, épicées, poivrées et herbacées.

Grenache 65 %, Syrah 15 %, Cinsault 10 %, Mourvèdre 5 %, cépages divers 5 %

1981, 1983, 1984, 1985, 1986

Entre 7 et 20 ans

DOMAINE DE NALYS

Ce domaine surestimé produisait, jusqu'en 1985, un vin gouleyant, devenu depuis beaucoup plus riche.

ROUGE. Le nouveau style est riche, séduisant et mûr, avec de tendres nuances sous-jacentes.

Grenache 60 %, Syrah 12 %, Cinsault 6 %, plus 22 % au total d'autres cépages noirs.

1981, 1985, 1986

Entre 8 et 20 ans

DOMAINE LE VIEUX DONJON

Vin très intéressant mais peu répandu.

ROUGE. Vin ample, riche et chaud, doté de saveurs mûres de cassis et de délicieuses nuances fumées.

Grenache 80 %, Syrah 10 %, cépages divers (principalement Cinsault) 10 %

1981, 1983, 1984, 1985, 1986

Entre 8 et 20 ans

Autres bons Châteauneuf-du-Pape : Père Caboche, La Reviscoulado, Domaine de la Roquette, Domaine de Monpertuis, Clos St-Michel, Domaine de Terre Ferme, Cuvée du Vatican

Jura et Savoie

De ces deux vignobles naissent principalement des vins blancs. La Savoie produit en particulier des vins effervescents, tandis que le Jura peut s'enorgueillir de ses rares vins de paille et de ses vins jaunes d'une étonnante longévité.

Le vignoble jurassien est dominé par Arbois, petit bourg de montagne sur lequel règne Henri Maire. Son très célèbre « Vin fou » ne jouit d'aucune appellation ; il est vendu sous la forme de diverses cuvées, généralement assez semblables. Le « Vin fou » aura eu le mérite de faire mieux connaître aux amateurs cette région et ses meilleurs vins. Jamais les vins de paille ni les vins jaunes, étant donné leur rareté et leur prix élevé, n'y seraient parvenus seuls.

Le mode traditionnel d'élaboration du vin de paille consiste à faire sécher le raisin sur un lit de paille afin que son jus se transforme en un véritable sirop.

Quant au vin jaune, sa couleur résulte d'une oxydation délibérée ; le vin est élevé en fût pendant six ans sous un voile de levures, sans recours à l'ouillage.

Les vignobles savoyards, situés entre le lac Léman et Grenoble, devraient bénéficier d'une audience plus large, notamment à l'étranger. Le moyen le plus efficace serait peut-être de promouvoir les vins à travers l'industrie des sports d'hiver. Le seul obstacle demeure le refus des négociants étrangers d'en importer en quantités suffisantes.

FACTEURS AFFECTANT LE GOÛT ET LA QUALITÉ

Situation
Le Jura et la Savoie s'étendent sur la frontière est du pays.

Climat
Le climat est semi-continental, avec des étés chauds et des hivers rigoureux. La proximité des deux chaînes de montagnes, le Jura et les Alpes, peut provoquer des changements de temps soudains, atténués par la présence des lacs Léman et du Bourget.

Site
Les vignobles du Jura sont plantés sur les coteaux inférieurs, à une altitude de 250 à 500 m. Les vignobles savoyards sont moins élevés.

Sol
Le calcaire du Jura est généralement mêlé d'argile, sur un sous-sol de marnes compactes. Des marnes et du calcaire recouvrent un lit de sable et de marnes graveleuses à Arbois et à Château-Chalon ; on observe des éboulis calcaires, des sables calcaires et argileux avec des dépôts alluviaux dans le Bugey et à Seyssel.

Viticulture et vinification
Le Jura est célèbre pour les deux techniques originales de production du vin de paille et du vin jaune. Pour le vin de paille, les grappes sont encore étendues parfois sur la paille, mais le plus souvent suspendues à des claies dans des locaux chauffés. Alors, les baies se ratatinent, deviennent extrêmement concentrées, offrant plus tard un vin ambré moelleux, d'une très grande longévité. Le vin jaune est issu exclusivement du cépage Savagnin. Après une fermentation normale, il vieillit pendant six ans dans de petits fûts qui ne sont pas ouillés. Un voile de fleur se forme à la surface du vin qui apparaît aussi durant l'élaboration du Xérès fino auquel le vin jaune ressemble.

Cépages
Aligoté, Cabernet franc, Cabernet Sauvignon, Chardonnay, Chasselas, Chasselas roux, Chasselas vert, Étraire de la Dui, Gamay, Gringet, Jacquère, Joubertin, Marsanne, Molette, Mondeuse, Mondeuse blanche, Persan, Pinot blanc, Pinot gris, Pinot noir, Poulsard, Roussette, Roussette d'Ayze, Savagnin, Serène, Trousseau, Verdesse

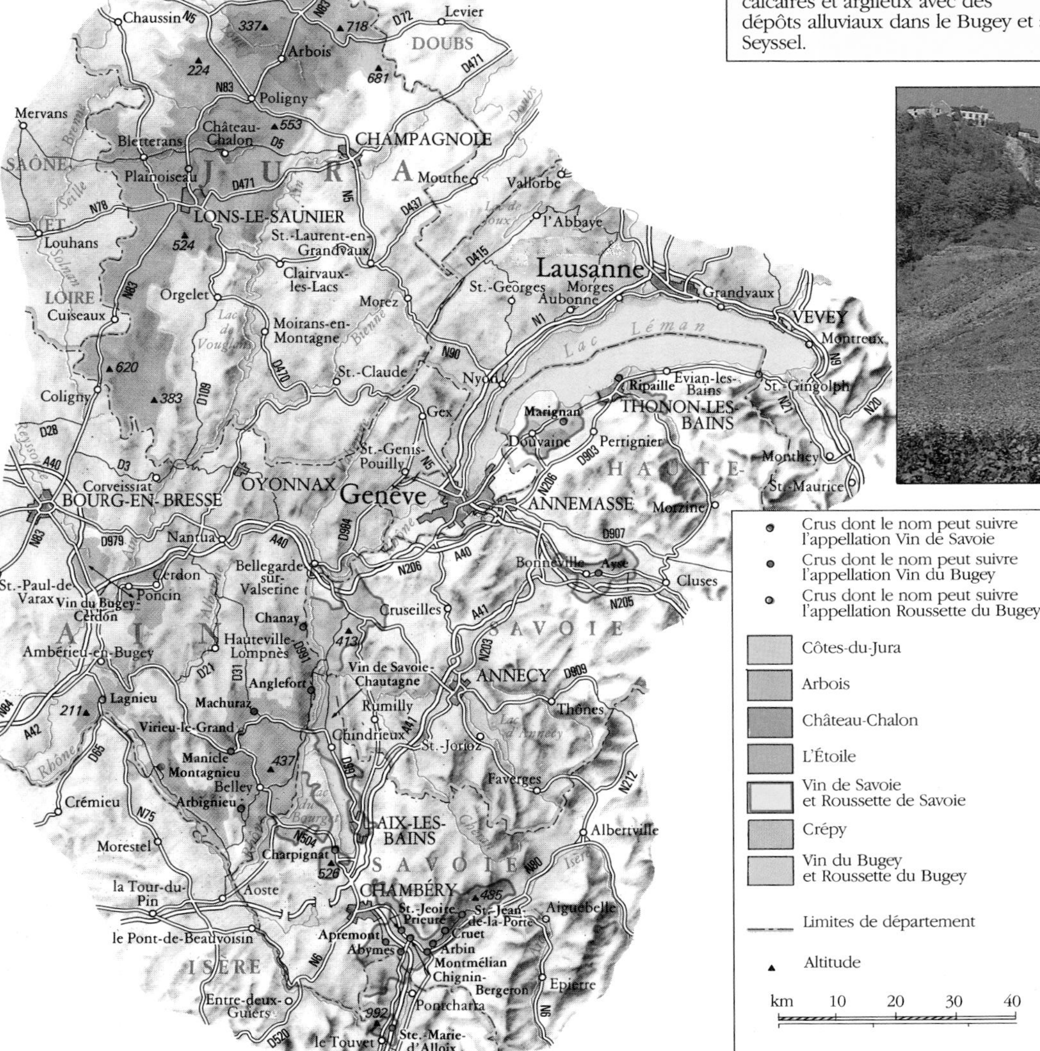

Vignobles de Château-Chalon
Château-Chalon n'est pas un domaine unique, mais la commune qui produit le vin jaune le plus célèbre, issu de 100 % de Savagnin. Ce vin doit vieillir très longtemps en bouteille. Il tire son nom de sa robe profonde d'or et de miel.

JURA ET SAVOIE

Ces deux régions s'étendent parallèlement à la Bourgogne, entre Beaune et les limites sud du Beaujolais. Les adeptes des sports d'hiver sont autant d'amateurs avides de déguster leurs vins.

Les vins du Jura et de la Savoie

ARBOIS AOC

La plus connue des appellations du Jura.

ROUGE. Le Trousseau produit un vin sombre, profond, riche en saveur, doté d'une constitution solide, voire fruste ; le Poulsard est souvent ajouté au Trousseau pour accentuer la finesse du vin ; les vins vendus comme Pinot sont soit de purs Pinot noir, soit un assemblage des deux Pinot ; ils sont toujours d'un caractère léger avec un charme rustique.

Trousseau, Poulsard, Pinot noir, Pinot gris

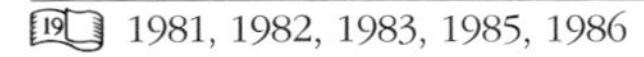1981, 1982, 1983, 1985, 1986

Entre 2 et 8 ans

BLANC. Les vins issus du Chardonnay, légers, frais et parfumés sont les meilleurs. Le Savagnin a tendance à s'oxyder et convient surtout au célèbre vin jaune.

Savagnin, Chardonnay, Pinot blanc

1982, 1983, 1985, 1986

1 à 3 ans au maximum

ROSÉ. L'appellation est renommée pour son vin gris, sec, ferme.

Poulsard, Trousseau, Pinot noir, Pinot gris

1982, 1983, 1985, 1986

1 à 3 ans au maximum

☆ Lucien Aviet, Domaine de la Grange Grillard, Roger Lornet, Désiré Petit & Fils, Rolet Père & Fils, André & Mireille Tissot

ARBOIS MOUSSEUX AOC

Vins effervescents élaborés selon la méthode champenoise.

BLANC MOUSSEUX. Honnêtes vins secs et frais.

Savagnin, Chardonnay, Pinot blanc

1983, 1985, mais souvent non millésimé

1 à 3 ans au maximum

☆ Fruitière vinicole d'Arbois

ARBOIS VIN DE PAILLE AOC

Le vin est fait de raisin séché, au jus concentré ; la fermentation est longue et l'élevage en fût dure parfois quatre ans.

BLANC. Ces vins très moelleux livrent les teintes du vieil or, du miel et de l'ambre. Ils ont un bouquet complexe et caractéristique, une saveur puissante de noisette et une finale très nerveuse, avec une arrière-bouche de raisin sec et de peau d'abricot.

Savagnin, Chardonnay, Pinot blanc

1982, 1983, 1985, 1986

Entre 10 et 50 ans, voire plus

☆ Fruitière vinicole d'Arbois, Rolet Père & Fils

ARBOIS PUPILLIN AOC

Appellation communale pour les vins rouges, blancs et rosés.

☆ Désiré Petit & Fils, Overnoy-Crinquand, Domaine du Sorbeif

ARBOIS VIN JAUNE AOC

Pour le mode de production et le style des vins, *voir* Château-Chalon.

Savagnin

Fait seulement dans les très bonnes années

Entre 10 et 100 ans

☆ Lucien Aviet, Fruitière vinicole d'Arbois, Roger Lornet, Henri Maire, Rolet Père & Fils

CHÂTEAU-CHALON AOC

Les vins jaunes du Jura possèdent un caractère unique dont Château-Chalon (le nom d'une commune) est le plus illustre représentant. Après une fermentation normale, le vin vieillit en fût pendant six ans sans ouillage. Un voile de fleur se forme alors à la surface du vin ; les transformations complexes provoquées par ces levures donnent au vin jaune, dominé par l'acétaldéhyde, une

incontestable ressemblance avec le Xérès *fino*. Mais, au contraire du Xérès, il s'agit d'un vin non viné, issu en outre d'un cépage différent ; ainsi conserve-t-il un caractère absolument unique.

BLANC. Le vin jaune doit être bu très vieux. Le bouquet recèle de nombreuses nuances complexes. Son parfum est riche et sa saveur sèche et alcoolisée.

Savagnin

Produit uniquement dans les années exceptionnelles

Entre 10 et 100 ans

☆ Jean Bourdy, Jean-Marie Coubert, Henri Maire, Château de Muyre, Marius Perron

CÔTES-DU-JURA AOC

Son aire de production plus vaste lui donne un avantage sur Arbois, appellation plus connue mais moins étendue située en son sein.

ROUGE. Vins souvent légers de robe et de corps, au fruité élégant, d'une certaine finesse.

Poulsard, Trousseau, Pinot noir, Pinot gris

1981, 1982, 1983, 1985, 1986

Entre 2 et 8 ans

BLANC. Vins secs, sans prétention.

Savagnin, Chardonnay, Pinot blanc

1982, 1983, 1985, 1986

1 à 3 ans au maximum

ROSÉ. Vins gris, secs, joliment fruités.

Poulsard, Trousseau, Pinot noir, Pinot gris, Savagnin, Chardonnay

1982, 1983, 1985, 1986

1 à 3 ans au maximum

☆ Luc Boilley, Jean Bourdy, Cellier des Chartreux de Vaucluse, Gabriel Clerc, Grand Vin de Jura, Caveau des Jacobins, Marius Perron, Rolet Père & Fils, Vichot-Girod

CÔTES-DU-JURA MOUSSEUX AOC

Cette appellation offre les meilleurs vin effervescents du Jura.

BLANC MOUSSEUX. La mousse persistante, faite de petites bulles, l'excellent équilibre et la surprenante finesse de certains de ces vins témoignent de leurs possibilités.

Savagnin, Chardonnay, Pinot blanc

1983, 1985, mais souvent non millésimé

1 à 3 ans au maximum

☆ Hubert Clavelin, Gabriel Clerc, Château Gréa, Pierre Richard

CÔTES-DU-JURA VIN DE PAILLE AOC

***Voir* Arbois Vin de Paille AOC.**

Savagnin, Chardonnay, Pinot blanc

1982, 1983, 1985, 1986

Entre 10 et 50 ans, voire plus

☆ Rolet Père & fils, Vichot-Girod

CÔTES-DU-JURA VIN JAUNE AOC

***Voir* Château-Chalon AOC.**

Savagnin

Produit uniquement dans les années exceptionnelles.

Entre 10 et 100 ans

☆ Château d'Arlay, Jean Bourdy, Chantemerle, Hubert Clavelin

CRÉPY AOC

Vin qu'apprécient souvent les skieurs, au soir d'une journée passée sur les pistes.

BLANC. Vin léger, sec et fruité ; arôme floral et faible pétillement.

Chasselas roux, Chasselas vert

1982, 1983, 1985, 1986

1 à 3 ans au maximum

☆ Goy Frères, Fichard, Mercier & Fils, Georges Roussiaude

L'ÉTOILE AOC

Ainsi nommé en raison des fossiles en forme d'étoile(s) présents dans le calcaire de la région.

BLANC. Ces vins blancs, secs et légers, exhalent souvent des senteurs d'alpages et de fougères.

Chardonnay, Poulsard, Savagnin

1982, 1983, 1985, 1986

1 à 3 ans au maximum

☆ Château l'Étoile, Claude Joly, Domaine de Montbourgeau

L'ÉTOILE MOUSSEUX AOC

Les vins, élaborés selon la méthode champenoise, sont légèrement inférieurs aux Côtes-du-Jura mousseux, mais plus prometteurs que les Arbois mousseux.

BLANC MOUSSEUX. Le Domaine de Montbourgeau produit un beau vin sec de qualité.

Chardonnay, Poulsard, Savagnin

1982, 1983, 1985

1 à 3 ans au maximum

☆ Domaine de Montbourgeau

MOUSSEUX DU BUGEY AOC

***Voir* Vin du Bugey mousseux VDQS.**

MOUSSEUX DE SAVOIE AOC

***Voir* Vin de Savoie mousseux AOC.**

PÉTILLANT DU BUGEY VDQS

***Voir* Vin du Bugey pétillant VDQS.**

PÉTILLANT DE SAVOIE AOC

***Voir* Vin de Savoie pétillant AOC.**

ROUSSETTE DU BUGEY VDQS

À cette appellation peut s'ajouter un nom de cru – Anglefort, Arbignieu, Chanay, Lagnieu, Montagnieu, Virieu-le-Grand – à condition que les rendements y soient extrêmement faibles.

BLANC. Vins presque secs, légers, frais et agréables, sans grandes prétentions.

Roussette, Chardonnay

1982, 1983, 1985, 1986

1 à 3 ans au maximum

☆ Jean Peillot

ROUSSETTE DE SAVOIE AOC

À cette appellation peut s'ajouter un nom de cru – Frangy, Marestel, Monterminod, Monthoux –, si les vins sont issus uniquement du cépage Roussette.

BLANC. Vins au beau fruité incisif, plus secs que leurs équivalents du Bugey.

Roussette, Mondeuse blanche et jusqu'à 50 % de Chardonnay

1982, 1983, 1985, 1986

1 à 3 ans au maximum

☆ Claudius Barlet, Marcel Bosson, Cave coopérative de Chautagne, Noël Dupasquier, Danie Fustinoni, Michel Million-Rousseau, Château Monterminod, Varichon & Clerc

SEYSSEL AOC

Vins savoureux pour « l'après-ski ».

BLANC. Ces vins secs et parfumés, à l'acidité rafraîchissante, sont délicieux lors d'un séjour à la montagne.

Roussette

1982, 1983, 1985, 1986

1 à 3 ans au maximum

☆ Maison Mollex, Clos de la Péclette, Varichon & Clerc

SEYSSEL MOUSSEUX AOC

Varichon & Clerc lança le premier le Seyssel mousseux sur les marchés d'exportation.

BLANC MOUSSEUX. Avec son nez ample de levures, sa fine mousse et son élégante saveur, le Royal Seyssel « Private Cuvée » est un modèle pour l'appellation.

Chasselas et au moins 10 % de Roussette

1981, 1983, 1985, mais souvent non millésimé

1 à 3 ans au maximum

☆ Royal Seyssel

VIN DU BUGEY VDQS

Les vins sont souvent issus d'un seul cépage. Peuvent ajouter leur noms à l'appellation, les crus : Virieu-le-Grand, Montagnieu, Manicle, Machuraz et Cerdon.

ROUGE. Vins frais variés qui vont des Pinot fruités aux Mondeuse plus riches.

Gamay, Pinot noir, Poulsard, Mondeuse, et jusqu'à 20 % au total de Chardonnay, Roussette, Aligoté, Mondeuse blanche, Jacquère, Pinot gris et Molette

1981, 1982, 1983, 1985, 1986

Entre 2 et 8 ans

BLANC. Vins quasi secs, frais, légers et délicatement fruités, avec un certain caractère aromatique.

Chardonnay, Roussette, Aligoté, Mondeuse blanche, Jacquère, Pinot gris et Molette

1982, 1983, 1985, 1986

1 à 3 ans au maximum

ROSÉ. Vins secs, légers et rafraîchissants.

Gamay, Pinot noir, Poulsard, Mondeuse, et jusqu'à 20 % au total de Chardonnay, Roussette, Aligoté, Mondeuse blanche, Jacquère, Pinot gris et Molette

1982, 1983, 1985, 1986

1 à 3 ans au maximum

☆ Cellier de Bel-Air, Caveau Bugiste, Eugène Monin

VIN DU BUGEY CERDON MOUSSEUX VDQS ET PÉTILLANT VDQS

Seul Cerdon peut ajouter son nom à l'appellation Vin du Bugey pour les vins mousseux blancs et élaborés selon la méthode champenoise (mousseux) ou selon la méthode rurale (pétillant).

VIN DU BUGEY MOUSSEUX VDQS

Vins blancs censément élaborés selon la méthode champenoise.

VIN DU BUGEY PÉTILLANT VDQS

Vins consommés localement.

BLANC PÉTILLANT. Vins quasi secs au pétillement vif.

Chardonnay, Roussette, Aligoté, Mondeuse blanche, Jacquère, Pinot gris, Molette

1983, 1985, mais souvent non millésimé

1 à 3 ans au maximum

☆ Caveau Bugiste

VIN DE PAILLE D'ARBOIS AOC

Voir Arbois Vin de paille AOC.

VIN DE PAILLE DE L'ÉTOILE AOC

Voir L'Étoile AOC.

VIN JAUNE D'ARBOIS AOC

Voir Arbois Vin jaune AOC.

VIN JAUNE DE L'ÉTOILE AOC

Voir L'Étoile AOC.

VIN DE SAVOIE AOC

Les vins sont d'un haut niveau. Peuvent ajouter leur nom à cette appellation générique, les crus : Abymes, Apremont, Arbin, Ayze, Charpignat, Chautagne, Chignin, Chignin-Bergeron ou Bergeron (vin blanc de Roussanne uniquement), Cruet, Marignan (vin blanc de Chasselas uniquement), Montmélian, Ripaille (vin blanc de Chasselas uniquement), St-Jean-de-la-Porte, St-Geoire-Prieuré, Ste-Marie-d'Alloix.

ROUGE. Assemblages et vins de cépage, les premiers étant généralement meilleurs.

Gamay, Mondeuse, Pinot noir, Persan, plus Cabernet franc et Cabernet Sauvignon (Savoie), Étraire de la Dui, Serène et Joubertin (Isère), et jusqu'à 20 % au total des cépages autorisés pour le Vin de Savoie blanc

1981, 1982, 1983, 1985, 1986

Entre 2 et 8 ans

BLANC. Ces vins secs, fins, riches et complexes, sont les meilleurs de l'appellation. Se distinguent particulièrement les crus Abymes, Apremont et Chignin.

Aligoté, Roussette, Jacquère, Chardonnay, Pinot gris, Mondeuse blanche, plus Chasselas (Ain et Haute-Savoie), Gringet et Roussette d'Ayze (Haute-Savoie), Marsanne et Verdesse (Isère)

1982, 1983, 1985, 1986

1 à 3 ans au maximum

ROSÉ. Séduisants vins secs, légers et fruités, à boire jeunes.

Mêmes cépages que pour le Vin de Savoie rouge (voir ci-dessus)

1982, 1983, 1985, 1986

1 à 3 ans au maximum

☆ Spécialistes de crus uniques : Louis Bouvier, Denise Cochet, Gaston Maurin, Cave coopérative « Le Vigneron savoyard », Domaine de la Violette (Abymes); René Bernard, Boniface & Fils, Louis Bouvier, Jean Masson, Jean-Claude Perret, Perceval Frères, La Plantée, Domaine de Rocailles, Cave coopérative « Le Vigneron savoyard », Domaine de la Violette (Apremont); Louis Magnin, Cave coopérative des vins fins de Montmélian (Arbin); Marcel Fert (Ayze); Coopérative des vins fins de Montmélian, Marcel Bosson (Chautagne); Hubert Girard-Madoux, Coteau de Tormery, Adrien Vacher (Chignin); Cave coopérative des vins fins de Montmélian, André Quenard & Fils, Raymond Quenard, Coteau de Tormery (Chignin-Bergeron); Cave coopérative des vins fins de Cruet, André Tiollier (Cruet); Louis Magnin (Montmélian)

VIN DE SAVOIE AYZE PÉTILLANT ou MOUSSEUX AOC

Les vins sont élaborés selon la méthode champenoise.

BLANC PÉTILLANT. Vins légers, à la saveur nette et alpine.

Gringet, Roussette et jusqu'à 30 % de Roussette d'Ayze

1983, 1985, mais souvent non millésimé

1 à 3 ans au maximum

☆ Bernard Cailler, Michel Menetrey

VIN DE SAVOIE MOUSSEUX AOC

Vins élaborés selon la méthode champenoise, très constants.

BLANC MOUSSEUX. Ces vins secs et délicatement fruités montrent une belle acidité et un bon équilibre.

Aligoté, Roussette, Jacquère, Chardonnay, Pinot gris, Mondeuse blanche, plus Chasselas (Ain et Haute-Savoie), Molette (Haute-Savoie, Isère), Gringet et Roussette d'Ayze (Haute-Savoie), Marsanne et Verdesse (Isère)

Généralement non millésimé

1 à 2 ans au maximum

☆ Cave coopérative de Cruet

VIN DE SAVOIE PÉTILLANT AOC

Vins faits par méthode champenoise.

BLANC PÉTILLANT. Vins secs et séduisants à boire jeunes ; mousse légère et délicate et saveur parfumée.

Aligoté, Roussette, Jacquère, Chardonnay, Pinot gris, Mondeuse blanche, plus Chasselas (Ain et Haute-Savoie), Gringet, Rousset d'Ayze (Haute-Savoie), Marsanne, Verdesse (Isère)

Généralement non millésimé

1 an au maximum

☆ Dominique Allion, Michel Menetrey, Perrier & Fils, Varichon & Clerc

Sud-Ouest

Les nombreux vignobles disséminés dans le Sud-Ouest produisent une vaste gamme de vins d'un excellent rapport qualité/prix, dans l'ensemble, qui reçoivent les influences conjuguées du Bordelais, de l'Espagne, du Languedoc-Roussillon et de la vallée du Rhône.

Au cœur de cette région s'étend la Gascogne, patrie de l'Armagnac et de D'Artagnan qui la quitta pour aller chercher fortune chez les mousquetaires du Roi vers 1630. Les sentiers étroits, les collines boisées, les torrents bouillonnants n'ont guère changé depuis qu'Alexandre Dumas les a décrits. La contrée est restée peu peuplée ; le temps s'y écoule paisiblement, même sur les places des villages qui, souvent, ne s'animent qu'en fin d'après-midi.

LA DIVERSITÉ DES APPELLATIONS DU SUD-OUEST

Le Sud-Ouest ne possède aucun vin de stature vraiment classique, mais sa production variée est d'un meilleur rapport qualité/prix que celle de toute autre région française. Des succulents vins moelleux de Jurançon et de Monbazillac aux beaux vins de Bergerac, de Buzet et du Marmandais, en passant par les vins autrefois « noirs » de Cahors, les vins prometteurs du Frontonnais, le tannique Madiran et le très caractéristique Irouléguy du Pays basque, cette région recèle d'inépuisables richesses pour tout amateur curieux.

Peut-être parce qu'il s'agit d'une réunion d'aires diverses plutôt que d'une région naturelle unique, le Sud-Ouest multiplie les appellations, qui sont autant de labyrinthes où s'égarent facilement les amateurs de vin. Même au sein d'une aire unique, le système est en effet d'une complication inutile. À Bergerac, par exemple, il existe deux appellations pour les vins blancs secs (Bergerac sec et Montravel), trois possibilités pour les vins rouges (Bergerac, Côtes de Bergerac et Pécharmant) et six pour les vins demi-doux et moelleux (Côtes de Bergerac moelleux, Monbazillac, Côtes de Montravel, Haut-Montravel, Rosette et Saussignac). Il n'est pas étonnant que Bordeaux compte autant d'appellations mineures si une aire aussi petite que celle de Bergerac en réunit autant. Sans doute serait-il plus efficace commercialement et assurément plus simple de décréter une appellation Bergerac unique, à laquelle certaines communes pourraient ajouter leur nom. Grâce à ce type de regroupement, les vins du Sud-Ouest gagneraient certainement de nouveaux amateurs fidèles.

LE SUD-OUEST

Cette région contrastée est parsemée de nombreux vignobles. Son climat est soumis à l'influence de l'Atlantique, encore que Limoux, par exemple, soit plus marqué par la proximité de la Méditerranée.

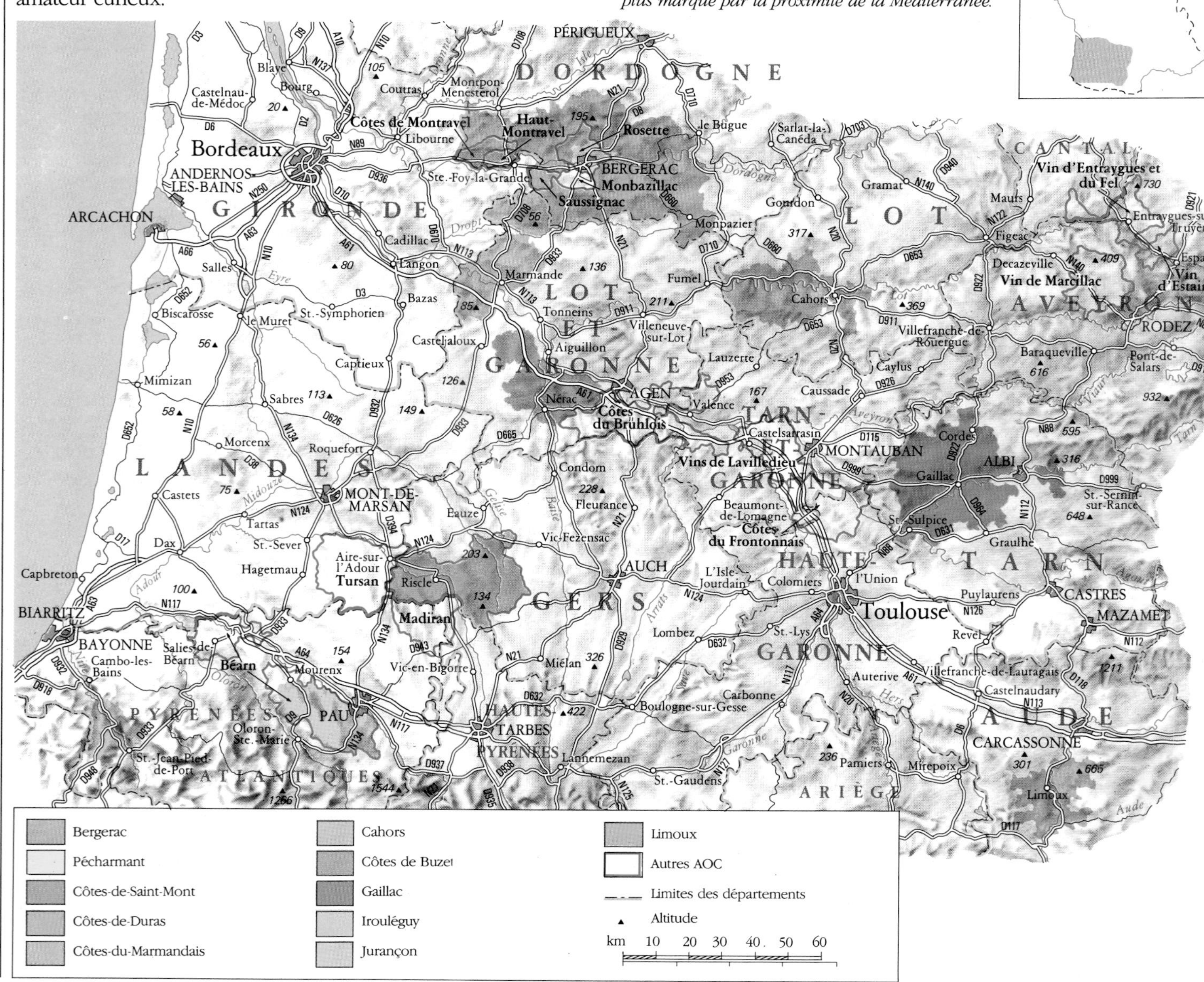

FACTEURS AFFECTANT LE GOÛT ET LA QUALITÉ

Situation
La région est entourée par le Bordelais, l'Atlantique, les Pyrénées et les vignobles du Languedoc-Roussillon.

Climat
Le climat est influencé par l'Atlantique, avec des printemps et des hivers humides, des étés chauds et de longs automnes ensoleillés. Les vignobles de Cahors, Fronton et Gaillac sont soumis aux grandes chaleurs comme au temps plus variable de la Méditerranée.

Site
Coteaux exposés pour la plupart à l'est ou au sud-est, protégés de l'Atlantique, dans une campagne variée, tantôt vallonnée, tantôt plus escarpée, avec des vignobles en terrasses.

Sol
La diversité des sols répond à la pluralité des aires : argiles sablo-calcaires sur graves dans les meilleurs vignobles de Bergerac ; sols sableux dans les Côtes-de-Duras ; sols calcaires et alluviaux dans les Côtes-de-Buzet et du Marmandais ; argiles graveleuses et crêtes de graves sur lit de marnes dans l'arrière-pays de Cahors ; sols alluviaux mêlés de quartz, calcaire et graves sur un lit de calcaire dans la vallée du Lot ; calcaire, argile calcaire et graves à Gaillac ; sols sableux à Madiran, Tursan et Irouléguy ; sols pierreux et sableux à Jurançon ; calcaire et argile à Limoux.

Viticulture et vinification
Les traditions viticoles et les techniques de vinification de Bergerac, de Buzet, du Marmandais et, dans une certaine mesure, de Cahors sont proches de celles du Bordelais, tandis que d'autres aires de cette région composite ont leurs propres traditions. Limoux utilise toujours l'ancienne méthode rurale, encore que la plupart des vins vendus relèvent de la méthode champenoise. Le Béarn, Gaillac et Jurançon produisent tous les styles de vins grâce à des techniques de vinification, généralement modernes, dont une variante de la méthode rurale, la méthode gaillacoise. À Irouléguy, seule l'introduction du Cabernet Sauvignon et du Cabernet franc a modifié les habitudes.

Cépages
Abouriou, Arrufiac, Baroque, Cabernet franc, Cabernet Sauvignon, Camaralet, Castet, Chardonnay, Chenin blanc, Cinsault, Clairette, Claret de Gers, Claverie, Colombard, Courbu blanc, Courbu noir, Cruchinet, Duras, Fer, Folle blanche, Fuella, Gamay, Gros Manseng, Jurançon noir, Lauzet, Len de l'El, Malbec, Manseng noir, Mauzac, Mauzac rosé, Mérille, Merlot, Milgranet, Mouyssaguès, Muscadelle, Négrette, Ondenc, Petit Manseng, Picpoul, Pinot noir, Raffiat, Roussellou, Sauvignon blanc, Sémillon, Syrah, Tannat, Ugni blanc, Valdiguié

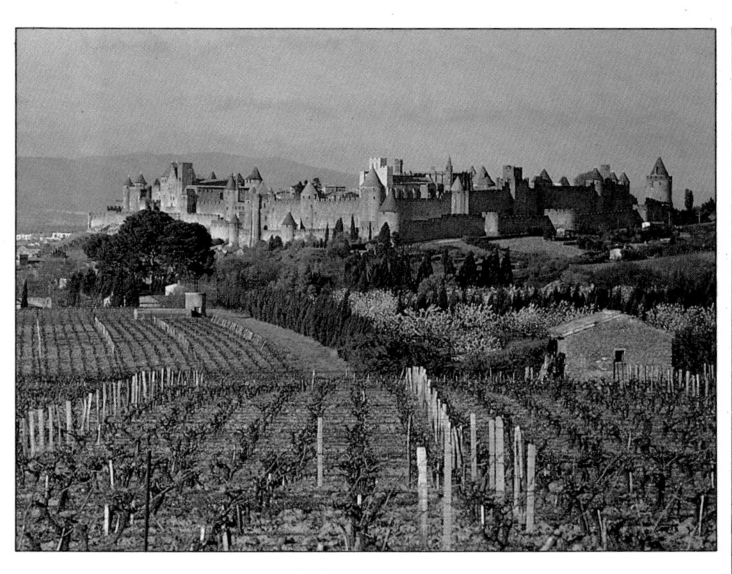

Carcassonne, ci-dessus
Cette impressionnante ville forte fut rebâtie au XIXe siècle. Proches de l'AOC Gaillac, les communes des environs produisent un Vin de pays rouge et rosé : les Coteaux de la Cité de Carcassonne (voir aussi p. 198).

M. Germain, du Château Bellevue-la-Forêt, à gauche
Le propriétaire du domaine hume l'arôme de son Côtes-du-Frontonnais, un vin rouge fruité dominé par le caractère riche et rond du raisin de Négrette.

Vignoble des Côtes-de-Buzet, ci-dessous
Cette appellation est située non loin du Bordelais, à 15 kilomètres à peine du département de la Gironde.

Les vins du Sud-Ouest

BÉARN AOC

Appellation modeste.

ROUGE. Vins frais, légers et fruités, bien équilibrés.

Jusqu'à 60 % de Tannat, plus Cabernet franc, Cabernet Sauvignon, Fer, Manseng noir, Courbu noir

1982, 1983, 1985

1 à 4 ans au maximum

BLANC. Vins secs, légers, aromatiques.

Petit Manseng, Gros Manseng, Courbu blanc, Lauzet, Camaralet, Raffiat, Sauvignon blanc

1983, 1984, 1985, 1986

1 à 2 ans au maximum

ROSÉ. Vins secs, simples et fruités, à l'arôme frais et floral.

Tannat, Cabernet franc, Cabernet Sauvignon, Fer, Manseng noir, Courbu noir

1982, 1983, 1985, 1986

1 à 2 ans au maximum

☆ Coopérative vinicole de Bellocq

BERGERAC AOC

Les vins ressemblent à ceux des appellations modestes de Bordeaux.

ROUGE. Les meilleurs vins ont une robe grenat ou rubis, un fruité fin et distingué, un équilibre léger.

Cabernet Sauvignon, Cabernet franc, Merlot, Malbec, Fer, Mérille

1981, 1982, 1983, 1985

Entre 2 et 8 ans

ROSÉ. Vins secs légers, coulants et séduisants.

Cabernet Sauvignon, Cabernet franc, Merlot, Malbec, Fer, Mérille

1982, 1983, 1985, 1986

1 à 3 ans au maximum

☆ Domaine des Comberies, Domaine du Denoix, Domaine du Gouyat, Château la Jaubertie, Château la Raye, Domaine de Perreau, Château Puy-Servain, Château Vieil Orme

BERGERAC SEC AOC

Vins blancs ne pouvant contenir plus de 4 g/l de sucre résiduel.

BLANC. Vins secs de style bordelais.

Sémillon, Sauvignon blanc, Muscadelle, Ondenc, Chenin blanc, et jusqu'à 25 % d'Ugni blanc si la proportion de Sauvignon blanc est au moins équivalente

1984, 1985, 1986

1 à 3 ans au maximum

☆ Château Bellingard, Domaine du Gouyat, Domaine du Grand Vignal, Château la Jaubertie, Domaine de Malfourat, Château Peroudier

BLANQUETTE DE LIMOUX AOC

Vins étonnamment fins, élaborés selon la méthode champenoise.

BLANC MOUSSEUX. Ces vins ont un arôme caractéristique d'herbe coupée et une fine saveur sèche.

Mauzac, Chardonnay, Chenin blanc

Généralement non millésimé ; les vins millésimés sont toujours bons.

1 à 3 ans au maximum (jusqu'à 12 pour les vins millésimés)

☆ Maison Guinot, Producteurs de Blanquette de Limoux, Domaine de Treilhes

CAHORS AOC

Le Cahors était autrefois un « vin noir », car le raisin de Malbec donne des vins couleur d'encre. L'introduction du Tannat et du Merlot a permis d'améliorer considérablement la qualité des vins après une période de déclin.

ROUGE. La plupart des Cahors ont une robe profonde nuancée de cassis, sont très fruités et riches d'une bonne saveur de type bordelais, avec une texture soyeuse.

Au moins 70 % de Malbec et jusqu'à 30 % au total de Jurançon noir, Merlot et Tannat

1982, 1983, 1985

Entre 5 et 12 ans (exceptionnellement 20 ans)

☆ Baldes & Fils, André Boulomie, Domaine de la Caminade, Château du Cayrou, Château de Chambert, Domaine Eugénie, Côtes d'Olt, Clos de Gamot, Domaine de la Pineraie, Domaine de Paillas, Domaine du Port, Clos Triguedina

CÔTES-DE-BERGERAC AOC

Les vins ne diffèrent des Bergerac que par leur titre alcoométrique, plus élevé d'un degré.

ROUGE. Plus riches et plus profonds que les simples Bergerac.

Cabernet Sauvignon, Cabernet franc, Merlot, Malbec, Fer, Mérille

1982, 1983, 1985

Entre 3 et 10 ans

☆ Château Court-les-Muts, Domaine de Fonfrède, Domaine de Golse, Château le Mayne, Château la Plante, Château le Raz, La Tour de Grangemont

CÔTES-DE-BERGERAC MOELLEUX AOC

Vins blancs moelleux.

BLANC. Vins gras et fruités, plus ou moins moelleux, à l'équilibre tendre.

Sémillon, Sauvignon blanc, Muscadelle, Ondenc, Chenin blanc, et jusqu'à 25 % d'Ugni blanc si le pourcentage de Sauvignon blanc est au moins équivalent

1981, 1983, 1985, 1986

Entre 3 et 15 ans

☆ Domaine de Grange-Neuve, Les Hauts Perrots, Domaine de la Peyrières, Château de Ségur

CÔTES-DE-BUZET AOC

Les vins sont d'un excellent rapport qualité/prix.

ROUGE. Les meilleurs vins sont pleins de charme et de finesse.

Merlot, Cabernet Sauvignon, Cabernet franc, Malbec

1980, 1981, 1982, 1983, 1985, 1986

Entre 3 et 10 ans (exceptionnellement 15 ans)

BLANC. Ces vins secs sont les moins intéressants de l'appellation.

Sémillon, Sauvignon blanc, Muscadelle

1984, 1985, 1986

1 à 3 ans au maximum

ROSÉ. Vins secs, mûrs et fruités.

Merlot, Cabernet Sauvignon, Cabernet franc, Malbec

1980, 1981, 1982, 1983, 1984, 1985, 1986

1 à 4 ans au maximum

☆ Vignerons réunis des Côtes-de-Buzet, Château de Gueyze, Château de Pardère, Château Pierron, Château Sauvagnères

CÔTES-DE-DURAS AOC

Vins de plus en plus intéressants.

ROUGE. Vins légers de style bordelais.

Cabernet Sauvignon, Cabernet franc, Merlot, Malbec

1982, 1983, 1985

Entre 2 et 3 ans

BLANC. Vins secs, nets et nerveux.

Sauvignon blanc, Sémillon, Muscadelle, Mauzac, Chenin blanc, Ondenc, et jusqu'à 25 % d'Ugni blanc si le pourcentage de Sauvignon blanc est au moins équivalent

1983, 1984, 1985, 1986

1 à 3 ans au maximum

ROSÉ. Vins joliment colorés, secs, fruités, nerveux, fermes et frais.

Cabernet Sauvignon, Cabernet franc, Merlot, Malbec

1983, 1984, 1985, 1986

1 à 3 ans au maximum

☆ Château Bellevue-Haut Roc, Berticot, Domaine de Ferrant, Domaine las Brugues-Mau Michau, Château de Laulan

CÔTES-DE-MONTRAVEL AOC

Les vins doivent contenir entre 8 et 54 g/l de sucre.

BLANC. Vins gras et fruités, généralement moelleux.

Sémillon, Sauvignon blanc, Muscadelle

1982, 1983, 1984, 1986

Entre 3 et 8 ans

☆ Château du Berny, Jean Bertrand, GAEC du Bloy, Cave coopérative de Port-Sainte-Foy

CÔTES-DE-SAINT-MONT AOC

Appellation située dans le pays de l'Armagnac.

ROUGE. Vins bien colorés, assez étoffés, à la saveur ample.

Au moins 70 % de Tannat, plus Cabernet Sauvignon, Cabernet franc, Merlot et Fer
Note : à partir de 1990, le Fer devra représenter un tiers de tous les cépages autres que le Tannat.

Le millésime est peu important

Entre 2 et 5 ans

BLANC. Honnêtes vins secs, fruités, avec une finale tendre.

Au moins 50 % d'Arrufiac, Clairette et Courbu, plus Gros Manseng, Petit Manseng

Le millésime est peu important

1 à 2 ans au maximum

ROSÉ. Vins secs, à la saveur nette et fruitée.

Au moins 70 % de Tannat, plus Cabernet Sauvignon, Cabernet franc, Merlot et Fer
Note : à partir de 1990, le Fer devra représenter un tiers de tous les cépages autres que le Tannat.

Le millésime est peu important

1 à 3 ans au maximum

☆ Producteurs de Plaimont

CÔTES-DU-BRULHOIS VDQS

Ancien vin de pays classé VDQS en novembre 1984.

ROUGE. Vin honnête de style bordelais, mais plus rustique.

Cabernet franc, Cabernet Sauvignon, Fer, Merlot, Malbec, Tannat

Le millésime est peu important

Entre 2 et 4 ans

ROSÉ. Vin sec, frais et facile à boire.

Cabernet franc, Cabernet Sauvignon, Fer, Merlot, Malbec, Tannat

Le millésime est peu important

1 à 3 ans au maximum

☆ Coopérative des Côtes du Brulhois

CÔTES-DU-FRONTONNAIS AOC

Appellation prometteuse située juste à l'ouest de Gaillac.

ROUGE. Vins relativement corsés, excellemment fruités et colorés.

De 50 à 70 % de Négrette, jusqu'à 25 % au total de Malbec, Mérille, Fer, Syrah, Cabernet franc et Cabernet Sauvignon, et au maximum 15 % de Gamay, Cinsault et Mauzac

1982, 1983, 1985, 1986

Entre 2 et 8 ans

ROSÉ. Vins très fruités.

De 50 à 70 % de Négrette, jusqu'à 25 % au total de Malbec, Mérille, Fer, Syrah, Cabernet franc et Cabernet Sauvignon, et au maximum 15 % de Gamay, Cinsault et Mauzac

1982, 1983, 1985, 1986

1 à 3 ans au maximum

☆ Château Bel Air, Château Bellevue-la-Forêt, Domaine Caze, Château Clos Mignon, Cave coopérative Côtes-de-Fronton, Château Flotis, Domaine de Joliet, Domaine de la Colombière, Les Dauban

CÔTES-DU-FRONTONNAIS FRONTON AOC

Voir Côtes du Frontonnais AOC.

CÔTES-DU-FRONTONNAIS VILLAUDRIC AOC

Voir Côtes du Frontonnais AOC.

CÔTES-DU-MARMANDAIS VDQS

Imitations de Bordeaux très réussies.

ROUGE. Vins frais, nets, impeccablement faits.

Jusqu'à 75 % au total de Cabernet franc, Cabernet Sauvignon et Merlot, plus Abouriou, Malbec, Fer, Gamay, Syrah

1981, 1982, 1983, 1985

Entre 2 et 5 ans

BLANC. Vins secs, tendres et délicieux.

Au moins 70 % de Sauvignon blanc, plus Ugni blanc et Sémillon

1985, 1986

1 à 2 ans au maximum

ROSÉ. Vins secs, tendres, mûrs et fruités.

Jusqu'à 75 % au total de Cabernet franc, Cabernet Sauvignon et Merlot, plus Abouriou, Malbec, Fer, Gamay, Syrah

1983, 1985, 1986

1 à 2 ans au maximum

☆ Cave coopérative de Beaupuy, Cave coopérative de Cocumont, Domaine des Geais

GAILLAC AOC

Ce vignoble, l'un des plus anciens du pays, commence tout juste à se faire mieux connaître.

ROUGE. La plupart des vins, frais et légers, sont vinifiés par macération carbonique.

Au moins 60 % de Duras, plus Fer, Gamay, Syrah, Cabernet Sauvignon, Cabernet franc, Merlot

Le millésime est peu important

1 à 3 ans au maximum

BLANC. Ces vins légers et secs ont une saveur vive et fraîche.

Au moins 15 % (chacun ou au total) de Len de l'El et Sauvignon blanc, plus Mauzac, Mauzac rosé, Muscadelle, Ondenc, Sémillon

Le millésime est peu important

Immédiatement

ROSÉ. Vins secs, honnêtes et légers.

Au moins 60 % de Duras, plus Fer, Gamay, Syrah, Cabernet Sauvignon, Cabernet franc, Merlot

Le millésime est peu important

1 à 2 ans au maximum

☆ Cave de Labastide-de-Levis, Domaine Jean Cros, Domaine de Gradde, Domaine de Labarthe, Mas Pignou, Domaine de Mazou, Domaine de Roucou Cantemerle, Cave coopérative de Técou

GAILLAC DOUX ou GAILLAC LIQUOREUX ou GAILLAC MOELLEUX AOC

Vins naturellement doux qui doivent contenir au moins 70 g/l de sucre résiduel.

BLANC. Vins moelleux aux arômes de pêche mûre.

Au moins 15 % (chacun ou au total) de Len de l'El et Sauvignon blanc, plus Mauzac, Mauzac rosé, Muscadelle, Ondenc, Sémillon

1982, 1983, 1985

Entre 5 et 15 ans

☆ Domaine des Bouscaillous, Domaine de Labarthe, Domaine de Mazou, René Rieux, Domaine de Tres Cantous

GAILLAC MOUSSEUX AOC

Vins effervescents élaborés selon les méthodes champenoise et gaillacoise.

BLANC. Vins frais au parfum de raisin, avec une fine mousse naturelle.

Au moins 15 % (chacun ou au total) de Len de l'El et Sauvignon blanc, plus Mauzac, Mauzac rosé, Muscadelle, Ondenc, Sémillon

Généralement non millésimé

1 à 3 ans au maximum

ROSÉ. Vins séduisants, frais et fruités.

Au moins 60 % de Duras, plus Fer, Gamay, Syrah, Cabernet Sauvignon, Cabernet franc, Merlot

Généralement non millésimé

1 à 2 ans au maximum

☆ Château Clarès, Domaine Clément Termes, Jean Cros, René Rieux, Domaine des Terrisses, Domaine de Tres Cantous

GAILLAC PREMIÈRES CÔTES AOC

Vins blancs uniquement, provenant de 11 communes. Le raisin doit être plus mûr que pour le Gaillac AOC et le vin doit satisfaire aux mêmes normes que le Gaillac doux.

☆ Domaine de Tres Cantous

GAILLAC SEC PERLÉ ou GAILLAC PRIMEUR AOC

Vins qui contiennent une petite quantité de gaz carbonique.

BLANC. Vins secs, légers et aromatiques.

Au moins 15 % (chacun ou au total) de Len de l'El et Sauvignon blanc, plus Mauzac, Mauzac rosé, Muscadelle, Ondenc, Sémillon

Le millésime le plus récent

Immédiatement

☆ Domaine Jean Cros, Cave de Labastide-de-Levis, Cave coopérative de Técou

HAUT-MONTRAVEL AOC

Les vins doivent contenir entre 8 et 54 g/l de sucre résiduel.

BLANC. Vins moelleux, gras et fruités.

Sémillon, Sauvignon blanc, Muscadelle

1982, 1983, 1985, 1986

Entre 3 et 8 ans

☆ Domaine de Libarde, Paul Marty, Château la Raye, Cave coopérative de Port-Sainte-Foy

IROULÉGUY AOC

La coopérative locale a le monopole de cette appellation basque ; elle produit des vins de bonne qualité.

ROUGE. Vins sombres, profonds, tanniques, à la saveur riche et moelleuse, avec une arrière-bouche d'épices caractéristique.

Tannat et au moins 50 % au total de Cabernet Sauvignon et Cabernet franc

1982, 1983, 1985, 1986

Entre 4 et 10 ans

BLANC. Vins secs modestes.

Courbu, Manseng

ROSÉ. Vins secs très fruités, à boire jeunes et frais.

Mêmes cépages et proportions que pour l'Irouléguy rouge

1982, 1983, 1985, 1986

Immédiatement

☆ Cave coopérative Saint-Étienne-de-Baïgorry

JURANÇON AOC

Un Jurançon fut servi au baptême de Henri de Navarre en 1553.

BLANC. Les meilleurs vins ont un bouquet et une saveur fins et épicés, avec parfois des notes d'ananas, de zestes confits et de cannelle.

Petit Manseng, Gros Manseng, Courbu et jusqu'à 15 % au total de Camaralet et Lauzet

1982, 1983, 1985, 1986

Entre 5 et 20 ans

☆ Clos Cancaillau, Domaine Cauhapé, Cave coopérative de Gran-Jurançon, Cru Lamouroux, A. Lonne, Clos Uroulat

JURANÇON SEC AOC

Vin contenant moins de sucre résiduel que le Jurançon.

☆ Domaine Cauhapé, Clos Mirabel, Cave des Producteurs de Jurançon, Clos Uroulat

LIMOUX AOC

Version tranquille de la Blanquette de Limoux.

BLANC. Vins secs ternes. Les meilleurs ont une certaine nervosité.

Mauzac

MADIRAN AOC

De nombreux domaines de cette petite AOC commencent à utiliser des fûts neufs et augmentent la proportion de Cabernet franc.

ROUGE. Il faut littéralement mâcher les tanins de ces vins sombres, riches et charnus quand ils sont jeunes.

Au moins 40 % de Tannat, plus Cabernet franc, Fer et Cabernet Sauvignon

1981, 1982, 1983, 1985, 1986

Entre 5 et 15 ans

☆ Château d'Aydie, Domaine Barréjat, Château de Gayon, Domaine de Maouries, Château Montus, Ets Nicolas, Cru de Paradis, Château du Perron, Domaine Pichard, Producteurs de Plaimont, Domaine de Teston, Vignerons réunis du Vic-Bilh

MONBAZILLAC AOC

Vins de type Sauternes, d'un excellent rapport qualité/prix.

BLANC. Vins riches, intensément moelleux, de très grande qualité.

Sémillon, Sauvignon blanc, Muscadelle

1981, 1983, 1985, 1986

Entre 7 et 20 ans

☆ Château Bellevue, Château la Borderie, Château la Brie, Château Grand-Chemin-Belingard, Repaire du Haut-Theulet, Château Monbazillac, Château Treuil-de-Nailhac, Vieux Vignoble du Repaire

MONTRAVEL AOC

La plus grande des trois appellations de Montravel et la seule qui peut (et doit) produire des vins secs.

BLANC. Vins secs, nerveux et aromatiques.

Sémillon, Sauvignon blanc, Muscadelle, Ondenc, Chenin blanc et jusqu'à 25 % d'Ugni blanc si le pourcentage de Sauvignon blanc est au moins équivalent

1984, 1985, 1986

1 à 2 ans au maximum

☆ Château de Berny, GAEC du Bloy, Marc Chavant, Château de Libarde, Cave coopérative de Port-Sainte-Foy, Domaine de la Roche-Marot, Cave coopérative de Saint-Vivien

PACHERENC DU VIC-BILH AOC

Appellation réservée aux vins blancs qui couvre l'aire de Madiran.

BLANC. Vins aux arômes floraux exotiques, avec une combinaison fruitée de saveurs et une finale tendre quasi sèche ou moelleuse.

Arrufiac, Courbu, Gros Manseng, Petit Manseng, Sauvignon blanc, Sémillon

1983, 1985, 1986

Entre 3 et 7 ans

☆ Domaine du Bouscassé, Cave de Crouseilles, Laplace, Domaine de Teston

PÉCHARMANT AOC

Les meilleurs vins rouges de Bergerac.

ROUGE. Toutes les caractéristiques des beaux Bergerac, mais avec une concentration accrue de couleur, de saveur et de tanins.

Cabernet franc, Cabernet Sauvignon, Merlot, Malbec

1981, 1982, 1983, 1985

Entre 4 et 12 ans

☆ Château Champarel, Château Corbiac, Grand-Jaure, Domaine du Haut-Pécharmant, Clos Peyrelevade, Château la Renaudie, Château de Tiregrand

ROSETTE AOC

Vins blancs qui doivent contenir entre 8 et 54 g/l de sucre résiduel.

BLANC. Château Puypezat a une saveur tendre et délicatement sucrée.

Sémillon, Sauvignon blanc, Muscadelle

1982, 1983, 1985

Entre 4 et 8 ans

☆ Château Puypezat

SAUSSIGNAC AOC

Les vins doivent contenir au moins 18 g/l de sucre résiduel.

BLANC. Château Court-les-Muts est très riche, ample, gras et alcoolisé.

Sémillon, Sauvignon blanc, Muscadelle, Chenin blanc

1980, 1981, 1983

Entre 5 et 15 ans

☆ Château Court-les-Muts

TURSAN VDQS

La production est assurée par Les Vignerons du Tursan.

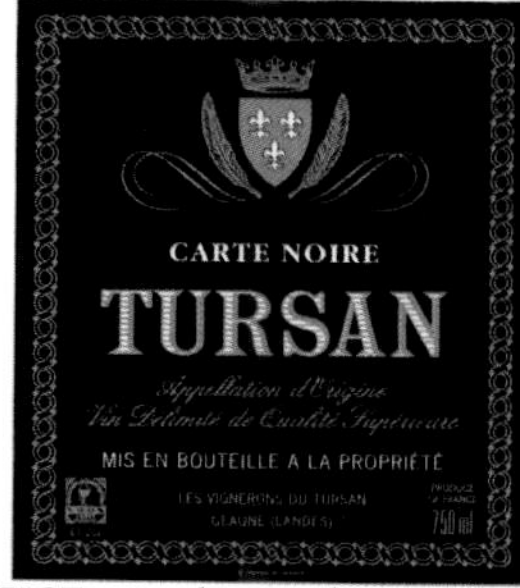

ROUGE. Vins bien colorés, tantôt riches et avec de la mâche, tantôt plus fins et aromatiques selon le cépage dominant.

Tannat et au moins 25 % au total de Cabernet franc, Cabernet Sauvignon et Fer

Le millésime est peu important

BLANC. Vins très corsés livrant une saveur solide, riche, rustique.

Baroque et jusqu'à 10 % au total de Sauvignon blanc, Gros Manseng, Petit Manseng, Claverie, Cruchinet, Raffait, Claret du Gers, Clairette

Entre 2 et 5 ans

ROSÉ. Vins secs, avec une belle saveur fruitée et succulente.

Tannat et au moins 25 % au total de Cabernet franc, Cabernet Sauvignon et Fer

Le millésime est peu important

1 à 3 ans au maximum

☆ Domaine de Castèle, Les Vignerons du Tursan

VIN DE BLANQUETTE AOC

Encore élaboré selon l'ancienne méthode rurale, c'est ce vin, non la Blanquette de Limoux, qui fut inventé par les moines de l'abbaye de Saint-Hilaire en 1531.

BLANC. N'est pas aussi fin que la Blanquette de Limoux, mais a des qualités et mériterait d'être mieux distribué.

Mauzac

VIN D'ENTRAYGUES ET DU FEL VDQS

Vins peu répandus, récoltés dans le nord-est de la région.

ROUGE. Vins légers et rustiques, à boire sur place.

Cabernet franc, Cabernet Sauvignon, Fer, Gamay, Jurançon noir, Merlot, Mouyssaguès, Négrette, Pinot noir

Le millésime est peu important

1 à 2 ans au maximum

BLANC. Vins secs, légers et nerveux.

Chenin blanc, Mauzac

Le millésime est peu important

Immédiatement

ROSÉ. Vins secs, légers et frais.

Cabernet franc, Cabernet Sauvignon, Fer, Gamay, Jurançon noir, Merlot, Mouyssaguès, Négrette, Pinot noir

Le millésime est peu important

1 à 2 ans au maximum

☆ Henri Avallon

VIN D'ESTAING VDQS

Vins peu répandus, récoltés dans le nord-est de la région.

ROUGE. Vins légers et fruités.

Fer, Gamay, Abouriou, Jurançon noir, Merlot, Cabernet franc, Cabernet Sauvignon, Mouyssaguès, Négrette, Pinot noir, Duras, Castet

Le millésime est peu important

1 à 3 ans au maximum

BLANC. Vins secs, simples, avec une saveur nerveuse.

Chenin blanc, Roussellou, Mauzac

Le millésime est peu important

1 à 2 ans au maximum

ROSÉ. Vins secs, agréables, coulants.

Fer, Gamay, Abouriou, Jurançon noir, Merlot, Cabernet franc, Cabernet Sauvignon, Mouyssaguès, Négrette, Pinot noir, Duras, Castet

Le millésime est peu important

Immédiatement

☆ Le Viala

VIN DE LAVILLEDIEU VDQS

Vins récoltés au sud de Cahors, supérieurs aux deux précédents.

ROUGE. Vins d'une belle couleur, moyennement étoffés, à la saveur fraîche et fruitée.

Au moins 80 % au total de Négrette, Mauzac, Mérille, Cinsault, Fuella, et jusqu'à 20 % au total de Syrah, Gamay, Jurançon noir, Picpoul, Milgranet, Fer

1982, 1983, 1985, 1986

Entre 3 et 6 ans

BLANC. Vins secs, nerveux, aromatiques.

Mauzac, Sauvignon blanc, Sémillon, Muscadelle, Colombard, Ondenc, Folle blanche

1983, 1985, 1986

1 à 3 ans au maximum

☆ Hugues de Verdalle

VIN DE MARCILLAC VDQS

Vins peu répandus.

ROUGE. Jeunes, ils sont durs et rustiques, puis s'adoucissent et développent la saveur du Fer.

Au moins 80 % de Fer et jusqu'à 20 % au total de Cabernet franc, Cabernet Sauvignon, Merlot, Malbec, Gamay, Jurançon noir, Mouyssaguès et Valdiguié

Le millésime est peu important

Entre 3 et 6 ans

ROSÉ. Vins secs, amples, mûrs.

Au moins 30 % de Fer et jusqu'à 70 % au total de Cabernet franc, Cabernet Sauvignon, Merlot, Malbec, Gamay, Jurançon noir, Mouyssaguès et Valdiguié

Le millésime est peu important

1 à 3 ans au maximum

☆ Le Cros de Cassagnes-Comataux, Pierre Lacombe, Cave vinicole du Vallon-Valady

Languedoc-Roussillon

Ces vignobles méditerranéens améliorent leur image, à mesure qu'un nombre croissant de producteurs mettent eux-mêmes en bouteille des vins vraiment expressifs.

L'histoire du vin en Languedoc-Roussillon a plus de 2 000 ans. Pourtant, à l'exclusion des vins doux naturels depuis longtemps renommés, la production a acquis ses premiers titres de noblesse il y a seulement une dizaine d'années. Encouragée par les pouvoirs publics à produire des vins de pays au lieu de vins de table, une nouvelle génération de viticulteurs apparut à la fin des années 70. En plantant des cépages de meilleure qualité et en combinant la technologie moderne aux meilleures pratiques traditionnelles, y compris l'emploi de fûts en chêne neuf, ils purent élaborer de nouveaux vins parfois passionnants, exportés dès le début des années 80. D'autres producteurs, constatant qu'il était possible d'appliquer des prix plus élevés à des vins personnalisés, renoncèrent à les vendre en gros pour les mettre eux-mêmes en bouteille.

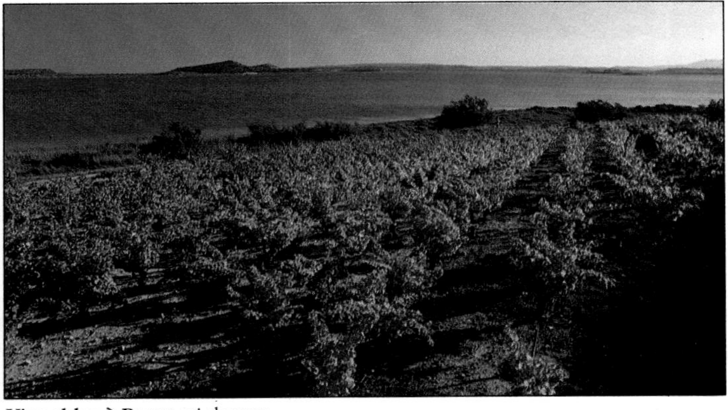

Vignobles à Bages, ci-dessus
Les vignobles qui entourent Perpignan sur la côte méditerranéenne sont parmi les plus chauds du pays.

FACTEURS AFFECTANT LE GOÛT ET LA QUALITÉ

Situation
Succession de vignobles en forme de croissant, située entre le Rhône à l'est et les Pyrénées au sud-ouest.

Climat
Le climat méditerranéen convient généralement bien à la vigne, malgré les risques d'orages. Deux vents dominent : le mistral, vent froid qui descend des glaciers alpins, et le marin, humide et chaud, qui peut provoquer la pourriture au moment des vendanges. Les microclimats sont nombreux.

Site
Les vignobles qui s'étendent en plaine à l'infini ne donnent que des vins ordinaires ; les meilleurs sites sont les garrigues et les coteaux exposés au sud, au sud-est et à l'est, ou les terres abritées par des falaises rocheuses.

Sol
Dans l'ensemble, les plaines et les vallées ont un sol alluvial riche, tandis que les collines sont schisteuses ou calcaires et les garrigues constituées de sols pierreux sur des sous-sols calcaires fissurés. Ces données générales cachent des situations spécifiques très variées.

Viticulture et vinification
Le Languedoc-Roussillon demeure la grande région productrice de vins de table. Tout y est mécanisé et les vignes des plaines sont cultivées comme le blé ou le maïs. Toutefois, on favorise le développement des vignobles qui bénéficient d'un terroir expressif en y cultivant des cépages classiques et en combinant les techniques modernes de macération carbonique avec diverses méthodes traditionnelles de fermentation et d'élevage, comme l'utilisation, de plus en plus répandue, de fûts en chêne neuf.

Cépages
Aspiran noir, Aspiran gris, Aubun, Bourboulenc, Cabernet franc, Cabernet Sauvignon, Carignan, Carignan blanc, Cinsault, Clairette, Counoise, Fer, Grenache, Grenache blanc, Grenache gris, Grenache rosé, Lladoner pelut, Malbec, Malvoisie, Maccabéo, Marsanne, Merlot, Mourvèdre, Muscat d'Alexandrie, Muscat blanc à petits grains, Muscat doré de Frontignan, Muscat rosé à petits grains, Négrette, Œillade, Palomino, Picpoul, Picpoul noir, Roussanne, Syrah, Terret, Terret noir, Tourbat, Ugni blanc

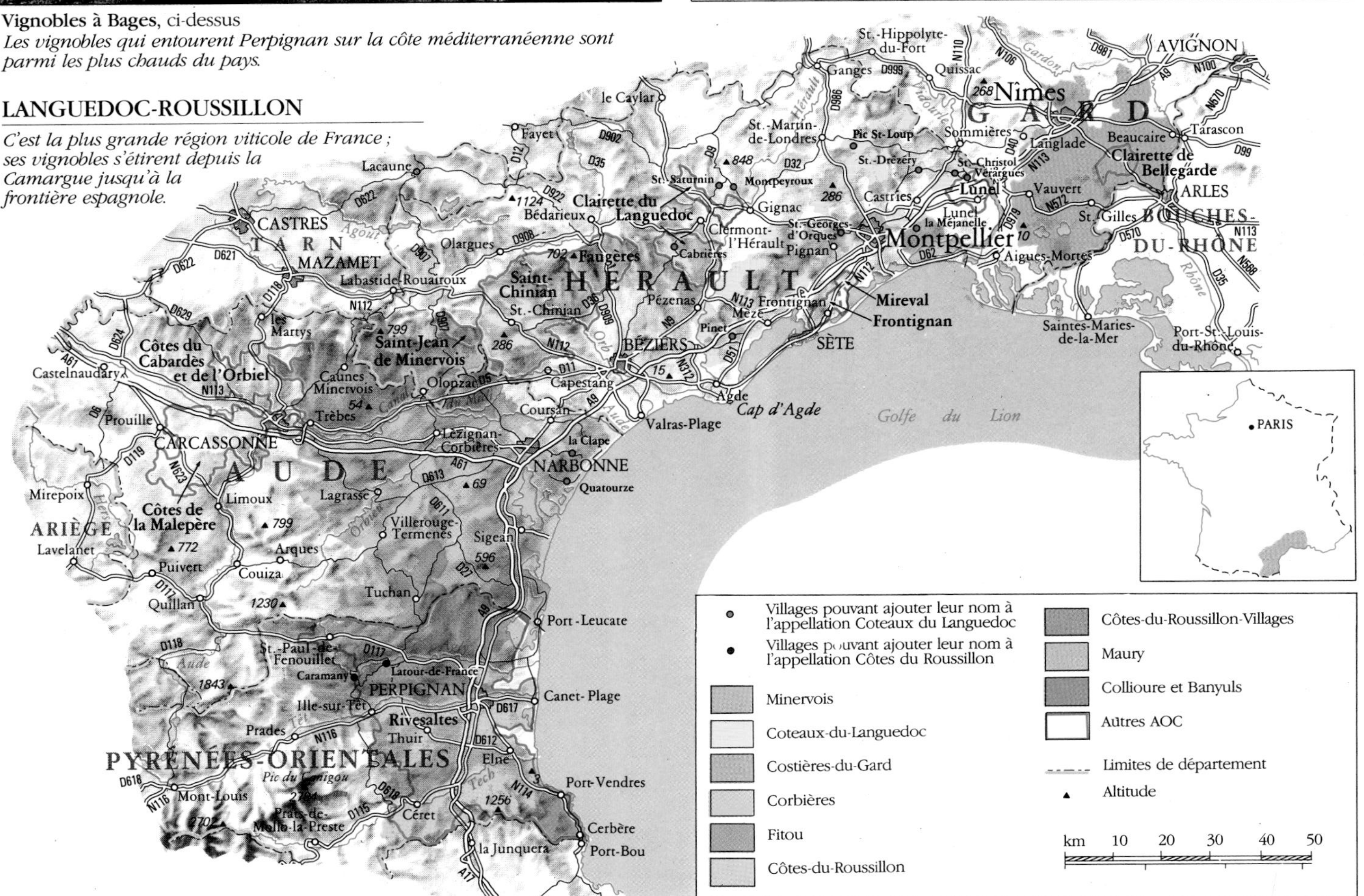

LANGUEDOC-ROUSSILLON
C'est la plus grande région viticole de France ; ses vignobles s'étirent depuis la Camargue jusqu'à la frontière espagnole.

Les vins du Languedoc-Roussillon

Note : Les vins doux naturels (VDN) cités ci-dessous doivent être faits de raisins très mûrs dont le moût est additionné d'alcool pur de raisin – environ 5 à 10 % du volume – pendant la fermentation. Le moût garde ainsi sa douceur naturelle. Pour être étiqueté Rancio, un VDN doit être vieilli en fût suivant les usages locaux qui imposent que ces fûts soient exposés au soleil pendant au moins deux ans. Il n'est pas conseillé de millésimes pour les VDN, car seuls les vins « des meilleures années » peuvent supporter le traitement qu'ils subissent. Tous les millésimes proposés par les producteurs recommandés doivent donc être de bonne qualité.

BANYULS AOC ou BANYULS RANCIO AOC

L'appellation française la plus méridionale : les vignobles sont pratiquement à la frontière espagnole.

ROUGE. Le plus profond et le plus sombre de tous les VDN. Un Banyuls rouge, riche et moelleux, qui n'a pas trop vieilli en fût, est le vin français qui se rapproche le plus d'un Porto.

Entre 10 et 40 ans

BLANC/ROSÉ/FAUVE. Comme tous les VDN qui peuvent être faits en blanc, rouge ou rosé, les Banyuls se teintent de fauve avec le temps, particulièrement les Rancio.

Pour tous les vins : au moins 50 % de Grenache, plus Grenache gris, Grenache blanc, Maccabéo, Tourbat, Muscat blanc à petits grains, Muscat d'Alexandrie, et jusqu'à 10 % au total de Carignan, Cinsault et Syrah

Entre 10 et 20 ans

☆ Robert Doutres, Cave coopérative l'Étoile, Domaine du Mas blanc, Domaine de la Retorie

BANYULS GRAND CRU ou BANYULS GRAND CRU « RANCIO » AOC

Obéissent aux mêmes règles que les Banyuls, mais les cépages principaux entrent pour 75 % au minimum dans la composition des vins, tandis que le Carignan, le Cinsault et la Syrah ne sont pas autorisés. Le raisin doit être éraflé et doit macérer pendant au moins cinq jours. Les vins ressemblent aux simples Banyuls, mais sont toutefois nettement plus fins.

☆ Hospices de Banyuls, Cellier des Templiers

CABARDÈS VDQS

Obscure appellation située au nord de Carcassonne.

ROUGE. Les deux vins recommandés sont bien faits, élégamment fruités et équilibrés.

1982, 1983, 1985, 1986

3 à 8 ans au maximum

ROSÉ. Jamais dégusté.

Pour tous les vins : au moins 60 % au total de Carignan, Cinsault, Grenache, Mourvèdre et Syrah, jusqu'à 50 % de Carignan (30 % depuis 1979) et au maximum 30 % (chacun, et pas plus de 40 % au total) d'Aubun, de Cabernet Sauvignon, Malbec, Fer, Merlot, Négrette, Picpoul noir, Terret noir

Entre 2 et 3 ans

☆ Union coopérative du Cabardès, Château de Pennautier

CLAIRETTE DE BELLEGARDE AOC

Cette appellation ne mérite pas son statut d'AOC.

BLANC. La récolte des domaines mentionnés atteint les modestes sommets auxquels ces vins secs quelconques peuvent aspirer.

Clairette

Le millésime est peu important

Avant Noël de l'année de production

☆ Domaine de l'Armarine, Domaine Saint-Louis-la-Perdrix

CLAIRETTE DU LANGUEDOC AOC ou CLAIRETTE DU LANGUEDOC RANCIO AOC

Cette appellation couvre trois types de vins : les vins naturels, les VDN et les Rancio. Les Rancio doivent vieillir pendant au moins trois ans en fûts scellés et peuvent ou non être vinés.

BLANC. Le vin non viné est plus riche et plus ample que le Bellegarde, mais il est plus alcoolisé et moins doux dans sa forme Rancio. Le VDN est demi-sec à demi-doux, avec une saveur résineuse plus prononcée dans les Rancio.

Clairette

1983, 1985

Entre 2 et 5 ans pour les vins naturels, 8 à 20 ans pour les VDN et les Rancio

☆ Domaine d'Aubepierre, Château de la Condamine-Bertrand

COLLIOURE AOC

Les vins sont issus des raisins récoltés précocement.

ROUGE. Ces vins sombres, profonds et puissants ont une saveur fruitée pleine et concentrée, avec une arrière-bouche tendre et épicée.

Grenache, Mourvèdre et 25 à 40 % au total de Carignan, Cinsault et Syrah

1980, 1982, 1983, 1985

Entre 3 et 15 ans

☆ Domaine du Mas blanc, Cellier des Templiers

CORBIÈRES AOC

Lorsque le vignoble fut classé AOC, l'aire de production fut réduite de 42 000 ha à 23 000 ha. Les meilleurs domaines recourent souvent à la macération carbonique, puis à l'élevage du vin dans le chêne neuf pendant près de douze mois. Le résultat est parfois étonnamment réussi.

ROUGE. Ces vins, à la superbe robe, ont un nez ample, fruité et épicé et une saveur tendre et nette, avec souvent des nuances de cerise, de framboise et de vanille.

Jusqu'à 70 % de Carignan, plus Grenache, Lladoner pelut, Mourvèdre, Picpoul, Terret, Syrah, Cinsault, Maccabéo, Bourboulenc, Grenache gris

1983, 1985, 1986

Entre 2 et 5 ans (exceptionnellement entre 3 et 8 ans)

BLANC. Vins secs, tendres, très nets, devenus récemment plus aromatiques, mais encore trop peu expressifs.

Bourboulenc, Clairette, Grenache, Maccabéo, Muscat, Picpoul, Terret

1985, 1986

1 à 3 ans au maximum

ROSÉ. Les meilleurs de ces vins secs, sans être exceptionnels, montrent une couleur séduisante et un agréable arôme floral.

Carignan, Grenache, Lladoner pelut, Mourvèdre, Picpoul, Terret, Syrah, Cinsault, Maccabéo, Bourboulenc, Grenache gris

1983, 1985, 1986

1 à 3 ans au maximum

☆ Château Aiguilloux, Château la Baronne, Château de Caraguilhes, Château les Ollieux, Château l'Étang des Colombes, Château Hélène, Château de Lastours, Cave coopérative de Paziols, Château de Quéribus, Château St-Auriol, Coopérative de St-Laurent-Cabrerisse, Château de Vaugelas, Domaine de Villemajou, Domaine de la Voulte-Gasparets

COSTIÈRES-DU-GARD VDQS

La qualité moyenne des vins est supérieure à celle de bien des AOC.

ROUGE. Vins simples, légers et honnêtement fruités ; les meilleurs ont un caractère rond, aromatique et épicé.

1982, 1983, 1985, 1986

Entre 2 et 3 ans (vins moyens), entre 3 et 8 ans (vins supérieurs)

BLANC. Frais et tendres.

Le millésime est peu important

1 à 2 ans au maximum

ROSÉ. Vins secs, d'un bon rapport qualité/prix.

Jusqu'à 50 % de Carignan, plus Terret noir, Aspiran noir, Aspiran gris, Cinsault, Mourvèdre, Grenache, Syrah, Œillade, Counoise, Clairette, Grenache blanc, Maccabéo, Malvoisie, Marsanne, Muscat blanc, Picpoul, Roussanne, Terret, Ugni blanc

Le millésime est peu important

1 à 2 ans au maximum

☆ Domaine de l'Amarine, Château Belle-Coste, Château de Campuget, Cave coopérative Costières de Beauvoisin, Domaine de Mourier, Ets Nicolas, Domaine St-Louis-la-Perdrix, Château de la Tuilerie

COTEAUX-DU-LANGUEDOC AOC

La qualité est d'un niveau constant et le millésime est donc sans grande importance.

ROUGE. Vins rouges amples et honnêtes, parfaits pour tous les jours.

Jusqu'à 50 % (chacun) de Carignan et Cinsault, au moins 5 % au total (10 % à partir de 1990) de Mourvèdre et Syrah, au moins 10 % au total (20 % à partir de 1990) de Grenache et Lladoner pelut, jusqu'à 10 % au total de Counoise, Grenache rosé, Terret noir et Picpoul noir

1 à 4 ans au maximum

ROSÉ. Vins secs bien fruités et infiniment plus agréables que nombre de rosés de Provence pourtant plus chers.

Comme pour le rouge, avec jusqu'à 10 % au total de Picpoul, Bourboulenc, Carignan blanc, Clairette, Maccabéo, Terret blanc et Ugni blanc

1 à 2 ans au maximum

☆ Château Carrion-Nizas, Domaine de la Coste, Domaine du Daumas Gassac, Domaine de Langlade, Prieuré St-Jean de Bébian, Château St-Ferreol

COTEAUX-DU-LANGUEDOC (NOM DE TERROIR) AOC

Sauf mention spéciale, les vins qui portent les noms des terroirs ci-dessous répondent aux mêmes exigences que les vins d'AOC Coteaux-du-Languedoc.

CABRIÈRES AOC

Commune unique qui produit des rosés fins, fermes et racés, ainsi qu'un peu de vin rouge. Son vin « vermeil » est le plus connu.

☆ Coopérative « les Coteaux-de-Cabrières », Domaine du Temple

LA CLAPE AOC

Vins rouges, blancs et rosés provenant de cinq communes du département de l'Aude. La Clape est l'un des deux seuls terroirs Coteaux-du-Languedoc autorisés à produire des vins blancs. Ceux-ci sont tantôt amples, fins et dorés, tantôt fermes, dotés d'une séduisante nuance d'épices méditerranéennes et capables de vieillir. Les rosés ont une saveur rafraîchissante.

☆ Robert Buttero, Château de Complazens, Château Moujan, Château Pech-Redon, Domaine de la Rivière-le-Haut, Domaine de Vires, Château de Ricardelle de la Clape, Château Rouquette-sur-Mers, Château de Salles

LA MÉJANELLE AOC

Le rosé est autorisé, mais la récolte se compose surtout de vins rouges.

☆ Château de Flaugergues

MONTPEYROUX AOC

Vins rouges et rosés fermes et quelque peu rustiques, mais honnêtes et plaisants.

☆ Cave coopérative « Les Coteaux du Castellas »

PIC-SAINT-LOUP AOC

Vins rouges, blancs et rosés provenant de douze communes de l'Hérault et d'une commune du Gard.

☆ Cave coopérative Coteaux de Montferrand, Domaine de la Roque, Coopérative de Valflaunes

PINET AOC

Vins rouges, blancs et rosés élaborés dans six communes. Les blancs sont issus uniquement du cépage Picpoul. Jeunes, ils sont vifs, puis se fatiguent rapidement.

☆ Château de Pinet

QUATOURZE AOC

Vins rouges et rosés assez austères ; les meilleurs s'arrondissent toutefois après quelques années en bouteille.

☆ Château Notre-Dame

SAINT-CHRISTOL AOC

Le sol argilo-calcaire de Saint-Christol donne des vins rouges et rosés mûrs et bien équilibrés, qui peuvent être vendus également sous l'appellation Coteaux de Saint-Christol.

☆ Gabriel Martin, Cave coopérative de Saint-Christol

SAINT-DRÉZÉRY AOC

Vins rouges et rosés ; les rouges sont de qualité assez modeste.

ST-GEORGES-D'ORQUES AOC

Essentiellement des vins rouges parfois bien colorés et riches d'une belle saveur, et quelques rosés.

☆ Château de l'Engarran, Coopérative de Saint-Georges-d'Orques

SAINT-SATURNIN AOC

Ces vins rouges et rosés, qui portent le nom du premier évêque de Toulouse, proviennent de trois communes des contreforts des Cévennes. Les vins rouges, de couleur profonde, sont fins et ont une saveur ample. L'appellation recèle aussi un vin « d'une nuit », ainsi nommé parce qu'il ne macère que le temps d'une nuit.

☆ Cave coopérative de Saint-Saturnin

VÉRARGUES AOC

Grosse production de vins rouges et rosés gouleyants mais assez banals issus de neuf communes, dont quatre relèvent aussi de l'appellation Muscat de Lunel.

CÔTES-DE-LA-MALEPÈRE VDQS

Les cépages autorisés dans cette appellation sont tout à fait caractéristiques de sa situation méridionale.

ROUGE. Vins bien colorés, assez corsés, au fruité élégant et épicé.

Jusqu'à 60 % (chacun) de Merlot, Malbec et Cinsault, et au maximum 30 % au total de Cabernet Sauvignon, Cabernet franc, Grenache, Lladoner pelut, Syrah

1982, 1983, 1985, 1986

Entre 3 et 7 ans

ROSÉ. Beaux vins secs totalement différents des vins rouges, grâce au caractère moelleux né du Grenache.

Cinsault, Grenache, Lladoner pelut et jusqu'à 30 % au total de Merlot, Cabernet Sauvignon, Cabernet franc, Syrah

1982, 1983, 1985, 1986

1 à 3 ans au maximum

☆ Domaine de Foucauld, Domaine de Fournery, Château Guilhem, Château de Lamothe, Château de Malvies-Guilhem

CÔTES DU CABARDÈS ET DE L'ORBIEL VDQS

Voir Cabardès VDQS.

CÔTES-DU-ROUSSILLON AOC

Cette vaste appellation se départit peu à peu de la mauvaise image attachée aux vins du Midi.

ROUGE. Les meilleurs dévoilent une belle couleur, un bouquet ample au fruité méridional généreux, avec une très légère nuance de vanille et d'épices.

Jusqu'à 70 % de Carignan, au moins 10 % au total de Syrah et Mourvèdre, au maximum 10 % de Maccabéo, plus Cinsault, Grenache, Lladoner pelut

1980, 1981, 1982, 1983, 1985, 1986

Entre 3 et 8 ans

BLANC. Les meilleurs de ces vins frais et floraux sont d'une onctuosité grasse mais manquent d'acidité.

Maccabéo, Tourbat

Le millésime est peu important

Avant 1 à 2 ans

ROSÉ. Vins secs frais et séduisants.

Jusqu'à 70 % de Carignan, au moins 10 % au total de Syrah et Mourvèdre, au maximum 10 % de Maccabéo, plus Cinsault, Grenache, Lladoner pelut

Le millésime est peu important

Avant 1 à 2 ans

☆ Cave des Vignerons de Baïxas, Coopérative vinicole Bélesta, Cave coopérative les Vignerons Catalans, Cazes Frères, Domaine Jammes, Château de Jau, Jaubert & Noury, SCV de Lesquerde, Montalba-le-Château, Mas Rancoure, Rasigueres, Domaine Saint-Luc, Domaine Sarda-Malet, Taichac, Terrassous

CÔTES-DU-ROUSSILLON-VILLAGES AOC

Cette appellation couvre les vins rouges de 25 communes. Pour les cépages et les millésimes, *voir* Côtes-du-Roussillon.

ROUGE. Vins d'un bon rapport qualité/prix, avec plus de caractère et de finesse que les simples Côtes-du-Roussillon.

☆ Vignerons de Bélesta-de-la-Frontière, Cave coopérative les Vignerons Catalans, Cazes Frères, Maîtres Vignerons de Tautavel, Cave coopérative de Planezes

CÔTES-DU-ROUSSILLON-VILLAGES CARAMANY AOC

Ces vins d'un excellent rapport qualité/prix satisfont aux mêmes normes que les Côtes-du-Roussillon-Villages.

ROUGE. Les vins du Roussillon, les plus pleins, les plus riches et les plus durables.

1980, 1981, 1982, 1983, 1985, 1986

Entre 3 et 15 ans

☆ Cave coopérative les Vignerons Catalans

CÔTES-DU-ROUSSILLON-VILLAGES LATOUR DE FRANCE AOC

Ces vins d'un bon rapport qualité/prix satisfont aux mêmes normes que les Côtes-du-Roussillon-Villages.

ROUGE. Amples de robe et de corps, ces vins ont une saveur fruitée.

1980, 1981, 1982, 1983, 1985, 1986

Entre 3 et 15 ans

☆ Cave coopérative Latour-de-France

FAUGÈRES AOC

Appellation de belles dimensions demeurée pourtant méconnue.

ROUGE. Vins rustiques de couleur profonde, gorgés des saveurs épicées et chaudes du Cinsault et du Carignan.

1982, 1983, 1985

Entre 3 et 10 ans

ROSÉ. Petite production de rosés secs joliment colorés, mûrs et fruités.

Pour tous les vins : Cinsault, jusqu'à 50 % de Carignan, au moins 10 % au total de Grenache et Lladoner pelut, et au minimum 5 % au total de Mourvèdre et Syrah

1982, 1983, 1985

Entre 3 et 10 ans

☆ Domaine de Fraisse, Château Haut-Fabrègues, Cave coopérative de Laurens

FITOU AOC

Fitou est aujourd'hui la principale étoile montante de la côte méditerranéenne.

ROUGE. Même au niveau le plus bas, ces vins livrent une belle couleur et les épices chaudes du Grenache qui atténue la concentration fruitée du Carignan et adoucit ses tanins.

Au moins 90 % au total de Carignan (maximum 75 %), Grenache et Lladoner pelut, et jusqu'à 10 % de Cinsault, Maccabéo, Mourvèdre, Syrah, Terret noir

1983, 1985, 1986

Entre 3 et 6 ans (exceptionnellement entre 4 et 10 ans)

☆ Caves du Mont-Tauch, Château de Nouvelles, Coopérative pilote de Villeneuve, Producteurs réunis VVO, Val d'Orbieu

FRONTIGNAN AOC

Voir Muscat de Frontignan AOC.

GRAND ROUSSILLON AOC ou GRAND ROUSSILLON RANCIO AOC

Sans doute l'appellation dont la récolte est la plus disproportionnée à sa taille : elle regroupe 100 communes mais n'a produit en 1985 que 30 hl, soit 330 caisses. Elle représente, semble-t-il, une espèce de sous-marque pour les vins de qualité inférieure produits par les meilleurs VDN de cette aire.

MAURY AOC ou MAURY RANCIO AOC

Malgré la longue liste de cépages autorisés, les vins sont le plus souvent de purs Grenache.

ROUGE/BLANC/ROSÉ/FAUVE. Les pâles vins rouges sont en fait rose fauve ; ils développent une curieuse combinaison de saveurs de pain grillé et de fruits rouges. Les vins blancs me sont inconnus.

Pour tous les vins : au moins 50 % de Grenache noir, plus Grenache gris, Grenache blanc, Muscat à petits grains, Muscat d'Alexandrie, Maccabéo et Tourbat, et jusqu'à 10 % au total de Carignan, Cinsault, Syrah et Palomino (appelé Listan en Roussillon)

Entre 10 et 30 ans

☆ Mas Amiel, Cave Jean-Louis Lafage, Les Vignerons de Maury

MINERVOIS AOC

Les terres rocheuses du Minervois sont sous le climat chaud et aride du Midi. Le vignoble fut promu au rang d'AOC en février 1985.

ROUGE. Les moins bons sont un peu durs pour des vins d'AOC et sont parfois surclassés par les vins de pays que produisent certains des meilleurs domaines parallèlement au Minervois.

Jusqu'à 70 % (60 % à partir de 1990) de Carignan, plus Cinsault, Picpoul noir, Terret noir et Aspiran noir, et au moins 20 % (30 % à partir de 1990) de Grenache, Lladoner pelut, Syrah et Mourvèdre (ces deux derniers doivent représenter au moins 5 % du total, et 10 % à partir de 1990)

Le millésime est peu important

Avant 1 à 5 ans

BLANC. Les blancs représentent moins de 1 % de la production. Ce sont des vins simples, secs et fruités, vinifiés à des températures plus basses qu'autrefois, ce qui les rend plus fruités et plus aromatiques.

Grenache blanc, Bourboulenc, Maccabéo, Picpoul, Clairette, Terret blanc
Note : Au moins 50 % au total de Bourboulenc et Maccabéo à partir de 1990

Le millésime est peu important

Avant 1 an

ROSÉ. Vins d'un bon rapport qualité/prix, teintés d'une belle couleur de fraise et doués d'une saveur honnête, sèche et fruitée.

Jusqu'à 70 % (60 % à partir de 1990) de Carignan, plus Cinsault, Picpoul noir, Terret noir et Aspiran noir, et au moins 20 % (30 % à partir de 1990) de Grenache, Lladoner pelut, Syrah et Mourvèdre (ces deux derniers doivent représenter au moins 5 % du total, et 10 % à partir de 1990), et jusqu'à 10 % au total de Grenache blanc, Bourboulenc, Maccabéo, Picpoul, Clairette, Terret blanc

Le millésime est peu important

Avant 1 an

☆ Château Fabas, Château de Gourgazaud, Domaine des Homs, Cuvée Jacques de la Jugie, Domaine de Mayranne, Château de Paraza, Domaine Sainte-Eulalie, Château Villerambert-Julien, Château Villerambert-Moureau

MUSCAT DE FRONTIGNAN AOC

Ce Muscat peut être élaboré en vin doux naturel (VDN) ou en vin de liqueur (VDL). Dans ce cas, l'alcool est ajouté aussitôt au jus de raisin afin d'éviter toute fermentation. Si l'étiquette ne fait pas de distinction entre les deux, la capsule-congé doit porter les lettres VDN ou VDL.

BLANC. Les VDN sont agréables, dorés, riches en saveurs de raisin, avec un succulent arrière-goût de miel. Ils sont un peu plus gras que ceux de Beaumes, mais n'ont pas leur finesse. Les VDL sont beaucoup plus sucrés.

Muscat doré de Frontignan

Avant 1 à 3 ans

☆ Coopérative Muscat de Frontignan, Château la Peyrade

MUSCAT DE LUNEL AOC

VDN sous-estimés proches des Frontignan en termes de qualité.

BLANC/ROSÉ. Vins fins et parfumés, longs, délicats et équilibrés.

Muscat blanc à petits grains, Muscat rosé à petits grains

Avant 1 à 3 ans

☆ Coopérative de Lunel

MUSCAT DE MIREVAL AOC

VDN peu répandus.

BLANC. Vins légers et doux qui ont souvent plus d'équilibre et d'acidité que les Frontignan, mais parfois une moindre concentration fruitée.

Muscat blanc à petits grains

Avant 1 à 3 ans

☆ Cave de Rabelais, Cave coopérative Rabelais

MUSCAT DE RIVESALTES AOC

À ne pas confondre avec les VDN Rivesaltes, des assemblages qui ne portent pas la mention Muscat.

BLANC/ROSÉ. Vins de qualité constante, riches, mûrs, à la saveur de raisin.

Muscat blanc à petits grains, Muscat d'Alexandrie

Avant 1 à 3 ans

☆ Cazes Frères, Cellier des Saints, Château de Jau, Domaine de la Rourède

MUSCAT DE SAINT-JEAN-DE-MINERVOIS AOC

Cette sous-appellation a une petite production de VDN sous-estimés.

BLANC/ROSÉ. Ces vins délicatement dorés offrent une douceur joliment équilibrée et une saveur fraîche d'abricot et de raisin.

Muscat blanc à petits grains, Muscat rosé à petits grains

Avant 1 à 3 ans

☆ Domaine de Barroubio, Coopérative de Saint-Jean-de-Minervois « Le Pardeillan »

RIVESALTES AOC ou RIVESALTES RANCIO AOC

Cette appellation représente la moitié des VDN produits en France.

ROUGE. Vins d'une chaude couleur rouge brique, aux saveurs à la fois astringentes et sucrées de chocolat et de liqueur de cerise, avec une finale sèche et tannique.

Entre 10 et 40 ans

BLANC/ROSÉ/FAUVE. Étant donné que les vins rouges pâlissent après un long mûrissement dans le bois, tous les Rivesaltes dévoilent à terme une même robe fauve. Bien entendu, les vins blancs n'ont pas d'astringence tannique ; ils sont plus oxydés et renferment des saveurs de raisin sec, de résine et de zeste confit.

Pour tous les vins : Muscat blanc à petits grains, Muscat d'Alexandrie, Grenache, Grenache gris, Grenache blanc, Maccabéo, Tourbat, et jusqu'à 10 % de Carignan, Cinsault, Syrah et Palomino

Entre 10 et 20 ans

☆ Boudau et Fils, Cazes Frères, Domaine de Garria, Producteurs de la Barnède, Cave coopérative de Pollestres, Domaine Sarda-Malet, Saint-Vincent-Tradition

SAINT-CHINIAN AOC

Vins d'un excellent rapport qualité/prix qui sont ce que le Sud fait de plus ressemblant aux Bordeaux avec ses propres cépages.

ROUGE. Vins relativement clairs et légers, doués d'une élégance qui semble contredire leurs origines méditerranéennes.

1983, 1985, 1986

Entre 2 et 6 ans

ROSÉ. Ces vins secs ont un puissant bouquet et des saveurs délicatement fruitées.

Pour tous les vins : Cinsault, jusqu'à 50 % de Carignan, au moins 10 % (20 % à partir de 1990) de Grenache et Lladoner pelut, et au minimum 5 % (10 % à partir de 1990) de Mourvèdre et Syrah

Note : ces quatre derniers cépages devront représenter au moins 35 % à partir de 1990.

Le millésime est peu important

Avant 1 à 3 ans

☆ Cave Coteaux du Rieu-Berlou, Château Cazals Viel, Château Coujan, Domaine des Jougla, Cave coopérative de Roquebrun

VIN DE FRONTIGNAN AOC

Voir Muscat de Frontignan AOC.

Provence et Corse

Si la Provence viticole est célèbre pour la forme étrange de ses bouteilles de rosé, ce sont plutôt les vins rouges, moins connus, qui devraient susciter l'intérêt de l'amateur avisé. Quant à la Corse, la technologie moderne a transformé sa médiocre récolte en de délicieux vins de pays fruités.

Les vins de Provence, la patrie du vin, n'ont certes pas la stature classique des Bordeaux ou des Bourgogne, mais forts de leurs saveurs chargées d'épices, ils ne manquent pas d'une certaine classe.

En Corse, l'avènement des vins de pays a conduit les producteurs à déplanter un tiers des vignobles, pour les destiner à cet usage. Le système des vins de pays fut conçu pour encourager la production de vins de qualité supérieure. Ici, il modifia effectivement les habitudes : la Corse ne contribue plus aussi généreusement que naguère à alimenter l'Europe en vins très ordinaires.

LES ROSÉS DE PROVENCE

En Provence, la production était dominée autrefois par les rosés, vendus dans leurs célèbres bouteilles de fantaisie. Ces vins perdirent un peu de leur succès quand les consommateurs s'avisèrent de leur médiocrité. Peu de gens savaient alors que la forme des bouteilles avait une signification bien précise : elles avaient été conçues dans les années 30 pour permettre à l'amateur de distinguer les vins de négoce des vins provenant de domaines uniques. La bouteille en forme de triangle légèrement déformé ne devait servir qu'aux négociants, tandis que les vignerons disposaient d'une bouteille aux formes arrondies. Cependant, les producteurs provençaux, à la différence des Bordelais ou des Bourguignons, utilisaient aussi d'autres types de bouteilles. Ainsi est née toute une gamme de flacons aux formes et aux couleurs étranges. Bien que la vente des rosés soit en baisse depuis quelques années, ces vins représentent encore 60 pour cent de toute la production provençale. Ils se sont considérablement améliorés. Certes, le recours aux techniques modernes de vinification ne s'est pas accompagné de mesures aussi radicales que celles d'une véritable acidification des vins. Ceux-ci gardent donc en partie ce caractère tendre, à la limite du mou, qui naît du climat ensoleillé, et auquel la plupart des vignerons restent en outre attachés. Elles ont permis cependant d'élaborer des vins qui, s'ils reflètent encore leurs origines provençales, sont beaucoup plus aromatiques qu'autrefois.

FACTEURS AFFECTANT LE GOÛT ET LA QUALITÉ

Situation
Le vignoble provençal court du delta du Rhône à la frontière italienne.

Climat
Les hivers sont doux, de même que les printemps, qui peuvent également être humides. Les étés sont chauds et prolongés par de longs automnes ensoleillés. La vigne réclame au moins 1 300 heures ou mieux, 1 500 heures, de soleil par saison. En Provence, la moyenne est d'environ 3 000 heures. La proximité de la Méditerranée provoque parfois de brusques changements de temps. Il ne pleut que quelques jours par an en automne et en hiver.

Site
Vignobles à flanc de colline et en plaine.

Sol
De nombreux sols anciens ont subi des transformations chimiques et quantité de sols nouveaux sont apparus. Le sable, le grès rouge et le granite sont les éléments les plus répandus ; ils s'accompagnent d'affleurements calcaires qui correspondent souvent aux meilleurs terroirs. Les collines du Var sont faites de mica-schiste, d'éboulis calcaires et de tuffeau crayeux, ainsi que de granite ; on observe à Bandol d'excellents sols calcaires et siliceux, et à Bellet, des poudingues riches en silex. Le sud de la Corse est essentiellement granitique, tandis que le nord est schisteux, avec des affleurements calcaires séparés par des dépôts de sable et de sols alluviaux.

Viticulture et vinification
Autrefois, toutes les vignes étaient conduites en gobelet, alors que la plupart sont aujourd'hui palissées sur fil de fer. La vogue du Cabernet Sauvignon a été enrayée ; les vignerons, désireux de réaffirmer l'identité provençale, utilisent désormais les cépages régionaux, et la réglementation a été modifiée en conséquence. La production des vins rouges d'appellations spécifiques, telles que Bandol ou Bellet, est en augmentation mais les rosés secs représentent encore 60 % de la récolte. La plupart d'entre eux ont été améliorés grâce aux techniques modernes de fermentation à basse température.

Cépages
Aragnan, Aramon, Aramon gris, Barbarossa, Barbaroux, Barbaroux rosé, Bourboulenc, Braquet, Brun-Fourcat, Cabernet Sauvignon, Calitor, Carignan, Castets, Chardonnay, Cinsault, Clairette, Clairette à gros grains, Clairette à petits grains, Clairette de Trans, Colombard, Counoise, Doucillon, Durif, Fuella, Grenache, Grenache blanc, Marsanne, Mayorquin, Mourvèdre, Muscat d'Aubagne, Muscat blanc à petits grains, Muscat de Die, Muscat de Frontignan, Muscat de Hambourg, Muscat de Marseille, Muscat noir de Provence, Muscat rosé à petits grains, Nielluccio, Panse Muscade, Pascal blanc, Petit-brun, Picardan, Picpoul, Pignerol, Rolle, Sauvignon blanc, Sémillon, Sciacarello, Syrah, Téoulier, Terret blanc, Terret gris, Terret noir, Terret ramenée, Tibouren, Ugni blanc, Ugni rosé, Vermentino

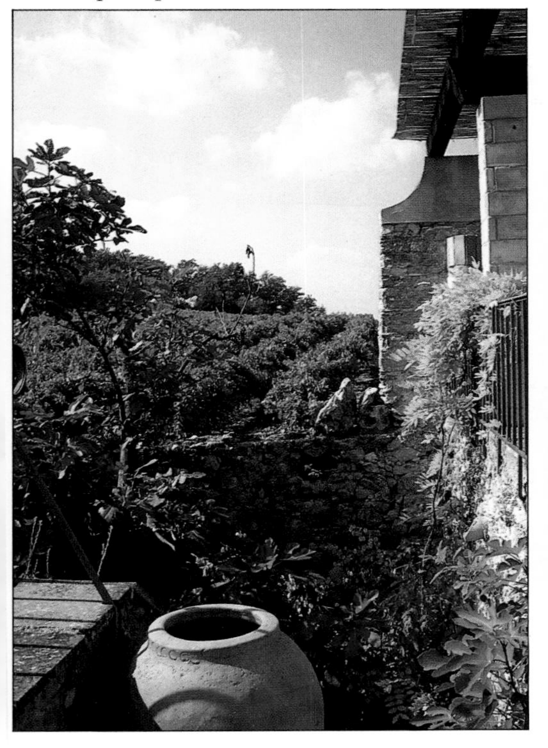

La campagne provençale, à gauche
Certains s'étonneront de rencontrer des vignes sur le sol de la Provence tant convoité par ailleurs. Mais le vignoble est prospère, il regroupe 58 variétés de cépages et produit chaque année 45 millions de caisses de vin.

Vignobles corses, ci-dessus
Ces vignobles du Domaine de Valrose à Borgo, près de la côte est, ces montagnes à l'arrière-plan et ces rangées de palmiers sont typiques du paysage corse.

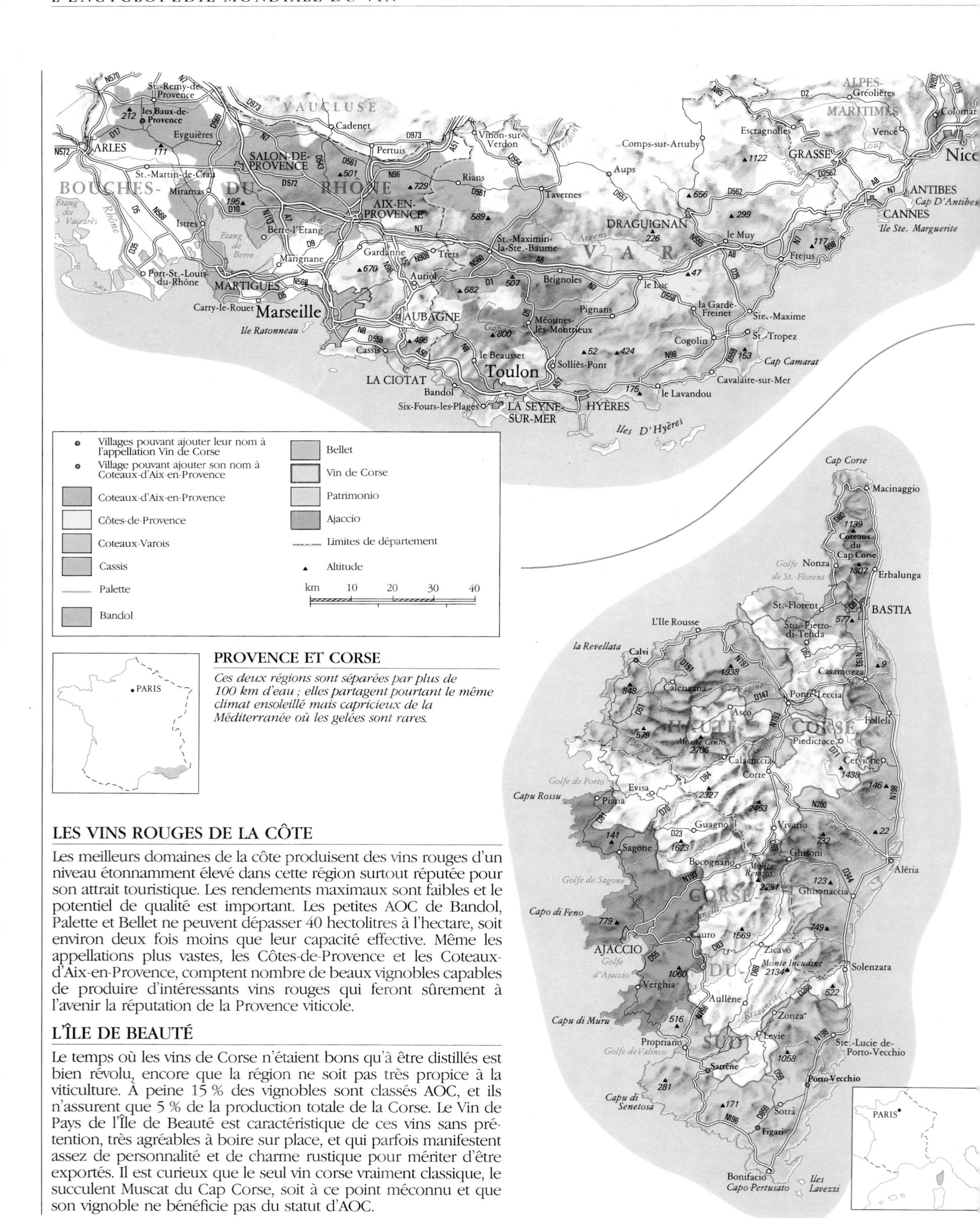

PROVENCE ET CORSE

Ces deux régions sont séparées par plus de 100 km d'eau ; elles partagent pourtant le même climat ensoleillé mais capricieux de la Méditerranée où les gelées sont rares.

LES VINS ROUGES DE LA CÔTE

Les meilleurs domaines de la côte produisent des vins rouges d'un niveau étonnamment élevé dans cette région surtout réputée pour son attrait touristique. Les rendements maximaux sont faibles et le potentiel de qualité est important. Les petites AOC de Bandol, Palette et Bellet ne peuvent dépasser 40 hectolitres à l'hectare, soit environ deux fois moins que leur capacité effective. Même les appellations plus vastes, les Côtes-de-Provence et les Coteaux-d'Aix-en-Provence, comptent nombre de beaux vignobles capables de produire d'intéressants vins rouges qui feront sûrement à l'avenir la réputation de la Provence viticole.

L'ÎLE DE BEAUTÉ

Le temps où les vins de Corse n'étaient bons qu'à être distillés est bien révolu, encore que la région ne soit pas très propice à la viticulture. À peine 15 % des vignobles sont classés AOC, et ils n'assurent que 5 % de la production totale de la Corse. Le Vin de Pays de l'Île de Beauté est caractéristique de ces vins sans prétention, très agréables à boire sur place, et qui parfois manifestent assez de personnalité et de charme rustique pour mériter d'être exportés. Il est curieux que le seul vin corse vraiment classique, le succulent Muscat du Cap Corse, soit à ce point méconnu et que son vignoble ne bénéficie pas du statut d'AOC.

Les vins de Provence et de Corse

Note : Les rubriques « Meilleurs millésimes récents » et « Quand boire le vin » ne figurent que pour les authentiques vins de garde. Les millésimes sont très réguliers en Provence et en Corse, plus encore que dans le sud de la vallée du Rhône où la qualité du vin dépend dans une large mesure de celle du raisin de Grenache. Même lorsque la Provence souffre de chaleur excessive – en 1985, par exemple –, les meilleurs producteurs élaborent d'excellents vins. La plupart des vins de ces deux régions sont destinés à être bus jeunes, aussi vaut-il mieux s'intéresser au nom du producteur plutôt qu'à son millésime. Les vins blancs et rosés peuvent se garder de un à trois ans, les rouges de deux à quatre.

AJACCIO AOC

Appellation de la côte ouest de la Corse, où dominent les vins rouges.

ROUGE. Vins moyennement corsés, au beau bouquet, issus essentiellement de Sciacarello.

Au moins 60 % au total de Barbarossa, Nielluccio, Sciacarello et Vermentino, et jusqu'à 40 % au total de Carignan, Cinsault et Grenache
Note : La part du Sciacarello doit atteindre au moins 40 % et celle du Carignan ne peut excéder 15 %

BLANC. Vins secs honnêtes et fruités, auxquels l'Ugni blanc donne une bonne acidité.

Au moins 80 % de Vermentino, plus Ugni blanc

ROSÉ. Vins secs, de qualité moyenne à bonne, marqués par la rondeur méridionale caractéristique.

Mêmes cépages que pour le vin rouge, autorisés dans les mêmes proportions

☆ Clos Capitoro, Domaine Peraldi

BANDOL AOC

Le vin rouge produit dans cette appellation provençale est un vrai vin de garde qui mériterait d'être mieux connu.

ROUGE. Les meilleurs vins de l'appellation sont pourpre-noir foncé et livrent un bouquet dense et profond qui associe au beau fruité épicé du Mourvèdre des nuances aromatiques complexes de vanille, de cassis, de cannelle et de violette.

Mourvèdre, Grenache, Cinsault (l'addition de deux d'entre eux doit atteindre au moins 80 %), plus Calitor, Carignan, Syrah, Tibouren, Bourboulenc, Clairette, Ugni blanc, Sauvignon blanc

1982, 1983, 1984, 1985, 1986

Entre 3 et 12 ans

BLANC. Vins secs plus frais et plus parfumés qu'autrefois, mais beaucoup plus ordinaires que les rouges.

Au moins 60 % au total de Bourboulenc, Clairette et Ugni blanc et jusqu'à 40 % de Sauvignon blanc

ROSÉ. Vins secs, séduisants et bien faits, qui ont un beau caractère typé et bien plus de corps et de structure que la plupart des rosés.

Mêmes cépages que pour le vin rouge, autorisés dans les mêmes proportions

☆ Domaine du Cagueloup, Domaine le Galantin, Domaine de l'Hermitage, Domaine Lafran-Veyrolles, Domaine de la Laidière, Mas de la Rouvière, Moulin des Costes, Domaine Ott, Domaine de Pibarnon, Château Pradeaux, Domaine des Salettes, Domaine Tempier

BELLET AOC

Cette petite appellation provençale est rafraîchie par les vents alpins et produit des vins au parfum exceptionnel pour sa situation méridionale.

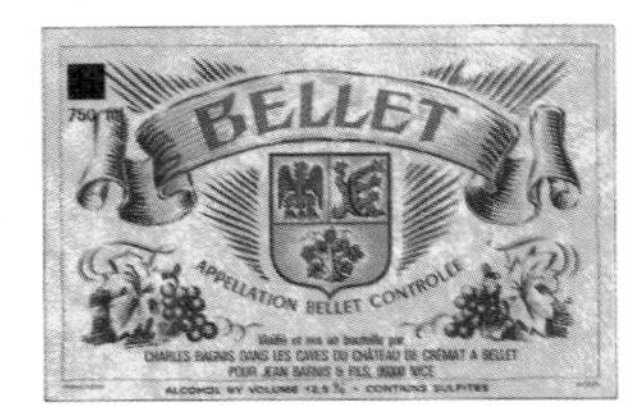

ROUGE. Belle couleur et bonne constitution, avec un bouquet bien parfumé et des saveurs fruitées.

Braquet, Fuella, Cinsault et jusqu'à 40 % au total de Grenache, Rolle, Ugni blanc, Mayorquin, Clairette, Bourboulenc, Chardonnay, Pignerol, Muscat à petits grains

1982, 1983, 1985, 1986

Entre 4 et 10 ans

BLANC. Vins secs, fins et fermes, parfumés et aromatiques, d'une classe et d'une finesse incroyables.

Rolle, Ugni blanc, Mayorquin et jusqu'à 40 % de Clairette, Bourboulenc, Chardonnay, Pignerol, Muscat à petits grains

1983, 1984, 1985, 1986

Entre 3 et 7 ans

ROSÉ. Vins secs, fins et floraux, exceptionnellement frais.

Braquet, Fuella, Cinsault et jusqu'à 40 % au total de Grenache, Rolle, Ugni blanc, Mayorquin, Clairette, Bourboulenc, Chardonnay, Pignerol, Muscat à petits grains

☆ Château de Bellet, Château de Crémat, Clos Saint-Vincent

CASSIS AOC

Appellation provençale honnête mais trop chère. Hormis quelques exploitations entreprenantes, elle est sur le déclin.

ROUGE. Ces vins rouges solides et bien colorés peuvent vieillir mais sans s'améliorer.

Grenache, Carignan, Mourvèdre, Cinsault, Barbaroux et jusqu'à 10 % au total de Terret noir, Terret gris, Terret blanc, Terret ramenée, Aramon, Aramon gris

BLANC. Vins secs au bouquet intéressant d'herbes, d'ajoncs et de fougères, mais souvent mous et déséquilibrés en bouche.

Ugni blanc, Sauvignon blanc, Doucillon, Clairette, Marsanne, Pascal blanc

ROSÉ. Vins secs d'une fraîcheur agréable, de qualité moyenne.

Grenache, Carignan, Mourvèdre, Cinsault, Barbaroux et jusqu'à 10 % au total de Terret noir, Terret gris, Terret blanc, Terret ramenée, Aramon, Aramon gris

☆ Clos Boudard, Château de Fontblanche, Clos Sainte-Magdeleine

COTEAUX-D'AIX-EN-PROVENCE AOC

Cette vaste appellation compte nombre de beaux domaines, dont certains ont été replantés et rééquipés.

ROUGE. Les meilleurs sont des vins de garde de couleur profonde qui possèdent des saveurs crémeuses et épicées de vanille, de cassis, de prune et de cerise.

Grenache et jusqu'à 40 % de Cabernet Sauvignon, Carignan, Cinsault, Counoise, Mourvèdre, Syrah
Note : À partir de 1995, la part du Cabernet Sauvignon ou du Carignan ne pourra dépasser 30 %

1983, 1985, 1986

Entre 3 et 12 ans

BLANC. Vins secs et fruités de qualité moyenne mais en progrès.

Jusqu'à 70 % au total de Bourboulenc, Clairette, Grenache blanc, Sauvignon blanc, Sémillon, Ugni blanc et Vermentino
Note : À partir de 1991, l'Ugni blanc sera limité à 40 %, le Sauvignon blanc et le Sémillon à 30 %.

ROSÉ. Ces vins secs de belle qualité sont légers mais gorgés de raisins mûrs et délicieux.

Grenache et jusqu'à 50 % au total (40 % à partir de 1991) de Cabernet Sauvignon, Carignan, Cinsault, Counoise, Mourvèdre, Syrah
Note : À partir de 1995, la part du Cabernet Sauvignon ou du Carignan ne pourra dépasser 30 %

☆ Château Bas, Château de Beaulieu, Château de Beaupré, Château de Calissanne, Commanderie de la Bargemone, Château de Fonscolombe, Château Grand Seuil, Domaine de la Boulangère, Château la Coste, Domaine de la Grande Séouve, Les Toques Gourmandes, Château Revelette, Château Saint-Jean de l'Hôpital, Château Vignelaure

COTEAUX-D'AIX-EN-PROVENCE-LES-BAUX AOC

Excellents vins rouges, blancs secs et rosés issus des mêmes cépages et assujettis aux mêmes normes techniques que les vins des Coteaux-d'Aix-en-Provence.

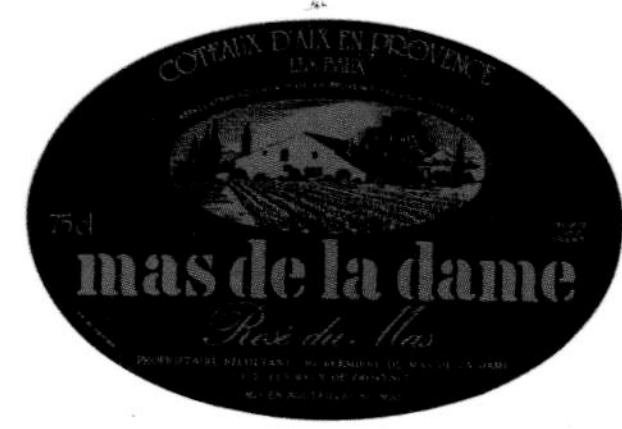

☆ Mas de Gourgonnier, Mas de la Dame, Terres Blanches, Domaine de la Vallongue

COTEAUX-VAROIS VDQS

Vin de pays jusqu'en 1985, ce VDQS situé au cœur de la Provence offre d'agréables bouteilles.

ROUGE. Les meilleurs sont joliment colorés, ils montrent une profonde saveur fruitée et une certaine finesse.

Jusqu'à 60 % de Carignan (50 % à partir de 1988), plus Cinsault, Grenache, Mourvèdre et Syrah, au maximum 30 % au total de Cabernet Sauvignon et Tibouren, et pas plus de 10 % au total de Bourboulenc, Clairette, Grenache blanc et Ugni blanc

ROSÉ. Ces vins secs séduisants et faciles à boire sont souvent d'un meilleur rapport qualité/prix que certains rosés d'autres appellations.

Mêmes cépages que pour le vin rouge, autorisés dans les mêmes proportions

☆ Domaine de Barbaroux, Domaine du Deffends, l'Abbaye de St-Hilaire, Domaine du Loou, Domaine St-Cyriaque, Domaine de St-Jean

CÔTES-DE-PROVENCE AOC

Si cette AOC est célèbre pour ses rosés, ce sont les vins rouges qui devraient retenir l'attention. D'excellents vins se succèdent chaque année, produits dans de beaux domaines par des viticulteurs de talent. Certes, il existe aussi des vins de qualité inférieure, mais les meilleurs ne sont jamais décevants. Le handicap majeur de cette appellation est son ampleur. Plusieurs zones bénéficient cependant d'un sol et d'un microclimat spécifiques ; les réunir au sein d'une AOC Côtes-de-Provence-Villages offrirait sans doute aux meilleurs producteurs une source de motivation supplémentaire.

ROUGE. Les styles intéressants sont très nombreux. Dans l'ensemble, les

meilleurs vins ont une robe profonde et exhalent parfois le fruité soyeux et exubérant de la Syrah et les nuances de prune du Mourvèdre. Certains sont d'une grande finesse, d'autres plus tanniques. Le caractère typiquement méridional du Cabernet Sauvignon – cassis et épices – s'exprime souvent et la présence du Cinsault, du Grenache et du Tibouren joue un rôle important.

Jusqu'à 40 % de Carignan, plus Cinsault, Grenache, Mourvèdre et Tibouren, au maximum 30 % de Syrah et jusqu'à 30 % au total de Barbaroux rosé, Cabernet Sauvignon, Calitor, Clairette, Sémillon, Ugni blanc et Vermentino

Entre 3 et 10 ans

BLANC. Vins secs tendres, parfumés et aromatiques, en progrès.

Clairette, Sémillon, Ugni blanc et Vermentino

ROSÉ. Dire d'un vin qu'il ne voyage pas, c'est souligner en fait que l'atmosphère de sa région d'origine ne voyage pas, et pour moi le soleil méditerranéen fait partie du plaisir de ces vins. Ils sont sans aucun doute destinés à accompagner les mets, mais même les meilleurs (suivis d'un astérisque) n'obtiennent pas de bonnes notes dans les dégustations à l'aveugle. La saveur sèche de ces vins, au bout de quelques jours, finit par révéler une certaine subtilité, mais leur faible acidité les fait paraître plats et mous comparés à d'autres.

Mêmes cépages que pour le vin rouge, autorisés dans les mêmes proportions

☆ Domaine des Aspras, Château Barbeyrolles*, Domaine du Campdummy*, Commanderie de Peyrassol, Château les Crostes, Domaine du Deffends*, Domaine de la Bernarde, Domaine de l'Île*, Domaine de la Jeannette, Domaine de la Malherbe*, Domaine de Marchandise, Mas de Cadenet, Clos Mireille, Domaine de Peissonnel, Château Réal Martin, Domaine de Rimauresq, Château de Roux*, Domaine St-André de Figuière, Domaine de St-Baillon*, Château St-Martin, Château St-Pierre, Domaine St-Roman d'Esclans, Château Ste-Roseline, Coopérative de Vidauban, Vignerons de la Presqu'île de St-Tropez, Vignobles Kennel

PALETTE AOC

Malgré la liste ridiculement longue des cépages autorisés, dont beaucoup sont effectivement utilisés, cette petite AOC est l'une des meilleures de Provence. Elle constitue une sorte de « Grand Cru » des Coteaux-d'Aix-en-Provence qui se distingue des vignobles voisins par son sol calcaire. Les trois quarts de l'aire de production sont occupés par un seul domaine, Château Simon.

ROUGE. Vins de grande qualité qui allient une bonne couleur et une constitution ferme mais sans être trop massifs. Ils sont parfois empreints de finesse et de complexité.

Au moins 50 % au total de Mourvèdre (à lui seul au moins 10 % de ce chiffre), Grenache, et Cinsault, plus Téoulier, Durif, Muscat noir de Provence, Muscat de Marseille, Muscat d'Aubagne, Muscat de Hambourg, Carignan, Syrah, Castets, Brun-Fourcat, Terret gris, Petit-brun, Tibouren, Cabernet Sauvignon, et jusqu'à 15 % au total de Clairette à gros grains, Clairette à petits grains, Clairette de Trans, Picardan et Clairette rose, plus Ugni blanc, Ugni rosé, Grenache blanc, Muscat de Frontignan, Muscat de Die, Panse Muscade, Picpoul, Pascal, Aragnan, Colombard, Terret-Bourret

Entre 7 et 20 ans

BLANC. Vins secs, fermes mais nerveux, au caractère aromatique curieux mais agréable.

Au moins 55 % au total de Clairette à gros grains, Clairette à petits grains, Clairette de Trans, Picardan et Clairette rose, plus Ugni blanc, Ugni rosé, Grenache blanc, Muscat de Frontignan, Muscat de Die, Panse Muscade, Picpoul, Pascal, Aragnan, Colombard, et jusqu'à 20 % de Terret-Bourret

ROSÉ. Vins bien faits mais non exceptionnels, peut-être un peu trop sérieux pour leur niveau.

Au moins 50 % au total de Mourvèdre (à lui seul au moins 10 % de ce chiffre), Grenache et Cinsault, plus Téoulier, Durif, Muscat noir de Provence, Muscat de Marseille, Muscat d'Aubagne, Muscat de Hambourg, Carignan, Syrah, Castets, Brun-Fourcat, Terret gris, Petit-brun, Tibouren, Cabernet Sauvignon, et jusqu'à 15 % au total de Clairette à gros grains, Clairette à petits grains, Clairette de Trans, Picardan et Clairette rose, plus Ugni blanc, Ugni rosé, Grenache blanc, Muscat de Frontignan, Muscat de Die, Panse Muscade, Picpoul, Pascal, Aragnan, Colombard, Terret-Bourret

☆ Château Simon

PATRIMONIO AOC

Petite appellation à l'ouest de Bastia.

ROUGE. Quelques vins de belle qualité, bien colorés, corsés et fruités.

Au moins 60 % de Niellucci (75 % à partir de 1995, et 90 % à partir de 2000), plus Grenache, Sciacarello, Vermentino

BLANC. Vins légers et secs, riches d'un caractère remarquablement parfumé et floral pour la Corse.

Au moins 80 % de Vermentino (90 % à partir de 1995 et 100 % à partir de 2000) ; jusque-là, un complément d'Ugni blanc est autorisé.

ROSÉ. Vins secs rose corail à la saveur élégante, d'un bon rapport qualité/prix.

Mêmes cépages que pour le vin rouge, autorisés dans les mêmes proportions

☆ Clos de Bernardi, Dominique Gentile, Domaine Leccia, Clos Marfisi, Clos de Morta Maio

VIN DE BANDOL AOC

Voir Bandol AOC.

VIN DE BELLET AOC

Voir Bellet AOC.

VIN DE CORSE AOC

Appellation générique couvrant toute l'île.

ROUGE. Honnêtes vins rouges fruités, ronds et nets, au charme rustique.

Au moins 50 % de Nielluccio, Sciacarello et Grenache noir, plus Cinsault, Mourvèdre, Barbarossa et Syrah, et jusqu'à 20 % au total de Carignan et Vermentino

BLANC. Les meilleurs sont nets, frais et bien faits, mais en deçà du « niveau AOC ».

Au moins 75 % de Vermentino et jusqu'à 25 % d'Ugni blanc

ROSÉ. Vins secs séduisants et fruités.

Mêmes cépages que pour le vin rouge, autorisés dans les mêmes proportions

☆ Domaine de Furgoli, Domaine de Maisoleu, Domaine de Pietralba, Ets Nicolas

VIN DE CORSE CALVI AOC

Au nord d'Ajaccio, cette sous-appellation du Vin de Corse emploie les mêmes cépages et satisfait aux mêmes normes techniques.

☆ Couvent d'Alzipratu, Clos Landry

VIN DE CORSE COTEAUX-DU-CAP-CORSE AOC

La péninsule nord de l'île est une sous-appellation du Vin de Corse qui utilise les mêmes cépages, à ceci près que le Codivarta peut servir avec l'Ugni blanc à compléter le Vermentino.

☆ Clos Nicrosi

VIN DE CORSE FIGARI AOC

Située entre Sartène et Porto-Vecchio, cette sous-appellation du Vin de Corse emploie les mêmes cépages et satisfait aux mêmes normes techniques.

☆ Poggio d'Oro, Domaine de Canella

VIN DE CORSE PORTO-VECCHIO AOC

L'extrémité sud-est de l'île, autour de Porto-Vecchio, est une sous-appellation du Vin de Corse qui utilise les mêmes cépages et satisfait aux mêmes normes techniques.

☆ Fior di Lecci, Domaine de Torraccia

VIN DE CORSE SARTÈNE AOC

Au sud d'Ajaccio, cette sous-appellation du Vin de Corse emploie les mêmes cépages et satisfait aux mêmes normes techniques.

☆ Domaine Mosconi

Vins de pays

Les vins de pays français sont des vins rouges, blancs ou rosés sans prétention, censés refléter, fût-ce de façon rudimentaire, les caractéristiques principales des vins les plus fins et les plus célèbres de leur région : ils doivent avoir un certain charme rustique et être agréables à boire. La plupart des vins de pays se trouvent en Languedoc-Roussillon, parce que ce système fut conçu pour encourager la production de vins de meilleure qualité au bas de l'échelle et pour endiguer le flot de vins ordinaires que produisait autrefois cette région. Fort heureusement, ce concept a donné de bons résultats dans la pratique.

L'expression « Vin de pays » est apparue pour la première fois dans un décret daté du 8 février 1930, qui autorisait les producteurs à faire mention du canton d'origine de leurs vins à condition que ceux-ci atteignent un certain degré alcoolique – Vin de pays du Canton X, par exemple. Ces cantons n'étaient pas des appellations contrôlées : il n'existait aucun moyen d'imposer un niveau minimal de qualité, et les quantités relativement faibles de ces vins de pays étaient souvent le produit de cépages hybrides inférieurs. Ce n'est qu'en 1973 que le concept d'une catégorie supérieure de vins de table, originaires d'une région définie et soumis à de stricts contrôles, est né officiellement. En 1976, 75 vins de pays avaient vu le jour, mais ils furent tous redéfinis entre 1981 et 1982, cependant que 20 autres étaient créés. Il en existe actuellement 132 mais ce nombre fluctue à mesure que certains sont promus au rang VDQS et que de nouveaux sont créés.

Officiellement, un vin de pays est un vin de table provenant d'une région bien précise et conforme à des normes de qualité très proches – mais moins rigoureuses bien sûr – de celles qui régissent les vins d'AOC et les VDQS.

Il existe trois catégories de vins de pays : les vins de pays de zone (limités à une zone restreinte, parfois une seule commune), de département (couvrant un département entier) et régionaux (couvrant plusieurs départements). Aucune différence de qualité officielle ne sépare ces trois catégories.

Bien qu'il ne soit pas absurde de penser qu'un vin de pays de zone a plus de personnalité qu'un vin de pays de département, issu d'une aire plus vaste, ce n'est pas toujours le cas. En outre, un viticulteur d'une zone spécifique peut choisir de vendre son vin sous une dénomination plus générique pour de simples raisons commerciales. Dans le Val de Loire, par exemple, un vigneron établi dans l'aire du Vin de Pays de Retz risque d'avoir du mal à commercialiser son vin sous ce nom ; il pourra alors préférer le vendre comme Vin de Pays du Jardin de la France, nom charmant qui évoque la vallée de la Loire et donc une certaine idée de qualité. La taille de l'aire de production d'un vin de pays est parfois trompeuse : bien des départements sont relativement peu féconds comparés à certaines zones.

Dans l'ensemble, il ne faut pas aborder les vins de pays de façon trop sérieuse, encore que certains, comme le Vin de Pays du Mont Caume, pur Cabernet Sauvignon de Bunan, puissent se prévaloir d'une qualité exceptionnelle.

Les vins de pays de France

Tous les vins de pays existants figurent par ordre alphabétique dans la liste ci-dessous, accompagnés d'un bref commentaire. Chacun est précédé d'une lettre, **Z**, **D** ou **R**, suivant qu'il provient d'une zone, d'un département ou d'une région. Les vins de pays de zone sont en outre numérotés. Sur les cartes des pages 198 et 199, les vins de pays de zone sont indiqués au moyen de leur numéro, les vins de pays de départements par leur nom et les trois vins de pays régionaux à l'aide de couleurs (*voir* légende p. 199).

Pour faciliter le repérage de Vins de pays spécifiques, tous ceux qui figurent sur la carte de la page 199 sont suivis d'un astérisque, mais non ceux de la page 198.

Note : Les pourcentages donnés entre parenthèses correspondent à une proportion de la production annuelle du vin de pays.

Z(1) AGENAIS*
Vins rouges, blancs et rosés issus d'un mélange de cépages bordelais classiques et de quelques cépages rustiques, dont le Tannat et le Fer.

D AIN*
Petite production de vins blancs nerveux, faits surtout à Seyssel et dans une enclave de vignes autour d'Ars.

Z(2) ALLOBROGIE*
Vins blancs (95 %) dominés par le raisin de Jacquère et vins rouges issus essentiellement des cépages Gamay et/ou Mondeuse. Les vins sont élaborés dans un style savoyard rustique.

D ALPES DE HAUTE-PROVENCE*
À peu près deux tiers de vins rouges et un tiers de vins blancs secs provenant du sud-est du département qui peut produire aussi du rosé.

D ALPES-MARITIMES*
Vins rouges (70 %) et rosés (30 %) issus des cépages Carignan, Cinsault, Grenache, Ugni blanc et Rolle, provenant pour la plupart des communes de Carros, Mandelieu et Mougins. Ce département peut produire aussi des vins blancs.

Z(3) ARDAILHOU
Vin rouge fruité et un peu de rosé sec produits sur la côte de l'Hérault.

D ARDÈCHE*
Vins rouges et blancs issus de divers cépages rhodaniens et bordelais, produits à une échelle limitée.

Z(4) ARGENS*
Vins rouges, blancs et rosés dans le style provençal rustique.

D AUDE*
Vins rouges (75 %) et rosés (25 %), frais et fruités, et un peu de vin blanc.

Z(5) BALMES DAUPHINOISES*
Vin blanc sec (60 %) issu de la Jacquère et du Chardonnay et vin rouge (40 %) issu de Gamay et du Pinot noir. Cette zone peut produire aussi du rosé.

Z(6) BÉNOVIE
Vins rouges (75 %), blancs (20 %) et rosés (5 %) dans le style des Coteaux-du-Languedoc.

Z(7) BÉRANGE
Vins rouges et rosés issus des cépages régionaux traditionnels auxquels s'ajoute la Syrah. Cette zone peut produire aussi du vin blanc.

Z(8) BESSAN
Les rosés secs et aromatiques sont les plus connus, mais on y produit aussi des vins blancs secs (40 %) et un peu de vin rouge.

Z(9) BIGORRE*
Essentiellement du vin rouge plein et riche de type Madiran et un peu de bon vin blanc sec nerveux. Cette zone peut produire aussi du rosé.

D BOUCHES-DU-RHÔNE*
Les vins rouges, chauds et épicés, dans le style provençal prédominent. S'y ajoutent des rosés secs et un vin blanc sec produit en très petite quantité.

Z(10) BOURBONNAIS
Zone du Val de Loire qui ne produit que du vin blanc.

Z(11) CASSAN
Deux tiers de vin rouge et un tiers de rosé produits en quantités modestes.

Z(12) CATALAN
Vin rouge (70 %) très réussi, bien coloré et fruité, issu du Grenache, du Carignan et du Cinsault ; rosé sec (20 %) et vin blanc sec (10 %). Cette zone féconde est spécialisée dans le vin de primeur.

Z(13) CAUX
Bon rosé sec typé et fruité dans le style languedocien, ainsi que du vin rouge (40 %) et un peu de vin blanc.

Z(14) CESSENON
Vins rouges dans le style rustique des Saint-Chinian, et un peu de rosé.

Z(15) CHARENTAIS*
Très bons vins blancs secs nerveux et incisifs, un peu de vin rouge et de rosé.

D CHER*
Vins rouges essentiellement à base de Gamay, dans le style tourangeau, vin gris léger produit en petites quantités et un peu de vin blanc sec de Sauvignon comparable à un Sancerre ou un Menetou-Salon rustique.

Z(16) COLLINES DE LA MOURE
Vins rouges (65 %), rosés secs (30 %) et blancs secs (5 %). Les rouges et les rosés sont faits de cépages régionaux assemblés à des cépages du Sud-Ouest ; les vins blancs sont à base d'Ugni blanc.

Z(17) COLLINES RHODANIENNES*
Vins rouges (95 %) à base de Gamay et de Syrah, et vins blancs secs (5 %) dominés par la Marsanne. Cette zone peut produire aussi du rosé et fait un peu de vin de primeur.

Z(18) COMTÉ DE GRIGNAN*
Vins rouges essentiellement dominés par le Grenache. Cette zone peut produire aussi du rosé et du vin blanc sec, lequel est issu du cépage Ugni blanc et de cépages rhodaniens.

R COMTÉ TOLOSAN
Vins rouges, blancs et rosés produits en quantités modestes.

Z(19) CÔTE VERMEILLE
Vins rouges, blancs et rosés provenant de l'aire de Collioure dans le Roussillon, devenus vins de pays en 1987.

Z(20) COTEAUX DE L'ARDÈCHE*
Vins rouges (90 %) épicés, particulièrement réussis, rosés (7 %) et blancs (3 %), issus de cépages originaires du Bordelais et du Rhône. La production annuelle est immense : plus de deux millions de caisses (180 000 hl).

Z(21) COTEAUX DES BARONNIES*
Vins rouges (95 %) et rosés (5 %) issus des cépages traditionnels du Rhône complétés par des cépages bordelais. Cette zone produit aussi un peu de vin blanc.

Z(22) COTEAUX DE BESSILLES
Vins rouges, blancs et rosés provenant du département de l'Hérault, devenus vin de pays en 1987.

Z(23) COTEAUX DE LA CABRERISSE
Vins rouges (80 %) et rosés (20 %) ; quelques vins de primeur.

Z(84) COTEAUX CATHARES
voir Torgan

Z(24) COTEAUX CÉVENOLS
Vins rouges (60 %) et rosés secs (40 %), dans un style languedocien honnête et fruité. Cette zone peut produire aussi des vins blancs secs.

Z(25) COTEAUX DE CÈZE
Environ deux tiers de vin rouge et un tiers de rosé, et un peu de vin blanc sec dans le style des Côtes-du-Rhône.

Z(26) COTEAUX CHARITOIS*
Vins blancs de la vallée de la Loire.

Z(27) COTEAUX DU CHER ET DE L'ARNON*
Vins rouges et gris issus du Gamay et vins blancs secs de Sauvignon blanc.

Z(28) COTEAUX DE LA CITÉ DE CARCASSONNE
Vins rouges (environ 75 %) et rosés (environ 25 %) issus d'un grand nombre de cépages. Cette zone peut aussi produire du vin blanc.

Z(29) COTEAUX D'ENSERUNE
Deux tiers de vin rouge et un tiers de rosé issus de cépages languedociens, auxquels s'ajoutent la Syrah et quelques cépages du Sud-Ouest.

Z(30) COTEAUX DES FENOUILLÈDES
Vins rouges (90 %), rosés (2 %) et blancs (8 %), dans un style roussillonnais ample et riche.

Z(31) COTEAUX FLAVIENS
Vins rouges (60 %), rosés (30 %) et blancs (10 %) issus de cépages languedociens typiques.

Z(32) COTEAUX DE FONTCAUDE
Vins rouges (80 %) légers et frais et rosés secs (20 %).

Z(33) COTEAUX DE GLANES*
Vins rouges dominés par le Gamay et le Merlot, et quelques rosés.

Z(34) COTEAUX DU GRÉSIVAUDAN
Vins rouges et rosés dans le style savoyard, faits de Gamay, Pinot noir et Étraire de la Dui (cépage local), et vins blancs secs à base de Jacquère.

Z(35) COTEAUX DE LAURENS
Vins rouges, quelques rosés, et peu de blancs, issus des cépages régionaux traditionnels complétés par la Syrah.

Z(36) COTEAUX DU LÉZIGNANAIS
Vins rouges (80 %) issus de cépages languedociens traditionnels, rosés secs (20 %) et très peu de vins blancs.

Z(37) COTEAUX DU LIBRON
Vins rouges (80 %) et rosés (20 %) issus de cépages du Sud-Ouest.

Z(38) COTEAUX DU LITTORAL AUDOIS
Vins rouges (jusqu'à 85 %) et rosés (15 %), et un peu de blanc issu du Grenache blanc et du Macabéo.

Z(39) COTEAUX DE MIRAMONT
Vins rouges, issus des cépages régionaux traditionnels et de la Syrah, un peu de rosé et quelques primeurs.

Z(40) COTEAUX DE MURVIEL
Vins rouges (80 %) et rosés (20 %) qui livrent un fruité léger typiquement languedocien.

Z(41) COTEAUX DE NARBONNE
Vins rouges, blancs et rosés provenant de la zone côtière des Corbières.

Z(42) COTEAUX DE PEYRIAC
Vins rouges (85 %) amples et rustiques issus des cépages régionaux complétés par la Syrah ; vins rosés et un peu de vin blanc.

Z(43) COTEAUX DU PONT DU GARD
Vins rouges et rosés dans le style typiquement languedocien, et vins blancs secs. Les vins de primeur sont une spécialité locale.

Z(44) COTEAUX DU QUERCY*
Vins rouges d'une riche couleur, bien étoffés mais précoces, dominés par le Gamay et le Merlot.

Z(45) COTEAUX DU SALAGOU
Vins rouges (80 %) et rosés (20 %) issus des cépages languedociens traditionnels.

Z(46) COTEAUX DU SALAVÈS
Vins rouges (80 %) et rosés (20 %) issus d'une vaste gamme de cépages languedociens et bordelais, et vins blancs primeurs produits en très petites quantités.

Z(47) COTEAUX DU TERMÉNÈS
Production irrégulière de vins rouges, rosés et blancs et de vins de primeur, au centre des Hautes-Corbières.

Z(48) COTEAUX ET TERRASSES DE MONTAUBAN*
Vins rouges et rosés du Tarn-et-Garonne.

Z(49) CÔTES DU BRIAN
Vins rouges et rosés issus de cépages languedociens, principalement le Carignan, auxquels peut s'ajouter la Syrah.

Z(50) CÔTES CATALANES
Vins rouges et rosés issus des cépages Cabernet, Gamay, Syrah, Tannan et Jurançon noir. Cette zone peut aussi produire du vin blanc.

Z(51) CÔTES DU CÉRESSOU
Production relativement importante de vins rouges (60 %), rosés (15 %) et blancs (25 %) du Languedoc, légers et fruités.

Z(52) CÔTES DU CONDOMOIS*
Vins rouges (60 %) dominés par le Tannat, vins blancs (40 %) faits de Colombard et Ugni blanc, et un peu de rosé.

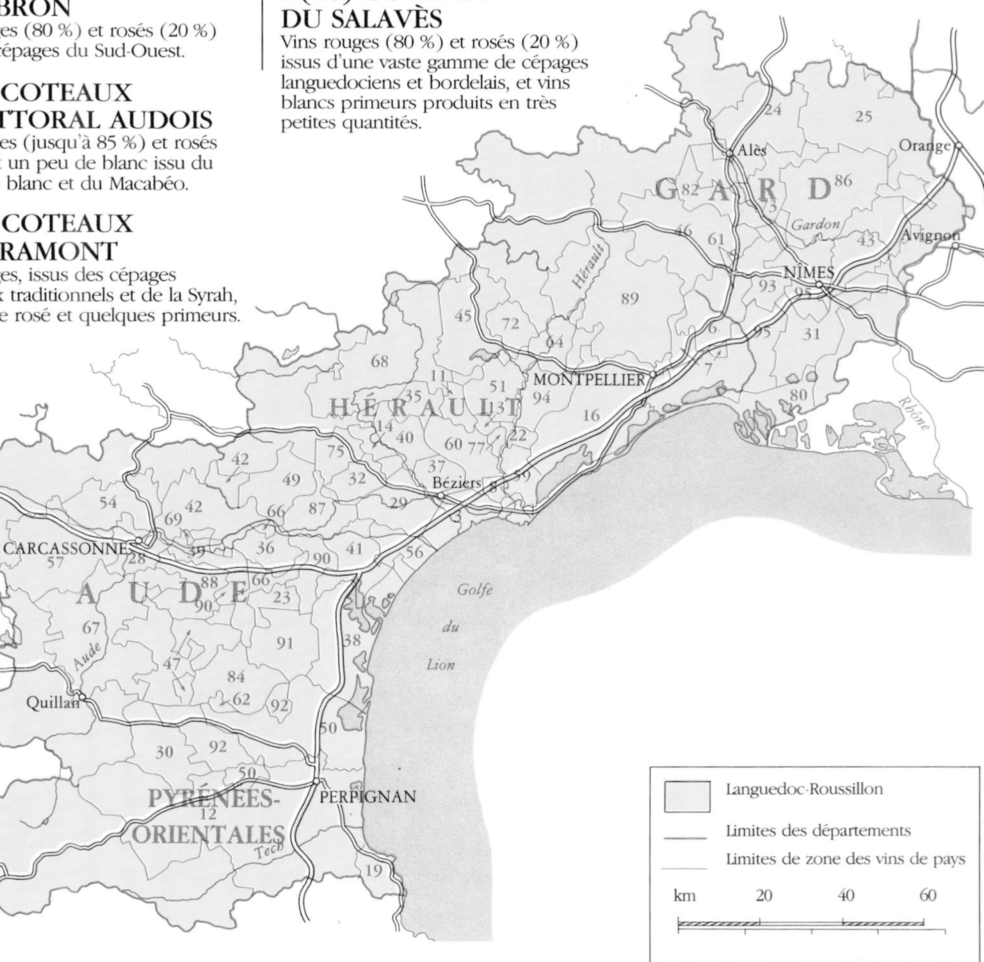

Z(53) CÔTES DE GASCOGNE*

Vins blancs secs et acides qui sont des vins d'Armagnac non distillés. Les vins issus du Colombard sont les plus légers ; le cépage Ugni blanc donne des vins plus gras et plus intéressants ; on utilise aussi le Manseng et le Sauvignon blanc. Des vins rouges et rosés sont également produits.

Z(54) CÔTES DE LASTOURS

Essentiellement des vins rouges (80 %) et rosés (20 %), mais cette zone peut aussi produire des vins blancs et les vins de primeur sont une spécialité locale.

Z(55) CÔTES DE MONTESTRUC*

Vins rouges faits d'Alicante Bouschet, Cabernet, Malbec, Merlot et Jurançon noir, et vins blancs issus des cépages Colombard, Mauzac et Ugni blanc.

Z(56) CÔTES DE PÉRIGNAN

Vins rouges et rosés pour la plupart, provenant des petits sites de La Clape. Cette zone peut aussi produire du vin blanc et fait un peu de vin de primeur.

Z(57) CÔTES DE PROUILLE

Vins rouges, blancs et rosés provenant du département de l'Aude.

Z(58) CÔTES DU TARN*

Vins rouges, blancs et rosés issus de cépages du Bordelais et du Sud-Ouest auxquels s'ajoute le Portugais bleu.

Z(59) CÔTES DE THAU

Vins rouges (60 %), rosés (35 %) et blancs (5 %).

Z(60) CÔTES DE THONGUE

Vins rouges (70 %) et rosés (25 %) issus de cépages régionaux, et vins blancs (5 %) essentiellement à base d'Ugni blanc. Les vins primeurs, faits de Merlot, Syrah et Carignan, sont une spécialité locale.

Z(61) CÔTES DU VIDOURLE

Deux tiers de vin rouge et un tiers de rosé.

Z(62) CUCUGNAN

Vins rouges essentiellement, encore que cette zone puisse aussi produire du rosé.

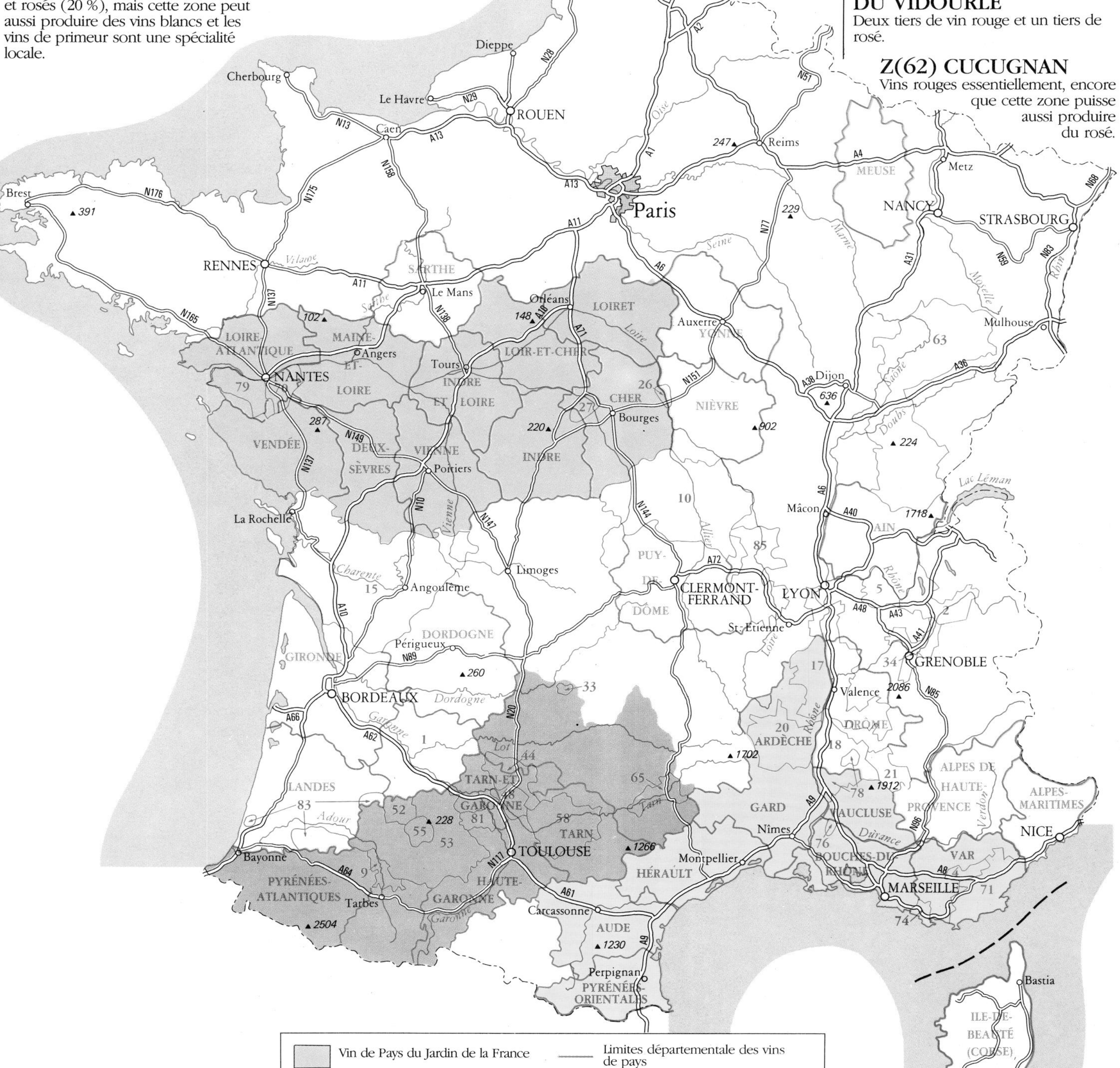

D DEUX-SÈVRES*
Vins simples provenant des vignobles au sol le plus riche (donc le moins propice à la vigne) du Pays nantais.

D DORDOGNE*
Vins rouges et blancs dans un style bergeracois rustique.

D DRÔME
Vins rouges, blancs et rosés issus de cépages rhodaniens typiques, proches par le style des vins d'AOC Coteaux-du-Tricastin.

Z(63) FRANCHE-COMTÉ*
Vins rouges, blancs et rosés. Les blancs sont particulièrement bons.

D GARD*
Deux tiers de vin rouge et un tiers de vin blanc et de rosé.

D GIRONDE*
Vins rouges et blancs provenant d'aires qui ne produisent pas de Bordeaux.

Z(64) GORGES DE L'HÉRAULT
Vins rouges (70 %) et rosés (30 %) dans le style languedocien. Cette zone peut aussi produire du vin blanc.

Z(65) GORGES ET CÔTES DE MILLAU*
Vins rouges, issus de Gamay, Syrah, Cabernet, Malbec et Fer, et minuscule récolte de vins blancs. Cette zone peut aussi produire du rosé. Le vin de primeur est une spécialité locale.

D HAUTE-GARONNE*
Vins rouges et rosés faits de raisins de Négrette dans la région du Frontonnais, et de Merlot, Cabernet, Syrah et Jurançon noir dans des vignobles disséminés ailleurs.

Z(66) HAUTERIVE EN PAYS D'AUDE
Vins rouges issus de plusieurs cépages traditionnels du Languedoc et du Sud-Ouest, un peu de vin de primeur et des vins blancs et rosés produits en petites quantités.

Z(67) HAUTE-VALLÉE DE L'AUDE
Vins rouges essentiellement, issus de cépages bordelais, et vins blancs secs et rosés.

Z(68) HAUTE-VALLÉE DE L'ORB
Production très limitée : des vins rouges et un peu de rosé.

Z(69) HAUTS DE BADENS
Vins rouges et rosés élaborés dans le style Minervois rustique.

D HÉRAULT*
Vins rouges (75 %), rosés (20 %) et blancs (5 %). La production atteint 9 millions de caisses (810 000 hl). Ces vins, qui symbolisaient autrefois la médiocrité méridionale, se sont considérablement améliorés grâce aux progrès réalisés dans le domaine de la viticulture et de la vinification.

D ÎLE DE BEAUTÉ
Les vins rouges et rosés représentent 95 % et les blancs 5 % de cette vaste production corse. Ils sont issus des cépages traditionnels de l'île.

D INDRE*
Vins rouges, blancs et rosés, dont un vin gris pâle, tous issus des cépages traditionnels de la Loire.

D INDRE-ET-LOIRE*
Les vins rouges, blancs et rosés sont tous issus des cépages traditionnels de la Loire.

R JARDIN DE LA FRANCE*
Vins rouges, blancs et rosés provenant d'une aire qui couvre toute la région du Val de Loire. Cette vaste production est composée surtout de vins blancs secs, dominés par le Chenin blanc ou le Sauvignon blanc.

D LANDES*
Vins rouges (80 %), blancs et rosés. Les vins rouges sont issus des cépages traditionnels du Sud-Ouest.

D LOIRE-ATLANTIQUE*
Les vins rouges et rosés, dont un vin gris, sont issus du Gamay et du Groslot. Hormis quelques expériences intéressantes avec le Chardonnay, les vins blancs sont élaborés à partir de la Folle blanche et du Melon de Bourgogne.

D LOIRET*
Petite production de vins rouges et rosés, dont un vin gris, issus du Gamay, et de vins blancs de Sauvignon.

D LOIR-ET-CHER*
Les vins rouges, blancs et rosés, dont un vin gris, produits dans ce département, sont tous issus des cépages traditionnels de la Loire.

D MAINE-ET-LOIRE*
Production substantielle de vins rouges, blancs et rosés issus des cépages traditionnels de la Loire.

Z(70) MARCHES DE BRETAGNE*
Vins rouges et rosés dominés par le Cabernet franc et le Gamay.

Z(71) MAURES*
Environ deux tiers de vin rouge et un tiers de rosé plus une très faible récolte de vin blanc. Leur style est provençal.

D MEUSE*
Vins rouges et rosés, dont un vin gris, issus du Pinot noir et du Gamay, et vins blancs à base de Chardonnay, Aligoté et Auxerrois.

Z(72) MONT BAUDILE
Environ deux tiers de vin rouge et un tiers de rosé plus un peu de vin blanc.

Z(73) MONT BOUQUET
Deux tiers de vin rouge et un tiers de rosé dans une sorte d'ample style languedocien.

Z(74) MONT CAUME*
Vins rouges (55 %), rosés (40 %) et blancs (5 %) issus essentiellement des cépages traditionnels du Rhône.

Z(75) MONTS DE LA GRAGE
Vins rouges et rosés dans le style languedocien de base, souvent renforcés par du raisin de Syrah.

D NIÈVRE*
Vins rouges, blancs et rosés.

R OC*
Vins rouges (75 %), rosés (20 %) et blancs (5 %) de qualité variable.

Z(76) PETITE CRAU*
Vins rouges (70 %), rosés (15 %) et blancs (15 %), dans un style à mi-chemin entre la vallée du Rhône et la Provence.

Z(77) PÉZENAS
À peu près 70 % de vin rouge et 30 % de rosé, plus une petite production de vin blanc et de vin de primeur.

Z(78) PRINCIPAUTÉ D'ORANGE*
Vin rouge ample, issu essentiellement de cépages rhodaniens, et du rosé.

D PUY-DE-DÔME*
Vins rouges, blancs et rosés simples.

D PYRÉNÉES-ATLANTIQUES*
Deux tiers de vin rouge et un tiers de blanc issus de cépages du Sud-Ouest.

D PYRÉNÉES-ORIENTALES
Grosse production de vins rouges, blancs et rosés pleins et fruités.

Z(79) RETZ*
Le rosé issu du Groslot prédomine, accompagné d'un peu de vin rouge à base de Cabernet et d'une petite production de vin blanc.

Z(80) SABLES DU GOLFE DU LION
Deux tiers de vin rouge et un tiers de rosé, dont une forte proportion de vin gris, plus une petite récolte de blanc.

Z(81) SAINT-SARDOS*
Vins rouges, blancs et rosés issus d'un mélange de cépages du Sud-Ouest.

D SARTHE*
Sont autorisés les vins rouges, blancs et rosés mais la récolte est minuscule et limitée peut-être à un seul producteur établi à Marçon.

Z(82) SERRE DU COIRAN
Deux tiers de vin rouge et un tiers de rosé, dont une petite récolte de vin de primeur.

D TARN-ET-GARONNE*
Vins rouges et un peu de rosé.

Z(83) TERROIRS LANDAIS*
Vin de pays de zone créé en 1987.

Z(84) TORGAN
Vins rouges, blancs et rosés.

Z(85) URFÉ*
Petite production de vin rouge. Cette zone peut aussi faire du vin blanc et du rosé.

Z(86) UZÈGE
Vins rouges (70 %), rosés (20 %) et blancs (10 %) dans un bon style languedocien.

Z(87) VAL-DE-CESSE
Vins rouges, blancs et rosés.

Z(88) VAL-DE-DAGNE
Production substantielle de vins rouges, blancs et rosés.

Z(89) VAL DE MONTFERRAND
Importante production de vins rouges (70 %), rosés (20 %) et blancs (10 %). Cette zone a une double spécialité : le vin primeur et le vin d'une nuit.

Z(90) VAL D'ORBIEU
Deux tiers de vin rouge et un tiers de rosé issus des cépages traditionnels du Rhône. Cette zone peut produire du vin blanc et fait des vins de primeur.

Z(91) VALLÉE DU PARADIS
Grosse production de vins rouges, dont une petite part de primeurs.

Z(92) VALS D'AGLY
Vins rouges (95 %), rosés (4 %) et blancs (1 %), un peu de vin primeur.

D VAR*
Vins rouges (65 %), rosés (30 %) et blancs (5 %) aux saveurs provençales épicées.

D VAUCLUSE*
Très forte production de vins rouges (70 %), rosés (15 %) et blancs (15 %) dans le style caractéristique du sud de la vallée du Rhône.

Z(93) VAUNAGE
Vins rouges légers typiques du Languedoc.

D VENDÉE*
Vins rouges, blancs et rosés produits en petites quantités qui ressemblent aux vins des Fiefs vendéens.

Z(94) VICOMTÉ D'AUMELAS
Vins rouges (80 %) et rosés (20 %) plus un peu de vin blanc, issus des cépages traditionnels du Sud-Ouest.

D VIENNE
Vins rouges, blancs et rosés provenant de la région du Haut-Poitou.

Z(95) VISTRENQUE
Toute petite récolte de vins rouges et rosés. Cette zone peut aussi produire du vin blanc.

D YONNE*
Vins blancs uniquement.

LES VINS
D'ALLEMAGNE

Allemagne

L'efficacité est la clef de la réussite vinicole en Allemagne, et la qualité de ses vins est fondée sur leur richesse en sucre. Ce pays qui ne possède que 1 % des vignobles du monde produit 13 % de ses vins. Tous les vins sont classés en fonction du contenu naturel en sucre des raisins ; plus ce taux est élevé, meilleure est la qualité. Les plus grands vins allemands sont donc inévitablement des vins blancs moelleux.

Lorsqu'un producteur allemand met un vin en bouteille, son objectif est de capturer la fraîcheur du raisin qui le compose. Des plus modestes aux plus grands, le secret des vins allemands réussis réside dans l'harmonie entre la douceur et l'acidité. À l'exception des meilleurs vins *trocken* ou secs, l'alcool n'intervient pas dans la notion de qualité.

LA HIÉRARCHIE QUALITATIVE EN ALLEMAGNE

La législation allemande dans le domaine vinicole est, en général, très précise. Dans nombre de cas, son interprétation est d'une clarté sans égale dans les autres pays producteurs, mais dans d'autres, une certaine confusion a conduit à des abus qu'on ne connaîtrait pas dans des pays aux systèmes moins raffinés. Lorsque la CEE mit au point ses réglementations relatives au vin, l'Allemagne fut contrainte de revoir les siennes, si bien qu'en 1971 une « nouvelle » réglementation vit le jour. Sans doute l'aspect le plus remarquable de ces textes révolutionnaires était-il la réduction du nombre de vignobles – de 25 000 à quelque 2 600 –, et leur regroupement dans un cadre qualitatif par région, zone ou site. Pour l'exportation, ce nouveau système permettait de donner une image bien plus tangible des vins allemands, mais il comportait des failles importantes. Les plus grands vignobles allemands y ont perdu leur identité et le prestige qui ne vient qu'avec les années.

LE FACTEUR SUCRE

Le régime des vins allemands est fondé sur l'équation entre maturité et grandeur. À bien des égards, cela n'a rien d'absurde, car il faut effectivement du raisin mûr pour faire du bon vin. Mais poussé à son terme, ce raisonnement signifierait qu'un vin sec est intrinsèquement inférieur à un vin moelleux.

Les catégories de qualité du tableau ci-dessous sont liées au degré de maturité du raisin, donc à la date des vendanges. Tous les vignobles allemands sont vendangés par tries successives, comme dans le Sauternais (*voir* p. 71). Ces tries commencent dès que le raisin est assez sucré pour faire du *Deutscher Tafelwein* (dans les vignobles les plus modestes) ou du *QbA* (dans les meilleurs).

LA HIÉRARCHIE QUALITATIVE

Ce tableau est simplificateur car chaque catégorie varie suivant le cépage et l'aire d'origine. Des chiffres plus détaillés sont donnés pour chacune des régions (*voir* p. 204 et 205).

Catégorie	Degré Oechsle minimal	Degré minimal d'alcool potentiel
*Deutscher Tafelwein**	44-50°	5-5,9°
*Landwein**	47-55°	5,6-6,7°
*Qualitätswein bestimmter Anbaugebiete (QbA)**	50-72°	5,9-9,4°
Qualitätswein mit Prädikat (QmP) :		
Kabinett	67-85°	8,6-11,4°
Spätlese	76-95°	10-13°
Auslese	83-105	11,1-14,5°
Beerenauslese	110-128°	15,3-18,1°
Eiswein	110-128°	15,3-18,1°
Trockenbeerenauslese (TBA)	150-154°	21,5-22,1°

*La chaptalisation est autorisée et nécessaire si le taux d'alcool potentiel est inférieur à 8,5°.

Tous les vins allemands sont classés suivant le taux de sucre du moût, lequel se mesure en degrés Oechsle en comparant sa masse volumique à celle de l'eau. L'eau ayant une masse volumique de 1 000, un moût de masse volumique 1 050 titrera 50° Oechsle. Plus le climat est chaud, plus le taux de sucre est élevé et plus le degré Oechsle est haut.

LES RÉGIONS VITICOLES

L'Allemagne viticole se compose de quatre grandes régions de *Deutscher Tafelwein*, qui regroupent huit sous-régions de *Tafelwein*, au sein desquelles il existe des infrastructures séparées pour 11 zones de *Qualitätswein* et 15 zones de *Landwein*. Les aires de *Qualitätswein*, appelées *Anbaugebiete*, regroupent 35 *Bereiche* ou secteurs qui contiennent 152 *Grosslagen* ou crus, qui à leur tour se divisent en quelque 2 600 *Einzellagen* ou vignobles.

Deutscher Tafelwein (régions)	*Deutscher Tafelwein* (sous-régions)	*Landwein* (districts)	*Qualitätswein* (aires) (*Anbaugebiete*)
Rhein-Mosel	Rhein	Ahrtaler Landwein	Ahr
		Starkenburger Landwein	Hessische Bergstrasse
		Rheinburgen Landwein	Mittelrhein
		Nahegauer Landwein	Nahe
		Altrheingauer Landwein	Rheingau
		Rheinischer Landwein	Rheinhessen
		Pfälzer Landwein	Rheinpfalz
	Mosel	Landwein der Mosel	Mosel-Saar-Ruwer
	Saar	Landwein der Saar	
Bayern	Main	Fränkischer Landwein	Franken
	Donau	Regensburger Landwein	
	Lindau	Bayerischer Bodensee-Landwein	
Neckar	–	Schwäbischer Landwein	Württemberg
Oberrhein	Römertor	Südbadischer Landwein	Baden
	Burgengau	Unterbadischer Landwein	

Dégustation d'un échantillon de vin de la Nahe
Le viticulteur observe les progrès d'un vin de l'Einzellage de Mandel.

Les fourchettes des taux de sucre et d'alcool sont conçues pour tenir compte des limites climatiques. Il est ainsi plus facile d'obtenir une meilleure maturation, et donc un degré Oechsle plus élevé, dans le pays de Bade, par exemple, que dans d'autres régions du Rhin ou en Moselle. Je ne suis cependant pas convaincu qu'il faille baisser les normes pour permettre à certains cépages d'atteindre plus facilement une qualité donnée lorsqu'ils sont cultivés dans des régions spécifiques.

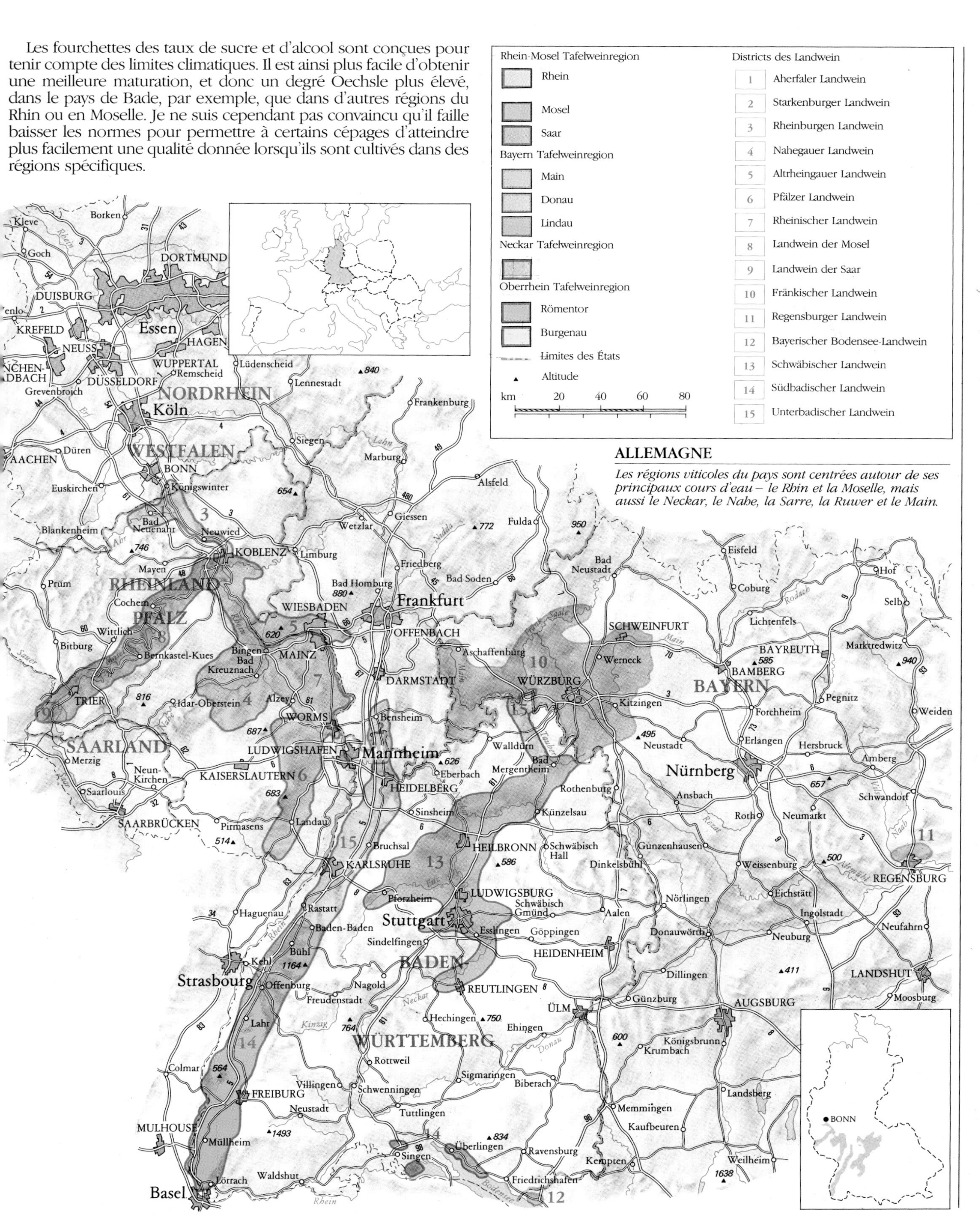

ALLEMAGNE

Les régions viticoles du pays sont centrées autour de ses principaux cours d'eau – le Rhin et la Moselle, mais aussi le Neckar, le Nahe, la Sarre, la Ruwer et le Main.

Le vin rouge allemand

Une personne qui déguste à l'aveugle un vin rouge allemand frais pensera pratiquement toujours qu'il s'agit d'un vin blanc. C'est en particulier le cas avec les vins qui ont un certain taux de sucre résiduel, soit parce que la fermentation a été arrêtée, soit parce qu'on y a ajouté de la *Süssreserve* (*voir* p. 206). L'*Auslese Rotwein* doux de même que le *Beerenauslese* sont courants. On tend à faire des vins rouges plus secs, voire franchement secs, mais ceux-ci n'ont généralement pas la structure classique, le corps, la profondeur, les tanins et la couleur que le reste du monde estime indispensables au vin rouge, si modeste soit-il.

L'ÉVOLUTION DU GOÛT

Le goût actuel des vins allemands s'appuie sur une tradition plus que séculaire. En dehors de l'Allemagne, c'est essentiellement en Grande-Bretagne qu'on apprécie les vins de la Moselle et du Rhin. Les deux guerres mondiales n'ont pas réussi à entamer l'engouement des Britanniques pour ces vins et ce pays demeure le plus gros client, suivi par les États-Unis qui achètent 30 % des exportations allemandes.

Il fut un temps où les Britanniques, dont on imitait l'exemple dans le reste du monde, ne buvaient que du *Hock*, nom qui ne désignait à l'origine que les vins de Hochheim, mais qui finit par recouvrir tous les vins blancs du Rhin. À la différence des vins légers et fruités que nous connaissons aujourd'hui, les vins du Rhin qui suscitaient la passion au XIXe siècle étaient des vins mûrs, de saveur ample et de couleur ambrée. Les verres à *Hock*, conçus pour refléter dans le vin la couleur ambrée qu'on aimait associer à l'âge, étaient munis de tiges brunes.

Une vente chez Christie's en mai 1777 proposait un « Excellent et authentique vieux *Hock* » du millésime 1719, et une autre vente londonienne en août 1792 un « *Hock* de Hochheim » de 1726. On n'imagine guère qu'un *Hock* moderne puisse encore être délicieux dans une soixantaine d'années, à moins qu'il ne s'agisse de *Trockenbeerenauslese*.

Les vins de Moselle

Lorsqu'on commença à aimer les vins de Moselle, la vogue était aux vins plus jeunes et plus légers, d'où les verres traditionnels à tige verte, conçus pour refléter dans les vins la verdeur désirée. Le nom de la rivière s'écrit Mosel en allemand, alors que certaines étiquettes destinées à l'exportation l'orthographient à la française, comme dans les Vins de Moselle VDQS produits en France.

LES RÉCOLTES ALLEMANDES DE 1984 À 1987

La production varie énormément en Allemagne, passant par exemple de 15,39 millions d'hectolitres (171 millions de caisses) en 1982 à 5,2 millions d'hectolitres (58 millions de caisses) en 1985. Il en va de même de la répartition dans les différentes catégories qualitatives, comme le montre le tableau ci-dessous.

Catégorie	1984	1985	1986	1987
Tafelwein à Landwein	16%	–	6%	4%
QbA	79%	51%	79%	82%
Kabinett	5%	30%	12%	13%
Spätlese	-	16%	3%	1%
Auslese à TBA	-	3%	–	–
Récolte				
Millions d'hectolitres	7,7	5,2	10,2	–
(Millions de caisses)	(85,5)	(58,1)	(113,3)	–
Superficie de vigne (ha)	92 195	92 858	93 220	–
Rendement (hl/ha)	83,4	55,9	109,4	–

NORMES DE QUALITÉ ET RÉPARTITION DE LA RÉCOLTE

Les variations d'un millésime à l'autre sont notoires en Allemagne. La plus grande partie du raisin est vendangée précocement, de manière à assurer un revenu minimal sous forme de *Deutscher Tafelwein* et de *QbA*. Les raisins restés sur pied peuvent éventuellement donner des vins de meilleure qualité, issus de vendanges plus tardives. La maturation de ces raisins est fondamentale pour la qualité et la nature de chaque millésime. Le degré de maturité atteint est exprimé en degrés Oechsle, et le degré minimal pour chaque *QmP* varie suivant la région et le cépage. Un degré Oechsle équivaut à une quantité de 2 à 2,5 grammes par litre de sucre. La quantité exacte de sucre dépend du taux d'extraits infermentescibles présents. Les chiffres pour chaque région sont donnés sous forme de tableaux.

LES NUMÉROS DE CODE AP

Tous les *QbA* et les *QmP*, y compris le *Deutscher Sekt*, doivent porter un numéro de code AP (*Amtliche Prüfnummer*). Ce numéro prouve que le vin a satisfait à divers tests gustatifs, analytiques, et d'origine. Chaque fois qu'un producteur sollicite un numéro *AP*, des échantillons scellés du vin approuvé sont conservés à la fois par le producteur et par la commission. En cas de plainte ou d'enquête pour fraude, ces échantillons sont analysés et comparés à un échantillon du produit vendu sur le marché. Comme tous les systèmes, il peut évidemment être contourné, mais on encourt ce faisant des peines de prison et une interdiction de vente pour les sociétés et les grandes firmes. Il est très utile de comprendre les numéros *AP*, en particulier dans le cas d'un *QbA* non millésimé tel qu'un Liebfraumilch, si l'on veut savoir depuis quand il est en bouteille.

1984

« BLUE NUN »

LIEBFRAUMILCH RHEINHESSEN

QUALITÄTSWEIN

4 = numéro de la commission d'examen

907 = numéro de la commune où le vin a été mis en bouteille

189 = numéro de l'embouteilleur

013 = numéro de la demande de l'embouteilleur

85 = année de la demande de l'embouteilleur

Les numéros de commune et d'embouteilleur sont les moins intéressants pour le consommateur. En revanche, les deux derniers lui fournissent de précieux renseignements. Pour le « Blue Nun », le 013 et le 85 signifient que c'est la treizième demande déposée en 1985 par Sichel, l'embouteilleur ou le producteur du vin, pour le millésime 1984, de son Liebfraumilch Rheinhessen. Elle a donc dû être précédée de douze autres lots de ce même vin plus tôt dans l'année 1985. Cette bouteille devrait par conséquent paraître bien plus fraîche qu'une bouteille portant le numéro 001. Le nombre de demandes déposées dans l'année est une indication sur le rythme de vente d'un vin donné. S'il s'agit d'un vin non millésimé à boire aussi jeune que possible, la date de la demande est révélatrice.

COMMENT LIRE UNE ÉTIQUETTE DE VIN ALLEMAND

Les étiquettes allemandes comportent de nombreux renseignements sur le style et l'origine du vin.

Millésime
Le vin doit être au moins à 85 % le produit de l'année indiquée (qui porte également le suffixe *er*).

Cépage
Celui-ci est souvent indiqué sur les étiquettes allemandes. Cet exemple-ci, marqué « Riesling », est un pur Riesling 100 %, alors que la teneur minimale est seulement de 85 %. Quand l'étiquette mentionne plusieurs cépages, ceux-ci figurent par ordre d'importance dans le vin : un Riesling-Kerner contient plus de Riesling que de Kerner.

Mosel-Saar-Ruwer
L'une des onze régions ou *Anbaugebiete* spécifiées, dont le nom doit figurer sur l'étiquette de tout *Qualitätswein bestimmter Anbaugebiete* (*QbA*) et *QmP*. L'une des quinze aires productrices et la mention *Deutscher Tafelwein* doivent apparaître s'il s'agit d'un *Landwein*.

Zeller Marienburger
Le vin provient de la commune de Zell, sur le cours inférieur de la Moselle, entre Reil et Bullay. Le suffixe *er* en allemand forme les adjectifs tirés des noms de lieu. Marienburger est le nom d'un Einzellage (site ou vignoble) dans Zell.

***Qualitätswein mit Prädikat* (*QmP*)**
Le vin appartient à la plus haute catégorie qualitative allemande et porte donc un *Prädikat* ou qualificatif, de *Kabinett* à *Trockenbeerenauslese* (*voir* p. 202).

GEGR. 1238
MOSEL·SAAR·RUWER
1985er
Zeller Marienburger Kabinett
RIESLING
Qualitätswein mit Prädikat
Amtliche Prüfnummer 1 640 767 1 86
PRODUCE OF GERMANY
ERZEUGERABFÜLLUNG
Schneider'sche Weingüterverwaltung
Kloster Machern, Zell/Mosel
KLOSTER MACHERN
KLOSTER MACHERN GMBH, WEINVERSAND
ZELL/MOSEL
750ml.

Kabinett
Le qualificatif ajouté au nom du vin correspond à la catégorie des vins les plus légers et les plus secs. Il peut se trouver placé avant ou après le nom du cépage.

Amtliche Prüfnummer ou Amtliche Prüfungsnummer
Le numéro *AP* qui figure sur tous les *QbA* et *QmP* correspond littéralement au « numéro de preuve officiel ». Le code varie avec chaque lot de vin soumis à une commission officielle et sa présence prouve que le vin a passé les tests d'origine, de dégustation et de laboratoire. *Voir* « Comprendre les numéros de code *AP* », p. 204.

Produce (ou Product) of Germany
Cette mention doit figurer sur toute bouteille de vin allemand exportée. Son absence signifie que le vin est issu de raisins provenant d'un autre pays.

Volume
Indication obligatoire quelle que soit la qualité.

Degré alcoolique
Obligatoire seulement pour les vins destinés à l'exportation.

Nom et adresse
Toute étiquette allemande doit comporter le nom et l'adresse du propriétaire du domaine et de l'embouteilleur. Cet exemple montre clairement que Kloster Machern appartient à Schneider'sche Weingüterverwaltung Kloster Machern, qui fait partie de Michel Schneider, petite maison d'exportation de qualité établie à Zell.

Kloster Machern
Nom du domaine. Cette propriété appartenait autrefois à un ancien ordre cistercien qui remonte à 1238.

Autres termes qui peuvent figurer sur l'étiquette :

Bereich
Ce mot figure sur l'étiquette si le vin porte l'appellation d'un Bereich – « Bereich Zell » par exemple.

Grosslage
L'un des principaux problèmes d'étiquetage des vins allemands. Un Grosslage, ou cru, est une aire relativement étendue (composée de plusieurs Einzellagen), sous le nom duquel se vendent des vins plutôt modestes. Or, le Grosslage figure après le nom d'une commune exactement comme les Einzellagen, au nombre de 2 600, si bien que le consommateur prend régulièrement les vins de Grosslage pour des Einzellagen. Cette confusion pourrait être facilement évitée si les producteurs étaient obligés de faire figurer la mention « Grosslage » sur l'étiquette comme ils le font pour « Bereich ». Tant que la législation ne sera pas modifiée, il n'existera pas de moyen simple pour faire la distinction entre ces deux types de vin.

Type de vin
La mention du type de vin (du sec au moelleux) est autorisée mais non obligatoire, même pour un *Landwein*, ce qui est assez curieux puisque celui-ci ne peut être que *trocken* ou *halbtrocken*. Les termes que l'on peut rencontrer sont les suivants :
Trocken, sec. La quantité de sucre résiduel est limitée à 4 g/l mais peut aller jusqu'à 9 g/l si l'acidité est inférieure ou égale à 2 g/l.
Halbtrocken, demi-sec. Le vin ne doit pas comporter plus de 18 g/l de sucre résiduel et 10 g/l d'acidité.
Lieblich, moelleux. Ce vin peut comporter jusqu'à 45 g/l de sucre résiduel.
Süss, liquoreux. Avec plus de 45 g/l de sucre résiduel, c'est un véritable vin liquoreux.

La mention *Rotwein* (vin rouge), *Weisswein* (vin blanc) ou *Rotling* (rosé) doit figurer sur les vins de toutes les catégories entre le *Tafelwein* et le *Landwein* inclusivement. Elle n'est obligatoire pour les *QbA* que s'il s'agit de rosé (et reste facultative pour les *QmP* rosés).

Weissherbst
Ce vin rosé provient d'un cépage noir unique. Le nom du cépage doit figurer sur l'étiquette et ce vin qui, à l'origine botrytisé, est maintenant au moins un *QbA*. Le Spätburgunder peut produire un beau vin frais et tendre, avec une saveur séduisante et souple.

Schillerwein
Rotling (rosé) du Wurtemberg qui peut être issu d'un assemblage de cépages noirs et blancs.

Badisch Rotgold
Rosé spécial fait d'un assemblage de Ruländer et de Spätburgunder. Au moins de niveau *QbA*, seul le pays de Bade peut le produire.

Perlwein
Vins pétillants bon marché obtenus par gazéification d'un vin tranquille. Ce sont généralement des vins blancs mais on trouve aussi des rouges ou des rosés.

Schaumwein
En l'absence d'autre précision, telle que *Qualitätsschaumwein*, il s'agit des moins chers des vins mousseux, sans doute un vin de coupage gazéifié provenant de divers pays de la CEE.

Qualitätsschaumwein
Tout pays de la CEE peut produire le « Vin mousseux de qualité » mais le pays d'origine doit être spécifié. Seul le *Deutscher Qualitätsschaumwein* provient d'Allemagne.

Deutscher Sekt* ou *Deutscher Qualitätsschaumwein
Vin mousseux obtenu par n'importe quelle méthode (généralement en cuve close), fait uniquement de raisin allemand. Deux noms de cépage, au maximum, peuvent figurer sur l'étiquette, et il doit avoir au moins dix mois avant la mise en vente.

Deutscher Qualitätsschaumwein* ou *Deutscher Sekt bestimmter Anbaugebiete
Vin mousseux obtenu par n'importe quelle méthode (généralement en cuve close) et provenant d'une région spécifiée. L'aire d'origine indiquée peut être plus petite à condition que 85 % du raisin en provienne.

Flaschengärung
Sekt (vin mousseux) fermenté en bouteille, mais pas nécessairement selon la méthode champenoise.

Flaschengärung nach dem traditionellen Verfahren
Sekt produit selon la méthode champenoise, bien que le vin ne soit pas très marqué par l'autolyse.

Für Diabetiker geeignet
« Convient aux diabétiques ». Les vins doivent être *trocken* (sec), contenir moins de 1,5 g/l d'anhydride sulfureux (au lieu de 2,25 g/l) et de pas dépasser 12°.

SÜSSRESERVE

La *Süssreserve* est un moût de raisin stérilisé qui peut comporter un ou deux degrés d'alcool, voire pas d'alcool du tout s'il a été traité avant que la fermentation ne commence. Elle contribue non seulement à la fraîcheur fruitée et à la douceur légendaires des vins allemands, mais permet aussi au vigneron de pouvoir corriger à la dernière minute l'équilibre d'un vin. La Süssreserve doit avoir la même origine que le vin auquel elle est ajoutée et une qualité ou un degré de maturité au moins équivalents. La quantité n'est pas limitée, mais est indirectement contrôlée par le rapport global sucre/alcool.

Qualité	g/l d'alcool pour chaque g/l de sucre résiduel	Exceptions	
Tafelwein	3	Franconie rouge	(5)
Qualitätswein	3	Franconie rouge	(5)
		Franconie blanc et rosé	(3,5)
		Wurtemberg rouge	(4)
		Rheingau blanc	(2,5)
Kabinett	pas de contrôle	Franconie rouge	(5)
		Franconie blanc et rosé	(3)

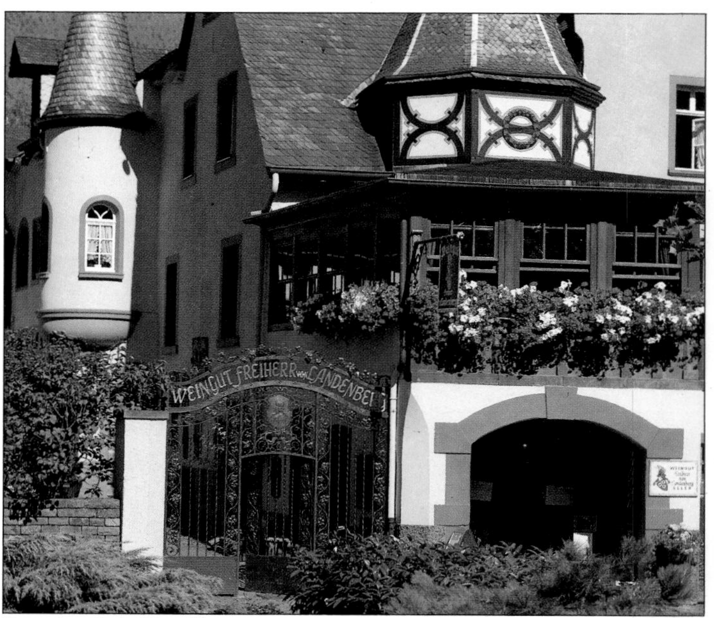

Domaine de la Moselle
Les pittoresques locaux de cette exploitation sont situés à Eller, à l'intérieur d'un coude de 180° que fait la Moselle près de Brême.

L'HISTOIRE DU LIEBFRAUMILCH

L'origine du Liebfraumilch (ou Liebfrauenmilch) a suscité nombre de théories. On pense généralement que le nom signifie « lait de Notre-Dame » et se réfère à un vin produit dans l'un des vignobles, petits et sans prétention, des faubourgs de Worms qui s'appelait autrefois Liebfrauenkirche ou Église Notre-Dame. Celui-ci fait désormais partie de Liebfrauenstift-Kirchenstück, qui appartient au Grosslage de 1 000 hectares Liebfrauenmorgen. Le vignoble qui a donné naissance au nom du Liebfraumilch n'a plus aucun lien avec le vin de coupage qu'on vend aujourd'hui sous ce terme, non plus d'ailleurs qu'avec celui qu'on vendait il y a plus d'un siècle. En revanche, la nature de ces premiers vins de Liebfraumilch, qui leur a valu leur réputation internationale et leurs ventes gigantesques est intéressante.

Le caractère générique de ce vin fut défini par la chambre de commerce de Worms en 1910, laquelle déclara que Liebfraumilch était un simple « nom de fantaisie » dont les négociants se servent pour désigner des « vins du Rhin de bonne qualité ». D'après l'œnologue allemand Fritz Hallgarten, ce « nom de fantaisie » plongea dans des abîmes encore plus profonds au cours des vingt années suivantes. Même entre 1945 et l'avènement des nouvelles lois de 1971, un tiers des vins qui servaient au Liebfraumilch provenaient de régions autres que le Rhin.

La nouvelle législation stipulait que le Liebfraumilch ne pouvait être fait que de raisin provenant de Hesse rhénane, Rhénanie-Palatinat, Rheingau et Nahe. Un grand nombre de producteurs l'ont prise à la lettre en estimant qu'elle autorisait la production de vins provenant d'une ou de plusieurs de ces quatre régions. Or, en tant que *Qualitätswein*, le Liebfraumilch ne peut effectivement provenir que d'une seule région. On ne comprend pas pourquoi un Liebfraumilch issu de plusieurs régions autorisées ne serait pas classé *Tafelwein* puisque seuls les vins provenant d'une région unique peuvent prétendre au statut de *QbA*. Mais les producteurs de Liebfraumilch n'aiment pas voir leur vin classé *Tafelwein*, en quoi ils ont tort à mon avis, ne serait-ce que parce que le Liebfraumilch se vend sur sa marque.

Un vin d'exportation

Plus d'un tiers des vins allemands exportés sont vendus comme Liebfraumilch et sont des vins de coupage bon marché, sans prétention, conçus expressément pour les marchés étrangers. Les Allemands boivent très peu de Liebfraumilch, sans doute moins de 0,01 % des 1,08 million d'hectolitres (12 millions de caisses) produits chaque année. Les Britanniques en sont les plus gros consommateurs, suivi des Américains.

Le Liebfraumilch est un *QbA*, et pourtant bon nombre des marques les moins chères se classent loin derrière les *Deutscher Tafelwein* lors de dégustations à l'aveugle. Même les meilleurs d'entre eux ne sont pas des vins fins. Cependant, les tanins, l'alcool, la saveur trop sèche de bien des vins découragent souvent des novices qui sauront en revanche apprécier l'arôme frais et floral ainsi que le goût sucré de raisin du Liebfraumilch. Les statistiques montrent que bon nombre d'amateurs sont venus au vin par l'intermédiaire du Liebfraumilch.

Qu'est-ce que le Liebfraumilch ?

Le vin le plus critiqué d'Allemagne est le seul dont la réglementation définit le goût et la douceur : il doit comporter un minimum de 18 grammes par litre de sucre résiduel, soit le maximum autorisé pour un *halbtrocken* encore que peu d'entre eux s'en tiennent à ce minimum et que certains atteignent même le double. Mais les producteurs savent quel taux de sucre convient au marché et font leurs vins en conséquence. Nombre d'acheteurs tiennent à un certain rapport sucre/acidité ; la plupart des marques contiennent entre 22 et 35 grammes par litre, 27 à 28 grammes représentant une juste moyenne.

L'étiquette du Liebfraumilch doit comporter le nom d'une des quatre régions autorisées, et au moins 85 % du raisin doit provenir de celle-ci. La Hesse rhénane et le Palatinat rhénan produisent en moyenne plus de neuf bouteilles sur dix de Liebfraumilch, tandis que le Nahe en produit très peu et le Rheingau pratiquement pas.

Tout cépage autorisé pour les *QbA* peut servir à la production de Liebfraumilch, à une restriction près. Les cépages suivants : Riesling, Silvaner, Müller-Thurgau et Kerner doivent représenter au moins 51 %. D'après la réglementation, le vin doit avoir le goût de ces cépages, encore que je n'aie jamais rencontré d'œnologue qui puisse décrire ou identifier un assemblage précis de quatre cépages aussi différents. J'ai découvert que certains des meilleurs assemblages se sont vu refuser leur numéro *AP* parce qu'ils avaient été additionnés de *Süssreserve* fait de Morio-Muskat, cépage aromatique. Les commissions d'agrément estiment apparemment que ces vins plus séduisants ne sont pas caractéristiques de l'appellation. Je ne suis nullement hostile au Liebfraumilch, mais il faut que ce soit un vin honnête et joli.

RUDOLF MÜLLER
Postfach 20
5586 Reil an der Mosel

Ventes : ***350 000 caisses***
Vignobles : ***14,5 ha, plus 50 ha sous contrat avec d'autres producteurs***
Fondation : ***1919***

Cette maison d'exportation possède un excellent domaine, le Weingut Rudolf Müller, dans la Sarre, ainsi que des liens étroits avec trois autres : Weingut Gebert dans la Sarre, Kessel Erben à Schwabsburg et Wwe Dr. H. Thanisch, qui comprend la plus grande partie du très célèbre Bernkasteler Doctor, son plus grand vin.

Rudolf Müller est surtout connu pour le frais et alerte « Bishop of Riesling », son vin le plus vendu.

☆ Toute la gamme pour le rapport qualité/prix, Scharzhofberger mis en bouteille au domaine pour la qualité.

CARL REH
Voir **Günther Reh Group.**

FRANZ REH & SOHN KG
Römerstrasse 27
5559 Leiwen

Ventes : ***1,5 million de caisses***
Vignobles : ***13 ha***
Fondation : ***1843***

Cette maison produit une large gamme de vins génériques allemands et quelques vins plus fins provenant de son propre domaine.

GÜNTHER REH GROUP
Liebfraunstrasse 10
5500 Trier

Ventes : ***50 000 caisses (vins de domaine uniquement)***
Vignobles : ***75 ha***
Fondation : ***1978***

Ce vaste et puissant groupe vend les médiocres vins génériques de Faber Sektkellerei et de Carl Reh, mais possède des domaines aussi prestigieux que Reichsgraf von Kellerstatt, Otto von Volxem, Dr. J. B. Hain et Ehses Berres.

☆ Vins des domaines suivants : Reichsgraf von Kesselstatt, Otto von Volxem, Dr. J. B. Hain, Ehses Berres

RHEINBERG KELLEREI
Mainzerstrasse 162-170
6530 Bingen

Ventes : ***4,25 millions de caisses***
Fondation : ***1939***

Gigantesque exportateur de vins génériques sous de nombreuses étiquettes différentes.

SCHOLL & HILLEBRAND
Geisenheimstrasse 9
6220 Rüdesheim

Ventes : ***20 000 caisses (Weingut G. Breuer 6 000 caisses)***
Vignobles : ***16 ha***
Fondation : ***1880***

Petite maison d'exportation dans le Rheingau, avec une bonne gamme de vins génériques qui comprend le Riesling Dry, l'un des rares vins *trocken* vraiment excellents. Ses vins de haut niveau proviennent d'un domaine sous-estimé, le Weingut G. Breuer.

☆ Scholl & Hillebrand Riesling Dry, tous les vins du Weingut G. Breuer

ST. URSULA WEINGUT
Mainzerstrasse 184
6530 Bingen

Ventes : ***2,5 millions de caisses***
Fondation : ***1963***

Cette filiale de Nestlé commercialise l'essentiel de sa production sous l'étiquette bien connue « Goldener Oktober ». Elle est également le seul exportateur des beaux vins produits par le Weingut Villa Sachsen.

☆ Weingut Villa Sachsen

G. A. SCHMITT
Wilhelmstrasse 2-4
6505 Nierstein

Ventes : ***200 000 caisses***
Vignobles : ***100 ha***
Fondation : ***1618***

Après une période difficile, cette importante maison d'exportation produit à nouveau des vins génériques bien faits, d'un très bon rapport qualité/prix. Les *QbA* plus moelleux l'emportent sur les vins secs. Elle vend également quelques beaux vins de domaine.

☆ Vins de domaine

H. SICHEL SÖHNE
Werner von Siemens Strasse 14-18
6508 Alzey

Ventes : ***2 millions de caisses***
Fondation : ***1857***

L'histoire de Sichel, maison fondée par l'alerte sexagénaire Hermann Sichel, est dans une grande mesure celle de son célèbre Liebfraumilch, « Blue Nun », le vin allemand le plus vendu mais presque inconnu des Allemands, car la quasi-totalité de la production est exportée. La mention « Blue Nun » est apparue pour la première fois sur le tarif londonien de l'entreprise pour le millésime 1921. Le lancement n'aurait pu se faire à un meilleur moment, car le Liebfraumilch était déjà populaire et, avec de grandes quantités d'*Auslese* classique disponibles pour les assemblages, le succès fut immédiat.

Le nom du vin demeure un mystère. La première étiquette de « Blue Nun » ne montrait pas de religieuses. À leur apparition en 1925, elles n'étaient ni souriantes ni vêtues de bleu.

☆ « Blue Nun Gold », vins de domaine sélectionnés

CARL SITTMANN
Wormserstrasse 61
6504 Oppenheim

Ventes : ***850 000 caisses***
Vignobles : ***80 ha***
Fondation : ***1879***

Grand producteur de vins génériques honnêtes, mais peu inspirés. Les vins de domaine sont en revanche excellents.

☆ Vins de domaine

DR. WILLKOMM
Voir **Peter Mertes.**

ZIMMERMANN-GRAEF
Marientaler Au
5583 Zell an der Mosel

Ventes : ***1,3 million de caisses***
Fondation : ***1886***

Importante pour ses vins génériques, cette maison vend ses meilleurs assemblages sous l'étiquette relativement récente « Graef ». Elle produit aussi de bons vins de domaine.

Importantes coopératives allemandes

GEBIETS-WINZER-GENOSSENSCHAFT DEUTSCHES WEINTOR eG
6741 Ilbesheim

Production : ***1,2 million de caisses***
Vignobles : ***5 000 ha***
Membres : ***1 300***
Fondation : ***1967***

Cette coopérative en plein essor, située près de la frontière française, produit des vins bon marché mais bien faits issus de 50 cépages différents cultivés dans le Bereich Südliche Weinstrasse.

GEBIETS-WINZERGE-NOSSENSCHAFT FRANKEN eG
8710 Kitzingen-Repperndorf

Production : ***1,6 million de caisses***
Vignobles : ***1 800 ha***
Membres : ***7 coopératives regroupant 2 904 membres***
Fondation : ***1959***

Cette union de coopératives produit surtout des vins secs ou quasi secs de Müller-Thurgau, encore que le traditionnel Silvaner de Franconie, le deuxième cépage en importance, représente un quart de la production.

WINZERGENOSSEN-SCHAFT FRIEDELSHEIM eG
Hauptstrasse 97-99
6701 Friedelsheim

Production : ***250 000 caisses***
Vignobles : ***150 ha***
Membres : ***127***
Fondation : ***1911***

Coopérative possédant un fort pourcentage de vignes de Riesling et quelques très beaux sites dans le Bereich Mittelhaardt-Deutsche Weinstrasse. Je n'ai pourtant jamais vu ses vins sur les marchés d'exportation.

KAISERSTÜHLER WINZERGENOSSEN-SCHAFT IHRINGEN eG
Winzerstrasse 6
7817 Ihringen

Production : ***700 000 caisses***
Vignobles : ***400 ha***
Membres : ***950***
Fondation : ***1924***

Petite coopérative de bonne qualité avec des vignobles à Ihringen, dont plus de 85 % plantés en Silvaner, Müller-Thurgau et Spätburgunder.

WINZERGENOSSEN-SCHAFT MAYSCHOSS-ALTENAHR
Bundesstrasse 42
5481 Mayschoss

Production : ***110 000 caisses***
Vignobles : ***110 ha***
Membres : ***280***
Fondation : ***1868***

Cette petite coopérative de l'Ahr est la plus ancienne d'Allemagne. Mayschoss-Altenahr est bien connu pour ses vins rouges tendres et légers de Spätburgunder, qui représentent environ 40 % de sa production.

WINZERGENOSSENSCHAFT & WEINKELLEREI RHEINGRAFENBERG eG
Naheweinstrasse 63
6553 Meddersheim

Production : *85 000 caisses*
Vignobles : *156 ha*
Membres : *120*
Fondation : *1929*

Petite coopérative de bonne qualité, dont plus de 55 % de la production sont issus de raisin de Riesling.

GEBIETSWINZERGENOSSENSCHAFT RIETBURG eG
6741 Rhodt u.d. Rietburg

Production : *1,4 million de caisses*
Vignobles : *1 100 ha*
Membres : *1 150*
Fondation : *1958*

Grande coopérative du Palatinat rhénan avec une très vaste gamme de vins issus de Müller-Thurgau, Silvaner, Riesling, Rülander, Kerner et divers autres cépages cultivés entre Neustadt et Landau. Le Palatinat rhénan produit plus de vin que toute autre région allemande.

RUPPERTSBERGER WINZERVEREIN « HOHEBURG » eG
Uebergasse 23
6701 Ruppertsberg

Production : *150 000 caisses*
Vignobles : *204 ha*
Membres : *209*
Fondation : *1911*

Vins bien faits de bonne et très bonne qualité. Les excellents vignobles, situés dans la région de Ruppersberg, contiennent une forte proportion de Riesling.

WINZERKELLER SÜDLICHE BERGSTRASSE/ KRAICHGAU eG
Bögnerweg 3
6908 Wiesloch

Production : *500 000 caisses*
Vignobles : *1 380 ha*
Membres : *4 300*
Fondation : *1935*

Grande coopérative du pays de Bade avec des vignobles dans près de 60 villages à travers le Bereich Badische Bergstrasse-Kraichgau. *Voir aussi* les vins du pays de Bade, p. 239.

WINZERGENOSSENSCHAFT THÜNGERSHEIM eG
Untere Hauptstrasse 272a
8702 Thüngersheim

Production : *200 000 caisses*
Vignobles : *217 ha*
Membres : *365*
Fondation : *1930*

Cette petite coopérative de Franconie produit régulièrement des vins de haut niveau qui sont primés dans les concours.

WINZERGENOSSENSCHAFT VIER JAHRESZEITEN-KLOSTER LIMBURG
Limburgerstrasse 8
6702 Bad Dürkheim

Production : *420 000 caisses*
Vignobles : *322 ha*
Membres : *243*
Fondation : *1900*

Cette coopérative est réputée pour ses vins de grande qualité qui proviennent de vignobles dans la région de Bad Dürkheim, dans le centre du Palatinat rhénan.

WINZERGENOSSENSCHAFT WACHTENBURG-LUGINSLAND eG
6706 Wachenheim a.d. Weinstrasse

Production : *450 000 caisses*
Vignobles : *330 ha*
Membres : *320*

Cette coopérative produit de bons vins issus de Riesling, ce cépage occupant une place importante dans sa production. Elle possède en outre de beaux vignobles dans le Bereich Mittelhaardt-Deutscher Weinstrasse.

ZENTRALKELLEREI BADISCHER WINZERGENOSSENSCHAFT eG
Zum Kaiserstuhl 6
7814 Breisach

Production : *14 millions de caisses*
Vignobles : *12 320 ha*
Membres : *100 coopératives regroupant 24 000 membres*
Fondation : *1952*

Cette immense coopérative vend à peu près 90 % des vins du pays de Bade sous quatre ou cinq cents étiquettes différentes. Des vins de base vendus en supermarché aux vins de domaine unique, les techniques de vinification sont toujours irréprochables. La plupart des vins manquent cependant d'éclat et se ressemblent trop.

ZENTRALKELLEREI MOSEL-SAAR-RUWER eG
5550 Bernkastel-Kues

Production : *3,6 millions de caisses*
Vignobles : *3 240 ha*
Membres : *20 coopératives regroupant environ 5 200 membres*
Fondation : *1968*

Très grande coopérative sur la Moselle. Sa vaste gamme est de qualité modeste.

ZENTRALKELLEREI RHEINISCHER WINZERGENOSSENSCHAFT
Wöllsteinerstrasse 16
6551 Gau-Bickelheim

Production : *3,3 millions de caisses*
Vignobles : *3 000 ha*
Membres : *6 000*

Le produit le plus connu de cette gigantesque coopérative est son Liebfraumilch « Little Rhine Bear ».

Principales marques et maisons de *Sekt*

BLACK TOWER
La version mousseuse de cette marque connue de Liebfraumilch faite par Hermann Kendermann est un vin « commercial » de cuve close.

BLUE NUN
La version effervescente du Liebfraumilch mondialement célèbre de Sichel Söhne est un vin de cuve close commercial.

BROGSITTER'S ZUM DOM HERRENHOF
Walporzheimerstrasse 125
Walporzheim im Ahrtal

Ventes : *25 000 caisses*
Fondation : *1600*

Entreprise de l'Ahr qui se spécialise dans les *Sekt* rouges, dont les plus connus sont « Rotsekt » et « Sankt Peter ». Elle produit aussi un intéressant Scharzberger Riesling selon la méthode champenoise.

BURGEFF
6203 Hochheim/Main

Fondation : *1836*

Important et compétent producteur de mousseux de cuve close, bien connu pour ses marques « Burgeff Grün » et « Schloss Hochheim ».

CASTELLER HERRENBERG
Voir Fürstlich Castell'sches Domänenamt.

FRÜSTLICH CASTELL'SCHES DOMÄNENAMT
8711 Castell Unterfranken

Ventes : *80 000 caisses, plus* Sekt
Fondation : *1852*

Cuve close de Franconie vendu sous l'étiquette « Casteller Herrenberg ».

DEINHARD
Deinhard Platz 3
5400 Koblenz

Fondation : *1794*

Tous les vins de cette maison d'exportation sont élaborés en cuve close, des « Cabinet », « Tradition » et « Mosel Dry » bon marché et très commerciaux, en passant par le bon « Lila Imperial » non millésimé, jusqu'à l'excellent « Lila Imperial » millésimé à base de Riesling, qui peut être d'un caractère variétal étonnamment intense et qui possède généralement une fine mousse crémeuse, montrant que la cuve close vaut la méthode champenoise pour les vins mousseux aromatiques.

DEUTZ & GELDERMANN
Muggens-Turm-Strasse 26
7814 Breisach

Ventes : *225 000 caisses*
Fondation : *1925*

La plupart des vins mousseux à base de Pinot, faits par cette filiale de la célèbre grande marque champenoise, sont élaborés selon la méthode champenoise. Ils sont vendus sous l'étiquette « Carte Noire ». Le « Carte Rouge » est obtenu par transvasement, de même que le « Privat Cuvée » demi-sec, le « Superb » sec et le « Wappen von Breisach Grande Classe » *Extra trocken*. Cette firme produit également d'autres *Sekt* en cuve close.

EWALD THEODOR DRATHEN
Auf der Hill
5584 Alf-Mosel

Ventes : *6 500 caisses*
Fondation : *1860*

Large gamme de vins commerciaux bon marché produits en cuve close, dont le Schloss Avras, sa meilleure cuvée.

FABER
Niederkircherstrasse 27
5500 Trier

Ventes : ***4,2 millions de caisses***
Fondation : ***1950***

Le plus grand producteur de vins mousseux en Allemagne, tous élaborés en cuve close, très ordinaires, vendus sous les étiquettes « Krönung » et « Rotlese ».

GEBRÜDER WEISS
Voir Kessler.

GRÄFLICH VON KAGENECK'SCHE SEKTKELLEREI
Muggens Turmstrasse 35
7814 Breisach

Ventes : ***140 000 caisses***
Fondation : ***1974***

Large gamme de vins de cépage faits selon la méthode champenoise, sous les auspices de la gigantesque coopérative ZBW du pays de Bade, et vendus sous diverses étiquettes.

PETER HERRES
Rudolf Diesel Strasse 7-9
5500 Trier a.d. Mosel

Fondation : ***1954***

Cette maison produit un *Sekt* de bonne qualité sous les étiquettes « Herres Hochgewächs », « King Lear's », « Graf Artos » et « Römer ».

HENKELL
Biebricher Allee 142
6200 Wiesbaden

Ventes : ***4 millions de caisses***
Fondation : ***1856***

La plus connue des maisons de *Sekt* fait ses vins en cuve close. Son « Henkell trocken » bon marché et populaire manque de panache. Les ventes de sa marque « Rüttgers Club » atteignent 1,25 millions de caisses. Il produit également sous l'étiquette « Sektkellerei Carstens » des *Sekt* moins onéreux.

HAUS HOCHHEIM
Postfach 1145
6203 Hochheim am Main

Ventes : ***85 000 caisses***
Fondation : ***1884***

Cette maison produit en cuve close des vins moyens sous les étiquettes « Goldlack », « Grünlack », « Rotlack » et « Sonder Cuvée ».

KESSLER
7300 Esslingen

Fondation : ***1826***

La plus ancienne maison de *Sekt* allemande utilise différentes méthodes de production, mais tous les vins vendus sous l'étiquette « Kessler », très appréciés sur le marché national, sont faits selon la méthode champenoise. Sa filiale Gebrüder Weiss élabore tous ses vins en cuve close.

KLOSS FOERSTER
Postfach 1207
6220 Rüdesheim

Ventes : ***84 000 caisses***
Fondation : ***vers 1850***

Cette ancienne maison originaire de l'Allemagne de l'Est utilise aujourd'hui à la fois la cuve close et la méthode champenoise pour produire une gamme diversifiée de *Sekt* dans le Rheingau. Celle-ci s'étend des vins relativement bon marché tels que le « Wappen Trocken » et le « Wappen Rot », à l'« Impersonator Brut », au sommet de la gamme, en passant par deux intéressants *Sekt QbA*, le Bereich Johannisberg Rheingauer Riesling et le Rüdesheimer Bischofsberg.

KUPFERBERG
Kupferberg Terrasse 19
6500 Mainz

Ventes : ***1 million de caisses***
Fondation : ***1850***

« Kupferberg Gold », l'une des marques les plus connues d'Allemagne, n'est plus élaborée selon la méthode champenoise. La marque haut de gamme de Kupferberg, « Fürst von Bismarck », est un vin très respectable qui fermente en bouteille avant d'être décanté, filtré et remis en bouteille. Cette entreprise, qui fait partie du très grand groupe Racke, possède également Bricout et Koch, petite mais très bonne maison champenoise.

LANGENBACH
Alzeyerstrasse 31
6520 Worms

Ventes : ***1 million de caisses***
Fondation : ***1852***

Cette maison produit en cuve close une gamme de vins mousseux de qualité acceptable dont Waldracher Riesling *QbA Sekt*, « Goldlack Riesling », « Weisslack », « Schloss Dalberg », « Schloss Leutstetten », un « Purpur » rouge et des versions effervescentes de « Crown of Crowns » et « Silver Crown ».

LILA IMPERIAL
Voir Deinhard.

MATHEUS MÜLLER
6228 Eltville

Ventes : ***600 000 caisses***
Fondation : ***1836***

La marque la plus connue de cette maison, l'une des plus anciennes d'Allemagne, qui n'utilise que la cuve close, est « MM Extra ». Des vins meilleur marché sont produits sous l'étiquette « Hoel Diplomat » par Gebrüder Hoel (qu'il ne faut pas confondre avec Gebrüder Weiss, une filiale de Kessler).

RUDOLF MÜLLER
Postfach 20
5586 Reil

Fondation : ***1919***

Cette excellente maison d'exportation produit du *Sekt* sous sa célèbre étiquette « Splendid ». Le vin est de qualité modeste, à l'exception du « Mosel Riesling Extra Dry Deutscher Sekt » qui compte parmi les meilleurs de son espèce. Elle fait aussi un *QbA Sekt* Wwe Dr. H. T. Thanisch Bereich Bernkastel Riesling Trocken qui a bonne réputation.

RITTERHOF
Weinstrasse Nord 51
6702 Bad Dürkheim

Ventes : ***16 000 caisses***
Fondation : ***1837***

Cette petite et ancienne maison élabore en cuve close de purs Rheinpfalz, issus pour moitié de raisin de son propre domaine. Les « Ritterstolz », « Ritterhof Riesling Brut » et « Ritterhof Riesling trocken » sont tous des vins respectables, tandis que le « Dürkheimer Feuerberg Halbtrocken » rouge est un vin assez particulier.

SANKT PETER
Voir Brogsitter's Zum Dom Herrenhof.

SCHLOSSKELLEREI AFFALTRACH
Am Ordensschloss 15
7104 Obersulm-Affaltrach

Ventes : ***50 000 caisses***
Fondation : ***1928***

Cette maison wurtembourgeoise fait un *Sekt* de qualité honnête sous l'étiquette « Baumann Riesling ». Elle produit aussi « Brillant » et « Diamant », les seconds vins étant vendus sous l'étiquette « Burg Löwenstein ».

SCHLOSS AVRAS
Voir Ewald Theodor Drathen.

SCHLOSS DALBERG
Voir Langenbach.

SCHLOSS HOCHHEIM
Voir Burgeff.

SCHLOSS LEUTSTETTEN
Voir Langenbach.

SCHLOSS RHEINGARTEN
6222 Geisenheim

Fondation : ***1898***

Mousseux de cuve close de bonne qualité commerciale.

SCHLOSS SCHÖNBORN
Hauptstrasse 53
6228 Eltville

Rheingau Riesling de domaine unique, millésimé, produit selon la méthode champenoise. La maison produira sans doute bientôt un Pinot noir rosé.

SCHLOSS WACHENHEIM
Postfach 40
6706 Wachenheim

Riesling *Sekt* de bonne qualité, millésimé, de domaine unique, fait selon la méthode champenoise.

SCHNAUFER
Im Mönchswasen 1
7262 Althengstett

Ventes : ***200 000 caisses***

Large production commerciale de *Sekt* fait en cuve close et vendu sous l'étiquette « Liechtenstein ».

SÖHNLEIN RHEINGOLD
Söhnleinstrasse 1-8
6200 Wiesbaden

Ventes : ***1 million de caisses***
Fondation : ***1864***

Cette maison produit surtout un vin commercial bon marché, réalisé en cuve close, sous l'étiquette « Brillant » de Söhnlein. Sa cuvée de prestige « Fürst von Metternich », faite en partie de raisin cultivé au domaine Schloss Johannnisberg dans le Rheingau, se situe juste après le « Lila Imperial » millésimé de Deinhard, et offre une mousse fine et un caractère net de Riesling.

WAPPEN VON BREISACH GRANDE CLASSE
Voir Deutz & Geldermann.

WINZERSEKT
Erzeugergemeinschaft
Rheinhessischer
Winzer W. V.
Michel Mort Strasse 4
6555 Sprendlingen

Ventes : ***2 millions de caisses (vin et Sekt)***

Fondation : ***1981-1982***

Cette maison vinifie, uniquement selon la méthode champenoise, une partie de la production d'une association de 820 viticulteurs. Winzersekt, qui ne veut pas la moindre nuance d'autolyse dans ses vins, cherche à les produire aussi frais et fruités que possible, et les vins sont laissés en contact avec les levures pendant le minimum de temps prévu par la loi. On pourrait y parvenir de manière plus efficace en cuve close, mais le public garde l'impression que la méthode champenoise est synonyme de qualité supérieure. On n'a pas encore bien compris que cela n'est vrai que lorsqu'on cherche un caractère autolysé et neutre, comme dans le Champagne. Les méthodes de Winzersekt sont donc dictées par des impératifs commerciaux – ce qui ne lui interdit pas une évidente réussite.

Vins génériques d'Allemagne

Note : Les catégories de vins allemands sont classées ici par ordre qualitatif et non alphabétique. Les caractéristiques décrites sont très générales car le cépage a une influence prédominante, en particulier pour la couleur du vin, encore que le vin blanc représente 90 % de la production. La plupart des cépages que l'on peut rencontrer, y compris tous les croisements importants, figurent dans le « Répertoire des principaux cépages » (*voir* p. 24-32).

L'aire d'origine a également une forte incidence sur le type de vin issu d'un cépage donné et chaque vigneron réussit à tirer plus ou moins bien parti de ce que lui donne la nature. Pour plus de détails sur ces deux aspects, voir les sections régionales et les producteurs recommandés.

WEIN

Ce terme, lorsqu'il n'est pas précédé du mot *Tafel-*, correspond à un vin de coupage bon marché provenant de raisin cultivé hors de la CEE.

TAFELWEIN

Le vin de table peut être un mélange de vins provenant de différents pays de la CEE ou un vin fait dans l'un des pays membres à partir de raisin cultivé dans un autre. Ces produits sont parfois habillés de manière à passer pour des vins allemands, mais sous les caractères gothiques et les étiquettes allemandes se cache généralement un vin italien ou en provenance de plusieurs pays. Cette pratique, autrefois très répandue, l'est un peu moins aujourd'hui, car elle est contraire à l'article 43 de la réglementation 355/79 de la CEE. Pour être sûr de boire un produit allemand authentique, il faut vérifier que le mot *Tafelwein* est précédé de la mention *Deutscher*.

Les meilleurs de ces vins sont faits, comme ce fut le cas en 1982, dans les années où l'Allemagne est submergée d'une telle quantité de vins ordinaires que les producteurs renvoient les camions citernes venus d'Italie et écoulent leurs excès de production dans les vins de coupage. Les meilleurs, qui ont une bonne dose de *Süssreserve* frais et floral de Morio-Muskat, ressemblent aux vins allemands ordinaires.

19 Le millésime est sans importance, mais on a de meilleures chances lorsque la récolte a été importante en Allemagne.

Aussitôt

DEUTSCHER TAFELWEIN

La catégorie la plus basse des vins allemands représente normalement entre 3 et 5 % de la production totale du pays. Le vin doit être à 100 % allemand. Le nom de l'une des régions ou sous-régions (*voir* p. 202), peut figurer sur l'étiquette à condition qu'au moins 75 % des raisins en proviennent. Ces noms régionaux sont maintenant les seules mentions géographiques autorisées, alors que, avant la législation sur le *Landwein,* il était parfois possible d'indiquer le nom d'un Bereich.

Un *Deutscher Tafelwein* doit refléter les caractéristiques de base de la région dont il provient. Un vin du Rhin devrait ainsi avoir un arôme plus floral mais moins d'acidité qu'un vin de la Moselle. Dans la pratique, ces vins résultent cependant d'un tel mélange de cépages, pour la plupart des croisements, qu'on ne peut au mieux y découvrir que des vins frais et fruités, moyennement secs, de style « germanique ».

19 La plupart des années récentes modestes – éviter les millésimes classiques

Aussitôt

LANDWEIN

Le *Landwein* est un *Deutscher Tafelwein* provenant d'une région plus spécifique, dont l'étiquette doit comporter les deux mentions. Cette catégorie, relativement récente, fut créée en 1982 pour correspondre au système des Vins de pays français, mais il y a entre les deux des différences significatives. Les quelque 140 Vins de pays français constituent un groupe qui aspire au statut de VDQS et, théoriquement, d'AOC. En tant que tels, ils sont donc bien plus souples que les *Landwein.* En Allemagne, les *Landwein* regroupent 15 aires déterminées qui n'ont aucun espoir d'accéder à un statut supérieur. Le tableau de la page 202 montre du reste que 7 des aires de *Landwein* ne sont que des variantes de sous-régions du *Tafelwein.*

Le potentiel d'un *Landwein* ne saurait jamais se comparer à celui d'un Vin de pays. Le producteur français peut être fier de son statut de Vin de pays, tout en rêvant à des dénominations plus prestigieuses. Le producteur allemand n'utilise le *Landwein* que pour écouler ses surplus de production ou ses vins de qualité inférieure car c'est une désignation plus facile à commercialiser que *Deutscher Tafelwein.* La principale différence entre le *Landwein* et le *Deutscher Tafelwein* est que le premier doit être *trocken* (sec), avec un maximum de 9 grammes par litre de sucre résiduel, ou *halbtrocken* (demi-sec), avec un maximum de 18 grammes par litre.

En théorie, le *Landwein* est le meilleur des deux vins, car il contient moins de sucre pour masquer les éventuels défauts inhérents à la production de masse et il est censé avoir un peu plus de saveur et de caractère. Il est souvent frais et agréable à boire dans une *Weinstube* ou un café. Aucune des deux catégories ne mérite d'être recherchée, mais on peut toujours goûter un *Landwein* s'il provient d'un domaine célèbre, il faut alors le prendre comme une introduction modeste et abordable à ses vins plus grands.

19 La plupart des années récentes modestes – éviter les millésimes classiques

Aussitôt

QUALITÄTSWEIN BESTIMMTER ANBAUGEBIETE ou QbA

Un *QbA* est littéralement un vin provenant de l'une des 11 régions délimitées. Ce vin, en pratique, est toujours chaptalisé pour l'alcooliser et adouci par l'addition de *Süssreserve.* Le degré minimal d'alcool potentiel d'un *QbA* étant seulement de 5,9°, le taux d'alcool n'est pas renforcé uniquement pour des raisons de réglementation.

Cette catégorie comprend le Liebfraumilch, et la grande majorité des Niersteiner Gutes Domthal, Piesporter Michelsberg et autres vins génériques. La plupart des vins de Grosslage et de Bereich sont vendus comme *QbA.* Les vins plus spécifiques, provenant d'Einzellagen ou de domaines uniques, sont vendus sous la désignation plus prestigieuse de *QmP* et atteignent des prix plus élevés.

Bien qu'un *QbA* ait un degré Oechsle minimal inférieur à celui du *Kabinett,* ce produit plus commercial est nettement plus doux.

19 Peu important, encore que les années modestes produisent généralement des vins plus frais que les millésimes classiques

1 à 3 ans au maximum (jusqu'à 10 ans pour les vins exceptionnels)

QUALITÄTSWEIN MIT PRÄDIKAT ou QmP

Il s'agit littéralement d'un « vin de qualité avec qualification » et cette dénomination regroupe les catégories de *Kabinett, Spätlese, Auslese, Beerenauslese, Eiswein* et *Trockenbeerenauslese.* Le viticulteur doit avertir les autorités de son intention de vendanger du raisin destiné à un *QmP.* Alors qu'un *QbA* peut être issu de raisin provenant de différentes zones d'une Anbaugebiete, pourvu qu'il porte le nom de cette seule région, un *QmP* ne peut provenir d'une aire géographique plus vaste qu'un Bereich. Le *QbA* peut être chaptalisé, mais non le *QmP.* Le propriétaire d'un domaine très respecté, pensant qu'il pourrait produire des vins bien meilleurs s'il avait le droit de les chaptaliser, fit un jour observer que les Français chaptalisent leurs meilleurs vins, et les Allemands leurs plus mauvais ! Il est cependant permis d'ajouter de la *Süssreserve,* mais nombre de vignerons prétendent que cette méthode n'est pas conforme à la tradition et qu'il vaut mieux arrêter la fermentation avant que tous les sucres naturels du raisin aient été transformés en alcool.

KABINETT QmP

Le terme *Kabinett* faisait autrefois référence à des vins qui étaient conservés pour leur rareté et leurs qualités exceptionnelles, de même qu'on parle de vins de « réserve » dans certains pays aujourd'hui. Ce terme, utilisé à Kloster Eberbach dans le Rheingau au début du XVIIIe siècle, apparut pour la première fois sous la forme *Cabernedt,* sur une facture que le maître tonnelier d'Elville, Ferdinand Ritter, présenta à l'abbé d'Eberbach en 1730. Six ans plus tard, une autre facture de la main de Ritter fait référence au *Cabinet-Keller.* Ce qualificatif, qui est apparu dans la langue française dès 1547 avant de passer dans la littérature allemande en 1677, est le premier dans l'échelle Oechsle, mais pas nécessairement le plus bas pour ceux qui aiment les vins secs et légers. Les raisins doivent atteindre 67 à 85° Oechsle, le chiffre exact dépendant du cépage et de son aire d'origine. Sans chaptalisation, cela signifie que le vin présente un titre alcoométrique minimal potentiel situé entre 8,6 et 11,4°.

Bien qu'issu de raisins plus mûrs – (et donc plus sucrés) – que les *QbA,* les *Kabinett* sont généralement élaborés dans un style légèrement plus sec. Certains producteurs refusent énergiquement de renforcer le vin avec un peu de *Süssreserve.* Ce qui fait du *Kabinett* le plus léger et, pour certains, le plus pur des vins allemands.

19 1983, 1985, 1986

Entre 2 et 5 ans (jusqu'à 10 ans dans les cas exceptionnels)

SPÄTLESE QmP

Techniquement, le *Spätlese* est issu de raisin vendangé tardivement, tout au moins par rapport à la date normalement très précoce des vendanges en Allemagne. Étant donné que les *QbA* et les *Kabinett* sont produits à partir de raisin qui n'a pas pleinement mûri, le *Spätlese* peut être considéré comme le premier niveau de vins allemands fait de raisin mûr. Cependant, le degré Oechsle minimal de 76 à 95°, qui donnerait entre 10 et 13° d'alcool potentiel, ne correspond pas à des baies surmûries.

Bien qu'un *Spätlese* soit issu de raisin tout juste mûr, les vins produits sont traditionnellement doux, équilibrés par une excellente acidité. C'est l'un des vins que je préfère déguster car le caractère du raisin est très présent, sans être pour autant submergé par la douceur.

1983, 1985, 1986

Entre 3 et 8 ans (jusqu'à 15 ans dans les cas exceptionnels)

AUSLESE QmP

Ce vin est issu de raisin resté sur pied après les vendanges des *Spätlese*, et donc vendangé vraiment tardivement. Les textes officiels stipulent qu'il faut sélectionner des grappes de raisin mûr à très mûr, ni malade ni endommagé. Il doit également atteindre au moins 83 à 105° Oechsle, le minimum exact dépendant du cépage et de son origine géographique. Sans chaptalisation, cela signifie que le vin a un titre alcoométrique minimal potentiel compris entre 11,1 et 14,5°.

Traditionnellement, ce vin riche et moelleux n'est produit que dans les années exceptionnelles. Il peut présenter des nuances d'*Edelfäule*, ou pourriture noble, en particulier s'il provient d'un grand domaine qui a pour politique de sous-déclarer ses vins et qui serait donc à la limite du *Beerenauslese*. Mais même sans *Edelfäule*, un *Auslese* est capable d'un grande complexité.

On peut trouver des *Auslese* tout à fait secs, qui sont étiquetés ou non *Auslese trocken*, au gré du producteur. Les meilleurs vins secs sont des *Auslese* car la maturation naturelle du raisin leur donne un corps, un fruité et une teneur en alcool de style bourguignon. Trop de vins secs exportés se sont révélés faibles, maigres et décevants, leur créant une réputation qu'ils ne méritent pas.

En Allemagne, il est relativement facile de trouver de délicieuses bouteilles d'*Auslese trocken*, faits de bons *QmP*.

1983, 1985

Entre 5 et 20 ans

BEERENAUSLESE QmP

Ce vin très rare ne peut être produit que dans des conditions exceptionnelles puisqu'il est fait uniquement avec des raisins surmûris touchés par l'*Edelfäule*. D'après les textes officiels, toutes les baies doivent être rabougries et choisies une à une. Le vin doit atteindre 110 à 128° Oechsle, le minimum exact dépendant du cépage et de son origine géographique. Sans chaptalisation, cela signifie que le vin a un titre alcoométrique minimal potentiel compris entre 15,3 et 18,1°, dont seulement 5,5 ont besoin d'être transformés en alcool, le reste demeurant sous forme de sucre résiduel.

Les vins ainsi élaborés, très moelleux et corsés, sont d'une élégance et d'une complexité remarquables. Je préfère même le *Beerenauslese* au *Trockenbeerenauslese* pourtant supérieur techniquement. Il se boit facilement et avec plaisir, alors que le second demande plus de concentration et d'esprit analytique.

1983, 1985

Entre 10 et 35 ans (jusqu'à 50 ans dans les cas exceptionnels)

EISWEIN QmP

Jusqu'en 1982, cette qualification s'employait conjointement avec l'une des autres : on pouvait donc produire des *Spätlese Eiswein*, des *Auslese Eiswein* et ainsi de suite. *Eiswein* est désormais un qualificatif à part entière, avec un degré Oechsle minimal équivalent à celui du *Beerenauslese*. L'*Eiswein* est issu de raisins laissés sur pied pour être touchés par l'*Edelfäule*, gelés par le givre ou la neige. Ils sont alors cueillis et envoyés à la cuverie où on les pressure gelés. Seule l'eau à l'intérieur de la baie étant gelée, celle-ci monte à la surface de la cuve sous forme de glace. Une fois cette glace enlevée, il reste un moût condensé capable de donner des vins qui sont l'équivalent, mais sous une forme entièrement différente, des *Beerenauslese* ou des *Trockenbeerenauslese*.

Ces vendanges de raisin gelé s'effectuent rarement avant décembre, et souvent en janvier de l'année suivante (mais le vin doit porter le millésime de l'année précédente).

Le degré Oechsle d'un *Eiswein* doit être au moins celui d'un *Beerenauslese* mais il peut atteindre celui d'un *Trockenbeerenauslese*. Si la qualité est également comparable, son taux d'acidité bien plus élevé lui donne un caractère entièrement différent. Selon moi, c'est cette acidité mordante, racée, alerte qui le rend supérieur. Les plus beaux *Eiswein* font preuve d'une finesse sans égale parmi les autres vins allemands.

1983, 1985

Entre 10 et 50 ans

TROCKENBEEREN-AUSLESE QmP ou TBA

Le légendaire *TBA* d'Allemagne est issu de raisins fortement botrytisés, laissés sur pied jusqu'à prendre l'aspect de raisins secs, et cueillis baie par baie. Ces raisins doivent atteindre 150 à 154° Oechsle. Sans chaptalisation, le vin aura un degré alcoométrique potentiel minimal compris entre 21,5 et 22,1°, dont seulement 5,5° ont besoin d'être transformés en alcool, le reste demeurant sous forme de sucre résiduel.

Les tableaux ne contribuent guère à mettre en lumière la différence entre un *Beerenauslese* et un *TBA*, qui est tout aussi grande que celle qui sépare un *Kabinett* d'un *Beerenauslese*. La première différence réside dans la couleur. D'un *Auslese* à un *Beerenauslese*, on passe d'une couleur claire à un or riche ou un jaune bouton-d'or. La gamme des couleurs d'un *TBA* s'étend de diverses nuances de brun jusqu'aux plus foncées, avec parfois de curieuses nuances fauves ou orange. La texture est extrêmement sirupeuse et la consistance liquoreuse. Il est impossible de boire un *TBA*, il faut le savourer du bout des lèvres. Son intensité et sa complexité, la profondeur de ses arômes et de ses saveurs sont une expérience unique. C'est un vin qui demande une grande attention et qui suscite bien des discussions.

1983, 1985

Entre 12 et 50 ans

VINS MOUSSEUX

SEKT

La méthode de production habituelle de ces vins mousseux anonymes est la cuve close. Faits de raisin provenant généralement d'Italie ou de la vallée de la Loire, ils pouvaient paradoxalement être étiquetés *Deutscher Sekt* jusqu'en 1986. Le *Sekt* était en effet considéré comme une méthode de vinification et le vin produit en Allemagne passait pour allemand. Comme la grande majorité de l'immense industrie du *Sekt* utilisait du raisin, du moût ou du vin importé (et continue de le faire aujourd'hui), il s'agissait surtout d'un conflit d'intérêts. D'honorables représentants de l'industrie du vin allemande ont cependant fait des efforts pour mettre un terme à ces abus, et le bon sens finit par l'emporter le 1er septembre 1986, lorsqu'une directive de la CEE obligea cette appellation à se conformer à la politique générale vinicole du Marché commun. Les authentiques *Deutscher Sekt* allemands se sont sensiblement développés, bien que le simple *Sekt* continue de dominer le marché.

DEUTSCHER SEKT

Depuis 1986, le *Deutscher Sekt* doit être exclusivement fait de raisin allemand. Les meilleurs vins sont

généralement à base de Riesling, et l'autolyse n'y diminue pas l'arôme et la saveur purement variétale du vin – car cette caractéristique est tenue en haute estime par les producteurs et par la vaste majorité des consommateurs allemands. *Voir* aussi *Deutscher Qualitätsschaumwein bestimmter Anbaugebiete.*

La plupart des vins ne sont pas millésimés, et pour ceux qui le sont, aucune tendance générale ne s'est encore vraiment dégagée ; on peut cependant douter que lors des grandes années (comme 1976 ou 1983) les vins aient suffisamment d'acidité pour être équilibrés.

Entre 3 et 8 ans

DEUTSCHER SEKT BESTIMMTER AUBAUGEBIETE ou DEUTSCHER SEKT bA

Voir Deutscher Qualitätsschaumwein bestimmter Anbaugebiete.

DEUTSCHER QUALITÄTS-SCHAUMWEIN BESTIMMTER ANBAUGEBIETE ou DEUTSCHER QUALITÄTS-SCHAUMWEIN bA

Ce *Deutscher Sekt* doit être fait uniquement de raisin provenant d'une seule région viticole, ou d'une aire plus restreinte tel qu'un Bereich, Grosslage ou Einzellage, à condition que 85 % des raisins soient issus de l'aire indiquée.

La plupart des vins ne sont pas millésimés, et pour ceux qui le sont, aucune tendance générale ne s'est encore vraiment dégagée ; on peut cependant douter que lors des grandes années (comme 1976 ou 1983) les vins aient suffisamment d'acidité pour être équilibrés.

Entre 3 et 8 ans

Ahr

Avec les cépages noirs comme le Spätburgunder et le Portugieser qui représentent deux tiers des vignes, il n'est pas surprenant que les spécialités de l'Ahr soient le *Rotwein* et le *Weissherbst*. Il est plus étonnant, en revanche, de pouvoir cultiver des cépages noirs dans une région aussi septentrionale. Mais l'Ahr est une vallée profonde, protégée par les collines du Hohe Eifel, qui capte le soleil et emmagasine la chaleur dans son sol rocheux et ardoisier, ce qui permet au raisin noir de mûrir.

Après la Bergstrasse de Hesse, l'Ahr est la plus petite des régions viticoles allemandes. Elle doit son nom à la rivière qui la traverse parallèlement à la Moselle, au nord de celle-ci, pour rejoindre le Rhin juste au sud de Bonn.

Ces terres viticoles sont parmi les plus belles et les plus sereines au monde. Il suffit, pour s'en rendre compte, de parcourir la célèbre Rotweinwanderweg, la route des vins rouges qui traverse les vignobles et les forêts, le long de paisibles vallées protégées par les collines de l'Eifel.

FACTEURS AFFECTANT LE GOÛT ET LA QUALITÉ

Situation
Le cours inférieur de l'Ahr, à 10 km au sud de Bonn.

Climat
Malgré sa situation septentrionale, la vallée est protégée par les collines du Hohe Eifel et les températures permettent de se livrer ici à la viticulture.

Site
Vignobles en pente ou en terrasses sur les versants rocheux de la vallée.

Sol
Sols composés de lœss riches et profonds dans la vallée inférieure et sols rocheux faits d'ardoise avec un peu de tuffeau dans la vallée supérieure.

Viticulture et vinification
Les trois quarts des vignobles nécessitent une main-d'œuvre considérable. La production des vins de l'Ahr est donc bien plus onéreuse que celle des vins des terres plates méridionales, bien que plus de la moitié de la production soit vinifiée par un petit nombre de grandes coopératives d'une belle efficacité technique. Les vins rouges, qui représentent 70 % de la production de l'Ahr, étaient autrefois élaborés dans des styles doux et demi-doux. Les vins secs sont plus appréciés aujourd'hui.

Cépages principaux
Müller-Thurgau, Portugieser, Riesling, Spätburgunder

Cépages secondaires
Domina, Dornfelder, Kerner

LA RÉGION EN CHIFFRES

Superficie plantée de vigne : 400 ha

Rendement moyen : 79 hl/ha

Vin rouge : 70 %

Vin blanc : 30 %

Infrastructure : 1 Bereich ; 1 Grosslage ; 43 Einzellagen

Note : Les vignobles de l'Ahr sont répartis sur onze Gemeinden (communes) dont les noms peuvent figurer sur l'étiquette.

L'AHR

La plus septentrionale des régions viticoles d'Allemagne est composée de vignobles qui bordent le cours de l'Ahr, un affluent du Rhin.

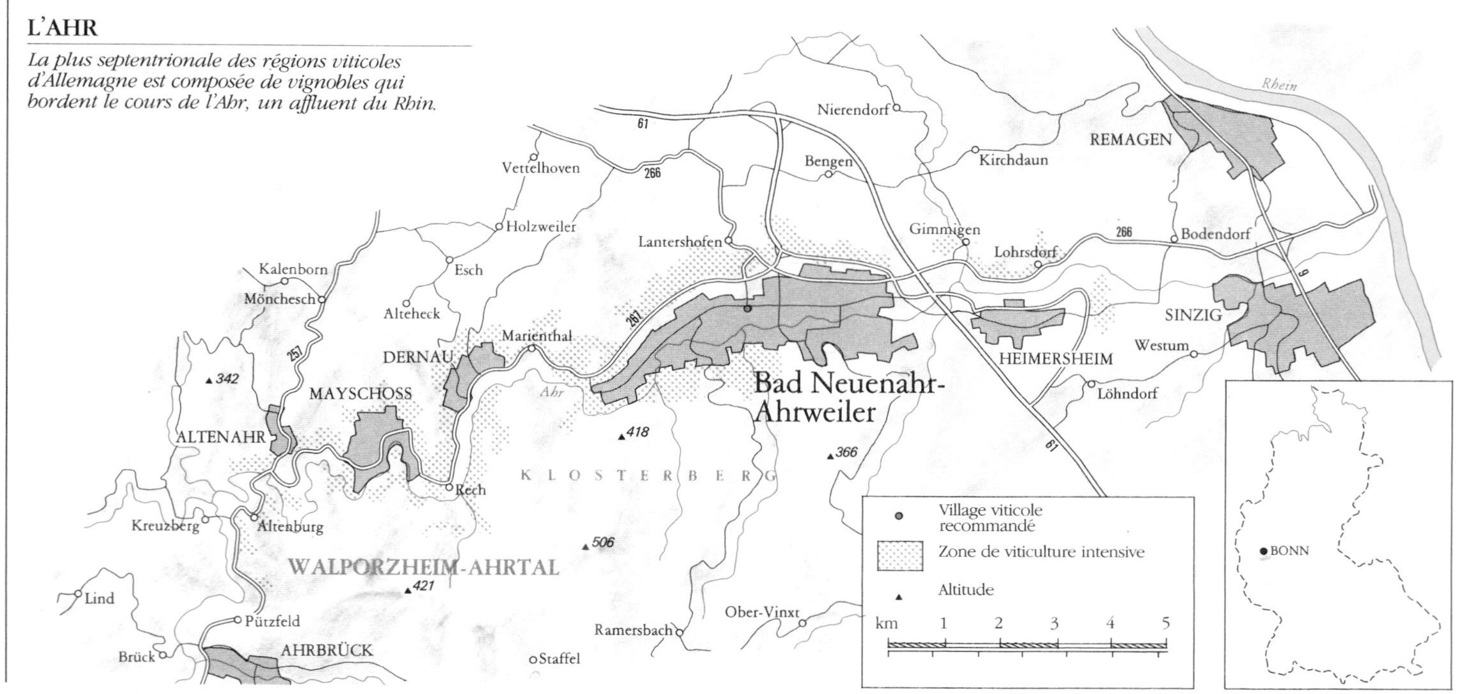

Vieux fûts à Mayschoss, ci-dessus
A Mayschoss, en amont de Bad Neuenahr, ces vieilles barriques sont ornées de vignes sculptées.

Vendanges dans l'Ahr, à gauche
Les vignobles pentus de Marienthal sont plantés de raisin noir. Quelque 70 pour cent des vins produits dans la région sont rouges.

L'IMPORTANCE CROISSANTE DU RIESLING

Depuis les années 50, le vignoble de l'Ahr a diminué d'un tiers et le Spätburgunder est maintenant devenu le cépage dominant au détriment du Portugieser. Si le Spätburgunder – nom allemand du Pinot noir – produit un vin bien plus typé que le Portugieser, tendre et souvent neutre, il est encore loin de donner un « véritable » vin rouge au sens traditionnel ; il lui manque l'intensité variétale d'un simple Pinot noir de Bourgogne.

Le Riesling vaut à l'Ahr des succès moins connus. Ce cépage donne des vins blancs frais, racés et extrêmement aromatiques, avec une belle acidité. Les vins rouges et les spectaculaires vignobles dont ils sont issus continuent d'être appréciés par les touristes, mais les Riesling sont en train d'acquérir une réputation bien méritée. On cultive aussi ici une bonne part de Müller-Thurgau, mais celui-ci ne donne, à quelques exceptions près, rien de remarquable. Parmi les cépages secondaires, on trouve également le raisin de Domina, Dornfelder et Kerner.

NORMES DE QUALITÉ ET RÉPARTITION DE LA RÉCOLTE

° Oechsle minimal	Catégorie	Récolte 1984	1985	1986	1987
44°	*Deutscher Tafelwein*	6 %	–	7 %	5 %
47°	*Landwein*				
50-60°	**QbA*	92 %	55 %	86 %	87 %
67-73°	**Kabinett*	2 %	30 %	6 %	7 %
76-85°	*Spätlese	–	15 %	1 %	1 %
83-88°	**Auslese*	–	–	–	–
110°	*Beerenauslese*				
110°	*Eiswein*				
150°	*Trockenbeerenauslese*				

* Le degré Oechsle minimal varie en fonction du taux de sucre naturel du cépage.

Les vins de l'Ahr

BEREICH WALPORZHEIM-AHRTAL

Unique Bereich de la région, Walporzheim-Ahrtal produit surtout des vins rouges de couleur rubis clair issus de Spätburgunder et de Portugieser. L'ardoise donne un vin assez vigoureux, tandis que les lœss produisent un vin plus tendre. Les vins tendent maintenant à être plus secs. Le *Weissherbst* est tendre et fruité, le Riesling frais et racé.

GROSSLAGE KLOSTERBERG

Unique Grosslage du Bereich, le Klosterberg donne des vins identiques à ceux de Walporzheim-Ahrtal.

NEUENAHR

☆ **Vignoble** : *Sonnenberg*
☆ **Producteur** : *Toni Nelles*

HEIMERSHEIM

☆ **Vignoble** : *Landskrone*
☆ **Producteur** : *Winzergenossenschaft Heimersheim*

WALPORZHEIM

☆ **Vignoble** : *Gärkammer*
☆ **Producteur** : *G. G. Adeneuer*

☆ **Vignoble** : *Himmelchen*
☆ **Producteur** : *Winzergenossenschaft Walporzheim*

☆ **Vignoble** : *Pfaffenberg*
☆ **Producteur** : *Peter Kriechel*

Mittelrhein (Rhin moyen)

Desservi par son nom peu engageant, éclipsé par le prestigieux Rheingau, le Rhin moyen a vu diminer de 40 %, depuis 1965, ses vignobles perchés dans des sites précaires mais spectaculaires. Cette région, trop souvent méconnue, offre pourtant certains des plus beaux vins allemands élaborés dans un cadre pittoresque.

Le Rhin moyen est l'un des premiers sites occupés par l'homme et les Celtes ont laissé là de nombreuses traces de leur présence. Avec des racines aussi anciennes, il n'est guère étonnant que cette région soit le berceau de tant de mythes de l'histoire allemande. Ainsi Drachenfels à Königswinter aurait vu Siegfried tuer le dragon, et les vignobles des environs produisent un vin rouge de Spätburgunder appelé *Drachenblut* ou « Sang du dragon ».

Le Rhin, bordé de nombreux châteaux et tours du Moyen Âge, est riche de légendes de ce genre. Ainsi, la célèbre Lorelei y aurait attiré les navires vers leur fatale destinée et le trésor des Nibelungen, qui appartenait autrefois à Siegfried, y giserait encore au fond de l'eau.

LE DÉCLIN VITICOLE ET L'ESSOR TOURISTIQUE

Les difficultés que les vignerons rencontraient à travailler les vignobles les meilleurs et les plus pentus du Rhin moyen ont incité nombre d'entre eux à émigrer dans les villes industrielles. Le nombre de vignobles diminue donc régulièrement mais la région n'est nullement abandonnée. Sa beauté spectaculaire en fait l'un des lieux de prédilection des touristes. Même s'il vaut mieux visiter le Rhin moyen hors saison, l'industrie touristique permet de maintenir en vie les vignobles qui restent.

Dans cette région, où les vallées des nombreux affluents constituent souvent des sites naturels bien plus propices à la viticulture que dans la majeure partie de la vallée du Rhin, les sols d'ardoise permettent à l'évidence de produire des vins de Riesling de haute qualité. Il reste encore quelques excellents vignerons qui produisent régulièrement des vins passionnants au vigoureux caractère variétal, à la saveur intense, montrant une superbe acidité. Cette acidité, précieuse au point que la plupart des producteurs de *Sekt* essaient d'acheter le plus possible de vins en excédent ou de qualité inférieure, donne un caractère spécial aux rares *Auslese* et autres *QmP* supérieurs.

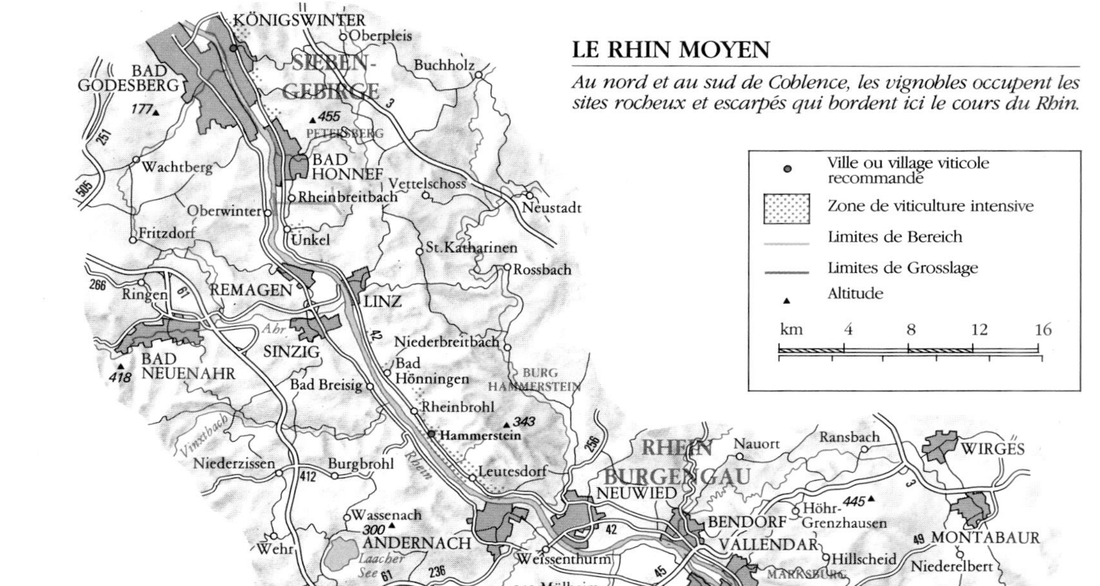

LE RHIN MOYEN

Au nord et au sud de Coblence, les vignobles occupent les sites rocheux et escarpés qui bordent ici le cours du Rhin.

LA RÉGION EN CHIFFRES

Superficie plantée de vigne : 750 ha

Rendement moyen : 79 hl/ha

Vin rouge : 2 %

Vin blanc : 98 %

Infrastructure : 3 Bereiche ; 11 Grosslagen ; 111 Einzellagen

Note : Les vignobles de cette région sont répartis sur 59 communes dont les noms peuvent figurer sur l'étiquette.

FACTEURS AFFECTANT LE GOÛT ET LA QUALITÉ

Situation
Bande de 160 km de la vallée du Rhin, entre Bonn et Bingen.

Climat
Les versants pentus des vallées bénéficient d'un bon ensoleillement et protègent les vignes des vents froids. Le fleuve tempère les températures fraîches de la nuit et de l'hiver.

Site
Les vignobles sont plantés sur les versants pentus pour tirer le plus grand parti de l'ensoleillement. Au nord de Coblence, tous les vignobles occupent la rive est ; au sud, la plupart sont sur la rive ouest.

Sol
Sol ardoisier sur fond d'argile et conglomérat rocheux de cailloux arrondis et de sable appelé *Greywacke*. On trouve également de petits dépôts disséminés de lœss et, vers le nord, quelques vignobles occupent des sols d'origine volcanique.

Viticulture et vinification
Les vignobles ont été modernisés par suppression des terrasses ; de plus, bon nombre des coteaux escarpés sont plantés de vignobles morcelés. Avec une forte proportion de raisin de Riesling, au rendement très faible pour l'Allemagne, la qualité est généralement bonne. Environ 80% des vignerons travaillent à temps partiel et un quart de la récolte est vinifié par les coopératives, selon les techniques de vinification en blanc traditionnelles.

Cépage principal
Riesling

Cépages secondaires
Bacchus, Kerner, Müller-Thurgau, Optima, Scheurebe, Silvaner

NORMES DE QUALITÉ ET RÉPARTITION DE LA RÉCOLTE

° Oechsle minimal	Catégorie	Récolte 1984	1985	1986	1987
44°	Deutscher Tafelwein	29 %	–	1 %	7 %
47°	Landwein				
50-60°	*QbA	70 %	57 %	70 %	75 %
67-73°	*Kabinett	1 %	32 %	22 %	15 %
76-85°	*Spätlese	–	11 %	–	3 %
83-88°	*Auslese	–	–	7 %	–
110°	Beerenauslese				
110°	Eiswein				
150°	Trockenbeerenauslese				

* Le degré Oechsle minimal varie en fonction du taux de sucre naturel du cépage.

Vignobles du Rhin moyen
Les vignerons du « week-end » de cette région ont beaucoup de travail pour entretenir les vignes.

Les vins du Rhin moyen

BEREICH BACHARACH

Ce Bereich de la rive ouest couvre le secteur méridional le plus cultivé du Rhin moyen et porte le nom de l'historique joli bourg marchand de Bacharach.

GROSSLAGE SCHLOSS REICHENSTEIN

Pas de villages, de vignobles, de domaines ou de producteurs exceptionnels dans ce Grosslage, bien que l'on produise de beaux vins à Niederheimbach, où le vignoble de Froher Weingarten est le plus réputé.

GROSSLAGE SCHLOSS STAHLECK

Les vignobles exposés au sud dans les vallées des affluents offrent peut-être plus de possibilités que les vignobles tournés vers l'est qui bordent le Rhin lui-même. Posten, où l'on trouve ces deux orientations, produit les meilleurs vins.

BACHARACH

☆ Vignoble : *Posten*
☆ Producteurs : *Wilhelm Wasum, Fritz Bastian, Karl Heidrich*

BEREICH RHEINBURGENGAU

Rheinburgengau, le plus grand des trois Bereiche du Rhin moyen et le meilleur, s'étend d'Unkel jusqu'au Rheingau.

GROSSLAGE BURG HAMMERSTEIN

Commençant juste au sud de Königswinter et s'étendant le long de la rive droite presque jusqu'à Coblence, ce Grosslage tout en longueur est composé de vignobles disséminés avec des vignes de Riesling à Hammerstein.

HAMMERSTEIN

☆ Vignoble : *Schlossberg*
☆ Producteurs : *Gräfl. Westerholtsche Gutsverwaltung, Gemeinde Bad Hönningen*

GROSSLAGE BURG RHEINFELS

Grosslage de la taille d'un village sur la rive ouest. Les meilleurs vignobles se trouvent sur les rives exposées au sud-est d'un petit affluent à Werlau.

WERLAU

☆ Vignoble : *Ameisenberg*
☆ Producteur : *Winzergenossenschaft Werlau*

GROSSLAGE GEDEONSECK

Excellent Grosslage, où un coude du fleuve donne de belles expositions à l'est et au sud, les meilleurs vignobles étant situés dans un Ortsteil (arrondissement de Boppard).

BOPPARD HAMM

☆ Vignoble : *Ohlenberg*
☆ Producteurs : *August Perll, Familie Splisser, Karl August Stumm, Franz Adolf Lorenz*
☆ Vignoble : *Fässerlay*
☆ Producteur : *August Perll*

GROSSLAGE HERRENBERG

L'extrémité sud-est de ce Grosslage situé sur la rive droite se trouve aux confins de l'extrémité ouest du Rheingau, mais tous les Einzellagen sont situés au nord, entre Dörscheid et Kaub, juste en amont de Bacharach sur l'autre rive.

KAUB

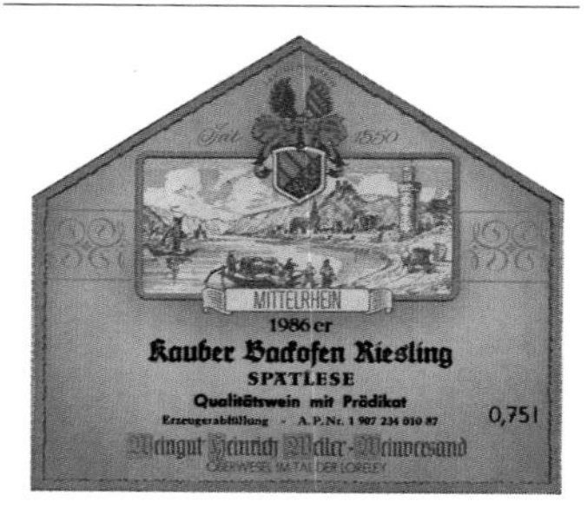

☆ Vignoble : *Backofen*
☆ Producteurs : *Vereinigung Kauber Weingutsbesitzer, Peter Bahles, Heinrich Weiler*
☆ Vignoble : *Rosstein*
☆ Producteur : *Heinrich Weiler*

GROSSLAGE LAHNTAL

Il n'y a pas de villages, de vignobles, de domaines ou de producteurs exceptionnels dans ce superbe Grosslage, dont les vignobles sont sur le déclin. L'Einzellage de Hasenberg à Bad Ems a cependant une certaine réputation.

GROSSLAGE LORELEYFELSEN

Quelques beaux vignobles de Riesling plantés dans un cadre spectaculaire.

ST. GOARSHAUSEN

☆ Vignoble : *Hessern*
☆ Producteurs : *Willi Menges, Fritz Maus*

GROSSLAGE MARKSBURG

L'un des meilleurs vignobles du Rhin moyen des alentours de Coblence demeure dans l'Ortsteil de Ehrenbreitstein. Les autres vignobles sont situés au nord et au sud de la ville. Les vins ressemblent à ceux qui sont produits dans le cours inférieur de la Moselle.

BRAUBACH

☆ Vignoble : *Marmorberg*
☆ Producteurs : *Weingut Priesteroth, Braubacher Winzerverein*

KOBLENZ-EHRENBREITSTEIN

☆ Vignoble : *Kreuzberg*
☆ Producteur : *Klaus Wagner*

GROSSLAGE SCHLOSS SCHÖNBURG

La réputation des vignobles de Riesling de ce Grosslage repose pour une bonne part sur la qualité des vins d'un seul producteur, Heinrich Weiler.

OBERWESEL

☆ Vignoble : *St. Martinsberg*
☆ Producteur : *Heinrich Weiler*

☆ Vignoble : *Römerkrug*
☆ Producteur : *Heinrich Weiler*

BEREICH SIEBENGEBIRGE

Ce Bereich, le plus septentrional, comporte un seul Grosslage couvrant les vignobles de Königswinter Siebengebirge ou « Sept montagnes ».

GROSSLAGE PETERSBERG

Ce Grosslage couvre la même aire que le Bereich Siebengebirge. Les vins n'ont rien d'exceptionnel, encore qu'on en fasse de bons dans le vignoble de Drachenfels, à Königswinter.

Moselle-Sarre-Ruwer

Pour d'aucuns, le plus beau vin allemand, plein d'élégance et au savoureux piquant, est un grand Riesling provenant de Moselle-Sarre-Ruwer (Mosel-Saar-Ruwer). Si, dans les années froides ou humides, les régions rhénanes plus chaudes produisent des vins plus séduisants, aucun vin ne peut égaler en finesse et en vitalité une belle bouteille de Mosel-Saar-Ruwer dans les bonnes années.

La région viticole Moselle-Sarre-Ruwer souligne sans conteste les qualités du Riesling, un raisin naturellement racé. Cultivé sur ces terres, il allie une acidité relativement forte à d'incontestables nuances de légèreté et d'élégance. Cependant, un beau Mosel-Saar-Ruwer n'est jamais maigre, car ce vin révèle des taux d'extraits étonnamment élevés qui, avec l'acidité, intensifient sa saveur si caractéristique.

Dans les années les plus chaudes, les meilleurs *Berrenauslesen* et *Auslesen* proviennent de Moselle-Sarre-Ruwer, où les vins restent racés, tandis qu'ils paraissent gras et surfaits en comparaison dans les autres régions. Même les vins les plus modestes gardent, dans les années ensoleillées, une fraîcheur et une vivacité qui font défaut dans les vins des régions plus chaudes.

LE BON « DOCTOR »

Cette région compte de nombreux grands vignobles, mais aucun n'est aussi illustre que le légendaire Bernkasteler Doctor, qui produit le vin le plus cher d'Allemagne. L'histoire raconte que Boemund III, archevêque de Trèves au XIVe siècle, était si malade que les médecins ne pouvaient plus rien pour lui. Un vigneron de Bernkastel, qui avait appris son état, lui conseilla d'essayer les vertus curatives du vin de son vignoble. L'archevêque en but et guérit miraculeusement, sur quoi il déclara : « Le meilleur docteur croît dans ce vignoble de Bernkastel. »

Le vignoble Doctor fit récemment l'objet d'un long procès. Le vignoble d'origine comprenait 1,35 ha, mais, en 1971, la nouvelle législation viticole allemande supprimait tous les vignobles de moins de 5 ha. Les autorités projetèrent alors d'étendre le Doctor presque aussi équitablement vers l'ouest, jusque dans l'Einzellage Graben, et vers l'est, dans une aire classée simplement Grosslage Badstube. Cela aurait permis à treize producteurs, au lieu de trois précédemment, de faire et de vendre du Bernkasteler Doctor. Les trois propriétaires du vignoble d'origine n'acceptèrent pas cette décision et intentèrent donc un procès.

Le vignoble Bernkasteler Doctor aujourd'hui
Le trait rouge délimite le vignoble d'origine (jaune) et les parcelles finalement ajoutées en 1984 (vert et vert clair). La partie exclue en 1984 figure en rose.

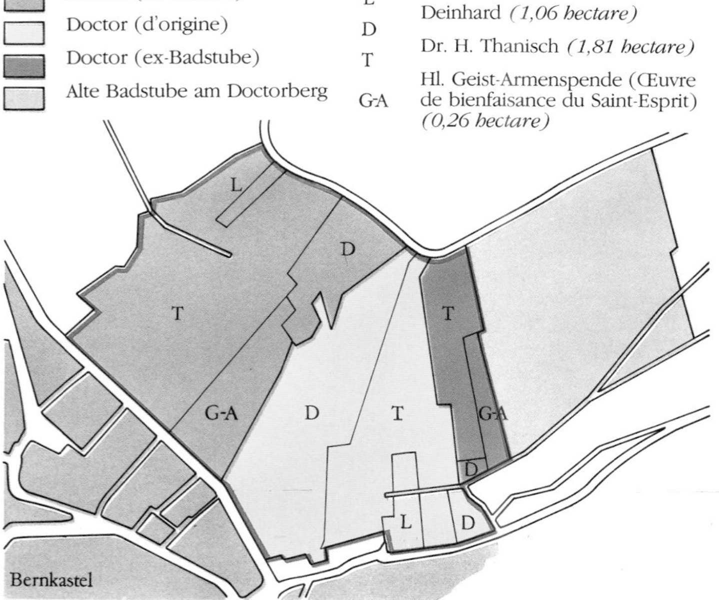

FACTEURS AFFECTANT LE GOÛT ET LA QUALITÉ

Situation
Cette région suit la Moselle, de Coblence à la frontière française, et regroupe les vignobles de deux affluents, la Sarre et la Ruwer.

Climat
Les précipitations modérées et le réchauffement rapide des vallées abritées offrent des conditions qui donnent des raisins à forte acidité, même vendangés surmûris.

Site
La plupart des vignes poussent à une altitude de 100 à 350 m, sur les versants très escarpés de la vallée de la Moselle.

Sol
Sols de natures diverses : grès, calcaire à fossiles et marnes rouges en haute Moselle, ardoise dévonienne en moyenne Moselle, Sarre et Ruwer, sol pierreux gris en basse Moselle ; des sables alluviaux et des sols graveleux dans les sites inférieurs. Les vignobles du Riesling sont ardoisiers, l'Elbling préfère le calcaire.

Viticulture et vinification
Bon nombre des plus grands vins allemands viennent des vignobles les plus pentus et les plus élevés de cette région, le plus souvent situés sur les versants supérieurs des vallées. L'importante main-d'œuvre et les longs hivers expliquent le prix assez élevé des beaux vins de Moselle-Sarre-Rower. L'hiver précoce entraîne une fermentation à très basse température. Les vins mis en bouteille rapidement conservent davantage de gaz carbonique ce qui souligne le caractère nerveux, métallique du raisin de Riesling. Quelque 13 500 viticulteurs possèdent de très petites parcelles de terre. Les négociants assurent 60 % de la production et de la distribution. La part des coopératives, 15 % des ventes, et celle des domaines, 25 %, sont en augmentation.

Cépages principaux
Müller-Thurgau, Riesling

Cépages secondaires
Auxerrois, Bacchus, Elbling, Kerner, Optima, Ortega

En 1984, après une étude exhaustive du terroir du vignoble, les tribunaux décidèrent d'agrandir le Doctor pour recouvrir tout le Graben et une partie du Badstube, soit un total de 3,26 ha. Les dix propriétaires du Badstube exclus du Doctor se trouvaient donc posséder des vignes qui, après avoir eu pendant 13 ans le rang des plus prestigieux vins du pays, retombaient maintenant dans l'anonymat.

Ils demandèrent à utiliser comme nom d'Einzellage « Alte Badstube am Doctorberg » (« Vieux Badstube du mont Doctor »), ce que le ministère leur accorda malgré les protestations des propriétaires originels du Doctor.

L'extension d'un terroir, contestable dans ce cas, et l'idée qu'un vignoble doive avoir une dimension minimale étaient réellement pure folie. Il aurait été bien plus efficace d'amender la loi pour permettre à tout nom de vignoble authentique de figurer en petits caractères sur l'étiquette et d'établir une liste d'une centaine ou davantage (mais certainement pas 2 600) de très grands vignobles. Ceux-ci auraient pu figurer en caractères plus gros sur les étiquettes, sur lesquelles on aurait aussi fait mention adéquate de leur statut supérieur.

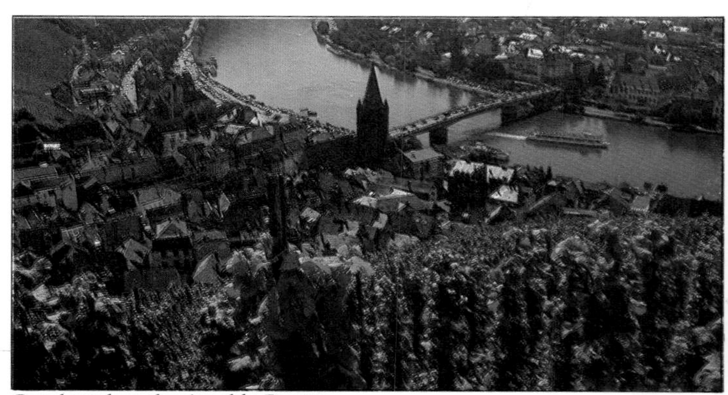

Bernkastel vu du vignoble Doctor
Les vins de Bernkasteler Doctor sont parmi les plus prestigieux et les plus chers d'Allemagne. Bernkastel est situé dans le Grosslage Badstube.

NORMES DE QUALITÉ ET RÉPARTITION DE LA RÉCOLTE

° Oechsle minimal	Catégorie	Récolte 1984	1985	1986	1987
44°	Deutscher Tafelwein	33 %	–	4 %	8 %
47°	Landwein				
50-60°	*QbA	66 %	63 %	72 %	86 %
67-73°	*Kabinett	1 %	27 %	18 %	5 %
76-85°	*Spätlese	–	8 %	6 %	1 %
83-88°	*Auslese	–	2 %	–	–
110°	Beerenauslese				
110°	Eiswein				
150°	Trockenbeerenauslese				

* Le degré Oechsle minimal varie en fonction du taux de sucre naturel du cépage.

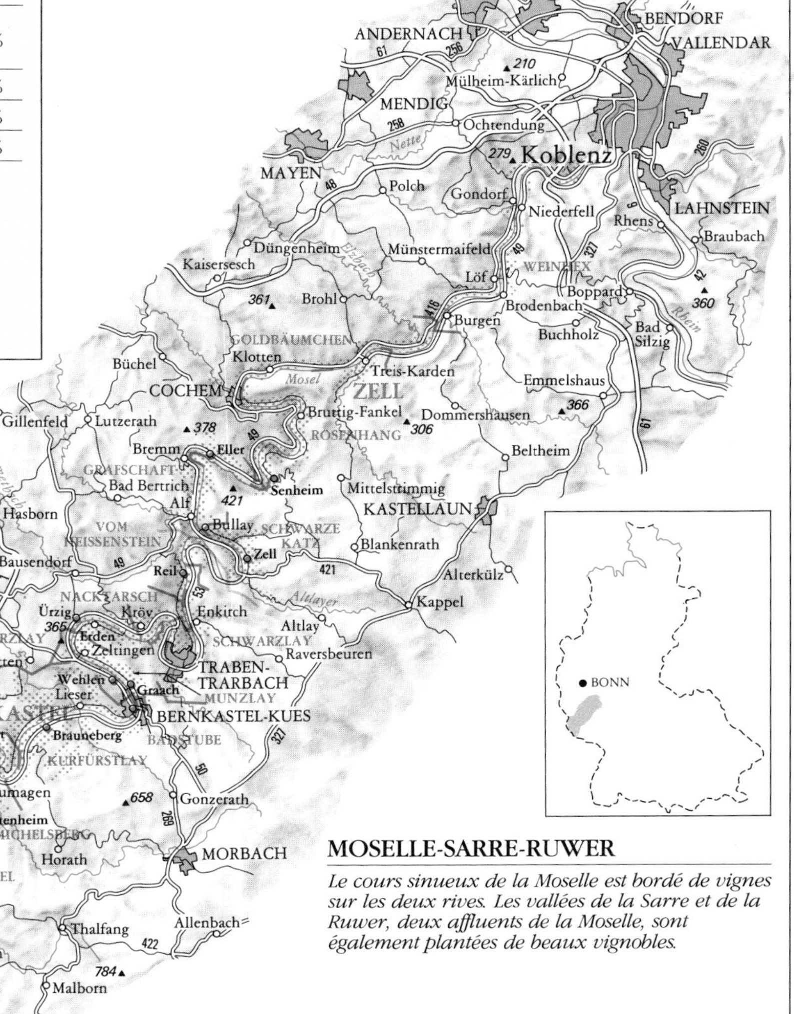

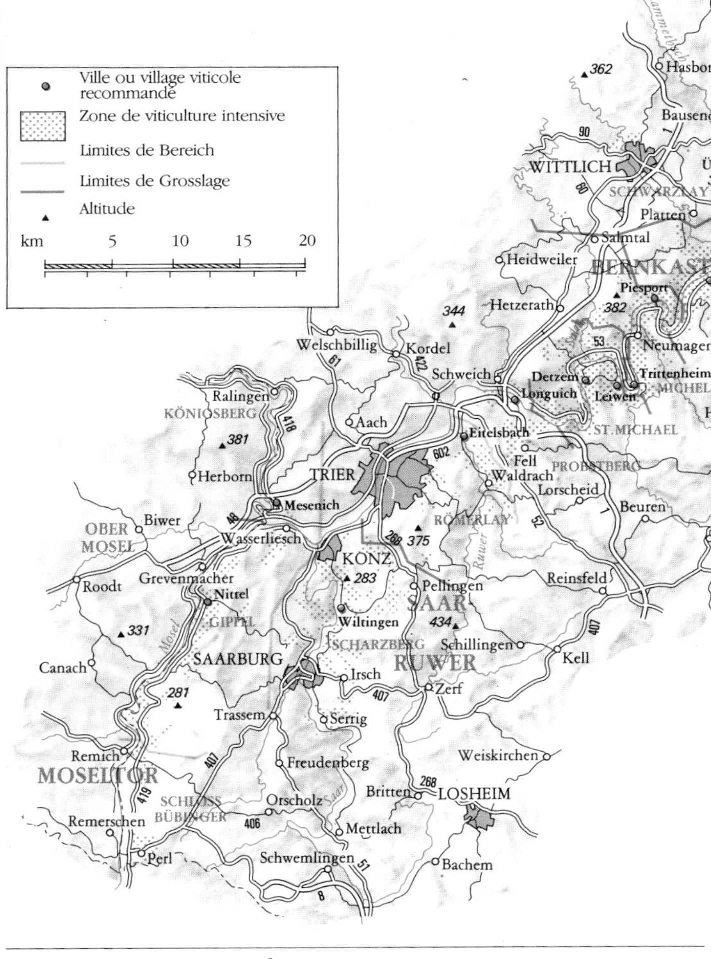

MOSELLE-SARRE-RUWER

Le cours sinueux de la Moselle est bordé de vignes sur les deux rives. Les vallées de la Sarre et de la Ruwer, deux affluents de la Moselle, sont également plantées de beaux vignobles.

LA RÉGION EN CHIFFRES

Superficie plantée de vigne : 11 650 ha

Rendement moyen : 108 hl/ha

Vin rouge : Aucun

Vin blanc : 100 %

Infrastructure : 5 Bereiche ; 20 Grosslagen ; 523 Einzellagen

Note : Les vignobles de cette région sont répartis sur 192 Gemeinden (communes) dont les noms peuvent figurer sur l'étiquette.

LE DOCTOR DE DEINHARD

Deinhard ne produit pas de *QbA*. Lorsque le taux de sucre n'atteint pas la norme du *Kabinett* (comme ce fut le cas en 1984), on ne fait pas du tout de Deinhard Bernkasteler Doctor. Les vins sont alors assemblés avec ceux d'appellations plus vastes.

Les Deinhard Bernkasteler Doctor se caractérisent par une inimitable distinction, une grande finesse et une immense profondeur de saveur. Les bons millésimes restent frais et vifs jusqu'à 30 ans, et plus encore dans les cas exceptionnels. Le *Beerenauslese Eiswein* 1973, vin à l'équilibre exquis, possède la quintessence même du caractère du Riesling, tandis que le *Trockenbeerenauslese* de 1976, d'un moelleux et d'une concentration fabuleuses, pourrait bien être la réincarnation du vin de Boemund.

Le vignoble Doctor, exposé au sud-sud-ouest, fut étendu vers l'ouest plutôt que vers l'est, essentiellement parce que les coteaux, orientés à l'ouest, bénéficient d'un ensoleillement supérieur. Les vignes sont cultivées entre 100 et 180 mètres d'altitude, sur des pentes de 54 à 63°, facteur fondamental dans une région septentrionale où le soleil est relativement bas à l'horizon. Le site réussit donc littéralement à capturer le soleil. Les vignes de Riesling, dont bon nombre restent encore non greffées, croissent sur un sol épais d'ardoise du Devon qui retient la chaleur. Une taille rigoureuse restreint le rendement à environ 70 hectolitres par hectare, pour donner au vin davantage de concentration.

Les vins de Moselle-Sarre-Ruwer

BEREICH ZELL

La basse Moselle n'est pas réputée produire des vins très intéressants, mais certains sont bons à condition de savoir où les chercher.

GROSSLAGE GOLDBÄUMCHEN

Pas de villages, de vignobles ou de producteurs exceptionnels, encore qu'on produise de bons vins dans le village d'Eller.

GROSSLAGE GRAFSCHAFT

Les villages d'Alf et de Bullay produisent de bons vins. Le Riesling de Neef est un vin classique.

NEEF

☆ Vignoble : *Frauenberg*
☆ Producteur : *Eduard Bremm*

GROSSLAGE ROSENHANG

Grosslage prometteur, qui longe la sinueuse rive droite de la Moselle en aval de Schwarze Katz.

MESENICH

☆ Vignobles : *Abteiberg, Deuslay*
☆ Producteur : *Rudolf Kochems*

VALWIG

☆ Vignoble : *Herrenberg*
☆ Producteur : *Josef Thielmann*

GROSSLAGE SCHWARZE KATZ

Le village de Zell compte quelques bons Einzellagen qui peuvent produire un beau Riesling aromatique. Il est surtout renommé pour son étiquette de Grosslage qui porte le célèbre « Schwarze Katz » ou « Chat noir ». À l'origine, les meilleurs vins de Zell étaient choisis à l'aveugle et recevaient l'insigne du chat noir. Depuis que Merl et Kaimt ont fusionné avec Zell, ce n'est plus qu'un vin d'assemblage de Grosslage.

ZELL

☆ Vignoble : *Domherrenberg*
☆ Producteurs : *Hildegard* et *Peter Thielen*

☆ Vignoble : *Petersborn-Kabertchen*
☆ Producteur : *Heinrich Mager jr.*

GROSSLAGE WEINHEX

Pas de villages, de vignobles ou de producteurs exceptionnels dans ce Grosslage, qui s'étend sur les deux rives de la Moselle et dans les faubourgs de Coblence.

BEREICH BERNKASTEL

Ce Bereich, qui s'étend sur toute la moyenne Moselle, couvre la plupart de ses meilleurs vignobles. Une grande partie du vin est vendue sous l'appellation de ce Bereich, mais il est généralement décevant.

GROSSLAGE BADSTUBE

Avec le fameux vignoble Doctor, ainsi que Lay, presque aussi connu, le superbe Graben et six autres bons sites, le Badstube est le plus prestigieux Grosslage du pays. La qualité des vins de ces grands vignobles, y compris des surplus de production, est telle qu'il est pratiquement impossible de trouver de mauvais Badstube. Il est particulièrement bon dans les années médiocres où le raisin de Doctor, qui n'a pas atteint le niveau du *Kabinett*, est assemblé avec d'autres vins.

BERNKASTEL

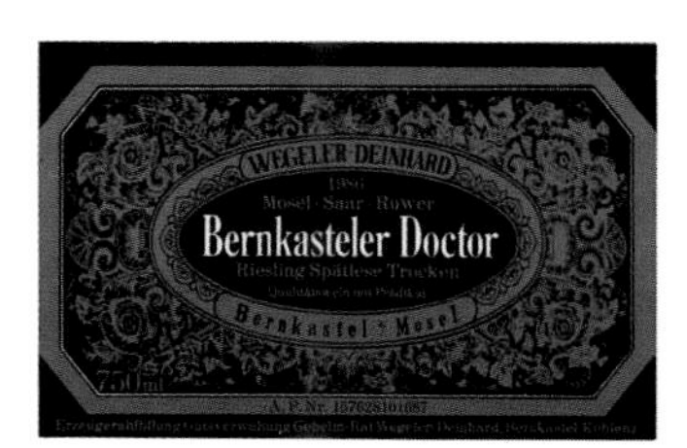

☆ Vignoble : *Doctor*
☆ Producteurs : *Dr. H. Thanisch Wwe., Deinhard, J. Lauerburg*

☆ Vignoble : *Lay*
☆ Producteurs : *Dr. H. Thanisch Wwe., J. Lauerburg, Erben Karl Dillinger, Joh. Jos. Prüm, Otto Pauly KG, S.A. Prüm Erben*

GROSSLAGE VOM HEISSEN STEIN

Pas de villages, de vignobles ou de producteurs exceptionnels, mais le village de Reil produit de bons vins.

GROSSLAGE KURFÜRSTLAY

Ce Grosslage regroupe les moins grands vins de Bernkastel et les meilleurs vins de Brauneberg, dont les plus beaux proviennent de la colline Juffer, exposée au sud-sud-est, au-dessus de la rivière, en face du village de Brauneberg. Ses vins, extrêmement racés, montrent beaucoup de corps. D'aucuns les préfèrent aux Doctor mais, personnellement, ce sont leurs différences qui me charment.

BERNKASTEL

☆ Vignoble : *Kardinalsberg*
☆ Producteur : *St. Nikolaus Hospital*

BRAUNEBERG

☆ Vignoble : *Juffer*
☆ Producteurs : *Fritz Haag, Christian Karp Schreiber, Paulinshof, P. Licht-Bergweiler Erben, Max. Ferd. Richter, Reichsgraf von Kesselstatt*

☆ Vignoble : *Juffer Sonnenuhr*
☆ Producteurs : *Fritz Haag, Christian Karp-Schreiber, Paulinshof, Ferdinand Heng Erben, Max. Ferd. Richter, St. Nikolaus Hospital, Dr. H. Tanisch Wwe.*

GROSSLAGE MICHELSBERG

On trouve de grands vins faits à Piesport, mais le Piesporter Michelsberg, maigre et sans caractère, n'en fait pas partie. Ce vin de Grosslage provient de terres alluviales plates où les rendements sont élevés.

PIESPORT

☆ Vignoble : *Goldtröpfchen*
☆ Producteurs : *Friedrich-Wilhelm-Gymnasium, Reichsgraf von Kesselstatt, Hubert Kirsten, Bichöfliches Konvikt Trier, Oskar Tobias*

TRITTENHEIM

☆ Vignoble : *Apotheke*
☆ Producteurs : *Friedrich-Wilhelm-Gymnasium, Bischöfliches Priesterseminar Trier, Weingut Milz-Laurentiushof*

☆ Vignoble : *Altärchen*
☆ Producteurs : *Friedrich-Wilhelm-Gymnasium, Bischöfliches Priesterseminar Trier, Weingut Milz-Laurentiushof*

GROSSLAGE MÜNZLAY

Les trois villages de ce Grosslage, sans avoir la gloire de Bernkastel ou la popularité de Piesport, possèdent des vignobles vraiment superbes sur la Moselle et comptent un nombre incomparable de grands producteurs et de domaines.

GRAACH

☆ Vignoble : *Himmelreich*
☆ Producteurs : *Dr. H. Thanisch Wwe., Reichsgraf von Kesselstatt, Dr. F. Weins Prüm Erben, Joh. Jos. Prüm, Friedrich-Wilhelm-Gymnasium, S.A. Prüm Erben, St. Nikolaus Hospital, Studert-Prüm, Josef Cristoffel Erben, J. Lauerburg, Otto Pauly KG, Max Ferd. Richter, Deinhard*

☆ Vignoble : *Josephshöfer*
☆ Producteur : *Reichsgraf von Kesselstatt*

☆ Vignoble : *Domprobst*
☆ Producteurs : *Dr. F. Weins Prüm Erben, Joh. Jos. Prüm, Friedrich-Wilhelm-Gymnasium, P. Licht-Bergweiler Erben, S.A. Prüm Erben, Heribert Kerpen, Studert-Prüm, Josef Cristoffel Erben, Otto Pauly KG, Max. Ferd. Richter, Deinhard*

WEHLEN

☆ Vignoble : *Sonnenuhr*
☆ Producteurs : *Dr. H. Tanisch Wwe., Prüm-Bergweiler, Weingut Kerpen, Dr. F. Weins Prüm Erben, Joh. Jos. Prüm, P. Licht-Bergweiler Erben, S.A. Prüm Erben, St. Nikolaus Hospital, Studert-Prüm, Josef Cristoffel Erben, Otto Pauly KG, Deinhard*

ZELTINGEN

☆ Vignoble : *Himmelreich*
☆ Producteurs : *Joh. Jos. Prüm, Frh. von Schorlemer, Geschw. Ebses-Berres, Franz Merrem, Freidrich-Wilhelm-Gymnasium, Karl Weber, Lehmen, Peter Nicolay KG*

☆ Vignoble : *Sonnenuhr*
☆ Producteurs : *Reichsgraf von Kesselstatt, Joh. Jos. Prüm, Friedrich-Wilhelm-Gymnasium*

GROSSLAGE NACKTARSCH

Pas de villages, vignobles ou producteurs exceptionnels.

GROSSLAGE PROBSTBERG

Pas de villages, vignobles ou producteurs exceptionnels.

GROSSLAGE SCHWARZLAY

Erden et Uerzig sont deux villages sous-estimés de la moyenne Moselle. Leurs spectaculaires vignobles, perchés sur des coteaux abrupts, produisent des vins riches et racés, d'une intensité et d'un style saisissants.

ERDEN

☆ **Vignoble** : *Treppchen*
☆ **Producteurs** : *St. Johannishof, Dr. Loosen, Rich. Jos. Berres, Rob. Eymael, Weingut Schmittger, Schwaab-Scherr, Peter Nicolay KG, Bischöfliches Priesterseminar Trier, Dr. Weins-Prüm Erben, Benedict Loosen Erben*

☆ **Vignoble** : *Prälat*
☆ **Producteurs** : *St. Johannishof, Dr. Loosen, Peter Nicolay KG, Geschwister Berres, Dr. Weins-Prüm Erben, Benedict Loosen Erben*

UERZIG

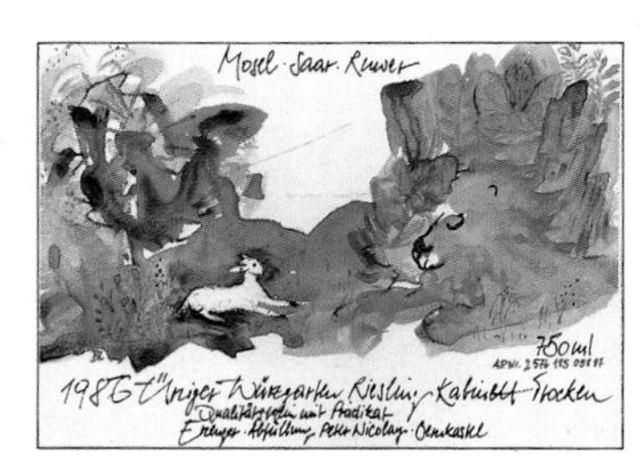

☆ **Vignoble** : *Würzgarten*
☆ **Producteurs** : *Rob Eymael, Peter Nicolay KG, Joh. Jos. Cristoffel Erben, Dr. Weins-Prüm Erben, Benedict Loosen Erben*

GROSSLAGE ST. MICHAEL

Les vins de Klüsserath sont populaires mais surestimés, tandis que ceux de Detzem, et surtout de Leiwen, sont meilleurs, en particulier dans les vignobles ensoleillés.

DETZEM

☆ **Vignoble** : *Würzgarten*
☆ **Producteur** : *Karl Loewen*

LEIWEN

☆ **Vignoble** : *Laurentiuslay*
☆ **Producteurs** : *Reichsgraf von Kesselstatt, Alfred Lex, Karl Loewen*

BEREICH SAAR-RUWER

Les deux Grosslagen de ce Bereich occupent les rives des deux affluents les plus renommés de la Moselle. Scharzberg est sur la Sarre et Römerlay sur la Ruwer.

GROSSLAGE RÖMERLAY

Ce Grosslage couvre les vignobles de la Ruwer, Trèves, et quelques parcelles disséminées sur la Moselle. La Ruwer est de beaucoup le plus petit des deux affluents, mais on trouve sur ses rives des vignobles exceptionnels.

Des vignerons talentueux produisent ici des vins très aromatiques, vivaces, aussi racés que tout autre vin de la Moselle, mais pas tout à fait aussi mordants que ceux de la Sarre. La qualité est d'un niveau extraordinaire et peu de vins portent l'appellation du Grosslage.

MAXIMIN GRÜNHAUS

☆ **Vignobles** : *Abtsberg, Bruderberg, Herrenberg*
☆ **Producteur** : *Von Schubert*

EITELSBACH

☆ **Vignobles** : *Karthäuserhofberger Kronenberg, Karthäuserhofberger Sang, Karthäuserhofberger Burgberg*
☆ **Producteur** : *Eitelsbacher Karthäuserhof*

☆ **Vignoble** : *Marienholz*
☆ **Producteurs** : *Bischöfliches Konvikt Trier, Bert Simon*

KASEL

☆ **Vignoble** : *Hitzlay*
☆ **Producteurs** : *Bischöfliches Konvikt Trier, Bert Simon, Deinhard, Reichsgraf von Kesselstatt, Patheiger Erben, Von Beulwitz Erben, Weingut Petershof*

☆ **Vignoble** : *Kehrnagel*
☆ **Producteurs** : *Deinhard, Reichsgraf von Kesselstatt, Bischöfliches Konvikt Trier, Bert Simon*

☆ **Vignoble** : *Herrenberg*
☆ **Producteurs** : *Deinhard, Reichsgraf von Kesselstatt, Patheiger Erben, Bert Simon*

GROSSLAGE SCHARZBERG

Ce Grosslage couvre la Sarre et une petite section de la Moselle entre Konz et Trèves au nord. Ces vins extrêmement racés, mordants et métalliques quand ils sont jeunes, s'équilibrent gracieusement en acquérant d'exquises saveurs piquantes. Les très modestes vins de la Sarre sont souvent trop maigres et verts pour être agréables mais les ***Kabinett*** et les ***QmP*** des grands producteurs sont excellents. Cette appellation est souvent utilisée par les viticulteurs.

WILTINGEN

☆ **Vignoble** : *Scharzhofberger*
☆ **Producteurs** : *Hohe Domkirche-Trier, Weingut v. Hövel, Vereinigte Hospitien-Trier, Egon Müller, Carl-Friedrich Rautenstrauch, Appolinarius J. Koch, Reichsgraf von Kesselstatt, Staatsdomäne, Von Hövel, Bernd van Volxem*

☆ **Vignoble** : *Braune Kupp*
☆ **Producteurs** : *Appolinarius J. Koch, Le Gallais, Graf zu Hoensbroech, Bischöfliches Priester Seminar Trier*

☆ **Vignoble** : *Kupp*
☆ **Producteurs** : *Graf zu Hoensbroech, Hubert Schmitz*

☆ **Vignoble** : *Braunfels*
☆ **Producteurs** : *Carl-Friedrich Rautenstrauch, Reichsgraf von Kesselstatt, Hubert Schmitz*

FILZEN

☆ **Vignoble** : *Herrenberg*
☆ **Producteur** : *Edmund Reverchon*

SERRIG

☆ **Vignoble** : *Herrenberg*
☆ **Producteur** : *Bert Simon*

☆ **Vignoble** : *Schloss Saarfelser Schlossberg*
☆ **Producteur** : *Vereinigte Hospitien-Trier*

SAARBURG

☆ **Vignoble** : *Rausch*
☆ **Producteurs** : *Forstmeister Geltz Erben, Freiherr von Solemacher*

KANZEM

☆ **Vignoble** : *Altenberg*
☆ **Producteurs** : *Maximilian von Othegraven, Bischöfliches Priester-seminar Trier, Edmund Reverchon*

OCKFEN

☆ **Vignoble** : *Bockstein*
☆ **Producteurs** : *Dr. Fischer, Staatl. Weinbaudomäne, Weingut Forstmeister Geltz Erben, Zilliken, Edmund Reverchon, Adolf Rheinart Erben, Freiherr von Solemacher*

WAWERN

☆ **Vignoble** : *Herrenberg*
☆ **Producteur** : *Dr. Fischer*

BEREICH OBERMOSEL

La haute Moselle, ou Obermosel, est essentiellement plantée d'Elbling, qu'on y cultive depuis l'époque romaine. Les vins maigres et acides servent pour la plupart à la production de *Sekt*.

GROSSLAGE KÖNIGSBERG

Pas de villages, de vignobles ou de producteurs exceptionnels.

GROSSLAGE GIPFEL

Pas de villages, de vignobles ou de producteurs exceptionnels bien que le village de Nittel produise des vins honorables.

BEREICH MOSELTOR

Le Bereich le plus méridional de la Moselle doit son nom de « Porte de la Moselle » au fait que la rivière entre ici en Allemagne après avoir traversé le Luxembourg. Les vins, très légers et acides, sont sans grand intérêt si ce n'est pour les maisons productrices de *Sekt*.

GROSSLAGE SCHLOSS BÜBINGER

Dans le village de Perl, les vins secs de Helmut Herber ont bonne réputation, en particulier ceux qu'il fait de raisin d'Auxerrois. Alfons Pettgen est le fournisseur officiel tant de la RDA que du gouvernement de Saarland.

PERL

☆ **Vignoble** : *Hasenberg*
☆ **Producteur** : *Helmut Herber*

SEHNDORF

☆ **Vignoble** : *Klosterberg*
☆ **Producteur** : *Alfons Pettgen*

Nahe

Un microclimat ensoleillé et des sols de natures variées s'allient ici pour produire des vins qui montrent l'élégance des Rheingau, le corps des Rheinhessen légers et l'acidité des Mosel. L'arôme parfumé d'un vin de la Nahe, de même que sa saveur extrêmement fragrante, et sa texture souple et tendre sont véritablement uniques.

La vigne s'est implantée relativement tard dans la vallée de la Nahe puisque les plus anciens documents remontent au VIIIe siècle, au moins 500 ans après la création d'une florissante industrie du vin dans la vallée de la Moselle par les Romains. Les vignobles se sont considérablement étendus aux XIIe et XIIIe siècles. Si, au siècle dernier, la Nahe rivalisait avec le Rheingau, curieusement, à l'époque de la Seconde Guerre mondiale, elle était la plus méconnue des régions viticoles allemandes. La production n'avait pourtant baissé ni en quantité ni en qualité ; d'excellents vignobles comme le Kupfergrube à Schlossböckelheim, aujourd'hui considéré comme le plus grand de tous les vignobles de la Nahe, n'existait même pas avant 1900. Ce retrait était sans doute dû à la structure de la région, une aire relativement petite, composée de vignobles disséminés, qui avait du mal à rivaliser avec les grandes régions plus compactes. L'industrialisation et le développement des moyens de transport entraînèrent pour celles-ci une période de prospérité qui n'en isola que davantage la Nahe. Avec son économie essentiellement rurale fondée sur l'agriculture mixte, elle se replia sur elle-même. La population locale pouvait consommer la plus grande partie de sa production et les vins de la Nahe furent peu à peu oubliés sur les marchés nationaux et internationaux.

FACTEURS AFFECTANT LE GOÛT ET LA QUALITÉ

Situation
La région s'étend autour de la Nahe, rivière qui s'écoule parallèlement à la Moselle, à 40 km au sud-est, entre la Hesse rhénane et le Rhin moyen.

Climat
Climat tempéré et ensoleillé, avec des précipitations adéquates, sans gelées. Le temps est influencé par la forêt de Sonnwald au nord-est et par les collines rocheuses à l'est, qui retiennent la chaleur. Les vignobles abrités et exposés au sud ont des microclimats presque méditerranéens.

Site
Les vignobles se trouvent sur les rives de la Nahe et celles de l'arrière-pays. La vigne y croît à des altitudes de 100 à 300 m.

Sol
Sols de natures diverses : quartzite et ardoise en aval, porphyre (roche dure pauvre en calcaire), mélaphyre (roche dure riche en calcaire) et grès coloré plus en amont. Près de Bad Kreuznach, on trouve également des argiles décomposées, du lœss et du limon. Les plus grands vins de Riesling proviennent des sols de grès.

Viticulture et vinification
Depuis le milieu des années 60, la culture du Riesling et du Silvaner a diminué de 20 et 15 % respectivement. Le Müller-Thurgau, aujourd'hui le cépage le plus important, représente environ 30 % de l'encépagement : l'évolution est surtout due à la culture de croisements tels que le Kerner, le Scheurebe et le Bacchus.

Des coopératives bien équipées vinifient 20 % de la récolte. Les petits vignerons vendent directement à la clientèle de passage jusqu'à 40 % de la production. Les 40 % restants sont entre les mains des maisons de négoce et d'export traditionnelles.

Cépages principaux
Müller-Thurgau, Riesling, Silvaner

Cépages secondaires
Bacchus, Faberrebe, Kerner, Scheurebe, Ruländer, Weissburgunder

NORMES DE QUALITÉ ET RÉPARTITION DE LA RÉCOLTE

° Oechsle minimal	Catégorie	Récolte 1984	1985	1986	1987
44°	Deutscher Tafelwein	20 %	–	4 %	4 %
50°	Landwein				
57-60°	*QbA	76 %	57 %	80 %	88 %
70-73°	*Kabinett	3 %	27 %	14 %	8 %
78-82°	*Spätlese	1 %	13 %	2 %	–
85-92°	*Auslese	–	3 %	–	–
120°	Beerenauslese				
120°	Eiswein				
150°	Trockenbeerenauslese				

* Le degré Oechsle minimal varie en fonction du taux de sucre naturel du cépage.

LA NAHE

Entre la Hesse rhénane et le Rhin moyen se trouvent les vignobles isolés de la Nahe. La rivière qui lui donne son nom compte de nombreux affluents qui s'écoulent entre de spectaculaires falaises en surplomb.

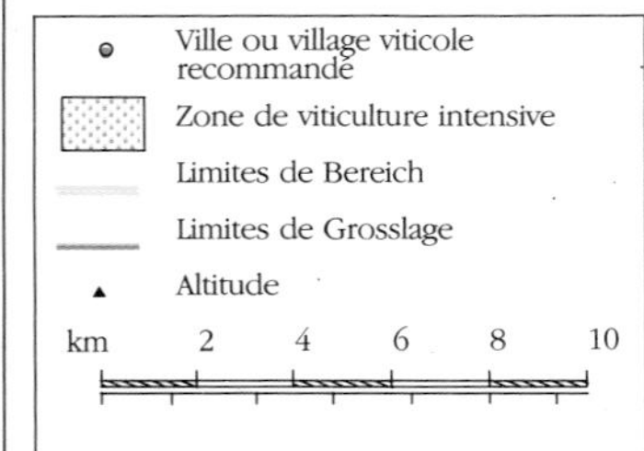

LA RÉGION EN CHIFFRES

Superficie plantée de vigne : 4 300 ha

Rendement moyen : 86 hl/ha

Vin rouge : 2 %

Vin blanc : 98 %

Infrastructure : 2 Bereiche ; 7 Grosslagen ; 328 Einzellagen

Note : Les vignobles sont répartis sur 80 communes dont les noms peuvent figurer sur l'étiquette.

UN MÉLANGE D'ANCIEN ET DE NOUVEAU

Finesse et bouquet, caractère tendre et cependant racé, bonne aptitude au vieillissement, le Riesling a toujours été le plus beau vin de la Nahe. Il n'a jamais été, cependant, le cépage prédominant et sa production a considérablement diminué. Si le Silvaner représentait jusqu'à 40 % des vignes jusqu'au milieu des années 60, le Müller-Thurgau est devenu, aujourd'hui, le principal cépage. Les nouveaux croisements prennent eux aussi de l'importance, en particulier le Kerner, qui ressemble au Riesling, et le Scheurebe, séduisant, aromatique et bien équilibré, au niveau des *Auslese*.

Les vins de la Nahe

BEREICH KREUZNACH

Ce Bereich couvre l'aire jadis nommée Untere Nahe, ou Nahe inférieure.

GROSSLAGE KRONENBERG

Les plus beaux vins de ce Grosslage, l'un des meilleurs de la Nahe, des Riesling qui allient un arôme parfumé et une légère acidité mais racée, sont des Einzellagen.

BAD KREUZNACH

☆ **Vignoble** : *Kahlenberg*
☆ **Producteurs** : *Graf von Plettenberg, Eckel-Pitthan, Ludwig Herf, Rudolf Peter Anheuser, Oekonomierat August Anheuser, Kreuznacher Weinbauschule, Paul Anheuser*

☆ **Vignoble** : *Krötenpfuhl*
☆ **Producteurs** : *Graf von Plettenberg, Rudolf Peter Anheuser, Oekonomierat August Anheuser, Carl Finkenauer, Paul Anheuser*

☆ **Vignoble** : *Brückes*
☆ **Producteurs** : *Graf von Plettenberg, Eckel Pitthan, Oekonomierat August Anheuser, August Grünewald, Carl Finkenauer, Rudolf Peter Anheuser, Paul Anheuser*

☆ **Vignoble** : *Hinkelstein*
☆ **Producteurs** : *Günther Schlink, Staatliche Weinbaudomäne, Graf von Plettenberg, Oekonomierat August Anheuser, Paul Anheuser*

☆ **Vignoble** : *Hinkelstein*
☆ **Producteurs** : *Günther Schlink, Staatliche Weinbaudomäne, Graf von Plettenberg, Oekonomierat August Anheuser, Paul Anheuser*

GROSSLAGE PFARRGARTEN

Petit Grosslage au nord-ouest de Bad Kreuznach. Les vins de Wallhausen sont les meilleurs.

WALLHAUSEN

☆ **Vignoble** : *Sonnenweg*
☆ **Producteur** : *Prinz zu Salm-Dahlberg'sches Weingut*

☆ **Vignoble** : *Felseneck*
☆ **Producteur** : *Prinz zu Salm-Dahlberg'sches Weingut*

GROSSLAGE SCHLOSSKAPELLE

Beaux Riesling racés à Münster-Sarmsheim ; vins plus riches et plus amples à Dorsheim et vins d'un excellent rapport qualité/prix à Windesheim et Guldental.

WINDESHEIM

☆ **Vignoble** : *Sonnenmorgen*
☆ **Producteur** : *Konrad Knodel*

MÜNSTER (-SARMSHEIM)

☆ **Vignoble** : *Dautenpflanzer*
☆ **Producteur** : *Staatliche Weinbaudomäne*

DORSHEIM

☆ **Vignoble** : *Klosterpfad*
☆ **Producteurs** : *Schlossgut Diel, Staatliche Weinbaudomäne*

☆ **Vignoble** : *Goldloch*
☆ **Producteur** : *Schlossgut Diel*

☆ **Vignoble** : *Burgberg*
☆ **Producteur** : *Staatliche Weinbaudomäne*

GULDENTAL

☆ **Vignoble** : *Rosenteich*
☆ **Producteur** : *Karl Kruger*

GROSSLAGE SONNENBORN

Un seul village, Langenlonsheim, donne des vins généralement amples et intéressants, mais assez rustiques.

LANGENLONSHEIM

☆ **Vignoble** : *Steinchen*
☆ **Producteur** : *Tesch-Heintz*

BEREICH SCHLOSS BÖCKELHEIM

Le plus célèbre des deux Bereiche de la Nahe porte le nom de la commune la plus importante de la région. Ses beaux vignobles de Riesling sont orientés au sud. On y trouve aussi des vignobles plus modestes plantés de cépages inférieurs.

GROSSLAGE BURGWEG

Ce Grosslage, à ne pas confondre avec les Grosslagen qui portent le même nom dans le Rheingau et en Hesse rhénane, produit la plus belle gamme de vins de Riesling de la Nahe, dont Schlossböckelheimer, le meilleur de tous. Un bon taux d'extraits et une forte acidité leur donnent une saveur intense et mordante.

SCHLOSSBÖCKELHEIM

☆ **Vignoble** : *Kupfergrube*
☆ **Prod.** : *Staatliche Weinbaudomäne, Ludwig Herf, Graf von Plettenberg*

☆ **Vignoble** : *Königsfels*
☆ **Producteurs** : *Paul Anheuser, Jacob Schneider, Egon Anheuser*

☆ **Vignoble** : *Felsenberg*
☆ **Producteurs** : *Staatliche Weinbaudomäne, Graf von Plettenberg, Hans Crusius-Traisen*

☆ **Vignoble** : *Hermannshöhle*
☆ **Producteurs** : *Staatliche Weinbaudomäne, Oekonomierat August E. Anheuser, Jacob Schneider*

☆ **Vignoble** : *Hermannsberg*
☆ **Prod.** : *Staatliche Weinbaudomäne*

☆ **Vignoble** : *Steinberg*
☆ **Prod.** : *Staatliche Weinbaudomäne*

BAD MÜNSTER AM STEIN

☆ **Vignoble** : *Rotenfels*
☆ **Prod.** : *Staatliche Weinbaudomäne, Hans Crusius-Traisen, Weingut Rotenfels, Voigtländer Fenker*

NORHEIM

☆ **Vignoble** : *Dellchen*
☆ **Producteurs** : *Oekonomierat August E. Anheuser, Adolf Lötzbeyer, Paul Anheuser, Staatliche Weinbaudomäne*

GROSSLAGE PARADIESGARTEN

Vaste aire regroupant des vignobles disséminés de qualité variable. À l'exception d'Obermoschel, les plus beaux vins proviennent de l'est de la Nahe. Les vins sont généralement d'un bon rapport qualité/prix.

MONZINGEN

☆ **Vignoble** : *Rosenberg*
☆ **Producteur** : *Nahe-Winzerkellereiene. G.*

☆ **Vignoble** : *Frühlingsplätzchen*
☆ **Prod.** : *Nahe-Winzerkellereiene. G.*

MEDDERSHEIM

☆ **Vignoble** : *Rheingrafenberg*
☆ **Producteur** : *Winzergenossenschaft Rheingrafenberg*

MERXHEIM

☆ **Vignoble** : *Römerberg*
☆ **Producteur** : *Winzergenossenschaft Rheingrafenberg*

OBERMOSCHEL

☆ **Vignoble** : *Geissenkopf*
☆ **Producteur** : *Weingut Schmidt*

GROSSLAGE ROSENGARTEN

L'authentique et illustre Rüdesheimer Rosengarten est un grand Riesling du Rheingau provenant de l'Einzellage Rosengarten. Celui de la Nahe est un honnête mais simple vin d'un modeste Grosslage, un assemblage de Müller-Thurgau et de Silvaner.

RÜDESHEIM

☆ **Vignoble** : *Goldgrube*
☆ **Producteur** : *Graf von Plettenberg*

ROXHEIM

☆ **Vignoble** : *Höllenpfad*
☆ **Producteur** : *Graf von Plettenberg, Paul Anheuser*

Rheingau

Nombre de pays utilisent le synonyme Riesling de Johannisberg pour distinguer le vrai Riesling des nombreux cépages inférieurs qui en déprécient le nom. Il est vrai que le roi des cépages allemands trouve son site d'élection idéal autour de Johannisberg.

Si j'ai eu l'occasion de goûter plus de grands Riesling de Moselle-Sarre-Ruwer que du Rheingau car je préfère un taux d'acidité plus élevé, je ne saurais contester les résultats exceptionnels que donne le Riesling sur le coteau baigné de soleil de Johannisberg. Les vins, même les *QbA*, laissent en bouche une saveur tendre, satisfaisante et élégante de pêche, avec un caractère juvénile et mielleux qui n'a rien à voir avec la pourriture noble, la surmaturation ou le vieillissement en bouteille. On peut préférer d'autres interprétations de ce raisin, mais on ne saurait toutefois en trouver d'exemples plus fins et plus gracieux.

Viticulture dans le Rheingau
Le Riesling, qui donne ici ses plus beaux vins, représente 80 % des vignes.

FACTEURS AFFECTANT LE GOÛT ET LA QUALITÉ

Situation
Région compacte, de 36 km de long seulement, sur les rives nord du Rhin et du Main entre Bingen et Mayence.

Climat
Les montagnes du Taunus et les cours d'eau protègent les vignes du froid. La région reçoit plus de soleil que la moyenne de mai à octobre.

Site
Les vignes poussent entre 100 et 300 m d'altitude sur un superbe coteau orienté plein sud.

Sol
Quartzite et ardoise délitée dans les sites les plus élevés, qui produisent les plus grands Riesling. Le limon, le lœss, l'argile et les graves sableuses des vignobles en contrebas donnent des vins plus amples et plus robustes. Les sols d'ardoise bleutée et de phyllite autour d'Assmannshausen seraient propices au Spätburgunder.

Viticulture et vinification
Cette région compte quelque 500 domaines et 2 600 viticulteurs. Beaucoup font et vendent leurs propres vins ; d'autres fournissent les dix coopératives. Le Riesling représente 80 % des vignes. Les vins sont traditionnellement plus secs que dans les autres régions. Assmannshausen est célèbre pour son vin rouge, l'un des meilleurs d'Allemagne.

Cépage principal
Riesling

Cépages secondaires
Kerner, Müller-Thurgau, Ehrenfelser, Silvaner, Spätburgunder

LA RÉGION EN CHIFFRES

Superficie plantée de vigne : 2 750 ha

Rendement moyen : 79 hl/ha

Vin rouge : 6 %

Vin blanc : 94 %

Infrastructure : 1 Bereich ; 10 Grosslagen ; 118 Einzellagen

Note : Les vignobles de cette région sont répartis sur 28 Gemeinden (communes) dont les noms peuvent figurer sur l'étiquette.

• Ville ou village viticole recommandé
Zone de viticulture intensive
Limites de Grosslage
▲ Altitude
km 2 4 6 8 10

LE RHEINGAU
Les vignobles du Rheingau sont plantés sur les rives nord du Rhin et du Main.

LA CHARTE DE QUALITÉ DU RHEINGAU

Malgré l'enthousiasme suscité par les nouveaux vins secs d'Allemagne, certains des grands domaines du Rheingau ont cependant compris que la plupart des vins exportés étaient des vins de coupage de médiocre qualité. Comme ces viticulteurs produisaient des vins naturellement secs, ils ont pensé qu'une mauvaise image de marque des vins *trocken* leur était préjudiciable ; ils s'unirent donc pour la protéger. C'est ainsi que fut créée, en 1983, une association de « Domaines de la charte », « afin de promouvoir le style classique des Riesling du Rheingau, d'améliorer la qualité de ses vins et de les rendre uniques parmi les vins d'autres régions vinicoles ».

LES RÈGLEMENTS DE LA CHARTE

Ayant dégusté de nombreux vins de la Charte, je suis persuadé qu'ils sont effectivement supérieurs. La plupart des plus beaux vins du Rheingau en font partie, mais il s'agit exclusivement de vins secs – les grands *QmP* du Rheingau de style plus moelleux, élaborés à partir des *Auslese*, échappent à ce système. On reconnaît ces vins à leur bouteille caractéristique, haute, fine et brune, traditionnelle dans le Rheingau. Toutes les bouteilles portent une double arche romaine en relief ainsi qu'une étiquette noire où figure le même emblème.

1. Les vins de la Charte sont soumis à un examen organoleptique, avant et après la mise en bouteille, pour vérifier l'authenticité de l'échantillon d'origine.

2. Une analyse officielle doit accompagner les vins soumis à la Charte (deux bouteilles par type), lesquels doivent satisfaire à certains critères établis par l'Association.

3. Les vins soumis à examen doivent se conformer aux conditions suivantes :
a) être des vins de domaine à 100 % ;
b) être issus exclusivement de Riesling ;
c) comporter un minimum de 7,5 grammes d'acidité par litre ;
d) comporter entre 9 et 18 grammes par litre de sucre résiduel ;
e) être au-dessus de la densité moyenne minimale de 65° Oechsle pour les *QbA*, 78° pour les *Kabinett* et 88° pour les *Spätlese*
Les vins doivent présenter toutes les caractéristiques d'un vrai Riesling, du millésime et du vignoble.

4. L'inscription se fait quatre semaines avant la date de l'examen, avec indication du millésime et de la catégorie.
Lors d'une dégustation à l'aveugle, on teste des vins normaux provenant de sites et de catégories comparables en même temps que les vins soumis à l'examen. Les vins de la Charte doivent surpasser ces vins de référence à tous égards. Lors de la seconde dégustation, les vins sont de nouveau confrontés. De plus, ils doivent être accompagnés de l'analyse effectuée pour l'attribution du numéro *AP* (*voir* p. 204). Ces documents, conservés par l'Association, peuvent servir lors d'une éventuelle vérification.

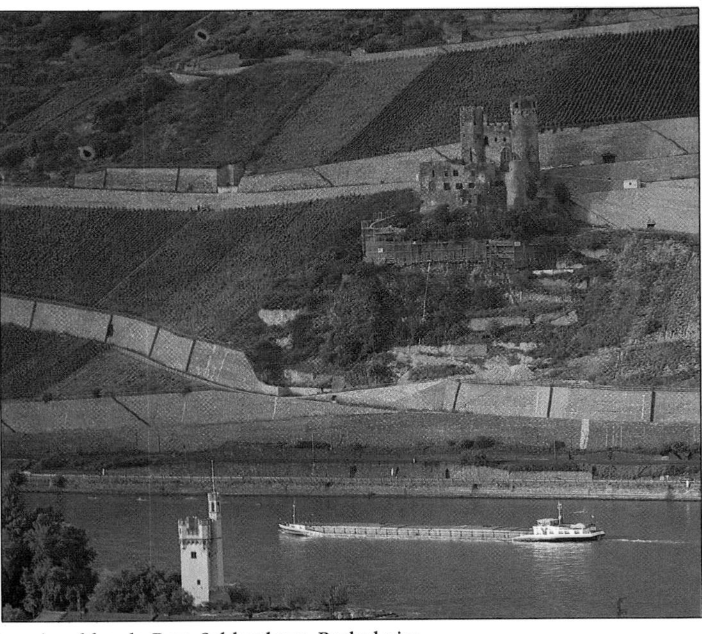

Les vignobles de Berg Schlossberg, Rudesheim
Ces vignobles tournés vers le midi sont parfaitement exposés au soleil.

NORMES DE QUALITÉ ET RÉPARTITION DE LA RÉCOLTE

° Oechsle minimal	Catégorie	Récolte 1984	1985	1986	1987
44°	Deutscher Tafelwein	20 %	–	3 %	2 %
53°	Landwein				
57-66°	*QbA	79 %	40 %	72 %	89 %
73-80°	*Kabinett	1 %	53 %	21 %	8 %
85-95°	*Spätlese	–	6 %	4 %	1 %
95-105°	*Auslese	–	1 %	–	–
125°	Beerenauslese				
125°	Eiswein				
150°	Trockenbeerenauslese				

* Le degré Oechsle minimal varie en fonction du taux de sucre naturel du cépage.

Les vins du Rheingau

BEREICH JOHANNISBERG

Ce Bereich couvre l'ensemble du Rheingau et son nom, grâce à la renommée de Johannisberg, permet de vendre des vins de moindre qualité. Les producteurs ont commencé à utiliser les noms de Grosslagen sur les étiquettes, car ils ne sont pas obligés de les faire précéder du mot « Grosslage », ce qui permet de laisser croire que le vin, provenant d'un site spécifique, pourrait être de qualité supérieure.

GROSSLAGE BURGWEG

Le Grosslage le plus à l'ouest du Rheingau. Un vin qui porte ce nom sur l'étiquette, avec l'indispensable mention « Riesling », peut être assez bon mais il ne pourra se comparer aux nombreux vins provenant des superbes Einzellagen de Burgweg, faits par l'un des grands domaines ou de petits viticulteurs.

RÜDESHEIM

☆ **Vignoble** : *Bischofsberg*
☆ **Producteurs** : *Weingut Schloss Groenesteyn, Weingut G. H. von Mumm, Domäne Schloss Schönborn, Deinhard, August Eser, Dr. Heinrich Nägeler, Balthasar Ress*

☆ **Vignoble** : *Drachenstein*
☆ **Producteur** : *Dr. Heinrich Nägeler*

☆ **Vignoble** : *Kirchenpfad*
☆ **Producteurs** : *Weingut Schloss Groenesteyn, Balthasar Ress*

☆ **Vignoble** : *Berg Rottland*
☆ **Producteurs** : *Weingut Schloss Groenesteyn, Weingut G. H. von Mumm, Staatsweingüter, Domäne Schloss Schönborn, Deinhard, Dr. Heinrich Nägeler*

☆ **Vignoble** : *Berg Roseneck*
☆ **Producteurs** : *Weingut Schloss Groenesteyn, Weingut G. H. von Mumm, Deinhard, Dr. Heinrich Nägeler, Balthasar Ress, Staatsweingüter*

☆ **Vignoble** : *Berg Schlossberg*
☆ **Producteurs** : *Weingut Schloss Groenesteyn, Weingut G. H. von Mumm, Domäne Schloss Schönborn, Deinhard, Dr. Heinrich Nägeler, G. Breuer, Balthasar Ress, Staatsweingüter*

☆ **Vignoble** : *Klosterlay*
☆ **Producteur** : *Pfarrgut Rüdesheim*

GEISENHEIM

☆ **Vignoble** : *Mönchspfad*
☆ **Producteurs** : *Schumann-Nägeler, Basting-Gimbel, Weingut G. H. von Mumm, Adam Vollmer*

☆ **Vignoble** : *Mäuerchen*
☆ **Producteurs** : *Domäne Schloss Schönborn, Schumann-Nägeler, Weingut Freiherr von Zwierlein, Basting-Gimbel, Weingut G. H. von Mumm, Adam Vollmer*

GROSSLAGE DAUBHAUS

Les meilleurs vignobles se trouvent sur une petite bande isolée près de Hochheim. Les vins sont fermes et pleins, sans avoir toute l'élégance des meilleurs Rheingau.

HOCHHEIM

☆ Vignoble : *Domdechaney*
☆ Producteurs : *Domdechant Werner'sches Weingut, Domäne Schloss Schönborn, Geheimrat Aschrott'sche Erben, Staatsweingüter*

☆ Vignoble : *Kirchenstück*
☆ Producteurs : *Domdechant Werner'sches Weingut, Domäne Schloss Schönborn, Geheimrat Aschrott'sche Erben, Staatsweingüter*

☆ Vignoble : *Hölle*
☆ Producteurs : *Domdechant Werner'sches Weingut, Domäne Schloss Schönborn, Geheimrat Aschrott'sche Erben*

GROSSLAGE DEUTELSBERG

Ce Grosslage comprend les grands vignobles d'Erbach et les vins de Hattenheim, puissants et de longue garde, ainsi que le célèbre Kloster Eberbach et le vignoble de l'île de Mariannenau.

HATTENHEIM

☆ Vignoble : *Steinberg*
☆ Producteur : *Staatsweingüter*

☆ Vignoble : *Nussbrunnen*
☆ Producteurs : *Schloss Reinhartshausen, Freiherr Langwerth von Simmern, Domäne Schloss Schönborn, Pfarrgut Hattenheim*

☆ Vignoble : *Engelmannsberg*
☆ Prod. : *Domäne Schloss Schönborn, Staatsweingüter, August Eser*

☆ Vignoble : *Wisselbrunnen*
☆ Prod. : *Domäne Schloss Schönborn*

☆ Vignoble : *Mannberg*
☆ Producteurs : *Freiherr Langwerth von Simmern, Weingut Reitz, Balthasar Ress, Staatsweingüter*

☆ Vignoble : *Hassel*
☆ Prod. : *Domäne Schloss Schönborn*

☆ Vignoble : *Pfaffenberg*
☆ Producteur : *Domäne Schloss Schönborn*

☆ Vignoble : *Schützenhaus*
☆ Producteur : *Domäne Schloss Schönborn*

GROSSLAGE ERNTEBRINGER

Ce Grosslage produit les meilleurs vins du Rheingau. Ceux-ci ne peuvent toutefois se comparer aux vins d'Einzellage, comme Schloss Johannisberg ou le vignoble sous-estimé de Klaus.

JOHANNISBERG

☆ Vignoble : *Schloss Johannisberg*
☆ Prod. : *Fürstl. Metternichs'ches Weingut Schloss Johannisberg*

☆ Vignoble : *Klaus*
☆ Producteurs : *Domäne Schloss Schönborn, Weingut G.H. von Mumm, Landgräfl. Hessisches Weingut, Weingut Johannishof-Eser*

GROSSLAGE GOTTESTHAL

Il est curieux que ce Grosslage soit relativement décevant. On y trouve cependant quelques excellents Riesling d'une grande longévité.

OESTRICH

☆ Vignoble : *Lenchen*
☆ Producteurs : *Deinhard, August Eser, Weingut Hupfeld Erben*

GROSSLAGE HEILIGENSTOCK

Le meilleur vin de ce petit Grosslage est le fabuleux Riesling de Kiedrich, aux nuances de miel et de pêche.

KIEDRICH

☆ Vignoble : *Sandgrub*
☆ Product. : *Winzergenossenschaft Kiedrich, Georg Sohlbach, Schloss Reinhartshausen, Dr. R. Weil, Heinz Nikolai, Weingut Schloss Groenesteyn, H. Tillmanns Erben, Landgräfl. Hessisches Weingut, Freiherr zu Knyphausen, Robert von Oetinger*

☆ Vignoble : *Wasseros*
☆ Product. : *Winzergenossenschaft Kiedrich, Georg Sohlbach, Dr. R. Weil, Weingut Schloss Groenesteyn*

☆ Vignoble : *Gräfenberg*
☆ Product. : *Winzergenossenschaft Kiedrich, Georg Sohlbach, Dr. W. Weil, Staatsweingüter, Weingut Schloss Groenesteyn*

GROSSLAGE HONIGBERG

Vins d'une grande vitalité, avec toutes les nuances fruitées et élégantes de pêche et de miel qu'on attend des meilleurs Rheingau.

WINKEL

☆ Vignoble : *Schloss Vollrads*
☆ Prod. : *GrafMatuschka-Greiffenclau*

☆ Vignoble : *Jesuitengarten*
☆ Producteurs : *Deinhard, Weingut Johannisberg, Eser, Fritz Allendorf, Baron von Brentanos'che Gutsverwaltung, Landgräfl. Hessiches Weingut*

☆ Vignoble : *Hasensprung*
☆ Producteurs : *Domäne Schloss Schönborn, Deinhard, Weingut Johannisberg-Eser, Hof Sonneck, Baron von Brentano'sche Gusverwaltung, Basting-Gimbel, Landgräfl. Hessisches Weingut*

GROSSLAGE MEHRHÖLZCHEN

Ce Grosslage, niché sur les coteaux les plus élevés et les plus pentus du Rheingau, est planté presque exclusivement de Riesling. Le meilleur vin provient des environs d'Erbach. Les vins sont très fruités, avec souvent un arôme épicé.

ERBACH

☆ Vignoble : *Schlossberg*
☆ Producteur : *Schloss Reinhartshausen*

☆ Vignoble : *Steinmorgen*
☆ Producteurs : *Robert von Oetinger, Schloss Reinhartshausen, H. Tillmanns Erben*

☆ Vignoble : *Marcobrunn*
☆ Producteurs : *Freiherr zu Knyphausen, Staatsweingüter, Weingut Schloss Reinhartshausen, Weingut Schloss Schönborn, Freiherr Langwerth von Simmern, Weingut Kohlhaas, Ritter und Edler von Oetinger*

HALLGARTEN

☆ Vignoble : *Jungfer*
☆ Producteurs : *Fürst Löwenstein, Heinz Nikolai, Franz Engelmann*

GROSSLAGE STEIL

Ce minuscule Grosslage est célèbre pour les vins rouges d'Assmannshausen, très tendres, avec un caractère variétal très pur. Ils n'ont cependant ni le corps ni les tanins habituels de tout vin rouge. La plupart des vignobles sont escarpés et tournés vers l'ouest, mais les meilleurs, ceux de Höllenberg, sur un petit affluent, sont exposés au sud.

ASSMANNSHAUSEN

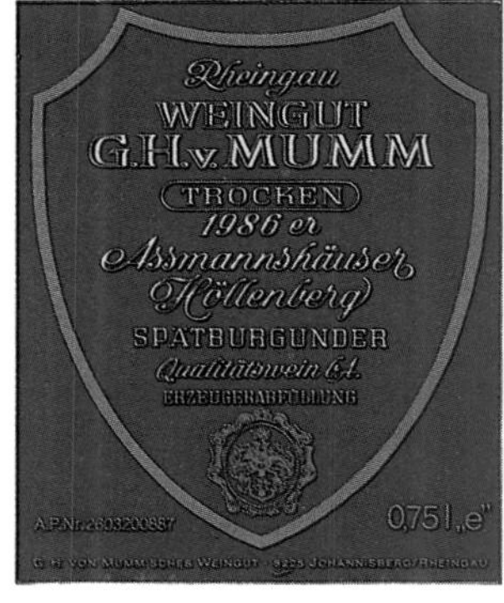

☆ Vignoble : *Höllenberg*
☆ Producteurs : *Staatsweingüter, August Kessler, Weingut G. H. von Mumm, Valentin Schlotter*

GROSSLAGE STEINMÄCHER

La vigne est cultivée ici moins intensément qu'ailleurs dans le Rheingau, mais les vins n'en sont pas moins impressionnants.

RAUENTHAL

☆ Vignoble : *Baiken*
☆ Producteurs : *Staatsweingüter, Gräfl. Eltzsche Gutsverwaltung, Domäne Schönborn, Freiherr Langwerth von Simmern, Christian Sturm-Rauenthal*

☆ Vignoble : *Wülfen*
☆ Prod. : *Schloss Reinhartshausen*

ELTVILLE

☆ Vignoble : *Taubenberg*
☆ Producteurs : *Gräfl. Eltzsche Gutsverwaltung, Freiherr Langwerth von Simmern, Weingut J. B. Becker (Niederwalluf), Freiherr zu Knyphausen*

☆ Vignoble : *Langenstück*
☆ Producteur : *Oekonomierat Fischer Erben*

☆ Vignoble : *Sonnenberg*
☆ Producteurs : *Gräfl. Eltzsche Gutsverwaltung, Freiherr Langwerth von Simmern, Weingut J. B. Becker (Niederwalluf), Oekonomierat Fischer Erben*

WALLUF

☆ Vignoble : *Walkenberg*
☆ Producteur : *Weingut J. B. Becker (Niederwalluf)*

Hesse rhénane

Productrice d'environ 50 % de tout le Liebfraumilch, la Hesse rhénane (Rheinhessen) compte plus de vignes que toute autre région viticole allemande. Devant la diversité des sols et des cépages, il est impossible de donner une image uniforme de ses vins, qui vont du tendre Silvaner à l'aromatique et épicé Müller-Thurgau.

La Hesse rhénane est incontestablement liée au Liebfraumilch : la moitié de la production provient de ses vignobles et l'origine de ce vin se trouve dans le célèbre vignoble de Liebfraumilch-Kirchenstück à Worms. De plus, c'est à Alzey que Sichel élabore son célèbre « Blue Nun ». Le nom de Nierstein est également associé au Liebfraumilch, du fait des nombreuses bouteilles bon marché de Bereich Nierstein et Niersteiner Gutes Domtal qui inondent le marché et déprécient les vrais Einzellagen de Nierstein.

LA TERRASSE DU RHIN

Malgré le volume important de vins quelconques qu'elle produit, la région compte nombre de grands viticulteurs et domaines. La vignette « Rhein Terrasse » permet de repérer des vins de qualité supérieure à un prix modeste.

Cette Terrasse du Rhin regroupe neuf villages situés sur les coteaux qui descendent du plateau de la Hesse rhénane jusqu'au fleuve : Bodenheim dans le Grosslage Sankt Alban ; Nackenheim dans le Grosslage Gutes Domtal ; Nierstein, que se partagent les Grosslagen Gutes Domtal, Spiegelberg, Rehbach et Auflangen ; Oppenheim dans les Grosslagen Güldenmorgen et Krötenbrunnen ; Guntersblum et Ludwigshöhe, tous deux dans les Grosslagen Krötenbrunnen et Vogelsgarten ; enfin Alsheim et Mettenheim, dans le Grosslage Rheinblick.

FACTEURS AFFECTANT LE GOÛT ET LA QUALITÉ

Situation
Cette région est située entre les villes de Bingen, Mayence et Worms, juste au sud du Rheingau.

Climat
La Hesse rhénane bénéficie d'un climat tempéré, protégé des vents froids par les collines du Taunus au nord et la forêt d'Odenwald à l'est. Les vignobles qui descendent vers le fleuve sont protégés par la Terrasse du Rhin.

Site
La vigne pousse sur des coteaux orientés à l'est et au sud-est entre 100 à 200 m d'altitude sur la Terrasse du Rhin. Les vignobles de l'arrière-pays se trouvent à des altitudes et dans des sites très variés.

Sol
Essentiellement des lœss avec du calcaire, des marnes sableuses, du quartzite, du porphyre sableux et des argiles vaseuses. Les sols de marnes, plus lourds, accueillent le Riesling.

Viticulture et vinification
De nombreux vignobles ont des rendements élevés, aussi produit-on beaucoup de vins génériques bon marché. À l'autre extrême, les meilleurs domaines produisent de petites quantités de beaux vins.

Cépages principaux
Müller-Thurgau, Silvaner

Cépages secondaires
Bacchus, Faberrebe, Huxelrebe, Kerner, Morio-muskat, Portugieser, Riesling, Scheurebe

LA HESSE RHÉNANE

On cultive différents cépages dans cette région, l'une des plus grandes d'Allemagne par la superficie de son vignoble.

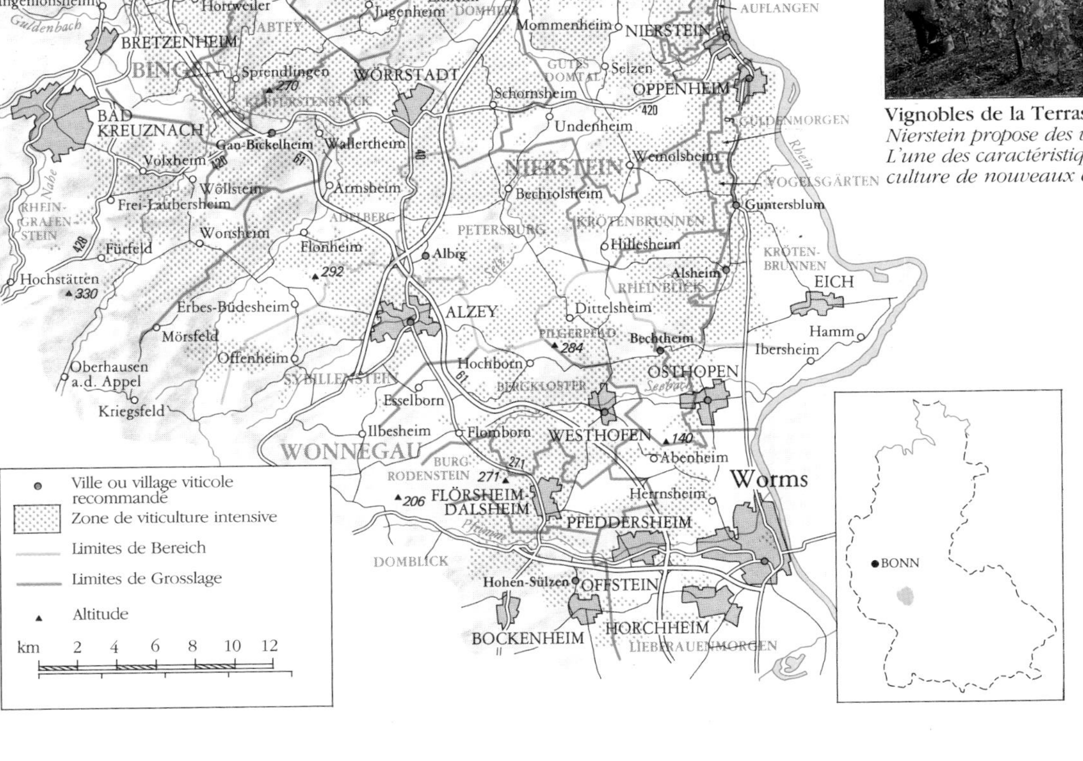

Vignobles de la Terrasse du Rhin à Nierstein
Nierstein propose des vins d'un bon rapport qualité/prix. L'une des caractéristiques de cette région réside dans la culture de nouveaux croisements.

LA RÉGION EN CHIFFRES

Superficie plantée de vigne : 23 000 ha

Rendement moyen : 94 hl/ha

Vin rouge : 6 %

Vin blanc : 94 %

Infrastructure : 3 Bereiche ; 224 Grosslagen ; 434 Einzellagen

Note : Les vignobles de cette région sont répartis sur 167 communes dont les noms peuvent figurer sur l'étiquette.

NORMES DE QUALITÉ ET RÉPARTITION DE LA RÉCOLTE

° Oechsle minimal	Catégorie	Récolte 1984	1985	1986	1987
44°	Deutscher Tafelwein	10 %	–	1 %	4 %
50-53°	Landwein				
60-62°	*QbA	82 %	38 %	75 %	80 %
73-76°	*Kabinett	5 %	28 %	19 %	15 %
85-90°	*Spätlese	3 %	29 %	5 %	1 %
92-100°	*Auslese	–	5 %	–	–
120-125°	*Beerenauslese				
120-125°	*Eiswein				
150°	Trockenbeerenauslese				

* Le degré Oechsle minimal varie en fonction du taux de sucre naturel du cépage.

Le pays du Liebfraumilch au printemps
Le village de Grau-Heppenheim, dans le grand Grosslage Petersberg

Les vins de Hesse rhénane

BEREICH BINGEN

Jouxtant la région de la Nahe à l'ouest, séparé du Rheingau par le Rhin au nord, c'est le plus petit des trois Bereiche de Hesse rhénane et le moins important, aussi bien qualitativement que quantitativement.

GROSSLAGE ABTEY

Pas de villages, de vignobles ou de producteurs exceptionnels, bien que le village de St. Johann produise de bons vins.

GROSSLAGE ADELBERG

Pas de villages, de vignobles ou de producteurs exceptionnels, bien que le village de Wörrstadt produise de bons vins.

GROSSLAGE KAISERPFALZ

Ce Grosslage couvre essentiellement une petite vallée à mi-chemin entre Bingen et Mayence, avec des vignobles orientés à l'est et à l'ouest. Kaiserpfalz produit certains des vins rouges les plus prometteurs de la région à partir de raisins de Spätburgunder et de Portugieser.

INGELHEIM (-WINTERHEIM)

☆ Vignoble · *Kirchenstück*
☆ Producteur : *Rotweingut J. Neus*

JUGENHEIM

☆ Vignoble : *Hasensprung*
☆ Producteur : *Adolf Schick*

GROSSLAGE KURFÜRSTENSTÜCK

L'immense coopérative centrale de Hesse rhénane se trouve à Gau-Bickelheim, mais ses bons viticulteurs ou l'excellent Staatsdomäne de l'Einzellage de Kapelle produisent des vins supérieurs.

GAU-BICKELHEIM

☆ Vignoble : *Kapelle*
☆ Producteurs : *Weingut Villa Sachsen, Kurt Berger Erben, Espenschied-Heuss, Staatsdomäne*

GROSSLAGE RHEINGRAFENSTEIN

Pas de villages, de vignobles ou de producteurs exceptionnels.

GROSSLAGE SANKT ROCHUSKAPELLE

On rattache souvent Bingen à la Nahe plutôt qu'à la Hesse rhénane, mais 14 de ses 18 Einzellagen font partie de ce Grosslage de Hesse rhénane, qui est le meilleur du Bereich Bingen.

BINGEN

☆ Vignoble : *Kirchberg*
☆ Product. : *Weingut Villa Sachsen*

BINGEN-RÜDESHEIM

☆ Vignoble : *Scharlachberg*
☆ Producteurs : *Kommerzienrat P. A. Ohler'sches Weingut, Weingut Villa Sachsen*

☆ Vignoble : *Bubenstück*
☆ Producteur : *Weingut Villa Sachsen*

☆ Vignoble : *Rosengarten*
☆ Producteur : *Weingut Villa Sachsen*

BINGEN-KEMPTEN

☆ Vignoble : *Kappellenberg*
☆ Product. : *Weingut Villa Sachsen*

☆ Vignoble : *Schlossberg-Schwätzerchen*
☆ Producteurs : *Kommerzienrat P. A. Ohler'sches Weingut, Weingut Villa Sachsen*

BEREICH NIERSTEIN

Célèbre Bereich. Pourtant, les vins vendus sous cette étiquette sont parfois parmi les plus ternes et les plus insipides du pays. Il vaut mieux choisir les grands Einzellagen.

GROSSLAGE AUFLANGEN

Le meilleur des trois Grosslagen qui recouvrent des parties de Nierstein, les deux autres étant Rehbach et Spiegelberg. Le vignoble englobe vers l'ouest les vignobles orientés au sud et au sud-est du petit affluent qui traverse Schwarzburg, et va jusqu'au Kranzberg.

NIERSTEIN

☆ Vignoble : *Heiligenbaum*
☆ Producteurs : *Staaatsdomäne, Louis Guntrum, George und Karl Ludwig Schmitt, J. und A. H. Strub, Freiherr Heyl zu Herrnsheim, Geschwister Schuch, Weingut Gute Hoffnungshütte St. Antony, Heinrich Seip*

☆ Vignoble : *Kranzberg*
☆ Producteurs : *F. K. Schmitt, Gustav Adolf Schmitt, Geschwister Schuch, Heinrich Seip*

☆ Vignoble : *Orbel*
☆ Producteurs : *Staatsdomäne, Louis Guntrum, F. K. Schmitt, Georg und Karl Ludwig Schmitt, J. und A. H. Strub, Freiherr Heyl zu Herrnsheim, Reinhold Senfter, Weingut Gute Hoffnungshütte St. Antony, Heinrich Seip, Eugen Wehrheim*

☆ Vignoble : *Oelberg*
☆ Producteurs : *Louis Guntrum, Gustav Adolf Schmitt, Gustav Gessert, J. und A. H. Strub, Freiherr Heyl zu Herrnsheim, Geschwister Schuch, Franz Josef Sander, Heinrich Seip, Eugen Wehrheim*

GROSSLAGE DOMHERR

Pas de villages, de vignobles ou de producteurs exceptionnels, encore que le village de Klein-Winternheim produise de bons vins.

GROSSLAGE GÜLDENMORGEN

Güldenmorgen était autrefois un bel Einzellage. Il regroupe aujourd'hui trois villages et seuls cinq de ses vignobles ont su préserver sa réputation de qualité.

OPPENHEIM

☆ Vignoble : *Herrenberg*
☆ Producteurs : *Louis Guntrum, Dr. Dahlem Erben, Friedrich Baumann, Carl Koch Erben, Gustav Adolf Schmitt*

☆ Vignoble : *Kreuz*
☆ Producteur : *Louis Guntrum*

☆ Vignoble : *Daubhaus*
☆ Producteur : *Friedrich Baumann*

☆ Vignoble : *Sackträger*
☆ Producteurs : *Landes Lehr- und Versuchsanstalt Oppenheim, Louis Guntrum, Dr. Dahlem Erben, Reinhold Senfter, Staatsdomäne, Carl Sittman, Friedrich Baumann, Carl Koch Erben, Geschwister Schuch*

DIENHEIM

☆ Vignoble : *Tafelstein*
☆ Producteurs : *Louis Guntrum, Dr. Dahlem Erben, Carl Sittman, Friedrich Baumann, Carl Koch Erben, Brüder Dr. Becker*

GROSSLAGE GUTES DOMTAL

Ce Grosslage couvre une vaste aire de l'arrière-pays du Rhin derrière les meilleurs Grosslagen de Nierstein. Bien qu'il regroupe quinze villages, les vins se vendent pour la plupart sous l'étiquette Niersteiner Gutes Domtal (ou Domthal). Une grande partie, incontestablement de qualité inférieure, nuit à la réputation des très grands vins de Nierstein. Le village le plus célèbre est Dexheim, en raison de son prétendu Doktor. Mais ni Dexheim ni Dexheim Doktor ne sont vraiment dignes d'intérêt.

GROSSLAGE KRÖTENBRUNNEN

Cette zone regroupe les vignobles d'Oppenheim qui ne font pas partie du Grosslage Güldenmorgen ainsi que les vastes vignobles de Guntersblum.

GUNTERSBLUM

☆ Vignoble : *Steinberg*
☆ Producteur : *Dr. Reinhard Muth*

GROSSLAGE PETERSBERG

Ce Grosslage, situé derrière Gutes Domtal, entre les Bereiche de Bingen et Wonnegau, compte, malgré son étendue, peu de sites ou de producteurs intéressants.

ALBIG

☆ Vignoble : *Schloss Hammerstein*
☆ Producteur : *Köster-Wolf*

GROSSLAGE REHBACH

Rehbach, l'un des plus prestigieux Grosslagen de Hesse rhénane, forme une longue et mince bande de coteaux très pentus, cultivés en terrasses, qui dominent le Rhin. Ses Riesling sont aromatiques, intenses et agréables, avec une finale cependant racée.

NIERSTEIN

☆ Vignoble : *Hipping*
☆ Producteurs : *Anton Balbach Erben, Franz Karl Schmitt, Louis Guntrum, J. und H. A. Strub, Carl Sittmann, Heinrich Seip, Reinhold Senfter, Georg und Karl Ludwig Schmitt, Geschwister Schuch, Eugen Wehrheim*

☆ Vignoble : *Pettenthal*
☆ Producteurs : *Freiherr Heyl zu Herrnsheim, Anton Balbach Erben, Franz Karl Schmitt, Gustav Adolf Schmitt, Heinrich Seip, Geschwister Schuch, Eugen Wehrheim*

☆ Vignoble : *Brudersberg*
☆ Producteur : *Freiherr Heyl zu Herrnsheim*

GROSSLAGE RHEINBLICK

Ce Grosslage produit des vins meilleurs que la moyenne et un ou deux très bons vins de domaine.

ALSHEIM

☆ Vignoble : *Frühmesse*
☆ Producteurs : *Dr. Reinhard Muth, Weingut Rappenhof, Carl Sittmann*

GROSSLAGE SANKT ALBAN

Ce Grosslage, qui porte le nom d'un monastère autrefois propriétaire de la plupart des terres, est situé entre Mayence et Nierstein. Les vins d'Einzellage sont généralement d'un excellent rapport qualité/prix.

BODENHEIM

☆ Vignoble : *Hoch*
☆ Producteurs : *Staatlich Weinbaudomäne Mainz-Bodenheim, Oberstltn. Liebrechtsche Weingutsverwaltung, Jamin-Kern*

☆ Vignoble : *Silberberg*
☆ Producteurs : *Staatlich Weinbaudomäne Mainz-Bodenheim, Oberstltn. Liebrechtsche Weingutsverwaltung, Christian Blass, Wendlin Haub*

☆ Vignoble : *Westrum*
☆ Producteurs : *H. G. Kerz, Josef Acker, J. B. Riffel*

GROSSLAGE SPIEGELBERG

Le plus grand Grosslage de Nierstein, en bordure de fleuve, couvre des vignobles au nord et au sud d'Auflangen. Il vaut mieux préférer aux vins de saveur neutre du Grosslage ceux des meilleurs Einzellagen situés entre Nierstein et Oppenheim.

NIERSTEIN

☆ Vignoble : *Hölle*
☆ Producteurs : *Louis Guntrum, J. und H. A. Strub*

☆ Vignoble : *Brückchen*
☆ Producteurs : *Jakob Becker, J. und H. A. Strub, Eugen Wehrheim*

☆ Vignoble : *Paterberg*
☆ Producteurs : *Louis Guntrum, Heinrich Seip, Kurfürstenhof*

GROSSLAGE VOGELSGARTEN

Grosslage assez moyen bien que Schmitt-Dr. Ohnacker produise de beaux vins riches, parfois puissants, qui valent la peine d'être recherchés.

GUNTERSBLUM

☆ Vignoble : *Authenthal*
☆ Producteur : *Schmitt-Dr. Ohnacker*

BEREICH WONNEGAU

C'est le moins connu des trois Bereiche de Hesse rhénane, bien qu'il compte l'Einzellage Liebfrauenstift de renommée internationale, qui a eu le douteux honneur de donner naissance au Liebfraumilch.

GROSSLAGE BERGKLOSTER

Pas de villages, de vignobles ou de producteurs exceptionnels, bien que le village de Westhofen produise de bons vins.

GROSSLAGE BURG RODENSTEIN

La plupart des vins, souvent au-dessus de la moyenne, sont vendus sous le nom du Grosslage mais n'ont pas la classe des vins de ses meilleurs Einzellagen.

NIEDERFLÖRSHEIM

☆ Vignoble : *Frauenberg*
☆ Producteur : *Scherner-Kleinhanns*

DALSHEIM

☆ Vignoble : *Steig*
☆ Producteurs : *WeingutSchales, Müller-Dr. Becker*

☆ Vignoble : *Hubacker*
☆ Producteur : *Weingut Keller*

GROSSLAGE DOMBLICK

Pas de villages, de vignobles ou de producteurs exceptionnels, bien que le village de Hohen-Sülzen produise de bons vins. Les vins vendus sous l'étiquette du Grosslage sont généralement d'un bon rapport qualité/prix.

GROSSLAGE GOTTESHILFE

Minuscule aire qui recouvre l'excellent village viticole de Bechtheim. On ne trouve guère les vins sous l'étiquette du Grosslage sur les marchés d'exportation.

BECHTHEIM

☆ Vignoble : *Geyersberg*
☆ Producteurs : *Oekonomierat Johann Geil Erben, Brenner'sches Weingut*

☆ Vignoble : *Stein*
☆ Producteurs : *Oekonomierat Johann Geil Erben, Brenner'sches Weingut, Jean Buscher*

☆ Vignoble : *Gotteshilfe*
☆ Producteurs : *Gerhard und Hugo Koch-Mettenheim*

GROSSLAGE LIEBFRAUENMORGEN

Ce Grosslage comprend le célèbre vignoble Liebfrauenstift-Kirchenstück à Worms, où est né le Liebfraumilch.

GROSSLAGE PILGERPFAD

Ce Grosslage, qui s'étend des vignobles de Bechtheim jusqu'au vaste Grosslage Petersberg dans le Bereich Nierstein, produit des vins généralement peu inspirés, qu'on voit rarement.

OSTHOFEN

☆ Vignoble : *Liebenberg*
☆ Producteur : *Weingut Ahnenhof*

GROSSLAGE SYBILLENSTEIN

Pas de villages, de vignobles ou de producteurs exceptionnels, bien que le village d'Alzey produise de bons vins, et que le vignoble Kappellenberg ait bonne réputation. Sichel, producteur du célèbre Liebfraumilch « Blue Nun » (*voir* p. 209), est établi à Alzey.

Palatinat rhénan

Le Palatinat rhénan (Rheinpfalz) comprend quelque 80 kilomètres de vignobles baignés par le soleil qui poussent sur la crête des montagnes de la Haardt et les terres boisées de la Pfälzer Wald. De lourds sols de marnes au nord donnent des vins bien étoffés, mais de saveur assez tendre, tandis que les sols crayeux et argileux au sud produisent des vins plus légers, parfumés, de belle saveur.

Le musée du vin de Speyer conserve l'un des rares vestiges vinicoles du Palatinat rhénan : une amphore en verre contient un authentique vin doré de 1 600 ans d'âge, fait par les Romains, qui est protégé par une épaisse couche de résine et d'huile.

Au XIIe siècle, l'évêque de Speyer possédait l'ensemble des meilleurs vignobles du Palatinat rhénan, qui demeurèrent la propriété de l'Église jusqu'à leur acquisition par Napoléon. Une fois l'Empereur déchu, la structure socio-économique de la région s'est trouvée modifiée de façon radicale et irréversible, brisant le monopole de la propriété terrienne.

LE PALATINAT RHÉNAN AUJOURD'HUI

La région compte maintenant quelque 25 000 petits propriétaires qui travaillent chacun moins de un hectare en moyenne. Ces vignerons s'occupent généralement de leurs vignes pendant le week-end, travaillant en ville durant la semaine. Beaucoup d'entre eux vendent leur raisin aux coopératives, qui assurent environ 25 % de l'importante production du Palatinat rhénan. Il existe encore, cependant, une importante minorité de domaines bien plus vastes qui vinifient eux-mêmes leurs récoltes. Étant donné le nombre de viticulteurs, de cépages, de types de sols et de microclimats, la gamme des vins est assez diversifiée. La région produit 50 % de tout le Liebfraumilch, mais également de nombreux vins de cépage extrêmement expressifs.

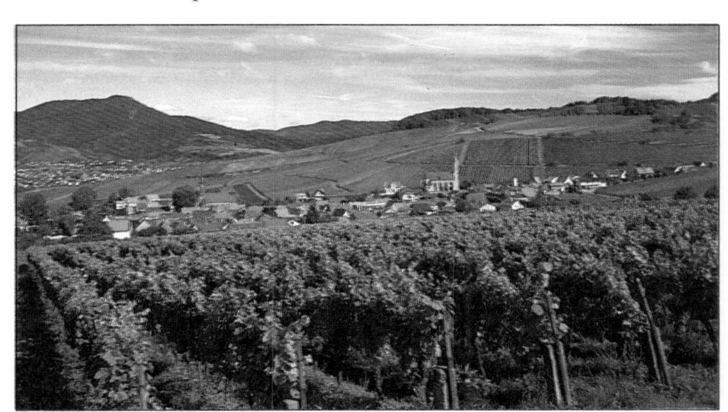

Paysage du Palatinat rhénan
Cette région produit plus de vin que n'importe quelle autre en Allemagne.

Ville ou village viticole recommandé
Zone de viticulture intensive
Limites de Bereich
Limites de Grosslage
Altitude
km 5 10 15 20

LE PALATINAT RHÉNAN
Sur ce vaste plateau, les Romains construisirent, il y a 2 000 ans, un palais impérial (palatium, en latin) auquel le Palatinat doit son nom.

LA RÉGION EN CHIFFRES

Superficie plantée de vigne : 20 800 ha

Rendement moyen : 116 hl/ha

Vin rouge : 11 %

Vin blanc : 89 %

Infrastructure : 2 Bereiche ; 26 Grosslagen ; 335 Einzellagen

Note : Les vignobles de cette région sont répartis sur 170 communes dont les noms peuvent figurer sur l'étiquette.

FACTEURS AFFECTANT LE GOÛT ET LA QUALITÉ

Situation
La plus grande région viticole d'Allemagne après la Hesse rhénane s'étend sur 80 km, de la Hesse jusqu'à l'Alsace, limitée par le Rhin à l'est et les montagnes de la Haardt à l'ouest.

Climat
Le Palatinat rhénan est la région viticole la plus ensoleillée et la plus sèche du pays : il est abrité par les collines de la Haardt et du Donnersberg.

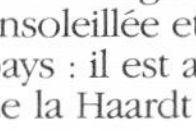

Site
Les vignobles sont plantés pour la plupart sur des terres plates ou peu pentues, dominées par des collines boisées, entre 100 et 250 m d'altitude.

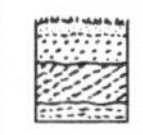

Sol
Les sols se composent de matériaux très divers : limon et grès délité, avec des îlots épars de calcaire, de granite, de porphyre et d'ardoise argileuse.

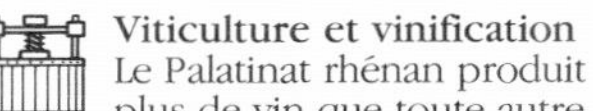

Viticulture et vinification
Le Palatinat rhénan produit plus de vin que toute autre région allemande. Les principaux domaines cultivent une forte proportion de Riesling et produisent des vins de très haute qualité. Les Gewürztraminer et les Muskateller peuvent être extraordinaires lorsqu'ils sont vinifiés en sec.

Cépages principaux
Kerner, Müller-Thurgau, Riesling

Cépages secondaires
Bacchus, Gewürztraminer, Huxelrebe, Morio-Muskat, Muskateller, Portugieser, Ruländer, Scheurebe, Silvaner

NORMES DE QUALITÉ ET RÉPARTITION DE LA RÉCOLTE

° Oechsle minimal	Catégorie	Récolte 1984	1985	1986	1987
44°	Deutscher Tafelwein	30 %	–	12 %	5 %
50-53°	Landwein				
60-62°	*QbA	60 %	47 %	78 %	80 %
73-76°	*Kabinett	10 %	32 %	8 %	14 %
85-90°	*Spätlese	–	17 %	2 %	1 %
92-100°	*Auslese	–	4 %	–	–
120-125°	*Beerenauslese				
120-125°	*Eiswein				
150°	Trockenbeerenauslese				

* Le degré Oechsle minimal varie en fonction du taux de sucre naturel du cépage.

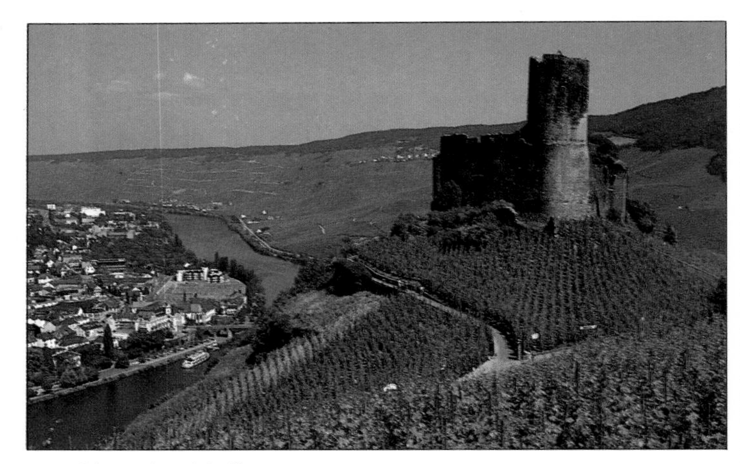

Vignobles au bord de l'eau
Les pentes fertiles sont couvertes de vignes.

Les vins du Palatinat rhénan

Notes : 1. Lorsqu'il est dit qu'il n'y a pas de villages, de vignobles, de domaines ou de producteurs exceptionnels dans un Grosslage donné, cela signifie que le vin qui y est produit n'est pas du plus haut niveau. 2. Dans le Palatinat rhénan, chaque Grosslage est qualifié du nom d'un village spécifique, cité entre parenthèses après celui du Grosslage.

BEREICH MITTELHAARDT-DEUTSCHE WEINSTRASSE

La qualité des vins de ce Bereich est telle que la plupart des vins sont vendus sous les noms des Einzellagen.

GROSSLAGE FEUERBERG
(Bad Dürkheim)

Bien que la plupart des meilleurs Einzellagen de Kallstadt soient situés dans le Grosslage Kobnert, le plus célèbre d'entre eux, Annaberg, se trouve dans le Grosslage Feuerberg. La gamme des vins va des Gewürztraminer amples et épicés aux Spätburgunder tendres et veloutés.

KALLSTADT

☆ Vignoble : *Annaberg*
☆ Producteur : *K. Fitz-Ritter*

BAD DÜRKHEIM

☆ Vignoble : *Nonnengarten*
☆ Producteurs : *Alfred Bonnet, K. Fitz-Ritter, Winzergenossenschaft Vier Jahreszeiten-Kloster Limburg*

GROSSLAGE GRAFENSTÜCK
(Bockenheim)

Pas de villages, de vignobles ou de producteurs exceptionnels, encore que le village de Bockenheim produise de bons vins.

GROSSLAGE HOCHMESS
(Bad Dürkheim)

Ce petit Grosslage de haut niveau comprend les meilleurs vignobles de Bad Dürkheim bien que les Grosslagen Feuerberg et Schenkenböhl produisent également quelques beaux vins. Ce sont des vins d'une parfaite harmonie, à la saveur pleine et au parfum floral.

BAD DÜRKHEIM

☆ Vignoble : *Spielberg*
☆ Producteurs : *Johannes Karst und Söhne, Bassermann-Jordan, K. Fitz-Ritter, Karl Schaefer/Dr. Fleischmann, Winzergenossenschaft Vier Jahreszeiten-Kloster Limburg*

☆ Vignoble : *Michelsberg*
☆ Producteurs : *Johannes Karst und Söhne, Bassermann-Jordan, K. Fitz-Ritter, Karl Schaefer/Dr. Fleischmann, Winzergenossenschaft Vier Jahreszeiten-Kloster Limburg*

GROSSLAGE HOFSTÜCK
(Deidesheim)

Ce Grosslage produit des vins nobles et élégants, qui doivent une bonne part de leurs qualités exceptionnelles à un sol de nature favorable.

DEIDESHEIM

☆ Vignoble : *Nonnenstück*
☆ Producteurs : *Reichsrat von Buhl, Josef Biffar*

☆ Vignoble : *Hoheburg*
☆ Producteurs : *Bassermann-Jordan, Reichsrat von Buhl, Bürklin-Wolf, Dietz-Mattis, Winzergenossenschaft Hoheburg 1918, Winzerverein 1911, Otto Spindler*

RUPPERTSBERG

☆ Vignoble : *Reiterpfad*
☆ Producteurs : *Bassermann-Jordan, Reichsrat von Buhl, Bürklin-Wolf, Deinhard, Dr. Kern*

GROSSLAGE HÖLLENPFAD
(Grünstadt)

Beaux vins, avec beaucoup de corps et d'arôme.

GRÜNSTADT

☆ Vignoble : *Goldberg*
☆ Producteurs : *Helmut Busch, Winzerkeller Leiningerland e.G.*

GROSSKARLBACH

☆ Vignoble : *Burgweg*
☆ Producteur : *Karl Lingenfelder*

GROSSLAGE HONIGSÄCKEL
(Ungstein)

Quelques beaux vins bien étoffés, avec une saveur intense.

UNGSTEIN

☆ Vignoble : *Herrenberg*
☆ Product. : *Karl Fuhrmann-Weingut Pfeffingen, Bassermann-Jordan, K. Fitz-Ritter, Winzergenossenschaft Herrenberg-Honigsäckel*

GROSSLAGE KOBNERT
(Kallstadt)

Kobnert, qui était un vignoble unique avant la loi vinicole de 1971, est désormais un Grosslage de très bon niveau, notamment grâce à un producteur talentueux : Koehler-Ruprecht.

KALLSTADT

☆ Vignoble : *Steinacker*
☆ Producteurs : *Alfred Bonnet, Gg. Henninger IV, Koehler-Ruprecht, Weingut Benderhof*

☆ Vignoble : *Saumagen*
☆ Producteur : *Koehler-Ruprecht*

WEISENHEIM

☆ Vignoble : *Mandelgarten*
☆ Producteur : *Pfleger-Karr*

GROSSLAGE MARIENGARTEN
(Forst an der Weinstrasse)

Pratiquement tous les grands producteurs du Palatinat rhénan sont regroupés ici pour produire les Riesling les plus fins et les plus intenses.

FORST AN DER WEINSTRASSE

☆ Vignoble : *Jesuitengarten*
☆ Producteurs : *Bassermann Jordan, Reichsrat von Buhl, Bürklin-Wolf, Weingut Hahnhof, Wilhelm Spindler, Winzerverein Forst, Heinrich Spindler, J. L. Wolf Erben, Lindenhof Eugen Spindler, Geschw. Wallbillich*

☆ Vignoble : *Kirchenstück*
☆ Producteurs : *Bassermann Jordan, Reichsrat von Buhl, Bürklin-Wolf, Deinhard, Wilhelm Spindler, Winzerverein Forst, Dr. Herberger, Ferdinand Heinemann*

☆ **Vignoble** : *Ungeheuer*
☆ **Producteurs** : *Bassermann-Jordan, Reichsrat von Buhl, Georg Mosbacher, Bürklin-Wolf, Georg Sieben Erben, Deinhard, J. L. Wolf Erben, Dr. Kern, Mossbacherhof, Lindenhof Eugen Spindler*

☆ **Vignoble** : *Pechstein*
☆ **Producteurs** : *Bassermann-Jordan, Reichsrat von Buhl, Bürklin-Wolf, J. L. Wolf Erben, Lindenhof Eugen Spindler, Acham-Magin*

DEIDESHEIM

☆ **Vignoble** : *Hohenmorgen*
☆ **Producteurs** : *Bassermann-Jordan, Bürklin-Wolf*

☆ **Vignoble** : *Leinhöhle*
☆ **Producteurs** : *Bassermann-Jordan, Reichsrat von Buhl, Josef Biffar, Deinhard, J. L. Wolf Erben, Dr. Kern, Lindenhof Eugen Spindler*

☆ **Vignoble** : *Grainhübel*
☆ **Producteurs** : *Bassermann-Jordan, Reichsrat von Buhl, Jul. Ferdinand Kimich ; Winzergenossenschaft Deidesheim 1913, Winzerverein Deidesheim 1898, Josef Biffar, Weingut Hahnhof, Deinhard, Wilhelm Spindler, Dr. Kern, Lindenhof Eugen Spindler, Herbert Giessen Erben*

☆ **Vignoble** : *Herrgottsacker*
☆ **Producteurs** : *Bassermann-Jordan, Bürklin-Wolf, Josef Biffar, Deinhard, J. L. Wolf Erben, Dr. Kern, Mossbacherhof, Lindenhof Eugen Spindler, Acham-Magin*

WACHENHEIM

☆ **Vignoble** : *Gerümpel*
☆ **Producteurs** : *Bürklin-Wolf, J. L. Wolf Erben, Weingut Probsthof, Karl Schaefer/Dr. Fleischmann*

☆ **Vignoble** : *Goldbächel*
☆ **Producteurs** : *Reichsrat von Buhl, Bürklin-Wolf, Wilhelm Spindler*

☆ **Vignoble** : *Fuchsmantel*
☆ **Producteurs** : *Bürklin-Wolf, Karl Schaefer/Dr. Fleischmann*

GROSSLAGE MEERSPINNE
(Neustadt-Gimmeldingen)

Les vignobles, abrités sur les versants des montagnes de la Haardt, produisent de beaux vins, des Riesling pour la plupart.

NEUSTADT-GIMMELDINGEN

☆ **Vignoble** : *Kapellenberg*
☆ **Producteur** : *Christmann*

KÖNIGSBACH

☆ **Vignoble** : *Idig*
☆ **Producteurs** : *Winzerverein Königsbach, Reichsrat von Buhl*

MUSSBACH

☆ **Vignoble** : *Eselshaut*
☆ **Producteur** : *Müller-Catoir*

GROSSLAGE PFAFFENGRUND
(Neustadt-Diedesfeld)

Ce n'est pas un Grosslage exceptionnel, encore que quelques Einzellagen puissent produire de très bons vins.

DUTTWEILER

☆ **Vignoble** : *Mandelberg*
☆ **Producteurs** : *Wolfgang Geissler, F. und G. Bergdolt*

GROSSLAGE REBSTÖCKEL
(Neustadt-Diedesfeld)

Pas de villages, de vignobles ou de producteurs exceptionnels, bien que le village de Neustadt-Diedesfeld produise de bons vins.

GROSSLAGE ROSENBÜHL
(Freinsheim)

Vins légers, séduisants, faciles à boire mais qui sont rarement d'une grande finesse. On produit aussi d'honnêtes vins rouges, issus de Portugieser.

FREINSHEIM

☆ **Vignoble** : *Goldberg*
☆ **Producteur** : *Karl Lingenfelder*

GROSSLAGE SCHENKENBÖHL
(Wachenheim)

Schenkenböhl, le troisième des Grosslagen à se partager les vignobles de Bad Dürkheim, est de loin, avec Feuerberg-Hochmess, le meilleur.

BAD DÜRKHEIM

☆ **Vignoble** : *Fuchsmantel*
☆ **Producteurs** : *Johannes Karst und Söhne, K. Fitz-Ritter, Winzergenossenschaft Vier Jahreszeiten-Kloster Limburg*

☆ **Vignoble** : *Abtsfronhof*
☆ **Producteur** : *K. Fitz-Ritter*

GROSSLAGE SCHNEPFENFLUG AN DER WEINSTRASSE
(Forst an der Weinstrasse)

Pas de villages, vignobles ou producteurs exceptionnels.

GROSSLAGE SCHNEPFENFLUG VOM ZELLERTAL
(Zell)

Pas de villages, vignobles ou producteurs exceptionnels. Le village de Zell produit de bons vins.

GROSSLAGE SCHWARZERDE
(Kirchheim)

Les vins médiocres à base de Silvaner sont la norme. Quelques bons producteurs font des vins d'un bon rapport qualité/prix.

LAUMERSHEIM

☆ **Vignoble** : *Mandelberg*
☆ **Producteur** : *Knipser Johannishof*

DIRMSTEIN

☆ **Vignoble** : *Jesuitenhofgarten*
☆ **Producteur** : *Schlossgut Gebr. Janson*

BEREICH SÜDLICHE WEINSTRASSE

Le moins intéressant des deux Bereiche du Palatinat rhénan avec des vins dominés par le Müller-Thurgau, assez ternes et neutres. Les jeunes viticulteurs produisent de meilleurs Riesling et les vins de cépage des coopératives sont, dans le pire des cas, nets et corrects.

GROSSLAGE BISCHOFSKREUZ
(Walsheim)

La plupart des vins sont sains. Les vignerons des deux Einzellagen cités ci-dessous peuvent produire des vins exceptionnels.

WALSHEIM

☆ **Vignoble** : *Silberberg*
☆ **Producteur** : *Heinz Pfaffmann*

NUSSDORF

☆ **Vignoble** : *Herrenberg*
☆ **Producteur** : *Emil Bauer*

GROSSLAGE GUTTENBERG
(Schweigen)

Jülg et Becker produisent d'excellents Riesling expressifs, mais qui restent rares.

SCHWEIGEN-RECHTENBACH

☆ **Vignoble** : *Sonnenberg*
☆ **Producteurs** : *Oskar Jülg, Fritz Becker*

GROSSLAGE HERRLICH
(Eschbach)

Cette aire pourrait facilement produire des *QmP*. Les *Auslese* sont exportés à des prix très bas.

LEINSWEILER

☆ **Vignoble** : *Sonnenberg*
☆ **Producteur** : *Thomas Siegrist*

GROSSLAGE KLOSTER LIEBFRAUENBERG
(Bad Bergzabern)

Pas de villages, de vignobles ou de producteurs exceptionnels. Le village de Bad Bergzabern produit de bons vins.

GROSSLAGE KÖNIGSGARTEN
(Godramstein)

Birkweiler compte quelques viticulteurs de talent.

BIRKWEILER

☆ **Vignoble** : *Kastanienbusch*
☆ **Producteurs** : *Karl Wehrheim, Fritz Siener, Dr. Heinz Wehrheim/Hohenberg, Oekonomierat Rebholz*

GROSSLAGE MANDELHÖHE
(Maikammer)

Les meilleurs domaines de ce Grosslage produisent quelques Riesling agréables et séduisants.

MAIKAMMER

☆ **Vignoble** : *Kirchenstück*
☆ **Producteurs** : *Dieter Ziegler, Ludwig Schneider GmbH*

☆ **Vignoble** : *Immengarten*
☆ **Producteurs** : *Rassiga-Weegmüller, Ferdinand Gies, Robert Isler Erben, Ludwig Schneider GmbH*

GROSSLAGE ORDENSGUT
(Edesheim)

Seul Dr. Bossung semble produire d'excellents vins dans ce Grosslage.

EDESHEIM

☆ **Vignoble** : *Schloss*
☆ **Producteur** : *Dr. Bossung*

GROSSLAGE SCHLOSS LUDWIGSHÖHE
(Edenkoben)

Pas de vignobles ou producteurs exceptionnels ; le village de St. Martin produit de bons vins.

GROSSLAGE TRAPPENBERG
(Hochstadt)

Pas de vignobles ou producteurs exceptionnels ; le village de Hochstadt produit de bons vins.

Bergstrasse de Hesse

Au nord du pays de Bade se trouve la Bergstrasse de Hesse (Hessische Bergstrasse), la plus petite et la moins connue des régions viticoles d'Allemagne. Ses vins fruités ont une acidité prononcée.

Le Riesling occupe une assez grande partie des vignobles de la Bergstrasse de Hesse, en particulier dans le Bereich Starkenburg, où sont produits les meilleurs vins. Plus de 1 000 viticulteurs exploitent, pour la plupart le week-end, des vignobles de un tiers d'hectare en moyenne.

La vigne produit des vins très fruités montrant une acidité aux nuances de terre caractéristique. Leur style, plus riche que celui de la plupart des vins de Hesse rhénane, serait celui d'un Rheingau un peu rustique. Le Müller-Thurgau n'est pas le meilleur d'Allemagne mais il peut être parfumé ; si le Silvaner n'a pas le caractère bien affirmé des vins de Franconie, le Gewürztraminer peut avoir un beau style délicat.

LA RÉGION EN CHIFFRES

Superficie plantée de vigne : 360 ha

Rendement moyen : 77 hl/ha

Vin rouge : 2 %

Vin blanc : 98 %

Infrastructure : 2 Bereiche ; 3 Grosslagen ; 22 Einzellagen

Note : Les vignobles de la Bergstrasse de Hesse sont répartis sur 10 communes dont les noms peuvent figurer sur l'étiquette.

NORMES DE QUALITÉ ET RÉPARTITION DE LA RÉCOLTE

° Oechsle minimal	Catégorie	Récolte 1984	1985	1986	1987
44°	Deutscher Tafelwein	15 %	–	2 %	3 %
53°	Landwein				
57-62°	*QbA	83 %	30 %	71 %	86 %
73-80°	*Kabinett	2 %	55 %	25 %	11 %
85-95°	*Spätlese	–	15 %	2 %	–
95-105°	*Auslese	–	–	–	–
125°	Beerenauslese				
125°	Eiswein				
150°	Trockenbeerenauslese				

* Le degré Oechsle minimal varie en fonction du taux de sucre naturel du cépage.

FACTEURS AFFECTANT LE GOÛT ET LA QUALITÉ

Situation
Entre Darmstadt et Heppenheim, près des montagnes d'Odenwald, avec le Rhin à l'ouest et le Main au nord.

Climat
Les vignobles des versants sud des vallées bénéficient d'une température annuelle moyenne de plus de 9 °C. Avec une moyenne de 755 mm de pluie par an, les conditions sont idéales pour la viticulture.

Site
Les meilleurs vignobles sont plantés sur les coteaux face au sud ou à l'ouest dans le Bereich Umstadt, face au sud ou à l'est dans le Bereich Starkenburg.

Sol
La plupart des sols se composent de lœss et de basalte de structure fine et légère.

Viticulture et vinification
Les vignobles de cette région n'ont pas été modernisés. Ils poussent sur d'anciennes terrasses au milieu de vergers. Bien que les viticulteurs soient très nombreux, 80 % des vins sont produits en coopérative.

Cépages principaux
Müller-Thurgau, Riesling

Cépages secondaires
Ehrenfelser, Kerner, Ruländer, Scheurebe, Silvaner, Gewürztraminer

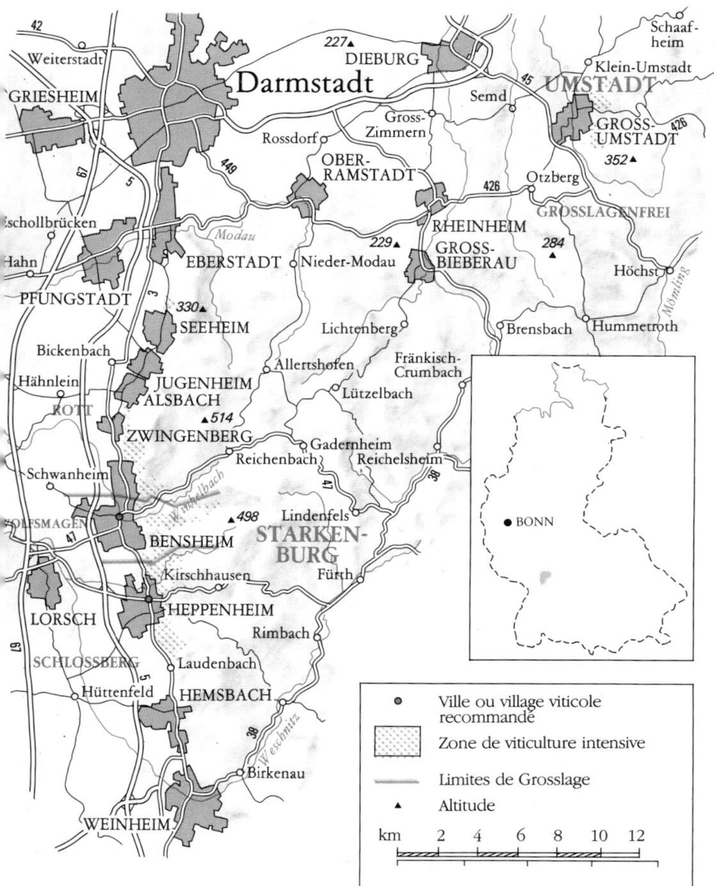

LA BERGSTRASSE DE HESSE

Les vignobles de ce « jardin printanier de l'Allemagne » sont plantés parmi les arbres fruitiers.

Les vins de la Bergstrasse de Hesse

BEREICH STARKENBURG

La plupart des vignobles de ce Bereich, le plus vaste et le meilleur qualitativement, sont plantés de Riesling.

GROSSLAGE ROTT

Rott comprend la partie nord de Bensheim, l'une des deux meilleures communes de la région. Les plus beaux vins proviennent du vignoble Herrnwingert, orienté au sud.

BENSHEIM (-SCHÖNBERG)

☆ **Vignoble** : *Herrnwingert*
☆ **Product.** : *Staatsweingüter, Bergsträsser Gebiets-Winzergenossenschaft*

GROSSLAGE SCHLOSSBERG

Ce Grosslage couvre trois villages au sud de Bensheim, dont Heppenheim, avec son vignoble pentu de Centgericht, où les vins montrent des nuances de pêche uniques.

HEPPENHEIM

☆ **Vignoble** : *Centgericht*
☆ **Producteurs** : *Staatsweingüter, Bergsträsser Gebiets-Winzergenossenschaft*

GROSSLAGE WOLFSMAGEN

Ce Grosslage comprend la partie sud de Bensheim. Le coteau exposé au sud de Streichling est le plus grand et le meilleur de ses Einzellagen.

BENSHEIM

☆ **Vignoble** : *Streichling*
☆ **Producteurs** : *Staatsweingüter, Weingut der Stadt Bensheim, Bergsträsser Gebiets-Winzergenossenschaft*

BEREICH UMSTADT

Les six Einzellagen sont *Grosslagenfrei*. Le Müller-Thurgau, le Rülander et le Silvaner dominent.

Franconie

Le Silvaner de Franconie est un vin sec à l'arôme de terre ou de fumée, vendu dans la traditionnelle *Bocksbeutel,* bouteille en forme de flasque. Malheureusement, le Silvaner cède aujourd'hui la place à d'autres cépages, dont le Müller-Thurgau.

Les vignobles de Franconie occupent une surface à peu près deux fois plus grande que dans le Rheingau, mais ils sont disséminés au milieu des prés et forêts. La Franconie produit également de la bière, et nombreux sont ceux qui prétendent qu'on a plus de plaisir à boire un *stein* de bière de Wurtzbourg qu'un verre de *Stein* de Wurtzbourg, le vin le plus célèbre de Franconie. Les vins exportés, proviennent toujours des meilleurs domaines.

J'aime le Silvaner de cette région : il est ample, avec un goût de sève et une nuance de terre caractéristique qui le rendent bien plus intéressant que la plupart des autres vins issus de ce cépage ; les vins exceptionnels ont même de complexes notes fumées. Le vin de Franconie que je préfère demeure cependant le Riesling, bien qu'il ne représente que 3 % des vignes cultivées et qu'il réussisse rarement à mûrir dans cette région. Certains des meilleurs domaines en font cependant des vins extraordinairement racés dans les années ensoleillées. Le Rieslaner (croisement *Riesling* x *Silvaner*), le Bacchus et le Kerner donnent également de bons résultats, en particulier pour les *QmP*.

FACTEURS AFFECTANT LE GOÛT ET LA QUALITÉ

Situation
La Franconie est la région viticole allemande située le plus au nord-est.

Climat
Le climat est plus continental que dans les autres régions viticoles, avec des étés chauds et secs et des hivers froids. Les gelées réduisent les rendements.

Site
Nombre de vignobles, exposés au sud, se trouvent sur les coteaux des vallées du Main et de ses affluents, ainsi que dans les sites abrités de la Steigerwald.

Sol
Manviereck est fait essentiellement de grès décomposés et colorés ; Maindreieck de calcaire avec de l'argile et du lœss, et Steigerwald de marnes rougeâtres.

Viticulture et vinification
Plus de la moitié des vignobles ont été replantés depuis 1954. Le Silvaner est désormais moins répandu que le Müller-Thurgau. Les vins de la région sont généralement plus secs que la plupart des vins allemands. Quelque 6 000 viticulteurs produisent une vaste gamme de vins. La moitié de la production est assurée par les coopératives.

Cépages principaux
Müller-Thurgau, Silvaner

Cépages secondaires
Bacchus, Kerner, Ortega, Perle, Riesling, Scheurebe, Traminer

LA RÉGION EN CHIFFRES

Superficie plantée de vigne : 4 700 ha

Rendement moyen : 79 hl/ha

Vin rouge : 23 %

Vin blanc : 77 %

Infrastructure : 3 Bereiche ; 17 Grosslagen ; 171 Einzellagen

Note : Les vignobles sont répartis sur 125 communes dont les noms peuvent figurer sur l'étiquette.

NORMES DE QUALITÉ ET RÉPARTITION DE LA RÉCOLTE

° Oechsle minimal	Catégorie	Récolte 1984	1985	1986	1987
44°	Deutscher Tafelwein	13 %	–	5 %	–
50°	Landwein				
60°	*QbA	85 %	27 %	70 %	94 %
76-80°	*Kabinett	2 %	59 %	20 %	5 %
85-90°	*Spätlese	–	11 %	5 %	1 %
100°	*Auslese	–	3 %	–	–
125°	Beerenauslese				
125°	Eiswein				
150°	Trockenbeerenauslese				

* Le degré Oechsle minimal varie en fonction du taux de sucre naturel du cépage.

LA FRANCONIE

Au centre de la Franconie, au cœur de l'Allemagne, se trouve Wurtzbourg, renommé pour sa bière, bien que la plupart des vignobles de la région n'en soient pas très éloignés.

Les vins de Franconie

Note : Certains Grosslagen doivent ajouter le nom d'un village spécifique cité entre parenthèses après celui du Grosslage.

BEREICH STEIGERWALD

Le sol lourd de ce Bereich tend à donner des vins plus corsés qui rendent parfaitement la nuance de terre caractéristique de Franconie.

GROSSLAGE BURGWEG

Ce Grosslage couvre l'un des plus grands villages viticoles de Franconie, Iphofen, aux vignobles pentus exposés au sud-ouest.

IPHOFEN

☆ Vignoble : *Julius-Echter Berg*
☆ Producteurs : *Würzberger Juliusspital, Hans Wirsching, Ernst Popp KG*

☆ Vignoble : *Kronsberg*
☆ Producteurs : *Hans Wirsching, Johann Ruck, Ernst Popp KG*

GROSSLAGE HERRENBERG

Ce Grosslage comporte des vignobles exposés au sud, mais ce sont les vignobles de Castell, tournés vers le nord-ouest qui donnent les vins les plus exceptionnels.

CASTELL

☆ Vignobles : *Schlossberg, Kugelspiel, Hohnart, Kirchberg*
☆ Producteur : *Fürstlich Castell'sches Domänenamt*

GROSSLAGE KAPELLENBERG

Pas de production exceptionnelle même si le village de Zeil produit de bons vins.

GROSSLAGE SCHILD

Pas de production exceptionnelle même si le village d'Abtswind produit de bons vins.

GROSSLAGE SCHLOSSBERG

Grosslage sous-estimé, avec un excellent vignoble abrité à Rödelsee.

RÖDELSEE

☆ Vignoble : *Küchenmeister*
☆ Producteurs : *Juliusspital, Hans Wirsching, Ernst Popp KG*

☆ Vignoble : *Schwanleite*
☆ Producteur : *Ernst Popp KG*

GROSSLAGE SCHLOSSSTÜCK

Pas de production exceptionnelle même si le village d'Ippesheim produit de bons vins.

BEREICH MAINDREIECK

Les raisins cultivés sur des sols calcaires peuvent donner des vins bien typés d'une finesse exceptionnelle.

GROSSLAGE BURG
(Hammelburg)

Ce Grosslage produit surtout de robustes Silvaner aux nuances de terre et des Müller-Thurgau plus légers et parfumés.

HAMMELBURG

☆ Vignoble : *Trautlestal*
☆ Producteurs : *Städt. Weingut Schloss Saaleck, Winzergenossenschaft Hammelburg*

SAALECK

☆ Vignoble : *Schlossberg*
☆ Producteur : *Städt. Weingut Schloss Saaleck*

GROSSLAGE EWIG LEBEN

La plus forte concentration de beaux vignobles de toute la Franconie donne des vins d'une rare harmonie grâce à un microclimat particulier. Les Riesling possèdent ici un charme naturel original, avec un bouquet qui évoque souvent la pêche.

RANDERSACKER

☆ Vignoble : *Sonnenstuhl*
☆ Producteurs : *Staatsweingut Würzburg, Armin Störrlein, Robert Schmitt*

☆ Vignoble : *Pfülben*
☆ Producteurs : *Staatsweingut Würzburg, Würzburger Juliusspital, Bürgerspital zum Heiligen Geist, Paul Schmitt, Martin Göbel*

☆ Vignoble : *Teufelskeller*
☆ Producteurs : *Staatsweingut Würzburg, Würzburger Juliusspital, Bürgerspital zum Heiligen Geist, St. Kilianskellerei*

GROSSLAGE HOFRAT
(Kintzingen)

Les Einzellagen de ce Grosslage assez étendu sont rarement excellents, à l'exception de ceux des vignobles situés sur le coude du Main, au nord et au sud de Sulzfeld.

SULZFELD

☆ Vignoble : *Maustal*
☆ Producteur : *Weingut Zehnthof Theo Luckert*

☆ Vignoble : *Cyriakusberg*
☆ Producteur : *Weingut Zehnthof Theo Luckert*

GROSSLAGE HONIGBERG

Aucune production exceptionnelle même si le village de Dettelbach produit de bons vins.

GROSSLAGE KIRCHBERG
(Volkach)

Ce Grosslage comporte certains des plus beaux vignobles de Franconie. Les producteurs recommandés font des Riesling délicieusement fruités ou épicés.

NORDHEIM

☆ Vignoble : *Vögelein*
☆ Producteurs : *Richard und Helmut Christ, Winzergenossenschaft Nordheim*

ESCHERNDORF

☆ Vignoble : *Lump*
☆ Product. : *Winzergenossenschaft Nordheim, Juliusspital*

SOMMERACH

☆ Vignoble : *Katzenkopf*
☆ Producteur : *Winzergenossenschaft Sommerach*

GROSSLAGE MARKGRAF BABENBERG

Aucune production exceptionnelle même si le village de Frickenhausen produit de bons vins.

GROSSLAGE OELSPIEL

Le principal attrait de ce Grosslage est une excellente bande de vignobles exposée au sud-ouest, sur la rive droite du Main.

SOMMERHAUSEN

☆ Vignoble : *Steinbach*
☆ Producteur : *Ernst Gebhardt*

GROSSLAGE RAVENSBURG
(Thüngersheim)

Les vignobles pentus exposés au sud, à l'ouest et au sud-ouest à Retzbach et Thüngersheim produisent d'excellents vins.

RETZBACH

☆ Vignoble : *Benediktusberg*
☆ Producteur : *Winzergenossenschaft Thüngersheim*

THÜNGERSHEIM

☆ Vignoble : *Johannisberg*
☆ Producteurs : *Winzergenossenschaft Thüngersheim, Juliusspital*

☆ Vignoble : *Scharlachberg*
☆ Producteurs : *Winzergenossenschaft Thüngersheim, Staatl. Hofkeller*

GROSSLAGE ROSSTAL
(Karlstadt)

Pas de production exceptionnelle même si l'on produit de bons vins autour de Karlstadt.

GROSSLAGE TEUFELSTOR

Ce prolongement d'Ewig Leben ne produit pas d'aussi bons vins.

EIBELSTADT

☆ Vignoble : *Kapellenberg*
☆ Producteur : *Ernst Gebhardt*

RANDERSACKER

☆ Vignoble : *Dabug*
☆ Producteur : *Winzergenossenschaft Randersacker*

GROSSLAGENFREI

Nombre de vignobles de Maindreieck sont *grosslagenfrei* (constitués d'Einzellagen isolés, non groupés en Grosslagen). Certains sont exceptionnels tel Würzburger Stein, dont le superbe site escarpé orienté au sud a donné son nom au vin de Franconie, le Steinwein. Le vignoble Stein produit des Riesling puissants et nobles, et des Silvaner aux nuances de pierre à fusil et de terre.

WURTZBOURG

☆ Vignoble : *Stein*
☆ Product. : *Staatl. Hofkeller, Juliusspital, Bürgerspital zum Heiligen Geist*

☆ Vignoble : *Innere Leiste*
☆ Producteurs : *Staatl. Hofkeller, Julliusspital, Bürgerspital zum Heiligen Geist*

HOMBURG

☆ Vignoble : *Kallmuth*
☆ Producteur : *Fürstl. Löwenstein-Wertheim-Rosenbergsches Weingut*

BEREICH MAINVIERECK

Ce Bereich produit des vins modestes.

GROSSLAGE HEILIGENTHAL

Pas de villages, de vignobles ou de producteurs exceptionnels.

GROSSLAGE REUSCHBERG

Le village compte deux Einzellagen.

HÖRSTEIN

☆ Vignoble : *Abstberg*
☆ Producteur : *Staatsweingüter*

GROSSLAGENFREI

La plupart des vignobles de Mainviereck sont *grosslagenfrei*. Les villages de Klingenberg et de Miltenberg produisent de bons vins rouges.

Wurtemberg

Le Wurtemberg (Württemberg) est une région viticole méconnue, surtout parce que le *Schillerwein* – vin rouge ou rosé léger – issu des vastes plantations de cépages noirs, n'est pas très demandé en dehors de la région elle-même.

Les vignobles du Wurtemberg, plantés de cépages noirs à 51 %, produisent des vins rouges. Près de la moitié sont plantés de Trollinger, raisin qui donne un vin frais, léger et fruité que peu d'étrangers considéreraient comme un véritable vin rouge. Les vins de Trollinger les plus concentrés sont faits entre Heilbronn et Winnenden, juste au nord-est de Stuttgart. Le Lemberger rouge est apprécié dans la région, mais il a une saveur neutre et quelconque. Le *Schillerwein* rosé, spécialité de la région, est en général plus typé que le Schwarzriesling rouge fait de Pinot meunier, lequel donne un vin blanc meilleur que le rouge ou le rosé.

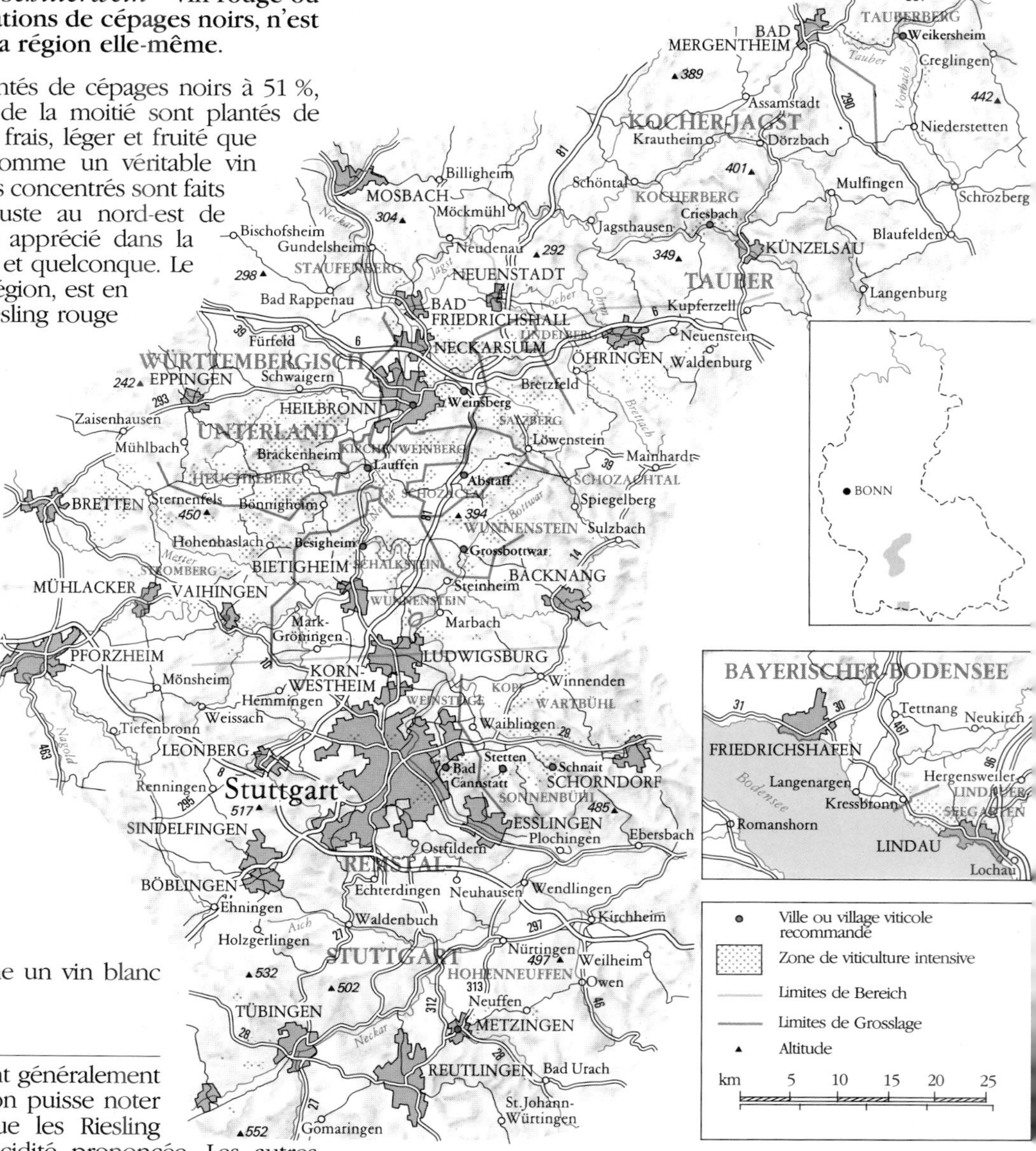

LE WURTEMBERG

La plupart des vignobles de la région sont plantés sur des sols fertiles en bordure du Neckar.

LA RÉGION EN CHIFFRES

Superficie plantée de vigne : 9 600 ha

Rendement moyen : 99 hl/ha

Vin rouge : 51 %

Vin blanc : 49 %

Infrastructure :
6 Bereiche ;
17 Grosslagen ;
206 Einzellagen

Note : Les vignobles sont répartis sur 230 communes dont les noms peuvent figurer sur l'étiquette.

LES VINS BLANCS

Les vins blancs du Wurtemberg sont généralement de qualité modeste, encore que l'on puisse noter d'intéressantes exceptions, tels que les Riesling robustes, de saveur intense, à l'acidité prononcée. Les autres cépages blancs donnent dans cette région des vins de qualité très ordinaire, à moins qu'il ne soient vendangés dans l'une des catégories de *QmP*.

NORMES DE QUALITÉ ET RÉPARTITION DE LA RÉCOLTE

° Oechsle minimal	Catégorie	Récolte 1984	1985	1986	1987
40°	Deutscher Tafelwein	8 %	–	4 %	1 %
50°	Landwein				
57-63°	*QbA	90 %	63 %	92 %	93 %
72-78°	*Kabinett	2 %	25 %	3 %	6 %
85-88°	*Spätlese	–	11 %	1 %	–
92°	*Auslese	–	1 %	–	–
124°	Beerenauslese				
120°	Eiswein				
150°	Trockenbeerenauslese				

* Le degré Oechsle minimal varie en fonction du taux de sucre naturel du cépage.

FACTEURS AFFECTANT LE GOÛT ET LA QUALITÉ

Situation
Entre Francfort, au nord, et le lac de Constance, au sud.

Climat
Abritée par la Forêt Noire à l'ouest et les collines de l'Albe de Souabe, à l'est, cette région bénéficie d'un temps particulièrement chaud pendant le cycle végétatif.

Site
Les vignobles sont disséminés de part et d'autre du Neckar, sur les pentes douces de différentes vallées.

Sol
Les marnes rouges, l'argile, le lœss et le limon prédominent, avec des calcaires à fossiles dans la vallée du Neckar et aux confluences. Les couches arables, profondes et bien drainées, donnent des vins amples – pour l'Allemagne – avec une acidité ferme.

Viticulture et vinification
Quelque 16 500 viticulteurs travaillent à temps partiel sur leurs parcelles. Les coopératives assurent l'élaboration et la vente du vin. Bien que plus de la moitié de la région soit plantée de cépages noirs, le vin blanc représente 70 % de la production.

Cépages principaux
Müllerrebe, Müller-Thurgau, Riesling, Trollinger

Cépages secondaires
Kerner, Lemberger, Pinot meunier, Portugieser, Ruländer, Silvaner, Spätburgunder

Les vins du Wurtemberg

BEREICH REMSTAL-STUTTGART

Deuxième Bereiche par son étendue, il couvre quelque 1 600 ha.

GROSSLAGE HOHENNEUFFEN

Pas de production exceptionnelle, même si le village de Metzingen produit de bons vins.

GROSSLAGE KOPF

Pas de production exceptionnelle, même si le village de Grossheppach produit de bons vins.

GROSSLAGE SONNENBÜHL

Pas de villages, de vignobles ou de producteurs exceptionnels.

GROSSLAGE WARTBÜHL

Wartbühl, placé entre deux Grosslagen assez quelconques, Kopf et Sonnenbühl, produit des vins supérieurs. Avec très peu de différences dans les sites, le sol et le microclimat, son seul facteur distinctif réside dans l'encépagement, entièrement en raisin blanc, avec une forte proportion de Riesling.

STETTEN

☆ **Vignoble** : *Brotwasser*
☆ **Producteur** : *Wurttemburgische Hofkammer*

☆ **Vignoble** : *Lindhälder*
☆ **Producteur** : *Karl Haidle*

REMSHALDEN-GRUNBACH

☆ **Vignoble** : *Klingle*
☆ **Producteur** : *Jürgen Ellwanger*

GROSSLAGE WEINSTEIGE

Pas de villages, vignobles ou producteurs exceptionnels, bien que dans l'Ortsteil de Bad Cannstadt sur les terrasses de l'Einzellage Zuckerle, on produise des Riesling, Trollinger et Spätburgunder qui remportent régulièrement des médailles.

BEREICH WÜRTTEMBERGISCH UNTERLAND

Ce Bereich regroupe plus de 70 % des vignobles du Wurtemberg dans ses neuf Grosslagen.

GROSSLAGE HEUCHELBERG

Les sols calcaires les plus riches de cette aire située à l'ouest de Heilbronn donnent certains des plus beaux Riesling du Wurtemberg.

NEIPPBERG

☆ **Vignoble** : *Schlossberg*
☆ **Producteur** : *Weingut Graf von Neippberg*

STOCKHEIM

☆ **Vignoble** : *Altenberg*
☆ **Producteur** : *Weingärtnergenossenschaft Dürrenzimmern-Stockheim*

MELMSHEIM

☆ **Vignoble** : *Katzenörbrle*
☆ **Producteur** : *Ernst Dautel*

CLEEBRONN

☆ **Vignoble** : *Michaelsberg*
☆ **Producteur** : *Weingärtnergenossenschaft Cleebronn-Güglingen-Frauenzimmern*

GÜGLINGEN

☆ **Vignoble** : *Michaelsberg*
☆ **Producteur** : *Weingärtnergenossenschaft Cleebronn-Güglingen-Frauenzimmern*

GROSSLAGE KIRCHENWEINBERG

Le Pinot noir (Schwarzriesling) prédomine dans ce Grosslage. Kirchenweinberg comprend l'Einzellage Katzenbeisser à Lauffen, qui, avec ses 456 ha, est plus étendu que des Bereiche comme Kocher-Jagst-Tauber, ou que la Bergstrasse de Hesse ou l'Ahr tout entier.

FLEIN

☆ **Vignoble** : *Eselsberg*
☆ **Producteurs** : *Weingut Wolf, Weingärtnergenossenschaft Flein-Talheim*

LAUFFEN

☆ **Vignoble** : *Katzenbeisser*
☆ **Producteur** : *Weingärtnergenossenschaft Lauffen*

GROSSLAGE LINDELBERG

Le Lemberger rouge élevé en barrique commence à être réputé, mais les Riesling élégants demeurent la spécialité de ce minuscule Grosslage.

VERRENBERG

☆ **Vignoble** : *Verrenberg*
☆ **Producteur** : *Fürszt zu Hohenlohe-Oehringen'sche Schlosskellerei*

GROSSLAGE SALZBERG

Ce Grosslage, situé entre Heilbronn et le Grosslage Lindelberg, produit de beaux Riesling dans ses vignobles les plus pentus, sur les coteaux exposés au sud-sud-est d'Eberstadt Eberfürst.

EBERSTADT

☆ **Vignoble** : *Eberfürst*
☆ **Producteur** : *Weingärtnergenossenschaft Eberstadt*

GROSSLAGE SCHALKSTEIN

Le vignoble Käsberg, orienté au sud, est le plus beau de ce Grosslage spécialisé dans les vins rouges de style plus sombre et plus ample que la normale dans cette région.

MUNDELSHEIM

☆ **Vignoble** : *Käsberg*
☆ **Producteur** : *Württembergische Hofkammer*

GROSSLAGE SCHOZACHTAL

Vins blancs essentiellement, avec de beaux Riesling provenant du village d'Abstatt. Quelques expériences encourageantes ont été faites avec des Lemberger et Spätburgunder rouges élevés en barrique.

ABSTATT

☆ **Vignoble** : *Burg Wildeck*
☆ **Producteur** : *Staatliche Weinbau Lehr- und Versuchsanstalt Weinsberg*

GROSSLAGE STAUFENBERG

Certains Einzellagen sont excellents et l'appellation du Grosslage compte quelques beaux vins.

HEILBRONN

☆ **Vignoble** : *Stiftsberg*
☆ **Producteur** : *Drautz-Able*

GUNDELSHEIM

☆ **Vignoble** : *Himmelreich*
☆ **Producteur** : *Staatliche Weinbau Lehr- und Versuchsanstalt Weinsberg*

WEINSBERG

☆ **Vignoble** : *Schemelsberg*
☆ **Producteur** : *Staatliche Weinbau Lehr- und Versuchsanstalt Weinsberg*

GROSSLAGE STROMBERG

Grosslage où les cépages noirs prédominent, le Lemberger étant le plus répandu.

MAULBRONN

☆ **Vignoble** : *Eilfinger Berg*
☆ **Producteur** : *Württembergische Hofkammer Kellerei*

GROSSLAGE WUNNENSTEIN

Schloss Schaubeck produit d'excellents vins. Il faut également goûter au superbe Brüssele Riesling de Graf Adelmann.

KLEINBOTTWAR

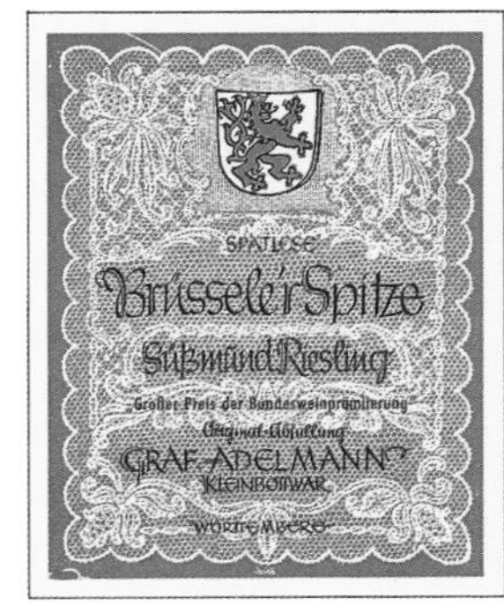

☆ **Vignoble** : *Süssmund*
☆ **Producteurs** : *Graf Adelmann, Schloss Schaubeck*

BEREICH KOCHER-JAGST-TAUBER

Bereich spécialisé dans les vins blancs, du reste rarement excellents.

GROSSLAGE KOCHERBERG

Pas de production exceptionnelle, même si le village de Criesbach produit de bons vins.

GROSSLAGE TAUBERBERG

Ce Grosslage est arrosé par le Tauber. Le Riesling, le Traminer et le Muscat donnent d'excellents résultats.

WEIKERSHEIM

☆ **Vignoble** : *Schmecker*
☆ **Producteur** : *Weingüter Fürst Hohenlohe-Langenburg*

BEREICH OBERER NECKAR

Minuscule Bereich sans villages, vignobles ou producteurs exceptionnels.

BEREICH WÜRTTEMBERGISCH BODENSEE

Ce Bereich, qui ne couvre qu'un seul Einzellage situé sur le lac de Constance, ne produit rien d'exceptionnel.

BEREICH BAYERISCHER BODENSEE

Ce Bereich comprend un Grosslage composé de quatre Einzellagen. Les conditions climatiques ne permettent pas la culture du Riesling. La petite production se compose essentiellement de Müller-Thurgau blancs, de robustes Spätburgunder rouges et de Spätburgunder *Weissherbst*.

GROSSLAGE LINDAUER SEEGARTEN

Pas de villages, de vignobles ou de producteurs exceptionnels.

Pays de Bade

On considère souvent le pays de Bade (Baden) comme la plus méridionale des régions viticoles d'Allemagne. En fait, il s'agit moins d'une région que de la réunion politique de zones diverses qui produisaient autrefois du vin dans l'ancien duché de Bade. La grande diversité des conditions géographiques, géologiques et climatiques à travers ces terres se reflète dans la vaste gamme de vins élaborés ici. Celle-ci va du tendre Silvaner au corsé Ruländer, au Gutedel léger et épicé, sans oublier le joyeux *Weissherbst* de couleur rose, une spécialité de la région, qui produit également une bonne quantité de vin rouge. Le pays de Bade est d'ailleurs la seconde région productrice de vin rouge du pays.

Le pays de Bade est actuellement considéré comme l'une des régions viticoles allemandes les plus récentes. Pourtant, jusqu'en 1800, avec quelque 27 000 hectares de vigne, il constituait le vignoble le plus étendu, soit près du double de la superficie exploitée aujourd'hui.

C'est avec l'annexion de l'Alsace – et de son riche vignoble – en 1871, que les vignobles du pays de Bade ont commencé à décliner. Ce déclin s'est poursuivi malgré la création, en 1881, par Heinrich Hansjakob, d'une association des vignerons du pays de Bade. Même lorsque l'Alsace fut restituée à la France en 1918, la production du pays de Bade a continué de diminuer, principalement faute d'investissements. Dans les années 20, la production fut encore affaiblie par les lois sur la succession, qui morcelèrent davantage ses vignobles. En 1956, avec à peine 6 000 hectares, la viticulture du pays de Bade était au plus bas.

LA RÉGION EN CHIFFRES

Superficie plantée de vigne : 14 900 ha

Rendement moyen : 84 hl/ha

Vin rouge : 23 %

Vin blanc : 77 %

Infrastructure : 7 Bereiche ; 16 Grosslagen ; 306 Einzellagen

Note : Les vignobles du pays de Bade sont répartis sur 315 Gemeinden (communes) dont les noms peuvent figurer sur l'étiquette.

Château Staufenberg

Culture des vignes en rangs perpendiculaires à la pente, sur la route du pays de Bade, près de Durbach.

NORMES DE QUALITÉ ET RÉPARTITION DE LA RÉCOLTE

° Oechsle minimal	Catégorie	Récolte 1984	1985	1986	1987
50-55°	Deutscher Tafelwein	10 %	–	6 %	1 %
55°	Landwein				
60-72°	*QbA	85 %	61 %	90 %	73 %
76-85°	*Kabinett	4 %	29 %	3 %	25 %
85-92°	*Spätlese	1 %	9 %	1 %	1 %
98-105°	*Auslese	–	1 %	–	–
124°	Beerenauslese				
124°	Eiswein				
154°	Trockenbeerenauslese				

* Le degré Oechsle minimal varie en fonction du taux de sucre naturel du cépage.

LE PAYS DE BADE

Les vignobles de cette immense région viticole sont pour la plupart situés sur une bande qui s'étend le long de la limite ouest de la Forêt Noire, entre celle-ci et la frontière avec la France. Les vignobles septentrionaux du Bereich Badisches Frankenland sont représentés séparément.

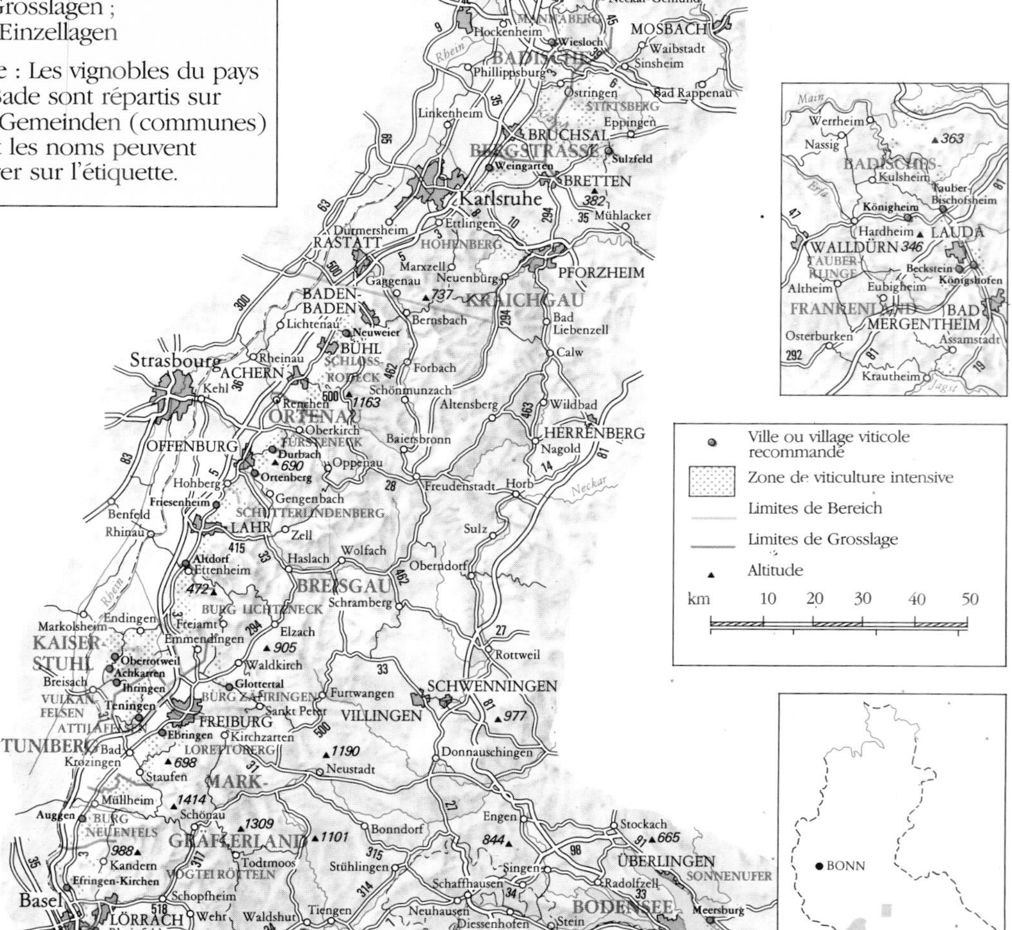

La renaissance de l'industrie du vin a débuté en 1952, avec la formation de la Zentralkellerei Kaiserstuhler Winzergenossenschaften (Cave centrale de Kaiserstuhl) qui, deux ans plus tard, s'agrandissait pour devenir la Zentralkellerei Badischer Winzergenossenschaften (Cave centrale de Bade), ou ZBW.

La ZBW fit construire une usine de vinification et de stockage de 250 millions de francs à Breisach, laquelle contribua à relever le niveau de qualité dans toute la région. Elle adopta, en outre, une énergique politique commerciale sur le marché national. Le pays de Bade devint ainsi la troisième région viticole d'Allemagne par sa production, laquelle resta cependant longtemps méconnue à l'étranger. En effet, la ZBW ne s'investit vraiment dans l'exportation qu'au début des années 80.

Le pays de Bade est malheureusement victime aujourd'hui de son propre succès. La ZBW, qui assure environ 90 % de la production de la région, a donné une image tellement précise de ses vins qu'on a généralement l'impression que le pays de Bade ne produit qu'un seul style de vins, bien faits, mais simples et sans caractère. S'il est vrai que ce style unique constitue l'essentiel de la production, la ZBW et les viticulteurs indépendants proposent une riche gamme de vins. Il est temps que la ZBW utilise ses compétences commerciales pour promouvoir le nombre relativement restreint des vins de très grande qualité du pays de Bade.

FACTEURS AFFECTANT LE GOÛT ET LA QUALITÉ

Situation
Le pays de Bade s'étend sur 400 km, de la Franconie au nord, au-delà du Wurtemberg et de la Bergstrasse de Bade, jusqu'au lac de Constance, où sont plantés les vignobles les plus méridionaux du pays.

Climat
Le pays de Bade, protégé par la Forêt Noire et les montagnes de l'Odenwald, bénéficie d'un climat chaud et ensoleillé.

Site
La plupart des vignobles sont plantés sur des terres plates ou en pente douce. Certains sont cependant situés plus haut sur les collines, moins exposées aux gelées que dans le fond des vallées.

Sol
Les sols sont riches et fertiles, avec des graves qui retiennent bien la chaleur près du lac de Constance, du calcaire, des marnes, des argiles, du granite, des dépôts de lœss, du calcaire et du Keuper, une marne sableuse, dans le Kraichgau et le Taubergrund. Le sous-sol de la plus grande partie de la région est formé d'une couche de roches volcaniques.

Viticulture et vinification
Bien que l'étendue géographique et la diversité des sols aient conduit à un grand nombre de styles de vins différents, ceux-ci sont masqués par les *QbA* tendres et neutres commercialisés par la ZBW. Plus de 90 % de la production sont assurés par ses 54 coopératives, mais il reste certains domaines indépendants de haut niveau parmi les 26 000 viticulteurs de la région. L'une des spécialités du pays de Bade est le Badisch Rotgold, obtenu en pressurant ensemble Ruländer et Spätburgunder.

Cépages principaux
Müller-Thurgau, Ruländer, Spätburgunder

Cépages secondaires
Gutedel, Kerner, Nobling, Riesling, Silvaner, Traminer, Weissburgunder

Le lac de Constance
Vignobles à Meersburg, le meilleur village du Grosslage Sonnenufer.

Les vins du pays de Bade

BEREICH BADISCHES FRANKENLAND

Ce Bereich, le plus septentrional des vignobles du pays de Bade, relie le Wurtemberg à la Franconie. Les vins ressemblent à ceux de ces deux régions. Les vins de Müller-Thurgau et de Silvaner, nerveux, secs et aromatiques, sont plus proches de la Franconie que du Wurtemberg. Seule cette partie du Bereich, extérieure à la Franconie, a le droit d'utiliser la célèbre *Bocksbeutel*.

GROSSLAGE TAUBERKLINGE

Pas de villages, de vignobles ou de producteurs exceptionnels, encore que les villages de Beckstein, Königheim, Königshofen et Tauberbischofsheim produisent de bons vins.

BEREICH BADISCHE BERGSTRASSE-KRAICHGAU

Ce Bereich compte quatre Grosslagen, deux dans la Bergstrasse de Bade et deux dans le Kraichgau aux cultures plus éparses. Seul un des Grosslagen, Stiftsberg, dans le Kraichgau, est quelque peu réputé. La moitié du Bereich, plantée de Müller-Thurgau, donne des vins généralement ternes et sans éclat. Quand ils sont réussis, les meilleurs vins sont les Rülander et les Riesling.

GROSSLAGE HOHENBERG

Pas de production exceptionnelle, même si le village de Weingarten produit de bons vins.

GROSSLAGE MANNABERG

Pas de production exceptionnelle, même si le village de Wiesloch produit de bons vins.

GROSSLAGE RITTERSBERG

Pas de villages, de vignobles ou de producteurs exceptionnels, encore que les villages de Leutershausen, Lützelsachsen, Schriesheim et Weinheim produisent de bons vins.

GROSSLAGE STIFTSBERG

Situé dans le Kraichgau, à l'est de Mannaberg, ce Grosslage est le meilleur du Bereich. Près de la moitié de ses vignobles sont classées « pentus », c'est-à-dire d'une déclivité supérieure à 20°, ce qui contribue à donner des Rülander extrêmement fruités et des Riesling au caractère relativement racé.

SULZFELD

☆ **Vignoble** : *Burg Ravensburger*
☆ **Producteur** : *Freiherr von Gölertsche Gutsverwaltung*

MICHELFELD

☆ **Vignoble** : *Himmelberg*
☆ **Producteurs** : *Weingut Burg Hornberg, Weingut Reichsgraf und Marquis zu Hoensbroech*

BEREICH ORTENAU

Protégés par les hautes collines de la Forêt Noire, ce Bereich produit certains des plus grands vins, généralement amples, fruités et souvent très épicés, du pays de Bade. Le Riesling est d'une finesse considérable, compte tenu de la puissance et des nuances épicées que prend ici ce cépage. Le Müller-Thurgau est particulièrement bon et plein, et on produit de beaux Badisch Rotgold à partir de Spätburgunder et de Ruländer. Le Gewürztraminer est souvent appelé ici Clevner, qui est en général un synonyme de Pinot blanc.

GROSSLAGE FÜRSTENECK

Ce Grosslage comprend certains des meilleurs domaines du pays de Bade. La gamme des cépages, plus diversifiée qu'ailleurs, donne de nombreux types de vins. Les Riesling sont tantôt fermes et épicés, tantôt fins et délicats ; le Gewürztraminer est puissant ; les Müller-Thurgau sont parmi les meilleurs d'Allemagne et certains Gutedel sont extraordinaires. Nombre de vins sont de plus en plus secs, bien que certains domaines soient renommés pour leur vins moelleux de vendanges tardives.

DURBACH

☆ **Vignoble** : *Schlossberg*
☆ **Producteur** : *Grafl. Wolff-Metternich'sche Gutsverwaltung*

☆ **Vignoble** : *Schloss Grohl*
☆ **Producteur** : *Grafl. Wolff-Metternich'sche Gutsverwaltung*

☆ **Vignoble** : *Schloss Staufenberg*
☆ **Producteur** : *Max Markgraf von Baden*

☆ **Vignoble** : *Plauelrain*
☆ **Producteurs** : *Freiherr von Neveusche Gutsverwaltung, Winzergenossenschaft Durbach, A. Laible*

ORTENBERG

☆ **Vignoble** : *Schlossberg*
☆ **Producteur** : *Freiherr von Neveusche Gutsverwaltung*

ZELL

☆ **Vignoble** : *Abtsberg*
☆ **Producteur** : *Winzergenossenschaft Zell-Weierbach*

GROSSLAGE SCHLOSS RODECK

Outre l'excellente coopérative recommandée ci-dessous, spécialisée dans le *Rotwein*, qui produit certains des meilleurs *QmP* de Spätburgunder, les viticulteurs des vignobles suivants proposent de très bons vins : Mauerberg, également à Neuweier, Stich den Buben à Steinbach, Betschgräber à Eisental, Alde Gott à Sasbachwalden et Hex vom Dasenstein à Kappelrodeck.

NEUWEIER

☆ **Vignoble** : *Heiligenstein*
☆ **Producteur** : *Affentaler Winzergenossenschaft*

BEREICH BREISGAU

La ville ancienne de Breisgau ne fait pas partie de ce Bereich dont les vins ne sauraient se comparer à ceux de son illustre voisin du sud, le Bereich Kaiserstuhl-Tuniberg, bien qu'ils soient parfois séduisants et faciles à boire. On y produit un Müller-Thurgau fruité, tendre et quasi sec, un Ruländer ample et succulent, et un *Weissherbst* de Spätburgunder très apprécié.

GROSSLAGE BURG LICHTENECK

Pas de production exceptionnelle, même si le village d'Altdorf produit de bons vins.

GROSSLAGE BURG ZÄHRINGEN

Pas de production exceptionnelle, même si le village de Glottertal produit de bons vins.

GROSSLAGE SCHUTTER-LINDENBERG

Pas de production exceptionnelle, même si le village de Friesenheim produit de bons vins.

BEREICH KAISERSTUHL-TUNIBERG

Les deux Grosslagen de ce Bereich produisent un tiers de tous les vins du pays de Bade, dont nombre comptent parmi les meilleurs. C'est un exemple parfait des résultats obtenus grâce à la *Flurbereiningung*, le nom donné à la restructuration des vignobles qui a permis de transformer des vignobles traditionnels en terrasses en rangs de vignes palissées sur fil de fer épousant la pente. Les coteaux impeccablement entretenus du Kaiserstuhl, le célèbre volcan éteint qui domine le Bereich, l'illustrent fort bien.

Au sud de l'imposant Kaiserstuhl se trouve le site beaucoup moins impressionnant de Tuniberg, autre éminence volcanique, et seule autre saillie du relief dans le Bereich. La production des vignobles plus pentus de Tuniberg, exposés à l'ouest, ne peut se comparer en réputation ou en quantité à celle de Kaiserstuhl.

Bien que ce Bereich soit le plus chaud et le plus sec d'Allemagne, quelques microclimats favorisent certains sites protégés par le Kaiserstuhl. C'est de ces Einzellagen que proviennent certains des meilleurs vins du pays de Bade, bien que l'essentiel de la production soit vendu sous le nom du Bereich, auquel s'ajoute généralement celui du cépage. Bereich Kaiserstuhl-Tuniberg Müller-Thurgau prédomine, mais la réputation du Bereich s'appuie sur le Ruländer blanc, très ample, et le *Weissherbst* Ruländer, bien typé. Quelques Spätburgunder riches et beaux la renforcent encore.

GROSSLAGE ATTILAFELSEN

Pas de villages, de vignobles ou de producteurs exceptionnels dans ce Grosslage qui couvre l'éminence de Tuniberg, encore que le village de Tiengen produise de bons vins.

GROSSLAGE VULKANFELSEN

Vulkanfelsen, le plus grand et le meilleur des deux Grosslagen de Kaiserstuhl-Tuniberg, couvre les vignobles volcaniques du Kaiserstuhl lui-même. Ce sont les vins de Ruländer du Kaiserstuhl, amples, d'une intensité fougueuse, qui ont valu à ce Grosslage sa réputation.

ACHKARREN

☆ **Vignoble** : *Schlossberg*
☆ **Producteurs** : *Winzergenossenschaft Achkarren, Weingut Ihringer zum Falken, Adolf Hauser*

IHRINGEN

☆ **Vignoble** : *Winklerberg*
☆ **Producteurs** : *Dr. Heger, Rudolf Stigler, Gebr. Müller, H. Glattes, Ihringer Winzergenossenschaft*

BICKENSOHL

☆ **Vignoble** : *Steinfelsen*
☆ **Producteur** : *Winzergenossenschaft Bickensohl*

OBERROTWEIL

☆ **Vignoble** : *Eichberg*
☆ **Producteurs** : *Weingut von Gleichenstein, Kaiserstübler Winzerverein Oberrotweil*

☆ **Vignoble** : *Henkenberg*
☆ **Producteurs** : *Weingut von Gleichenstein, Kaiserstübler Winzerverein Oberrotweil*

BÖTZINGEN

☆ **Vignoble** : *Lasenberg*
☆ **Producteur** : *Winzergenossenschaft Bötzingen*

OBERBERGEN

☆ **Vignoble** : *Bassgeige*
☆ **Producteur** : *Weinzergenossenschaft Oberbergen*

BURKHEIM

☆ **Vignoble** : *Schlossgarten*
☆ **Producteur** : *Winzergenossenschaft Burkheim*

BEREICH MARKGRÄFLERLAND

Le second Bereich par ordre d'importance du pays de Bade est planté principalement de Gutedel, dont est issu un vin léger, assez sec et neutre, légèrement pétillant, très séduisant quand il est jeune. Parmi les autres cépages importants, le Nobling donne un vin plus typé que le Müller-Thurgau, plus léger. Ce dernier peut cependant avoir de la séduction. Le Spätburgunder est parfois ample et réussi. Le Gewürztraminer donne aussi de beaux résultats.

GROSSLAGE BURG NEUENFELS

La grande majorité des vignobles de ce Grosslage sont classés « pentus » (plus de 20° de déclivité), ce qui donne quelques Gutedel parmi les plus délicieux.

AUGGEN

☆ **Vignoble** : *Schäf*
☆ **Producteur** : *Weingut Blankenhorn*

GROSSLAGE LORETTOBERG

Pas de villages, de vignobles ou de producteurs exceptionnels, encore que le village d'Ebringen produise de bons vins.

GROSSLAGE VOGTEI RÖTTELN

Bien qu'une grande partie du vin soit vendue sous le nom du Grosslage, on trouve ici deux vignobles exceptionnels qui sont surtout connus pour leur Gutedel et, dans une moindre mesure, leur Spätburgunder.

EFRINGEN-KIRCHEN

☆ **Vignoble** : *Kirchberg*
☆ **Producteur** : *Bezirkskellerei Markgräflerland*

BLANSINGEN

☆ **Vignoble** : *Wolfer*
☆ **Producteur** : *Bezirkskellerei Markgräflerland*

BEREICH BODENSEE

Les environs du lac de Constance donnent des vins qui, sans être exceptionnels, sont honnêtes. Le Müller-Thurgau produit des vins fruités et vifs, et le Spätburgunder à la fois des *Rotweine* et des *Weissherbst*.

GROSSLAGE SONNENUFER

Pas de production exceptionnelle, même si le village de Meersburg produit de bons vins.

LES VINS D'ITALIE

Italie

L'Italie est le premier producteur mondial de vin avec une moyenne annuelle de 77 millions d'hectolitres, soit un tiers de la récolte européenne et un quart de la récolte mondiale.

L'Italie cultive la vigne depuis au moins 2 500 ans, et les possibilités d'y produire de bons vins sont aussi grandes qu'en France. Or, depuis 25 ans, la qualité de ses vins a considérablement décliné. Le vin italien est aimable, mais son image est largement ternie par l'abondance des produits quelconques, médiocres ou oxydés. Les grands viticulteurs sont encore nombreux, tant traditionnels que novateurs, qui élaborent de beaux vins dans pratiquement toutes les appellations. Mais ils sont malheureusement éclipsés par la multitude des produits de qualité inférieure.

LA LÉGISLATION RELATIVE AU VIN

C'est en partie la législation de 1963 qui est responsable du déclin des vins italiens. L'inefficacité de son négoce, monde vaste et complexe, et l'absence de toute image commerciale cohérente ont en effet incité l'Italie à créer son système de *Denominazione di origine controllata*, équivalent des AOC en France. D'abord réservé à des vignobles classiques et relativement connus, en nombre limité, ce statut s'est rapidement étendu à quantité d'aires obscures qui souvent ne le méritaient pas. Faute de faire la distinction entre le bon et le médiocre, la législation n'a pas réussi à s'imposer comme une garantie de qualité.

Qualité et quantité

Depuis les années 60, le rendement à l'hectare a augmenté presque aussi vite que déclinait la qualité des vins. La législation des DOC a autorisé des rendements bien trop élevés, encourageant ainsi un niveau de base très faible. Les rendements du Chianti et du Soave sont fixés à 87,5 et 98 hectolitres à l'hectare tandis que le Bordeaux générique n'a droit qu'à 50 hectolitres à l'hectare.

Un autre facteur a encouragé les producteurs à privilégier la quantité. Pour répondre à la baisse de la consommation intérieure au début des années 70, l'industrie du vin s'intéressa davantage à l'exportation. S'avisant qu'ils ne pourraient rivaliser avec les Français, les Italiens se sont concentrés sur le bas du marché. Alors, proliférèrent les bouteilles de deux litres, à bouchon à vis, qui n'ont guère contribué à améliorer l'image de marque des DOC. Après avoir vendu leurs vins à très bas prix pour s'introduire sur le

CUISINE ET VIN

Il faut juger les vins italiens dans le contexte de la cuisine provinciale, laquelle est en effet toujours associée aux traditionnels vins de pays. La cuisine régionale est souvent simple et les vins qui l'accompagnent sont la plupart du temps les plus populaires et sans prétention. Ils doivent cependant, pour être utilisés avec bonheur, être frais, nets et fruités. Les taux de tanins et d'acidité supérieurs à la moyenne sont atténués par les saveurs des plats régionaux. Dans les contrées où la cuisine est plus raffinée, il existe toujours des vins plus complexes, parfois de grande qualité.

Montalcino, ci-dessous
Montalcino et ses célèbres vignes Brunello, au premier plan, baignent dans le soleil de la Toscane. Les vins de la région jouissent d'un grand prestige, en particulier les rouges tanniques, qui demandent généralement à mûrir pendant au moins dix ans.

marché, les producteurs hésitaient à les relever, craignant d'y perdre leur place. Pour continuer à produire autant de vin à bon marché, il fallut donc abaisser encore la qualité. On encouragea les vignerons à délaisser les vignobles vallonnés classiques, où les rendements étaient faibles au profit des riches plaines alluviales les incitant, de surcroît, à y cultiver les cépages les plus productifs autorisés par la législation des DOC.

La désignation DOC s'en est trouvée tellement dévaluée que la catégorie théoriquement inférieure, *Vino da tavola* (Vin de table), fut – et demeure encore – utilisée pour certains des plus grands vins d'Italie. (Le *Vino da tavola* [VT] n'impose aucune restriction sur les cépages, si bien que nombre des meilleurs vins, en général à base de Cabernet, entrent dans cette catégorie.) Les DOC n'offraient plus que des vins ordinaires au point qu'il fallut créer, à la fin des années 70, une classe supérieure, la *Denominazione di origine controllata garantita* ou DOCG. Cette catégorie était assortie de quelques normes plus rigoureuses, mais les exigences demeuraient toutefois trop timorées. Les premiers vins rouges qui bénéficièrent du statut de DOCG méritaient sans doute – ou pouvaient mériter – ce rang supérieur ; en revanche, l'Albana du Romagna, le premier vin blanc DOCG, est quelconque et pratiquement inconnu.

L'AVENIR

À la baisse de la consommation intérieure de vin par habitant – 82 litres (109 bouteilles) en 1985 contre 110 litres (147 bouteilles)

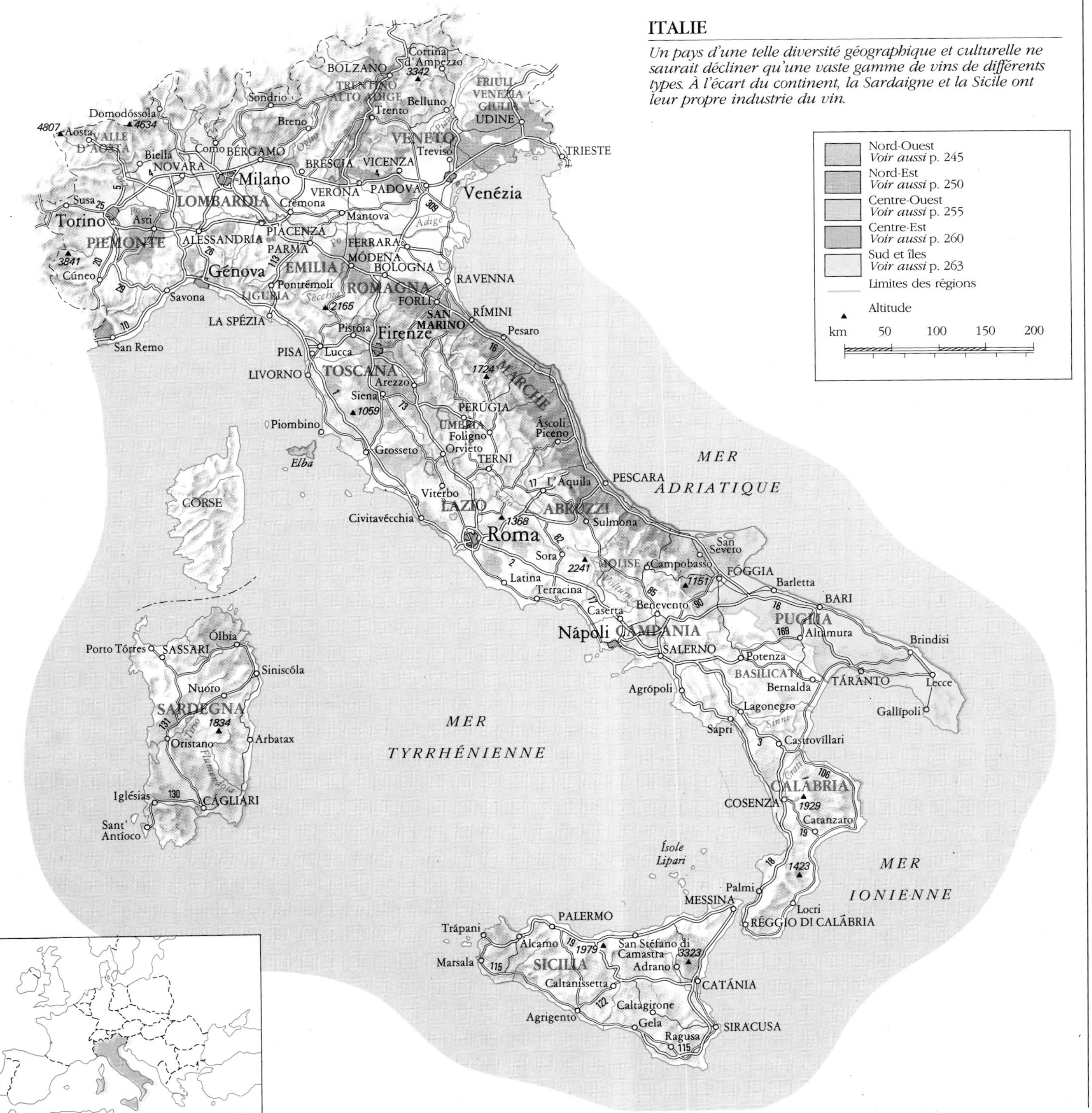

ITALIE

Un pays d'une telle diversité géographique et culturelle ne saurait décliner qu'une vaste gamme de vins de différents types. À l'écart du continent, la Sardaigne et la Sicile ont leur propre industrie du vin.

en 1970 – s'ajoute, depuis le milieu des années 80, le ralentissement des exportations. Face à un marché qui rétrécit, mais à une demande croissante pour des vins de qualité supérieure, l'Italie doit aujourd'hui réduire la quantité au bénéfice de la qualité. Elle n'y parviendra que si elle se dote d'une législation rigoureuse pouvant aller à l'encontre des intérêts de certains des producteurs les plus puissants du pays.

Les pouvoirs publics pourraient décider, par exemple, de réduire les rendements de tous les DOC d'un tiers et les rendements des DOCG de 15 pour cent, d'interdire que les vins de DOC et de DOCG proviennent de raisins récoltés dans les plaines alluviales et qu'ils soient coupés de vins extérieurs à la zone de production. Elle pourrait autoriser la culture de tout cépage *vinifera* dans la limite de 15 pour cent dans toutes les aires de DOC, et devrait créer une appellation spéciale pour certains des plus grands vins – Sassicaia, Sammarco, Tignarello et Torcolato.

COMMENT UTILISER LES « GUIDES »

Dans les listes qui suivent, les vins sont divisés en « vins fins » et « autres vins », qu'il s'agisse de DOCG, DOC, VT, vins génériques ou marques. Si la région compte peu – ou pas – de « vins fins », la liste est intitulée « Les vins de... ». Les meilleurs vins parmi ceux qui ne figurent pas au nombre des « grands » sont marqués d'un astérisque.

Lorsque le vin décrit, dans l'une ou l'autre des sections, provient d'un seul producteur, son nom est cité en italique sous celui du vin.

Avec les « vins fins » figurent aussi les meilleurs vins effervescents de la région et les meilleurs vins à base de Cabernet. Dans ce dernier cas, le nom du vin apparaît d'abord, suivi du nom du producteur puis des cépages.

COMMENT LIRE LES ÉTIQUETTES DE VIN ITALIEN

Désignation de qualité
Denominazione di origine controllata (DOC). Il existe officiellement 220 DOC, mais certaines présentent une telle diversité de cépages et de vins différents qu'elles sont en réalité plus de 500. Cette catégorie ne comprend que quelques-uns des plus grands vins d'Italie et une large proportion des plus médiocres.

Les autres catégories sont *Denominazione di origine controllata garantita* (DOCG), supérieure au DOC et qui ne comprend aujourd'hui que six vins, et *Vino da tavola* (VT), catégorie qui recouvre la plupart des vins italiens ordinaires, mais aussi, puisqu'elle n'impose pas de restrictions sur les cépages, certains des plus grands vins du pays.

Product of Italy
La mention du pays d'origine n'est obligatoire que pour l'exportation.

Volume
Toutes les bouteilles doivent maintenant contenir 75 cl.

Nom du vin
Beaucoup de vins italiens portent uniquement un nom de lieu : Barolo, Chianti, Soave. D'autres portent d'abord le nom du cépage – Agliano dans le cas présent – suivi du nom du lieu où il a été cultivé.

Millésime
Souvent, les mots *annata* (année) ou *vendemmia* (vendange) précèdent ou suivent le millésime.

Mise en bouteille au domaine
Imbottigliato all'origine da, *Messo in bottiglia nel'origine* et *Del produttore all'origine* signifient « Mis en bouteille au domaine ».

Producteur ou embouteilleur
Ici, le producteur est D'Angelo, une *casa vinicola* ou firme vinicole de Rionero in Vulturd, dans la province de Basilicata.

Degré alcoolique
Celui-ci est exprimé en pourcentage du volume.

Autres indications de style ou de qualité pouvant figurer sur l'étiquette :

Abbocatto : légèrement doux.

Amabile : plus doux qu'*abbocatto*.

Amaro : amer ou très sec.

Asciutto : très sec ou brut.

Auslese : terme allemand autorisé dans le Haut-Adige pour les vins issus de raisins sélectionnés.

Azienda, azienda agricola, azienda agraria **ou** ***azienda viti-vinicola*** : entreprise vinicole d'État.

Bianco : blanc.

Cantina sociale **ou** ***cooperativa*** : coopérative.

Cascina : terme pour désigner un domaine ou une ferme.

Cerasuolo : rouge cerise, s'applique aux rosés de couleur vive.

Chiaretto : intermédiaire entre le vin rouge très clair et le rosé véritable (équivalent de clairet).

Classico : désigne la meilleure partie d'une zone de DOC.

Consorzio : groupe de producteurs.

Dolce : très doux.

Fermentazione naturale : méthode de production de vins effervescents par refermentation naturelle en cuve ou en bouteille.

Fiore : mot signifiant fleur qui fait souvent partie du nom d'un vin. C'est une garantie de qualité, car il indique que seul le moût du premier pressurage a été utilisé.

Frizzante : équivalent de pétillant.

Frizzantino : légèrement pétillant ou perlant.

Liquoroso : vin viné et doux ou vin sec riche en alcool.

Località, Ronco **ou** ***Vigneto*** : vin provenant d'un seul domaine.

Metodo champenois : méthode champenoise. Cette indication est remplacée, peu à peu, par *metodo classico* ou *spumante classico*.

Passito : vin corsé, souvent doux, fait de raisins à demi séchés (*passiti*).

Pastoso : demi-doux.

Ramato : vin cuivré fait de raisins de Pinot grigio ayant macéré brièvement avec leurs peaux.

Recioto : vin fort et moelleux fait de raisins *passiti*.

Ripasso : vin ayant refermenté sur les lies d'un vin *recioto*.

Riserva **ou** ***riserva speciale*** : vin de DOC qui a mûri pendant un certain nombre d'années. Le *speciale* est plus vieux.

Rosato : rosé.

Rosso : rouge.

Secco : sec.

Semi-secco : demi-sec.

Spumante : mousseux.

Stravecchio : vin très vieux élevé selon les règles des DOC.

Superiore : vin de DOC généralement plus alcoolisé et parfois de qualité supérieure.

Uvaggio : assemblage de différents cépages.

Vecchio : vieux.

Vin santo **ou** ***vino santo*** : vin blanc traditionnellement moelleux, parfois sec, issu de raisins *passiti* conservés dans des fûts scellés qui ne sont pas ouillés pendant plusieurs années.

Vino novello : vin nouveau.

Vino da pasto : vin ordinaire.

Nord-Ouest

Cette aire regroupe la grande région viticole du Piémont, la Ligurie, la Lombardie et le Val d'Aoste.

Peu de régions ont une topographie aussi contrastée que le nord-ouest de l'Italie, des pistes de ski du Val d'Aoste et des Apennins de Ligurie aux plaines alluviales du Pô. Le contraste est également manifeste dans ses deux vins les plus célèbres : le Barolo, massif, noir et tannique, et l'Asti, pâle, léger, effervescent et fruité.

PIÉMONT (PIEMONTE)

Le Piémont est dominé par trois cépages : Nebbiolo, Barbera et Moscato. Le Nebbiolo donne le Barolo, prodigieusement riche et fumé, ainsi que le Barbaresco, élégant, plus féminin et pourtant parfois plus puissant. Le tendre Barbera a un rendement nettement supérieur au Nebbiolo, mais peut produire d'aussi beaux vins ; il excelle autour d'Alba. Le Piémont récolte également l'Asti, le vin le plus populaire d'Italie. Issu du cépage Moscato, ce vin léger, succulent, doux et fruité, est certainement le meilleur vin de dessert effervescent au monde.

LOMBARDIE (LOMBARDIA)

La Lombardie s'étend au nord-est du Piémont, des plaines de la vallée du Pô jusqu'aux sommets enneigés des Alpes. Parmi les meilleurs vins de la région figurent les amples vins rouges de Franciacorta et son excellent *spumante classico*, ainsi que le Sassella rouge de Valtellina. Ces vins passablement méconnus, comparés au Barolo ou au Barbaresco du Piémont, sont d'un bon rapport qualité/prix.

LIGURIE (LIGURIA)

La Ligurie, l'une des plus petites régions d'Italie, est plus célèbre pour sa Riviera que pour ses vins. Son vin le plus illustre porte le nom de Cinque Terre, évocation de cinq villages au-dessus des-

FACTEURS AFFECTANT LE GOÛT ET LA QUALITÉ

Situation
Bordé par les Alpes au nord et à l'ouest et par la mer Ligurienne au sud, le nord-ouest de l'Italie regroupe quatre régions : Piémont, Ligurie, Lombardie et Val d'Aoste.

Climat
Les hivers sont rigoureux, accompagnés de fréquents brouillards qui montent des vallées. Les étés sont chauds, mais sans excès, avec des risques de grêle. Les longs automnes sont nécessaires au Nebbiolo qui mûrit tardivement.

Site
Cette région couvre des contreforts montagneux et la vallée du Pô, le plus long fleuve d'Italie. Les vignes sont plantées sur des coteaux bien drainés et bien exposés au soleil. Dans les grandes régions comme Barolo, tous les coteaux orientés au sud sont tapissés de vigne, tandis qu'en Lombardie les vignobles s'étendent jusqu'aux riches plaines alluviales du Pô.

Sol
Les sols sont de natures très diverses : les marnes calcaires prédominent, parfois mêlées de sable et d'argile.

Viticulture et vinification
Les grands vins rouges ont souffert par le passé d'un élevage excessivement long dans de vastes cuves en bois. Cette pratique desséchait le fruit et oxydait le vin. Aujourd'hui, beaucoup de vins sont mis en bouteille au moment idéal.

L'emploi de la cuve close pour les vins doux et fruités d'Asti fut un succès ; ils sont exportés dans le monde entier. Certains producteurs de *spumanti* utilisent désormais la méthode champenoise pour élaborer des *spumanti* secs issus du Pinot et du Chardonnay. Ces vins sont de grande qualité.

Cépages principaux
Barbera, Nebbiolo, Moscato

Cépages secondaires
Arneis, Bonarda, Brachetto, Brugnola, Cabernet franc, Cabernet Sauvignon, Chardonnay, Chiavennasca (Nebbiolo), Cortese, Croatina, Dolcetto, Erbaluce, Favorita, Freisa, Gamay, Grenache, Grignolino, Marzemino, Merlot, Ormeasco, Petit rouge, Pigato, Pignola Valtellina, Pinot bianco, Pinot grigio, Pinot nero, Riesling, Rossese, Rossola, Trebbiano, Ughetta, Uva rara, Vermentino, Vespolina

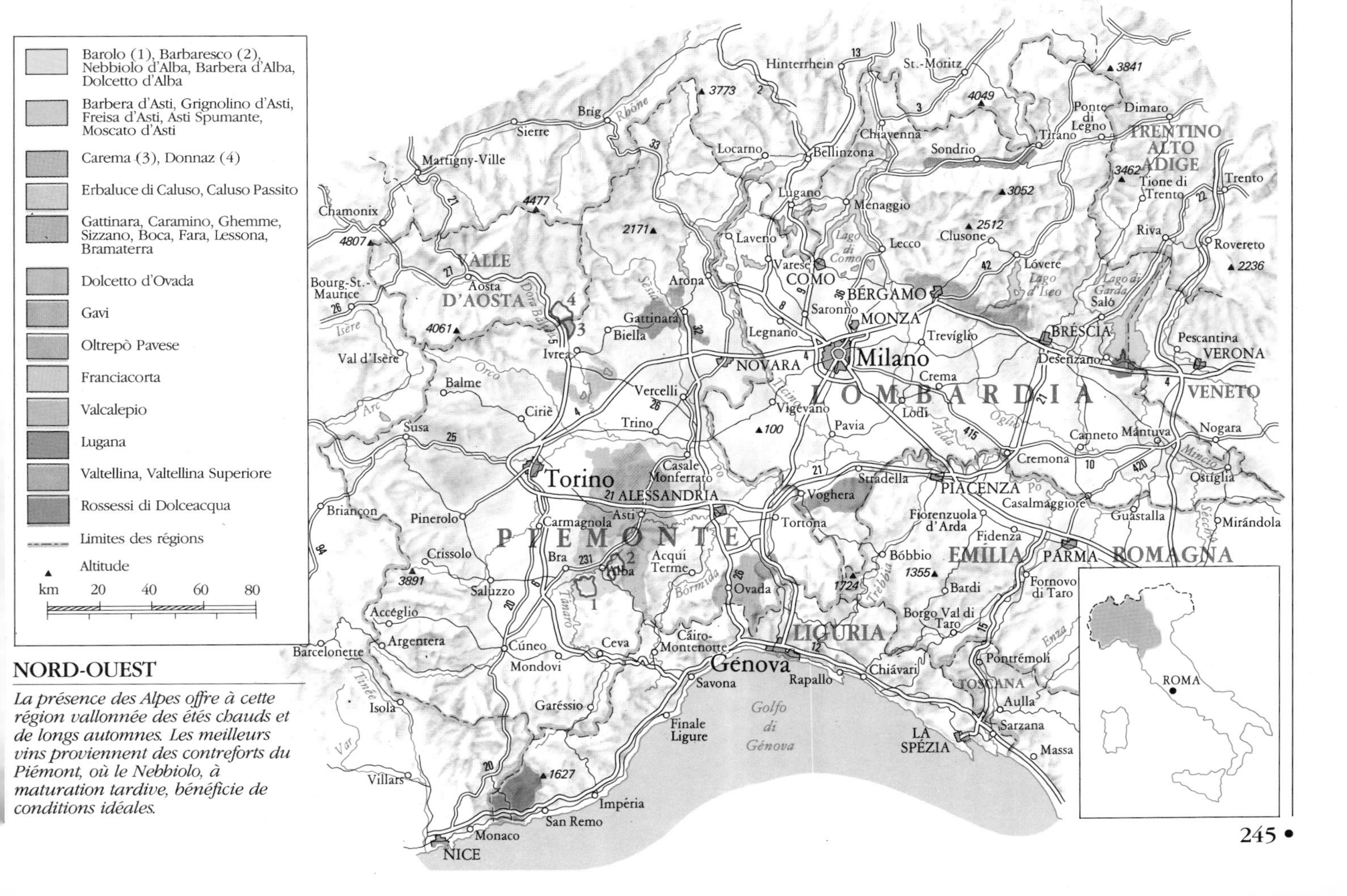

NORD-OUEST

La présence des Alpes offre à cette région vallonnée des étés chauds et de longs automnes. Les meilleurs vins proviennent des contreforts du Piémont, où le Nebbiolo, à maturation tardive, bénéficie de conditions idéales.

quels s'étendent les vignobles en terrasse qui ressemblent à une sorte de pyramide aztèque. La plupart des vins sont de ceux qu'on apprécie pendant les vacances.

VAL D'AOSTE (VALLE D'AOSTA)

Le Val d'Aoste, dans les Alpes mêmes, est la plus petite région viticole d'Italie et la plus montagneuse. Ses vignobles en altitude produisent quelques vins agréables, mais aucun très grand vin.

PRODUCTION ANNUELLE MOYENNE

Région	Production de DOC	Production totale
Piémont	1 million hl	4 millions hl
Lombardie	400 000 hl	2 millions hl
Ligurie	7 000 hl	400 000 hl
Val d'Aoste	500 hl	30 000 hl

Pourcentage de la production italienne totale : Piémont, 5,2 % ; Lombardie, 2,6 % ; Ligurie, 0,52 % ; Val d'Aoste, 0,04 %.

Vignes conduites sur pergola, ci-dessus
Ces vignes de Nebbiolo, cultivées près de Carema, sont conduites sur une pergola piémontaise. Elles donnent un vin rond et parfumé.

Les vins fins du Piémont

ARNEIS DEI ROERI VT

Ces vins sont élaborés à partir du cépage Arneis cultivé dans les collines au nord d'Alba.

BLANC. Les meilleurs sont riches et gorgés de saveurs, et pourtant tendres et joliment équilibrés.

Arneis

1984, 1985, 1986

Entre 3 et 5 ans

☆ Castello di Neive, Bruno Giacosa, Vietti

ASTI ou ASTI SPUMANTE DOC

Le plus grand vin effervescent d'Italie et l'un des plus célèbres au monde est produit en cuve close, à partir de raisins récoltés dans 52 communes des provinces d'Asti, Coni et Alexandrie.

VIN MOUSSEUX. Les meilleurs Asti montrent une jolie mousse faite de bulles minuscules, une douceur succulente et un fruité délicat qui recèle des arômes de pêche.

Muscat

Généralement non millésimé

1 à 2 ans au maximum

☆ Villa Banfi, Barbero, Bersano, Luigi Bosca, Cantina Sociale Canelli, Villa Carlotta, Cinzano, Giuseppe Contratto, Cora, Duca d'Asti, Fontanafredda, Gancia, Kiola, Martini, Sperone, Tosti

BARBARESCO DOCG

Les vins issus du Nebbiolo, le plus grand cépage indigène d'Italie, doivent mûrir pendant au moins deux ans, dont un en fût de chêne ou de châtaignier.

ROUGE. Souvent plus fin et féminin que le Barolo, le Barbaresco a une structure plus souple et un fruité plus tendre.

Nebbiolo

1982, 1983, 1985, 1986

Entre 5 et 20 ans

☆ Accademia Torregiorgi, Castello di Neive, Bruno Ceretto, Pio Cesare, Fratelli Cigliuti, Giuseppe Cortese, Angelo Gaga, Bruno Giacosa, Marchese di Gresy, Produttori di Barbaresco

BARBERA D'ALBA DOC

Le Barbera, stigmatisé pour son caractère très productif, est en réalité l'un des grands cépages italiens.

ROUGE. Les meilleurs sont très riches et savoureux.

Barbera et jusqu'à 15 % de Nebbiolo

1982, 1983, 1985, 1986

Entre 5 et 12 ans

☆ Elio Altare, Pio Cesare, Aldo Conterno, Giacomo Conterno, Damonte, Renato Ratti, Vietti

BAROLO DOCG

Les grands Barolo sont incomparables.

ROUGE. De couleur profonde, de constitution puissante et d'une finesse surprenante, les Barolo de qualité ont de complexes nuances fumées. Malheureusement, leur image est ternie par les nombreux vins oxydés et mal vinifiés qui profitent aussi de cette appellation.

Nebbiolo

1982, 1983, 1985, 1986

Entre 8 et 25 ans

☆ Elio Altare, Fratelli Barale, Giacomo Borgogno, Cavalotto, Ceretto, Clerico, Aldo Conterno, Giacomo Conterno, Paolo Cordero, Fontanafredda, Franco-Fiorina, Fratelli Oddero, Bruno Giacosa, Valentino Migliorini, Marchesi di Barolo, Giuseppe Mascarello, Renato Ratti, Giuseppe Rinaldi, Cantina Sociale Terre del Barolo, Vietti

BRICCO MANZONI VT

Valentino Migliorini

Cet assemblage de Nebbiolo et de Barbera s'améliore chaque année.

ROUGE. Vin de couleur profonde, corsé, riche et joliment équilibré.

Barbera, Nebbiolo

1982, 1985

Entre 5 et 10 ans

CARAMINO VT

Vins prometteurs issus des contreforts de Novara.

ROUGE. Vins corsés élégants qui s'affinent avec l'âge.

Nebbiolo

1982, 1983, 1985, 1986

Entre 4 et 12 ans

☆ Luigi Dessilani

CORTESE DI GAVI ou GAVI DOC

La qualité et le caractère de ces vins sont très inégaux.

BLANC. Les meilleurs sont secs, légèrement *frizzantini* quand ils sont jeunes, dotés d'une texture tendre. Ils acquièrent une saveur de miel en vieillissant en bouteille.

Cortese

1982, 1983, 1985, 1986

Entre 2 et 3 ans

☆ Gavi dei Gavi, Pio Cesare, Fontanafredda

GATTINARA DOC

Vins provenant de la rive droite de la Sésia, dans le nord du Piémont.

ROUGE. Beau vin quand les rendements sont raisonnables. Jeune, il a parfois un fruité rustique, mais il gagne en mûrissant une saveur soyeuse et un gracieux parfum de violette.

Nebbiolo et jusqu'à 10 % de Bonarda

1982, 1983, 1985, 1986

Entre 6 et 15 ans

☆ Mario Antoniolo, Augustino Brugo, Luigi Dessilani, Fontanafredda, Antonio Vallana

GHEMME DOC

Le Ghemme passe généralement pour inférieur à son voisin, le Gattinara. Pourtant, les rendements sont moins élevés et la qualité plus constante.

ROUGE. Aussi coloré, corsé et savoureux que le Gattinera, le Ghemme a, au départ, un bouquet fruité plus fin et élégant.

Nebbiolo 60-85 %, Vespolina 10-30 %, et jusqu'à 15 % au maximum de Bonarda novarese

1982, 1983, 1985, 1986

Entre 4 et 15 ans

☆ Antichi Vignetti di Cantelupo, Augustino Brugo, Luigi Dessilani

MOSCATO D'ASTI ou MOSCATO D'ASTI SPUMANTE DOC

Vin proche, par sa saveur, de l'Asti spumante, mais avec une pression minimale de trois atmosphères au lieu de cinq. Le Moscato d'Asti (ou Moscato d'Asti spumante), tranquille ou légèrement *frizzantino*, doit porter l'appellation « Moscato naturale d'Asti », mais l'adjectif « naturale » manque souvent sur l'étiquette. Pour plus de détails sur les cépages et les meilleurs millésimes récents, *voir* Moscato naturale d'Asti DOC.

MOSCATO NATURALE D'ASTI DOC

Le vin est mis en bouteille avec un taux élevé de sucre résiduel et peut continuer de fermenter en bouteille.

BLANC. Ces vins sont parfois tranquilles, parfois très légèrement pétillants, *frizzantino* ou *frizzante*. Ils sont toujours riches, succulents et doux.

Muscat

Millésime le plus récent

Immédiatement

☆ Ascheri, Braida, Cantina Sociale Canelli, Duca d'Asti, Fontanafredda, I Vignaili di S. Stefano, Vietti

MOSCATO DI STREVI VT

Ce vin est aussi bon que le Moscato d'Asti. Pour plus de détails sur les cépages et les meilleurs millésimes récents, *voir* Moscato naturale d'Asti DOC.

NEBBIOLO D'ALBA DOC

Les vins purs Nebbiolo proviennent d'une aire située entre celles du Barolo et du Barbaresco.

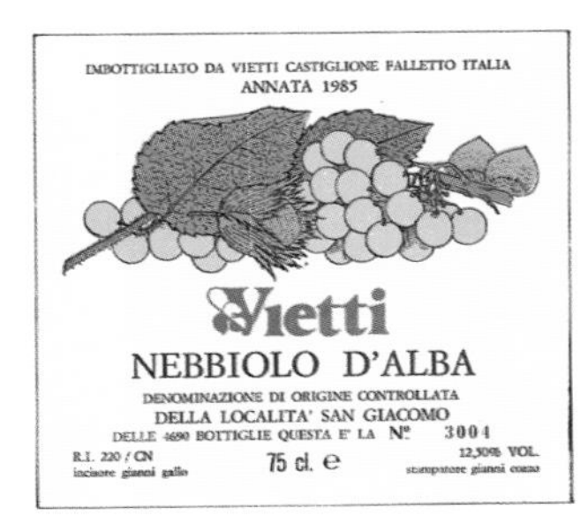

ROUGE. La plupart des vins sont amples, riches et fruités. Ils peuvent aussi être doux ou effervescents.

Nebbiolo

1982, 1983, 1985, 1986

Entre 4 et 10 ans

☆ Ascheri, Ceretto, Pio Cesare, Aldo Conterno, Giacomo Conterno, Angelo Gaga, Bruno Giacosa, Giuseppe Mascarello, Vietti

SPANNA VT

Le Spanna est le nom régional du Nebbiolo. Ce vin de table correspond aux vins les plus simples issus de ce cépage. Ils peuvent cependant rivaliser avec les Barolo et les Barbaresco, à l'exception des meilleurs.

Spanna (Nebbiolo)

1982, 1983, 1985, 1986

Entre 3 et 6 ans (exceptionnellement de 4 à 10 ans)

☆ Antonio Brugo, Luigi Dessilani, Antonio Vallana

Les meilleurs vins effervescents bruts du Piémont

STEFANO BARBERO

CONTRATTO BRUT

LUIGI BOSCA BRUT NATURE

Tous ces vins sont élaborés selon la méthode champenoise.

Autres vins du Piémont

BARBERA D'ASTI* DOC

Proche par son caractère du Barbera d'Alba, mais plus tendre, plus souple et plus simple.

BARBERA DEL MONFERRATO* DOC

Ressemble à un Barbera d'Asti de petite qualité. Existe aussi en demi-doux et en *frizzante*.

BAROLO CHINATO DOC

Barolo aromatisé avec de la quinine.

BOCA* DOC

Vin rouge de Nebbiolo relativement corsé et épicé, parfois d'un bon rapport qualité/prix.

BRACHETTO D'ACQUI DOC

Vin rouge doux, *frizzante* ou mousseux, avec des caractéristiques qui évoquent le Muscat.

BRACHETTO D'ALBA VT

Brachetto d'Alba sans statut de DOC.

BRACHETTO D'ASTI VT

Brachetto d'Asti sans statut de DOC.

BRAMATERRA* DOC

Vin rouge corsé.

BRICCO DEL DRAGO* VT

Cascina Drago

Assemblage de Dolcetto et de Nebbiolo bien équilibré.

CALUSO PASSITO* DOC

Vin blanc moelleux, corsé, fait de raisins d'Erbaluce *passiti*.

CAMPO ROMANO VT

Vin rouge *frizzante* fruité.

CAREMA* DOC

Vin de Nebbiolo tendre et rond provenant des vignobles montagneux proches du Val d'Aoste. Le vin est bon et fiable, mais sans grand intérêt.

COLLI TORTONESI DOC

Vin rouge robuste, assez rustique, corsé, et vin blanc nerveux, sec, parfois *frizzante*.

CORTESE DELL'ALTO MONFERRATO DOC

Vin blanc sec, nerveux, pétillant ou mousseux.

DOLCETTO* VT

Nombre d'exemples du célèbre Dolcetto du Piémont sont produits dans des aires non classées et ne peuvent prétendre au statut de DOC.

DOLCETTO D'ACQUI* DOC

Le fruit du Dolcetto, charnu et peu acide, offre souvent des vins amusants de type Beaujolais.

DOLCETTO D'ALBA* DOC

Vin tendre, souple, succulent, qu'il faut boire avant trois ans.

DOLCETTO D'ASTI DOC

Plus léger que le Dolcetto d'Alba.

DOLCETTO DI DIANO D'ALBA* DOC

Légèrement plus plein et plus fruité que la plupart des vins de Dolcetto.

DOLCETTO DI DOGLIANI DOC

Dolcetto jeune, frais et fruité.

DOLCETTO DELLE LANGHE MONREGALESI DOC

Ce vin rare est produit en très petites quantités. Il est réputé pour son excellent arôme.

DOLCETTO DI OVADA DOC

Le plus plein et le plus ferme des Dolcetto ; peut se garder jusqu'à dix ans.

ERBALUCE DI CALUSO DOC

Vin blanc frais, sec et léger. Il existe une version *passito*.

FARA DOC

Vin agréable, fruité, au parfum d'épices.

FAVORITA VT

Vin blanc sec, très nerveux, populaire.

FREISA D'ASTI DOC

Vin rouge fruité, sec ou demi-doux, parfois mousseux ou *frizzante*.

FREISA DI CHIERI DOC

Même type de vin que le Freisa d'Asti, fait dans les environs de Turin.

GABIANO* DOC

Vin rouge corsé de Barbera, très prometteur.

GRECO VT

Vin blanc sec, léger, incisif.

GRIGNOLINO D'ASTI DOC

Vin rouge légèrement tannique à l'arrière-bouche un peu amère.

GRIGNOLINO DEL MONFERRATO CASALESE DOC

Grignolino léger, frais et nerveux, provenant de la région de Casale Monferrato.

LESSONA* DOC

Vin rouge au parfum agréable, richement fruité, doté d'une certaine finesse.

MALVASIA DI CASORZO D'ASTI DOC

Vin rouge et vin rosé légèrement aromatiques, doux, qui peuvent aussi être effervescents.

MALVASIA DI CASTELNUOVO DON BOSCO DOC

Vin rouge légèrement aromatique, doux, tranquille ou mousseux.

NEBBIOLO DEL PIEMONTE VT

Vin rouge généralement simple, mais les meilleurs producteurs de Barolo et de Barbaresco font parfois des vins exceptionnels dans les « grandes années ».

PICCONE VT

Sella Lessona

Vin rouge robuste fait du même assemblage que le Gattinara dans les collines de Vercelli, au nord du Pô.

ROERO* DOC

Ce vin blanc sec, parfois réussi, est un assemblage d'un cépage ancien, l'Arneis, et d'un cépage classique, le Nebbiolo. Il était vendu autrefois sous l'appellation Bianco dei Roeri, un *Vino da tavola.*

RUBINO DI CANTAVENNA* DOC

Vin rouge corsé, issu essentiellement des cépages Barbera, Grignolino et parfois Freisa.

SIZZANO* DOC

Bon vin rouge corsé fait du même assemblage que le Gattinara juste au sud de Ghemme.

Les vins fins de Lombardie

FRANCIACORTA DOC

Issu des vignobles vallonnés près du lac d'Iseo, le Franciacorta est une DOC depuis 1967.

ROUGE. Vins bien colorés et assez corsés, parfois d'une grande richesse et d'une certaine finesse.

- Cabernet franc 40-50 %, Barbera 20-30 %, Merlot 10-15 % et jusqu'à 15 % de tout autre cépage
- 1982, 1983, 1985, 1986
- Entre 3 et 8 ans

BLANC. Ces vins sont plus inconstants et de moindre qualité que les rouges, mais leur caractère souple, sec et fruité est prometteur.

- Pinot bianco, Chardonnay
- 1986
- 1 à 3 ans au maximum

BLANC MOUSSEUX. Grâce à la méthode champenoise et à un vieillissement prolongé sur lie, le Franciacorta a prouvé qu'il pouvait donner de beaux bruts biscuités.

- Pinot bianco, Chardonnay et jusqu'à 15 % de Pinot grigio et Pinot nero
- Généralement non millésimé
- Entre 2 et 5 ans

ROSÉ MOUSSEUX. L'exceptionnel Cà del Bosco est riche et léger ; le fruit est mûr, la mousse puissante et l'équilibre délicat.

- Pinot bianco, Chardonnay et jusqu'à 15 % de Pinot grigio
- Généralement non millésimé
- Entre 2 et 5 ans

☆ Barboglio de Gaiocelli, Bellavista, Berlucchi, Cà del Bosco, Longhi-de-Carli

GRUMELLO DOC

Voir Valtellina superiore DOC.

INFERNO DOC

Voir Valtellina superiore DOC.

MAURIZIO ZANELLA VT

Cà del Bosco

Ce vin, qui porte le nom du propriétaire de Cà del Bosco, passe pour le meilleur assemblage de style bordelais produit en Italie.

ROUGE. Vin bien coloré, riche, ample, d'une évidente finesse. Il tire sa délicieuse saveur fruitée d'une petite proportion de vin ayant subi une macération carbonique.

- Cabernet Sauvignon 40 %, Cabernet franc 30 %, Merlot 30 %
- 1981, 1982, 1983, 1984, 1985, 1986
- Entre 3 et 10 ans

MOSCATO DI SCANZO VT

Selon Burton Anderson, expert en vins italiens, c'est un grand vin d'une richesse exquise.

NARBUSTO VT

Angelo Ballabio

Ce vin livre un fruité extraordinairement riche et profond malgré les huit années passées en fût.

OLTREPÒ PAVESE DOC

L'aire de production couvre 42 communes au sud du Pô. Le cinquième seulement de la récolte est vendu sous cette DOC, le reste étant acheminé vers des firmes spécialisées du Piémont qui le transforment en *spumante*, de plus en plus souvent par la méthode champenoise. Les styles de vins sont nombreux, dont neuf vins de cépage marqués d'un astérisque ci-dessous, généralement d'un bon rapport qualité/prix.

Il existe aussi trois sous-appellations : Oltrepò Pavese Barbacarlo, vin rouge parfois doux, mais d'ordinaire sec, robuste, *frizzante* ; Oltrepò Pavese Buttafuoco, vin rouge de couleur profonde, normalement sec, rustique, mais toujours bien fruité ; Oltrepò Pavese Sangue di Giuda, vin rouge tendre, doux, dont le nom signifie « Sang de Judas ». Les rouges et rosés de base qui ne sont pas des vins de cépage et n'appartiennent pas à l'une des trois sous-appellations présentent également des styles très divers et de qualité très variable.

- Barbera*, Bonarda* (Croatina), Cortese*, Moscato bianco* (on produit un vin de cépage *liquoroso*), Pinot bianco, Pinot grigio*, Pinot nero*, Riesling italico*, Riesling renano*, Ughetta, Uva rara
- 1982, 1983, 1985, 1986
- ROUGE : Entre 2 et 5 ans BLANC ET ROSÉ : 1 à 3 ans au maximum

☆ Giacomo Agnes, Angelo Ballabio, Bianchina Alberici, Maga Lino

SASSELLA DOC

Voir Valtellina superiore DOC.

VALGELLA DOC

Voir Valtellina superiore DOC.

VALTELLINA SUPERIORE DOC

Étroite bande de vignobles sur la rive nord de l'Adda, près de la frontière suisse. Les vins doivent contenir au moins 12° d'alcool (11 pour le simple Valtellina). Ils proviennent, pour la plupart, de quatre sous-vignobles : Grumello, Inferno, Sassela (le meilleur) et Valgella (le plus productif mais le moins bon). Le *Sfursat* ou *Sforzato,* le « forcé » est un Valtellina superiore sec, concentré, qui titre au moins 14,5°.

ROUGE. La richesse de ces vins est à l'image de leur élégance. Ils montrent une belle robe et peuvent acquérir une exquise finesse après plusieurs années en bouteille.

- Au moins 95 % de Chiavennasca (Nebbiolo), Pinot nero, Merlot, Rossola, Brugnola, Pignola Valtellina
- 1982, 1983, 1985, 1986
- Entre 5 et 15 ans

☆ Enologica Valtellinese, Fondazione Fojanini, Nino Negri, Nera, Rainoldi, Tona

Les meilleurs vins effervescents bruts de Lombardie

- BELLAVISTA CUVÉE BRUT
- BELLAVISTA GRAN CUVÉE PAS OPERÉ
- BERLUCCHI BRUT CUVÉE IMPÉRIALE
- BERLUCCHI BRUT CUVÉE IMPÉRIALE MILLESIMATO
- BERLUCCHI BRUT CUVÉE IMPÉRIALE MAX ROSÉ
- CÀ DEL BOSCO FRANCIACORTA PINOT BRUT
- CÀ DEL BOSCO FRANCIACORTA PAS DOSE
- CÀ DEL BOSCO FRANCIACORTA CRÉMANT BRUT
- DORIA PINOT BRUT
- VILLA MAZZUCCHELLI BRUT
- VILLA MAZZUCCHELLI PAS DOSE

Tous ces vins sont élaborés selon la méthode champenoise.

Autres vins de Lombardie

BOTTICINO* DOC

Vin rouge corsé à base de Barbera, avec une charpente tannique légère.

CANNETO VT

Vin rouge vineux à l'arrière-bouche amère, qui peut être d'un bon rapport qualité/prix.

CAPRIANO DEL COLLE DOC

Vin rouge fait de Sangiovese, auquel s'ajoutent les cépages Marzemino, Barbera et Merlot, et vin blanc aigre issu de Trebbiano.

CELLATICA* DOC

Vin rouge vineux qui peut être aromatique et savoureux. Il a une arrière-bouche légèrement amère.

CLASTIDIO* VT

Angelo Ballabio

Vins de Casteggio. Vin rouge et vin rosé ronds, à la saveur pleine, faits de Barbera, Cratina et Uva rara, et vin blanc de Riesling et Pinot bianco, frais et nerveux.

CLASTIDIUM* VT

Angelo Ballabio

Autrefois très riche, demi-doux à moelleux, ce vin doré devint peu à peu plus sec, tout en conservant sa formidable longévité et sa réputation légendaire. Depuis que la firme Angelo Ballabio a changé de propriétaire à la fin des années 70, il a beaucoup régressé.

COLLE DEL CALVARIO* VT

Castello di Grumello

Ce vin rouge progresse régulièrement, il est bien structuré et d'une bonne longévité. Le vin blanc est joliment frais et fruité.

COLLI MORENICI MANTOVANI DEL GARDA DOC

Vins rouge, blanc et rosé, secs et légers.

GROPPELLO VT

Vin rouge rond et fruité, souvent dans le style *amarone*.

LAMBRUSCO MANTOVANO VT

Ce vin rouge *frizzante,* qui peut être sec ou doux, est produit dans les plaines de Mantoue.

LUGANA* DOC

Vin blanc de Trebbiano, sec et tendre, récolté sur les rives du lac de Garde.

RIVIERA DEL GARDA BRESCIANO DOC

Vin rouge vineux, léger, fruité, légèrement amer et vin rosé tendre.

RONCO DI MOMPIANO* VT

M. Pasolini

L'assemblage du Marzemino et du Merlot donne ici un vin rouge aromatique et souple.

SAN COLOMBANO AL LAMBRO ou SAN COLOMBANO DOC

Vin rouge robuste et rustique.

TOCAI DI SAN MARTINO DELLA BATTAGLIA DOC

Vin blanc sec à l'arôme floral et à la saveur ample, avec une arrière-bouche légèrement amère.

VALCALEPIO* DOC

Vin rouge bien coloré et doté d'une saveur profonde, issu du Merlot et du Cabernet Sauvignon, et vin blanc sec, léger et délicat, fait de Pinot bianco et Pinot grigio.

VALTELLINA* DOC

Cette appellation générique regroupe 19 communes de la province de Sondrio, dans le nord de la Lombardie. Elle offre principalement des vins rouges ronds, d'arôme léger, dotés d'un caractère simple mais souvent agréable.

VINO NOVELLO DI ERBUSCO VT

Vin rouge fruité, à boire dans les mois qui suivent la récolte.

Les vins de Ligurie

BARBERA DI LINERO VT

Vin rouge rond, assez ordinaire, issu d'un cépage qui donne de bien meilleurs résultats un peu plus au nord, dans le Piémont.

BUZZETTO DI QUILIANO VT

Buzzetto est le nom régional du cépage Trebbiano. Le vin blanc qu'il produit ici est sec, léger, terne et acidulé.

CINQUE TERRE* DOC

Vins blancs secs délicats, à l'exception du Cinque Terre Sciacchetrà, qui est demi-doux.

LUMASSINA VT

Vin blanc sec plutôt neutre.

RIVIERA LIGURE DI PONENTE* DOC

Quatre anciens *Vini da tavola* sont regroupés sous cette appellation : l'Ormeasco, vin rouge cerise vif, aux saveurs fruitées de framboise et de Dolcetto ; le Pigato, vin rouge gorgé de saveurs et cependant précoce ; le Rossese, vin rouge bien typé ; et le Vermentino, vin blanc sec, riche et ample.

ROSA DI ALBENGA VT

Le rosé le plus connu de Ligurie est sec, de couleur vive, bien typé.

ROSSESE DI DOLCEACQUA ou DOLCEACQUA DOC

Vin rouge parfois richement fruité, avec une texture tendre et une arrière-bouche aromatique et épicée.

Les vins du Val d'Aoste

AYMAVILLE* VT

Vin fruité et nerveux provenant d'Aymaville, au sud-ouest d'Aoste.

BLANC DE COSSAN VT

Blanc de noirs frais et acide, produit à Cossan, aux portes d'Aoste.

BLANC DE MORGEX VT

Vin blanc sec et incisif provenant des coteaux qui dominent Morgex, près de La Salle.

BLANC DE LA SALLE VT

Vins blancs légèrement aromatiques et frais, dont des « méthode champenoise ».

CHAMBAVE ROUGE* VT

Vin rouge nerveux, à la saveur séduisante, fait de raisins de Barbera, Dolcetto et Gros, cultivés à Chambave.

CREME DU VIEN DE NUS* VT

Don Augusto Pramotton

Vin rouge riche et parfumé, fait par le curé du village de Vien de Nus.

DONNAZ* DOC

Vin rouge tendre, bien équilibré, à l'arrière-bouche un peu amère.

ENFER D'ARVIER DOC

Vin rouge modeste, rond, tendre et assez riche.

GAMAY DELLA VALLE D'AOSTA VT

Vin fruité de type Beaujolais.

GAMAY-PINOT NERO VT

Vin léger et fruité de type Passetoutgrain.

LA COLLINE DE SARRE ET CHESALLET* VT

Vin rouge frais et fruité.

MALVOISIE DE COSSAN VT

Vin blanc demi-doux, souple et légèrement amer.

MALVOISIE DE NUS VT

Don Augusto Pramotton

Vin blanc de dessert riche et coûteux, de longue garde, produit en petites quantités par le curé du village.

MOSCATO DI CHAMBAVE* VT

Vin blanc sec, bien parfumé, doté d'une ample saveur.

PASSITO DI CHAMBAVE* VT

Ce vin blanc couleur d'or, doux, aromatique, de longue garde, est fait de raisins *passiti* mi-séchés.

PETIT ROUGE* VT

Vin rouge de couleur profonde et sombre, extrêmement parfumé.

SANG DES SALASSES VT

Vin rouge de Pinot noir, fruité mais légèrement amer.

TORRETTE* VT

Vin issu du Petit rouge. À la profondeur de la robe s'ajoute celle du bouquet et du corps.

Nord-Est

Les régions du nord-est de l'Italie – Trentin-Haut-Adige, Frioul-Vénétie Julienne et Vénétie – produisent des vins frais, nerveux et acides, au caractère variétal d'une grande pureté.

Le nord-est du pays est plus montagneux que le nord-ouest (à l'exception du Val d'Aoste) ; un peu plus de la moitié des terres sont occupées par les Dolomites et leurs contreforts escarpés. Certains des meilleurs vins proviennent des vignobles verdoyants du Sud-Tyrol dans le Haut-Adige, pratiquement à la frontière autrichienne. Les Soave et Valpolicella, vins peu intéressants, constituent l'essentiel de la récolte dont une grande partie est exportée. Localement naissent des vins bien plus variés et d'un meilleur rapport qualité/prix ; un certain nombre de cépages français et allemands sont cultivés en plus des variétés régionales.

TRENTIN-HAUT-ADIGE

C'est la région la plus occidentale et la plus spectaculaire du nord-est ; plus de 90 % des terres consistent en montagnes. Elle comprend deux provinces : le Trentin, de langue italienne, au sud, et le Bolzano ou Sud-Tyrol, de langue allemande, au nord, où les vins peuvent porter des noms allemands. L'Alto Adige DOC générique (Südtiroler QbA) est un vin remarquable ; il représente le tiers de la production totale des DOC dans la région.

VÉNÉTIE

La Vénétie court du Pô à la frontière autrichienne ; elle est bordée par le Trentin-Haut-Adige, à l'ouest, et par la région de Frioul-Vénétie Julienne, à l'est. L'essentiel de la récolte provient des plaines alluviales du sud de cette région qui produit, en outre, certains des vins italiens de type bordelais les plus intéressants. Maculan de Breganze, dans la province occidentale de Vicence,

FACTEURS AFFECTANT LE GOÛT ET LA QUALITÉ

Situation
Le nord-est de l'Italie est délimité par les Dolomites, au nord, et l'Adriatique, au sud.

Climat
Les étés sont chauds et les hivers froids, mais les brouillards moins fréquents que dans le Nord-Est et les risques de grêle accrus. Les variations météorologiques d'une année à l'autre sont imprévisibles et le millésime est donc important.

Site
Les vignobles occupent divers sites : les coteaux montagneux et escarpés du Trentin-Haut-Adige, les plaines alluviales de Vénétie et de Frioul-Vénétie Julienne. Les meilleurs vignobles sont toujours dans les régions vallonnées.

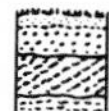

Sol
La plupart des vignobles sont plantés sur des moraines glaciaires, mélange de sable, de graves et de sédiments. Le sol est généralement argileux ou sablo-argileux, avec souvent des marnes et beaucoup de calcaire dans les meilleurs sites. Le sol léger et pierreux du Sud-Tyrol doit être fertilisé tous les ans.

Viticulture et vinification
Les producteurs de ces régions se sont intéressés à la fois à la culture des cépages étrangers et aux techniques de vinification modernes. Ils furent les premiers en Italie à utiliser la fermentation à basse température, et, au début, les vins étaient si nets qu'ils manquaient de caractère. Actuellement, on essaye d'accroître l'intensité de la saveur par l'emploi du chêne neuf.

Cépages
Cabernet franc, Cabernet Sauvignon, Chardonnay, Cortese, Corvina, Durello, Garganega, Gewürztraminer, Lagrein, Limberger, Malbec, Malvasia, Marzemino, Merlot, Moscato, Nosiola, Petit Verdot, Picolit, Pinot bianco, Pinot grigio, Pinot nero, Prosecco, Raboso, Refosco, Ribolla, Riesling, Sauvignon blanc, Schiava, Schioppettino, Tazzelenghe, Teroldego, Terrano, Tocai, Trebbiano, Verduzzo, Vespaiolo

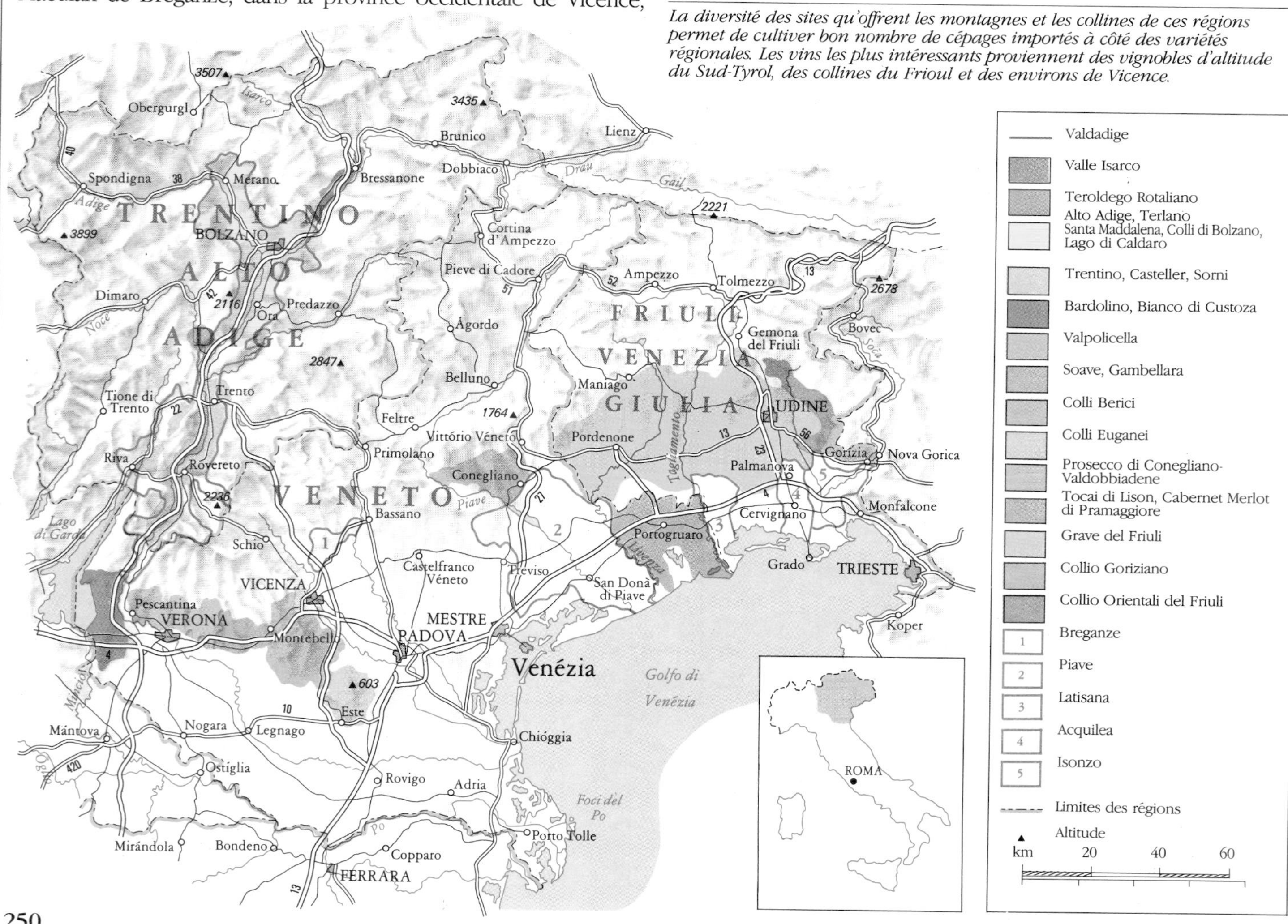

NORD-EST

La diversité des sites qu'offrent les montagnes et les collines de ces régions permet de cultiver bon nombre de cépages importés à côté des variétés régionales. Les vins les plus intéressants proviennent des vignobles d'altitude du Sud-Tyrol, des collines du Frioul et des environs de Vicence.

offre les meilleurs assemblages à base de Cabernet, mais ce style de vin se développe à une allure telle que plusieurs autres producteurs pourraient parvenir bientôt à la même qualité.

FRIOUL-VÉNÉTIE JULIENNE

Située à l'extrémité nord-est du pays, cette région très montagneuse regroupe de nombreux cépages d'origine étrangère depuis que le phylloxéra a ravagé les vignobles, à la fin du XIXe siècle. Les vignerons du Frioul, qui avaient le goût de l'innovation (comme ceux du Sud-Tyrol), saisirent cette occasion pour replanter leurs vignobles avec des cépages de meilleure qualité, en commençant par le Merlot, qui fut introduit dans la région par le sénateur Pecile et le comte Savorgnan, en 1880. Au cours des cent dernières années, le Nord-Est n'a cessé de montrer que l'emploi de cépages supérieurs et la recherche de rendements assez bas permettaient d'élever nettement le niveau de la récolte.

Le Frioul produit certains des meilleurs vins du pays, notamment avec ses assemblages complexes à base de Cabernet. Le « Montsclapade » de Girolamo Dorigo, leader d'un groupe de vins exceptionnels, est un assemblage caractéristique du Frioul, composé des deux Cabernet, du Malbec et du Merlot. Le Malbec est rare en Italie, mais il donne ici de bons résultats ; il pourrait bien être à l'origine de la complexité de ces vins. Il existe aussi quelques assemblages peu conventionnels, le plus inhabituel étant le Ronco dei Roseti d'Abbazia di Rosazzo, un vin multinational qui allie les quatre cépages bordelais au Limberger allemand, au Refosco italien et à l'obscur Tazzelenghe.

Un autre vin d'Abbazia di Rosazzo, le Ronco del Arcade, est un chef-d'oeuvre rare dans la nouvelle école italienne des *Vini da tavola* blancs de grand luxe – catégorie très chère mais souvent décevante.

Ce sont les Colli Orientali del Friuli, situées près de la frontière yougoslave, qui produisent le plus grand volume de vins fins, dont beaucoup sont issus d'un seul cépage. Ils méritent tous d'être goûtés, à l'exception du Picolit, vin moelleux tout à fait surestimé et scandaleusement cher. C'est le seul Picolit d'Italie qui jouit du statut de DOC, mais il ne vaut guère mieux que les autres vins de ce type répandus dans le pays.

Vignobles de Bardolino, ci-dessus
Grappes de raisin, au moment où elles mûrissent sur les vignes de Bardolino en Vénétie, dont les vins rouges et rosés légers ont bonne réputation.

PRODUCTION ANNUELLE MOYENNE

Région	Production de DOC	Production totale
Vénétie	1,5 million hl (17 millions de caisses)	10 millions hl (111 millions de caisses)
Trentin-Haut-Adige	700 000 hl (8 millions de caisses)	1,5 million hl (17 millions de caisses)
Frioul-Vénétie Julienne	420 000 hl (5 millions de caisses)	1,1 million hl (13 millions de caisses)

Pourcentage de la production italienne totale : Vénétie, 13 % ; Trentin-Haut-Adige, 2 % ; Frioul-Vénétie Julienne, 1,5 %.

Les vins fins du Trentin-Haut-Adige

ALTO ADIGE (SÜDTIROLER) DOC

Cette appellation générique couvre la fraction du Haut-Adige située dans la province septentrionale de Bolzano. Sa production est remarquablement constante en qualité si l'on considère qu'elle représente quelque 30 % de la récolte totale de la région. Hormis l'Alto Adige *spumante,* tous les vins sont des vins de cépage et doivent comporter au moins 95 % du cépage indiqué, contre 85 % dans le reste du pays. Les noms allemands sont donnés entre parenthèses.

ROUGE. Il existe six vins de cépage dans cette catégorie. Le **Cabernet** est fait de Cabernet Sauvignon, de Cabernet franc ou des deux. Ce vin est tantôt ordinaire, simple mais agréable, tantôt plus sombre, plus corsé et plus riche et devient chaleureux, moelleux et épicé au bout de cinq à dix ans. Le **Lagrein scuro (Lagrein dunkel)**, issu d'un cépage indigène, livre parfois une jolie couleur et un beau caractère typé. Le **Malvasia (Malvasier)**, vinifié en rouge, serait meilleur en blanc ou en rosé. Le **Merlot** peut être simplement léger et fruité ou possède quelquefois un bon arôme épicé et poivré et une belle texture soyeuse. Le **Pinot nero (Blauburgunder)** est difficile à élaborer, mais ceux de Mazzon sont une bonne spécialité de la région. Le **Schiava (Vernatschs)**, qui représente un cinquième des bouteilles produites sous cette appellation, est le vin de taverne le plus apprécié.

1983, 1985, 1986

Entre 2 et 10 ans

BLANC. Cette catégorie regroupe dix vins de cépage. Le **Chardonnay** est tantôt léger et neutre, tantôt délicatement fruité, voire *frizzantino,* presque *spumante.* Les vins les plus amples ont des caractéritiques variétales bien marquées, mais leur saveur n'est ni aussi dense ni aussi intense que celle des Bourgogne de base. Le **Moscato Giallo (Goldenmuskateller)** donne de délicieux vins de dessert. Le **Pinot bianco (Weissburgunder)** est le plus répandu des cépages blancs ; en sont issus la plupart des grands vins blancs du Haut-Adige. Le **Pinot grigio (Ruländer)** a des possibilités comparables à celles du Pinot bianco mais il n'occupe pas toujours les meilleurs sites. Le **Riesling italico (Welschriesling)** est insignifiant, tant en qualité qu'en quantité. Le **Riesling renano (Rheinriesling)**, beau, délicat et séduisant au niveau le plus modeste, devient parfois extraordinaire dans les grands millésimes. Le ***Riesling* x *Silvaner* (Müller-Thurgau)** est assez rare, malheureusement, car il donne ici des vins vifs et épicés. Le **Sauvignon** était très peu répandu jusqu'au début des années 80, mais les qualités que manifeste déjà l'Alto Adige Sauvignon indiquent que ce cépage dominera sûrement les années 90. Le **Silvaner** est destiné à être bu jeune et frais. Le **Traminer aromatico (Gewürztraminer)** est plus retenu que le vin alsacien, mais son arôme délicat et sa saveur discrète ont un charme bien à eux.

1983, 1984, 1986

1 à 5 ans au maximum

ROSÉ. Seuls trois vins de cépage *rosato* sont autorisés. Le **Lagrein rosato (Lagrein kretzer)** est très fruité, rond et souple. Le **Pinot nero (Blauburgunder)** est plus réussi en rosé qu'en rouge. Le **Moscato rosa (Rosenmuskateller)** donne des vins flamboyants, demi-doux à moelleux, avec une forte acidité naturelle, un intense parfum floral et une saveur prononcée de Muscat.

1982, 1983, 1985, 1986

1 à 3 ans au maximum

BLANC. Vin *spumante* issu des cépages Pinot bianco, Pinot grigio, Pinot nero et Chardonnay, et élaboré soit en cuve close, soit selon la méthode champenoise.

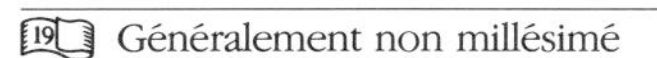

Généralement non millésimé

2 à 5 ans au maximum

☆ Bellendorf, Josef Hofstätter, Kettmeir, Alois Lageder, Schloss Sallegg, Tiefenbrunner

TERLANO (TERLANER) DOC

Vins blancs tendres et secs, assemblages ou vins de cépage provenant de cinq communes proches de Bolzano. Ces vins rappellent beaucoup ceux de l'Alto Adige DOC.

☆ Alois Lageder, Cantina Sociale Terlano

TRENTINO DOC

Les vins du Trentin sont assez proches de ceux du Haut-Adige bien que plus tendres et moins racés. Outre tous les cépages autorisés pour l'Alto Adige, on y cultive aussi le Nosiola qui donne à la fois un *vin santo,* vin moelleux décevant, et un vin sec et terne, à l'arrière-bouche amère. Le Cabernet Sauvignon et le Cabernet franc sont employés pour des vins de cépage et des assemblages. Un cépage régional, le Marzemino, donne un vin moyennement étoffé à la saveur de fruit et d'amande amère.

Voir l'appellation Alto Adige AOC pour les meilleurs millésimes récents et le moment où les boire.

☆ Barone de Cles, Riccardo Battitotti, Guerrieri Gonzaga, Conti Bossi Fedrigotti, Conti Martini, Pojer & Sandri, De Tarczal, Armando Simoncelli, Zeni

VALLE ISARCO (EISACKTALER) DOC

Les vins de cépage issus du Gewürztraminer, du Pinot grigio, du Silvaner et du Müller-Thurgau ressemblent à ceux du Haut-Adige. Un autre cépage, le Veltliner, donne un vin sec, tendre, net, fruité et gouleyant.

☆ Alois Lageder, Klosterkellerei Eisacktaler, Stiftskellerei Neustift

Les meilleurs vins à base de Cabernet du Trentin-Haut-Adige

Ils sont moins réussis que leurs voisins de la Vénétie et du Frioul mais certains s'améliorent chaque année. Les meilleurs vins de type bordelais peuvent se bonifier pendant une dizaine d'années ou davantage.

CASTEL SAN MICHELE, ***Istituto Agrario Provincale San Michele all'Adige***
Cabernet franc, Cabernet Sauvignon, Merlot

FOIANEGHE, ***Conti Bossi Fedrigotti***
Merlot, Cabernet Sauvignon

MASO LODRON, ***Letrari***
Cabernet franc, Cabernet Sauvignon, Merlot

MORI VECIO, ***Lagariavini***
Cabernet franc, Cabernet Sauvignon, Merlot

SAN LEONARDO, ***Guerrieri Gonzaga***
Cabernet franc, Cabernet Sauvignon, Merlot

SAN ZENO, ***La Vinicola Sociale Aldeno***
Merlot, Cabernet franc, Cabernet Sauvignon

Les meilleurs vins effervescents bruts du Trentin-Haut-Adige

EQUIPE 5 BRUT RISERVA
EQUIPE 5 BRUT ROSÉ
FERRARI BRUT
FERRARI BRUT DE BRUT
FERRARI BRUT ROSÉ
FERRARI NATURE
FERRARI RISERVA GIULIO FERRARI

Ces VT de méthode champenoise, ne sont pas toujours issus de cépages cultivés dans la région.

Autres vins du Trentin-Haut-Adige

CALDARO ou LAGO DI CALDARO (KALTERERSEE) DOC

Vin rouge tendre et fruité facile à boire.

CASTELLER DOC

Vin rouge et vin rosé secs ou demi-doux.

COLLI DI BOLZANO (BOZNER LEITEN) DOC

Vin rouge tendre et fruité, à boire jeune.

DE VITE* VT

Josef Hofstätter

Vin blanc sec, à la saveur parfumée.

KOLBENHOFER* VT

Josef Hofstätter

Caldaro plus sérieux, provenant d'un vignoble situé au-dessus de Tramin.

MERANESE DI COLLINA (MERANER HÜGEL) DOC

Vin rouge léger, au parfum délicat provenant de Merano, au nord-ouest de Bolzano.

SANTA MADDALENA (SANKT MAGDALENER*) DOC

Vin rouge vineux, souple et corsé, que Mussolini considérait à tort comme l'un des plus grands d'Italie.

SORNI* DOC

Cette appellation qui progresse régulièrement produit des vins rouges tendres et des vins blancs légers, frais et délicats.

TEROLDEGO ROTALIANO* DOC

Vin rouge corsé fait de raisins de Teroldego. Il existe également une version *Superiore,* ainsi qu'un beau vin rosé.

VALDADIGE (ETSCHTALER) DOC

Vin blanc nerveux, sec ou demi-doux, et vin rouge.

Les vins fins de Frioul-Vénétie Julienne

COLLI GORIZIANO ou COLLIO DOC

Large gamme de vins blancs pour la plupart, issus d'une zone vallonnée proche de la frontière yougoslave.

ROUGE. Les trois vins de cépage sont parfois d'un très bon niveau.

Merlot, Cabernet franc, Pinot nero

1982, 1983, 1985, 1986

1 à 4 ans au maximum

BLANC. Cette appellation couvre huit vins de cépage secs et un assemblage.

Riesling italico, Tocai friulano, Malvasia, Pinot bianco, Pinot grigio, Ribolla, Sauvignon, Traminer

1983, 1986

1 à 3 ans au maximum

☆ Borgo Conventi, Livio Felluga, Marco Felluga, Conti Formentini, Gradmir Gradnik, Jermann, Doro Pricnic, Radikon, Russiz Superiore, Mario Schiopetto

COLLI ORIENTALI DEL FRIULI DOC

Aire plus vaste et plus prestigieuse que sa voisine, les Colli Goriziano.

ROUGE. À l'exception du Pinot nero, les vins de cépage rouges sont plus réussis que les Colli Goriziano.

Merlot, Cabernet franc, Cabernet Sauvignon, Pinot nero, Refosco

1982, 1983, 1985, 1986

Entre 3 et 8 ans

BLANC. Ce sont tous des vins de cépage vinifiés en sec, hormis le Verduzzo – vin intéressant sec ou demi-doux, doté d'une ample saveur – et le célèbre Picolit, surestimé et excessivement cher. Il s'agit du seul Picolit italien à avoir obtenu le statut de DOC.

Picolit, Pinot bianco, Pinot grigio, Ribolla, Riesling renano, Sauvignon, Tocai friulano, Verduzzo

1983, 1986

Entre 1 et 3 ans

☆ Abbazia di Rosazzo, Girolamo Dorigo, Giovanni Dri, Livio Felluga, Valle, Volpe Pasini

PICOLIT DOC

Voir Colli Orientali del Friuli DOC.

RONCO DELLE ACACIE VT

Abbazia di Rosazzo

Cet assemblage élevé en barriques est un authentique vin italien.

BLANC. Les vins offrent un bouquet aromatique, une saveur fruitée succulente, de la finesse et, en finale, une très belle nuance discrète de chêne neuf.

Pinot bianco, Ribolla, Malvasia, Tocai friulano

1984, 1985, 1986

Entre 3 et 7 ans

SCHIOPPETTINO VT

Le Schioppettino, un ancien cépage du Frioul, avait pratiquement disparu quand ces vins de table connurent une vogue soudaine dans les années 80.

ROUGE. Vins ronds et très mûrs, avec un beau bouquet épicé et une riche saveur fruitée qui n'acquiert toute sa finesse qu'après plusieurs années de garde.

Schioppettino

1982, 1983, 1985, 1986

Entre 5 et 15 ans

☆ Ronchi di Cialla, Tonco del Gmeniz, Giuseppe Toti

VINTAGE TUNINA VT

Jermann

L'un des plus grands vins blancs « de luxe » d'Italie. Contrairement à d'autres, son prix est justifié.

BLANC. L'arôme et la saveur de ce vin ressemblent à ceux d'un beau Pinot blanc d'Alsace ; quelques nuances rappellent le Bourgogne blanc, mais sa finale légèrement douce-amère est typiquement italienne.

Chardonnay, Pinot bianco, Sauvignon blanc, Picolit

1982, 1983, 1985, 1986

Entre 5 et 10 ans

Les meilleurs vins à base de Cabernet de Frioul-Vénétie Julienne

DRAGARSKA VT, ***Drufovka***
Cabernet franc, Cabernet Sauvignon, Merlot

MONTSCLAPADE VT, ***Girolamo Dorigo***
Cabernet franc, Cabernet Sauvignon, Merlot, Malbec

RONCO DEL GMENIZ (COLLI ORIENTALI DOC)
Cabernet franc, Cabernet Sauvignon, Merlot, Malbec

RONCO DEI ROSETI VT, ***Abbazia di Rosazzo***
Cabernet franc, Cabernet Sauvignon, Merlot, Limberger, Refosco, Tazzelenghe

Autres vins de Frioul-Vénétie Julienne

AQUILEA* DOC

Vaste appellation qui comprend quatre vins de cépage rouges et un assemblage (Merlot, Cabernet, Cabernet franc, Cabernet Sauvignon, Refosco dal Peduncolo rosso), sept vins blancs de cépage (Tocai friulano, Pinot bianco, Pinot grigio, Riesling renano, Sauvignon, Traminer, Verduzzo friulano) et un rosé comptant au moins 70 % de Merlot. Généralement, tous ces vins sont légers et présentent un bon équilibre nerveux.

CARSO* DOC

Le Carso et le Terrano del Carso, deux vins rouges profonds et amples, sont issus respectivement d'au moins 70 et 85 % de Terrano. Le Malvasia del Carso est un vin blanc sec, riche et épicé.

FRANCONIA (BLAUFRÄNKISCH) VT

Le cépage allemand Limberger donne ici un vin plus plein et plus sombre que dans son pays d'origine mais qui recèle la même saveur légère et fruitée.

GRAVE DEL FRIULI* DOC

Cette vaste appellation, qui assure plus de la moitié de la récolte totale du Frioul, s'étend de part et d'autre du Tagliamento, entre Sacile, à l'ouest, et Cividale di Friuli, à l'est. Dans l'ensemble, les vins ne sauraient figurer parmi les « vins fins », bien que certains producteurs obtiennent régulièrement de bons résultats. Il existe six vins de cépage rouges (Merlot, Cabernet, Cabernet franc, Cabernet Sauvignon, Refosco, Pinot nero), huit blancs (Chardonnay, Tocai friulano, Pinot bianco, Pinot grigio, Verduzzo, Riesling renano, Sauvignon, Traminer aromatico) et un rosé dominé par le Cabernet franc.

ISONZO* DOC

Petite aire située au sud des Colli Goriziano, mais qui est légèrement inférieure à celles-ci. Les deux vins de cépage rouges (Merlot, Cabernet) sont les plus réussis, et parmi les huit vins de cépage blancs, le Sauvignon est le plus prometteur.

LATISANA DOC

Le vignoble, qui court des Grave del Friuli jusqu'à la côte Adriatique, produit des vins de cépage rouges (Merlot, Cabernet et Refosco) et blancs (Tocai friulano, Pinot bianco, Pinot grigio et Verduzzo friulano).

LISON-PRAMAGGIORE DOC

Cette DOC de Vénétie déborde sur le Frioul. *Voir* « Vins fins de Vénétie ».

TACELENGHE ou TAZZELENGHE VT

Le nom de ce vin rouge est une variante régionale de *tazzalingua*, qui fait référence à son caractère tannique, lequel s'adoucit cependant après cinq ou six années de bouteille.

TERRANO DEL CARSO VT

Voir Carso DOC.

Les vins fins de Vénétie

LISON-PRAMAGGIORE DOC

Cette appellation récente, située à l'extrémité est de la Vénétie, est née de la réunion de trois DOC : Cabernet di Pramaggiore, Merlot di Pramaggiore et Tocai di Lison.

ROUGE. Le Cabernet est un bel assemblage chocolaté qui peut s'affiner en vieillissant ; le Merlot donne ici des vins plus intéressants que partout ailleurs en Vénétie, surtout quand il est bien charpenté par l'addition de 10 % de Cabernet.

Cabernet franc, Cabernet Sauvignon, Merlot, Pinot gris, Refosco dal peduncolo rosso

1983, 1985, 1986

Entre 3 et 8 ans

BLANC. Le Tocai italico, anciennement Tocai di Lison, est un vin blanc sec, rafraîchissant et fruité, à la fois riche et léger.

Pinot bianco, Riesling italico, Sauvignon, Tocai italico et Verduzzo

1983, 1985, 1986

1 à 3 ans au maximum

☆ Paolo de Lorenzi, La Frattoria, Santa Margherita, Tenuta Sant'Ana, Torresella

PRATO DI CANZIO (BREGANZE DOC)

Maculan

Le seul vin exceptionnel à tous égards de la DOC Breganze.

BLANC. Ce vin montre une saveur riche et incisive quelque peu épicée, un excellent équilibre entre fruité et acidité, et une nuance de chêne au nez et en arrière-bouche.

Tocai, Pinot bianco, Riesling

1985, 1986

2 à 5 ans au maximum

RECIOTO DI SOAVE DEI CAPITELLI (RECIOTO DI SOAVE DOC)

Anselmi

Ce vin est une révélation. Il montre une somptueuse robe dorée, un bouquet opulent qui évoque le miel, les fleurs, la noix et la mélasse, une saveur merveilleusement douce et complexe et une finale aux nuances de chêne, fumées et crémeuses. Il faut le garder de 3 à 10 ans.

SOAVE DOC

La plupart des vins sont maigres et acides, mais les vignobles vallonnés, au centre, produisent quelques vins agréables.

Au moins 70 % de Garganega et jusqu'à 30 % de Trebbiano

1981, 1982, 1983, 1985

1 à 4 ans au maximum

☆ Vignetti di Frosca de Bolla, « Col Baraca » de Masi, « La Rocca » de Pieropan, « Monteforte » de Santi, « Capitel Foscarino » et « Monteforte » d'Anselmi

SOAVE CLASSICO CAPITEL FOSCARINO (SOAVE CLASSICO DOC)

Anselmi

Si ce vin ressemble à ce qu'était autrefois un Soave classique, on

comprend qu'il ait acquis une telle renommée. Son fruité riche et nerveux ne peut être obtenu qu'avec des rendements modérés et des raisins parfaitement mûrs et sains. Roberto Anselmi supprime en été des grappes entières pour réduire la récolte. Tous les millésimes sont bons et il faut garder les vins de 2 à 4 ans.

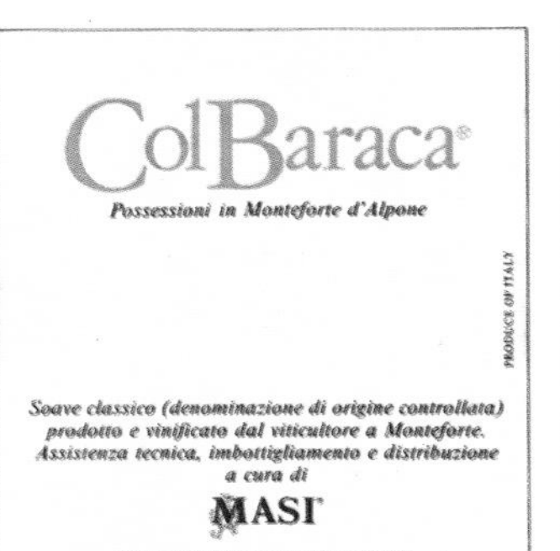

SOAVE CLASSICO MONTEFORTE (SOAVE CLASSICO DOC)

Anselmi

Ce Soave possède l'arôme vanillé que donne le chêne neuf. S'il n'est pas souhaitable que tous les Soave soient faits dans ce style, il faut encourager toutefois cette production expressive et novatrice. Tous les millésimes sont bons et il faut garder les vins de 2 à 4 ans.

TORCOLATO VT

Maculan

Le Torcolato, très riche et moelleux, est fait de raisins *passiti*. C'est le vin *passito* le plus élégant que je connaisse.

Tocai, Vespaiolo

1980, 1982, 1983

Entre 5 et 10 ans

« VALPOLICELLA » RIPASSO VT

Ce style de vin représente une tradition ancienne en Vénétie. Le meilleur Valpolicella jeune est versé dans des cuves ou des barriques qui ont servi auparavant à du *recioto* et qui en contiennent encore les lies. Mélangées au jeune vin, les cellules de levure actives qui restent dans ce dépôt déclenchent une seconde fermentation, ce qui augmente la teneur en alcool du vin et lui donne un peu du caractère du *recioto*. Lorsqu'un vin a subi ce traitement, il ne peut plus porter l'appellation Valpolicella ; il est donc vendu comme *Vino da tavola* sous différentes marques.

1980, 1981, 1983, 1985, 1986

Entre 6 et 15 ans

☆ « La Grola » d'Allegrini, « Le Cane » de Bosciani, « Capitel San Rocco » de Fratelli Tedeschi, « Campo Fiorin » de Masi, « Catullo » de Bertani

Les meilleurs vins à base de Cabernet de Vénétie

BRENTINO (BREGANZE DOC), *Maculan*
Cabernet franc, Cabernet Sauvignon, Merlot

CAPO DEL MONTE VT, *Fattoria di Ogliano*
Cabernet franc, Cabernet Sauvignon, Marzemino

CASTELLO DI RONCADE VT, *Barone Ciani Bassetti*
Cabernet franc, Cabernet Sauvignon, Merlot, Malbec, Petit Verdot

LA RIVE ROSE (COLLI BERICI DOC), *Villa dal Ferro-Lazzarini*
Cabernet franc, Cabernet Sauvignon

VENEGAZZU DELLA CASA VT, *Conte Loredan-Gasparini*
Cabernet franc, Cabernet Sauvignon, Merlot, Malbec

VIGNETO FRATTA (BREGANZE DOC), *Maculan*
Cabernet Sauvignon, Cabernet franc

Autres vins de Vénétie

BARDOLINO* DOC

Vins rouges et rosés secs et légers, parfois *frizzanti*, qui peuvent être intéressants.

BIANCO DI CUSTOZA* DOC

Vin blanc sec parfumé, à l'arrière-bouche souple, et vin blanc mousseux issu de divers cépages cultivés sur les rives du lac de Garde.

BIANCO TOARA VT

Vin blanc sec parfumé provenant des environs de Toara, dans les Colli Berici.

BREGANZE* DOC

Vin rouge vineux, légèrement tannique, et vin blanc sec et frais. À côté de ces assemblages, existent deux vins de cépage rouges et trois vins de cépage blancs.

CAPITEL SAN ROCCO* VT

Fratelli Tedeschi

Vin rouge qui est l'équivalent chez Tedeschi du « Campo Fiorin » de Masi (*voir* « Valpolicella » *ripasso*) et vin blanc sec plus intéressant, sorte de Soave aromatique et bien typé.

COLLI BERICI DOC

Trois vins de cépage rouges (Merlot, Tocai rosso, Cabernet) et quatre blancs (Garganega, Tocai bianco, Sauvignon, Pinot bianco). Le Cabernet peut être riche et herbacé, avec des nuances fruitées et chocolatées ; le Tocai rouge est inhabituel et intéressant, mais les autres sont assez quelconques.

COLLI EUGANEI DOC

Vins rouges secs ou demi-doux, tendres et bien corsés, assemblages ou vins de cépage (Cabernet et Merlot). Il existe aussi quatre vins de cépage blanc, en plus des assemblages souples, secs ou demi-secs. L'assemblage *rosso* de base est le vin le plus constant.

GAMBELLARA DOC

Vin blanc parfumé, sec ou parfois demi-doux, vin blanc *recioto*, fruité, demi-doux, tranquille, pétillant ou mousseux, et vin *santo* souple et moelleux.

LESSINI DURELLO DOC

Cette jeune appellation s'applique au vin blanc issu du Durello cultivé entre Vérone et Vicence.

MASIANCO VT

Masi

Vin blanc sec et fruité fait de Garganega, Trebbiano et Durello.

MONTELLO E COLLI ASOLANI DOC

Vins de cépage rouges (Merlot, Cabernet) et blancs, dont le Prosecco.

PIAVE ou VINI DEL PIAVE* DOC

Cette aire étendue produit quatre vins de cépage rouges (Merlot, Cabernet, Pinot nero, Rabosco) et quatre blancs (Tocai, Verduzzo, Pinot bianco, Pinot grigio). Le Cabernet et le Raboso sont parfois très bons.

PROSECCO DI CONEGLIANO-VALDOBBIADENE DOC

Vin blanc sec ou demi-doux, tranquille ou mousseux, qui possède une saveur fruste et terne.

RABOSO* DOC

Le Raboso, un cépage indigène, produit depuis longtemps un *Vino da tavola* rouge, vin fruité et d'un excellent rapport qualité/prix, qui vient tout juste d'accéder au statut de DOC.

RECIOTO BIANCO DI CAMPOCIESA* VT

Vin blanc de couleur dorée, tendre, moelleux, bien parfumé, fait de raisins *passiti*.

RECIOTO DI SOAVE DOC

Soave naturellement doux, *liquoroso* ou *spumante*, issu de raisins *passiti*. Seul le vin d'Anselmi est exceptionnel. *Voir* Recioto di Soave dei Capitelli, p. 253.

RECIOTO DELLA VALPOLICELLA DOC

Ce vin, qui est fait de raisins *passiti*, a une robe très profonde et une saveur puissante proche du Porto. Il existe aussi en *amarone* sec et en *spumante*.

VALPANTENA DOC

Valpolicella ou Recioto della Valpolicella provenant d'un seul village.

VALPOLICELLA DOC

L'œnologue américain Robert Parker tient le Valpolicella pour une production « industrielle insipide et ordurière » et je partage son avis. Quelques producteurs se distinguent toutefois ; leurs meilleurs vins offrent de succulentes saveurs de cerise.

Centre-Ouest

Cette région d'Italie est totalement dominée par les vins rouges issus du cépage Sangiovese qui proviennent des collines et des petites vallées du centre de la Toscane, entre Florence et la limite de l'Ombrie-Latium. Elle produit peu d'autres vins réputés.

TOSCANE *(TOSCANA)*

La Toscane peut s'enorgueillir de posséder trois des six DOCG d'Italie et d'être une région expérimentale dans le domaine vinicole. Le puissant Vino Nobile di Montepulciano fut la première DOCG d'Italie, suivi par un autre clone de Sangiovese, le Brunello di Montalcino. Le Chianti fut promu DOCG plus récemment et le Carmignano semble sur le point d'être classé. Sous ces noms les plus connus de Toscane figurent bon nombre des meilleurs vins. Cependant, ces appellations n'ont pas le monopole des vins fins et la qualité de leur production peut être très variable ; c'est le cas notamment de la DOCG Chianti. S'avisant de cette situation, les producteurs toscans se sont employés activement à réserver une DOCG aux meilleurs Chianti. Deux solutions se présentaient : appliquer la DOCG à l'aire du Chianti Classico d'où proviennent traditionnellement les meilleurs vins, le reste demeurant simple Chianti DOC, ou reconnaître l'existence de quelques domaines exceptionnels en dehors de cette zone centrale et accorder le statut de DOCG à 10 % des meilleurs vins, quelle que soit leur origine.

FACTEURS AFFECTANT LE GOÛT ET LA QUALITÉ

Situation
Entre les Apennins, au nord et à l'est, et la mer Tyrrhénienne, à l'ouest.

Climat
Les étés sont longs et assez secs, et les hivers moins rigoureux que dans le nord de l'Italie. Durant le cycle végétatif, toute la région souffre parfois de la chaleur et du manque de pluie.

Site
Les vignobles sont généralement plantés sur les collines pour bénéficier d'un bon drainage et d'une bonne exposition au soleil. L'altitude permet de limiter les effets de la chaleur : les cépages rouges sont cultivés jusqu'à 550 mètres et les blancs jusqu'à 700 mètres. Plus les vignes sont en hauteur, plus leurs raisins sont acides.

Sol
Sols très complexes où prédominent les affleurements de graves, calcaire et argile. En Toscane, la plupart des meilleurs vignobles s'étendent sur un sol pierreux et schisteux appelé *galestro*.

Viticulture et vinification
Des expériences ont été faites, en particulier en Toscane, visant à élaborer des vins à l'aide de cépages français classiques, principalement le Cabernet Sauvignon, soit seuls, soit associés à des cépages traditionnels comme le Sangiovese. Les résultats sont atypiques mais probants : le Sassicaia et le Tignanello, notamment, sont deux grands vins de stature internationale.

L'une des spécialités traditionnelles de la région est un *vin santo* blanc moelleux fait de raisins *passiti* ayant séché sur des lits de paille. Ce vin est élevé jusqu'à six ans.

Cépages principaux
Sangiovese, Malvasia, Trebbiano

Cépages secondaires
Aglianico, Barbera, Cabernet Sauvignon, Canaiolo, Cesanese, Chardonnay, Colorino, Gamay, Grechetto, Mammolo, Merlot, Pinot bianco, Pinot grigio, Roussane, Sagrantino, Sauvignon blanc, Sémillon, Verdello, Vermentino, Vernaccia

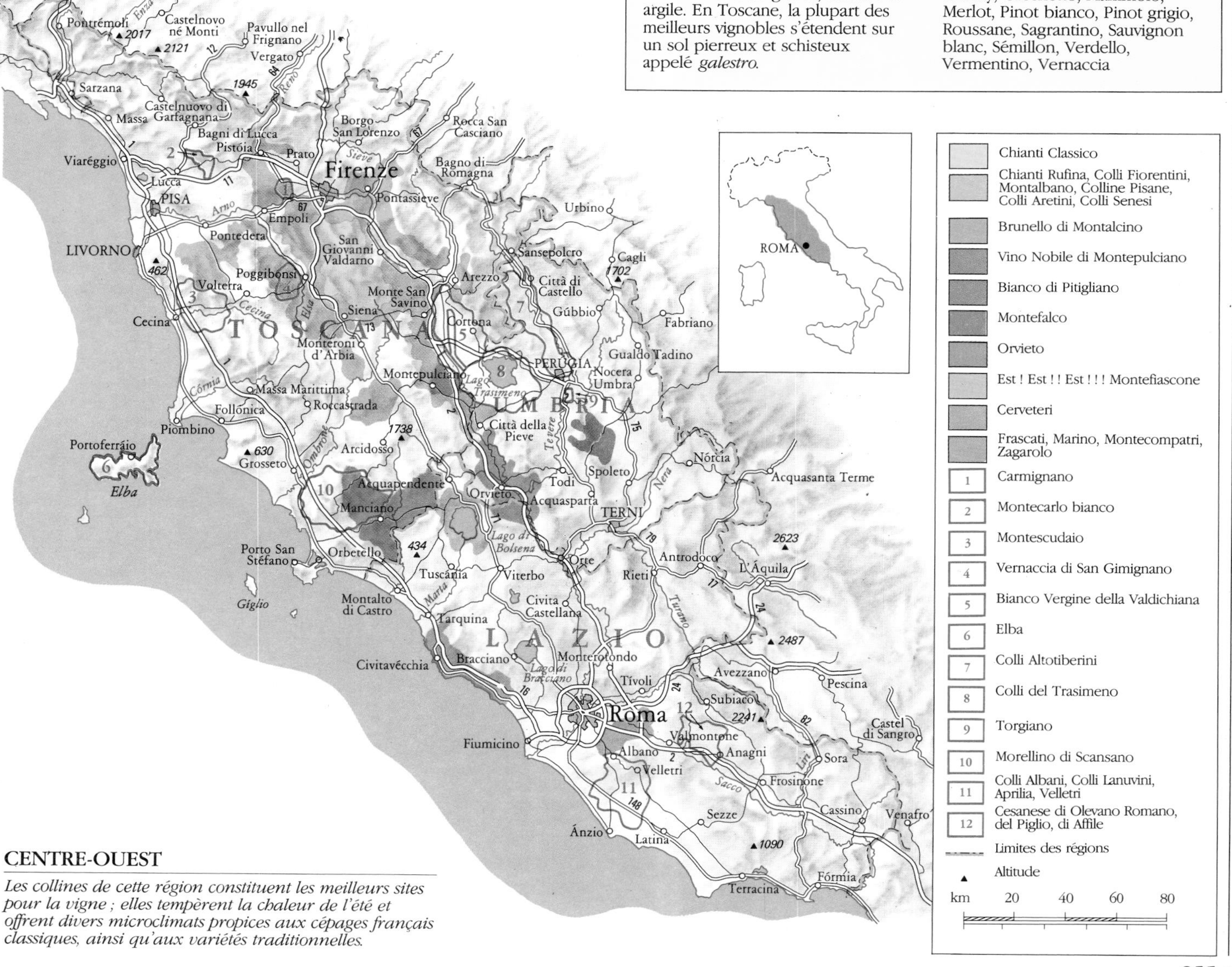

CENTRE-OUEST

Les collines de cette région constituent les meilleurs sites pour la vigne ; elles tempèrent la chaleur de l'été et offrent divers microclimats propices aux cépages français classiques, ainsi qu'aux variétés traditionnelles.

Malheureusement, les responsables de la nouvelle réglementation donnèrent le statut de DOCG à toute l'aire de production et à tous les Chianti. Il est encore possible, théoriquement, de refuser la DOCG à un Chianti – c'est le cas de quelques vins effroyables – mais la sélection par dégustation est une mascarade. Tout système qui ne reconnaît pas que la majorité des Chianti sont médiocres est condamné par avance.

La plupart des vins toscans exceptionnels correspondent aux « nouveaux » vins élevés en barrique. En 1948, la firme Incisa della Rochetta décida de replanter un vignoble du désormais célèbre Sassicaia de pieds de Cabernet Sauvignon censés provenir du Château Lafite-Rothschild. La réussite fut telle qu'un nouveau vin, le Tignanello, fut créé dans le sillage du millésime 1971. C'était un compromis entre la Toscane et le Bordelais, à base de Sangiovese additionné de 20 % de Cabernet Sauvignon. Jusqu'à l'apparition du Tignanello, nul n'appréciait vraiment l'harmonie née de l'union de ces deux cépages ; elle ressemble à l'équilibre entre Cabernet et Merlot, à ceci près que le Cabernet ajoute du poids au Sangiovese et l'équilibre, en lui offrant une saveur satisfaisante. Ainsi, le Tignanello fut-il à l'origine d'une « nouvelle vague » de vins toscans.

OMBRIE *(UMBRIA)*

L'Orvieto est le vin le plus connu d'Ombrie, mais aussi celui qu'il faudrait oublier. Après Frascati et Soave, c'est le nom qui a donné lieu aux pires abus dans les restaurants italiens du monde entier. S'il existe quelques Orvieto intéressants, comme le Vigneto Torricella de Bigi, ils sont hélas minoritaires. L'un des rares vins d'Ombrie célèbres à juste titre est le « Rubesco » Torgiano de Lungarotti, dont la réputation a conduit à la création de la DOC Torgiano. Lungarotti est à la tête d'une nouvelle école dans la région : les vins sont issus de nombreux cépages indigènes et français et montrent donc des styles divers mais ils sont presque toujours élevés dans des barriques de chêne neuf.

Vignes Vernaccia en automne, ci-dessus
Ces vignes sont cultivées autour du bourg médiéval de San Gimignano en Toscane, dont on voit au loin les tours imposantes. Chez les bons producteurs, le Vernaccia blanc est un vin sec, délicieusement fruité et nerveux.

LATIUM *(LAZIO)*

Cette région est l'une des plus grandes du pays et produit l'un de ses vins les plus vendus, le Frascati, équivalent latin du Liebfraumilch. Elle élabore encore le Falernum, un vin classique de l'Antiquité, mais n'offre que peu de vins de qualité à l'exception de deux excellents assemblages de Cabernet Sauvignon, le « Fiorano » de Boncompagni Ludovisi et le « Torre Ercolana » de Cantina Colacicchi.

PRODUCTION ANNUELLE MOYENNE

Région	Production de DOC	Production totale
Toscane	1 million hl	4 millions hl
Ombrie	165 000 hl	1,7 million hl
Latium	540 000 hl	6 millions hl

Part de la production italienne : Toscane, 5,2 % ; Ombrie, 2,2 % ; Latium, 7,8 %.

Tradition et innovation, ci-dessus
Ce paysage paisible semble n'avoir pas changé depuis des siècles. Mais si la Toscane reste fidèle à sa tradition vinicole, elle innove également en cultivant de nouveaux cépages et en élevant ses vins en barrique.

Les vins fins de Toscane

VINS DE BARRIQUE VT

Les vins élevés dans de petites barriques en chêne neuf sont l'innovation la plus intéressante en toscane. Les meilleurs sont cités ci-dessous, suivis du nom de leur producteur.

Purs Sangiovese

BORGO AMOROSA, *Amorosa*

BORRO CEPPARELLO, *Isole e Olena*

CAPANELLE ROSSO, *Capanelle*

LA CORTE, *Castello di Querceto*

FLACCIANELLO DELLA PIAVE, *Fontodi*

GROSSO SENESE, *Podere Il Palazzino*

PALAZZO ALTESI, *Altesino*

LE PERGOLE TORTE, *Monte Vertine*

QUERCIAGRANDE, *Podere Capaccia*

SANGIOVETO DI COLTIBUONO, *Badia a Coltibuono*

I SODI DI SAN NICCOLO, *Castellare*

VINATTIERI ROSSO, *Vinattieri*

Purs Cabernet Sauvignon

GRIFI, *Avignonesi*

SASSICAIA, *Marchesi Incisa della Rochetta*

TAVERNELLE, *Villa Banfi*

50/50 Sangiovese et Cabernet Sauvignon

BRUNO DI ROCCA, *Vecchie Terre di Montefili*

Vins à dominante de Sangiovese

CABREO PODERE IL BORGO, *Ruffino*

COLTASSALA, *Castello di Volpaia*

I COLTRI, *Melini*

CONCERTO, *Castello di Fonterutoli*

I SODI DI SAN NICCOLO, *Castellare di Castellina*

SOLATIO BASILICA, *Villa Cafaggio*

TIGNANELLO, *Marchesi Antinori*

VIGORELLO, *San Felice*

Vins à dominante de Cabernet Sauvignon

GHIAIE DELLA FURBA, *Villa de Capezzana*

MORMORETO, *Marchesi Frescobaldi*

SAMMARCO, *Castello dei Rampolla*

SOLAIA, *Marchesi Antinori*

Purs Chardonnay

CABREO VIGNETO LA PIETRA, *Ruffino*

COLLINE DI AMA, *Castello di Ama*

FONTANELLE, *Villa Banfi*

VILLA DI CAPEZZANA, *Contini Bonacossi*

Vins blancs *liquoroso*

SASSOLATO, *Villa Cilnia*

Autres vins blancs

TORRICELLA, *Barone Ricasoli*

BRUNELLO DI MONTALCINO DOCG

Ce vin, un des plus prestigieux d'Italie, est issu du Brunello. Bon nombre de producteurs assez peu connus proposent des vins vraiment classiques.

ROUGE. Beaucoup pensent que ces vins sont si épais et tanniques qu'ils doivent mûrir pendant au moins vingt ans. Si ces tanins proviennent de peaux de raisins mûrs et si les vins sont assez fruités, il en résulte des bouteilles de style classique. Cependant, le Brunello macère souvent trop longtemps, sans éraflage, et les tanins sont parfois incapables de s'adoucir.

Les vins des producteurs mentionnés ci-dessous doivent mûrir pendant au moins 10 ans, mais ils sont tellement fruités qu'ils gagnent des saveurs riches et complexes.

Brunello

1982, 1983, 1985

Entre 10 et 25 ans

☆ Altesino, Campogiovanni, Caprilli, Castelgiocondo, Constanti, Lisini, Pertimali, Poggio Attico, Talenti, Tenuta Carpazo, Tenuta Il Poggione, Val di Suga

CARMIGNANO DOC

Le Carmignano *rosso* est le plus réussi et pourrait bénéficier du statut de DOCG. Cette appellation offre aussi un *rosato* frais et fruité et un vin *santo*.

ROUGE. Ressemble à un Chianti moyennement corsé, mais avec moins d'acidité et un fruité aux nuances de chocolat.

45-65 % Sangiovese, 10-20 % Canaiolo nero, 6-10 % Cabernet Sauvignon, 10-20 % Trebbiano, Canaiolo bianco et Malvasia, et jusqu'à 5 % de Mammolo et Colorino

1982, 1983, 1985

Entre 4 et 10 ans

☆ Fattoria di Artimino, Fattoria di Bacchereto, Contini Bonacossi (Villa di Capezzana, Villa di Trefiano), Fattoria Il Poggiolo

CHIANTI DOCG

Lorsque le Chianti fut promu au rang de DOCG, les rendements furent réduits, la proportion de cépages blancs dans le Chianti *classico* fut limitée et l'on autorisa l'adjonction de 10 % de Cabernet Sauvignon. Mais en couvrant l'ensemble de l'aire du Chianti, la DOCG ne pouvait être une garantie de qualité.

ROUGE. Le meilleur Chianti de base est de couleur rubis à grenat, moyennement corsé, riche en saveurs fruitées de cerise et de prune. Il est agréable à boire.

Les meilleurs vins sont généralement vendus sous les étiquettes Chianti Classico, Chianti Rufina ou Chianti Colli Fiorentini, qui indiquent l'origine géographique de la récolte.

75-90 % Sangiovese, 5-10 % Canaiolo nero, 5-10 % (ou 2-5 % pour le *classico*) Trebbiano et Malvasia, et jusqu'à 10 % de Cabernet et d'autres cépages spécifiés

1982, 1983, 1985

Entre 3 et 5 ans (vins ordinaires), entre 4 et 8 ans (vins supérieurs), entre 6 et 20 ans (meilleurs vins *classico*)

☆ Badia a Coltibuono, Capanelle, Castello di Ama, Castello Gabbiano, Castello Querceto, Castello di Rampolla, Castello di San Paolo in Rosso, Castello Vicchiomaggio, Castello di Volpaia, Fattoria Il Paradiso, Fattoria di Vetrice, Marchesi Frescobaldi (Montesodi, Castello di Nippozzano, Poggio a Remole), Fontodi, Fossi, Il Palazzino, Isole e Olena, Lamole di Lamole, Monsanto Il Poggio, Monte Vertine, Nozzole, Pasolini, Podere Emilio Constanti, Podere Il Palazzino, Barone Ricasoli Brolio, Rocca delle Macie, Ruffino (Aziano, Riserva Ducale), Selvapiana, Tenuta di Capezzana, Tenuta di Poggio, Villa Antinori (Santa Christina, Riserva del Marchese), Villa Cafaggio, Villa Cilnia

ROSSO DI MONTALCINO DOC

Vins de Brunello di Montalcino de moindre qualité, déclassés ou provenant de vignes jeunes. Ils sont souvent plus accessibles dans leur jeune âge que les Brunello.

Brunello

Entre 8 et 25 ans

☆ Altesino, Campogiovanni, Castelgiocondo, Lisini, Tenuta Carpazo, Tenuta Il Poggione, Val di Suga

VINO NOBILE DI MONTEPULCIANO* DOCG

Faits de Prugnolo gentile, un clone du Sangiovese, ces vins proviennent de Montepulciano, partie de l'aire de production du Chianti. Hormis quelques vins dignes de leur statut de DOCG, ceux-ci sont généralement surestimés et excessivement chers.

ROUGE. Les meilleurs vins ressemblent à des Chianti Classico riserva, mais avec un caractère plus exubérant et des saveurs généreuses de fruits mûrs (cerise et prune).

50-70 % Prugnolo gentile, 10-20 % Canaiolo, 10-20 % Malvasia, Trebbiano, et jusqu'à 5 % de Grechetto bianco (appelé ici Pulcianculo) ou Mammolo

1982, 1983, 1985

Entre 6 et 25 ans

☆ Avignonesi, Podere Boscarelli, Fratelli Bologna Buonsignori, Tenuta Sant'Agnese-Fanetti, Fassati

Les meilleurs vins effervescents bruts de Toscane

BRUT DI CAPEZZANA

VILLA BANFI PINOT OLTREPÒ BRUT

VILLA BANFI BRUT

Tous ces vins sont obtenus par la méthode champenoise.

Autres vins de Toscane

ALEATICO* VT

Vin rouge moelleux, riche, et assez rare.

ALICANTE* VT

Erik Banti

Vin rouge rond, gras, riche et épicé.

BIANCO DELLA VAL DI NIEVOLE DOC

Vin blanc sec légèrement *frizzante* et *vin santo* blanc.

BIANCO DI PITIGLIANO* DOC

Vin blanc sec et délicat assez bien typé.

BIANCO PISANO DI SAN TORPÉ DOC

Vin blanc sec et vineux et *vin santo* sec ou demi-doux.

BIANCO VERGINE DELLA VALDICHIANA DOC

Vin blanc riche, légèrement moelleux, à l'arrière-bouche amère.

BOLGHERI DOC

Vin blanc sec délicat et Sangiovese *rosato* sec et légèrement parfumé.

CANDIA DEI COLLI APUANI DOC

Vin blanc sec ou demi-doux, légèrement aromatique et assez délicat.

CERTINAIA* VT

Castello di San Paolo in Rosso

Ce vin assez récent m'est inconnu, mais il jouit d'une bonne réputation. Il est produit dans l'aire du Chianti, à partir de raisins noirs uniquement. Pour son élevage, sont utilisés de grands fûts en chêne.

ELBA* DOC

Vin rouge très proche du Chianti – il est fait des mêmes cépages – et vin blanc sec très ordinaire. Il existe aussi des vins rouges et blancs *spumanti*.

GALESTRO* VT

Vin blanc sec très net, léger, frais et délicatement fruité, produit par un *consorzio* de producteurs qui respectent certaines normes communes.

GRATTAMACCO* VT

Podere di Grattamacco

Vin rouge à base de raisin de Colorino et de Sangiovese et vin blanc sec et fruité.

MAREMMA* VT

Vin rouge, vin blanc et vin rosé bien faits, légers et fruités, provenant des collines côtières de Maremma.

MONTE ANTICO* VT

Divers vins rouges et blancs de type Chianti produits dans les collines des environs de Montalcino.

MONTECARLO* DOC

Quelques vins blancs secs intéressants naissent dans cette région située à mi-chemin entre Carmignagno et la côte. Ils sont dominés par le Trebbiano, un cépage neutre, mais les cépages complémentaires (Sémillon, Pinot grigio, Pinot bianco, Sauvignon blanc, Roussane et Vermentino) sont autorisés à hauteur de 30 à 40 %. Les viticulteurs peuvent ainsi créer leur propre style, tantôt léger et délicat, tantôt ample et riche.

MONTESCUDAIO DOC

Vin blanc sec vineux, vin rouge tendre et légèrement fruité, et *vin santo* blanc, tendre également.

MORELLINO DI SCANSANO* DOC

Quelques bons vins de type Brunello issus uniquement du Sangiovese.

MOSCADELLO DI MONTALCINO DOC

Vin blanc de Muscat aromatique, moelleux, tranquille ou bien *frizzante* et vin blanc doux viné.

PARRINA* DOC

Vin rouge tendre et délicatement fruité à base de Sangiovese et vin blanc sec moins intéressant, provenant de la DOC Toscane la plus petite et la plus méridionale.

POMINO* DOC

Cet assemblage de Pinot bianco, Chardonnay et Trebbiano, produit dans l'aire du Chianti Rufina et d'abord commercialisé par le marquis de Frescobaldi est aujourd'hui une DOC qui donne un beau vin rouge fait de Sangiovese, Canaiolo et Cabernet Sauvignon et un *vin santo* demi-doux rouge ou blanc.

ROSATO DELLA LEGA CT

Vin rosé sec produit par le *consorzio* Chianti Classico.

ROSSO DELLA LEGA VT

Vin rouge ordinaire produit par le *consorzio* Chianti *Classico*.

ROSSO DELLE COLLINE LUCCHESI* DOC

Vin rouge de type Chianti et vin blanc sec de Trebbiano.

VAL D'ARBIA DOC

Vin blanc sec et fruité et *vin santo* sec à moelleux.

VERNACCIA DI SAN GIMIGNANO* DOC

Vins blancs secs et frais ; certains sont délicieusement nerveux et gorgés de saveurs fruitées vibrantes et typées.

VIN SANTO* VT

Vin *passito* blanc ou rouge qui peut être moelleux, demi-doux ou sec.

VINO DELLA SIGNORA VT

Poggio al Sole

Vin blanc sec, souple, et aromatique.

Les vins fins d'Ombrie

L'Ombrie n'a pas la réputation novatrice de la Toscane, mais certains de ses *Vini da tavola* sont plus intéressants que la plupart des DOC. Les meilleurs vins – VT ou DOC – sont mentionnés ci-dessous.

Vins rouges

RUBESCO TORGIANO, *Lungarotti*
Sangiovese, Canaiolo

RUBESCO TORGIANO RISERVA VIGNA MONTICCHIO, *Lungarotti*
Sangiovese, Canaiolo

CABERNET SAUVIGNON DI MIRALDUOLO, *Lungarotti*
Cabernet Sauvignon

CASTELLO DI MONTORO, *Marchesi Patrizi Montoro*
Sangiovese, Merlot, Barbera, Montepulciano

DECUGNANO DEI BARBI ROSSO, *Decugnano dei Barbi*
Sangiovese, Montepulciano

ROSSO D'ARQUATA, *Adanti*
Barbera, Canaiolo, Merlot

RUBINO, *Colle del Sole-Polidori*
Sangiovese, Merlot

SAN GIORGIO, *Lungarotti*
Sangiovese, Canaiolo, Cabernet Sauvignon

Vins blancs

CASTELLO DELLA SALA, *Marchesi Antinori*
Trebbiano, Verdello, Grechetto, Sauvignon blanc, Pinot bianco

CERVARO DI MIRALDUOLO, *Lungarotti*
Chardonnay

GRECHETTO, *Bigi*
Grechetto

TORGIANO BIANCO RISERVA

TORRE DI GIANO, *Lungarotti*
Trebbiano, Grechetto

Autres vins d'Ombrie

COLLI ALTOTIBERINI DOC

Cette DOC est située dans la haute vallée du Tibre où sont élaborés d'intéressants vins blancs secs, des vins rouges fermes mais fruités et des rosés secs légèrement fruités.

COLLI DEL TRASIMENO DOC

Appellation très étendue, à la limite de la Toscane, qui propose des vins blancs secs ou quasi secs ordinaires, mais des rouges plus intéressants dans lequels l'amertume du Sangiovese est adoucie par le présence du Gamay.

COLLI PERUGINI DOC

Vin blanc sec, légèrement fruité, à base de Trebbiano, vin rouge corsé et rosé sec et frais, issus essentiellement du raisin de Sangiovese. L'aire de production couvre six communes de la province de Perugni et une commune de la province de Terni.

GRECHETTO ou GRECO* VT

Vin blanc net et frais, sec ou moelleux, au plaisant arôme floral. Toutefois, hormis le Grechetto de Bigi, qui est élevé en fût, il est rarement excellent.

ORVIETO* DOC

Vin populaire, sec ou demi-doux, en général très décevant, à l'exception du superbe Vigneto Torricella de Bigi et de quelques vins très respectables. Les meilleurs vins demi-doux ou *abbocati* contiennent une petite proportion de raisins botrytisés.

TORGIANO DOC

Cette DOC, qui offre des vins rouges et des vins blancs secs doit son existence à la réputation d'un seul vin, le Rubesco Torgiano de Lungarotti, qui figure dans les « Vins fins d'Ombrie », à l'image du vin blanc de même provenance.

VIN SANTO VT

Le vin *passito* d'Ombrie ressemble à celui de Toscane.

Les vins du Latium

Vins à base de Cabernet

Il n'existe que deux vins de ce type de qualité, et ce sont aussi les meilleurs vins du Latium.

FIORANO, *Boncompagni Ludovisi*
Cabernet Sauvignon, Merlot

TORRE ERCOLANA, *Cantina Colacicchi*
Cabernet Sauvignon, Merlot, Cesanese

APRILIA DOC

Cette DOC peu inspirée comprend deux vins de cépage rouges (Merlot, Sangiovese) et un blanc (Trebbiano). Les saveurs diluées prouvent que les rendements sont trop élevés.

BIANCO CAPENA DOC

Large DOC au nord-est de Rome qui produit des vins blancs secs et demi-doux.

CASTELLI ROMANI VT

Vins blancs, rouges et rosés qui sont rarement intéressants.

CECUBO VT

Cantine Cenatiempo

Vin rouge solide, de couleur profonde, au charme rustique.

CERVETERI DOC

Vin rouge rustique et honnête vin blanc sec ou demi-doux de tous les jours, qui sont récoltés le long de la côte, au nord-ouest de Rome.

CESANESE DEL PIGLIO DOC

Cette appellation couvre une gamme complexe de vins rouges assez simples, produits au sud-est de Rome. Les vins peuvent être secs, demi-secs, demi-doux ou moelleux, tranquilles, *frizzantini, frizzanti* ou *spumanti*.

CESANESE DI AFFILE DOC

Mêmes types de vins que les Cesanese del Piglio ; ils proviennent d'une région voisine.

CESANESE DI OLEVANO ROMANO DOC

Petite DOC qui offre les mêmes types de vins que Cesanese del Piglio.

COLLE PICCHIONI* VT

Paolo di Mauro

Vin rouge robuste et typé fait de Merlot, Cesanese et Sangiovese, cultivés sur des sols volcaniques, dans la région de Castelli Romani.

COLLI ALBANI DOC

Vin blanc tendre et fruité, sec ou demi-doux, qui est parfois *spumante*.

COLLI LANUVINI* DOC

Vin blanc souple qui peut être sec ou demi-doux.

CORI DOC

Vin blanc peu répandu et sans grand intérêt, sec, demi-doux ou moelleux, et vin rouge souple et vineux.

EST ! EST !! EST !!! DI MONTEFIASCONE DOC

Le trait le plus mémorable de ce vin blanc sec ou demi-doux, fait de

Trebbiano et Malvasia, est tout simplement son nom. On raconte qu'au XIIe siècle un évêque allemand du nom de Johann Fugger aurait reçu l'ordre d'aller à Rome pour le couronnement de Henri V. Afin d'être sûr de boire de bons vins au cours de son voyage, il envoya son domestique visiter les auberges le long de la route en lui demandant de marquer celles qui servaient le meilleur vin du mot « *Est* », pour « *Vinum est bonum* ». Arrivé à Montefiascone, celui-ci trouva le vin local tellement bon qu'il nota « *Est ! Est !! Est !!!* ». Fugger fut certainement d'accord avec lui car, parvenu à Montefiascone et après avoir goûté le vin, il renconça à son voyage et y demeura jusqu'à sa mort. Nul ne sait quelle est au juste la part de vérité dans cette histoire, mais une des tombes du village porte le nom de Fugger, sans qu'on puisse affirmer à qui appartient le corps qui y repose et depuis combien de temps il y est enterré.

FALERNO ou FALERNUM VT

Cantine Cenatiempo

Le Falernum était le célèbre vin de la Rome antique. Son équivalent moderne est un vin d'Anglianico de couleur sombre et d'une richesse rustique, dont le meilleur représentant est le Villa Matilde *riserva* qui possède un arôme ample et un meilleur équilibre que la plupart des autres. Il existe aussi un vin blanc sec.

FRASCATI DOC

Autrefois, ces vins étaient toujours mous ou oxydés. Les progrès réalisés dans les techniques de vinification sont sensibles, mais aujourd'hui la plupart des vins sont simplement légers, secs et neutres, à l'exception cependant du Colli di Catone, du Villa Simone, et parfois du Vigneti Santa Teresa de Fontana Candida. Ces vins, issus des cépages Trebbiano et Malvasia, sont généralement secs, quelquefois demi-doux, moelleux ou *spumanti*.

MARINO* DOC

Vin de Trebbiano et de Malvasia typiquement léger et sans grand intérêt, qui peut être sec, demi-doux ou *spumante*. L'« Oro » de Paola di Mauro, un vin caramélisé délicieusement riche, se distingue par sa forte proportion de Malvasia, par une macération préfermentaire au contact des peaux et par un élevage en barrique.

MONTECOMPATRI-COLONNA DOC

Ce vin blanc sec ou demi-doux, à base de Malvasia, peut porter le nom de l'une ou l'autre des communes ci-dessus, voire des deux.

VELLETRI DOC

Vin blanc sec ou demi-doux peu inspiré et vin rouge vineux qui proviennent de l'aire de Castelli Romani.

ZAGAROLO DOC

Petite production de vin blanc sec ou demi-doux, issu de cépages cultivés à l'est de Frascati.

Centre-Est

Les longs et minces vignobles du centre-est s'étirent sur quatre régions : Émilie-Romagne, Marches, Abruzzes et Molise. Bien que le Lambrusco d'Émilie-Romagne soit largement exporté, les meilleurs vins proviennent des Marches et des Abruzzes.

Le centre-est, qui couvre presque toute la largeur de l'Italie depuis Rome jusqu'au Piémont, constitue une entité géographique, car il est tout entier situé à l'est des Apennins sur des terres vallonnées qui, peu à peu, se muent en plaines alluviales en descendant vers l'Adriatique.

ÉMILIE-ROMAGNE *(EMILIA-ROMAGNA)*

L'Émilie-Romagne est protégée sur son flanc ouest par les Apenins, d'où jaillissent sept cours d'eau principaux et de nombreuses petites rivières. La richesse du sol permet une abondante récolte de raisin. Les trois cépages les plus productifs sont le Lambrusco, le Trebbiano et l'Albana, lequel donne des vins blancs rustiques qui, curieusement, furent les premiers vins blancs d'Italie classés DOCG.

ABRUZZES *(ABRUZZO)*

Les Abruzzes ne produisent qu'un seul beau vin, le Montepulciano d'Abruzzo, en dépit de la grande diversité des sols et des microclimats qu'offrent les nombreuses collines de la région. Les viticulteurs sont conservateurs, et seul un producteur, Santoro Corella, s'emploie à expérimenter de nouveaux cépages.

MARCHES *(MARCHE)*

Le tourisme a contribué au succès des vins des Marches ; cette région vallonnée est bordée d'une superbe côte sur l'Adriatique où les vacanciers prennent plaisir à savourer le vin blanc du pays, le Verdicchio, pâle et sec. Les excellentes DOC de Rosso Cònero et de Rosso Piceno offrent pourtant des vins plus intéressants, de même parfois que l'appellation Sangiovese dei Colli Pesaresi. Il existe aussi de très bons *Vini da tavola* comme le Rosso di Corinaldo ou le Tristo di Montesecco.

MOLISE

Dans cette région pauvre, gravement touchée par le chômage, l'industrie viticole est mal équipée. Rattachée jusqu'en 1963 aux Abruzzes, elle n'a obtenu sa première DOC qu'en 1983. Burton Alexander, expert en vins italiens, pense que la Molise pourrait un jour produire des vins de très grande classe, mais il faudra pour cela se livrer à des investissements considérables.

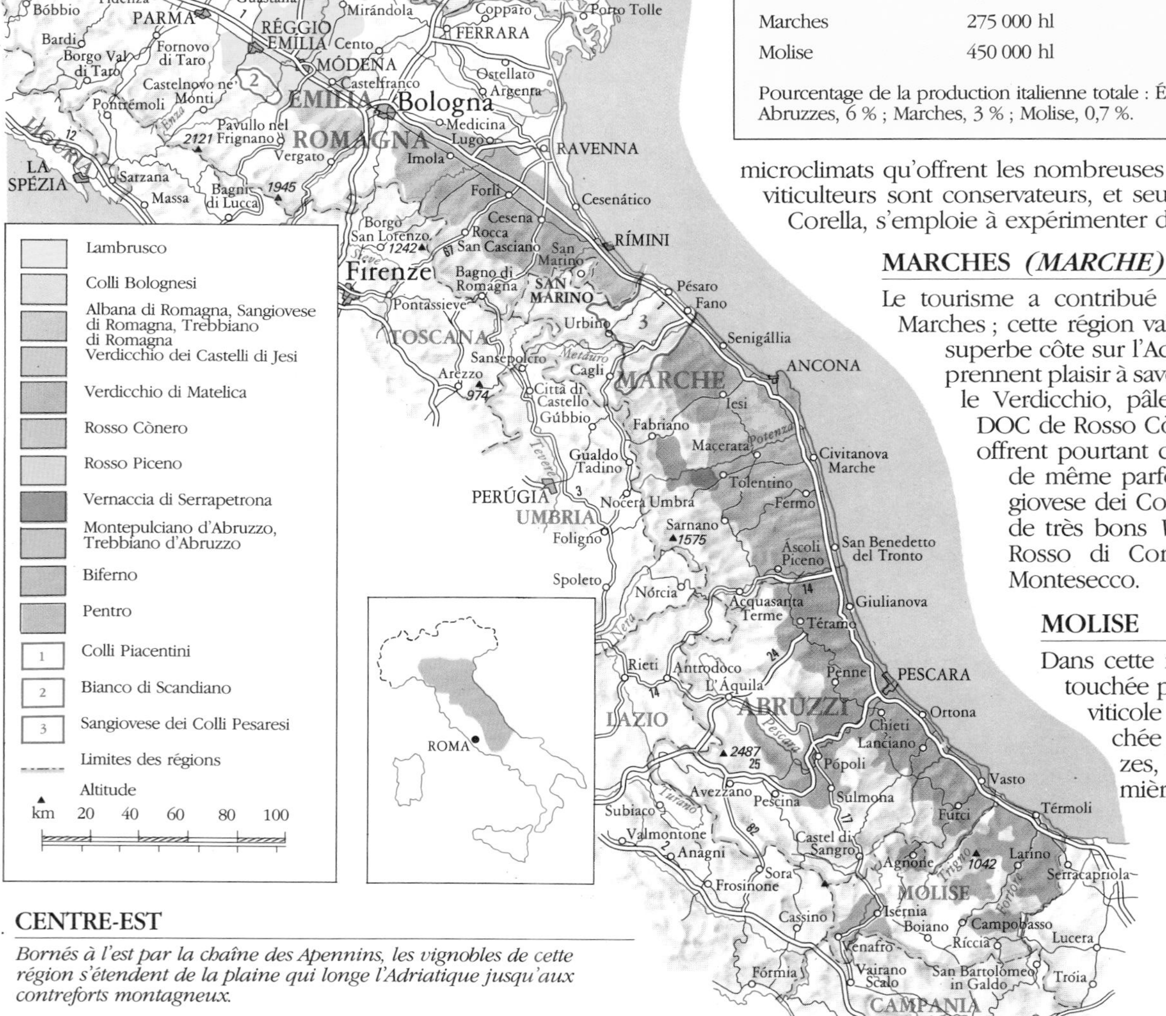

CENTRE-EST

Bornés à l'est par la chaîne des Apennins, les vignobles de cette région s'étendent de la plaine qui longe l'Adriatique jusqu'aux contreforts montagneux.

FACTEURS AFFECTANT LE GOÛT ET LA QUALITÉ

Situation Cette région s'étend le long de la côte Adriatique, de la Molise à l'Émilie-Romagne.

Climat L'influence de la Méditerranée donne généralement des étés chauds et secs – de plus en plus chauds à mesure que l'on descend vers le sud – ainsi que des hivers frais. Dans les régions vallonnées, les microclimats sont nombreux.

Site Les meilleurs vignobles sont toujours plantés sur des sols bien drainés au pied des montagnes, mais la vigne occupe les terres les plus diverses, avec une forte concentration en plaine, en particulier dans la vallée du Pô, en Émilie-Romagne, où la récolte de raisin est abondante.

Sol Sols alluviaux avec des affleurements de granite et de calcaire.

Viticulture et vinification Les techniques sont extrêmement variées. Certains producteurs restent fidèles aux meilleures traditions qu'ils associent aux méthodes modernes.

Cépages Albana, Barbarossa, Barbera, Bianchello, Bonarda, Cabernet franc, Cabernet Sauvignon, Cagnina, Chardonnay, Ciliegiolo, Lambrusco, Maceratino, Malvasia, Merlot, Montepulciano, Ortrugo, Pagadebit, Pinot bianco, Pinot grigio, Pinot nero, Riesling italico, Sangiovese, Sauvignon, Toscano, Trebbiano, Verdicchio, Vernaccia

PRODUCTION ANNUELLE MOYENNE

Région	Production de DOC	Production totale
Émilie-Romagne	600 000 hl	11 millions hl
Abruzzes	250 000 hl	4,5 millions hl
Marches	275 000 hl	2,5 millions hl
Molise	450 000 hl	550 000 hl

Pourcentage de la production italienne totale : Émilie-Romagne, 14 % ; Abruzzes, 6 % ; Marches, 3 % ; Molise, 0,7 %.

Les vins fins d'Émilie-Romagne

RONCO CASONE VT

Gian Matteo Baldi

Le plus dur des trois Sangiovese de Baldi élevés en barriques. Il gagnerait à contenir un peu de Cabernet Sauvignon.

ROUGE. Vin de couleur profonde, très ferme et austère qui s'adoucit en vieillissant.

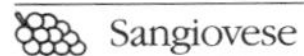

Sangiovese

1980, 1981, 1982, 1983, 1985, 1986

Entre 8 et 15 ans

RONCO DEI CILIEGI VT

Gian Matteo Baldi

Le meilleur Sangiovese de Baldi.

ROUGE. Vin bien coloré, au bouquet élégant, aux saveurs fruitées, riches et soyeuses, doté d'une finesse évidente et d'une souple charpente tannique.

Sangiovese

1980, 1981, 1982, 1983, 1985, 1986

Entre 5 et 15 ans

RONCO DELLE GINESTRE VT

Gian Matteo Baldi

Le vin de Baldi le plus léger.

ROUGE. Beau vin moyennement corsé, qui s'ouvre rapidement, et dont la saveur est bien équilibrée.

Sangiovese

1980, 1981, 1982, 1983, 1985, 1986

Entre 4 et 12 ans

ROSSO ARMENTANO* VT

Fratelli Vallunga

Assemblage réussi de cépages français et italiens.

ROUGE. Vin de couleur rubis, tendre, finement parfumé, un peu dense quand il est jeune, mais qui s'affine en vieillissant.

Sangiovese, Cabernet franc, Pinot nero

1982, 1983, 1985, 1986

Entre 6 et 10 ans

TERRE ROSSE CHARDONNAY VT

Vallania

Ce vin est supérieur de beaucoup au meilleur Albana di Romagna.

BLANC. Vin sec et moyennement corsé, d'une belle profondeur, avec un équilibre parfait entre le véritable caractère variétal et le style italien authentique. Il conjugue la richesse naturelle du raisin avec un caractère presque éthéré, mais ne montre pourtant aucune trace d'amertume.

Chardonnay

1983, 1985, 1986

2 à 5 ans au maximum

Autres vins d'Émilie-Romagne

ALBANA DI ROMAGNA* DOCG

Vin blanc très franc et fruité, sec ou demi-doux, qui peut également être *spumante*.

BARBAROSSA DI BERTINORO* VT

Fattoria Paradiso

L'un des meilleurs vins rouges d'Émilie-Romagne.

BIANCO DI SCANDIANO DOC

Un vin blanc corsé, sec ou demi-doux, qui peut également être *spumante* ou *frizzante*.

BOSCO ELICEO ou ROSSO DEL BOSCO VT

Cantina Sociale Bosco Eliceo

Vin rouge corsé et riche en alcool.

CAGNINA VT

Vin rouge doux et fruité.

COLLI BOLOGNESI* DOC

Cette DOC, appelée aussi Colli Bolognesi dei Castelli Medioevali ou Colli Bolognesi di Monte San Pietro, offre trois vins de cépage rouges et cinq blancs. Le Sauvignon est le meilleur.

COLLI DI PARMA DOC

Vin rouge solide, légèrement *frizzante* et deux vins de cépage blancs : Malvasia et Sauvignon.

COLLI PIACENTINI DOC

Cette appellation propose un large éventail de vins : deux *uvaggi* blancs, secs ou demi-doux, tranquilles, *frizzantini*, *frizzanti* ou *spumanti* ; trois vins de cépage rouges, tranquilles ou *frizzanti* (Barbera, Bonarda, Pinot noir) ; cinq vins de cépage blancs, secs ou demi-doux, tranquilles ou *spumanti* (Malvasia, Ortrugo, Pinot grigio, Sauvignon, Trebbiano Val Trebbia).

GUTTURNIO DEI COLLI PIACENTINI* DOC

Vin rouge solide, parfois demi-doux et *frizzante*, issu des cépages Barbera et Bonarda cultivés dans les collines de Piacenza, où le beau-père de Jules César récoltait un vin qu'il servait dans un grand récipient, le *gutturnium*.

LAMBRUSCO* VT

Rares sont les Lambrusco relevant d'une DOC puisqu'ils sont vendus, en général, dans des bouteilles munies de bouchons à vis que la réglementation des DOC interdit. Le Lambrusco est un vin rouge cerise, quasi sec, peu alcoolisé, qui a un goût de cerise mûre ; les vins exportés sont doux pour la plupart. Il existe aussi des rosés et des vins blancs ; ils peuvent être à peine *frizzantini* ou presque *spumanti*. (Le Lambrusco DOC doit être naturellement mousseux.)

LAMBRUSCO GRASPAROSSA DI CASTELVETRO DOC

Vin rouge sec ou demi-doux, *frizzantino*, supérieur aux Lambrusco non DOC mais un peu moins bon que les Lambrusco di Sorbara.

LAMBRUSCO REGGIANO DOC

Vins rouges et rosés secs ou demi-doux, *frizzanti*, qui sont les plus légers des Lambrusco DOC.

LAMBRUSCO SALAMINO DI SANTA CROCE* DOC

Ce vin rouge sec ou demi-doux, vineux, pétillant, est le Lambrusco le plus aromatique et peut rivaliser parfois avec les Lambrusco di Sorbara.

LAMBRUSCO DI SORBARA* DOC

Vin rouge, sec le plus souvent, parfois demi-doux, moyennement corsé, *frizzantino*, qui a plus de corps et une saveur plus profonde que la plupart.

MÜLLER THURGAU DI ZIANO VT

Ce vin blanc sec et nerveux est le plus réussi des différents Müller-Thurgau de la région.

PAGADEBIT* VT

Vin blanc sec ou demi-doux qui peut être assez délicat.

PICOL ROSS* VT

Moro

Ce vin rouge sec, *frizzante*, bien parfumé et assez fruité est le meilleur Lambrusco non DOC.

ROSSO DELLA BISSERA* VT

Bruno Negroni

De couleur profonde, richement fruité, rustique, le Bissera a les moyens de devenir un beau vin.

SANGIOVESE DI ROMAGNA* DOC

Vin rouge solide rarement passionnant, à l'exception toutefois du Vigneti delle Lepri de Fattoria Paradiso et de quelques autres.

SCORZA AMARA* VT

Le Scorza Amara, variante locale du Lambrusco, donne un vin *frizzante* légèrement plus plein que la plupart des Lambrusco.

TREBBIANO DI ROMAGNA DOC

Vin blanc sec et neutre qui existe également en *spumante* sec, demi-doux ou moelleux.

Les vins des Abruzzes

MONTEPULCIANO D'ABRUZZO* DOC

Les seuls vins fins des Abruzzes.

ROUGE. Vins de couleur très profonde, tantôt gorgés de fruits tendres, gras et onctueux, tantôt plus fermes, plus tanniques.

Montepulciano et jusqu'à 15 % de Sangiovese

1981, 1982, 1983, 1985, 1986

Entre 4 et 8 ou entre 8 et 20 ans

ROSÉ. Vins secs et légers de modeste qualité sauf les Illuminati qui peuvent être excellents.

Montepulciano et jusqu'à 15 % de Sangiovese

1980, 1981, 1982, 1983, 1985, 1986

1 à 3 ans au maximum

☆ Vins tendres et fruités : Cantina Sociale di Tollo, Tenuta S. Angese. Vins fermes et tanniques : Valentini, Emilio Pepe, Illuminati

RUBINO VT

Tenuta S. Agnese

Vin rouge ferme et finement parfumé.

SPINELLO VT

Tenuta S. Agnese

Vin blanc sec et léger.

TREBBIANO D'ABRUZZO* DOC

Vin blanc généralement sec, neutre et médiocre, mais parfois délicatement parfumé et doté d'une texture veloutée.

VAL PELIGNA VT

Santoro Colella

Vins rouges et blancs secs issus de divers cépages.

Les vins fins des Marches

ROSSO CÒNERO DOC

Beaux vins qui s'améliorent.

ROUGE. Vins de couleur profonde, riches et corsés.

Montepulciano et jusqu'à 15 % de Sangiovese

1980, 1982, 1985, 1986

Entre 6 et 15 ans

☆ Vigna Piancarda de Garofoli, « Cà Sal di Serra » d'Umani Ronchi, Marchetti (surtout « Le Terrazze »), Mecvini

ROSSO DI CORINALDO VT

Cantina Sociale Val di Nevola

Vin régulièrement bien fait.

ROUGE. Vin de bonne qualité, assez corsé et exubérant mais qui livre l'élégance épicée du raisin.

Merlot

1982, 1983, 1985, 1986

Entre 4 et 8 ans

ROSSO PICENO DOC

Vins en progrès rapides. Les vins *superiore* proviennent d'une aire délimitée et sont élevés pendant au moins un an.

ROUGE. Beaux vins rubis, fermes, dont le fruité souple et succulent recèle parfois des nuances de chêne.

Sangiovese 60 %, Montepulciano 40 %

1981, 1982, 1983, 1985, 1986

Entre 4 et 10 ans

☆ Tattà, Villa Pigna

SANGIOVESE DEI COLLI PESARESI DOC

Certains vins de cette DOC peuvent être chaudement recommandés.

ROUGE. Les meilleurs vins, sont d'une finesse et d'une classe évidentes.

Au moins 85 % de Sangiovese, plus Montepulciano et Ciliegiolo

1982, 1983, 1985, 1986

Entre 3 et 8 ans

☆ « La Torraccia » de Constanini, Tattà, Umani Ronchi, Vallone, Villa Pigna

TRISTO DI MONTESECCO VT

Fattoria di Montesecco

Vin d'assemblage très plaisant.

BLANC. Vin vivace et sec, avec un fruité bien équilibré qui se détache sur un fond tendre et crémeux.

Malvasia di Candia, Pinot grigio, Riesling italico, Toscano, Trebbiano

1985, 1986

2 à 4 ans au maximum

Autres vins des Marches

BIANCHELLO DEL METAURO DOC

Vin blanc sec et délicat.

BIANCO DEI COLLI MACERATESI DOC

Vin blanc sec à base de Trebbiano.

FALERIO DEI COLLI ASCOLANI DOC

Vin blanc sec légèrement parfumé.

FONTANELLE* VT

Tattà

Vin blanc sec, souple et parfumé.

LACRIMA DI MORRO DOC

Vin rouge tendre et moyennement corsé.

MONTEPULCIANO DELLE MARCHE* VT

Vin rouge riche, au fruité rustique, légèrement inférieur aux Montepulciano d'Abruzzo.

ROSATO DELLE MARCHE VT

Rosé sec issu de Sangiovese et Montepulciano.

ROSATO DI MONTANELLO* VT

Villamagna, Campagnucci-Compagnoni

Rosé léger sec et fruité.

SANGIOVESE DELLE MARCHE VT

Vin rouge simple, essentiellement bu dans la région, meilleur, en général, que les Chianti ordinaires.

VERDICCHIO DEI CASTELLI DI JESI DOC

Vin populaire dont la qualité a baissé. Il existe aussi en *spumante* et en *frizzante*.

VERDICCHIO DI MATELICA* DOC

Vin issu d'une contrée vallonnée dans l'aire de Verdicchio.

VERNACCIA DI SERRAPETRONA DOC

Vin rouge *spumante*, sec ou doux.

Les vins de Molise

BIANCO DEL MOLISE VT

Le vin blanc sec de la région.

BIFERNO DOC

Vin rouge souple et quelque peu tannique, vin blanc sec et aromatique, et vin rosé sec et fruité.

MONTEPULCIANO DEL MOLISE* VT

Un vin rouge souple, bien coloré, corsé, qui est généralement d'un bon rapport qualité/prix.

MONTEPULCIANO CERASUOLO DEL MOLISE VT

Vin de couleur rouge cerise, qui se boit généralement jeune et frais.

PENTRO ou PENTRO DI ISERNIA DOC

Un vin rouge souple, légèrement tannique, un vin blanc sec et frais et un vin rosé sec et fruité.

RAMITELLO* VT

Masseria di Majo Norante

Vin rouge corsé issu du Sangiovese et du Montepulciano, vin blanc étoffé fait de Trebbiano et Malvasia, vins rouge et blanc *frizzanti*.

ROSATO DEL MOLISE VT

Rosé sec ordinaire.

ROSATO DEL MOLISE-FIORE VT

Vin rosé récolté dans la province de Campobasso.

ROSSO DEL MOLISE VT

Vin rouge *uvaggio* peu intéressant issu de nombreux cépages ; le Sangiovese et le Montepulciano dominent.

Sud et îles

Le sud de l'Italie, avec ses terres vallonnées, son sol volcanique et son climat chaud, est une région viticole ancienne et féconde. En dépit de la surproduction, il y naît de plus en plus de vins bien faits.

Au bord des eaux bleues de la Méditerranée, les vignobles du sud de l'Italie reçoivent très peu de précipitations et cuisent littéralement sous le soleil. Ce climat donne des vins de couleur profonde, aux saveurs fortes, très alcoolisés – vins lourds qui ne répondent plus aux goûts modernes. La région continue de produire en abondance des vins pratiquement invendables, mais elle emprunte parallèlement une autre direction. Avec des vins plus nets, plus fins et plus expressifs, aujourd'hui peu nombreux mais dont la production augmente, l'Italie du Sud pourra peut-être s'implanter sur des marchés internationaux raffinés.

POUILLES *(PUGLIA)*

Grâce à leurs plaines extrêmement fertiles, les Pouilles comptent parmi les plus grandes régions productrices de vin en Italie, mais jusque dans les années 70, leurs vins ne semblaient pouvoir servir qu'au coupage ou à la confection du Vermouth. La plupart des producteurs souhaitant se défaire de cette piètre réputation ont apporté des modifications radicales à leur industrie. Les vins très ordinaires sont toujours florissants, mais la situation a cependant radicalement changé. La mise en place de systèmes d'irrigation, l'introduction de cépages moins productifs et de meilleure qualité,

PRODUCTION ANNUELLE MOYENNE

Région	Production de DOC	Production totale
Pouilles	198 000 hl	11 millions hl
Sicile	270 000 hl	10 millions hl
Sardaigne	260 000 hl	2,5 millions hl
Calabre	33 000 hl	1,2 million hl
Basilicate	6 300 hl	420 000 hl
Campanie	12 500 hl	2,5 millions hl

Pourcentage de la production italienne totale : Pouilles, 14 % ; Sicile, 13 % ; Sardaigne, 3,3 % ; Calabre, 1,6 % ; Basilicate, 0,6 % ; Campanie, 3,3 %.

LE SUD ET LES ILES

La région est immense et sa production très abondante. Les Pouilles, le « talon » de la botte, offrent les vins les plus distingués, tandis que les vins de Sardaigne sont remarquablement bien faits. Ailleurs, la qualité est inégale.

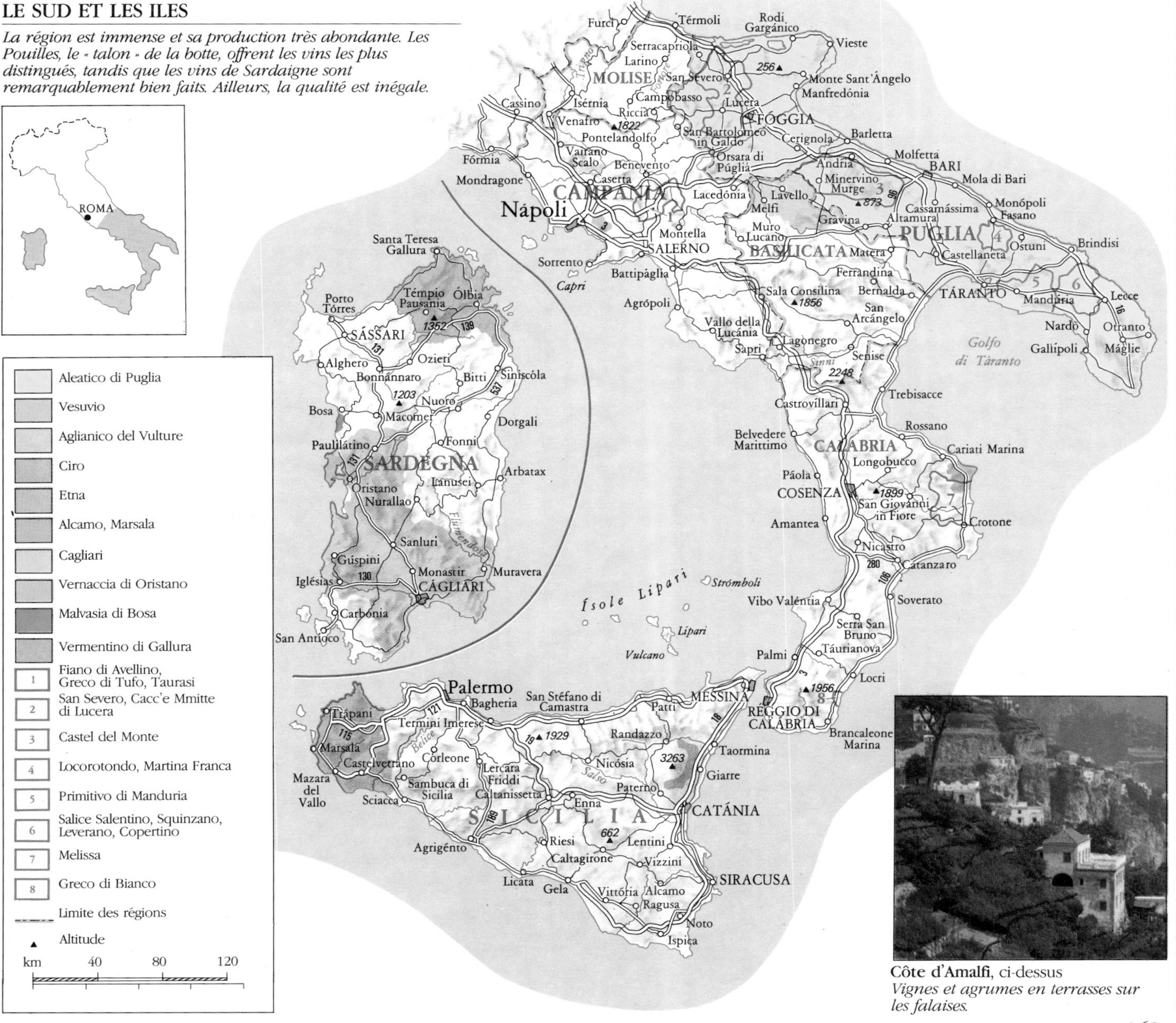

Côte d'Amalfi, ci-dessus
Vignes et agrumes en terrasses sur les falaises.

dont nombre de cépages classiques français, et le déclin de la culture dite en *arborello* (en arbuste) au profit d'un système moderne de palissage sur fils de fer ont permis à la fois d'élaborer des vins nouveaux plus appréciés et d'améliorer certains vins traditionnels. Les deux cépages les plus importants sont maintenant le Primitivo, qui a été identifié au Zinfandel de Californie et qui est le cépage le plus précoce connu en Italie, et l'Uva di Troia dont le nom fait référence à l'ancienne ville de Troie, en Asie Mineure, d'où le raisin est originaire. Celui-ci fut introduit dans la région par les premiers Grecs qui se sont installés près de Tarente.

CAMPANIE *(CAMPANIA)*

La *Campania Felix*, ainsi que les Romains l'appellent, est illustre pour le « Lacryma Christi » qui, en dépit de son noble nom, n'est certainement pas un grand vin. La région, au demeurant, produit peu de vins intéressants.

BASILICATE *(BASILICATA)*

Le Basilicate est une région sauvage et dramatique dominée par le Mont Vulture, un volcan éteint. Les industries y sont très rares, représentant moins de un pour cent du produit de la région, et le terrain montagneux rend très difficile la mécanisation de l'agriculture. Deux habitants sur trois sont sans emploi et le Basilicate, qui manque de ressources financières, n'a pas les moyens de moderniser son industrie vinicole.

À l'exception de l'Aglianico del Vulture DOC de Fratelli d'Angelo, un vin de première classe encore que très particulier, on ne trouve guère ici de vins intéressants.

CALABRE *(CALABRIA)*

Le déclin de la production calabraise en terme de volume, depuis les années 60, s'est traduit par une amélioration de la qualité. Les terres les moins propices à la vigne ont été abandonnées et les huit DOC actuelles situées dans des contrées montagneuses ou vallonnées seraient capables de produire des vins de qualité. Les progrès techniques sont cependant longs à s'implanter.

À l'exception du succulent Greco di Bianco d'Umberto Ceratti, un vin de dessert de classe internationale, la région offre peu de vins intéressants.

SICILE *(SICILIA)*

La Sicile est la plus grande île de la Méditerranée et l'une des régions vinicoles les plus productives d'Italie : sa récolte annuelle équivaut à peu près à celle de la Vénétie ou de l'Émilie-Romagne.

FACTEURS AFFECTANT LE GOÛT ET LA QUALITÉ

Situation
Le sud de l'Italie regroupe quatre régions – Pouilles, Calabre, Basilicate, Campanie – plus la Sicile et la Sardaigne.

Climat
C'est de loin la zone la plus sèche et la plus chaude d'Italie, encore que le climat des régions côtières et des îles soit tempéré par les vents maritimes.

Site
Les collines et les montagnes dominent, mais la vigne est cultivée aussi sur les terres plates et les pentes douces des Pouilles. Les meilleurs sites sont toujours sur les versants exposés au nord, en hauteur, où les vignes reçoivent moins de soleil et bénéficient des effets de l'altitude, et donc d'un cycle végétatif plus long.

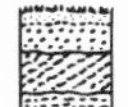

Sol
Sol essentiellement granitique et volcanique, mais avec quelques affleurements isolés d'argile et de craie.

Viticulture et vinification
Avec le midi de la France, c'est la principale source en Europe de vins ordinaires. Les producteurs qui cultivent des cépages de meilleure qualité, dans des vignobles en altitude, élaborent cependant des vins qui mériteraient plus de considération.

Cépages
Aglianico, Aleatico, Barbera, Bianco d'Alessano, Bombino bianco, Bombino nero, Cabernet franc, Cannonau, Carignano, Catarratto, Chardonnay, Coda di Volpe, Falanghina, Fiano, Frappato, Gaglioppo, Greco, Grillo, Inzolia, Malbec, Malvasia, Malvasia nera, Monica, Montepulciano, Moscato, Nasco, Negroamaro, Nerello mantello, Nerello mascalese, Nero d'Avola (Calabrese), Nuragus, Olivella, Perricone, Piedirosso, Pinot bianco, Pinot nero, Primitovo, Sangiovese, Sauvignon, Torbato, Trebbiano, Trebbiano toscano, Uva di Troia, Verdeca, Vermentino, Vernaccia

Bon nombre des vins sont consommés sur place, encore que la marque Corvo soit largement exportée.

Le vin autrefois classique de Sicile, le Marsala, ne correspond plus aux goûts modernes. Les producteurs s'efforcent pourtant de le promouvoir en renonçant aux saveurs trop marquées au profit du style *vergine* plus léger.

SARDAIGNE *(SARDEGNA)*

La Sardaigne élabore pratiquement tous les styles de vins. Son industrie viticole a bénéficié d'une modernisation radicale depuis la fin des années 70 : les vins, vinifiés désormais à basse température dans ces cuves en acier inoxydable sont devenus pour la plupart frais et nets et recèlent de bonnes saveurs fruitées. Si la Sardaigne ne produit pas de vins vraiment « fins », ceux-ci sont généralement bien faits et agréables à boire.

Note : pour des raisons de place, seuls les *Vini da tavola* de qualité suffisante figurent dans les listes ci-dessous.

Les vins fins des Pouilles

ALEATICO DI PUGLIA DOC

Produit dans toute la région des Pouilles, mais en petites quantités, ce vin franchit rarement les frontières de l'Italie.

ROUGE. Vin opulent et aromatique, gorgé de saveurs chaudes, pleines, souples et exotiques, tantôt très doux et viné (*liquoroso* ou *liquoroso dolce naturel*), tantôt demi-doux et non viné (*dolce naturel*). Le *riserva* doit être élevé pendant au moins trois ans à compter des vendanges ou, pour un *liquoroso*, à compter du vinage.

Aleatico et jusqu'à 15 % au total de Negroamaro, Malvasia nera et Primitivo

1981, 1983, 1984, 1985, 1986

Immédiatement

☆ Felice Botta, Nuova Vinicola Picardi

IL FALCONE (CASTEL DEL MONTE RISERVA DOC)

Rivera

Le plus grand vin rouge des Pouilles ; il est d'un bon niveau dans l'absolu.

ROUGE. Vin savoureux, bien coloré et corsé, au bouquet très fin et profond, dominé par le Montepulciano.

Uva di Troia, et jusqu'à 35 % de Montepulciano, Sangiovese et Bombino nero

Tous

Entre 8 et 20 ans

FAVONIO VT

Attilio Simonini

Vins récoltés à l'est de Foggia, dans un domaine de la plaine de Capitanata, au nord des Pouilles. Bien que les terres semblent trop plates, trop chaudes et trop sèches pour les cépages français, les vins sont remarquablement réussis.

ROUGE. Un superbe Pinot nero au beau caractère variétal et un Cabernet franc parfois élevé en fût ; le vin élevé en fût est extraordinaire.

Cabernet franc, Pinot nero

1981, 1982, 1983, 1985, 1986

Entre 3 et 10 ans

BLANC. Vins secs et relativement légers : un Pinot bianco nerveux et fruité, un Chardonnay en progrès, un Trebbiano racé.

Pinot bianco, Chardonnay, Trebbiano

1981, 1982, 1983, 1985, 1986

1 à 3 ans au maximum

ROSA DEL GOLFO VT

Giuseppe Calo

Un des plus beaux rosés d'Italie, obtenu par un pressurage délicat et une très courte macération.

ROSÉ. Vin rose cerise, léger et parfumé, sec, agréable et bien équilibré, doté d'une saveur fruitée, fraîche et délicate.

Negroamaro, Malvasia nera

Tous

1 à 2 ans au maximum

Autres vins des Pouilles

ALEZIO* DOC

Vin rouge alcoolisé, légèrement tannique, également vendu sous le nom Doxi Vecchio, et vin rosé sec, tendre et savoureux, commercialisé aussi sous l'appellation Lacrima di Terra d'Otranto.

APULIA* VT

Vin rouge robuste et corsé.

BRINDISI DOC

Vin rouge souple et vineux et vin rosé sec, léger et fruité.

CACC'E MMITTE DI LUCERA DOC

Uvaggio rouge corsé fait de sept cépages différents.

CASTEL MITRANO* VT

Ce vin rouge est austère, alcoolisé et tannique.

CASTEL DEL MONTE* DOC

Le vin le plus connu porte le nom du château construit au XIIIe siècle par l'empereur Frédéric von Hohenstaufen. Hormis un *riserva* vendu sous l'étiquette « Il Falcone », les vins sont moins prestigieux que leur nom : vins rouges vineux et tanniques, vins blancs secs délicats, rosés secs parfumés et fruités.

COPERTINO* DOC

Un vin rouge souple et riche et un vin rosé sec finement parfumé.

DONNA MARZIA* VT

Vin rouge corsé et alcoolisé et vin blanc sec.

GRAVINA DOC

Vin blanc frais, sec ou demi-doux, et vin blanc *spumante,* sec ou demi-doux.

LEVERANO DOC

Vin rouge vineux et alcoolisé, vin blanc sec et tendre et vin rosé frais et fruité.

LOCOROTONDO* DOC

Vin blanc sec et légèrement fruité qui peut également être *spumante.*

MARTINI ou MARTINI FRANCA DOC

Vin blanc sec et vineux qui peut être *spumante.*

MATINO DOC

Vin rouge robuste et vin rosé légèrement vineux.

MOSCATO DI TRANI* DOC

Vin blanc moelleux et souple et vin doux *liquoroso.*

NARDO DOC

Vin rouge robuste et alcoolisé.

ORTA VOVA DOC

Vin rouge vineux et corsé et vin rosé sec.

OSTUNI ou BIANCO DI OSTUNI DOC

Vin blanc sec délicat.

OSTUNI OTTAVIANELLO DOC

Vin rouge vineux et léger.

PORTULANO* VT

Giuseppe Calo

Vin rouge corsé, à la saveur ample, qui peut se garder jusqu'à huit années.

PRIMITIVO DI MANDURIA DOC

Vin rouge corsé, sec ou demi-doux, qui peut être aussi naturellement doux, viné et doux ou viné et sec.

ROSSO BARLETTA DOC

Vin rouge rubis ordinaire, moyennement corsé, consommé sur place lorsqu'il est très jeune.

ROSSO CANOSA DOC

Vin rouge vineux un peu tannique.

ROSSO DI CERIGNOLA* DOC

Vin rouge ample, rustique et robuste.

ROSSO DI SAVA* VT

Vinicola Amanda

Vin rouge sec ou doux issu du cépage Primitivo. Ce vin peut également prétendre à la DOC Primitivo di Manduria.

SALICE SALENTINO* DOC

Vin rouge alcoolisé, corsé et riche, et rosé souple et alcoolisé.

SAN SEVERO DOC

Vin rouge et vin rosé vineux et vin blanc sec et frais.

SQUINZANO DOC

Vin rouge corsé et robuste et rosé souple et parfumé.

TORRE ALEMANNA* VT

Riforma Fondiaria

Vin rouge de couleur profonde, corsé, issu de différents cépages dont le Malbec.

TORRE QUARTO* VT

Crillo-Farrusi

Vin rouge corsé et fruité issu de différents cépages dont le Malbec, et vins blancs et rosés secs.

Les vins de Campanie

CAPRI DOC

Vin rouge moyennement corsé, coulant, vin blanc sec et léger, peu distribué en dehors de Capri.

CILENTO* VT

Cantina Sociale di Cilento

Vins rouge et rosé secs ou demi-doux, tranquilles ou *spumanti.* Le vin rouge est à base de Primitivo.

FALERNO* VT

Le Falernum, vin de l'Antiquité, était fait au nord-ouest de la Campanie et dans le Latium. L'Aglianico, rustique, robuste et de couleur profonde, est parfois l'un des meilleurs vins rouges de la région.

FIANO DI AVELLINO* DOC

Le Vignadora de Mastroberardino est le meilleur vin blanc de cette DOC supérieure à la moyenne.

GRECO DI TUFO* DOC

Vin blanc délicat, sec et fruité, parfois *spumante.*

ISCHIA DOC

Vin rouge moyennement corsé et vineux, vin blanc sec ordinaire et vin blanc *superiore* légèrement aromatique.

LETTERE* VT

Un vin rouge tendre et rond qui peut être d'un bon rapport qualité/prix.

RAVELLO* VT

Les vins rouges corsés issus de l'Aglianico, du Merlot et d'autres cépages sont les meilleurs. Il existe aussi des vins blancs et rosés secs.

SOLOPACA* DOC

Vin rouge souple et tendre et vin blanc parfois intéressant.

TAURASI* DOC

Vin qui demande à vieillir parfois jusqu'à une vingtaine d'années. Le Taurasi *riserva* que produit Mastroberardino est le meilleur vin de l'appellation.

VESUVIO DOC

Vin rouge, vin blanc, vin rosé, tous trois *spumanti,* doux et vinés, proviennent de raisins récoltés sur les versants du Vésuve.

Les vins de Basilicate

AGLIANICO DEL VULTURE* DOC

Les meilleurs vins d'Aglianico d'Italie proviennent des pentes du mont Vulture et des collines environnantes. Ce sont les seuls beaux vins de la région. Si le vin est marqué *vecchio,* il a été élevé pendant au moins trois ans, tandis que le *riserva* a au minimum cinq ans ; tous deux doivent passer au moins deux ans sous bois. Ces vins existent aussi en rouge demi-doux *spumante.*

ROUGE. Vins massifs mais équilibrés, d'une belle couleur profonde, avec un fruité aux nuances de cerise et de chocolat et une ferme charpente tannique. Jeunes, ils sont quelque peu rustiques, mais acquièrent une finesse soyeuse en vieillissant.

Aglianico

1981, 1985, 1986

Entre 6 et 20 ans

☆ Fratelli d'Angelo, Paternosta

AGLIANICO DEI COLLI LUCANI* VT

Vinicola Miali

Vin rouge robuste, sec ou demi-doux, auquel s'ajoute un vin rouge *spumante.*

MOSCATO DEL VULTURE* VT

Vin blanc doux de dessert, généralement *spumante.*

MONTEPULCIANO DI BASILICATA* VT

Cantina Sociale del Metapontino

Vin rouge corsé et parfumé.

Les vins de Calabre

GRECO DI BIANCO DOC

Vins *passiti* simples. Le meilleur producteur, Umberto Ceratti, vendange de minuscules raisins rabougris qu'il plonge, semble-t-il, dans l'eau bouillante aussitôt après la récolte ! Le Greco di Bianco de Ceratti est incontestablement le meilleur vin de la région.

BLANC. Vin *liquoroso* puissant, succulent et souple, au bouquet fruité exubérant et vivace et à la finale soyeuse.

Greco et jusqu'à 5 % d'autres cépages

1981, 1983, 1985, 1986

Entre 3 et 5 ans

☆ Umberto Ceratti

CERASUOLO DI SCILLA VT

Vin *uvaggio* rouge cerise, sec ou demi-doux.

CIRO DOC

Vin rouge, vin blanc et vin rosé puissants et alcoolisés.

DONNICI DOC

Vins rouges et rosés secs et fruités, à boire jeunes.

LAMEZIA DOC

Vin rouge léger et délicatement fruité.

MELISSA DOC

Vin rouge corsé et vin blanc sec et nerveux.

POLLINO DOC

Vin *chiaretto* ample et fruité.

SANT'ANNA DI ISOLA CAPO RIZZUTO DOC

Vins rouges et rosés vineux.

SAVUTO* DOC

Vin rouge ou vin rosé léger et plaisant.

Les vins de Sicile

ALCAMO ou BIANCO ALCAMO DOC

Vin blanc sec et légèrement fruité.

CERASUOLO DI VITTORIA DOC

Vin rouge cerise provenant du sud-est de la Sicile.

CORVO* VT

Duca di Salaparuta

C'est la marque des « Stravecchio di Sicila », rouges ou blancs, *spumanti* et vinés, qui sont sans doute les vins les plus connus de Sicile. Le vin rouge, ample, souple et fruité, est régulièrement le meilleur.

ETNA* DOC

Dans l'Odyssée, Ulysse utilise ce vin pour intoxiquer les Cyclopes. Sont vendus sous cette appellation un vin rouge ample, un rosé fruité et un vin blanc sec tendre mais assez neutre.

FARO DOC

Vin rouge de couleur rubis, moyennement corsé, issu du cépage Nerello cultivé autour de Messine.

MALVASIA DELLE LIPARI DOC

Vin blanc *passito* moelleux et aromatique.

MARSALA* DOC

Vin viné sec, demi-doux ou doux, de couleur or (*oro*), ambrée (*ambra*) ou rouge (*rubino*). Le *Fine* est la catégorie de base ; parmi les trois versions, seul le *rubino* doit mûrir pendant un an ; la durée minimale de l'élevage est fixée à deux ans pour le simple *superiore* et à quatre ans pour le *riserva* ; le *Solera* ne peut être vendu s'il n'a pas au moins cinq ans et, s'il s'agit d'un *stravecchio* ou d'un *riserva,* au moins dix ans.

MOSCATO DI NOTO DOC

Vin de Moscato tranquille, *spumante* ou viné, demi-doux ou doux.

MOSCATO DI PANTELLERIA* DOC

Le meilleur vin de Moscato produit en Sicile. Il est tranquille ou *spumante,* viné, demi-doux ou doux.

MOSCATO DI SIRACUSA DOC

Vin blanc moelleux souple.

REGALEALI* VT

Conte Tasca d'Almerita

Ce vin rouge riche et corsé, ce vin blanc et ce rosé sec et nerveux sont parmi les meilleurs de Sicile.

SOLICCHIATO BIANCO DI VILLA FONTANE* VT

Giuseppe Coria

Vin de dessert ambré demi-doux, typé, fait de raisins ayant séché au soleil.

STERI* VT

Giuseppe Camilleri

Le vin rouge, de couleur profonde, corsé, est assez bon tandis que le vin blanc sec et nerveux est simplement honnête.

Les vins de Sardaigne

ANGHELU RUJU* VT

Sella & Mosca

Vin de dessert rouge, intéressant, à la fois sombre, riche et doux.

ARBOREA DOC

Vin rouge de Sangiovese et vin blanc de Trebbiano sec ou demi-doux.

CAMPIDANO DI TERRALBA ou TERRALBA DOC

Vin rouge tendre et corsé à base de Boval.

CANNONAU DI SARDEGNA* DOC

DOC de qualité variable qui recèle quelques joyaux. Elle offre des vins rouges, blancs et rosés secs, demi-secs et doux et des *liquorosi.*

CARIGNANO DEL SULCIS DOC

Vin rouge et vin rosé vineux et souples.

GIRÒ DI CAGLIARI DOC

Vin rouge souple, alcoolisé, sec ou doux, ainsi qu'un vin viné sec ou doux.

MALVASIA DI BOSA DOC

Le vin blanc est riche et corsé, moelleux ou sec ; le vin *liquoroso* est sec ou doux.

MALVASIA DI CAGLIARI DOC

Vin blanc alcoolisé, sec ou moelleux, et vin *liquoroso,* sec ou doux.

MALVASIA DI PLANARGIA* VT

Emilio & Gilberto Arru

Ce *Vino da tarola* est une sorte de Malvasia di Bosa supérieur.

MANDROLISAI DOC

Vin rouge et vin rosé au parfum sec et à l'arrière-bouche amère.

MONICA DI CAGLIARI DOC

Un vin rouge délicatement parfumé, souple, sec ou doux, et un vin *liquoroso* sec ou doux.

MONICA DI SARDEGNA DOC

Ce vin rouge est moyennement corsé et parfumé.

MOSCATO DI SORSO-SENNORI DOC

Moscato blanc moelleux et *liquoroso* aromatique, plus amples et plus onctueux que les Moscato di Cagliari.

NASCO DI CAGLIARI DOC

Un vin blanc sec ou moelleux, finement parfumé, qui peut également être *liquoroso.*

NURAGUS DI CAGLIARI DOC

Ce vin blanc, sec ou demi-doux, est parfois *frizzante.*

TORBATO DI ALGHERO* VT

Sella & Mosca

Vin blanc sec et nerveux.

VERMENTINO DI GALLURA DOC

Ce vin blanc sec est léger, tendre ou mou, mais toujours net.

VERNACCIA DI ORISTANO* DOC

Le vin blanc sec, légèrement amer, est proche du Xérès ; le vin *liquoroso* est sec ou doux.

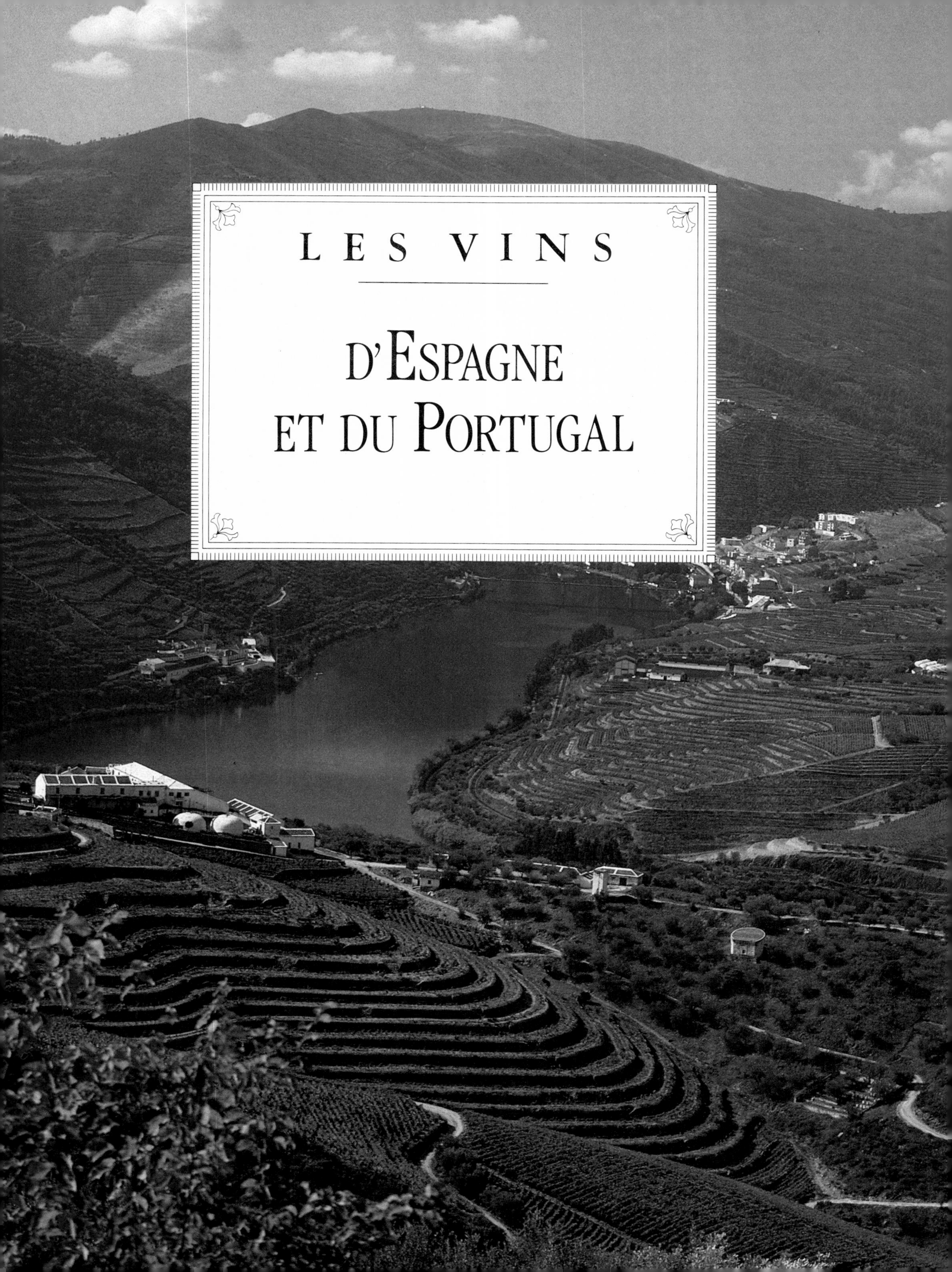
LES VINS
D'ESPAGNE
ET DU PORTUGAL

Espagne

Après la France, c'est l'Espagne qui produit les meilleurs vins en Europe. Son industrie viti-vinicole, qui marie avec succès tradition et innovation, sera certainement propulsée au premier plan dans les années 90.

Jusqu'au début des années 70, près de 95 % des vins espagnols exportés étaient vendus en gros et expédiés par navires-citernes. Un témoin des opérations de pompage aurait pu aisément se fourvoyer et croire le liquide destiné à l'industrie pétrochimique plutôt qu'à la consommation. Par la suite, les importateurs ajoutaient toujours au vin beaucoup d'anhydride sulfureux dans l'espoir d'arrêter l'oxydation. Celle-ci prenait, en effet, des proportions alarmantes en raison des techniques de vinification médiocres utilisées en Espagne.

L'INDUSTRIE DU VIN

À cette époque, le vin espagnol était très mauvais. La plupart des blancs étaient issus de l'Airén, un cépage inférieur cultivé dans tout le pays, et d'abord dans les plaines. Le même vin de coupage se cachait derrière de nombreuses étiquettes : mis en bouteille tel quel, il était baptisé « Chablis » par l'importateur ; additionné d'un peu de concentré de raisin, il devenait un « Graves » ; avec un peu plus de concentré c'était de l'« Entre-Deux-Mers » ; de grandes quantités le transformaient en « Sauternes » ou en « Barsac », ce dernier étant un peu moins sucré que la version « Sauternes ». Les vins étaient tous ternes, mous et effroyablement soufrés. D'ordinaire, les vins rouges étaient sombres, lourds, trop alcoolisés et oxydés. Plus ces caractéristiques étaient prononcées, et plus le vin avait de chances d'être étiqueté « Bourgogne » – pratique qui en dit long sur la triste image qu'avait alors le vrai Bourgogne !

LA RIOJA ET LA RENAISSANCE DU VIN

Les exportations diminuent régulièrement depuis les années 70, et plus de 90 % des vins non exportés sont vendus en bouteilles. Personne, en particulier parmi les Espagnols, ne déplore l'abandon de la production de masse. Pour gagner une respectabilité internationale, les producteurs espagnols offrent à présent des vins d'un bon rapport qualité/prix. Le succès de la Rioja a presque été trop

COMMENT LIRE LES ÉTIQUETTES DE VIN ESPAGNOL

Appellation
L'origine du vin fournit une première indication sur sa qualité et son style. Dans le cas présent, il s'agit de Rioja, suivi de la mention « Denominación de origen », une appellation d'origine. Malheureusement, les vins de DO ne portent pas toujours cette mention ; si la plupart des consommateurs ont entendu parler de la Rioja, qui connaît, en effet, toutes les autres DO ?

Style du vin
La mention *rosado seco* sur cette étiquette indique qu'il s'agit d'un rosé sec. Il existe bien sûr d'autres mentions : *blanco* (blanc), *Cava* (vin de DO effervescent obtenu par la méthode champenoise), *clarete* (clairet, mais ce terme est souvent remplacé par *tintillo*), *cosechero* (vin de l'année, généralement synonyme de *nuevo*), *espumoso* (vin effervescent élaboré selon n'importe quelle méthode), *generoso* (vin viné ou de dessert), *nuevo* (le style « nouveau », frais et fruité), *tintillo* (vin rouge clairet, synonyme de *clarete*), *tinto* (rouge), *viejo* (vieux, mais cette mention n'est pas réglementée), *vino de aguja* (vin pétillant), *vino de mesa* (vin de table), *vino de pasto* (vin ordinaire, bon marché, souvent léger).

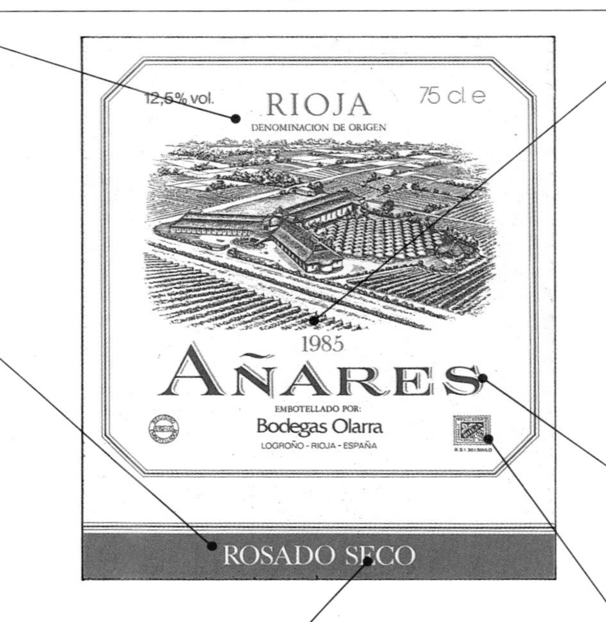

Douceur
En Espagne, la douceur des vins blancs est souvent indiquée sur l'étiquette – les producteurs français devraient peut-être s'inspirer de leurs voisins. Les termes utilisés sont : *brut* (en général pour les vins effervescents), *seco* (sec), *semi-seco* (demi-sec), *abocado* (demi-doux), *dulce* (moelleux ou doux).

Estampille du *Consejo regulador*
Le *Consejo regulador* garantit l'origine du vin ; son estampille peut figurer sur l'étiquette ou sur la capsule (voir p. 270).

Millésime
Jusqu'à la fin des années 70, alors que les vins espagnols vendus en bouteilles n'étaient pas aussi nombreux qu'aujourd'hui sur les marchés étrangers, les millésimes indiqués sur beaucoup d'étiquettes n'avaient aucune signification. Si le 1964 était très apprécié sur le marché national, on ne mettait en vente que des vins portant ce millésime, et les consommateurs ne remarquaient pas, ou feignaient de ne pas remarquer, qu'il n'existait pas de 1963 ni de 1965. À présent, les millésimes sont exacts ; les producteurs espagnols sont tenus d'observer la réglementation communautaire qui impose que la bouteille contienne au moins 85 % de vin produit dans l'année indiquée. Le terme *cosecha* (récolte) précède souvent l'année.

Nom
Il peut s'agir du nom de la marque ou d'un vignoble en particulier, voire simplement de la bodega qui a produit le vin. Il est accompagné parfois d'autres mentions : *anejado por* (« vieilli par »), *bodega* (littéralement « cave à vins », fait souvent partie du nom d'une firme, ici Bodegas Olarra), *criado por* (« assemblé et/ou élevé par »), *elaborado por* (« élaboré par »), *embotellado por* (« mis en bouteilles par »), *viña* ou *viñedo* (littéralement « vignoble », mais compose souvent le nom d'une marque qui ne se rapporte à aucun vignoble précis).

Autres indications de style ou de qualité pouvant figurer sur l'étiquette :

Sin crianza
Vins qui n'ont pas été élevés en fûts, soit tous les blancs, vinifiés à basse température et mis en bouteilles précocement, et la plupart des rosés.

Con crianza* ou *Crianza
Vin qui a été élevé en fûts pendant au moins un an s'il est rouge, six mois s'il est blanc ou rosé.

Reserva
Dans les bonnes années, les meilleurs vins d'une région sont vendus comme *Reservas*. Les vins rouges doivent être élevés pendant au moins trois ans et les vins blancs et rosés pendant deux ans. Les vins rouges auront passé au minimum un an en fûts de chêne et les blancs et rosés au moins six mois. Dans la Rioja, la meilleure région espagnole, seulement 7 % des vins vendus sont des *Reservas*.

Gran Reserva
Catégorie réservée, en général, aux cuvées de *Reservas* nées des plus grandes années. Les vins rouges séjournent pendant au moins deux ans en fûts de chêne et trois en bouteilles, ou inversement. L'élevage d'un *Gran Reserva* blanc ou rosé dure au minimum quatre ans, dont six mois au moins dans le chêne. Dans la Rioja, le *Gran Reserva* représente à peine 5 % des vins vendus.

Doble pasta
Cette mention s'applique aux vins rouges qui ont macéré avec une proportion de peaux de raisin deux fois supérieure à la normale (*voir* « La vinification », p. 18). Ces vins sont opaques, d'une couleur intense. Ils peuvent être vendus purs ou coupés avec des vins plus légers.

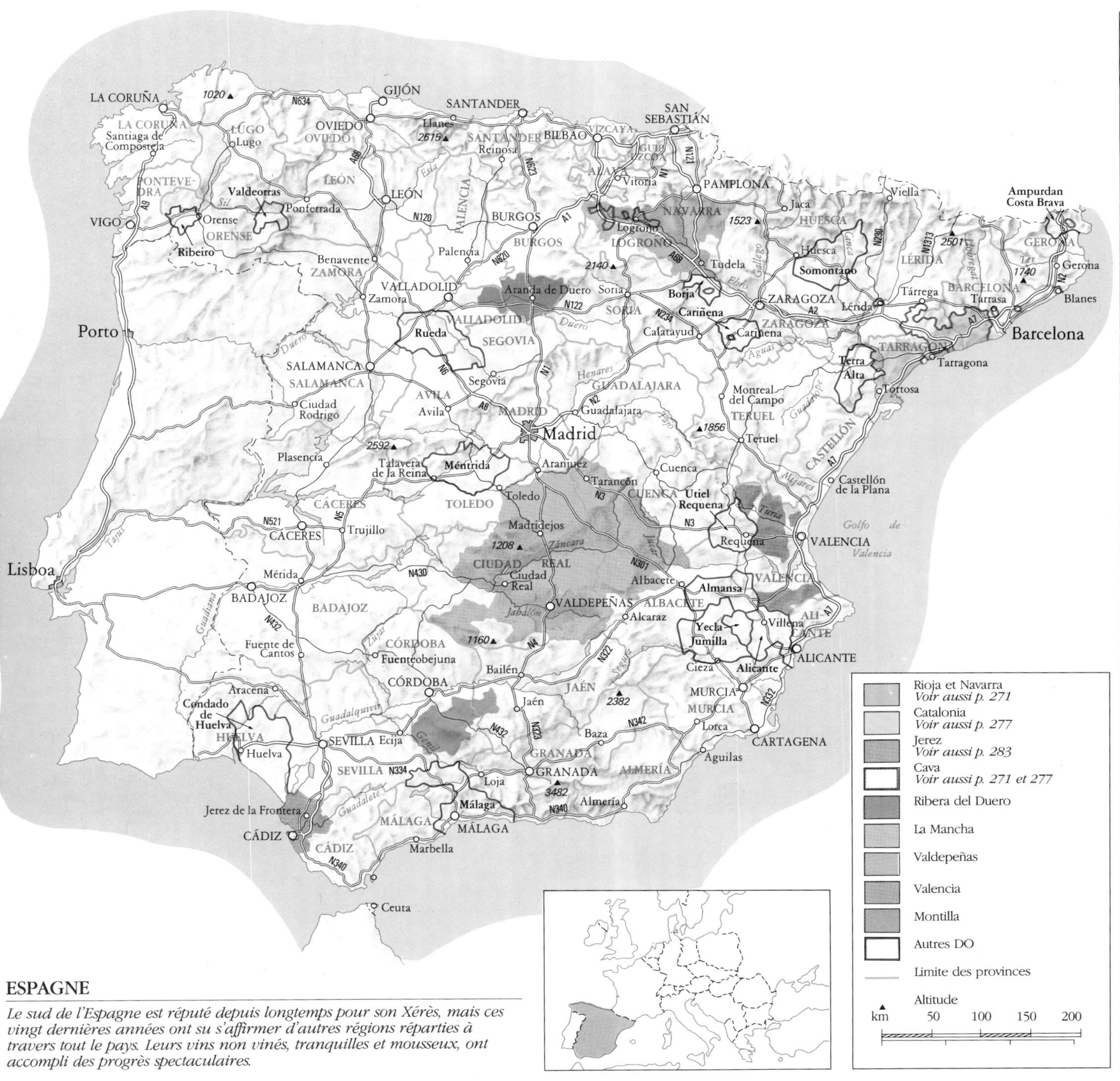

ESPAGNE

Le sud de l'Espagne est réputé depuis longtemps pour son Xérès, mais ces vingt dernières années ont su s'affirmer d'autres régions réparties à travers tout le pays. Leurs vins non vinés, tranquilles et mousseux, ont accompli des progrès spectaculaires.

grand. Il faut maintenant persuader les consommateurs que le pays compte d'autres régions viticoles. Le Xérès conserve bien sûr sa renommée mais, depuis l'avènement de la Rioja, les vins de Navarre ont émergé à leur tour, de même que les vins catalans classiques de Penedés, sous la conduite de Miguel Torres, l'un des plus grands novateurs au monde dans le domaine vinicole. La Catalogne est au centre de l'industrie du Cava, et l'excellence de ses vins effervescents a presque surpris ses rivaux du Marché commun au milieu des années 80. La CEE tentait de mettre au point, depuis près de trois ans, une définition acceptable du concept de « méthode champenoise » lorsque certains s'avisèrent que l'Espagne, qui possède avec Cava l'appellation de méthode champenoise la plus vaste au monde, était à quelques mois d'entrer dans la Communauté. Ce n'est pas un hasard si le terme fut précipitamment banni dans les derniers mois de 1985.

Les meilleures régions viticoles espagnoles

Le Vega Sicilia est à la fois le plus grand et le plus cher des vins espagnols. Il provient de la Ribera del Duero, classée DO en 1982, où quelques firmes élaborent des vins rouges formidables. La Ribera del Duero peut disputer à la Rioja le titre de meilleure région productrice de vins rouges.

Certaines régions espagnoles parmi les moins favorisées seraient certainement capables d'offrir des vins agréables. Les vignobles d'Australie et d'Afrique du Sud, rôtis par le soleil, plantés dans un sol peu propice à la viticulture, produisent des vins étonnamment frais, au caractère variétal bien marqué. Nul doute que le génial Miguel Torres obtiendrait des résultats au moins équivalents dans quelques-unes des aires les plus pauvres d'Espagne, qui ne sont pas aussi difficiles ou exigeantes.

LES APPELLATIONS ESPAGNOLES

La *Denominación de origen* (DO) est l'équivalent espagnol de l'AOC française. La réglementation relative aux cépages s'adresse cependant à des appellations, non à des types de vins précis comme en France. Le système des DO a ses défauts mais ils ne sont pas aussi graves que certains l'affirment. D'aucuns font observer que les DO couvrent jusqu'à 62 % du vignoble espagnol, alors que les DOC italiennes ne représentent que 10 % des vignes du pays. Trop de régions ordinaires sont élevées, en effet, au rang de DO mais, en Italie, plus de 500 vins souvent quelconques, qui portent plus de 5 000 noms différents, sont classés DOC. Le système espagnol a incontestablement de l'avenir, à condition d'être développé prudemment.

Le 22 février 1988, un décret royal définissait les conditions permettant aux DO d'obtenir le statut supérieur de *Denominación de origen calificada* ou DOCa, innovation comparable à la DOCG italienne, mais dont on espère qu'elle aura plus de sens. Quelques communes, dans certaines DO, accéderont sans doute au statut de DOCa avant 1990, mais on ne s'attend à aucun reclassement important dans un avenir proche.

ESTAMPILLES DU *CONSEJO REGULADOR*

Chaque DO possède sa propre estampille qui figure, en général, sur l'étiquette et garantit l'authenticité du vin.

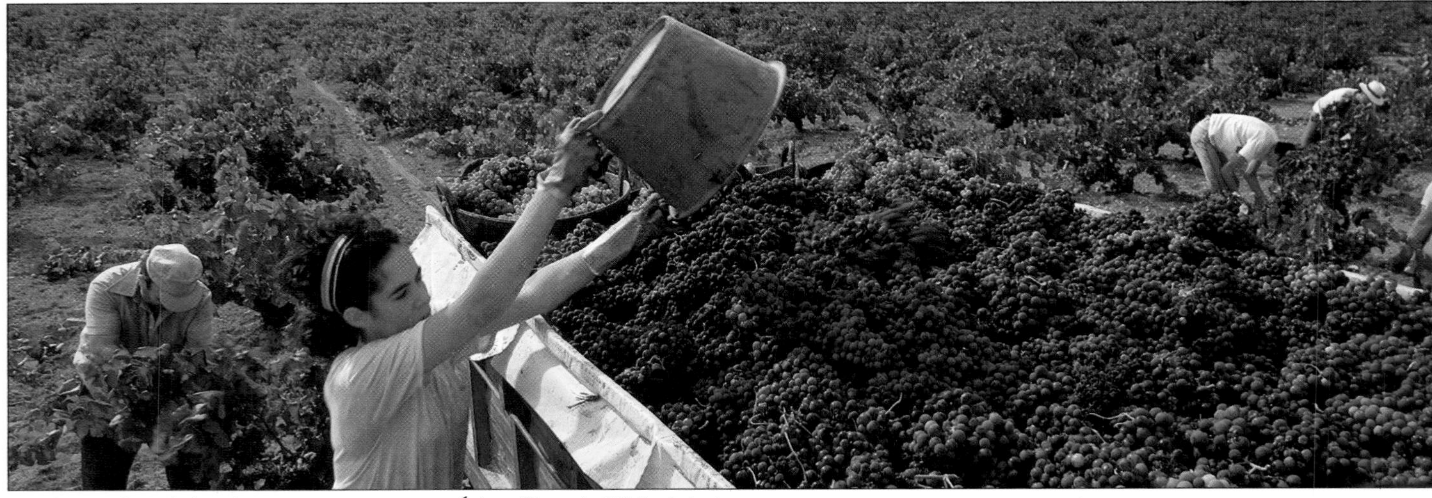

Vendanges du Bobal, ci-dessus
Les vins rouges et rosés produits dans la DO Utiel-Requena sont dominés par ce cépage.

Échantillons de Xérès, à droite
L'évolution en fûts d'un Xérès permet de déterminer le style futur du vin.

La Terra Alta de la Rioja, ci-dessus
Les terres vallonnées du plus grand secteur de la Rioja donnent les rouges les plus souples.

Rioja et Navarre

Les meilleures régions viticoles d'Espagne, la Rioja et la Navarre, produisent surtout des vins rouges ; comme les vins blancs, ils sont réputés pour leurs nuances boisées de chêne. Les vins les plus réussis proviennent des secteurs Alta et Alavesa, dans l'ouest de la Rioja ; les premiers sont très fruités, les seconds possèdent davantage de finesse. Rares sont les vins, toutefois, issus d'un seul secteur et les vins plus trapus de la Rioja Baja, à l'est, se révèlent parfois très utiles pour équilibrer un assemblage.

Non loin des tristes faubourgs de la ville commerciale de Bilbao, le paysage de la vallée devient d'une beauté spectaculaire, avec ses trésors architecturaux du XIIe siècle, ses *pueblos* isolés au sommet des collines, où les gens sont très aimables et la cuisine généreuse. Telle est l'Espagne rurale, loin des quais, des usines et des bureaux du pays industrialisé et des centres touristiques. Les lignes du paysage sont sinueuses ; des éminences s'élèvent soudain comme jaillies de nulle part, et d'étonnantes formations rocheuses semblent dominer la campagne environnante. Les châteaux, qui paraissent disposés au gré du hasard, ressemblent plus à des églises qui menaceraient de s'effondrer si elles devaient accueillir une foule de fidèles. Ils ont pourtant su résister aux attaques des Maures.

RIOJA

Bien des vignerons français déplorent la bonne réputation que la Rioja vaut aux vins espagnols. Pourtant, ce sont précisément des Français qui ont donné aux vins de la région leurs nuances de chêne et de vanille inimitables qu'admirent les amateurs du monde entier. Dès le XVIIIe siècle, des Riojanos avisés tournaient leurs regards vers la France, en particulier vers le Bordelais, dans l'espoir d'améliorer leurs techniques de vinification. Quelques changements en découlèrent, mais la véritable révolution est bien plus récente. Lorsque le phylloxéra ravagea le vignoble français dans les années 1860, un certain nombre de vignerons, Bordelais pour la plupart, mais aussi quelques Bourguignons, renonçant à tout espoir de ressusciter leur propres vignobles, sont venus fonder de nouvelles bodegas dans la Rioja.

Nul ne conteste que l'influence française fut à l'origine de l'ascension de cette région, mais on est également persuadé sur place que le vin de la Rioja est intrinsèquement supérieur à tous les autres vins espagnols. Seule une loi actuellement en vigueur pourrait menacer les progrès futurs. Elle stipule qu'une bodega doit détenir un stock minimal de 500 barriques pour pouvoir exporter du vin. Si cette loi était appliquée en Bourgogne, elle empêcherait pratiquement tous les meilleurs vins de quitter le pays.

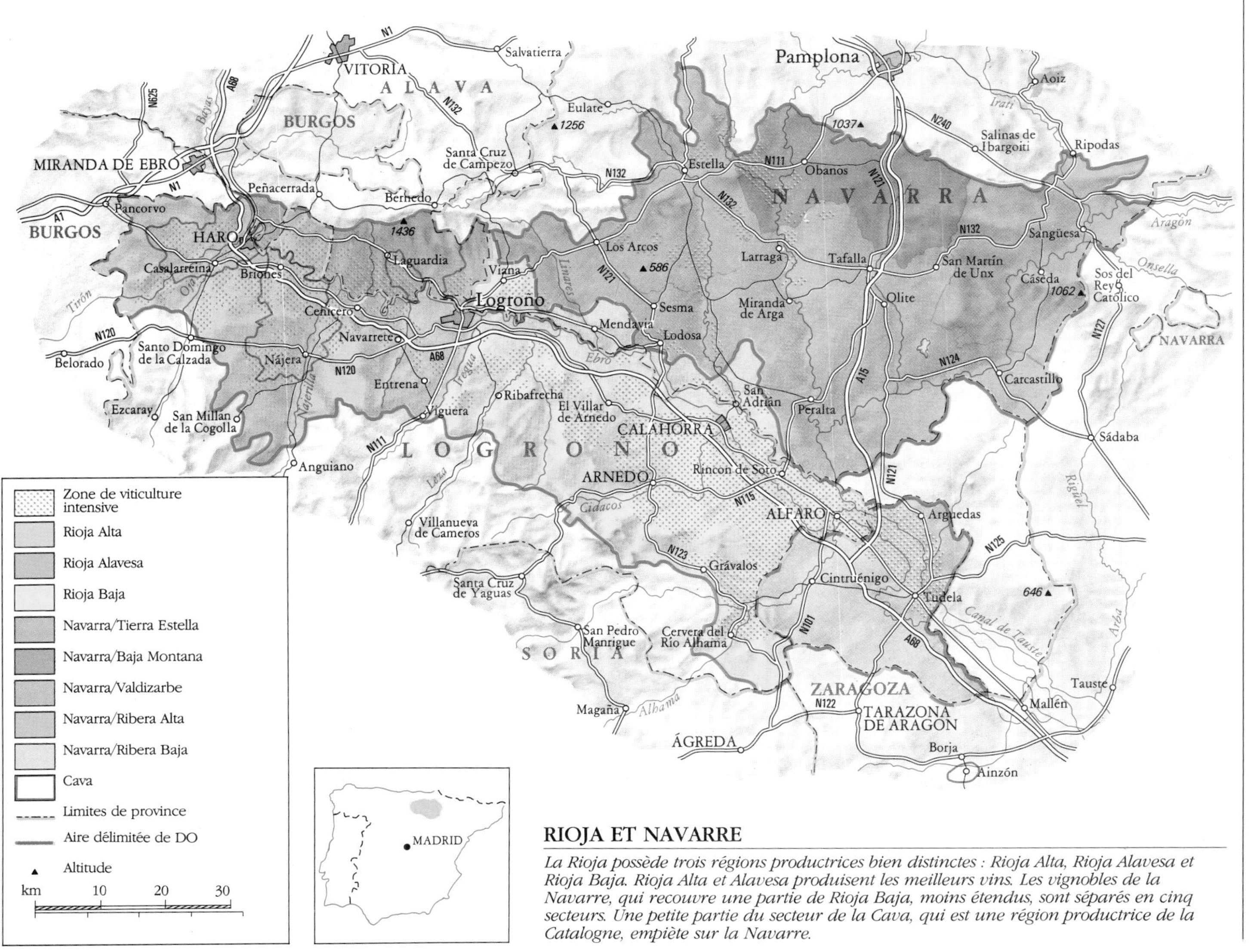

RIOJA ET NAVARRE

La Rioja possède trois régions productrices bien distinctes : Rioja Alta, Rioja Alavesa et Rioja Baja. Rioja Alta et Alavesa produisent les meilleurs vins. Les vignobles de la Navarre, qui recouvre une partie de Rioja Baja, moins étendus, sont séparés en cinq secteurs. Une petite partie du secteur de la Cava, qui est une région productrice de la Catalogne, empiète sur la Navarre.

Le vin rouge « sans chêne »

L'élevage en fûts conditionne largement le caractère des vins de la Rioja. La région recèle des milliers de barriques bordelaises de 225 litres. Certaines bodegas s'appliquent pourtant à supprimer toute trace de l'influence du chêne. Elles enlèvent à la vapeur les aldéhydes présents dans le bois – essentiellement la vanilline –, puis utilisent les barriques pour conserver des vins plus ordinaires avant d'y élever des *Reservas* et des *Gran Reservas*. Seuls quelques Rioja élaborés ainsi ont assez de caractère pour être réussis. Les vins sont plus concentrés, grâce aux rendements inférieurs, mais ce ne sont pas des Rioja au sens classique.

Les Rioja classiques

La région a acquis une renommée internationale pour avoir su produire et vendre à des prix compétitifs des vins rouges de belle qualité marqués par le chêne. La situation est légèrement différente pour les vins blancs : élevés en fûts de chêne comme les Rioja *tintos*, ils perdent en fruité et en fraîcheur, s'oxydent rapidement et laissent en bouche un goût tranchant et acide. À côté de ces vins, une autre voie s'imposa peu à peu ; le Marqués de Murrieta *blanco*, peut-être le Rioja blanc le plus traditionnel, l'emprunta dès 1978. Il acquit d'abord une note fruitée, puis un peu de fraîcheur et réalise à présent un modeste équilibre entre les deux. La plupart des vins blancs sont encore faits dans le style traditionnel, mais presque toutes les grandes maisons qui travaillent avec l'étranger proposent maintenant des blancs « nouvelle école ».

Les vins blancs de la « nouvelle école »

À la différence des vins rouges « sans chêne », les « nouveaux vins blancs » méritent une place sur le marché actuel, où la mode est aux vins plus légers, plus frais et plus secs. Avec à sa tête le Marqués de Cáceres *blanco*, un vin nerveux, métallique et net qui peut évoquer le Sauvignon blanc, bien qu'il soit issu à 100 % du cépage Viura, cette nouvelle catégorie s'est bien imposée auprès des consommateurs. Si agréables que soient ces vins, ils ne possèdent pour l'instant aucune des caractéritiques principales qui font l'originalité des vins de la Rioja. Quelques-uns, comme l'« Añares blanco seco » d'Olarra, le « Diamante » de Franco-Españolas et le « Monopole » de la CVNE, ont su allier cependant les nuances crémeuses et vanillées du chêne, qui sont la marque des Rioja, avec une fraîcheur superbe et des arômes de citron.

LES SECTEURS DE LA RIOJA

Le vignoble de la Rioja couvre 37 500 hectares situés le long de la vallée de l'Èbre, entre Haro et Alfaro, et dans l'arrière-pays, notamment sur les rives des affluents de l'Èbre. L'un d'eux, la rivière Oja, a donné son nom à la région. La production annuelle atteint en moyenne 12 millions de caisses (1 080 000 hectolitres), dont 70 % de vin rouge, 15 % de blanc et 15 % de rosé. La plupart des Rioja sont des assemblages de vins provenant des trois secteurs de la région : Rioja Alta, Alavesa et Baja.

Rioja Alta

Vignobles : *16 130 hectares*
Cépages : *Tempranillo 60 %, Mazuelo 10 %, Garnacha 10 %, Graciano 2 %, Viura 15 %, Malvasia 2 %, autres 1 %*

Les principales communes de la région, Logroño et Haro, sont toutes deux dans la Rioja Alta (Haute-Rioja). Logroño est un très gros bourg ; Haro, situé à l'extrémité ouest de la région, au sommet d'une colline, est à la fois plus petit, plus charmant et plus traditionnel.

Le vin de la Rioja Alta, le plus fruité et le plus concentré, peut avoir une souplesse veloutée. Les Bodegas Muga produisent de beaux exemples de purs Rioja Alta, de même que la CVNE – dans sa gamme « Imperial » – neuf années sur dix.

Rioja Alavesa

Vignobles : *8 035 hectares*
Cépages : *Tempranillo 80 %, Garnacha 5 %, Viura 10 %, autres 5 %*

La Rioja Alavesa n'abrite aucune grande ville et son climat est comparable à celui de la Rioja Alta. Les Rioja produits ici sont les plus corsés, ils montrent un caractère bien plus ferme et une plus forte acidité. C'est dans ce secteur que Pedro Domecq, après des années de recherche intensive, installa son vaste domaine de 400 hectares. À la conduite en arbuste pratiquée dans la région, il préféra le palissage des vignes sur fil de fer.

Outre le « Domaine Domecq », qui est manifestement un pur Alavesa, le « Labista de Alava » de Remelluri et le « Viñedos del Contino » de Laserna, qui proviennent de vignobles uniques, sont des vins typiques du secteur Rioja Alavesa. Il faut y ajouter la gamme « Real » de la CVNE, bien qu'elle ne soit pas issue à 100 % de la Rioja Alavesa.

Rioja Baja

Vignobles : *13 335 hectares*
Cépages : *Tempranillo 2 %, Garnacha 90 %, Viura 3 %, autres 5 %*

La Rioja Baja (Basse-Rioja) est une aire quelque peu aride, influencée par la Méditerranée, plus chaude, plus ensoleillée et plus sèche que l'Alta et l'Alavesa. Les précipitations annuelles varient entre 38 et 43 centimètres, mais ne dépassent pas 25 centimètres à Alforo, dans le Sud. Environ 20 % des vignes cultivées dans la Rioja Baja peuvent prétendre également à l'appellation Navarra. Les vins sont de couleur profonde et très alcoolisés – parfois jusqu'à 18° –, mais manquent d'acidité, d'arôme et de finesse et servent plutôt aux assemblages.

LES CÉPAGES

Les vins de la Rioja étant presque toujours issus de plusieurs cépages, leur qualité et leur caractère dépendent dans une large mesure du style de chaque producteur. Celui-ci s'efforce d'assembler les vins selon la puissance, le corps et le style que donne chacun des terroirs, et essaie en général d'équilibrer les différentes caractéristiques variétales des cépages autorisées : Tempranillo, Garnacha, Graciano, Mazuelo, Viura, Malvasia et Garnacha blanca (peu employée).

Un Rioja rouge typique
Tempranillo 70 %, pour le bouquet caractéristique, une bonne acidité et l'aptitude au vieillissement. Le raisin mûrit quelque deux semaines avant la Garnacha. Dans d'autres régions d'Espagne, on l'appelle Cencibel, Tinto fino ou Ull de Llebre.
Garnacha 15 %, pour le corps et l'alcool – en excès, elle risque de rendre le vin dur. La Garnacha n'est autre que le Grenache du Rhône ; on l'appelle aussi Lladoner et Aragonés. C'est le cépage dominant de la Rioja Baja.

Graciano 7,5 %, pour la fraîcheur, la saveur et l'arôme. C'est un raisin singulier, il a une peau noire fine et cependant très dure.

Mazuelo 7,5 %, pour la couleur, le tanin et une bonne aptitude au vieillissement. C'est le Carignan, aussi appelé Cariñena. Aux cépages précédents s'ajoute parfois une petite proportion de raisin blanc, par exemple 5 ou 10 % de Viura.

Un Rioja blanc typique
Viura 95 %, pour la fraîcheur et le parfum. Ce cépage a une acidité correcte et une bonne résistance à l'oxydation. On l'appelle également Macabéo et Alcañon.
Malvasia 5 %, pour la richesse, le parfum, l'acidité et la complexité. Ce cépage, appelé aussi Rojal blanco et Subirat, tend à rougir lorsqu'il est mûr ; il faut donc le pressurer rapidement pour éviter que le moût soit teinté. La plupart des vins blancs sont de purs Viura, mais certains sont composés pour moitié de Malvasia.

NAVARRE (NAVARRA)

Sans être tout à fait au même niveau que la Rioja, la Navarre produit quelques très beaux vins qui sont généralement d'un rapport qualité/prix exceptionnel. La région, située au sud de Pampelune, recouvre une partie de la Rioja Baja. Elle s'étend sur 26 500 hectares dont 18 000 sont classés DO Navarra. Les récents succès commerciaux ont mis fin à une phase de déclin qui avait conduit certains vignerons à préférer à la vigne la culture de l'asperge et de l'artichaut. Cette renaissance a encouragé d'ambitieuses expériences avec des cépages étrangers classiques. Le Cabernet Sauvignon est autorisé depuis quelques années à titre expérimental, et l'Estacíon de viticultura y enología de Navarra (EVENSA), le centre de recherche viticole et œnologique le plus avancé d'Espagne, effectue maintenant des recherches sur plusieurs autres cépages. Son siège est à Olite, dans la Ribera Alta, et un certain nombre de bureaux sont répartis à travers tous les secteurs de Navarre. Le Merlot sera sans doute autorisé bientôt tandis que d'autres variétés sont en cours d'examen, en particulier le Chardonnay, le Pinot noir, le Gamay, la Syrah, le Chenin blanc, le Gewurztraminer, le Sangiovese, la Barbera, le Riesling du Rhin et même le Ruby Cabernet, un croisement californien.

L'industrie viticole de la Navarre

La Navarre compte actuellement 84 bodegas : 52 sont des coopératives mais 16 seulement exportent leur production. Parmi ces 16 bodegas, quatre vinifient et élèvent leurs vins dans leurs propres locaux. L'une d'elles est cependant l'Unión territorial de cooperativas de Campo (UTECO), qui pourrait faire profiter de ses activités exportatrices la totalité des 52 coopératives qui la composent.

FACTEURS AFFECTANT LE GOÛT ET LA QUALITÉ

Situation
Situées dans le nord de l'Espagne, la Rioja et la Navarre sont limitées au nord-est par les Pyrénées et au sud-ouest par la Sierra de la Demanda.

Climat
Les monts Cantabriques, chaîne d'altitude modeste mais de structure impressionnante, contribuent à la qualité des vins puisqu'ils protègent la région des vents dévastateurs qui soufflent du golfe de Gascogne et limitent l'influence de l'Atlantique et de la Méditerranée. La température monte et les précipitations diminuent progressivement en direction de la Méditerranée. Les Pyrénées, au nord, protègent également la région, mais les hivers peuvent être froids et brumeux. La Rioja reçoit parfois des orages de grêle et peut souffrir du *solano*, un vent chaud et sec.

Site
Les vignobles occupent des sites divers, depuis les contreforts pyrénéens de la Navarre jusqu'aux terres plus plates de la Rioja Baja, dans le Sud-Est. Les contrées vallonnées centrales de la Rioja Alta et de la Rioja Alavesa abritent la plupart des meilleurs vignobles.

Sol
Les sols sont variés mais le calcaire est présent partout. Dans la Navarre, il contient entre 25 et 45 % de chaux, il est recouvert d'une couche d'alluvions limoneux près de l'Èbre, de calcaire délité et de grès dans les régions plus sèches. Associé à du grès ou à des dépôts d'argile calcaire et d'ardoise, il prédomine dans la Rioja Alta et Alavesa. Il s'étend sous de l'argile ferrugineuse et sous un limon vaseux dans la Rioja Baja.

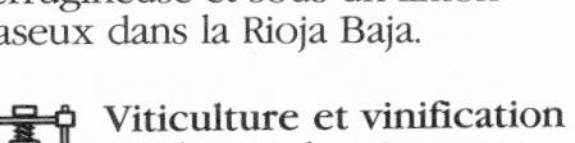

Viticulture et vinification
La plupart des vins sont issus d'au moins trois cépages cultivés dans différents secteurs ; les vins provenant d'un cépage ou d'un domaine unique sont très peu nombreux. La vinification traditionnelle, encore en usage pour le *vino nuevo*, est une forme fruste de macération carbonique réalisée dans des cuves ouvertes, le raisin étant foulé après quelques jours de fermentation. Cette méthode rappelle celle qu'on utilisait autrefois pour le Beaujolais, mais les vins sont ici bien plus durs, ils ont une robe prune foncée et beaucoup de tanins.

Les vins, en majorité, sont vinifiés normalement, mais élevés plus longtemps que d'autres. Si l'élevage en fûts a été écourté au profit d'un long mûrissement en bouteilles, le caractère du Rioja reste fortement tributaire du chêne, et il est essentiel pour son avenir qu'il le demeure.

Cépages principaux
Tempranillo, Viura

Cépages secondaires
Garnacha, Garnacha blanca, Graciano, Muscat blanc à petits grains, Mazuelo, Malvasia, Cabernet Sauvignon

LES SECTEURS DE LA NAVARRE

La région est divisée en cinq secteurs :

Baja Montana

Vignobles : ***4 000 hectares***
Cépages : ***Garnacha et Tempranillo 50 %, autres 50 %***

Situé dans les contreforts montagneux, ce secteur est le plus humide et le plus élevé de la Navarre, et les vendanges sont nettement plus tardives que dans le sud de la région. Grâce à des précipitations abondantes, les rendements dépassent de 50 à 100 % ceux des autres secteurs. On produit ici certains rosés qui sont parmi les meilleurs de la Navarre ; ils livrent des arômes et des saveurs frais et fruités.

Ribera Alta

Vignobles : ***8 100 hectares***
Cépages : ***Viura 40 %, Tempranillo 25 %, Garnacha 15 %, Malvasia 10 %***

La Ribera Alta, qui borde la Rioja Alta, est le plus grand des cinq secteurs de la Navarre et produit certains des plus beaux vins de la région. Les rosés sont souples et aromatiques, les vins rouges tendres et fruités, et les blancs tendres, secs et frais.

Ribera Baja

Vignobles : ***8 000 hectares***
Cépages : ***Garnacha 45 %, Viura 30 %, Malvasia 10 %, Muscat à petits grains 10 %, autres 5 %***

Ce secteur très chaud et très sec recouvre à peu près 20 % de la Rioja Baja et produit des vins rouges de couleur profonde, pleins et robustes, et quelques Moscatel doux.

Tierra Estella

Vignobles : ***4 000 hectares***
Cépages : ***Tempranillo 55 %, Garnacha 15 %, Mazuelo et Graciano 20 %, autres 10 %***

Le climat, dans le nord de cette aire, rappelle celui de Valdizarbe, mais devient plus sec vers le sud. La Tierra Estella produit quelques vins blancs nerveux de Viura et des vins rouges et rosés agréables et fruités, issus du Tempranillo ; ses vins de Garnacha tendent à s'oxyder.

Valdizarbe

Vignobles : ***2 500 hectares***
Cépages : ***Tempranillo 45 %, Garnacha 45 %, Mazuelo, Graciano et autres 10 %***

Le climat, dans ce secteur, est un peu plus sec que dans celui de la Baja Montana. Les vins rouges et rosés de Tempranillo sont d'un excellent rapport qualité/prix, encore que certains aient parfois tendance à s'oxyder.

Tierra Estella, Navarre, ci-dessus
Le village de Maneru est situé près d'Estella, au sud-ouest de Pampelune. Le Tempranillo est le cépage le plus cultivé dans la région.

Les vins de Rioja et Navarre

NAVARRA DO

La Navarre est devenue une région viticole vraiment classique à la faveur de son climat, de son sol calcaire couvert d'alluvions, des cépages cultivés et de bonnes méthodes de production. Comme la Rioja, elle a bâti sa réputation sur des vins rouges aux nuances de chêne, auxquels s'ajoutent maintenant des vins blancs et rosés frais, fruités et très nerveux.

TOUS VINS. **Principaux** : Tempranillo, Graciano, Viura
Secondaires : Garnacha, Mazuela, Garnacha blanca, Malvasia, Palomino, Moscatel, Cabernet Sauvignon (cépage expérimental autorisé)

ROUGE. Ces vins rubis corsés sont dominés par le Tempranillo qui, au début des années 80, a pris la place de la Garnacha ; ils sont mieux équilibrés désormais.

1981, 1982, 1983, 1985, 1986, 1987

Entre 3 et 10 ans

BLANC. Vins secs, frais et fruités bien faits.

1981, 1982, 1983, 1984, 1985

Avant 1 à 2 ans

ROSÉ. Vins secs riches d'un arôme frais et d'une saveur fruitée.

1981, 1982, 1983, 1985

Avant 1 à 4 ans

☆ *Voir* « Les meilleures bodegas de Navarre », p. 276

RIOJA DO

La meilleure région viticole d'Espagne ; elle offre, en effet, la plupart des grands vins du pays.

TOUS VINS. **Principaux** : Tempranillo, Viura
Secondaires : Garnacha, Graciano, Mazuela, Malvasia de Rioja, Garnacha blanca

ROUGE. Vins grenat relativement corsés, riches, moelleux et boisés, qui restent d'un étonnant rapport qualité/prix en dépit de la renommée croissante de la Rioja.

1981, 1982, 1985, 1986

Entre 3 et 8 ans (*Vino de Crianza*), entre 5 et 30 ans (*Reserva*), entre 8 et 30 ans (*Gran Reserva*) et exceptionnellement jusqu'à 50 ans ou plus

BLANC. La plupart des vins sont secs. Il existe trois styles de base : les vins « traditionnels » (très marqués par le chêne, tantôt nets et fruités, tantôt oxydés), les vins de la « nouvelle école » (sans chêne, plus légers, très frais, délicats et fruités) et les vins à cheval entre ces deux types (très nets et fruités, avec un arrière-goût nuancé de chêne).

1981, 1982, 1985

Avant 1 à 3 ans (les amateurs du style oxydé traditionnel patienteront beaucoup plus longtemps)

ROSÉ. Catégorie sous-estimée de Rioja composée surtout de vins secs, très frais et intensément fruités.

1981, 1982, 1985

Avant 1 à 3 ans

☆ *Voir* « Les meilleures bodegas de la Rioja » ci-dessous et « Les meilleurs vins parmi les autres », p. 275.

Les meilleures bodegas de la Rioja

BODEGAS EL COTO

Oyón, Alava

Production : ***180 000 caisses***
Vignobles : ***140 ha***
Année de création : ***1973***

Ces vins gracieux et très fins montrent un style irréprochable. Confrontés à certains des meilleurs Rioja, ils se classent généralement parmi les trois ou quatre premiers.

☆ El Coto, Coto de Imaz Reserva

BODEGAS MARTÍNEZ BUJANDA

Oyón, Alava

Production : ***105 000 caisses***
Vignobles : ***200 ha***
Année de création : ***1890***

Vin *blanco* pur et frais et beaux vins *tintos* fermes.

☆ « Valdemar » (*blanco*, Reserva et Gran Reserva *tinto*)

BODEGAS MUGA

Barrio de la Estación
Haro, Alta

Production : ***33 000 caisses***
Vignobles : ***22 ha***
Année de création : ***1932***

Les *tintos* sont excellents. Le « Prado Enea » élaboré dans le style bourguignon riche et moelleux livre un fruité épicé généreux et de belles notes fumées. Le simple Muga est manifestement bien plus jeune et plus frais, mais gagne en vieillissant une élégance comparable et la belle finale soyeuse du « Prado Enea ».

☆ Muga *tinto*, « Prado Enea » (Reserva et Gran Reserva)

BODEGAS OLARRA

Polígono de Cantabria,
Logroño

Production : ***400 000 caisses***
Vignobles : ***aucun***
Année de création : ***1972***

Cette bodega ultramoderne, en forme de Y, a su conserver toutefois certaines traditions. Les vins ne peuvent rivaliser avec les meilleurs Rioja, mais ils sont tous très bons, voire excellents, y compris le vin blanc frais et fruité « nouveau style ». Aucune bodega n'approche sans doute la qualité d'ensemble de cette production.

☆ **Gammes** « Añares » et « Cerro Añon »
Deuxième étiquette : « La Catedral »

BODEGAS RIOJANAS

Estación 1,
Cenicero

Production : ***170 000 caisses***
Vignobles : ***200 ha***
Année de création : ***1890***

Bodega réputée surtout pour ses vins rouges. Le Viña Albina a de belles nuances de chêne, le Monte Real, des saveurs de prune.

☆ « Canchales » *tinto*, « Monte Real » *tinto* Reserva, « Viña Albina » *tinto*

LA CATEDRAL

Voir Bodegas Olarra.

CERRO AÑON

Voir Bodegas Olarra.

COMPAÑÍA VINÍCOLA DEL NORTE DE ESPAÑA

Voir CVNE.

CONSTANILLA

Voir Marqués de Cáceres.

CONTINO

Sociedad vinícola Laserna,
Finca San Rafael, Laserna,
Laguardia, Alava

Production : ***10 000 caisses***
Vignobles : ***45 ha***
Année de création : ***1974***

Excellent vin de couleur profonde, au bouquet aromatique et à la saveur riche et crémeuse de vanille et de fruits, avec une finale voluptueuse.

☆ Contino Rioja Reserva

CUNE

Voir CVNE.

CVNE

(Compañía vinícola del Norte de España)
Avenida Costa del Vino 21,
Haro

Production : ***333 000 caisses***
Vignobles : ***470 ha***
Année de création : ***1879***

Les vins de la gamme « Imperial » montrent de la finesse, le « Viña Real » est plus gras, le « Monopole » blanco allie la fraîcheur du fruit aux nuances crémeuses de chêne neuf et les « Cune » sont les vins les plus frais.

☆ « Viña Real », « Cune » (« Lanceros » et *rosado*), « Monopole » *blanco*, « Imperial » (Reserva et Gran Reserva)

GRANDEZA

Voir Marqués de Cáceres.

LA GRANJA NUESTRA SEÑORA DE REMÉLLURI

Voir Remélluri.

GRAN VENDEMA

Voir Marqués de Cáceres.

IMPERIAL

Voir CVNE.

LABASTIDA DE ALAVA

Voir Remélluri.

LÓPEZ DE HEREDIA VIÑA TONDONIA

Voir Viña Tondonia.

MARQUÉS DE CÁCERES

Union viti-vinícola de Logroño,
Carretera de Logroño,
Cenicero

Production : ***350 000 caisses***
Année de création : ***1970***

Le *tinto* est assez léger, et cependant ferme ; il peut acquérir une grande finesse en vieillissant en bouteille. Le *blanco* domine le marché des vins blancs « nouvelle manière » ; quant au *rosado*, il est parfumé, sec, et tout à fait délicieux.

☆ Marqués de Cáceres
Autres étiquettes : « Constanilla », « Gran Vendema », « Grandeza », « Rivarey »

MARQUÉS DE MURRIETA
Ygay, Logroña, Alta

Production : ***75 000 caisses***
Vignobles : ***150 ha***
Année de création : ***1848***

Le Rioja *blanco* de cette bodega est prisé par les amateurs du vieux style oxydé. Je n'aime guère les *crianzas* les plus jeunes, bien qu'ils soient un peu plus frais et fruités depuis 1978. Quant au *blanco* Reserva, il ressemble à du thé que l'on aurait fait infuser dans une barrique en chêne neuf. Beaucoup le considèrent cependant comme le modèle du genre. Les vins rouges de cette bodega sont excellents, en particulier la remarquable gamme de millésimes anciens qui restent disponibles dans le commerce. Son fleuron est le Castillo Ygay Reserva Especial. Le millésime proposé lors de la rédaction de ce livre était le 1942 ; il avait été mis sur le marché peu de temps auparavant, puisque le millésime 1934 était en vente jusqu'en 1983 !

☆ « Castillo » Ygay Reserva Especial, Ygay *tinto* « Etiqueta Blanca », Ygay *tinto* Reserva

MONTE REAL
Voir **Bodegas Riojanas.**

PRADO ENEA
Voir **Bodegas Muga.**

REMÉLLURI
La Granja Nuestra Señora de Remélluri,
Labastida, Alava

Production : ***11 500 caisses***
Vignobles : ***32 ha***
Année de création : ***1967***

À l'exception du millésime 1979, un peu gauche, l'harmonie exquise, l'élégance et la finesse du Labastida de Alava n'ont d'égales que sa grande richesse en fruit et sa longue finale aux notes vanillées de chêne.

☆ « Labastida de Alava »

LA RIOJA ALTA
Avenida Vizcaya,
Haro

Production : ***120 000 caisses***
Vignobles : ***125 ha***
Année de création : ***1890***

Le Viña Alberdi constitue une excellente introduction à ces vins, en particulier au Viña Ardanza, élégant et très complexe, et qui pourtant représente plus de la moitié de la production de la firme. Le Reserva 904 est très racé et d'une concentration exceptionnelle ; le Reserva 890 est un vin rare qui passe huit années en barriques et six en bouteilles.

☆ « Viña Alberdi » *tinto*, « Viña Ardanza » Reserva, Reserva « 904 », Reserva « 890 »

RIVAREY
Voir **Marqués de Cáceres**

SOCIEDAD VINÍCOLA LASERNA
Voir **Contino (nom usuel).**

UNION VITI-VINÍCOLA DE LOGROÑO
Voir **Marqués de Cáceres (nom usuel).**

VALDEMAR
Voir **Bodegas Martínez Bujanda.**

VIÑA ALBERDI
Voir **La Rioja Alta.**

VIÑA ARDANZA
Voir **La Rioja Alta.**

VIÑA BOSCONIA
Voir **Viña Tondonia.**

VIÑA CUBILLO
Voir **Viña Tondonia.**

VIÑA TONDONIA
López de Heredia Viña Tondonia
Avenida de Vizcaya 3,
Haro

Production : ***130 000 caisses***
Vignobles : ***170 ha***
Année de création : ***1877***

Tondonia occupe la même colline que les Bodegas Muga. Il ne saurait exister établissement plus traditionnel : les toiles d'araignée envahissent la salle de dégustation et les bouteilles sont toutes religieusement cachetées à la cire, comme si elles contenaient du Porto. Les vins sont riches, marqués par le chêne et capables de vieillir longuement. Tondonia est le meilleur vin, Bosconia le plus gras et le Cubillo le plus jeune.

☆ « Viña Tondonia » (*blanco* et *tinto*), « Viña Bosconia » *tinto*, « Viña Cubillo » *tinto*

VINEDOS DEL CONTINO
Voir **Contino (nom usuel).**

YGAY
Voir **Marqués de Murrieta.**

Les meilleurs vins parmi les autres

AGE BODEGAS UNIDAS
Voir **Félix Azpilicueta Martínez (nom usuel).**

AGESSIMO
Voir **Félix Azpilicueta Martínez.**

FÉLIX AZPILICUETA MARTÍNEZ
Barrio de la Estación,
Fuenmayor

Production : ***1,7 million de caisses***
Vignobles : ***50 ha***
Année de création : ***1881***

☆ « Marqués del Romeral » Reserva, « Fuenmayor » Reserva
Autres étiquettes : « Agessimo », « Credencial »

BODEGAS ALAVESAS
Carretera de Elciego,
Laguardia, Alava

Production : ***22 000 caisses***
Vignobles : ***90 ha***
Année de création : ***1970***

☆ Solar de Samaniego

BODEGAS BERBERANA
Carretera Elciego,
Cenicero

Production : ***1,8 million de caisses***
Vignobles : ***55 ha***
Année de création : ***1877***

☆ « Carta de Plata » *tinto*, « Carta de Oro » (*blanco* et *tinto*), Gran Reserva

BODEGAS BERONIA
Carretera Ollauri-Nájera,
Ollauri

Production : ***72 000 caisses***
Vignobles : ***10 ha***
Année de création : ***1974***

☆ Beronia 5° año *tinto*, Reserva

BODEGAS BILBAÍNAS
Particular del Norte 2,
Bilbao

Production : ***230 000 caisses***
Vignobles : ***250 ha***
Année de création : ***1901***

☆ Vendimia Especial, Viña Pomal *tinto*, Viña Zaco *tinto*, Viña Pomal Reserva

BODEGAS CAMPILLO

Les vins vendus sous cette deuxième étiquette de Faustino Martínez sont souvent meilleurs que les grands vins car Faustino les utilise pour « faire » ses barriques neuves.

BODEGAS CAMPO VIEJO
Gustavo Adolfo Bécquer 3,
Logroño

Production : ***2 millions de caisses***
Vignobles : ***260 ha***
Année de création : ***1959***

☆ Reserva, Gran Reserva (à l'étranger), « Marqués de Villamagna » Gran Reserva, Crianza *tinto*
Autres étiquettes : Bodegas Castillo, « San Asensio »

BODEGAS CARLOS SERRES
Avenida Santo Domingo 40,
Haro

Production : ***110 000 caisses***
Vignobles : ***aucun***
Année de création : ***1896***

☆ Carlomagno *tinto* Reserva, Carlos Serres *tinto* Gran Reserva

BODEGAS CASTILLO SAN ASENSIO
Voir **Bodegas Campo Viejo.**

BODEGAS CORRAL
Carretera de Logroño,
Navarrete

Production : ***100 000 caisses***
Vignobles : ***40 ha***
Année de création : ***1898***

☆ « Don Jacobo » *tinto*

BODEGAS DOMECQ
Villabuena,
Elciego, Alava

Production : ***250 000 caisses***
Vignobles : ***400 ha***
Année de création : ***1973***

☆ Domecq Domain Reserva, Gran Reserva
Deuxième étiquette : « Marqués de Arienzo »

BODEGAS FAUSTINO MARTÍNEZ
Carretera de Logroño,
Oyón, Alava

Production : ***300 000 caisses***
Vignobles : ***350 ha***
Année de création : ***1860***

☆ Faustino I

BODEGAS FRANCO ESPAÑOLAS
Cabo Noval 2,
Logroño

Production : ***550 000 caisses***
Vignobles : ***insignifiants***
Année de création : ***1890***

☆ « Viña Soledad » *blanco*, Rioja « Bordon » *tinto*

BODEGAS GURPEGUI
San Adrián
(Cette firme a aussi des caves aux Bodegas Berceo à Haro)

Production : ***825 000 caisses***
Vignobles : ***200 ha***
Année de création : ***1872***

☆ « Viña Berceo », « Dominio de la Plana », « Gonzalo de Berceo » *tinto*

BODEGAS MARTÍNEZ LACUESTA
La Ventilla 71,
Haro

Production : *220 000 caisses*
Vignobles : *aucun*
Année de création : *1895*

☆ « Campeador » Gran Reserva, Reserva Especial

BODEGAS LAGUNILLA
Carretera Vitoria,
Fuenmayor

Production : *250 000 caisses*
Vignobles : *aucun*
Année de création : *1885*

☆ « Viña Herminia » (*tinto* et *tinto* Reserva et Gran Reserva)

BODEGAS LAN
Paraje de Buicio,
Fuenmayor

Production : *220 000 caisses*
Année de création : *1970*

☆ Lan *blanco*, Lan *tinto*, « Viña Lanciano » *tinto* Gran Reserva

BODEGAS MARQUÉS DEL PUERTO
López Agós y Cia,
Fuenmayor

Production : *132 000 caisses*
Vignobles : *40 ha*
Année de création : *1972*

☆ Marqués del Puerto Reserva

BODEGAS MONTECILLO
San Cristóbal 34,
Fuenmayor

Production : *220 000 caisses*
Vignobles : *aucun*
Année de création : *1874*

☆ Montecillo (*tinto* et *blanco*), « Viña Monty », « Viña Cumbrero » *tinto*

BODEGAS MURÚA
Carretera de Laguardia,
Elciego, Alava

Vignobles : *aucun*
Année de création : *1974*

☆ 5° Años, Reserva

BODEGAS MUERZA
Pl. de Vera Magallón 1,
San Adrián, Navarra

Production : *48 000 caisses*
Vignobles : *25 ha*
Année de création : *1882*

☆ Rioja Vega Gran Reserva

BODEGAS PALACIO
San Lázaro 1,
Laguardia, Alava

Production : *83 000 caisses*
Vignobles : *10 ha*
Année de création : *1894*

☆ « Glorioso », « Bodas de Oro », « Palacio » *tinto*

BODEGAS RAMÓN BILBAO
Carretera Casalarreina, Haro

Production : *77 000 caisses*
Vignobles : *10 ha*
Année de création : *1924*

☆ « Viña Turzaballa » *tinto*

BODEGAS RIOJA SANTIAGO
Barrio de la Estación,
Haro

Production : *150 000 caisses*
Vignobles : *aucun*
Année de création : *1870*

☆ « Condal », « Condal » Reserva, « Condal » Gran Reserva

CREDENCIAL
Voir Félix Azpilicueta Martínez.

COVIAL
Laguardia, Alava

Le Bastarrica 1985 est le meilleur Rioja obtenu par macération carbonique que j'ai jamais dégusté.

☆ « Bastarrica »

LÓPEZ AGÓS Y CIA
Voir Bodegas Marqués del Puerto

MARQUÉS DE ARIENZO
Voir Bodegas Domecq.

MARQUÉS DE RISCAL
Torres 1,
Elciego, Alava

Production : *250 000 caisses*
Vignobles : *200 ha*
Année de création : *1860*

Les vins rouges de la plus célèbre bodega de Rioja ont un caractère désagréable de champignon et de moisi.

FEDERICO PATERNINA
Avenido Santo Domingo 11,
Haro

Production : *1 million de caisses*
Vignobles : *aucun*
Année de création : *1898*

☆ « Rinsol » *blanco*, « Banda Azul » *tinto*, « Viña Vial » Gran Reserva

LES MEILLEURES COOPÉRATIVES DE RIOJA

Note : Les coopératives ne se distinguent ni par la qualité de leurs vins ni par le volume de leurs exportations. Plusieurs vins méritent cependant d'être goûtés.

COOPERATIVA VINÍCOLA DE LABASTIDA
Labastida, Alavesa

☆ « Gastrijo » Reserva, « Castillo » Labastida Gran Reserva

SOCIEDAD COOPERATIVA « COSECHEROS ALAVESES »
Laguardia, Alava

☆ « Artadi »

Les meilleures bodegas de la Navarre

AGRONAVARRA CENAL
Ciudadela 5,
Pamplona

Année de création : *1982*

☆ « Camponuevo » *tinto*

BODEGAS SIMÓN CAYO
Murchante

☆ « Monte Cierzo », « Viña Zarcillo »

BODEGAS JULIÁN CHIVITE
Ribera,
Cintruénigo

Année de création : *1860*

☆ « Viña Marcos » *tinto*, « 125 Anniversario » *tinto*, « Parador Chivite » *tinto*, « Gran Feudo » *tinto*, « Cibonero Reserva », Chivite blanco

BODEGAS IRACHE
Irache 1,
Ayegui

☆ « Gran Irache », « Viña Irache» *tinto*, « Viña Ordoiz » *tinto*

BODEGAS OCHOA
Carretera Zaragoza 21,
Olite

Année de création : *1845*

☆ Ochoa *tinto*, « Viña Chapitel » *tinto*

BODEGAS VILLAFRANCA DE NAVARRA
Carretera Pamplona,
Villafranca

Année de création : *1921*

☆ « Monte Ory » *tinto*

SEÑORIO DE SARRÍA
Puente la Reina

Année de création : *1952*

☆ Gran Vino del Señorio de Sarría *tinto*, « Viña del Perdon » *tinto*, « Viña Ecoyen » *tinto*, Blanco *seco*, Rosado

VINÍCOLA NAVARRA
Carretera Pamplona-Zaragoza,
Campanas

Année de création : *1880*

☆ « Bandeo » *tinto*, « Castillo de Tiebas » Reserva, « Las Campanas » *tinto*

LES MEILLEURES COOPÉRATIVES DE NAVARRE

COOPERATIVA « CIRBONERA »
Ribera,
Cintruénigo

☆ « Campolasierpe » *rosado*

SOCIEDAD COOPERATIVA « NUESTRA SEÑORA DEL ROMERO »
Carretera Tarazona,
Cascante

☆ « Nuevo Vino » *tinto*, « Señor de Cascante » *tinto*, « Torrecilla » *tinto*

Catalogne

Le nom le plus célèbre en Catalogne est Penedés. Le succès du Cava – seul vin de DO espagnol élaboré selon la méthode champenoise – et le génie de Miguel Torres sont à l'origine de l'ascension rapide de cette région viticole.

La maison Torres se transmet de père en fils depuis 1870 mais n'a commencé à révéler son vrai potentiel qu'avec Miguel Torres père qui entreprit d'explorer les marchés internationaux au lendemain de la guerre. Il se fit l'avocat des grands vins espagnols vendus en bouteilles et refusa toujours de commercialiser de la Sangria en dépit des offres alléchantes qu'il recevait. C'est cependant son fils, Miguel Torres, qui a hissé la firme à son niveau actuel grâce à ses idées novatrices. Peu à peu, celles-ci ont stimulé l'ensemble du négoce espagnol.

LA CONTRIBUTION DE MIGUEL TORRES

Après avoir accepté à contrecœur d'étudier en France l'œnologie et la viticulture, Miguel Torres attendit encore deux ans avant de se consacrer au vin. En 1962, il rentra chez lui pour mettre en pratique les théories qu'il venait d'apprendre. Son premier geste fut de planter des cépages allemands et français classiques. Les milieux professionnels espagnols, très traditionalistes, s'en étonnèrent et Miguel lui-même reconnaît aujourd'hui qu'il ignorait, en se livrant à ces expériences, le climat du Penedés. Il impute à la chance les succès obtenus dans le domaine familial, à Pachs, avec le Cabernet Sauvignon. J'ajouterai cependant que pour profiter d'une telle chance, il fallait avoir toutefois une certaine curiosité d'esprit et un certain goût du risque.

Miguel Torres fut le premier à introduire en Espagne les techniques de fermentation à basse température qui ont sans doute permis aux vins espagnols d'acquérir leur réputation actuelle. Il exporta vers la Californie ses techniques de culture intensive (*voir* « Viticulture », p. 15) ; dans les années 90, celles-ci seront sans doute aussi répandues dans les régions chaudes et sèches que la fermentation à basse température. Le caractère net et boisé de ses meilleurs vins a encouragé les autres viticulteurs à renoncer à un

FACTEURS AFFECTANT LE GOÛT ET LA QUALITÉ

Situation
Située dans le nord-est de l'Espagne, là où l'Èbre se jette dans la Méditerranée, la Catalogne regroupe cinq aires d'appellation : Alella, Penedés, Tarragona, Priorato et Terra Alta.

Climat
Un climat méditerranéen doux prévaut dans les aires d'Alella et de Penedés ; il devient peu à peu plus continental (avec des étés plus chauds et des hivers plus rigoureux) vers l'ouest et vers l'intérieur des terres, en direction de la Terra Alta. De même, les risques de brouillard dans le Nord-Est sont remplacés par le danger du gel au Sud-Ouest. Dans les hauts vignobles de l'Alto Penedés, les cépages blancs et aromatiques qui apprécient des températures assez fraîches sont cultivés à une altitude plus élevée.

Site
La vigne occupe toutes sortes de sites, depuis les plaines de Tarragone jusqu'aux vignobles de l'Alto Penedés, à 800 mètres d'altitude, en passant par les hauts plateaux de la Terra Alta (400 mètres). En altitude, la température diminue de 1 °C tous les 100 mètres.

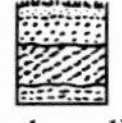

Sol
Les sols sont de natures très diverses : du granite dans l'Alella, de l'argile calcaire, de la craie et du sable dans le Penedés, un mélange de calcaire, de craie, de granite et de dépôts alluviaux en Tarragone. Le sol du Priorato est une ardoise rougeâtre avec des particules de mica.

Viticulture et vinification
Les maisons de Cava et les spécialistes de grands vins comme Torres ont introduit ici des techniques de vinification ultramodernes.

À l'exception des pratiques très traditionnelles en usage dans le Priorato, les techniques de viticulture et de vinification sont assez modernes dans l'ensemble de la Catalogne. Chez Raimat, à Lérida, on trouve à la fois le pressoir continu le plus récent et le plus efficace (« Sernagiotto »), qui est utilisé pour le gros de la production, et des pressoirs rudimentaires qui n'extraient du raisin que 50 à 60 % de son jus.

Cépages principaux
Cariñena, Garnacha, Macabéo, Malvasia, Monastrell, Parellada, Xarello

Cépages secondaires
Cabernet franc, Cabernet Sauvignon, Chardonnay, Chenin blanc, Colombard, Garnacha blanca, Garnacha peluda, Gewurztraminer, Merlot, Moscatel, Muscat, Pansá rosada, Pedro Ximénez, Pinot noir, Riesling, Samsó, Subirat parent, Syrah, Tempranillo

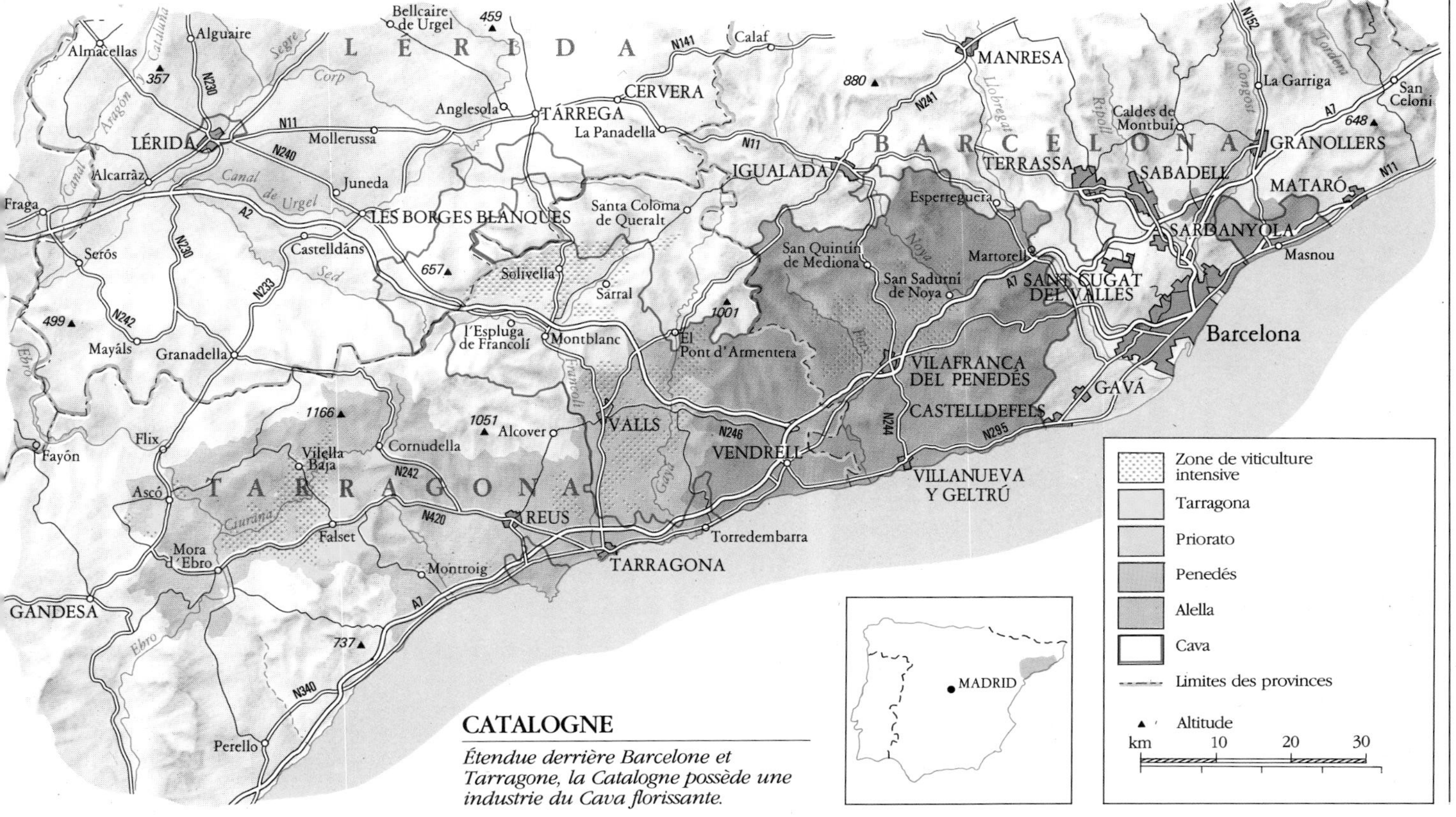

CATALOGNE

Étendue derrière Barcelone et Tarragone, la Catalogne possède une industrie du Cava florissante.

trop long mûrissement en vieille barrique au profit d'un élevage plus court en fût neuf. Deux firmes catalanes proposent maintenant des vins comparables en qualité à ceux de Torres : Jean León, présent en Californie et dans le Penedés, et le domaine Raimat situé à Lérida. Mais leur gamme est moins étendue et les vins ne sont pas aussi réguliers.

PENEDÉS

Avant le phylloxéra, qui a frappé le Penedés en 1876, plus de 80 % des vignobles se composaient de cépages noirs. Mais lorsqu'on replanta des vignes greffées sur des porte-greffes américains, la priorité fut donnée aux cépages blancs pour répondre à la vogue croissante des vins effervescents. Aujourd'hui, la région couvre environ 45 000 hectares, dont quelque 25 000 sont classés Denominación de origen Penedés. Dans les vignobles, les cépages classiques sont toujours palissés sur fil de fer, tandis que les variétés espagnoles traditionnelles sont conduites en arbuste. La production annuelle moyenne est de 1,5 million d'hectolitres (16,7 millions de caisses), dont 80 % de vin blanc.

Cuves de fermentation chez Torres, ci-dessus
La firme Torres est établie à Vilafranca del Penedés, où Miguel Torres a introduit des techniques de vinification modernes.

Vignobles du Medio Penedés, ci-dessous
À l'est de San Sadurní de Noya, la capitale de l'industrie du Cava, les rangs de vignes s'étirent vers la Sierra de Montserrat.

LES SECTEURS DU PENEDÉS

La région de Penedés compte trois secteurs distincts : le Bajo Penedés, le Méjo Penedés et le Penedés Superior.

Bajo (ou Baix) Penedés

Cépages : ***Monastrell, Malvasia, Garnacha, Cariñena et divers cépages, noirs pour la plupart.***

Cette bande côtière est le plus chaud des trois secteurs, l'équivalent des régions III, IV et V selon le système californien de sommation des températures. Les terres sont basses et plates, les sols calcaires, argileux et sableux. Ce secteur produit de plus en plus de vins rouges corsés tels que le « Tres Torres Sangredetoro », le « Tres Torres Gran Sangredetoro » et le « Gran Sangredetoro » de Torres.

Medio Penedés

Cépages : ***Essentiellement Xarello et Macabéo ; c'est aussi l'aire la plus favorable au Tempranillo, au Cabernet Sauvignon, au Merlot et au Monastrell.***

Ce secteur médian de Penedés est légèrement vallonné, en particulier à l'ouest de Barcelone, son sol est essentiellement calcaire et argileux, et le climat est plus frais que dans le Bajo Penedés, correspondant en moyenne aux régions II et III. Spécialisé dans le Cava, il offre également les meilleurs vins rouges « nouveau style », ainsi que le « Coronas », le « Gran Coronas » et le « Gran Coronas Black Label » de Torres.

Penedés Superior

Cépages : ***Cépages blancs presque exclusivement, et surtout Parellada, plus Riesling, Gewurztraminer et Muscat. On y cultive aussi un peu de Pinot noir***

Ce secteur est le plus éloigné de la côte et la vigne pousse dans des contreforts calcaires à une altitude de 500 à 800 mètres. Le climat est plus frais qu'ailleurs – régions I et II –, au point que le Cabernet Sauvignon ne peut y mûrir et que presque tous les vins sont blancs. Le Penedés Superior convient bien au Pinot noir ; Torres le cultive à San Marti pour l'élaboration du « Viña Magdala ». La plupart des vins sont vinifiés à basse température ; ils sont frais et possèdent parfois un bel arôme et une bonne acidité. Torres produit ici plusieurs vins : « Viña Esmeralda », « San Valentin », « Waltraud », « Viña Sol », « Gran Viña Sol » et « Gran Viña Sol Green Label ».

Les vins de Catalogne

ALELLA DO

Petite appellation située juste au nord de Barcelone où la vigne pousse sur des collines granitiques. Les vins, blancs pour la plupart, ont regagné en faveur et les vignobles ont été agrandis, mais l'urbanisation pourrait stopper ce développement.

TOUS VINS. **Principaux** : Xarello, Garnacha blanca
Secondaires : Tempranillo, Garnacha, Garnacha peluda, Pansá rosada

ROUGE. Vins joliment colorés, moyennement corsés, à la saveur tendre et fruitée.

1982, 1983, 1984, 1986

Avant 1 à 5 ans

BLANC. Vins pâles secs, légers et délicatement fruités. Ils ont une bonne acidité lorsqu'ils proviennent des meilleurs coteaux exposés au nord. Les vins issus des coteaux orientés au sud sont plus moelleux, plus gras et plus riches.

1982, 1983, 1984

Avant 1 à 2 ans (sec), 1 à 4 ans (moelleux)

ROSÉ. Vins secs et frais, légèrement fruités, avec une finale parfumée.

1982, 1983, 1984

Avant 1 à 2 ans

☆ Marqués de Alella, Marfil, Alellasol

AMPURDÁN-COSTA BRAVA DO

Appellation la plus proche de la frontière française. Le rosé représente 70 % de la production.

TOUS VINS. **Principal** : Garnacha
Secondaires : Cariñena, Macabéo, Xarello

ROUGE. Vins rouge cerise relativement corsés, au fruité nerveux.

1982, 1983, 1985, 1986

Entre 2 et 5 ans

BLANC. Vins pâles, jaune verdâtre, fruités, légèrement moelleux et souvent pétillants.

1982, 1983, 1985, 1986

Avant 1 an

ROSÉ. Vins secs, moyennement corsés et fruités.

1982, 1983, 1985, 1986

Avant 1 an

☆ Oliveda, Convinosa, Cavas de Ampurdán

CAVA DO

Initialement, le Cava n'avait pas d'origine géographique déterminée ; ce terme s'appliquait à tous les vins élaborés selon la méthode champenoise. Mais depuis que l'Espagne fait partie de la CEE, elle doit se conformer à sa législation fondée sur les appellations d'origine. C'est pourquoi furent tracées des limites autour de tous les vignobles producteurs de Cava, quelle que soit leur localisation. Il apparaît que plus de 90 % des Cava sont récoltés en Catalogne.

Si les vins d'Alsace sont potentiellement supérieurs, il existe toutefois des Cava excellents et, du seul fait de son ampleur, cette production offre le plus gros volume de vin effervescent de qualité en dehors des Champagne. Les vrais Cava sont le plus souvent secs, mais la gamme s'étend du brut au moelleux, les vins se répartissant dans chacune des catégories en fonction du nombre de grammes par litre de sucres résiduels : Extra-Brut (moins de 6 grammes), **Brut** (moins de 12 grammes), **Extra-Seco** (de 12 à 20 grammes), **Seco** (de 17 à 33 grammes), **Semi-seco** (de 35 à 50 grammes) et **Dulce** (50 grammes ou davantage).

Parmi les cépages autorisés, seuls trois sont importants : le Xarello donne de l'alcool, de la fermeté, de l'acidité ; le Macabéo apporte fruité et fraîcheur ; le Paradello est aromatique et adoucit le Xarello.

TOUS VINS. Macabéo, Xarello, Parellada, Chardonnay, Malvasia, Riojana, Monastrell, Garnacha

BLANC MOUSSEUX. Possède un arôme de pain grillé, une mousse ferme faite de petites bulles et une saveur fruitée nette et fraîche. La note de pain grillé résulte du caractère autolysé des cépages espagnols et peut être considérée comme l'indice d'un bon vieillissement en bouteille avant le dégorgement.

Généralement non millésimé, mais les vins millésimés sont presque toujours supérieurs.

Avant 1 à 3 ans (entre 4 et 8 ans pour les vins millésimés et les cuvées de prestige)

ROSÉ MOUSSEUX. Vins peu répandus qui représentent la branche la moins sérieuse de cette industrie.

Généralement non millésimé

Avant 1 à 3 ans

☆ *Voir* « Principales bodegas de Catalogne », p. 280.

CONCA DE BARBERÁ DO

Vins méconnus, blancs et rosés pour la plupart, provenant de l'arrière-pays vallonné de Penedés.

TOUS VINS. Macabéo, Parellada, Trepat, Sumoll, Ull de Llebre, Garnacha

ROUGE. Vins moyennement corsés, ternes, que je déconseille.

BLANC. Vins ordinaires et pâles, légers, qui titrent entre 9 et 11°.

1981, 1982, 1984, 1985

Immédiatement

ROSÉ. Vins légers, secs, agréablement aromatiques et délicatement fruités.

1982, 1985

Avant 1 à 2 ans

PENEDÉS DO

Bien que le Penedés soit au cœur de l'industrie du Cava, cette appellation est réservée à d'excellents vins tranquilles qui doivent leur célébrité à Miguel Torres.

TOUS VINS. Garnacha, Cariñena, Monastrell, Tempranillo, Macabéo, Xarello, Parellada, Subirat parent, Chardonnay, Cabernet Sauvignon, Merlot, Riesling

ROUGE. Légers et frais ou pleins et souples, tantôt jeunes, tantôt mûrs, élevés ou non dans le chêne.

1980, 1982, 1985, 1986

Avant 1 à 3 ans (pour les vins légers), jusqu'à 20 ans (pour les grands vins)

BLANC. Très secs à demi-doux, légers à pleins, avec des notes de chêne ou un arôme variétal.

1981, 1982, 1984, 1985

Avant 1 an (pour les vins très frais et fortement aromatiques), entre 3 et 8 ans (pour les vins classiques)

ROSÉ. Vins frais, secs et fruités.

1982, 1985

Avant 1 à 2 ans

BLANC VINÉ. Vins de dessert doux et corsés, faits de raisins de Malvasia et de Moscatel ayant séché sur pied. La fermentation est arrêtée par addition d'alcool pur.

Généralement non millésimé

Aussitôt pour les vins frais mais les amateurs du style *rancio* le garderont de 2 à 5 ans.

RANCIO. Vins vinés oxydés et madérisés, aujourd'hui très rares.

☆ *Voir* « Principales bodegas de Catalogne », p. 280.

PRIORATO DO

Le climat sec et le sol pauvre de cette aire obligent les vignes à étendre leurs racines pour chercher l'humidité. Les vignerons ont la réputation amusante de pouvoir y tirer du vin de la pierre !

TOUS VINS. **Principal** : Garnacha
Secondaires : Garnacha peluda, Cariñena, Garnacha blanca, Macabéo, Pedro Ximénez

ROUGE/BLANC/ROSÉ. Ces vins de table doivent titrer entre 13,75 et 18°. La plupart sont proches de 18° sans être aucunement vinés. À l'exception peut-être du Novell rouge, ces vins ne méritent guère l'attention.

ROUGE OR/VINÉ. Vins doux et demi-doux dont le degré alcoolique (14 à 18°) résulte pour moitié environ de la fermentation naturelle.

RANCIO FAUVE/BRUN. Les vins vinés ci-dessus ne gagnent pas grand-chose au ranciotage, si ce n'est une teneur en alcool plus forte et un caractère oxydé et madérisé typique.

☆ Scala Die (« Novell » rouge)

TARRAGONA DO

La plus grande appellation catalane. Ses vignobles côtiers s'étendent au sud du Penedés.

TOUS VINS. Garnacha, Mazuela, Tempranillo, Macabéo, Xarello, Parellada, Garnacha blanca

ROUGE. Vins corsés fortement alcoolisés, dotés d'une saveur robuste.

1982, 1984, 1985, 1986

Entre 2 et 5 ans

BLANC. Vins solides bien fruités mais manquant de fraîcheur.

1982, 1984, 1985

Immédiatement

ROSÉ. Vins secs étonnamment pâles au fruité assez délicat.

1982, 1984, 1985

Avant 1 an

BLANC FAUVE/VINÉ. Ces Tarragona *classico* jouissent d'une excellente réputation. Ils se situent à mi-chemin entre un bon Porto Tawny et un beau vieil *oloroso*.

RANCIO. Ces vins me sont inconnus. Il doit s'agir d'une version oxydée et madérisée du précédent.

☆ Celler Cooperativa de Valls, Cooperativa agrícola, José Lopez Beltran (Don Beltran), Pedro Masana (vins non DO), De Muller

TERRA ALTA DO

Appellation située dans les « terres hautes », loin de la côte. Le millésime n'a guère d'importance et le vin doit être bu assez rapidement.

TOUS VINS. **Principal** : Garnacha blanca
Secondaires : Macabéo, Cariñena, Garnacha, Garnacha peluda

ROUGE. Vins robustes très colorés et corsés assez modestes.

BLANC. Les meilleurs vins sont frais, fruités, légèrement moelleux et agréablement parfumés.

ROSÉ. Vins corsés, durs et alcoolisés.

RANCIO. Garnacha vinée avec jusqu'à 30 grammes par litre de sucres résiduels et au moins 15° d'alcool.

☆ Cooperativa agrícola la Hermandad, Pedro Rovira

Principales bodegas de Catalogne

MASÍA BACH
Carretera Martorell-Capellades, San Esteve Sesrovires, Barcelona

Production : *200 000 caisses*
Année de création : *1920*

Renommée pour son « Extrisímo Bach », vin blanc moelleux élevé en fûts, cette firme qui appartient à Codorníu semble accorder maintenant plus d'importance à ses vins rouges comme en témoigne l'étonnant millésime 1985 étiqueté simplement « Masía Bach ».

☆ Masía Bach *tinto* Reserva, « Viña Extrísima », « Viña Extrísima » Reserva

RENÉ BARBIER
San Sadurní de Noya, Barcelona

Production : *500 000 caisses*
Année de création : *1880*

Appartient à Freixenet et profite des locaux de Segura Viudas.

☆ René Barbier *rosado*, Kraliner *blanco*

CASTELLBLANCH
Avenida Casetas Mir, San Sadurní de Noya

Production : *1 million de caisses*
Année de création : *1908*

Cette firme, propriété de Freixenet, produit régulièrement un bon Cava.

☆ « Brut Zero », « Lustros »

CELLER JOSEP MARÍA TORRES I BLANCO
Voir **Mas Rabassa (nom usuel).**

CODORNÍU
644 Avenida Gran Via, Barcelona

Production : *5 millions de caisses*
Année de création : *1551*

La firme Codorníu a fondé l'industrie espagnole du vin effervescent sous les auspices de Don José Raventos. Elle demeure la plus créative et la plus productive dans ce domaine. C'est ici également qu'a été inventé le *girasol* ou « tournesol », qui permet d'effectuer le remuage par palettes entières (*voir* « Champagne », p. 139).

☆ « Non Plus Ultra », « Gran Codorníu », « Anne de Codorníu », Chardonnay Cava

FREIXENET
San Sadurní de Noya

Production : *3 millions de caisses*
Année de création : *1889*

Avec le « Cordon Negro », Freixenet produit sans doute le Cava le plus célèbre, mais ce vin a perdu en profondeur et en caractère. Il faut lui préférer désormais le « Carta Nevada » moins cher et les autres cuvées de prestige.

☆ « Cuvée DS », « Brut Nature », « Carta Nevada », « Brut Barroco »

JEAN LEÓN
Francisco Cambó, Barcelona

Production : *20 000 caisses*
Année de création : *1962*

Ces vins ont une saveur ample. Le Cabernet est bon mais irrégulier, le Chardonnay est toujours excellent.

☆ Cabernet Sauvignon, Chardonnay

MARQUÉS DE MONISTROL
Monistrol, San Sadurní de Noya

Production : *250 000 caisses*
Année de création : *1882*

Cette firme est spécialisée dans le Cava mais produit aussi un beau Reserva rouge de Penedés.

☆ Vin nature Blanc de blancs, Blanco seco, Brut nature, Gran Reserva *tinto*

MAS RABASSA
Celler Josep María Torres i Blanco, Barrio La Serreta, Olerdola Barcelona

Ces délicieux vins frais de « nouveau style » sont très impressionnants.

☆ Mas Rabassa Xarello et Macabéo

MESTRES
Plaza del Ayuntamiento 8, San Sadurní de Noya

Production : *10 000 caisses*
Année de création : *1928*

Petite maison de Cava très traditionnelle. Ses vins montrent un beau caractère autolytique.

☆ Mestres brut, « Clos Nostre Senyor », « Mas-Via »

MONT MARCAL
Castellvi de la Marca, Penedés

Production : *50 000 caisses*
Année de création : *1975*

Cava très typé, bien fait, produit par une firme familiale.

☆ Mont Marcal Brut, Gran Reserva

RAIMAT
Raimat, Lérida

Production : *750 000 caisses*
Année de création : *1920*

Ce domaine utilise un équipement ultramoderne pour produire plusieurs beaux vins issus de cépages français classiques.

☆ Raimat (« Abadia », « Clamor », Cabernet Sauvignon, Chardonnay Blanc de blancs Cava brut)

SEGURA VIUDAS
Carretera de San Sadurní a la Llacuna, San Sadurní de Noya

Production : *2 millions de caisses*
Année de création : *1954*

Cette maison de Cava, propriété de l'immense groupe Freixenet, est la meilleure d'Espagne. À maturité, ses vins ont tous le caractère biscuité typique des Cava.

☆ Cava (Brut millésimé ou non, Blanc de blancs brut, Reserva « Heredad »)

TORRES
**Miguel Torres
Comercio 22,
Vilafranca del Penedés**

Production : *1,2 million de caisses*
Année de création : *1870*

C'est au talentueux mais modeste Miguel Torres fils que l'on doit l'exceptionnel succès international de ces vins comme de toute la région du Penedés.

Pour bien comprendre la place qu'occupe Miguel Torres, il faut songer au triomphe que remporta son premier « Gran Coronas Black Label ». Son père avait saisi l'intérêt commercial qu'il y avait à mettre en vente de petites quantités de beaux vins de *reserva* et créa donc l'étiquette « Gran Coronas », supérieure au simple « Coronas ». En 1970, Miguel Torres fils alla plus loin en produisant du « Gran Coronas » en quantité encore plus limitée. Ce vin comportait du Cabernet Sauvignon et était élevé quelque temps en fûts de chêne neuf. Il remporta tous les prix aux « Olympiades du vin » organisées en 1979 par Gault et Millau ; il arriva en tête de sa catégorie et devança le Château Latour 1970, le Château Pichon-Lalande 1964 et le Château La Mission Haut-Brion 1961 !

L'examen ne s'arrêtait pas à l'aspect qualitatif. Ce concours incluait aussi la comparaison des prix : le « Gran Coronas Black Label » valait à l'époque 29 francs, le Latour 150, le Pichon 84 et la Mission Haut-Brion 138.

Pour sa qualité et son originalité, et pour sa place unique dans le Penedés, la production de Torres mérite un commentaire plus détaillé.

SAN VALENTIN
Sorte de Viña Sol demi-doux, la fermentation étant arrêtée avant transformation de tous les sucres en alcool.

Parellada 100 %

VIÑA SOL
Vin blanc délicieusement frais et fruité, doté d'une finale sèche et nette, à boire jeune.

Parellada 100 %

GRAN VIÑA SOL
Version plus ronde et plus pleine du Viña Sol qui passe trois mois en fûts neufs, faits de chêne du Limousin, et qui peut se bonifier en bouteille pendant deux ou trois ans.

Parellada 70 %, Chardonnay 30 %

GRAN VIÑA SOL RESERVA

Vin issu d'un assemblage de cépages totalement différent de celui du Gran Viña Sol et élevé six mois durant en fûts neufs faits de chêne d'Amérique. Ce vin à la saveur riche, très joliment équilibré, qui révèle une bonne acidité et une finale sèche, peut se bonifier en bouteille pendant cinq ans.

Parellada 70 %, Sauvignon blanc 30 %

VIÑA ESMERALDA
À l'origine, ce vin était fait de 40 % de Muscat et 60 % de Gewurztraminer ; l'équilibre a évolué peu à peu et les proportions sont aujourd'hui inversées. Il s'agit d'un vin extrêmement gouleyant, très fruité et aromatique, léger, avec un intéressant mélange de deux saveurs variétales et une finale onctueuse, demi-douce. Il faut le boire jeune cependant, avant même qu'il ait atteint un an, car il se fatigue rapidement.

Muscat 60 %, Gewurztraminer 40 %

WALTRAUD
Vin à l'arôme pénétrant, plus épicé et plus marqué par le raisin sec que celui des Riesling allemands. Les saveurs fruitées sont élégamment mêlées, l'équilibre est parfait entre acidité et sucres résiduels. Il faut le boire avant un ou deux ans.

Riesling 100 %

DE CASTA
Rosé vinifié à basse température, à la fois frais, sec et fruité. Sa robe est d'un beau rouge cerise pâle et sa saveur parfaitement nette. Il faut le boire le plus tôt possible.

Garnacha 65 %, Cariñena 35 %

SANGRE DE TORO ou TRES TORRES SANGREDETORO
Vin rouge moelleux et corsé élevé en vieux fûts puis dans de grandes cuves. Il peut s'améliorer pendant quelque six années.

Garnacha 70 %, Cariñena 30 %

GRAN SANGRE DE TORO RESERVA ou GRAN SANGREDETORO

Les meilleurs Sangre de Toro sont mis de côté après fermentation et élevés six mois durant dans du chêne neuf, puis dans de vieux fûts. Il en résulte un vin plus riche, plus boisé, plus profond et plus complexe, qui se bonifie en bouteille pendant six à huit ans après la récolte.

Garnacha 70 %, Cariñena 30 %

VIÑA MAGDALA

L'association du Tempranillo et de l'élevage en fûts long de 18 mois, dont six dans du chêne neuf, l'emportent sur le caractère variétal du Pinot noir. Le Viña Magdala est cependant un beau vin rouge doué d'une élégante richesse, qui peut se garder entre cinq et huit ans.

Pinot noir 50 %, Tempranillo 50 %

CORONAS

Le plus simple des trois « Coronas » de Torres. Ce vin rouge d'un excellent rapport qualité/prix est corsé, tendre et fruité, légèrement poivré, arrondi par 15 mois d'élevage dans du vieux chêne d'Amérique. Il s'améliore pendant huit ans en bouteille.

Tempranillo 80 %, Monastrell 20 %

GRAN CORONAS RESERVA

La riche saveur de Cabernet de ce vin corsé et bien équilibré est soulignée par d'abondantes nuances de chêne et de vanille. Le vin passe 20 mois en fûts de chêne d'Amérique (dont six mois en fûts neufs), et peut se garder plus d'une dizaine d'années. Un vin de grande classe.

Cabernet Sauvignon 60 %, Tempranillo 40 %

GRAN CORONAS RESERVA

Ce vin se distingue de l'autre « Gran Coronas Reserva » par son étiquette noire. C'est régulièrement le plus grand vin espagnol : le caractère classique du Cabernet est extrêmement concentré et les nuances de chêne, vanillées et fumées, sont superbes. Le vin peut se bonifier pendant un quart de siècle.

Cabernet Sauvignon 90 %, Cabernet franc 10 %

Les meilleurs vins parmi les autres

BODEGAS BOSCH-GUELL
Vilafranca del Penedés, Barcelona

Année de création : *1886*

☆ Blanco *selecto* « Rómulo », Clarete *fino* « Rómulo », Rosado *seco* « *Rómulo* »

BODEGAS J. FREIXEDAS
87-89 Calvo Sotelo, Vilafranca del Penedés

Année de création : *1886*

☆ « Santa Marta », Special Reserva « Castilla », « La Torre » Cava Brut

BODEGAS ROBERT
Sitges, Barcelona

L'un des derniers producteurs de Sitges, un vin viné issu des cépages Malvasia et de Moscatel, produit à cinq kilomètres au nord de Barcelone, à partir de raisins ayant séché sur pied.

☆ Sitges

CASTELL DEL REMEI
Penelles, Lérida

☆ Reserva *blanco*, Reserva *tinto*, Castell del Remei *rosado*, « Extra Cep » Sémillon, « Extra Cep » Cabernet

CAVA LLOPART
Industria 46, San Sadurní de Noya, Barcelona

Année de création : *1887*

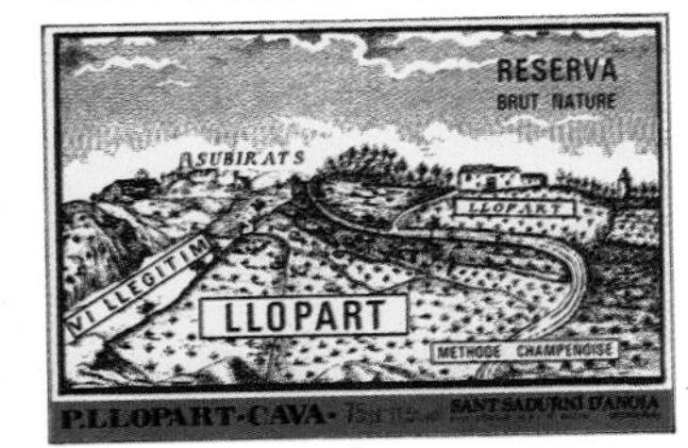

☆ Llopart Reserva *Brut Nature Cava*

CAVAS DEL AMPURDÁN
Plaza del Carmen 1, Perelada, Gerona

Année de création : *1925*

☆ Tinto « Cazador », Reserva « Don Miguel »

CAVAS DEL CASTILLO DE PERELADA
P° de San Antonio 1, Perelada, Gerona

Année de création : *1925*

☆ « Gran Claustro »

CAVAS FERRET
Guardiola de Font-Rubí, Barcelona

☆ Ferret Blanco, Ferret Rosado

CAVAS HILL
Bonavista 1, Mojá, Vilafranca del Penedés

Année de création : *1887*

☆ « Penedés Reserva »

CAVAS NADAL
El Pla del Penedés, Barcelona

Année de création : *1945*

☆ Nadal Brut

CAVAS TORELLO
Can Martí de Baix, San Sadurní de Noya

Année de création : *1953*

☆ « Blanc Tranquille », « Torello » Brut

CELLER HISENDA MIRET
San Martín Sarroca, Barcelona

☆ « Viña Toña Xarel-lo », « Viña Toña Parellada »

COMPAÑÍA VINÍCOLA DEL PENEDÉS
Vilafranca del Penedés, Barcelona

☆ « Viña Franca » *blanco*

CONDE DE CARALT
Carretera de San Sadurnía la Llacuna, San Sadurní de Noya

Année de création : *1954*

Autre firme productrice de Cava appartenant à Freixenet.

☆ Conde de Caralt (Reserva, Brut Nature)

COVIDES
Vilafranca del Penedés, Barcelona

☆ « Duc de Foix »

DE MULLER
Real 38, Tarragona

Année de création : *1851*

☆ Moscatel « Añejo », « Aureo », Moscatel Rancio, « Pajarete », Priorato de Muller

JOSÉ FERRER MATEU
Avenida Penedés 27, Santa Margarita y Monjous, Barcelona

☆ « Viña Laranda » *tinto*

JUVÉ & CAMPS
14 Apartado de Correos, San Sadurní de Noya, Barcelona

Année de création : *1921*

☆ Reserva de la Familia Juvé & Camps

MASCARÓ
Casal 9, Vilafranca del Penedés, Barcelona

Année de création : *1947*

☆ Mascaró Brut

MASIA VALLFORMOSA
La Sala 45, Vilovi del Penedés

Année de création : *1932*

☆ « Vall Fort » Gran Vino *tinto*, « Vallformosa » Brut Nature

PARXET
Torrente 38, Tiana, Barcelona

Production : *42 000 caisses*
Année de création : *1920*

Vin effervescent délicat.

☆ Parxet Cava Brut Nature, Parxet Cava Brut Reserva

JEAN PERICO
Can Ferrar del Mas, San Sadurní de Noya

Cette firme est la propriété du groupe Freixenet. Son Cara, bon marché, est toujours de bonne qualité.

☆ Jean Perico brut

CELLERS DE SCALA DEI
Plaza Priorat 3, Scala Dei

Année de création : *1973*

Excellent producteur de Priorato.

☆ « Cartoixa Scala Dei »

IMPORTANTES COOPÉRATIVES

COOPERATIVA « AGRÍCOLA DE GANDESA »
Gandesa, Tarragona

Année de création : *1919*

☆ Gandesa Blanc Gran Reserva, Gandesa Blanc Especial

COOPERATIVA DE « MOLLET DE PERELADA »
Alt Empordà, Perelada, Gerona

☆ « Vi Novell » *tinto*

Espagne du Sud

Cette région est renommée à juste titre pour le célèbre Xérès de Jerez de la Frontera, l'un des plus grands vins vinés au monde. Le Xérès produit autour de Sanlúcar de Barrameda est appelé Manzanilla. L'Espagne du Sud abrite aussi Málaga, patrie d'un vin de dessert classique et pourtant sous-estimé, Montilla et Condado de Huelva, obscure contrée qui produit à la fois des vins légers et des vins de dessert, dont la plupart sont consommés sur place.

Les origines du Xérès remontent à 3 000 ans, à l'époque où les Phéniciens fondèrent Gadir, aujourd'hui Cadix, en 1100 avant J.-C. Pour fuir le *levante,* ce vent chaud dont on dit qu'il rend fou, ils s'enfoncèrent bientôt à l'intérieur des terres où ils bâtirent Xera qui correspond peut-être à l'actuelle Xérès ou Jerez. Ce sont les Phéniciens, croit-on, qui auraient introduit la viticulture dans la région, ou à défaut les Grecs, qui apportèrent avec eux leur *hepsema,* le précurseur des *arropes* et *vinos de color* qui ajoutent substance, douceur et couleur aux Xérès doux d'aujourd'hui.

LE DÉVELOPPEMENT DU XÉRÈS

Au Moyen Âge, les Maures introduisirent une invention arabe baptisée « alambic », qui permit aux habitants de Jerez de distiller leur surplus de production. L'eau-de-vie obtenue, associée à l'*arrope* et au *vino de color,* était ajoutée ensuite aux vins nouveaux. Ainsi naquirent les premiers Xérès authentiques.

La renommée de ces vins s'est peu à peu répandue à travers le monde civilisé, en particulier grâce aux marchands anglais qui, à la fin du XIIIe siècle, avaient fondé des maisons de négoce en Andalousie. Après que Henry VIII eut rompu avec Rome, les Anglais installés en Espagne vécurent longtemps sous la menace de l'Inquisition. Francis Drake, après avoir mis le feu à la flotte espagnole dans la baie de Cadix, en 1587 (on a dit que ce jour-là il avait « roussi la barbe du roi d'Espagne », et ce fut en effet la plus audacieuse de ses expéditions), rentra chez lui avec 2 900 fûts de Xérès en guise de butin. Nul ne sait précisément quelle était la capacité de ces barriques, mais on estime que le total représentait plus de 150 000 caisses, soit une cargaison gigantesque pour l'époque. Elle fut cependant consommée par une clientèle relativement restreinte que la guerre avait privée des vins espagnols. Depuis lors, l'Angleterre est demeurée de loin le premier importateur de Xérès, que les Britanniques appellent Sherry.

Les cépages classiques du Xérès

L'Anglais Julian Jeffs, expert en Xérès, pense qu'autrefois quelque 100 cépages différents étaient utilisés traditionnellement pour faire le Xérès, et, en 1868, Diego Parada y Barreto en cita 42 alors en usage. Aujourd'hui, trois cépages seulement sont autorisés : le Palomino, le Pedro Ximénez et le Moscatel fino. Le Palomino est considéré comme le cépage classique du Xérès ; les listes de vins figurant sous chacune des bodegas (*voir* p. 287-290) montrent du reste que la plupart des Xérès sont issus à 100 % de Palomino, ou parfois adoucis avec un peu de Pedro Ximénez pour l'étranger. Il existe deux sous-variétés de ce cépage : le Palomino fino et le Palomino de Jerez. Bien que certains Xérès contiennent une proportion significative de Pedro Ximénez, ou PX ainsi qu'on l'appelle souvent, et qu'il existe quelques purs PX, ce cépage sert avant tout à édulcorer.

LE XÉRÈS : UN VIN UNIQUE

C'est l'alliance de son sol et de son climat qui fait de Jerez de la Frontera l'unique patrie du Xérès. Dans bien des pays à travers le monde, des vignerons se sont appliqués à imiter ce vin, mais sans jamais y parvenir vraiment. À cet égard, Jerez rappelle le cas de la Champagne ; c'est grâce à un accident de la nature que la région est mieux armée que toute autre pour produire un type de vin spécifique. La ressemblance va plus loin : le Champagne et le Xérès sont tous deux issus de vins de base neutres et déséquilibrés, lesquels sont peu intéressants avant d'avoir subi le processus élaboré qui les transforme en produits finis de grande qualité, à l'équilibre parfait.

Le sol d'*albariza*

L'*albariza* de Jerez, qui doit son nom à sa surface blanche et brillante, n'est pas de la craie mais une marne tendre d'origine organique formée par la sédimentation d'algues diatomées à la période triasique. Les diatomées sont encore présentes en grand nombre dans le plancton et les dépôts forment les roches sédimentaires qu'on appelle diatomites. L'*albariza* prend une couleur jaune à une profondeur d'environ un mètre, puis devient bleuâtre après cinq mètres. Lorsqu'elle est humide, la roche s'effrite et est extrêmement absorbante mais elle devient très dure en séchant, d'où les avantages de l'*albariza* pour la viticulture.

À Jerez, la chaleur est cuisante et le climat sec de l'automne au printemps ; il pleut en moyenne 70 jours par an et les précipitations

FACTEURS AFFECTANT LE GOÛT ET LA QUALITÉ

Situation
Les vignobles andalous vont de Condado de Huelva, près de la frontière portugaise, à Málaga, dans le sud de l'Espagne, en passant par Jerez.

Climat
Région viticole la plus chaude d'Espagne. Le climat, généralement méditerranéen, devient plus continental à l'intérieur des terres et l'influence de l'Atlantique est sensible près du Portugal. Le *pontete,* qui souffle de l'Océan, produit la *flor* du Xérès *fino.*

Site
La vigne est cultivée dans des sites très divers : le Manzanilla provient de plaines côtières ; les vignobles du Xérès, plus vallonnés, atteignent près de cent mètres en altitude ; les coteaux de Montilla-Morilles sont un peu plus élevés, et, à Málaga, la vigne monte jusqu'au plateau d'Antequerra à environ 500 mètres.

Sol
À Jerez, l'*albariza* prédomine. Elle est riche en chaux, retient bien l'humidité et sa couleur blanche et brillante réfléchit sur les vignes la lumière du soleil. Les sols sableux et argileux conviennent aussi à la viticulture mais donnent des Xérès moins réussis. Le sol brillant à l'est de Jerez n'est pas de l'*albariza* mais une argile schisto-calcaire. Dans le secteur de Málaga, les sols sont faits d'ardoise mêlée de sable, d'argile et de mica (au sud-est), ou de calcaire mêlé de sable très fin (au nord-ouest). Les sols de Condado de Huelva sont rougeâtres.

Viticulture et vinification
La naissance de ces grands vins de liqueur procède de techniques de vinification uniques. Le développement d'une *flor* et l'oxydation, obtenue en ne remplissant pas complètement les barriques, sont des éléments essentiels, de même que le système *solera* qui assure l'homogénéité de la production au fil des années. Le Montilla est vinifié comme le Xérès, mais il n'est pas viné.

Cépage principal
Palomino

Cépages secondaires
Baladí, Garrido fino, Laynen, Listan, Mantúo, Moscatel fino, Pedro Ximénez, Torrontés, Zalema

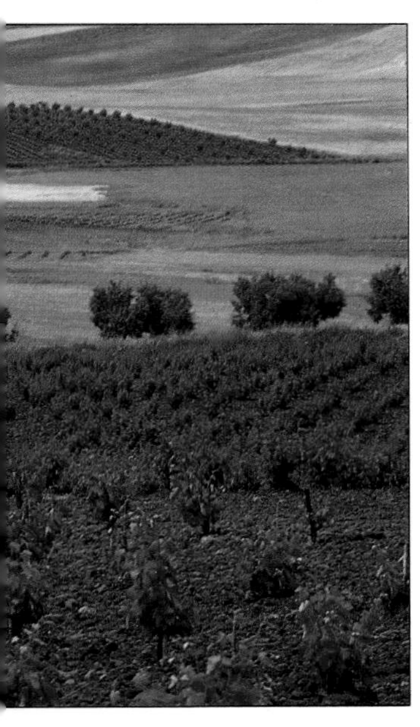

Paysage de Jerez, ci-dessus
*Les vignobles délicatement vallonnés de Los Barrios, au sud-ouest de Jerez de la Frontera, sont caractéristiques de la région. Les Xérès ne naissent pas toujours sur de l'*albariza *; certains sont récoltés sur du sable et de l'argile.*

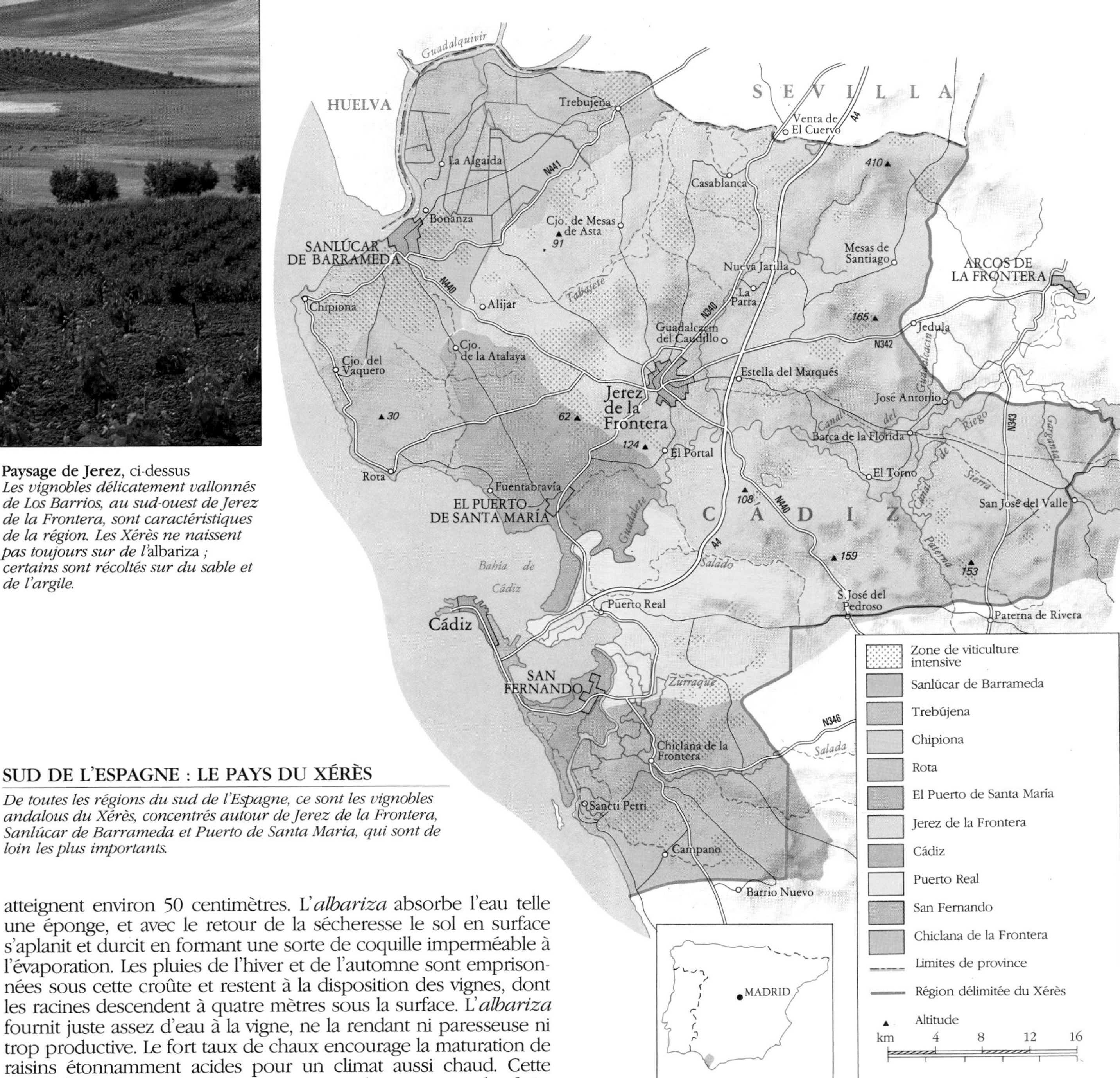

SUD DE L'ESPAGNE : LE PAYS DU XÉRÈS

De toutes les régions du sud de l'Espagne, ce sont les vignobles andalous du Xérès, concentrés autour de Jerez de la Frontera, Sanlúcar de Barrameda et Puerto de Santa Maria, qui sont de loin les plus importants.

atteignent environ 50 centimètres. L'*albariza* absorbe l'eau telle une éponge, et avec le retour de la sécheresse le sol en surface s'aplanit et durcit en formant une sorte de coquille imperméable à l'évaporation. Les pluies de l'hiver et de l'automne sont emprisonnées sous cette croûte et restent à la disposition des vignes, dont les racines descendent à quatre mètres sous la surface. L'*albariza* fournit juste assez d'eau à la vigne, ne la rendant ni paresseuse ni trop productive. Le fort taux de chaux encourage la maturation de raisins étonnamment acides pour un climat aussi chaud. Cette acidité facilite à son tour la fermentation et donne un vin plus frais. Elle le protège en outre d'une oxydation involontaire avant le vinage.

Le *levante* et le *pontete*

Le *levante,* chaud et sec, est l'un des deux vents dominants à Jerez de la Frontera. Ce vent d'est « dessèche » et « cuit » les raisins sur les sarments lors de la phase critique de la maturation. Il en résulte une métabolisation radicalement différente des sucres, acides et aldéhydes du fruit. Le vin y gagne un équilibre particulier, propre à la région de Jerez.

Le *pontete,* vent humide de l'Atlantique qui souffle en alternance avec le *levante,* est d'une importance capitale : il permet le développement du *Saccharomyces beticus,* plus poétiquement appelé *flor* du Xérès, dans la microflore du raisin de Palomino. Sans cette *flor* (*voir* p. 284), le Xérès *fino* n'existerait pas.

L'ÉLABORATION DU GRAND XÉRÈS

Les vendanges

Il y a une vingtaine d'années, il était de tradition de commencer les vendanges dans la première semaine de septembre. Après la cueillette, les raisins de Palomino étaient laissés au soleil pendant 12 à 24 heures, le Pedro Ximénez et le Moscatel pendant 10 à 21 jours. Les vieilles vignes étaient vendangées avant les jeunes et le PX et le Moscatel cueillis en premier. La nuit, les grappes étaient couvertes de nattes d'herbe qui les protégeaient de la rosée. Cette exposition au soleil, dite *soleo,* a pour principal effet d'augmenter la teneur en sucre tout en réduisant la proportion des acides malique et tannique. Bien que certains producteurs pratiquent encore le *soleo,* la plupart vendangent dans la deuxième semaine de septembre et renoncent à cette méthode, sauf pour le PX et le Moscatel utilisés pour les Xérès les plus doux. Dans ce cas, le raisin est exposé au soleil beaucoup moins longtemps qu'autrefois.

Le *yeso*

Avant le pressurage, on ôte les rafles et on ajoute une petite proportion de *yeso* (gypse) pour précipiter les cristaux de tartre et augmenter le taux d'acide tartrique. Cette pratique est née de l'observation que les raisins couverts de poussière d'*albariza* donnent de meilleurs vins que les fruits propres. Or l'*albariza* a une forte teneur en carbonate de calcium.

Le pressurage

Traditionnellement, quatre ouvriers, les *pisadores,* se plaçaient dans chaque *lagar* (cuve ouverte) pour fouler le raisin. Ils n'étaient pas pieds nus mais chaussés de *zapatos de pisar,* des bottes cloutées conçues pour retenir les pépins et les rafles. Chacun parcourait sur place l'équivalent de 58 kilomètres, commençant à minuit pour finir à midi.

Les pressoirs horizontaux automatiques sont maintenant d'un usage courant et le débat porte sur les avantages respectifs des pressoirs discontinus, généralement pneumatiques, et des pressoirs continus. Les partisans des premiers soulignent que le pressurage continu valorise les tanins indésirables mais réduit le taux d'acide tartrique dont la présence est souhaitable. Le vin y perd en fraîcheur et en délicatesse, deux qualités indispensables à un *fino.* Ils relèvent aussi que les pressoirs continus extraient trop de moût et ne peuvent séparer le premier pressurage du reste. Certaines grandes firmes utilisent de plus en plus cette technique prétendant qu'elle ne nuit pas à la qualité de leurs vins. À Valdespino, une petite firme familiale traditionnelle, on s'apprête, en revanche, à renoncer au pressoir continu. Certains vins sont tellement médiocres qu'il faut en distiller 11 %, soit un point de plus que le taux réglementaire.

La fermentation

Dans les petites maisons, le vin fermente dans des fûts de chêne de faible taille remplis seulement à 90 % de leur capacité. La fermentation commence, en général, après 12 heures ; elle dure de 36 à 50 heures à des températures variant entre 25 et 30 °C. À l'issue de ce traitement, jusqu'à 99 % des sucres sont transformés en alcool ; l'achèvement du processus nécessitera 40 à 50 jours supplémentaires. Les cuves de fermentation en acier inoxydable donnent des vins plus alcoolisés d'un degré, puisqu'il n'y a ni absorption ni évaporation. Des levures de culture sélectionnées sont ajoutées aux vins et les fûts en chêne ne sont employés que pour le mûrissement. À l'exception du PX et du Moscatel, tous les vins sont vinifiés en sec, que les méthodes soient modernes ou traditionnelles.

LA *FLOR* MAGIQUE

Il existe plusieurs styles de Xérès. Du plus sec et du plus léger au plus doux et au plus plein, les types de base sont le *fino* et le *fino* Manzanilla, l'*amontillado,* l'*oloroso* et le *cream.* Un phénomène naturel, la *flor,* détermine si le Xérès sera ou non un *fino.* Pour la majorité des amateurs, ce dernier représente la quintessence du Xérès. La *flor* est une pellicule gris-blanc formée par une souche de levure appelée *Saccharomyces beticus.* Celle-ci se trouve naturellement dans la microflore du Palomino cultivé dans la région de Jerez. Elle est présente dans tous les récipients qui servent à la fermentation du Xérès et du Manzanilla ; qu'elle puisse ou non dominer le vin et se développer en *flor* dépend de sa force et des conditions biochimiques. L'effet de la *flor* sur le Xérès est d'absorber les traces de sucre résiduel, de diminuer la glycérine et les acides volatils et d'augmenter considérablement les esters et les aldéhydes.

Pour se développer, la *flor* nécessite :

- un degré alcoolique compris entre 13,5 et 17,5 – idéalement 15,3, niveau auquel l'*acetobacter* qui produit le vinaigre est anéanti ;
- une température de 15 à 30 °C ;
- un taux d'anhydride sulfureux inférieur à 0,018 % ;
- un taux de tanin de moins de 0,01 % ;
- l'absence virtuelle de sucres fermentescibles.

LES STYLES DE XÉRÈS SUIVANT LES RÉGIONS

Les grandes bodegas aiment entourer leurs vins d'un certain mystère et disent ignorer dans quels fûts se développera la *flor.* Un fût peut posséder en effet une *flor* fabuleuse – elle ressemble à une mousse savonneuse sale –, et son voisin n'en avoir pas du tout. Ceux qui renferment une bonne *flor* deviendront des *finos* ; les autres sont répartis dans les différentes catégories en fonction de l'importance relative de leur *flor.* Il est impossible de prévoir l'évolution d'un vin, mais selon les zones, certains styles se développent de préférence à d'autres.

Zone	Style	Zone	Style
Añina	*fino*	Madroñales	*Moscatel/ doux*
Balbaina	*fino*	Miraflores	*fino/ Manzanilla*
Carrascal	*oloroso*	Rota	*Moscatel/ doux*
Chipiona	*Moscatel/ sweet*	Sanlúcar	*fino/ Manzanilla*
Los Tercios	*fino*	Tehigo	vins colorants
Machamundo	*amontillado*	Torrebreba	*Manzanilla*

LE CLASSEMENT DES FÛTS DANS LA CAVE

Marque à la craie	Caractère du vin	Style probable du Xérès	Intervention
Premier classement des fûts			
una raya	léger et bon	*fino/ amontillado*	viné jusqu'à 15,5°
ray y punto	un peu moins prometteur	indéterminé	viné jusqu'à 15,5°
dos rayas	moins prometteur	*oloroso*	viné jusqu'à 18°
tres rays	dur ou acide	–	généralement distillé
vinaigre	–	retiré aussitôt	
Deuxième classement des fûts			
palma	vin racé	vin avec *flor*	–
raya	plus plein	sans *flor*	–
dos rayas	dur	sans *flor*	–
gridiron	mauvais	sans *flor*	–
Classements ultérieurs des fûts			
palma	léger et délicat	Xérès *fino*	–
palma cortada	plus plein que le *fino*	*fino-amontillado* ou *amontillado*	–
palo cortado	sans *flor,* mais exceptionnel, corsé et délicat	*Palo cortado*	–
raya	plus foncé et plein, *flor* quelconque	*oloroso* de qualité moyenne	–
dos rayas	plus foncé et plein, mais plus dur	*oloroso* médiocre servant aux Xérès bon marché généralement édulcorés	–
pata de gallina	*raya* qui a acquis le vrai parfum d'un bel *oloroso*	*oloroso* de première qualité ; doit vieillir et rester sec	–

LE PREMIER CLASSEMENT DES FÛTS ET LE VINAGE

Le rôle du chef de cave est de humer tous les fûts de Xérès et de les marquer à la craie selon leur évolution, conformément à un système de classement préétabli (*voir* encadré, p. 284). À ce stade, les vins de qualité inférieure, qui ont peu ou pas de *flor*, sont vinés jusqu'à ce qu'ils atteignent 18°, ce qui anéantit la *flor* et fixe définitivement leur caractère, tout en les protégeant des dangers d'acétification. La *flor* est elle-même une protection contre l'*acetobacter* qui menace de transformer le vin en vinaigre, mais elle n'est nullement invincible ; le risque demeure tant que le vin ne titre pas 15,3° ou davantage – la norme pour le *fino* – et jusqu'à la mise en bouteille. La marque *raya y punto* est tombée en désuétude et les vins dont l'évolution est incertaine sont classés dans la catégorie *dos rayas* et vinés en conséquence.

À Jerez, les producteurs refusent d'ajouter au vin un alcool très fort craignant une réaction trop violente. Ils utilisent donc pour le vinage un mélange appelé *mitad y mitad miteado* ou *combinado*, composé pour moitié d'alcool pur et pour moitié de jus de raisin. Certains préfèrent remplacer le jus de raisin par du Xérès parvenu à maturité – ce qui semble contredire la volonté de diluer l'alcool pour éviter une réaction indésirable avec le vin. Ces inquiétudes sont peut-être excessives ; le Porto et le Muscat de Beaumes-de-Venise, par exemple, sont faits par addition d'alcool pur.

LE DEUXIÈME CLASSEMENT DES FÛTS

Les vins sont souvent soutirés avant d'être vinés, et toujours après. Quelque deux semaines plus tard, ils sont soumis à un deuxième classement, plus précis (*voir* encadré, p. 284), mais sans être vinés à nouveau.

CLASSEMENTS ULTÉRIEURS DES FÛTS

Les vins évoluent, chacun à leur manière, durant 9 à 36 mois. Ils sont classés régulièrement jusqu'à détermination de leur style définitif.

LE SYSTÈME D'ASSEMBLAGE : LA *SOLERA*

Le style du Xérès établi, les vins sont élevés selon un système appelé *solera* qui repose sur l'usage de fûts à différentes étapes du mûrissement. Les fûts sont régulièrement complétés avec du vin plus jeune pour que le style du Xérès reste constant.

Dans le système *solera*, un stock de vins en fûts est fractionné en unités de volume égal, chacune à un stade de mûrissement différent. Le fût qui contient le vin le plus ancien est la *solera*, la réserve. Aux stades précédents, les fûts sont appelés *criaderas* ; ils alimentent la *solera*. On compte souvent sept *criaderas* et jusqu'à quatorze pour un Manzanilla *solera*.

En général, un tiers de la *solera* est puisé chaque année pour être assemblé et mis en bouteilles. C'est le maximum autorisé par la loi, mais les producteurs consciencieux se limitent parfois à un cinquième pour les *soleras* plus vieilles de très grande qualité. Le maximum légal s'applique à chaque fût ; aucun ne peut être diminué de plus d'un tiers chaque année. Le volume prélevé sur la *solera* à maturité est aussitôt remplacé par un volume équivalent puisé dans la première *criadera*, laquelle est complétée par du vin de la deuxième *criadera*, et ainsi jusqu'à la dernière *criadera*. Lorsque celle-ci a perdu un tiers de son vin, elle reçoit une quantité identique d'*añada*, ou vin nouveau, composé de Xérès produits dans l'année en cours, élevés jusqu'à 36 mois, et classés dans la même catégorie.

L'assemblage final

Les purs vins de *Soleras* sont des Xérès classiques ; ils sont tout à fait secs et de la meilleure qualité potentielle. Outre ces vins relativement rares, une certaine proportion de Xérès peut être prélevée sur une *solera* pour rafraîchir une *solera* plus vieille et plus petite. Un Xérès provenant d'une *solera* commencée en 1914 renferme aujourd'hui une part infime du vin de 1914. Si un tiers du vin est retiré tous les ans, il reste après dix ans moins de 2 % du vin d'origine. Au bout de vingt ans, chaque bouteille devrait contenir environ un millième d'une cuillerée de 5 ml ! Il existe toutefois peu de vrais purs *Soleras*, et la plupart des Xérès, qu'ils soient expédiés en gros ou en bouteilles, sont non seulement un assemblage de *soleras* différentes (et d'*añadas* pour les vins bon marché), mais contiennent aussi un ou plusieurs agents édulcorants et colorants.

L'ÉVOLUTION DES STYLES DE XÉRÈS

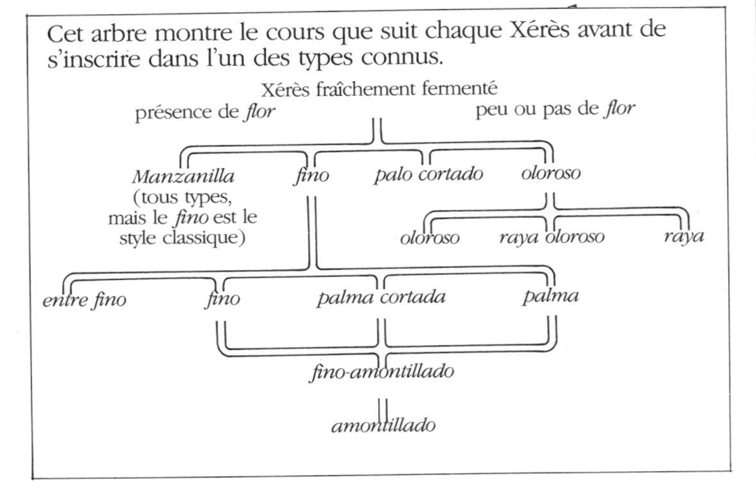

Cet arbre montre le cours que suit chaque Xérès avant de s'inscrire dans l'un des types connus.

AGENTS ÉDULCORANTS ET COLORANTS À BASE DE RAISIN

PX. C'est l'agent édulcorant le plus traditionnel et le plus important dans la production du Xérès, mais il est remplacé peu à peu par de moins onéreux. Après le *soleo* (*voir* p. 283), le taux de sucres passe de 23 à 43-54 %. Le PX est alors pressuré et versé dans des fûts qui abritent de l'eau-de-vie de raisin ; il titre ensuite 9° et contient 430 grammes de sucre par litre. Ce mélange est mis sous bondes et laissé pendant quatre mois au cours desquels se produit une légère fermentation qui augmente la teneur en alcool d'un pour cent et abaisse la teneur en sucre de 18 grammes. Le vin subit alors un second mutage, qui porte son titre alcoométrique à 13° et sa richesse en sucre à 380 grammes par litre. Il existe d'autres agents édulcorants et colorants.

Moscatel
La préparation est identique à celle du PX, mais le résultat n'est pas aussi riche, et l'emploi du Moscatel, qui a toujours été beaucoup moins répandu, n'est pas autorisé par la réglementation des DO.

Dulce pasa
Palomino préparé selon la même méthode que le PX et le Moscatel. Il peut atteindre une concentration en sucre de 50 % avant le vinage. Cet agent diffère du *dulce racimo* et du *dulce apagado*, des édulcorants naguère importés d'autres régions, et dont l'emploi est maintenant prohibé.

Dulce de almibar ou dulce blanco
Combinaison de glucose et de lévulose mélangée avec du *fino*, puis mûrie, qui sert à édulcorer les Xérès de couleur pâle.

Sancocho
Sirop de couleur foncée, sucré, poisseux et non alcoolisé obtenu par réduction à feu doux de jus de raisin local non fermenté à un cinquième de son volume. Il sert à la production du *vino de color*.

Arrope
Cet agent, obtenu par réduction de jus de raisin local non fermenté à un cinquième de son volume, possède les mêmes caractéristiques que le *sancocho* et sert à la production de *vino de color*.

Color de macetilla
C'est le meilleur *vino de color*. On l'obtient en mélangeant deux volumes d'*arrope* ou de *sancocho* avec un volume de jus de raisin local non fermenté. Le vin titre 9° et contient 235 grammes de sucre par litre. Les stocks les plus précieux sont souvent élevés selon le système *solera*.

Color rementado
Vino de color moins cher, obtenu en mélangeant de l'*arrope* ou du *sancocho* à du vin local.

LES STYLES DE XÉRÈS

Manzanilla
Vin produit dans les environs de Sanlúcar de Barrameda. La forme la plus classique est le *fino*, mais le *pasada* (nom local du *fino-amontillado*) est tout aussi renommé. La région offre aussi des *amontillados*, des *olorosos* et tous les styles intermédiaires.

Manzanilla *fina*
C'est un *fino* relativement moderne, issu de raisins vendangés précocement. Sa production diffère de celle du *fino* traditionnel : les fûts sont ouillés plus souvent, la *flor* est plus abondante et se développe plus vigoureusement, le vinage est moins important et la *solera* plus complexe. Le Manzanilla authentique est pâle, léger, sec et délicat ; il a un arôme de *flor* caractéristique et un arrière-goût légèrement amer, parfois salin. Ces vins sont en général de purs Palomino et titrent entre 15,5 et 17°.

Manzanilla *pasada*
Lorsqu'un Manzanilla commence à vieillir, il perd sa *flor*, gagne de l'alcool et devient l'équivalent d'un *fino-amontillado*, rebaptisé *pasada* à Sanlúcar de Barrameda. Ce vin est fait uniquement de Palomino et peut titrer jusqu'à 20,5°.

Fino
Les *palmas* correspondent aux meilleurs Xérès *finos* ; ils suivent une échelle de qualité croissante : *dos palmas, tres palmas, cuatro palmas*. Le *palma cortada* est un *fino* qui a acquis plus de corps, qui possède une saveur d'amande sèche mais souple, et qui tourne à l'*amontillado*. Un *entrefino* n'a pas beaucoup de qualités. Le style des *finos* se modifie très souvent au cours du vieillissement en fûts, c'est pourquoi l'« Old Fino Sherry » authentique est rare. Le *fino* est léger, sec et délicat ; son nez de *flor* doit l'emporter sur l'odeur d'acétaldéhyde. Les *finos* sont toujours de purs Palomino et titrent entre 15,5 et 17°.

Amontillado
En vieillissant, le *fino* développe une couleur ambrée et devient un *fino-amontillado*, puis, après au moins huit ans, un *amontillado* proprement dit – vin plus corsé qui livre des notes de noisette. Le vrai *amontillado* est complètement sec et titre entre 16 et 18°.

Oloroso
Oloroso signifie « parfumé ». Quand il est vraiment sec, riche et complexe, c'est peut-être le plus fin et le plus beau des vins de Jerez. Son caractère découle notamment d'un taux d'alcool plus important au moment du vinage et de la proportion généreuse de glycérine qui se développe en l'absence de *flor*. Il titre généralement entre 18 et 20°.

Palo cortado
Ce vin ne peut être produit délibérément, et on ne peut même pas encourager sa naissance (une *solera* de *palo cortado* serait extrêmement difficile à réaliser). Un fût sur mille seulement se transforme en un *palo cortado* authentique. Le style de ce vin naturellement sec se situe entre l'*amontillado* (au nez) et l'*oloroso* (en bouche). Selon sa qualité, il est appelé *dos cortados, tres cortados* ou *cuatro cortados*.

Note : L'évolution d'un Xérès peut être naturelle. Ainsi un *fino*, sans vinage supplémentaire, peut-il se transformer en *oloroso* (un *oloroso* naturel peut donc se développer en présence de *flor*). Un *palo cortado* peut provenir d'un *amontillado* ou d'un *oloroso*. Un vieux Xérès *fino* authentique peut se transformer soudain en *oloroso*.

LE XÉRÈS ET LA CEE

Lorsque l'Espagne rejoignit le Marché commun le 1er janvier 1986, elle était loin d'imaginer que celui-ci refuserait de reconnaître l'unicité de son Xérès, riche de 3 000 ans d'histoire. Elle pensait que son vin d'apéritif serait reconnu et protégé ainsi que la Commission de la CEE l'avait explicitement proposé. La définition, le respect et la défense des appellations font partie intégrante du régime de la CEE, mais ce système recèle une faille majeure qui permet à deux États de s'opposer à la décision collective de tous les autres membres. La Grande-Bretagne et l'Irlande se sont unies pour bloquer les propositions de la Commission relatives au Xérès. L'Espagne découvre aujourd'hui que la CEE est prête à défendre le nom de ses vins ordinaires, mais non celui du Xérès, son vin le plus renommé !

Les vins du Sud

CONDADO DE HUELVA DO

Coincée entre le pays du Xérès et l'Algarve, dans le sud du Portugal, cette aire produit des vins moelleux de dessert qui sont renommés depuis fort longtemps. Les vins légers et secs sont plus récents et consommés sur place pour la plupart.

TOUS VINS. **Principal** : Zalema **Secondaires** : Garrido fino, Palomino, Pedro Ximénez, Moscatel, Mantúo

BLANC. Vins secs, nets et ordinaires.

Le millésime est peu important

Immédiatement

BLANC FAUVE/VINÉ. Deux types de base : le *pálido*, jeune, de couleur paille, sec et austère, titrant 14 à 17° d'alcool, et le *viejo*, vieilli en *solera*, avec des nuances acajou, sec ou doux, volontairement oxydé, titrant 15 à 23°.

Le millésime est peu important

Avant 1 à 3 ans

JEREZ-XÉRÈS-SHERRY DO

Voir XÉRÈS DO.

MÁLAGA DO

Les vignobles côtiers de Mlaga, plantés au nord-est de Jerez, produisent l'un des vins de dessert classiques les plus sous-estimés. Vieilli généralement selon le système de la *solera* (*voir* Xérès, p. 285), il peut être assemblé de la même manière que le Xérès, avec divers agents colorants et édulcorants à base de raisin : *arrope, vino de color, vino tierno, vino maestro...*

Moscatel, Pedro Ximénez

OR/FAUVE/BRUN/ROUGE VINÉ. La couleur dépend du style du Málaga, de son âge et de la méthode de mûrissement. On distingue huit types :
Dulce color : Málaga de couleur foncée, moyennement corsé, adouci avec de l'*arrope*.
Lágrima : le plus ontueux de tous les Málaga fait de vin de goutte uniquement.
Moscatel : vin aux arômes de raisin sec, doux, riche et relativement corsé. Il ressemble au Xérès en plus onctueux.
Old Solera : le plus fin, le plus profond et le plus long de tous les Málaga. Il est plus complexe qu'onctueux, relativement corsé, doux mais avec une finale sèche.
Oscuro : Málaga de couleur sombre, doux, adouci avec de l'*arrope* et coloré avec du *vino de color*.
Pajarette : vin foncé moins doux mais plus alcoolisé que les autres Málaga.
Pedro Ximénez : vin de cépage souple, doux, délicieusement riche, à la saveur intense, proche en caractère du Xérès.
Sec : vin pâle sec et mordant, aux nuances crémeuses de noisette.

Généralement non millésimé ou vieilli en *solera*

Aussitôt (il peut vieillir pendant plusieurs années, mais sans se bonifier)

☆ Scholtz Hermaoz, Pérez Texeira, Larios

MANZANILLA DO

Voir Xérès, p. 282-286.

MONTILLA-MORILES DO

Vins d'apéritif semblables aux Xérès, mais théoriquement non vinés, provenant des terres les plus chaudes et les plus sèches de Córdoba. Les vignobles sont plantés sur un sol gris clair riche en chaux, et les vins secs complètement fermentés titrent naturellement 15° et plus avant que commence l'élevage selon le système de la *solera*. On ajoute parfois un peu de vin doux, en particulier aux Montilla destinés à l'exportation.

Principal : Pedro Ximénez **Secondaires** : Moscatel, Airén, Baladí

BLANC. Le terme *amontillado*, littéralement « montilladaiss », s'appliquait à l'origine aux Xérès possédant des caractéristiques analogues à celles des Montilla. Curieusement, le mot ne figure jamais sur les bouteilles de Montilla, mais les vins ressemblent tout à fait aux Xérès de ce type.

Non millésimé ou vieilli en *solera*

Immédiatement

☆ Marqués de la Sierra, Alvear, Bodegas Mora Chacon, Delgado Hermanos, Perez Barquero, Rodriguez Chiachio

XÉRÈS DO

Ces vins vinés comptent parmi les plus classiques. Ils peuvent être vendus sous les appellations Jerez-Xérès-Sherry, Jerez, Xérès ou Sherry. Pour plus de détails, *voir* Xérès, p. 282-286.

Principales bodegas de Xérès et de Manzanilla

Note : Le cépage et le degré alcoolique sont indiqués entre parenthèses. Ces données peuvent varier légèrement sur certains marchés étrangers pour lesquels les taux de sucres et d'alcool sont ajustés conformément aux goûts ou aux réglementations locales.

Le bouquet du Xérès est dominé par l'acétaldéhyde, composant qui me paraît contestable. En outre, le Xérès *fino* se caractérise par sa nuance de *flor*, autre arôme que je n'apprécie pas. Si je puis conseiller chaudement l'authentique Xérès *oloroso* vieux et sec et le rare *palo cortado*, j'ai dû me fier à d'autres pour toutes les autres recommandations de cette section.

ALLIED-LYONS

Ce groupe gigantesque est doublement impliqué dans le marché du Xérès. D'une part, et c'est là l'essentiel, Allied-Lyons possède les firmes de Xérès Harveys (dont Harveys de Bristol), Terry et Palomino & Vergara, plus une participation dans Pedro Domecq (environ 45 %) et dans Barbadillo (10 % environ). D'autre part, grâce à sa production au Royaume-Uni de marques comme « VP » et « QC », ce groupe domine incontestablement le marché du « Sherry britannique ». *Voir* aussi Harveys.

BARBADILLO

Antonio Barbadillo
Luis de Eguilas 11,
Sanlúcar de Barrameda

Vignobles : ***1 000 ha***
Année de création : ***1821***

Cette firme est dominante sur son marché : elle assure 70 % de la production totale de Manzanilla et jouit d'une bonne réputation.

Vins. *Manzanilla* : « Eva » (Palomino, 15,5°), « Etiqueta Blanca » (Palomino, 15,5°), Manzanilla Fina* (Palomino, 15,5°), « Pastora » (Palomino, 15,5°), « Sirena » (Palomino, 15,5°), « Solear »* (Palomino, 15,5°)
Fino : « De Balbaina » (Palomino, 16°), « Etiqueta Amarilla » (Palomino, 16°), « Tio Rio » (Palomino, 17°), « Viña Del Cuco » (Palomino, 16°)
Amontillado : « Cuco » (Palomino, 17°), « Etiqueta Blanca » (Palomino, 17°), « Principe » (Palomino, 17°)
Oloroso : « Cuco » (Palomino, 18°), « Etiqueta Amarilla » (Palomino, 18°), « San Rafael » (Palomino, 18°)
Doux : « Cuco Cream » (Palomino 18°), « Eva Cream »* (Palomino, 18°), « Fruta Laura » (Moscatel, 18°), « Paso Evora » (Moscatel, 18°), Pedro Ximénez (Pedro Ximénez, 18°)

BERTOLA

Voir Bodegas Internacionales.

HIJOS DE AGUSTÍN BLÁQUEZ

Julio Ruiz de Alda 42,
Jerez de la Frontera

Année de création : ***1795***

Cette firme, surtout connue pour son *fino* « Carta Blanca », appartient à Pedro Domecq.

Vins. *Fino* : « Carta Blanca » (Palomino, 16,5°), « Balfour » *Fino*
Amontillado sec : « Carta Plata », « Carta Oro »*
Amontillado demi-sec : « Balfour » Amontillado
Oloroso sec : « Carta Roja » (Palomino, 19°)
Oloroso demi-sec : « Don Paco » (Palomino, 19°)
Palo Cortado : « Capuchino » (Palomino, 20°)
Doux : « Carta Azul » (Pedro Ximénez, 17°), « Medal Cream » (Palomino, 20°), « Balfour Cream », « Balfour Pale Cream »

BODEGAS INTERNACIONALES

Carretera Madrid-Cadiz,
Jerez de la Frontera

Année de création : ***1974***

Les immenses locaux qui abritent cette bodega, construits en 1977, sont le plus grand édifice de Jerez.

Vins. *Manzanilla* : « Victoria »
Fino : « Duke of Wellington » (17,5°), « Bertola » (15,5°)
Amontillado sec : « Pemartin »
Amontillado demi-sec : « Duke of Wellington » (17,8°), « Varela »
Oloroso sec : « La Novia »
Oloroso demi-sec : « Duke of Wellington »
Doux : « Duke of Wellington Pale Cream » (17,8°), « Bertola Cream », « Bertola Pale Cream »

JOHN WILLIAM BURDON

Puerto de Santa María

Année de création : ***1821***

Cette firme, fondée au XIXe siècle par le négociant anglais qui lui a donné son nom, appartient à Luis Caballero depuis 1932.

Vins. *Fino* : Dry, « Puerto Fino Superior » Dry (Palomino, 16,5°)
Amontillado : Medium, « Don Luis » Fine Old Amontillado
Oloroso : « Heavenly Cream » Rich Old Oloroso
Doux : Pale Cream, Rich Cream

LUIS CABALLERO

San Francisco 32,
Puerto de Santa María

Année de création : ***1830***

La firme de Jerez Luis Caballero est propriétaire de La Cuesta et de John William Burdon.

Vins. *Manzanilla* : « Macarena »
Fino : « Caballero Pavon »
Amontillado sec : « Tio Benito »
Amontillado demi-sec : « Benito », « Caballero »
Oloroso sec : « Caballero Oloroso Real »
Oloroso demi-sec : « Caballero »
Doux : « Benito Pale Cream », « Benito Cream », « Caballero », « Caballero Oloroso Mayoral »

CAYD

Puerto 21,
Sanlúcar de Barrameda

Année de création : ***1870***

Cette maison d'origine italienne fait partie de Campo Virgen de la Caridad, coopérative qui réunit un millier de membres.

Vins. *Manzanilla* : « Bajo De Guia » (Palomino, 15,5°), « La Sanluqueña » (Palomino, 15,5°), « Saeta » (Palomino, 15,5°)
Fino : Cayd (Palomino, 15,5°)
Oloroso : Cayd Medium (Palomino, 18°)
Doux : Cayd Cream (Palomino, 18°)

CROFT

Rancho Croft,
Carretera Circunvalación 636,
Jerez de la Frontera

Production : ***2,75 millions de caisses***
Vignobles : ***485 ha***
Année de création : ***1968***

Maison de négoce en Porto depuis 1678, Croft fut racheté en 1911 par W. & A. Gilbey, firme britannique qui importait des Xérès depuis 1860. W. & A. Gilbey s'est établi à Jerez en 1968 sous le nom de Croft Jerez S. A., et fit construire une vaste bodega de style traditionnel.

Vins. *Fino* : « Croft Delicado » (Palomino, 17,5°)
Amontillado : « Croft Classic » (Palomino, 17,5°), « Croft Particular », « Don Gaspar »
Oloroso : « Doña Gracia » (Palomino, 17,5°)
Palo Cortado : « Croft Palo Cortado » (Palomino, 17,5°)
Doux : « Croft Original Pale Cream » (Palomino, 18°)

CUVILLO

José Moreno de Mora 15,
Puerto de Santa María

Année de création : ***1773***

Les Xérès doux sont la spécialité de la firme Cuvillo. Ils étaient vendus autrefois sous l'étiquette « Bristol Cream ».

Vins. *Fino* : « Basileo » (Palomino, 17°), « Naviero » (Palomino, 20°)
Amontillado : « Basileo » (Palomino, 17°), « Solero Santa Isabel » (Palomino, 20°)
Oloroso : « Sangre » (Palomino, 19°), « Trabajadero »* (Palomino, 19°)
Palo Cortado : Palo Cortado*
Doux : « Corona Cream »* (Palomino, 20°), « Cuvillo Cream »* (Palomino, 18°), Pedro Ximénez (Pedro Ximénez, 18°)

DELGADO ZULETA

Carmen 32,
Sanlúcar de Barrameda

Année de création : ***1744***

L'une des plus anciennes bodegas renommée pour son Manzanilla *pasada* « La Goya ».

Vins. *Manzanilla* : « La Goya »* (Palomino, 15,5°), « Barbiana » (Palomino, 15,5°)
Fino : « Don Tomas » (Palomino, 15,5°)
Amontillado : « Quo Vaddis » (Palomino, 18°)
Oloroso : « Puerto Lucero » (Palomino, 18°)
Doux : « Monteagudo Cream » (Palomino, 17,5°), Pedro Ximénez (Pedro Ximénez, 17°)

DÍEZ-MÉRITO

Cervantes 3,
Jerez de la Frontera

Vignobles : ***200 ha***
Année de création : ***1854***

Pour répondre aux goûts actuels, certains Manzanilla et *fino* destinés à l'exportation ont été ramenés à 15,5°.

Vins. *Manzanilla* : « Don Zoilo », « La Torera », « Diez Hermanos »
Fino : « Candido » (Palomino), « Don Zoilo »* (Palomino, 17°), « Imperial » (Palomino, 18°), « Diez Hermanos » Palma (Palomino, 16,7°)
Amontillado sec : « Don Zoilo » (Palomino, 19°), « Mérito »
Amontillado demi-sec : « Don Zoilo », « Mérito », « Figaro Diez Hermanos »
Oloroso sec : « Don Zoilo » (98 % Palomino et 2 % Pedro Ximénez, 19°), « Victoria Regina »* (Palomino, 21°), « Mérito », « Realengo »
Oloroso demi-sec : « Diez Hermanos Favorito »
Doux : « Don Zoilo Cream » (75 % Palomino et 25 % Pedro Ximénez, 19°), « Don Zoilo » Medium (90 % Palomino et 10 % Pedro Ximénez, 19°), « Don Zoilo » Moscatel (Moscatel, 18°), « Don Zoilo Pale Cream » (Palomino et Moscatel, 17,5°), « Don Zoilo » Pedro Ximénez (Pedro Ximénez), « Diez Hermanos Favorito Cream » (75 % Palomino et 25 % Pedro Ximénez, 18,5°), Pedro Ximénez XXX (Pedro Ximénez, 12,5°), « Mérito Cream », « Mérito Pale Cream »

PEDRO DOMECQ

San Ildefonso 3,
Jerez de la Frontera

Vignobles : ***1 050 ha***
Année de création : ***1730***

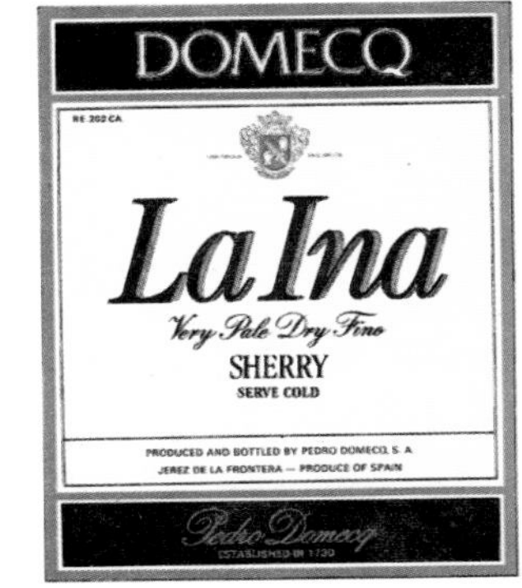

La plus grande et la plus vieille maison de Xérès. Elle possède aujourd'hui plus de 75 bodegas dans la région. Elle commercialise parfois quelques vins rares de *solera*.

Vins. *Fino* : « Botaina » (Palomino, 17,5°), « La Ina »*, « Double Century »

Amontillado : Amontillado « 51a » (Palomino, 17,5°)
Amontillado sec : « Botaina »* (Palomino, 17,5°)
Amontillado demi-sec : « Double Century »
Oloroso : « Decano Napoleon » (85 % Palomino, 15 % Pedro Ximénez, 19°), « Double Century » (90 % Palomino, 10 % Pedro Ximénez, 18°), « La Raza », (92 % Palomino, 8 % Pedro Ximénez, 18,5°), « Rio Viejo »* (Palomino, 18,5°)
Palo Cortado : « Sibarita » (95 % Palomino, 5 % Pedro Ximénez, 18,5°)
Doux : « Celebration Cream »* (75 % Palomino, 25 % Pedro Ximénez, 18°), « Venerable »* (Pedro Ximénez, 16°), « Viña 25 » (Pedro Ximénez, 18°), « Double Century »*

DON ZOILO

***Voir* Díez-Mérito.**

DUFF GORDON

Fernán Caballero 6,
Puerto de Santa María

Année de création : ***1768***

Fondée par James Duff, consul britannique à Cadix, associé à son neveu William Gordon, cette firme historique fut dirigée par Thomas Osborne au début du XIXe siècle, avant d'être finalement absorbée par la maison Osborne en 1872.

Vins. *Fino* : « Feria » (Palomino, 17,5°)
Amontillado : « El Cid » (Palomino, 18-19°)
Doux : « Santa Maria Cream » (Palomino et Pedro Ximénez, 19°), « PX 1827 »*

DUKE OF WELLINGTON

***Voir* Bodegas Internacionales.**

GARVEY

Divina Pastora 3,
Jerez de la Frontera

Vignobles : ***300 ha***
Année de création : ***1780***

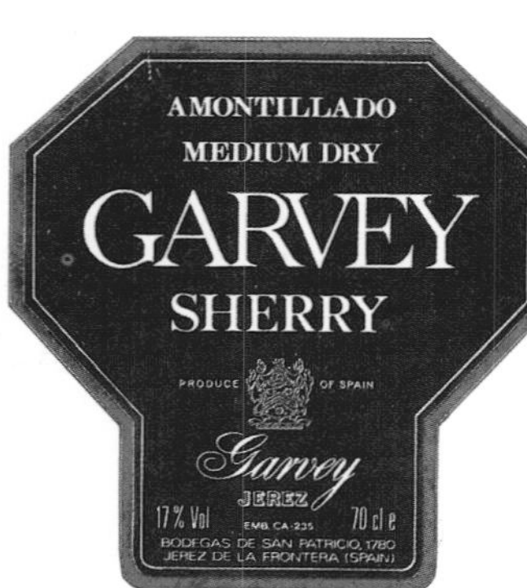

Cette firme appartient à la coopérative allemande AG. On raconte qu'un Anglais en visite à Jerez aurait demandé à un homme du pays où se trouvait la bodega de Harveys – seul Xérès qu'il connaissait. Harveys n'ayant pas de bodega à cette époque et l'Anglais ne parlant pas l'espagnol, l'homme l'envoya chez Garvey. Ravi de sa visite, le jeune Anglais écrivit au consul à Cadix pour faire l'éloge de l'hospitalité de Harveys, ajoutant : « N'est-il pas curieux qu'ils l'écrivent avec un G en Espagne ? »

Vins. *Manzanilla* : « La Lidia »
Fino : « San Patricio »* (Palomino, 17°)
Amontillado : « Tio Guillermo »
Oloroso sec : « Ochavico »
Oloroso demi-sec : « Long Life »
Doux : « Long Life » (Palomino, 18,5°), « Sandrita », « Flor de Jerez », Pedro Ximénez (Pedro Ximénez)

Deuxième vin : « Pedro Rodriguez »

GONZÁLEZ BYASS

Manuel M. Gonzalez 12,
Jerez de la Frontera

Vignobles : ***2 000 ha***
Année de création : ***1870***

Grande firme de Jerez. « Tio Pepe » est le *fino* le plus vendu au monde.

Vins. *Manzanilla* : « Fina Piedra » (Palomino, 17°)
Fino : « Elegante » (Palomino, 17,5°), « Tio Pepe » (Palomino, 16,8°)
Amontillado sec : « Viña AB » (Palomino, 17,5°)
Amontillado demi-sec : « Caballero » (Palomino, 17,5°), « La Concha » (Palomino, 17,5°), « Amontillado del Duque »* (Palomino, 17,5°)
Oloroso sec : « Alfonso » (Palomino, 19°)
Oloroso demi-sec : « Nutty Solera » (Palomino, 19°), « Matusalem Muy Viejo »* (Palomino, 19°), Oloroso « Dulce Solera 1847 » (Palomino, 19°)
Doux : « San Domingo Pale Cream » (Palomino, 19°), « Sedoso Bristol Milk » (Palomino, 19°), « Nectar Cream » (Palomino, 19,5°), « Diamond & Jubilee » (Palomino, 19,5°), « Romano Cream » (Palomino, 19,5°)

HARVEYS

John Harvey & Sons (España)
Arcos 53,
Jerez de la Frontera

Production : ***17 % des ventes mondiales***
Vignobles : ***1 215 ha***
Année de création : ***1970***

La firme John Harvey & Sons, fondée en 1796, ne s'est établie à Jerez qu'assez récemment mais elle participe depuis très longtemps au commerce du Xérès et assure aujourd'hui 17 % des ventes mondiales.

Vins. *Manzanilla* : Harveys, « 1796 »
Fino : « Luncheon Dry », « Tico », « 1796 » Superior Fino
Amontillado sec : Fine Old Amontillado, « 1796 » Fine Old Amontillado
Amontillado demi-sec : Club Amontillado
Palo Cortado : Palo Cortado*, « 1796 » Palo Cortado*
Doux : « Bristol Cream » (Palomino, 17,7°), « Finesse »

LUSTAU

Emilio Lustau
Plaza del Cubo 4,
Jerez de la Frontera

Année de création : ***1896***

La qualité de ces Xérès est très constante, depuis les vins de marque jusqu'à l'exceptionnelle gamme Almacenista.

Vins. Manzanilla, Fino, Jerez Fino, Amontillado sec, Amontillado demi-sec, Oloroso sec*, Oloroso demi-sec, Palo Cortado*, Pale Cream, Cream, « Old East India » et ses prestigieuses gammes Almacenista* et Reserva*.

MARQUÉS DEL REAL TESORO

***Voir* Real Tesoro.**

MÉRITO

***Voir* Díez-Mérito.**

OSBORNE

Fernán Caballero 3,
Puerto de Santa María

Année de création : ***1772***

Avec « Bailen », véritable *oloroso* sec, cette firme produit un superbe vin que tous apprécient, y compris ceux qui ne goûtent pas généralement le Xérès. Depuis 1872, Osborne possède Duff Gordon, une autre bodega ancienne de Jerez.

Vins. *Fino* : « Quinta » (Palomino, 17-19°)
Amontillado : « Conquinera » (Palomino, 17-19°)
Oloroso sec : « Bailen » (Palomino, 17-19°)
Oloroso demi-sec : « 10 RF » (Palomino, 17-19°)
Doux : Moscatel (Moscatel, 19°), Osborne Cream, (Pedro Ximénez et Palomino, 17-19°), Pedro Ximénez (Pedro Ximénez, 19°)

PALOMINO & VERGARA

Colon 1,
Jerez de la Frontera

Année de création : ***1765***

Cette maison historique appartient maintenant à Allied-Lyons.

Vins. *Fino* : « Tio Mateo »* (Palomino, 17°), Palomino & Vergara
Amontillado sec : « Buleria »
Amontillado demi-sec : Palomino & Vergara
Oloroso sec : « Los Flamencos »
Oloroso demi-sec : Palomino & Vergara
Doux : Pale Cream, « Solera Cream 1895 »

HIJOS DE RAINERA PÉREZ MARÍN « LA GUITA »

Banda de la Playa 28
Sanlúcar de Barrameda

Année de création : ***1859***

Petite firme célèbre pour son Manzanilla *pasada* « La Guita ».

Vins. *Manzanilla* : « La Guita »* (Palomino, 16°), « Hermosilla »
Fino : « Bandera » (Palomino, 16°)

REAL TESORO

Pajarete 3,
Jerez de la Frontera

Le premier marquis du « Trésor royal » reçut son titre pour avoir fondu son argent en boulets de canon destinés à la flotte !

Vins. *Manzanilla* : « La Bailadora », « La Capitana »*
Fino : « Ideal » (Palomino, 17°)
Amontillado : Real Tesoro (Palomino, 17°), Viejo*, Medium Dry
Oloroso : « Almirante » (Palomino, 17°)
Doux : Pedro Ximénez Real Tesoro (Pedro Ximénez, 17°), Real Tesoro Cream (Palomino, 17°), « Solera 1850 » (Palomino, 17°)

LA RIVA

Alvar Nuñez 44,
Jerez de la Frontera

Année de création : ***1776***

Firme de Pedro Domecq.

Vins. *Fino* : Tres Palmas*, « Copa » Fino
Amontillado sec : « Guadalupe Superior »
Amontillado demi-sec : Copa Amontillado
Oloroso : Reserva, « Viña Sabel »
Palo Cortado : « La Riva »
Doux : « Royal Cream », « Copa Cream »

PEDRO RODRIGUEZ

***Voir* Garvey.**

SANDEMAN

Calle Pizarro 10,
Jerez de la Frontera

Vignobles : ***650 ha***
Année de création : ***1790***

Sandeman, renommé pour ses Porto, produit toujours de bons Xérès.

Vins. *Fino* : « Don Fino » (Palomino, 17,5°), Dry Fino Seco
Amontillado sec : Bone Dry Old Amontillado
Amontillado demi-sec : Medium Dry, « Royal Esmeralda »
Oloroso : Dry Old Oloroso
Oloroso demi-sec : « Character Amoroso », « Royal Corregidor »*, « Imperial Corregidor »*
Palo Cortado : « Royal Ambrosante »*, Dry Old Palo Cortado*
Doux : « Armada Cream »* (Palomino et Pedro Ximénez, 17,5°), « Character Amoroso » (Palomino et Pedro Ximénez, 17,8°), Oloroso, Light Oloroso

TERRY
Bodegas Terry
Santísima Trinidad 2,
Puerto de Santa María

Année de création : *1883*

Cette maison appartient à Allied-Lyons.

Vins. *Fino* : « Camborio » (Palomino, 16,5°), « Maruja » (Palomino, 16,5°), « Savory & James Carrera »
Amontillado demi-sec : « Camborio » (Palomino, 18°), « Savory & James Carrera »
Oloroso demi-sec : « Camborio » (Palomino, 18°), « Savory & James Carrera »
Doux : « Amoroso Cream » (Palomino et Pedro Ximénez, 17,5°), « Camborio » (Palomino et Pedro Ximénez, 18°), « Savory & James Carrera »

VALDESPINO
Paseo del Olivar 16,
Jerez de la Frontera

Production : *400 000 caisses*
Année de création : *1430*

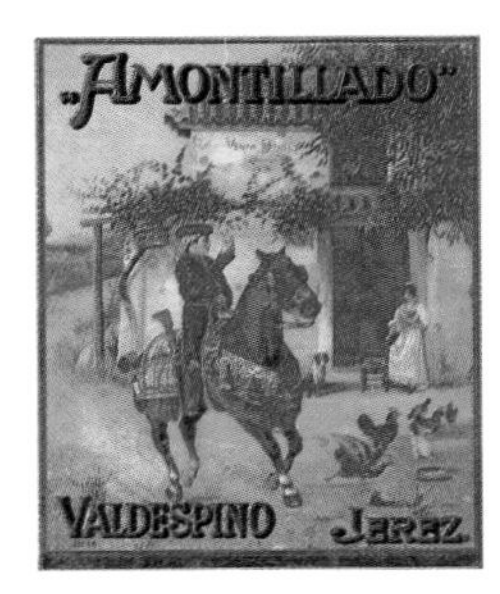

La plus ancienne bodega de Jerez est fidèle aux méthodes traditionnelles. Ses Xérès, vinifiés en fûts, sont très estimés.

Vins. *Manzanilla* : « Montana », « Deliciosa »
Fino : « Inocente » (Palomino, 16°), « Cuesta Alta »
Amontillado sec : « Tio Diego », « Don Tomas »*
Amontillado demi-sec : « Martial », « Matador », Old Dry, Classic
Oloroso sec : Rare
Oloroso demi-sec : « Solera 1842 », « Don Gonzalo »*
Palo Cortado : « Tres Palos Cortados »
Doux : « Matador Pale Cream », Jerez Cream, Pedro Ximénez « Solera Superior »*

WILLIAM & HUMBERT
Nuno del Canas 1,
Jerez de la Frontera

Année de création : *1877*

« Dry Sack » devint une marque de Xérès en 1908. Ce nom dérive de celui qu'utilisaient les Britanniques pour désigner le vin sec espagnol au XVIe siècle.

Vins. *Fino* : Pando (Palomino, 17°)
Assemblage Amontillado-Oloroso : « Dry Sack » (95 % Palomino et 5 % Pedro Ximénez, 19,5°)
Palo Cortado : Dos Cortados*
Doux : « Canasta Cream » (Palomino, 19,5°), « Walnut Brown », « Topaz Extra Pale Cream », « Tintilla »

Autres bodegas de Xérès et de Manzanilla

TOMÁS ABAD
Muro de la Merced 28,
Jerez de la Frontera

Propriété de Emilio Lustau.

Vins : Tomás Abad *(Manzanilla, Fino, Amontillado sec, Amontillado demi-sec, Oloroso sec, Oloroso demi-sec, Palo Cortado, Doux)*

ALAMEDA
Miguel M. Gómez,
Avenida Libertad, Puerto Santa María

Vins : *Manzanilla, Fino, Amontillado sec, Amontillado demi-sec, Oloroso, Pale Cream, Cream*

HEREDEROS DE ARGÜESO
Mar 8, Sanlúcar de Barrameda

Année de création : *1822*

Vins. *Manzanilla* : Argüeso (Palomino, 15,5°), Manzanilla Extra (Palomino, 15,5°), « San Leon » Pasada (Palomino, 15,5°)
Amontillado : Amontillado Viejo (Palomino et Listán, 18°), Argüeso, (Palomino, 17,5°)
Oloroso : Argüeso (Palomino, 18°)
Doux : Moscatel Fruto (Moscatel, 17°)

MANUEL DE ARGÜESO
Pozo Olivar, Jerez de la Frontera

Vins. *Manzanilla* : « Señorita », « Santa Ana »
Fino : « Colombo »
Amontillado sec : « Coliseo »
Amontillado demi-sec : « Torre Verde »
Oloroso sec : Very Old
Oloroso demi-sec : Argüeso
Palo Cortado : « Banda Playa »
Doux : Argüeso Pale Cream, « Damas Cream »

HEREDEROS DE MANUEL BARÓN
Banda de la Playa 21,
Sanlúcar de Barrameda

BOBADILLA
Bodegas Manuel Fernández
Carretera Circunvalación,
Jerez de la Frontera

Année de création : *1872*

Vins. *Fino* : « Victoria » (Palomino, 17°), « Abanico » (Palomino, 17°)
Amontillado demi-sec : « Alcazar » (Palomino, 18°)
Oloroso sec : « Capitan » (Palomino, 19°)
Doux : « La Merced Cream », « Sadana Pale Cream »
Produit aussi : *Manzanilla, Oloroso demi-sec, Palo Cortado*

BODEGAS INFANTES DE ORLEANS BORBON
Baños 1, Sanlúcar de Barrameda

Année de création : *1943*

Vins. *Manzanilla* : Manzanilla Especial (Palomino, 15,5°), Manzanilla Fina (Palomino, 15,5°), « Torre Breva » (Palomino, 15,5°)
Fino : « Alvaro » (Palomino, 16°)
Amontillado : « Botanico » (Palomino, 17°)
Oloroso : « Fenicio » (Palomino, 18°)
Doux : « Orleans 1884 » (Palomino, 18°), Moscatel « Pasa Atlantida » (Moscatel, 18°), Pedro Ximénez « Carla » (Pedro Ximénez, 18°)

BODEGAS RAYÓN
Rayón 1-3, Jerez de la Frontera

Année de création : *1926*

Vins. *Manzanilla* : « Pisanova »
Fino : « Ampo »
Amontillado sec : « La Viga »
Amontillado demi-sec : « Rayón »
Oloroso : « Fusco »
Doux : « Adul Pale Cream », Rayón Cream

JOSÉ BUSTAMANTE
San Francisco Javier 3,
Jerez de la Frontera

Année de création : *1892*

Vins. *Fino* : « Betis » (Palomino, 17,5°), Bustamante (Palomino, 17,5°), « Reverencia » (Palomino, 17,5°)
Amontillado : Bustamante (Palomino, 17,5°), « Chambergo » (Palomino, 17,5°), « Reverencia » (Palomino, 17,5°)
Doux : Bustamante Cream (Palomino et Pedro Ximénez, 17,5°), « Reverencia Cream » (Palomino et Pedro Ximénez, 17,5°)

LA CONDESA
M. Gil Galán
Ferrocarril 14, Jerez de la Frontera

Année de création : *1872*

Vins : *Fino, Amontillado, Oloroso, Cream*

CONQUEROR
Voir Luis Páez.

CONQUISTADOR
Voir Viñas SA.

LA CUESTA
San Francisco 32,
Puerto de Santa María

Année de création : *1843*

Appartient à Luis Caballero.

Vins. *Fino* : « Troubador » Pale Dry
Amontillado : « Troubador » Medium Dry
Oloroso : « Troubador Cream »

DEPORTIVO
Voir M. Gil Luque.

DON DIEGO
Voir Portalto.

JOSÉ ESTÉVEZ
Cristal 4-8, Jerez de la Frontera

Vins. *Manzanilla* : « Greta », « El Tutor »
Fino : « Don Felix », « Dique », « Casanova »
Amontillado sec : « Tocayo »
Amontillado demi-sec : « Don Felix », « Casanova », « Tocayo »
Oloroso : « Don Pancho »
Palo Cortado : « Ruiz »
Doux : « Don Felix », « Greta », « El Tutor » Pale Cream, « Don Pancho », « Dique » Cream

J. FERRIS M.
Voir Las 3 Candidas (nom usuel).

FERNANDO GARCÍA-DELGADO
Voir Savory & James (nom usuel).

FRANCISCO GARCÍA DE VELASCO
Voir Los Angeles (nom usuel).

M. GIL GALÁN
Voir La Condesa.

M. GIL LUQUE
Carretera Arcos, Jerez de la Frontera

Année de création : *1900*

Vins. *Fino* : « Deportivo » (Palomino, 17°)
Amontillado : Medium « Deportivo » (Palomino et Pedro Ximénez, 18°)
Oloroso : « Deportivo Cream » (Palomino et Pedro Ximénez, 18°)

MIGUEL M. GÓMEZ
Voir Alameda.

LUIS G. GORDON
Huerta Pintada 20, Jerez de la Frontera

Année de création : *1754*

Vins. *Manzanilla* : « La Giralda » (Palomino, 17°)
Fino : « Manola » (Palomino, 17°), « Neluco »
Amontillado sec : « Altanero »
Amontillado demi-sec : « Galante »
Oloroso sec : « Tambor » (Palomino, 18°)
Oloroso demi-sec : « Senador »
Doux : « Tambor Cream » (Palomino, 19°), « Acoso Pale Cream », « Royal Crescent Cream »

EMILIO M. HIDALGO
Clavel 29, Jerez de la Frontera

Année de création : *1874*

Vins. *Manzanilla* : Hidalgo
Fino : « Panesa » (Palomino, 16,5°), Hidalgo
Amontillado sec : « Tresillo » (Palomino, 18°)
Amontillado demi-sec : « Don Emilio »
Oloroso : « Gobernador » (Palomino, 18°)
Doux : « Magistral Cream » (Palomino et Pedro Ximénez, 18°)

VINÍCOLA HIDALGO
Banda de la Playa 24,
Sanlúcar de Barrameda

Année de création : *1792*

Vins. *Manzanilla* : « La Gitana » (Palomino, 15,5°)
Fino : Hidalgo
Amontillado : « Napoleon » (Palomino, 18°)
Oloroso : Hidalgo
Palo Cortado : Hidalgo
Doux : Hidalgo Pale Cream, Hidalgo Cream

HOOTER
Voir Portalto.

B. M. LAGOS
Banda Playa 46, Sanlúcar de Barrameda

Année de création : *1910*

Vins. *Manzanilla* : « Benitez », « Lagos », « Señero »
Fino : « Benitez », « Lagos », « Señero »
Amontillado : « Benitez », « Lagos », « Señero »
Oloroso : « Benitez », « Lagos », « Señero »
Doux : « Benitez », « Lagos », « Señero » (Pale Cream et Cream)

LAS 3 CANDIDAS
J. Ferris M.
Carretera Puerto-Sanlúcar, Puerto de Santa María

Année de création : *1957*

Vins. *Fino* : « Las 3 Candidas » (Palomino, 17°)
Amontillado : « Las 3 Candidas » (Palomino, 18°)
Doux : « Las 3 Candidas Cream » (Palomino, 17,5°)

LOS ANGELES
Francisco García de Velasco, Sebastian Elcano 2, Sanlúcar de Barrameda

Année de création : *1803*

Vins. *Manzanilla, Fino, Amontillado, Oloroso, Pale Cream, Cream*

JOSÉ MEDINA
Banda de la Playa 46-50, Sanlúcar de Barrameda

Vins. *Manzanilla* : Medina (Palomino, 15°), Medina Especial, « Solera 54 »
Fino : Medina (Palomino, 17°), Medina Especial, « Solera 54 »
Amontillado : Medina (Palomino, 18°), Medina Especial, « Solera 54 »
Oloroso : Medina (Palomino, 18°), Medina Especial, « Solera 54 »
Doux : Medina Cream (Palomino et Pedro Ximénez, 22°), Medina Pedro Ximénez (Pedro Ximénez, 22°), « Solera 54 Cream »

ANTONIO NUÑEZ
Ronda del Caracol, Jerez de la Frontera

Vins. *Manzanilla* : « Rompecopa »
Fino : « Santacuna »
Amontillado sec : « Mundial »
Amontillado demi-sec : « Santacuna »
Oloroso sec : « Arrumbador »
Oloroso demi-sec : « Collarin »
Doux : « Santacuna Cream » et « Pale Cream »

CARLOS DE OTAOLAURRUCHI
Cristo de la Aguas, Sanlúcar de Barrameda

Vins. *Manzanilla* : « Victoria » (Palomino, 17°)
Fino : « Otaola » (Palomino, 17°)
Doux : « Otaola Cream » (Palomino, 18°)

LUIS PÁEZ
Banda de la Playa 46, Sanlúcar de Barrameda

Vins. *Manzanilla* : « Conqueror », « Rey de Oro »
Fino : « Conqueror », « Rey de Oro »
Amontillado : « Conqueror », « Rey de Oro »
Doux : « Conqueror Pale Cream », « Conqueror Cream », « Rey de Oro Cream »

ANTONIO PARRA GUERRERO
Apartado 501, Jerez de la Frontera

Vins. *Fino* : « Patrimonio »
Amontillado sec : « Los Mellizos »
Amontillado demi-sec : « India » Medium
Oloroso sec : « Rey Sol »
Oloroso demi-sec : « Tonipor »
Doux : « Irene II Pale Cream », « India Cream »

JOSÉ PEMARTÍN
Pizarro 17, Jerez de la Frontera

Vins. *Fino* : Pemartín Dry (Palomino, 17°), Viña Pemartín (Palomino 17°)
Oloroso : Solera Pemartín (Palomino, 18°)
Doux : Moscatel Pemartín (Moscatel, 18°), Pemartín Cream (Palomino, 18°)

PÉREZ MÉGIA
Hijos de A. Pérez Megía Fariñas 60, Sanlúcar de Barrameda

Vins. *Manzanilla* : « Alegria »
Fino : « Salome »
Amontillado sec : « Jalifa »
Amontillado demi-sec : Pérez Megía
Oloroso : Pérez Megía
Palo Cortado : Pérez Megía
Doux : Pérez Megía Pale Cream, « Miguel Angel Cream »

PORTALTO
Cervantes 38, Puerto de Santa María

Vins. *Fino, Amontillado, Oloroso* et *Cream* produits sous les étiquettes « Portalto », « Don Diego », « Ward Brothers », « Sharps » et « Hooter »

RAFAEL REIG
Sebastian Elcano 2, Sanlúcar de Barrameda

Vins. *Manzanilla* : « Langostino »
Fino : « Langostino »
Amontillado : « Langostino »
Oloroso : « Langostino »
Doux : « Langostino »

REY DE ORO
Voir Luis Páez.

ROMATE
Sanchez Romate Lealas 26, Jerez de la Frontera

Année de création : *1781*

Vins. *Manzanilla* : « Viva La Pepa » (Palomino, 17,5°), « Petenera »
Fino : « Cristal » (Palomino, 17,5°), « Marismeño », (Palomino, 17,5°, 16,5° sur certains marchés), Romate (Palomino, 17,5°)
Amontillado : « N.P.U. » (Palomino, 17,5°), Romate (Palomino, 17,5°)
Oloroso sec : « Don Jose » (Palomino, 17,5°), « El Cesar », « Carlos V »
Oloroso demi-sec : Romate, « Don Antonio »
Palo Cortado : Romate
Doux : « Iberia Cream » (Palomino et Pedro Ximénez, 17,5°), Romate Cream (Palomino et Pedro Ximénez, 17,5°), Romate Pale Cream

PEDRO ROMERO
Trasbolsa 60, Sanlúcar de Barrameda

Année de création : *1850*

Vins. *Manzanilla* : « Aurora » (Palomino, 15,5°), « Viña El Alamo » (Palomino, 15,5°)
Fino : « Viña El Alamo » (Palomino, 16°)
Amontillado : « Viña El Alamo » (Palomino, 18°)
Oloroso : « Viña El Alamo » (Palomino, 18°)
Doux : « Viña El Alamo Cream » (Palomino, 18°), Moscatel « Viña El Alamo » (Moscatel, 19°), Pedro Ximénez « Viña El Alamo » (Pedro Ximénez, 19°)

SAVORY & JAMES
Fernando García-Delgado Sancho Vizacíano 20, Jerez de la Frontera

Vins : *Manzanilla, Fino, Amontillado, Pale Cream, Cream*

SHARPS
Voir Portalto.

JOSÉ DE SOTO
M. Antonio Jesús Tirado 6, Jerez de la Frontera

Année de création : *1888*

Vins. *Fino* : « Campero » (Palomino, 16,5°), « Soto » (Palomino, 17°)
Amontillado sec : « Lu Uvita » (Palomino, 18°)
Amontillado demi-sec : « Don Jaime »
Oloroso sec : « La Espuela » (Palomino, 18°)
Oloroso demi-sec : Medium Dry
Palo Cortado : « Soto »
Doux : Cream Sherry (Palomino, 18°)

CARLOS Y JAVIER DE TERRY
Valdés 5-9, Puerto de Santa María

Année de création : *1783*

Vins. *Manzanilla* : « 501 »
Fino : « 501 Marinero » (Palomino, 16,5°)
Amontillado : « 501 Miranda »
Oloroso : « 501 Tercios » (Palomino, 18°)
Doux : « 501 Zurbarán Cream »

JUAN VICENTE VERGARA
Carretera Cartuja, Jerez de la Frontera

Année de création : *1765*

Appartient à José Medina mais la gestion est autonome.

Vins. *Manzanilla* : « JV »
Fino : « El Patio » (Palomino, 17,8°), « Fiverlac », « Fernando », « De Liñan »
Amontillado sec : « JV »
Amontillado demi-sec : « Amalia » (Palomino, 17,8°), « JV », « Fiverlac », « Fernando », « De Liñan »
Oloroso : « JV » (Palomino, 17,8°)
Doux : « Ronda Cream » (Palomino, 17,8°), « Royal Wedding Pale Cream » (Palomino, 17,8°)

VIÑA EL ALAMO
Voir Pedro Romero.

VIÑAS SA
Lealas 28, Jerez de la Frontera

Vins : *Manzanilla, Fino, Amontillado, Oloroso, Palo Cortado, Pale Cream, Cream* vendus sous l'étiquette « Conquistador »

WARD BROTHERS
Voir Portalto.

WISDOM & WARTER
Pizarro 7, Jerez de la Frontera

Année de création : *1854*

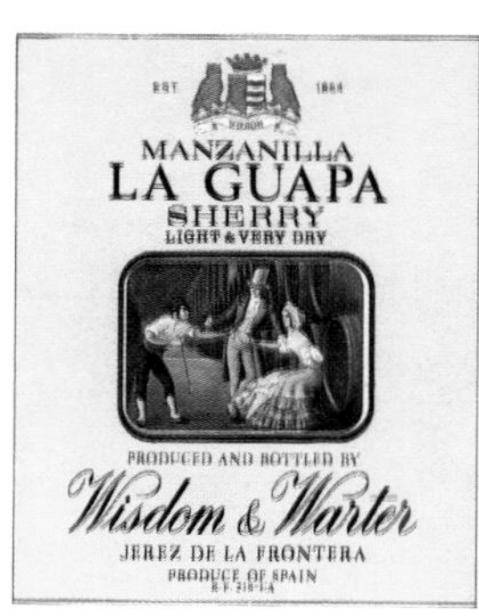

Vins. *Manzanilla* : « La Guapa », Wisdom
Fino : « Olivar » (Palomino, 17,5°), Palma, Wisdom
Amontillado sec : « Royal Palace » (Palomino, 17,5°), Fine Amontillado
Oloroso sec : « Merecedor »
Doux : « Wisdom's Choice » Cream (Palomino, 17,5°), « Feliciano Pale Cream », « Cream of the Century », Wisdom Cream, Wisdom Pale Cream

Autres vins espagnols

Note : Les régions ou provinces dans lesquelles sont situées les DO sont indiquées en italique.

ALICANTE DO
Valencia

Ces vins rouges et rosés proviennent des collines au sol calcaire sombre situées derrière Alicante.

Principal : Monastrell
Secondaires : Garnacha, Bobal

ROUGE. Vins de couleur profonde ; certains *doble pasta* sont noirs et astringents. Vinifiés dans le style espagnol traditionnel, les vins sont corsés, alcoolisés et robustes.

1980, 1981, 1982, 1985, 1986

Entre 6 et 12 ans (exceptionnellement jusqu'à 20 ans)

ROSÉ. Vins pleins et alcoolisés peu gracieux.

Souvent non millésimé

Immédiatement

☆ « Hijo de Luis Garcia Poveda » (Costa Blanca)

ALMANSA DO
Castilla-La Mancha

Cette appellation s'étend entre les hauteurs des plaines centrales de La Mancha et les terres basses de Valence.

Monastrell, Garnacha tintorera, Merseguera

ROUGE. Vins très colorés et corsés, parfois souples et fruités.

1980, 1982, 1985, 1986

Entre 3 et 10 ans (exceptionnellement jusqu'à 20 ans)

ROSÉ. Les bonnes bouteilles peuvent être nettes et fruitées.

1980, 1982, 1985, 1986

Avant 1 à 3 ans

☆ Alfonso Abellan, Bodegas Carrion, Bodegas Piqueras

CAMPO DE BORJA DO
Aragón

Ce vignoble tire son nom de l'illustre famille Borgia qui régnait ici au faîte de sa puissance à la fin du XVe siècle.

TOUS LES VINS. **Principal** : Garnacha. **Secondaires** : Macabéo, Garnacha blanca

ROUGE. Pleins, robustes et alcoolisés.

1982, 1983, 1985, 1986

Entre 3 et 8 ans

ROSÉ. Trop massifs et trop durs hormis ceux de la Cooperativa Agrícola de Borja.

1982, 1983, 1985, 1986

Immédiatement

☆ Bodegas Bordeje, Cooperativa Agrícola de Borja, Cooperativa del Campo, Union Agraria del Santo Cristo, Cooperativa del Campo San Juan Bautista

CARIÑENA DO
Aragón

Les faibles précipitations expliquent le taux d'alcool élevé de tous ces vins, qui atteint souvent 18°.

TOUS VINS. **Principal** : Garnacha **Secondaires** : Macabéo, Cariñena, Juan Ibáñez, Bobal, Monastrell et Garnacha blanca

ROUGE. Vins de couleur profonde, robustes, aromatiques, doué d'un fruité incisif.

1982, 1983, 1985, 1986

Entre 3 et 8 ans

BLANC. Vins tantôt pâles, secs, légers et fruités, tantôt jaunes d'or, pleins, riches et moelleux.

ROSÉ. Rosé traditionnel et vin *clarete* d'une couleur plus profonde.

1982, 1983, 1985, 1986

Immédiatement

RANCIO. Cette catégorie couvre des vins blancs, rouges et rosés titrant plus de 14 degrés d'alcool, qui ont mûri pendant au moins deux ans dans le chêne. Leur caractère oxydé, madérisé et proprement rance pourra plaire ou déplaire.

Millésime sans importance

Généralement vendu vieux, et ne s'améliore pas en bouteille

☆ Cooperativa Agrícola de Borja, Bodegas San Valero

JUMILLA DO

Les vignobles vallonnés de Jumilla n'ont pas été touchés par le phylloxéra et près de 90 % des vignes ne sont pas greffées.

TOUS VINS. **Principal** : Monastrell. **Secondaires** : Airén, Garnacha tintorera

ROUGE. Représente 94 % des vins produits sous les appellations Jumilla et Jumilla Monastrell. Le vin est en général assez terne sauf s'il est vinifié en *doble pasta*.

1980, 1981, 1986

Avant 1 à 3 ans (jusqu'à 6 ans pour le *doble pasta*)

BLANC. Vins relativement corsés, pour la plupart très ordinaires. Ceux des producteurs ci-dessous sont bien plus frais cependant, et plus aromatiques.

1980, 1981, 1986

Immédiatement

ROSÉ. Vins secs, *clarete* ou rosés véritables, qui peuvent être corrects.

1980, 1981, 1986

Immédiatement

☆ Bodegas Bleda, Bodegas Señorio del Condestable, Jumilla Union Vitivinícola

JUMILLA MONASTRELL DO

Appellation réservée aux vins rouges, rosés et *doble pasta* issus uniquement du Monastrell.

Monastrell

ROUGE. Ces vins sont généralement plus pleins que les simples Jumilla DO et tendent à s'améliorer en vieillissant. Ils peuvent être souples, fruités et très aromatiques. Le *doble pasta* est encore plus corsé.

1980, 1981, 1986

Entre 3 et 8 ans

☆ Asensio Carcelen, Bodega Cooperativa San Isidro, Bodegas Señorio del Condestable, Jumilla Union Vitivinícola

LA MANCHA DO
Castilla-La Mancha

La région viticole de Don Quichotte a fait des progrès considérables depuis le début des années 80. Les producteurs vendangent plus tôt qu'autrefois et les vins ont gagné en fraîcheur, en arôme et en légèreté.

TOUS VINS. **Principaux** : Airén, Garnacha, Cencibel
Secondaires : Moravia, Pardillo, Verdoncho, Macabéo

ROUGE. Vins savoureux, bien équilibrés, relativement corsés, fortement fruités.

1980, 1982, 1986

Entre 2 et 6 ans

BLANC. Ces vins couvrent toute la gamme, du sec au moelleux. Les meilleurs peuvent être frais et aromatiques.

1980, 1982, 1986

Immédiatement

ROSÉ. La Mancha offre désormais quelques rosés secs élégants et la Cooperativa Nuestra Señora de Manjavacas élabore un vin agréable, frais, net et intensément fruité.

1980, 1982, 1986

Immédiatement

☆ Cooperativa Nuestra Señora de Manjavacas, Vinícola de Castilla, Julían Santos, Bodegas Ayuso

MÉNTRIDA DO
Castilla-La Mancha

Vins simples et bon marché consommés sur place.

TOUS VINS. **Principal** : Garnacha **Secondaires** : Cencibel, Tinto Madrid

ROUGE. Vins de couleur profonde, corsés et durs. Déconseillés.

ROSÉ. Vins puissants, alcoolisés et trop corsés. Déconseillés.

RIBEIRO DO
Galicia

Grâce à l'influence de l'Atlantique, le style des Ribeiro est assez proche de celui des *Vinhos verdes* du Portugal voisin.

TOUS VINS. **Principal** : Caiño **Secondaires** : Garnacha, Ferrol, Sousón, Mencía, Tempranillo, Brancellao, Jerez, Torrontés, Godello, Macabéo, Albilla, Loureira et Albariño

ROUGE. Vins rouges bien colorés, parfois pétillants, qui livrent un fruité nerveux et une forte acidité.

Le millésime est peu important

Avant 1 an

BLANC. Vins secs très frais et fruités, souvent joliment pétillants.

Le millésime est peu important

Avant 1 an

ROSÉ. Vins pâles et légers, délicatement fruités, légèrement pétillants.

Le millésime est peu important

Avant 1 an

☆ Bodegas Rivera, Cooperativa del Ribeiro

RIBERA DEL DUERO DO
Castilla-León

Le Vega Sicilia Unico Reserva est considéré comme le plus grand vin rouge espagnol – réputation peut-être excessive – car la dizaine d'années qu'il passe en fût lui retire trop de fruité. Pour s'en convaincre, il suffit de le comparer aux Vega Sicilia « Valbuena » 3 años et 5 años. Ces vins du domaine, de qualité inférieure, sont soutirés et mis en bouteilles au bout de trois et cinq ans. Le « Valbuena » n'est pas tout à fait aussi fin, et certainement moins complexe, mais son fruité vivace fait défaut au Vega Sicilia Unico Reserva. Il est stupéfiant, du reste, que ce vin soit aussi bon après un si long élevage dans le bois (ce traitement anéantirait bon nombre des plus grands Bordeaux).

Depuis que cette aire a été classée DO en 1982, sont apparus un certain nombre de bons vins, parfois même spectaculaires.

TOUS VINS. **Principal** : Tinto del Pais
Secondaires : Garnacha, Cabernet Sauvignon, Malbec, Merlot

ROUGE. Les meilleurs vins ont une robe dense, beaucoup de corps et sont gorgés de riches saveurs de chêne et de prune. Ces saveurs associent finesse et complexité.

1981, 1982, 1983, 1985, 1986

Entre 5 et 25 ans

ROSÉ. Ces vins secs, frais et fruités sont élaborés dans le style clairet.

1981, 1982, 1983, 1985, 1986

Avant 1 à 2 ans

☆ Bodegas Alejandro Fernandez (Tinta Pesquera), Ismael Arroya, Bodegas Peñalba López, Bodegas Mauro, Hermanos Pérez (Viña Pedrosa), Cooperativa Ribera del Duero (surtout Peñafiel et Protos), Vega Sicilia

RUEDA DO
Castilla-León

Cette petite aire, en aval de Ribeiro del Duero, est surtout connue pour ses vins blancs issus presque exclusivement du cépage Verdejo. Les Bodegas de Crianza Castilla la Vieja produisent cependant, sous l'étiquette « Marqués de Griñon », un vin rouge de Cabernet-Merlot étonnant, mais qui ne peut prétendre à la DO Rueda.

TOUS VINS. **Principal** : Verdejo
Secondaires : Palomino, Fino, Viura

BLANC. Le « Marqués de Griñon » est un beau vin net et sec, aux élégantes nuances de type Chardonnay ; le Marqués de Riscal Sauvignon est plus plein et plus nerveux.

1980, 1981, 1982, 1983, 1984, 1985, 1986

Avant 1 à 3 ans

BLANC VINÉ/FAUVE. Il existe deux types de vins : un *pálido*, de couleur pâle, supposé vieillie en présence de *flor*, comme le Xérès, et un *dorado*, vin de couleur acajou, élevé dans le chêne, légèrement plus alcoolisé. Ils me semblent l'un et l'autre mous, ternes et oxydés.

☆ Agricola Castellana, Bodegas de Crianza Castilla la Vieja (surtout le « Marqués de Griñon » rouge non DO), Marqués de Riscal (surtout le Sauvignon)

SOMONTANO DO
Aragón

Somontano, l'une des plus récentes DO d'Espagne, s'étend entre Penedés et Navarra.

TOUS VINS. Monastrell, Garnacha, Parraleta, Macabéo, Garnacha blanca, Alicoñon

ROUGE. Vins relativement légers, au fruité vif et parfumé.

1982, 1983, 1985, 1986

BLANC. Les meilleurs sont pâles, secs, simples et fruités ; les vins de qualité inférieure peuvent titrer jusqu'à 16°.

1982, 1983, 1985, 1986

Avant 1 an

ROSÉ. Vins frais, secs et légers, à l'arôme délicat.

1982, 1983, 1985, 1986

Avant 1 à 2 ans

☆ Cooperativa Somontano de Sobrarbe (Montesierra), Lalanne

TORO DO
Castilla-León

Vins rouges essentiellement, souvent élevés longuement dans le chêne.

TOUS VINS. Tempranillo, Malvasia, Albillo, Palomino, Verdejo, Garnacha

ROUGE. Vins réussis, bien colorés et corsés, qui montrent un bon équilibre entre les arômes fruités et boisés.

1985, 1986

Entre 4 et 8 ans

BLANC. Bons vins secs, moyennement corsés, fruités et bien équilibrés, faits de raisins de Malvasia.

1985, 1986

Avant 1 à 3 ans

ROSÉ. Vins souples, secs et très fruités.

1985, 1986

Avant 1 à 3 ans

☆ Luis Mateos Toro, Bodegas Frutos Villar

UTIEL-REQUENA DO
Valencia

Cette vaste et importante appellation, située à l'extrémité ouest de la province de Valence, était spécialisée autrefois dans les vins destinés à la distillation et dans le *doble pasta* ; elle offre à présent des vins plus typés, rouges pour l'essentiel.

TOUS VINS. **Principal** : Bobal
Secondaires : Garnacha, Tempranillo

ROUGE. Ces vins, parfois assez élégants, peuvent recéler de belles saveurs fruitées.

1981, 1982, 1983, 1984, 1986

Entre 2 et 5 ans

ROSÉ. Vins secs doués d'une belle couleur et d'un caractère frais et fruité.

1981, 1982, 1983, 1984, 1986

Avant 1 an

☆ Augusto Egli (Casa Lo Alto)

VALDEORRAS DO
Galicia

L'activité d'un ou de deux producteurs élève Valdeorras aux rang des appellations prometteuses. Les vignes sont plantées en terrasses sur les versants de la vallée du Sil. Grâce au climat humide, influencé par l'Atlantique, les vins ne sont pas excessivement alcoolisés.

TOUS VINS. **Principaux** : Garnacha, Mencía, Godello
Secondaires : Grao negro, Maria Ardonña, Merenzao, Palomino, Valenciana

ROUGE. Beaux vins aromatiques, assez corsés, avec de tendres saveurs fruitées et une finale souple.

1985, 1986

Avant 1 à 4 ans

BLANC. Ces vins peuvent être frais, secs et aromatiques, avec une finale nette et fruitée.

1985, 1986

Avant 1 an

ROSÉ. Vins *clarete* réussis.

1985, 1986

Avant 1 an

☆ Cooperativa O Barco, Bodega Jesus Nazareno

VALDEPEÑAS DO
Castilla-La Mancha

Naissent ici quelques vins exceptionnels d'un très bon rapport qualité/prix. Le riche sol rougeâtre et pierreux recouvre une nappe de calcaire qui retient l'humidité, compensant l'insuffisance des précipitations.

TOUS VINS. **Principal** : Airén
Secondaire : Tempranillo

ROUGE. Les meilleurs, relativement corsés, ont une saveur fabuleusement riche mais bien équilibrée.

1980, 1981, 1983, 1984, 1986

Entre 2 et 6 ans

BLANC. Pâles, légers, secs et souples.

1980, 1981, 1983, 1984, 1986

Avant 1 an

ROSÉ. Vins souples et fruités, avec une finale sèche.

1980, 1981, 1983, 1984, 1986

Avant 1 à 2 ans

☆ Viña Albali Reservas, Bodegas Los Llanos, Bodegas Felix Solis

VALENCIA DO
Valencia

Connue pour ses médiocres vins de table et son Moscatel, cette DO compte aussi quelques très bons vins plus légers.

TOUS VINS. **Principaux** : Pedro Ximénez, Monastrell, Moscatel
Secondaires : Merseguera, Planta fina, Tortosí, Malvasia, Garnacha, Común, Garnacha tintorera et Forcayat

ROUGE. Vins fruités et savoureux.

1981, 1983, 1984, 1985, 1986

Entre 2 et 5 ans

BLANC. Vins secs et légers.

1981, 1983, 1984, 1985, 1986

Avant 1 an

ROSÉ. Vins secs et frais, fruités.

1981, 1983, 1984, 1985, 1986

Avant 1 an

BLANC VINÉ. Délicieux Moscatel très doux.

Immédiatement

☆ Antonio Arraez, Cooperativa Agrícola de Villar, Vincente Gandia, Augusto Egli (en particulier le Moscatel), Vincente Grandía Pla, Cavas Murviedro, Bodegas Tierra Hernández

YECLA DO
Murcia

Sol pierreux et calcaire coincé entre Alicante et Jumilla.

TOUS VINS. **Principal** : Monastrell
Secondaires : Verdil, Merseguera

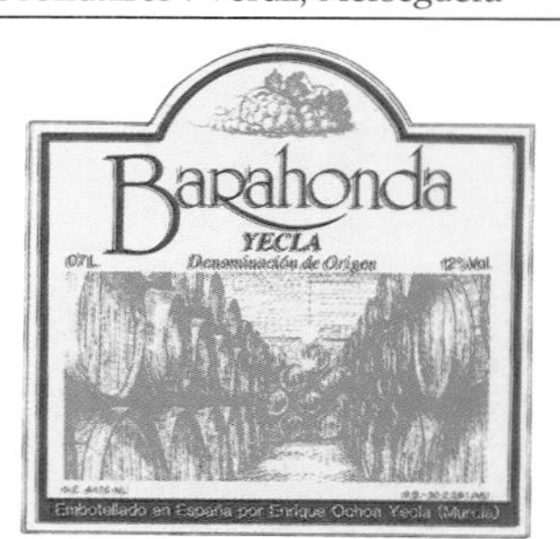

ROUGE. Vins de couleur encre (*doble pasta*) ou rouge cerise, bien fruités, assez corsés, équilibrés.

1980, 1981, 1986

Entre 2 et 5 ans

BLANC. Les meilleurs sont frais, nets et fruités.

1980, 1981, 1986

Immédiatement

ROSÉ. Vins secs type *clarete*, avec un fruité aux nuances de cerise.

1980, 1981, 1986

Avant 1 à 2 ans

☆ Bodegas Castano « Las Gruesas » (*doble pasta*), Enrique Ochoa Palao

Portugal

Le Portugal est la patrie de deux vins de liqueur classiques – le Porto et le Madère – et d'un vin blanc populaire, frais et sans prétention – le Vinho Verde. Le pays propose aussi deux célèbres rosés pétillants : le « Mateus » dont le succès commercial fut phénoménal, et son rival le « Lancers ». Telle fut pendant longtemps, à l'étranger, l'image de la production vinicole du Portugal. Mais depuis que le pays est entré dans la CEE, son vin s'est sensiblement amélioré et a gagné de nouveaux amateurs.

Septième pays producteur de vin au monde, le Portugal a d'immenses possibilités dont il pourrait tirer un bien meilleur parti. À l'exception de quelques vignerons audacieux, la « vieille garde » de son industrie viti-vinicole s'est contentée jusqu'à présent de défendre ce qu'elle considère comme les vins traditionnels du Portugal, mais qui, en fait, sont tanniques, pauvres, insuffisamment fruités et trop oxydés. L'industrie espagnole du vin a connu, du reste, les mêmes difficultés.

LE RENOUVEAU DE L'INDUSTRIE DU VIN AU PORTUGAL

Jusqu'au milieu des années 70, les Portugais, comme les Espagnols, se sont réfugiés derrière de prétendues « valeurs traditionnelles » pour justifier la médiocrité de leurs vins. Puis une nouvelle

Vignobles, Setúbal, ci-dessus
Dans cette région, le cépage Moscatel donne un vin de liqueur renommé qui bénéficie de sa propre Região demarcado (RD).

génération de viticulteurs a finalement reconnu que le problème tenait essentiellement à des techniques de vinification défectueuses et que l'objet devait se situer au-delà de la simple satisfaction d'un public peu connaisseur. La production espagnole a changé rapidement et radicalement, tandis que les Portugais semblaient ne jamais vouloir se départir de leurs vieilles habitudes. C'est son entrée dans le Marché commun, en janvier 1986, qui a déterminé l'accession du Portugal au rang des nations productrices de grands vins.

L'industrie portugaise du vin, qui jusque-là vivait en autarcie relative, souhaite à présent s'ouvrir sur l'extérieur. La complaisance à l'égard de styles démodés l'a cédé au désir d'élaborer des vins que chacun puisse apprécier. Bientôt naîtront sans doute des Dão fruités, des Barraida qui tiendront toutes les promesses de leur terroir – le plus intéressant du pays dans le domaine des vins rouges –, des vins classiques et une nouvelle génération de vins plus ordinaires, à la fois nets, simples et fruités.

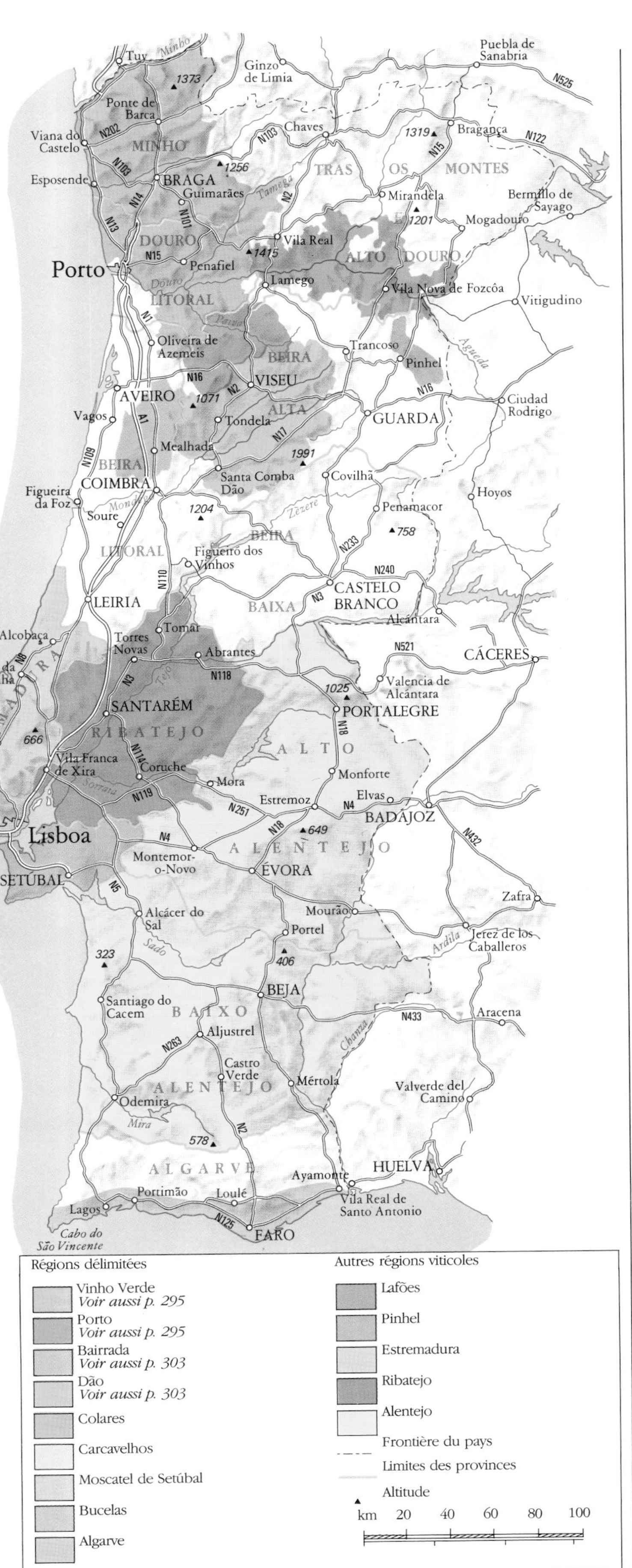

PORTUGAL

C'est dans le nord du pays que sont produit les vins les plus célèbres – le Porto et le Vinho Verde – et les vins les plus prometteurs – le Barraida et la Dão.

LA PRODUCTION PORTUGAISE

Le Portugal exporte chaque année quelque 15 millions de caisses de vin, mais les vins que l'on rencontre à l'étranger donnent une image trompeuse de la production véritable. Les vins de liqueur et les rosés représentent les trois quarts des exportations, mais moins de 15 % de la récolte. Le Vinho Verde – 5 % des exportations contre 20 % de la production totale – est adouci à l'adresse des pays importateurs, si bien qu'il ne ressemble pas au produit authentique. Le Vinho Verde produit au Portugal est rouge pour l'essentiel, mais 99,9 % des vins exportés sont blancs. Les vins rouges, qui ont une saveur de fruit vert et un étrange goût métallique et malique, sont plus appréciés en effet dans la campagne portugaise que sur les marchés étrangers.

Vin	Hectolitres	(Caisses)
Algarve (total)	7 650	(85 000)
Bairrada (rouge)	540 000	(6 000 000)
Bairrada (blanc)	55 800	(620 000)
Bucelas (blanc)	4 950	(55 000)
Colares (rouge)	2 250	(25 000)
Dão (rouge)	229 500	(2 550 000)
Dão (blanc)	49 500	(550 000)
Douro (rouge)	540 000	(6 000 000)
Douro (blanc)	229 500	(2 550 000)
Madère (total)	19 800	(220 000)
Porto (total)	675 000	(7 500 000)
Ribatejo (rouge)	720 000	(8 000 000)
Ribatejo (blanc)	63 000	(700 000)
Vinho Verde (rouge)	1 200 000	(13 350 000)
Vinho Verde (blanc)	495 000	(5 500 000)
Autres vins	4 170 000	(46 295 000)
Total	9 001 950	(100 000 000)

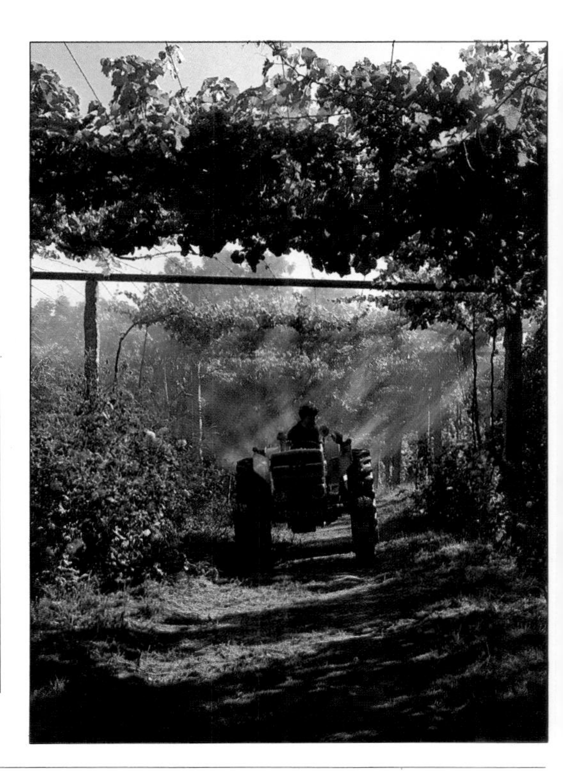

Vignes aériennes à l'origine du Vinho Verde, Aveleda, Minho, ci-dessus
Les vignes cultivées dans le Minho sont conduites en hauteur pour laisser la place à des cultures.

COMMENT LIRE LES ÉTIQUETTES DES VINS PORTUGAIS

VINHO VERDE
REGIÃO DEMARCADA
BRANCO
SOLAR DAS BOUÇAS
ENGARRAFADO NA ORIGEM PELO PRODUTOR
ALBANO DE CASTRO E SOUSA
PROZELO
AMARES
PRODUCE OF PORTUGAL
750 ml.

Style du vin
Plusieurs termes figurant sur les étiquettes portugaises se rapportent au style du vin. *Adamado* signifie doux, *aperitivo,* apéritif, et *branco,* blanc. *Bruto,* adapté du français « brut », désigne un vin effervescent. *Clarete* signifie clairet, *claro,* vin « nouveau » et *doce,* doux. L'*espumante* est un vin effervescent ; en l'absence d'autres précisions, il peut être élaboré selon n'importe quelle méthode. Le *generoso,* vin « généreux », d'apéritif ou de dessert, est riche en alcool et généralement doux ; le *licoroso* est un vin de liqueur. *Maduro,* littéralement « mûri », désigne un vin qui a été conservé en cuves, parfois de ciment ; le consommateur portugais le préfère desséché et oxydé. *Quinado* signifie parfumé à la quinine, *rosado,* rosé, *séco,* sec, et *tinto,* rouge.

Região demarcada (RD)
Indique que le vin est produit dans l'une des régions portugaises officiellement délimitées. Dans le cas présent, il s'agit d'un Vinho Verde récolté à Amares, dans le Minho.

Nom du domaine
La présence de *casa, palacio* ou *solar* dans le nom d'un vin peut indiquer que ce vin provient d'un vignoble unique. Celui-ci est fait à Solar das Bouças, et la mention *Engarrafado na origem* confirme qu'il a été mis en bouteilles au domaine. Les producteurs portugais ne mesurent pas encore l'importance du concept de « mise en bouteilles au domaine » sur les marchés internationaux, et par conséquent, beaucoup de domaines ne sont pas équipés pour élaborer leur vin et le mettre en bouteilles. *Vinha* signifie vignoble. *Adega,* littéralement « cave », est l'équivalent de la *bodega* espagnole ; ce terme entre souvent dans le nom d'une firme ou d'une coopérative.

Mis en bouteilles au domaine
La mention *engarrafado,* « mis en bouteilles », est suivie du nom de l'embouteilleur ou du domaine ; ici, Albano de Castro e Sousa. *Engarrafado na origem* indique que le vin a été mis en bouteilles au domaine ; cette information qui compte parmi les plus utiles est cependant l'une des plus rares. Le terme *quinta,* associé au nom d'un vin, devrait indiquer que celui-ci provient d'un domaine unique. Comme le mot « château », il a donné lieu à quelques abus, mais il est fiable aujourd'hui et son emploi, régi par des textes communautaires, sera de plus en plus contrôlé.

Autres mentions pouvant figurer sur l'étiquette :

Carvalho Chêne

Casta Cépage, lequel figure souvent sur l'étiquette des Vinhos Verdes. Les plus répandus sont l'Alvarinho, l'Avesso, l'Azal, le Loureito, la Pederña et la Trajadura. *Casta predominante* désigne bien sûr le cépage prédominant.

Colheita Millésime. Ce terme est suivi de l'année des vendanges.

Concurso nacional Concours national organisé tous les ans par la *Junta nacional do vinho.* Les vins qui portent cette mention sont en principe supérieurs.

Garrafeira Ce terme est réservé aux vins millésimés dont le titre alcoométrique excède de 0,5 degré le minimum requis. Les vins rouges doivent être élevés pendant trois ans, dont un en bouteilles, les vins blancs pendant un an, dont six mois en bouteilles. Ils peuvent provenir d'une région délimitée mais ce n'est pas obligatoire. Il peut même s'agir de l'assemblage de vins issus d'aires différentes.

Reserva Ce terme ne peut servir que pour qualifier un millésime de « qualité exceptionnelle » d'un vin qui titre au moins 0,5 degré de plus que le minimum requis. Les *reservas* peuvent provenir d'une région délimitée ou résulter de l'assemblage de vins issus d'aires différentes.

Selo de origem Le sceau d'origine garantit la provenance d'un vin de RD.

Velho Littéralement « vieux ». Ce terme, autrefois sans définition légale, ne peut s'appliquer aujourd'hui qu'à des vins rouges d'au moins trois ans et des vins blancs d'au moins deux ans.

Vinho de mesa Vin de table. En l'absence d'indication de RD ou de la mention *garrafeira,* il s'agit d'un vin de coupage bon marché.

Douro et Minho

Il n'est pas deux aires voisines qui puissent produire des vins plus contrastés que le Porto du Douro – vin de liqueur de couleur profonde, riche, chaud et épicé – et le Vinho Verde du Minho – vin léger, très clair et pétillant.

« Il doit donner une impression de feu liquide dans l'estomac[...] il doit brûler telle la poudre[...] il doit avoir la couleur de l'encre[...] il doit être doux tel le sucre du Brésil et d'une saveur aromatique telles les épices de l'Inde... » C'est ainsi qu'on voyait le Porto en 1754, et cette description pourrait encore s'appliquer au grand vin de liqueur que nous connaissons aujourd'hui.

L'ORIGINE DU PORTO

On a peine à imaginer que ce « vin d'hiver » par excellence ait pu être créé sous un climat aussi chaud et ensoleillé que celui du Portugal, a fortiori lorsqu'on parcourt les vignobles en terrasses du Haut-Douro par des températures voisines de 40 °C. Le Porto semble destiné aux tables privilégiées et aux climats plus frais ; pourquoi donc les Portugais l'ont-ils inventé ? Les amateurs croient parfois que ce ne sont pas précisément les Portugais, mais les Anglais, en quoi ils s'écartent un peu de la réalité. Les Portugais ont imaginé ce vin de liqueur des plus classiques et, plus tard seulement, les Britanniques exploitèrent cette idée.

En 1678, deux gentilhommes anglais furent envoyés par un marchand de vin de Liverpool à Viana do Castello, au nord de Porto, pour y apprendre le commerce du vin. Ils passèrent quelques jours de vacances au bord du fleuve Douro où ils furent royalement reçus par l'abbé de Lamego. Trouvant son vin « très agréable, un peu doux et extrêmement souple », ils lui demandèrent ce qui le distinguait de tous les autres vins portugais. L'abbé finit par avouer qu'il ajoutait un peu d'eau-de-vie, mais les deux Anglais étaient tellement conquis qu'ils achetèrent tout son stock et l'expédièrent en Angleterre.

Le développement du négoce du Porto

La maison C.N. Kopke & Co faisait le commerce des vins du Douro depuis près de 40 ans quand eut lieu la rencontre avec l'abbé de Lamego. En 1670, l'Anglais John Clark avait entrepris d'établir une firme qui, plus tard, deviendra Warre & Co. La maison Croft & Co fut fondée en 1678, suivie par Quarles Harris, en 1680, et Taylor's, en 1692. Lorsque le traité de Methuen de 1703 accorda aux vins portugais des tarifs douaniers préférentiels en Grande-Bretagne, les négociants anglais et écossais se rendirent en nombre à Porto pour y fonder des maisons. D'autres négociants européens suivirent – Néerlandais, Allemands et Français –, mais les Britanniques avaient le quasi-monopole du commerce et abusaient souvent de cette position. En 1755, le marquis de Pombal, qui régnait avec poigne sur le Portugal depuis cinq ans, freina l'activité des commerçants britanniques en réduisant les privilèges que leur octroyaient deux traités séculaires. Il fonda également la Compagnie des vins de Porto à laquelle il attribua des pouvoirs comparables à ceux des Britanniques. Négligeant les protestations, Pombal décida de surcroît de nouvelles réformes aussi audacieuses qu'impopulaires, comme la limitation de l'aire de production du Douro aux meilleurs vignobles, l'interdiction de la fumure qui réduisit les rendements mais augmenta considérablement la qualité, et la prohibition des baies de sureau utilisées comme colorant.

La technique d'élaboration du Porto n'était pas encore définitivement établie à cette époque. Cinquante ans après la rencontre avec l'abbé de Lamego, la profession avait largement admis la pratique du vinage, mais sans réellement s'interroger sur la quantité d'eau-de-vie à additionner ou le meilleur moment pour le faire. Curieusement, le vin de l'abbé était supérieur parce que l'eau-de-vie était ajoutée pendant, et non après, la fermentation dont elle interrompait alors le processus (par mutage) pour créer ce vin doux qui avait séduit les deux Anglais.

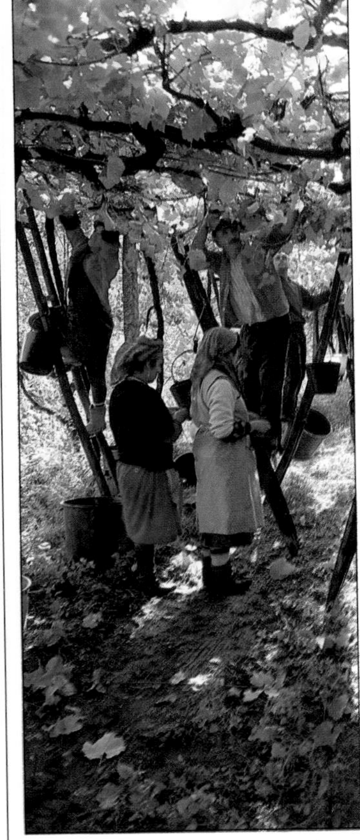

Vendangeurs près d'Amarante, dans le sud du Minho, ci-dessus
Pour vendanger ces vignes conduites en hauteur, il faut s'aider d'échelles.

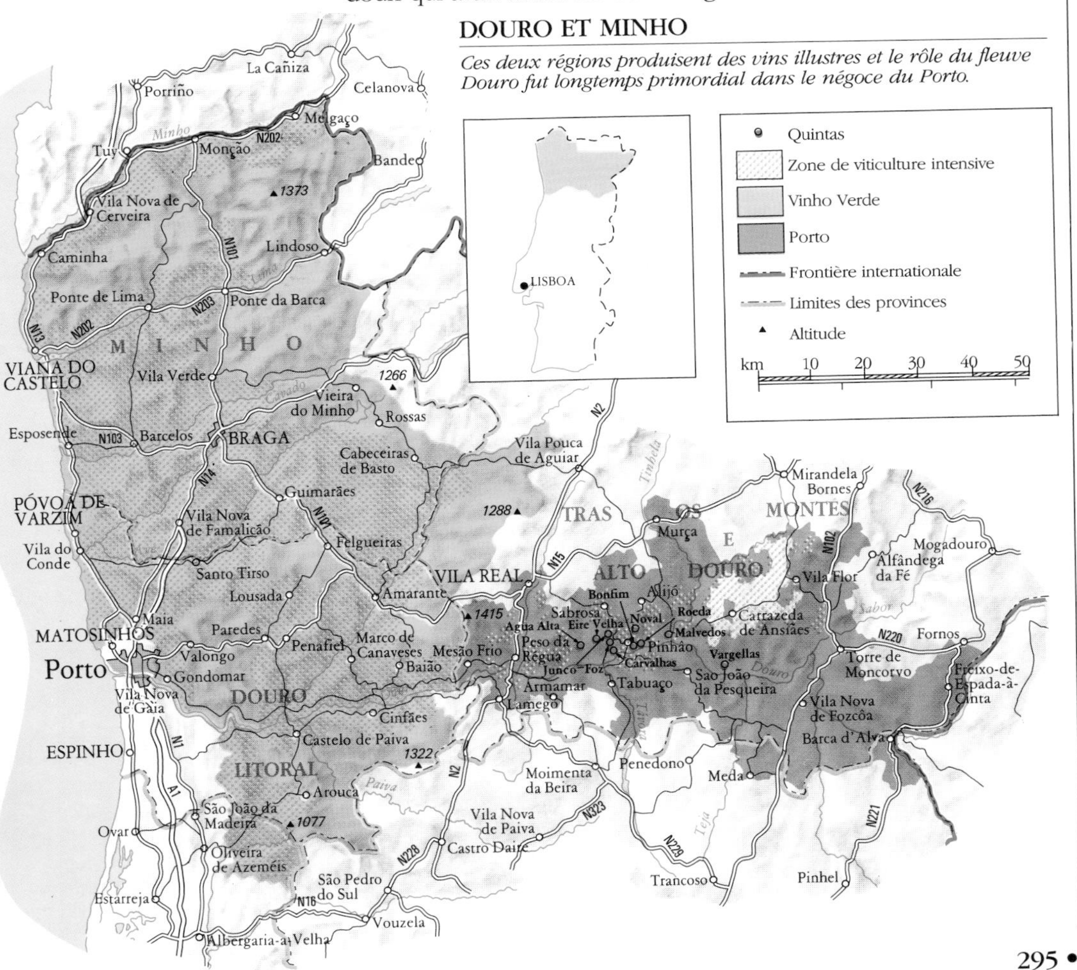

DOURO ET MINHO

Ces deux régions produisent des vins illustres et le rôle du fleuve Douro fut longtemps primordial dans le négoce du Porto.

LES CÉPAGES DU PORTO

48 cépages sont autorisés pour la production du Porto ; ceci explique largement la grande diversité de caractère et de qualité présente au sein d'un même style. Les cépages font l'objet d'un classement officiel :

Très bons cépages noirs
Bastardo, Donzelinho tinto, Mourisco, Tinta roriz, Tinta francisca, Tinta cão, Touriga francesa, Touriga nacional.

Bons cépages noirs
Cornifesto, Malvasia preta, Mourisco de Semente, Periquita, Rufete, Samarrinho, Sousão, Tinta amarela, Tinta da barca, Tinta barroca, Tinta carvalha, Touriga brasileira.

Cépages noirs moyens
Alvarelhão, Avesso, Casculho, Castela, Coucieira, Moreto, Tinta Bairrada, Tinto Martins.

Très bons cépages blancs
Donzelinho, Esgana-cão, Folgosão, Gouveio (ou Verdelho), Malvasia fina, Malvasia rei, Rabigato, Viosinho.

Bons cépages blancs
Arinto, Boal, Cercial, Côdega, Malvasia corada, Moscatel galego.

Cépages blancs moyens
Branco sem nome, Fernão pires, Malvasia parda, Pedernã, Praça, Touriga branca

Les six meilleurs cépages du Porto

Les viticulteurs et les producteurs estiment généralement que six cépages dominent les autres par leurs qualités :

Touriga nacional : Presque toujours considérée comme le meilleur cépage du Porto. Ses petits fruits donnent un vin noir aux intenses propriétés aromatiques, gorgé d'extraits et de tanins. La Touriga nacional préfère les situations chaudes mais n'est jamais très productrice. Des clonages sont en cours visant à accroître les rendements de 15 % et le taux de sucre de 10 %. Le clone le plus réussi jusqu'à présent est le R110.

Tinta cão : Ce cépage peut ajouter de la complexité et de la finesse à un assemblage. Il aime les situations assez fraîches et doit être palissé sur fil de fer pour donner une récolte satisfaisante. Avec les méthodes culturales traditionnelles, les rendements sont faibles et les viticulteurs n'aiment pas trop le cultiver. La survie de la Tinta cão dépendra de la volonté des négociants de la maintenir dans leurs grands domaines.

Tinta roriz : Ce cépage n'appartient pas vraiment à la famille des Tinta, et parfois, on l'appelle simplement Roriz. Il s'agit en fait du célèbre cépage espagnol Tempranillo qui joue un rôle primordial dans la Rioja. Il aime la chaleur et s'épanouit surtout dans les premiers rangs, bien ensoleillés, des vignobles en terrasses orientés au sud ou à l'ouest. Ses baies ont une pellicule épaisse, elles sont foncées, juteuses, très sucrées et peu acides et donnent beaucoup de couleur et de tanins dans les assemblages. Certains l'estiment supérieur à la Touriga nacional.

Tinta barroca : Ce cépage donne un vin assez précoce qui est utile pour élaborer les Porto destinés à être bus plutôt jeunes ou pour adoucir des vins trop tanniques ou trop typés. Comme la Tinta cão, il préfère les situations fraîches, en particulier les coteaux exposés au nord.

Touriga francesa : Ce cépage de la famille des Touriga n'a aucun lien avec la Tinta francisca qui appartient à la famille des Tinta. Selon Bruce Guimaraëns, des firmes Fonseca et Taylor's, ce cépage de grande qualité est précieux pour combler les espaces entre les vignes qui aiment la chaleur et celles qui préfèrent la fraîcheur. Il donne du bouquet à un assemblage.

Tinta amarela : Ce cépage de qualité, très productif, donne des fruits foncés. Sensible à la pourriture, il est cultivé de préférence dans les lieux les plus chauds et les plus secs. La Tinta amarela prend une importance croissante depuis quelques années.

L'ÉLABORATION DU PORTO

S'il est un vin qui donne l'impression d'avoir été foulé, c'est bien le Porto, sans doute parce que le pressurage et la vinification se faisaient traditionnellement, jusqu'à une date relativement récente, dans des locaux assez « rustiques ». Il est rare aujourd'hui que le Porto soit foulé, mais certaines maisons conservent des *lagars* à l'intention des touristes.

Bon nombre de maisons ont des « autovinificateurs » – engins assez démodés qui utilisent la pression du gaz carbonique libéré au cours de la fermentation pour faire remonter le moût au-dessus du chapeau formé par les peaux. Il s'agit d'extraire des peaux le plus de matière colorante pour anticiper la perte qui découle du mutage. Beaucoup de producteurs emploient d'autres types de cuves, à la fois plus simples et plus modernes, qui permettent d'obtenir le même résultat.

FACTEURS AFFECTANT LE GOÛT ET LA QUALITÉ

Situation
Le Douro et le Minho sont situés dans le nord du Portugal. Le Porto est produit dans trois zones de la vallée du Douro – Cima Corgo, Baixo Corgo et haut Douro – et le Vinho Verde dans la province du Minho étendu entre les vallées du Douro et du Minho.

Climat
Les étés sont chauds et secs et les hivers doux et humides dans le Minho. Le climat devient plus continental dans le haut Douro, où les étés sont extrêmement chauds, avec de fortes précipitations, et où les hivers peuvent être très froids.

Site
Les vignobles sont plantés, en général, sur des terres vallonnées qui deviennent par endroits très escarpées. Une grande partie du Vinho Verde provient cependant de terres plus plates à vocation agricole.

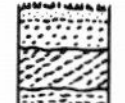

Sol
La plupart des Vinhos Verdes sont issus des sols granitiques délités qui dominent dans le Minho ; certains proviennent de sols schisteux siluriens bordés par la Lima et le Cavado. Le Douro est composé de sols durs granitiques et schisteux, cuits par le soleil. Le rôle du schiste est essentiel dans la production du Porto.

Viticulture et vinification
La disposition en terrasses des vignobles est répandue dans le Douro puisqu'elle permet une exploitation maximale des terres. Sur certains sites moins pentus, les rangs de vignes sont perpendiculaires à la pente. Les terrasses escarpées sont très gourmandes en main-d'œuvre. Les vins de Porto sont faits et vinés dans le Douro, mais la plupart sont assemblés et mis en bouteilles dans les chais ou « loges » de Vila Nova de Gaia. Les Vinhos Verdes sont vinifiés en sec et volontairement pétillants.

Cépages principaux
Alvarelhão, Alvarinho, Espadeiro, Loureiro, Tinta amarela, Tinta barroca, Tinta cão, Tinta francisca, Touriga francesa, Touriga nacional, Vinhão

Cépages secondaires
Arinto, Avesso, Azal branco, Bastardo, Boal, Borraçal, Brancelho, Cercial, Côdega, Cornifesto, Donzelinho, Donzelinho branco, Donzelinho tinto, Esgano cão, Fernão pires, Folgosão, Malvasia, Malvasia corada, Malvasia fina, Malvasia parda, Malvasia preta, Moscatel galego, Mourisco de semente, Mourisco tinto, Perdernã, Periquita, Rabigato, Rabo de ovelha, Rufete, Samarrinho, Sousão, Tinta barca, Tinta carvalha, Tinta roriz, Touriga brasileira, Trajadura, Verdelho, Viosinho

Fermentation et mutage

Durant la phase initiale, la fermentation du Porto ne diffère guère de celle des autres vins, si ce n'est que les températures atteignent souvent 32 °C. Celles-ci n'ont manifestement aucun effet néfaste sur le Porto et expliquent sans doute son arôme chocolaté, sa complexité et son pH élevé. Le vin est viné lorsqu'il atteint à peu près 6 à 8°. Pour le Xérès, au contraire, le processus de fermentation suit son cours naturel.

Le Porto doit sa douceur à des sucres non fermentés, tandis que le Xérès doux est un vin parfaitement sec auquel on ajoute des édulcorants. C'est le taux de sucre et non le degré alcoolique qui détermine le moment où se fait l'adjonction d'eau-de-vie. Lorsque le degré-sucre du moût en fermentation est tombé à 6° Beaumé, soit environ 90 grammes de sucre par litre, le taux d'alcool est normalement entre 6 et 8°. Il varie cependant en fonction de la richesse du moût, laquelle dépend à son tour du cépage, de la situation du vignoble et du millésime.

Le mot « eau-de-vie » est quelque peu trompeur : il ne s'agit pas d'un alcool ressemblant au Cognac, mais de l'*aguardente,* un alcool de raisin clair et sans saveur qui titre 77°. L'*aguardente* renforce le degré alcoolique du Porto sans lui ajouter de saveur ni d'arôme.

Cette eau-de-vie provient soit de vins du sud du Portugal, soit des excédents de production du Douro même. Son prix et sa distribution aux différents négociants sont strictement contrôlés. La quantité ajoutée s'élève en moyenne à 110 litres pour 440 litres de vin, soit au total 550 litres de Porto – c'est la capacité d'une pipe du Douro, fût utilisé pour le transport du vin par bateau, depuis la vallée jusqu'aux « loges » ou chais de Vila Nova de Gaia. Le Porto plus sec a une fermentation un peu plus longue et demande moins de 100 litres d'*aguardente,* tandis qu'un Porto très doux (ou *geropiga*) est muté très tôt avec jusqu'à 135 litres.

Correctement dosée, l'eau-de-vie additionnée pour arrêter la fermentation s'harmonise à terme avec le caractère fruité et la douceur naturelle du vin. L'équilibre « idéal » entre fruit, alcool et douceur dans un Porto varie évidemment selon les goûts et les habitudes de chaque producteur. Le vigneron du Douro emploiera sans doute une proportion d'alcool bien plus forte pour le Porto destiné à sa propre consommation que pour celui qu'il élabore à la demande d'un négociant. Les négociants britanniques préfèrent généralement plus de fruit et moins d'eau-de-vie que les Portugais, mais toutes les firmes commerciales, portugaises et étrangères, estimeraient qu'un Porto « fermier » du Douro ne possède pas assez de corps pour équilibrer l'eau-de-vie.

Mûrissement et assemblage

Jusqu'en 1986, la loi stipulait que tout Porto devait être élevé et mis en bouteilles à Vila Nova de Gaia, sur la rive gauche de l'estuaire du Douro, en face de Porto, soit à quelque 75 kilomètres de la région de production. Rapporté à l'échelle de la France, ce serait obliger tous les producteurs de Champagne à assembler, mettre en bouteilles et dégorger leurs vins à Paris ou au Havre ! Cette loi empêchait en outre les petits producteurs qui n'avaient pas les moyens d'acquérir un chai à Vila Nova de Gaia d'exporter leurs vins. Aujourd'hui, de nombreux Porto nouveaux issus de *quintas* privées du Douro trouvent leur place sur le marché.

LA CLASSIFICATION DES QUINTAS

La vallée du Douro couvre 243 000 hectares, dont 24 000 sont cultivés. Au sein de cette aire, on compte 80 000 vignobles qui appartiennent à 29 620 viticulteurs. Les vignobles sont classés selon un système de points attribués pour chacun des paramètres ci-dessous. Plus le vignoble reçoit de points, plus le prix de vente officiel de son raisin est élevé et plus sa production autorisée est forte.

Catégorie	Minimum	Maximum
Situation	– 50	+ 600
Site	– 1 000	+ 250
(Altitude [plus faible=le meilleur]	– 900	+ 150)
(Déclivité [plus forte=le meilleur]	– 100	+ 100)
Sol	– 350	+ 100
(Schiste	0	+ 100)
(Granite	– 350	0)
(Mélange	– 150	0)
Microclimat (plus abrité=le meilleur)	0	+ 60
Cépages (suivant classement officiel)	– 300	+ 150
Âge des vignes (plus vieux=le meilleur)	0	+ 60
Densité des vignes (plus faible=le meilleur)	– 50	+ 50
Rendement (plus faible=le meilleur)	– 900	+ 120
Entretien du vignoble	– 500	+ 100
Total	– 3 150	+ 1 490

Les vignobles sont classés de A, pour les meilleurs, à F, pour les moins bons, de la manière suivante : classe A (1 200 points ou plus) ; classe B (1 001-1199 points) ; classe C (801-1 000 points) ; classe D (601-800 points) ; classe E (401-600 points) ; classe F (400 points ou moins).

Aciprestes
classe A (Royal Oporto)

Agua Alta
classe non communiquée (Churchill)

Alegria
classe non communiquée (Santos)

Aradas
classe A-B (Noval)

Atayde
classe A (Cockburn)

Avidagos
classe A-B (Da Silva)

Boa Vista
classe A (Offley Forrester)

Bomfim
classe A (Dow)

Bom-Retiro
classe A (Ramos-Pinto)

Carvalhas
classe A (Royal Oporto)

Carvalheira
classe A (Câlem & Filho)

Carvoeira
classe B (Barros, Almeida)

Casal
classe D (Sandeman)

Casa Nova
classe A-B (Borges & Irmao)

Cavadinha
classe A (Warre)

Confradeiro
classe D (Sandeman)

Côtto
classe non communiquée (Champalimaud)

Corte
classe A (société privée, gérée par Delaforce)

Corval
classe A (Royal Oporto)

Cruizeiro St. Antonio
classe A (Guimarãens)

Dona Matilde
classe B (Barros, Almeida)

Eira Velha
classe A (société privée, gérée par Cockburn)

Ervamoira
classe A (Ramos-Pinto)

Ferradosa
classe A-B (Borges & Irmao)

Fontela
classe A (Cockburn)

Fonte Santa
classe A (Kopke)

Foz
classe A (Câlem & Filho)

Granja
classes C, D et E (Royal Oporto)

Hortos
classe A-B (Borges & Irmao)

Junco
classe A-B (Borges & Irmao)

Laranjeira
classe B (Sandeman)

La Rosa
classe A (société privée, gérée par Robertson Bros)

Leda
classe A-B (Ferreira)

Lobata
classe A (Barros, Almeida)

Madalena
classe A (Warre)

Malvedos
classe A (Graham)

Marco
classe A-B (Noval)

Meao
classe A-B (famille Ferreira)

Mesquita
classe A (Barros, Almeida)

Monte Bravo
classe A (société privée, gérée par Dow)

Nova
classe A (société privée, gérée par Warre)

Noval
classe A-B (Noval)

Panascal
classe A (Guimarãens)

Passa Douro
classe A (Sandeman)

Porrais
classe C (famille Ferreira)

Porto
classe A-B (Ferreira)

Quartas
classe C (Poças)

Roeda
classe A (Croft)

Sagrado
classe A (Câlem & Filho)

San Domingos
classe B (Ramos-Pinto)

Santa Barbara
classe B-C (Poças)

Santo Antonio
(classe A (Câlem & Filho)

St. Luiz
classe A (Kopke)

Seixo
classe A-B (Ferreira)

Sibio
classe A (Royal Oporto)

Sidro
classes C et D (Royal Oporto)

Silho
classe A-B (Borges & Irmao)

Silval
classe A-B (Noval)

Soalheira
classe A-B (Borges & Irmao)

Terra Feita
classe A (Taylor's)

Tua
classe A (Cockburn)

Urqueiras
classe A-B (Noval)

Urtiga
classe B (Ramos-Pinto)

Valado
classe C (famille Ferreira)

Vale de Mendiz
classe A (Sandeman)

Vale Dona Maria
classe A (Smith Woodhouse)

Vargellas
classe A (Taylor's)

Vedial
classe A (Calem & Filho)

Velho Roncao
classe A-B (Poças)

Vezuvio
classe A-B (famille Ferreira)

Zimbra
classe A (société privée, gérée par Dow)

MILLÉSIMES « DÉCLARÉS » DEPUIS 1945

N'importe quel millésime peut être déclaré par n'importe quel négociant. Il suffit à la firme de soumettre des échantillons à l'Instituto do Vinho do Porto pour approbation et, s'il est accepté, de mettre le vin en bouteilles dans un délai de deux ans. Certains millésimes ont été déclarés par un seul négociant : 1951 (Feuerheerd), 1962 (Quinta do Noval) et 1972 (Dow). D'autres sont déclarés par presque tous les négociants : 1963, 1970, 1975, 1977, 1983 et 1985 – dernier millésime déclaré au moment de la rédaction de ce livre. La liste ci-dessous regroupe tous les négociants, petits et grands, célèbres et obscurs, en activité ou dégagés des affaires, mais dont les vins sont encore diffusés en salle de ventes.

Adams 1945, 1947, 1948, 1950, 1955, 1960, 1963, 1966

Barros, Almeida 1975, 1980, 1982, 1983, 1985

Borges 1963, 1970, 1980, 1982, 1983, 1985

Burmester 1945, 1948, 1954, 1955, 1958, 1960, 1963, 1970, 1977, 1980

Butler, Nephew 1945, 1947, 1948, 1955, 1957, 1958, 1960, 1970, 1975

Cálem 1947, 1948, 1955, 1958, 1960, 1963, 1975, 1977, 1980, 1983, 1985

Cockburn 1947, 1950, 1955, 1960, 1963, 1967, 1970, 1975, 1983, 1985

Croft 1945, 1950, 1955, 1960, 1963, 1966, 1970, 1975, 1977, 1982, 1985

Quinta do Noval 1945, 1947, 1948, 1950, 1955, 1958, 1960, 1962, 1963, 1966, 1969, 1970, 1972, 1975, 1978, 1980, 1982, 1985

Da Silva C. 1970, 1977, 1978, 1982, 1985

Delaforce 1945, 1947, 1950, 1955, 1958, 1960, 1963, 1966, 1970, 1975, 1977, 1982, 1985

Diez 1970, 1975, 1977, 1980

Douro Wine Shippers 1970, 1980, 1982, 1983, 1985

Dow 1945, 1947, 1950, 1955, 1960, 1963, 1966, 1970, 1972, 1975, 1977, 1980, 1983, 1985

Feist 1970, 1980, 1982, 1983

Ferreira 1945, 1955, 1960, 1963, 1966, 1970, 1975, 1977, 1980, 1983, 1985

Feuerheerd 1945, 1951, 1955, 1957, 1960, 1963, 1966, 1970, 1980

Fonseca 1945, 1948, 1955, 1960, 1963, 1966, 1970, 1975, 1977, 1980, 1983, 1985

Gonzalez Byass 1945, 1955, 1960, 1963, 1967, 1970, 1975

Gould Campbell 1955, 1960, 1963, 1966, 1975, 1977, 1980, 1983, 1985

Graham 1945, 1948, 1955, 1960, 1963, 1966, 1970, 1975, 1977, 1980, 1983, 1985

Guimarãens 1963, 1966, 1970

Hutcheson 1970, 1980, 1982, 1983

Kopke 1945, 1948, 1950, 1952, 1955, 1958, 1960, 1963, 1966, 1970, 1977, 1982, 1983, 1985

Mackenzie 1945, 1947, 1948, 1950, 1952, 1954, 1955, 1957, 1958, 1960, 1963, 1966, 1970, 1975, 1982

Martinez 1945, 1955, 1958, 1960, 1963, 1967, 1970, 1975, 1982, 1983, 1985

Messias 1970, 1975, 1980, 1982, 1983, 1985

Morgan 1948, 1950, 1955, 1960, 1963, 1966, 1970, 1975, 1977, 1982

Niepoort 1945, 1970, 1980, 1982, 1983, 1985

Offley Forrester 1950, 1954, 1960, 1962, 1963, 1966, 1967, 1970, 1972, 1975, 1977, 1980, 1982, 1983, 1985

Osborne 1970

Pinto dos Santos 1955, 1957, 1958, 1960, 1963, 1966, 1970, 1974, 1975, 1985

Poças 1967, 1970, 1975, 1977, 1982, 1983, 1985

Quarles Harris 1945, 1947, 1950, 1955, 1958, 1960, 1963, 1966, 1975, 1977, 1980, 1983, 1985

Ramos Pinto 1945, 1955, 1970, 1980, 1982, 1983, 1985

Real Vinicola 1945, 1947, 1950, 1955, 1960, 1980, 1982, 1983, 1985

Rebello Valente 1955, 1960, 1963, 1966, 1975, 1980, 1983, 1985

Robertson Bros 1945, 1947, 1955, 1970, 1977

Royal Oporto 1945, 1958, 1960, 1962, 1963, 1967, 1970, 1975, 1977, 1983, 1985

Rozes 1983

Sandeman 1945, 1947, 1950, 1955, 1957, 1958, 1960, 1962, 1963, 1966, 1967, 1970, 1975, 1977, 1980, 1982, 1985

Smith Woodhouse 1945, 1947, 1950, 1955, 1960, 1963, 1966, 1970, 1975, 1977, 1980, 1983, 1985

Sociedade Constantino 1945, 1947, 1950, 1958, 1966

Taylor, Fladgate & Yeatman 1945, 1948, 1955, 1960, 1963, 1966, 1970, 1975, 1977, 1980, 1983, 1985

Tuke, Holdsworth 1945, 1947, 1950, 1955, 1960, 1963, 1966

Vasconcellos 1982

Viera de Souza 1970, 1980, 1983

Warre 1945, 1947, 1950, 1955, 1958, 1960, 1963, 1966, 1970, 1975, 1977, 1980, 1983, 1985

Wiese & Krohn 1947, 1950, 1952, 1960, 1967, 1970, 1982, 1985

LE BARON JOSEPH FORRESTER

Né en Angleterre en 1809, Joseph Forrester débarqua à Porto en 1831 pour s'occuper du commerce du célèbre vin de liqueur sous tous ses aspects. En 1848, il publia anonymement *Un mot ou deux sur le Porto,* qui reçut un accueil enthousiaste tant à Porto qu'à Londres, et fut suivi de huit réimpressions. Le livre ne lui valut pas beaucoup d'amis parmi ses confrères, mais son succès leur imposa, par l'intermédiaire de l'opinion publique, un certain nombre de réformes.

La contribution la plus célèbre de Forrester à l'amélioration du commerce du Porto fut sa carte détaillée du cours du fleuve dans le haut Douro, qui signalait les rapides et rendait ainsi la navigation bien plus sûre. L'ironie du sort a voulu que ce soit le Douro qui lui prît la vie. En 1862, après un déjeuner à Quinta da Vargellas, le baron fit une promenade sur le fleuve en compagnie de deux ladies. Leur bateau heurta un rocher submergé dans les rapides et la coque se fendit. Le baron périt noyé, mais les deux dames eurent plus de chance : leurs crinolines agirent comme une bouée qui les y porta jusqu'à la rive.

***Barco rabelo* historique**, ci-dessus
Ces embarcations à fond plat chargées de pipes de Porto suivaient le cours incertain du fleuve depuis le haut Douro jusqu'à Porto.

LE VINHO VERDE

Ce sont des vignes croissant sur des arbres, des treillis, des poteaux télégraphiques et des clôtures – sur tout ce qui permet de les surélever – qui produisent le Vinho Verde, *le* vin du Minho. En conduisant leurs vignes ainsi, les petits propriétaires – il y en a plus de 60 000 dans le Minho – peuvent à la fois cultiver les choux, le maïs et les haricots, qui assurent leur subsistance, et produire du raisin qu'ils vendent à de grandes firmes comme Sogrape ou Aveleda, ou qu'ils vinifient eux-mêmes à l'intention des touristes. Outre ces petits vignobles, il existe de plus en plus de *quintas* gérées professionnellement, où les vignes sont impeccablement palissées sur des treillis à plus de deux mètres du sol. Seuls les vendangeurs du Minho partent travailler l'échelle sous le bras.

L'élaboration du Vinho Verde

Les raisins sont cueillis avant la maturité complète pour que le Vinho Verde soit peu alcoolisé (environ 9°) et très acide ; c'est pour cela, et non pour sa couleur, qu'on le dit « vert ». La mise en bouteilles se fait très tôt afin qu'il conserve une fraîcheur maximale et pour encourager une fermentation malolactique en bouteille dont l'effervescence confère au vin un caractère s'étalant du franchement pétillant à l'à peine perlant. Les producteurs du Minho récoltent principalement du Vinho Verde rouge, mais en pratique, seul le Vinho Verde blanc est exporté, le plus souvent sous une forme gazéifiée et adoucie.

Les vins du Douro et du Minho

DOURO RD

Réputée pour le Porto, la vallée du Douro produit en fait autant de vin de table que de vin de liqueur. Les meilleurs Porto proviennent de sols schisteux, la plupart des vins de table, de terres granitiques. La Syrah, qui réussit bien sur des terroirs comparables, n'a jamais été cultivée ici – peut-être parce que les vins ont déjà un beau fruité et une surprenante élégance. Certains sont de grande qualité, comme le Barca Velha, le vin de table portugais le plus cher. De l'autre côté de la frontière, en Espagne, naît il est vrai le Vega Sicilia, le vin le plus cher du pays.

ROUGE. Ces vins ne ressemblent nullement aux Porto. Leur style est tantôt léger, bordelais, tantôt plus riche, bourguignon, mais tous les bons vins ont un fruité net et un bel équilibre. Le superbe « Grande Escolha » de Quinta do Côtto est le premier vin d'un type nouveau élevé en fût de chêne neuf.

Tinta francisca, Tinta roriz, Tinta cão, Touriga nacional, Touriga francesa, Tinta barroca, Tinta amarela, Mourisco tinto, Bastardo, et jusqu'à 40 % de Cornifesto, Donzelinho, Malvasia, Periquita, Rufete, Tinta barca, Alvarelhão, Donzelinho tinto, Malvasia preta, Morisca de semente, Sousão, Tinta carvalha, Touriga brasileira

1980, 1983, 1984, 1985

Entre 2 et 10 ans (jusqu'à 25 ans pour le Barca Velha)

BLANC. Quinta do Côtto produit un vin agréable, frais et fruité, à l'arrière-goût léger de miel. Le « Planalto » de Sogrape a une riche saveur de miel et de fruits, et des expériences sont en cours avec le Chardonnay, le Sauvignon blanc et le Gewurztraminer.

Esganacão, Folgosão, Verdelho, Malvasia fina, Rabigato, Viosinho, Donzelinho branco, et jusqu'à 40 % d'Arinto, Boal, Cercial, Códega, Malvasia corada, Moscatel galego, Donzelinho branco, Samarrinho, Fernão pires, Malvasia parda, Moscatel galego, Rabo de ovelha

1980, 1983, 1984, 1985

Entre 2 et 5 ans

☆ Barca Velha, Quinta do Côtto, Quinta da Pacheca, Douro Santa Marta, Douro Mesão Frio

PORTO RD

Les deux types de Porto de base dont sont issues toutes les variantes à l'exception du Porto blanc, sont le Ruby et le Tawny. Le Ruby est un vin fruité vieilli en bouteilles tandis que le Tawny est un vin moelleux vieilli en fûts.

Voir Les cépage du Porto, p. 296

Voir Millésimes « déclarés » depuis 1945, p. 298.

Voir Grandes maisons de Porto

☆ *Voir* Grandes maisons de Porto et Les meilleures maisons parmi les autres, p. 301

LES STYLES DE PORTO

Crusted ou Crusting
Obtenu par assemblage de vins de grande qualité, de deux ou plusieurs années, il vieillit jusqu'à 4 ans en fûts et parfois plus de 3 ans en bouteilles. Il est plus franc que le Vintage mais forme un dépôt analogue, d'où son nom qui signifie « croûté ».

Fine Old Tawny
Après de constants soutirages pendant 10 ans, 20 ans ou davantage, le vin prend une couleur *tawny,* c'est-à-dire fauve, se clarifie et ne forme plus de dépôt. Il acquiert une texture souple et soyeuse, une saveur voluptueuse et moelleuse de noisette et une grande finesse. Le nez livre des arômes persistants qui marient le café fraîchement moulu, le chocolat, le raisin sec, la muscade et la cannelle.

Fine Old Ruby (FOT)
Porto de bonne qualité obtenu par assemblage de crus de différentes années qui passent environ 4 ans en fûts. Il a le caractère fruité et épicé d'un jeune Ruby, mais l'alliance du raisin et de l'eau-de-vie est plus homogène.

Late-Bottled Vintage (LBV)
Pur Porto Vintage d'un millésime généralement non déclaré*, qui passe de 4 à 6 ans en fûts avant d'être mis en bouteilles. On peut le boire aussitôt, mais il est capable de se bonifier pendant 5 ou 6 ans.
* Taylor's a surpris récemment en mettant en vente un LBV de 1983, grand millésime déclaré par presque tous les producteurs.

Ruby
C'est le Porto rouge le moins cher. Il a moins d'un an de fût et renferme une saveur de raisin parfois assez ardente.

Quinta
Ce Porto provient d'un seul vignoble. Il peut s'agir d'un Porto Vintage classique d'une maison établie, comme le Quinta do Noval, d'un vin d'un millésime non classique, comme le Quinta de Vargellas (ce domaine, normalement au cœur de la production du Porto Vintage de Taylor's, récolte aussi de beaux vins dans les années ordinaires), d'un FOT, tel que le Quinta do Bom-Retiro « 20 Year Old » de Ramos Pinto, ou d'un Tawny millésimé, comme le Quinta do Junco de Borges.

Tawny
Les Porto Tawny de base sont souvent obtenus par assemblage de Porto blancs et rouges, ce qui est contraire aux réglementations de la CEE. Les producteurs de Porto, à l'instar des producteurs de Champagne, peuvent prouver cependant que ce type d'assemblage est traditionnel dans la région. Même les dégustateurs experts en Porto ne peuvent distinguer certains assemblages habiles de Tawny « naturels ».

Vintage
La loi stipule que le Porto Vintage doit être mis en bouteilles avant deux ans. Le vieillissement en bouteilles est plus court que l'élevage en fûts et le vin garde un fruité que ne possède aucun Fine Old Tawny, si grand soit-il. Le Porto Vintage à maturité, avec son bouquet capiteux et sa saveur sensuelle, offre une expérience gustative unique. Après passage du vin, la gorge conserve une sensation de chaleur, une sorte d'incandescence, plutôt qu'un arrière-goût. Le raisin et l'eau-de-vie sont parfaitement fondus et la bouche est emplie de saveurs chaudes, épicées et fruitées.

Vintage Character
Il est inexact de soutenir que ces Porto, assemblages de vins d'années différentes, élevés jusqu'à quatre ans en fûts, ont le caractère d'un Vintage. Il peut s'agir de beaux Porto, mais leur caractère est celui d'un Fine Old Ruby, non celui d'un Vintage.

Tawny millésimé
Ces vins souvent sublimes, d'un excellent rapport qualité/prix, sont des FOT millésimés ; ils peuvent séjourner en fûts 20 ou 50 ans. Pour éviter qu'on ne les confonde avec les Porto Vintage, plus charnus et plus fruités qui passent moins de trois ans en fût, les étiquettes devraient comporter la date de mise en bouteilles, ou une mention telle que « Élevé en fûts ». Certaines firmes se contentent d'appeler « Vintage » les Porto Vintage et « Colheita » les Tawny.

Porto blanc
La plupart des Porto blancs secs ressemblent à des Xérès trop mous, mais il existe de beaux Porto blancs doux, comme le « Superior White » de Ferreira, tendre et crémeux.

VINHO VERDE RD

Le Vinho Verde authentique est totalement sec ; il a toujours un mordant rafraîchissant et possède quelquefois un arrière-goût « minéral ».

Vin blanc : Azal branco, Loureiro, Trajadura, Perdernã, Avesso, Alvarinho. **Vin rouge** : Azal tinto, Borraçal, Espadeiro, Vinhão, Rabo de ovelha, Brancelho

Le millésime en tant que tel n'a pas d'importance, mais il renseigne sur l'état de fraîcheur du vin.

Le plus tôt possible, en général avant 12 à 18 mois.

☆ *Voir* « Les meilleurs Vinhos Verdes de quinta unique », « Les meilleurs vins parmi les autres » et « Bonnes marques de Vinhos Verdes », p. 301-302.

Grandes maisons de Porto

COCKBURN

Rua das Coradas
4401 Vila Nova de Gaia

Vignobles : *200 ha*
Année de création : *1815*

Cette maison, fondée par Robert Cockburn, appartient aujourd'hui au groupe Allied-Lyons à travers la firme Harveys de Bristol. Ses Porto Vintage ont une bonne couleur et de la profondeur, un beau fruité, une texture soyeuse et des arômes de chocolat. Cockburn contrôle aussi Martinez Gassiot.

1983, 1985

Entre 15 et 30 ans

☆ « Special Reserve », « Director's Reserve », « 10 Year Old Tawny », « 20 Year Old Tawny »

CROFT

Largo Joaquim Magalhães
4400 Vila Nova de Gaia

Vignobles : *80 ha*
Année de création : *1678*

La firme Croft, qui appartient à International Distiller and Vinterers est surtout connue pour ses Xérès, et pourtant c'est une des plus anciennes maisons de Porto. Ses Porto sont généralement plus légers que la plupart, à l'exception des millésimes 1975 et 1985, tous deux très concentrés, qui se placent parmi les meilleurs.

1985

Entre 12 et 25 ans

☆ « LBV », « Distinction », Quinta da Roêda

DELAFORCE

Largo Joaquim Magalhães
4401 Vila Nova de Gaia

Année de création : *1868*

Bien qu'elle appartienne à IDV (International Distillers and Vintners) depuis 1968, tout comme Croft et Morgan, cette maison a su garder sa dimension familiale sous la direction de David Delaforce, représentant de la cinquième génération.
Les vins sont élaborés dans un style léger qui convient à merveille à « His Eminence's Choice », un vieux Tawny exquis doté d'un bon équilibre et d'un parfum persistant. Ce style léger me paraît cependant moins adapté aux Porto Vintage.

☆ « His Eminence's Choice Superb Old Tawny »

DOW & CO.

Silva & Cosens
Travessa Barão de Forrester
4401 Vila Nova de Gaia

Vignobles : *40 ha*
Année de création : *1798*

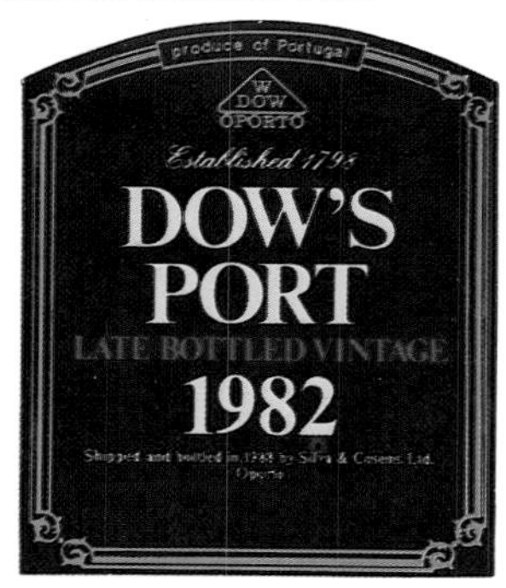

Cosens entra dans la firme d'origine au milieu du XIXe siècle ; en 1877, James Ramsay Dow fut accepté comme associé et sa firme, Dow & Co., fusionna avec Silva & Cosens. La marque Dow's appartient à présent à la famille Symington.

Son Vintage, noir et massif, est régulièrement l'un des meilleurs ; c'est un vin concentré qui a une grande profondeur et recèle des arômes fruités, épicés et chocolatés et un caractère complexe, tannique, un peu plus sec que de coutume.

1980, 1983, 1985

Entre 18 et 35 ans

☆ « Boardroom », « 20 Year Old Tawny », « Vintage Character », « Late Bottled Vintage » et « Crusted Port »

FERREIRA

Rua da Cavalhosa 19-103
4400 Vila Nova de Gaia

Vignobles : *110 ha, plus 210 ha qui appartiennent à des membres de la famille Ferreira et auxquels la firme a accès*
Année de création : *1761*

La maison Ferreira, reprise en 1988 par European Cellars, est aujourd'hui la première marque portugaise. Pourtant, elle n'a acquis sa réputation actuelle qu'au milieu du XIXe siècle, entre les mains de Dona Antonia Adelaide Ferreira, qui fut un peu la « Veuve Clicquot » de Porto. Elle constitua le plus vaste ensemble de vignobles du Douro et laissa à sa mort, en 1896, une fortune estimée à 34 millions de francs.

Que la spécialité de Ferreira soit le Tawny n'est guère étonnant compte tenu de ses racines portugaises. Son Porto Vintage, moelleux et souple, de style plus léger, n'est pas pour surprendre non plus. Il a un fruité qui ne peut être capturé que par une mise en bouteilles précoce, mais il n'est pas aussi charnu et concentré que les vins produits par les maisons britanniques.

1982, 1983 (Vintage et Quinto do Seixo)

Entre 15 et 30 ans

☆ « Dona Antonia », « Quinta do Porto 10 Year Old Tawny », « Duque de Bragança 20 Year Old Tawny », « Superior White »

FONSECA

Guimarãens Vinhos
Quinta Dom Prior
4401 Vila Nova de Gaia

Vignobles : *50 ha*
Année de création : *1822*

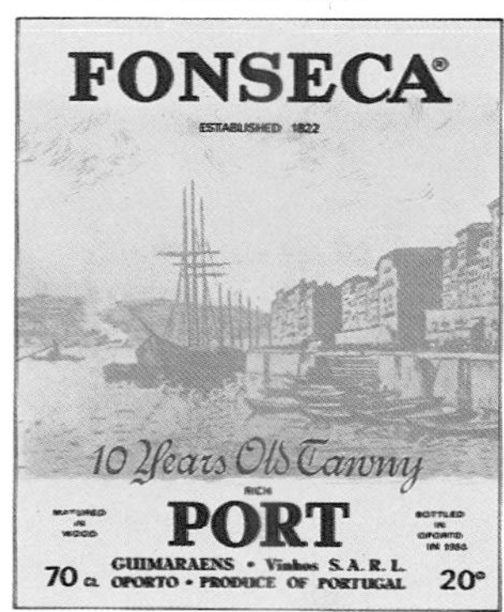

Cette maison, qui s'appelait à l'origine Fonseca, Monteiro & Co., changea de nom en 1822 lorsqu'elle fut rachetée par Manuel Pedro Guimarãens. Fonseca a toujours été la marque principale, mais les vins sont vendus parfois sous l'étiquette Guimarãens. Le Porto Vintage, sans être aussi massif que celui de Taylor's, montre un style comparable. Sa couleur profonde, sa délicieuse saveur riche et mûre, et ses notes sensuelles de chocolat et de raisin sec le placent parmi les meilleurs.

1980, 1983, 1985

Entre 15 et 30 ans

☆ « Bin 27 » et les Fine Old Tawny.

W. & J. GRAHAM & CO.

Rua Rei Ramiro 514
4401 Vila Nova de Gaia

Vignobles : *45 ha*
Année de création : *1820*

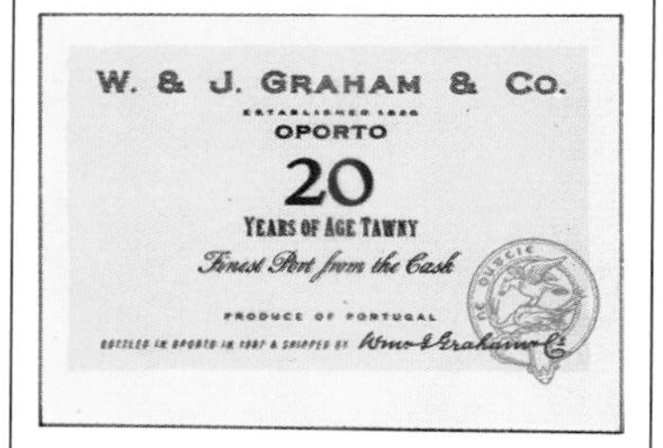

À sa fondation, Graham's était une firme de textile et ne se lança dans le négoce du Porto qu'en 1826, lorsque son bureau de Porto, dit-on, accepta du vin pour paiement d'une créance. Elle doit sa réputation à son Porto Vintage, qui est noir, massif, joliment doux et d'une grande longévité.

1980, 1983, 1985

Entre 18 et 40 ans

☆ « Six Grapes » et tous les Fine Old Tawny

GUIMARÃENS

Voir Fonseca.

NOVAL

Rua Cândido dos Reis 575
4401 Vila Nova de Gaia

Vignobles : *85 ha*
Année de création : *1813*

Cette maison d'origine portugaise est contrôlée par la famille néerlandaise van Zeller depuis quatre générations. En 1973, elle fut rebaptisée Quinta do Noval SARL. La plupart des vins sont vendus comme « Noval », l'étiquette « Quinta do Noval » étant réservée au Porto Vintage issu uniquement du superbe domaine connu sous ce nom. Le vin le plus célèbre est le Quinta do Noval « Naçional » qui provient de 5 000 vignes antérieures au phylloxera ! Sa robe est dense et profonde, sa constitution puissante, il est extrêmement concentré mais conserve la grâce et la finesse qui firent la renommée de cette maison. Deux cent cinquante caisses seulement sont produites chaque année ; elles ne sont pas distribuées dans le commerce, mais la maison offre six bouteilles à tout acheteur de 50 caisses de Quinta do Noval Vintage. Une bouteille de « Naçional » 1931 – un millésime légendaire – a atteint 12 500 F en salle de ventes – un record pour le Porto.

1982, 1983, 1985

Entre 20 et 35 ans

☆ « LB », « 20 Year Old », « 40 Year Old »

SANDEMAN

Largo Miguel Bombarda 3
4401 Vila Nova de Gaia

Vignobles : *280 ha*
Année de création : *1790*

La firme Sandeman, qui avait acquis Robertson's et Rebello Valente en 1881, puis Diez Hermanoz, Offley Forester et Rodriguez Pinho, est contrôlée aujourd'hui par Seagram. Le Porto Vintage vendu sous la marque Sandeman est en général ferme et fruité ; sa robe est belle mais peu profonde.

1982, 1985

Entre 15 et 30 ans

☆ « Founders Reserve », « Imperial 20 Year Old Tawny »

SILVA & COSENS

Voir Dow & Co.

TAYLOR, FLADGATE & YEATMAN

Rua Choupelo 250
4401 Vila Nova de Gaia

Vignobles : *125 ha*
Année de création : *1692*

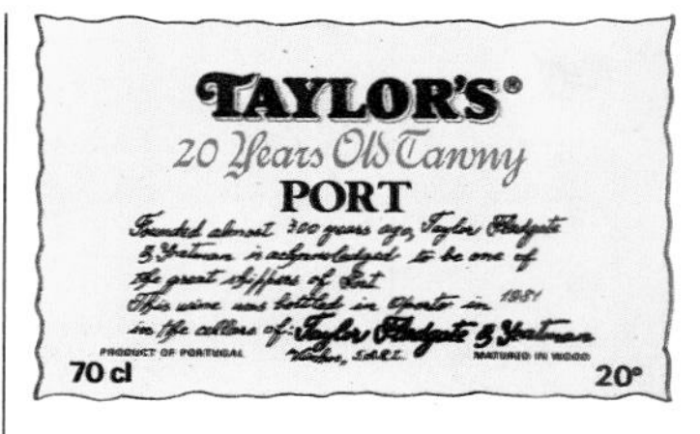

Cette maison, fondée par Job Bearsley, a connu vingt et une dénominations différentes avant de recevoir son nom actuel que lui ont légué trois associés : Joseph Taylor en 1816, John Fladgate en 1837, et Morgan Yeatman en 1844. En accueillant Joseph Cano, elle devint la seule maison de Porto à avoir eu un Américain pour associé.

En 1744, un négociant acheta pour la première fois un domaine dans le Douro ; c'était aussi Taylor's. Mais son domaine le plus célèbre est Quinta de Vargellas, acquis en 1890. Cette prestigieuse propriété confère « âme » et « cœur » à l'ensemble des Porto Vintage de Taylor's, les plus sombres, les plus profonds et les plus massifs de tous les Porto de ce type, et les plus chers en salle des ventes.

1980, 1983, 1985

Entre 20 et 40 ans

☆ « 10 Year Old Tawny », « 20 Year Old Tawny », Quinta de Vargellas

WARRE & CO.

Travessa Barão de Forrester
4401 Vila Nova de Gaia

Vignobles : *45 ha*
Année de création : *1670*

Cette firme n'a pris son nom actuel qu'en 1729, avec l'entrée de William Warre, mais seule la maison d'origine allemande C. N. Kopke peut se prévaloir d'être plus ancienne. La marque Warre's, qui appartient aujourd'hui à la famille Symington, dispute normalement à Graham's la paternité du Porto Vintage le plus foncé et le plus concentré après celui de Taylor's. Pur, le Quinta da Cavadinha est un vin parfumé, élégant et éthéré ; il contraste avec le Porto Vintage qu'il sert à assembler.

1980, 1983, 1985

Entre 18 et 35 ans

☆ « Warrior », « Nimrod », Fine Old Tawny millésimé « Grande Reserve »

Les meilleures maisons parmi les autres

CÁLEM
Avenida Diogo Leite
4400 Vila Nova de Gaia

Vignobles : *50 ha*
Année de création : *1859*

La plus grande des maisons familiales de Porto.

1983, 1985

Entre 15 et 25 ans

☆ « 10 Year Old tawny », Quinta de Foz

CHURCHILL
4100 Oporto

Année de création : *1981*

Superbe robe, fruité intense et équilibre classique.

1982, 1985,

Entre 12 et 25 ans

☆ « Crusted », « Vintage Character », Quinta de Agua Alta

GOULD CAMPBELL
Travessa Barão de Forrester
4401 Vila Nova de Gaia

Année de création : *vers 1797*

Cette firme appartient à Symington. Elle produit de beaux Porto Vintage.

1980, 1983

Entre 12 et 25 ans

MORGAN
Largo Joaquim Magalhães
4401 Vila Nova de Gaia

Année de création : *1715*

Cette maison, rachetée par Croft en 1952 et détenue à présent par IDV, produit un Porto agréable.

1982

Entre 12 et 20 ans

OFFLEY FORRESTER
Rua Guilherme Braga
4400 Vila Nova de Gaia

Année de création : *1737*

Cette maison que possédait autrefois le baron Forrester appartient à Seagram. Le Porto Vintage est élégant et le vin de quinta unique a une robe profonde.

1982, 1983

Entre 12 et 25 ans

☆ Tawny millésimé « Baron Forrester », « Boa Vista »

POÇAS
Rua Visconde das Devesas
4401 Vila Nova de Gaia

Année de création : *1918*

Seule maison de Porto qui reçut deux années consécutives – en 1979 et 1980 – le prix « Caravela Portugesa » attribué par l'État.

1982, 1983

Entre 12 et 25 ans

QUARLES HARRIS
Rua Barão de Forrester
4401 Vila Nova de Gaia

Année de création : *1680*

Cette firme est l'une des plus petites. Son Porto, sombre et souple, livre un bouquet d'épices et de raisin sec.

1980, 1983, 1985

Entre 12 et 25 ans

QUINTA DO CÔTTO
Montez Champalimaud
Regua

Année de création : *avant 1300*

L'un des meilleurs « nouveaux Porto » issus d'un seul domaine.

1982

Entre 12 et 25 ans

RAMOS-PINTO
Avenida Ramos-Pinto
4401 Vila Nova de Gaia

Vignobles : *99 ha*
Année de création : *1880*

Adriano Ramos-Pinto avait tout juste vingt ans quand il fonda sa société. C'est aujourd'hui l'une des maisons portugaises les plus respectées, grâce à ses Porto riches et ronds.

1982, 1983

Entre 12 et 25 ans

☆ Vins de quinta unique et Tawny millésimés

ROYAL OPORTO
Real Campanhia Vinicola do Norte de Portugal
Rua Azevedo Magalhães
4400 Vila Nova de Gaia

Vignobles : *1 235 ha*
Année de création : *1756*

Maison fondée par le marquis de Pombal pour réglementer le négoce. Les Porto Vintage sont bons et économiques.

Quinta das Carvalhas 1983, Quinta do Sibio 1983

Entre 12 et 25 ans

REBELLO VALENTE
Voir Robertson Brothers and Co.

ROBERTSON BROTHERS AND CO.
Rua Dr António Granjo
4400 Vila Nova de Gaia

Année de création : *1881*

Petite maison réputée surtout pour ses Tawny et, sous la célèbre étiquette Rebello Valente, ses Porto Vintage très traditionnels.

1983, 1985 (Rebello Valente)

Entre 12 et 25 ans

☆ Tawny

SMITH WOODHOUSE
Travessa Barão de Forrester
4401 Vila Nova de Gaia

Vignobles : *25 ha*
Année de création : *1784*

Les vins de cette firme célèbre

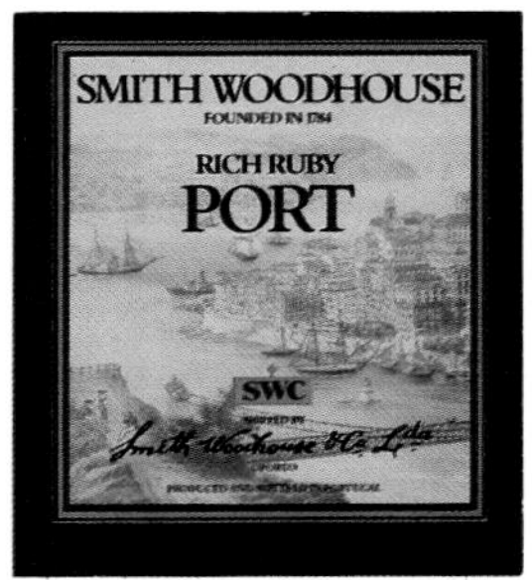

d'origine britannique ne sont guère appréciés au Portugal ; la gamme vendue à l'exportation est pourtant très respectable.

1980, 1983, 1985

Entre 12 et 25 ans

☆ Toute la gamme

Les meilleurs Vinhos Verdes de quinta unique

Note : Sauf mention contraire, tous les vins sont blancs, assez secs et légèrement pétillants.

ALVARINHO DE MONÇÃO-CEPA VELHA

Vin produit près de la frontière espagnole, légèrement plus riche et plus ferme que la plupart des Vinhos Verdes. Sa saveur plus forte, presque grasse et fruitée, conserve sa fraîcheur jusqu'à deux ans en bouteille.

CASA DA CALÇADA

Vinho Verde très sec, bien acide et légèrement pétillant, qui provient d'Amarante, à l'est d'Oporto.

CASA DE COMPOSTELA

Vin léger, frais et fruité, vinifié à basse température, fait essentiellement de Pedernã, associé aux cépages Loureiro et Trajadura, tous cultivés à Requião, près de Famalicão.

CASA DE SEZIM

Le domaine appartient à la même famille depuis 1375. Composé surtout de Loureiro, Trajadura et Pedernã, avec un peu d'Azal branco, le vin a un bel arôme et plus de poids que la plupart des Vinhos Verdes. Pour beaucoup, il serait le meilleur des Vinhos Verdes après le Palácio da Brejoeira.

PAÇO DE TEIXEIRO

Situé dans les contreforts de la Serra do Marão, le vignoble appartient à la famille Champalimaud, de la Quinta do Côtto, depuis le XIIIe siècle. Il donne un vin sec et parfumé, issu essentiellement de l'Avesso.

PALÁCIO DA BREJOEIRA

La façade du vaste Palácio da Brejoeira est bien connue désormais car elle orne toutes les bouteilles de « Mateus ». Lorsque fut créé le célèbre flacon de rosé pétillant, on pensa que ce château néoclassique situé près de Monção, à la frontière espagnole, serait d'un bel effet sur l'étiquette. En échange du droit de reproduction de l'image de son château, le propriétaire se vit proposer des royalties sur la vente de chaque bouteille. À cette formule, il préféra une somme forfaitaire qui, dit-on, équivaut à une seule année de royalties.

Le Palácio da Brejoeira est célèbre toutefois à un autre titre. Les vignobles qui l'entourent produisent en effet le plus beau et le plus prestigieux Vinho Verde du Portugal, issu du cépage Alvarinho. Ce délicieux vin blanc sec montre de la finesse (caractère que ne possède sans doute aucun autre Vinho Verde, si agréable soit-il), une acidité délicate et une grande longueur. Il est capable, en outre, de rester frais et vif pendant quatre années.

QUINTA DA AVELEDA

Beau vin parfumé et assez sec, très légèrement pétillant.

QUINTA DO CRASTO

Vinho Verde, délicat et aromatique, fait principalement des cépages de Pedernã, Azal et Avesso cultivés sur les rives de la Paiva, à Travanca, près de Cinfães.

QUINTA DA LIVRAÇÃO

Vinho Verde léger, parfumé, vinifié à basse température, issu d'un mélange de cépages cultivés sur les rives de la Tâmega, à Livração, près de Marcos de Canaveses.

QUINTA DO TAMARIZ

Beau vin frais et bien équilibré mis en bouteille au domaine depuis 1939. Il est fait des cépages Loureiro et de Trajadura cultivés à Carreira sur des coteaux exposés au sud.

SOLAR DAS BOUÇAS

Ce vin issu du seul Loureiro est très légèrement pétillant. Il a un arôme léger caractéristique, une saveur nerveuse et un arrière-goût parfumé qui rappelle l'eau de fleur d'oranger.

SOUTO VEDRO

Excellent vin nerveux tout à fait sec, fortement pétillant, doué d'une belle acidité verte, produit sur les rives de la Tâmega, à Amarante.

TORMES

Ce vin rafraîchissant, pur Avesso, provient d'un domaine unique établi à Vila Nova. L'arôme est plein et a une saveur parfumée, délicieusement sèche et acide.

Les meilleurs vins parmi les autres

CASA DE CABANELAS

Vin sec, léger et aromatique fait d'Azal, Loureiro, Trajadura et Pedernã cultivés à Bustelo.

CASA DOS CUNHAS

Vin blanc sec de Loureiro, léger et aromatique, et vin rouge d'Espadeiro et Vinhão, faits à Quintado Belinho.

CASA DO LANDEIRO

Bon Vinho Verde caractéristique, fait de raisins de Loureiro et Trajadura récoltés à Carreira, près de Barcelos.

CASA DE PENELA

Vin bien fait, au bouquet caractéristique, issu des cépages Loureiro et Trajadura cultivés à Adaúfe.

CASA DE RENDUFE

Vin à base d'Avesso, riche d'un fruité délicat, produit à Resende, sur la rive gauche du Douro.

CASA DE SANTA LEOCÁDIA

Beau vin aromatique marqué par le caractère fruité du Loureiro, fait à Geraz do Lima.

CASA DA TAPADA

Vinho Verde pur Loureiro. Les vignes, orientées au sud-ouest, s'étendent à Fiscal.

CASA DE VILA BOA

Ce vin typique, frais et léger, est fait principalement de raisins d'Azal récoltés à Vila Boa de Quires.

CASA DE VILACETINHO

Vin élégant, frais et délicat, fait d'Azal, de Loureiro et de Pedernã, et produit à Alpendurada.

CASA DE VILA NOVA

Vin à base d'Avesso, avec jusqu'à 20 % de Pedernã, provenant de Santa Cruz do Douro.

CASA DE VILAVERDE

Vinho Verde léger, net et aromatique, issu des cépages Loureiro, Pedernã et Azal cultivés à Caíde de Rei.

CONVENTO DE ALPENDURADA

Vin rouge vinifié traditionnellement et issu de différents cépages plantés à Alpendurada, sur des coteaux orientés au sud surplombant le Douro. Le vignoble appartient à un couvent bâti en 1024.

MONTEFARO

Vins délicatement aromatiques produits par la Quinta de Serea, à Esposende. Des deux styles, le *meio seco* est le plus sec.

MOURA BASTO

Vin à base d'Azal, joliment pétillant, riche d'une saveur délicate.

PAÇO D'ANHA

Ce vin sec, frais et fruité, dominé par le Loureiro et la Trajadura, provient d'Anha.

POINTE DE LIMA

L'un des rares Vinhos Verdes rouges que les étrangers apprécient pour sa saveur fruitée fraîche et légèrement tannique.

QUINTA DO CRUZEIRO

Vinho Verde caractéristique, issu des cépages Loureiro, Trajadura et Avesso cultivés à Modelos.

QUINTA DE CURVOS

Vin typique, avec une bonne saveur « minérale », provenant des vignobles côtiers d'Esposende.

QUINTA DO MIOGO

Vin léger à l'arôme délicat, fait de raisins de Loureiro récoltés sur les collines de Guimarães.

QUINTA DO OUTEIRO DE BAIXO

Vin léger, fin et fruité, issu de cépages – Azal et Pedernã – plantés près d'Amarante. Le vin rouge est fait d'Espadeiro.

QUINTA DA PORTELA

Vinho Verde caractéristique provenant de raisins récoltés à Carreira.

QUINTA DA QUINTÃO

Vin sec et aromatique produit à Santo Tome de Negrelos.

QUINTA DE SANTO CLAUDIO

Vin de Loureiro provenant d'un vignoble en terrasses exposé au sud, à Curvos.

SOLAR DE RIBEIRO

Vinho Verde moyennement sec, avec une saveur plus pleine que de coutume, élaboré à Santo Lourenço do Douro.

TÂMEGA

Dans les rares occasions où j'ai dégusté ce vin, il m'a toujours semblé posséder une saveur puissante.

BONNES MARQUES DE VINHOS VERDES

AGULHA

Vin sec à peine pétillant vendu en bouteilles de pierre.

AVELEDA

Produit commercial agréable, joliment pétillant, fait près de Penafiel. *Voir aussi* « Casal Garcia », « Grinalda » et Quinta da Aveleda.

CASAL GARCIA

Le meilleur Vinho Verde commercial d'Aveleda : frais, moins acide que certains, mais avec une bonne saveur presque sèche.

CASALINHO

Vinho Verde très léger, agréablement pétillant, qui a une saveur quasi sèche.

CASAL MENDES

Vinho Verde blanc vif et demi-sec et rosé demi-doux produits par Aliança.

DOM FERRAZ

Arôme assez plein et saveur « minérale » caractéristique.

GAMBA

Vinho Verde assez sec et joliment pétillant.

GATÃO

C'est le Vinho Verde le plus vendu dans le monde. Jeune, il peut avoir un arôme frais et floral.

GAZELA

Vinho Verde bien fait, assez distingué, sensiblement pétillant.

GRINALDA

L'un des meilleurs assemblages ; il a un nez parfumé et la saveur nerveuse caractéristique du Vinho Verde. Les vins proviennent de tout le Minho.

LAGOSTA

Ce vin, bien connu à l'étranger, a une saveur assez pleine et grasse pour sa catégorie.

MEIRELES

Bon vin effervescent à la saveur rafraîchissante.

MIRITA

Vin pétillant légèrement plus doux que le Meireles.

TRES MARIAS

Vin demi-doux produit par Vizela.

Bairrada et Dão

Dans le Dão naît le vin rouge classique du Portugal, mais le Bairrada voisin lui dispute aujourd'hui cette prééminence. Bien que ces deux régions au climat analogue offrent les deux vins rouges les plus importants du pays, le potentiel des terroirs est encore supérieur à la qualité actuelle de la production.

BARRAIDA

Beaucoup d'étrangers croient le Barraida récent, alors qu'il est en fait l'un des vins les plus anciens du pays puisque son histoire remonte au xe siècle. Depuis que la région a été classée Região Demarcada en 1979, tous les vins doivent être mis en bouteilles dans l'aire de production ; cette contrainte leur a valu rapidement un bonne réputation. Les vignobles du Bairrada couvrent 18 000 hectares dans les secteurs d'Aveiro et Coimbra.

La production est en moyenne de 600 000 hectolitres (6,6 millions de caisses), dont 90 % de vin rouge. Six coopératives assurent à elles seules 40 % de la récolte, les sociétés privées le quart et les petits viticulteurs le tiers. Le cépage principal est la Baga ; il représente 80 % de l'encépagement et entre pour moitié au moins dans la composition de tous les vins rouges. Par ailleurs, le Bairrada est de plus en plus réputé pour ses vins blancs effervescents.

Caves de l'Hôtel Bussaco, ci-dessus
Ce légendaire et luxueux hôtel situé près de Coimbra, dans l'aire Beiras VR, produit d'excellents vins rouges.

FACTEURS AFFECTANT LE GOÛT ET LA QUALITÉ

Situation
Entre le Minho et le Douro au nord, l'Estremadura et le Beira Baixa au sud.

Climat
Le climat subit une forte influence océanique, avec d'importantes précipitations et des étés relativement courts et secs. La température chute souvent rapidement en automne, ralentissant la fermentation du vin.

Site
Dans le Bairrada, les vignobles sont disséminés sur des terres basses et relativement plates, tandis que dans le Dão, les meilleurs vins proviennent de coteaux situés entre 200 et 500 mètres d'altitude, mais la vigne est cultivée jusqu'à 2 000 mètres.

Sol
Dans le Bairrada, les vignobles les plus importants sont plantés sur un sol argileux qu'on appelle localement *barros*. Dans le Dão, en revanche, le sol est presque entièrement granitique, avec de petites zones schisteuses qui favorisent les cépages blancs.

Viticulture et vinification
L'exploitation des terres montagneuses du Dão est difficile et onéreuse. Les petits producteurs laissent les rafles et les peaux du raisin noir avec le moût pour la fermentation, obtenant ainsi un vin de couleur profonde, dur et tannique. Dans les grandes firmes, le raisin est en général éraflé et macère moins longtemps.

Cépages principaux
Baga, Touriga nacional

Cépages secondaires
Agua santa, Alfrocheiro preto, Alvarelhão, Arinto, Assario branco, Barcelo, Bastardo, Bical, Borrado das moscas, Castelão, Cercial, Cercialinho, Chardonnay, Encruzado, Jaen, Maria Gomez, Preto de mortagua, Rabo de ovelha, Terrantez, Tinta amarela, Tinta cão, Tinta pinheira, Tinta roriz, Trincadeira, Uva cão, Verdelho

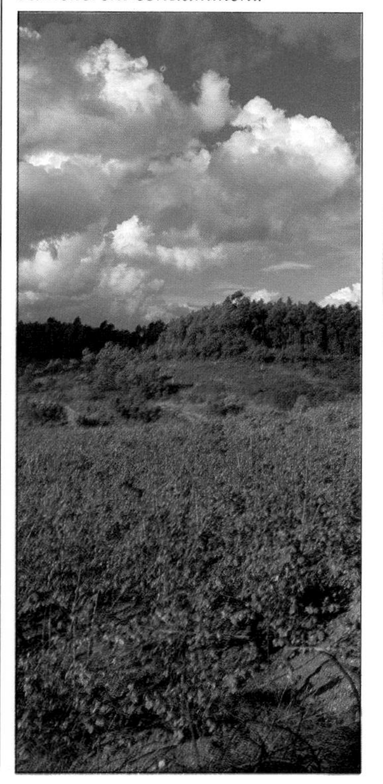

Vignobles du Bairrada, ci-dessous
Les vignobles côtiers de cette région produisent des vins rouges qui s'améliorent constamment.

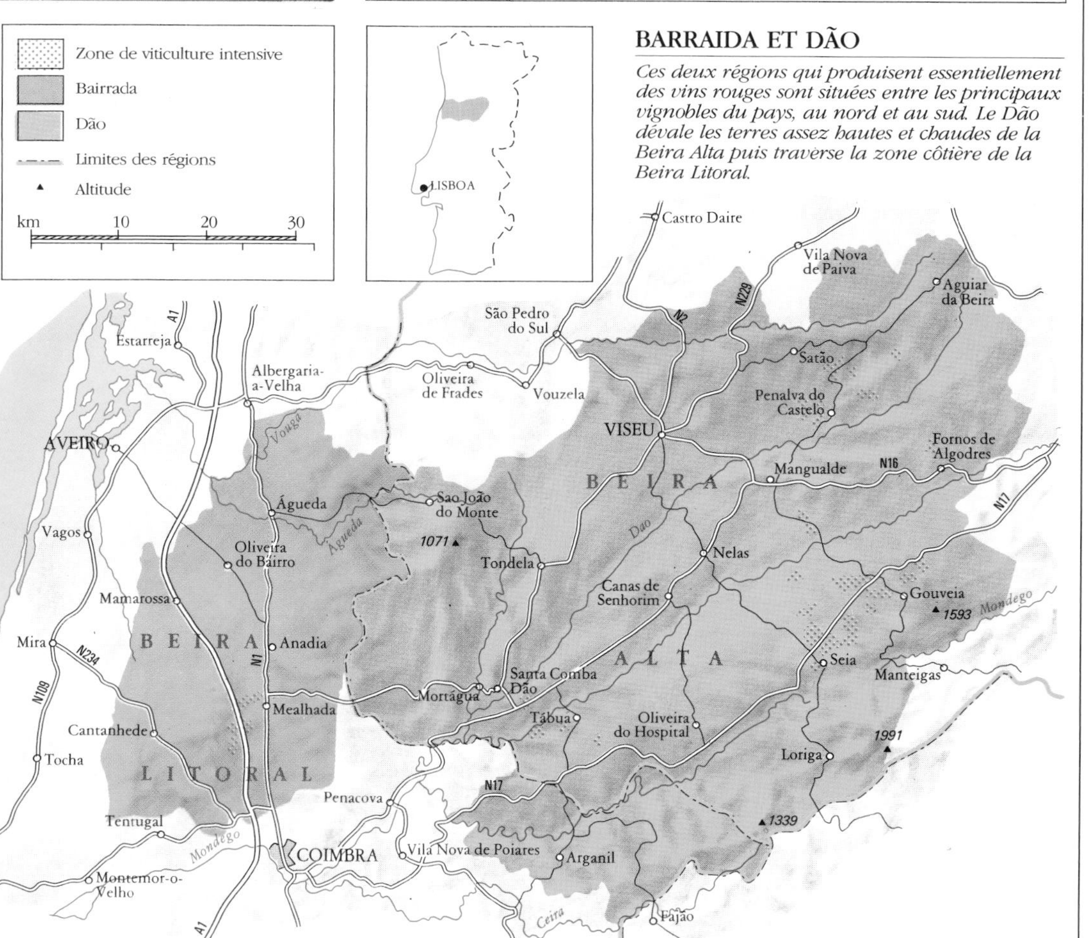

BARRAIDA ET DÃO

Ces deux régions qui produisent essentiellement des vins rouges sont situées entre les principaux vignobles du pays, au nord et au sud. Le Dão dévale les terres assez hautes et chaudes de la Beira Alta puis traverse la zone côtière de la Beira Litoral.

DÃO

Cette région couvre 376 000 hectares, mais 20 000 hectares seulement sont plantés de vignes. Elle produit 270 000 hectolitres (3 millions de caisses) de vin chaque année, dont 90 % de vin rouge. L'emploi de techniques de vinification modernes semble devoir améliorer cependant l'image de marque des vins blancs. Le Dão regroupe quelque 40 000 petits viticulteurs qui possèdent chacun un demi-hectare de terre en moyenne et dix coopératives qui assurent globalement 40 % de la production de la région. Elles se consacrent presque uniquement à l'élaboration du vin rouge qui est le plus souvent dur et sec.

Avec la célèbre Touriga nacional en guise de cépage rouge principal, avec ses nombreux vignobles qui bénéficient d'un terroir excellent, la région a manifestement les moyens de produire de beaux vins. Si elle ne tient pas toutes ses promesses, la faute n'en incombe pas entièrement aux producteurs, mais aussi aux commissions de dégustation officielles, qui refusent obstinément d'accorder le statut de RD aux vins qui leur sont soumis sous prétexte qu'ils sont frais et paraissent « trop jeunes ».

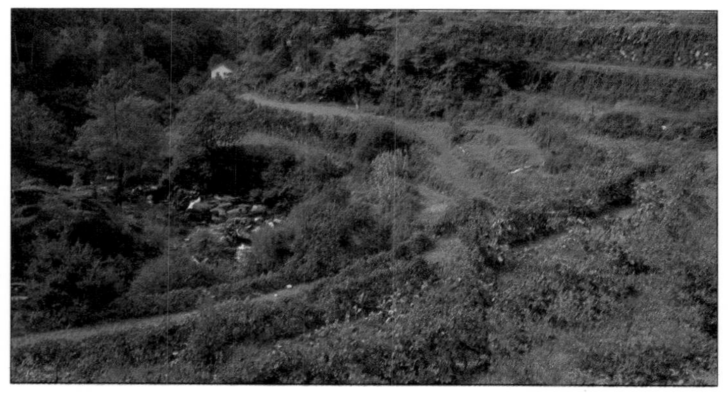

Vignobles du Dão, ci-dessus
Les vignes sont plantées en terrasses parmi les affleurements rocheux ; la Touriga nacional domine l'encépagement du Dão.

Castro Daire, Lafoẽs, ci-dessus
Les vignobles en terrasses semblent tomber de ce joli village situé sur une crête. À la différence de celles du Minho, les vignes sont ici conduites près du sol.

Les vins de Bairrada et Dão

BAIRRADA RD

L'un des deux vins rouges importants du pays et des blancs tranquilles et mousseux de plus en plus réputés.

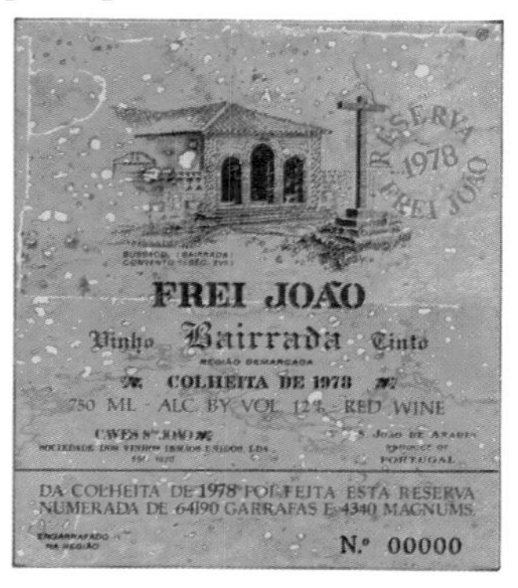

ROUGE. Les meilleurs ont une robe profonde, de bons tanins, comme des saveurs fruitées généreuses ; ils peuvent s'arrondir en vieillissant.

Au moins 50 % de Baga, plus Castelão et Tinta pinheira, et jusqu'à 20 % d'Alfrocheiro preto, Bastardo, Preto de mortagua, Trincadeira, Jaen, Agua santa

1980, 1983, 1985, 1987

Entre 5 et 12 ans, mais certains peuvent se bonifier pendant 25 ans

BLANC. La Station de recherche du Bairrada a produit quelques vins blancs intéressants, les meilleurs étant issus des cépages Rabo de ovelha ou Cercial, mais les firmes commerciales ne se sont pas encore décidées à suivre son exemple.

Rabo de ovelha, Sercial, Bical, Maria Gomez, plus jusqu'à 40 % d'Arinto, Cercial, Chardonnay et Cercialinho

BLANC MOUSSEUX. Le Vinho espumante natural bruto, de Quinat do Ribeirinho figure parmi les rares vins honnêtes élaborés au Portugal selon la méthode champenoise. De fait, sa qualité est exceptionnelle puisqu'il provient d'une région nullement propice aux vins effervescents.

Bical

☆ Caves São João, Quinta do Ribeirinho, Caves Primavera, Bairrada Marques de Graciosa

DÃO RD

Cette appellation séduira les amateurs des vins rouges portugais démodés et desséchés. Certains affirment qu'ils sont plus fruités et moins tanniques qu'autrefois, mais ils manifestent, au contraire, une absence de générosité qui résulte sans doute de techniques de vinification archaïques.

ROUGE. Dans les meilleurs vins, les caractères fruité et tannique s'équilibrent.

Au moins 20 % de Touriga nacional, jusqu'à 80 % au total d'Alfrocheiro preto, Bastardo, Jaen, Tinta pinheira et Tinta roriz, et jusqu'à 20 % d'Alvarelhão, Tinta amarela et Tinta cão

1980, 1982, 1983, 1985

Entre 5 et 15 ans (pour les meilleurs vins)

BLANC. Les meilleurs sont nets et frais, mais assez quelconques.

Encruzado 20 %, et jusqu'à 80 % d'Assario branco, Barcelo, Borrado das moscas, Cercial, Verdelho, dont un maximum de 20 % de Rabo de ovelha, Terrantez et Uva cão

Avant 1 à 3 ans

☆ Conde de Santar, Quinta da Insua, Vinicola Ribalonga, Terras Altas, Dão Grão Vasco, Dão Caves de Solar de São Domingos, José Marguès Agostinho Dão Garrafeira

Madère

L'île de Madère donne son nom au vin de dessert le plus exotique du monde, le seul vin qu'il faille mettre au four ! Madère fait partie de l'archipel de Funchal situé à quelque 600 kilomètres à l'ouest de la côte marocaine. L'histoire de sa découverte, un rien bizarre et assurément pimentée, relève de l'exagération et du conte merveilleux.

En 1418, le prince Henri le Navigateur charge le capitaine Jão Gonçalves Zarco d'aller s'approprier l'île pour le compte du Portugal. Lorsque Zarco débarque, il se heurte à une forêt si touffue qu'il est impossible d'y pénétrer. Qu'à cela ne tienne ! Il allume un incendie, s'assoit et attend que le feu lui ouvre un passage. Mais Zarco attendit longtemps, dit-on, car le feu se déchaîna sept ans durant, consumant jusqu'à la moindre brindille, imprégnant ainsi de potasse le sol volcanique, ce qui le rendait particulièrement propice à la culture de la vigne !

L'ORIGINE DU VIN DE MADÈRE

Source d'eau et de vivres frais, l'île ne tarde pas à devenir une escale régulière pour les navires gagnant l'Orient. Ils y chargeaient souvent en même temps des barriques de vin de Madère qu'ils vendaient en Australie ou en Extrême-Orient. Le vin, au cours des six mois de voyage, atteignait la température de 45 °C puis se refroidissait, ce qui lui conférait un caractère très particulier et séduisant. Les producteurs de vin de Madère ignorèrent totalement ce fait jusqu'à ce qu'un chargement invendu revienne dans l'île. On conçut bientôt des fours spéciaux, les *estufas,* afin de reproduire, par le procédé de l'*estufagem,* ce processus d'échauffement et de refroidissement du vin. Tous les Madère subissent ainsi une fermentation parfaitement normale avant de passer à l'*estufagem.* Les vins les plus secs sont fortifiés avant, les plus doux après.

FACTEURS AFFECTANT LE GOÛT ET LA QUALITÉ

Situation
Située dans l'Atlantique, par 33 degrés de latitude, à 600 kilomètres de la côte marocaine, l'île de Madère mesure environ 50 kilomètres de long sur 20 de large.

Climat
En raison de sa situation atlantique et de son relief montagneux, l'île reçoit de fortes pluies. Compte tenu de sa latitude, les étés y sont chauds et les hivers fort doux.

Site
Le terrain est très recherché. Les vignobles occupent de petites terrasses surplombant les abruptes falaises qui s'élèvent parfois jusqu'à 914 m au-dessus de la mer. Les meilleurs raisins sont donnés par les vignes cultivées sur les coteaux méridionaux de l'île les plus ensoleillés.

Sol
Le sol fertile, rouge clair, poreux et d'origine volcanique, est imprégné de potasse.

Viticulture et vinification
Les vignes sont conduites en hauteur afin de permettre aux autres cultures, de pousser au-dessous. En raison du caractère abrupt des pentes et de la perméabilité du sol, il faut les irriguer. Après fermentation, on place le vin dans l'*estufa,* un entrepôt progressivement porté à 45 °C. Après dix-huit mois de refroidissement, le vin est élevé en *soleras.* Tous les vins sont vinés.

Cépages principaux
Bual, Malmsey, Sercial, Verdelho

Cépages secondaires
Bastardo, Terrantez, Tinta negra mole, Moscatel

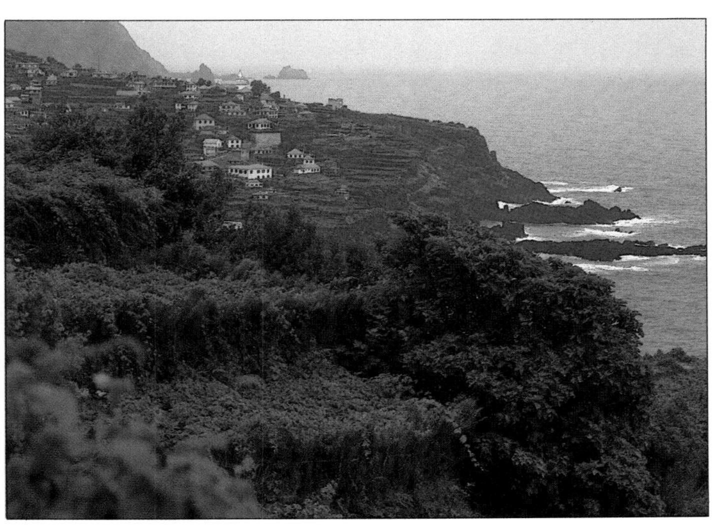

Le Cabo Girão, à gauche
Des lopins de vigne coexistent avec les cultures de canne à sucre.

Madère, la côte, ci-dessus
Dans les zones côtières, des vignobles en terrasses se cramponnent au sol.

MADÈRE

Située dans l'Atlantique, l'île de Madère est renommée pour ses vins vinés. La plupart des entrepôts à vins se trouvent à Funchal, la capitale.

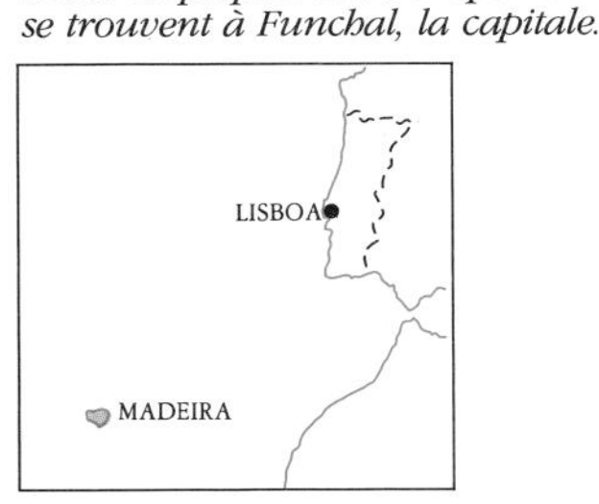

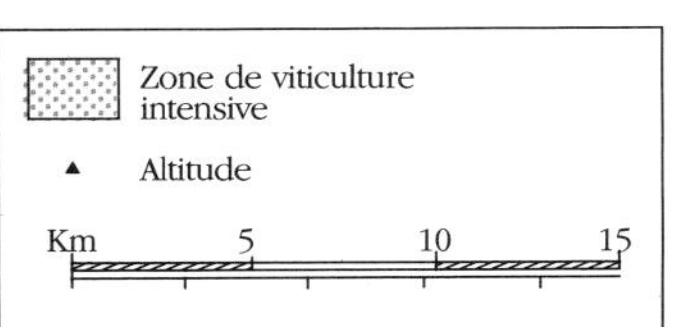

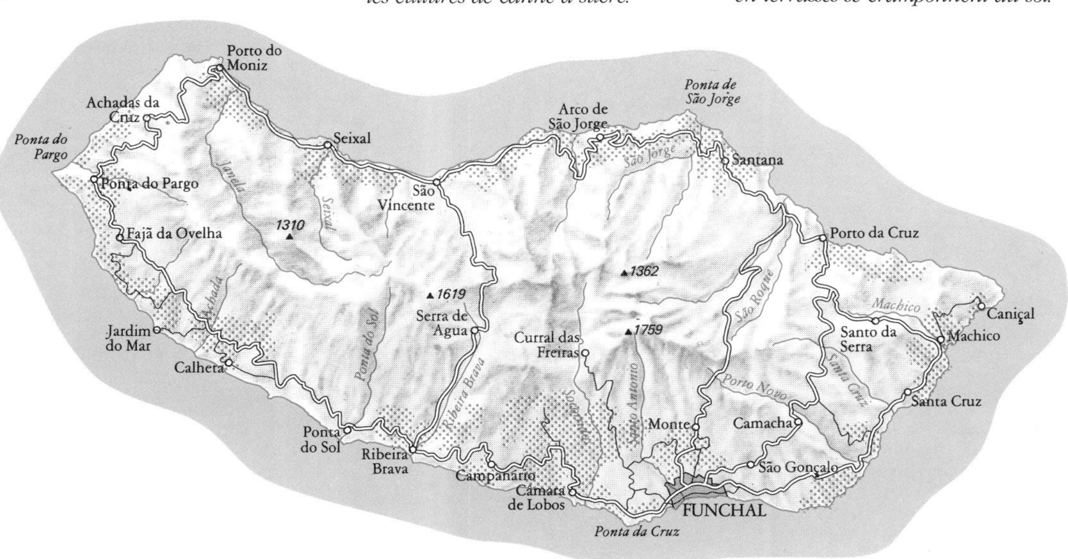

LES STYLES DE MADÈRE

Il existait quatre types fondamentaux de Madère, tous issus d'un cépage différent : le Sercial, dont on a pensé autrefois qu'il s'agissait du Riesling, et qui donne le Madère le plus sec et le plus léger ; le Verdelho, vin demi-sec au goût piquant relativement plus corsé ; le Bual, de style nettement plus doux au caractéristique bouquet de fumé et de cuit ; et le Malmsey, celui que je préfère, d'une succulente richesse, à la douceur de miel.

Tous les Madère portaient autrefois un millésime, mais la plupart, ne sont plus millésimés car ce sont des assemblages ou des productions de *soleras*. Un millésimé des années 80 ne pourrait être mis sur le marché que dans la première décennie du XXIe siècle. Dès qu'il est proposé à la vente, tout Madère doit être prêt à boire. Sa durée de vie dès lors, grâce à sa forte teneur en alcool conjuguée au procédé de cuisson à l'*estufagem*, est pratiquement infinie. Les Madère âgés de 100 à 200 ans que j'ai goûtés étaient tous en parfaite santé.

Viticulture à Madère. *Chaque parcelle de terrain est aménagée en terrasses et plantée de vignes, souvent conduite en formes hautes, ce qui permet d'installer d'autres cultures en contrebas.*

Les meilleures maisons de Madère

BARBEITO

Vins : *« Island Dry Special », Vin de Madère « Rainwater Dry », « Island Rich »*, « Crown Malmsey »*, Old Bual de 25 ans**

BLANDY BROTHERS

Vins : *Sercial « Duke of Sussex », Verdelho « Duke of Cambridge », Bual « Duke of Cumberland », Malmsey « Duke of Clarence »*, Old Malmsey de 10 ans*, Solera Gran Cama de Lobos 1864, Solera Malmsey 1863**

COSSART GORDON

Vins : *(Sercial [Dry], Bual, Malmsey) « Good Company », (Sercial Bual, Malmsey) « Rainwater », « Finest Old », (Sercial*, Bual*) « Duo Centenary », « Celebration », Bual Reserve de plus de 5 ans*, « Finest Old » Malmsey Reserve de plus de 5 ans*, Sercial « Finest Old » de plus de 5 ans, Reserve*, Bual « Finest Old » de plus de 5 ans*, Sercial 1860 de Solera**

HARVEYS

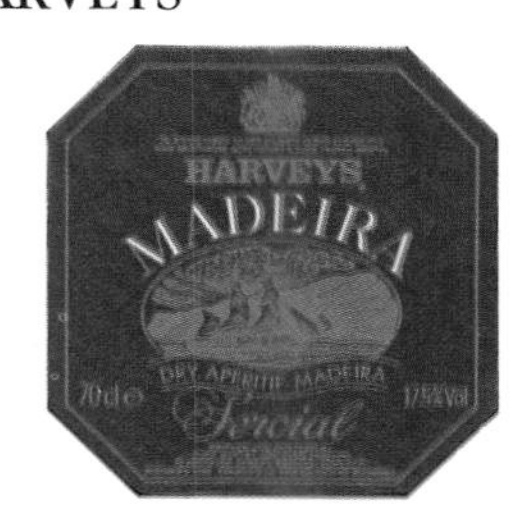

Vins : *Sercial « Superior Dry », Bual « Superior Old », Rich Malmsey « Superior Old »**

LEACOCK

Vins : *« St. John Reserve » (Sercial, Verdelho, Bual), « Special Reserve » (Malmsey*, Bual*)*

LOMELINO

Vins : *« Tarquinio » (Sercial « Reserve », Bual riche, Malmsey de dessert), « Imperial » (Sercial « Finest Delicate », Verdelho « Superior Golden », Bual « Choice Old », Malmsey « Rare Old »*)*

POWER, DRURY & CO

Vins : *Verdelho « Reserve », Malmsey « Special Reserve »*, Malmsey millésime 1954*, Verdelho 1952*, Bual 1910**

RUTHERFORD & MILES

Vins : *Bual « Old Trinity House », Sercial « Reserve » de plus de 5 ans, « Special Reserve Special Dry » de plus de 10 ans, Bual « Reserve » de plus de 5 ans*, « Special Reserve Bual Medium Sweet » de plus de 10 ans, Malmsey « Reserve » de plus de 5 ans, Malmsey doux « Special Reserve » de plus de 10 ans*, Malmsey « Reserve »*, Verdelho « Reserve »**

Autres vins portugais

Note : RD = Região Demarcada (région délimitée).
Équivalent des AOC de France.
VR = Vinho Região. Les régions mentionnées ont l'espoir d'être délimitées. Toutefois, au moment où sont écrites ces lignes, seules les parties de l'Alentejo et du Ribatejo semblent devoir accéder bientôt au statut de RD.

ALENTEJO VR

La province de l'Alentejo couvre à peu près un tiers du Portugal. Ses vins peuvent porter le nom des secteurs : Portalegre, Borba, Redondo, Reguengos (Reguengos de Monsaraz), Moura, Vidigueira, Évora et Granja.

Alentejo produit quelques vins remarquables issus de cépages locaux ou importés. Il est impossible pour l'instant de décrire le style des vins de cette province qui est en pleine structuration. Elle a néanmoins tout le potentiel requis de certains des plus grands vins régionaux.

Arinto, Assario, Boal, Cabernet sauvignon, Castelão, Monvedro, Moreto, Pendura, Periquita, Rabo de ovelha, Roupeiro, Tamaez, Tinta caiada. Touriga nacional, Trincadeira

Entre 4 et 15 ans (rouges corsés, vieillis sous chêne) ; de 1 à 3 ans (pour les blancs) ; dans l'année (pour les rosés)

☆ Mouchão, José de Sousa Rosado, Fernandes Tinto Velho, Tapada de Chaves, Esporão, Tinto da Anfora, Quinta de Pancas

ALENQUER

Voir Estremadura VR.

ALCOBAÇO

Voir Estremadura VR.

ALGARVE RD

Bien que plus connue pour son tourisme que pous ses vins, cette grande région a accédé en 1978 à son statut de RD.

ROUGE. Vins de couleur rubis, alcooliques, de faible acidité et au charme modeste. Non recommandés.

Bastardo, Crato preto, Monvedro, Moreto, Negra mole, Pau ferro, Periquita, Pexém, Trincadeira

BLANC. Vins secs, alcooliques et un peu mous. Non recommandés.

Crato branco, Boais, Manteudo, Tamarez, Sabro, Perrum

ALMEIRIM

Voir Ribatejo VR.

ARRABIDA

Voir Estremadura VR.

ARRUDA

Voir Estremadura VR.

AZEITÃO

Voir Estremadura VR.

BAIRRADA RD

Voir « Bairrada et Dão », p. 304.

BEIRAS VR

Située au nord du Portugal, entre les zones du Dão et du Vinho Verde, cette région contient les secteurs suivants : Castelo Rodrigo, Cova de Beira, Moimenta da Beira, Lafões, Lamego, Pinhel et Tarouca.

On y fait des vins de presque tous les styles, à la qualité extrêmement variable. Lafões, par exemple, produit des vins légers, acides, rouges ou blancs, dans une petite zone à cheval sur le Dão et le Vinho Verde. Pinhel produit le seul rosé de la région ainsi qu'un blanc sec, étoffé, au goût assez terreux. Le « Raposeira », le plus apprécié des vins élaborés selon la méthode champenoise au Portugal, est fait par Seagram, à Lamego, à partir des cépages Chardonnay, Pinot noir et Pinot blanc. L'étonnant vin de Bussaco (Buçaco, proche de Coimbra) mérite son RD.

Alva, Alverelahão, Arinto, Baga, Bastardo, Castelão, Cercial, Codo, Fontegal, Malvasia, Martágua, Marufo, Moreto, Mourisco, Polgazão, Rufete, Tamarez, Tinta amarela, Tinta carvalha, divers Touriga, Trincadeira

☆ Bussaco, Raposeira

BORBA

Voir Alentejo VR.

BUCELAS RD

Le cépage Arinto réussit bien sur le sol gras de ce petit secteur, mais les méthodes de vinification surannées entravent tout progrès pour cette bonne appellation en puissance. Une fermentation à froid, une mise en bouteille plus rapide et un soupçon de chêne neuf conféreraient à ce vin une renommée internationale.

BLANC. Vin blanc sec, sans éclat, à la saveur desséchée, acide, citronnée. Non recommandé tant qu'il ne sera pas mieux vinifié !

Arinto additionné de 25 % de Cercial, Esganacão, Rabo de ovelha

CARCAVELOS RD

Sous l'impulsion du marquis de Plombal, le Carcavelos connut une renommée nationale dès le XVIIIe siècle, mais il n'acquit une réputation internationale que lorsque les officiers du duc de Wellington se prirent de passion pour lui.

Cette zone viticole s'est rétrécie au point de ne comprendre maintenant qu'un seul vignoble, la Quinta de Barão, située entre Lisbonne et l'Estoril, qui ne produit guère plus de 1 000 caisses dont très peu sont exportées. Le vin, viné pour atteindre de 18 à 20 % d'alcool, contient jusqu'à 15 g de sucre par litre.

AMBRE VINÉ. Vin de robe topaze, doux, velouté, développant des arômes de noisette et d'amande.

Primaires : Arinto, Galego dourado, Espadeiro, Negra mole, Preto martinho, Santarém
Secondaires : Boais, Cercial, Rabo de ovelha

1980, 1983, 1985, 1987

entre 5 et 20 ans

CARTAXO

Voir Ribatejo VR.

CASTELO RODRIGO

Voir Beiras VR.

CHAMUSCA

Voir Ribatejo VR.

CHAVES

Voir Trás-os-Montes VR.

COLARES RD

Cette zone viticole est célèbre pour ses ceps de Ramisco plantés dans des tranchées dans les dunes de Sintra qui les protègent des vents chargés de sel brûlant de l'Atlantique. Les vignerons portent sur la tête des paniers spéciaux les empêchant de s'étouffer en cas d'effondrement des tranchées.

ROUGE. Ces vins corsés et bien colorés ont tellement de tanin qu'ils sont secs au point d'en être astringents. Avec l'âge, ils acquièrent un arôme de violette et s'assouplissent pour donner une finale satinée.

80 % au moins de Ramisco, avec du Molar, du Parreira matias et du Santarém

1980, 1983, 1985, 1987

Entre 15 et 30 ans

BLANC. Vins secs du traditionnel style *maduro*, peu recommandés pour des palais non portugais.

80 % au moins de Malvasia (Malvoisie), avec de l'Arinto, du Galego dourado, du Janapal

☆ Colares-Chivite

CORUCHE

Voir Ribatejo VR.

COVA DE BEIRA

Voir Beiras BR.

DÃO RD

Voir « Bairrada et Dão », p. 304.

DOURO RD

Voir « Douro et Minho », p. 299.

ENCOSTAS DA AIRE

Voir Estremadura VR.

ENCOSTAS DA NACE

Voir Trás-os-Montes VR.

ESTREMADURA VR

À partir de Lisbonne, l'Estremadura s'étend au nord vers la Bairrada. Ses vins peuvent porter les noms des secteurs : Alcobaço, Alenquer, Arrabida, Arruda, Azeitão, Encostas da Aire, Gaeiras and Torres.

C'est la plus grande région de production du Portugal. On la considère généralement comme une source de vins peu onéreux et sans intérêt. Pourtant, l'Adega Cooperativa Estremadura montre que l'on peut y produire des vins frais, francs et fruités, même dans la catégorie bon marché du *vinho de mesa*. L'Estremadura, qui compte trois RD – Bucelas, Carcavelos et Colares – produit quelques vins non délimités très intéressants, tels que les Periquita, Pasmados et Camarate.

ROUGE. La plupart de ces vins ont une saveur tendre, franche et fruitée. Les meilleurs d'entre eux, habituellement vieillis sous bois, plus corsés, montrent des saveurs de baies mûres.

Baga, Camarate, Castelão, Castelino, Periquita, Tinta miuda, Tinta muera

1980, 1983, 1985, 1987

Entre 2 et 4 ans (de 4 à 10 ans pour les meilleurs vins)

BLANC. Vins de couleur paille, frais et légèrement fruités, nerveux et secs, parfois très légèrement pétillants.

Arinto, Bual, Chardonnay, Esgaña, Fernão pires, Jampal, Malvasia, Rabo de ovelha, Vital

1980, 1983, 1985, 1987

Entre 1 et 3 ans

☆ Pasmados, Camarate, Periquita, Quinta da Folgorosa, Adega Cooperativa do Arruda (cuvées sélectionnées), Adega Cooperativa do Torres Vedras (cuvées sélectionnées)

EVORA
Voir Alentejo VR.

GARRAFEIRA

Cette mention peut recouvrir un assemblage de vins provenant de régions diverses ou un vin originaire d'une seule région. Il existera sans doute un jour des Garrafeira issus d'un seul vignoble. Ce vin n'est, par ailleurs, soumis à aucune contrainte quant aux cépages utilisés, à moins que ce ne soit un RD. Un code mystérieux : « TE », « CO », « DA » et « P » imprimé en caractères gras à côté du millésime indique l'origine et les cépages des Garrafeira de José-Maria da Fonseca.

Un Garrafeira doit être « de bonne qualité » et veilli sous bois durant au moins deux ans (un an pour les blancs), et un an en bouteille (six mois pour les blancs). Pour les Garrafeira RD recommandés, se reporter à l'appellation concernée. *Voir aussi* Ribatejo VR.

☆ Casal do Castelão Garrafeira, José-Maria de Fonseca TE Garrafeira, Borlido Garrafeira, Caves Velhas (Caves Velhas Garrafeira, Romeira Garrafeira), Quinta d'Abrigada Garrafeira, Evelita Garrafeira

GAEIRAS
Voir Estremadura VR.

GRANJA
Voir Alentejo VR.

LAFÕES
Voir Beiras VR.

LAMEGO
Voir Beiras VR.

MADEIRA RD
Voir « Madère », p. 305.

MOIMENTA DA BEIRA
Voir Beiras VR.

MOSCATEL DE SETÚBAL RD

La vénérable société José-Maria de Fonseca aurait donné son style à ce vin viné de Muscat dont elle possède encore le quasi-monopole de production. Il en existe trois types : 6 ans d'âge (habituellement millésimé), 20 ans d'âge (habituellement non millésimé et qui remplace le millésimé 25 ans d'âge), et celui de 50 ans d'âge, appelé Apoteca de Setúbal, que l'on trouve de temps en temps dans les ventes aux enchères. Ces âges indiquent le temps passé dans le chêne. Une fois mis en bouteille, un Moscatel de Setúbal est bon à boire.

AMBRE VINÉ. Tout Moscatel est doux à très doux, corsé et de texture satinée. Le 6 ans d'âge est le meilleur pour sa fraîcheur et son caractère abricoté. Si l'on recherche une certaine complexité, on choisira le 20 ans d'âge de robe plus sombre, riche, concentré, au goût d'abricot, de noix et de raisin sec.

Moscatel do Douro, Moscatel Roxo, Moscatel de Setúbal contenant jusqu'à 30 % d'Arinto, Boais, Diagalves, Fernão pires, Malvasia, Olho de lebre, Rabo de ovelha, Roupeiro, Tália, Tamarez, Vital

1980, 1982, 1983, 1985, 1987

Immédiatement

MOURA
Voir Alentejo VR.

PINHEL
Voir Beiras VR.

PORT RD
Voir « Douro et Minho », p. 299.

PORTALEGRE
Voir Alentejo VR.

REDONDO
Voir Alentejo VR.

REGUENGOS ou REGUENGOS DE MONSARAZ
Voir Alentejo VR.

RIBATEJO VR

Cette grande province, la seconde en importance des régions viticoles du Portugal, se situe entre l'Estremadura et l'Alentejo, au nord-est de Lisbonne et comprend les secteurs suivants : Almeirim, Cartaxo, Chamusca, Coruche, Santarem, Tomar et Valada do Ribatejo.

Le climat chaud et la richesse des alluvions du Tage favorise de gros rendements. On y fait quelques très bons vins, ce qui place cette région au second rang.

ROUGE. Vins corsés, foncés, très fruités (évoquant souvent le cassis) et tanniques dans leur jeunesse, mais s'assouplissant avec l'âge pour acquérir un bouquet fin et épicé.

Camarate, Castelão, Mortágua, Periquita, Preto martinho, Tinta miuda, Trincadeira

1980, 1983, 1985, 1987

De 5 à 15 ans

BLANC. La plupart des blancs secs de cette région sont ternes. On rencontre d'aventure un *vinho licoroso* pouvant rappeler un Madère de Verdelho. Catégorie recommandée tant que les pratiques culturales et la vinification n'auront pas changé.

Boais, Fernão pires, Jampal, Rabo de ovelha, Terrantez

☆ Serradayres, Dom Luis de Margaride (Dom Hermano, Convento da Serra, Casal Monteiro), Ribatejo Garrafeira, Carvalho Ribeiro & Ferreira, Romeira Garrafeira, Adega Cooperativa d'Almeirim

ROSÉ VR

La production des vins portugais effervescents a débuté avec celle du Mateau à Villa Real, avant de se propager dans la Beira Alta, la Barraida et la péninsule de Setúbal. La popularité de ces vins a connu son apogée au milieu des années 70. Même si leur marché est en déclin, ils représentent encore un quart de toutes les exportations. Actuellement, la grande majorité ne porte aucune mention d'origine et est classée dans les *vinhos de mesa*. Toutefois, ils sont obligés de provenir de l'une des quatre Vinho Regiãos et d'utiliser à 60 % au moins certains cépages désignés. Ce sont :
Trás-os-Montes VR Alvarelhão, Tinta amarela, Tinta cão, Tinta francisca, divers Touriga.
Beiras VR Alvarelhão, Baga, Marufo, Rufete, Tinta amarela, Tinta carvalha, divers Touriga.
Ribatejo VR Camarate, Castelão, Preto martinho, Tinta miuda, Trincadeira
Algarve VR Bastardo, Monvedro, Moreto, Negra mole, Pau ferro, Pexem, Trincadeira

SANTAREM
Voir Ribatejo VR.

SETÚBAL

Les vins de la péninsule de Setúbal non issus du Moscatel n'ont pas, jusqu'à présent, leur propre RD ; mais ils fournissent certains des meilleurs vins de table du Portugal dont l'exceptionnel Quinta da Bacalhôa. Ce vin à base de Cabernet Sauvignon complété d'un peu de Merlot est vieilli sous chêne neuf et appartient à une société américaine.

ROUGE. Le Quinta da Bacalhôa possède une robe complexe et une riche saveur de cassis avivée par un tanin sans dureté que favorise le séjour dans du bon chêne. Il est capable d'évoluer considérablement en bouteille.

Cabernet sauvignon, Merlot, Periquita et nombre d'autres

1980, 1982, 1983, 1985, 1987

Entre 4 et 12 ans

BLANC. Le plus intéressant des vins blancs de Setúbal est le Palmela élaboré par João Pires à partir de raisins de Muscat cueillis tôt. C'est un vin superbement frais et vivace, tirant au maximum du Muscat son caractère excessivement floral de pêche. On tente aussi d'élaborer des vins de Chardonnay et divers autres cépages.

Chardonnay, Muscat et nombre d'autres

1980, 1982, 1983, 1985, 1987

Entre 1 et 3 ans

☆ Quinta da Bacalhôa, João Pires Palmela

TAROUCA
Voir Beiras VR.

TAVORA
Voir Beiras VR.

TOMAR
Voir Ribatejo VR.

TORRES ou TORRES VEDRAS
Voir Estremadura VR.

TRÁS-OS-MONTES VR

Cette province, située à l'extrême nord-est du Portugal, embrasse les secteurs suivants : Chaves, Encostas da Nave, Valpaços et Vila Real.

Le style des vins va du léger et de l'industriel, dans les vignobles d'altitude de Botticas et Carrazedo, au corsé très alcoolique du secteur de Valpaços. Le plus important des vins élaborés dans cette région est le rosé portugais, demi-sec, semi-effervescent, qui pénètre pratiquement tous les marchés extérieurs. Les vins connus Mateus, Trovador et autres sont originaires de Trás-os-Montes.

Alvarelhão, Bastardo, Bual, Códega, Gouveio, Moreto, Terrantez, Tinta amarela, Tinta cão, Tinta carvalha, Tinta francisca, divers Touriga

VALADO DO RIBATEJO
Voir Ribatejo VR.

VALPAÇOS
Voir Trás-os-Montes VR.

VIDIGUEIRA
Voir Alentejo VR.

VILA REAL
Voir Trás-os-Montes VR.

VINHO VERDE RD
Voir « Douro et Minho », p. 299.

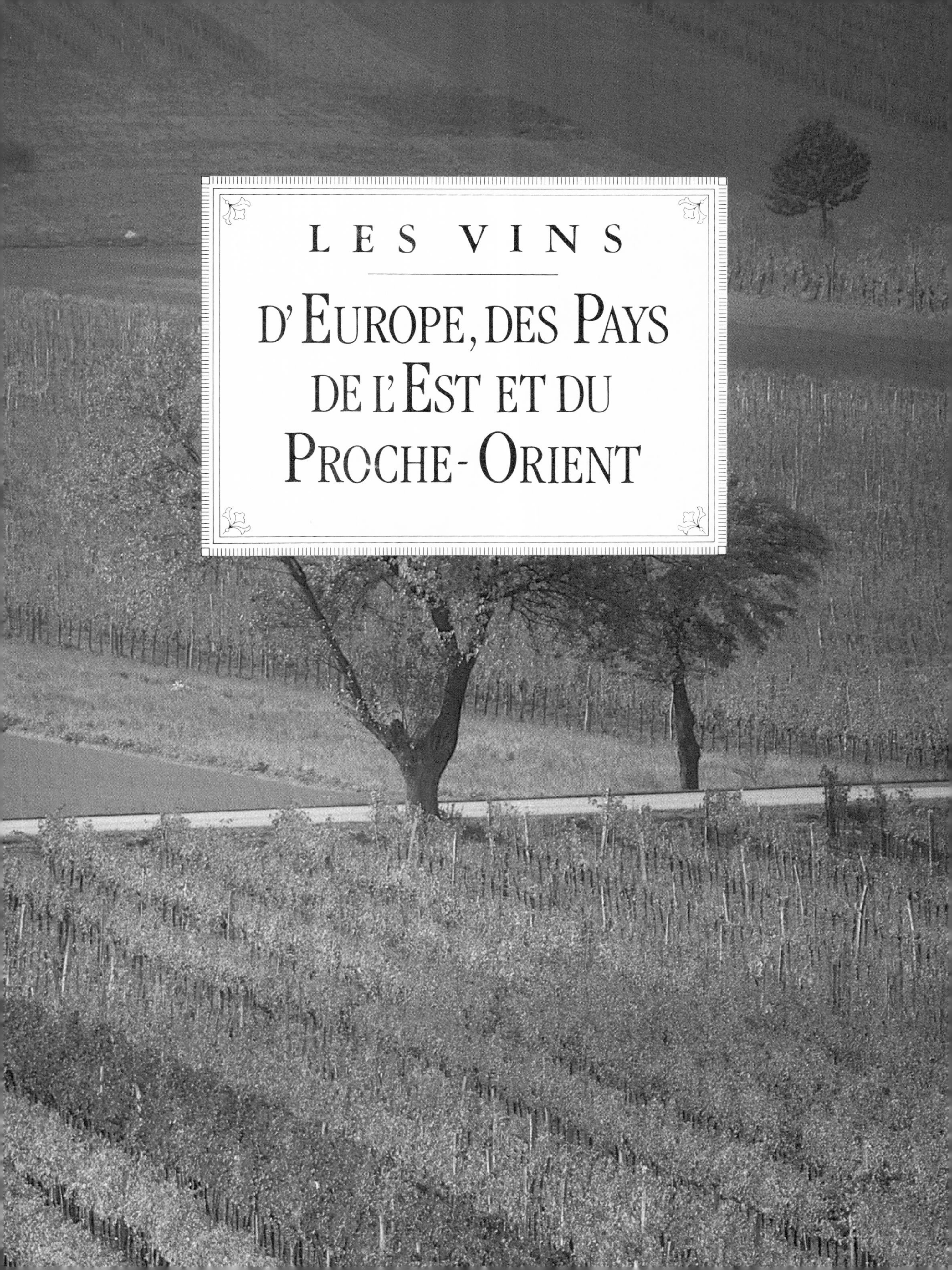
LES VINS
D'EUROPE, DES PAYS
DE L'EST ET DU
PROCHE-ORIENT

Grande-Bretagne

L'activité viti-vinicole en Grande-Bretagne restera sans doute toujours une activité artisanale, non pas à cause de ses vinificateurs, qui sont compétents et efficaces, mais parce que au moins 90 % des emplacements convenant le mieux à la viticulture sont couverts par le ciment et le bitume. Toutefois, les vins produits commencent à faire leur chemin bien que la production en soit toujours limitée.

La culture de la vigne en Grande-Bretagne remonte à l'époque romaine. Les cadastres révèlent l'existence de 40 vignobles sous le règne de Guillaume le Conquérant. Au Moyen Âge, leur nombre s'élève à 300, pour la plupart gérés par des moines. Au milieu du XIVe siècle, la peste noire perçoit sa dîme et, quelque cent ans plus tard, la suppression des monastères met pratiquement fin à la viticulture anglaise.

LA RÉSURRECTION DU VIN ANGLAIS

Entre la fin des années 60 et le début des années 70, la viticulture connut un nouvel élan. Quelques rares vignobles seulement pouvaient compter sur une moyenne supérieure à 800 jours-degrés Celsius, ce qui était bien inférieur au minimum admis de 1 000. Il y avait donc de sérieux risques d'échec, même pour les mieux situés. Fort heureusement, alors que les vignobles commençaient à prospérer, l'exceptionnel été de 1975 fut suivi par la sécheresse de 1976. Une récolte de raisins tout à fait mûrs, à haute teneur en sucre, incita les producteurs à persévérer. Mais, peu expérimentés, démunis de matériel de refroidissement, nombre d'entre eux éprouvèrent des difficultés à faire fermenter leurs jus trop chauds, et quantité de vins furent mal vinifiés.

Il fallut attendre 1982 pour que la Grande-Bretagne connaisse une nouvelle année chaude. Depuis, malgré un temps dans l'ensemble médiocre, les vins anglais n'ont pas cessé de s'améliorer. Et si certains producteurs, d'abord enthousiastes, s'apercevant qu'ils travaillaient dans des conditions climatiques défavorables ont échoué, les plus entreprenants ont survécu et se félicitent d'avoir persévéré.

LES PERSPECTIVES D'AVENIR

Il est manifeste à mon sens que, si modeste qu'elle soit, l'industrie vinicole de ce pays devra être réorganisée. Mais, contrairement à ce qui s'est passé en Australie et en Californie où le potentiel de production est énorme, la Grande-Bretagne ne se laissera pas envahir par le flot de « wineries » du style « boutique ».

D'ici dix ans, les vignobles s'agrandiront, mais le nombre des entreprises viticoles diminuera. Si de petits vignobles à la réputation assise et à la clientèle fidèle conserveront leur place sur le marché, nombre d'entre eux cesseront de commercialiser leurs vins, préférant la sécurité financière assurée par la vente de leurs raisins ou leurs vins en vrac. Alors, les entreprises viticoles, de plus en plus importantes, seront en mesure de garantir à leurs clients les plus importants le suivi de leurs livraisons.

VINS ANGLAIS OU VINS BRITANNIQUES ?

La différence existant entre vins britanniques et vins anglais est d'importance : le *British wine* le vin britannique, est le produit de concentrés de raisins reconstitués. Il ne faut pas le confondre avec le vin anglais ou gallois, issu de raisins frais cultivés en Angleterre ou dans le pays de Galles.

Pour obtenir cette boisson, on ajoute de l'eau à une épaisse bouillie sucrée, concentrée, ainsi qu'une dose de levure. Force est de constater que nombre de gens aiment ces produits et que des producteurs se font le plaisir de les confectionner et de les vendre. Ils n'ont pas le droit, pour autant, de jeter la confusion dans les esprits ; il faudrait au moins supprimer l'emploi du terme *British* et procéder à un étiquetage précis des vins.

Vignoble de Wootton, dans le Somerset
Ce vignoble est niché au cœur d'une campagne vallonnée près de Shepton Mallet. Le Somerset produit certains des vins les plus fins du pays.

FACTEURS AFFECTANT LE GOÛT ET LA QUALITÉ

Situation
La plupart des vignobles se trouvent en Angleterre et au pays de Galles, au sud d'une ligne passant par Birmingham.

Climat
Si la Grande-Bretagne est située à la limite septentrionale des climats convenant à la vigne, la chaleur du Gulf Stream y autorise la viticulture. Fort variable d'une année à l'autre, le climat, avec des pluies fortes, ne permet jamais d'envisager des vendanges réussies.

Site
Toutes sortes de terrains sont encépagés, mais les meilleurs sites sont généralement abrités. L'exposition des coteaux au sud peut être un facteur décisif dans cette région viticole à la situation marginale.

Sol
Les vignes sont cultivées sur toute une gamme de sols, du granite à l'argile, en passant par le calcaire, la craie et le gravier.

Viticulture et vinification
Le climat britannique ne favorise pas la culture des cépages noirs et la grande majorité des vins britanniques sont blancs. Les plus avantageux sont ceux qui présentent le « style allemand ». Ce sont des vins désaltérants, faciles à produire, avec des cépages à grand rendement. L'adjonction de *süssreserve* leur assure une douceur fraîche et fruitée. Les meilleurs vins sont secs, et issus de cépages à rendements inférieurs.

Cépages
Auxerrois, Bacchus, Blauberger, Blauer Portugieser, Cabernet Sauvignon, Chardonnay, Chasselas, Dornfelder, Dunkerlfelder, Ehrenfelser, Faber (Faberebe), Gagarin blue, Gewürztraminer, Gutenborner, Huxelrebe, Kanzler, Kerner, Léon Millot, Madeleine Angevine, Müller-Thurgau, Optima, Ortega, Perle, Pinot blanc, Pinot gris, Pinot meunier, Pinot noir, Scheurebe, Seyval blanc, Regner, Reichensteiner, Riesling, Sauvignon blanc, Schönburger, Seibel, Siegerrebe, Triomphe d'Alsace, Wrotham pinot, Würzer, Zweigeltrebe

Les principaux vignobles de Grande-Bretagne

Note : Ne sont cités ici que les vins ayant reçu de hautes distinctions au Concours annuel des vins anglais qui ne décerne pas de médailles de complaisance. Sont ainsi mentionnés les vins qui ont été honorés des distinctions suivantes : Gold Medal (GM) ou prix President's Cup (PC), pour les meilleurs vins de production réglementée ; Gore-Browne Trophy (GB), les meilleurs vins de toutes catégories de l'année précédente, et Jack Ward Memorial Salver (JW), pour les meilleurs vins de l'année de toutes catégories.

1 ADGESTONE
Upper Road, Adgestone
Isle of Wight

Vignobles : ***3,6 ha de Müller-Thurgau, Seyval blanc et Reichensteiner***

Assemblage assez sec de qualité.

Concours 1979 : Adgestone 1978 GM, GB
Concours 1982 : Adgestone 1980 GM

2 ALDERMOOR
Picket Hill, Ringwood, Hampshire

3 ASCOT
Ascot Farm, Ascot, Berkshire

4 ASTLEY
The Crundels, Astley
Stourport en Severn
Worcestershire

Vignobles : ***1,8 ha de Müller-Thurgau, Kerner, Huxelrebe et Madeleine Angevine***

Vignoble en évolution et créé sur un *crundel*, un vieux nom anglais qualifiant un banc de grès exposé au sud, réputé pour son beau Kerner et donnant aussi un excellent « Huxelvaner » à base de Müller-Thurgau et d'Huxelrebe.

Concours 1986 : Astley Kerner 1985 GM, PC

5 AVONWOOD
Seawalls Road, Sneyd Park
Bristol, Avon

6 BARDINGLEY
Babylon Lane, Hawkenbury, Kent

7 BARKHAM MANOR VINEYARD
Piltham, Uckfield, Sussex

Vignobles : ***9,3 ha de Müller-Thurgau, Kerner, Huxelrebe, Schönburger et Bacchus***

8 BARNSGATE MANOR VINEYARDS
Heron's Ghyll, Uckfield, Sussex

Vignobles : ***8 ha de Müller-Thurgau, Chardonnay, Kerner, Reichensteiner, Pinot noir et Seyval blanc***

9 BARTON MANOR
Whippingham, East Cowes
Isle of Wight

Vignobles : ***2,3 ha de Müller-Thurgau, Seyval blanc, Hyxelrebe, Reichensteiner, Zweigeltrebe et Gewürztraminer***

Très bons vins d'assemblage montrant parfois une légère moustille et vendus sous l'étiquette « Barton Manor » et « Wight Wine ».

Concours 1984 : Barton Manor Dry 1983, GM, GB

10 BEAULIEU
Beaulieu, Nr Brockenhurst
Hampshire

11 BEENLEIGH MANOR
Beenleigh Manor, Harbertonford

Vignobles : ***0,4 ha de Cabernet Sauvignon et Merlot***

12 BERWICK GLEBE
Frensham Cottage, Berwick
Sussex

Vignobles : ***0,8 ha de Müller-Thurgau et Reichensteiner***

13 BIDDENDEN
Little Whatmans, Biddenden
Kent

Vignobles : ***9,7 ha de Ortega, Müller-Thurgau, Dornfelder, Reichensteiner, Scheurebe et Huxelrebe***

Depuis le début des années 80, ce vignoble produit, régulièrement, certains des plus beaux vins d'Angleterre et notamment un Müller-Thurgau épicé, un Pinot noir rosé et l'Ortega, le meilleur vin, sans conteste.

Concours 1984 : Ortega 1983 GM
Concours 1987 : Ortega 1986 GM, GB

BODENHAM
Voir Broadfield.

BODIAM CASTLE
Voir Castle Vineyards.

14 BOOKERS
Foxhole Lane, Bolney, Sussex

Les vins sont vendus sous l'étiquette « Bolney ».

15 BOTHY
The Bothy, Frilford Heath
Oxfordshire

16 BOYTON VINEYARDS
Boyton End, Stoke-by-Clare, Suffolk

17 BRANDESTON PRIORY
The Priory, Brandeston, Suffolk

18 BREAKY BOTTOM
Northtease, Rodwell, Sussex

Vignobles : ***1,6 ha de Seyval blanc et Müller-Thurgau***

Vins expressifs, francs et nerveux de haute qualité.

19 BRUISYARD
Church Road, Bruisyard, Suffolk

Vignobles : ***4 ha de Müller-Thurgau***

Vins élégants et très onctueux, vendus sous l'étiquette « Bruisyard St. Peter ».

20 BROADFIELD
Broadfield Court Estate
Bodenham, Herefordshire

Vignobles : ***4 ha de Reichensteiner, Huxelrebe, Müller-Thurgau et Seyval blanc***

Vins vendus sous l'étiquette « Bodenham ».

21 BROADWATER
Broadwater, Framlingham
Suffolk

22 BRYMPTON D'EVERCY
Ponsonby-Fane, Yeovil
Somerset

23 CANE END
Cane End Farm
Cane End, Oxfordshire

24 CAPTON
Capton, Nr Dartmouth
Devonshire

25 CARR TAYLOR
Westfield Hastings, Sussex

Vignobles : ***8,5 ha de Reichensteiner, Gutenborner, Schönburger, Kerner et Huxelrebe***

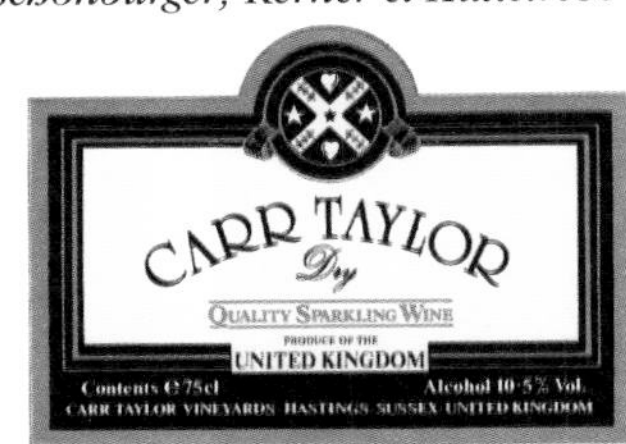

Les vins de Carr Taylor, l'un des plus entreprenants producteurs, sont généralement de style allemand. D'un bon rapport qualité/prix, la gamme comprend un vin rond et fruité, élaboré selon la méthode champenoise. En 1986, Carr Taylor a produit l'un des meilleurs Reichensteiner d'Angleterre.

26 CASTLE CARY
Honeywick House
Castle Cary, Somerset

27 CASTLE VINEYARDS
Bodiam, Robertsbridge, Sussex

Vignobles : ***1 ha de Reichensteiner, Blauberger, Faber, Bacchus, Pinot noir et Regner***

Les vins sont vendus sous l'étiquette « Bodiam Castle ».

28 CAVENDISH MANOR
Cavendish, Sudbury, Suffolk

Vignobles : ***4 ha de Müller-Thurgau***

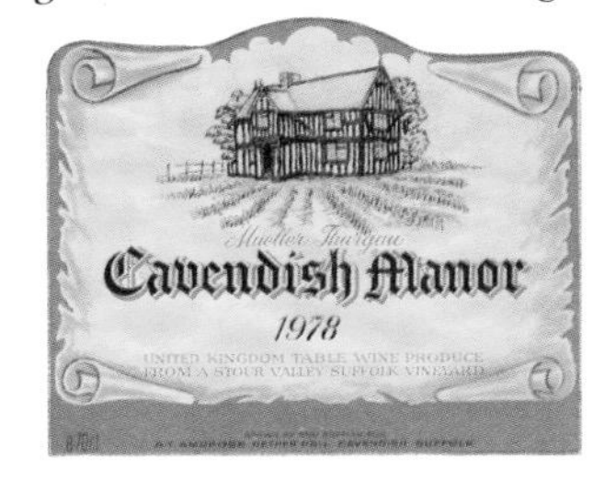

Style assez sec de Müller-Thurgau, à l'arôme floral et à la saveur épicée.

29 CHALKHILL
Knowle Farm, Bowerchalke
Wiltshire

Vignobles : ***2,6 ha de Müller-Thurgau, Bacchus et Kerner***

La gamme des vins va des assemblages douceâtres de consommation courante, tel le « Special Selection », aux vins de cépage de haute qualité, les plus beaux étant très secs et aromatiques. Le vinificateur, Mark Thompson, est un jeune homme doué. Sa grande réussite est un Müller-Thurgau du vignoble Chalkhill, proche du Sauvignon, à la saveur caractéristique de groseille verte. Les vins sont vendus sous les étiquettes « Chalkhill » et « Chalke Valley ».

CHALKLANDS
Voir Chilsdown.

CHALKE VALLEY
Voir Chalkhill.

30 CHANCTONCURY
Nash Hotel, Steyning, Sussex

31 CHARLES VINEYARD
Willingale, Ongar, Essex

Vignobles : ***0,4 ha de Zweigeltrebe***

Les vins sont vendus sous l'étiquette « Roding Valley Red ».

32 CHICKERING
Chickering Hall, Hoxne, Suffolk

33 CHIDDINGSTONE
Vexour Farm
Chiddingstone, Kent

Vignobles : ***2,6 ha de Pinot noir, Kerner, Chasselas et Pinot blanc***

34 CHILFORD HUNDRED
Chilford Hall, Linton
Cambridgeshire

Vignobles : *7,2 ha de Müller-Thurgau, Huxelrebe, Siegerrebe, Ortega et Schönburger*

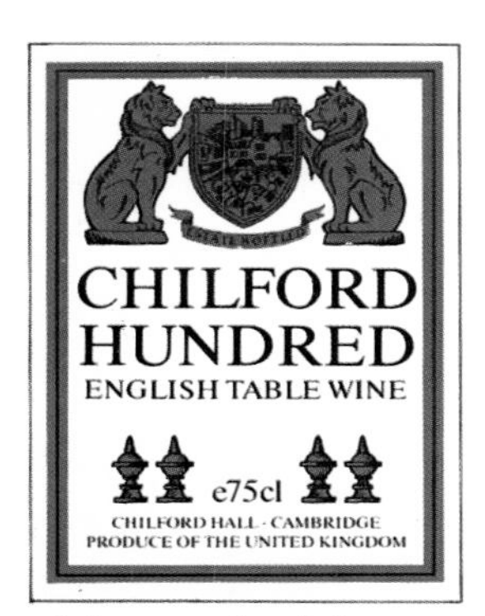

Le seul vin sec, racé et de bonne acidité, est un assemblage mis en bouteille au domaine.

35 CHILSDOWN
The Old Station House
Singleton, Sussex

Vignobles : *4,2 ha de Müller-Thurgau, Reichensteiner et Seyval blanc*

Vins secs, riches et équilibrés, bien élaborés. Étiquettes « Chilsdown », « Chalklands » et « Grapple ».

36 CHILTERN VALLEY
Old Luxters Farm, Hambleden
Henley-on-Thames, Oxfordshire

COGGESHALL VILLAGE
Voir Coggeshall Vineyard.

37 COGGESHALL VINEYARD
Claremont, Coggeshall, Essex

Vignobles : *0,4 ha de Faber*

Vins vendus sous l'étiquette « Coggeshall Village ».

38 CONGHURST
Conghurst Oast
Mawkhurst, Kent

39 COXLEY
Church Farm, Coxley
Somerset

40 CRANMORE
Solent Road, Cranmore
Isle of Wight

Vignobles : *4,8 ha de Müller-Thurgau, Würzer et Gutenborner*

CRAZIES
Voir Joyous Garde Vineyard.

CRAZIES HENLEY RESERVE
Voir Joyous Garde Vineyard.

41 CROFFTA
Croes-Faen, Pontyclun
Glamorgan

Vignobles : *1,2 ha de Müller-Thurgau, Seyval blanc et Madeleine Angevine*

Ce vin d'assemblage recommandable suggère que le pays de Galles pourrait constituer un terrain de choix pour de nouveaux vignobles.

42 CROFT CASTLE
Croft Castle (National Trust)
Nt Leominster, Herefordshire

CUCKMERE
Voir Flexerne.

THE CULM MEASURE
Voir Prospect Vineyard.

DEERHURST
Voir Tapestry.

43 DENBY'S
Denby's Farm, Dorking, Surrey

Vignoble de création récente.

44 DEVIL'S CAULDRON VINEYARD
Ashford Road, High Halden
Kent

45 DITCHLING
Claycroft, Ditchling
Sussex

Vignobles : *2 ha de Müller-Thurgau, Reichensteiner et Ortega*

Excellents vins, typés et racés dont un Müller-Thurgau particulièrement bon.

DOMESDAY
Voir Saint George's Waldron.

46 DOWNERS
Clappers Lane
Fulking, Sussex

47 EGLANTINE
Ash Lane, Costock
Nottinghamshire

48 ELHAM VALLEY
Breach, Barham, Kent

À ne pas confondre avec Elmham Park.

49 ELMHAM PARK
Elmham House
North Elmham, Norfolk

Vignobles : *3 ha de Müller-Thurgau, Madeleine Angevine, Kerner et Huxelrebe*

Vins bien faits, au conditionnement attrayant et possédant des arômes puissants, frais, un fruité élégant, ainsi qu'une belle finale racée.

50 ELMS CROSS
Bradford-on-Avon, Wiltshire

51 ENGLISH WINE CENTRE
Valley Wine Cellars, Alfriston, Sussex

Vignobles : *0,4 ha de Müller-Thurgau, plus 1,8 ha sous contrat*

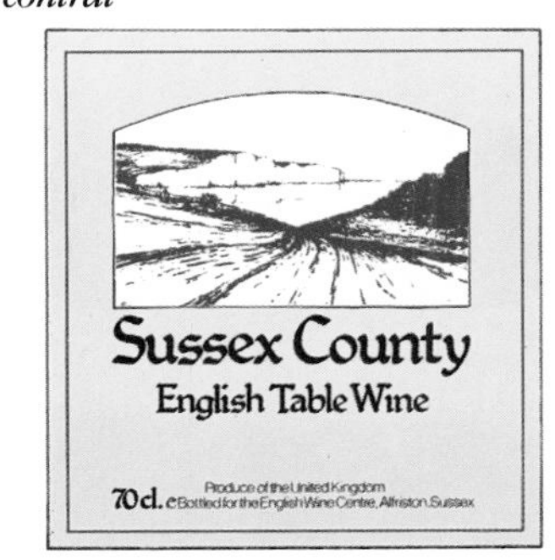

Cette entreprise dynamique, rendez-vous des visiteurs de l'English Wine Festival, commercialise une large gamme de vins anglais originaires d'autres vignobles.

52 ESSEX CROWN VINEYARDS
Ardleigh, Colchester, Essex

FELSTAR
Voir Felsted Vineyards.

53 FELSTED VINEYARDS
Crix Green, Felsted, Essex

Vignobles : *4,2 ha de Müller-Thurgau, Pinot noir, Madeleine Angevine, Chardonnay et Seyval blanc*

En 1966, ce domaine était le premier qu'ait abrité le comté d'Essex depuis le Moyen Âge. Dix ans plus tard, il produisait le premier vin élaboré selon la méthode champenoise en Angleterre. Le vin le plus vendu est un assemblage de Chardonnay et Seyval blanc. Étiquettes « Felstead » et « Felstar ».

Concours 1978 : Felstar Müller-Thurgau et Sieger GM

54 FENLANDIA VINEYARDS
48 High Street, Harlton
Cambridgeshire

55 FINN VALLEY VINEYARD
Otley, Ipswich, Suffolk

Vignobles : *4 ha de Müller-Thurgau et Pinot noir*

56 FIVE CHIMNEYS
Five Chimneys Farm
Hadlow Down, Sussex

57 FLEXERNE
Fletching Common, Newick, Sussex

Vignobles : *2 ha de Müller-Thurgau*

Vins vendus sous l'étiquette « Cuckmere ».

58 FLINTS
Hambleden
Henley-on-Thames
Oxfordshire

59 FONTHILL
The Old Rectory
Fonthill Gifford, Wiltshire

60 FRITHSDEN
38 Crouchfield
Boxmoor, Hertfordshire

Vignobles : *1 ha de Müller-Thurgau, Pinot noir, Kerner, Siegerrebe et Reichensteiner*

Müller-Thurgau frais et léger.

61 FRYARS VINEYARD
West Chiltington
Pulborough, Sussex

62 GAMLINGAY VINEYARD
Gamlingay, Nr Sandy, Bedfordshire

Vignobles : *3,6 ha de Scheurebe, Faber, Müller-Thurgau et Reichensteiner*

Excellent vin demi-sec, parfumé et épicé, issu du cépage Scheurebe.

63 GRAISELOUND
Haxey, Doncaster, Yorkshire

GRAPPLE
Voir Chilsdown.

64 GREAT SHOESMITHS FARM
Wadhurst, Sussex

Vignobles : *6,8 ha de Regner, Huxelrebe, Kerner, Schönburger, Seyval blanc et Müller-Thurgau*

65 HAMBLEDON VINEYARD
Mill Dow, Hambledon
Hampshire

Vignobles : *2,8 ha de Chardonnay, Pinot noir et Seyval blanc*

Le plus ancien vignoble d'Angleterre à commercialiser ses vins.

66 HAMSTEAD
Yarmouth, Isle of Wight

67 HARBLEDOWN & CHAUCER
Isabel Mead Farm
Harbledown, Kent

Vignobles : *0,8 ha de Regner, Reichensteiner et Müller-Thurgau*

68 HARBOURNE
High Halden
Ashford, Kent

Vignobles : *1,2 ha de Müller-Thurgau, Blauer Portugieser, Reichensteiner et Pinot noir*

69 HARDEN FARM
Grove Road
Penshurst, Kent

Vignobles : *7,3 ha de Schönburger, Bacchus, Reichensteiner, Regner, Faber et Huxelrebe*

LE SCEAU DE QUALITÉ EVA

Bien que la CEE les considère comme équivalents à des vins de Pays, certains vins anglais peuvent montrer une qualité supérieure qu'entérine le sceau de qualité de l'*English Viticultural Association* (EVA). Ce sceau est accordé chaque année à des vins soumis à des examens plus sévères encore que ceux imposés par les commissions allemandes décernant le *QbA* (*voir* « Allemagne », p. 204). Si le sceau EVA n'est pas toujours utilisé, de plus en plus de domaines soumettent leurs vins à l'examen. L'existence de ce sceau est une bonne indication de qualité.

70 HENDRED VINEYARD
East Hendred, Wantage
Oxfordshire

71 HEYWOOD
Holly Drag, Diss, Norfolk

72 HIGHFIELD
Long Drag, Tiverton, Devon

73 HOLLYBUSH
Holly Bush Farm, Brockenhurst
Hampshire

Vignobles : *1,6 ha de Seyval blanc, Schünburger, Pinot blanc, Huxelrebe et Reichensteiner*

74 THE HOLT
Woolton Hill
Newbury, Berkshire

Vignobles : *0,6 ha de Müller-Thurgau, Madeleine Angevine et Siegerrebe*

Les vins sont vendus sous l'étiquette « Woodhay ».

75 HOOKSWAY
Hooksway, North Mardon, Sussex

76 HORTON VINEYARD
Three Legged Cross
Wimborne, Dorset

77 HRH VINEYARD
The Willows, Stoke St-Gregory
Somerset

Vignobles : *3,2 ha de Müller-Thurgau, Reichensteiner, Bacchus, Siegerrebe, Huxelrebe, Auxerrois et Pinot noir*

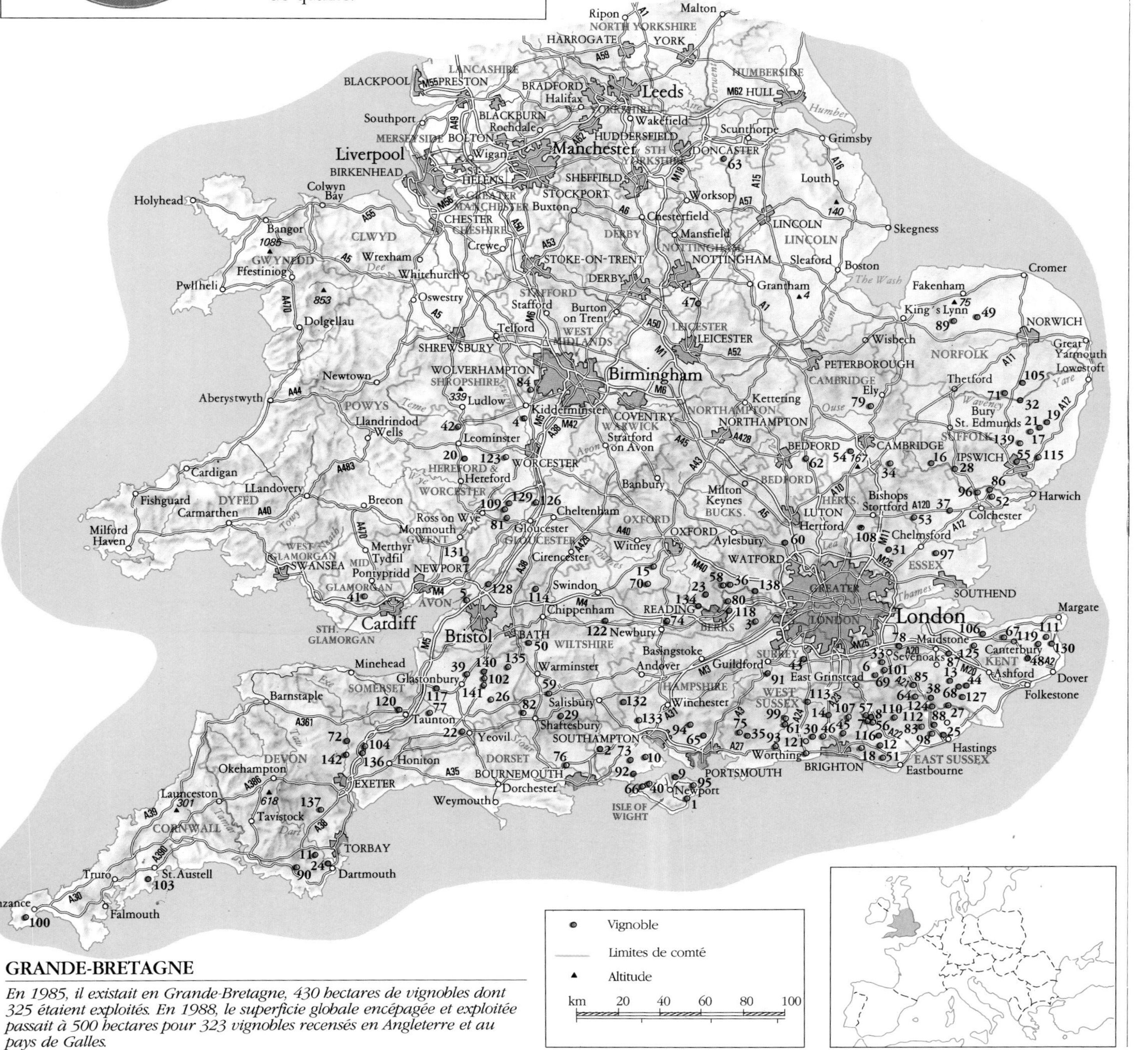

GRANDE-BRETAGNE

En 1985, il existait en Grande-Bretagne, 430 hectares de vignobles dont 325 étaient exploités. En 1988, le superficie globale encépagée et exploitée passait à 500 hectares pour 323 vignobles recensés en Angleterre et au pays de Galles.

78 IGHTHAM
Mote Road
Ivy Hatch, Kent

Vignobles : ***1,2 ha de Müller-Thurgau***

Bon Müller-Thurgau fruité, de style allemand.

79 ISLE OF ELY
Twentypence Road
Wilburton, Cambridgeshire

Vignobles : ***1 ha de Müller-Thurgau, Chardonnay et Madeleine Angevine***

Sous l'étiquette « St. Etheldreda », cette entreprise viticole fait un vin blanc d'assemblage, plus ou moins sec, ayant de la charpente grâce à l'addition de Chardonnay. Les vins sont aussi vendus sous l'étiquette « Isle of Ely ».

80 JOYOUS GARDE VINEYARD
Crazies Hill, Wargrave
Berkshire

Vignobles : ***1 ha de Bacchus, Müller-Thurgau, Schönburger et Huxelrebe***

Vins pimpants et fruités, dotés d'une légère moustille. Étiquettes « Crazies » et « Crazies Henley Reserve ».

81 KENTS GREEN
Taynton, Gloucestershire

Vignobles : ***0,2 ha de Müller-Thurgau et Huxelrebe***

Concours 1986 : Kents Green 1985 GM

82 KINGS GREEN
Bourton, Gillingham, Dorset

Vignobles : ***1,6 ha de Pinot noir, Gamay noir, Zweigeltrebe et Gewurztraminer***

83 KINGSLAND
North Trade Road
Battle, Sussex

84 KINVER
Dunsley House
Kinver, Worcestershire

85 LAMBERHURST
Ridge Farm
Lamberhurst, Kent

Vignobles : ***19,4 ha de Müller-Thurgau, Seyval blanc, Reichensteiner, Schönburger et Chasselas***

L'un des plus vastes et des meilleurs vignobles anglais. Lamberhurst vinifie et embouteille aussi des vins provenant de 30 autres vignobles.

Concours 1983 : Huxelrebe 1982 GM, GB, Schönburger 1982 GM

86 LANGHAM VINEYARD
Langham Colchester, Essex

87 LEEDS CASTLE
Leeds Castle Foundation
Maidstone, Kent

88 LEEFORD VINEYARDS
Whatlington, Battle, Sussex

Vignobles : ***6,9 ha de Reichensteiner, Schönburger, Kerner et Huxelrebe***

Vins vendus sous l'étiquette « Saxon Valley ».

89 LEXHAM HALL
Lexham Hall, Nr Litcham
Norfolk

Vignobles : ***3,2 ha de Müller-Thurgau, Madeleine Angevine, Scheurebe et Reichensteiner***

Quelques beaux vins, parfumés et savoureux, au style sec et délicat.

90 LODDISWELL
Lilwell, Loddiswell
Devonshire

Vignobles : ***1,6 ha de Müller-Thurgau, Huxelrebe, Bacchus, Reichensteiner et Siegerrebe***

L'Huxelrebe 1983 connut un remarquable succès.

91 LODGE FARM
Hascombe, Godalming, Surrey

92 LYMINGTON
Winsford Road
Pennington, Hampshire

93 LYMINSTER
Lyminster Road
Nr Arundel, Sussex

Vignobles : ***0,6 ha de Schönburger, Reichensteiner et Pinot noir***

MAGDALEN
Voir **Pulhmam.**

94 MEON VALLEY VINEYARD
Swanmore, Southampton
Hampshire

Vignobles : ***2 ha de Müller-Thurgau, Seyval blanc, Pinot meunier, Madeleine Angevine et Zweigeltrebe***

Vins vendus sous les étiquettes « Hillgrove » et « Meon Wara ».

MOORLYNCH
Voir **Spring Farm.**

95 MORTON MANOR VINEYARD
Morton Manor, Brading
Isle of Wight

Vignobles : ***0,6 ha de Müller-Thurgau, Seyval blanc, Reichensteiner, Huxelrebe, Madeleine Angevine, Zweigeltrebe et Pinot noir***

96 NEVARDS
Nevards, Boxted, Essex

97 NEW HALL VINEYARDS
Purleigh, Chelmsford
Essex

Vignobles : ***11,9 ha de Bacchus, Chardonnay, Huxelrebe, Müller-Thurgau, Pinot noir, Pinot gris, Reichensteiner et Zweigeltrebe***

Un bon Müller-Thurgau et un Huxelrèbe légèrement doux, très réussi.

98 NORTONS FARM
Sedlescombe, Battle, Sussex

99 NUTBOURNE MANOR
Nr Pulborough, Sussex

100 PENBERTH VALLEY VINEYARD
Chynance, St. Buryan, Cornwall

Vignobles : ***0,6 ha de Triomphe d'Alsace, Siegerrebe, Cabernet Sauvignon, Chardonnay et Pinot noir***

101 PENSHURST
Grove Road, Penshurst, Kent

Vignobles : ***4,9 ha de Müller-Thurgau, Reichensteiner, Seyval blanc, Scheurebe et Ehrenfelser***

102 PILTON MANOR
Pilton, Shepton Mallet
Somerset

Vignobles : ***2,6 ha de Seyval blanc, Müller-Thurgau et Huxelrebe***

Cette entreprise fait un Müller-Thurgau et un bon Seyval blanc. Son meilleur vin est un Huxelrebe élaboré selon la méthode champenoise.

Concours 1975 : Riesling-Sylvaner 1973 GB
Concours 1976 : Riesling-Sylvaner 1975 GB

103 POLMASSICK
St. Ewe, St. Austell, Cornwall

104 PROSPECT VINEYARD
Uffculme, Cullompton
Devonshire

Vignobles : ***0,3 ha de Madeleine Angevine et Triomphe d'Alsace***

Étiquette « The Culm Measure ».

105 PULHAM
Mill Lane, Pulham Market, Norfolk

Vignobles : ***2,4 ha d'Auxerrois, de Bacchus, Chardonnay, Müller-Thurgau et Zweigeltrebe***

Le premier vin de Pulham a mérité l'envié Gore-Browne Trophy. Cette maison, depuis, a produit un intéressant Auxerrois et un Chardonnay fin, nerveux, fumé. Les vins se vendent sous l'étiquette « Magdalen ».

Concours 1977 : Magdalen Rivaner 1976 GB
Concours 1980 : Magdalen Rivaner 1979 GB

PURLEY
Voir **Westbury Vineyard.**

106 QUEEN COURT
17 Court Street
Faversham, Kent

107 ROCK LODGE
Scayne's Hill, Sussex

Vignobles : ***1,4 ha de Müller-Thurgau et Reichensteiner***

Vins rares produits à partir de vignes cultivées sur une parcelle abritée, exposée au sud.

RODING VALLEY RED
Voir **Charles Vineyard.**

108 ROWNEY
Rowney Farm, Chasseways
Hertfordshire

109 SAINT ANNE'S
Wain House, Oxenhall
Gloucestershire

110 SAINT GEORGE'S WALDRON
Waldron Village
Nr Heathfield, Sussex

Vignobles : ***2 ha de Müller-Thurgau, Reichensteiner, Pinot noir, Seyval blanc et Schönburger***

Ces vins à l'étiquette patriotique « St. George's », et qui comptent un Müller-Thurgau supérieur, sont vendus au Parlement. Autres étiquettes : « Tudor Rose » et « Domesday ».

111 SAINT NICHOLAS OF ASH
Moat Farm House, Ash, Kent

SAXON VALLEY
Voir **Leeford Vineyards.**

112 SEDLESCOMBE
Staple Cross, Robertsbridge
Sussex

Vignobles : ***4 ha de Gewürztraminer, Gutenborner, Müller-Thurgau, Ortega et Reichensteiner***

Jadis connu sous le nom de *Pine Ridge*, ce vignoble, le premier de Grande-Bretagne, est actuellement le plus grand et le plus important économiquement.

113 SEYMOURS
Forest Road, Horsham, Sussex

114 SHERSTON EARL
Sherston, Nr Malmesbury, Wiltshire

SILVER SNIPE
Voir **Snipe.**

115 SNIPE
Snipe Farm Road, Clopton, Suffolk

Vignobles : ***0,6 ha de Müller-Thurgau***

Vins vendus sous l'étiquette « Silver Snipe ».

SPOTS FARM
Voir **Tenterden.**

116 SPRING BARN VINEYARD
Laughton, Nr Lewes, Sussex

117 SPRING FARM
Moorlynch, Bridgwater
Somerset

Vignobles : ***4,9 ha de Madeleine Angevine, Seyval blanc, Würzer, Müller-Thurgau et Schönburger***

Vins vendus sous l'étiquette « Morrlynch ».

118 STANLAKE PARK
Stanlake Pard, Twyford
Berkshire

Vignobles : ***6,9 ha de Schönburger, Scheurebe, Kerner, Ortega, Regner,***

Reichensteiner, Seyval blanc, Müller-Thurgau et divers Pinot

119 STAPLE
Church Farm
Staple, Kent

Vignobles : *2,8 ha de Müller-Thurgau, Reichensteiner et Huxelrebe*

Étiquette « Staple St. James ».

STAPLE ST. JAMES
Voir Staple.

120 STAPLECOMBE
Burlands Farm, Staplegrove
Somerset

ST. CUTHMANS
Voir Steyning Vineyards.

ST. ETHELDREDA
Voir Isle of Ely.

121 STEYNING VINEYARDS
Horsham Road
Steyning, Sussex

Vignobles : *3,6 ha de Müller-Thurgau, Schönburger et Ortega*

Vins vendus sous l'étiquette « St. Cuthmans ».

ST. GEORGE'S
Voir Saint George's Waldron.

122 STITCHCOMBE
Stitchcombe, Marlborough
Wiltshire

Vignobles : *2 ha de Müller-Thurgau, Reichensteiner et Siegerrebe*

123 STOCKS VINEYARD
Stocks Farm, Suckley
Hereford & Worcester

Vignobles : *4 ha de Müller-Thurgau*

124 SWIFTSDEN
Swiftsden House
Hurst Green, Sussex

Vignobles : *1,2 ha de Müller-Thurgau et Reichensteiner*

125 SYNDALE VALLEY
Lady's Wood, Newnham
Kent

Vignobles : *3,6 ha de Müller-Thurgau, Reichensteiner, Zweigeltrebe, Ortega, Seyval blanc, Pinot blanc, Würzer et Wrotham pinot*

126 TAPESTRY
Well Farm, Apperley
Gloucestershire

Vignobles : *1,2 ha de Madeleine Angevine et Chardonnay*

Vins vendus sous l'étiquette « Deerhurst ».

127 TENTERDEN
Spots Farm, Tenterden, Kent

Vignobles : *4 ha de Müller-Thurgau, Dunkelfelder, Seyval blanc, Reichensteiner, Pinot noir et Schönburger*

Ce vignoble est géré de main de maître par Stephen Skelton, dont le Seyval blanc a suscité des éloges dithyrambiques lorsqu'il remporta, en 1981, le Gore-Brown Trophy. Depuis, il a connu de belles réussites avec d'autres cépages. Dans l'avenir, il faudra suivre son Schönburger qui s'est bien adapté au beau sol sableux de Tenterden. Étiquettes « Tenterden » et « Spots Farm ».

Concours 1981 : Spots Farm Seyval blanc 1980 GB
Concours 1983 : Spots Farm 1982 GM ; Spots Farm Müller-Thurgau Dry 1982 GM ; Spots Farm Gutenborner Dry 1982 GM

128 THORNBURY CASTLE VINEYARD
Thornbury, Bristol, Avon

129 THREE CHOIRS
Fairfield Fruit Farm
Newent, Gloucestershire

Vignobles : *8 ha de Reichensteiner, Schönburger, Huxelrebe, Seyval blanc et Bacchus*

Vins d'excellente qualité, complets, achevés et satisfaisants, dont un très beau Huxelrebe de vendange tardive.

Concours 1986 : Seyval-Reichensteiner 1984 GM
Concours 1987 : Three Choirs 1984 Medium GM, JW

130 THREE CORNERS
Beacon Lane, Woodnesborough
Kent

Vignobles : *0,6 ha de Siegerrebe, Ortega et Reichensteiner*

Vins commercialisés sous l'étiquette « Tricorne ».

131 TINTERN PARVA
Parva Farm, Tintern, Gwent

Vignobles : *1,6 ha de Müller-Thurgau, Bacchus, Pinot noir, Reichensteiner et Ortega*

TRICORNE
Voir Three Corners.

TUDOR ROSE
Voir Saint George's Waldron.

132 TYTHERLEY
The Garden House
West Tytherley, Wiltshire

133 WELLOW
East Wellow, Romsey
Hampshire

Vignobles : *32 ha d'Auxerrois, de Bacchus, Chardonnay, Faber, Huxelrebe, Kerner, Müller-Thurgau, Ortega et Reichensteiner*

En 1985, Andy Vining a acheté Wellow qui jouit d'un excellent microclimat. En deux ans, il encépageait 20 hectares. En 1986, il faisait une belle récolte, fait étonnant pour des ceps âgés de un an et Andy en tira ses 27 premières bouteilles. Un an après, j'ai eu l'occasion de juger ce vin léger, frais et fruité, de type allemand demi-sec. Il n'avait rien d'exceptionnel mais il était bien élaboré (d'autant que Mark Thompson, de Chalkhill, avait dû le conseiller). Ceci était de bon augure. Wellow a produit 2 000 bouteilles en 1987. En 1992, avec une exploitation de 40 hectares, il deviendra vraisemblablement le plus important producteur de vins anglais.

134 WESTBURY VINEYARD
Purley-on-Thames
Reading, Berkshire

Vignobles : *5 ha de Müller-Thurgau, Seyval blanc, Pinot noir, Siegerrebe, Reichensteiner, Madeleine Angevine et Schönburger*

Bernard Theobold a des idées bien arrêtées et pleines d'optimisme sur les possibilités des vins anglais. Il les applique d'ailleurs avec enthousiasme à ses vins rouges plutôt curieux. Sa gamme de vins est étendue et on peut y faire d'heureuses découvertes.

Les vins sont commercialisés sous les étiquettes « Purley » et « Westbury ».

Concours 1984 : Westbury Müller-Thurgau-Seyval 1982 GM ; Westbury Müller-Thurgau 1981 GM

135 WHATLEY
Old Rectory, Whatley
Somerset

136 WHITMOOR HOUSE
Ashhill, Cullompton
Devonshire

137 WHITSTONE
Bovey Tracey
Nr Newton Abbot
Devonshire

Vignobles : *0,6 ha de Müller-Thurgau et Madeleine Angevine*

Vins blancs secs, francs, bien faits, issus de l'assemblage de deux cépages et élaborés par Colin Gillespie de Wootton.

138 WICKENDEN
Cliveden Road, Taplow
Buckinghamshire

WIGHT WINE
Voir Barton Manor.

139 WILLOW GRANGE
Street Farm, Crowfield, Suffolk

WOODHAY
Voir The Holt.

140 WOOTTON
North Wootton
Shepton Mallet, Somerset

Vignobles : *2,4 ha de Müller-Thurgau, Schönburger, Auxerrois et Seyval blanc*

Je me souviens avec plaisir du Schönburger 1976, d'une merveilleuse richesse, cépage grâce auquel ce vignoble a toujours assuré son succès.

Concours 1979 : Müller-Thurgau 1978 GM
Concours 1982 : Schönburger 1981 GM, GB
Concours 1986 : Seyval 1985 GM, GB

141 WRAXALL
Shepton Mallet, Somerset

Vignobles : *2,4 ha d'Auxerrois, de Gagarin blue, Kerner, Müller-Thurgau, Madeleine Angevine, Pinot noir, Seyval blanc, Siegerrebe, Zweigeltrebe et Wrotham pinot*

Le propriétaire croit possible de faire un bon rouge léger à Wraxall.

142 YEARLSTONE
Chilton, Bickleigh
Devonshire

Vignobles : *0,6 ha de Madeleine Angevine, Siegerrebe, Riesling et Chardonnay*

Suisse

Les vins suisses, à leur apogée, sont aussi frais et francs que l'air des Alpes. Le Chasselas est le plus renommé de tous les cépages cultivés en Suisse. Les viticulteurs en font un vin léger, sec, chargé de moustille et d'une délicatesse exquise, qui s'associe parfaitement avec la fondue au fromage.

Le Chasselas, le cépage préféré des viticulteurs suisses, est désigné sous des dénominations différentes selon les régions : Dorin dans le Vaudois, Perlan dans les cantons de Genève et de Neuchâtel et Fendant dans le Valais. La Suisse produit également un surprenant volume de vins rouges, habituellement à base de Gamay ou de Pinot noir, parfois des deux. Le Pinot noir est une cépage délicat qu'il faut entourer de soins attentifs. Même si la Suisse ne peut élaborer des vins de Pinot noir de la qualité de ceux des Bourgogne, elle sait, dans des circonstances favorables, faire des vins simples, attrayants et fruités qui font honneur à ce noble cépage. Mais les meilleurs vins rouges de Suisse sont assurément ceux issus du Merlot, plus foncés et plus sérieux, que l'on produit dans le Tessin.

Les vignobles de Schaffouse, ci-dessus
Le vignoble du Munot, à Schaffouse même, est l'un des plus beaux de ce canton germanophone. On remarquera l'ordre et la rigueur avec lesquels sont disposés les rangs de vigne.

FACTEURS AFFECTANT LE GOÛT ET LA QUALITÉ

Situation
Entre le sud de l'Allemagne, le nord de l'Italie et la frontière centre-est de la France.

Climat
Influence prépondérante du climat alpin, avec des variations locales dues à l'altitude, à l'influence modératrice des lacs et au rôle protecteur joué par diverses chaînes montagneuses. Certaines zones, tel le Valais, sont très sèches. Les gelées printanières représentent une menace permanente.

Site
On cultive la vigne aussi bien dans le fond des vallées que sur le bord des lacs ou sur les abrupts contreforts alpins jusqu'à une altitude de 1 200 m. Les emplacements les mieux exposés se trouvent sur les coteaux regardant le sud.

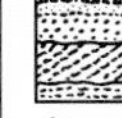

Sol
Il s'agit d'une moraine glaciaire formée d'ardoise décomposée et de schiste, ou de calcaire couvrant un soubassement de dépôt calcaires, sableux ou argileux.

Viticulture et vinification
La culture en terrasses est obligatoire sur les sites escarpés, de même que l'irrigation dans les zones sèches. Les travaux de vignoble nécessitent souvent une main d'œuvre considérable, sauf pour les vignes installées sur des pentes douces, où l'on pratique les vendanges mécanisées. Une vinification et une chaptalisation minutieuses donnent des vins réellement remarquables.

Au cours des trois dernières décennies, la production des vins rouges s'est considérablement développée.

Cépages
Aligoté, Amigne, Arvine, Chardonnay, Chasselas, Gamay, Humagne, Marsanne, Merlot, Müller-Thurgau, Muscat à petits grains, Païen, Pinot gris, Pinot noir, Rèze, Riesling, Sylvaner.

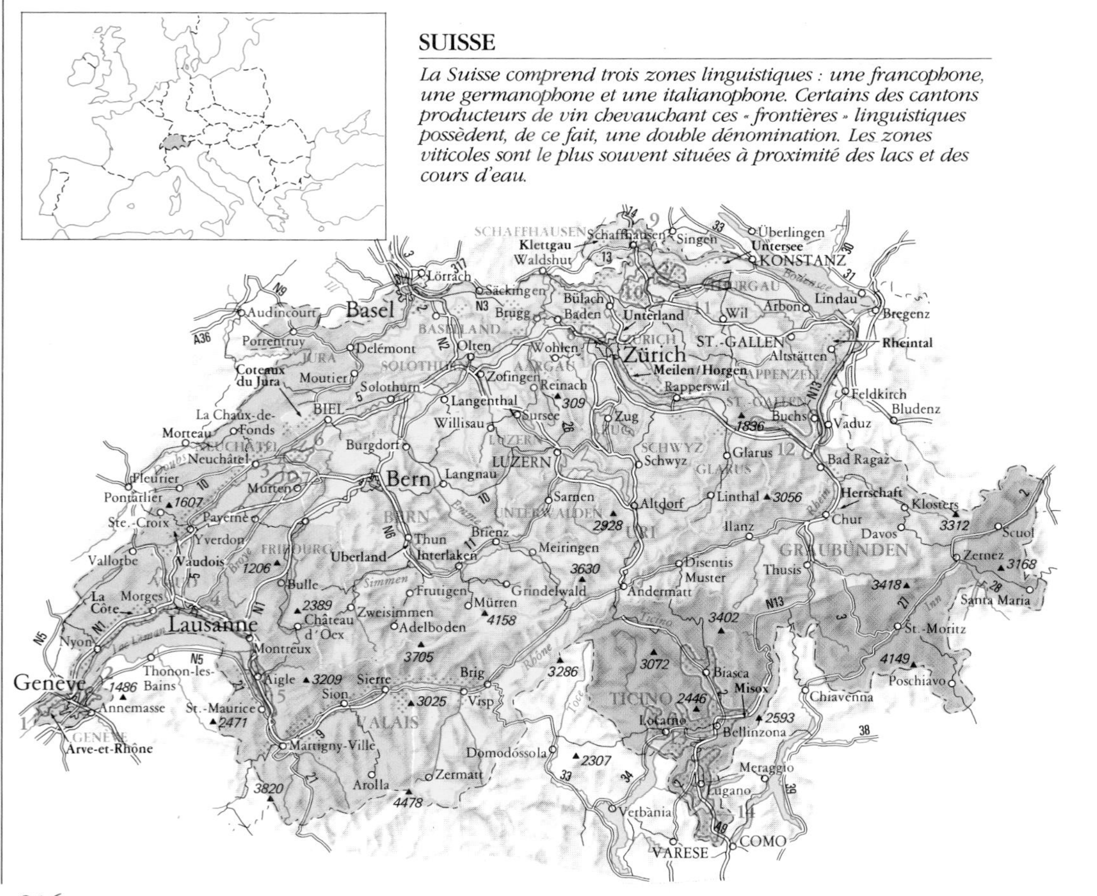

SUISSE

La Suisse comprend trois zones linguistiques : une francophone, une germanophone et une italianophone. Certains des cantons producteurs de vin chevauchant ces « frontières » linguistiques possèdent, de ce fait, une double dénomination. Les zones viticoles sont le plus souvent situées à proximité des lacs et des cours d'eau.

Zone de viticulture intensive
Suisse francophone
Suisse germanophone
Suisse italianophone
1 Mandement
2 Arve-et-Lac
3 Vully
4 Lavaux
5 Chablais
6 Bielersee
7 Wistenlach
8 Limmattal
9 Schaffouse/Thayngen
10 Weinland
11 Thurtal
12 Oberland
13 Sopraceneri
14 Sottoceneri
Limites de canton
Altitude
Km 20 40 60 80

COMMENT LIRE LES ÉTIQUETTES DES VINS SUISSES

Les étiquettes peuvent être rédigées dans l'une des trois langues, allemande, française ou italienne, et quelques termes particuliers et réglementaires doivent y figurer. L'étiquette de tout vin non totalement sec doit porter la mention « légèrement doux » ou « avec sucre résiduel ». Le terme « Premier Cru » ne comporte aucune connotation qualitative, tant s'en faut, puisque tout domaine viticole ou château producteur peut les utiliser. En revanche, on peut se fier au millésime indiqué. Le nom et l'adresse du producteur doivent clairement figurer sur l'étiquette. Si le vin est destiné à l'exportation dans les pays de la CEE, il doit respecter la réglementation de la Communauté, qui exige que figure sur l'étiquette la mention « Produit de Suisse », ainsi qu'une indication claire du volume et de la teneur alcoolique.

Vignes en terrasses, lac Léman, ci-dessus
Les plus modestes cantons de Suisse possèdent des vignobles de haute qualité. Mandement en est le meilleur secteur et Santigny le village le plus connu.

Les vins et les cépages Suisses

Note : La Suisse ne possède pas de régime vinicole aussi strict que la France, mais certains noms protégés ne peuvent être utilisés que pour des localités précises et sous certaines conditions avec l'indication AO (Appellation officielle).

AMIGNE

Cépage du Valais donnant un vin blanc souple, rustique et complet, assez sec.

ARVINE

Autre vieux cépage du Valais donnant un vin blanc sec encore plus riche.

BLAUBURGUNDER

Synonyme de Pinot noir.

CHASSELAS

Cépage nommé Fendant dans le Valais, Dorin dans le Vaudois et Perlan dans les cantons de Genève et de Neuchâtel. Ses vins peuvent être agréablement parfumés. La mise en bouteille sur lie les rend pétillants.

DÔLE AO

Nom protégé pour un coupage, rouge et léger, de Gamay et de Pinot noir titrant au moins 85° Oechsle.

DORIN AO

Nom protégé pour le vin de Chasselas produit dans le Vaudois.

ELBLING

Ce cépage est sur le déclin. Il est léger et de caractère assez neutre.

FENDANT AO

Nom protégé pour les vins blancs issus du Chasselas dans le Valais.

GAMAY

Cultivé surtout dans le Valais et le Vaudois, ce cépage du Beaujolais donne des vins rouges de cépage peu originaux. Le coupage avec du Pinot noir pour en faire de la Dôle ou du rosé clair, donne souvent d'excellents résultats.

GORON AO

Dôle déclassée pour des raisins n'atteignant pas 85° Oechsle.

HERMITAGE BLANC

Synonyme de la Marsanne. Utilisé dans le Valais, il donne des blancs secs, complets, riches et parfois raffinés.

HUMAGNE

On utilise ce vieux cépage du Valais pour faire des vins blancs ou rouges, pleins de charme et rustiques.

JOHANNISBERG

Synonyme utilisé pour le vin de Sylvaner produit dans le Valais.

KLEVNER

Synonyme du Pinot noir utilisé pour des vins produits en Suisse germanophone.

MALVOISIE AO

Ce synonyme de Pinot gris s'utilise pour élaborer des vins doux, souvent originaires du Valais.

MERLOT

Exceptionnel cépage noir du Tessin, la partie italianophone de la Suisse.

MÜLLER-THURGAU

Ce croisement *Riesling* x *Sylvaner* a été créé par le Dr Müller, originaire du canton de Thurgau.

MUSCAT

On cultive traditionnellement le Muscat à petits grains dans le Valais en petite quantité. Il donne un vin blanc sec très léger, mais qui rend justice à son arôme.

NOSTRANO

Coupage à bon marché de vin rouge ordinaire produit dans le Tessin.

ŒIL-DE-PERDRIX

Ce traditionnel terme français désigne des vins rosés clairs dont la plupart sont produits à Neuchâtel.

PAÏEN

Variante du Gewurztraminer cultivée dans le Valais, où il donne des blancs secs et aromatiques.

PERLAN AO

Nom protégé pour le vin blanc obtenu par le Chasselas dans les cantons de Genève et de Neuchâtel.

PETITE ARVINE

Synonyme d'Arvine. *Voir* Arvine.

RAÜSCHLING

Synonyme d'Elbling. *Vois* Elbling.

RÈZE

Vieux cépage du Valais.

RIESLING-SYLVANER

Voir Müller-Thurgau.

SALVAGNIN AO

Coupage de vins rouges à base de Gamay et de Pinot noir, dans le Vaudois.

TWANNER

Vin rouge léger et surcoté, originaire du village de Twann.

VITI AO

Appellation pour un vin de qualité à base de Merlot, originaire du Tessin.

Les zones viticoles de la Suisse

SUISSE FRANCOPHONE

Bien que la Suisse francophone ne représente qu'un sixième du pays, elle se targue de posséder 80 % de ses vignobles, soit 10 115 hectares, pour une production annuelle moyenne de 1 035 millions d'hectolitres (11,5 millions de caisses). Elle comprend les cantons de Genève, Neuchâtel, Vaux et Valais.

GENÈVE

Secteurs viticoles : ***Arve-et-Lac, Arve-et-Rhône, Mandement***

Ce canton produit des vins blancs secs, légers, aromatiques et vivaces, avec une touche pétillante due au Chasselas. Il existe également divers vins rouges légers et fruités.

Aligoté, Chardonnay, Chasselas, Gamay, Müller-Thurgau, Pinot gris, Pinot noir

☆ Chasselas « Étoile de Peissy », « Perlan » Coteau de Rougement, Pinot Noir « Le Vieux Clocher »

NEUCHÂTEL

Secteurs viticoles : ***Coteaux du Jura, Vully***

Abrités par les monts du Jura, ces vignobles produisent certains des vins les plus exceptionnels de Suisse, notamment ceux qui sont de Pinot noir, lequel donne un rouge léger, un rose clair « Œil-de-Perdrix » et un blanc de noir encore plus délicat. Le Chasselas, blanc et sec, peut présenter une moustille rafraîchissante. Le Chardonnay prometteur donne des vins plus achevés.

Chardonnay, Chasselas, Pinot gris, Pinot noir

☆ Château de Vaumarcus, André Ruedin

VALAIS

Aucun secteur viticole spécifié

Le plus ancien, le plus célèbre et, de loin, le plus agricole des cantons suisses, le Valais se targue de posséder plus d'un tiers des vignobles de ce pays, encore que certains d'entre eux débordent sur le secteur de langue allemande. On y produit une large gamme de vins intéressants et très originaux, dont le plus célèbre est la « Dôle », un assemblage de Gamay et de Pinot noir. Tout vin portant le nom de « Goron » est une « Dôle » déclassée.

Les vins rouges à base d'Humagne valent la peine d'être recherchés. Le Fendant du Valais, vin blanc sec de Chasselas, est souple et parfois légèrement effervescent. Le Riesling, assez rare, est parfois d'un beau style sec, léger et racé. Le Sylvaner, sec et onctueux, offre une saveur de tomates vertes. Le Païen donne des vins aromatiques, généralement secs, et la Malvoisie, vin blanc demi-sec, s'élabore avec des raisins de vendange tardive.

Armigne, Arvine, Chasselas, Gamay, Humagne, Marsanne (Hermitage blanc), Muscat à petits grains, Païen, Pinot gris (Malvoisie), Pinot noir, Riesling, Sylvaner

☆ « Brûlefer » de Bonvin Fils, Caves de Riondaz, Dôle « Sélection Or » du Château Lichten, Dôle « Clos du Château », « Goût du Conseil » du Domaine du Mont-d'Or, Charles Favre (« Dame de Sion », « Réserve de Tous Vents »), Maurice Gay (Armigne, Muscat, « Fendant Réserve »), « Ermitage du Prévôt » d'Alphonse Orsat, Louis Vuignier (Arvine, Humagne, « Malvoisie »)

VAUD

Secteurs viticoles : *Chablais, La Côte, Lavaux, Vaudois*

Le canton de Vaud abrite près d'un quart des vignobles de Suisse, ce qui en fait le second des cantons du pays le plus intensivement cultivé. Le Chasselas représente 80 % de la production et le vin qui en est issu, le Dorin, de caractère délicat et fruité, est sec, léger et élégant. Les rouges régionaux sont vendus sous le nom de « Salvagnin » une version rustique agréablement fruitée et relativement corsée de la Dôle. On rencontre de rares Riesling, de caractère très vivace et étonnamment parfumés. Le Chablais se spécialise dans les vins blancs de Chasselas, secs et picotants, riches, de texture souple, particulièrement bons aux alentours d'Aigle ; ses autres spécialités sont les vins rouges de Gamay nouveau, élaborés par macération carbonique, à boire sans tarder. Le meilleur secteur est celui de Lavaux avec deux villages remarquables : Rivez et Treytorrens.

Chasselas, Pinot gris, Pinot noir, Riesling

☆ « Aigle les Murailles » de Henri Badoux, Château d'Allaman, Château de Châtagnéréaz, Château Maison Blanche, Château de Vinzel, Clos de la George, Dézaley « La Tour de Marsens » (« dorin », Pinot noir), Domaine de la Lance, Domaine du Martheray, Domaine de Riencourt, Robert Isoz (Pinot gris, Gewurztraminer), Dezaley « Renard » de Gérard Pignet, Dezaley « l'Arbalète » de J. et P.

SUISSE GERMANOPHONE

De loin le plus vaste des trois secteurs linguistiques, la Suisse germanophone couvre deux tiers du pays, mais n'englobe qu'un sixième de toute la superficie viticole, soit 2 033 hectares, pour une production moyenne et annuelle de 207 000 hectolires (2,3 millions de caisses).

AARGAU

Secteurs viticoles : *Aucun secteur spécifié*

Canton réputé pour ses vins rouges. On y produit également des vins blancs à peine secs, légers et parfumés, de faible teneur alcoolique.

Müller-Thurgau, Pinot noir

BÂLE

Secteurs viticoles : *Aucun secteur spécifié*

Les vignes du canton de Bâle, cultivées sur les rives de la Birs, produisent exclusivement des vins blancs. Im Schlipf est le vignoble le plus célèbre.

Chasselas, Müller-Thurgau

BERNE

Secteurs viticoles : *Bielersee, Oberland*

Ce canton produit quelques vins rouges, mais la plupart des raisins qu'on y cultive sont blancs ; ils donnent des vins vivaces et parfumés, à l'acidité rafraîchissante.

Chasselas, Müller-Thurgau, Pinot noir

FRIBOURG

Secteur viticole : *Wistenlach (ou Vully)*

Les vignes se situent dans la zone germanophone de ce canton. Blancs pour la plupart, ses vins sont typiquement secs, légers et frais, à l'acidité fruitée.

Chasselas, Pinot noir

GRISONS (ou GRAUBÜNDEN)

Secteur viticole : *Herrschaft*

Dans ces lointains vignobles du cours supérieur du Rhin, le Pinot noir bénéfice du chaud vent méridional qui facilite la maturation des raisins et donne des vins de corps et de robe satisfaisants, bien équilibrés au fin bouquet et à la saveur souple. Le Completer est un cépage rare, d'origine ancienne qui donne au vin son style d'*Auslese*, riche et intéressant.

Blauburgunder, Completer, Müller-Thurgau

☆ « Adelheid von Randenburgh », « Graaf von Spiegelberg », Hans Schlatter

SAINT-GALL

Secteurs viticoles : *Rheintal, Oberland*

Ce canton englobe le cours supérieur du Rhin, juste au sud du lac de Constance. La plupart des vins produits ici sont rouges et les meilleurs viennent de Buchenberg, le vignoble surnommé « la perle du Rhin ».

Pinot noir (dit « Blauburgunder » dans la région)

SCHAFFHOUSE

Secteurs viticoles : *Klettgau, Thayngen*

Les vignes poussent entre le Rhin et les contreforts des monts du Jura. La plupart des vins produits sont à base de Pinot noir, les plus fins étant ceux du vignoble Im Hintere Waatelbuck de Hallauer, et du vignoble du Munot.

Elbling, Müller-Thurgau, Pinot gris (dit Malvoisie dans la région), Pinot noir, Sylvaner

THURGAU

Secteurs viticoles : *Thurtal, Untersee*

Patrie du célèbre Dr Müller dont le nom s'est imposé au monde viticole avec son prolifique hybride Müller-Thurgau. Plus de 80 % des vignes du canton sont plantées de Pinot noir qui donnent des vins délicatement fruités, supérieurs à ceux du Müller-Thurgau.

Müller-Thurgau, Pinot noir

WALLIS

Secteurs viticoles : *Aucun secteur spécifié*

Partie germanophone du Valais. *Voir* Valais.

ZURICH

Secteurs viticoles : *Horgen, Meilen, Limmattal, Unterland, Weinland*

Ce canton viticole, le plus important de la Suisse germanophone, produit certains des vins les plus chers mais aussi les moins impressionnants de tout le pays. Le climat est en effet peu propice à la viticulture, notamment au printemps, où les gelées peuvent être catastrophiques. Cultivé sur des côtes abritées, bien exposées au soleil, le Pinot noir donne des vins fruités.

Müller-Thurgau, Pinot noir, Rauschling

☆ Château de Thun

SUISSE ITALIANOPHONE

Les vignobles de cette région couvrent quelque 1 215 hectares et produisent annuellement à peu près 90 000 hectolitres (1 million de caisses) de vins essentiellement rouges.

GRISONS (ou GRAUBÜNDEN)

Secteur viticole : *Misox*

Voir ci-dessus (Grisons francophones).

TESSIN

Secteurs viticoles : *Sopraceneri, Sottoceneri*

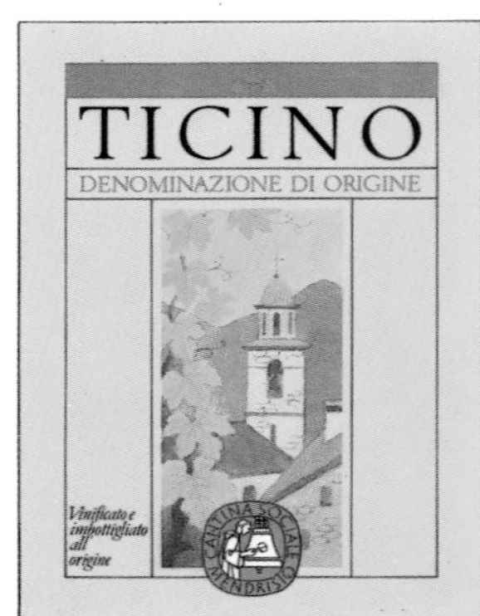

Le Tessin produit certains des vins les meilleurs et les moins chers de Suisse. Le Merlot est le cépage le plus apprécié. Il donne des rouges bien colorés, ayant du corps et du caractère, portant souvent la marque officielle « VITI » dans le cadre du classement des Merlot du Tessin. Le « Nostrano » est un coupage anonyme de cépages producteurs de vins rouges.

Merlot ainsi que divers cépages locaux, français et italiens

☆ Cantina Sociale Giubiasco, Figli fu Alberto Daldini, Tenuta Montalbano, Vigneto Roncobello di Morbio

Autriche

Pays de culture par excellence des raisins blancs, l'Autriche est une sorte de « clone » viticole de l'Allemagne où le Riesling, son cépage le plus classique, est pourtant sous-exploité. Cultivé dans un terrain approprié, le cépage Grüner Veltliner donne des rendements élevés. Il est également capable de produire un vin très distingué.

À l'est de Vienne, l'antique colonie de *Carnuntum* fut considérée en son temps comme la « Rome-sur-Danube ». Bien que l'histoire du vin remonte, en Autriche, à des époques antérieures à l'époque romaine, c'est à Probus, fils de jardinier devenu empereur de Rome, que l'on doit la création de la viticulture autrichienne : en 280 après J.-C., il abrogea l'interdit de l'empereur Domitien qui proscrivait la plantation de vignes ailleurs qu'en Italie.

LE NÉGOCE DES VINS AUTRICHIENS

À la fin des années 70, la production progressait tandis que la consommation nationale déclinait et l'Autriche commençait à amasser les plus importantes quantités de vins à l'extérieur de la CEE. La vocation première de l'industrie vinicole de l'Autriche était d'exporter ses produits en Allemagne. À la suite de récoltes exceptionnelles, tant en Autriche qu'en Allemagne, les ventes à l'exportation se tarirent et la surproduction s'enfla jusqu'au scandale dit « de l'antigel ». Les ventes à l'exportation cessèrent alors totalement.

Ce scandale entraîna une prise de conscience chez les professionnels et la plupart d'entre eux se rendirent à l'idée qu'il fallait produire moins et mieux. On cultive maintenant le Chardonnay et le Cabernet Sauvignon, on change les méthodes de taille et on achète des barriques de chêne neuf pour l'élevage d'une nouvelle gamme de vins de cépage de qualité supérieure, autant de mesures qui devront relancer l'industrie vinicole de l'Autriche dans les années 90.

UN GRAND SCANDALE VINICOLE EN AUTRICHE

L'immense majorité des 40 000 producteurs de vins autrichiens n'a pas été compromise dans le scandale de l'antigel. Il ne savent toutefois pas si leurs exportations se remettront jamais de la diffusion, à travers le monde, de l'information selon laquelle un

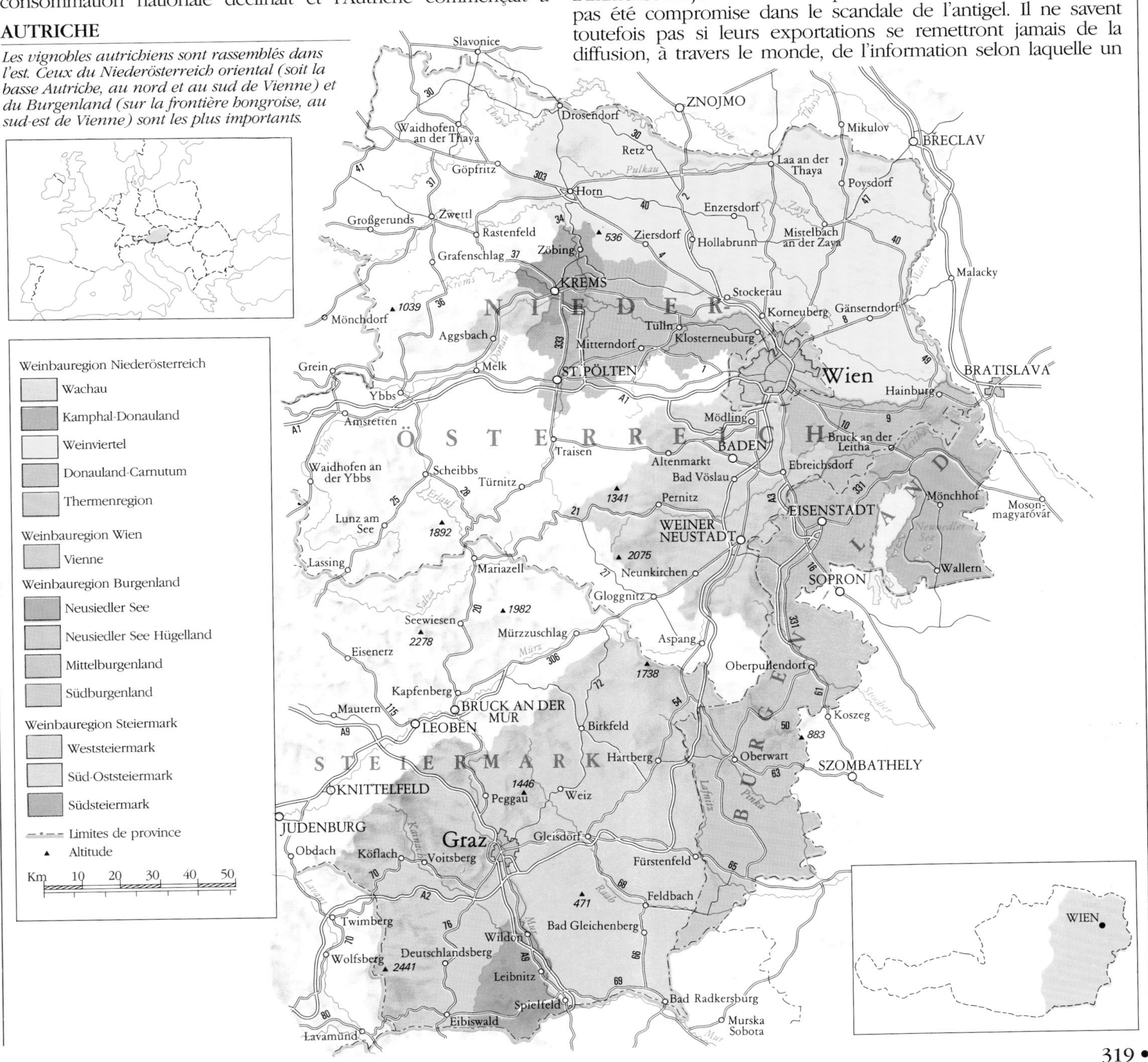

AUTRICHE

Les vignobles autrichiens sont rassemblés dans l'est. Ceux du Niederösterreich oriental (soit la basse Autriche, au nord et au sud de Vienne) et du Burgenland (sur la frontière hongroise, au sud-est de Vienne) sont les plus importants.

certain volume de vins autrichiens avaient été artificiellement adoucis à l'« antigel », en fait le diéthylène glycol, décrit comme un produit extrêmement toxique. En réalité, l'antigel est l'éthylène glycol, lequel est trois fois plus toxique. Dans cette affaire, les médias omirent de mentionner que l'alcool de vin naturel est plus toxique que le diéthylène glycol et qu'on le trouve dans le vin en doses bien plus fortes. Mais si la presse avait précisé qu'il est légal d'ajouter des volumes importants d'alcool pur, donc plus toxique, aux vins à fortifier, tels le Xérès et le Porto, on aurait soulevé de plus grandes alarmes encore.

Pourquoi ajouter du diéthylène glycol ?

Les médias n'ont pas saisi les raisons pour lesquelles on avait pu ajouter du diéthylène glycol au vin, un produit souvent crédité d'un pouvoir édulcorant sur les vins, mais en réalité de faible utilité pratique.

Les fraudeurs autrichiens avaient tiré les leçons des fautes commises par leurs homologues allemands, fréquemment poursuivis pour avoir édulcoré ou allongé leurs vins avec du sucre. Les analyses de routine en laboratoire ont toujours permis de déceler cette pratique, en relevant des taux anormalement bas pour les extraits secs de sucre libre. L'addition de doses précises de glycérine ainsi que de sucre faisait apparaître des taux convenables à la lecture des extraits secs de sucre libre. Néanmoins, la glycérine, composant banal du vin, étant également soumise à des analyses de routine, on décela encore cette pratique ; en effet, même si le vin possédait des taux corrects d'extrait de sucre libre, son taux de glycérine était anormalement élevé. Un biochimiste australien eut alors l'idée d'utiliser le diéthylène glycol.

Ce produit que l'on ne recherchait jamais dans la composition du vin permettait d'agir de la même façon que la glycérine sur la lecture des extraits secs de sucre libre. Ainsi, le diéthylène glycol masquait la présence du sucre illégalement utilisé pour édulcorer ou allonger les vins autrichiens.

Bien qu'il n'y ait aucune excuse à cette pratique illégale, il ne s'agissait que d'une fraude d'ordre financier qui ne menaçait en rien la santé du consommateur. L'industrie vinicole de l'Autriche est, dans son ensemble, aussi innocente que peut l'être celle de tout autre pays. Comme cela arrive souvent, la faute de quelques individus rejaillit sur l'ensemble d'une profession et le négoce autrichien aura des difficultés à se remettre de ce préjudice.

Le Wachau, ci-dessus
La présence des vignobles ajoute encore à la beauté de ce paysage typique de la basse Autriche.

FACTEURS AFFECTANT LE GOÛT ET LA QUALITÉ

Situation
Les vignobles se trouvent à l'est du pays, au nord et au sud de Vienne, en bordure de la Hongrie, de la Tchécoslovaquie et de la Yougoslavie.

Climat
Le climat est de type continental, sec et chaud, aux précipitations pluvieuses variant de 57 à 77 cm. La zone la plus chaude et la plus sèche est celle du Burgenland où, en automne, par temps chaud, les brumes montent du Neusiedler See en contrebas, favorisant l'apparition du *botrytis cinerea*.

Site
On cultive les vignes sur toutes sortes de terrains, des plaines du Danube aux flancs des vallées, souvent très escarpés et en terrasses, du Burgenland accidenté aux pentes montagneuses de la Styrie.

Sol
Au nord, on trouve généralement des schistes rocheux, du calcaire, du gravier et, parfois, des limons. En Styrie, l'argile repose sur des sols d'origine volcanique. Dans le Burgenland, les terrains sont sablonneux.

Viticulture et vinification
Les techniques autrichiennes sont analogues à celles de l'Allemagne. Mais si des méthodes modernes ont commencé à faire leur apparition, on produit encore des vins selon des techniques traditionnelles bien plus fréquemment qu'en Allemagne.

Plus de 85 % des vignes sont conduites selon la technique de Lenz Moser, à une hauteur double de la normale, ce qui permet d'obtenir des rapports qualité/prix plus intéressants en permettant des vendanges mécanisées. Ce mode de conduite a été adopté par maints producteurs dans nombre de pays vinicoles.

Cépages
Blauberger, Blauer Portugieser, Blauer wildbacher, Blaufränkisch, Bouviertraube, Cabernet franc, Cabernet Sauvignon, Chardonnay, Frühroter veltliner (Malvoisie), Furmint, Gewurztraminer, Goldburger, Grüner veltliner, Pinot blanc, Pinot noir, Merlot, Müller-Thurgau, Muskateller, Muskat-ottonel, Neuburger, Pinot gris, Roter veltliner, Rotgipfler, Sauvignon blanc, Scheurebe, St. Laurent, Silvaner, Trollinger, Riesling, Welschriesling, Zierfandler, Zweigelt

AUTRICHE-ALLEMAGNE : LES NIVEAUX DE QUALITÉ

Ces deux pays ont un régime vinicole définissant des niveaux de qualité en fonction du degré de maturité atteint par les raisins à la vendange et dont on détermine, à ce moment, le taux de sucre. Comme en Allemagne, la gamme des vins s'étend du *Tafelwein* au *Qualitätswein* et au *Trockenbeerenauslese*. Le tableau ci-dessous montre que nombre de vins autrichiens se conforment à des normes minimales supérieures à celles auxquelles se soumettent leurs homologues allemands. De plus, le niveau minimal fixé pour chaque catégorie est très strict. Le consommateur a ainsi une idée claire de ce à quoi il peut s'attendre, alors que, en Allemagne, une catégorie varie en fonction du cépage et de la région d'origine. En Allemagne, seule l'expérience permet de savoir qu'un *Auslese* de la Moselle, par exemple, n'est pas plus doux qu'un *Spätlesen* d'une autre région. Le classement autrichien pourrait s'améliorer si l'on prenait en considération les taux de sucre pour les vins classés dans l'ordre croissant de leur acidité.

NIVEAUX MINIMAUX DE DEGRÉS OECHSLE

Catégories de qualité	Autriche	Allemagne
Tafelwein	63°	44-50°
Landwein	63°	47-55°
Qualitätswein	73°	50-72°
Kabinett	83,5°	67-85°
Spätlese	94°	76-95°
Auslese	105°	83-105°
Beerenauslese	127°	110-128°
Eiswein	127°	110-128°
Aisbruch	138°	–
Trockenbeerenauslese	150°	150-154°

COMMENT LIRE LES ÉTIQUETTES DE VINS AUTRICHIENS

WEIN AUS ÖSTERREICH
1986
BLAUFRÄNKISCH
KABINETT
trocken 12% Alk. Vol.
WEINBAUGEBIET NEUSIEDLER SEE - HÜGELLAND
WEINKELLEREI MOORHOF — ALEX UNGER
7062 ST. MARGARETHEN — BURGENLAND

Pays d'origine
Tous les vins autrichiens doivent spécifier *Osterreischer Wein, Wein aus Osterreich, Osterreich,* c'est-à-dire « Vins d'Autriche ». Le contenu de toutes les bouteilles portant cette indication provient à 100 %, sous la garantie du gouvernement autrichien, de raisins cultivés en Autriche.

Cépage
Le cépage, lorsqu'il est mentionné sur l'étiquette, doit être présent à 85 % au moins dans la composition du vin.

Douceur
Le degré de douceur doit être indiqué par les termes *Trocken* (4 g au plus de sucre résiduel par litre), *Halbtrocken* (5 à 9 g par litre), *Halbsüss* (10 à 18 g par litre) ou *Süss* (plus encore).

Le millésime
Il doit figurer sur tout *Prädikatswein* et garantit qu'au moins 85 % du vin proviennent de raisins cueillis dans l'année indiquée.

Teneur alcoolique en volume
Cette mention doit figurer sur tous les vins autrichiens.

Origine particulière
Il est permis de faire figurer sur une étiquette le nom d'une région, d'une circonscription, d'un village ou d'un vignoble, à condition que le vin provienne à 100 % de l'endroit indiqué. Sur cette étiquette, la zone *Weinbaugebiet* est celle du Neusiedler See-Hügelland.

Nom et adresse des distributeurs, embouteilleurs et producteurs
Mention obligatoire.

Catégorie de qualité
L'étiquette doit faire figurer l'une des catégories de qualité. Celles-ci sont analogues à celles de l'Allemagne voisine, mais certaines comportent des contraintes différentes.
Tafelwein ou ***Tischwein*** : vins de catégorie inférieure qui ne peuvent être exportés. On peut couper ces vins avec d'autres, mais aucune zone d'origine ne peut être indiquée.
Landwein : *Tafelwein* à la très vaste zone d'origine, qui ne peut être exporté. Seules des zones administratives, telles que Niederösterreich, Burgenland ou Kartens peuvent être indiquées. Le vin doit avoir un titre alcoolique de 11,5 % au maximum et pas plus de 6 g/l de sucre résiduel.
Qualitätswein : les vins de cette catégorie et de celle du ***Landwein*** ci-dessus, ne peuvent être exportés. Il faut, en outre, mentionner les cépages utilisés.
Kabinett : la chaptalisation est aussi interdite pour cette catégorie ; contrairement au cas de son homologue allemand, un *Kabinett* ne peut être classé comme un *Prädikatswein* qui est un vin correspondant à une maturité particulière du raisin. *Kabinett* résulte en effet de vendanges de maturité normale. (Les vins de cette catégorie ne peuvent pas contenir plus de 9 g/l de sucre résiduel.)
Prädikatswein : à l'exception de l'*Ausbruch* (*voir* encadré ci-dessous), tout *Prädikatswein* possède des caractères analogues à ceux de ses homologues allemands, si ce n'est que l'adjonction de *Süssreserve* n'est pas permise, alors que cette pratique est courante en Allemagne jusqu'à la catégorie *Auslese* comprise. La vendange mécanisée n'est pas autorisée sauf dans le cas du *Spätlese* ou de l'*Eiswein* ; le *Spätlese* ne peut être vendu avant le 1er mars suivant la vendange, et aucun *Prädikastwein* ne peut être vendu avant le 1er mai.

Autres indications pouvant apparaître sur les étiquettes.

Bergwein. « Vin de montagne » produit sur des vignobles en terrasses ou sur des pentes de plus de 26 %.

Erzeugerabfüllung. Mis en bouteille par le producteur.

Originalabfüllung. Mis en bouteille par l'État.

Perlwein. Vin pétillant d'une pression de 0,5 à 2 atmosphères et contenant moins de 12 % d'alcool.

Reid. Vignoble situé à un seul et même endroit.

Schaumwein. Vin mousseux généralement de cuve close. Seul le Schlumberger Blanc de Blancs, de méthode champenoise, me paraît être de qualité.

Weingarten, Weingut. Vin d'État.

Banderol
La capsule doit être cachetée et le cachet doit porter le numéro d'enregistrement de la compagnie.

L'AUSBRUCH, UN VESTIGE DE L'EMPIRE

L'*Ausbruch* est un vin renommé que l'on produit encore en Hongrie et dont l'origine remonte à l'époque de l'empire austro-hongrois.

À 138° Oechsle, l'*Ausbruck* se situe officiellement sur l'échelle des degrés de douceur, entre le *Beerenauslese* (127°) et le *Trockenbeerenauslese* (150°), mais il doit présenter des caractères complètement différents de ces vins. *Ausbruch* signifie en autrichien « briser » ; or, ce vin s'élabore traditionnellement à partir des raisins botrytisés les plus riches et les plus doux. Ceux-ci sont si recroquevillés et desséchés qu'il est pratiquement impossible de les pressurer sans en humidifier d'abord la masse (c'est-à-dire la briser) avec un jus de raisin clair. La réglementation fait de ce vin un *Spätlese.* Un véritable *Ausbruch* présente un caractère encore plus marqué par le *botrytis* que celui que présente le *Trockenbeerenauslese.*

Vue aérienne de quelques vignobles autrichiens cultivés en terrasses.

Les cépages et les vins d'Autriche

BLAUBURGER

Superficie encépagée : ***100 ha***

ROUGE. Un hybride de *Blauer Portugieser* x *Blaufränkisch* donne un vin de belle robe, sans grande distinction, mais pouvant s'améliorer en bouteille.

De 2 à 5 ans

BLAUER BURGUNDER

Voir Pinot noir.

BLAUER PORTUGIESER

Superficie encépagée : ***3 090 ha***

ROUGE. Ce cépage noir ne représente guère plus de 5 % des vignes cultivées. Il donne un vin rouge, léger, mais de bonne robe et à la saveur douce.

De 1 à 2 ans

BLAUER WILDBACHER

Superficie encépagée : ***176 ha***

ROUGE/ROSÉ. Connu également sous le nom de Schilcher, ce cépage donne traditionnellement un vin rosé clair, léger, sec, nerveux et qui montre du fruité.

De 1 à 2 ans

BLAUFRÄNKISCH

Superficie encépagée : ***2 570 ha***

ROUGE. Ce cépage, connu en Allemagne sous le nom de Lemberger et en Hongrie sous celui de Kékfrankos, est apprécié dans le Burgenland où il donne un vin acide et fruité.

De 2 à 4 ans

BOUVIER

Superficie encépagée : ***607 ha***

BLANC. Raisin de table hâtif, de faible acidité naturelle et souvent utilisé pour élaborer des *Prädikatsweine*.

QUALITÄTSWEIN : 1 à 3 ans

PRÄDIKATSWEIN : 2 à 8 ans

CABERNET

Voir Cabernet franc.

CABERNET FRANC

Superficie encépagée : ***Pas de statistique officielle***

ROUGE. Ce cépage est cultivé par Schlumberger à Bad Voslau. Il l'utilise dans son « Privat-Keller », assemblage de Cabernet et de Merlot qui est l'un des quelques vins rouges de qualité d'Autriche.

De 3 à 5 ans

CABERNET SAUVIGNON

Superficie encépagée : ***Pas de statistique officielle***

ROUGE. Ce cépage est cultivé en petite proportion par Schlumberger à Bad Voslaü. En 1982, Lenz Moser a obtenu l'autorisation de cultiver 2,5 hectares à Mailberg. C'était la première fois que du Cabernet Sauvignon était planté en Basse-Autriche.

Lenz Moser effectua sa première récolte en 1986. Ce vin est élevé en petit fût de chêne du Limousin. Ce sera probablement le premier vin rouge de haute qualité en Autriche.

QUALITÄTSWEIN : De 5 à 6 ans

PRÄDIKATSWEIN : De 10 à 15 ans

CHARDONNAY

Superficie encépagée : ***50 à 100 ha***

BLANC. Les noms autrichiens traditionnellement utilisés pour désigner le cépage sont Morillon et Feinburgunder. De plus, les vins sont généralement commercialisés sur le marché international sous le nom de Chardonnay.

Vins secs moyennement corsés dont la qualité progresse. Il leur faut encore plus porter l'accent sur le cépage ; certains bénéficieraient d'un usage limité du chêne neuf.

Entre 2 et 5 ans

FEINBURGUNDER

Voir Chardonnay.

FRÜHROTER VELTLINER

Superficie encépagée : ***1 128 ha***

BLANC. Parfois étiqueté Malvasia, ce vin blanc sec est plus alcoolisé et corsé que le Grüner Veltliner.

Entre 1 et 2 ans

FURMINT

Superficie encépagée : ***Pas de statistique officielle***

BLANC. Vin de cépage hongrois, peu répandu, sec, moyennement à très corsé, riche et fruité, qui réussit bien à Rust.

Entre 3 et 5 ans

GEWURZTRAMINER

Superficie encépagée : ***870 ha***

BLANC. Habituellement étiqueté sous le nom de Traminer ou Roter Traminer, ce cépage donne des vins légers, floraux et d'autres très aromatiques. Ils peuvent être secs ou plus ou moins doux. Il produit le plus riche et le plus puissant des *Trockenbeerenauslesen*.

Entre 3 et 6 ans

GOLDBURGER

Superficie encépagée : ***500 ha***

BLANC. Hybride de *Welschriesling* x *Orengetraube* donnant des vins blancs de type neutre utilisés dans des coupages.

Entre 1 et 3 ans

GRAUER BURGUNDER

Voir Pinot gris.

GRÜNER VELTLINER

Superficie encépagée : ***19 775 ha***

BLANC. Le Danube est la meilleure zone de production du grand Grüner Veltliner, dont les plus beaux exemplaires ont une saveur cuisante évoquant nettement le poivre fraîchement moulu. Si cela n'est pas nécessairement au goût de chacun, il est certain qu'il ne s'agit pas de l'omniprésent et doux vin ordinaire qu'engendre ce cépage dans pratiquement toutes les autres zones viticoles de l'Autriche.

QUALITÄTSWEIN : Entre 1 et 4 ans

PRÄDIKATSWEIN : Entre 3 et 10 ans

JUBLINÄUMSREBE

Superficie encépagée : ***10 ha***

Autre hybride de *Blauer Portugieser* x *Blaufränkisch*, ce cépage est autorisé pour les *Prädikatsweine* à condition que le *botrytis* change son caractère douceâtre.

Entre 3 et 7 ans

KLEVNER

Voir Pinot blanc.

MALVASIA

Voir Frühroter veltliner.

MERLOT

Superficie encépagée : ***Pas de statistique officielle***

ROUGE. Cultivé à Krems, Mailberg et Furth en basse Autriche, ainsi que dans quelques parcelles disséminées dans le Burgenland, le Merlot est sous-exploité.

QUALITÄTSWEIN : Entre 1 et 3 ans

PRÄDIKATSWEIN : Entre 3 et 5 ans

MORILLON

Voir Chardonnay.

MÜLLER-THURGAU

Superficie encépagée : ***5 760 ha***

BLANC. Souvent étiqueté sous la dénomination *Riesling* x *Silvaner*, le Müller-Thurgau est le second cépage autrichien en importance. Les exportateurs mésestiment ce cépage qui pourrait conférer à leur Grüner Veltliners, le gras, le mordant et la profondeur qui leur manque souvent. Le goût international préfère un style plus fruité.

Les meilleurs vins autrichiens à base exclusive de Müller-Thurgau ont un caractère fin et épicé, supérieur à la version qu'en donne, en moyenne, l'Allemagne.

Entre 1 et 2 ans

MUSKATELLER

Superficie encépagée : ***176 ha***

BLANC. Cépage sous-exploité qui donne certains des plus beaux *Prädikatsweine* du Burgenland et fait merveille dans les endroits abrités de la Styrie.

QUALITÄTSWEIN : Entre 1 et 3 ans

PRÄDIKATSWEIN : Entre 2 et 10 ans

MUSKAT-OTTONEL

Superficie encépagée : ***1 074 ha***

BLANC. Moins lourd que le Muskateller, ce cépage a une attaque aromatique plus séduisante. Il vaut mieux boire son vin jeune.

Entre 2 et 4 ans

MUSKAT-SILVANER

Voir Sauvignon blanc.

NEUBURGER

Superficie encépagée : ***1 780 ha***

BLANC. Ce cépage autrichien, qui fait merveille sur le calcaire, donne des vins corsés à la saveur de noix typique, dans toutes les catégories, du plus sec au plus doux.

QUALITÄTSWEIN : Entre 2 et 4 ans

PRÄDIKATSWEIN : Entre 3 et 8 ans

PINOT BLANC

Superficie encépagée : ***1 970 ha***

BLANC. Souvent appelé Klevner ou Weisser Burgunder, le Pinot blanc donne, au plus bas de l'échelle de qualité, un vin frais, pur, corsé et gouleyant. En année exceptionnelle, il peut, dans les catégories supérieures des *Prädikatsweine*, acquérir une belle richesse épicée.

QUALITÄTSWEIN : Entre 2 et 4 ans

PRÄDIKATSWEIN : Entre 3 et 8 ans

PINOT GRIS

Superficie encépagée : ***420 ha***

BLANC. Plus généralement vendu sous le nom de Rulânder ou Grauer Burgunder, ce cépage est une version plus épanouie, plus épicée du Pinot blanc, possédant un typique arôme de noix.

QUALITÄTSWEIN : Entre 2 et 4 ans

PRÄDIKATSWEIN : Entre 3 et 8 ans

PINOT NOIR

Superficie encépagée : ***352 ha***

ROUGE. Étiqueté sous les noms de Blauer Burgunder, Blauer Spätburgunder ou Blauburgunder, ce cépage donne souvent des vins décevants, encore que quelques producteurs les réussissent bien.

Entre 2 et 5 ans

RIESLING

Superficie encépagée : ***1 180 ha***

BLANC. Le vin issu de ce cépage devrait se vendre sous les noms de Weisser Riesling ou Rheinriesling, pour le distinguer du Welschriesling. Les Riesling de Wachau et de Krems sont comparables aux beaux exemplaires allemands.

QUALITÄTSWEIN : Entre 2 et 6 ans

PRÄDIKATSWEIN : Entre 4 et 12 ans

RIESLING x SYLVANER

Voir **Müller-Thurgau.**

ROTER TRAMINER

Voir **Gewürztraminer.**

ROTER VELTLINER

Superficie encépagée : ***320 ha***

BLANC. Vin assez neutre, habituellement utilisé pour des coupages de vins légers et secs.

Entre 1 et 3 ans

ROTGIPFLER

Superficie encépagée : ***188 ha***

BLANC. Vin robuste, corsé, épicé, de caractère proche de celui du Zierfandler, souvent élaboré en sec.

Entre 3 et 7 ans

RULÄNDER

Voir **Pinot gris.**

ST. LAURENT

Superficie encépagée : ***592 ha***

ROUGE. Variété de vin rouge typiquement autrichien, de caractère léger, tendre et désaltérant.

Entre 2 et 5 ans

SAUVIGNON BLANC

Superficie encépagée : ***106 ha***

BLANC. Habituellement appelé Muskat-Silvaner ou Weisser Sauvignon, ce cépage cultivé en Styrie donne normalement un vin sec, austère, mais peut faire merveille dans les meilleurs *Prädikatsweine.*

QUALITÄTSWEIN : Entre 2 et 4 ans

PRÄDIKATSWEIN : Entre 4 et 10 ans

SCHEUREBE

Superficie encépagée : ***300 ha***

BLANC. Peu agréable en *Qualitätswein,* ce cépage acquiert un beau caractère aromatique en Prädikatswein.

Entre 2 et 4 ans

SCHILCHER

Voir **Blauer Wildbacher.**

SILVANER

Superficie encépagée : ***40 ha***

BLANC. Cépage rare, au goût de tomate.

Entre 1 et 2 ans

TRAMINER

Voir **Gewurztraminer.**

TROLLINGER

Superficie encépagée : ***Pas de statistique officielle***

ROSÉ. Vin léger, sec, tendre et fruité.

Entre 1 et 3 ans

WEISSER BURGUNDER

Voir **Pinot blanc.**

WEISSER SAUVIGNON

Voir **Sauvignon blanc.**

WELSCHRIESLING

Superficie encépagée : ***4 610 ha***

BLANC. Ce cépage, le troisième des plus prolifiques d'Autriche, donne des vins secs très ordinaires, mais pouvant être riches et typés au niveau du *Prädikatswein.*

QUALITÄTSWEIN : Entre 1 et 3 ans

PRÄDIKATSWEIN : Entre 2 et 8 ans

ZIERFANDLER

Superficie encépagée : ***126 ha***

BLANC. Ce cépage, également appelé Spätrot, est connu pour son vin corsé et sa saveur agréable. Il jouit d'une bonne longévité.

Entre 3 et 7 ans

ZWEIGELT

Superficie encépagée : ***2 756 ha***

ROUGE. Autre cépage à vins rouges légers, tendres et fruités ; on l'appelle parfois Blauer Zweigelt ou Rotburger.

Entre 2 et 5 ans

Les régions viticoles de l'Autriche

BURGENLAND

La région la plus orientale de l'Autriche est aussi la plus chaude. Elle fournit donc des raisins surmûris, garantissant presque chaque année une production substantielle de *Prädiktatsweine.* Le Mittelburgenland et le Südburgenland sont les deux plus importantes régions productrices de vins rouges de l'Autriche.

NEUSIEDLER SEE

Ces vignobles et ceux du Neusiedler See-Hügelland se situent dans la zone d'influence du Neusiedler See, une vaste cuvette d'eau de 2 m à peine de profondeur. Ce microclimat unique favorise la production régulière de raisins botrytisés plus qu'en toute autre région viticole au monde.

☆ Villages : *Apetlon, Illmitz, Podersdorf*

NEUSIEDLER SEE-HÜGELLAND

Voir Neusiedler See

☆ Villages : *Donnerskirchen, Rust*

MITTELBURGENLAND

Ce terroir, bien qu'il produise aussi des *Prädikatsweine,* ne bénéficie pas de l'influence du Neusiedler See dont il est séparé par la zone viticole de Sopron, en Hongrie. Les vins du Mittelburgenland doivent plus leur caractère au passerillage qu'au *botrytis.* Dans ce secteur producteur de vins rouges, 75 % de la production proviennent de cépages tels que le Blaufränkisch et le Zweigelt. Les vins ne possèdent pas l'équilibre entre tanin, corps et acidité que l'on trouve dans des vins rouges même modestes.

☆ Villages : *Deutschkreuz, Horitschon, Neckenmarkt*

SÜDBURGENLAND

Vins rouges sans inspiration, essentiellement issus de Blaufränkisch ; quelques beaux et surprenants *Prädikatsweine* issus du modeste Welschriesling.

☆ Eisenberg, Rechnitz

Grüner veltlinder 19 %, Blaudränkisch 12 %, Müller-Thurgau 9 %, Zweigelt 5 %, Muskat-ottonel 5 %, Weissburgunder 5 %, Neunurger 5 %, plus Traminer, Riesling, Goldburger, Chardonnay, Frühroter veltliner, St. Laurent, Blauer Burgunder, Blauer Portugieser, Welschriesling

1981, 1983, 1985, 1986

☆ Paul Achs, Burgenlandischer, Winzerverband, Esterhazy'sche, Schlosskellerei, Grangl, Franz Heiss, Ladislaus Torok. Klosterkeller, Siegendorf, Alexander Unger, Weinbau Wilhelm Schröck, Weingut Elfenhof, Weingut Feiler, Weingut Heidelbodenhof – Siegfried Tschida, Weingut Sepp Hold, Weingut Marienhof, Weingut Romerhof, Ladislaus und Robert Wenzel, Winzergenossenschaft St. Martinus

BASSE AUTRICHE ou NIEDERÖSTERREICH

Il s'agit de la première région productrice de vins secs de l'Autriche, renommée pour ses Grüner Veltliner pimentés et ses Riesling. Les grands Riesling, légers et aériens dans leur jeunesse, s'enrichissent après quelques années de bouteille et peuvent acquérir la qualité des meilleurs Riesling allemands. La classe des *Kabinett* répond au style dominant des vins classiques de cette région. On y élabore aussi des *Spätlese* et des *Auslese.*

WACHAU

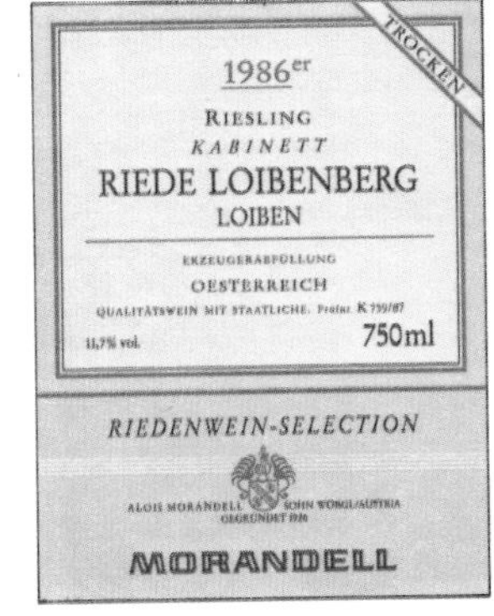

Égal du Kamtal-Donauland, au titre de meilleur secteur de la basse Autriche, le Wachau produit nombre de vins de cépage comprenant le Grüner Veltliner, le plus important, et le Riesling, le meilleur.

☆ Villages : *Durnstein, Loiben, Spitz*

KAMTAL-DONAULAND

Ce secteur produit les meilleurs Riesling avec le Wachau.

☆ Villages : *Krems, Langenlois, Strass*

DONAULAND-CARNUNTUM

Les vins de cette région ne sont pas des hauts de gamme, même s'ils présentent un bon rapport qualité/prix. La réputation vinicole de la région remonte à l'époque romaine. Elle se flatte d'avoir, à Klosterneuburg, le plus ancien collège de viticulture et, à Göttelsbrunn, on trouve une vigne de Brauner Veltliner vieille de 200 ans, la plus âgée croit-on de toutes les vignes cultivées en Europe. Elle produit, les bonnes années, pas moins de 5 hectolitres.

☆ Villages : *Kirchberg, Klosterneuburg*

WEINVIERTEL

Cette très grande zone située au nord de Vienne se compose des deux anciens secteurs de Retz et Falkenstein, lesquels se prolongent vers le nord jusqu'à la frontière de la Tchécoslovaquie. Si l'on y produit quelques vins rouges, l'essentiel de la production consiste en vins blancs bien faits, fort gouleyants et qui offrent un excellent rapport qualité/prix.

☆ Villages : *Falkenstein, Retz*

THERMENREGION

Cette zone est l'une des plus chaudes d'Autriche. On y produit des vins rouges et des blancs, issus de Blauer Portugieser et Neuberger. Le Zierfandler et le Rotgipfler en sont les spécialités. La maturité des raisins permet de produire des *Spätlesen* et *Auslesen* presque chaque année.

☆ Villages : *Bad Vöslau, Gumpoldskirchen*

Grüner veltliner 45 %, Müller-Thurgau 10 %, Blauer Portugieser 9 %, Zwiegelt 4 %, Welschriesling 4 %, plus Frührote veltliner, Riesling, Weisser Burgunder, Neuburger, Rotgiper, Zierfandler, Roter veltliner, St. Laurent, Traminer, Muskat-ottonel, Goldburger, Chardonnay, Blauer Burgunder, Blaufränkisch, Cabernet Sauvignon, Cabernet franc, Merlot

1981, 1983, 1985, 1986

☆ Abensperg-Traun'sches Schlossweingut, Deutsch-Ordens-Schlosskellerei-Lerei Gumpoldskirchen, Freigut Thallern, Domäne Baron Geymüller, Kelleramt Chorherrenstift Klosterneuburg, Lenz Moser, Hofkellerei des Fürsten von Liechtenstein, Metternich'sche Weingüter, Schloss Gobelsburg, Schlumberger, Karl Schober, Weingut Bründlmayer, Weingut Karl Grabner, Sepp Schierer, Weingut Gunter Haimer, Weingut Franz Hirtzberger, Weingut Josef Jamek, Khevenhüller Metsch'sches Weingut, Weingut Manfred Biegler, Weingut Mantlerhof, Weingut Nikolaihof, Weingut Franz Prager, Weingut Schwamberg, Starhemberg'sches Weingut, Weingut Undhof, Fritz Saloman, R. Zimmermann, Verband Niederösterreichischen Winzergenossenschaften, Winzergenossenschaft Gumpoldskirchen, Winzergenossenschaft Krems, Winzergenossenschaft Dinstlgut Loiben, Winzergenossenschaft Wachau

STYRIE ou STEIERMARK

Cette région du sud-est de l'Autriche, qui comprend trois secteurs vinicoles, est soumise aux influences contradictoires des climats continental et méditerranéen. Les fortes averses alternent avec des périodes de chaleur exceptionnelles. On produit ici des vins rouges et des blancs très secs, dans l'ensemble ordinaires, encore que nombre de vins régionaux soient dignes d'intérêt. Le plus intéressant est le *Schilcher*. Issu du cépage Blauer Wildbacher, c'est une sorte de vin gris, résultat d'une macération limitée sur les peaux de raisin, qui doit prendre fin avant la fermentation.

SÜDSTEIERMARK

Les meilleurs vins de ce secteur possèdent l'acidité élevée et naturelle des vins de Styrie combinée à des saveurs délicates qui leur donnent une finesse exceptionnelle notamment lorsqu'ils sont issus de Gewürztraminer, de Chardonnay et de Riesling.

☆ Villages : *Arnfels, Liebnitz, Leutschach*

WESTSTEIERMARK

Vin composé de 70 % de *Schilcher*, le *Zwiebelschilcher* est un vin à la robe pelure d'oignon, originaire des coteaux surplombant Stainz. On produit aussi un vin issu du Sauvignon blanc, appelé Muskat-Silvaner dans la région, un synonyme quelque peu trompeur dans la mesure où les vins divinement secs que ce cépage donne – et partout ailleurs – n'évoquent pas le moins du monde le Muscat ou le Sylvaner.

☆ Village : *Stainz*

SÜD-OSTSTEIERMARK

Le Müller-Thurgau et le Welschriesling réussissent à merveille ici. Le Gewurztraminer est le plus expressif d'Autriche.

☆ Village : *Kloch*

Welschriesling 20 %, Müller-Thurgau 19 %, Weisser Burgunder 8 %, Traminer % plus Bauer Wildbacher, Scheurebe, Blauer Zweigelt, Blauburger, Blaufränskisch, Rheinriesling, St. Laurent, Morillon (Chardonnay), Ruländer (Pinot gris), Muskat-Silvaner (Sauvignon blanc), Muskateller, Goldburger

☆ Friedrich Frühwirth, Prinz Liechtenstein'sches Weingut, Schloss Kapfenstein, Schlosskellerei Uhlheim, Rudolph Schuster, Eduard Tscheppe, Weingut Sattlerhof

VIENNE

Nombre des vins de Vienne, seule capitale de l'Europe à posséder sa propre région viticole, se vendent au pichet *(heuriger)*, lorsqu'ils ont moins d'un an, dans les bars appelés *heurigen*. Quelque 28 % de ces vins sont des coupages mais la production de vin de cépage pur gagne du terrain. Il existe plusieurs villages viticoles au sein de la ville même dont le plus fameux est Grinzling.

Grüner veltliner 26 %, Riesling 8 %, Müller-Thurgau 6 %, Weisser Burgunder 6 %, Zweigelt 4 %, plus St. Laurent, Blauer Portugieser, Neuburger et Traminer

1981, 1983, 1985, 1986

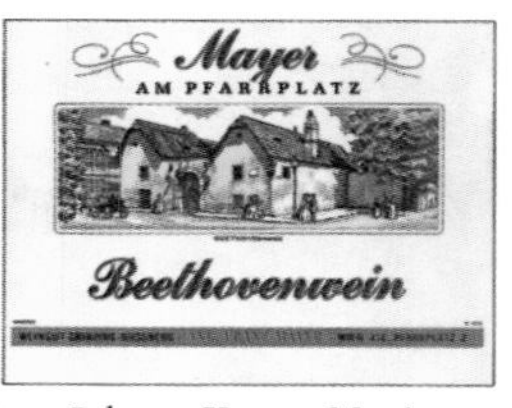

☆ Diem, Johann Kattus, Martin Kierlinger, Weingut Franz Mayer, Weingut Nussdorf, Schlumberger (Osterreichischer Sekt).

Autres zones viticoles de l'Autriche

CARINTHIE (KÄRNTEN)

Les vins de Carinthie proviennent d'une petite zone qui jouxte l'ouest de la Styrie occidentale (la Weststeiermark). Celle-ci englobe quelques vignobles disséminés entre les villes de Klagenfurt et St. Andrä, à ne pas confondre avec le St. Andrä de la Styrie méridionale. Deux ou trois petits établissements produisent et vendent des *Schilcher* et des *Bergwein*, rouges et blancs, de qualité très modeste.

HAUTE AUTRICHE (OBERÖSTERREICH)

Cette grande région, située à l'ouest du Wachau, ne compte que 85 ha en vignobles de Linz. Tous les vins sont vendus sous la marque « Weinbauer », *gasthof* d'Hofkirchen.

TYROL

La « Zirler Weinhof » produit quelque 135 hectolitres de vin très ordinaire obtenu sur plus de 1,5 ha encépagé en Müller-Thurgau, Blauer Portugieser et Zweigelt à Zirl. Il ne s'agit pas de l'endroit idéal pour établir un vignoble, mais il se trouve sur la route qui mène à la fameuse Seefeld.

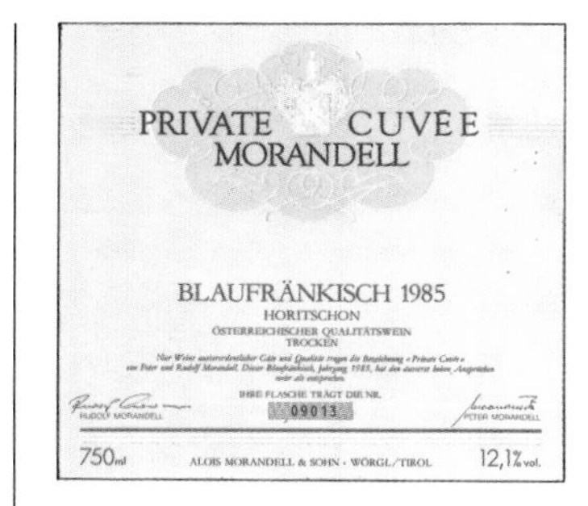

VORARLBERG

Alors que la région la plus occidentale d'Autriche s'enorgueillissait de ses quelque 100 ha de vignes, il n'en existe plus que 6 aujourd'hui, disséminés entre Bregenz, sur le lac de Constance, et Frastanz, à proximité du Liechtenstein. Une demi-douzaine de vignerons produisent dans cette région un vin très ordinaire.

Les Müller-Thurgau, Grüner Veltliner et Blauer Portugieser représentent 80 % des raisins cultivés, complétés par le Chasselas, le Weisser Burgunder, le Bouvier et le Blauer Burgunder.

Bulgarie

La vigne est cultivée depuis 3 000 ans en Bulgarie mais elle connut un long sommeil de cinq siècles, de 1396 à 1878, lors de la domination turque musulmane. Ce n'est qu'en 1918 qu'elle reprit son essor et il fallut attendre 1970 pour que les Bulgares commencent à exporter leurs vins. Depuis, ils n'ont cessé de progresser sur les voies de l'amélioration, de l'adaptation et de la commercialisation pour répondre aux exigences du marché international.

Au milieu des années 70, le Cabernet Sauvignon était le plus à la mode des raisins de cuve. À la même époque, en ces temps de crise économique, bien des consommateurs cherchaient une alternative aux vins de Bordeaux considérés comme trop onéreux. Or, le Cabernet Sauvignon produit dans la région de Suhindol répondait à cette attente : bon marché, extraordinairement bien fait, il révélait une robe profonde, du corps, un fruité tendre, une saveur riche, des arômes de cassis et une finale évoquant fugitivement son élevage sous bois. Il comblait tous les désirs des consommateurs. Stimulée par le succès de ce vin et grâce aux subventions accordées par l'État, la Bulgarie devint l'un des quatre grands exportateurs de vins au monde.

LA LÉGISLATION VINICOLE DE LA BULGARIE

En 1960, un décret ministériel a défini quatre grandes régions viticoles englobant dix-huit sous-régions. De 1960 à 1985, le vignoble bulgare a triplé de taille et il s'étend maintenant sur 182 105 hectares. En 1985, on créait une cinquième région viticole dite sous-balkanique. L'ensemble couvre maintenant 119 appellations. De plus, la législation vinicole de juillet 1978 a défini trois classes fondamentales pour les vins :

● **Qualité courante.** Classe subdivisée en deux : les vins de table pour lesquels la seule mention d'origine autorisée est celle de la Bulgarie, et les vins de pays qui portent une appellation d'origine.

● **Haute qualité.** Ce niveau est également subdivisé en deux catégories : les vins d'origine géographique déclarée (DGO), qui

FACTEURS AFFECTANT LE GOÛT ET LA QUALITÉ

Situation
La Bulgarie est bordée à l'est par la mer Noire, par la Roumanie au nord, la Yougoslavie à l'ouest, la Grèce et la Turquie au sud. La plupart des vignobles sont rassemblés dans les vallées du Danube et de la Maritsa.

Climat
Le climat continental, chaud dans l'ensemble, est plus frais dans le nord et plus tempéré vers l'est en raison de l'infuence de la mer Noire. La moyenne des précipitations se situe entre 47 et 95 centimètres.

Site
Les vignes sont largement cultivées sur les fonds plats des vallées et dans les plaines côtières.

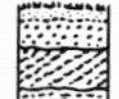

Sol
Les vallées présentent un sol alluvial fertile ; au nord-est, on trouve des sols forestiers bruns et gris sombre, au sud des sols riches, noirs, carbonatés, devenant sablonneux dans les vignobles de la zone côtière du Sud-Est.

Viticulture et vinification
Les vignobles de la Bulgarie étaient très fragmentés jusqu'à ce qu'en 1944 des exploitations coopératives bâtissent une industrie viticole rationnelle. On exploita alors, parallèlement aux cépages indigènes, les cépages français classiques. Le rendement moyen à l'hectare pour les vins DGO est très modeste : 42,5 hectolitres (475 caisses) à l'are et le maximum pour les *Controliran* varie entre 27,5 et 45 hectolitres. Les *Controliran* et les DGO élevés sous bois peuvent être classés comme « Reserve ». Ce terme garantit un mûrissement sous bois d'au moins quatre ans pour les *Controliran* rouges, trois ans pour les *Controliran* blancs et DGO rouges, et deux ans pour les DGO blancs. Les barriques utilisées, d'une contenance de 200 litres, sont en chêne bulgare ou américain, dont un tiers est neuf. Après la première année, le vin est transféré dans des cuves de 1 700 litres, en chêne, de la région de Strandja.

Cépages principaux
Cabernet Sauvignon, Mavrud, Merlot, Parnid, Red misket

Cépages secondaires
Aligoté, Cabernet franc, Chardonnay, Dimiat, Fetjaska, Gamay, Gewurztraminer (Traminer)*, Italianski Riesling, Kadarka (Gamza), Muscat (Muskat-ottonel), Pinot gris, Pinot noir, Sylvaner, Rkatsiteli, Rhein Riesling, Sauvignon blanc, Shiroka Melnishka Ioza, Tamianka, Ugni blanc

* Les parenthèses indiquent des synonymes régionaux.

BULGARIE

Située au centre de la péninsule des Balkans, la Bulgarie montre une grande diversité de paysages, des sols de structure variée et un climat attrayant. Au nord, le Danube forme une frontière avec la Roumanie. Au sud, elle côtoie la Grèce et la Turquie, à l'est la mer Noire et à l'ouest la Yougoslavie.

portent les appellations de leur sous-région, secteur, ville ou village, et les vins *Controliran*, de catégorie encore supérieure, qui doivent être élaborés avec des cépages particuliers.

● **Qualité spéciale.** Cette catégorie est réservée aux vins vinés qui sont rarement exportés.

COMMENT LIRE LES ÉTIQUETTES DES VINS BULGARES

- ***Butiliram*** À embouteiller
- ***Bjalo vino*** Vin blanc
- ***Cherveno vino*** Vin rouge
- ***Desertno*** Vin doux ou de dessert
- ***Iskriashto vino*** Vin mousseux
- ***Kolektziono*** Réserve
- ***Lozia*** Vignoble
- ***Lozova prachka*** Cépage
- ***Naturalno*** Naturel
- ***Sladko vino*** Vin doux
- ***Sostatachna zakar*** Demi-sec
- ***Subo vino*** Vin sec
- ***Traditzioni Regionalni Vino*** Vin de pays
- ***Vino Kontrolirano Naimenovanie za Proizhod*** Vin *Controliran*
- ***Vino ot Deklariran Geografski*** Vin d'origine géographique déclarée (DGO)
- ***Vinoproizvoditel*** Producteur vinicole
- ***Vinimpex*** Entreprise commerciale de l'État contrôlant toute l'exportation des vins

Embouteillage du Cabernet Sauvignon, ci-dessus
Le Cabernet Sauvignon que produisent les entreprises de l'État à Suhindol est exceptionnel, bon marché et, à juste titre, renommé.

Les vins de Bulgarie

RÉGION SEPTENTRIONALE (DUNAVSKA RAUNINA)

Vins Controliran : ***Ljaskovetz Aligoté, Lositza Cabernet Sauvignon, Novo Selo Gamza, Pavlikeni Gamza, Ruse Riverside White, Subindol Gamza, Svichtov Cabernet Sauvignon***

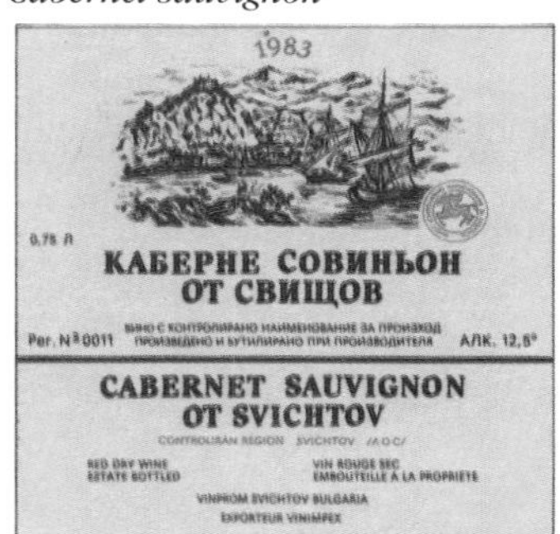

Cette région représente 35 % du vignoble bulgare et englobe une subdivision, sept circonscriptions et 28 DGO de villes ou de villages. La réputation de Suhindol se fonde sur son Cabernet Sauvignon, très vendu. Deux autres vins de ce secteur valent la peine d'être considérés : l'attrayant et boisé Gamza qui est un *Controliran*, et un intéressant assemblage de Merlot et Gamza, d'aussi bonne qualité mais qui n'a droit qu'à l'appellation DGO. Le Cabernet Sauvignon de la région de Suhindol est très riche et épanoui.

Cabernet Sauvignon, Chardonnay, Gamza, Gamay, Muskat-ottonel, Pinot noir, Red misket, Rkatsiteli, Sauvignon blanc, Traminer, Vrachanski misket

RÉGION MÉRIDIONALE (THRAKIISKA NIZINA)

Vins Controliran : ***Asenovgrad Mavrud, Brestnik Wine, Oriahovica Cabernet-Merlot, Sakar Merlot, Stambolovo Merlot***

Cette région représente 22 % du vignoble bulgare et englobe deux subdivisions, sept circonscriptions et 25 DGO de villes ou de villages. Asenovgrad est réputée pour son Mavrud, foncé, épicé, qui évoque la prune et peut vieillir 10 ans au moins. Plovdiv fait un solide Cabernet Sauvignon qui évoque le cassis. Le secteur de Stara Zagora se targue d'un superbe Cabernet Sauvignon-Merlot, *Controliran* originaire d'Oriahovica, qui produit aussi un Cabernet Sauvignon Réserve de grande classe. Le Cabernet du mont Sakar est un vin classique qui s'est imposé sur nombre de marchés extérieurs, mais c'est le Merlot de la région qui jouit du statut de *Controliran*.

Aligoté, Cabernet Sauvignon, Dimiat, Gamay, Mavrud, Merlot, Pamid, Pinot noir, Red misket, Sauvignon blanc

RÉGION ORIENTALE (TSCHERNOMORSKI RAION)

Vins Controliran : ***Khan Krum Gewürztraminer, Kralevo Treasure, Novi Pazar Chardonnay, Rosé de la côte sud ou Jujen Briag, Varna Chardonnay***

Cette région représente 30 % du vignoble bulgare et englobe une subdivision, six circonscriptions et 22 DGO de villes et de villages. On apprécie particulièrement le secteur de Sumen pour ses vins blancs ; son Riesling et son Sauvignon sont tous deux des vins de production commerciale très frais au palais. Depuis quelques années, les Chardonnay progressent, notamment ceux de Khan Krum. Bien que Khan Krum revendique le statut de *Controliran* pour son Gewurztraminer, elle est plus connue pour son Chardonnay évoquant le chêne grillé. Deux Chardonnay de Sumen bien connus sont originaires de Novi Pazar et Preslav. Même si ces vins ont été décevants jusqu'à présent, ils peuvent s'améliorer. Le Rosé de la côte méridionale est un gris de Cabernet Sauvignon, à peine sec, originaire de Burgas, secteur sous-coté qui produit nombre de vins de pays très acceptables, tel l'Aligoté de Burgas.

Cabernet Sauvignon, Chardonnay, Dimiat, Traminer, Red misket, Rhein Riesling, Sauvignon blanc, Tamianka, Ugni blanc, Varneski misket

RÉGION SUD-OCCIDENTALE (JOLINAKA NA STRUMA)

Vin Controliran : ***Harsovo Melnik***

Cette région représente 6 % du vignoble bulgare et englobe une subdivision régionale, trois circonscriptions et cinq DGO de villes et de villages. Le vin le plus réputé est le Melnik, issu de la « Loza Shiroka Melnishka », « grande vigne de Melnik », mais le cépage est souvent simplement appelé « Melnik ». Il donne un vin bien coloré, riche et chaleureux, tannique ou tendre, selon la façon dont il a été élaboré. Ce Melnik est très souple et riche, mais je n'ai pas goûté à celui de Harsovo.

Cabernet Sauvignon, Chardonnay, loza Shiroka Melnishka, Tamianka

RÉGION SOUS-BALKANIQUE (PODBALANSKI RAION)

Vins Controliran : ***Rosava Dolina Misket, Sungurlare Misket***

Cette région représente 7 % du vignoble bulgare et englobe une subdivision régionale, deux circonscriptions et huit DGO de villes et de villages. Le Misket de la vallée des Roses s'élabore dans le secteur de Karlovo et le Misket de Sungurlare à Slaviantzi. Tous deux sont des vins musqués, à l'arôme floral et à la robe légèrement dorée. Le vin mousseux bulgare qui a été le premier à pénétrer le marché d'exportation, provient de la région sous-balkanique. Dénommé « Balkan Crown Brut », il est élaboré en *cuve close* à partir d'un assemblage de Chardonnay, d'Ugni blanc et de Riesling ; il vaut bien 95 % les « cuve close » produits dans les pays viticoles traditionnels, telles l'Allemagne et la France. Cela est assurément de bon augure pour les vins bulgares de « méthode champenoise » qui ne sont pas encore exportés. Il en existe des versions de pur Chardonnay ou Riesling, mais je n'y ai pas goûté.

Chardonnay, Misket rouge, Riesling, Ugni blanc

Tchécoslovaquie et Hongrie

La Tchécoslovaquie exporte peu de vins et aucun d'entre eux ne jouit d'une réputation internationale. La Hongrie ne peut guère se targuer que de son Tokay et de son « Sang de Taureau ». Ces deux pays pourraient pourtant faire beaucoup mieux.

TCHÉCOSLOVAQUIE

Les vins tchécoslovaques que l'on trouve d'aventure sur les marchés d'exportation sont toujours des coupages. Il s'agit là d'une politique regrettable car ce pays produit nombre de vins fins de cépage, frais et fruités, principalement des blancs, secs ou demi-secs, dont le caractère séduirait les consommateurs étrangers.

Plus des deux tiers des 45 670 hectares du vignoble tchécoslovaque, qui produit annuellement quelque 2 millions d'hectolitres de vin, se trouvent en Slovaquie. Les meilleurs proviennent cependant de la Moravie où sont cultivées la plupart des vignes restantes.

HONGRIE

La Hongrie a peu de crus – hormis le Tokay – à offrir à l'amateur de vin et pourtant, elle recèle un potentiel viticole considérable. Elle ne pourra toutefois l'exploiter que lorsque les producteurs vinicoles accepteront de modifier leurs méthodes. Si grandes que soient les possibilités du terroir, on y fera des vins sans éclat tant que manqueront l'inspiration ou l'imagination. Or, la plupart des vins hongrois actuellement élaborés sont ternes et manquent d'expression propre. La Hongrie cependant produira bientôt des vins plus dignes de ses capacités. En effet, son économie mixte a favorisé, depuis 1980, l'apparition d'une classe aisée plus nombreuse, composée souvent de propriétaires de résidences secondaires sur le lac Balaton. Cette population qui a pu goûter les vins de qualité produits à l'étranger deviendra plus exigeante envers l'industrie viticole de son propre pays. Cette évolution sera, en outre, favorisée par le haut niveau de l'art culinaire local. Les jeunes chefs hongrois réussissent un excellent mariage entre cuisine traditionnelle et cuisine moderne. Et l'alliance nécessaire entre vins fins et mets délicats, tant au profit des habitants du pays que de l'industrie touristique, ne leur a pas échappé.

Le légendaire « Sang de Taureau » d'Eger

La légende de l'Egri Bikavér – le « Sang de Taureau » – remonte à 1552, date à laquelle la forteresse d'Eger, farouchement défendue par István Dobó et ses Magyars, fut assiégée par les forces supérieures en nombre de l'armée turque menée par Ali Pacha. On dit que, au cours des combats, les Magyars burent force vin rouge, l'Eger, et que les Turcs, voyant les barbes de leurs féroces ennemis maculées de rouge, se dispersèrent terrorisés, croyant que tous les Magyars puisaient leur force dans du sang de taureau. Ainsi naquit le nom de l'Egri Bikavér ou « Sang de Taureau » d'Eger. Malheureusement, la robuste charpente et l'ardente saveur qui ont fait la renommée de ce vin se remarquent rarement de nos jours.

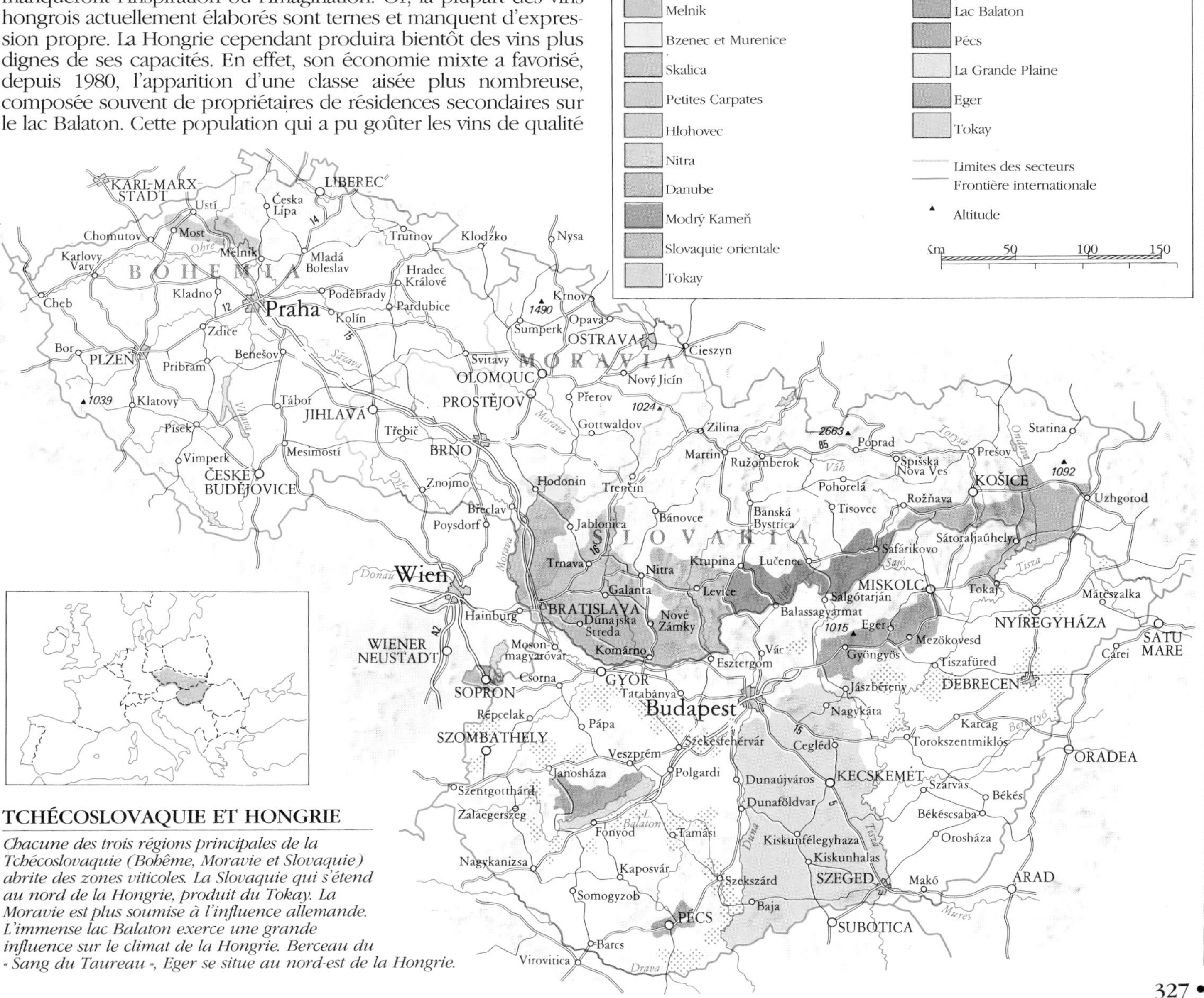

TCHÉCOSLOVAQUIE ET HONGRIE

Chacune des trois régions principales de la Tchécoslovaquie (Bohême, Moravie et Slovaquie) abrite des zones viticoles. La Slovaquie qui s'étend au nord de la Hongrie, produit du Tokay. La Moravie est plus soumise à l'influence allemande. L'immense lac Balaton exerce une grande influence sur le climat de la Hongrie. Berceau du « Sang du Taureau », Eger se situe au nord-est de la Hongrie.

Le Tokay

Le plus célèbre des vins hongrois est le Tokay. Le plus renommé est le Tokay Royal, ou Tokay Aszú Essencia, boisson de légende que les tsars russes appréciaient tellement qu'ils avaient dévolu un détachement de cosaques à l'unique fonction d'en escorter les convois, de Hongrie aux caves royales de Saint-Pétersbourg. On attribue au Tokay une durée de vie de 300 ans et beaucoup ont dû y voir un élixir de jouvence éternelle. Jusqu'à la dernière guerre, Fukier, les anciens négociants en vins de Varsovie, possédaient 328 bouteilles de Tokay 1606 mais aucune, à ma connaissance, n'a été mise en vente publique depuis 1945. Les vins vendus aujourd'hui sous le nom de Tokay Aszú et Tokay Aszú Essencia ne sont plus les mêmes bien qu'on en trouve encore de grands.

L'élaboration du Tokay

Comme tout grand vin doux, le Tokay doit ses qualités et son caractère à des raisins à demi desséchés, extrêmement riches – Furmint et Hárslevelü – qui ont été touchés par le *botrytis cinerea* ou « pourriture noble ». Ces raisins recroquevillés que les Hongrois appellent Aszú (prononcer : Assou) sont versés dans une cave en bois dite *putton* où ils restent 6 à 8 jours durant lesquels un jus très concentré se dépose au fond du récipient. Ce jus est une pure « essence » (*Essencia*) se rapprochant le plus, sous sa forme fermentée et mûrie, du breuvage légendaire de jadis. Il sert à adoucir les vins aszú. Chaque *putton,* contenant 14 kg de raisins d'Aszú, ne fournit que 14 cl d'*Essencia* pure. Après avoir évacué l'*Essencia,* on malaxe le contenu du *putton* en raisin Aszú pour en faire une pâte que l'on ajoute à un fût de 140 l – dit *gönc* – de vin sec de base. Ce vin de base est un assemblage de Furmint et d'Hárslevelü dont les raisins n'ont pas été botrytisés, additionné occasionnellement d'un peu de Muskotály. On laisse dans le *gönc* un espace pour que l'air circule afin de favoriser le caractère original dû à l'oxydation du Tokay. Naturellement, la douceur du vin dépend du nombre de *puttonyos* (pluriel de *putton*) que l'on ajoute au vin sec de base : de nos jours, le Tokay Aszú Essencia contient environ huit *puttonyos.*

Le pur *Essencia,* le vin élaboré à l'ancienne comme édulcorant, est si riche en sucre qu'il faut une souche spéciale de levure pour le faire fermenter. Il lui faudra cependant de nombreuses années pour atteindre la teneur en alcool de 5 à 6 %. J'ai eu l'occasion de goûter à du pur *Essencia* dans les caves de l'État de Tolcsva. Après 13 ans de fermentation, il n'avait pas encore acquis 2 % d'alcool ! Avec 640 grammes par litre de sucre résiduel, il coulait comme de l'huile et offrait un incroyable bouquet de rose. Sans les 38 g d'acidité au litre qu'il contenait, il aurait ressemblé à un sirop. Il était d'une douceur extrême, franc et très fruité.

On produit également d'autres types de vins de Tokay. Si le Szamorodni, qui se présente sec (*száraz*) ou en doux (*édes*), est un produit du même assemblage de Furmint et de Hárslevelü, les raisins sont, en l'occurrence, rarement botrytisés. Trois vins de cépage de Tokay – les Furmint Tokay, Hárslevelü Tokay et Muskotályos Tokay – sont élaborés en *száraz* ou en *édes.*

TENEURS EN SUCRE RÉSIDUEL DES VINS DE TOKAY

Styles de vins	Sucre résiduel	Durée minimale d'élevage sous bois
Száraz	0-4 g/litre	2
Édes	20-50 g/litre	2
Aszú 2 *puttonyos*	50-60 g/litre	4
Aszú 3 *puttonyos*	60-90 g/litre	5
Aszú 4 *puttonyos*	90-120 g/litre	6
Aszú 5 *puttonyos*	120-150 g/litre	7
Aszú 6 *puttonyos*	150-180 g/litre	8
Aszú *Essencia* (Approx. 8 *puttonyos*)	200-240 g/litre	10

FACTEURS AFFECTANT LE GOÛT ET LA QUALITÉ

Situation
Ces deux pays d'Europe centrale sont bordés par l'Allemagne et l'Autriche à l'ouest, la Roumanie et l'URSS à l'est, la Pologne, au nord, et la Yougoslavie, au sud. Les zones viticoles les plus importantes se trouvent dans la plaine du Danube, en Hongrie, et dans les parties méridionale de la Slovaquie et septentrionale de la Moravie en Tchécoslovaquie. La région hongroise de Tokay, au nord-est de la Hongrie, est proche des frontières de la Tchécoslovaquie et de l'Union soviétique.

Climat
Le climat continental est chaud et seule l'altitude ou le lac Balaton entraînent des variations locales. Dans la région de Tokay, située sur les contreforts des Carpates, au nord-est de la Hongrie, les longs automnes brumeux favorisent le *botrytis.*

Site
Dans ces deux pays, la vigne est située dans les vallées des cours d'eau ou dans les plaines légèrement accidentées. On trouve toutefois les meilleurs vignobles sur les coteaux.

Sol
La gamme des sols hongrois comprend des ardoises, basaltes, argiles et lœss à l'ouest, des argiles et roches volcaniques au nord-est, des sols volcaniques, schisteux et sablonneux de Pécs, au sud, et le terrain sablonneux de la Grande Plaine du centre. Le lœss prédomine en Tchécoslovaquie.

Viticulture et vinification
Le plus réputé des vins est le Tokay dont la vendange exige une sélection soigneuse des raisins botrytisés, récoltés en plusieurs tries. Les autres vins s'élaborent dans les deux pays selon des méthodes courantes. La technologie, assez moderne, fait appel à des équipements anciens ou nouveaux, qui fonctionnent souvent en parallèle. La Tchécoslovaquie semble mieux tirer parti de son équipement que la Hongrie – si l'on excepte le Tokay – et obtient des vins plus francs.

Cépages
Tchécoslovaquie
Ezerjó, Gewurztraminer (Traminer), Grüner veltliner, Leányka, Limberger, Müller-Thurgau, Muscat ottonel, Neuberger, Pinot blanc, Pinot gris (Rülander, Rulandské), Pinot noir (Spätburgunder), Portugieser, Rhine riesling (Rýnski rizling), St-Laurent, Sauvignon blanc, Sylvaner (Silván), Welschriesling (Vlasskyrizling, Welschrizling)

Hongrie
Ezerjó, Feherburguni, Furmint, Gewürztraminer (Tramini), Grüner veltliner (Veltlini), Hárslevelü, Kadarka, Kekfrankos, Kéknyelyü, Kovidinka, Leányka, Merlot (Médoc noir), Mézesfeher, Muskotály, Pinot noir (Nagyburgundi), Szilváni, Szürkebarát Welschriesling (Olaszrizling)

* Les parenthèses signalent les synonymes régionaux.

Du vieux Tokay dans des fûts couverts de moisissure
Les délices que recèlent ces vieilles caves pourraient justifier à eux seuls un voyage en Hongrie.

LES ÉTIQUETTES DES VINS TCHÉCOSLOVAQUES

Les étiquettes tchécoslovaques donnent très peu de renseignements. La plupart d'entre elles se contentent d'indiquer le cépage, un nom de marque ou de producteur.

Biele víno Vin blanc

Červené víno Vin rouge

Dezertné korenené víno Vin de dessert aromatisé

Dezertné víno Vin de dessert

Dia Pour diabétiques (sans sucre)

Koospol Ltd Régie d'État pour l'exportation

Odrodové vína Vin de cépage

Obsah cukru Taux de sucre

Polosladké Demi-sec

Ružové víno Vin rosé

Sladké Doux

Suché Sec

Šumivé víno Vin mousseux

Vinárskych Závodov Producteur de vins

Víno Vin

Zvyškovym cukrom Sucre résiduel

LES ÉTIQUETTES DES VINS HONGROIS

Asztali bor Vin de table

Aszú Raisins surmûris pour l'édulcoration du Tokay – équivalent de l'*Auslese* allemand

Borkülönlegessége szölögazdaságának Spécialité des vignobles de la région mentionnée

Édes Doux

Fehér Blanc

Habzó Mousseux

Kímert bor Vin ordinaire

Magyar Allami Pincegazdaság Caves de l'État hongrois

Minösegi bor Vin de grande qualité

Palackozott Mis en bouteille

Szamorodni Littéralement « nature » – ce terme s'applique au Tokay non additionné d'Aszú sec. Ce terme peut aussi être utilisé pour d'autres vins

Száraz Sec

Vörös Rouge

Les vins de Tchécoslovaquie

Note : Les millésimes ne sont pas mentionnés car les vins en portent rarement.

MORAVIE

Vignobles : ***14 500 ha***

La Moravie regroupe un tiers des vignobles de la Tchécoslovaquie et englobe deux grandes zones de production : Hustopèce-Hodonin sur la Morava, et Znojmo-Mikulov, le troisième des grands secteurs viticoles du pays, sur la Dyje. Les producteurs, très compétents, élaborent des vins de cépage légers, à l'arôme frais, élégants, qui comptent parmi les meilleurs du pays et sont malheureusement presque exclusivement consommés sur place. On produit des vins mousseux dans les bourgades de Mikulov et Bzenec, par la méthode de la cuve close ou selon des procédés en continu.

Pinot blanc, Rülander, Spätburgunder, Sauvignon blanc, Traminer

BOHÊME

Vignobles : ***570 ha***

Cette région, située au nord-est de Prague, représente moins de 1,25 % du vignoble tchécoslovaque. Elle englobe Melnik et Velke Zernoseky. La plupart des vignes poussent sur les rives de l'Ohře et du Labe, lequel devient l'Elbe en Allemagne, ou à leur proximité immédiate. Ces vins montrent une affinité naturelle avec ceux de l'Allemagne, mais on les rencontre rarement hors du pays.

Limberger, Neuberger, Pinot blanc, Pinot noir, Portugieser, Rýnski Silván, Welschrizling

SLOVAQUIE

Vignobles : ***30 600 ha***

La Slovaquie, la plus importante des régions viticoles du pays, représente les deux tiers de la production totale. La plupart des vins proviennent des secteurs de Nitra et des Petites Carpates. Les vins mousseux élaborés à Sered, dans le secteur du Danube, sont encore vendus sous la marque « Hubert » ; mais leur qualité n'est pas extraordinaire. Les autres secteurs viticoles importants sont la Slovaquie orientale, Hlohovec-Trnava, Modrý-Kamĕn, Skalica-Záhorie. Dans le secteur tchécoslovaque de Tokay, on produisait des vins semblables aux Tokay de Hongrie.

Ezerjó, Grüner veltliner, Leányka, Müller-Thurgau, Muscat ottonel, Rulandské, Rýnski rizling, Silván, Tráminer, Vlässkyrizling

Les vins de Hongrie

Note : Les millésimes n'ont guère d'importance pour ces vins.

EGER

Cette région est réputée pour son Egri Bikavér ou « Sang de Taureau ». Ce vin rouge traditionnel robuste et sans prétention, produit à Kadarka, présente des variations en caractère et qualité, depuis le début des années 80. Parmi les autres, on retiendra l'Egri Leányka, demi-sec, à la robe d'or.

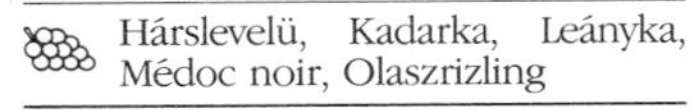

Hárslevelü, Kadarka, Leányka, Médoc noir, Olaszrizling

LA GRANDE PLAINE

Parmi les ternes Olaszrizling secs, on remarque les Muscat demi-secs, frais et floraux de Kiskunhalas.

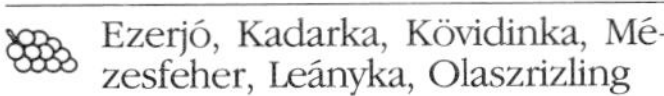

Ezerjó, Kadarka, Kövidinka, Mézesfeher, Leányka, Olaszrizling

LAC BALATON

Les environs du plus grand lac d'Europe jouissent de l'influence modératrice qu'il exerce sur le climat et, partant, sur l'écologie viticole, encore que nombre des vins soient dépréciés par de médiocres méthodes de vinification. Les deux meilleurs vins, l'Olaszrizling et le Furmint, existent demi-sec et semi-doux ; au mieux, ils sont de qualité moyenne.

Furmint, Kéknyelyü, Olaszrizling, Szilváni, Szürkebarát

PÉCS

On notera un Olaszrizling courant, semi-doux et un Nagyburgundi à la saveur prononcée. Les meilleurs vins, originaires de Vilány, sont un Kadarka épicé et un Cabernet Sauvignon de qualité moyenne.

Feherburgundi, Furmint, Kadarka, Nagyburgundi, Olaszrizling

SOPRON

Région productive, à l'ouest de la Hongrie, s'avançant sur le Burgenland de l'Autriche. Si l'on accorde trop d'importance aux vins rouges légers issus de Kékfrankos, le Tramini peut être superbe et botrytisé à souhait.

Kékfrankos, Tramini, Veltelini

TOKAY

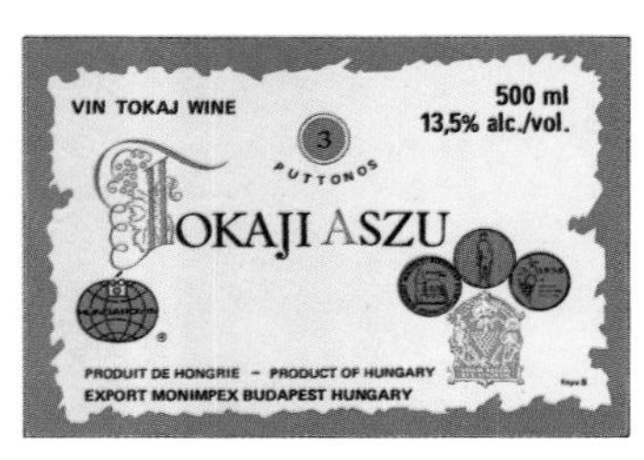

Les grands vins doux de cette région sont marqués par l'arôme de Xérès, ce qui n'affecte nullement la légitime fierté des hongrois pour « le caractère unique » de leur Tokay. Cet arôme se développe, à coup sûr, dans les cinq premières années, acquérant progressivement des nuances subtiles de caramel, au lait ou non, de menthe et de vanille, plutôt que celle des noix caractérisant généralement le Xérès mûr. De 5 à 15 ans, le Tokay évoque encore plus le caramel, ainsi que les raisins secs, à mesure que s'accroît la complexité de son bouquet et de sa saveur, mais la petite pointe d'acétaldéhyde, révélatrice d'une parenté avec le Xérès, est toujours notable. Cette remarquable mutation témoigne de l'épanouissement d'un vin qui continue d'évoluer. De 15 à 30 ans, le vin ne bouge guère, mais il connaît ensuite une évolution spectaculaire : on assiste à la révélation d'un vin rajeuni, très franc et d'une élégance exceptionnelle. En fait, l'acétaldéhyde n'a pas disparu mais il est totalement masqué par d'autres et puissants éléments aromatiques qui, s'étant formés durant trois décennies, se révèlent soudain. Tout caractère apparenté au Xérès est transformé, magnifié. S'exhale par miracle un véritable pot-pourri de pétales de roses, de violettes et autres arômes printaniers très purs. Un Tokay de plus de 30 ans est un vin étonnamment frais, au bel équilibre : liquoreux de texture, plein des saveurs de fruits tendres et mûrs, il est doté d'une longue finale et possède toute la richesse du miel.

Furmint, Hárslevelü, Muskotály

Roumanie

Les possibilités de la Roumanie, dans le domaine viticole, sont aussi grandes que celles des autres pays de l'Est. Si technologie nouvelle et traditions ont su s'accorder en Roumanie, ce qui a permis de maintenir une gamme variée de vins, nous nous sommes mépris sur les capacités de ce pays en raison de la médiocrité de son Banat de Riesling.

Les centres de vinification roumains veillent jalousement à ce que le caractère particulier des vins produits, à raison de 7,5 millions d'hectolitres par an, soit respecté. Ils consacrent tous leurs efforts au respect des normes de qualité afin de produire des vins acceptables sur les marchés internationaux où, pourtant, ils ne parviennent pas à s'imposer pour deux raisons : la faiblesse des responsables roumains en matière commerciale, mais aussi le manque d'imagination des importateurs qui préfèrent acheter des vins bon marché alors qu'ils pourraient offrir aux consommateurs des vins à la personnalité affirmée.

FACTEURS AFFECTANT LE GOÛT ET LA QUALITÉ

Situation
Les principales régions viticoles s'étendent de Iasi, au nord-est, aux contreforts des Carpates et à la vallée du Danube.

Climat
Le climat est continental avec des étés brûlants et des hivers froids, mais il est tempéré par l'influence de la mer Noire, au sud-est.

Site
La vigne se cultive sur toutes sortes de terrains, des plaines aux contreforts des Carpates, et sur le plateau de la Dobroudja.

Sol
Plaines d'alluvions sablonneuses et coteaux pierreux du Banat, calcaires de la Dobroudja, calcaire oolithique du vignoble Pietroasele de Mutenia, et lisières pierreuses des Carpates.

Viticulture et vinification
L'industrie viticole roumaine n'est pas soumise à un contrôle très strict de l'État comme elle l'est en Bulgarie. Elle a pu ainsi produire des vins au caractère affirmé.

Cépages
Băbeaskă (Băbească neagră), Cabernet Sauvignon, Chardonnay, Fetească albă, Fetească neagră, Fetească regală, Galbenă, Gewurztraminer (Traminer), Grasă, Kadarka (Cadarca), Merlot, Muscat ottonel, Mustoasă, Pinot gris, Pinot noir, Riesling, Tămîioasă, Welschriesling

Nouveaux vignobles, ci-dessus
Sur une pente douce, les échalas récemment installés attendent de porter des nouveaux ceps.

ROUMANIE

Les principales zones viticoles sont éparpillées sur tout le territoire roumain, sur les contreforts des Carpates, en plaines ou sur les plateaux de la Dobroudja. Les meilleurs vins sont élaborés en Transylvanie.

COMMENT LIRE LES ÉTIQUETTES DES VINS ROUMAINS

Cules la Innobilarea (CIB) Boabelor Équivalent à un *Beerenausle* au moins (minimum de 112° Oechsle)

Cules la Maturiate (CMD) Deplina Équivalent à un *Spätlese* de haute qualité (minimum de 95° Oeschle)

Cules la Maturiate (CMI) Innobilarea Similaire à un *Auslese* de hautre qualité (minimum de 100° Oeschle)

Dulce Doux

Edelbeerense Équivalent au moins à un Beerenauslese (minimum de 112° Oechsle)

Edelreiflese Équivalent au moins à un *Auslese* (minimum de 100° Oechsle)

Imbuteliat Embouteillé

IVV Désigne la coopérative et doit être suivi du nom de lieu

Pivnitä Cave

Recolta Récolte

Sec Sec

Spumos Mousseux

Strugure Raisin

Vie Vigne

Viile Vignoble

Vin alb Vin blanc

Vin de masă Vin de table

Vinexport Régie d'exportation d'État

Vin rose Vin rosé

Vin rosu Vin rouge

Vin superior Vin supérieur

Vin usor Vin léger

Vollreiflese Équivalent à un *Spätlese* de haute qualité (minimum de 95° Oechsle)

VSO Désigne un vin de qualité de base

VSOC Désigne un vin de qualité analogue aux *QmP* de l'Allemagne, et comprenant les *Edelbeerenlese* (CIB), les *Edelreiflese* (CMI) et *Vollreiflese* (CMD)

Conduite de la vigne
Cette vigne contraste avec l'usage que fait la Roumanie de la technologie.

Les vins de Roumanie

BANAT

Secteurs viticoles : ***Minis, Recas-Tyrol, Teremia***

Cette région est située à l'est du pays, à proximité des frontières hongroise et yougoslave. La plaine du secteur du Teremia est la plus connue pour sa production de vins blancs gouleyants, tandis que le secteur de Minis fournit d'excellents rouges à bon marché issus de Cadarca, Pinot noir, Cabernet et Merlot, cultivés sur des terrasses caillouteuses. Les flancs des montagnes du Recas-Tyrol donnent le « Valea Lunga », un agréable vin rouge pur corsé.

Cabernet Sauvignon, Fetească regală, Cadarca, Merlot, Mustoasă, Pinot noir, Riesling

DOBROUDJA

Secteurs viticoles : ***Murfatlar, Saricia-Niculitel***

Le centre vinicole de Murfatlar est le plus ancien de la Dobroudja. Les vignobles sont disposés avec art au voisinage de la mer Noire et la station de recherche expérimentale de l'État y a introduit nombre de cépages classiques de l'Ouest. Arguant d'un passé prestigieux, on avait pris l'habitude de trop faire vieillir ces vins qui s'oxydaient et devenaient lourds. Ils sont maintenant francs et bien équilibrés.

Cabernet Sauvignon, Chardonnay, Gewurztraminer, Muscat ottonel, Pinot gris, Pinot noir, Riesling

MOLDAVIE

Secteurs viticoles : ***Cotnari, Dealurile-Moldovei, Odobesti (sous-secteur : Cotesti, Nicoresti), Tecuci-Galati***

Les vignobles d'Odobesti, qui entourent la cité industrielle de Focsani, produisent à quelques exceptions près, tenant à la nature des sols, de grands volumes de vins blancs et rouges, assez ordinaires. Cotesti, par exemple, a une bonne réputation pour ses Pinot noir et ses Merlot, tandis que Nicoresti est connu pour son vin rouge, coloré à souhait, épicé, issu du cépage Băbeaskă. Les vignobles du Cotnari, proches de Iasi, sont les plus célèbres de Roumanie : leur réputation remonte au XVe siècle. Ils donnent un riche vin de dessert, proche du Tokay, mais moins concentré. Les collines du Bucium de Visan et Doi Peri dominent la cité de Iasi, et leur climat frais se retrouve dans le caractère de leurs Cabernet Sauvignon.

Băbeaskă, Cabernet Sauvignon, Fetească albă, Fetească neagră, Grasă, Merlot, Pinot noir, Welschriesling

MUTÉNIE

Secteur viticole : ***Dealul Mare (sous-secteur : Pietroasele)***

Le secteur de Dealul Mare, au nord de Bucarest, s'allonge sur les contreforts exposés au sud-est des Carpates. Il est renommé pour les vins rouges que l'on produit ici, tels que « Valea Calugareasca » ou « Vallée des Moines » et « Tohani ».

Au sein de ce secteur, une petite zone de sol crayeux jouit d'un microclimat qui favorise la production de vins blancs doux équilibrés par une belle acidité. Elle abrite les prestigieux vignobles de Pietroasele, où croît le cépage Tămîioasă, également appelé « Frankincese », une variété apparentée du Muscat, qui donne un vin de haute expression, à la robe dorée et d'une succulente douceur.

L'un des vins roumains le plus remarquable que j'aie goûté est un *Edelbeerenlese* botrytisé issu du cépage Fetească neagră.

Băbească neagră, Cabernet Sauvignon, Fetească neagră, Fetească regală, Galbenă, Merlot, Pinot gris, Pinot noir, Riesling, Tămîioasă

OLTÉNIE

Secteurs viticoles : ***Arges-Stefănesti, Drăgăsani, Dobreta-Turnu, Severin, Segarcea***

La ville de Simburesti dans le secteur de Drăgăsani produit les meilleurs vins de l'Olténie. Elle est réputée pour son vin rouge sec et plein, issu de la Fetească neagră, ainsi que pour le Cabernet Sauvignon. On trouve d'intéressants vins doux sur la rive occidentale du cours de l'Oltul. Plantés à proximité du cours de l'Arges, les vignobles d'Arges et de Stefănesti produisent des vins essentiellement blancs. Segarcea donne son nom à un secteur viticole producteur de vins rouges, au sud de la Craiova, dont un bon Pinot noir, moins renommé toutefois que le Cabernet Sauvignon.

Cabernet Sauvignon, Fetească neagră, Fetească regală, Muscat ottonel, Pinot noir, Riesling, Sauvignon, Tămîioasă

TRANSYLVANIE

Secteurs viticoles : ***Alba Iulia-Aiud, Bistrita-Năsăud, Tirnave***

De toutes les régions viticoles de la Roumanie, la Transylvanie est sans doute la plus passionnante. Le fruité nerveux et la bonne acidité de ses blancs les situent entre les vins d'Alsace et ceux du Tyrol méridional. Les vignobles du Tirnave s'étendent sur des pentes abruptes entre les deux cours d'eau qui traversent la région. Ils donnent des vins blancs de bonne qualité, proches par le style des vins allemands, ce qui n'est guère surprenant puisque des viticulteurs d'origine germanique y implantèrent leurs propres cépages. Le Fetească, cépage indigène, réussit également bien dans cette zone.

Fetească albă, Fetească regală, Muscat ottonel, Pinot gris, Riesling, Sauvignon blanc, Traminer, Welschriesling

Yougoslavie

Dans les années 60 et au début des années 70, les amateurs de vins s'initiaient à la dégustation avec le classique yougoslave Laški Riesling avant de goûter le Liebfraumilch, puis de décrouvrir le subtil Mateus Rosé. Si cette démarche semble quelque peu dépassée, elle n'a, en tout cas, pas impressionné Ljubljana où l'on continue à élaborer des vins médiocres ne reflétant pas les possibilités vinicoles de ce pays.

Ce sont les basses plaines fertiles de la Vojvodine et de la Serbie, à l'est – où les vignobles épousent le cours du Danube – qui, traditionnellement, produisent la majorité des vins yougoslaves. Au nord, les pentes plus raides de la Slovénie, au climat plus frais que partout ailleurs – si l'on excepte les hautes terres encore en friches de la chaîne côtière – ont toujours donné les vins plus fins. La Yougoslavie a été le siège de vastes courants migratoires : Croates, dans le sud du pays ; Italiens, Roumains et Hongrois, à l'est, Autrichiens au nord. À leur tour, les négociants allemands et français remontant le Danube ont fait souche en Croatie, Dalmatie, Serbie et au-delà. Cette mosaïque d'ethnies a favorisé l'implantation dans les vignobles de Yougoslavie de cépages aussi divers que les Cabernet Sauvignon, Merlot et Sémillon, venus de France ; Grüner Veltliner d'Autriche ; Barbera, Refosco et Gewurztraminer (en passant par l'Autriche) d'Italie ; Kadarka et Furmint de Hongrie, ainsi que Blatine, Planać mali, Zilavka et autres cépages de Bulgarie.

COMMENT LIRE LES ÉTIQUETTES DES VINS YOUGOSLAVES

Bijelo vino Vin blanc

Biser vino Vin mousseux

Crno vino Vin rouge

Čuveno vino Vin choisi

Desertno vino Vin de dessert

Kvalitetno vino Vin de qualité

Polsubo Demi-sec

Prirodno Nature

Proizvedeno u vinariji... Produit à...

Proizvedeno u viastitoj vinariji poljoprivredne zadruge... Élaboré dans les caves de la coopérative mentionnée

Punjeno u... Mis en bouteille à...

Ružica vino Vin rosé

Slatko Doux

Stolno vino Vin de table

Subo Sec

Visokokvalitetno Qualité supérieure

FACTEURS AFFECTANT LE GOÛT ET LA QUALITÉ

Situation
La vigne est cultivée dans l'ensemble de la plaine et des îles côtières, à l'ouest, ainsi que dans les terres situées à l'est.

Climat
Le climat méditerranéen devient progressivement plus chaud en direction du sud. L'influence continentale est dominante à l'intérieur où les secteurs septentrionaux, plus frais, favorisent la production viticole.

Site
Les sites viticoles occupent de minuscules lopins de petites îles rocailleuses, des coteaux du nord-est, de vastes plaines plates, les vallées méridionales et orientales de l'intérieur.

Sol
Plus de la moitié des vins yougoslaves est produite sur le beau lœss sableux ou calcaire des vallées du Centre et du Sud-Est. Les vignes cultivées sur les marnes et les calcaires de la Slovénie donnent les plus beaux vins blancs. Les vignobles côtiers s'étalent sur des sols très rocailleux reposant sur un substrat calcaire. Ceux des côtes de la Slovénie sont marqués par leur *terra rossa*.

Viticulture et vinification
La Yougoslavie est le premier pays d'Europe de l'Est à avoir modernisé son industrie vinicole et pratiqué une politique de conquête de marchés d'exportation. Depuis le décès du maréchal Tito, toutefois, le comportement dynamique de la profession vinicole a peu à peu cédé la place à des attitudes passives qui ne rendent pas justice au potentiel vinicole du pays.

Cépages
Babić, Banat Riesling (Kreaca), Barbera, Blatina, Bogdanuša, Cabernet franc (Cabernet), Cabernet Sauvignon, Debit-Grk, Dobričić, Ezerjó, Furmint (Sipon), Gamay, Gewurztraminer (Traminac, Traminer), Grenache, Kadarka, Kratošija, Krstač, Kujundžušag, Malvasia (Malvazija), Maraština, Merlot, Mondeuse noire (Teran), Pinot blanc, Pinot noir, Plavać mali, Plemenka, Plovdina, Prokupac, Refosco (Refško), Ribolla gialla (Rebula), Riesling, Sauvignon blanc, Sémillon (Semijon), Smederevka, Silvaner (Sylvaner), Tocai (Tokay), Trebjac, Vranac, Vugava, Welschriesling (Banatski rizling, Kreaca, Graševina, Vraski rizling), Zilavka, Zlahtina
Note : Les noms figurant entre parenthèses sont des synonymes locaux.

YOUGOSLAVIE

Les régions septentrionales du pays, la Slovénie et la Croatie, produisent les vins les plus fins. D'autres régions pourraient également produire de beaux vins si la profession affichait une attitude plus dynamique.

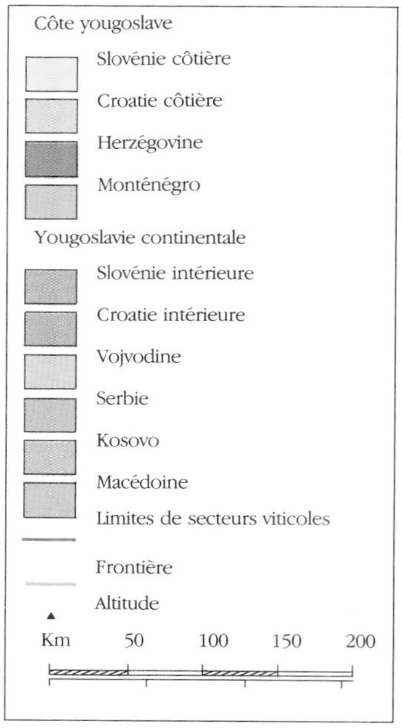

OCCASIONS PERDUES ET POTENTIEL SOUS-EXPLOITÉ

Se fondant sur les diversités climatique, topographique, ampélographique et pédologique, appuyées par des ressources humaines d'une ethnie composite bénéficiant de compétences allemande et française, le maréchal Tito avait imaginé un grand avenir vinicole pour son pays. Dans l'immédiat après-guerre, il mit en œuvre un programme de reconstruction viticole et d'édification de cinq grandes entreprises vinicoles modernes, occupant des places stratégiques dans l'ensemble des zones productrices de vin. Dans les années 60, la Yougoslavie pouvait se targuer de posséder l'une des industries les plus modernes et les plus efficaces d'Europe. Mais cet élan se brisa dans les années 70 au moment même où tout concourait à la mise en place d'un système d'appellations.

En règle générale, les vins yougoslaves sont plus réussis que les vins grecs, bien moins oxydés, mais ils devraient encore être bien meilleurs. Alors qu'un cinquième du vignoble grec serait capable de produire des vins fins si les producteurs voulaient s'en donner la peine, les trois cinquièmes du vignoble yougoslave seraient en mesure de donner une brillante gamme de vins blancs, nerveux et rafraîchissants, ainsi que des vins rouges tendres et fruités, formant tout un ensemble de produits de premier ordre. Pour ce faire, il faudrait que les producteurs sortent de leur léthargie et retrouvent l'élan innovateur qui avait été le leur au temps du maréchal Tito.

Les vins de la côte yougoslave

CÔTE CROATE

Secteur viticole : ***Primorska Hrvatska***
Vignobles : ***33 000 ha***

Le cépage Plavać mali noir donne ici les meilleurs vins. Le plus connu est le Dingač, obtenu dans la péninsule de Pelješac, un vin rouge corsé à la robe profonde qui fut la première appellation yougoslave protégée par la législation. Le Plavać mali donne également le Postup, lui aussi originaire de Pelješac, le Faros, de l'île de Hvar et le Bolski Plavać de l'île de Brač. Le Motovunski Teran, un vin rouge clair, provient de la péninsule de l'Istrie, la plus vieille région viticole de la Yougoslavie.

Babić, Bogdanuša, Debit-Grk, Dobričić, Malvazija, Merlot, Plavać mali, Teran, Trebjac, Vranac, Vugava, Zlahtina

CÔTE DE LA SLOVÉNIE

Secteur viticole : ***Primorska slovenija***
Vignobles : ***5 000 ha***

Cette région du sud de la Slovénie jouit d'un climat méditerranéen, doux, sauf dans les secteurs de Vipara et Briški Okoliš, tous deux placés sous l'influence modératrice des Alpes. C'est une région de collines, agrémentée de plateaux et de vallées enserrés entre les Alpes et les montagnes de la côte. Le Kraški Teran, un vin rouge rubis, est localement réputé.

Barbera, Cabernet Sauvignon, Merlot, Rebula, Teran, Tocai

HERZÉGOVINE

Vignobles : **5 000 ha**

Située dans le sud de la partie centrale des Balkans, l'Herzégovine possède un climat et un sol qui ont favorisé la production de vins de cépage, le Zilavka blanc et le Blatina rouge.

Blatina, Kujundžuša, Smederveka, Vranac, Zilavka

MONTÉNÉGRO

Secteurs viticoles : ***Crnogorsko, Titogradski, Primorje***
Vignobles : ***2 500 ha***

Les vignobles de Crnogorsko, sur les pentes sud en terrasses du lac Skadar, sont les plus connus de la région. Au XIXe siècle, le Crmničko Crno, un vin issu de cépages Vranac et Kratošija, était cher. Appelé maintenant Crnogorski Varnac, issu exclusivement du Vranac, il montre des prix plus abordables.

Kratošija, Krstač, Vranac

Les vins de la Yougoslavie continentale

CROATIE DE L'INTÉRIEUR

Secteur viticole : ***Kontinentalna Hrvatska***
Vignobles : ***38 000 ha***

La région s'enorgueillit de son amphithéâtre de vignes disposées en terrasses dans un paysage aux douces ondulations. Le Kutjevacka Graševina est un vin de couleur paille. Il possède une petite pointe verte juvénile et l'arôme fruité des raisins mûrs. D'intéressants Traminer, Muscat ottonel et Pinot blanc sont également produits ici. Les meilleurs proviennent des pentes de la Baranja.

Traminer, Muscat ottonel, Pinot blanc, Pinot noir, Riesling, Sauvignon blanc, Sylvaner, Graševina

MACÉDOINE

Secteurs viticoles : ***Povadarje, Plina-Osogovo, Pelagonija-Polog***
Vignobles : ***30 000 ha***

Le phylloxéra, qui a dévasté les vignobles européens à la fin du XIXe siècle, n'a pas atteint la Macédoine avant 1912. À ce moment, Allemands et Français burent des vins macédoniens faute d'autres. Cette habitude survécut, notamment en Allemagne. Le plus apprécié est le Kratošija, un vin rouge à la robe profonde, très particulier, aromatique, corsé et souple, issu du Vranac et de la Kratošija. On le met en bouteille dans sa seconde année, alors que son bouquet est à son apogée, et le mieux est de le boire sans attendre.

Grenache, Kratošija, Plovdina, Prokupac, Vranac

KOSOVO

Secteurs viticoles : ***Severni, Juzni***
Vignobles : ***3 000 ha***

Cette région produit l'Amselfelder Kosovsko vino, un heureux résultat de la coopération entre producteurs locaux et négociants allemands.

Surtout rouge, ce vin est commercialisé en sec et demi-sec. Les vins blancs secs et les vins rosés ne représentent chacun que 10 % de la production. On élabore de très faibles volumes de Spätburgunder et Cabernet franc en rouge sec.

Cabernet franc, Gamay, Pinot noir, Riesling

SERBIE

Secteurs viticoles : ***Moravie de Sumadija-Velika, Nišava-Južna Morava, Pocerina-Podgora, Timok, Zapadna Morava***
Vignobles : ***72 000 ha***

La plus importante des régions viticoles de Yougoslavie abrite le secteur de Moravie de Sumadija-Velika, le plus vaste avec ses 28 000 hectares.

Les vignobles entourant Župa sont les plus réputés de Serbie. Le principal cépage est le Prokupac, utilisé pour faire le Županska Ružica, un vin rosé sec et corsé. On y produit également un assemblage de Pinot noir et Gamay. On dit que la Smederevka est originaire de Smederevo, au sud-est de Belgrade, où elle représente 90 % des raisins cultivés et donne des vins blancs fruités et demi-secs.

Gamay, Pinot noir, Plemenka, Plovdina, Prokupac, Riesling, Smederevka

SLOVÉNIE DE L'INTÉRIEUR

Secteurs viticoles : ***Podravina, Posavina***
Vignobles : ***19 000 ha***

Cette région produit les meilleurs vins blancs de la Yougoslavie sur des coteaux en forte déclivité. Les plus célèbres proviennent de Lutomer. Alors que le demi-sec Welschriesling de Lutomer – l'ancien Laški Riesling de Lutomer – se trouve partout et est le plus connu à l'étranger des vins yougoslaves, d'autres cépages présentent plus d'intérêt : le Gewurztraminer de Lutomer, par exemple, ajoute à son style demi-sec un côté épicé, agréable ; le Sauvignon blanc de Lutomer est un vin qui doit tirer de son cépage sa finesse, son caractère nerveux et fruité, mais doit être bu très jeune ; le Cabernet Sauvignon de Lutomer peut être aussi bon que ses versions bulgares, plus connues.

Cabernet Sauvignon, Sipon, Traminer, Pinot blanc, Rhine Riesling, Sauvignon blanc, Welschriesling

VOIVODINE

Secteurs viticoles : ***Banat, Srem Subotica, Pescara***
Vignobles : ***23 000 ha***

Connu sous le nom de Kreaca, le Welschriesling se vend sous celui de Banatski Rizling. Si ces vins fruités ressemblent à ceux de Lutomer, le Traminer est plus intéressant. Quant au tendre et fruité Merlot, il offre un bon rapport qualité/prix pour les amateurs de rouge.

Ezerjó, Traminer, Kadarka, Merlot, Rhine riesling, Sauvignon blanc, Sémillon, Graševina, Kreaca, Vraski Rizling

Union soviétique

Avec une production annuelle de quelque 40 millions d'hectolitres (445 millions de caisses), l'URSS est maintenant le troisième pays vinicole au monde, juste devant l'Espagne.

Si les vins rouges de Crimée, ainsi que le mousseux « Krim », avaient occasionnellement fait une percée sur les marchés d'exportation, ce n'est qu'au milieu des années 80 que l'URSS s'est décidée à commercialiser, au niveau international, une gamme limitée de vins. Ces vins ne répondent toutefois pas encore aux normes acceptées en Occident et ils présentent peu de qualités.

LES EXPORTATIONS DE VINS DE L'URSS

On peut comprendre que l'URSS soit assez réticente à exporter ses vins dans la mesure où sa consommation de vin est actuellement supérieure à sa production. De plus, pour atténuer les méfaits d'une consommation excessive de Vodka, le gouvernement a été amené à développer une importante politique promotionnelle en faveur du vin.

L'expansion de son vignoble a rapidement fait de l'URSS le second pays viticole au monde et elle deviendra vraisemblablement le premier au milieu des années 90, ce qui lui permettra d'envisager une politique plus dynamique d'exportation. La modestie de son entrée sur le marché international au milieu des années 80 s'inscrit en fait dans la perspective d'un plan décennal, dont la première phase consiste à familiariser l'Occident avec sa terminologie. Il s'agit également d'une période de mise au point pour l'URSS. Il faudra bien, en effet, dix ans à la plus grosse industrie vinicole du monde pour faire face aux besoins du marché en matière de qualité. Les nouvelles glanées sur la récolte 1986 en Géorgie sont édifiantes : l'administration l'a considérée si bonne que seuls les raisins possédant au moins 19 % d'alcool en puissance furent acceptés à la vinification. C'est au nom de la « Perestroika » que l'on a ainsi décidé de se hausser au niveau des normes de qualité internationales ! Mais c'est de l'esprit de la « Glasnost » dont l'URSS a besoin. Il lui faudra accepter que des œnologues, français et australiens par exemple, la fasse bénéficier de leur expérience dans les techniques de vinification traditionnelle et moderne. Elle pourra alors produire des vins de grande qualité.

FACTEURS AFFECTANT LE GOÛT ET LA QUALITÉ

Situation
La vigne est cultivée dans les États du sud-ouest de l'URSS, des rivages méridionaux et orientaux de la mer Noire aux zones côtières de l'ouest de la mer Caspienne. On constate actuellement les réels progrès de la viticulture dans les républiques centre-asiatiques de l'Ouzbékistan, du Tadjikistan et du Kighizistan.

Climat
Dans l'ensemble de la zone viticole, les hivers sont généralement très froids avec des températures de l'ordre de – 30 °C, et les étés très chauds et secs. S'il n'y avait l'influence modératrice des mers Noire et Caspienne, le climat serait probablement impropre à la viticulture. Protégée par le Caucase, la Géorgie jouit d'un microclimat favorable.

Site
La plupart des vignes croissent dans les zones côtières ou dans les vallées, sur des terrains plats ou faiblement ondulés. Quelques collines sont encépagées.

Sol
On rencontre presque toute la gamme des formations géologiques.

Viticulture et vinification
Si l'étendue du vignoble, comme des rendements, a quadruplé depuis 1950, il s'agit surtout de progrès quantitatifs.

Au milieu des années 50 est apparue la « méthode russe en continu » imaginée pour la production de vins mousseux à bon marché, fondée sur une seconde fermentation naturelle. On alimente un vin de base sous pression dans une série de grandes cuves en acier inoxydable dans lesquelles on introduit, également en continu, du sucre et des levures. Le vin passe lentement par diverses cuves de filtrage, collage, pasteurisation et stabilisation, pour en sortir trois semaines après, complet.

Cépages
Aleatico (Aleatika), Alexandreuli, Aligoté, Bastardo, Bayan shirei, Cabernet franc (Caberne, Cabernet), Cabernet Sauvignon (Caberne sovinyon), Chardonnay, Chilar, Chinuri, Ekim kara, Fetiaska (Fetjasko, Fetjaska), Furmint, Goruli, Grasnostok zolotovskij, Gurdzhaani, Machuli-Tetra, Magarach, Malbec, Matrassa, Merlot, Mtsvane, Mudzhuretuli, Muscadine (blanc ou rosé), Muscat (Muscatel), Ochshaleschi (Adzhaleschi), Pinot blanc, Pinot gris (Grey pinot), Pinot noir, Plechistik, Riesling (Rhein Riesling, Risling, Rizling), Rkatsileli, Sary pandas, Saperavi, Sercial (Sersial), Sylvaner (Silvaner), Tasitska, Tavkveri, Tsimlyansky (Tsimljanskoje), Tsinandali, Tsolikouri, Verdello (Vardeljo, Verdels), Voskeat, Welschriesling (Italianskirizling)

L'URSS

Les régions viticoles de l'URSS forment autour de la mer Noire un arc de cercle qui se déploie vers l'est jusqu'à la mer Caspienne.

COMMENT LIRE LES ÉTIQUETTES DES VINS SOVIÉTIQUES

Le suffixe ajouté à un nom de lieu indique la provenance exacte du raisin.

Белое Вино *Beloe vino*
Vin blanc

Десертное Вино *Desertnoe vino*
Vin de dessert

Грузинское Вино
Gruzinskoe vino Vin géorgien

Красное Вино
Krasnoe vino Vin rouge

Розовое Вино
Rozovoe vino Vin rosé

Шампанское
Shampanskoe « Champagne »

Столовое Вино
Stolovoe vino Vin de table

Сухое Вино
Sukhoe vino Vin sec

Винозавод
Vinozavod Entreprise viticole

Vinification du « Krim » en Crimée
Inspection du contenu des grosses barriques en bois, alignées, dans une entreprise viticole de « Madère », un vin de dessert.

Les vins de l'Union soviétique

ARMÉNIE

Cette république montagneuse est spécialisée dans les vins de table rouges, fortement titrés en alcool, ainsi que dans les vins de dessert forts, issus des cépages Muscadine et Saperavi. Dans la région d'Echmiadzin, on produit de beaux « Madère », « Porto » et « Xérès », à base de Chilar, Sersial, Vardeljo et Voskeat ; les Muscadine servent à l'élaboration de vins de dessert. L'« Echsmiadzin » passe pour être le meilleur des vins de table blancs, le « Norashen » le meilleur des rouges.

Chilar, Muscadine, Muscatel, Sersial, Vardeljo, Voskeat

AZERBAÏDJAN

Située à l'est de l'Arménie, cette zone viticole produits des vins issus de cépages tels que Bayan shirei, Tavkveri et quelques autres. Les vins de table les plus connus sont les « Sadilly », blancs secs, et les « Matrassa », rouges tendres et épicés. L'« Akstafa » et l'« Alabashly », du type « Porto », sont tous deux très riches en alcool. Parmi divers vins de table de réputation locale, on retiendra les « Mil », « Shamakhy », « Kjurdamir » et « Kara-Chanakh ».

Bayan shirei, Matrassa, Tavkveri

KAZAKHSTAN

Cet État, sur la côte nord-est de la mer Caspienne, abrite les vignobles les plus septentrionaux. Les vins de dessert « Al Bulak », « Kazakhstan », « Kyzyl-Tan » et « Muscatel violet » jouissent d'une bonne réputation. On retiendra, parmi les blancs tranquilles : « Chilikskoje » et « Issyk » issus de Riesling.

GÉORGIE

Avec ses nombreuses vallées, toutes favorables à la viticulture, la Géorgie constitue la plus grande région viticole et la plus ancienne de la Russie. Quelque 1 000 cépages différents y sont cultivés. Le Tsinandali est un raisin blanc qui pousse sur la rive droite de la vallée de l'Alasan, dans la Kakhetia, au sud-est de la principale chaîne caucasienne. Ses vins sont secs et souvent assemblés avec ceux issus de Mtsavane et de Rkatsiteli. Après une longue fermentation, le vin est mis à vieillir en fût de chêne pendant trois ans et en bouteille l'année suivante.

Le Gurdzhaani, cépage poussant dans la même zone que le Tsinandali, donne des vins à la robe d'or pâle et au goût amer, uniques et subtils.

Les vins « Mukuzani », issus du Saperavi, ont un bouquet puissant, une robe rubis sombre et sont souples en bouche. Les vins originaires de Kakhetia sont très tanniques. Les vins « Napareuli », eux aussi issus de Saperavi, cépage cultivé sur la rive gauche de l'Alasan, sont plus légers que les « Mukuzani ». Ces deux vins sont élevés durant trois ans et mis en bouteille la quatrième. Les « Akhasheni », issus du Saperavi, sont des vins demi-secs, corsés, à la robe grenadine sombre. Les « Ochschaleschi » sont des vins demi-secs, rouge sombre. Les « Khvanchkara », produits sur les pentes méridionales du défilé du Rioni, sont un assemblage d'Alexandreuli et de Mudzhuretuli. De bouquet très prononcé, ils sont demi-secs et offrent une saveur de framboise. Les vins mousseux de la région sont obtenus par la méthode champenoise, avec les cépages Chinuri, Goruli, Mtsvane et Tasitska.

Parmi les 1 000 cépages cultivés en Géorgie, les plus importants sont : Saperavi, Tsinandali, Gurdzhaani, Tsolikouri, Chinuri, Murkhranuli et Tasitska

MOLDAVIE

Les régions centrale et méridionale de la république moldave sont spécialisées dans l'élaboration de vins blancs de table et de vins mousseux. Ces mêmes régions sont également connues pour leurs vins de dessert au fort degré alcoolique. On remarquera le « Negru de Purkar », à la robe profonde et à la solide charpente, assemblage de Cabernet et de Saperavi.

Aligoté, Cabernet, Fetjaska, Furmint, Malbec, Merlot, Muscadine, Pinot blanc, Pinot gris, Pinot noir, Rkatsiteli, Rhine Riesling, Saperavi

RUSSIE

Secteurs viticoles : ***Checheno-Ingush, Daguestan, Krasnodar, Rostov-sur-le-Don, Stavropol***

Les vins blancs et mousseux sont produits dans les régions du nord et de l'ouest, le vin rouge au sud et à l'est. Les vignobles les plus réputés de Krasdonar occupent les pentes côtières exposées au sud-ouest qui surplombent la mer Noire. Abrau est renommé pour ses Rizling secs, ses Cabernet et ses vins mousseux doux. Près de la côte, Anapa fait aussi du Rizling, tandis que l'Aligoté est la spécialité de Gelendzhik. À l'est de Krasdonar et au nord du Caucase, Stavropol est connu pour ses Rizling et Silvaner et ses vins forts de dessert, dont le Praskoveiski issu de Muscatel. Le « Fleur de Montagne » fait aussi partie des vins de dessert.

Située à proximité du confluent du Don et du Kan et de l'estuaire du Taganrogskiy Zaliv, Rostov-sur-le-Don est réputé pour ses « Rubis du Don », qui sont des vins de dessert. On utilise le cépage Plechistik pour donner de la charpente au Tsimlyansky (à la fois nom du cépage, d'un endroit de Rostov-sur-le-Don et d'un vin rouge tranquille ou mousseux, blanc ou rosé !). Sur les pentes exposées à l'est des monts du Caucase et surplombant la mer Caspienne, se trouvent les vignobles de la république du Daguestan. C'est une zone à raisins noirs, connue pour ses vins rouges secs, le meilleur étant originaire de Derbent.

Les vignobles d'une autre république, Checheno-Ingush, sont implantés le long des pentes septentrionales du Caucase, au sud-est de Stavropol. La plupart des vins produits dans cette zone sont du type « Porto ».

Aligoté, Cabernet, Muscatel, Pinot gris, Pinot noir, Plechistik, Pukhljakovsky, Rizling, Rkatsiteli, Silvaner, Tsimlyansky

UKRAINE

Secteurs viticoles : ***Krym (Crimée), Nikolayev-Kherson, Odessa***

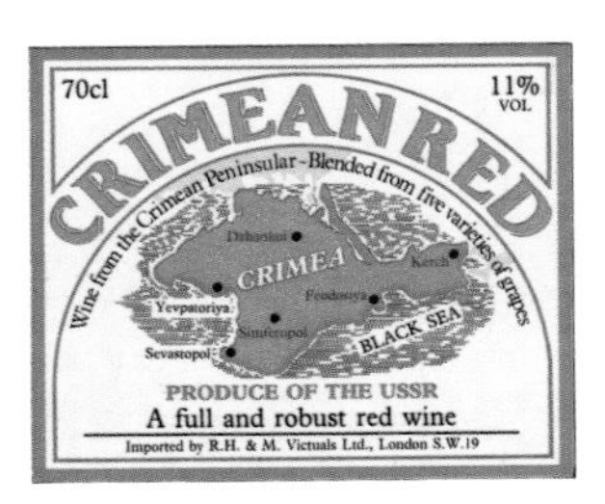

L'industrie vinicole de cette république s'intéresse surtout à la production des vins blancs, bien que l'on y produise aussi des vins rouges et des blancs mousseux et que les vins de dessert y soient une spécialité régionale.

La « Krym » (Crimée) est la fameuse péninsule qui enferme la mer d'Azov. C'est là, dans les villages d'Alushta et Sudak, que L. S. Golitsin a élaboré, en 1799, le premier mousseux de Russie. Le « Krim » est un vin de méthode champenoise, élaboré dans cinq types différents, du brut ou doux, avec un rouge semi-doux. Les cépages utilisés sont les Chardonnay, Pinot noir, Rizling, Aligoté et Cabernet. Les vins sont grossiers et l'adjonction de Cognac, à la mode ancienne, n'y change rien ; mais les brut et demi-sec rouges sont largement diffusés sur les marchés d'exportation et sont vendus au prix de la nouveauté. Le « Ruby de Crimée », un assemblage de Saperavi, Matrassa, Aleatika, Cabernet et Malbec, est un rouge corsé, robuste, rustique.

Nikolayev-Kherson, au nord-est de la « Krym », et Odessa, proche de la frontière moldave, produisent divers blancs mousseux et vins de dessert. Les plus connus, parmi les vins régionaux, sont les « Perlina Stepu », « Tropjanda Zakarpatja » et « Oksamit d'Ukraine ».

Aleatika, Aligoté, Bastardo, Cabernet, Chardonnay, Chorny doktor, Ekim kara, Fetjasko, Magarach, Malbec, Matrassa, Muscadine, Muscatel, Pinot gris, Riesling, Rkatsiteli, Sary pandas, Sersial, Solnechnaya dolina, Saperavi, Verdels

Grèce

Bien avant qu'il existât un seul cep dans les régions viticoles les plus célèbres du monde, la viticulture grecque connaissait son apogée, entre le XIIIe et le XIe siècles avant J.-C. Elle était alors aussi importante pour l'économie grecque que le blé et les olives.

Les vins classiques de la Grèce antique furent, à leur époque, des grands vins qui méritaient bien d'être évoqués par Hipocrate, Homère, Pline, Virgile et quantité d'autres auteurs. De telles sources montrent d'ailleurs à quel point la viticulture était déjà un art. Les vignes, comme de nos jours, étaient disposées en rangs parallèles, avec une distance convenable entre chaque cep. On utilisait au moins six méthodes différentes de taille et de conduite de la vigne, selon les cépages, le sol et la force des vents.

Ce sont les Grecs qui enseignèrent la viticulture et la vinification aux Romains et ce sont eux encore qui propagèrent les premiers concepts de viticulture commerciale. Mais les célèbres vins de l'Antiquité vinrent à disparaître en même temps que se ternissait l'éclat de la civilisation grecque et les vins ne représentent plus guère aujourd'hui que 2 % du produit national brut de la Grèce.

LE NÉGOCE DES VINS GRECS

Je demandais, il y a quelques années, au producteur de vins Jean Boutari pour quelles raisons les vins grecs étaient systématiquement oxydés, madérisés, voire franchement mauvais. Il me répondit que ce type de vin correspond au goût de la plupart des Grecs. Si les producteurs nationaux faisaient des vins de qualité, il semble qu'ils ne pourraient pas les vendre sur le marché intérieur et se verraient donc dans l'obligation de les exporter. Or, les pays étrangers ont à leur disposition une gamme de vins incomparablement plus intéressante que pourrait l'être celle des Grecs. Hors de Grèce, pour l'instant, seul le Retsina a quelque notoriété. Cependant, dans son centre de production de Steinmacho, on élabore des vins francs et bien faits, dans une vaste gamme comprenant des produits bon marché et d'autres plus onéreux – Naoussa, Boutari Cava et Boutari Grande Réserve, qui sont trois des meilleurs vins produits en Grèce.

Peu d'appellations grecques méritent d'être recherchées et le nombre des producteurs soucieux de qualité est faible. Le Côtes-de-Meliton est la seule appellation digne de ce nom et pas un vin blanc sec n'est remarquable. Seuls les vins liquoreux de Muscat sont dignes de confiance et le plus fin, le Samos, est assurément de haute qualité. Quant aux vins rouges d'appellation, seuls ceux de Naoussa et Nemea sortent de l'ordinaire, encore que l'on puisse aussi recommander le Goumenissa, plus léger, et le Mavrodaphne de Patras, souple et doux. Pour ce qui est des producteurs, Boutari et Tsantali élaborent, dans l'ensemble, des vins francs, frais et fruités ; Genka, dont les vins se vendent sous l'étiquette « Cave », fait des vins francs ; Calliga, de Céphalonie, a reçu, de la part de mes confrères, des critiques élogieuses. Personnellement, je considère ses vins comme acceptables sans plus et, à Céphalonie, l'entreprise Gentilini, plus modeste, me semble beaucoup plus prometteuse. Caviros fait également de beaux vins. Quant à Château Semeli et Château Harlaftis, ils se sont plutôt spécialisés dans les vins de Cabernet Sauvignon. En Grèce, plus de la moitié des vins est traitée par des coopératives. Celles-ci peuvent produire les plus infâmes breuvages, bien que de bons vins soient élaborés chez Ioànnina, « Herculese », à Patras, Limnos, Samos et par la Coopérative régionale de Rodhes.

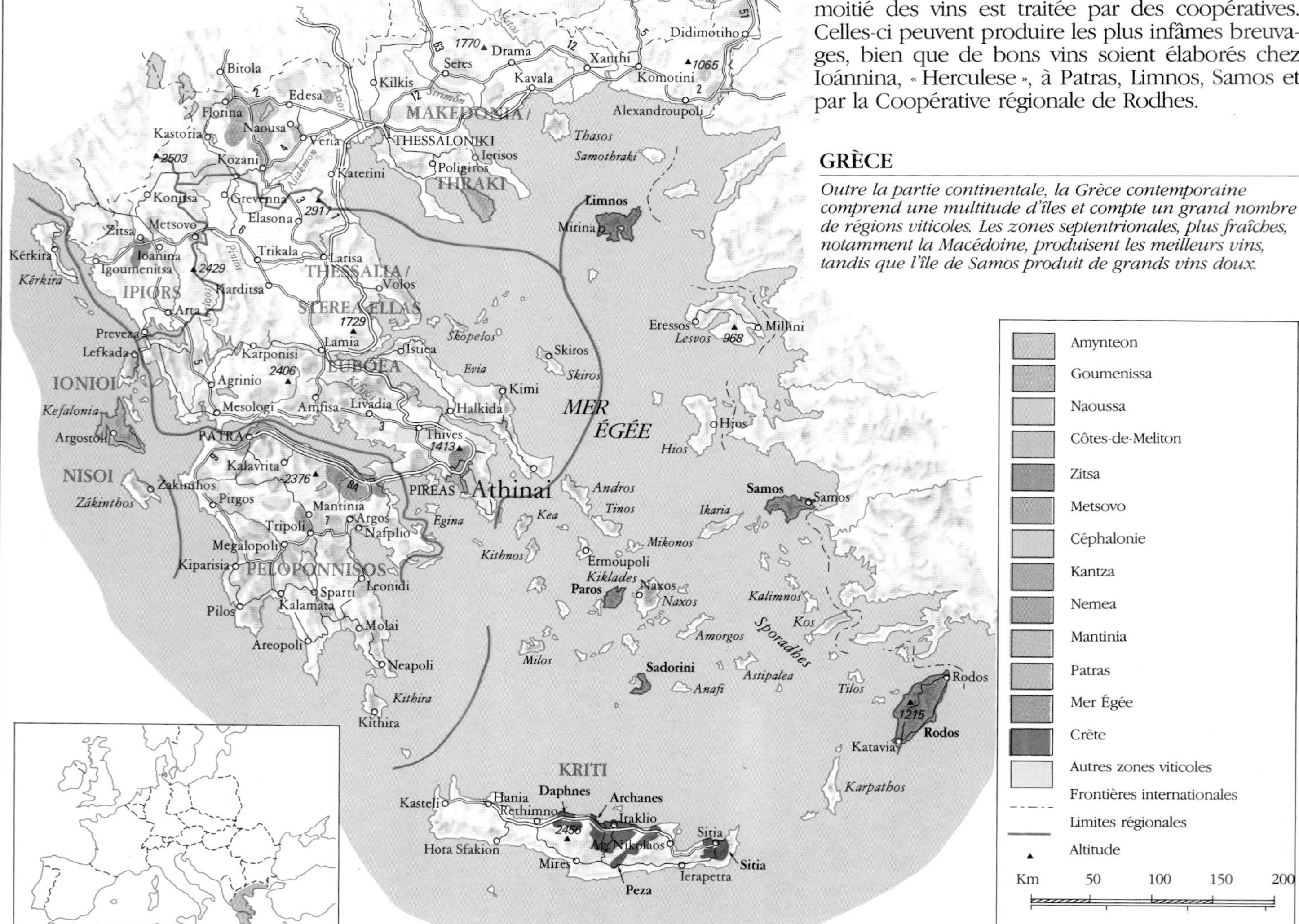

GRÈCE

Outre la partie continentale, la Grèce contemporaine comprend une multitude d'îles et compte un grand nombre de régions viticoles. Les zones septentrionales, plus fraîches, notamment la Macédoine, produisent les meilleurs vins, tandis que l'île de Samos produit de grands vins doux.

FACTEURS AFFECTANT LE GOÛT ET LA QUALITÉ

Situation
La vigne pousse dans toute la Grèce continentale et sur nombre d'îles, mais la plupart des vignobles s'étendent dans la région septentrionale de la Macédoine et dans le Péloponnèse, au sud.

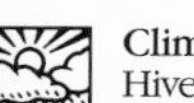

Climat
Hivers doux et étés subtropicaux. Les vignes bénéficient de l'influence modératrice de la brise marine ; elles sont baignées de soleil, en moyenne 3 000 heures par an. Il existe néanmoins de grands écarts de température entre les vignobles montagnards de la Macédoine, où il arrive que le raisin ne parvienne pas à maturité, et ceux de la Crète qui subissent cinq mois de chaleur intense.

Site
Sites côtiers assez plats, vallées plus ou moins encaissées, coteaux escarpés et s'élevant parfois jusqu'à 610 m à Amynteon, en Macédoine. Moins de 15 % des terres des îles Ioniennes sont plates et 23 % s'échelonnent entre 305 et 610 m. Pour éviter la surmaturation, les meilleurs vignobles sont souvent exposés au nord, contrairement à ce qui se pratique dans les zones viticoles de l'hémisphère boréal où la vigne se blottit sur les coteaux exposés au sud.

Sol
Les sols du continent sont surtout calcaires, tandis que ceux des îles sont rocailleux et d'origine volcanique.

Viticulture et vinification
Les vins grecs s'oxydant facilement, on recourut très vite à la technique de l'ajout de résine. Aujourd'hui, 50 % au moins des vins sont donc résinés, car les Grecs, progressivement, en sont venus à aimer ce goût particulier. Quelques vins de meilleure qualité font maintenant leur apparition. Les Muscat doux de l'île de Samos sont les plus remarquables des vins traditionnels.

Cépages
Agiorgitiko, Aidani, Amorgiano, Assyrtiko, Athiri, Batiki, Cabernet franc, Cabernet Sauvignon, Chardonnay, Cinsault, Debina, Goustoldi, Grenache, Korintiaki, Kotsifali, Krassato, Liatiko, Limnio, Mandilaria, Mavrodaphne, Merlot, Messenikola, Monemvassia, Moschophilero, Muscat (Muscat blanc à petits grains, Muscat d'Alexandrie, Traini muscat, Muscat blanc), Negoska, Pavlos, Petite sirah, Pinot noir, Rhoditis, Robola, Romeiko, Rozaki, Sauvignon blanc, Savatiano, Skiadopoylo, Stavroto, Sykiotis, Thymiatiko, Tssaoussi, Ugni blanc, Vertzami, Vilana, Xynomavro

COMMENT LIRE LES ÉTIQUETTES DES VINS GRECS

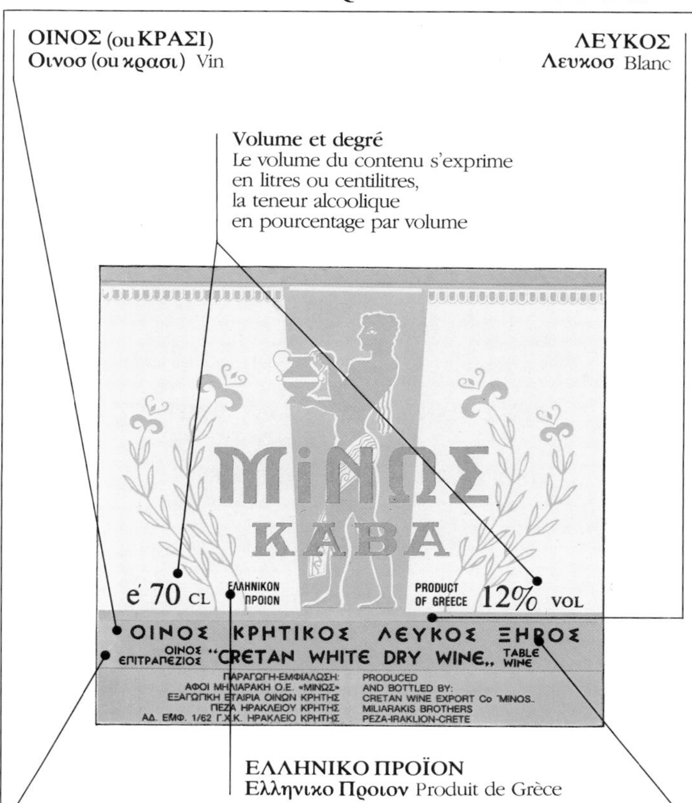

D'autres indications peuvent également figurer sur les étiquettes grecques :

ΑΦΡΩΔΗΣ ΟΙΝΟΣ, ΗΜΙΑΦΡΩΔΗΣ
Αφρωδησ Οινοσ, Ημιαφρωδησ
Vin mousseux, pétillant

ΕΡΥΘΡΟΣ Ερυθροσ
Rouge

ΡΟΖΕ Ροζε
Rosé

ΗΜΙΞΗΡΟΣ Ημιξηροσ
Sec, demi-sec

ΓΛΥΚΟΣ, ΗΜΙΓΛΥΚΟΣ
Γλυκοσ, Ημιγλυκοσ
Doux, semi-doux

ΡΕΤΣΙΝΑ Ρετσινα
Retsina – nombre d'entre eux ne portent pas d'appellation d'origine et peuvent donc être coupés

ΡΕΤΣΙΝΑ ΑΤΤΙΚΗΣ
Ρετσινα Αττικησ
Retsina à appellation d'origine Attica

ΡΕΤΣΙΝΑ ΕΥΒΟΙΑΣ
Ρετσινα Ευβοιασ
Retsina à appellation d'origine Eubée

ΟΝΟΜΑΣΙΑ ΚΑΤΑ ΠΑΡΑΔΟΣΗ
Ονομασια Κατα Παραδοση
Appellation traditionnelle (indication réservée aux Retsinas exclusivement)

ΟΝΟΜΑΣΙΑ ΠΡΟΕΛΕΥΣΕΩΣ ΑΝΩΤΕΡΑΣ ΠΟΙΟΤΗΤΟΣ
Ονομασια Προελευσεωσ Ανωτερασ Ποιοτητοσ
Appellation d'origine de grande qualité. La plupart des vins portant cette indication sont de qualité modeste. Il faudra, en Grèce, faire bien du chemin avant que le système des appellations apporte une connotation qualitative. En attendant, le mieux est de se fier aux adresses de producteurs recommandés pour leur qualité

ΟΙΝΟΠΟΙΕΙΟΝ Οινοποιειον
Entreprise viticole

ΟΙΝΟΠΑΡΑΓΩΓΟΣ
Οινοπαραγωγοσ
Producteur de vin

ΠΑΡΑΓΩΓΗ ΚΑΙ ΕΜΦΙΑΛΩΣΙΣ
Παραγωγη Και Εμφιαλωσισ
Produit et mis en bouteille par...

Millésime
La Grèce faisant partie de la CEE, l'année indiquée signifie que 85 % au moins du vin appartient au millésime

Le pressurage manuel des raisins, à gauche
Dans une grande partie de la Grèce, les méthodes du travail viticole traditionnel, non mécanisé, prévalent encore.

LE RETSINA : UNE FÉLICITÉ OU UN FARDEAU ?

Le Retsina est un vin généralement blanc, auquel on ajoute de la résine de pin pendant la fermentation. Cette pratique remonte à l'Antiquité, époque à laquelle on stockait le vin dans des jarres et des amphores peu étanches, où les vins s'altéraient rapidement.

Peu à peu, le système de bouchage s'améliora, notamment grâce à un mélange de plâtre et de résine, les vins se conservèrent plus longtemps et l'on attribua, à tort, le progrès de leur longévité au pouvoir antiseptique de la résine. Cette idée était accréditée par le fait que plus le vin était résiné, moins il se détériorait. Il est vrai que Pasteur ne devait faire ses précieuses découvertes que vingt-cinq siècles plus tard ! On ne tarda pas à ajouter la résine directement dans le vin ; et la seule différence entre les Retsinas modernes et antiques réside dans l'adjonction de la résine au moment de la fermentation et non après. Les meilleurs Retsinas, dit-on, proviennent de trois régions, l'Attique, la Béotie et l'Eubée, la meilleure résine devant être fournie par le pin d'Alep ou Aleppo en provenance d'Attique.

La plupart des vins grecs exportés sont des Retsinas. De ce fait, on croit souvent, à tort, que tous les vins grecs sont mêlés de résine. Ces vins constituent toujours une pomme de discorde entre les producteurs : doivent-ils donner la priorité à leurs exportations de Retsina, parce que seuls ces vins sont internationalement connus ou doivent-ils, au contraire, consacrer tous leurs efforts à la production de vins moins connus, au demeurant francs et bien faits ?

Jusqu'à présent, les exportateurs ont choisi de centrer leur activité sur les ventes de Retsina, mais cette situation peut, peut-être, changer à l'avenir. À proprement parler, le Retsina n'est pas un vin. Ce serait le cas s'il était marqué par le pin grâce à son élevage dans des fûts de cette essence ; mais l'adjonction directe de résine en fait un vin aromatisé au même tire que le Vermouth et l'industrie vinicole grecque gagnerait peut-être à le commercialiser comme tel à l'exportation pour qu'il ne porte pas ombrage à l'image des autres vins du pays. Cette mesure s'accompagnerait d'un relèvement des normes concernant les vins non résinés, ce qui stimulerait sans doute les producteurs et les encouragerait à investir pour améliorer la qualité des vins qu'ils élaborent et commercialisent.

En Crète, vignes hautes, ci-dessous
Les raisins mûrissants pendent des ceps palissés. L'ombre portée par leur feuillage constitue souvent une protection bienvenue.

Les vins de Grèce

Note : Si les récoltes changent d'une année sur l'autre, donnant des vins plus ou moins légers, la qualité est un facteur constant. Un bon producteur fait de bons vins quelle que soit l'année.
AO = Appellation d'origine
AT = Appellation traditionnelle

MACÉDOINE et THRACE

La partie la plus septentrionale de la Grèce est assurément le réservoir de la plupart des meilleurs vins du pays.

AGIORITIKOS

AT CHROMITSA, AN AREA NEAR THE MONASTERY OF ST PANTELEIMON, AT THE HOLY MOUNTAIN OF AGION OROS, WE PLANTED OUR VINEYARDS OF THE FINE GREEK GRAPE VARIETIES OF ASYRTIKO, ATHIRI AND RODITIS.
FROM THESE VARIETIES WE PRODUCE OUR WINE, AGIORITIKOS, WITH RESPECT TO THE TRADITION OF GOOD WINEMAKING.
CONTAINS SULFITES

Cet excellent vin provient de 60 ha de vignes situées sur le mont Athos, la troisième péninsule du trident de la Chalcidique, immédiatement à l'est de la Sithonie. Baillées par le monastère de Hourmistas à l'entreprise Tsantali, les vignes sont travaillées par des moines sous la direction du régisseur viticole. Leur meilleur vin est le rouge, fin, sec et corsé, issu du Cabernet Sauvignon et du Limnio. Il existe aussi deux vins blancs, l'un sec, l'autre demi-sec, tous deux frais, francs et fruités et un rosé sec, délicieux.

Cabernet Sauvignon, Limnio, Sauvignon blanc

AMYNTEO AO

La plus septentrionale des appellations grecques. Les vignes sont cultivées à 650 m d'altitude et les raisins atteignent rarement la surmaturation. La qualité est intermittente, sans parler d'un étrange brouet concocté par la coopérative locale, mais il existe, à l'occasion, des joyaux.

Xynomavro

CÔTES-DE-MELITON AO

Cette appellation s'applique aux vins rouges, blancs et rosés de la Sythonie, la péninsule médiane de la Chalcidique. Leur facture est d'un niveau fort satisfaisant. Il s'agit de vins provenant tous du domaine Porto Carras appartenant au multimillionnaire John Carras. Élaborés selon des méthodes modernes de vinification, ces vins sont généralement légers, élégants et doivent être bus jeunes, hormis le Château Carras, vin rouge à la robe profonde, corsé, plein de saveur, qu peut être de longue garde.

Assyrtico, Athiri, Cabernet fran Cabernet Sauvignon, Cinsau Grenache, Limnio, Petite sirah, Rhoc tis, Sauvignon blanc, Savatiano, Ug blanc, Xynomavro

Entre 1 et 2 ans (Château Carra entre 5 et 8 ans pour les millé mes les plus légers, entre 10 et 20 a pour les plus enveloppés)

GOUMENISSA AO

Vins rouges légers de la Goumeniss au nord-est de la Naoussa. Fruités e élégants, ces vins, dont les meilleur sont élevés quelque temps en fût, peuvent avoir beaucoup de saveur.

Xynomavro, Negoska

Entre 3 et 8 ans

☆ Boutari

NAOUSSA AO

Généralement loyaux, ces vins proviennent d'une région située à l'ouest de Thessalonique, à 350 m d'altitude, sur le mont Velia. Bien que je n'aie que trois noms à recommander tout en notant que, sur les trois, Boutari et Château Pigassos sont de loin les meilleurs, je pense que tout les vins de Naoussa méritent d'être goûtés. Les producteurs locaux placent dans leur vin une fierté que l'on ne rencontre pas toujours ailleurs. Le bon Naoussa est bien coloré, aromatique, riche, épicé, fruité et long en bouche.

Xynomavro

Entre 4 et 15 ans

☆ Boutari, Château Pigassos, Tsantali

ÉPIRE

Les vignobles sont relativement peu nombreux dans cette zone montagneuse de la frontière albanaise.

METSOVO AO

La production de vins de Cabernet Sauvignon s'est manifestement étendue dans cette zone à l'est de Zitsa, mais je n'y ai pas goûté car la région est assez inaccessible.

Cabernet Sauvignon

ZITSA AO

Vin blanc sec ou semi-sec, légèrement pétillant, franc et délicatement fruité, originaire de six villages à l'entour de Zitsa où la vigne pousse à 600 m d'altitude. La plupart de la production est traitée par l'Union des Coopératives Agricoles de Jannina et je la recommande chaleureusement.

Debina

Immédiatement

☆ Union des Coopératives Agricoles de Jannina

PÉLOPONNÈSE

Séparée de la Grèce continentale par le canal de Corinthe, encaissé entre des parois à pic, le Péloponnèse est bien connu pour sa viticulture intensive qui produit des raisins de Smyrne et de Corinthe, tout comme du vin.

MANTINIA AO

Vin blanc sec, originaire des vignobles de montagne aux environs des ruines antiques de Mantinea, au centre du Péloponnèse. Bien qu'on y trouve quelques vins très frais et d'un fruit agréable, vivace, leur qualité laisse à désirer et je n'en ai pas rencontré sur les marchés d'exportation.

Moschophilero

Immédiatement

MAVRODAPHNI DE PATRAS AO

Vin liquoreux rouge, riche, doux, à la souplesse veloutée, révélant en finale l'onctuosité du chêne. Souvent comparé au Recioto della Valpolicella, un bon Mavrodaphni est, à mon avis, bien meilleur. On peut le boire avec un même plaisir, qu'il soit jeune et fruité ou épanoui et souple.

Mavrodaphni

Entre 1 et 20 ans

☆ Andrew P. Cambas, Achaia Clauss, Union des Coopératives Agricoles de Patras

MUSCAT DE PATRAS AO

Muscat liquoreux attrayant et doux, à la robe d'or ; il est délicieux quand il évoque bien le raisin sec.

Muscat blanc à petits grains

Immédiatement

☆ Union « Moschato » des Coopératives Agricoles de Patras

MUSCAT RION DE PATRAS AO

Analogue sous tous rapports au Muscat de Patras, mais je ne l'ai pas goûté ni même vu.

Muscat blanc à petits grains

NEMEA AO

Cette appellation est digne de confiance pour la même raison que la Naoussa – la fierté locale. Cultivé dans le secteur de Corinthe à des altitudes comprises entre 250 et 800 m, le cépage Agiorgitiko fournit un vin rouge à la robe profonde, corsé et épicé, parfois gâché par un goût de fruits trop secs. Également nommé « Sang d'Hercule » en référence au sang du héros qui se répandit lorsqu'il tua le lion de Némée, ce vin est produit depuis 2 500 ans.

Agiorgitiko

Entre 5 et 20 ans

☆ « Lion de Nemea » d'Andrew P. Cambas, Achaia Clauss, Entreprise coopérative « Herculéenne » de Némée, Kourtakis

PATRAS AO

Vin blanc sec, léger, de l'arrière-pays de Patras. Je n'ai goûté qu'au vin de la coopérative régionale et l'ai trouvé terne et plat. Néanmoins, cette coopérative est capable de produire des vins de qualité ainsi que le démontrent ses Mavrodaphni et Muscat de premier ordre.

Rhoditis

GRÈCE CENTRALE

Les plus importantes zones viticoles sont situées en Attique, région des environs d'Athènes qui comprend les provinces de Béotie juste au nord-ouest de l'Attique et l'Eubée, grande île au large de la côte orientale.

KANTZA AO

Ce vin blanc sec de l'Attique ressemble à du Retsina sans résine de pin ! Le seul que j'ai goûté, celui d'Andrew P. Cambas, bien qu'il soit franc, ne m'a pas vraiment séduit.

Savatiano

RETSINA AO

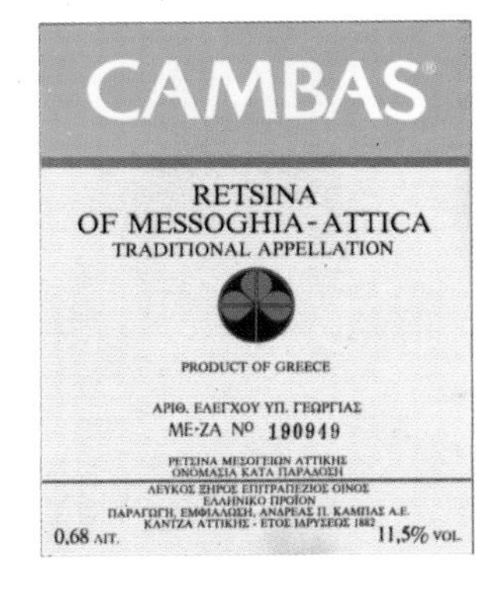

Le Retsina est presque toujours blanc hormis quelques rosés. Ce vin d'assemblage est réalisé pour 85 % à base de Savatiano. Quelle que soit l'origine des raisins d'assemblage qui le composent, le Retsina ne mentionne sur son conditionnement que les termes d'« Appellation traditionnelle » qui désigne la pratique du résinage et la CEE en a limité l'usage exclusif à la Grèce.

Le résinage est plus ou moins intense et la qualité même de la résine de pin utilisée peut varier, la meilleure résine donnant, bien entendu, le meilleur Retsina. Personnellement, je n'aime pas le Retsina mais j'admets que l'arôme de la résine de pin est rafraîchissant. Et je reconnais aussi que ce vin aromatisé se marie assez bien aux mets grecs largement humectés d'huile ! Mais, malgré ses arôme et saveur pénétrants, la résine ne peut masquer le caractère fatigué, plat, oxydé ou tout simplement mauvais d'un vin.

Rhoditis, Savatiano

Aussi jeune et frais que possible

☆ Appellations d'origine : Attique, Eubée, Béotie, Thèbes. Marques commerciales : Marco, Pikermi, Thives

LES ÎLES IONNIENNES

Corfou est la plus septentrionale du groupe d'îles situées au large de la côte occidentale de la Grèce et comprenant Lefcas, Céphalonie et, juste au large du Péloponnèse, Zante.

GENTILINI

Cette affaire passionnante a vu le jour grâce à une jeune producteur de vin soucieux de qualité, Nicolas Cosmetatos. Tout en attendant que son propre vignoble devienne productif, il a entrepris de faire des coupages issus de Tsaoussi et de Robola, achetés dans la région et donnant des vins blancs secs, fins, francs, nerveux et de qualité prometteuse. Le dernier-né de sa gamme, le Fumé Gentilini, est en fait un assemblage de Tsaoussi et Robola séjournant deux à trois mois sous bois de chêne, ce qui lui confère de la complexité. Lorsqu'en 1991 au plus tard, son vignoble de 2 ha et demi sera en pleine production, tous les vins de Gentilini seront produits et mis en bouteille sur le domaine. Les vins dont la production est envisagée seront des blancs en assemblage, de trois qualités différentes, ainsi qu'une production limitée de purs vins de cépage, à base soit de Tssaoussi, soit de Sauvignon blanc ou encore Chardonnay, élevés en barriques de chêne neuf du Limousin.

J'espère de tout cœur que Nicolas Cosmetatos sera le premier à annoncer l'avènement d'une nouvelle génération de bons producteurs grecs.

Chardonnay, Sauvignon blanc, Tssaoussi

MAVRODAPHNI DE CÉPHALONIE AO

Je n'ai pas goûté à ce vin rouge doux, liquoreux, qui doit être assez similaire au Mavrodaphni de Patras, du Péloponnèse.

Mavrodaphni

MUSCAT DE CÉPHALONIE AO

Un des moins connus des vins de muscat liquoreux. Si j'y ai goûté une fois, je ne puis me prononcer sur sa régularité, encore que je l'aie trouvé convenable.

Muscat blanc à petits grains

ROBOLA DE CÉPHALONIE AO

Ce vin blanc sec, au nez presque racé, peut être frais et floral. Sa saveur picotante, relativement riche, révèle un fruité délicat d'agrume. Néanmoins, il est souvent gâté par une vinification négligée.

Robola

1 à 2 ans au maximum

SANTA MAVRA

Vin rouge corsé, à la robe profonde, obtenu sur des terrasses s'élevant jusqu'à 800 m, sur l'île de Lefcas. Je ne l'ai rencontré qu'une fois mais il m'a paru franc et j'ai aimé sa saveur framboisée légèrement tannique.

Vertzami

VERDEA

Vin blanc sec, astringent, souvent oxydé, élaboré sur l'île de Zante où il est réputé pour son bouquet délicat.

Pavlos, Skiadopoylo

THESSALIE

Cette région comprend le secteur centre-oriental du continent.

ANCHIALOS AO

Vin blanc sec, moyennement corsé, originaire de la zone de Nea Anchialos, sur le golfe de Pegassitikos, près de Volos. Le vin de la coopérative la « Demetra » est assez franc, sans plus.

Savatiano, Rhoditis, Sykiotis

RAPSANI AO

Je n'ai pas eu l'occasion de goûter les vins rouge de cette région, dans le voisinage du mont Olympe.

Xynomavro, Krassato, Stavroto

LA MER ÉGÉE

Les îles les plus importantes pour la production viticole dans cette région sont, dans l'ordre d'importance : Samos, Lesbos et Lemnos.

LEMNOS (LIMNOS) AO

Vin blanc sec, tendre et floral, au fruité franc, ayant le caractère attrayant du Muscat de l'île de Lemnos. Celui de la coopérative régionale est sérieusement élaboré.

Limnio

Immédiatement

☆ Union des Coopératives Agricoles de Lemnos

LESBOS

Les vins de cette île se consomment sur place, aucun n'est exporté.

MUSCAT DE LEMNOS AO

Vin liquoreux de Muscat, plus riche et doux que celui de Patras mais n'ayant pas la classe de celui de Samos.

Muscat d'Alexandrie

Immédiatement

☆ Union des Coopératives Agricoles de Lemnos

MUSCAT DE SAMOS AO

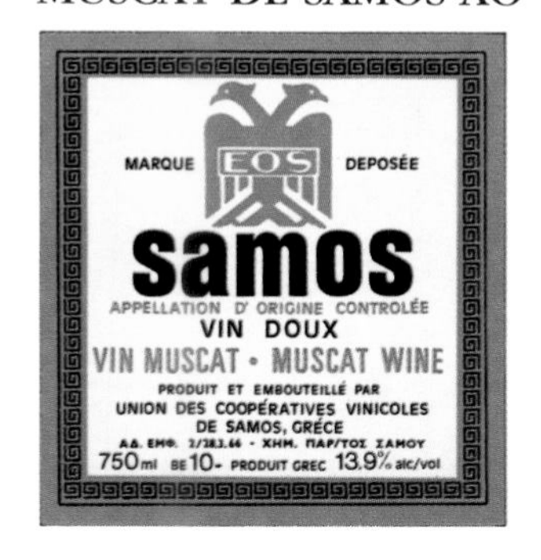

Le Samos et le Nectar de Samos de la coopérative régionale sont au nombre des plus grands vins doux du monde, équilibrés, riches et mielleux. Il en existe une version délicieuse dénommée « Samena » qui se distingue par son caractère frais, sec et franc, sa saveur fruitée et son arôme d'eau de fleur d'oranger.

Muscat blanc à petits grains

Immédiatement

☆ Union des Coopératives Vinicoles de Samos

LES CYCLADES

Berceau des vins grecs de l'Antiquité, les plus importantes îles des Cyclades pour la production viticole sont aujourd'hui Paros et Théra. Le *meltemi* peut souffler si fort qu'il faut conduire la vigne en gobelet bas.

PAROS AO

Vin rouge peu corsé, à la robe profonde, issu du cépage Mandilaria, que je n'ai goûté qu'une fois et auquel j'ai trouvé un goût très bizarre. Un vin blanc sec, riche, à base du cépage Monemvassia est également produit, mais je n'y ai pas goûté.

Mandilaria, Monemvassia

SANTORINI AO

Obtenu sur Théra, ce vin blanc sec et corsé, peut contenir 17 % d'alcool naturel et montrer une acidité élevée. Ce vin est intéressant et inhabituel, encore que, à mon sens, il ne soit pas particulièrement agréable. On produit aussi un vin doux, dénommé *liastos* de Santorin, élaboré selon un procédé analogue à celui du « vin de paille » français. Cette méthode semble d'ailleurs la plus adaptée pour traiter ce cépage.

Assyrtiko, Aidani

Entre 2 et 5 ans

LE DODÉCANÈSE

Dans cette région, seule Rhodes présente quelque importance en matière de vins, encore qu'on en produise un petit volume sur Cos, l'île d'Hippocrate.

MUSCAT DE RHODES AO

Bon vin de Muscat de liqueur, riche, doux et doré, que je considère comme l'égal du Muscat de Patras.

Muscat blanc à petits grains, Traini muscat

Immédiatement

☆ CAIR

RHODES AO

Parmi les vins produits par la CAIR, la coopérative régionale, j'ai goûté un vin blanc sec, terne, filant, dénommé « Ilios » ; un mousseux de méthode champenoise fort mais grossier, sec ou doux, et un Muscat rouge, doux et bien équilibré, appelé « Amandia ». Il en existe d'autres que je n'ai pas goûté.

Amorgiano, Athini

Immédiatement

☆ CAIR

CRÈTE

La Crète est divisée par une chaîne montagneuse qui fait barrière entre le Sud qui regarde l'Afrique, et le Nord qui fait face à la mer Égée.

ARCHANES AO

Si j'ai goûté au vin de table de la coopérative locale, l'« Armanti », je n'ai pas eu l'occasion de goûter au vin d'appellation élevé en fût.

Kotsifali, Mandilaria

DAPHNES AO

Vins rouges secs ou doux ou vin de liqueur rouge.

Liatiko

PEZA AO

Selon mon expérience, exclusivement fondée sur les vins de la coopérative locale, il y aurait grand intérêt à empêcher la pratique de la macération malolactique pour

la production du blanc sec « Regalo », et mettre en bouteille et vendre les rouges « Mantiko » plus jeunes.

Kotsifali, Mandilaria, Vilana

SITIA AO

Vins rouges secs, robustes et de robe profonde, ou bien vins de liqueur rouges et doux.

Liatiko

Proche-Orient

Hormis un seul vin exceptionnel, le Château Musar, de la vallée de la Bekaa, ravagée par la guerre, il n'existe pas de vins fins au Proche-Orient. Toutefois, on produit des vins de facture honnête sur les hauteurs du Golan, qu'occupe Israël, et sur l'île de Chypre.

Le Proche-Orient pratiquerait la viticulture depuis au moins 4 000 ans avant J.-C. Il semble, en effet, que l'on élaborait en Mésopotamie, dans la région correspondant de nos jours à l'Irak, d'importantes quantités de vin. Actuellement, la plupart des vignobles du Proche-Orient servent à la production de vins de table, de raisins secs dits « de Smyrne » et « de Corinthe ». Le succès de Serge Hochar à Château Musar amorce sans doute un changement de cette situation. Ce dernier a réussi à bouleverser les vues sur les possibilités vinicoles de cette région. La paix revenue, il se pourrait donc que nous assistions à la naissance d'un grand nombre de vins de classe.

TURQUIE

Secteurs viticoles : ***Thrace-Marmara, Ankara, Côte méditerranéenne, Côte de la mer Noire, Anatolie centrale, Anatolie du centre-sud***

Ce pays possède le cinquième des plus vastes superficies encépagées du monde mais, du fait d'une population à majorité musulmane, la plupart des vignobles produisent des raisins de table et des raisins secs.

Les vins d'origine turque sont généralement plats, trop alcooliques, lourds, excessivement soufrés et il arrive souvent qu'ils soient oxydés. Les plus connus sont le Trakya, vin blanc sec à base de Sémillon, de la Thrace, le Trakya Kirmisi, vin de coupage rouge élaboré à partir de cépages indigènes de Thrace, le Hosbag, vin rouge de Gamay également de la Thrace, et le Buzbag, vin rouge le plus célèbre de Turquie, à base de cépages indigènes cultivés dans l'Anatolie du Sud-Est. Mais quels que soient leurs noms, mieux vaut les éviter. Le meilleur d'entre eux est le Villa Doluca, pur vin de Gamay de la Thrace, franc, bien fait et à l'équilibre agréable.

CHYPRE

Secteurs viticoles : ***Marathassa Afames, Pitsilia, montagnes de Maberas, montagnes de Tróodos, Mesaoria***

Cette île superbe produit du vin depuis 4 000 ans au moins et le plus célèbre d'entre eux, le « Commanderie de Saint-Jean » serait, selon certains, le plus vieux du monde. Quoi qu'il en soit, on peut faire remonter avec certitude cette prétention à 1191, époque où Richard Cœur de Lion, roi d'Angleterre, acquit l'île au cours des Croisades. Il la vendit à l'Ordre des Chevaliers du Temple, lequel se constitue en Commanderie avant de devenir, plus tard, l'Ordre des Chevaliers de Saint-Jean. Le « Commanderie de Saint-Jean » est un vin doux de dessert, élevé en *solera*. Il est le résultat de l'assemblage de raisins blancs et noirs exposés au soleil pendant 10 à 15 jours après la récolte, et qui, en se desséchant, ont subi une forte concentration en sucre. Ce vin, riche et succulent, offre généralement un goût d'une grande finesse, mais en raison des difficultés politiques que connaît le pays, ses productions actuelles ne peuvent être appréciées.

LE LEVANT

Seul dans le groupe disparate des pays formant le Levant, le Liban peut se targuer de produire un vin fin.

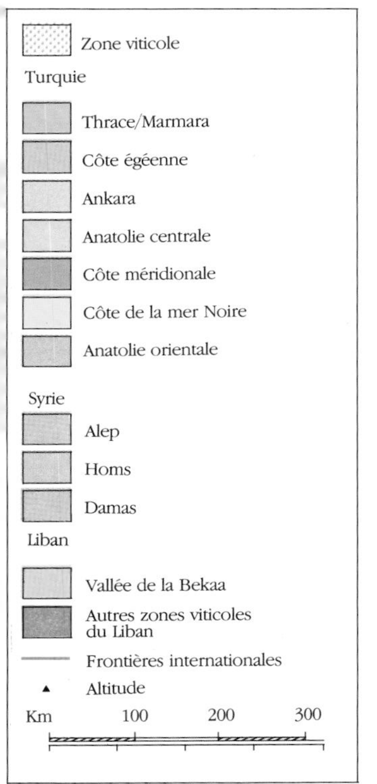

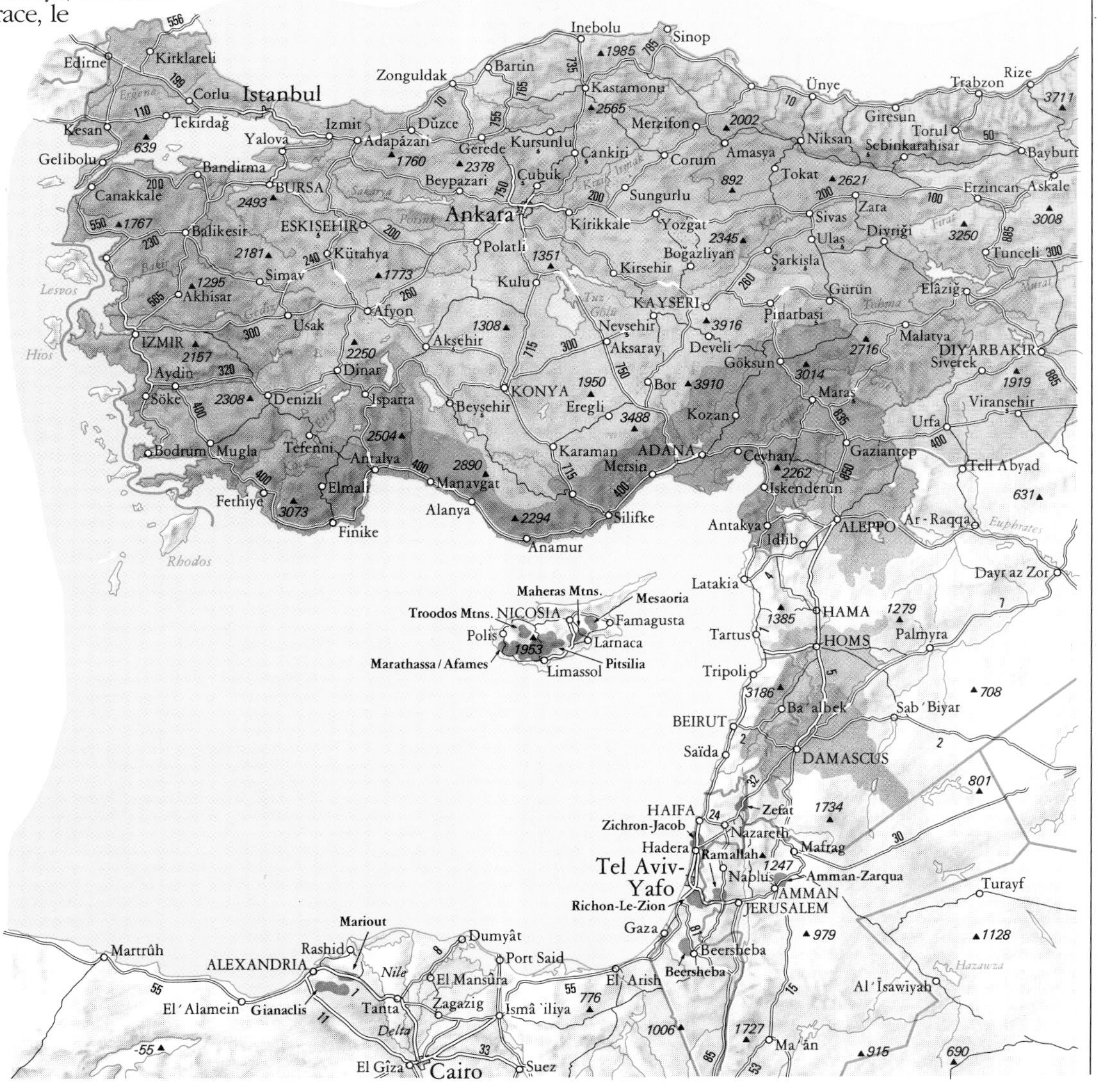

Vignobles cypriotes, ci-dessus
Une des zones viticoles de l'île, située sur les contreforts des monts Tróodos.

Ces dernières années, Chypre a eu à souffrir de deux chocs économiques venant porter préjudice à son négoce de vins. En 1986, l'Espagne se rallia à la CEE et la Communauté mit à l'index le Xérès de Chypre. Or, toute l'industrie viticole cypriote se fondait sur ce vin de vente massive. Puis, au nom d'une croisade contre l'alcoolisme, Michael Gorbatchev suspendit toutes les importations de vins cypriotes en URSS, sous le motif que les produits de ce pays consistent essentiellement en spiritueux et vins vinés ou à fort degré d'alcool. Les Cypriotes en tirèrent les conséquences et modifièrent leur industrie viticole, en évaluant avec précision les besoins qui se feront jour à l'horizon des années 90. Vendanges hâtives, cuves en acier inoxydable à température contrôlée et méthodes modernes de vinification sont donc désormais en usage pour la production des vins de table, plus légers, plus francs et plus nerveux que par le passé.

Quelques noms peuvent être recommandés : Domaine d'Ahera, vin rouge sec et léger ; Bellapais, blanc demi-sec, fruité et pétillant ; Thisbe, une sorte de Liebfraumilch de Keo ; Carignan noir, vins rouges de cépage secs ; Grenache noir, vins rouges également secs ; et Avra, mousseux blanc sec de méthode champenoise.

SYRIE

Secteurs viticoles : *Alep, Homs, Damas*

Environ 90 000 hectares de vignes produisent en Syrie essentiellement des raisins de table et des raisins secs de Corinthe et de Smyrne. La production de vins y dépasse rarement 8 000 hectolires par an. Les vignobles se situent tous sur la partie inférieure du flanc des montagnes.

LIBAN

Secteur viticole : *Vallée de la Bekaa*

Premier vinificateur du Liban, Serge Hochar, du Château Musar, accomplit un petit miracle dans la vallée de la Bekaa où il a dû protéger ses vignobles contre les chars syriens et les *jets* israéliens.

Son vin est élaboré à partir de Cabernet Sauvignon, Cinsault et Syrah, cultivés à une altitude de 1 000 m, sur des coteaux dont le sol de gravier couvre un soubassement calcaire. L'ensoleillement des vignes est au moins de 300 jours par an et elles ne reçoivent aucune pluie pendant les vendanges. Le vin, principalement à base de Cabernet Sauvignon, est élaboré selon les méthodes en honneur dans le Bordelais et ressemble effectivement à un bon Bordeaux. Certains millésimes évoquent plutôt les vins des Côtes du Rhône, bien que les cépages du Rhône y participent en minorité. Hochar explique cela par l'influence variable du Cinsault. Mais qu'il « tire » sur le Bordeaux ou sur le Côtes-du-Rhône, le Château Musar est toujours un vin corsé, plein de saveur, d'une bonne tenue avec des tanins souples. Sa saveur riche, à la fois douce et épicée, évoque la prune. Tous les vins produits font preuve d'une complexité et

FACTEURS AFFECTANT LE GOÛT ET LA QUALITÉ

Situation
Zone orientale de la Méditerranée.

Climat
Sec et chaud dans la plus grande partie du secteur. Les microclimats qui favorisent les quelques vignobles de qualité sont dus à la proximité de la Méditerranée et à l'altitude.

Site
La vigne se cultive sur toutes sortes de terrains, depuis les plaines bordant la Méditerranée jusqu'aux pentes montagneuses de Chypre, de Turquie, d'Israël et du Liban.

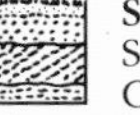

Sol
Sols variés : volcaniques à Chypre, calcaires couverts de gravier, côtes sablonneuses et plaines alluviales au Liban.

Viticulture et vinification
Si l'on fait encore, en volumes importants, des vins vinés doux, lourds, on s'intéresse de plus en plus à l'élaboration de vins de table plus légers. On implante les vignobles sur des sites montagneux plus élevés, on récolte les raisins plus tôt et on les fait fermenter à des températures plus basses. Les vins sont mis en bouteille plus tôt, pour en valoriser la fraîcheur et le fruité.

Cépages
Turquie
Adakarasi, Altintas, Aramon, Beylerce, Cabernet Sauvignon, Carignan, Chardonnay, Cinsault, Cubuk, Dimrit, Hasandede, Gamay, Irikira, Kalecik, Karalhana, Karasakiz, Kuntra, Muscat, Papazkarasi, Pinot noir, Riesling, Sémillon, Sylvaner, Tokmark, Yapincak

Chypre
Cabernet franc, Cabernet Sauvignon, Carignan, Chardonnay, Grenache, Malvasia grossa, Maratheftikon, Mataro, Mavro, Muscat Hamburg, Palomino, Riesling, Riesling Italico, Sémillon, Ugni blanc, Zynisteri

Liban
Aramon, Cabernet Sauvignon, Carignan, Chardonnay, Chasselas, Cinsault, Muscat à petits grains, Pinot noir, Sauvignon blanc, Ugni blanc

Israël
Cabernet Sauvignon, Clairette, Grenache, Muscat d'Alexandrie, Sauvignon blanc, Sémillon

Égypte
Chardonnay, Chasselas, Fayumi, Gamay, Guizaki, Muscat Hamburg, Pinot blanc, Pinot noir, Rumi

Note : Faute d'industrie viticole développée, il est impossible de dresser une liste de cépages pour la Syrie et la Jordanie.

d'une finesse remarquables et leur qualité est garantie quel que soit le millésime. Certains millésimes gagnent à être bus entre les cinq et dix années suivant leur récolte, d'autres, tels les 1970 et 1972, sont de plus longue garde encore.

Parmi les autres vins libanais, le Domaine des Tourelles et le Domaine de Kefraya sont agréables à boire, mais la plupart des producteurs utilisent encore des méthodes sommaires.

ISRAËL

Secteurs viticoles : *Zefat, Zichron-Jacob, Richon-le-Zion, Allah, Beersheba*

Bien que depuis les années 60 j'aie goûté régulièrement aux vins d'Israël, il a fallu attendre 1987 pour l'apparition de vins francs et expressifs. Les plus remarquables sont le Gamla de Cabernet Sauvignon et le Yarden de Sauvignon blanc. Tous deux sont originaires des vignes implantées sur les hauteurs du Golan où la température, même en plein été, dépasse rarement 25 °C. Ils sont pleins de saveurs vibrantes et fruitées.

JORDANIE

Secteur viticole : *Amman-Zarqua*

La Jordanie, où jadis prospérait la vigne, ne possède maintenant plus qu'un vignoble déclinant. Il couvre 3 000 hectares et seul un faible pourcentage des vignobles produit du vin à raison de 6 000 hectolitres (67 000 caisses) par an en moyenne. Les Jordaniens préfèrent en effet l'Arak, spiritueux anisé au vin.

ÉGYPTE

Secteur viticole : *Abu Hummus*

Si d'aventure vous faites route dans la région du delta du Nil, évitez à tout prix l'infect vin égyptien. L'Égypte compte en effet 20 000 hectares de terres encépagées produisant approximativement 15 000 hectolitres par an d'un vin qui ne présente aucun intérêt.

LES VINS D'AFRIQUE

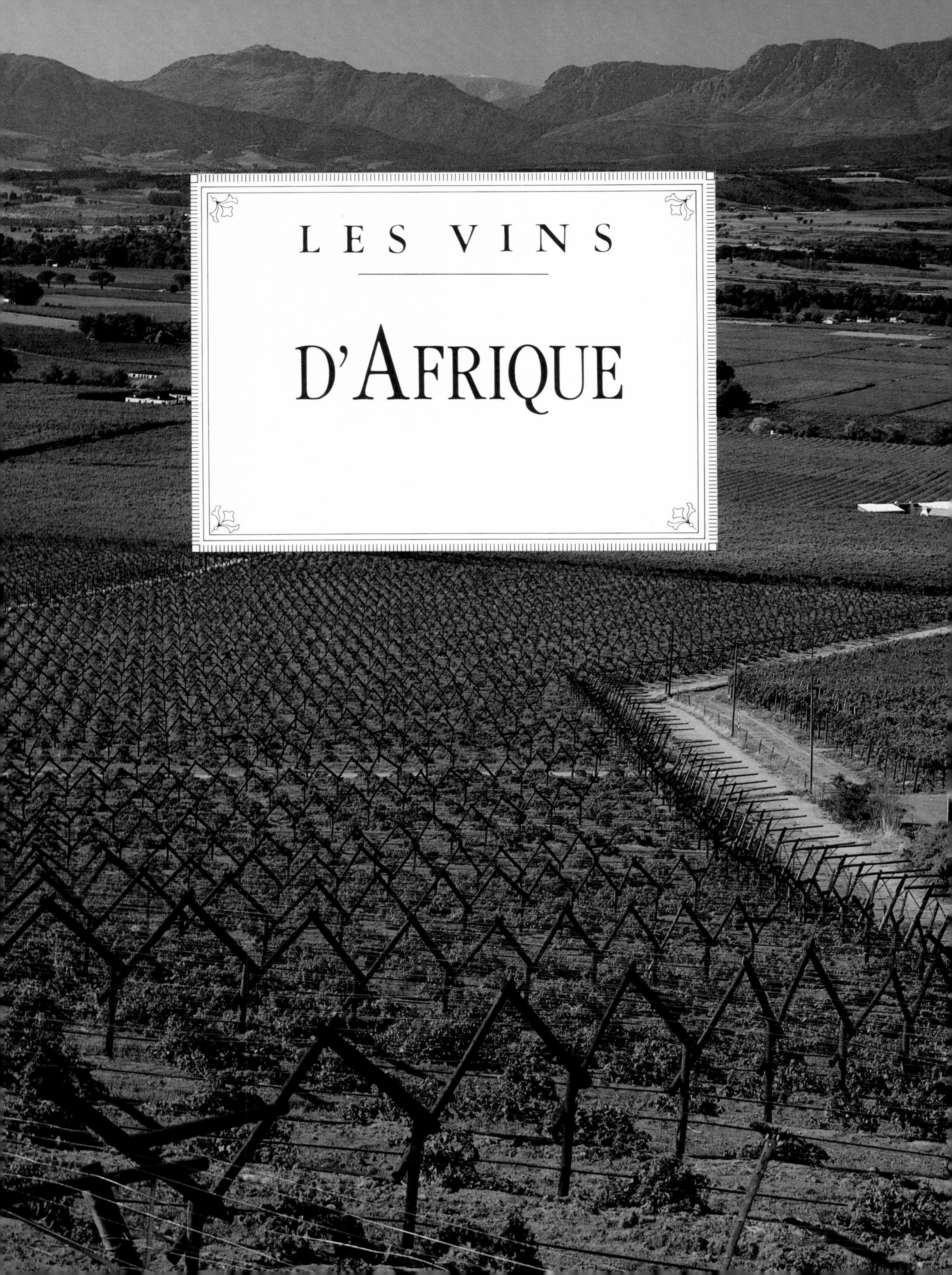

Afrique du Nord

Les industries vinicoles en Algérie, au Maroc et en Tunisie, et le système des appellations sont largement influencés par les structures mises en place par les colons français. Actuellement, les gouvernements de chacun de ces pays tentent de faire progresser en qualité le secteur. Mais cette volonté politique entre en conflit avec l'influence musulmane, de sorte que les vignobles sont plutôt en régression à l'heure actuelle. S'il n'existe aucun vin fin à proprement parler dans ces pays, la qualité peut être bonne, surtout au Maroc et en Tunisie.

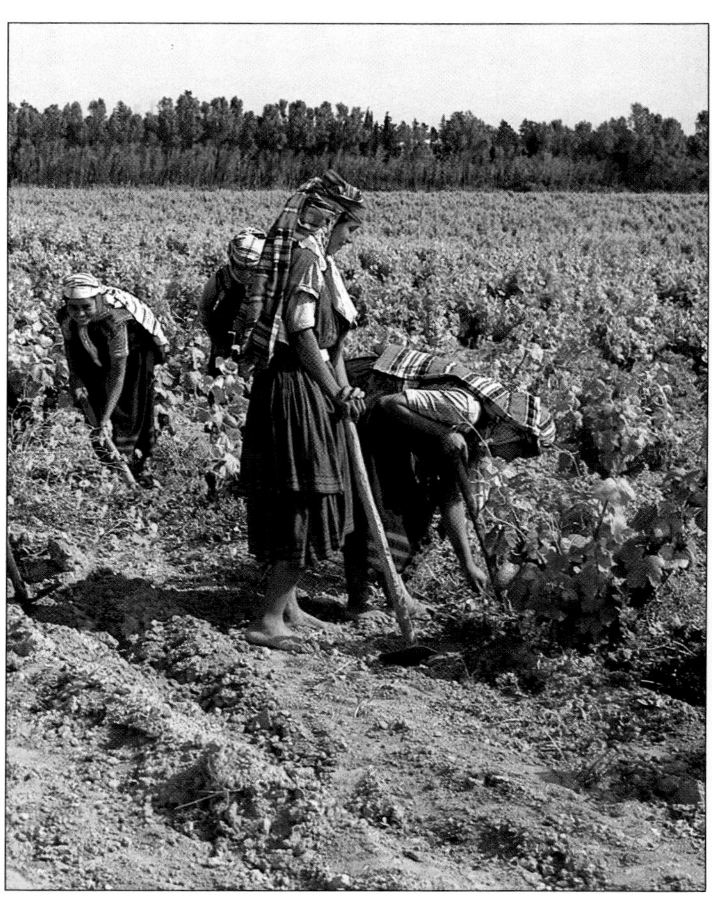

Femmes berbères au travail dans un vignoble tunisien, ci-dessus
Les meilleurs et les plus sérieux des AOC de la Tunisie sont ses Muscat.

ALGÉRIE

Secteurs viticoles du département d'Oran : *Coteaux de Mascara, Coteaux de Tlemcen, monts de Tassalah, Mostaganem, Mostaganem-Kenenda, Oued Imbert*
Secteurs viticoles du département d'Alger : *Aïn-Bessem-Bouïra, Coteaux du Zaccar, Haut-Dahra, Médéa*

En 1830, l'Algérie fut le premier des pays d'Afrique du Nord à être colonisé par la France et, depuis, la production de vins de ce pays l'emporte sur les autres, en quantité sinon en qualité. L'indépendance montra clairement la véracité des remarques cyniques formulées sur le soutien qu'apportaient les vins algériens aux Bourgogne. En fait, les vins marocains ont autant bénéficié de ces opérations de coupage que les Bourgogne. Mais il faut dire aussi que le sombre vin algérien donna du corps aux plus indigents, aux moins intéressants des Bourgogne, jamais aux meilleurs. Une fois coupés, ces vins avaient perdu leur spécificité mais s'étaient néanmoins améliorés.

Depuis l'indépendance, la superficie du vignoble algérien a diminué de moitié. Les vins rouges ne coupent plus les vins français mais ils ne se sont pas améliorés, contrairement aux blancs et aux rosés, de plus en plus frais à chaque nouvelle récolte. Parmi les quelques rouges recommandables, les meilleurs sont ceux des Coteaux de Mascara, élaborés dans un style rustique, charpenté mais quelque peu grossier.

AFRIQUE DU NORD
Maroc, Algérie et Tunisie sont tous producteurs de vins, à des degrés divers ; la plupart des vignes poussent le long du littoral méditerranéen et des zones côtières atlantiques.

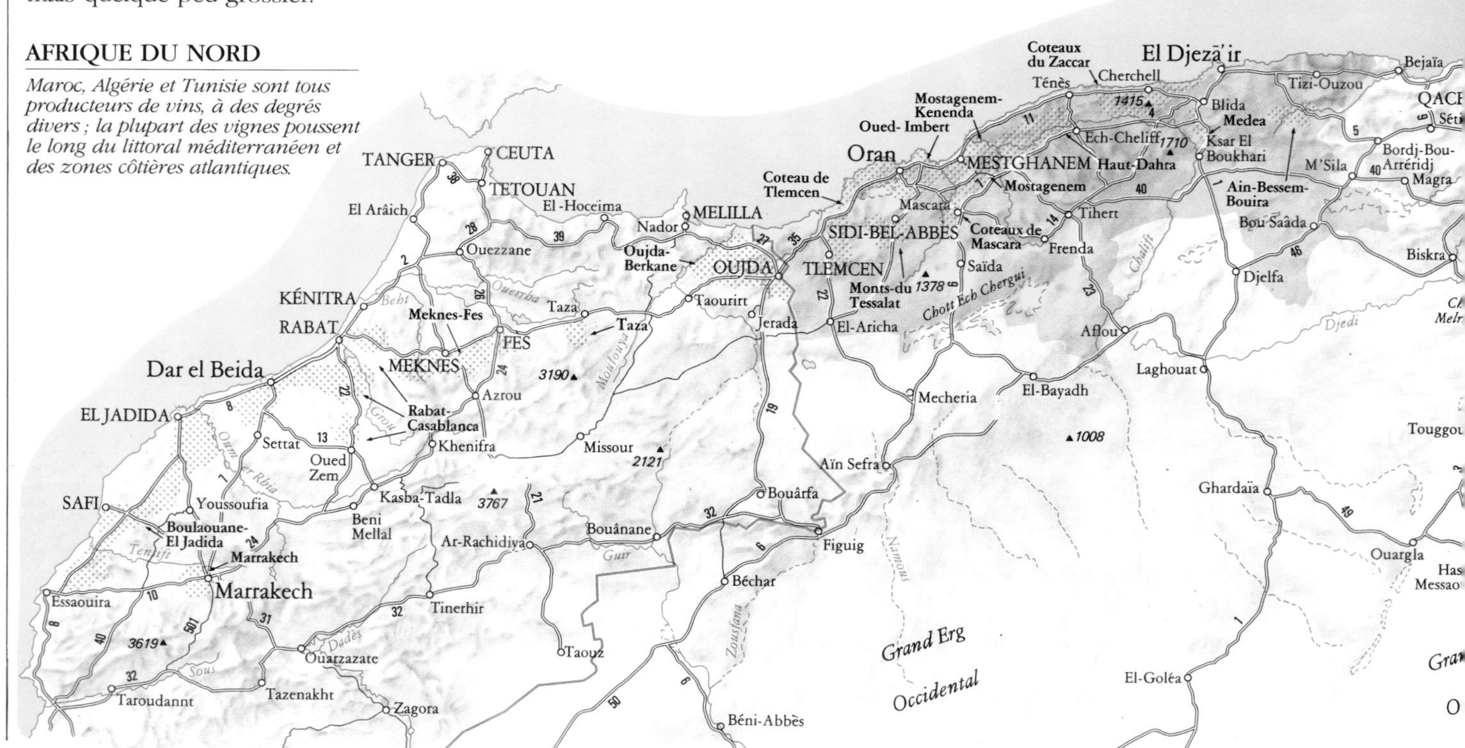

FACTEURS AFFECTANT LE GOÛT ET LA QUALITÉ

Situation
Zone littorale de l'Algérie, du Maroc et de la Tunisie, sur l'Atlantique et la Méditerranée occidentale.

Climat
Le climat est sec et chaud dans cette région viticole qui est la plus méridionale de l'hémisphère Nord. Ces conditions climatiques s'adoucissent vers l'ouest jusqu'au Maroc, en raison de l'influence modératrice de l'Atlantique. Dans toute l'Afrique du Nord, l'effet rafraîchissant de l'altitude est primordial pour les vignobles et la qualité du vin.

Site
Bien que de vastes zones viticoles soient transférées en altitude, la culture de la vigne se pratique encore dans les plaines côtières. La plupart des vignes subsistantes et les plantations récentes occupent les coteaux de l'arrière-pays.

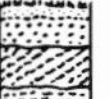

Sol
La plaine côtière se compose de sable, marnes et alluvions fertiles. Dans les zones montagneuses, des graviers recouvrent des bancs de calcaire, de marnes ou de sable. Sur les contreforts, la vigne pousse sur la silice, l'argile, les graviers, les sables ou les sols volcaniques.

Viticulture et vinification
À la fin des années 50 et au début des années 60, le Maroc, la Tunisie et l'Algérie ont pratiquement arrêté les échanges vinicoles avec la France. Depuis, ils se sont efforcés de privilégier la qualité au détriment de la quantité, ce qui a fait disparaître de nombreux vignobles côtiers et développé la viticulture dans les zones montagneuses, plus fraîches.

Cépages
Algérie
Alicante Bouschet, Aramon, Cabernet Sauvignon, Carignan, Cinsault, Clairette, Faramon, Farhana, Gamay, Grenache, Grilla, Hasseroum, Macabeo, Merseguera, Morastel, Mourvèdre, Pinot noir, Syrah, Ugni blanc

Maroc
Alicante Bouschet, Beni-Sadden, Cabernet Sauvignon, Carignan, Clairette, Grenache, Mourvèdre, Muscat, Pedro Ximenez, Rafsai, Sais, Syrah, Ugni blanc, Zerkhoun

Tunisie
Alicante Bouschet, Alicante Grenache, Beldi, Cabernet franc, Carignan, Cinsault, Clairette, Merseguera, Morastel, Mourvèdre, Muscat, Nocera, Pedro Ximenez, Pinot noir, Reldei, Ugni blanc

Zone de viticulture intensive
Algérie
Oran
Alger
Tunisie
Bizerte-Mateur-Tebourba
Kelibia-Cap Bon
Thibar
Grombalia
Frontières internationales
Altitude
km 50 100 150 200 250

MAROC

Zones viticoles : ***Meknès-Fès, Rabat-Casablanca, Oujda-Berkane, Marrakech***

La viticulture, présente dès l'époque romaine, disparut sous l'influence de l'islam. En 1912, les colonisations française et espagnole, ainsi que la création de la zone internationale de Tanger, remirent en pleine activité le secteur viticole du Maroc. Lorsque ce pays obtint son indépendance, en 1956, le nouveau gouvernement instaura un système de contrôle de la qualité comparable aux Appellations d'Origine Contrôlée françaises, puis nationalisa l'industrie vinicole, en 1973. Depuis lors, les vignobles ne couvrent plus que 22 000 hectares, soit le quart de la superficie qu'ils occupaient avant la nationalisation. Peu de vins marocains portent la mention officielle AOG (Appellation d'Origine Garantie). Certains rosés, à la robe très pâle, appelés « vins gris » sont agréables à boire frais, mais les vins rouges sont incontestablement meilleurs. Les plus appréciés à l'exportation sont deux vins des « Trois Domaines », appelés Tarik et Chante Bled, élaborés à partir de Carignan, Cinsault et Grenache et cultivés dans la zone de Meknès et Fès. Le Tarik est moins policé et le Chante Bled plus gouleyant.

TUNISIE

Zones viticoles : ***Grombalia, Bizerte-Mateur-Tebourba, Kelibia-Cap Bon, Thibar***

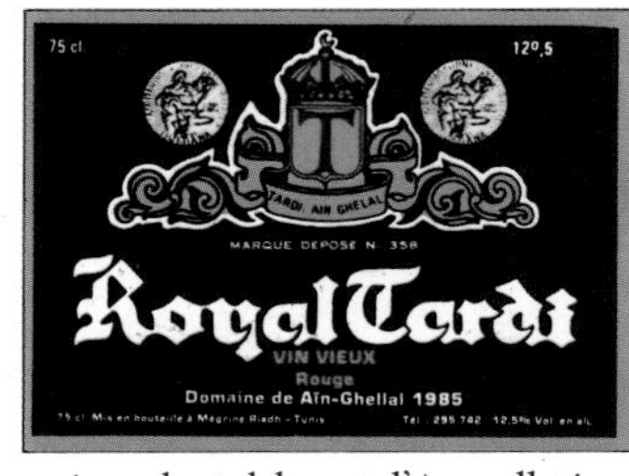

Carthage faisait déjà du vin à l'époque phénicienne, mais l'islam en interdit la production pendant 1 000 ans. La viticulture reprit son essor sous la colonisation française, dès 1881. Au moment de l'Indépendance, en 1955, les bases d'une industrie prospère étaient jetées.

Deux appellations fondamentales virent alors le jour : Vin Supérieur de Tunisie, pour les vins de table, et l'Appellation Contrôlée Vin Muscat de Tunisie, pour les Muscat de liqueur. Aucun contrôle, cependant, ne garantissait l'origine réelle des vins et, en 1957, le gouvernement instaura un système de classification à quatre niveaux : les VCC, Vins de Consommation Courante, les VS, Vins Supérieurs, les VDQS, Vins de Qualité Supérieure, et les AOC, Appellations d'Origine Contrôlée. Par ailleurs, lorsque le vignoble a été nationalisé, après l'indépendance du pays, il a diminué de moitié, ne couvrant plus que 75 000 hectares, ce qui a permis d'améliorer sensiblement la qualité.

Les meilleurs vins tunisiens sont les Muscat, depuis le Vin de Muscat de Tunisie, succulent, doux, riche et consistant, jusqu'aux frais Muscat secs et délicats, tel le Muscat de Kelibia. Il existe aussi quelques bons vins rouges, tels que les « Château Feriani », « Domaine Karim » et « Royal Tardi ».

Ci-dessus : **Vignobles à Binzert**, en Tunisie du Nord.

Afrique du Sud

Il est difficile de parler des vins d'Afrique du Sud sans évoquer les difficultés politiques et sociales de ce beau et riche pays. Pour leur bien comme pour le nôtre, à nous consommateurs, il faut espérer que les grands domaines, qui produisent maintenant de grands vins, traverseront intacts ces temps troublés, tout comme les grands châteaux de Bordeaux ont survécu à la Révolution.

La plupart des vignobles d'Afrique du Sud se situent dans un rayon de 160 kilomètres autour du Cap, correspondant à peu près à la zone autrefois mise en culture par Jan van Riebeek, le commandant du premier contingent hollandais établi en Afrique du Sud qui, le 2 février 1659, écrivit ces mots célèbres : « Aujourd'hui, loué soit le Seigneur ! On a fait du vin pour la première fois avec des raisins du Cap. » Les Hollandais avaient planté les premiers ceps quatre ans auparavant. Mais les vins tant attendus n'étaient pas vraiment une réussite. Simon van der Steel, arrivé au Cap dix-sept ans après le départ de van Riebeek, se plaignait de « l'aigreur révoltante » des vins de la région. Il entreprit d'y remédier en fondant Groot Constantia, l'exploitation viticole la plus célèbre de l'histoire du pays.

TROIS SIÈCLES DE VINIFICATION

L'arrivée des huguenots français, experts en viticulture et vinification, améliora considérablement la qualité des vins du Cap lesquels commençaient à être réputés dès le début du XVIIIe siècle. Lorsque les forces françaises révolutionnaires entrèrent en Hollande, les Britanniques occupèrent le Cap et, privés des vins français, exportèrent les vins sud-africains aux quatre coins de l'Empire, ce qui

LE SCEAU DES VINS D'ORIGINE

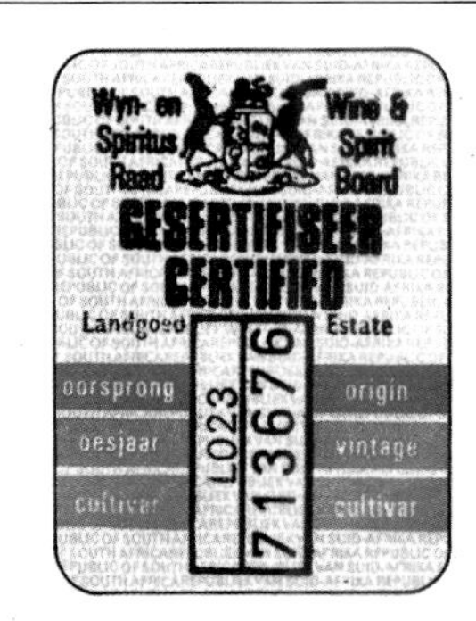

Le sceau officiel des vins d'origine n'est pas obligatoire. Dénommé, sur le marché national, « ticket du bus », il comporte trois bandes de couleurs différentes.

La bande bleue garantit que le vin provient à 100 % de la région, du secteur ou de la circonscription indiqués ; la bande rouge (« vintage ») assure que le vin est issu à 75 % au moins de raisins récoltés dans le millésime indiqué ; la verte signifie que le vin est à base, à 75 % au moins, du cépage mentionné.

Depuis 1982, une bande dorée désigne les vins de statut supérieur « Superior ». Actuellement, la législation régissant les vins d'origine et l'avenir du sceau sont remis à l'étude : doit-on abandonner l'indication « Superior » ou bien créer un troisième niveau, intermédiaire, le « Premium » ?

Il est vrai que le système actuel présente deux points faibles. Le plancher fixé à 75 % pour le millésime et le cépage est insuffisant et devrait atteindre au moins 85 %. Par ailleurs, il n'est pas obligatoire d'indiquer la composition des assemblages, ce qui ne donne aucune garantie au consommateur sur l'origine du vin.

COMMENT LIRE LES ÉTIQUETTES DES VINS SUD-AFRICAINS

« Night Harvested »
Cette expression signifie que les raisins ont été vendangés de nuit, à la fraîcheur, au projecteur ou à la lampe de mineur. On peut en attendre un vin plus frais, plus aromatique et plus vivace que ceux issus de raisins vendangés pendant la journée.

Style du vin
Le mot afrikaan *semi soet* est traduit en anglais *semi-sweet* et signifie demi-sec.

L'embouteilleur
Le texte en petits caractères, au bas de l'étiquette, indique que ce vin n'a pas été mis en bouteille au domaine, mais dans la principale entreprise de Gilbey à Stellenbosch. De nombreux viticulteurs souhaitent que les domaines soient obligés d'embouteiller eux-mêmes leurs propres vins. Cependant, je crois qu'il suffirait d'autoriser l'ajout de la mention « Mis en bouteille au domaine ».

Millésime
Clairement indiqué : 1987

Origine du vin
Le sceau de Vin d'Origine (WO) garantit l'exactitude des informations fournies par l'étiquette. Dans cet exemple, le vin provient d'un secteur de Vin d'Origine (ou Wyn van Oorsprong) celui de Tulbagh.

Aucun cépage, aucun cultivar, n'est indiqué. Ce vin est en réalité un assemblage de Riesling, Sauvignon et Chenin. Il est dommage que le système ne permette pas de mentionner, sur l'étiquette, les différents cépages entrant dans la composition de l'assemblage. Outre l'intérêt qu'une telle information pourrait présenter pour l'amateur de vin, ce serait aussi pour lui une garantie de qualité constante.

Volume
Si le contenu, ici celui d'une bouteille courante de 750 ml, est obligatoire, le titre alcoométrique ne l'est pas. Cependant, la plupart des étiquettes d'exportation l'indiquent, exprimé en pourcentage de volume.

Autres indications possibles sur les étiquettes de vins sud-africains

Edel laat-oes (Noble Late Harvest)
Cette mention indique souvent, mais pas toujours, que des raisins botrytisés ont contribué à l'élaboration de ce vin de vendange tardive. Le vin ne doit pas être viné mais doit contenir un minimum de 50 g/l de sucre résiduel.

Edelkeur
Littéralement : « pourriture noble ».

Vin de liqueur ou fortifié
Le vin doit titrer au moins 16,5 % d'alcool et, au plus, 22 %. À cette catégorie appartiennent le Porto et le Xérès, ainsi que des vins exclusivement sud-africains, tel le Jerepigo.

Gebottel in...
Mis en bouteille à...

Geproduser en Gebottel indice Republiek van Sud-Africa
Produit et mis en bouteille en République d'Afrique du Sud.

Gekweek en gemaak op...
Élaboré et élevé à...

Gekweek, gemaak en gebottel op...
Élaboré, élevé et mis en bouteille à... (mise au domaine).

Jerepigo
Vin de liqueur très doux comportant au moins 160 grammes de sucre résiduel par litre. Ce muscadel Jerepigo est très populaire.

Koöperatiewe, Koöperatieve, Koöperasie, Koöperatief
Coopérative.

Landgoedwyn (Estate)
Domaine viticole.

Laat-oos (Late Harvest)
Ce vin de vendange tardive non viné soit avoir un titre alcoométrique d'au moins 10 % et contenir de 10 à 30 grammes de sucre résiduel par litre.

Moskonfyt
Jus de raisin concentré.

Oesjaar
Millésime.

Spesiale laat-oos (Special Late Harvest)
Le plus souvent, des raisins botrytisés ont contribué à l'élaboration de ces vins de vendange tardive. Ils doivent avoir un titre alcoolique d'au moins 10 % du volume et contenir de 20 à 50 grammes de sucre résiduel par litre.

Stein
Vin demi-sec, normalement à base de Chenin.

L'AFRIQUE DU SUD

La zone du Cap bénéficie d'un climat idéal pour la viticulture. Toutefois, la chaleur pose parfois problème et, dans certains secteurs, l'irrigation devient essentielle. On y pourvoit en aménageant de petites digues permettant de créer des réservoirs. Un grand nombre de zones viticoles se situent dans les régions de Vins d'origine, côtières, ou de la Breede River Valley, mais il en existe quelques autres ; la plus prometteuse est celle des Vins d'Origine de l'Overberg.

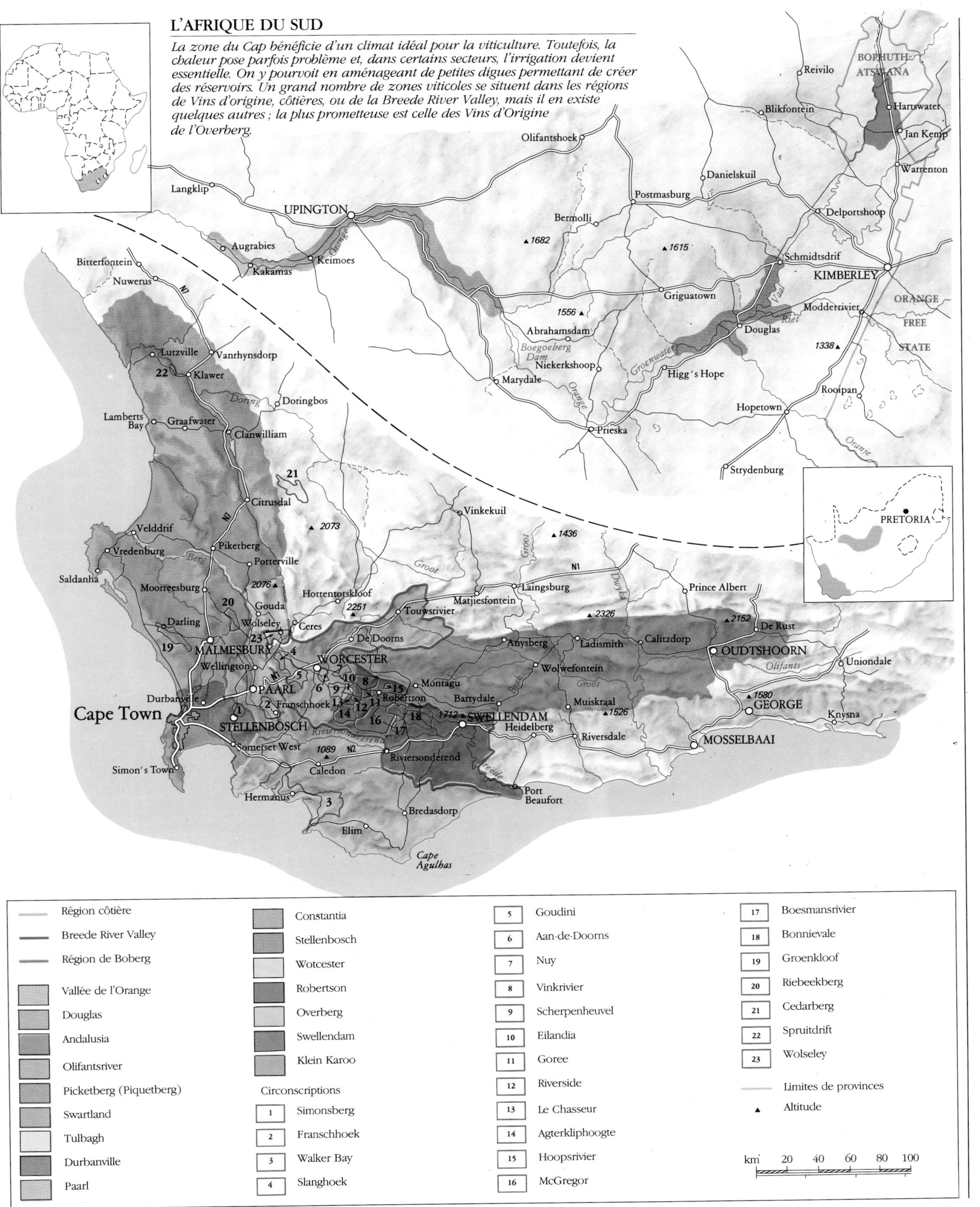

Vignoble près de Franschhoek, ci-dessus
Un fond de vallée plat : site typique de ces vignobles de la zone de Vins d'Origine de Paarl.

étendit sa réputation. Dès 1859, les exportations de vins du Cap vers la seule Grande-Bretagne atteignaient 45 000 hectolitres. Cependant, en Grande-Bretagne, Cobden, l'« apôtre du marché libre », et Gladstone négociaient avec la France un traité commercial catastrophique pour ces échanges. En 1860, les exportations du Cap tombèrent à 22 500 hectolitres, l'année suivante à 5 600 hectolitres et, en 1865 à 4 000 hectolitres.

La survie des vins d'Afrique du Sud

La chute des exportations n'arrêta pas la production. La venue de nombreux immigrants à la fin du XIXe siècle, attirés par les mines d'or et de diamant, stimula, en effet, l'expansion des vignobles. Cependant, la richesse soudaine de ces immigrants déclencha la guerre des Boers et les ventes de vin déclinèrent dans le pays comme à l'étranger.

En 1905, le gouvernement du Cap favorisa la fondation de coopératives, mais il n'entreprit aucune action visant à limiter la production ou à stimuler la demande. Aussi, lorsque naquit, en 1918, la Ko-öperatiewe Wijnbouwers Vereniging, la KWV, celle-ci, en vertu de pouvoirs conférés par le gouvernement, décida de faire immédiatement distiller en eau-de-vie la moitié de la récolte nationale annuelle. Cette décision améliora sensiblement la qualité des vins du Cap. De plus, la politique d'assemblage des excédents, pour en faire des produits valables à l'exportation, sauva l'industrie vinicole de l'Afrique du Sud.

Une nouvelle orientation pour les vins blancs

À la fin des années 50, la Stellenbosch Farmers' Winery (la SFW) lança le « Lieberstein », vin blanc demi-sec à bas prix. Sa brillante percée sur le marché national se répercuta sur les exportations. Lorsqu'ils virent les ventes de « Lieberstein » multipliées par mille en cinq ans, d'autres producteurs emboîtèrent le pas de la SFW, et de nouveaux consommateurs firent leur apparition. La généralisation des méthodes de fermentation à froid, dans les années 60, entraîna la production de vins de qualité et donc une nouvelle expansion du marché. Les Sud-Africains avaient signé, dès 1935, un accord proscrivant les noms français et, forts de leur technologie de pointe, ils étaient, de loin, les mieux placés des pays du Nouveau Monde pour s'emparer d'une bonne part du marché international qui s'ouvrait aux vins blancs plus légers, plus secs, plus frais et aromatiques. Pourtant, même s'il fallût encore quelques années aux producteurs sérieux d'Amérique et d'Australie pour comprendre qu'ils devaient vendre leurs vins en se fondant sur leur spécificité – et non sur la réputation des vins traditionnels français – l'Afrique du Sud rata sa percée par la faute de la bureaucratie. En effet, alors que la Californie avait modernisé ses vignobles en un an par simple greffage en écusson de cépages en vogue sur des plants bien enracinés, les technocrates sud-africains entravèrent la modernisation du vignoble en retenant les nouveaux ceps importés jusqu'à 15 ans avant de les céder aux exploitations vinicoles. De plus, elle fut incapable de donner aux Vins du Cap l'image générique qui aurait pu les promouvoir.

FACTEURS AFFECTANT LE GOÛT ET LA QUALITÉ

Situation
Extrémité méridionale du continent africain.

Climat
Le climat est généralement de type méditerranéen doux, mais les zones côtières reçoivent plus de précipitations que l'arrière-pays et sont plus fraîches au printemps et en automne. Toutes les zones côtières sont rafraîchies par la brise marine. Le secteur le plus frais est celui de l'Overberg, classé en région I selon l'échelle de Winkler, et suivi par Constantia et Stellenbosch, tous deux en région III. Ceux de Little Karoo, Tulbagh, Olifants River et certaines parties de Paarl (Dal Josaphat) sont les plus chauds, se classant entre le haut de la région IV et le bas de la région V.

Site
La plupart des vignes sont cultivées sur des fonds de vallées, plats ou légèrement vallonnés.

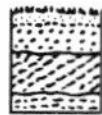

Sol
Graviers et terres fortes de grès et d'origine schisteuse et granitique dans la plaine côtière, sols alluviaux profonds, sableux ou riches en calcaire, schistes rouges dans les vallées.

Viticulture et vinification
Le raisin du Cap n'arrive pas toujours à complète maturation, même si dans nombre de zones chaudes, il souffre de coups de chaleur et surmûrit. L'irrigation est souvent nécessaire et le succès des cultures dépend des disponibilités en eau. Lorsque la chaleur est très intense, on vendange de nuit, au projecteur, ce qui permet de cueillir les raisins à pleine maturation, et de les envoyer au pressoir à la température la plus fraîche possible. Les vinificateurs du Cap ont vite adopté des méthodes révolutionnaires pour produire des vins blancs vivaces, frais et aromatiques dans des zones réputées inaptes à la vinification. Mais ils ont un peu tardé à mettre en culture les pentes plus élevées et fraîches.

Cépages principaux
Cabernet Sauvignon, Chardonnay, Chenin blanc (Steen), Muscat d'Alexandrie (Hanepoot), Pinotage, Sauvignon blanc, Syrah (Shiraz)

Cépages secondaires
Alicante Bouschet, Auxerrois, Barbarossa, Barbera, Bastardo, Bourboulenc, Bukettraube, Cabernet franc, Carignan, Cinsault, Clairette blanche, Colombard, Cornichon, Cornifesto, Crouchen (Riesling du Cap), Emerald Riesling, False Pedro, Ferdinand de Lesseps, Fernão Pires, Flame Tokai (Vlamkleur Tokai), Folle blanche, Gamay, Gewurztraminer, Grenache (Rooi Grenache), Hárslevelü, Malbec, Merlot, Morio Muscat, Muscadel, Muscat de Hambourg, Muscat Ottonel, Palomino, Pedro Ximénez, Petit Verdot, Pinot gris, Pinot noir, Riesling (Rhine/Weisser Riesling), Sémillon (Greengrape), Souzão, Tinta amarela (Malvasia Rey), Tinta barocca, Tinta Francisca, Tinta roriz, Ugni blanc, Zinfandel

DE FAIBLES VENTES EN RESTAURANT

D'autres obstacles ont entravé l'élaboration de vins de première qualité. Ainsi, peu de restaurants dans ce pays proposent une cuisine de valeur et rares sont ceux qui ont une cave. Les consommateurs ont la possibilité d'apporter leurs vins mais la plupart apportent des cartons de vins à bon marché. Habitués aux bas tarifs des supermarchés et aux vins inexpressifs, ils ne sont pas prêts à payer le prix des grands vins de classe internationale ni celui que les domaines devraient imposer pour pouvoir financer des cultures à bas rendement et acheter des fûts de chêne neuf. Il est surprenant, dans ces conditions, que des vinificateurs du Cap, toujours plus nombreux, parviennent à sortir de ce cercle vicieux.

NOUVELLES ZONES VITICOLES

Paarl et Stellenbosch sont réputés être les deux plus grands secteurs vinicoles du pays. Cependant, on considère souvent que la zone de la Walker Bay, dans l'Overberg, au sud-est, pourrait se révéler meilleure depuis l'installation à Hermanus du vignoble de premier ordre de Hamilton Russell. La fondation, encore plus récente, respectivement en 1985 et 1986, des deux domaines de Buitenverwachting et Klein Constantia, marque l'achèvement de la prospection et du développement de nouvelles zones viticoles. Constantia, jadis simple site vinicole, produit désormais les vins blancs les plus passionnants de toute l'Afrique du Sud.

Autres vins d'Afrique

Le Kenya et le Zimbabwe ne font partie de l'Afrique du Sud ni géographiquement, ni politiquement, ni culturellement, mais ils figurent ici pour des raisons pratiques de mise en page.

KENYA

C'est avec une extrême surprise que j'ai entendu parler des premiers vins de raisin kenyan produits en 1986 par la famille D'Olier. Dans un pays équatorial, la production de vin indigène est une gageure. Pourtant, les D'Olier qui, en 1985, avaient gagné une médaille d'argent à Lisbonne pour leur vin de papaye, ont produit un blanc sur leur domaine familial de Naivasha, et un rouge sur Ol Donyo Keri. Ces vins kenyans sont les premiers vins équatoriaux disponibles sur le marché mondial.

ZIMBABWE

Ce pays possède quelque 500 hectares de vignobles dont la superficie s'étend constamment bien qu'il n'existe que trois sociétés viticoles. La création de cette industrie, très récente, remonte au milieu des années 60 et pratiquement toutes les exportations sont limitées aux États africains voisins. La qualité du vin du Zimbabwe est tout juste à la hauteur des normes internationales, mais les exportations ont pris leur essor et les ressources technologiques disponibles pour améliorer la qualité devraient permettre leur développement.

Parmi les nombreux cépages cultivés, les plus importants sont : Cabernet, Clairette blanche, Colombard, Chenin blanc (parfois appelé Steen), Hanepoot (noir ou blanc), Cinsault (appelé ici Hermitage), Servan blanc (appelé ici Issor), Muscatel (noir ou blanc), Muscat de Hambourg, Pinotage, Riesling et Seneca.

L'African Distillers

Cette société connue également sous le nom d'Afdis produit 11 250 hectolitres de vin par an. Elle possède des vignobles à Worringham près de Bulawayo, Green Valley, près de Mutare, et Bertrams à Gweru. Si les domaines sont très vastes, la superficie totale encépagée n'est que de 110 hectares. L'Afdis expérimente actuellement des cépages nouveaux et traditionnels et complète ses besoins avec des raisins cultivés sur cinq domaines privés totalisant 130 hectares de vigne.

Monis

Cette société possède 100 hectares de vignes, situés au sud d'un village nommé Marondera, à 100 kilomètres à l'est de Harare. Elle complète ses besoins par l'achat de raisins à trois vignobles indépendants et l'entreprise vinicole Monis de Mukuyu en assure la transformation.

Selon la Monis, le Pr Becker, de la station de recherche allemande de Geisenheim, juge sa vinification comme étant de niveau international, mais la société cherche encore à améliorer ses méthodes. Si je n'ai pas goûté à ses vins, les plus intéressants semblent être le « Mukuyu Blanc Fumé », élevé sous chêne français et produit en quantités limitées, le « Mukuyu Cabernet » que je pense être du Cabernet Sauvignon, le « Mateppe Late Harvest », apparemment riche vin demi-sec, et le « Veritas », vin rouge sec, élaboré dans le style bourguignon.

Philips

Bien que tous les vins de Philips soient élaborés et mis en bouteille soit par l'African Distillers, soit par Monis, ils occupent une position de tout premier ordre sur le marché des vins du Zimbabwe. Sous la marque « Flame Lily », ils se vendent bien sur le continent africain et percent au-dehors. Les ventes, dans le pays comme à l'exportation, atteignent en moyenne 3 600 hectolitres par an. Dans l'avenir, un petit et jeune vignoble situé dans le secteur d'Enterprise, à 36 kilomètres de Harare où Philips possède actuellement 6 hectares, devrait bientôt produire des vins de mise au domaine. Cette zone progresse modestement d'année en année, on y cultive notamment des Gewurztraminer, Bukettraube, Chenin blanc, Colombard et Riesling. Ce vignoble semble particulièrement prometteur en raison de ses sols alluviaux profonds de limon rouge et de son altitude (1 050 mètres) lui permettant de bénéficier de 1 000 millimètres de précipitations annuelles.

Les vins d'Afrique du Sud

Note : Les vins sont autorisés à porter l'appellation d'une circonscription enregistrée si tous les raisins utilisés en proviennent.

LA RÉGION CÔTIÈRE WO

Comme la plupart des vins exportés d'Afrique du Sud sont des assemblages tels que « KWV », « Nederburg » ou « Fleur du Cap », cette appellation est la plus fréquente. Elle englobe six secteurs : Constantia, Durbanville, Paarl, Stellenbosch, Swartland et Tulbagh.

CONSTANTIA WO

Circonscription : *aucune*

Les vignes poussent sur les flancs orientaux, de granite rouge, du mont de Constantia, au sud de la ville du Cap. Ce secteur, bordé par la mer, bénéficie d'un climat modéré de type méditerranéen avec 850 millimètres de pluie par an. Il produit traditionnellement des vins rouges mais les domaines de Buitenverwachting, dont le nom signifie « au-delà de toute attente », et Klein Constantia y ont montré les possibilités du Sauvignon blanc et du Rhine Riesling.

DURBANVILLE WO

Circonscription : *aucune*

Les vignobles se situent dans les basses terres des collines du Tygerberg. Bien que la pluviométrie y soit inférieure de moitié à celle de Constantia, les sols profonds, à base de granite, retiennent l'eau tandis que la brise marine de la False Bay rafraîchit et sèche les vignes.

Ce secteur produit surtout des vins rouges. Le Pinotage et le Shiraz de Meerendale sont des classiques de la région.

PAARL WO

Circonscription : *Franschhoek WO*

Ce secteur englobe la fertile vallée de la Berg River ainsi que les villes de Franschhoek, Wellington et Paarl. Les vignes poussent sur trois types de sols : le granite de la zone de Paarl, le grès de Table Mountain, le long de Berg River, et l'ardoise de Malmesbury, au nord. Le climat de type méditerranéen montre des hivers humides et des étés chauds et secs. La moyenne annuelle des précipitations est de 650 millimètres environ, mais il pleut moins dans le nord-ouest. Cette région produit surtout des vins blancs mais les vignobles en altitude peuvent souvent donner de beaux vins rouges. Backsberg et Boschendal font partie des meilleurs domaines.

STELLENBOSCH WO

Circonscription : *Simonsberg-Stellenbosch WO*

Ce secteur, situé entre la False Bay, au sud, et Paarl, au nord, présente trois types de sols : granite à l'est, très favorable aux vins rouges, grès de Table Mountain à l'ouest, apprécié pour les vins blancs, et sols alluviaux autour de l'Eerste River. Les étés sont chauds et secs, les hivers frais et humides et il y tombe environ 500 mm de pluie par an. Il est inutile d'irriguer sauf, parfois, lors de certains étés torrides. On y trouve le plus grand nombre de grands domaines, avec notamment : Alto, Blaauwklippen, Delheim, Goede Hoop, Jacobsdal, Kanonkop, Le Bonheur, Meerlust, Middelvlei, Overgaauw, Simonsig, Spier et Uitkyk.

SWARTLAND WO

Circonscriptions : *Riebeekberg WO, Groenekloof WO*

Ce secteur remplace l'ancien Malmesbury WO. Les terres arables en occupent la plus grande partie, tandis que les vignes sont confinées au sud, autour de Darling, Malmesbury et Riebeek. Les sols se composent de grès de Table Mountain et d'ardoise de Malmesbury. Les faibles précipitations, d'environ 240 mm par an, rendent nécessaires l'irrigation des vignes.

Dans cette région vouée à la production de vins rouges, un seul domaine existe : Allesverloren, dont les vignobles sont situés sur les flancs du Kasteelberg, près de Riebeek West.

TULBAGH WO

Circonscription : *aucune*

Ce secteur se situe au nord de Paarl, à la limite orientale du Swartland. Wolseley en fait géographiquement partie, mais il est classé dans la région de la Breede River. Les vignes du bassin de Tulbagh poussent sur des sols sablonneux ou à base de *shale*. Le climat très chaud et relativement sec, avec quelque 350 mm de précipitations annuelles, rend nécessaire l'irrigation encore que les vignes les plus proches des pentes bénéficient de pluies plus abondantes. Ce secteur est réputé pour ses vins blancs ainsi qu'en témoignent ses deux célèbres domaines : Theuniskraal et Twee Jongezellen.

LA RÉGION DU BOBERG WO

Au sein de cette région côtière englobant les bassins de la Berg River et de la Klein River, se trouvent les secteurs de Paarl et Tulbagh où l'on élabore des vins vinés.

BREEDE RIVER WO (BREËRIVIERVALLEI)

Cette région comprend les trois secteurs de Robertson, Swellendam et Worcester que traverse la Breede River, ainsi que Wolseley qui, d'un point de vue viticole, en fait partie. L'irrigation y est absolument indispensable.

ROBERTSON WO

Circonscriptions : ***Agterkliphoogte WO, Boesmansriver WO, Bonnievale WO (empiétant sur le secteur de Swellendam), Le Chasseur WO, Eilandia WO, Goree WO, Hoopsrivier WO, McGregor WO, Riverside WO, Vinkrivier WO***

Bordé au sud par les monts Riversonderend et au nord par la chaîne du Langeberg, ce secteur présente les mêmes conditions de sol, de climat et de topographie que la zone de Karoo. Les meilleurs domaines sont : Bon Courage, De Wetshof, Rietvallie, Weltevrede et Zandvliet.

SWELLENDAM WO

Circonscription : ***Bonnievale WO (empiétant sur le secteur de Robertson)***

Les vignobles de Swellendam sont gérés par les adhérents d'une demi-douzaine de coopératives dont les produits sont assez moyens quoique certaines exploitations soient parfois excellentes.

WORCESTER WO

Circonscriptions : ***Nuy WO, Goudini WO, Slanghoek WO, Scherpenheuvel WO, Aan-de-Doorns WO***

Entre les secteurs viticoles de Little Karoo et de Paarl, Worcester, dans le bassin de la Breede River, regorge de vignes. Les sols se composent de grès venus de Mountain Table et de fertiles *shale* rouges comme à Little Karoo.

Le climat très chaud est tempéré, à l'ouest, par des pluies abondantes, mais l'est, influencé par le Karoo, est très sec. Worcester ne présente que quelques domaines viticoles dont l'excellent Bergsig, mais les coopératives élaborent des vins exceptionnels, blancs et vinés, notamment celle de Nuy, la Nuy Koöp Wynkelder, sans doute la meilleure de toute l'Afrique du Sud.

AUTRES SECTEURS RÉGIONAUX

ANDALUSIA WO

Cette ancienne circonscription de Vaalharts, à 80 kilomètres au nord de Kimberley, s'est autoproclamée secteur. Son unique coopérative régionale, la Vaalharts Landboukoöperasie, se trouve à Hartswater.

BENEDE ORANJE WO

Petite extension de 10 kilomètres de l'Orange River, près d'Augrabies. La coopérative régionale, l'Oranjerivier Wynkelders Koöperatief possède des centres à Groblershoop, Grootdrink, Kakamas, Keimoes et Upington.

DOUGLAS WO

Ce secteur, au sud-ouest de Kimberley, n'obtint son statut du Vin d'Origine (WO) qu'en 1981. La coopérative, la Douglas Koöp Wynmakery se trouve à Douglas.

LITTLE KAROO ou KLEIN KAROO WO

Circonscription : ***aucune***

Cette longue et étroite bande de terre, qui s'étend de Montagu à De Rust, souffre d'un climat aride qui rend l'irrigation indispensable. Le sol rouge de *shale* du Karoo ainsi que les sols alluviaux très fertiles conviennent aux vins de Jerepigo et de Muscadel et aux vins de dessert qui font la renommée de cette région. Les coopératives traitent la majorité de la production mais, parmi les deux domaines présents, Boplaas est d'un niveau exceptionnel.

OLIFANTS RIVER ou OLIFANTSRIVIER WO

Circonscriptions : ***Spruitdrift WO, Cedarberg WO***

Long et étroit secteur où la vigne pousse sur du grès ou sur des alluvions riches en calcaire. Dans ce climat sec et très chaud, les précipitations ne dépassent pas 26 cm par an et diminuent près de la côte. Une demi-douzaine de coopératives traitent toute la production.

ORANGE RIVER ou ORANJERIVIER REGION WO

Cette région, la plus septentrionale, est complètement coupée des autres vignobles du pays. Elle subit un climat chaud, sec, où l'irrigation est indispensable et bénéficie de sols fertiles donnant de hauts rendements. En l'absence de domaine, les coopératives locales traitent toute la production.

OVERBERG WO

Circonscription : ***Walker Bay WO***

L'Overberg, anciennement Caledon WO, est une immense zone peu cultivée, au sud-est de Paarl et Stellenbosch. Le seul domaine présent, l'Hamilton Russell Vineyards, dans la circonscription de la Walker Bay, est l'un des plus passionnants d'Afrique du Sud. Je pense que ce secteur pourrait se développer rapidement à l'avenir.

PICKETBERG ou PIQUETBERG WO

Circonscription : ***aucune***

Ce grand secteur se trouve entre le Tulbagh et le Swartland, au sud, et l'Olifants River, au nord. Son climat est très chaud et très aride. Les précipitations n'y sont que de 175 mm par an par endroits ; il est impropre à la viticulture.

Les meilleures maisons et gammes de vins d'Afrique du Sud

ALPHEN WINES

Alphen, domaine presque aussi ancien que Groot Constantia, commercialise une gamme de vins élaborés par Gilbeys et issus de plusieurs vignobles de Stellenbosch.

☆ Cabernet Sauvignon

BELLINGHAM

Gamme élaborée et commercialisée par l'Union Wine Group de Wellington. S'il existe un domaine Bellingham dans le Groot Drakenstein, peu de vins de la société Bellingham proviennent exclusivement de raisins produits par elle.

☆ Cabernet Sauvignon, Shiraz, Bukettraube, Special Late Harvest (à base de Chenin)

BERGKELDER

Cette entreprise, basée à Stellenbosch, appartient au Oude Meester Group et embouteille et commercialise des vins fournis par les 19 domaines adhérents suivants : Allesverloren, Alto, Bonfoi, Le Bonheur, Goede Hoop, Hazendal, Jacobsdal, Koopmanskloof, Meerendal, Meerlust, Middelvlei, Mont Blois, La Motte, L'Ormarins, Rietvallei, Theuniskraal, Uitkyk, De Wetshof et Zandvliet. Certains adhérents appartiennent à la Bergkelder, d'autres sont privés ou associés. La Bergkelder vend ses propres vins sous les étiquettes « Fleur du Cap » et « Stellenryck ».

BERTRAMS WINES

Les vins rouges de Bertrams, produits à Stellenbosch, ne subissent pas de fermentation malolactique, ce qui ne les empêche pas de recevoir de nombreuses distinctions. Tous les vins sont issus de raisins du domaine Gilbeys.

☆ Cabernet Sauvignon, Shiraz, Zinfandel « Director's Reserve Bin F6 »

CHATEAU LIBERTAS

Ce vin est un coupage de Cabernet, Shiraz et Cinsault de provenances diverses. La vogue du Cabernet Sauvignon, dans les années 70, a fait s'effondrer les approvisionnements, ce qui a nui à sa réputation. Mais il a retrouvé sa riche saveur et sa belle qualité d'autrefois.

CULEMBORG WINES

Gamme élaborée et commercialisée par l'Union Wine Group de Wellington. Ces vins, plus ordinaires que ceux de Bellingham, sont néanmoins bien faits et très avantageux.

FLEUR DU CAP

Cette gamme, élaborée et vendue par la Bergkelder de Stellenbosch, a atteint un niveau remarquable et produit, de temps à autre, un vin spectaculaire.

☆ Cabernet Sauvignon, Sauvignon Blanc, Gewurztraminer, Special Late Harvest (Chenin blanc)

GILBEYS

Filiale d'IDV, Gilbeys appartient partiellement à Rembrandt, la société d'Anton Rupert. Cette firme produit les gammes de vins Alphen, Bertrams, Valley et Vredenburg, possède les domaines du Hartenberg et du Klein Zalze et commercialise les vins des domaines Spier et Twee Jongegezellen.

KWV

Ko-öperatiewe Wijnbouwers Vereniging,
Suider-Paarl 7624

Étant donné l'énorme volume de vin qu'elle réceptionne, l'organisation coopérative nationale est manifestement en mesure de faire de très bons vins. Aucun de ses produits n'est autorisé à la vente sur le marché sud-africain, encore que tout citoyen puisse les acquérir dans l'un des aéroports internationaux du pays.

☆ Cabernet, « Cape Forêt » (Chenin blanc vieilli sous chêne), Shiraz, Pinotage, « Roodeberg » (Cabernet-Shiraz-Pinotage-Tinta barocca), « La Concorde Roodevallei » (à base de Cabernet), « Laborie White » (à base de Riesling), Weisser Riesling, Noble Late Harvest

NEDERBURG WINES

Cette gamme de vins porte le nom d'un domaine rebaptisé Johann Graue en 1972, en l'honneur de son premier maître de chai. Seuls les vins portant l'étiquette Nederburg Johann Graue sont de véritables vins de propriété ; mais, sous la marque Günter Brözel, Nederburg a produit une gamme variée dont les vins peuvent être remarquables voire extraordinaires, notamment l'Edelkeur botrytisé et les Noble et Special Late Harvest.

☆ Cabernet Sauvignon de Paarl, Chardonnay (vente aux enchères), « Edelrood » (Cabernet-Shiraz), « Eminence » (Muscadel légèrement botrytisé), Gewurztraminer « Special Vintage », Rhine Riesling, Riesling Edelkeur, Shiraz (vente aux enchères), Special Late Harvest, Steen Nobel, « Private Bin Nos »

NEIL ELLIS VINEYARD SELECTION
Stellenbosch 7601

Projet fondé sur le concept californien de « sélection exclusive » pour l'achat des raisins.

☆ Cabernet Sauvignon, Rhine Riesling, Sauvignon blanc

OUDE LIBERTAS WINES

Si ces vins de la Stellenbosch Farmers' Winery ne font plus partie d'une gamme, l'étiquette apparaît parfois.

OUDE MEESTER GROUP

Ce groupe est le propriétaire exclusif d'une douzaine de sociétés de vins et spiritueux dont la Bergkelder qui produit les gammes « Fleur du Cap » et « Stellenryck » et commercialise les vins de quelque 19 domaines associés.

J. C. LE ROUX

La Bergkelder utilise cette étiquette pour sa production de mousseux. Son Pinot noir, corsé et néanmoins léger, riche en levures, issu de raisins cultivés sur les domaines Alto et Meerlust, est jusqu'à présent le meilleur.

☆ « J. C. Le Roux », Pinot noir

SFW ou STELLENBOSCH FARMERS' WINERY

La SFW possède une demi-douzaine de sociétés. Elle élabore et commercialise le Chateau Libertas ainsi que les gammes Nederburg et Zonnenbloem.

STELLENRYCK COLLECTION

Gamme de vins de qualité élaborés et commercialisés par la Bergkelder, haut de gamme, en quelque sorte, des « Fleur du Cap ».

☆ Stellenryck Collection Cabernet Sauvignon, Rhine Riesling, Blanc fumé, Gewurztraminer

UNION WINE GROUP

Groupe viticole indépendant dont les vins se rapprochent de la qualité de ceux de Gilbeys. Il produit les gammes Bellingham et Culemborg. *Voir* Bellingham, Culemborg.

VALLEY WINES

Gamme de vins honnêtes élaborés et commercialisés par Gilbeys à prix modérés.

☆ Valley Cabernet Sauvignon

VREDENBURG

Gamme économique des vins Gilbeys.

ZONNEBLOEM WINES

Cette ligne de vins de haut de gamme appartient à la SFW.

☆ Cabernet Sauvignon, Shiraz, Sauvignon blanc, Special Late Harvest (assemblage normal), Noble Late Harvest (assemblage normal)

Les meilleurs domaines viticoles d'Afrique du Sud

ALLESVERLOREN ESTATE
Riebeek West 6800, Swartland

Vignobles : ***150 ha (non irrigués)***

Domaine qui est traditionnellement l'un des plus grands producteurs de Porto du Cap. La propriétaire, Fanie Malan, fait de beaux vins non vinés, savoureux.

☆ Cabernet Sauvignon, Tinta barocca, « Swartland Rood » (Shiraz, Suzão et Pinotage), « Port » (80 % Tinta barocca)

ALTO ESTATE
Stellenbosch 7600

Vignobles : ***95 ha (non irrigués)***

Propriété de Hempies du Toit, Alto élabore des vins de style étoffé et musclé, bénéficiant de 10 à 15 ans de bouteille.

☆ Cabernet Sauvignon, Alto Rouge (Cabernet-Shiraz)

ALTYDGEDACHT ESTATE
Durbanville 7550

Oliver Parker, le propriétaire, a appris son métier de vinificateur en Californie et en Nouvelle-Zélande. Chardonnay, Sauvignon blanc et Merlot sont prévus à court terme.

☆ « Tintoretto » (Barbera-Shiraz), Bukettraube

BACKSBERG ESTATE
Klapmuts 7625, Paarl

Vignobles : ***160 ha (irrigués au besoin)***

Domaine appartenant à Sydney Back, trois fois champion des maîtres de chai. En 1985, Back a pris à son service Steve Dooley, œnologue ayant l'expérience de la Napa Valley en Californie. Ses vins allient richesse, finesse et complexité.

☆ Cabernet Sauvignon, « Klein Babylonstoren » (Cabernet-Merlot élevé sous chêne), Pinot Noir, Shiraz, Dry Red, Chardonnay, Sauvignon blanc, Blanc fumé, « John Martin » (Sauvignon blanc), Bukettraube, Special Late Harvest (Chenin blanc)

BERGSIG ESTATE
Breede River 6858, Worcester

Vignobles : ***320 ha (irrigués)***

Domaine connu pour le style de ses vins, léger, élégant et marqué par le chêne.

☆ Cabernet Sauvignon, Pinotage, Noble Late Harvest (Chenin blanc), « Port » (Tinta amarela-Tinta barocca-Cinsault)

BLAAUWKLIPPEN
Stellenbosch 7600

Vignobles : ***92 ha (dont un tiers irrigués)***

Grand novateur, le maître de chai Walter Finlayson, est l'un des pionniers de l'élevage sous chêne neuf. Le domaine possède une large gamme de vins de qualité dont un « Reserve » bien marqué par le chêne et que l'on compare à un Médoc.

☆ Cabernet Sauvignon, « Reserve » (Cabernet Sauvignon), Pinot noir, Zinfandel, Shiraz, Red Landau, White Landau, Special Late Vintage, « Barouche » (Pinot et Chardonnay de méthode champenoise)

BON COURAGE
Robertson 6705

Vignobles : ***156 ha***

Les vins, habituellement vendus en vrac, ne sont disponibles que depuis le milieu des années 80. André Bruwer, le propriétaire, a été champion en 1985 et 1986 des maîtres de chai de domaines privés.

☆ Kerner Special Late Harvest, Noble Late Harvest (Buckettraube)

BONFOI
Vlottenburg 7580, Stellenbosch

Vignobles : ***148 ha (non irrigués)***

Si huit cépages y sont cultivés, seul le Chenin blanc est mis en bouteille sous l'étiquette du domaine.

☆ « Cuvée Agée » (Chenin blanc élevé sous chêne)

LE BONHEUR ESTATE
Klapmuts 7625
Stellenbosch

Vignobles : ***62 ha (non irrigués)***

Propriétaire et maître de chai, Mike Woodhead élabore un Blanc Fumé généralement considéré comme l'un des meilleurs du Cap ; son Cabernet Sauvignon et son Chardonnay ont tout autant de classe et beaucoup plus de complexité.

☆ Cabernet Sauvignon, Blanc Fumé, Chardonnay

BOPLAAS ESTATE
Calitzdorp 6660, Klein Karoo

Vignobles : ***50 ha***

La réduction des rendements contribue à la belle saveur des vins de Boplaas. Ses rouges acquièrent de l'intensité grâce à l'élimination d'un tiers du moût avant fermentation.

☆ Cabernet Sauvignon, Merlot, Special Late Harvest, « Port » (essentiellement Tinta barocca)

BOSCHENDAL ESTATE
Groot Drakenstein 7680
Paarl

Vignobles : ***250 ha (tous irrigués à l'exception des flancs de montagnes)***

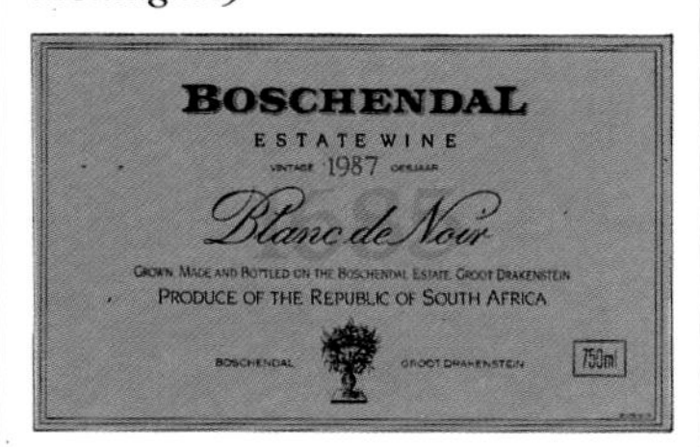

Bien que ce grand domaine soit surtout connu pour ses vins de méthode champenoise, il élabore d'autres vins exaltants.

☆ Chardonnay, Cabernet Sauvignon, « Lanoy » (Cabernet-Shiraz marqué par le chêne), Shiraz, « Blanc de Noirs » (Cabernet-Pinotage-Shiraz), « Grand Vin Blanc » (Sauvignon-Riesling-Crouchen), Riesling, « Le Bouquet » (Gewurztraminer), « Vin d'Or » (Riesling-Chenin), Boschendal Brut (assemblage variable, méthode champenoise)

BUITENVERWACHTING
Cape Town 8000, Constantia

Vignobles : ***70 ha***

Cette propriété récemment rénovée et réencépagée est déjà prometteuse.

☆ Blanc Fumé, Rhine Riesling

CLOS CABRIÈRE ESTATE
Franschhoek 7690

Vignobles : ***18 ha***

Ce domaine appartient à Achim von Arnim, maître de chai à Boschendal, spécialiste de la méthode champenoise.

☆ « Pierre Jourdan »

CLOS DE CIEL
Somerset West 7130, Stellenbosch

Écrivain spécialiste du vin, John Platter a acheté cette petite propriété sur laquelle il envisage de cultiver du Chardonnay.

DELAIRE VINEYARDS AND WINES
Stellenbosch 7602

Vignobles : ***25 ha***

L'écrivain spécialiste du vin John Platter acheta cette propriété et en entreprit la vinification. Le climat frais et le sol de granite décomposé se révélèrent idéaux. Après avoir reconstitué les vignobles existants, Platter se montra excellent aussi bien dans l'élaboration de vins que dans leur commentaire. Il vendit Delaire en 1987 pour se retirer dans une petite propriété appelée Clos de Ciel. Les vins ci-dessous relèvent des normes définies par Platter. Il faudra évaluer les cuvées à venir en fonction de leurs mérites particuliers.

☆ Rhine Riesling, « Grande Cuvée » (Sauvignon-Riesling fermenté en fût), « Cuvée Rouge » (Cabernet-Pinotage élevé sous chêne), Blanc de Blanc (analogue au « Grande Cuvée » mais sans chêne), Blanc de Noirs (analogue au « Cuvée Rouge » mais sans chêne)

DELHEIM WINES
Koelenhof 7605, Stellenbosch
Simonsberg

Vignobles : ***120 ha (irrigués au besoin)***

Kevin Arnold, maître de chai de Delheim, a été proclamé en 1986 champion de l'Afrique du Sud. Ses vins rouges montrent une robe profonde, ont un nez fumé et sont étayés par le chêne neuf, tandis que ses blancs, fermentés en fût, associent richesse et grande finesse. Ses vins botrytisés, d'une richesse désuète et d'un superbe équilibre, sont une spécialité de classe internationale.

☆ « Grand Reserve » (Cabernet Sauvignon élevé sous chêne), Cabernet Sauvignon, Pinot noir, Pinotage rosé, Blanc Fumé, « Heerenwijn » (Colombard-Chenin), Gewurztraminer, « Spatzendreck » Late Harvest (Chenin blanc), Special Late Harvest, « Edelspatz » Noble Late Harvest

EIKENDAL VINEYARDS
Stellenbosch 7600

Vignobles : ***70 ha***

Propriété de la société suisse A.G. Für Plantagen. Les vins étiquetés Duc de Berry ne sont pas tout à fait au niveau d'Eikendal.

☆ Cabernet Sauvignon

FAIRVIEW ESTATE
Suider-Paarl 7625

Vignobles : ***130 ha (non irrigués)***

Ce domaine est maintenant géré par Cyril Back. Fairview est surtout réputé pour ses rouges consistants, riches et de saveur puissante, évoquant le fruit mûr mais manquant un peu de finesse.

☆ Cabernet Sauvignon, Shiraz, Pinot noir, « Charles Gerard » (Sauvignon blanc)

GOEDE HOOP ESTATE
Kuils River 7580, Stellenbosch

Vignobles : ***80 ha (non irrigués)***

Cette maison ne produit qu'un vin rouge de coupage dénommé « Vintage Rouge » corsé et très fumé.

☆ « Vintage Rouge » (coupage Cabernet et Shiraz)

GROOT CONSTANTIA ESTATE
Constantia 7848

Vignobles : ***135 ha (non irrigués)***

Cette propriété, gérée par le gouvernement, fait partie de l'exploitation agricole originelle de

Constantia. Son Cabernet Sauvignon, fin et frais, vieillit bien. Le Gewurztraminer au picotement épicé d'agrume, possède un bouquet capiteux ainsi qu'une finale douce et succulente.

☆ Cabernet Sauvignon, Shiraz, Pinotage, « Heerenrood » (Cabernet-Shiraz), Weisser Riesling, Stein, Sauvignon blanc, Gewurztraminer, Constantia blanc (Chenin-Hárslevelü-Pinot gris-Fernão pires)

HAMILTON RUSSEL VINEYARDS
Hermanus 7200, Overberg

Vignobles : ***60 ha (irrigation possible)***

Situé dans la Hemel-en-Aarde Valley, derrière Hermanus, ce vignoble est le

plus méridional de l'Afrique du Sud. Le propriétaire, Tim Hamilton Russell, n'a pas regardé à la dépense pour en faire aussi le plus beau. Son maître de chai, Peter Finlayson, ne ménage pas ses efforts pour accomplir des vins de grande classe.

☆ « Grand Vin Noir » (Pinot noir élevé sous chêne), « Grand Crû Noir » (Cabernet-Merlot élevé sous chêne), Chardonnay, Sauvignon blanc, Hemel-en-Aarde Valley, Blanc de Blancs (Chenin blanc-Colombard élevé sous chêne)

HARTENBERG VINEYARDS
Koelenhof 7605, Stellenbosch

Vignobles : ***110 ha***

Autrefois connu sous le nom de Montagne, ce domaine a été acheté par Gilbeys qui l'a rebaptisé Hartenberg. Ce choix est curieux lorsque l'on sait que Gilbeys a antérieurement vendu sous le même nom une gamme de vins de qualité inférieure. Quoi qu'il en soit, les vins de Hartenberg, lancés en 1985, sont de très bonne qualité.

☆ Cabernet Sauvignon, Shiraz

JACOBSDAL ESTATE
Kuils River 7580, Stellenbosch

Vignobles : ***117 ha (non irrigués)***

Bien que plusieurs autres cépages y soient cultivés, seul le Pinotage est embouteillé sous le nom du domaine. Le vin de Pinotage de Jacobsdal, au rendement réduit, aux ceps conduits en taille basse, est plus riche, plus typé et plus complexe, sans être aussi robuste, rustique, ni aussi emphatique que ses autres vins.

☆ Pinotage

KANONKOP ESTATE
Muldersvlei 7606, Stellenbosch

Vignobles : ***128 ha (non irrigués)***

Le maître de chai, Beyers Truter, est considéré comme l'un des grands fabricants de vins rouges.

☆ Cabernet Sauvignon, « Paul Sauer Fleur » (à base de Cabernet), Pinot noir, Pinotage, Sauvignon blanc

KLEIN CONSTANTIA ESTATE
Constantia 7845

Vignobles : ***85 ha***

Les premiers ceps ont été plantés ici en 1982 et le Sauvignon blanc a remporté, en 1986, le prix national du meilleur vin blanc.

☆ Sauvignon blanc, Rhine Riesling

LANDSKROON ESTATE
Suider-Paarl 7624

Vignobles : ***280 ha (non irrigués)***

Vaste domaine dont les ceps de faible rendement, en gobelet, produisent des vins corsés, tendres et souples.

☆ Cabernet Sauvignon, Pinot noir, Cinsault, « Bouquet Rouge » (Cinsault-Shiraz)

LEMBERG ESTATE
Tulbagh 6820

Vignobles : ***5 ha (non irrigués)***

Ce domaine est géré comme une « winery » californienne de style « boutique ».

☆ « Vinum Arum » Sauvignon blanc, « Hommage » Sauvignon blanc, Sauvignon blanc, Hárslevelü

LIEVLAND
Klapmuts 7625, Stellenbosch

Vignobles : ***70 ha (non irrigués)***

Portant le nom d'un de ses propriétaires, la baronne de Lievland.

☆ Cabernet, Shiraz, « Rood » (Cabernet-Cinsault-Shiraz)

MEERENDAL ESTATE
Durbanville 7550

Vignobles : ***115 ha (non irrigués)***

Kosie Stark produit des vins typés et complexes qui sont uniquement freinés par le fait que la Bergkelder, qui représente le domaine, répugne à leur ajouter une nuance de chêne neuf.

☆ Shiraz, Pinotage

MEERLUST ESTATE
Faure 7131, Stellenbosch

Vignobles : ***280 ha (dont 90 % peuvent être irrigués)***

Le propriétaire, Nico Myburgh, est le représentant de la huitième génération de sa famille à posséder et gérer cette exploitation.

☆ Cabernet Sauvignon, Pinot noir, « Rubicon » (Cabernet-Merlot), Merlot

MIDDELVLEI ESTATE
Stellenbosch 7600

Vignobles : ***162 ha (seules les parcelles de Tinta barocca et de Clairette blanche sont irriguées)***

Stiljan Momberg a bâti sa réputation sur son Pinotage. Depuis 1981, il a apporté autant de soin à la production d'un Cabernet Sauvignon.

☆ Cabernet Sauvignon, Pinotage

MONT BLOIS ESTATE
Robertson 6705

Vignobles : ***120 ha (irrigués)***

Sérieux lauréat de médailles d'or pour son Muscadel viné, dans les salons professionnels.

☆ Muscadel

NEETHLINGSHOF ESTATE
Stellenbosch 7600

Vignobles : ***138 ha (dont 40 % irrigués)***

Jusqu'en 1985, ce domaine appartenait à Jan Bek Momberg. La plupart des vins recommandés ci-dessous sont les siens. Le nouveau propriétaire, Hans Schreiber, ne regardant pas à la dépense, la qualité ne baisse pas.

☆ « Lord Neetling » Rouge (Cabernet-Tinta barocca élevé sous chêne neuf), Colombard, Weisser Riesling Special Late Harvest, Gewurztraminer, Gewurztraminer Special Late Harvest

L'ORMARINS ESTATE
Groot Drakenstein, Paarl

Vignobles : ***175 ha (irrigués)***

Ce domaine est géré par Toni Rupert, le fils d'Anton Rupert, personnalité d'Afrique du Sud la plus influente de l'industrie vinicole. L'Ormarins s'est hissé au rang des domaines de premier ordre, grâce à l'enthousiasme de Toni, de ressources financières illimitées, et d'un vignoble superbement situé. Sa spécialité réside dans les vendanges de nuit, permettant de cueillir le raisin dans des conditions optimales de fraîcheur et de maturité.

☆ Cabernet Sauvignon, Shiraz, Chardonnay, Blanc Fumé, Sauvignon blanc, Rhine Riesling, Bukettraube, Noble Late Harvest, Chenin blanc Noble Late Harvest

OVERGAAUW ESTATE
Vlottenburg 7604, Stellenbosch

Vignobles : ***75 ha (dont 60 % irrigués)***

Ce domaine produit des vins pleins de classe, ne contenant que très peu d'anhydride sulfureux.

☆ « Tria Corda » (Cabernet-Merlot élevé sous chêne), Cabernet Sauvignon, « Overtinto » (Tinta barocca, Francisca et amarela, ainsi que Cornifesto et Souzão, de style « Porto » élevés sous bois), Chardonnay, Vintage « Port » (mêmes cépages que l'« Overtinto », mais vieillissement en bouteille et non sous bois)

RIETVALLEI ESTATE
Robertson 6705

Vignobles : ***128 ha (irrigués)***

Producteur médaillé, spécialisé dans les vins doux rouges, vinés de Muscadel.

☆ Rietvallei Rooi Muskadel

RUSTENBERG
Stellenbosch 7600

Vignobles : ***80 ha (dont moins d'un dixième irrigués)***

Bien que 80 hectares seulement soient encépagés, cet énorme domaine englobe quelque 1 000 hectares.

☆ Cabernet Sauvignon, Pinot noir, « Rustenberg » (Cabernet-Shiraz)

RUST-EN-VREDE ESTATE
Stellenbosch 7600

Vignobles : ***31 ha (non irrigués)***

Jannie Engelbrecht, un ancien springbock, ne produit que les vins qu'il aime boire. Il a du goût !

☆ Cabernet Sauvignon, Shiraz

SIMONSIG ESTATE
Koelenhof 7605, Stellenbosch

Vignobles : ***180 ha (irrigués à 70 %)***

Ce domaine est la propriété de Frans Malan, l'un des pionniers de la méthode champenoise au Cap.

☆ Cabernet Sauvignon, Chardonnay, Shiraz, Morio Muscat, Gewurztraminer, Weisser Riesling, « Noble Late Harvest » (de divers assemblages), « Kaapse Vonkel » (méthode champenoise à base de Chenin, devant devenir bientôt un assemblage de Pinot noir-Chardonnay)

SPIER ESTATE
Vlottenburg 7604, Stellenbosch

Vignobles : ***250 ha (irrigués)***

Ce domaine appartient à Chris Joubert et son père Niel, descendants directs du fondateur, Pierre Joubert, vigneron huguenot originaire du Val de Loire. Ses vins sont commercialisés par Gilbeys.

☆ Cabernet Sauvignon, Shiraz, Colombard, Special Late Harvest, Chenin blanc Special Late Harvest

THEUNISKRAAL ESTATE
Tulbagh 6820

Vignobles : ***150 ha (irrigués)***

Ce domaine, spécialisé dans les vins blancs, gagne régulièrement distinctions et médailles. Le Riesling est le plus célèbre des vins de Theuniskraal, le Gewurztraminer le plus généralement apprécié et le Sémillon le plus sérieux.

☆ Riesling, Gewurztraminer, Sémillon

TWEE JONGEGEZELLEN ESTATE
Tulbagh 6870

Vignobles : ***274 ha (irrigués)***

Ce vaste domaine qui produisait une douzaine de vins différents n'en élabore plus que cinq, tous blancs, depuis le milieu des années 80.

Aucun autre domaine ne peut se vanter de produire autant de vins d'un niveau aussi élevé. Le propriétaire, N. C. Krone, est un innovateur.

☆ « TJ 39 Grand Prix » (Muscat-Riesling plus 15 autres cépages), « Schanderl » (assemblage de Muscat, Gewurztraminer et Riesling), « TJ Light » (assemblage à faible degré de Gewurztraminer, Müller Thurgau et Pinot gris), « TJ Night Harvest » (assemblage de Riesling, Sauvignon et Chenin), « Engeltjiepipi » (légèrement botrytisé, cépages divers)

UITKYK ESTATE
Muldersvlei 7606, Stellenbosch

Vignobles : ***165 ha (dont un tiers irrigués)***

Ce domaine, dont le nom se prononce « ète-kéke », doit sa réputation actuelle à plus de vingt ans d'efforts déployés par son maître de chai, Harvey Illing.

☆ « Carbonet » (assemblage de Cabernet Sauvignon, Shiraz, Cinsault, Pinotage), « Carlsheim » (issu de Sauvignon)

VAN LOVEREN
Klaasvoogds 6707, Robertson

Vignobles : ***107 ha***

Les vins de ce domaine sont relativement nouveaux, mais très prometteurs.

☆ Noble Late Harvest (assemblage Riesling-Chenin)

VERGENOEGD ESTATE
Faure 7131, Stellenbosch

Vignobles : ***130 ha (irrigation possible)***

Domaine historique de réputation très traditionnelle. Son comportement très conservateur est garant de l'excellence de ses vins.

☆ Cabernet Sauvignon, Shiraz, Cinsault

VILLIERA ESTATE
Koelenhof 7605, Paarl

Vignobles : ***95 ha***

Domaine en pleine ascension, Villiera a bâti sa réputation sur son méthode champenoise, d'excellent rapport qualité/prix, ainsi que sur d'autres nouveautés vinicoles.

☆ « Crû Monro » (Merlot-Cabernet), « Private Reserve » (assemblage à base de Cabernet), Rhine Riesling, Sauvignon blanc, Tradition Charles de Fère (méthode champenoise à base de Pinotage, Chenin et Pinot noir)

VRIESENHOF
Stellenbosch 7600

Vignobles : ***15 ha (non irrigués)***

Jan « Boland » Coetzee, un ancien des Springboks, gère ce petit domaine. Son intérêt pour tout ce qui vient de Bourgogne l'a fait se transformer en modeste négociant-éleveur.

☆ « Private Reserve » (Cabernet Sauvignon), Chardonnay

WELGEMEEND ESTATE
Klapmuts 7675, Paarl

Vignobles : *13 ha (non irrigués)*

Domaine de vins rouges de haute qualité.

☆ « Estate Wine », Cabernet Sauvignon, « Amadé », « Douelle »

WELTEVREDE ESTATE
Bonnievale 6730, Robertson

Vignobles : *110 ha (irrigués)*

« Weltevrede » signifie « satisfait à souhait », commentaire approprié pour ces vins.

☆ Rhine Riesling, Gewurztraminer, « Noble Late Harvest » (à base de Chenin et Riesling), Muscat de Hambourg

DE WETSHOF ESTATE
Robertson 6705

Vignobles : *120 ha (irrigués)*

Spécialisé dans les vins blancs.

☆ Rhine Riesling, Chardonnay, Sauvignon blanc, Edeloes *(botrytis)*

ZANDVLIET ESTATE
Ashton 6715, Robertson

Vignobles : *113 ha (irrigués)*

Fameux pour son Shiraz. Le Pinot noir pourrait être sa prochaine célébrité.

☆ Pinot Noir, Shiraz

ZEVENWACHT
Kuils River 7580, Stellenbosch

Vignobles : *200 ha (non irrigués)*

Zevenwacht produit des vins frais, francs et aromatiques.

☆ Cabernet Sauvignon, Rhine Riesling, Gewurztraminer

Coopératives importantes d'Afrique du Sud

AAN DE DOORNS KOÖP WYNKELDER
Worcester 6850

Date de création : *1955*

Cette coopérative produit un Cabernet Sauvignon équilibré et un Chenin blanc qui a été primé.

☆ Cabernet Sauvignon, Chenin blanc

BADSBERG KOÖP WYNKELDER
Rawsonville 6845, Worcester

Date de création : *1951*

Cette coopérative est réputée pour son Hanepoot, vin de dessert doré, mielleux, riche et succulent.

☆ Hanepoot

BOLANDSE KOÖP WYNKELDER
Huguenot 7645, Paarl

Date de création : *1948*

Coopérative fort estimée.

☆ Cabernet Sauvignon, Riesling, Late Vintage

BOTHA KOÖP WYNKELDER
Botha 6857, Breede River, Robertson

Vins remportant régulièrement des médailles.

☆ Cabernet Sauvignon

BOTTELARY KOÖP WYNKELDER
Koelenhof 7605, Stellenbosch

Cette coopérative est particulièrement réputée pour ses vins blancs.

☆ Cabernet Sauvignon, Colombard, Weisser Riesling, Gewurztraminer

DU TOITSKLOOF KOÖP WYNKELDER
Rawsonville 6845, Worcester

Depuis 1968, cette coopérative a produit plusieurs vins médaillés.

☆ Cinsault, Bukettraube

EERSTERIVIER VALLEISE KOÖP WYNKELDER
Vlottenburg 7604, Stellenbosch

Cette coopérative remporte regulièrement des distinctions, notamment pour ses vins blancs.

☆ « Hanseret » rouge (à base de Cabernet), Chenin blanc, « Hanseret » Dry White (Colombard-Clairette), « Hanseret » Semi-Sweet (à base de Chenin)

FRANSCHHOEK VINEYARD KOÖP WYNKELDER
Franschhoek 7690

Autre coopérative renommée pour ses vins blancs.

☆ « La Cotte » Sauvignon blanc, « La Cotte » Rhine Riesling

HELDERBERG KOÖP WYNKELDER
Firgrove 7110, Stellenbosch

Large gamme de vins de qualité au-dessus de la moyenne.

☆ Cabernet Sauvignon

NORDALE KOÖP WYNKELDER
Bonnievale 6730, Swellendam

Petite gamme de vins de très bonne qualité. Fondée en 1950, Nordale est la plus ancienne des entreprise vinicoles de la région.

☆ Colombard, Red Muscadel Jerepigo

NORTH WESTERN WINE MERCHANTS
Voir **Vredendal Koöperatiewe Wynkelder.**

NUY KOÖP WYNKELDER
Nuy 6700, Worcester

Cette belle coopérative produit des vins qui peuvent concurrencer les meilleurs vins de propriété.

☆ Colombard, Colombard Effe Soet, Bukettraube, « Chant de Nuy » (assemblage à base de Colombard-Chenin), Red Muscadel, White Muscadel

OLIFANTSRIVIER KOÖP WYNKELDER
Voir **Vredendal Koöp Wynkelder.**

PAARLVALLEI KOÖP WYNKELDER
Voir **Bolandse Koöp Wynkelder.**

ROBERTSON KOÖP WYNKELDER
Robertson 6705

Le maître de chai, Pon van Zyl, qui s'est retiré en 1985, est encore connu sous le nom affectueux de « Père du Colombard ».

☆ Colombard, Bukettraube, Steen Special Late Harvest, « Soet » Muskadel, « Baron du Pon » (Colombard de distribution limitée, haut de gamme)

ROMANSRIVIER KOÖP WYNKELDER
Wolseley 6830, Breede River, Robertson

L'une des coopératives du pays qui gagne le plus de médailles.

☆ Cabernet Sauvignon, « Vin Blanc Special Reserve », Colombard Effesoet, Edel Laatoes

ROODEZANDT KOÖP WYNKELDER
Robertson 6705

Petite coopérative commençant à utiliser de petites barriques de chêne neuf pour élever ses vins de choix.

☆ Cabernet Sauvignon, Emerald, Riesling, Muscat d'Alexandrie, Soet Hanepoot, Hanepoot Jerepigo, White Muscadel

ROOIBERG KOÖP WYNKELDER
Robertson 6705

Autre coopérative gagnant des médailles.

☆ Blanc Fumé, « Vinkrivier » Steen, Muscadel Red, Muscadel White

SIMONSVLEI KOÖP WYNKELDER
Suider Paarl 7624

La réputation de cette coopérative pour ses vins fins date au moins de quarante ans.

☆ Cabernet Sauvignon, Shiraz, Chenin blanc, Muscadel Jerepigo

SLANGHOEK KOÖP WYNKELDER
Rawsonville 6845, Worcester

Cette coopérative jouit d'une très bonne réputation pour ses vins blancs.

☆ Colombard, Soet Hanepoot

SPRUITDRIFT KOÖP WYNKELDER
Vredendal 8160, Olifants River

Cette coopérative, qui gagne des médailles, est réputée pour ses vinificateurs tels que Giel Swiegers et, actuellement, Johann Rossouw.

☆ Nags Pars, Special Late Harvest, Hanepoot Jerepigo

VLOOTENBURG KOÖP WYNKELDER
Vlottenburg 7604, Stellenbosch

Cette coopérative, décorée de médailles, excelle dans les vins blancs.

☆ Riesling, Weisser Riesling, Special Late Harvest (assemblage)

VREDENDAL KOÖPERATIEWE WYNKELDER
Vredendal 8160, Olifants River

Date de création : *1948*

La plus grande coopérative de l'Afrique du Sud, autrefois connue sous le nom d'Olifantsriever Koöp Wynkelder, progresse rapidement. Ses vins se commercialisent sous l'étiquette « North Western Wine Merchants ».

☆ Hanepoot Jerepigo

WABOOMSRIVIER KOÖP WYNKELDER ou WAGONBOOM WINES
Breërivier 6858, Worcester

Sur l'étiquette de ces vins médaillés figure la fleur du *waboom*, essence dont on utilisait le bois, dans la région, pour faire les roues des chariots.

☆ Cabernet Sauvignon, Ruby Cabernet, Sweet Hanepoot Jerepigo

WELMOED KOÖP WYNKELDER
Lynedoch 7603, Stellenbosch

Les vins de cette coopérative ont été élaborés par Kobus Roussow avant qu'il ne passât chez la Simonsvlei Koöp Wynkelder.

☆ Cabernet Sauvignon, Shiraz, Rouge sec, Weisser Riesling, Sauvignon blanc, Noble Late Harvest, Sweet Hanepoot

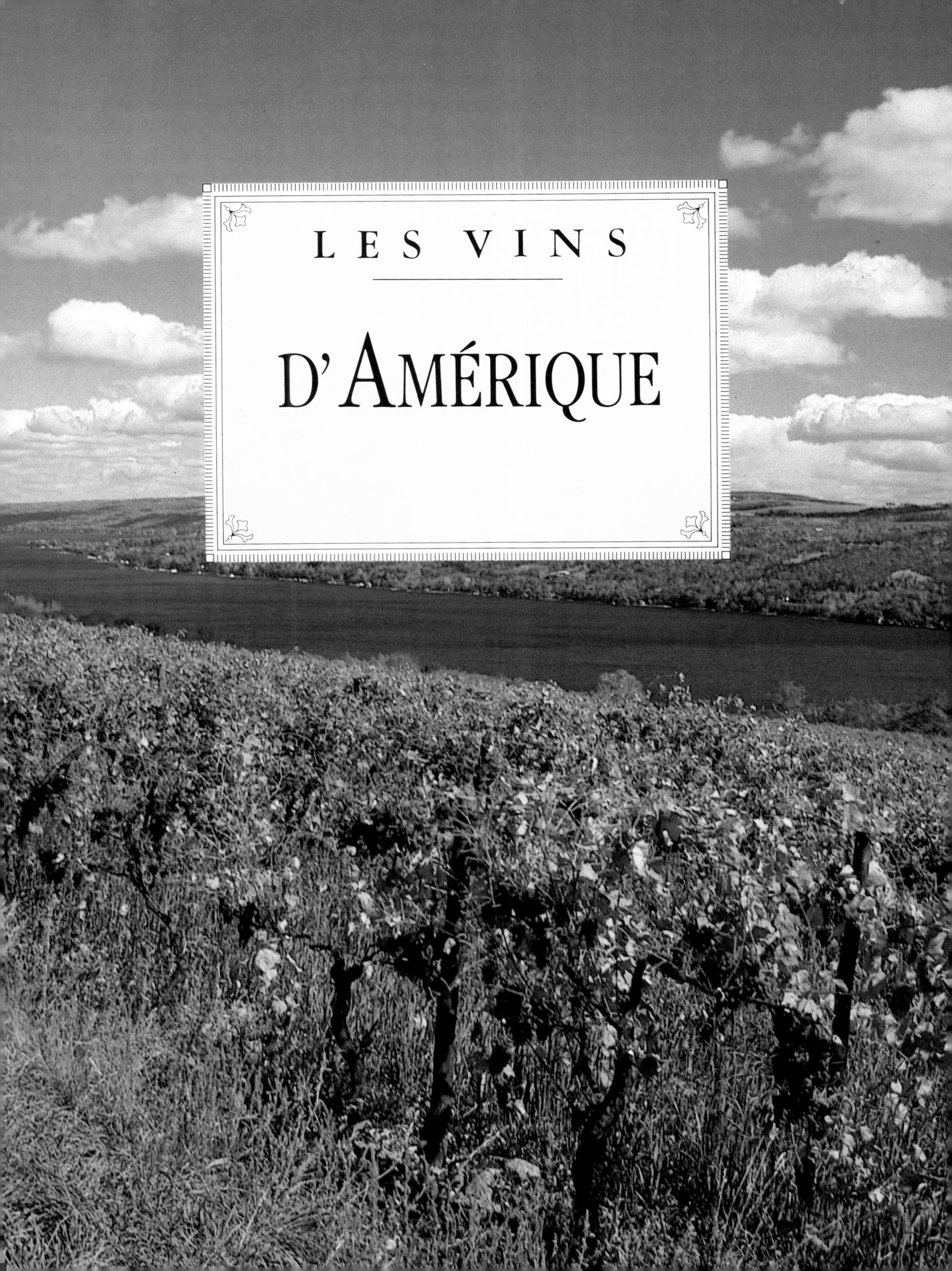
LES VINS
D'AMÉRIQUE

Amérique du Nord

Les vins nord-américains ne se résument pas aux seuls vins de Californie. Car, bien que cet État se place, en volume, au sixième rang des nations productrices de vin, elle n'est qu'un des 40 États américains producteurs. De plus, les vignobles de l'Amérique du Nord englobent aussi ceux de l'Ontario et de la Colombie britannique au Canada (*voir* p. 402), et, au Mexique, ceux de la Baja California et de la Sierra Madre (*voir* p. 400).

En 1521, lorsqu'ils occupèrent le Mexique, les conquistadors espagnols y plantèrent la vigne et se mirent à élaborer les premiers vins d'Amérique du Nord. Quatorze ans plus tard, remontant le Saint-Laurent à la voile pour atteindre la Nouvelle-France, l'explorateur Jacques Cartier découvrit une grande île envahie de vignes sauvages et décida, tout d'abord, de l'appeler « île de Bacchus » puis « île d'Orléans » en l'honneur du duc d'Orléans, fils du roi de France François Ier. On estime que, aux environs de 1564, les colons jésuites – qui naviguaient dans le sillage de Cartier – furent les premiers vinificateurs de ce qui allait devenir le Canada. Les premiers vins élaborés sur le territoire des États-Unis d'Amérique virent le jour en Floride. Entre 1562 et 1564, des colons français huguenots produisirent, à l'emplacement de la future Jacksonville, des vins à base du cépage Scuppernong.

CÉPAGES INDIGÈNES D'AMÉRIQUE DU NORD

Si tous les cépages classiques appartiennent à une espèce unique, *Vitis vinifera*, les cépages indigènes d'Amérique du Nord appartiennent à différentes espèces dont aucune n'est *Vitis vinifera* (*voir* « Cépages », p. 10). Les premiers colons rencontrèrent un grand nombre de cépages indigènes sauvages dont ils se servirent naturellement pour leur production de vin. À l'inverse, les colons australiens furent forcés d'attendre des ceps européens pour créer des vignobles. Au XIXe siècle, divers cépages européens traversèrent l'Atlantique, mais jusqu'à des temps relativement récents, presque tous les vins nord-américains, hormis ceux de Californie, furent le produit de cépages indigènes.

L'espèce indigène la plus courante en Amérique du Nord, la *Vitis labrusca*, possède une saveur et un arôme si particuliers qu'il paraît vraiment étonnant que ces pionniers, qui étaient aussi des vignerons, n'aient pas harcelé leurs pays d'origine pour se faire livrer des ceps plus acceptables. Le goût fort de ce cépage, couramment qualifié de « foxé », fait paraître neutre, par comparaison, le plus aromatique des Muscat, et les palais européens, aussi bien qu'australiens, ne l'apprécient pas. L'étrange arôme « foxé » ou « de renard » d'une douceur évoquant la mélasse envahit le palais et sature désagréablement l'arrière-bouche.

Les vignobles de Mount Pleasant, Missouri, ci-dessus
Les vignobles de Mount Pleasant se situent à Augusta, première AVA (zone viticole agréée).

LA PROHIBITION AMÉRICAINE

Bien que la Prohibition stricte n'ait été appliquée, aux États-Unis, que de 1920 à 1933, c'est dès 1816 que fut étudiée la première législation « de régime sec », et le Maine fut, en 1846, le premier État à adopter le régime strictement sec. Lorsque, en 1920, entra en application le dix-huitième amendement à la Constitution, interdisant l'élaboration, la vente ou le transport de toute boisson alcoolisée, plus de trente États étaient déjà strictement « secs ».

La Prohibition mena au chaos. Elle priva le gouvernement de revenus légitimes et encouragea les *bootleggers* à faire fortune. Les alambics illicites se multiplièrent à une vitesse telle que les recherches de l'administration étaient presque vaines. En ville, les bars clandestins étaient légion. Dans bien des cas, l'administration préféra fermer les yeux, le gouvernement fédéral trouva même utile d'ouvrir à New York son propre bar clandestin ! À cette époque, on arracha un grand nombre de vignes et l'on fabriqua, en les pressant, des concentrés de raisin commercialisés sous le nom de « briques de raisin ». Accompagnées d'une capsule de levure, ces briques étaient assorties d'un mode d'emploi permettant de les dissoudre dans un gallon mais précisant, en outre, que l'addition de levure aurait pour inconvénient de déclencher une fermentation qui transformerait le jus en vin, opération tout à fait illégale.

La Prohibition et l'industrie vinicole

Dans la seconde moitié du XIXe siècle, la réputation de l'industrie vinicole californienne était telle que certaines grandes zones viticoles françaises, telle la Champagne, se mirent à former des syndicats pour se protéger contre la menace des produits californiens. Mais les treize années de Prohibition firent régresser dramatiquement l'industrie vinicole californienne.

En Europe, la Première Guerre mondiale avait privé l'industrie de sa génération montante, mais la riche tradition de l'industrie vinicole lui permit de survivre jusqu'à l'avènement d'une nouvelle génération. Le début du XXe siècle fut marqué par la création officielle, en France, des appellations d'origine, système de contrôle qualitatif dont tous les pays vinicoles sérieux finirent par s'inspirer. Les États-Unis subirent également la perte de toute une génération durant la Première Guerre mondiale ; mais la faible implantation de la tradition vinicole conduisit à l'effondrement de ce secteur d'activité. En 1920, il n'existait pratiquement plus d'industrie vinicole dans le pays. Après la Prohibition, se produisit la plus tragique des dépressions économiques de l'histoire, suivie par la Seconde Guerre mondiale qui faucha encore une autre génération d'entrepreneurs potentiels. À la fin des années 40, l'industrie vinicole nord-américaine était dans un état déplorable. Ayant perdu tout contact avec l'activité européenne, les États-Unis produisaient alors d'infâmes vins de *labrusca*. La Californie, en revanche, produisait relativement peu de *labrusca* par rapport aux autres États de l'Est, mais ses vinificateurs avaient recours à des pratiques désuètes, donnant des vins vinés, doux et lourds. Aujourd'hui, le vin californien peut rivaliser avec les meilleurs de ses homologues européens et l'industrie viticole des États-Unis est florissante, en pleine expansion et désireuse de percer sur les marchés extérieurs.

PRODUCTION ANNUELLE DES VINS NORD-AMÉRICAINS

Pays	Caisses (hectolitres)	Hectares encépagés
Canada	3 000 000 (270 000 hectolitres)	10 100
États-Unis	220 000 000 (19 800 000 hectolitres)	405 000
Mexico	2 500 000 (225 000 hectolitres)	58 000

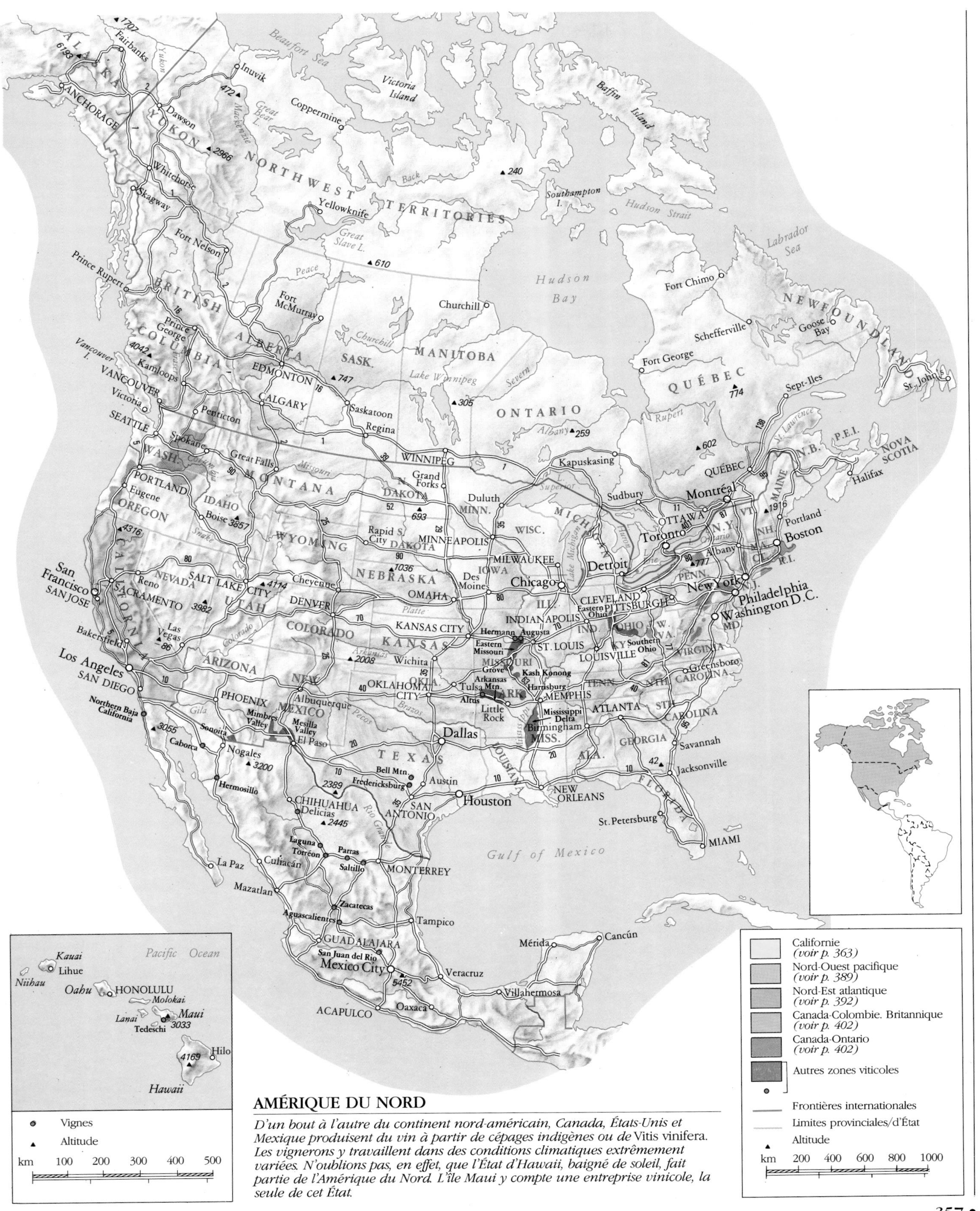

AMÉRIQUE DU NORD

D'un bout à l'autre du continent nord-américain, Canada, États-Unis et Mexique produisent du vin à partir de cépages indigènes ou de Vitis vinifera. *Les vignerons y travaillent dans des conditions climatiques extrêmement variées. N'oublions pas, en effet, que l'État d'Hawaii, baigné de soleil, fait partie de l'Amérique du Nord. L'île Maui y compte une entreprise vinicole, la seule de cet État.*

LE SYSTÈME DES APPELLATIONS AUX ÉTATS-UNIS

De Hawaii à l'Alaska, le BATF, *Bureau of Alcohol, Tobacco and Firearms*, division du ministère des Finances, reconnaît le droit à chacun des États – comme à chacun des comtés les composant – à porter une appellation d'origine spécifique ; mais cette reconnaissance s'étend aussi à d'autres appellations génériques. Les voici, présentées par catégorie :

Appellation Vin américain

Cette appellation s'applique à tout vin, coupé ou non, originaire de tout endroit des États-Unis d'Amérique, y compris du district fédéral de Colombie et de l'« État libre associé » de Porto-Rico. Aussi irrationnellement que pour les vins produits dans les pays de la CEE, ce vin, classé en vin de table, ne doit pas être millésimé. C'est la seule appellation autorisée pour les vins exportés en vrac.

Appellation représentant plusieurs États

Cette appellation s'applique à un vin originaire de deux ou trois États voisins limitrophes. La proportion de chaque vin doit être exprimée en pourcentage et l'origine doit figurer clairement sur l'étiquette.

Appellation d'État

Vin originaire de tout État ; à condition que 75 % au moins des raisins dont il est issu aient été cultivés dans l'État mentionné. Ainsi, un vin prétendant à l'appellation californienne peut contenir jusqu'à 25 % de raisin originaire de un ou plusieurs autres États. Même observation pour les appellations de comtés.

Appellation de comté

Vin originaire de tout comté et dont 75 % au moins doivent être issus de raisins cultivés dans le comté mentionné.

Note : Pour des raisons pratiques, nous avons appliqué le terme d'État au district fédéral de la Colombie et l'« État libre associé » de Porto-Rico.

Conséquences du système

Les possibilités de permutation, rien que pour les appellations comportant de multiples comtés, sont si nombreuses que le BATF n'a pas encore pu établir la liste complète des appellations autorisées au titre de la réglementation qu'il applique.

Il faut reconnaître que la législation répond à l'idéal américain, laissant chaque citoyen libre d'organiser honnêtement son existence, quels que soient l'endroit, l'heure et les moyens dont il dispose. À mon sens, un système d'appellation universel garantissant l'origine d'un produit, quelle que soit sa provenance, ne sert en fait qu'à compliquer les choses et à semer le doute dans l'esprit des amateurs de vins.

Pour être d'utilité pratique au regard du consommateur, un système ne me semble devoir garantir l'origine d'un produit que dans la mesure où celui-ci provient d'une région ayant une certaine réputation. Par exemple, s'il est utile de savoir que des grains de café viennent du Brésil ou du Kenya, à quoi servirait-il d'octroyer la garantie d'une appellation d'origine contrôlée à des grains du Ruanda n'ayant aucun prestige mondial ? Il vaut mieux le vendre à l'étranger sous la marque d'un assembleur réputé.

LES ZONES VITICOLES AGRÉÉES DES ÉTATS-UNIS

Au milieu des années 70, le BATF s'intéressa au concept d'appellations particulières contrôlées, et, en septembre 1978, publia les premiers règlements et autres textes législatifs destinés à instaurer un nouveau système de zones viticoles agréées, les AVA (*Approved Viticultural Areas*). Pour créer une AVA, les parties concernées doivent fournir les éléments énumérés ci-dessous :

- preuve de la notoriété, régionale ou internationale, du nom de la zone viticole ;
- preuve, historique ou actuelle, de la spécificité des limites de la zone viticole par rapport à l'appellation ;
- preuve de la particularité des éléments géographiques – climat, sol, altitude, particularités physiques et autres – distinguant la zone concernée parmi les zones environnantes ;
- limites de la zone viticole, fondées sur des éléments vérifiables sur des cartes à la plus grande échelle de l'USGS – *United States Geological Survey* ;
- un exemplaire de la carte de l'USGS appropriée, sur lequel sont clairement indiquées les limites de l'appellation.

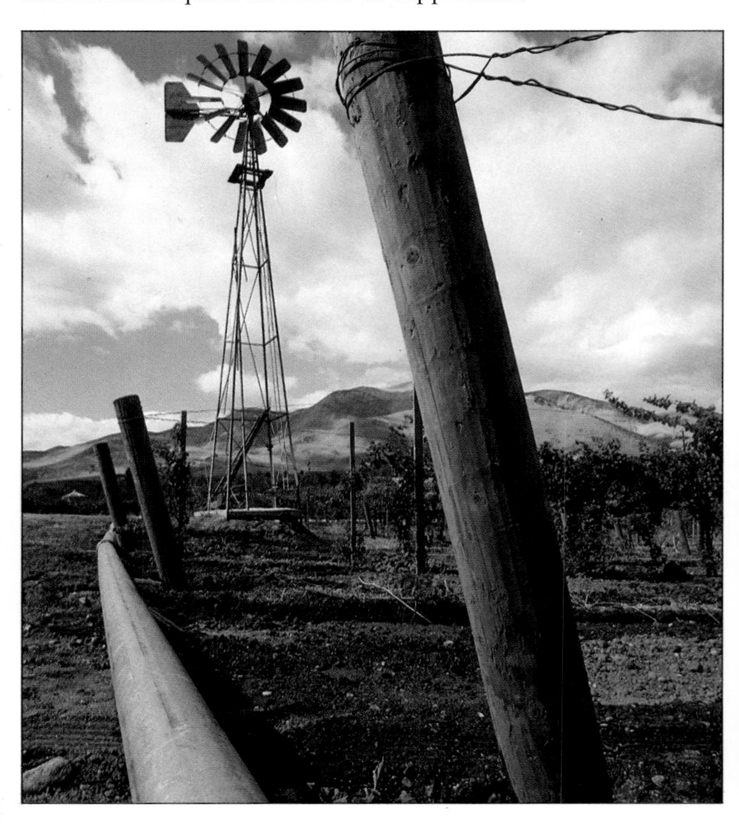

Vignobles au nord de l'État de New York, ci-dessus
Les rangs de vignes forment une mosaïque vert émeraude sur les doux vallonnements de cette contrée proche de Hammondsport. Au loin, on distingue le lac Keuka, l'un des Finger Lakes, qui exerce une influence modératrice sur le climat régional.

Vignobles à Jekel, Californie, à droite
Une canalisation d'irrigation côtoie des rangs de vignes dans l'une des parties les plus arides du comté de Monterey.

Le statut des AVA

Si l'on ne s'en tient qu'à leurs délimitations géographiques, les AVA des États-Unis ont quelque rapport avec les AOC de France. Du reste, la création récente de ce système interdit tout commentaire sensé sur le style particulier des vins, des cépages et des millésimes de ces appellations. Aussi, dans les parties de l'ouvrage se référant aux AVA, ai-je voulu donner des précisions sur la géographie, le climat et le sol des zones concernées, tous éléments qui, affectant la qualité des vins, sont susceptibles de distinguer une AVA d'une autre ou des zones voisines non classées.

Du fait que nombre d'AVA ont encore à se forger une « identité vinicole », les cartes américaines figurent souvent des régions viticoles qui n'ont pas nécessairement le statut d'AVA mais dont les vins jouissent d'une certaine réputation. Il arrive aussi que certaines régions n'aient pas encore jugé bon de présenter leur candidature au statut d'AVA.

LES AVA DES ÉTATS-UNIS

Le nombre des AVA est en train de régresser. Elles sont actuellement au nombre de 97, 8 autres sont en cours d'homologation.

Alexander Valley *(Californie, 23 novembre 1984)*

Altus *(Arkansas, 29 juin 1984)*

Anderson Valley *Californie, 19 septembre 1983)*

Arkansas Mountain *(Arkansas, 27 octobre 1986)*

Arroyo Seco *(Californie, 16 mai 1983)*

Augusta *(Missouri, 20 juin 1980)*

Bell Mountain *(Texas, 10 novembre 1986)*

Ben Lomond Mountain *(Californie, 8 janvier 1988)*

California Shenandoah Valley *(Californie, 27 janvier 1983)*

Carmel Valley *(Californie, 15 janvier 1983)*

Catoctin *(Maryland, 14 novembre 1983)*

Cayuga Lake *(New York, homologation en cours)*

Central Coast *(Californie, 25 novembre 1985)*

Central Delaware Valley *(Pennsylvanie et New Jersey, 18 avril 1984)*

Chalk Hill *(Californie, 21 novembre 1983)*

Chalone *(Californie, 14 juillet 1982)*

Cienega Valley *(Californie, 20 septembre 1982)*

Clarksburg *(Californie, 22 février 1984)*

Clear Lake *(Californie, 7 juin 1984)*

Cole Ranch *(Californie, 16 mars 1983)*

Columbia Valley *(Oregon et Washington, 13 décembre 1984)*

Cumberland Valley *(Maryland et Pennsylvanie, 26 août 1985)*

Dry Creek Valley *(Californie, 6 septembre 1983)*

Edna Valley *(Californie, 11 juin 1982)*

El Dorado *(Californie, 14 novembre 1983)*

Fennville *(Michigan, 19 octobre 1981)*

Fiddletown *(Californie, 3 novembre 1983)*

Finger Lakes *(New York, 1er octobre 1982)*

Fredericksburg *(Texas, homologation en cours)*

Grand River Valley *(Ohio, 21 novembre 1983)*

Guenoc Valley *(Californie, 21 décembre 1981)*

Hermann *(Missouri, 19 septembre 1983)*

Howell Mountain *(Californie, 30 janvier 1984)*

Hudson River Region *(New York, 6 juillet 1982)*

Isle St. George *(Ohio, 20 septembre 1982)*

Kanawha River Valley *(Virginie occidentale, 8 mai 1986)*

Knights Valley *(Californie, 21 novembre 1983)*

Lake Erie *(New York, Pennsylvanie et Ohio, 21 novembre 1983)*

Lake Michigan Shore *(Michigan, 14 novembre 1983)*

Lancaster Valley *(Pennsylvanie, 11 juin 1982)*

Leelanau Peninsula *(Michigan, 29 avril 1982)*

Lime Kiln Valley *(Californie, 6 juillet 1982)*

Linganore *(Maryland, 19 septembre 1983)*

Livermore Valley *(Californie, 1er octobre 1982)*

Lodi *(Californie, 17 mars 1986)*

Loramie Creek *(Ohio, 27 décembre 1982)*

Los Carneros *(Californie, 19 septembre 1983)*

Madera *(Californie, 7 janvier 1985)*

Martha's Vineyard *(Massachusetts, 4 février 1985)*

McDowell Valley *(Californie, 4 janvier 1982)*

Mendocino *(Californie, 16 juillet 1984)*

Merritt Island *(Californie, 16 juin 1983)*

Mesilla Valley *(Nouveau-Mexique et Texas, 18 mars 1985)*

Middle Rio Grande Valley *(Nouveau-Mexique, homologation en cours)*

Mimbres Valley *(Nouveau-Mexique, 23 décembre 1985)*

Mississippi Delta *(Louisiane, Mississippi et Tennessee, 1er octobre 1984)*

Monterey *(Californie, 16 juillet 1984)*

Monticello *(Virginie, 22 février 1984)*

Napa Valley *(Californie, 27 février 1981)*

North Coast *(Californie, 21 octobre 1983)*

Northern Fork – Lieu de naissance de George Washington *(Virginie, 21 mai 1987)*

Northern Sonoma *(Californie, 17 juin 1985)*

North Fork of Long Island *(New York, 10 novembre 1986)*

North Fork of Roanoke *(Virginie, 16 mai 1983)*

North Yuba *(Californie, 30 août 1985)*

Ohio River Valley *(Indiana, Ohio, Virginie occidentale et Kentucky, 7 octobre 1983)*

Old Mission Peninsula *(Missouri, 8 juillet 1987)*

Ozark Highlands *(Montana, 30 septembre 1987)*

Ozark Mountain *(Arkansas, Missouri et Oklahoma, 1er août 1986)*

Pacheco Pass *(Californie, 11 avril 1984)*

Paicines *(Californie, 15 septembre 1982)*

Paso Robles *(Californie, 3 novembre 1983)*

Potter Valley *(Californie, 14 novembre 1983)*

Rocky Knob *(Virginie, 11 février 1983)*

Russian River Valley *(Californie, 21 novembre 1983)*

San Benito *(Californie, 4 novembre 1983)*

San Lucas *(Californie, 2 mars 1987)*

San Pasqual Valley *(Californie, 16 septembre 1981)*

Santa Clara Valley *(Californie, homologation en cours)*

Santa Cruz Mountains *(Californie, 4 janvier 1982)*

Santa Maria Valley *(Californie, 4 septembre 1981)*

Santa Ynez Valley *(Californie, 16 mai 1983)*

Shenandoah Valley *(Virginie et Virginie occidentale, 27 janvier 1983)*

Sierra Foothills *(Californie, 18 décembre 1987)*

Solano County Green Valley *(Californie, 28 janvier 1983)*

Sonoita *(Arizona, 26 novembre 1984)*

Sonoma Coast *(Californie, 13 juillet 1987)*

Sonoma County Green Valley *(Californie, 21 décembre 1983)*

Sonoma Mountain *(Californie, 22 février 1985)*

Sonoma Valley *(Californie, 4 janvier 1982)*

South Coast *(Californie, 23 décembre 1985)*

Southeastern New England *(Connecticut, Rhode Island et Massachusetts, 27 avril 1984)*

Stag's Leap District *(Californie, homologation en cours)*

Suisun Valley *(Californie, 27 décembre 1982)*

Temecula *(Californie, 23 novembre 1984)*

The Hamptons, Long Island *(État de New York, 17 juin 1985)*

Umpqua Valley *(Oregon, 30 avril 1984)*

Walla Walla Valley *(État de Washington et Oregon, 7 mars 1984)*

Warren Hills *(New Jersey, homologation en cours)*

Western Connecticut Highlands *(Connecticut, homologation en cours)*

Wild Horse Valley *(Californie, homologation en cours)*

Willamette Valley *(Oregon, 3 janvier 1984)*

Willow Creek *(Californie, 9 septembre 1983)*

Yakima Valley *(État de Washington, 4 mai 1983)*

York Mountain *(Californie, 23 septembre 1983)*

LA LÉGISLATION ET L'ÉTIQUETAGE DES VINS AMÉRICAINS

La législation américaine autorise l'utilisation de noms de marque ne comportant pas « d'erreurs typographiques portant sur l'âge, l'origine, l'identité ou d'autres caractéristiques du produit ». Cette législation n'est pas aussi judicieuse qu'elle le paraît car elle permet aux producteurs de vins américains d'étiqueter leurs productions selon des catégories de vins « génériques » et « semi-génériques » :
Génériques : Vermouth, Sake.
Semi-génériques : Angelica, Burgundy, Claret, Chablis, Champagne, Chianti, Haut Sauterne (*sic*), Hock, Malaga, Marsala, Madeira, Moselle, Port, Rhine Wine, Sauterne (*sic*), Sherry, Tokay.
Le texte est complété par une liste de noms « non génériques » qui ne peuvent être utilisés sur les étiquettes :
Non génériques : Aloxe-Corton, Alsace, Alsation (*sic*), Anjou, Anjou-Saumur, Beaujolais, Beaune, Bordeaux, Bordeaux Blanc, Bordeaux Rouge, Bourgogne des Environs de Chablis (*sic*), Chambertin, Chambolle-Musigny, Chassagne-Montrachet, Château Lafite, Château Margaux, Châteauneuf-du-Pape, Château Yquem (*sic*), Côte Beaujolaise (*sic*), Côte de Beaune, Côte Mâconnaise (*sic*), Côte de Nuits, Côte du Rhône, Côte Rôtie, Coteaux du Layon, Coteaux de la Loise (*sic*), Deidesheimer, Flagey-Échézeaux, Forster (*sic*), Gevrey-Chambertin, Grand Chablis (*sic*), Graves, Graves Barsac (*sic*), Hermitage, Lacryma Christi, Lagrima (*sic*), Liebfraumilch, Loire (*sic*), Mâcon, Mâconnais, Margaux, Médoc, Meursault, Montrachet, Morey, Mosel, Mosel-Saar-Ruwer, Nuits, Nuits-St.-Georges, Pomerol, Pommard, Puligny-Montrachet, Rhône, Rudesheimer, Santenay, Saumur, Savigny, Schloss Johannisberger, St.-Émilion, St.-Julien, Suisse, Swiss, Tavel, Touraine, Volnay, Vosne-Romanée, Vouvray.

L'étiquetage officiel des vins et son avenir

Lorsqu'ils produisirent des vins, les premiers colons les assimilèrent à ceux du « vieux monde » ; d'où l'utilisation de termes tels que *sherry,* Xérès, ou *Port,* Porto. Mais la législation américaine est irrationnelle en ce sens qu'elle permet à un producteur américain de faire du *Burgundy* et non du Bordeaux, du Chablis et non du Grand Chablis ainsi que du Moselle et non du Mosel ! C'est la raison pour laquelle on peut, à juste titre, s'interroger sur la façon dont ont été dressées les listes du BATF. La situation actuelle est en effet aussi ridicule que l'idée de la CEE de ratifier l'utilisation, par les producteurs français, de dénominations semi-génériques telles que Napa Valley, Comté de Sonoma ou État de Washington. Maintenant que la législation protège les zones viticoles américaines, on peut espérer qu'elle respectera les appellations étrangères.

COMMENT LIRE LES ÉTIQUETTES DES VINS AMÉRICAINS

Estate Bottled
WAGNER
VINEYARDS
Reserve
1984
Finger Lakes
Chardonnay
ALCOHOL 13.0% BY VOLUME
PRODUCED & BOTTLED BY WAGNER VINEYARDS, LODI, N.Y.

Producteur vinicole
Selon la loi, le nom du producteur et son adresse doivent figurer sur l'étiquette. L'adresse est en bas de l'étiquette. Wagner produit des vins de pur cépage dans l'État de New York.

Appellation
L'appellation est toujours la première chose à rechercher sur une étiquette. Malheureusement, la législation n'oblige pas à faire figurer les termes d'*Approved Viticultural Area.* Moyennant quoi, comment le consommateur peut-il savoir que *Finger Lakes* est une appellation officielle ? Il serait également judicieux de faire suivre le nom du comté des termes *County Appellation* et du nom de l'État dans lequel il se trouve. De même, il serait bon d'ajouter, le cas échéant, les termes de *State Appellation.*

Millésime
Le vin doit être issu à 95 % au moins de la récolte du millésime indiqué. Jusqu'au début des années 70, ce chiffre était de 100 % ; mais les producteurs, notamment ceux de vins vieillis sous fût de chêne, sollicitèrent l'obtention d'une petite marge correspondant à l'ouillage, ce qui leur a été accordé.

Titre alcoométrique
Indication exigée par le législateur.

« Estate Bottled »
Ces termes ne peuvent être utilisés que pour les vins originaires d'une AVA. Le vin doit provenir à 100 % de la propriété mentionnée et ni les raisins ni le vin ne doivent quitter le domaine entre les vendanges et la mise en bouteille.

Cépage
La plupart des vins californiens et quelques-uns de la côte orientale sont des vins de cépage. Jusqu'en 1983, on entendait par là qu'il s'agissait de 51 % du cépage mentionné sur l'étiquette, depuis, cette proportion minimale obligatoire a été portée à 75 %. Ce chiffre est plus élevé pour nombre de vins – encore que pour les vins issus de *Vitis labrusca* il y ait anomalie, étant donné qu'ils ont le droit de ne contenir que 51 % du cépage indiqué. S'il faut trouver une raison, c'est que le caractère foxé de la *labrusca* domine à tel point que, à mon avis, une proportion de 51 % est encore trop importante ! Un vin issu de deux ou trois cépages ne peut en porter les noms que si l'on en précise les pourcentages respectifs.

Autres renseignements concernant la qualité ou le type du vin :

Table wine ou Light wine
Vin dont la teneur en alcool ne dépasse pas 14 % en volume.

Natural wine
Un vin ne peut être *natural* que s'il n'a pas été viné par adjonction d'alcool ou d'eau-de-vie.

Dessert wine
Vin dont la teneur alcoolique est d'au moins 14 % en volume et au plus de 24 %. Les vins « *sherry* », « Xérès », doivent contenir au moins 17 % d'alcool et les « *Angelica* », « *Madeira* », « *Muscatel* » ou « *Port* » au moins 18 %. Si un vin a un titre supérieur à 14 % mais inférieur à 18 % il faut lui appliquer le préfixe *light.*

Volume
Le volume doit être précisé sur l'étiquette.

Sparkling wine
Vin gazéifié, de cuve close, fermenté en bouteille ou de méthode champenoise. Si l'étiquette ne porte aucune indication, le consommateur doit s'attendre au pire. Toutefois, l'étiquette peut désigner l'un ou l'autre des procédés de gazéification sans nécessairement préciser qu'il s'agit d'un *sparkling.*

Champagne
Vin mousseaux obtenu par fermentation dans des récipients en verre de capacité d'un gallon américain, c'est-à-dire 3,78 litres, au plus. Le Champagne peut être *fermented in this bottle,* ce qui signifie qu'il est obtenu par la méthode champenoise. Il peut également être *bottled fermented,* fermenté en bouteille.

Bottle fermented
Même définition que pour « Champagne », bien qu'il ne s'agisse pas nécessairement d'un vin produit par la méthode champenoise. Ces termes désignent un vin qui a subi une seconde fermentation en bouteille, après quoi il est décanté et filtré sous pression.

Crackling wine
Même définition que pour « Champagne », encore que le vin soit moins effervescent et puisse être qualifié de pétillant, *frizzante* ou crémant.

Carbonated wine
Vin tranquille rendu mousseux par l'apport de CO_2, procédé utilisé dans la production d'autres boissons pétillantes.

Note : Pour tous renseignements sur les étiquettes mexicaines, *voir* p. 400.

Californie

Selon la plupart des Californiens, leur État a toujours été une terre d'élection pour les cépages classiques et n'a jamais cessé de produire en abondance des vins de classe internationale. Depuis le début des années 80 et les réformes instaurées dans le domaine de la vinification, notamment la place croissante accordée au style et à la finesse, ces prétentions sont entrées dans le domaine de la vraisemblance, et les années 90 pourraient être l'âge d'or de la Californie.

La Californie a d'abord été colonisée par les Espagnols en 1769 et fit partie du Mexique jusqu'en 1848, date à laquelle elle fut cédée aux États-Unis, devenant ainsi, en 1850, un État de l'Union. Le premier vin californien a été élaboré en 1782 à San Juan Capistrano par les pères Pablo de Mugártegui et Gregorio Amurrió. Des ceps de la mission, apportés en Californie par Don José Camacho sur le San Antonio, furent utilisés à cette fin. Toutefois, ce n'est qu'en 1883 que le Bordelais Jean-Louis Vignes créa la première entreprise viticole et commerciale de Californie. Premier vinificateur à importer des plants européens, il fut également le premier, en 1840, à exporter des vins de Californie.

L'ÉTONNANT HARASZTHY

Huit jours avant que la Californie passe sous souveraineté américaine, Agoston Haraszthy de Mokesa, exilé politique hongrois, s'installa au Wisconsin. Personnage pittoresque et haut en couleur, de la trempe de Barnum ou Champagne Charlie, Haraszthy se lança dans mille entreprises et bâtit, notamment, une ville au Wisconsin qu'il baptisa de son nom en toute modestie. Elle fut, plus tard, rebaptisée Sauk City. Il entreprit par ailleurs la gestion d'un vapeur sur le Mississippi et commença d'exploiter le premier vignoble du Wisconsin, cela dans les deux premières années de son installation en pays étranger. En 1849, Haraszthy partit pour San Diego laissant ses intérêts aux mains d'un associé qui s'empressa de faire écho au bruit qui courait de sa disparition en vendant l'affaire et les biens de Haraszthy. Bien que ruiné, Haraszthy mit moins de six mois pour monter une nouvelle exploitation agricole vouée à la culture de fruits et légumes. Quelques mois plus tard, il avait également acquis une boucherie et une écurie de chevaux de louage à Middleton, un quartier de San Diego. En même temps, il gérait une société d'omnibus, lançait une entreprise de construction, exerçait les fonctions de shérif de San Diego, de juge et devenait lieutenant chez les engagés volontaires. C'est à ce moment qu'il se mit à importer des boutures de nombreux cépages européens.

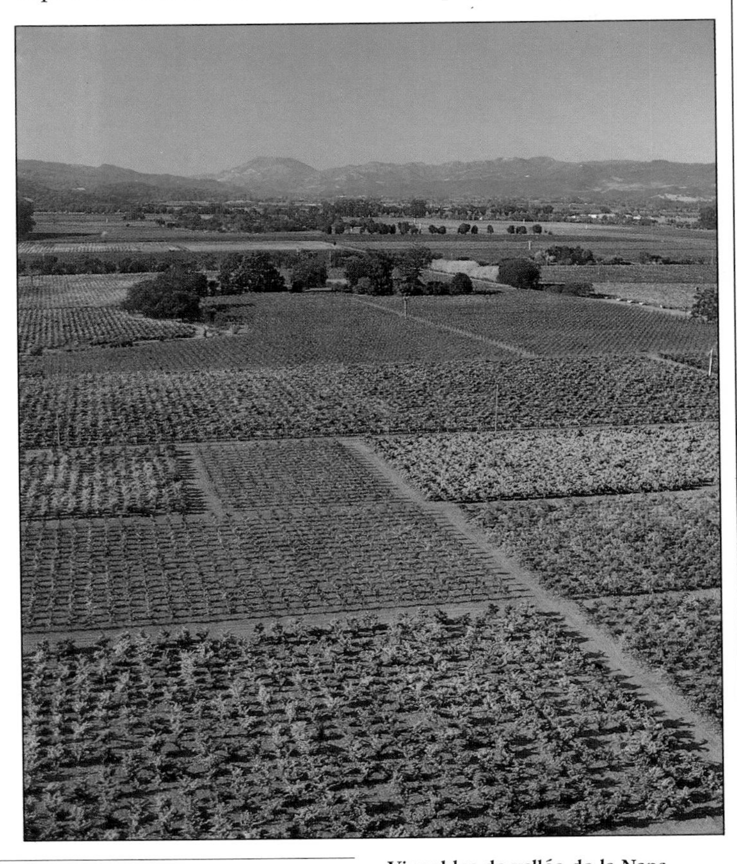

Vignobles de vallée de la Napa
De toutes les régions viticoles de Californie, la Napa est la plus connue et ses vins sont les plus recherchés. Le premières vignes y furent plantées en 1838 et, de nos jours, la superficie encépagée et le vaste choix des cépages font la fierté de la vallée.

ÉVOLUTION DES ENTREPRISES VINICOLES EN CALIFORNIE

Canton	1981	1985	Différences
Alameda	21	24	+ 3
Amador	13	15	+ 2
Butte	0	3	+ 3
Calaveras	2	3	+ 1
Contra Costa	4	9	+ 5
El Dorado	4	9	+ 5
Fresno	22	21	− 1
Humboldt	3	7	+ 4
Kern	10	10	–
Lake	2	6	+ 4
Los Angeles	11	15	+ 4
Madera	8	7	− 1
Marin	7	8	+ 1
Mendocino	16	29	+ 13
Merced	1	1	–
Monterey	9	15	+ 6
Napa	118	148	+ 30
Nevada	0	1	+ 1
Orange	5	3	− 2
Placer	1	2	+ 1
Riverside	9	16	+ 7
Sacramento	4	3	− 1
San Benito	7	6	− 1
San Bernardino	15	7	− 8
San Diego	4	8	+ 4
San Francisco	4	3	− 1
San Joaquin	21	21	–
San Luis Obispo	12	25	+ 13
San Mateo	9	6	− 3
Santa Barbara	14	18	+ 4
Santa Clara	49	42	− 7
Santa Cruz	16	19	+ 3
Shasta	1	1	–
Solano	5	5	–
Sonoma	93	129	+ 36
Stanislaus	5	7	+ 2
Trinity	0	1	+ 1
Tulare	3	5	+ 2
Tuolumne	2	2	–
Ventura	2	5	+ 3
Yolo	7	10	+ 3
Yuba	1	1	–
Total	540	676	+ 136

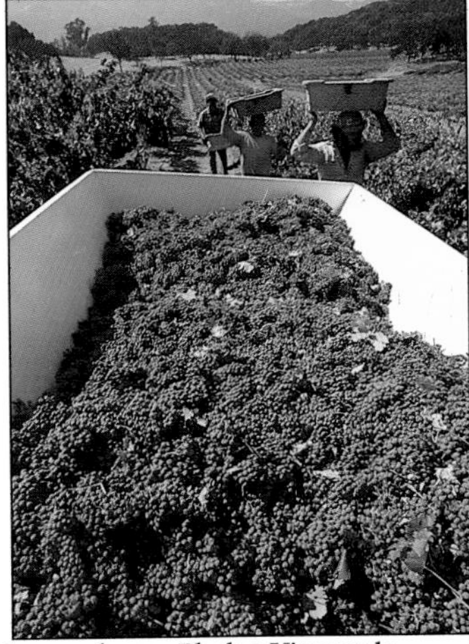

La vendange, Phelps Vineyards
La Phelps Vineyards est devenue l'une des plus prestigieuses des entreprises vinicoles de Californie, dans la vallée de la Napa. Elle produit annuellement plus de 6 300 hl de vins.

L'ENTREPRISE VINICOLE BUENA VISTA

Après avoir importé d'Europe pas moins de 165 cépages, Agoston Haraszthy achète, en 1857, 227 hectares de terre près de la ville de Sonoma, dans la Valley of the Moon. Il fonde une entreprise vinicole, Buena Vista, et fait creuser six caves dans la colline de grès, établissant ainsi le premier domaine viticole notable de la Californie. Bientôt, aussi bien son domaine que ses vins sont reconnus et primés et leur renommée ne cesse de s'étendre. En 1861, le gouverneur de Californie demande même à Haraszthy d'aller visiter les régions viticoles d'Europe et de lui faire un rapport sur ses découvertes.

Bientôt Haraszthy parcourt toutes les régions viticoles d'Allemagne, d'Espagne, de France, d'Italie et de Suisse. Il s'entretient avec des milliers de vignerons, prend force notes, compile les textes et accumule une documentation d'une valeur inestimable. Quand il revient aux États-Unis, ses bagages contiennent plus de 100 000 boutures appartenant à 300 cépages différents ! Et pourtant, le Sénat refuse de le défrayer alors qu'il lui présente une note de frais de 12 000 dollars pour son voyage, les seules boutures ayant déjà valu trois fois plus. Il ne fut jamais payé et nombre de boutures, qu'il avait souhaité pouvoir distribuer aux autres viticulteurs de l'État, finirent par pourrir.

Haraszthy ne se découragea pas pour autant. En sept ans, le domaine de Buena Vista atteignit 2 430 hectares. Partant, il modifiait complètement l'évolution de la viticulture californienne, faisant passer du sud au nord de l'État son centre d'intérêt. Si, à l'époque de sa gloire, Buena Vista possédait des bureaux à San Francisco, Philadelphie, Chicago, New York et Londres, l'entreprise restait fragile. Ne disait-on pas du vignoble, en 1864, qu'il était « le plus grand domaine vinicole au monde mais aussi le moins rentable » ? D'ailleurs Haraszthy joua et perdit à la bourse et dut, de plus, subir le poids d'une taxe nouvelle sur les eaux-de-vie, qui entraîna une diminution de ses revenus. Il fut, en outre, victime d'un incendie qui détruisit une grande part de ses marchandises et les banques cessèrent bientôt de le soutenir. C'était trop, même pour Agoston Haraszthy de Mokesa.

Il quitta la Californie pour le Nicaragua, où le gouvernement lui consentit un contrat qui l'autorisait à procéder à la distillation de sucre en rhum. Cette grande et mystérieuse figure disparut en 1869, noyé, croit-on, en tentant de traverser un cours d'eau infesté d'alligators, qui passait dans sa propriété.

LE BOOM DES « VARIETALS »

Après la Prohibition, la plupart des producteurs reprirent l'habitude de vendre leurs vins sous des noms officiellement dits « semi-génériques », tels que Chablis, Xérès, Sauterne (*sic*) ou Champagne californiens. Néanmoins, en 1939, Frank Schoonmaker, écrivain new-yorkais et importateur de vins, provoqua une véritable révolution en décidant de compléter sa gamme par des vins bien américains, à la condition qu'ils ne soient pas étiquetés comme « semi-génériques », mais comme « varietals », c'est-à-dire des vins de cépage sous le nom du cépage majoritaire entrant dans la composition de chacun.

Au XIXe siècle déjà, on avait vendu sous ce titre du Cabernet, du Riesling et du Zinfandel. Si Schoonmaker augmenta la gamme des « varietals » en y faisant figurer Chardonnay, Pinot noir, Grenache rosé et maints autres cépages, sa réussite tint à la superbe qualité des vins qu'il sélectionnait, des joyaux, très appréciés par les amateurs avertis. Il ne se contentait pas de « passer commande » des vins, il goûtait, toujours en quête du meilleur vin disponible. Le marché de masse emboîta le pas, établissant un parallèle entre le nom de « varietal » et celui de qualité. Bientôt, les entreprises vinicoles, de plus en plus nombreuses, pratiquèrent cette politique. Cette nouvelle orientation aida certaines entreprises à se faire un nom.

ENTREPRISES VINICOLES ET PRODUCTION (1945-1985)

ANNÉES	ENTREPRISES	PRODUCTION (EN CAISSES)
1945	415	46 884 000
1955	334	60 345 000
1965	227	79 370 000
1975	321	138 714 000
1985	676	173 000 000

LES ENTREPRISES VINICOLES DU GENRE « HIPPY » OU « BOUTIQUE »

Si, au cours des années 40, l'industrie vinicole de la Californie fut dominée par de grosses distilleries, la plupart disparurent dans la décennie suivante, pour céder la place à Seagram, la maison canadienne qui avait acheté l'entreprise Paul Masson. L'histoire allait se renouveler vingt ans plus tard. Les distillateurs apparaissaient puis disparaissaient. Seul Seagram restait. Les fusions et prises de contrôle réduisirent considérablement le nombre des entreprises au début des années 60. Mais, peu à peu, s'ouvrirent de petites entreprises gérées par un homme seul, les « boutiques ». Ce furent en fait les premiers petits domaines de Californie. Ces boutiques étaient alors gérées par toutes sortes de personnages : anciennes vedettes de football, médecins, avocats ou professeurs. Certaines même étaient tenues par des idéalistes qui, déçus par leur vie professionnelle, trouvaient dans ce retour à la nature une nouvelle motivation. Ce fut la vogue éphémère des *hippy wineries*. Ces petites unités comptèrent autant dans l'évolution de la Californie que les vins « de cépage » lancés par Schoonmaker. Si nombre de ces aventuriers du vin ont échoué, certains produisent, aujourd'hui, les plus grands vins de Californie.

LES RÉGIONS CLIMATIQUES DE CALIFORNIE

Les zones convenant à la viticulture sont divisées en cinq régions climatiques – définies par la somme des températures (en « degrés-jours ») pendant la période de végétation –, de la zone I, la plus fraîche, à la zone V, la plus chaude. Ce classement a été effectué, dans les années 1950-1960, à l'université de Davis en Californie, où des recherches ne cessent de se poursuivre et constituent une source précieuse d'informations pour les vignerons soucieux de savoir quels cépages sont susceptibles de réussir dans une zone déterminée.

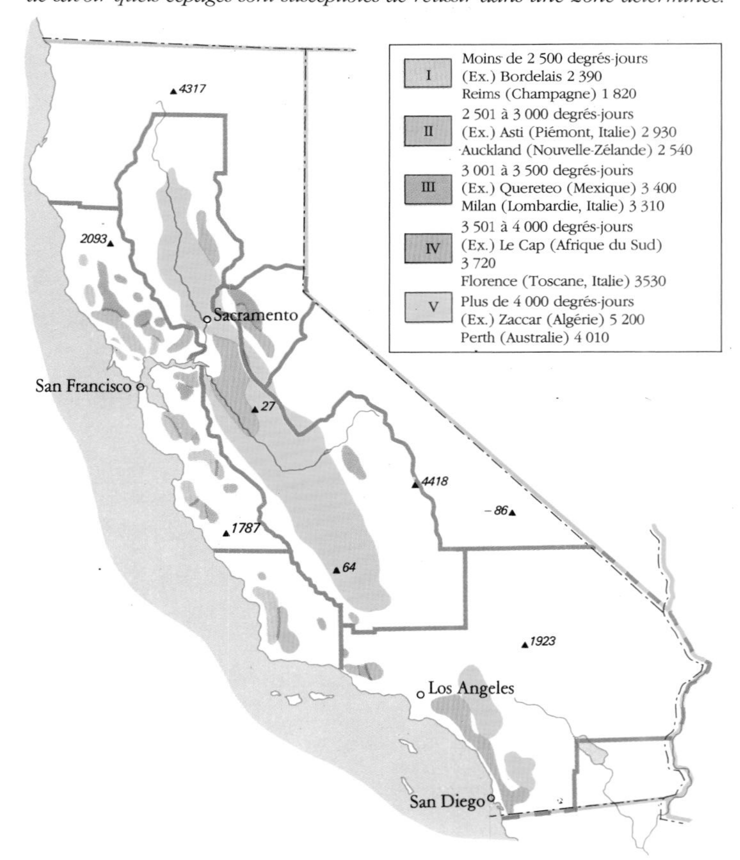

L'ARRIVÉE DES FRANÇAIS

Le premier achat de vignobles californiens effectué par une société française remonte à 1973. Une grande maison champenoise, Moët et Chandon, acquit à cette époque quelque 324 hectares à Yountville, dans la vallée de la Napa. Cette société avait prévu, dès les années 60, bien avant les Américains eux-mêmes, la demande américaine future de vin mousseux de qualité. Sept ans s'écoulèrent avant qu'une autre société française, elle aussi champenoise, ne suive les traces de la maison Moët et Chandon. En 1980, en effet, Piper Heidsieck fondait l'entreprise Piper-Sonoma. Entre-temps, en 1979, la société vinicole allemande A. Racke avait racheté Buena Vista et le baron Philippe de Rothschild, en collaboration avec Robert Mondavi, avait produit le fameux et coûteux « Opus One », vin rouge californien de style médocain. En 1981, l'influence européenne s'affirmait de plus belle : Moët-Hennessy, société mère de Moët et Chandon, achetait Schiefflin & Co. à New York, qui allait devenir son importateur de même que l'entreprise viticole Simi, de Sonoma. En 1983, Christian Moueix, du Château Pétrus, s'associait avec les deux filles de John Daniels pour produire « Dominus », destiné à concurrencer « Opus One ». D'autres sociétés étrangères ont, depuis, pénétré le milieu viticole de la Californie, notamment Bollinger, Maison Deutz, Louis Roederer, pour la France, Torres pour l'Espagne, Antinori pour l'Italie et Suntory pour le Japon.

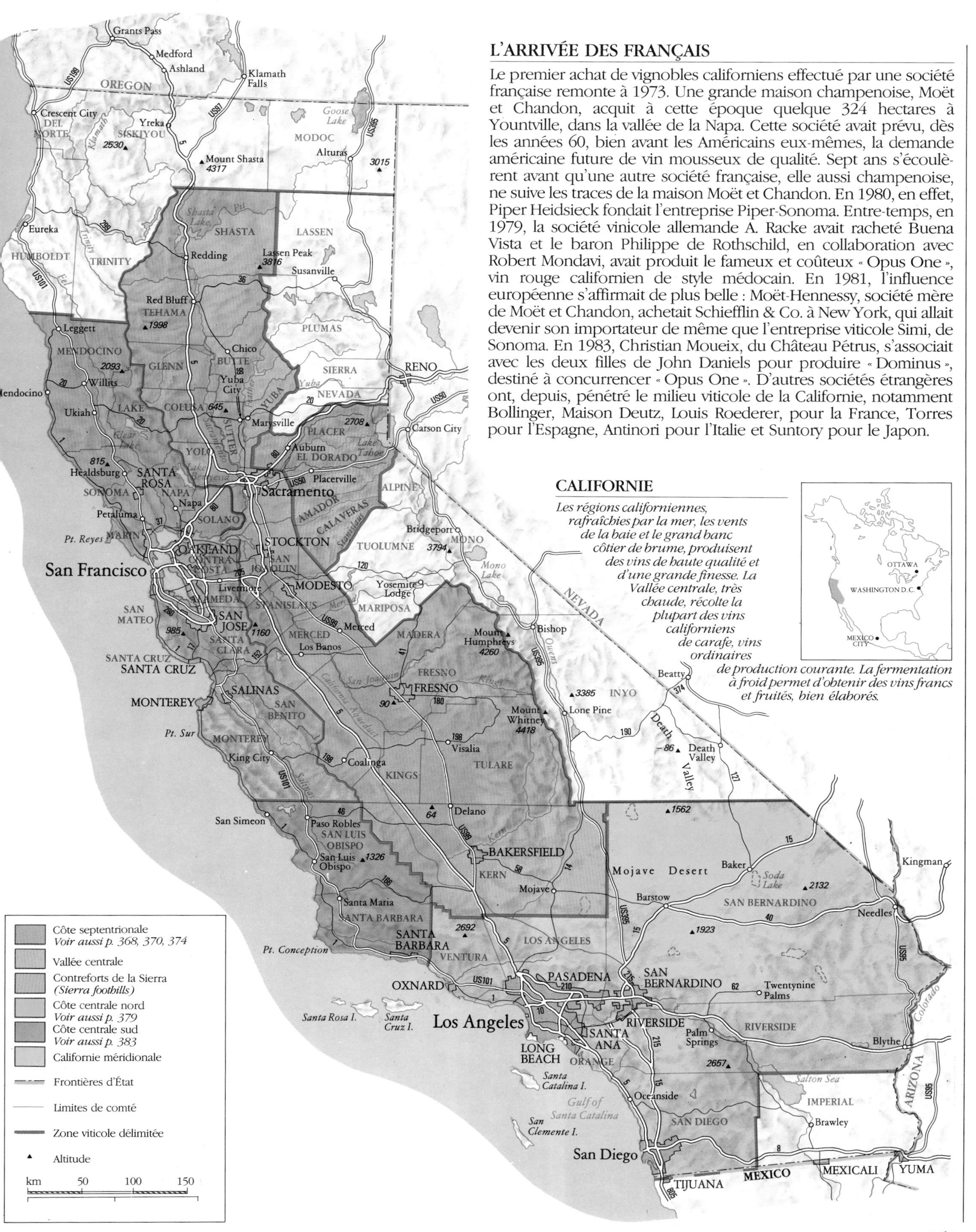

CALIFORNIE

Les régions californiennes, rafraîchies par la mer, les vents de la baie et le grand banc côtier de brume, produisent des vins de haute qualité et d'une grande finesse. La Vallée centrale, très chaude, récolte la plupart des vins californiens de carafe, vins ordinaires de production courante. La fermentation à froid permet d'obtenir des vins francs et fruités, bien élaborés.

Les raisins et les vins de Californie

La Californie compte près de 300 000 hectares de vignes, mais moins de la moitié sont complantés en cépages de cuve. La répartition entre les vignes était en 1985 la suivante :

138 333 hectares de cépages de cuve

117 826 hectares de cépages à raisins secs

37 675 hectares de cépages de table

372 hectares de porte-greffes

soit 294 705 hectares de vignes au total

Répartition et évolution entre 1975 et 1985 des cépages de cuve en fonction de la couleur :

Couleur des raisins	1975 ha	1975 %	1985 ha	1985 %
Noirs	52 886	62%	59 811	43%
Blancs	31 880	38%	79 022	57%
Totaux	84 766	100%	138 833	100%

Les principaux cépages blancs et noirs, ainsi que les vins qu'ils produisent sont étudiés ci-après. En effet, les vins californiens de qualité sont des vins dits de « cépage ». Vous trouverez les vins que je recommande dans les chapitres intitulés « Les principales entreprises vinicoles » de chaque région et, le cas échéant, des conseils sur les millésimes et dates de consommation.

Les cépages noirs

Sur quelque 60 000 hectares encépagés de raisins noirs, plus de 59 000 hectares sont pris en compte dans la présente page ainsi que dans les pages suivantes. Le solde consiste en plusieurs autres cépages, mais qui sont cultivés sur des superficies insuffisantes pour justifier de les faire figurer dans cette liste.

RÉPARTITION GÉNÉRALE DES CÉPAGES NOIRS

Cépage	%	Cépage	%
Barbera	10 %	Rubired	5 %
Cabernet Sauvignon	15 %	Ruby Cabernet	7 %
Carignan	11 %	Zinfandel	17 %
Grenache	10 %	Autres	20 %
Pinot noir	5 %		

ALEATICO

Surface encépagée : ***21 ha***

Ce cépage noir passant pour être apparenté aux Muscat est surtout réputé pour produire des vins de dessert, riches, doux et parfumés, en Italie. De faible rendement, il est rarement utilisé en Californie sous forme de vin de cépage.

ALICANTE BOUSCHET

Surface encépagée : ***1 299 ha***

Prisé par les bootleggers à l'époque de la Prohibition – son jus coloré permettait en effet d'allonger les vins d'eau et de sucre –, l'Alicante Bouschet a régressé et ne représente qu'à peine plus de 2 % de tous les raisins noirs de Californie.

BARBERA

Surface encépagée : ***5 999 ha***

Représentant 10 % des cépages noirs de Californie, ce raisin italien est surtout cultivé dans la Central Valley où sa forte acidité naturelle le rend utile dans les assemblages. Plus de trente entreprises vinicoles produisent néanmoins des vins de cépage pur Barbera.

1980, 1984, 1985

Entre 3 et 6 ans (jusqu'à 10 ans dans certains cas)

BLACK MALVOISIE

Surface encépagée : ***97 ha***

La Malvoisie noire n'est autre que l'Hermitage sud-africain, lequel est le Cinsault français. Ses vins robustes et colorés sont utiles pour les assemblages.

CABERNET FRANC

Surface encépagée : ***260 ha***

En Californie, la culture de ce cépage bordelais a triplé depuis 1983 en raison de l'intérêt que présente ce cépage pour équilibrer le Cabernet Sauvignon dans les assemblages. On produit aussi de beaux Cabernet francs rosés sur la côte Nord.

1980, 1981, 1984, 1985, 1986

De 1 à 3 ans (rosé)

CABERNET SAUVIGNON

Surface encépagée : ***9 153 ha***

Ce cépage représente 15 % des cépages noirs de Californie. Malgré la prépondérance du Chardonnay, due à l'intérêt suscité par les vins blancs secs, il reste le raisin des vins rouges les plus fins de Californie. Cependant, l'industrie vinicole de la Californie a subi bien des vicissitudes. Dans les années 50 et 60, on vit apparaître de consternants vins tanniques, sombres et massifs. À la fin des années 60, on accueillit avec chaleur des vins francs, rigoureux, aux tanins souples, élevés en totalité sous chêne neuf. Mais l'expérience les révéla trop riches et trop marqués par le chêne. Depuis, la Californie concentre ses efforts pour obtenir un équilibre satisfaisant entre fruité et finesse. Cet équilibre fut atteint pour les récoltes de 1980 et 1981, mais pas ni 1982 ni 1983 où le fruité conféré par l'ensoleillement avait été sacrifié au nom de la finesse. L'excellente récolte de 1984 a montré que la Californie n'avait pas renoncé au caractère spécifique de ses vins finis par le soleil et le somptueux millésime 1985 a enfin couronné les efforts entrepris dans la quête de la finesse.

Les vins actuels possèdent une saveur délicieusement fruitée, évoquant le cassis, et une texture veloutée associée à des arômes de violette et menthe. Les vins « de cépage » ont donc répondu à leur objectif tout au moins pour le Cabernet Sauvignon et il est certain que, dans l'avenir, la plupart des meilleurs vins américains porteront des appellations d'associations de cépages ou des noms de marque de haut de gamme.

1980, 1981 (mais sous réserve), 1982 (exclusivement Napa et Sonoma), 1984, 1985, 1986

Entre 3 et 5 ans pour les vins à bon marché ; entre 5 et 12 ans pour les vins de premier ordre ; entre 8 et 25 ans ou plus pour les vins exceptionnels

CARIGNAN

Surface encépagée : ***6 613 ha***

Le Carignan représente 11 % des cépages noirs de l'État et donne un rendement élevé de vin bien coloré, de forte saveur, grossier et tannique. Ce cépage donne un vin utile pour les coupages, tant en Californie que dans sa France méridionale d'origine, où il est l'un des 13 cépages permis pour l'élaboration du Châteauneuf-du-Pape. Il est moins âcre dans les secteurs côtiers de la Californie, où certaines entreprises le produisent dans sa version de vin « de cépage à 10 % ». En Californie, on l'appelle souvent « Carignane ».

1980, 1984, 1985

Entre 3 et 6 ans (jusqu'à 10 ans dans des cas exceptionnels)

CARNELIAN

Surface encépagée : ***644 ha***

Cet hybride résulte d'un croisement *Carignan* x *Cabernet Sauvignon* x *Grenache* effectué en 1936 par le Pr Olmo, éminent viticulteur. Néanmoins, ce n'est qu'en 1972 que la pépinière de l'université californienne de Davis a fait connaître cet hybride.

La réussite de ce cépage dépend des objectifs qu'on lui assigne. Si on le destine à l'élaboration d'un vin « de cépage pur », son succès est discutable – la dernière plantation valable remonte à 1979 et, à ma connaissance, la seule entreprise produisant un vin « de cépage pur » à base de Carnelian est Giumarra Vineyards. Si l'objectif est plus modeste et consiste à utiliser ce cépage pour améliorer le caractère fondamental et la qualité des vins de carafe de la Central Valley, il a déjà été atteint.

CENTURION

Surface encépagée : ***240 ha***

Le croisement de *Carignan* x *Cabernet Sauvignon* x *Grenache* est également une création du Pr Olmo et la pépinière de l'université de Davis l'a fait connaître quelques années après le Carnelian. Il donne des vins plus sombres et pleins.

CHARBONO

Surface encépagée : ***34 ha***

Ce cépage est le Corbeau, cépage français presque en extinction, connu aussi sous le nom de Charbonneau. Il donne un vin analogue à celui du Barbera. À vrai dire, la première entreprise à en faire un vin « de cépage pur », Inglinook Vineyards, l'étiqueta sous le nom de Barbera jusqu'au jour où le Dr Winkler, de l'université de Davis, l'identifia comme étant un vin de Charbono. Inglenook continue à faire le meilleur *varietal* de Charbono.

EARLY BURGUNDY

Surface encépagée : ***87 ha***

Ce cépage n'a pas plus de points communs avec la Bourgogne que le Chablis californien. Son synonyme est Abouriou, un cépage de coupage utilisé dans le sud-ouest de la France. La Trentadue Winery, de Sonoma, produit un Early Burgundy pur cépage.

GAMAY

Surface encépagée : ***992 ha***

Ce cépage n'a rien à voir avec le Gamay Beaujolais. De maturation plus tardive, on peut le cultiver sous une plus large gamme de climats. Plus productif, il donne des vins légers, de qualité inférieure à ceux du Gamay Beaujolais.

1980, 1981, 1985, 1986

Entre 1 et 4 ans

GAMAY BEAUJOLAIS

Surface encépagée : ***1 022 ha***

Il est officiellement admis que le Gamay Beaujolais dont il s'agit ici est un clone du Pinot noir et non du véritable Gamay. Mais il existe pourtant quelque ressemblance entre les deux cépages compte tenu du fait que le Gamay serait un clone du Pinot noir. La législation californienne permet à un vin « de cépage pur » issu du dénommé Gamay d'être étiqueté sous le nom soit de Gamay Beaujolais, soit de Pinot noir. Nettement poivré, le vin produit possède plus de fruit et de bouche que le Gamay ou le Gamay de la Napa, mais il n'offre pas la richesse d'un Pinot noir classique. Nombre d'entreprises vinicoles recourent, pour le produire, à la macération carbonique et certains procèdent au vieillissement sous chêne.

1980, 1981, 1984, 1985, 1986

De 1 à 3 ans pour le nouveau style ; entre 3 et 6 ans pour les vins vieillis sous bois

GRENACHE

Surface encépagée : ***6 354 ha***

Ce cépage représente plus de 10 % des raisins noirs de la Californie et donne un vin rosé demi-sec et un vin de dessert du genre du porto tawny, encore qu'on produise aussi du rouge clair de style nouveau. Son vin est âpre et fruité et son arôme possède un caractère éthéré peu commun.

1980, 1981, 1984, 1985, 1986

1 à 3 ans au maximum

GRIGNOLINO

Surface encépagée : ***21 ha***

Seule une poignée d'entreprises vinicoles élaborent un vin de cépage pur à base de ce cépage fruité mais de qualité variable selon les clones utilisés dans la Napa et en Santa Clara. Les surfaces encépagées sont désiroires.

MALBEC

Surface encépagée : ***26 ha***

La petite superficie encépagée en Malbec l'a été à titre expérimental. Elle est destinée à produire du vin d'assemblage qui, mélangé avec le Cabernet Sauvignon, comme dans le Bordelais, donne un vin plus équilibré.

MATARO

Surface encépagée : ***202 ha***

Ce cépage n'est autre que le Mourvèdre de la vallée du Rhône. J'ai ouï dire que la brillante entreprise Bonny Doon Vineyard, de Santa Cruz, a lancé un pur *varietal* de Mourvèdre.

MERLOT

Surface encépagée : ***1 101 ha***

Les vins issus de ce cépage sont souvent assemblés avec jusqu'à 15 % de Cabernet Sauvignon. Cette opération donne une meilleure charpente qui soutient les splendides saveurs du Merlot et les résultats sont, pour l'instant, très prometteurs.

MERLOT NOIR

Voir **Merlot**.

MISSION

Surface encépagée : ***936 ha***

Premier cépage de *Vitis vinifera* en Californie, le Mission a été planté par les franciscains dans l'ensemble du sud de l'État. Il est regrettable que les gros raisins pourpres donnent un vin si médiocre et à la saveur quelconque. On utilise traditionnellement les raisins de Mission pour faire de l'Angelica, jus de raisin fortifié analogue aux productions de Ratafia, de Champagne ou de Pineau des Charentes.

MUSCAT HAMBURG

Surface encépagée : ***25 ha***

Le seul vin « de cépage » californien à base de Muscat noir est produit par Novitiate Wines, une entreprise commerciale possédée et gérée par la Société de Jésus.

NAPA GAMAY

Voir **Gamay**.

PETITE SIRAH

Surface encépagée : ***2 066 ha***

Depuis que l'on sait que la Petite Sirah est, en réalité, le mésestimé et modeste Durif, un cépage français, sa popularité a ridiculement baissé.

Néanmoins, nombre d'entreprises californiennes produisent régulièrement des vins issus de ce cépage et quelques-unes, à l'occasion, en font d'exceptionnels. Le vin de Petite Sirah produit par la Ridge Winery de York Creek en est probablement le plus bel exemple.

1980, 1981, 1984, 1985, 1986

Entre 4 et 8 ans

PINOT NOIR

Surface encépagée : ***3 163 ha***

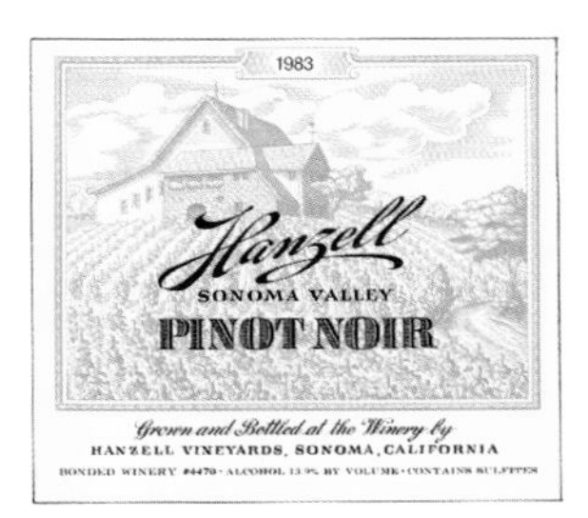

Ce fameux cépage bourguignon représente à peine plus de 5 % des cépages cultivés en Californie, et je ne peux m'empêcher de me demander si ces 5 % ne sont pas de trop. La Californie aurait bien du mal à convaincre le plus optimiste des chroniqueurs vinicoles que les possibilités du Pinot noir ne sont que peu de chose au regard de celles que l'on a déjà exploitées pour un autre cépage classique de Bourgogne, le Chardonnay. La difficulté provient du fait qu'on a toujours peiné à tirer du Pinot noir l'élégance de son fruité franc et radieux. Difficulté encore accrue par la saveur satinée et l'arôme de petites groseilles de ce cépage allié à une délicatesse florale, sensible au vieillissement sous bois. Alors qu'un excès de chêne peut masquer les défauts d'un autre vin, il n'en va pas de même pour un Pinot noir. Au contraire, il risque d'estomper les qualités de ce cépage. Plusieurs entreprises vinicoles, toutefois, résolvent ce problème avec bonheur : Robert Mondavi (Reserve), Smith-Madrone, Trefethen et Saintsbury dans la Napa et La Crema Vinera en Sonoma ont tous produit des vins qui comptent parmi les meilleurs Pinot noir de Californie. Les vignobles de Jensen and Selleck, de Calera, ont peut-être le meilleur potentiel mais cette entreprise de cépage pur en donne une interprétation gracieuse. Quant à Kalin à Marin, Joseph Swan et Iron Horse en Sonoma, ainsi que Congress Springs dans les monts de Santa Cruz, ils donnent de bons vins.

1980, 1984, 1985, 1986

Entre 3 et 7 ans

PINOT SAINT-GEORGE

Surface encépagée : ***58 ha***

Ce cépage n'a aucun rapport avec la famille des Pinot. Il s'agit en fait de la Négrette, cépage du sud-ouest de la France. Dans les années 60, les Christian Brothers furent souvent primés, sous l'étiquette Red Pinot, pour leur vin issu de ce cépage, un vin beaucoup plus sombre avec plus de bouche qu'il n'en présente normalement. On produit aussi quelques purs *varietals* de vendange tardive.

ROYALTY

Surface encépagée : ***473 ha***

Cet hybride d'*Aramon rupestris ganzin n° 4* x *Alicante Bouschet* x *Trousseau*, que la pépinière de l'université de Californie à Davis a fait connaître en 1958, est un teinturier dont le Pr Olmo a fait un vin de type « porto ».

RUBIRED

Surface encépagée : ***3 268 ha***

Cet hybride d'*Aramon rupestris ganzin n° 4* x *Alicante Bouschet* x *Tinta Cão* est un teinturier dont le Pr Olmo a fait un vin de type « porto », que la pépinière de l'université de Davis a fait connaître en 1958. Il représente à peine 5 % de tous les raisins noirs cultivés en Californie.

RUBY CABERNET

Surface encépagée : ***4 280 ha***

Autre création du Pr Olmo, ce croisement de *Carignan* x *Cabernet Sauvignon* a été mis au point en 1936. Il voulait, au départ, produire un cépage possédant les qualités du Cabernet Sauvignon, tout en ayant la tolérance au climat et le rendement élevé du Carignan. Réussi dans une certaine mesure, si l'on admet que la personnalité du Cabernet n'est pas extraordinaire. Au moins 20 entreprises vinicoles en font un vin « de cépage ».

SALVADOR

Surface encépagée : ***510 ha***

Cet obscur cépage teinturier, utilisé pour couper les vins de carafe dans la Central Valley, serait un hybride de *Rupestris* x *Vinifera*.

SAINT-MACAIRE

Surface encépagée : ***20 ha***

Ce cépage du Bordelais, également dénommé Bouton blanc ou Moustouzère, n'a jamais été utilisé en Californie pour produire un pur *varietal*.

SYRAH

Surface encépagée : ***35 ha***

Il est surprenant que ce cépage classique de la vallée du Rhône ne soit pas plus implanté. Joseph Phelps produit un vin de Syrah charmeur, épanoui et fruité, mais l'étonnant vin de Bonny Doon, riche et concentré, est d'une classe toute différente.

TINTA MADEIRA

Surface encépagée : ***67 ha***

Certains se demandent s'il s'agit bien du cépage portugais. En Californie, on l'utilise pour faire des Porto ruby et non du Madère. L'East Side Winery de San Joaquin fait un intéressant vin « de cépage pur » de type « porto tawny ».

VALDEPENAS

Surface encépagée : ***390 ha***

Ce cépage, que l'on pense être le fameux Tempranillo de la Rioja, est surtout utilisé pour les coupages de vins de carafe, encore qu'on en ait fait deux ou trois vins de cépage.

ZINFANDEL

Surface encépagée : ***10 266 ha***

On pensait autrefois qu'il s'agissait du seul cépage américain issu de *Vitis vinifera*. On l'a, depuis, formellement identifié au Primitivo, cépage de l'Italie méridionale, grâce à la technique qui permet de déterminer la configuration de la structure moléculaire des enzymes d'un cépage donné. Il n'en reste pas moins que les premières traces de la présence en Italie du Primitivo datent de la fin du XIXe siècle, alors que le Zinfandel figure au catalogue de plants de William Prince en 1830.

Selon le mode de vinification, le Zinfandel donne des vins de types différents : des foncés et pleins en bouche aux légers et fruités, voire de style nouveau, des secs aux doux, des blancs aux rosés ! À mon sens, les meilleurs sont ceux de style riche et de belle robe, épanouis et fruités, de préférence un peu marqués par le chêne et assemblés avec de la Petite Sirah. Dans cette catégorie, mes préférences vont aux vins de Grgich Hills Cellars, Heitz, Ravenswood (notamment d'Old Hill Vineyard) et Ridge (Geyserville de Lytton Springs, non de Paso Robles).

19 1980, 1981, 1984, 1985, 1986

Entre 5 et 15 ans (pour les types de vins recommandés ci-dessus)

Les cépages blancs

Quelque 75 000 hectares sur les 80 000 hectares de vignobles de raisins de cuve blancs que compte la Californie sont plantés avec les cépages décrits dans ces deux pages. Le reste est composé de nombreux autres cépages, cultivés sur des superficies insuffisantes pour figurer dans cette liste.

RÉPARTITION GÉNÉRALE DES CÉPAGES BLANCS

Cépage	%	Cépage	%
Chardonnay	14 %	Sauvignon blanc	8 %
Chenin blanc	21 %	White Riesling	5 %
French Colombard	38 %	Autres	14 %

BURGER

Surface encépagée : ***934 ha***

Ce cépage, à la consonance si américaine, existe en France sous d'autres dénominations telles que Monbadon, Grand blanc d'Orléans et Castillone à Montendre, mais il n'a aucun rapport avec le Burger d'Alsace et de Suisse qui est, en fait, l'Elbling. Ce prolifique cépage au rendement extraordinaire et à la saveur neutre est utilisé pour allonger les vins coupages à bon marché. On rencontre toutefois quelques vins de cépages purs issus de Burger.

CHARDONNAY

Surface encépagée : ***11 204 ha***

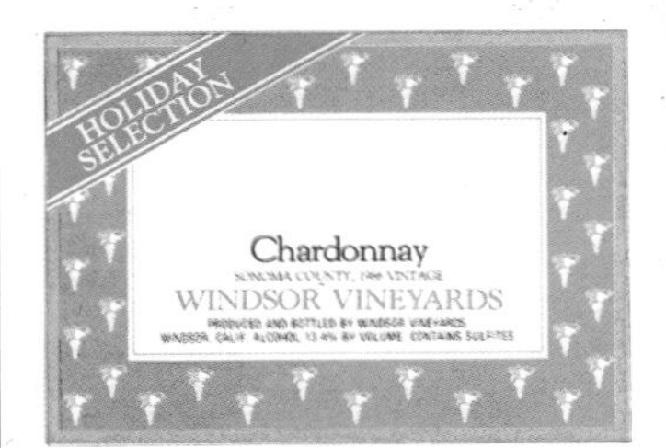

Je me demande si le cépage doré de la Californie se démodera un jour. La Californie a toujours produit de grands Chardonnay, même lorsque s'est manifesté un goût pour les vins massifs, grossiers, excessivement tanniques ; mais il faut reconnaître aussi que, dans le même temps, il y avait beaucoup plus de Chardonnay arrondis et trop gras. Maintenant, on vendange plus tôt, l'acidité des raisins est plus élevée, leur pH plus faible et, d'une façon générale, les normes de qualité sont bien supérieures à ce qu'elles étaient. Des « wineries » sont même allées trop loin dans la recherche de la perfection par l'acidité et elles ont négligé la saveur fruitée qu'apporte la maturité. D'autres ont totalement abandonné l'élevage sous bois de chêne et ont utilisé leur matériel de pointe avec tant de science qu'elles ont produit des vins francs mais exempts de toute saveur naturelle.

Les grands vins de Chardonnay californiens ne sauraient être mieux décrits que par le simple qualificatif de délicieux. Ils regorgent de saveurs de fruits tropicaux, de succulents arômes de pêches et offrent l'acidité des pommes vertes. Ces vins peuvent être très exotiques ou simplement élégants et nerveux ou étoffés et onctueux.

19 1980, 1981, 1982 (de Napa, Sonoma et Monterey seulement, mais avec des réserves), 1983 (de Sonoma exclusivement mais sous réserve), 1984, 1985, 1986, 1987

Entre 2 et 8 ans (jusqu'à 25 ans et plus dans des cas très exceptionnels)

CHAUCHE GRIS

Voir Gray Riesling.

CHENIN BLANC

Surface encépagée : ***11 779 ha***

Ce cépage de la vallée de la Loire a donné des vins célèbres comme le Vouvray doux, plein de miel, et le Savennières, sec à souhait, mais à la saveur surprenante. En Californie, il représente plus d'un cinquième des vignobles encépagés de raisins blancs. Même si les vins issus de Chenin blanc s'améliorent depuis que l'on veille à l'équilibre en acidité, ils sont loin de valoir les vins français. Je reconnais que mon goût personnel ne me porte pas vers les vins issus de ce cépage même si j'admets leurs qualités. Mais je ne suis jamais enthousiasmé par le Chenin blanc en Californie.

19 1980, 1981, 1984, 1985, 1986

Entre 1 et 4 ans

CHEVRIER

Voir Sémillon.

COLOMBARD

Voir French Colombard.

EMERALD RIESLING

Surface encépagée : ***1 185 ha***

Avec cet hybride de *Muscadelle* x *Riesling*, le Pr Olmo a connu sa première réussite viticole. Dans la Central Valley, il donne d'énormes rendements de raisins dont l'acidité est comparable à celle du French Colombard. Dans les années 60, on a produit trop de vins « de cépage pur » à base d'Emerald Riesling. En fait, sa véritable fonction est de servir de catalyseur d'acidité, améliorant ainsi la personnalité des coupages en vrac de la Central Valley.

FEHER SZAGOS

Surface encépagée : ***53 ha***

À ma connaissance, ce cépage hongrois n'a jamais produit de vin de cépage pur. Il possède une teneur élevée en sucre et entre surtout dans des assemblages de vins de dessert.

FLORA

Surface encépagée : ***139 ha***

Cet hybride de *Sémillon* x *Gewurztraminer* a été mis au point par le Pr Olmo pour obtenir un vin analogue au Gewurztraminer, bien que produit sous le soleil brûlant de la Californie. Son acidité est légèrement supérieure à celle du Gewurztraminer et son rendement un peu plus élevé, mais la majorité des vinificateurs pensent qu'il ne présente guère d'avantages sur ce cépage. Quelques entreprises vinicoles en font un vin « de cépage pur ».

FOLLE BLANCHE

Surface encépagée : ***91 ha***

Louis B. Martini élabore un vin de coupage à base exclusive de Folle Blanche, mais je n'y ai pas goûté.

FRANKEN RIESLING

Voir Sylvaner.

FRENCH COLOMBARD

Surface encépagée : ***29 460 ha***

Le French Colombard, qui représente presque 38 % des vignobles à raisins blancs de la Californie, a d'abord été considéré comme le principal élément constitutif des vins de carafe. Mais on n'a pris conscience de ses véritables possibilités que lorsque la fermentation à froid a fait son apparition. Le vin issu de ce cépage sans aucune prétention et agréable offre un excellent rapport qualité/prix.

19 1980, 1981, 1984, 1985, 1986

Un an au maximum

FUMÉ BLANC

Voir Sauvignon blanc.

GEWURZTRAMINER

Surface encépagée : ***1 612 ha***

Si le French Colombard est le plus sous-estimé des vins de cépage de la Californie, le Gewurztraminer est certainement l'un des plus surestimés. Sa renommée me déconcerte : il manque de la nervosité que l'on est en droit d'attendre d'un cépage classique, fait preuve d'une étrange souplesse et offre une saveur avachie.

GRAY RIESLING

Surface encépagée : *986 ha*

Parfois orthographié Grey Riesling, ce cépage aux baies à peau rose peut également s'appeler Chauche gris. Certains pensent qu'il pourrait s'agir du Trousseau gris français. Il donne des vins de cépage doux et fruités, possédant parfois un caractère légèrement sucré et épicé. S'il n'est pas extraordinaire, il est bon marché et populaire.

GREEN HUNGARIAN

Surface encépagée : *146 ha*

En 1945, Souvrain Cellars a tiré de cet obscur cépage le premier vin de cépage. La plupart des vins issus de Green Hungarian ont une saveur neutre et légèrement sucrée.

JOHANNISBERG RIESLING

Voir White Riesling.

MALVASIA BIANCA

Surface encépagée : *745 ha*

Si la Malvasia bianca a un beau caractère floral et épicé, elle est sous-estimée en Californie où elle sert surtout au coupage des vins de dessert. Quelques entreprises vinicoles en font un vin de cépage pur, léger, demi-sec ou presque sec.

MONTEREY RIESLING

Voir Sylvaner.

MOSCATO CANELLI

Voir Muscat blanc.

MUSCAT CANELLI

Voir Muscat blanc.

MUSCAT DE FRONTIGNAN

Voir Muscat blanc.

MUSCAT BLANC

Surface encépagée : *670 ha*

Ce cépage réussit étonnamment en Californie où il donne quelques vins délicieusement parfumés, au goût floral, du sec au très doux jusqu'au vin de dessert. Le vin de glace issu de Muscat Canelli produit en 1986 par Bonny Doon est étonnant ainsi qu'en témoigne sa réputation.

19 1980, 1984, 1985, 1986

Un an au maximum

PALOMINO

Surface encépagée : *1 033 ha*

Ce cépage de Xérès classique est celui qui prédomine dans la production des « Xérès » de la Central Valley.

PEDRO XIMENES

Surface encépagée : *26 ha*

Ce cépage classique de Jerez donne le vin concentré, épais et sirupeux avec lequel on édulcore les vins californiens de type Xérès. On l'a très occasionnellement commercialisé sous la forme de Xérès en vin de cépage pur.

PEVERELLA

Surface encépagée : *166 ha*

Ce cépage assez obscur donne un vin neutre à l'arrière-bouche modérément poivrée.

PINOT BLANC

Surface encépagée : *917 ha*

Lorsqu'on élève le vin de Pinot blanc avec soin et qu'on le fait fermenter en fût, il est pratiquement impossible de le distinguer d'un Chardonnay, notamment lorsqu'il provient de la Napa, de Monterey ou de la Sonoma. Il existe néanmoins quelques producteurs excellents, très sérieux, de vins de cépage pur de Pinot blanc.

SAUVIGNON BLANC

Surface encépagée : *6 225 ha*

Également connu sous le nom de Fumé blanc, ce cépage occupe près de 8 % des vignobles californiens de raisins blancs. Les vins ont un pouvoir de séduction tellement immédiat qu'il est facile de s'en lasser. Même s'ils peuvent vivre quelques années en bouteille, ils s'améliorent rarement, ce qui explique le déclin de leur popularité depuis le début des années 80.

19 1980, 1982 (Napa, Sonoma et Monterey exclusivement, mais sous réserve), 1984, 1985, 1986

Entre 1 et 3 ans

SAUVIGNON VERT

Surface encépagée : *95 ha*

Ce cépage n'a aucun rapport avec le Sauvignon vert de France. Il s'agit manifestement de la Muscadelle du Bordelais, bien que la variante californienne paraisse avoir plus d'acidité. King Cellars, de Santa Clara, et Nichelini Vineyard, de la Napa, produisent de rares vins de cépage de Sauvignon vert.

SÉMILLON

Surface encépagée : *1 230 ha*

Ce cépage a longtemps connu la faveur des vinificateurs californiens si ce n'est celle des consommateurs. Maintenant que Robert Parker Junior, le gourou des vins d'Amérique, a décrété que le Sémillon était un *varietal* de pointe, les choses pourraient changer. D'excellents vins secs ont été élaborés souvent en assemblage avec un peu de Sauvignon blanc. On produit aussi un vin de type botrytisé, doux et succulent.

SONOMA RIESLING

Voir Sylvaner.

SAINT-ÉMILION

Surface encépagée : *475 ha*

C'est l'Ugni blanc de France et le Trebbiano de l'Italie. On l'utilise surtout pour les assemblages.

SYLVANER

Surface encépagée : *499 ha*

La Californie connaît ce cépage sous les noms de Franken Riesling, Monterey Riesling ou Sonoma Riesling. On en tire des vins neutres à peine secs.

WHITE RIESLING

Surface encépagée : *4 066 ha*

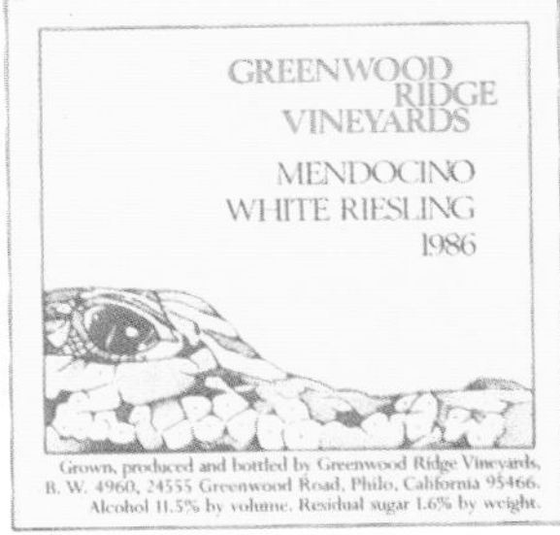

Ce cépage, également dénommé Johannisberg Riesling, représente plus de 5 % des vignobles californiens de raisins blancs. Hormis les exceptions que sont les produits secs et vifs de Jekel Vineyards et du Château Saint-Jean, seuls les Riesling botrytisés ou de vendange tardive peuvent prétendre au statut de vins fins.

19 1980, 1981, 1982, 1983 (exclusivement les vins secs, quasi secs et de vendange hâtive), 1984, 1985, 1986 (vins doux)

Entre 1 et 3 ans (pour les vins de vendange hâtive secs et quasi secs) ; entre 2 et 7 ans, voire davantage pour les vins doux

Les appellations régionales de Californie

CALIFORNIA AO

Cette appellation d'État peut être utilisée pour tout vin issu d'au moins 75 % de raisins cultivés en tout lieu de Californie.

CENTRAL COAST AVA

Date de création : *25 novembre 1985*

S'étendant d'Oakland à Santa Barbara, cette appellation tentaculaire s'applique à quelque 560 km de vignobles côtiers. S'appuyant contre les flancs des chaînes côtières de la Californie, elle chevauche les comtés d'Alameda, Monterey, Santa Cruz, Santa Clara, San Benito, San Luis Obispo et Santa Barbara, en englobant 14 AVA plus modestes : Arroyo Seco, Carmel Valley, Chalone, Cienega Valley, Edna Valley, Lime Kiln Valley, Livermore Valley, Monterey, Pacheco Pass, Paicines, Paso Robles, Santa Maria Valley, Santa Ynez et York Valley.

NORTH COAST AVA

Date de création : *21 mai 1983*

Cette appellation couvre 12 170 km² et chevauche les comtés de Napa, Sonoma, Mendocino, Solano, Lake et Marin.

Elle englobe, en outre, 20 zones viticoles agréées (AVA) plus modestes : Alexander Valley, Anderson Valley, Chalk Hill, Clear Lake, Cole Ranch, Dry Creek Valley, Guenoc Valley, Howell Mountain, Knights Valley, Los Carneros, MacDowell Valley, Mendocino, Napa Valley, Northern Sonoma, Potter Valley, Russian River Valley, Solano Green Valley, Sonoma Green Valley, Sonoma Valley et Suisun Valley.

SOUTH COAST AVA

Date de création : *23 décembre 1983*

L'appellation régionale de la côte méridionale de la Californie s'applique à quelque 4 600 km² situés tout au long des rives du Pacifique entre Los Angeles et la frontière du Mexique. À cheval sur les comtés d'Orange et de San Diego, elle englobe deux AVA plus modestes, Temecula et San Pasqual Valley.

Mendocino

Les vignobles de Mendocino forment des zones viticoles dynamiques situées aux bifurcations qu'empruntent, chacune, les rivières Navarro et Russian, dans le sud du comté.

Le Mendocino pourrait bien être un excellent vin mousseux californien extrêmement prisé dans les années 90, grâce à l'important investissement qu'a effectué la grande maison française de Champagne Louis Roederer dans ce secteur. En effet, dès le début des années 80, Roederer a placé quelque 15 millions de dollars dans un vignoble de 200 hectares situés dans l'Anderson Valley. Les cépages traditionnels de la Champagne, Chardonnay et Pinot noir, ont été ici complantés par tiers en 1982, 1983 et 1984. La première récolte eut lieu en 1986 et son produit a vu le jour en 1988. Ce vin charmeur et prometteur devrait faire bénéficier cette région d'un regain d'intérêt.

LE DÉVELOPPEMENT DE L'INDUSTRIE VINICOLE

Certaines parties du comté de Mendocino étant trop chaudes pour la production de vins classiques, on avait tendance jadis à y planter des cépages de grand rendement pour obtenir des vins destinés au coupage des vins de carafe. Mais le comté possède un climat complexe ; certaines zones sont soumises aux influences de la côte ; ailleurs, par exemple dans les régions I et II (*voir* p. 362), un climat frais prédomine. C'est la raison pour laquelle le nombre des entreprises vinicoles installées dans la région a progressé régulièrement et est passé de 16 en 1981 à 29 en 1985. De même, l'implantation de cépages de qualité s'est considérablement accrue à la fin des années 70, se traduisant par une forte expansion du Cabernet Sauvignon et des encépagements en Chardonnay et Sauvignon blanc.

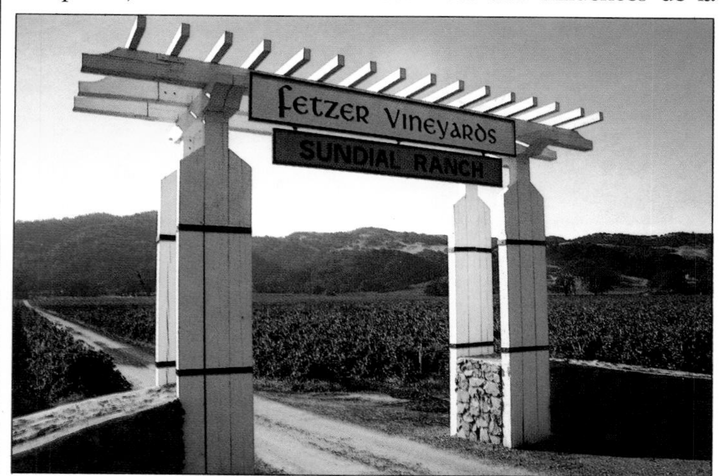

FACTEURS AFFECTANT LE GOÛT ET LA QUALITÉ

Situation
Situé à 160 km au nord-ouest de San Francisco, le comté de Mendocino est le plus septentrional des grands comtés côtiers viticoles.

Climat
Les crêtes montagneuses encadrant le bassin de la Navarro et le cours supérieur de la Russian s'élèvent jusqu'à 1 070 m et forment une limite naturelle au fameux climat « de transition » de Mendocino. Ce climat particulier se trouve, durant des périodes plus ou moins longues, soit sous l'influence de la côte, soit sous celle de l'intérieur des terres. Mais il se traduit généralement par des hivers chauds et des étés frais. En période de végétation, la vigne se trouve donc soumise à une alternance de journées chaudes et sèches et de nuits fraîches.

Site
La vigne est surtout plantée sur le terrain plat du fond des vallées, ou sur de douces déclivités, à des altitudes de 76 à 445 m, allant parfois jusqu'à 490 m. Elle est généralement exposée à l'est, encore que, juste au sud d'Ukiah, au nord de San Francisco, elle regarde l'ouest.

Sol
Sols divers profonds composés d'alluvions en bordure de rivière. Dans certaines parties de la Russian River Valley, mélange de gravier et de terre forte. Éboulis sans épaisseur sur les déclivités.

Viticulture et vinification
La période moyenne de végétation est de 268 jours, contre 308 pour la Sonoma (où le débourrement a lieu 10 jours plus tôt), et de 223 jours pour le comté du Lac. La production est axée sur l'élaboration de grands vins issus de grands cépages.

Cépages principaux
Cabernet Sauvignon, Carignan, Chardonnay, Chenin blanc, Colombard, Sauvignon blanc, Zinfandel

Cépages secondaires
Barbera, Burger, Cabernet franc, Charbono, Early Burgundy, Flora, Folle Blanche, Gamay, Gamay Beaujolais, Gewurztraminer, Grenache, Grey Riesling, Green Hungarian, Malvasia Bianca, Merlot, Muscat blanc, Palomino, Petite Sirah, Pinot blanc, Pinot noir, Ruby Cabernet, Sauvignon vert, Sémillon, Sylvaner, Syrah, White Riesling

Le Fetzer Vineyards Ranch, ci-dessus
Cette entreprise vinicole est spécialisée dans la culture du Chardonnay et du Zinfandel
Paysage de vignoble, ci-dessous
Ces vignobles plats, typiques de Mendocino, appartiennent aux caves Parducci, grande maison produisant des vins fins

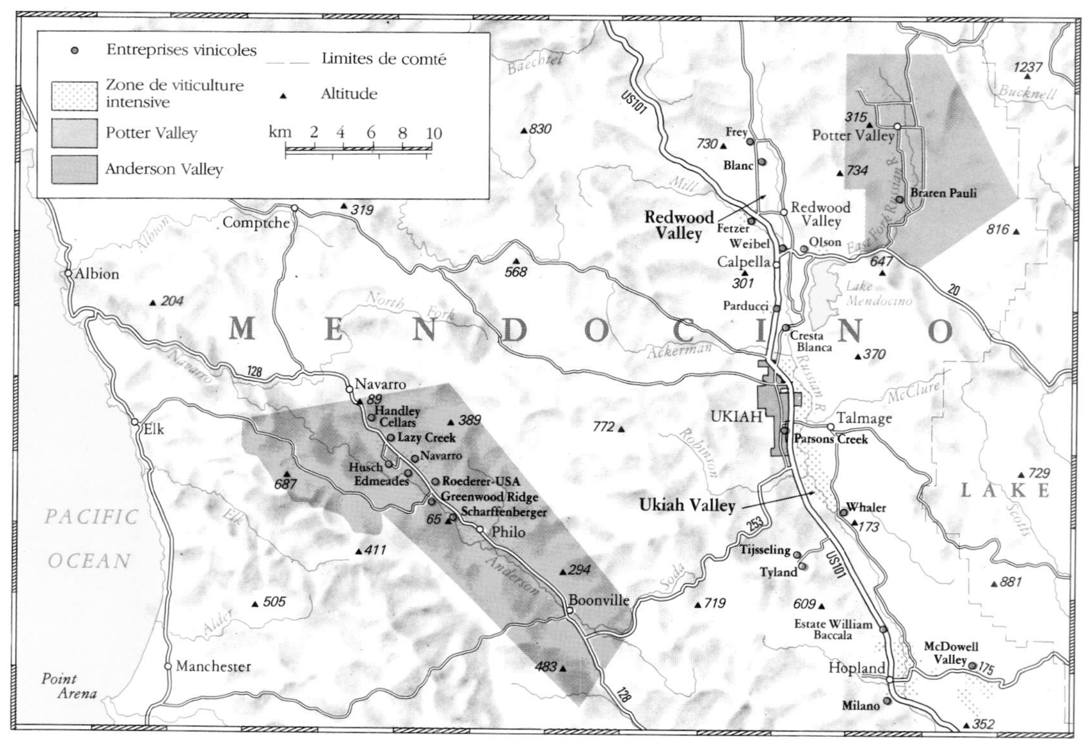

MENDOCINO, voir aussi p. 363

Les deux principales AVA du Mendocino, situées dans le bassin des rivières Navarro et Russian, englobent des zones agréées, plus petites.

Les AVA de Mendocino

ANDERSON VALLEY AVA

Créée le *23 mars 1983*

Cette zone se compose de quelque 23 300 ha, dont 240 seulement ont été encépagés. Le microclimat de la vallée, influencée par la côte, est plus frais que le climat « de transition » qui prédomine dans le reste du comté. Le terrain comprend plus de 20 types de sols alluviaux.

COLE RANCH AVA

Créée le *16 mai 1983*

Cette appellation couvre à peine 25 ha de vignobles complantés de Cabernet Sauvignon, Chardonnay et Johannisberg, appartenant à la famille Cole. Les sols vont des terres profondes, mêlées de gravier et d'argile, aux argiles limoneuses truffées de gravier.

McDOWELL VALLEY AVA

Créée le *4 janvier 1982*

La vallée McDowell bénéficie de la protection naturelle que lui offrent les montagnes qui l'encerclent. Le vignoble se limite aux terres fortes et graveleuses que l'on trouve à 300 m d'altitude. Cette AVA jouit d'un microclimat qui la met à l'abri des gelées à la différence des autres zones de Mendocino qui souffrent de gelées printanières.

MENDOCINO AVA

Créée le *16 juillet 1984*

On ne peut utiliser cette appellation, qui englobe quatre autres zones viticoles agréées, que pour les vins issus de raisins cultivés dans le tiers de l'extrême sud du comté.

MENDOCINO COUNTY AO

Cette appellation, qui n'est pas une AVA, s'applique aux vins originaires de tout le comté de Mendocino.

POTTER VALLEY AVA

Créée le *14 novembre 1983*

Appellation couvrant 11 130 ha, situés au nord-ouest de Clear Lake, dont 4 450 sont encépagés. La vigne, installée en fond de vallée, est protégée par les collines environnantes.

Les principales entreprises vinicoles de Mendocino

WILLIAM BACCALA
Highway 101, Hopland, CA 95449

Cette entreprise relativement nouvelle produit d'excellents Chardonnay.

☆ Chardonnay

BLANC VINEYARDS
10200 West Road,
Redwood Valley, CA 95470

Entreprise vinicole familiale couvrant 61 ha de vignobles dans la Redwood Valley.

BRAREN PAULI WINERY
12507 Hawn Creek Road,
Potter Valley, CA 95469

Fondée par Larry Braren et Bill Pauli, cette entreprise produit des vins de Zinfandel, Chardonnay et Sauvignon.

CRESTA BLANCA
2399 North State Street,
Ukiah, CA 95482

Entreprise fondée à Livemore, comté d'Alameda, par Charles Wetmore, journaliste, un des pionniers de l'industrie vinicole en Californie. À partir de boutures de vigne originaires du Château d'Yquem, il obtint les premiers vins américains qui allaient remporter des médailles à l'exposition de Paris.

☆ Chardonnay, Petite Sirah, Zinfandel

EDMEADES VINEYARDS
5500 California State Highway 128,
Philo, CA 95466

Petite entreprise produisant des vins « de cépage » de bonne qualité.

☆ Cabernet Sauvignon, Chardonnay, Pinot noir, Zinfandel

FETZER VINEYARDS
1150 Bel Arbres Road,
Redwood Valley, CA 95470

Fetzer a bâti sa réputation sur des vins d'un rapport qualité/prix exceptionnel.

☆ Cabernet Sauvignon, Chardonnay, Fumé Blanc, Gamay Beaujolais, Gewurztraminer, Petite Sirah, Pinot blanc, Sauvignon blanc, White Riesling, Zinfandel

FREY VINEYARDS
14000 Tomki Road,
Redwood Valley, CA 95470

Affaire familiale dont le vignoble couvre près de 12 ha.

GREENWOOD RIDGE VINEYARDS
Box 1090 Star Route,
Philo, CA 95466

Les vignobles, situés dans l'Anderson Valley, ont été plantés en 1972. Ce n'est qu'en 1980 que Greenwood Ridge a commencé à vendre son vin mis en bouteille au domaine.

☆ White Riesling

HANDLEY CELLARS
Philo, CA 95466

Cette entreprise est spécialisée dans les vins de Chardonnay et ceux élaborés selon la méthode champenoise.

HUSCH VINEYARDS
4900 Star Route, Philo, CA 95466

Fondée par Tony Husch, cette entreprise a été vendue en 1979 à Hugo Oswald, son actuel propriétaire et vinificateur. Elle possède de vastes vignobles dans les vallées d'Anderson et Ukiah et produit des vins « de cépage » de bonne qualité souvent primés.

☆ Chardonnay, Gewurztraminer, Pinot noir, Sauvignon blanc, Sweet Gewurztraminer

LAZY CREEK VINEYARD
4610 Highway 128, Philo, CA 95466

Propriété de la famille Kobler qui s'étend sur 8 ha plantés de Chardonnay, Pinot noir et Gewurztraminer.

☆ Pinot noir

McDOWELL VALLEY VINEYARDS
3811 Highway 175,
Hopland, CA 95449

Affaire familiale constituée de 162 ha plantés de 12 cépages différents et produisant des vins de haute qualité.

☆ Cabernet Sauvignon, Chardonnay, Petite Sirah, Syrah, Zinfandel

MILANO WINERY
14594 South Highway 101,
Hopland, CA 95449

Petite entreprise produisant quelques vins intéressants, pleins de saveur. Le Chardonnay présente le plus de qualités.

☆ Cabernet Sauvignon, Chardonnay, Gewurztraminer, Johannisberg Riesling, Late Harvest Johannisberg Riesling, Zinfandel

MOUNTAIN HOUSE WINERY
38999 Highway 128,
Cloverdale, CA 95425

Ron Lipp, avocat à Chicago, a passé trois ans à chercher un terroir digne d'intérêt avant de s'installer à Mountain House.

☆ Chardonnay

NAVARRO VINEYARDS
5601 Highway 128, Philo, CA 95466

Spécialiste des vins blancs et l'un des meilleurs producteurs de Gewurztraminer en Californie.

☆ Chardonnay « Private Reserve », Gewurztraminer, Late Harvest Gewurztraminer, Sweet White Riesling

OLSON VINEYARDS
3620 Road B,
Redwood Valley, CA 95470

Cette entreprise a été fondée en 1982, 11 ans après la plantation des vignobles. Sa gamme de cépages est bien fournie.

PARDUCCI WINE CELLARS
501 Parducci Road,
Ukiah, CA 95482

Grande entreprise possédant plus de 142 ha, les caves Parducci ont été fondées en 1918, à Sonoma. Après la Prohibition, en 1931, l'affaire s'installa à Ukiah. Les vins proposés sont francs, fruités, et possèdent une bonne saveur.

☆ Cabernet Sauvignon, Cabernet Merlot, Chardonnay, Chenin blanc, Gamay Beaujolais, Johannisberg Riesling, Muscat Canelli, Petite Sirah, Pinot noir, Sauvignon blanc, Zinfandel

PARSONS CREEK WINERY
3001 South State Street,
Ukiah, CA 95482

Entreprise dynamique, ne possédant pas de vignobles mais achetant ses raisins de façon manifestement excellente.

☆ Chardonnay, Gewurztraminer, Johannisberg Riesling, NV Brut, Sweet Gewurztraminer

ROEDERER USA
2211 McKinley Avenue, Berkeley CA 94704

La maison française de Champagne, Louis Roederer, a élaboré ses premiers vins selon la méthode champenoise en 1988.

SCHARFFENBERGER CELLARS
307 Talmage Road, Ukiah, CA 95482

Ces vins sont également commercialisés sous l'étiquette « Eaglepoint ».

TIJSSELING
2150 McNab Ranch Road,
Ukiah, CA 95482

Vignoble « de Champagne » à succès.

☆ NV Brut, Brut blanc de blancs, Brut blanc de noirs

TYLAND VINEYARDS
2200 McNab Ranch Road,
Ukiah, CA 95482

☆ Cabernet Sauvignon

WHALER VINEYARDS
6200 Eastside Road,
Ukiah, CA 95482

Petite entreprise de qualité spécialisée dans le Zinfandel.

☆ Zinfandel

Sonoma

Six vallées fertiles font du comté de Sonoma le plus prolifique producteur de vins de la Californie. On y produit autant de vins blancs que de vins rouges, vins dont la réputation tend à égaler celle du comté de Napa.

En raison du volume de sa production, jusque dans les années 60, le comté de Sonoma n'a guère été considéré autrement que comme un réservoir à vins de coupage. S'il produisait des vins de coupage de meilleure qualité que la Central Valley, ceux-ci ne représentent en fait qu'un élément dopant pour les vins génériques, anonymes, produits en vrac. Or, en 1969, Russell Green, propriétaire d'un vignoble en pleine expansion dans l'Alexander Valley, acheta Simi, une entreprise vinicole sur le déclin, fondée en 1876 et qui connut son heure de célébrité. Green avait des projets ambitieux pour Simi, il en réalisa un bon nombre, mais des frais écrasants le forcèrent à vendre en 1973. Pourtant, en quatre ans, il réussit à rendre à cette vieille « winery » la réputation qu'elle avait avant la Prohibition, en créant des vins de cépage de haute qualité. Cette réussite eut un effet d'entraînement sur les autres vinificateurs du comté. Les entreprises de la Sonoma révisèrent alors leur méthode de travail et l'on vit apparaître des vins délicieux. L'activité de Green apporta un sang neuf à la région. En 1970, l'entreprise Grand Cru, fondée avant la Prohibition, reprit ses activités à Glen Ellen pendant que, à Kenwood, se créait une nouvelle entreprise, Kenwood Vineyards. Se créèrent encore Vina Vista en 1971, Jordan and Creek en 1972, Château St. Jean, Hacienda, Fisher et Sausal en 1973 et Clos du Bois, Landmark, Mark West, Rafanelli et Sotoyome en 1974.

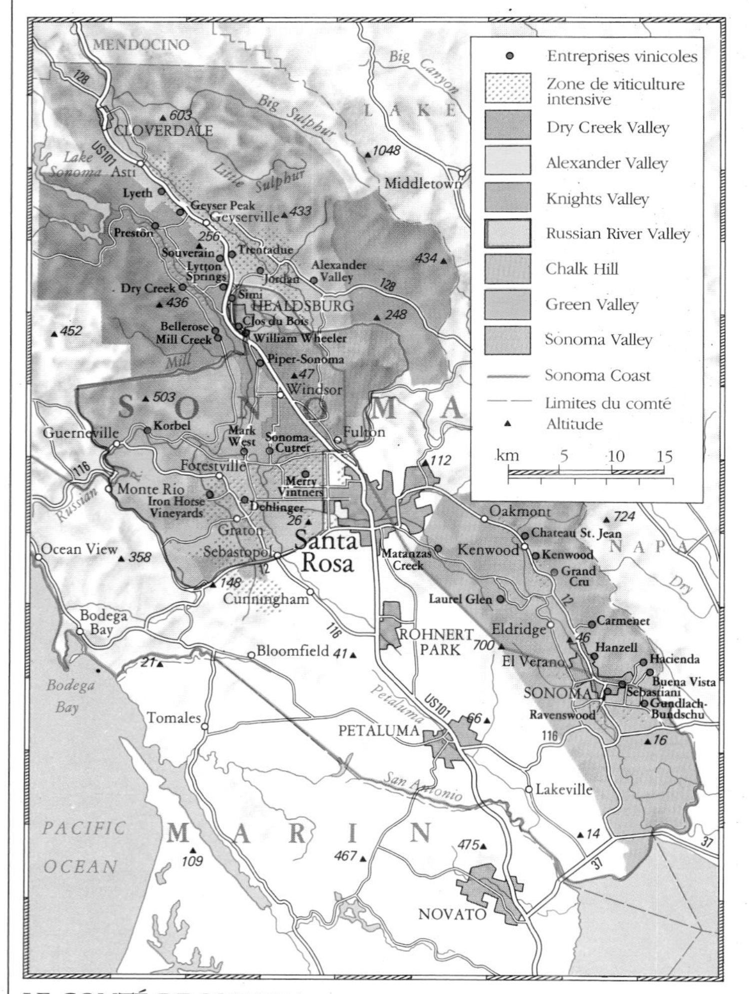

LE COMTÉ DE SONOMA, voir aussi p. 363

La Sonoma, l'une des zones viticoles les plus importantes de la Californie, jouit d'un climat varié ainsi que de sols nombreux et divers.

Les prix et les niveaux de qualité proposés pour les vins du comté de Sonoma sont aussi variables que le climat de la région, mais on note l'arrivée de vinificateurs à l'esprit novateur qui tendent à faire de ce district l'un des plus dynamiques. Le comté produit maintenant certains des plus grands vins de Californie, notamment ceux issus de raisins cultivés sur les côtes les plus élevées et les plus abruptes.

Vignobles dans la Creek Valley
La Dry Creek Valley, dans le comté de Sonoma, se trouve près de la Russian River. Humide et fertile, la vallée possède un sol unique pour cette région, justifiant son statut d'AVA.

FACTEURS AFFECTANT LE GOÛT ET LA QUALITÉ

Situation
Le plus grand comté viticole au nord de San Francisco, situé entre la vallée de la Napa et l'océan Pacifique.

Climat
Les extrêmes s'échelonnent du climat chaud du nord du comté (région III) à la fraîcheur du sud (région I) où l'influence rafraîchissante de la brise océance est marquante, encore que cette influence s'atténue progressivement à mesure que l'on se dirige vers l'arrière-pays. La pénétration des brumes est plus marquée dans les secteurs méridionaux, autour de Petaluma, mais atteint rarement les monts de la Sonoma qui protègent la vallée de la Sonoma, au sud-est du canton.

Site
Il existe deux principales configurations de vallées : celle de la vallée de la Sonoma, petit cours d'eau se jetant dans la baie de San Francisco, et celle de la Russian River, qui se jette directement dans l'océan Pacifique. La vigne pousse sur un plateau à 120 m d'altitude. Elle est également cultivée sur les vallonnements situés plus bas. Des coteaux légèrement plus abrupts de la vallée de la Sonoma sont progressivement mis en culture.

Sol
Limons peu fertiles de Santa Rosa et de la vallée de la Sonoma, alluvions très fertiles de la vallée de la Russian River, calcaire de Cazadera, gravier de Dry Creek, dit conglomérat de la Dry Creek, sols volcaniques aux cheminées caractéristiques en contrebas du mont St. Helena.

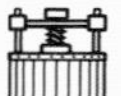

Viticulture et vinification
Si la vinification du vrac est encore importante dans la vallée de la Russian River, des entreprises du type « boutique », spécialisées dans la production de vins de cépages de choix, prennent leur essor.

Cépages principaux
Cabernet Sauvignon, Chardonnay, Chenin blanc, French Colombard, Gewurztraminer, Merlot, Petite Sirah, Pinot noir, Pinot blanc, Sauvignon blanc, White Riesling, Zinfandel

Cépages secondaires
Aleatico, Alicante Bouschet, Barbera, Black Malvoisie, Cabernet franc, Carignan, Chasselas doré, Early Burgundy, Folle blanche, Gamay, Gamay Beaujolais, Gray Riesling, Green Hungarian, Grenache, Malbec, Malvasia bianca, Mission, Muscat blanc, Palomino, Pinot Saint-George, Ruby Cabernet, Sauvignon vert, Sémillon, Sylvaner, Syrah

Les AVA du comté de Sonoma

ALEXANDER VALLEY AVA

Date de création : ***23 novembre 1984***

Située dans le nord-est du canton, cette appellation s'étend des rives de la Russian River jusqu'aux contreforts des monts Mayacamu. Sa délimitation a été élargie en août 1986, de sorte qu'elle empiète maintenant sur l'AVA Russian River.

CHALK HILL AVA

Date de création : ***21 novembre 1983***

Cette appellation s'applique à 85 km² comprenant 648 ha de vignes dont l'altitude varie entre 61 et 405 m. La blancheur du sol est due à des cendres volcaniques à forte proportion de quartz et non au calcaire. Rejetées pendant nombre d'années par le mont St. Helena, elles sont mêlées aux limons sableux et bourbeux de la région, qui ne sont pas particulièrement fertiles. Cette zone est entourée d'une barrière thermique qui permet d'y vendanger en septembre, alors que les autres régions ne récoltent qu'en octobre.

DRY CREEK VALLEY AVA

Date de création : ***6 septembre 1983***

Cette appellation touche celle d'Alexander Valley. Son climat est généralement plus chaud et plus humide que celui des autres zones du comté et la période de végétation y est plus longue que dans la zone méridionale portant l'appellation Russian River.

KNIGHTS VALLEY AVA

Date de création : ***21 novembre 1983***

Zone couvrant environ 142 km², comprenant 405 ha de vignes poussant sur des terrains rocailleux et graveleux peu fertiles, à des altitudes généralement plus élevées que celles des AVA voisines.

LOS CARNEROS AVA

Date de création : ***12 septembre 1983***

Cette appellation s'applique à une zone de collines basses et vallonnées qui chevauchent les comtés de Sonoma et de Napa. Cette région était consacrée à l'élevage ovin mais la brise marine, soufflant de la baie de San Pablo en direction du sud, procure un climat excellent pour la production de vins fins.

NORTHERN SONOMA AVA

Date de création : ***17 juin 1985***

Cette grande appellation englobe totalement six autres AVA qui sont : Alexander Valley, Chalk Hill, Dry Creek Valley, Knights Valley, Russian River et Sonoma County Green Valley. Elle est séparée de l'appellation Sonoma Valley par la cité de Santa Rosa.

RUSSIAN RIVER VALLEY AVA

Date de création : ***21 novembre 1983***

L'appellation Russian River Valley apparut sur les étiquettes en 1970. Les brumes côtières du petit matin font que la période de végétation est plus fraîche que dans les zones voisines.

SONOMA COAST AVA

Date de création : ***13 juillet 1987***

Appellation s'appliquant à 1 940 km² représentant l'arrière-pays de toute la côte pacifique du comté de Sonoma, laquelle constitue la limite occidentale de l'AVA. Cette zone est nettement plus fraîche que d'autres, en raison des brumes persistantes qui enveloppent les Coast Ranges, une chaîne côtière visible de l'océan Pacifique.

SONOMA COUNTY GREEN VALLEY AVA

Date de création : ***21 décembre 1983***

On s'était proposé d'appeler simplement « Green Valley » cette partie de l'AVA Russian Valley ; mais, on y a ajouté Sonoma County pour faire pendant à l'appellation Green Valley Solano County, pour sa partie appartenant au comté de ce nom. Le climat est le plus frais de la Russian River Valley et le sol est formé d'un beau limon sableux.

SONOMA MOUNTAIN AVA

Date de création : ***22 février 1985***

La Sonoma Mountain est caractérisée par sa ceinture thermique, grâce à laquelle l'air froid et les brumes dévalent des hauteurs jusqu'au bas des pentes escarpées donnant des températures modérées.

SONOMA VALLEY AVA

Date de création : ***4 janvier 1982***

Les premières vignes ont été plantées en 1825 par la mission San Francisco de Sonoma. La pluviométrie est ici plus faible que dans le reste du comté et les brumes y pénètrent rarement.

Les principales entreprises vinicoles du comté de la Sonoma

ALEXANDER VALLEY VINEYARDS
8644 Highway 128
Healdsburg, CA 95448

Vins sous-cotés, riches et pleins en bouche.

☆ Cabernet Sauvignon, Chardonnay, Johannisberg Riesling

BELLEROSE VINEYARD
435 West Dry Creek Road
Healdsburg, CA 95448

L'unique « Cuvée Bellerose » se compose de Cabernet Sauvignon, Merlot, Cabernet franc, Petit Verdot et Malbec.

☆ « Cuvée Bellerose »

BUENA VISTA WINERY
27000 Ramal Road
Sonoma, CA 95476

L'originelle « winery » d'Haraszthy fait de bons vins.

☆ Cabernet Sauvignon, Chardonnay, Fumé Blanc

CARMENET VINEYARD
1700 Moon Mountain Drive
Sonoma, CA 95476

Entreprise patronnée par Chalone Vineyards de Monterey.

☆ Sauvignon blanc, Sonoma rouge

CHÂTEAU SAINT-JEAN
8555 Sonoma Highway
Kenwood, CA 95452

Cette entreprise prestigieuse appartient maintenant à la société japonaise Suntory. La qualité des vins est meilleure que jamais.

☆ Chardonnay « Robert Young Vineyard », Late Harvest et Selected Late Harvest Johannisberg Riesling, Muscat Canelli, Sauvignon blanc, Late Harvest Sémillon-Sauvignon

CLOS DU BOIS
5 Fitch Street
Healdsburg, CA

Avec son apport massif de 405 ha de vignobles, et plus de médailles qu'aucune entreprise n'en a jamais gagnées, Clos du Bois peut se targuer d'associer qualité et quantité.

☆ Cabernet Sauvignon, Chardonnay (notamment le Flintwood), Merlot, Sauvignon blanc Barrel-Fermented

DEHLINGER WINERY
6300 Guerneville Road
Sebastopol, CA 95472

Petite entreprise produisant des vins tout en finesse.

☆ Cabernet Sauvignon, Chardonnay, Pinot noir, Zinfandel

DRY CREEK VINEYARD
3770 Lambert Bridge Road
Healdsburg, CA 95448

Ce vignoble, réputé pour son Fumé Blanc produit un splendide rouge.

☆ Chardonnay, « David Stare Reserve », Fumé Blanc

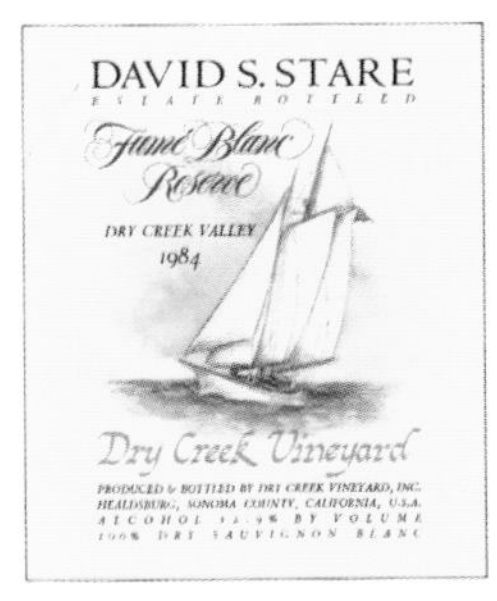

GEYSER PEAK WINERY
22281 Chianti Road
Geyserville, CA 95441

Depuis que la famille Trione a acheté cette entreprise en 1962, on y a fait quelques beaux vins.

☆ Cabernet Sauvignon « Trione »

GRAND CRU VINEYARDS
1 Vintage Lane
Glen Ellen, CA 95442

Entreprise de haut niveau à l'emplacement de la Grand Cru Winery d'origine.

☆ Cabernet Sauvignon, Chenin blanc, Gewurztraminer, Sauvignon blanc, Sweet Gewurztraminer, Zinfandel

GUNDLACH-BUNDSCHU WINERY
3775 Thornberry Road
Sonoma, CA 95487

Entreprise que possède et gère la cinquième génération de la famille du fondateur, Jacob Gundlach.

☆ Cabernet Sauvignon, Gewurztraminer, Merlot, Riesling, White Riesling

HACIENDA WINERY
1000 Vineyard Lane
Sonoma, CA 95476

Cette entreprise fait partie du vignoble que possédait Haraszthy.

☆ Cabernet Sauvignon, Chardonnay (« Claire de Lune »), Gewurztraminer

HANZELL VINEYARDS
18596 Lomita Avenue
Sonoma, CA 95476

Entreprise très indépendante.

☆ Chardonnay, Pinot noir

IRON HORSE VINEYARDS
9786 Ross Station Road
Sebastopol, CA 95472

Cette petite entreprise fait un Chardonnay fin, franc et racé, ainsi qu'un superbe méthode champenoise.

☆ Blanc de Noirs, Sparkling Brut, Brut Late Disgorged, Sonoma County Green Valley Chardonnay

JORDAN VINEYARD & WINERY
1474 Alexander Valley Road
Healdsburg, CA 95448

Très intéressant Cabernet Sauvignon.

☆ Cabernet Sauvignon

KENWOOD VINEYARDS
9592 Sonoma Highway
Kenwood, CA 95452

Vins possédant une bonne attaque.

☆ Cabernet Sauvignon, Chardonnay, Chenin blanc, Gewurztraminer, Zinfandel

KORBEL CHAMPAGNE CELLARS
13250 River Road
Guerneville, CA 95466

Éminent spécialiste dans le secteur des vins mousseux de Californie.

☆ Blanc de Noirs Champagne, Natural Champagne

LAUREL GLEN VINEYARD
P.O. Box 548
Glen Ellen, CA 95442

Laurel Glen fait un Cabernet Sauvignon succulent.

☆ Cabernet Sauvignon

LYETH VINEYARD & WINERY LTD
24625 Chianti Road
Geyserville, CA 95441

Entreprise très intéressante, produisant des assemblages de « Bordeaux ».

☆ Red Table Wine, White Table Wine

LYTTON SPRING WINERY
650 Lytton Springs Road
Healdsburg, CA 95448

Producteur de quelques vins de haute qualité.

☆ Zinfandel

MARK WEST VINEYARDS
7000 Trenton-Healdsburg Road
Forestville, CA 95436

Propriété du pilote Bob Ellis, ce vignoble porte le nom d'un petit cours d'eau bordant son ranch. Le style est fin et élégant.

☆ Chardonnay, Johannisberg Riesling, Pinot noir

MATANZAS CREEK WINERY
6097 Bennett Valley Road
Santa Rosa, CA 95404

Petite entreprise produisant des vins fins, riches, élégants, fruités.

☆ Cabernet Sauvignon, Chardonnay, Merlot, Sauvignon blanc

THE MERRY VINTNERS
3339 Hartman Road
Santa Rosa, CA 95401

Créée par Merry Edwards, qui a fondé la Matanzas Creek Winery.

☆ Vintage Preview Chardonnay, Barrel-Fermented Chardonnay

MILL CREEK VINEYARDS
1401 Westside Road
Healdsburg, CA 95448

James Kreck produit des vins pleins de finesse et d'élégance.

☆ Cabernet Sauvignon, Cabernet Blush, Chardonnay

PIPER SONOMA
P.O. Box K
Windsor, CA 95492

Piper-Heidsieck, la maison champenoise de Reims, s'est associée avec Sonoma Vineyards pour fonder cette nouvelle entreprise.

☆ Blanc de Noirs, Brut, Tête de Cuvée

PRESTON VINEYARDS
9282 West Dry Creek Road
Healdsburg, CA 95448

Vignoble de 51 ha capable de faire des vins de qualité.

☆ Chardonnay, Cuvée de Fumé, Zinfandel

RAVENSWOOD
21415 Broadway
Sonoma, CA 95476

Joel Peterson maîtrise bien les Zinfandel. Il produit aussi d'étonnants Merlot.

☆ Merlot, Zinfandel

SEBASTIANI VINEYARDS
389 Fourth Street East
Sonoma, CA 95476

Malgré une production immense, les vins ont été irréguliers depuis 1980.

☆ Cabernet Sauvignon, Gewurztraminer, Muscat, Zinfandel

SIMI WINERY
16275 Healdsburg Avenue
Healdsburg, CA 95448

Pour une entreprise à l'énorme production, Simi fait quelques vins étonnants, notamment ses Chardonnay pleins d'énergie, épanouis et évoquant le chêne.

☆ Chardonnay, Muscat Canelli, Rosé de Cabernet, Sauvignon blanc

SONOMA-CUTTER VINEYARDS
4401 Slusser Road
Windsor, CA 95492

Spécialiste de trois Chardonnay de types totalement différents.

☆ Cutrer Vineyard, Chardonnay « Les Pierres », Chardonnay « Russian River Ranches »

SOUVERAIN WINERY
P.O. Box 528
Geyserville, CA 95441

Grande production de vins à bon marché qui peuvent être vraiment bons, mais sont rarement passionnants.

☆ Cabernet Sauvignon, Colombard

TORRES VINEYARDS
11480 Graton Road
Sebastopol, CA 95472

En 1982, Miguel Torres a planté du Chardonnay sur 8 ha et son Parellada d'origine locale sur une quarantaine d'ares à titre expérimental. Il a installé quatre fois plus de pieds que la normale à l'hectare. Cette conduite engendre une concurrence entre ceps, réduit le rendement en raisins par pied, mais non celui à l'hectare. Les coûts de plantation et d'entretien sont évidemment plus élevés mais les raisins sont de meilleure qualité. On attend pour 1990 les premiers vins issus de cette méthode.

TRENTADUE WINERY
19170 Redwood Highway
Geyserville, CA 95441

Vignoble de 81 ha dans l'Alexander Valley produisant un choix original de vins de cépage qui sont rarement filtrés, pour ne pas dire jamais.

☆ Gamay Rosé, Late Harvest Zinfandel, Nebbiolo, Petite Sirah, et, à titre documentaire : Aleatico, Carignane, White Carignane

WILLIAM WHELLER WINERY
130 Plaza Street
Healdsburg, CA 95448

Producteur de quelques vins de qualité sur ses 71 ha de la Dry Creek, encépagés de Cabernet Sauvignon, Chardonnay et Sauvignon blanc.

☆ Cabernet Sauvignon, Chardonnay

Les meilleures autres entreprises

ADLER FELS WINERY
5325 Corrick Lane
Santa Rosa, CA 95405

David Coleman a été saisi par le virus « vinicole » lorsqu'il conçut les étiquettes du Château St-Jean.

☆ Fumé Blanc

ALDERBROOK VINEYARDS
2306 Magnolia Drive
Healdsburg, CA 95448

Exploitation de pruniers reconvertie dans la viticulture (Chardonnay, Sauvignon blanc et Sémillon). Spécialiste des blancs de fermentation en fût.

BALVERNE WINERY & VINEYARDS
10810 Hillview Road
Windsor
CA 95492

Cette entreprise, qui possède un vignoble d'une centaine d'hectares, a été la première à faire un Scheurebe californien.

BANDIERA WINERY
155 Cherry Creek Road
Cloverdale
CA 95425

Cette entreprise fait de bons vins, à défaut d'être passionnants. Elle appartient à la Californian Wine Company.

☆ Cabernet Sauvignon

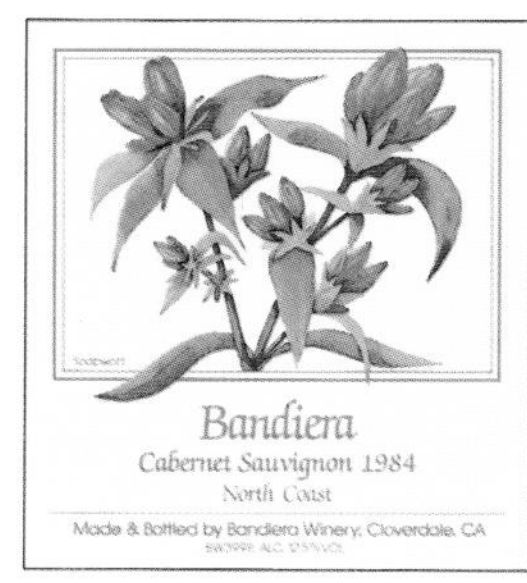

BLACK MOUNTAIN VINEYARD
Voir W. Morris Winery.

CAMBIASO VINEYARDS
1141 Grant Avenue
Healdsburg, CA 95448

Entreprise produisant des vins génériques à bon marché et des vins de cépage en progrès.

☆ Cabernet Sauvignon, Chenin blanc, Petite Sirah, Sauvignon blanc

CHALK HILL WINERY
10300 Chalk Hill Road
Healdsburg, CA 95448

Cette entreprise autre fois connue sous le nom de Donna Maria Vineyards se contentait de cultiver et vendre ses raisins. Elle a pris son nom actuel lorsqu'elle a commencé, en 1981, à faire et à vendre des vins.

CORDITZ BROTHERS CELLARS
28237 River Road
Cloverdale, CA 95425

Les bâtiments sont anciens mais le matériel de vinification date de 1980.

☆ Zinfandel

H. COTURRI & SONS LTD
6725 Enterprise Road
Glen Ellen, CA 95442

Spécialité : vins de cépage élevés sous bois.

DE LOACH VINEYARDS
1791 Olivet Road
Santa Rosa, CA 95401

Entreprise connue pour ses Chardonnay, onctueux et citronnés.

☆ Chardonnay, Fumé Blanc, White Zinfandel

DOMAINE LAURIER
8075 Martinelli Road
Forestville, CA 95436

Vignoble de 12 ha encépagés de Cabernet Sauvignon, Chardonnay, Pinot noir et Sauvignon blanc.

FIELD STONE WINERY
10075 State Highway 128
Healdsburg, CA 95448

Entreprise sous-estimée, en dehors des circuits commerciaux, produisant des vins frais et fruités.

☆ Cabernet Sauvignon, Johannisberg Riesling, Petite Sirah, Spring Cabernet

FISHER VINEYARDS
6200 St. Helena Road
Santa Rosa, CA 95404

La première récolte fut une récolte de Chardonnay. Les vignobles se situent dans le comté de Napa et sur les monts Mayacamas.

☆ Cabernet Sauvignon « Coach Insiglia »

FOPPIANO VINEYARDS
12707 Old Redwood Highway
Healdsburg, CA 95448

Entreprise familiale faisant une intéressante gamme de vins de cépage.

☆ Cabernet Sauvignon, Chardonnay, Petite Sirah, « Riverside Farm » Fumé Blanc et White Cabernet Sauvignon

FRITZ CELLARS
24691 Dutcher Creek Road
Cloverdale, CA 95425

Un vignoble de 36 ha répond à la plupart des besoins de l'entreprise.

☆ Fumé Blanc

FULTON VALLEY WINERY
875 River Road
Fulton, CA 95439

Rod Berglund, qui fut maître de chai pendant cinq ans à La Crema Vinera, dirige maintenant la vinification de cette nouvelle affaire.

GLEN ELLEN WINERY
1883 London Ranch Road
Glen Ellen, CA 95442

Les vins offrent un bon rapport qualité/prix.

☆ Cabernet Sauvignon, Chardonnay, Fumé Blanc

HAYWOOD WINERY
18701 Gehricke Road
Sonoma, CA 95476

☆ Chardonnay, White Riesling

HOP KILN WINERY
Griffin Vineyards
6050 Westside Road
Healdsburg, CA 95448

Monument historique et national, cette entreprise fait de bons vins.

☆ « A Thousand Flowers », Petite Sirah, Gewurztraminer, Primitivo Zinfandel

HULTGREN & SAMPERTON
P.O. Box 1926
Healdsburg, CA 95448

Vignoble de 6 ha dans les Alexander et Dry Creek Valleys.

☆ Petite Sirah

JOHNSON'S ALEXANDER VALLEY WINES
8333 Highway 128
Healdsburg, CA 95448

Les vins millésimés et de pur cépage sont mis en bouteille au domaine.

☆ Cabernet Sauvignon, Johannisberg Riesling, White Pinot noir

KISTLER VINEYARDS
Nelligan Road
Glen Ellen, CA 95442

Entreprise en progrès qui compte 16 ha de vignes.

☆ Chardonnay

LAMBERT BRIDGE
4085 West Dry Creek Road
Healdsburg, CA 95448

Les vins, bons, voire grands, sont distribués par Seagram.

☆ Cabernet Sauvignon, Chardonnay

LANDMARK VINEYARDS
9150 Los Amigos Road
Windsor, CA 95492

Les meilleurs vins de cette entreprise, qui compte 32 ha de vignobles sont vendus sous son étiquette.

J. W. MORRIS WINERY
101 Grant Avenue
Healdsburg, CA 95448

Spécialiste du « Porto », cette entreprise s'intéresse maintenant plus à ses vins de cépage issus des vignobles de la montagne Noire.

PAT PAULSEN VINEYARDS
25510 River Road
Cloverdale, CA 95425

Outre ses talents de vinificateur, Pat Paulsen est comédien, propriétaire de théâtre et vedette de cinéma.

☆ Muscat Canelli

J. PEDRONCELLI WINERY
1220 Canyon Road
Geyserville, CA 95441

Vins d'un bon rapport qualité/prix et gamme de vins de cépage en progrès.

☆ Chardonnay, Pinot noir, Gewurztraminer, Zinfandel, Zinfandel rosé

POMMERAIE VINEYARDS
10541 Cherry Ridge Road
Sebastopol, CA 95472

Spécialiste des Chardonnay et Cabernet Sauvignon.

☆ Cabernet Sauvignon

A. RAFANELLI
4685 West Dry Creek Road
Healdsburg, CA 95448

Petit vignoble de bonne réputation, produisant du Gamay et du Zinfandel.

RIVER OAKS VINEYARDS WINES
5 Fitch Street
Healdsburg, CA 95448

Grosse entreprise produisant de bons vins de qualité commerciale.

J. ROCHIOLI VINEYARDS
6192 Westside Road
Healdsburg, CA 95448

L'entreprise s'est lancée depuis peu dans la mise en bouteille au domaine.

☆ Chardonnay

SAUSAL WINERY
7370 Highway 128
Healdsburg, CA 95448

Entreprise dont le meilleur vin est à ce jour le Zinfandel.

SEA RIDGE WINERY
P.O. Box 287
Cazadero, CA 95421

Entreprise spécialisée dans les Chardonnay et Pinot noir, cultivés sur calcaire.

SELLARS WINERY
6400 Sequoia Circle
Sebastopol, CA 95472

Spécialiste de Chardonnay, Cabernet Sauvignon et Sauvignon blanc.

SOTOYOME WINERY
641 Limerick Lane
Healdsburg, CA 95448

Production de quelques vins de cépage de bonne qualité.

☆ Cabernet Sauvignon, Petite Sirah

ROBERT STEMMLER WINERY
3805 Lambert Bridge Road
Healdsburg, CA 95884

Vignoble minuscule dont on complète la récolte par l'achat de raisins.

☆ Chardonnay, Fumé Blanc

RODNEY STRONG VINEYARDS
11455 Old Redwood Highway
Windsor, CA 95492

Si Strong a fait quelques riches Cabernet Sauvignon et de tendres Chardonnay, il manque de régularité et certains vins manquent de saveur.

☆ Cabernet Sauvignon, Chardonnay

JOSEPH SWAN VINEYARDS
2916 Laguna Road
Forestville, CA 95436

Minuscule production de Zinfandel, Chardonnay et Pinot noir.

TOPOLOS RUSSIAN RIVER VINEYARDS
5700 Grevenstein Highway
North Forestville, CA 95436

Bons vins de cépage issus de vignobles voisins de l'entreprise et situés sur les monts Sonoma.

☆ Petite Sirah

TOYON WINERY & VINEYARDS
9643 Highway 128
Healdsburg, CA 95448

Vins de cépage issus des vignobles de l'Alexander Valley et d'achats de raisins sélectionnés.

☆ Cabernet Sauvignon

VALLEY OF THE MOON
777 Madrone Road
Glen Ellen, CA 95442

Cette entreprise a bâti sa réputation sur les vins génériques, mais elle produit aussi des *varietals* mis en bouteille au domaine, issus de son vignoble de 81 ha.

VINA VISTA
Chianti Road
Geyserville, CA 95441

Ex-ingénieur électricien, Keith Nelson produit divers vins de cépage de qualité suivie.

STEPHEN ZELLERBACH VINEYARD
14350 Chalk Hill Road
Healdsburg, CA 95448

Vignoble de 28 ha dans la zone de Chalk Hill, produisant des Cabernet Sauvignon rouge et blanc, du Merlot et du Chardonnay.

Napa

Le comté de Napa, et plus particulièrement la vallée de la Napa, est le cœur et l'âme de l'industrie vinicole californienne. On y trouve la plus forte densité de vignobles de l'État de Californie, le plus grand nombre d'entreprises vinicoles et on y produit plus de vins fins et plus de styles de vins que dans le reste du continent nord-américain.

Le comté de Napa fut encépagé quelque treize ans après le comté de Sonoma, aussi étonnant que cela puisse paraître. C'est en 1838 qu'un trappeur de la Caroline du Nord, George Yount, acquit quelques ceps de Mission, originaires du vignoble du général Mariano Vallejo, en Sonoma ; il les planta près de sa hutte, à 3 kilomètres au nord de l'actuelle ville de Yountville. Il ne souhaitait en effet que satisfaire ainsi sa consommation personnelle. Il ne se doutait guère qu'un jour toute la vallée de la Napa serait tapissée d'un véritable océan de vignes, verdoyant et luxuriant. Six ans plus tard, Yount produisait déjà quelque 900 litres de vin chaque année. Au bout de dix ans, d'autres vignobles avaient été implantés et, en 1859, le millionnaire Samuel Brannon, ancien Mormon, achetait 8 kilomètres carrés de riches terres de la vallée pour y planter des boutures de divers cépages européens qu'il avait recueillis au cours de ses voyages à l'étranger. En 1880, on comptait plus de 2 785 hectares de vignes dans le comté, soit plus de la moitié de la superficie actuellement encépagée et près du double de celle cultivée maintenant dans le comté de Mendocino.

De nos jours, la réputation vinicole du comté de Napa est bien établie dans le monde entier. Ses vins, notamment ses Chardonnay et Cabernet Sauvignon, sont les plus recherchés, les plus estimés de tout le continent nord-américain et il en sera encore ainsi tant que l'on cultivera la vigne.

Vignobles du comté de Napa
Dans la plus renommée des régions viticoles de la Californie, la vigne occupe surtout le fond des vallées fertiles.

FACTEURS AFFECTANT LE GOÛT ET LA QUALITÉ

Situation
La Napa, qui prend sa source dans les contreforts du mont St. Helena, parcourt 54 kilomètres en direction du sud et de l'est pour déboucher près de la baie de San Francisco. Le comté est bordé par la Sonoma, à l'ouest, et le lac Berryessa, à l'est.

Climat
Le climat varie des zones fraîches situées près de la Baie (région I), aux zones chaudes (région III) dans la partie septentrionale.

Site
La plupart des vignes sont plantées dans le fond de la vallée, mais quelques-unes occupent les coteaux avoisinants. L'altitude va de 5 m à Napa même à 122 m à Calistoga dans le nord. L'ombre des versants occidentaux boisés ajoute à l'influence modératrice de l'altitude et favorise ainsi la croissance des raisins blancs. Les versants orientaux sont plus propices à la culture des cépages noirs.

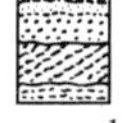

Sol
Limons bourbeux et argile fertile au sud, limons graveleux mieux drainés et de moins bonne fertilité dans le nord.

Viticulture et vinification
Toute l'échelle des entreprises vinicoles se retrouve ici : grandes maisons peu nombreuses qui utilisent des techniques de pointe, et petites affaires du style « boutique » dont le nombre progresse. Ces dernières offrent une production limitée de vins élaborés selon les méthodes traditionnelles, bien qu'elles recourent souvent et judicieusement à des techniques modernes. Les grands vins produits dans cette vallée ont établi la réputation vinicole mondiale de la Californie.

Cépages principaux
Cabernet Sauvignon, Chardonnay, Chenin blanc, Merlot, Pinot noir, Sauvignon blanc, White Riesling, Zinfandel

Cépages secondaires
Aleatico, Alicante Bouschet, Barbera, Black Malvoisie, Burger, Cabernet franc, Carignan, Early Burgundy, Flora, Folle blanche, French Colombard, Gamay, Gamay Beaujolais, Gewurztraminer, Gray Riesling, Green Hungarian, Grenache, Malbec, Malvasia bianca, Mataro, Mission, Muscat blanc, Palomino, Petite Sirah, Pinot blanc, Pinot St. George, Ruby Cabernet, Sauvignon vert, Sémillon, Sylvaner, Syrah

Entreprises vinicoles
Limites de comté
Zone de viticulture intensive
Altitude
Vallée de la Napa
Carneros
km 2 4 6 8 10

LE COMTÉ DE NAPA, voir aussi p. 363
Les zones de viticulture intensive situées dans cet illustre comté occupent une longue et étroite bande à peu près parallèle au comté de Sonoma. Un grand nombre d'entreprises vinicoles se sont installées le long de la Route 29.

Les AVA du comté de Napa

CARNEROS AVA

Également connue sous le nom de Los Carneros, cette AVA mord sur les cantons de Napa et Sonoma. *Voir* Los Carneros, Sonoma, p. 371.

HOWELL MOUNTAIN AVA

Date de création : *30 janvier 1984*

Ce plateau est une sous-appellation de la Napa Valley, couvrant 57 km^2 et englobant quelque 81 ha de vignobles à une altitude comprise entre 420 et 890 m. La vigne y fut plantée pour la première fois en 1880.

NAPA COUNTY AO

Cette appellation s'applique uniquement aux raisins cultivés dans l'ensemble du comté.

NAPA VALLEY AVA

Date de création : *27 février 1981*

Cette appellation s'applique à tout le comté à l'exception de la zone entourant Putah Creek et le lac Berryessa. L'appellation Napa Valley couvre 40 km de long sur 12 à 16 km de large. Ce terroir est abrité par deux chaînes parallèles de montagnes. La grande majorité des vignobles occupe le fond plat de la vallée en une ligne presque continue de Napa à Calistoga, encore que l'on commence à cultiver les versants.

STAG'S LEAP DISTRICT AVA

Appellation en cours d'homologation.

Les principales entreprises vinicoles du comté de Napa

ACACIA WINERY
2750 Las Amigas Road
Napa, CA 94559

Spécialiste des vins de cépage bourguignons.

☆ Chardonnay, Pinot noir

CARNEROS CREEK WINERY
1285 Dealy Lane, Napa, CA 94559

Cette grande maison a connu une mauvaise passe peu après 1980 mais semble maintenant sur la bonne voie.

☆ Cabernet Sauvignon, Chardonnay, Merlot, Pinot noir

CAYMUS VINEYARDS
8700 Conn Creek Road
Rutherford, CA 94573

Une grande maison à la gamme surprenante de Cabernet Sauvignon. Seconde étiquette : « Liberty School ».

☆ Cabernet Sauvignon, Petite Sirah, Pinot noir blanc

CHAPPELLET VINEYARDS
1581 Sage Canyon Road
St. Helena, CA 94574

Excellente entreprise à la gamme de vins élaborés de main de maître et montrant une grande finesse.

☆ Cabernet Sauvignon, Chardonnay, Chenin blanc, Johannisberg Riesling, Merlot

CHATEAU CHEVRE WINERY
2030 Hoffman Lane
Yountville, CA 94599

Entreprise produisant un magnifique Merlot et un tendre Sauvignon blanc.

☆ Merlot, Sauvignon blanc

CHATEAU MONTELENA WINERY
1429 Tubbs Lane
Calistoga, CA 94515

Le style de cette petite entreprise prestigieuse a changé au cours des ans, mais la qualité n'a pas varié.

☆ Cabernet Sauvignon, Chardonnay, Zinfandel

THE CHRISTIAN BROTHERS
4411 Redwood Road
Napa, CA 94558

Vins trop souvent sans éclat. Il s'est produit, néanmoins, une nette amélioration depuis le milieu des années 80.

☆ Cabernet Sauvignon, Sauvignon blanc, Zinfandel

CLOS DU VAL
5330 Silverado Trail, Napa, CA 94558

Entreprise à la réputation justifiée pour la qualité et la complexité de ses vins.

☆ Cabernet Sauvignon Reserve, Merlot, Zinfandel

CONN CREEK WINERY
8711 Silverado Trail
St. Helena, CA 94574

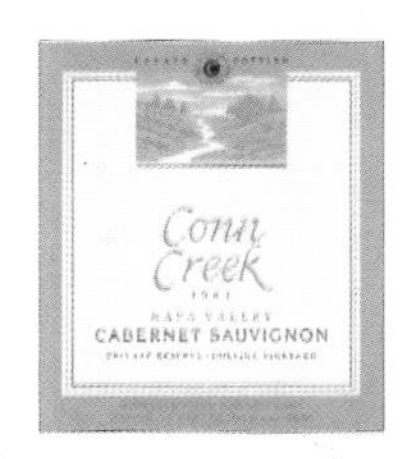

Maison réputée surtout pour son Cabernet Sauvignon.

☆ Cabernet Sauvignon, Chardonnay, Johannisberg Riesling, Zinfandel

CUVAISON
4550 Silverado Trail
Calistoga, CA 94515

Cette entreprise suisse produit un ferme Chardonnay.

☆ Chardonnay

THE JOHN DANIEL SOCIETY
Napa, CA 94558

Christian Moueix du Château Pétrus s'est allié avec les filles de John Daniel pour produire le « Dominus ».

☆ « Dominus »

DIAMOND CREEK VINEYARDS
1500 Diamond Mountain Road
Calistoga, CA 94515

Minuscule entreprise spécialiste de grands Cabernet Sauvignon.

☆ Cabernet Sauvignon (Red Rock Terrace, Volcanic Hill et Gravely Meadow)

DOMAINE CHANDON
California Drive
Yountville, CA 94599

La plus sérieuse des affaires californiennes à capital français dit-on.

☆ Chardonnay, Napa Blanc de Noirs, Napa Brut NV, 10th Special Anniversary

DUCKHORN VINEYARDS
3027 Silverado Trail
St. Helena, CA 94574

Vins superbes, recherchés.

☆ Cabernet Sauvignon, Merlot (Three Palms), Sauvignon blanc

DUNN VINEYARDS
805 White Cottage Road
Angwin, CA 94508

Randy Dunn produit un tout petit volume de Cabernet Sauvignon.

☆ Cabernet Sauvignon (notamment Howell Mountain)

FLORA SPRING WINE COMPANY
1978 Zinfandel Lane W.
St. Helena, CA 94574

Le passionnant « Trilogy » est un assemblage de Merlot avec les deux Cabernet.

☆ Chardonnay « Trilogy »

FOLIE À DEUX
3070 St. Helena Highway
St. Helena, CA 94574

Production confidentielle et très recherchée de Cabernet Sauvignon, Chardonnay et Chenin blanc.

☆ Chardonnay

FRANCISCAN VINEYARDS
1178 Galleron Road
Rutherford, CA 94573

Bien que la production s'accroisse rapidement, la qualité reste bonne.

☆ Burgundy, Cabernet Sauvignon, Charbono, Chardonnay

FREEMARK ABBEY WINERY
3020 St. Helena Highway North
St. Helena, CA 94574

Les acheteurs avisés acquièrent l'irréprochable production de cette entreprise prestigieuse.

☆ Cabernet Bosché, Chardonnay « Edelwein Gold » (Johannisberg Riesling), Petite Sirah

FROG'S LEAP WINERY
3358 St. Helena Highway
St. Helena, CA 94574

Les vins sont d'une grande finesse.

☆ Cabernet Sauvignon, Chardonnay

GRGICH HILLS CELLAR
1829 St. Helena Highway
Rutherford, CA 94573

Possédée et gérée par Milienko Grgich, autrefois maître de chai du Château Montalena, cette entreprise produit des vins de haute qualité.

☆ Cabernet Sauvignon, Chardonnay, Johannisberg Riesling, Zinfandel

GROTH VINEYARDS & WINERY
750 Oakville Crossroad
Oakville, CA 94562

En peu de temps, cette entreprise productrice de vins a acquis une excellente réputation.

☆ Cabernet Sauvignon, Chardonnay

HEITZ WINE CELLARS
500 Taplin Road
St. Helena, CA 94574

Cette entreprise a fondé son renom sur son remarquable Martha's Vineyard.

☆ Cabernet Sauvignon (Bella Oaks Vineyard et Martha's Vineyard), Zinfandel

INGLENOOK VINEYARDS
PO Box 19, Rutherford, CA 94573

L'une des meilleures entreprises de la Californie lorsque John Daniels la dirigeait dans les années 60, depuis, la qualité a baissé. Toutefois, le Cabernet Sauvignon et le Charbono sont de belle tenue.

☆ Cabernet Sauvignon, Charbono

HANNS KORNELL CHAMPAGNE CELLARS
1091 Larkmead Lane
St. Helena, CA 94574

Spécialiste de la méthode champenoise, fort apprécié par certains, mais sa gamme ne m'a pas impressionné.

CHARLES KRUG
2800 St. Helena Highway
St. Helena, CA 94574

Propriété de la famille Mondavi, cette entreprise est connue pour son Cabernet Sauvignon, mais sa production consiste surtout en vins de carafe et en vins génériques vendus sous l'étiquette « C. K. Mondavi ».

☆ Cabernet Sauvignon « Cesare Mondavi Selection »

LONG VINEYARDS
PO Box 50, St. Helena, CA 94574

Vins de qualité mis en bouteille au domaine.

☆ Cabernet Sauvignon, Chardonnay, Johannisberg Riesling

LOUIS M. MARTINI
PO Box 112, St. Helena, CA 94574

La réputation de cette entreprise ne se justifie que pour certains de ses Cabernet Sauvignon et Merlot. Je n'ai pas goûté le Moscato mousseux.

☆ Cabernet Sauvignon, Merlot

MAYACAMAS VINEYARDS
1155 Lokoya Road, Napa, CA 94558

Petite entreprise prestigieuse.

☆ Cabernet Sauvignon, Chardonnay, Sauvignon blanc

ROBERT MONDAVI WINERY
7801 St. Helena Highway
Oakville, CA 94562

La nouvelle étiquette de l'entreprise Mondavi de Wookbridge offre une introduction peu onéreuse aux vins de Californie. Son Cabernet Sauvignon « Reserve » compte au rang des meilleurs que puisse produire l'État. « Opus One » est le fruit de la collaboratation de Mondavi avec le baron Philippe de Rothschild. Assemblage de Cabernet et Merlot, sa qualité progresse d'une récolte à l'autre.

☆ Cabernet Sauvignon, Fumé Blanc, Johannisberg Riesling, Moscato d'Oro, « Opus One », Pinot noir Reserve

NIEBAUM-COPPOLA ESTATE
1460 Niebaum Lane
Rutherford, CA 94573

Cette maison, fondée par le cinéaste Francis Ford Coppola, obtient des résultats spectaculaires et des vins pleins de classe.

☆ « Rubicon »

ROBERT PECOTA WINERY
3299 Bennett Lane
Calistoga, CA 94515

Entreprise sous-estimée qui produit quelques vins blancs délicieux.

☆ Chardonnay, Gamay, Beaujolais, Moscato di Andrea

JOSEPH PHELPS VINEYARDS
200 Taplin Road
St. Helena, CA 94574

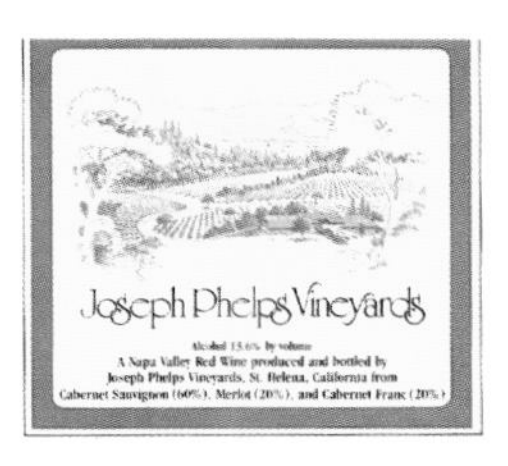

Entreprise prestigieuse à la large gamme de vins de haute qualité.

☆ Cabernet Sauvignon (Bacchus, Eisele ou Insignia vineyards), « Delice de Sémillon », Gewurztraminer, Johannisberg Riesling Late Harvest, Sauvignon blanc, Scheurebe Late Harvest, Zinfandel

RAYMOND VINEYARD AND CELLAR
849 E. Zinfandel Lane
St. Helena, CA 94574

La famille Raymond est réputée pour son intransigeance en matière de qualité.

☆ Cabernet Sauvignon, Chardonnay, Chenin blanc, Johannisberg Riesling Late Harvest, Zinfandel

RUTHERFORD VINTNERS
1673 St. Helena Highway
Rutherford, CA 94573

Quelque 70 % de la production sont mis en bouteille au domaine. Château Rutherford est le Cabernet Sauvignon de réserve. Autre étiquette : « Leo Cellars ».

☆ Cabernet Sauvignon, Merlot

SCHRAMSBERG VINEYARDS
Schramsberg Road
Calistoga, CA 94515

Entreprise de prestige dont la réputation repose sur son Blanc de blancs. Je suis moins impressionné par sa Cuvée de Pinot et son Blanc de noirs.

☆ Blanc de blancs

SCHUG CELLARS
6204 St. Helena Highway
Napa, CA 94558

Fondée par Walter Schug, ancien maître de chai de Joseph Phelps. Les premiers vins sont prometteurs.

☆ Chardonnay (du vignoble Berkstoffer), Pinot noir (des vignobles Berkstoffer et Heineman).

CHARLES SHAW
1010 Big Tree Road
St. Helena, CA 94574

En 1982, Chuck et Lucy Shaw ont judicieusement engagé Ric Forman, le talentueux maître de chai qui a ajouté à leur gamme un Gamay nouveau et a veillé à l'introduction de Chardonnay et de Fumé Blanc. Seconde étiquette : « Bale Mill Cellars ».

☆ Chardonnay, Fumé Blanc, Napa Valley, Gamay Nouveau

SILVER OAK CELLARS
915 Oakville Crossroad
Oakville, CA 94562

Cette entreprise ne s'intéresse qu'à un seul cépage, le Cabernet Sauvignon. Les vins font montre de beaucoup de finesse.

☆ Cabernet Sauvignon

SMITH-MADRONE
4022 Spring Mountain Road
St. Helena, CA 94574

Quelque 16 ha de vignes, plantées à haute altitude, produisent une petite gamme de vins de grande qualité.

☆ Chardonnay, Johannisberg Riesling

SPOTTSWOODE VINEYARD & WINERY
1401 Hudson Avenue
St. Helena, CA 94574

Production confidentielle d'un Cabernet Sauvignon puissant, de garde, et d'un excellent Sauvignon blanc.

☆ Cabernet Sauvignon, Sauvignon blanc

STAG'S LEAP WINE CELLARS
5766 Silverado Trail, Napa, CA 94558

Cette entreprise prestigieuse a bâti sa réputation sur des cuvées spéciales de Cabernet Sauvignon.

☆ Cabernet Sauvignon (Stag's Leap Vineyard Special Cask ou Lot selections), Chardonnay, Johannisberg Riesling

STERLING VINEYARDS
1111 Dunaweal Lane
Calistoga, CA 94515

Cette entreprise a produit des vins d'une qualité étonnante au milieu des années 70. Le niveau baissa lorsque Coca-Cola l'acheta en 1978. Depuis que Seagram l'a reprise, on assiste à sa renaissance.

☆ Cabernet blanc, Cabernet Sauvignon (« Diamond Mountain »), Chardonnay, Sauvignon blanc

STONY HILL VINEYARD
PO Box 308, St. Helena, CA 94574

Si les Chardonnay d'Eleanor McCrea sont de classe internationale, ses Gewurztraminer, Riesling et Sémillon sont également bons.

☆ Chardonnay, Gewurztraminer, Riesling, Sémillon

TREFETHEN VINEYARDS
1160 Oak Knoll Avenue
Napa, CA 94558

Cette entreprise allie la qualité à un bon rapport qualité/prix.

☆ Cabernet Sauvignon, Chardonnay, « Eshcol Red », « Eshcol White », Johannisberg Riesling

TULOCAY WINERY
1426 Coombsville Road
Napa, CA 94558

Entreprise de qualité occupant un rang modeste.

☆ Cabernet Sauvignon, Pinot noir

VILLA MT. EDEN WINERY
620 Oakville Crossroad
Oakville, CA 94562

Entreprise installée sur un vignoble créé en 1881. Les vins sont de bonne qualité et le « Ranch Red » ainsi que le « Ranch White » offrent un bon rapport qualité/prix.

☆ Cabernet Sauvignon, Chenin blanc, Chardonnay, Ranch Red, Ranch White

ZD Wines
8383 Silverado Trail, Napa, CA 94558

Prononcer : « Zi Di ». Cette entreprise fait des Cabernet Sauvignon de qualité variable, mais de bons vins de cépages bourguignons, notamment le Chardonnay.

☆ Chardonnay, Pinot noir

Les meilleures autres entreprises vinicoles

ALTA VINEYARD CELLAR
1311 Schramberg Road
Calistoga
CA 94515

Située à l'emplacement de l'Alta Vineyard qu'avait décrit Robert Louis Stevenson dans *Les Squatters de Silverado*. Il écrivait : « Ton petit-fils retrouvera sur sa langue le véritable goût de la terre californienne. »

☆ Chardonnay, Gamay

AMIZETTA VINEYARDS
1099 Greenfield
St. Helena, CA 94574

Un spécialiste du Sauvignon.

S. ANDERSON VINEYARD
1473 Yountville Crossroad
Napa
CA 94558

Produit du vin de Chardonnay et de méthode champenoise.

ARTISAN WINES LTD
6666 Redwood Road
Napa
CA 94558

Michael Fallow est à la fois président et maître de chai de cet établissement. Il s'est spécialisé dans le Cabernet Sauvignon et le Chardonnay. Deux étiquettes : « Michael's » pour les mises au domaine et « Ultravino ».

BEAULIEU VINEYARD
1960 St. Helena Highway
Rutherford
CA 95473

Cette affaire était le creuset de l'innovation pour la Californie sous la conduite d'André Tchelistcheff. Elle occupe maintenant la première place en matière de recherche sur les clones.

☆ Cabernet Sauvignon « Georges de Latour », Sauvignon blanc

BELL CANYON
Voir **Burgess Cellars.**

BERINGER VINEYARDS
2000 Main Street
St. Helena, CA 94574

Tous les produits de cette entreprise sont régulièrement bons. Ses meilleurs vins, assez chers, méritent leur prix.

☆ Cabernet Sauvignon (notamment le « Private Reserve »), Chardonnay (notamment le « Gamble Ranch » et le « Private Reserve »)

BOUCHAINE VINEYARDS
1075 Buchli Station Road
Napa, CA 94558

Entreprise ne s'intéressant qu'aux vins de cépages bourguignons.

☆ Chardonnay

BUEHLER VINEYARDS INC.
820 Greenfield Road
St. Helena, CA 94574

Cabernet Sauvignon, Pinot noir et Zinfandel de mise au domaine.

BURGESS CELLARS
1108 Deer Park Road
St. Helena
CA 94574

Le propriétaire, Tom Burgess, et le maître de chai, Bill Sorenson, produisent des vins de grande qualité. Seconde étiquette : « Bell Canyon ».

☆ Cabernet Sauvignon, Chardonnay, Zinfandel

CAIN CELLARS
3800 Langtry Road
St. Helena, CA 94574

Jerry Cain produit du Cabernet Sauvignon, du Chardonnay, du Malbec, du Merlot et du Sauvignon blanc.

CAKEBREAD CELLARS
8300 St. Helena Way
Rutherford
CA 94573

Bruce Cakebread a tranquillement acquis une bonne réputation.

☆ Cabernet Sauvignon, Chardonnay, Sauvignon blanc

CASA NUESTRA
3473 Silverado Trail North
St. Helena, CA 94574

Petite entreprise produisant du Cabernet, du Chenin blanc et du Tinto.

CASSAYRE-FORNI CELLARS
1271 Manley Lane
Rutherford
CA 94573

Propriétaires : Jim et Paul Cassayre ; vinificateur : Mike Forni.

☆ Cabernet Sauvignon

CHATEAU BOSWELL WINERY
3468 Silverado Trail
St. Helena, CA 94574

Spécialiste du Cabernet Sauvignon.

CHATEAU CHEVALIER WINERY
3101 Spring Mountain Road
St. Helena
CA 94574

Ce vignoble de 24 ha a été planté en 1870. La qualité, déjà bonne, progresse.

☆ Cabernet Sauvignon, Chardonnay, Pinot noir

COSTELLO VINEYARDS
1200 Orchard Avenue
Napa, CA 94558

Chardonnay, Gewurztraminer et Sauvignon blanc de mise au domaine.

DEER PARK WINERY
1000 Deer Park Road
St. Helena, CA 94576

Vignoble produisant du Zinfandel, du Chardonnay et du Sauvignon blanc.

DE MOOR WINERY
7481 Highway 29
Oakville
CA 94562

Nom d'origine : Napa Wine Cellars. Le maître de chai, Aaron Mosley, fut l'adjoint de Mike Grgich au Château Montalena et à Grgich Hills.

☆ Chardonnay, Sauvignon blanc

EHLERS LANE WINERY
3222 Ehlers Lane
St. Helena
CA 94574

Cabernet Sauvignon, Chardonnay et Sauvignon blanc, dont quelques-uns sont vendus sous l'étiquette « Rainbow Vineyards ».

EVENSEN VINEYARDS & WINERY
8254 St. Helena Highway
Oakville
CA 94562

Une petite production de vins fins, originaire de ses 3 ha de vignes, exclusivement complantés de Gewurztraminer.

☆ Gewurztraminer

FALCON CREST
Voir **Spring Mountain Vineyards.**

FAR NIENTE
PO Box 327, Oakville
CA 94562

Cette entreprise ancienne se refait un nom avec son beau Chardonnay.

☆ Chardonnay

FORMAN VINEYARDS
1501 Big Rock Road
St. Helena, CA 94575

Petite entreprise élaborant des vins classiques encore qu'opulents.

☆ Cabernet Sauvignon, Chardonnay

GARRISON FOREST
Voir **St. Clement Vineyards.**

GIRARD WINERY
7717 Silverado Trail
Oakville, CA 94562

Vins manifestant une rare capacité à équilibrer entre elles richesse et finesse.

☆ Cabernet Sauvignon, Chardonnay

GREEN & RED VINEYARD
3208 Chiles Pope Valley Road
St. Helena, CA 94574

Chardonnay et Zinfandel des vignobles des coteaux du Chiles Canyon et de la Chiles Valley.

GREENWOOD CELLARS
Voir **Villa Helena Winery.**

WILLIAM HILL WINERY
1775 Lincoln Avenue
Napa
CA 94558

Si les Chardonnay sont bons et progressent en qualité, les Cabernet Sauvignon sont excellents. L'étiquette « Gold Label » est supérieure au « Silver Label ».

☆ Cabernet Sauvignon, Chardonnay

JACABELS CELLARS
Voir **Whitehall Lane Winery.**

JOHNSON TURNBULL VINEYARDS
8210 St. Helena Highway
Oakville
CA 94562

Entreprise appartenant à Reverdy, Marta Johnson et William Turnbull. Vins de Cabernet Sauvignon.

☆ Cabernet Sauvignon

ROBERT KEENAN WINERY
3660 Spring Mountain Road
St. Helena, CA 94574

Cette entreprise ancienne a été restaurée et produit du Cabernet Sauvignon, du Chardonnay et du Merlot.

LAKESPRING WINERY
2055 Hoffman Lane, Napa
CA 94558

Le Chardonnay est le meilleur des divers vins de cépage que produit le vinificateur Randy Mason.

☆ Chardonnay

MARKHAM VINEYARDS
2812 N. St. Helena Highway
St. Helena, CA 94574

Vins variés, la plupart de cépage, provenant des vignobles de la Napa à Calistoga, Yountville et Oak Knoll.

☆ Chenin blanc, Gamay blanc

JOSEPH MATHEWS WINERY
1711 Main Street, Napa, CA 94558

Entreprise s'intéressant maintenant essentiellement aux vins de cépage de qualité.

MICHAEL'S
Voir Artisan Wines.

LOUIS K. MIHALY VINEYARD
3103 Silverado Trail, Napa
CA 94558

Vins de Chardonnay, Pinot noir et Sauvignon blanc assez bien distribués aux États-Unis.

MONT ST. JOHN CELLARS
5400 Old Sonoma Road
Napa
CA 94558

Vins de cépage blancs de mise au domaine dans la Napa et vins de coupage.

MONTICELLO CELLARS
4242 Big Ranch Road
Napa
CA 94558

Meilleur pour ses blancs que pour ses rouges, encore que les récentes éditions de Cabernet Sauvignon et Pinot noir aient été fort intéressantes.

☆ Cabernet Sauvignon (vignoble Jefferson), Chardonnay (vignoble Jefferson), Chevrier, Pinot noir

MOUNT VEEDER WINERY
1999 Mount Veeder Road
NApa, CA 94558

Cabernet Sauvignon et Chardonnay produits sur le mont Veeder.

NAPA CREEK WINERY
1001 Silverado Trail
St. Helena, CA 94558

Cette entreprise possédant 8 ha de vignes dans la Napa produit une petite gamme de vins de cépage.

NAPA VINTNERS
Voir Don Charles Ross Winery.

NAPA WINE CELLARS
Voir De Moor Winery.

NEWTON VINEYARDS
2555 Madrona Avenue
St. Helena
CA 94574

Entreprise dont les produits allient avec bonheur chêne, fruit et charpente.

☆ Cabernet Sauvignon, Merlot, Sauvignon blanc

PEJU PROVINCE WINERY
8466 St. Helena Highway
Rutherford
CA 94573

Entreprise produisant des Cabernet Sauvignon, Chardonnay et Sauvignon blanc.

ROBERT PEPI WINERY
7585 St. Helena Highway
Oakville, CA 94562

Sauvignon blanc et un peu de Chardonnay et de Cabernet Sauvignon.

PINE RIDGE WINERY
5901 Silverado Trail, Napa, CA 94558

Rouges intéressants, blancs décevants.

☆ Cabernet Sauvignon (Andrus Reserve et Rutherd Cuvée), Merlot Selected Cuvée

PLAM VINEYARDS
6200 St. Helena Highway
Napa, CA 94558

Un petit spécialiste du Chardonnay.

PRAGER WINERY AND PORT WORKS
1281 Lewelling Lane
St. Helena, CA 94574

Entreprise familiale. Outre les Cabernet Sauvignon et les Chardonnay, trois « Porto de cépage » issus de Cabernet Sauvignon, Petite Sirah et Pinot noir sont produits ici. Je ne les ai pas goûtés.

QUAIL RIDGE
1055 Atlas Peak Road
Napa, CA 94558

Vins convenables mais peu intéressants.

RAINBOW VINEYARDS
Voir Ehlers Lane Winery.

ROMBAUER VINEYARDS
St. Helena, CA 94574

Entreprise en plein essor spécialisée dans les Cabernet Sauvignon et Chardonnay.

DON CHARLES ROSS WINERY
7121-C Action Avenue
Napa, CA 94558

Vins de Cabernet Sauvignon, Chardonnay, Sauvignon blanc et Zinfandel vendus sous les étiquettes « Don Charles Ross » et « Napa Vintners ».

ROUND HILL CELLARS
1097 Lodi Lane
St. Helena, CA 94574

De bons et même d'excellents vins mais qui manquent parfois de consistance.

☆ Cabernet Sauvignon, Chardonnay

RUTHERFORD HILL WINERY
Rutherford Hill Road
Rutherford, CA 94574

Bonne gamme de vins savoureux.

☆ Cabernet Sauvignon, Chardonnay, Gewurztraminer, Merlot

RUTHERFORD RANCH
Voir Round Hill Cellars.

ST. CLEMENT VINEYARDS
2867 St. Helena Highway
St. Helena
CA 94574

Sauvignon blanc, Chardonnay et Cabernet Sauvignon, ainsi que les Chardonnay et Merlot de « Garrison Forest ».

☆ Chardonnay (« St. Clement »), Sauvignon blanc

SAINTSBURY
1500 Los Carneros Avenue
Napa
CA 94559

Entreprise impressionnante, spécialisée dans les vins de cépages bourguignons.

☆ Chardonnay, Pinot noir

V. SATTUI WINERY
White Lane, St. Helena
CA 94574

Les vins ont, dit-on, une finale franche mais je ne les ai pas goûtés.

SEQUOIA GROVE VINEYARDS
8338 St. Helena Highway
Napa
CA 94558

Le Cabernet Sauvignon provient de Stag's Leap et de l'Alexander Valley, le Chardonnay d'autres vignobles.

☆ Chardonnay (du domaine)

SHAFER VINEYARDS
6154 Silverado Trial, Napa
CA 94558

Malgré une qualité irrégulière, cette entreprise ne manque pas de potentiel.

☆ Cabernet Sauvignon (Hillside Select et Reserve), Chardonnay

SHOWN & SONS
8514 St. Helena Highway
Rutherford, CA 94573

Depuis la première récolte, en 1978, divers vins de cépage ont été produits par cette maison.

SILVERADO VINEYARDS
6121 Silverado Trail, Napa, CA 94558

Propriété de la famille de Walt Disney, cette entreprise produit des vins francs.

☆ Chardonnay, Sauvignon blanc

SPRING MOUNTAIN VINEYARDS
2805 Spring Mountain Road
St. Helena, CA 94574

Connue sous le nom de « Falcon Crest », cette entreprise produit des vins qui acquièrent de la finesse.

☆ Cabernet Sauvignon, Chardonnay

STONEGATE WINERY
1183 Dunaweal Lane
Calistoga, CA 94515

Cabernet Sauvignon, Chardonnay, Merlot et Sauvignon blanc.

☆ Cabernet Sauvignon, Sauvignon blanc

STORYBOOK MOUNTAIN VINEYARDS
3835 Highway 128
Calistoga, CA 94515

Spécialiste du Zinfandel qui possède un vignoble de 15 ha créé par Adam et Jacob Grimm en 1880.

SULLIVAN VINEYARDS WINERY
1090 Galleron Road
Rutherford, CA 94573

James et Jo Sullivan produisent du Chardonnay, du Chenin blanc et du Zinfandel, mis en bouteille au domaine.

SUTTER HOME WINERY
277 St. Helena Highway South
St. Helena, CA 94574

Le Zinfandel représente 95 % d'une production fort importante.

☆ White Zinfandel, Zinfandel

TUDAL WINERY
1015 Big Tree Road
St. Helena, CA 94574

Entreprise dont le vignoble de 4 ha est planté de Cabernet Sauvignon. Elle produit également du Chardonnay.

ULTRAVINO
Voir Artisan Wines.

VICHON WINERY
1595 Oakville Grade
Oakville, CA 94562

Vins issus de Cabernet Sauvignon, Chardonnay et Chevrignon (pour moitié de Sémillon et de Sauvignon).

VILLA HELENA WINERY
1455 Inglewood Avenue
St. Helena, CA 94574

Spécialisée dans le Chardonnay et le Sauvignon blanc. Seconde étiquette : « Greenwood Cellars ».

WHITEHALL LANE WINERY
1563 St. Helena Highway
St. Helena, CA 94574

Blanc de Pinot noir, Cabernet Sauvignon, Chardonnay, Merlot et Sauvignon blanc. Seconde étiquette : « Jacabels Cellars ».

Nord de la Côte centrale

Dans ce secteur, quelques grosses sociétés produisent un fort volume de vins à bon marché. Mais cette région possède un grand nombre d'entreprises nouvelles spécialisées dans la production, en petites quantités, de vins de cépage.

On fait du vin dans cette partie de la Californie depuis 1830. Toutes les entreprises vinicoles les plus importantes, à l'exception de trois, furent d'ailleurs créées entre 1852 et 1883. Cinq entreprises, Almadén Vineyards, Paul Masson Vineyards, Taylor California Cellars, Weibeil Champagne Vineyards et Wente Bros, dominent actuellement le marché. Au moment de la création des grandes sociétés, les vignobles étaient presque tous concentrés dans le comté de Santa Clara et ses environs et cette situation perdura encore près de 30 ans après la fin de la Prohibition. À la fin des années 50 et au début des années 60, toutefois, l'urbanisation galopante de San Jose obligea l'industrie vinicole à chercher de nouvelles terres. À la même époque, l'université de Californie publiait un rapport climatologique sur les sommes de températures actives dans l'État. Les producteurs y découvrirent que, plus loin au sud, il existait des secteurs plus frais, en particulier à Monterey, tout à fait propices à la culture de cépages de qualité.

La marche sur Monterey

En 1957, les sociétés Mirassou et Paul Masson achetèrent 530 hectares dans la vallée de Salinas. Mais on s'empressa d'encépager et on le fit sans discernement. On planta des ceps dans des zones trop fraîches ou trop exposées aux violents vents côtiers. Ce fut un échec qui n'incombait pas, toutefois, aux cartes climatiques. Il était plutôt imputable aux producteurs qui ne pouvaient pas concevoir que des raisins ne puissent mûrir en Californie.

En octobre 1966, les auteurs de l'étude sur les sommations de températures, les Prs Winkler et Amerine, furent conviés à un banquet où l'on porta un toast en l'honneur du « premier secteur de production de vins fins du monde dont la création découlait directement de la recherche scientifique sur les températures ». Il est vrai que le comté de Monterey a connu une expansion considérable et qu'on y produit des vins de haute qualité.

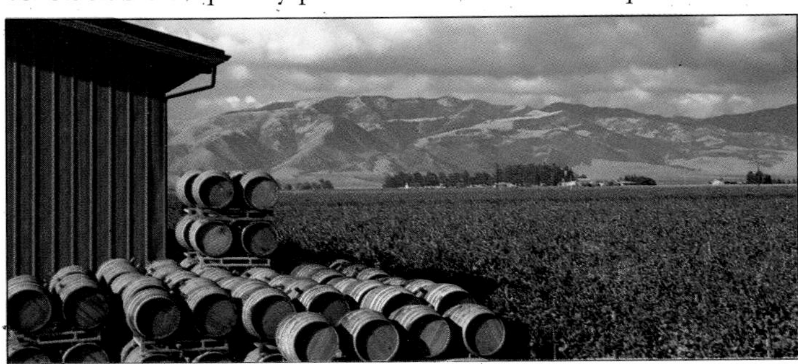

Jekel Vineyards, ci-dessus
Fûts de chêne prêts à être remplis, dans l'une des plus éminentes entreprises vinicoles de la région. À l'arrière-plan, les vignobles s'étendent dans la vallée de Salinas.

LE NORD DE LA CÔTE CENTRALE, voir p. 363

Les entreprises viti-vinicoles sont disséminées dans toute cette région.

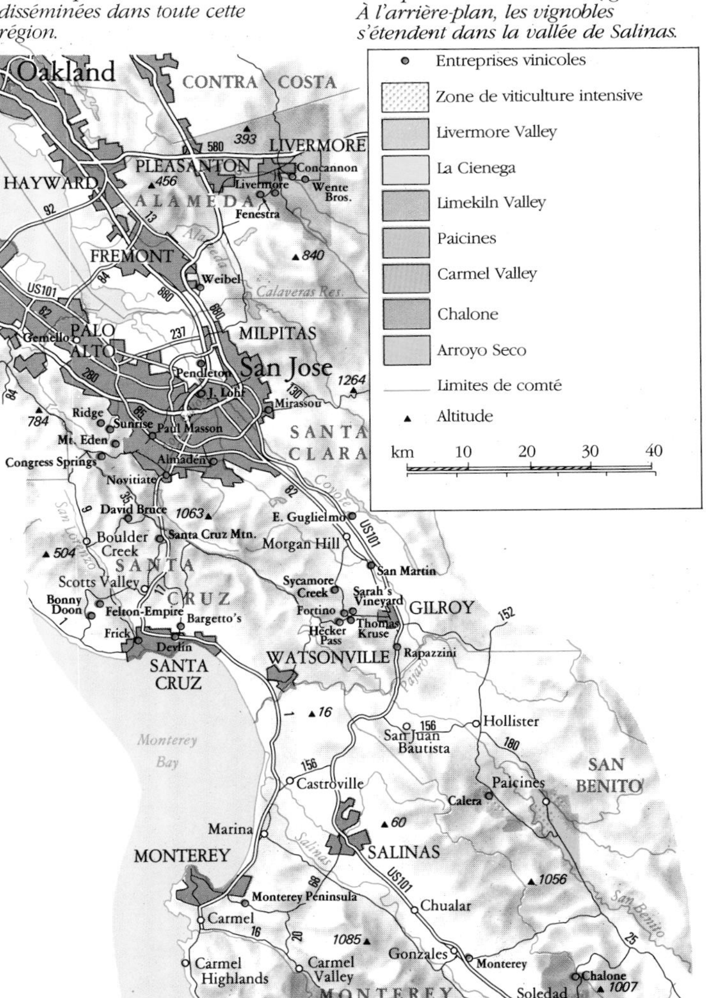

SUPERFICIE ENCÉPAGÉE

Entre 1977 et 1987, quelque 4 000 hectares ont été encépagés dans le comté de Monterey, la superficie encépagée dans le comté d'Alameda a doublé et quintuplé dans celui de San Mateo, même si ce dernier ne possède que 18 hectares de vignes. Les superficies actuelles encépagées en raisins de cuve pour chacun des cantons de cette région sont les suivantes : **Contra Costa**, 378 hectares ; **Alameda**, 800 hectares ; **San Mateo**, 18 hectares ; **Santa Cruz**, 32 hectares ; **Santa Clara**, 560 hectares ; **San Benito**, 986 hectares, et **Monterey**, 12 259 hectares.

FACTEURS AFFECTANT LE GOÛT ET LA QUALITÉ

Situation
Le secteur septentrional de la Côte centrale de la Californie s'étend de Monterey à la région de la baie de San Francisco.

Climat
En général chaud (région III) mais avec des zones plus fraîches (région I) dans les montagnes de Santa Cruz et la partie nord de la vallée de Salinas.

Site
Les vignes sont en général implantées sur les terrains plats ou en déclivité des diverses vallées. On en rencontre aussi sur les pentes escarpées des montagnes de Santa Cruz et sur la haute terrasse du Pinnacles National Monument surplombant Soledad.

Sol
Limons graveleux, riches en calcaire et en pierres, dans la vallée de Livermore ; argile et limons graveleux dans le comté de Santa Clara ; limons sablonneux et graveleux à soubassement de granite ou de calcaire dans celui de San Benito ; enfin, sols graveleux dans celui de Monterey.

Viticulture et vinification
Un petit nombre de grosses sociétés produit un fort volume de vins à bon marché, en recourant à des techniques de pointe et à des méthodes de travail à la chaîne. Le nombre des petites entreprises est en progression. Beaucoup sont soucieuses de qualité et certaines sont célèbres.

Cépages
Cabernet Sauvignon, Pinot noir, Zinfandel, Petite Sirah, Chenin blanc, Riesling, Chardonnay, Sauvignon blanc, Gamay, Gewurztraminer, Carignan, French Colombard, Grey Riesling, Sémillon

Les AVA du nord de la Côte centrale

ALAMEDA COUNTY AO

Appellation s'appliquant à tous les raisins cultivés dans le canton d'Alameda.

ARROYO SECO AVA
(Comté de Monterey)

Date de création : ***16 mai 1983***

Zone triangulaire de 73 km² formée par la terrasse en déclivité voisine du petit Arroyo Seco, affluent de la Salinas. Les vignobles sont ici épargnés par les gelées et bien drainés. Le sol remarquable est un limon grossier et sablonneux, à faible taux de calcaire.

BEN LOMOND MOUNTAIN AVA
(Comté de Santa Cruz)

Date de création : ***8 janvier 1988***

Zone de 155 km² sur le mont Ben Lomond, au nord-ouest de Santa Cruz, et englobant 28 ha de vignes. La création de l'AVA sanctionne la renaissance d'une ancienne zone.

CARMEL VALLEY AVA
(Comté de Monterey)

Date de création : ***15 janvier 1983***

Appellation de 78 km² encadrant la rivière Carmel et le cours de la Cachagua. L'altitude de la vallée et la protection assurée par la chaîne des Tularcitos (qui freine l'intrusion des brumes maritimes et offre un meilleur ensoleillement que dans le reste du comté) engendrent un microclimat favorable.

CHALONE AVA
(Comté de Monterey)

Date de création : ***14 juillet 1982***

Zone de 35 km² située entre les pics nord et sud de Chalone, à 503 m d'altitude. Les sols sont volcaniques et granitiques à forte teneur en calcaire. Plus chaud que la vallée de Salinas, ce secteur n'est pas affecté par les brumes maritimes et jouit d'un meilleur ensoleillement.

CIENEGA VALLEY AVA
(Comté de San Benito)

Date de création : ***20 septembre 1982***

Dans cette vallée, située au pied de la chaîne des monts Gabilan, on utilise l'eau du Pescadero pour suppléer à la pluviométrie défaillante de la région. Généralement limoneux, le sol bien drainé est souvent recouvert de granite désagrégé.

CONTRA COSTA COUNTY AVA

Appellation s'appliquant aux raisins cultivés dans le comté de Contra Costa.

LIME KILN VALLEY AVA
(Comté de San Benito)

Date de création : ***6 juillet 1982***

Bien que faisant partie de la Cienega Valley, la Lime Kiln Valley en diffère nettement par son climat – dont la pluviométrie annuelle va de 410 mm, pour le fond oriental de la vallée, à 1 020 mm pour la zone montagneuse occidentale – et par ses sols de limons sablonneux et graveleux couvrant un sous-sol de grès, à teneur élevée en carbonate de magnésium.

LIVERMORE VALLEY AVA
(Comté d'Alameda)

Date de création : ***1er octobre 1982***

L'une des vallées côtières entourant San Francisco. Cette zone possède un climat modéré, rafraîchi par la brise maritime et les brumes matinales, encore qu'affecté par de très légères gelées printanières. Ses 380 mm de pluies annuelles tombent en hiver et au début du printemps. Un aqueduc permet l'irrigation par aspersion.

MONTEREY AVA
(Comté de Monterey)

Date de création : ***16 juillet 1984***

Cette AVA se limite à la zone de la baie de Monterey et à la vallée de Salinas, où les divers limons sablonneux et graveleux sont d'origine alluviale. La zone se distingue par un climat très sec, dont le pluviométrie annuelle atteint à peine 25 cm ; mais les bassins hydrographiques de Santa Luca, Gabilan et de la Diablo Mountain Range fournissent, grâce à l'existence de formations aquifères souterraines, assez d'eau pour l'irrigation.

MONTEREY COUNTY AVA

Appellation s'appliquant aux raisins cultivés dans le comté de Monterey.

PACHECO PASS AVA
(Comté de San Benito)

Date de création : ***11 avril 1984***

C'est une petite vallée à la topographie composée d'aplats ou de doux vallonnements contrastant avec le relief accidenté qu'offrent les collines escarpées de la Diablo Mountain Range, à l'est et à l'ouest. Le climat est tempéré et plus humide que celui du bassin d'Hollister au sud.

PAICINES AVA
(Comté de San Benito)

Date de création : ***15 septembre 1982***

Ici, les jours sont chauds et les nuits fraîches, et la pluviométrie annuelle fluctue entre 300 et 380 mm.

SAN BENITO AVA
(Comté de San Benito)

Date de création : ***4 novembre 1987***

Cette AVA englobe les petites AVA de Paicines, Cienega Valley et Lime Kiln Valley.

SAN BENITO COUNTY AO

S'applique aux raisins cultivés dans le comté de San Benito.

SAN LUCAS
(Comté de Monterey)

Date de création : ***2 mars 1987***

Cette AVA se compose d'un segment de 17 km de la vallée de Salinas, entre King City et San Ardo, dans la partie méridionale du comté de Monterey. Les sols sont constitués de limons d'origine alluviale.

SAN MATEO COUNTY AO

Appellation s'appliquant à tous les raisins cultivés dans le comté de San Mateo.

SANTA CLARA COUNTY AO

Appellation s'appliquant à tous les raisins cultivés dans le comté de Santa Clara.

SANTA CLARA VALLEY AVA
(Comté de Santa Clara)

Appellation en cours d'homologation.

SANTA CRUZ MOUNTAINS AVA
(Comté de Santa Clara)

Date de création : ***4 janvier 1982***

Il a été fait état, en 1838, pour la première fois, de la dénomination Santa Cruz Mountains. Le climat de cette appellation se trouve sous l'influence, pour la partie occidentale, de la brise océane et des brumes maritimes, tandis que la zone orientale bénéficie du rôle modérateur joué par la baie de San Francisco. L'air frais descendant des montagnes oblige l'air plus chaud à monter, d'où un allongement de la période de végétation qui atteint 300 jours pleins. Les sols sont des formations schisteuses propres à la zone.

Principales entreprises vinicoles du nord de la Côte centrale

ALMADÉN VINEYARDS
(Comté de Santa Clara)
1530 Blossom Hill Road
San Jose
CA 95118

Les meilleurs vins de ce spécialiste du vrac sont vendus sous l'étiquette « Charles Lefranc ». Le groupe Grand Metropolitan a acheté l'entreprise en 1987.

☆ Cabernet Sauvignon (Charles Lefranc), Chardonnay (Charles Lefranc), Pinot noir (Charles Lefranc)

BONNY DOON VINEYARD
(Comté de Santa Cruz)
10 Pine Flat Road
Santa Cruz
CA 95060

Ces vins sont pleins d'éclat, de finesse et de franchise. Le maître de chai, Randall Graham, un spécialiste des cépages de la vallée du Rhône, élabore un sublime Pinot noir et produit même un vin de paille.

☆ Tous les vins

CALERA WINE COMPANY
(Comté de San Benito)
11300 Cienega Road
Hollister
CA 95023

L'un des grands pionniers de la Californie, sans cesse en quête de la perfection pour son Pinot noir. Il élabore sans doute le meilleur, mais sa recherche de l'élégance aboutit à une certaine « joliesse ». Il ne faut pas manquer son Zinfandel.

☆ Pinot noir (spécialement Jensen and Selleck), Zinfandel, Zinfandel Essence

CHALONE VINEYARD
(Comté de Monterey)
Stonewall Canyon Road
Soledad
CA 93960

Cette entreprise possède 63 ha de vignes et sa propre AVA ; elle se consacre exclusivement à la production étonnamment réussie de vins fins, riches et complexes.

☆ Chardonnay, Chenin blanc, Pinot blanc, Pinot noir

CONGRESS SPRINGS VINEYARD
(Comté de Santa Clara)
23600 Congress Springs Road
Saratoga, CA 95070

Cette petite entreprise fait des vins au fruité radieux, pleins de saveurs de chêne grillé.

☆ Cabernet Sauvignon, Chardonnay (particulièrement Private Reserve), Pinot noir, Sémillon

JEKEL VINEYARD
(Comté de Monterey)
40155 Walnut Avenue
Greenfield, CA 93927

Les vins blancs, très impressionnants, portent ombrage aux rouges, bons mais guère exceptionnels.

☆ Chardonnay, Johannisberg Riesling (particulièrement Last Harvest), Muscat Canelli, Pinot blanc

CHARLES LEFRANC CELLARS
Voir Almadén Vineyards.

PAUL MASSON VINEYARDS
(Comté de Santa Clara)
13150 Saratoga Avenue
Saratoga, CA 95070

Fondée par un Bourguignon, cette entreprise est un bel exemple des possibilités de réussite qu'offre l'Amérique. Ses vins de carafe sont francs et très agréables. Les vins, vendus sous l'étiquette « Pinnacles Estate », sont bons et en progrès.

☆ Pinnacles Estate wines

MEV
Voir Mount Eden Vineyards.

MIRASSOU VINEYARDS
(Comté de Santa Clara)
3000 Aborn Road
San Jose
CA 95135

Cette entreprise est connue pour le bon rapport qualité/prix de ses vins de carafe. Son « White Burgundy » blanc, issu du Pinot blanc, peut être fort bon. Elle produit un Cabernet Sauvignon honnête.

☆ Cabernet Sauvignon (Harvest Reserve), White Burgundy

MOUNT EDEN VINEYARDS
(Comté de Santa Clara)
22020 Mt. Eden Road
Saratoga
CA 95070

Cette entreprise produit trois vins de cépage de belle qualité. Le Chardonnay excelle et le Pinot noir est beau. La seconde étiquette, « MEV », offre un Chardonnay honnête.

☆ Cabernet Sauvignon, Chardonnay (MEV compris), Pinot noir

RIDGE VINEYARDS INC.
(Comté de Santa Clara)
17100 Monte Bello Road
Cupertino, CA 95015

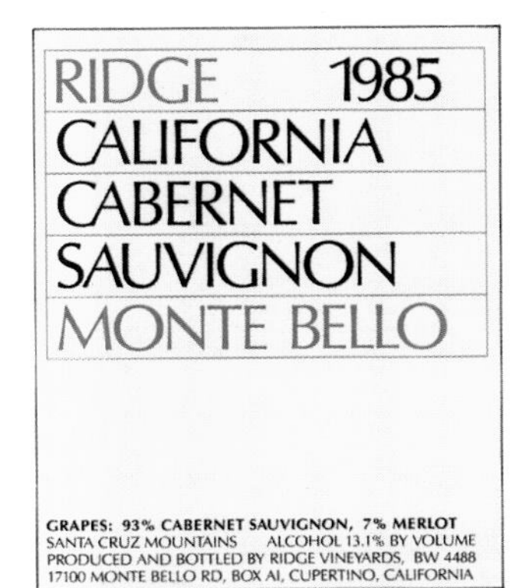

Ceux qui doutent de la capacité à vieillir des vins californiens doivent goûter à ces vins étonnants qui s'améliorent pendant 10 à 20 ans en bouteille.

☆ Cabernet Sauvignon (Howell Mountain, Monte Bello et York Creek), Petite Sirah (York Creek), Zinfandel (Dusi Ranch, Geyserville, Lytton Springs et York Creek)

TAYLOR CALIFORNIA CELLARS
(Comté de Santa Clara)
13150 Saratoga Avenue
Saratoga, CA 95070

Propriété de Vintners International, cette immense entreprise produit chaque année 495 000 hectolitres de vin.

WEIBEL VINEYARDS
(Comté de Santa Clara)
1250 Stanford Avenue
Mission San Jose, CA 94538

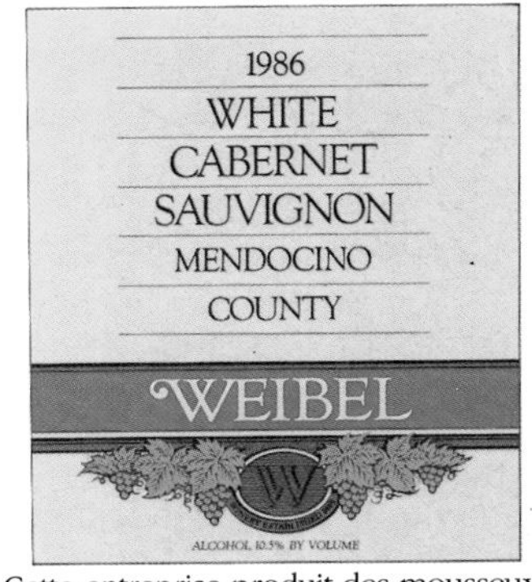

Cette entreprise produit des mousseux sous nombre d'étiquettes.

☆ Pinot noir, White Cabernet Sauvignon, White Zinfandel

WENTE BROS
(Comté d'Alameda)
5565 Tesla Road
Livermore, CA 94550

La gamme des vins va du fruité au terne. Ils sont toujours bon marché et ceux qui sont recommandés ici offrent un bon rapport qualité/prix.

☆ Arroyo Seco Riesling, Chardonnay, Petite Sirah, Sauvignon blanc

Les meilleures autres entreprises vinicoles

BARGETTO'S SANTA CRUZ WINERY (Comté de Santa Cruz)
3535 North Main Street
Soquel, CA 95018

☆ Chenin blanc, Johannisberg Riesling

DAVID BRUCE
(Comté de Santa Cruz)
21439 Bear Creek Road
Los Gatos, CA 95031

☆ Chardonnay, Zinfandel

CONCANNON VINEYARD
(Comté d'Alameda)
4590 Tesla Road
Livermore, CA 94550

☆ Petite Sirah, Rkatsiteli, Sauvignon blanc, Zinfandel rosé

CYGNET CELLARS
(Comté de San Benito)
11736 Cienega Road
Hollister, CA 95023

☆ Zinfandel

DURNEY VINEYARD
(Comté de Monterey)
P.O. Box 22016
Carmel Valley, CA 93922

☆ Cabernet Sauvignon, Chenin blanc

FELTON-EMPIRE VINEYARDS
(Comté de Santa Cruz)
379 Felton-Empire Road
Felton, CA 95018

☆ White Riesling

FENESTRA WINERY
(Comté d'Alameda)
83 E. Vallecitos Road
Livermore, CA 94550

☆ Petite Sirah, Sauvignon blanc

FORTINO WINERY
(Comté de Santa Clara)
4525 Hecker Pass Highway
Gilroy, CA 95020

☆ Barbera, Charbono, Petite Sirah

GEMELLO WINERY
(Comté de Santa Clara)
2003 El Camino Real
Mountain View, CA 94040

☆ Zinfandel

E. GUGLIELMO WINERY (EMILE'S WINES)
(Comté de Santa Clara)
1480 East Main Avenue
Morgan Hill, CA 95037

☆ Petite Sirah

J. LOHR WINERY
(Comté de Santa Clara)
1000 Lenzen Avenue
San Jose, CA 95126

☆ Johannisberg Riesling, Petite Sirah

MONTEREY PENINSULA WINERY
(Comté de Monterey)
467 Shasta Avenue
Sand City, CA 93955

☆ Cabernet Sauvignon, Zinfandel

THE MONTEREY VINEYARD
(Comté de Monterey)
800 South Alta Street
Gonzales, CA 93926

☆ Botrytis Sauvignon blanc, December Harvest Zinfandel, Pinot blanc

OBESTER WINERY
(Comté de San Mateo)
12341 San Mateo Road
Half Moon Bay
CA 94019

☆ Johannisberg Riesling

PENDLETON WINERY
(Comté de Santa Clara)
499 Aldo Avenue
Santa Clara
CA 95050

☆ Pinot noir

ROSENBLUM CELLARS
(Comté d'Alameda)
1401 Stanford Avenue
Emeryville
CA 94608

☆ Zinfandel

ROUDON-SMITH VINEYARDS
(Comté de Santa Cruz)
2364 Bean Creek Road
Santa Cruz
CA 95066

☆ Chardonnay, Pinot blanc, Zinfandel

SAN MARTIN WINERY
(Comté de Santa Clara)
12900 Monterey Road
San Martin, CA 95046

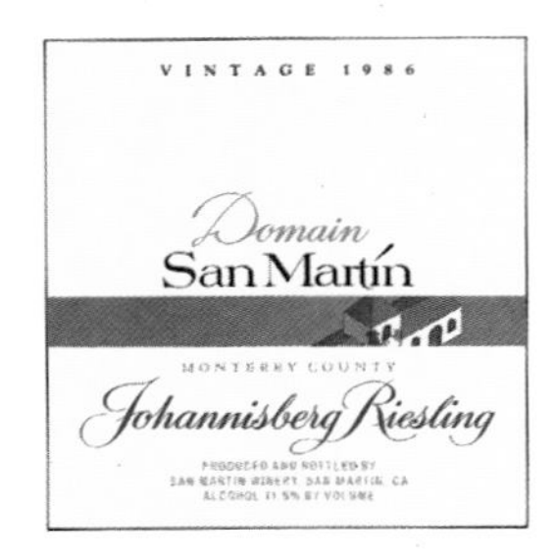

☆ Chardonnay, Fumé Blanc, Soft Johannisberg Riesling, Petite Sirah

SANTA CRUZ MOUNTAIN
(Comté de Santa Cruz)
2300 Jarvis Road
Santa Cruz, CA 95065

☆ Cabernet Sauvignon, Pinot noir

SARAH'S VINEYARD
(Comté de Santa Clara)
4005 Hecker Pass Highway
Gilroy, CA 95020

☆ Johannisberg Riesling

SUNRISE WINERY
(Comté de Santa Clara)
13100 Montebello Road
Cupertino, CA 95014

☆ Cabernet Sauvignon

SYCAMORE CREEK VINEYARDS
(Comté de Santa Clara)
12775 Uvas Road
Morgan Hill, CA 95037

☆ Johannisberg Riesling, Zinfandel

VENTANA VINEYARDS WINERY (Comté de Monterey)
P.O. Box G., Soledad, CA 93960

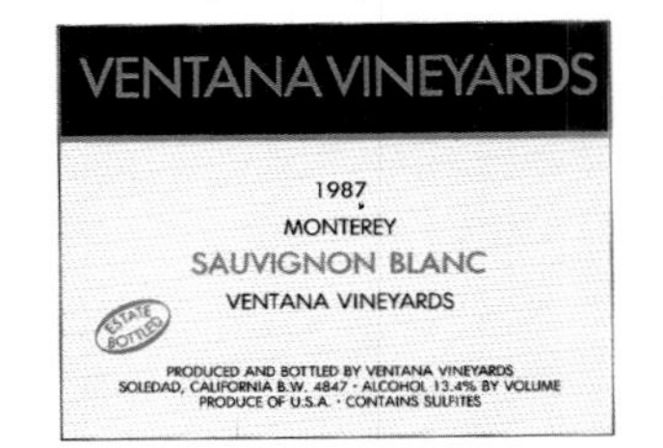

☆ Chardonnay, Johannisberg Riesling, Petite Sirah, Sauvignon blanc

Autres entreprises vinicoles du nord de la Côte centrale

Note : Nombre des entreprises citées pourraient bien, avec le temps, mériter de figurer dans les « Principales entreprises vinicoles » ou « Les meilleures des autres ». D'autres doivent encore progresser.

AHLGREN VINEYARD
(Comté de Santa Cruz)
P.O. Box 931
Boulder Creek, CA 95006

BAY CELLARS
(Comté d'Alameda)
1675 Tacoma Avenue
Berkeley, CA 94707

CANNERY WINE CELLARS
(Comté de San Francisco)
2801 Leavenworth Street
San Francisco, CA 94133

CARROUSEL CELLARS
(Comté de Santa Clara)
2825 Day Road, Gilroy, CA 95020

CHATEAU JULIEN
(Comté de Monterey)
8940 Carmel Valley Road
Carmel Valley, CA 93923

COOK-ELLIS WINERY
(Comté de Santa Cruz)
2900 Buzzard Lagoon Road
Corralitos, CA 95076

CRESCINI WINES
(Comté de Santa Cruz)
2621 Old San Jose Road
Soquel, CA 95073

CRONIN VINEYARDS
(Comté de San Mateo)
11 Old La Honda Road
Woodside, CA 94062

DEVLIN WINE CELLARS
(Comté de Santa Cruz)
2815 Porter Street Highway 1,
Soquel, CA 95073

ENZ VINEYARDS
(Comté de San Benito)
Limekiln Road, Hollister, CA 95023

THOMAS FOGARTY WINERY
(Comté de San Mateo)
19501 Skyline Boulevard
Portola Valley, CA 94025

FRETTER WINE CELLARS
(Comté d'Alameda)
805 Camelia Street
Berkeley, CA 94710

FRICK WINERY
(Comté de Santa Cruz)
303 Potreto Street
Santa Cruz, CA 95060

J. H. GENTILI WINES
(Comté de San Mateo)
60 Lowell Street
Redwood City, CA 94062

GROVER GULCH WINERY
(Comté de Santa Cruz)
7880 Glen Haven Road
Soquel, CA 95073

HECKER PASS WINERY
(Comté de Santa Clara)
4605 Hecker Pass Highway
Gilroy, CA 95020

KATHRYN KENNEDY WINERY
(Comté de Santa Clara)
13180 Pierce Road
Saratoga, CA 95070

KIRIGIN CELLARS
(Comté de Santa Clara)
11550 Wastonville Road
Gilroy, CA 95020

THOMAS KRUSE WINERY
(Comté de Santa Clara)
4390 Hecker Pass Road
Gilroy, CA 95020

LIVERMORE VALLEY CELLARS
(Comté d'Alameda)
1508 Wetmore Road
Livermore, CA 94550

McHENRY VINEYARD
(Comté de Santa Cruz)
Bonny Doon Road
Santa Cruz, CA 95060

MORGAN WINERY
(Comté de Monterey)
19301 Creekside Circle
Salinas, CA 93908

THE MOUNTAIN VIEW WINERY
(Comté de Santa Cruz)
2402 Thaddeus Drive
Mountain View, CA 94043

OZEKI SAN BENITO
(Comté de San Benito)
249 Hillcrest Road
Hollister, CA 95023

PAGE MILL WINERY
(Comté de Santa Clara)
13686 Page Mill Road
Los Altos Hills, CA 94022

PEDRIZZETTI WINERY
(Comté de Santa Clara)
1645 San Pedro Avenue
Morgan Hill, CA 95037

RAPAZZINI WINERY
(Comté de Santa Clara)
4350 Monterey Highway
Gilroy, CA 95020

MARTIN RAY
(Comté de Santa Clara)
Saratoga, CA 95070

RIVER RUN VINTNERS
(Comté de Santa Cruz)
65 Rogge Lane
Watsonville, CA 95076

SAN BENITO VINEYARDS
(Comté de San Benito)
251 Hillcrest Road
Hollister
CA 95023

SHERRILL CELLARS
(Comté de Santa Clara)
1185 Skyline Boulevard
Woodside, CA 94062

SILVER MOUNTAIN VINEYARDS
(Comté de Santa Cruz)
Box 1695, Los Gatos, CA 95031

SUMMERHILL VINEYARDS
(Comté de Santa Clara)
3920 Hecker Pass Highway
Gilroy, CA 95020

TAKARA SAKE USA INC.
(Comté d'Alameda)
708 Addison Street
Berkeley, CA 94710

ROBERT TALBOTT VINEYARDS
(Comté de Monterey)
P.O. Box 267
Carmel Valley, CA 93924

VILLA PARADISO VINEYARDS
(Comté de Santa Clara)
1830 West Edmundson Avenue
Morgan Hill, CA 95037

WALKER WINES
(Comté de Santa Cruz)
Van Allen Ridge, P.O. Box F1
Felton, CA 95018

WOODSIDE VINEYARDS
(Comté de San Mateo)
340 Kings Mountain Road
Woodside, CA 94062

YERBA BUENA WINERY
(Comté de San Francisco)
Pier 33, San Francisco, CA 94111

Sud de la Côte centrale

Secteur viticole de pointe, le sud de la Côte centrale attire un nombre toujours plus important d'entreprises vinicoles du style « boutique » spécialisées dans la production des cépages Chardonnay, Pinot noir, Cabernet Sauvignon ou Zinfandel.

Le secteur de Paso Robles, dans le comté de San Luis Obispo, a été encépagé à la fin du XVIIIe siècle ; la vallée de Santa Ynez, dans le comté de Santa Barbara, avait une prospère industrie vinicole avant la Prohibition, et la ville même de Santa Barbara était autrefois parsemée de vignobles. Pourtant, au début des années 60, les deux comtés étaient pratiquement dépourvus de vignes. Il fallut attendre 1972 pour que, à la suite des succès d'Estrella à Paso Robles et de Firestone dans la vallée de Santa Ynez, fussent créés d'autres vignobles. Depuis 1977, la superficie encépagée a presque triplé. Pourtant, la région ne possède aucune entreprise vinicole d'importance, la plus grande étant Firestone, avec une production annuelle de 6 840 hectolitres. Les superficies actuellement encépagées en raisins de cuve représentent 2 252 hectares pour le comté de San Luis Obispo et 3 745 hectares pour celui de Santa Barbara.

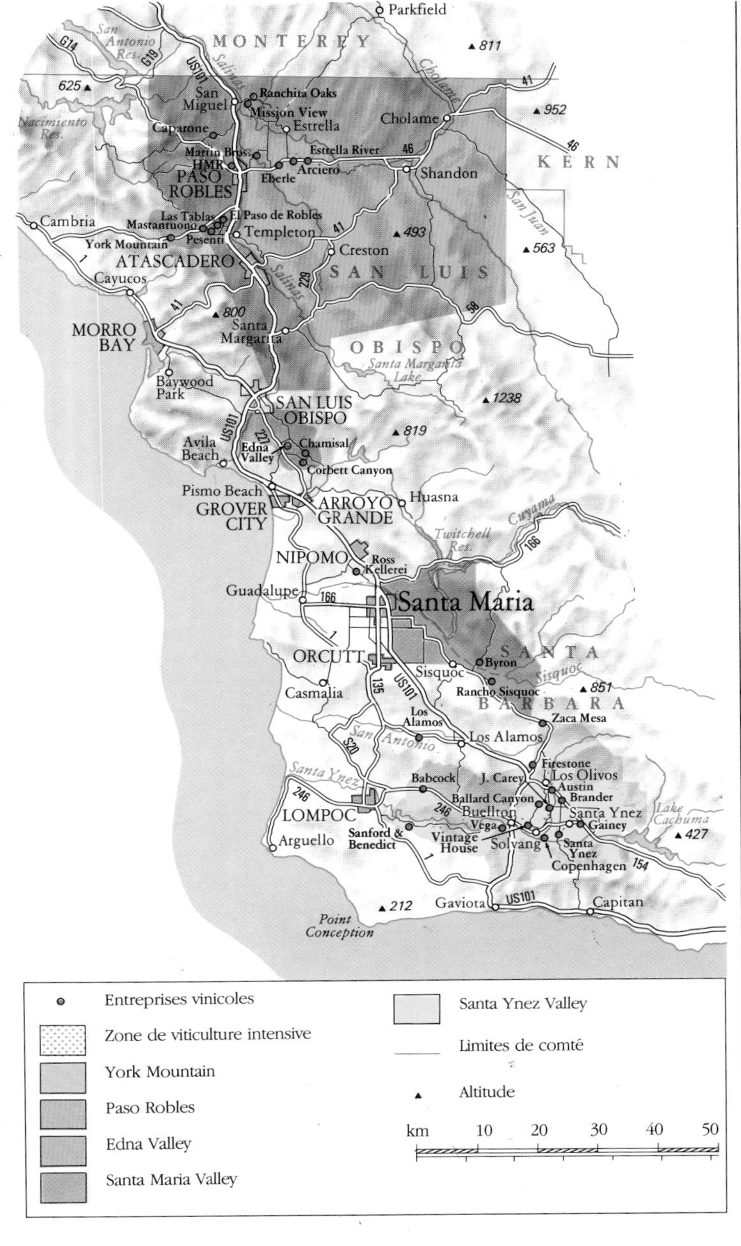

LE SUD DE LA CÔTE CENTRALE, voir aussi p. 363

Cette région, composée des comtés de Santa Barbara et San Luis Obispo, a fondé sa réputation sur la qualité de ses vins de cépage.

FACTEURS AFFECTANT LE GOÛT ET LA QUALITÉ

Situation
Le secteur méridional, qui s'étend le long de la côte en direction du sud à partir de Monterey, englobe les comtés de San Luis Obispo et Santa Barbara.

Climat
Le climat est en général chaud (région III). Toutefois, dans les zones voisines de la mer, notamment celle de Santa Maria, dominent les régimes de régions I et II en raison de la présence continue de la queue du grand banc de brumes côtières. La pluviométrie varie de 250 à 1 140 millimètres.

Site
La plupart des vignes poussent sur les coteaux du comté de San Luis Obispo et sur la terrasse, exposée au sud, du comté de Santa Barbara, à des altitudes variant entre 37 et 180 m pour l'Edna Valley et 180 à 305 m pour Paso Robles.

Sol
On trouve surtout des limons sablonneux, bourbeux ou argileux ; mais le sol peut être calcaire et graveleux tel celui des contreforts des monts Santa Lucia.

Viticulture et vinification
Un petit nombre d'entreprises de haut niveau se sont créées depuis les années 70. Dans les zones plus fraîches, on tente d'implanter des cépages nobles. Les vins produits dans cette région n'atteignent pas la qualité des meilleurs cépages californiens.

Cépages
Cabernet Sauvignon, Zinfandel, Chardonnay, Chenin blanc, Sauvignon blanc, Riesling, Gewurztraminer, Pinot noir.

Les AVA du sud de la Côte centrale

EDNA VALLEY AVA
(Comté de San Luis Obispo)

Date de création : ***11 juin 1982***

Cette vallée allongée, située au sud de Paso Robles, couvre 91 km², bien délimitée par les monts Santa Lucia au nord-est, la chaîne San Luis au sud-ouest et un ensemble de collines basses au sud-est. Au nord-ouest, elle se perd dans Los Osos Valley, formant ainsi un entonnoir à large embouchure dans lequel s'engouffre l'air océanique venant de la baie de Morro. Cet air maritime pénètre directement dans la vallée et se trouve emprisonné dans la poche formée par les montagnes et les collines. La région connaît donc un climat tempéré en été, ce qui la distingue des autres zones viticoles des environs. Les vignes poussent entre 38 m d'altitude dans les vallées et 120 m dans les monts Santa Lucia, sur des sols formés surtout de limons silico-argileux, de limons argileux ou d'argile.

PASO ROBLES AVA
(Comté de San Luis Obispo)

Date de création : ***3 novembre 1983***

Le nom de Paso Robles remonte au XVIIIe siècle, alors que les voyageurs allaient de mission en mission, notamment de celle de San Miguel à celle de San Luis Obispo. Il s'agit de l'une des plus anciennes régions viticoles de Californie puisqu'on y faisait déjà les vendanges en 1797. Bordée au nord et à l'est par les monts Santa Lucia, au sud par le lac de Santa Margarita, et les collines de Chalone à l'est, cette région vallonnée est protégée des vents côtiers et des brumes maritimes. Elle bénéficie ainsi d'un supplément de 500 à 1 000 degrés-jours, par comparaison aux zones viticoles situées à l'est et à l'ouest, ce qui favorise une portée sur le mûrissement des raisins. Les vignobles de Paso Robles se trouvent à des altitudes de 180 à 305 m, sur des sols généralement fertiles et bien drainés, de nature alluviale sur les à-plats et colluviale sur les terrasses.

SAN LUIS OBISPO AO

Appellation s'appliquant aux raisins cultivés dans le comté de San Luis Obispo.

SANTA BARBARA AO

Appellation s'appliquant aux raisins cultivés dans le comté de Santa Barbara.

SANTA MARIA VALLEY AVA
(Comté de Santa Barbara)

Date de création : ***4 septembre 1981***

Les vents du Pacifique, soufflant dans la vallée en forme d'entonnoir, provoquent des étés et des hivers plus frais et des automnes plus chauds que dans les autres zones. L'altitude varie entre 61 et 244 m. Formé de sable et de limons argileux, le sol ne subit pas l'influence néfaste du sel.

SANTA YNEZ VALLEY AVA
(Comté de Santa Barbara)

Date de création : ***16 mai 1983***

Les colons européens appelèrent Santa Ynez la mission qu'ils fondèrent ici en 1864. À la Prohibition, la zone encépagée connaissait un excédent de 2 000 hl, mais il fallut attendre les années 70 pour que la viticulture reprenne son essor. L'appellation ne comptait que 486 ha au moment de sa création, bien que sa délimitation englobât 738 km². La vallée de Santa Ynez est limitée par des montagnes au nord et au sud, par le lac Cachuma et le parc national Los Padres à l'est, et par une série de basses collines à l'ouest. Cette topographie, alliée à la proximité marquée de l'Océan donne un temps modéré. Les brumes maritimes jouent un rôle important dans l'abaissement des températures, mais les collines de Santa Rita s'opposant à la pénétration des vents maritimes les plus froids, la vallée ne possède pas le plus frais des climats de la côte. Solvang, au centre, bénéficie de 2 680 degrés-jours, tandis que Lompoc, à 3 km à l'extérieur de l'AVA, à l'est, en a 1 970, et Santa Barbara, au sud, 2 820. Les vignobles sont établis sur les contreforts des monts San Rafael, dont les sols fort bien drainés sont composés de limons sablonneux, bourbeux, argileux ou schisteux.

TEMPLETON
(Comté de San Luis Obispo)

Templeton, dans la région de Paso Robles, n'est pas une AVA. On l'a toutefois mentionné par souci de clarté, car certaines sources lui en attribuent le rang dont, curieusement, des publications officielles de l'Institut du Vin de Californie. Le BATF (*voir* p. 358), m'a pourtant informé tout récemment qu'il n'avait jamais reçu de demande de candidature à l'AVA pour cette zone.

YORK MOUNTAIN AVA
(Comté de San Luis Obispo)

Date de création : ***23 septembre 1983***

Cette petite AVA est située à 11 km de la mer, à 450 m d'altitude dans les monts Santa Lucia, proches de la limite occidentale de Paso Robles. Son classement en région I et ses 1 140 mm annuels de précipitations pluvieuses la différencient des zones environnantes plus chaudes et bien plus sèches.

Les principales entreprises vinicoles du sud de la Côte centrale

EDNA VALLEY VINEYARD
(Comté de San Luis Obispo)
2585 Biddle Ranch Road
San Luis Obispo, CA 93401

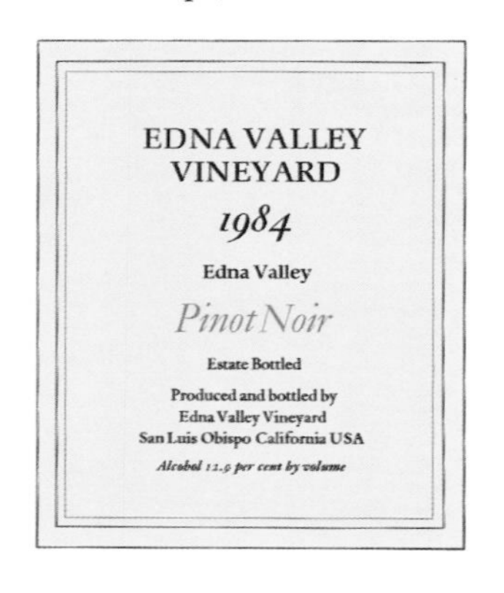

Cette maison (*voir* p. 380), spécialisée dans les vins de cépages bourguignons, fait quelques bons Chardonnay et d'excellents Pinot noir. Seconde étiquette : Richard Graff Winery.

☆ Chardonnay, Pinot noir

ESTRELLA RIVER WINERY
(Comté de San Luis Obispo)
Highway 46 East
Paso Robles
CA 93447

Cette excellente entreprise, dont le nom se prononce : « eh-STRAY-youch », est bâtie sur une butte qui surplombe ses 324 ha de vignes.

☆ Blanc de blancs Brut, Chardonnay, Muscat Canelli

THE FIRESTONE VINEYARD
(Comté de Santa Barbara)
Zaca Station Road
Los Olivos, CA 93441

Entreprise sérieuse élaborant de beaux vins. Malgré quelques défaillances, les vins sont habituellement ouverts et ont de la bouche.

☆ Cabernet Sauvignon, Johannisberg Riesling, Merlot

RICHARD GRAFF WINERY
Voir **Edna Valley Vineyard.**

ZACA MESA WINERY
(Comté de Santa Barbara)
Zaca Station, Foxen Canyon Road
Los Olivos, CA 93441

Beaux vins issus de ceps non greffés, non touché par le phylloxéra.

☆ Chardonnay, Johannisberg Riesling, Pinot noir

Les meilleures autres entreprises vinicoles

Note : Nombre des entreprises citées ci-dessous commencent à être reconnues et elles pourraient bien, avec le temps, mériter de figurer dans la rubrique « Principales entreprises vinicoles ».

BALLARD CANYON WINERY
(Comté de Santa Barbara)
1825 Ballard Canyon Road
Solvarg, CA 93463

☆ Chardonnay, Johannisberg Riesling

J. CAREY CELLARS
(Comté de Santa Barbara)
1711 Alamo Pintado Road
Solvang, CA 93463

☆ Sauvignon blanc

MASTANTUONO
(Comté de San Luis Obispo)
Vineyard Drive and Highway 46 W
Paso Robles, CA 93446

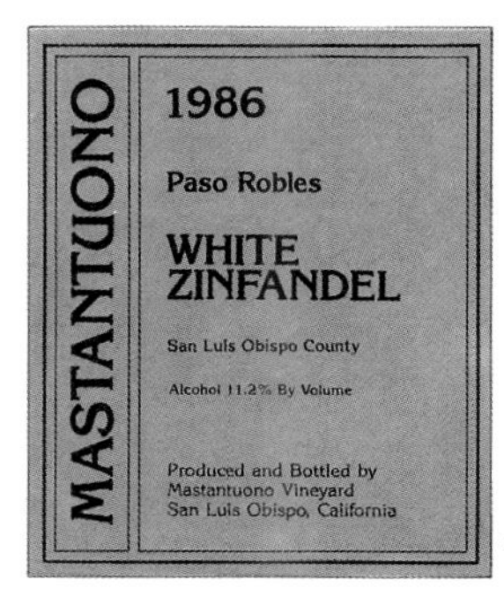

☆ Zinfandel

PESENTI WINERY
(Comté de San Luis Obispo)
2900 Vineyard Drive
Templeton, CA 93465

☆ Zinfandel

RANCHITA OAKS WINERY
(Comté de San Luis Obispo)
Cross Canyon Vineyards
Estrella Route Box 4790
San Miguel, CA 93451

☆ Zinfandel

SANFORD & BENEDICT VINEYARDS
(Comté de Santa Barbara)
5500 Santa Rosa Road
Lompoc, CA 93436

☆ Chardonnay, Pinot noir

SANTA BARBARA WINERY
(Comté de Santa Barbara)
202 Anapaca Street
Santa Barbara, CA 93101

☆ Late Harvest Zinfandel

SANTA YNEZ VALLEY WINERY
(Comté de Santa Barbara)
343 North Refugio Road
Santa Ynez, CA 93460

☆ Chardonnay, Sauvignon blanc

VEGA VINEYARDS WINERY
(Comté de Santa Barbara)
9496 Santa Rosa Road
Buellton, CA 93427

☆ White Riesling

YORK MOUNTAIN WINERY
(Comté de San Luis Obispo)
York Mountain Road
Templeton, CA 93465

☆ Zinfandel

Vallée centrale

De tous les secteurs viticoles de la Californie, ce sont les zones côtières qui ont le plus contribué à la gloire des vins car elles sont aptes à produire des vins fins. Mais elles sont surpassées en termes de quantité par Vallée centrale dont la production représente 80 % du volume des vins de Californie.

Au cours des dix dernières années, la production des vins fins a incontestablement progressé en Californie. Dans le même temps, celle des vins de carafe à bon marché a connu un essor vertigineux. Dans le comté de Madera, le plus prolifique de la Vallée centrale, la superficie encépagée a doublé pendant qu'elle augmentait de 5 260 hectares dans chacun des comtés de Fresno et Kern, de 4 050 hectares dans celui de San Joaquin, de 2 800 hectares dans celui de Stanislaus et de 2 400 hectares dans celui de Merced. Les superficies actuelles encépagées en raisins de cuve sont, comté par comté, les suivantes : Shasta, 15 hectares ; Tehama, 61 hectares ; Glenn, 585 hectares ; Colusa, 59 hectares ; Yolo, 550 hectares ; Butte, 74 hectares ; Yuba, 140 hectares ; Sacramento, 1 445 hectares ; San Joaquin, 14 430 hectares ; Stanislaus, 6 919 hectares ; Merced, 6 127 hectares ; Madera, 16 166 hectares ; Fresno, 15 430 hectares ; Kings, 522 hectares ; Tulare, 5 923 hectares, et Kern, 14 507 hectares.

LA VALLÉE DES GÉANTS

Avec les neuf sociétés citées ci-dessous dont la production annuelle est d'au moins 90 000 hectolitres, la Vallée centrale est vraiment la « Vallée des Géants ». La société E. & J. Gallo en est le Goliath avec une production qui atteint presque le double de celle des huit autres réunies, et qui représente 35 % de tous les vins produits en Californie.

E. & J. Gallo (Comté de Stanislaus)	60 millions de caisses (5 400 000 hl)
Delicato Vineyards (Comté de San Joaquin)	8 millions de caisses (720 000 hl)
LaMont Winery (Comté de Kern)	8 millions de caisses (720 000 hl)
Franzia Winey (Comté de San Joaquin)	5 millions de caisses (450 000 hl)
Giumarra Vineyards (Comté de Kern)	5 millions de caisses (450 000 hl)
Guild Wineries (Comté de San Joaquin)	3 millions de caisses (270 000 hl)
Gibson Wine Company (Comté de Fresno)	2 millions de caisses (180 000 hl)
Papagni Vineyards (Comté de Madera)	1,6 million de caisses (144 000 hl)
Noble Vineyards (Comté de Kern)	1 million de caisses (90 000 hl)

FACTEURS AFFECTANT LE GOÛT ET LA QUALITÉ

Situation
La zone viticole de cette immense et fertile Vallée centrale s'étend sur 644 km, de Redding, dans le nord, à Bakersfield, au sud, en se faufilant entre la chaîne côtière à l'ouest et la Sierra Nevada, à l'est.

Climat
Le climat se réchauffe progressivement pour passer du régime de région IV, au nord, à celui de région V, au sud. Les environs de Lodi, rafraîchis par l'air marin remontant le Sacramento, constituent la seule exception.

Site
La vigne est cultivée au fond de la vallée.

Sol
Le limon sablonneux, très fertile, prédomine dans toute la vallée.

Viticulture et vinification
Production de forts volumes de vins de carafe, de qualité suivie, grâce aux techniques les plus récentes d'irrigation et de mécanisation. On produit également autour de Lodi des vins de dessert et des Zinfandel de qualité supérieure.

Cépages
French Colombard, Cabernet Sauvignon, Chenin blanc, Barbera, Carignan, Grenache, Ruby Cabernet, Zinfandel

Récolte de Cabernet-Sauvignon
On élabore des vins de cépage de qualité dans la Vallée centrale.

Les AVA de la Vallée centrale

CLARKSBURG AVA
(Comté de Sacramento)

Date de création : *22 février 1984*

Vaste zone au sud de Sacramento dans la Vallée centrale, couvrant 259 km² et englobant l'AVA de Merritt Island. La moyenne de la pluviométrie annuelle y est de 410 mm, ce qui est plus élevé que dans les zones qui l'entourent au sud et à l'ouest, mais moins que dans celles du nord et de l'est.

LODI AVA
(Comtés de Sacramento et San Joaquin)

Date de création : *17 mars 1986*

Zone comportant à la fois des terres alluviales, des plaines sujettes à inondations et des terrasses. Les terres au nord et au sud présentent une certaine similitude de contexture ; néanmoins, c'est la conjugaison entre ces sols et l'influence modératrice de la baie de San Francisco sur le climat qui distinguent cette AVA des autres. La limite orientale est formée des contreforts de la Sierra Nevada et des terrains les plus élevés.

MADERA AVA
(Comtés de Madera et de Fresno)

Date de création : *7 janvier 1985*

Cette zone viticole, qui chevauche les comtés de Fresno et de Madera, couvre quelque 1 800 km², dont plus de 14 500 ha de raisins de cuve. D'importantes surfaces sont également allouées à la culture de raisins de table et de raisins secs. Cette appellation connaît une période de végétation de 260 à 270 jours, ainsi que des températures glaciales en hiver qui favorisent la dormance des ceps. À l'est, la période de végétation est de 220 jours, tandis que, à l'ouest, elle est de 285 par an.

MERRITT ISLAND AVA
(Comté de San Joaquin)

Date de création : *16 juin 1983*

Le climat de cette île, bordée par l'Elk Slough au nord et à l'ouest, par le Sutter Slough au sud et par la rivière Sacramento à l'est, est tempéré par la brise du sud-ouest rafraîchissante, soufflant du détroit de Carquinez, près de San Francisco. La température est ici nettement moins élevée qu'à Sacramento, pourtant à moins de 10 km au nord. Les brumes venant de la baie de San Francisco ne couvrent que rarement Merritt Island, la plus septentrionale des îles de Sacramento. Le sol se compose de limons sablonneux, tandis que les zones occidentales présentent un sol argileux et celles du sud une boue tourbeuse peu fertile.

NORTH YUBA AVA
(Comté de Yuba)

Date de création : *30 août 1985*

Zone de la Vallée centrale, longue de 11 km et large de 5 à 10 km, bien accrochée à flanc de colline, en altitude moyenne ou élevée, située dans le comté de Yuba, à l'ouest de la Sierra Nevada, et au nord du cours de la Yuba. L'appellation est bordée, au nord et à l'est, par la courbe de niveau de 609 m de la Sierra Nevada, et au sud par celle des 304 m du canyon de la Yuba. La partie ouest est formée par la rive orientale de la Woods Creek. Ce secteur est épargné par les gelées printanières et les chutes de neige de la Sierra Nevada ainsi que par les chaleurs, les brumes et l'humidité des basses terres de la vallée du Sacramento.

Les principales entreprises vinicoles de la Vallée centrale

AMBASSADOR
Voir LaMont Winery.

BRECKENRIDGE CELLARS
Voir Giumarra Vineyards.

CALIFORNIA VILLAGES
Voir Gibson Wine Company.

CAPISTRO
Voir LaMont Winery.

R & J. COOK WINERY
(Comté de Yolo)
Netherlands Road
Clarksburg, CA 95612

☆ Chenin blanc, Petite Sirah

COOKS CHAMPAGNES
Voir Guild Wineries.

CRIBARI
Voir Guild Wineries.

DELICATO VINEYARDS
(Comté de San Joaquin)
12001 South Highway 99
Manteca, CA 95336

Vins à bon marché, comprenant un « Barberone », un « Chianti » léger, un « Hongrois » vert et un « Chablis » rose ! J'aime l'idée de son étiquette « Indelicato », mais nous comprenons-nous ?

DI GIORGIO VINEYARDS
Voir LaMont Winery.

FICKLIN VINEYARDS
(Comté de Madera)
30246 Avenue $7^1/_2$
Madera, CA 93637

Spécialistes éminents de « Porto » de Californie.

☆ Tinta Port.

FRANZIA WINERY
(Comté de San Joaquin)
17000 E. Highway 120
Ripon, CA 95366

Grosse production de vins à bon marché, souvent fruités. Les meilleurs des vins de cépage, tel le Cabernet Sauvignon, peuvent être très doux. Seconde étiquette : « Tribuno ».

E. &. J. GALLO WINERY
(Comté de Stanislaus)
600 Yosemite Boulevard
Modesto, CA 95353

Entreprise vinicole la plus importante de Californie, Gallo produit quatre fois plus de vin que toute la Champagne, et plus que tout autre producteur au monde. Cette entreprise accomplit non seulement le miracle œnologique de produire des « mégavolumes » de vin toujours honnête, mais il élabore aussi de façon satisfaisante des vins fins.

☆ Chablis blanc, Hearty Burgundy, Johannisberg Riesling, Sauvignon blanc

GIBSON WINE COMPANY
(Comté de Sacramento)
9750 Kent Street
Elk Grove, CA 95624

Cette coopérative vinicole, qui regroupe 150 adhérents, produit un fort volume de vins génériques. Parmi ses autres étiquettes : « California Villages », « Romano » et « Silverstone Cellars ».

GIUMARRA VINEYARDS
(Comté de Kern)
Edison Highway
Edison, CA 93303

Cette entreprise familiale gigantesque a été créée par un Sicilien « Papa Joe » Giumarra. La plus grande partie de son énorme production consiste en vins de carafe bien faits qui offrent un bon rapport qualité/prix. Autres étiquettes : « Breckenridge Cellars », « Ridgecrest Cellars » et « Maison Dominique ».

☆ Zinfandel

GOLD BELL
Voir Oak Ridge Vineyards.

GUASTI
Voir LaMont Winery.

GUILD WINERIES
(Comté de San Joaquin)
One Winemasters Way
Lodi, CA 95240

Il s'agit du centre d'assemblage et d'embouteillage de la coopérative des Guild Wineries, dont le siège est à San Francisco. Elle compte plus de 1 000 adhérents et possède les entreprises Roma et Cribari. Une partie de son énorme production se vend sous d'autres étiquettes : « Tavola », « Vintners Choice », « Mendocino Vineyards » et « Cooks Champagnes ».

HARBOR WINERY
(Comté de Sacramento)
610 Harbor Boulevard
West Sacramento, CA 95691

☆ Chardonnay, Zinfandel

INDELICATO
Voir Delicato Vineyards.

LAMONT WINERY
(Comté de Kern)
1 Bear Mountain Winery Road
Di Griogio, CA 93217

Cette maison produit un énorme volume de vins de carafe d'un bon rapport qualité/prix. Certains sont d'une qualité surprenante. Autres étiquettes : « Di Giorgio Vineyards », « Capistro », « Guasti », « Ambassador » et « Mission Valley ».

☆ French Colombard, Zinfandel

MAISON DOMINIQUE
Voir Giumarra Vineyards.

MENDOCINO VINEYARDS
Voir Guild Wineries.

MISSION BELLE
Voir Oak Ridge Vineyards.

MISSION VALLEY
Voir LaMont Winery.

NOBLE VINEYARDS
(Comté de Fresno)
P.O. Box 31
Kerman, CA 93630

Énorme entreprise produisant un gros volume de vins à bon marché, dont des Barbera, Burger, Chenin blanc et French Colombard.

OAK RIDGE VINEYARDS
(Comté de San Joaquin)
6100 East Highway 12
Lodi, CA 95240

Entreprise produisant un gros volume de vins à bon marché. L'étiquette « The Oak Ridge » est réservée aux vins de cépage et aux assemblages de choix. Les étiquettes « Royal Host » et « Gold Bell » sont utilisées pour les vins courants de table et de dessert.

PAPAGNI VINEYARDS
(Comté de Madera)
31754 Avenue 9
Madera, CA 93838

Malgré un énorme volume de production, cette entreprise offre quelques vins fins, dont l'Alicante Bouschet d'Angelo Papagni.

☆ Alicante Bouschet, Chardonnay, Moscato d'Angelo

QUADY WINERY
(Comté de Madera)
13181 Road 24
Madera, CA 93637

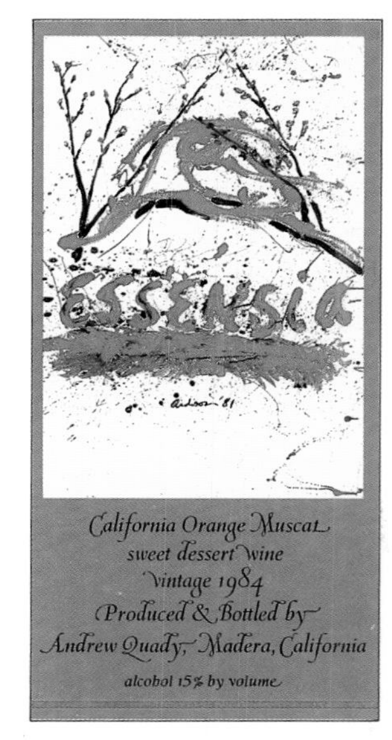

☆ Vintage Port

RIDGECREST CELLARS
Voir Giumarra Vineyards.

ROMA
Voir Guild Wineries.

ROMANO
Voir Gibson Wine Company.

ROYAL HOST
Voir Oak Ridge Vineyards.

SILVERSTONE CELLARS
Voir Gibson Wine Company.

TAVOLA
Voir Guild Wineries.

TRIBUNO
Voir Franzia Winery.

VINTNERS CHOICE
Voir Guild Wineries.

Les autres zones viticoles de Californie

Dans cette rubrique sont présentées les zones viticoles dont ne traitent pas les pages précédentes. Des vins de qualité proviennent des *Sierra Foothills* (les contreforts de la Sierra Nevada), situés à l'est de la Vallée centrale. Les vins de la Californie méridionale, produits dans la région comprise entre la frontière mexicaine et la Côte centrale, connaissent depuis peu une grande vogue. Il existe, en outre, d'excellents vins de la zone de Lake County qui fait partie de l'AVA de la Côte nord.

Note : Nombre des entreprises citées commencent à être reconnues pour la qualité de leurs vins et pourront mériter, le temps venu, de figurer dans la rubrique « Principales entreprises vinicoles ».

SIERRA FOOTHILLS

Depuis 1970, une foule d'entreprises vinicoles, la plupart du style « boutique », se sont créées et installées dans cette région. La zone des Sierra Foothills est un secteur producteur de vins de qualité, mais qui ne peut être comparé à la Vallée centrale (*voir* p. 385). Elle attire les vinificateurs spécialisés qui se contentent de produire des volumes limités. Le Zinfandel a connu une grande vogue mais le Sauvignon blanc s'impose de plus en plus. Les vignobles à raisins de cuve se trouvent dans les comtés de Placet, 50 ha ; Eldorado, 185 ha ; Amador, 664 ha, et Calaveras, 73 ha.

Les AVA des Sierra Foothills

CALIFORNIA SHENANDOAH VALLEY AVA
(Comté d'Amador)

Date de création : *27 juillet 1983*

La vallée de Shenandoah, qui a accédé au statut d'AVA en janvier 1983, se trouve en Virginie. Ce sont les colons immigrés en Californie lors de la « ruée vers l'or » qui lui donnèrent son nom. On y cultive la vigne depuis 1881, époque à laquelle des chercheurs d'or se reconvertirent dans la production de vins. L'appellation couvre aujourd'hui à peine plus de 38 km². La vigne pousse sur des sols bien drainés, de profondeur moyenne et composés de limons grossiers et sablonneux résultant de la désagrégation de granites, sur un sous-sol de limon lourd, souvent argileux.

EL DORADO AVA
(Comté d'El Dorado)

Date de création : *14 novembre 1983*

Cette appellation se limite à des zones dont l'altitude varie entre 365 et 1 067 m, dans les contreforts des Sierra Foothills.

FIDDLETOWN AVA
(Comté d'Amador)

Date de création : *3 novembre 1983*

La zone viticole de Fiddletown se trouve sur les contreforts orientaux de la Sierra, dans le comté d'Amador. Elle se différencie de la zone voisine – la California Shenandoah Valley – par sa plus forte altitude, des nuits plus froides et une pluviométrie plus forte. Les températures diurnes d'été se situent entre 27 et 38 °C. Les nuits sont fraîches en raison de la brise montagnarde. La vigne n'a pas besoin d'être irriguée. Elle est cultivée sur des limons sablonneux, profonds, plus ou moins bien drainés.

Principales entreprises vinicoles des Sierra Foothills

AMADOR FOOTHILL WINERY
(Comté d'Amador)
12500 Steiner Road
Plymouth, CA 95669

Les vins de cette entreprise sont élaborés par le propriétaire et par Ben Zeitman, un ancien chimiste de la NASA.

☆ Fumé Blanc, Zinfandel

ARGONAUT WINERY
(Comté d'Amador)
Willow Creek Road
Ione, CA 95640

☆ Zinfandel

BOEGER WINERY
(Comté d'El Dorado)
1709 Carson Road
Placerville, CA 95667

Cette entreprise est la première à avoir ressuscité les vignobles des contreforts de la Sierra. Elle produit sérieusement des vins offrant un bon rapport qualité/prix.

HARVEST CELLARS
Voir Stevenot Winery.

KARLY WINES
(Comté d'Amador)
11076 Bell Road
Plymouth, CA 95669

Cette entreprise sous-estimée élabore des vins de haute qualité, indubitablement pleins de saveur et faisant preuve d'une finesse extraordinaire.

☆ Sauvignon blanc, Zinfandel

KENWORTHY VINEYARDS
(Comté d'Amador)
10120 Shenandoah Road
Plymouth, CA 95669

☆ Zinfandel

MADRONA VINEYARDS
(Comté d'El Dorado)
P.O. Box 454, Gatlin Road
Camino, CA 95709

☆ Zinfandel

MONTEVIÑA
(Comté d'Amador)
20680 Shenandoah School Road
Plymouth, CA 95669

Cette entreprise, spécialisée dans la production d'un bon Zinfandel, possède des vignobles dans la vallée de la Shenandoah.

☆ Fumé Blanc, White Zinfandel

SHENANDOAH VINEYARDS
(Comté d'Amador)
12300 Steiner Road
Plymouth, CA 95669

Producteur de vins puissants.

☆ Zinfandel Reserve, Zinfandel Port

STEVENOT WINERY
(Comté de Calaveras)
2690 San Domingo Road
Murphys, CA 95247

Cette entreprise produit des vins blancs impressionnants. Seconde étiquette : « Harvest Cellars ».

☆ Chardonnay, Fumé Blanc, Muscat Canelli

Autres entreprises des Sierra Foothills

D'AGOSTINI WINERY
(Comté d'Amador)
14430 Shenandoah Road
Plymouth, CA 95669

BALDINELLI VINEYARDS
(Comté d'Amador)
10801 Dickson Road
Plymouth, CA 95669

BEAU VAL WINES
(Comté d'Amador)
10671 Valley Drive
Plymouth, CA 95669

CHISPA CELLARS
(Comté de Calaveras)
Main Street and Murphys Grade Road, Murphys, CA 95247

EL DORADO VINEYARDS
(Comté d'El Dorado)
3551 Carson Road
Camino, CA 95709

FITZPATRICK WINERY & VINEYARDS
(Comté d'El Dorado)
6881 Fairplay Road
Somerset, CA 95684

GERWER WINERY
(Comté d'El Dorado)
8221 Stoney Creek Road
Somerset, CA 95684

GRANITE SPRINGS WINERY & VINEYARDS
(Comté d'El Dorado)
6060 Granite Springs Road
Somerset, CA 95684

GREENSTONE WINERY
(Comté d'Amador)
Highway 88 at Jackson Valley Road
Ione, CA 95640

SANTINO WINERY
(Comté d'Amador)
12225 Steiner Road
Plymouth, CA 95669

STONERIDGE
(Comté d'Amador)
13862 Ridge Road East
Sutter Creek, CA 95685

STORY VINEYARD
(Comté d'Amador)
10851 Bell Road
Plymouth, CA 95669

TKC VINEYARDS
(Comté d'Amador)
Shenandoah Valley Road
Plymouth, CA 95669

CALIFORNIE MÉRIDIONALE

D'envergure bien plus modeste que les Sierra Foothills, la Californie méridionale, berceau des tout premiers vignobles de l'État, est également, depuis 1977, le théâtre d'une résurrection. Les superficies actuellement consacrées à la culture des raisins de cuve sont, comté par comté, les suivantes : Ventura, 0,5 ha ; Los Angeles, 0,5 ha ; Orange, 13 ha ; San Bernardino, 1 412 ha ; Riverside, 1 233 ha, et San Diego, 53 ha.

Les AVA de Californie méridionale

SAN PASQUAL AVA
(Comté de San Diego)

Date de création : *16 septembre 1981*

La vallée de San Pasqual s'étend sur 16 à 24 km à l'est de l'océan Pacifique, dans la partie normalement la plus chaude de la Californie. Elle présente néanmoins un sol, un climat et une topographie qui en fait un cas d'espèce. L'altitude de cette vallée naturelle, située dans le bassin hydrographique de Santa Ysabel, passe de 90 à 150 m. Bordée sur trois côtés par de basses chaînes montagneuses ne dépassant pas 460 m, elle est irriguée par des cours d'eau qui alimentent le San Diequito. Le climat, qui subit les influences côtières, est chaud en été, mais la température dépasse rarement 35 °C. La brise océane la rafraîchit et les températures nocturnes sont normalement inférieures à 18 °C. Les zones d'alentour présentent des climats variés : régime tropical, conditions de montagne et profil désertique.

TEMECULA AVA
(Comté de Riverside)

Date de création : ***23 novembre 1984***

Temecula, dans le canton de Riverside, en Californie méridionale, comprend les deux zones de Murrieta et Rancho California, auquel le BATF a refusé le statut d'AVA (*voir* p. 358). La brise marine rafraîchit cette zone qui connaît ainsi des températures modérées.

WILD HORSE VALLEY AVA

Appellation en cours d'homologation.

WILLOW CREEK AVA
(Comté de Humboldt)

Date de création : ***9 septembre 1983***

Le climat de cette zone est influencé par l'océan Pacifique et la chaleur de la vallée du Sacramento, située à 160 km à l'est. Ces deux facteurs entraînent la formation de vents d'est qui confèrent à l'appellation des températures assez fraîches en été et s'abaissant rarement jusqu'à 0 °C en hiver. La zone située à l'est de la Willow Creek présente des températures plus basses en hiver et plus élevées en été.

Principales entreprises vinicoles de Californie méridionale

AHERN WINERY
(Comté de Los Angeles)
715 Arroyo Avenue
San Fernando, CA 91340

☆ Zinfandel

CALLAWAY VINEYARD & WINERY
(Comté de Riverside)
32720 Rancho California Road
Temecula, CA 92390

Cette entreprise a montré que certaines parties de la Californie méridionale jouissent d'un microclimat favorable à la production de vins fins.

☆Chardonnay, Sauvignon blanc, Fumé blanc, « Sweet Nancy » Chenin blanc

CILURZO VINEYARD & WINERY
(Comté de Riverside)
41220 Calle Contento
Temecula, CA 92390

Ce vignoble est le premier à avoir été créé dans cette AVA.

FILSINGER VINEYARDS & WINERY
(Comté de Riverside)
39050 De Portola Road
Temecula, CA 92360

☆ Chardonnay

LEEWARD WINERY
(Comté de Ventura)
2784 Johnson Drive
Ventura, CA 93003

☆ Chardonnay

MOUNT PALOMAR WINERY
(Comté de Riverside)
33820 Rancho California Road
Temecula, CA 92390

☆ White Riesling

SAN PASQUAL VINEYARDS
(Comté de San Diego)
13445 San Pasqual Road
Escondido, CA 92025

☆ Chardonnay, Gamay, Muscat Canelli, Sauvignon blanc

Autres entreprises vinicoles de Californie méridionale

BRITTON CELLARS
(Comté de Riverside)
40620 Calle Contento
Temecula, CA 92390

JOHN CULBERTSON WINERY
(Comté de San Diego)
2608 Via Rancheros
Fallbrock, CA 92020

THE DAUME WINERY
(Comté de Ventura)
270-D Aviador
Camarillo, CA 91310

J. FILIPPI VINTAGE CO
(Comté de San Bernadino)
Mira Loma, CA 91752

GLEN OAK HILLS WINERY
(Comté de Riverside)
40607 Los Ranchos Circle
Temecula, CA 92390

HART WINERY
(Comté de Riverside)
P.O. Box 956
Temecula, CA 92390

THE MARTIN WINERY
(Comté de Los Angeles)
11800 West Jefferson Boulevard
Culver City, CA 90230

PICONI WINERY, LTD
(Comté de Riverside)
33410 Rancho California Road
Temecula, CA 92390

POINT LOMA WINERY
(Comté de San Diego)
3655 Poe Street
San Diego, CA 92106

RANCHO DE PHILO
(Comté de San Bernardino)
10050 Wilson Avenue
Alta Loma, CA 91701

SOUTH COAST CELLAR
(Comté de Los Angeles)
12901-B Budlong Avenue
Gardena, CA 90247

COMTÉ DE LAKE, MARIN ET SOLANO

Ces trois comtés, qui font partie de l'AVA de la Côte nord, sont les seuls à revêtir une certaine importance. Le comté de Lake possède 1 292 ha de vignobles de raisins de cuve, Marin 4 ha, et Solano 477 ha.

Les AVA des comtés de Lake, Marin et Solano

CLEAR LAKE AVA
(Comté de Lake)

Date de création : ***7 juin 1981***

Située entre les monts Mayacamas et la forêt nationale de Mendocino, la grande masse d'eau du Lac Clear tempère le climat de l'AVA.

GUENOC VALLEY AVA
(Comté de Solano)

Date de création : ***21 décembre 1981***

Cette zone d'appellation, située au sud du lac McCreary et à l'est du Réservoir de Detert, appatient à l'AVA de la Côte nord. La vallée présente une pluviométrie assez faible et moins de brumes que la zone voisine de Middletown ; son climat est également plus rude.

SOLANO COUNTY GREEN VALLEY AVA
(Comté de Solano)

Date de création : ***28 février 1983***

Cette vallée, dont le sol est un limon argileux, est enserrée entre la vallée de la Napa, à l'ouest, et celle de la Suisin, à l'est. Le climat est sous l'influence de vents frais et humides venant du Pacifique et de la baie de San Francisco, du printemps à l'automne.

SUISUN VALLEY AVA
(Comté de Solano)

Date de création : ***27 décembre 1982***

Jouxtant la Green Valley du comté de Solano, cette AVA est balayée par les vents frais et humides du printemps à l'automne. Les sols consistent en diverses formes d'argile et de limons sablonneux et bourbeux.

Principales entreprises des comtés de Lake, Marin et Solano

KALIN CELLARS
(Comté de Marin)
61 Galli Drive, Novato, CA 94947

Ces vins de qualité au goût de fumé allient de la bouche, de la profondeur, du corps, ainsi qu'une grande finesse et une belle complexité.

☆ Cabernet Sauvignon (Reserve), Chardonnay, Sauvignon blanc, Sémillon

KENDALL-JACKSON VINEYARDS AND WINERY
(Comté de Lake)
600 Matthews Road
Lakeport, CA 95453

Cette entreprise, qui ne possède sa propre étiquette que depuis 1983, n'a pas tardé à se forger une bonne réputation.

☆ Cabernet Sauvignon, Chardonnay, Muscat Canelli, Sauvignon blanc

Autres entreprises des comtés de Lake, Marin et Solano

GUENOC WINERY
(Comté de Lake)
21000 Butts Canyon Road
Middletown, CA 95461

KONOCTI WINERY
(Comté de Lake)
P.O. Box 890
Kelseyville, CA 95451

LOWER LAKE WINERY
(Comté de Lake)
P.O. Box 950, Highway 29
Lower Lake, CA 95457

PACHECO RANCH WINERY
(Comté de Marin)
5494 Redwood Highway
Ignacio, CA 94947

SUSINÉ CELLARS
(Comté de Solano)
301 Spring Street
Suisun City, CA 94585

Côte nord-ouest du Pacifique

Les États de l'Oregon, de Washington et de l'Idaho, sur la côte nord-ouest du Pacifique, connaissent des climats nettement plus frais que ceux de la Californie. On peut donc aisément y cultiver des cépages aromatiques comme le Pinot noir, le Riesling, le Gewurztraminer et le Sauvignon blanc et produire ainsi des vins moins alcooliques et plus acides, de style plus éthéré que ceux de Californie.

Nouvelle zone de production de vins de qualité aux États-Unis, la côte nord-ouest du Pacifique est sans doute aussi la plus brillante. Même s'il s'agit de la seconde région viticole, l'écart avec la Californie est encore considérable puisque la superficie encépagée ne représente que 6 % des vignobles californiens.

En 1854, les premiers ceps de *vinifera* étaient plantés dans la vallée de la rivière de la Rogue dans l'Oregon, mais l'industrie vinicole du nord-ouest s'est, dans son ensemble, consacrée à la culture du Concord, un cépage appartenant au genre *labrusca*, jusque dans les année 70. Dans les années 50, l'American Wine Growers, de Seattle, créa des vignobles expérimentaux où l'on cultivait divers cépages européens, expérience poursuivie au début des années 60 par quelques vignerons d'avant-garde. C'est au cours de la même décennie qu'André Tchelistcheff, le vinificateur de la vallée de la Napa, allait donner à l'industrie vinicole de l'État de Washington la confiance qui lui manquait.

Pourtant, il ne se faisait guère d'illusions sur la capacité de cet État à produire des vins de qualité et il était prêt à affirmer qu'on n'en produirait jamais ici lorsque, en 1967, il découvrait, dans la vallée de la Yakima, ce qu'il décrivit comme le plus beau Gewurztraminer jamais élaboré aux États-Unis. Cet avis provoqua l'abandon de la *labrusca* au profit de cépages de choix. Tchelistcheff lui-même aida l'American Wine Growers à développer ses vignobles de *vinifera*. Il améliora les méthodes de taille, contribua à la baisse des rendements et à la production du premier vin de cépage sous l'étique Ste. Michelle.

Peu à peu, d'autres vinificateurs du Nord-Ouest se mirent à élaborer des vins de cépage de choix, mais il fallut attendre la fin des années 70 pour que le reste du monde prenne conscience de cette évolution.

Les imaginations s'enflammèrent en voyant David Lett connaître une extraordinaire réussite avec le Pinot noir, l'un des cépages européens les plus difficiles à maîtriser. Un Pinot noir, millésimé 1975, de Lett figura dans une dégustation à l'aveugle tenue à Paris en 1979. Le vainqueur de cette confrontation organisée par Robert Drouhin fut, à très juste titre, un superbe Chambolle-Musigny 1959, et le second fut le Pinot noir d'Eyrie Vineyards présenté par Lett. En se classant devant certains Bourgogne prestigieux, il faisait connaître au monde le potentiel vinicole de l'Oregon.

LA CÔTE NORD-OUEST DU PACIFIQUE

Les vignobles de cette zone bordée à l'ouest par le Pacifique, au sud par la Californie, au nord par le Canada, sont disséminés sur des milliers de kilomètres carrés. L'Océan exerce une influence modératrice sur le climat, sauf en Idaho au climat plutôt continental.

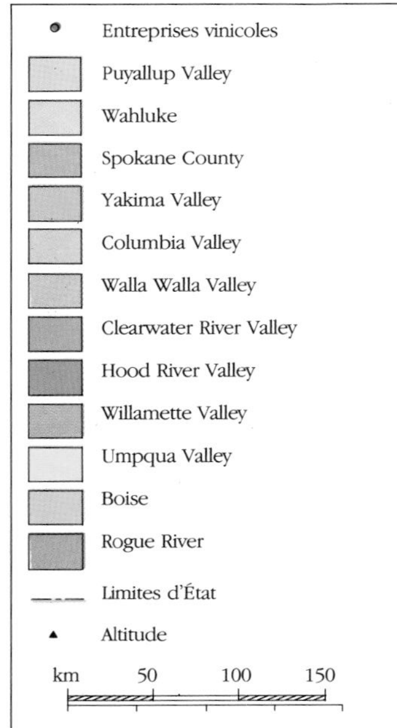

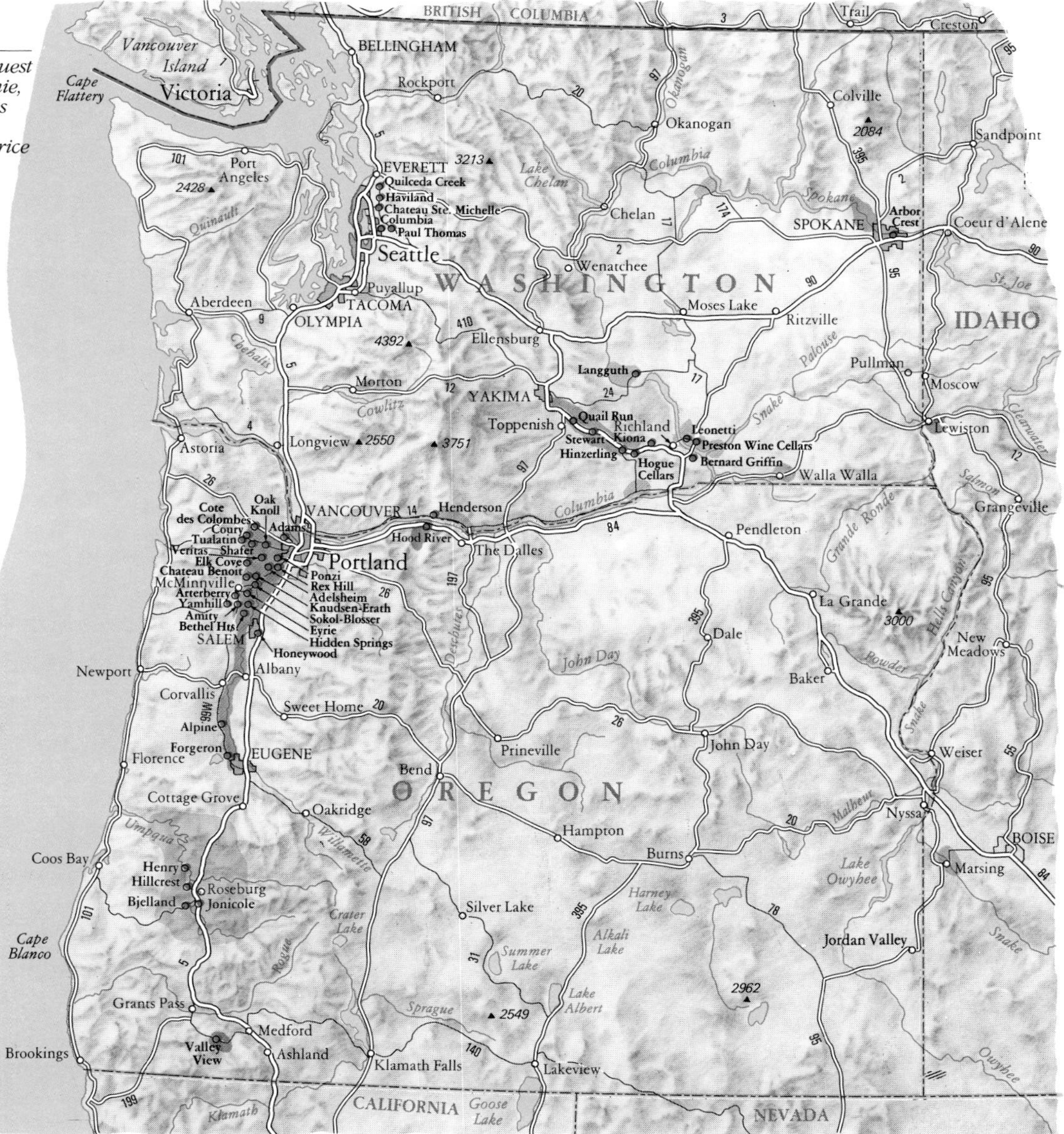

IDAHO

L'Idaho est le plus petit des États vinicoles du Nord-Ouest. Ses vignobles de haute altitude sont très ensoleillés et donnent des vins qui combinent curieusement un fort taux d'alcool et d'acidité. La superficie encépagée est très modeste et il est encore impossible de prévoir l'orientation que prendra l'industrie vinicole de l'Idaho, de même que la qualité des vins qu'elle produira.

OREGON

Les raisins de cet État, le plus frais des trois États du Nord-Ouest, ont souvent du mal à mûrir. Les vins fins, nerveux et souvent délicats, ont un style tout à fait différent de ceux de la Californie. En 1961, Richard Sommer plantait du Riesling dans son vignoble de Hillerest. Il était le premier, depuis la Prohibition, à revenir au *vinifera* dans cet État. L'Oregon est désormais tellement fier de ses produits que, depuis 1977, il a banni l'utilisation de noms génériques tels que Chablis ou Bourgogne. D'autres États devraient s'inspirer de cet exemple et faire montre d'autant de maturité et d'amour-propre que l'Oregon.

FACTEURS AFFECTANT LE GOÛT ET LA QUALITÉ

Situation
Regroupement arbitraire de trois États, l'Idaho, l'Oregon et l'État de Washington. La vallée de la Yakima, qui traverse tout l'État de Washington, est située à peu près à la même latitude que le nord du Bordelais et le sud de la Bourgogne.

Climat
Les vents d'ouest provenant du Pacifique modèrent, en Oregon et Washington, les températures. L'Oregon est le plus frais des trois États. Le Washington, le plus humide bien que très ensoleillé, jouit en juin d'une moyenne quotidienne de plus de 17 heures de lumière. En revanche, l'air nocturne y est frais. L'ouest du Washington reçoit 2 540 millimètres de pluie par an. Ce chiffre tombe à 1 010 dans l'immédiat arrière-pays et jusqu'à 200 dans l'est. Dans l'Idaho, le climat est, d'une façon générale, plus continental.

Site
La vigne, généralement plantée sur des pentes à faible déclivité, occupe les vallées.

Sol
Les sols se composent de limons profonds, fertiles, de contexture légère, bourbeux, sablonneux ou argileux reposant sur un sous-sol rocheux d'origine volcanique. La plupart des zones viticoles du Washington sont indemnes de phylloxéra.

Viticulture et vinification
Les pieds de vigne, au Washington, ne sont pas greffés et sont abondamment irrigués. On protège les plus vieilles vignes en coupant l'eau avant l'hiver, pour provoquer la dormance avant les froids. Toute la côte nord-ouest connaît un fort développement et s'intéresse surtout à la production de vins de premier ordre issus de cépages classiques.

Cépages
Chardonnay, Riesling, Sauvignon blanc, Gewurztraminer, Sémillon, Chenin blanc, Cabernet Sauvignon, Pinot noir, Zinfandel, Gamay, Merlot, Muscat ottonel, Pinot gris

WASHINGTON

Le plus grand des États vinicoles de la côte nord-ouest du Pacifique possède plus de vignobles en *vinifera* que toute autre région d'Amérique, si l'on excepte la Californie. Divers cépages y réussissent bien et il est intéressant de voir lesquels se comportent le mieux dans telle zone ou telle autre. Je crois, toutefois, qu'il ne faut pas voir l'avenir dans tel ou tel cépage, mais dans le style particulier de certains vins de haut vol : les vins de méthode champenoise.

L'irrigation, État de Washington
Bien que cet État possède un climat notoirement humide, certaines zones sèches de l'est exigent le recours à l'irrigation.

Les AVA de la Côte nord-ouest du Pacifique

COLUMBIA AVA
(Oregon en Washington)

Date de création : *13 décembre 1984*

Cette appellation s'applique à une grande cuvette dépourvue d'arbres englobant trois cours d'eau : Yakima, Snake et Columbia. Ceux-ci courent sur une surface vallonnée, façonnée par l'inclinaison de longs soulèvements basaltiques. La période de végétation est en moyenne de 150 jours, la pluviométrie annuelle ne dépasse guère 380 mm.

UMPQUA VALLEY AVA
(Oregon)

Date de création : *30 avril 1984*

Cette appellation comprend la partie de basses terres située entre le bassin de la rivière Umpqua et les flancs des montagnes qui l'entourent. La vigne y pousse jusqu'à l'altitude de 300 m. La pluviométrie annuelle est élevée. Les hivers sont frais et les étés chauds. Le total des températures annuelles est légèrement plus élevé que celui des appellations voisines telle celle de la vallée de la Willamette, par exemple.

WALLA WALLA VALLEY AVA
(Washington et Oregon)

Date de création : *7 mars 1984*

La vallée de Walla Walla porte son nom depuis les années 1850, bien avant donc la création des États de l'Oregon et du Washington sur lesquels s'étend cette appellation. La région fut d'abord renommée pour ses extraordinaires oignons d'une délicieuse douceur dits Bonbons de Walla Walla, puis comme un lieu propice à l'agriculture, réputation qui s'étendit bientôt à ses vins notamment ceux issus de Merlot et de Cabernet Sauvignon. La vallée de Walla Walla reçoit annuellement 250 à 500 mm de pluies, tandis que le bassin de la Columbia, au nord et à l'ouest, en reçoit moins de 250, et les Blue Mountains, à l'est et au sud-est, 630 à 1 140 mm.

WILLAMETTE VALLEY
(Oregon)

Date de création : *3 janvier 1984*

Les limites de cette zone viticole enserrent plus de 13 000 km² et comprenaient quelque 800 ha de vignobles et 27 entreprises vinicoles au moment où elle accéda au statut d'AVA. Elle est encadrée par le fleuve Columbia au nord, une chaîne côtière à l'ouest, les monts Calapooya au sud et les monts Cascade à l'est. La vigne pousse sur les limons tantôt bourbeux tantôt argileux de la vallée de la Willamette, plutôt que sur les sols montagneux qui ont été marqués par une dense population de conifères et par d'abondantes précipitations hivernales.

YAKIMA VALLEY
(Washington)

Date de création : *4 mai 1983*

L'est de l'État de Washington est caractérisé par des déclivités marquées des frontières nord et sud très définies ainsi que par la série de soulèvements basaltiques qui se sont produits il y a des millions d'années et sont à l'origine des nombreuses vallées qui le sillonnent. En 1967, la vallée de la Yakima donnait son nom à une appellation d'origine jusqu'alors officieuse bien que les vignes y aient été cultivées depuis longtemps. La vallée doit son nom à la nation Yakima, une confédération de tribus indiennes dont les territoires recouvraient une grande part de l'est de l'État de Washington. À l'époque où elle fut créée, l'AVA comprenait plus de 8 900 ha de vignes dont seulement 1 400 plantées en *vinifera*, le reste l'étant de Concord, White Diamond et Island Belle, cépages exclusivement américains.

Les principales entreprises vinicoles de la Côte nord-ouest

IDAHO

STE. CHAPELLE
Caldwell, ID 83605

Cette entreprise, qui a emprunté son nom à la chapelle de Paris, produit des vins d'un bon niveau qui devraient servir de modèles aux autres entreprises vinicoles de cet État.

☆ Blanc de Noirs Brut, Riesling, Chardonnay

OREGON

ADAMS VINEYARD
Portland, OR 97209

Les vins de cépage de style bourguignon au bel équilibre de cette entreprise jouissent d'une bonne réputation.

☆ Chardonnay (notamment Reserve), Pinot noir

ADELSHEIM VINEYARD
Newberg, OR 97132

De beaux produits à tous les niveaux de la production et l'un des Pinot noir les plus réussis.

☆ Chardonnay, Pinot gris, Merlot (Layne Vineyards Grant's Pass), Pinot noir, Sauvignon blanc

AMITY VINEYARDS
Amity, OR 97101

Cette entreprise produit une large gamme de vins fascinants. Très peu déçoivent.

☆ Chardonnay, Pinot noir (Nouveau Estate, Winemaker's Reserve)

ARTERBERRY WINERY
McMinnville, OR 97128

Spécialisée dans les vins mousseux, cette entreprise produit aussi un délicieux rouge de Pinot noir.

☆ Arterberry Brut, Arterberry Naturel, Pinot noir

CHATEAU BENOIT
Carlton, OR 97111

Producteur d'une gamme de vins de cépage, éclectique mais intéressante. Certains sont véritablement beaux.

☆ Müller-Thurgau, Sauvignon blanc, NV Brut

THE EYRIE VINEYARDS
McMinnville, OR 97128

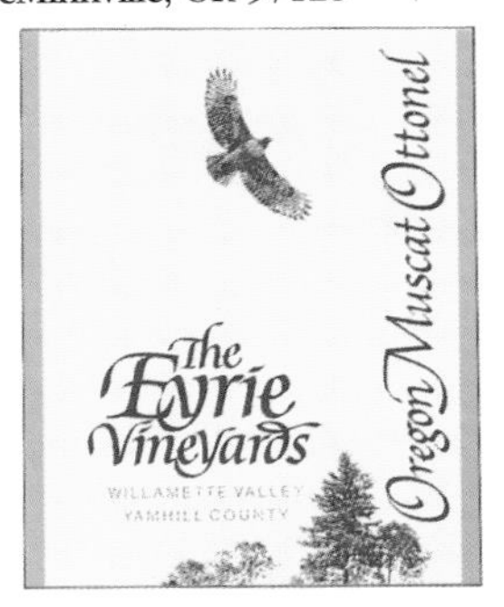

Pionnier du Pinot noir dans l'État. L'ensemble de la gamme de David Lett est de premier ordre.

☆ Chardonnay, Muscat ottonel, Pinot gris, Pinot noir (notamment Reserve)

KNUDSEN ERATH WINERY
Dundee, OR 97115

Une des meilleures entreprises de l'Orégon produisant des Pinot noir ayant peu de concurrents valables.

☆ Chardonnay, Pinot noir (Vintage Select)

OAK KNOLL WINERY
Hillsboro, OR 97123

Cette entreprise produit l'un des plus beaux Pinot noir de l'Oregon, issu de raisins achetés.

☆ Pinot noir

PONZI VINEYARDS
Beaverton, OR 97007

Une des meilleures entreprises de l'Oregon.

☆ Chardonnay, Pinot gris, Pinot noir, Dry White Riesling

REX HILL VINEYARDS
Newberg, OR 97132

Producteur d'un bon Chardonnay et de toutes sortes de Pinot noir.

☆ Chardonnay, Pinot noir, Pinot noir Blanc

SOKOL BLOSSER WINERY
Dundee, OR 97115

Entreprise de grande taille pour l'Oregon, mais suffisamment ramassée pour veiller à la qualité.

☆ Chardonnay, Pinot noir

TUALATIN VINEYARDS
Forest Grove, OR 97116

Entreprise produisant un solide Chardonnay et un Pinot noir élégant.

☆ Chardonnay, Pinot noir

Les meilleures autres entreprises

ALPINE VINEYARDS
☆ Chardonnay, Pinot noir (Vintage Select)

BETHEL HEIGHTS VINEYARD
☆ Pinot noir

CAMERON WINERY
☆ Chardonnay (Reserve), Pinot noir

ELK COVE VINEYARDS
☆ Chardonnay, Pinot noir, Riesling Late Harvest

GIRARDET WINE CELLARS
☆ Chardonnay

HIDDEN SPRINGS WINERY
☆ Pinot noir

HOOD RIVER VINEYARDS
☆ Zinfandel

SHAFER VINEYARDS
☆ Chardonnay, Pinot noir Blanc

VERITAS VINEYARD
☆ Chardonnay

YAMHILL VALLEY VINEYARDS
☆ Chardonnay, Pinot noir

WASHINGTON

ARBOR CREST
Spokane, WA 99207

Arbor Crest, une ancienne distillerie de cerises, appartient aux frères Mielke. Avec l'aide de Scott Harris, son maître de chai, cette entreprise vinicole est devenue l'une des meilleures de l'État.

☆ Cabernet Sauvignon, Chardonnay, Merlot, Sauvignon blanc

CHATEAU STE. MICHELLE
Woodinville, WA 98072

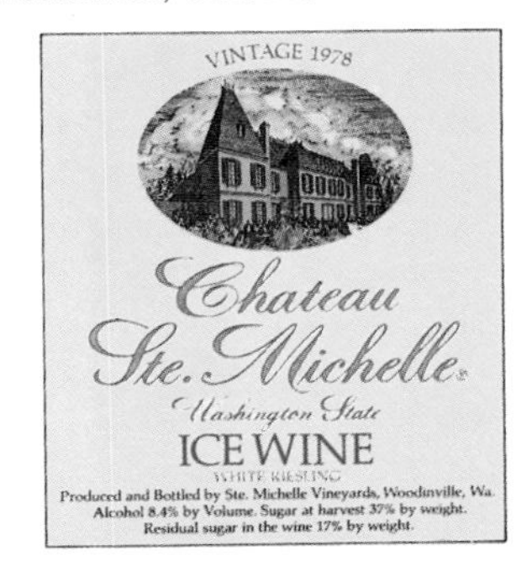

Quelques vins tranquilles de cette entreprise peuvent présenter un profil végétal déconcertant, mais son Fumé blanc est franc et fin et les mousseux paraissent pleins d'avenir.

☆ Blanc de noirs Brut, Fumé blanc

COLUMBIA WINERY
Bellevue, WA 98005

Les vins de cette entreprise sont élaborés par David Lake, « Master of Wine » d'Angleterre, dont le Gewurztraminer remporte tous les suffrages.

☆ Cabernet Sauvignon (Red Willow Vineyard), Chardonnay, Sémillon

THE HOGUE CELLARS
Prosser, WA 99350

Après avoir élevé du bétail et cultivé de la menthe verte pour le chewing-gum, Warren Hogue s'est lancé dans la gestion de cette entreprise. La qualité est élevée et justifie son succès.

☆ Cabernet Sauvignon (Reserve), Chardonnay, Merlot (Reserve)

LEONETTI CELLAR
Walla Walla, WA 99362

Les vins de Gary Figgins, le propriétaire, ont gagné des médailles depuis que le *Winestate Wine Buying Guide* de 1982 a primé son Cabernet Sauvignon 1978 comme le meilleur des États-Unis.

☆ Cabernet Sauvignon

PRESTON WINE CELLARS
Pasco, WA 99301

Bill Preston a fait de sa maison de retraite la plus grande entreprise vinicole de la côte nord-ouest du Pacifique. La production tout comme la qualité sont élevées.

☆ Chardonnay, White Riesling Ice Wine, Select Harvest Riesling

Les meilleures autres entreprises

KIONA VINEYARDS
☆ Chardonnay

BERNARD GRIFFIN
☆ Chardonnay

HAVILAND VINTNERS
☆ Cabernet Sauvignon

HINZERLING VINEYARDS
☆ Gewurztraminer

QUAIL RUN
☆ Chardonnay

QUILCEDA CREEK VINTNERS
☆ Cabernet Sauvignon

STEWART VINEYARDS
☆ Johannisberg Riesling (Late Harvest)

PAUL THOMAS WINERY
☆ Cabernet Sauvignon

WOODWARD CANYON WINERY
☆ Chardonnay

Côte nord-est de l'Atlantique

Dans cette région où l'on pratique la plus intensive viticulture à l'est des montagnes Rocheuses, l'industrie vinicole de la côte nord-est de l'Atlantique est traditionnellement axée sur la culture des cépages indigènes américains. Les cépages de *vinifera* gagnent toutefois rapidement du terrain, notamment chez les petits producteurs particulièrement soucieux de la qualité des vins qu'ils élaborent.

Depuis le milieu du XVIIe siècle, époque à laquelle furent installés les premiers vignobles de Manhattan et Long Island, on produit des vins dans le nord-est des États-Unis. Les viticulteurs ont toujours cultivé en priorité des cépages de *labrusca* notoirement foxés. Ce n'est que depuis 1957 qu'on cultive ici des plants de *vinifera*.

Dès que la Prohibition prit fin, Edwin Underhill, président de Gold Seal Vineyards, se rendit en Champagne où il persuada Charles Fournier, le chef de cave de la maison Veuve Clicquot, de venir travailler aux États-Unis. À son arrivée, en 1934, Charles Fournier qui, traditionnellement, recourait à l'autolyse de la levure pour améliorer les vins de base neutres, dans l'élaboration du Champagne, trouva beaucoup trop aromatiques les cépages de *labrusca* cultivés dans les vignobles des Finger Lakes, dans l'État de New York. Les vignerons le convainquirent que ces cépages de *vinifera* ne survivraient pas aux durs hivers. Il fit planter des ceps d'hybrides, croisements entre cépages français et américains indigènes. On les importa d'abord de France avant de les acheter à Philip Wagner, un vinificateur qui avait une appréciable collection d'hybrides dans son vignoble de Boordy, dans le Maryland.

En 1953, Fournier entendit parler de Konstantin Frank, un Ukrainien qui se répandait en critiques contre l'industrie viti-vinicole qui n'avait pas osé planter de vignes de *vinifera* dans cette région de l'Amérique du Nord. Frank était arrivé en Amérique, en 1951. Il n'avait pas d'argent, ne parlait pas l'anglais et dut exercer le métier de plongeur pour entretenir sa femme et ses trois enfants. Dès qu'il posséda assez la langue, il fit une demande d'emploi à la station de recherches viticoles de l'État de New York, située à Genève. Il expliqua qu'il avait étudié la viticulture à Odessa, organisé des exploitations agricoles collectives en Ukraine, enseigné la viticulture et l'œnologie dans un institut agronomique et, après la guerre, dirigé pour les forces d'occupation des exploitations agricoles en Autriche et en Bavière. Lorsqu'on souleva l'hypothèse que les hivers nord-américains sont trop rudes pour les vignes européennes, il rétorqua aussitôt : « Des hivers froids ? Mais dans le pays d'où je viens, un crachat gèle avant de toucher le sol. » Il avait manifestement cultivé des cépages de *vinifera* à des endroits où la température tombe à – 40 °C, et où il faut enterrer, chaque année, à plusieurs pieds de profondeur, des vignobles entiers avant l'arrivée de l'hiver. Il maintint donc que si la *vinifera* poussait en Union soviétique, elle devait aussi bien réussir dans l'État de New York arguant que son échec était probablement dû à une maladie incurable. Il fut engagé, mais pour biner les myrtilles !

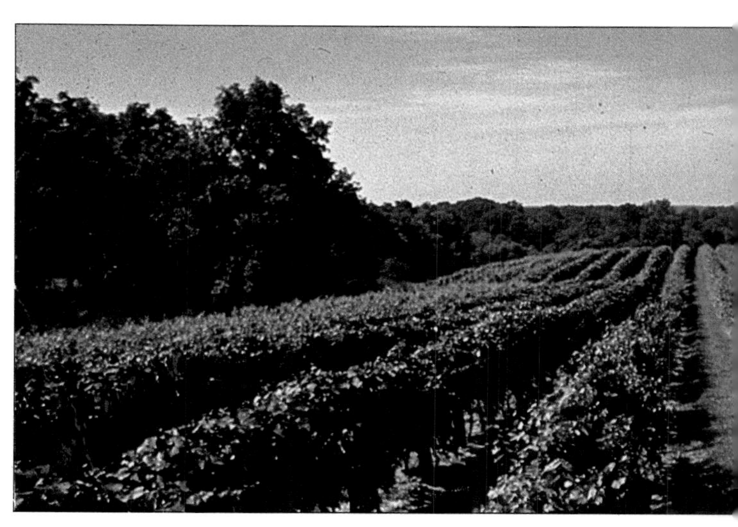

LA CÔTE NORD-EST DE L'ATLANTIQUE

De tous les États composant le Nord-Est atlantique, celui de New York est celui qui a le plus contribué à la réputation des vins de vinifera. *L'industrie vinicole des autres États est presque entièrement consacrée aux* Labrusca.

- Grand Traverse Bay
- Lac Michigan
- Lac Érié
- Chautauqua/Lac Érié
- Finger Lakes
- Vallée de l'Hudson/Long Island
- Niagara
- Cumberland Valley
- Sud-est de la Pennsylvanie
- Vallée de la Shenandoah
- Vallée de la Kanawha
- Charlottesville
- Roanoke River
- Frontière internationale
- Limites d'État ou de province
- ▲ Altitude

km 100 200 300 400

Fournier décida deux ans plus tard d'engager Frank pariant sur les théories de l'Ukrainien. Il gagna son pari en 1957 après les terribles gelées de février. Au printemps, les plus robustes des pieds de *labrusca* ne portaient pas une seule baie alors que 10 % seulement des pieds de Riesling et de Chardonnay plantés par Frank avaient été endommagés. Cette année-là, ils donnèrent une récolte exceptionnelle de raisins parfaitement mûrs.

Dans les années 80, le conflit d'opinion entre Frank et Genève continuait toujours. En dépit de son succès, *vinifera* n'avait pas encore pris son essor dans l'État de New York. Les « Genevois », selon ses propres termes, maintenaient que ce cépage ne pouvait être cultivé que par des spécialistes. Il répliqua simplement : « Ce que les pauvres paysans d'Italie et de Russie peuvent faire avec leurs bêches, les cultivateurs américains ne sauraient le faire avec leur matériel automatisé... »

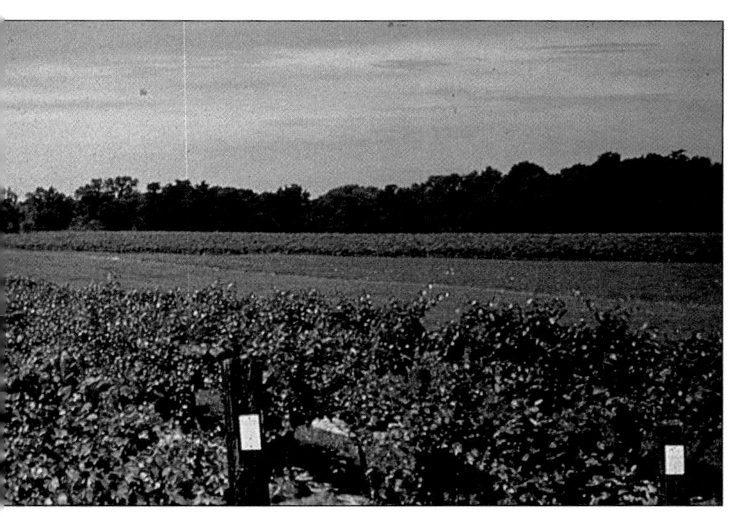

FACTEURS AFFECTANT LE GOÛT ET LA QUALITÉ

Situation
Groupement arbitraire d'États situés entre l'Atlantique et les Grands Lacs.

Climat
L'influence modératrice due aux grandes masses d'eau – tels les lacs Érié et Michigan, les Finger Lakes – engendre un microclimat favorable au *vinifera*.

Site
Nombre de vignobles sont implantés sur des terrains plats à proximité des rivages des lacs ou sur les pentes basses des chaînes de montagnes voisines.

Sol
État de New York : schistes, argiles schisteux, ardoise et calcaire dans la région de l'Hudson ; Virginie : limons bourbeux et graviers au « Rock Knob », calcaire et grès au confluent nord de la rivière Roanoke ; Michigan : éboulis glaciaires ; Ohio : apports divers en mince couche sur soubassement de calcaire ; Pennsylvanie : sols calcaires dans la vallée de Lancaster.

Viticulture et vinification
Dans bien des régions, les ceps de *vinifera* ne peuvent survivre à la mauvaise saison que si on les enfouit sous terre avant l'arrivée de l'hiver. Les vins mousseux sont la spécialité de l'État de New York et particulièrement des Finger Lakes. Grâce à des façons viticoles très soigneuses, à l'usage de pulvérisations en fin de saison et au recours à de nouvelles méthodes de vinification, les vins de cépage issus de *vinifera* progressent en réputation.

Cépages
Les cépages de *labrusca* indigènes, tels que Concord, Catawba, Delaware et Ives prédominent. On note une progression constante des hybrides franco-américains Vidal blanc, Seyvel blanc, Chelois, Baco noir, Maréchal Foch et Aurore. Le nombre de cépages de *vinifera* est encore limité (Chardonnay, Riesling, Cabernet Sauvignon et Gewurztraminer...) mais il progresse.

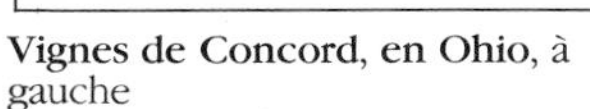

Vignes de Concord, en Ohio, à gauche
Bien que quelques rares entreprises produisent des vins issus de vinifera, *la production de l'Ohio repose sur des cépages hybrides ou indigènes tel le Concord.*

Vendange mécanisée, ci-dessous
Les raisins sont vendangés mécaniquement dans les vignobles de la société vinicole Taylor de Hammondsport, l'une des entreprises les plus renommées de l'État de New York.

Les AVA de la Côte nord-est de l'Atlantique

CATOCTIN AVA
(Maryland)

Date de création : *14 novembre 1983*

Située à l'ouest de la ville de Frederick, cette AVA couvre 686 km² dans les comtés de Frederick et de Washington. Le terroir particulier de cette AVA était bien connu avant sa création car il correspond à peu près aux limites de la zone n° 130 de protection des ressources du Maryland. Les zones de ce genre sont délimitées par l'US Soil Conservation Service, qui dresse un inventaire des disponibilités en matière de sol, de climat et d'eau, en fonction de la topographie et de l'utilisation des terres.

CAYUGA LAKE AVA
(New York)

Appellation en cours d'homologation.

CENTRE DELAWARE VALLEY AVA
(Pennsylvanie et New Jersey)

Date de création : *18 avril 1984*

Appellation s'appliquant à 388 km² dont très peu sont encépagés. La rivière Delaware exerce une certaine influence sur le climat.

CUMBERLAND VALLEY AVA (Maryland et Pennsylvanie)

Date de création : *26 août 1985*

Située entre les monts Allegheny et les South Mountains, la vallée du Cumberland s'étend sur 128 km ; elle s'incline vers le nord-est du fleuve Potomac, dans le comté de Washington, à la rivière Susquehanna dans le comté du Cumberland, en Pennsylvanie. L'AVA englobe quelque 3 100 km², mais la vigne se limite à un ensemble de petites zones où le sol, le drainage, la pluviométrie et la protection contre les températures excessives de l'hiver permettent sa culture. On trouve des vignobles sur les hautes terrasses longeant les rives nord du Potomac, sur les collines et les crêtes de la vallée et sur les hautes terres au flanc des South Moutains.

FENNVILLE AVA
(Michigan)

Date de création : *19 octobre 1981*

Le lac Michigan exerce une influence modératrice sur le climat de cette zone ; les hivers y sont légèrement moins froids et les étés plus frais que ceux des autres zones situées dans un rayon de 50 km. Depuis plus de 100 ans, le territoire de l'AVA de Fennville, qui couvre 310 km² d'un sol surtout composé d'éboulis d'origine glaciaire, est consacré à la culture fruitière.

FINGER LAKES AVA
(New York)

Date de création : *1er octobre 1982*

Cette zone doit son nom aux onze lacs situés dans le centre-ouest de l'État dont la forme évoque des doigts. Le climat y est tempéré par la masse d'eau de l'arrière-pays. De plus, la topographie des environs engendre un drainage de l'air qui écrête les températures excessives d'été et d'hiver. Cette zone, qui englobe celle du lac Cayuga, présente une période de végétation de 143 jours en moyenne, tandis que, dans la zone située immédiatement au nord-est, la période de végétation est de 170 à 180 jours, et de 110 à 120 jours dans le secteur situé au sud-ouest.

GRAND RIVER VALLEY AVA (Ohio)

Date de création : *21 novembre 1983*

Cette appellation est située dans les comtés de Lake, de Geauga et d'Ashtabula. Le lac Érié étant un facteur perturbant pour la viticulture au nord-est de l'Ohio, l'AVA se limite à la section de vallée comprise dans l'AVA portant le nom du lac Érié. Celui-ci protège les vignobles des gelées et entraîne une période de végétation plus longue que dans les zones de l'arrière-pays. Le relief améliore la ventilation de la vallée, ce qui confère au microclimat de cette zone un caractère suffisamment particulier pour la différencier de l'AVA du lac Érié.

HUDSON RIVER REGION AVA (New York)

Date de création : *6 juillet 1982*

Cette AVA englobe les comtés de Columbia, Dutchess et Putnam, les parties orientales des comtés d'Ulster et de Sullivan, presque tout celui d'Orange et les zones septentrionales des cantons de Rockland et Westchester. La région de l'Hudson présente un des sols les plus complexes au monde. Les vignobles sont installés dans le secteur géologique de Taconic Province, où le sol se compose de calcaire, de schistes, d'ardoises et d'argiles schisteuses.

ISLE ST. GEORGE AVA
(Ohio)

Date de création : *20 septembre 1982*

Cette île de près de 2 km², située entièrement dans le comté d'Ottawa, est la plus septentrionale des îles Bass. On y cultive la vigne depuis 1853 et plus de la moitié de sa superficie est encépagée. Le climat tempéré par le lac Érié est nettement différent de celui des zones continentales de l'Ohio, également placées sous l'influence du lac. Plus frais au printemps et en été, les vignes y sont à l'abri des gelées durant 296 jours par an, ce qui ne se rencontre nulle part ailleurs dans l'Ohio. Le sol peu épais, dépôt glaciaire couvrant un sous-sol calcaire et fissuré, convient bien à la viticulture.

KANAWHA RIVER VALLEY AVA
(Virginie occidentale)

Date de création : *8 mai 1986*

Cette appellation qui couvre 2 600 km² n'abrite que 6 ha de vignes et une seule entreprise vinicole.

LAKE ERIE AVA
(New York, Pennsylvanie et Ohio)

Date de création : *21 novembre 1983*

Quelque 150 km² chevauchant trois États forment cette appellation qui englobe également les AVA de l'île St-George et la Grand River Valley. C'est grâce à l'influence modératrice qu'exerce le lac Érié sur le climat que l'on peut y cultiver la vigne.

LAKE MICHIGAN SHORE AVA
(Michigan)

Date de création : *14 novembre 1983*

Au sud-est de l'État du Michigan, cette AVA englobe les comtés de Berrien et Van Curen ainsi que des parties de ceux d'Allegan, Kalamazoo et Cass. C'est une région homogène des points de vue géographique et climatique, bien qu'elle englobe des terroirs très particuliers, tel celui de Fennville, qui possède sa propre AVA.

LANCASTER VALLEY AVA
(Pennsylvanie)

Date de création : *11 juin 1982*

Si la vigne est cultivée dans le comté de Lancaster depuis le début du XIXe siècle, son essor réel est tout récent. À l'altitude moyenne de 120 m, les vignobles occupent un fond de vallée pratiquement plat. Les profonds sols calcaires de la vallée sont bien drainés tout en ayant un bon pouvoir de rétention hydrique ; très productifs, ils diffèrent très nettement de ceux que l'on trouve sur les collines et les hautes terres des environs.

LEELANAU PENINSULA AVA
(Michigan)

Date de création : *29 avril 1982*

Cette appellation, située sur la rive occidentale du lac Michigan, ne compte que quatre entreprises vinicoles et environ 61 ha plantés d'hybrides et de *vinifera* français. Le lac Michigan permet à la fructification de passer le cap des plus sérieuses gelées printanières et atténue les chutes de température à l'automne.

LINGANORE AVA
(Maryland)

Date de création : *19 septembre 1983*

Première appellation du Maryland, à l'est de la ville de Frederick, cette zone viticole est en général plus chaude et plus humide que celles de l'est et légèrement plus fraîche et sèche que celles de l'ouest.

LORAMIE CREEK AVA
(Ohio)

Date de création : *27 décembre 1982*

Cette appellation couvre 1 460 ha dans le comté de Shelby. Le drainage moyen médiocre du sol exige que l'on cultive la vigne sur des pentes ou des crêtes pour éviter la pourriture.

MARTHA'S VINEYARD AVA
(Massachusetts)

Date de création : *4 février 1985*

Il ne faut pas confondre cette AVA qui occupe une île du Massachusetts avec le légendaire Martha's Vineyard de Heitz Wine Cellars, installé dans la vallée de la Napa. L'île est entourée au nord par Vineyard Sound, à l'est par Kentucky Sound et à l'ouest et au sud par l'Atlantique. L'appellation englobe une zone viticole, Chappaquiddick, reliée à Martha's Vineyard par un banc de sable. Le climat de cette appellation est particulier ; les vents océaniques retardent l'arrivée du printemps et donnent des automnes frais. La période de végétation est de 210 jours en moyenne contre 180 jours sur le continent.

MONTICELLO AVA
(Virginie)

Date de création : *22 février 1984*

La zone de Monticello est la patrie de Thomas Jefferson. De nombreuses anecdotes circulent d'ailleurs sur Jefferson et ses expériences viticoles. Cette appellation connaît une pluviométrie annuelle moyenne de 1 070 mm, tandis que celle de la fourche nord de Roanoke est de 990 mm ; quant à la vallée de Shenandoah, elle présente une gamme plus large de précipitations comprises entre 970 et 1 240 mm.

NORTHERN NECK GEORGES WASHINGTON BIRTHPLACE AVA
(Virginie)

Date de création : *21 mai 1987*

Cette péninsule de 160 km de long est insérée entre le Potomac et le Rappahannock, dans le secteur de la Virginie submergé par la marée, allant de la baie de Chesapeake, à l'est, à Fredericksburg, à quelques kilomètres à l'ouest. La vigne pousse sur les sols argilo-siliceux des coteaux et des collines, ainsi que sur des alluvions dans les vallées. Le climat, tempéré par les masses d'eau du voisinage et bien ventilé, est propice à la vigne.

NORTH FORK OF LONG ISLAND AVA (New York)

Date de création : *10 novembre 1986*

Cette AVA de 420 km² recouvre les limites communales de Riverhead, Shelter, Island et Southold, zones insulaires et continentales comprises. Le climat est de type continental humide, mais la mer qui baigne l'extrémité nord de Long Island donne son caractère à la zone viticole, plus tempérée que nombre d'endroits situés à la même latitude à l'intérieur du pays. La période de végétation dure de une à trois semaines de plus dans l'extrémité nord que dans l'extrémité sud et les sols sablonneux, en général, contiennent moins de vases et de limons mais sont légèrement plus fertiles.

NORTH FORK OF ROANOKE AVA
(Virginie)

Date de création : *16 mai 1983*

Cette vallée est protégée en période de végétation contre les orages dévastateurs et les pluies excessives, à l'est par les monts de Fort Lewis, à l'ouest par les crêtes montagneuses des Allegheny. La vigne est implantée sur les pentes calcaires exposées au sud-est et sur celles, formées de couches alternées de calcaire et de grès, qui font face au nord. Les sols sont foncièrement différents de ceux que l'on trouve dans les collines et sur les crêtes des environs.

OHIO RIVER VALLEY
(Indiana, Ohio, Virginie occidentale et Kentucky)

Date de création : *7 octobre 1983*

Cette vaste AVA couvre 67 340 km² chevauchant quatre États et englobant 240 ha de vignes. En 1859, l'Ohio était le premier État vinicole de la nation mais, à la suite de la guerre civile, le black-rot et le mildiou ont détruit presque toutes les vignes.

ROCKY KNOB AVA
(Virginie)

Date de création : *11 février 1983*

Située au sein des pittoresques monts Blue Ridge, cette appellation est plus froide au printemps que celles des environs. Les vignes fleurissent donc plus tardivement, ce qui leur permet de résister aux températures capricieuses et très froides du début du printemps et retarde la fructification en allongeant la période de végétation d'environ une semaine. Le sol de gravier et de limon bourbeux assure un bon drainage.

SHENANDOAH VALLEY AVA
(Virginie et Virginie occidentale)

Date de création : *27 janvier 1983*

La belle vallée de Shenandoah se trouve entre les monts Blue Ridge et Allegheny. Cette AVA recouvre les comtés de Frederick, Clarke, Warren, Shenandoah, Page, Rockbridge, Botetourt et Amherst en Virginie, ainsi que les comtés de Berkeley et de Jefferson en Virginie occidentale.

SOUTHEASTERN NEW ENGLAND AVA
(Connecticut, Rhode Island et Massachusetts)

Date de création : *27 avril 1984*

Cette appellation se distingue de ses voisines de la Nouvelle-Angleterre et de New York par son climat tempéré par la proximité de diverses masses d'eau côtières. La pluviométrie annuelle est de 1 120 mm, la température diurne en moyenne de – 1 °C en janvier et de 21 °C en juillet ; la période de végétation dure au moins 180 jours.

WARREN HILLS AVA
(New Jersey)

Appellation en cours d'homologation.

WESTERN CONNECTICUT HIGHLANDS AVA
(Connecticut)

Appellation en cours d'homologation.

Les principales entreprises vinicoles du Nord-Est atlantique

CONNECTICUT

CROSSWOOD VINEYARDS
North Stonehingham, CT 06359

Fondée en 1981, cette entreprise possède 5 ha de Chardonnay, Gamay, Gewurztraminer, Johannisberg Riesling, Pinot noir et Vidal blanc.

☆ Gewurztraminer, Johannisberg Riesling
Seconde étiquette : « Scrimshaw »

HAIGHT VINEYARDS
Litchfield, CT 06759

☆ Chardonnay, Riesling

HAMLET HILL VINEYARDS
Pomfret, CT 06258

☆ Seyval blanc

HOPKINS VINEYARDS
New Preston, CT 06777

☆ Ravat blanc (doux)

SCRIMSHAW
Voir Crosswood Vineyards.

DELAWARE

La vente du vin au détail n'est pas autorisée dans le Delaware, aussi la Northminster Winery vend exclusivement aux restaurants.

MARYLAND

BASIGNANI

Je ne connais guère cette entreprise nouvelle qui produit du Merlot et du Cabernet Sauvignon de qualité suffisante pour attirer l'attention.

BOORDY VINEYARDS
Hydes, MD 21082

C'est ici que le journaliste Philip Wagner a fait connaître les hybrides au Nord-Est atlantique. Rob Derfod a racheté l'entreprise quand Wagner a pris sa retraite en 1980.

BYRD VINEYARDS
Myersville, MD 21773

Maison produisant des *vinifera* dont certains vins primés sont tout à fait étonnants.

☆ Cabernet Sauvignon, Chardonnay, Sauvignon blanc

CATOCTIN VINEYARDS
Brookeville, MD 20729

☆ Chardonnay, Johannisberg Riesling

ELK RUN VINEYARD
Mount Airy, MD 21771

☆ Chardonnay

MONTBRAY WINE CELLARS
Westminster, MD 21157

Montbray a été la première entreprise à produire, en 1974, un « vin de glace » de Riesling.

☆ Chardonnay, Johannisberg Riesling, Seyval blanc

MASSACHUSETTS

CHICAMA VINEYARDS
West Tisbury, MA 02575

Première entreprise vinicole commerciale du Massachusetts et la première à avoir implanté des *vinifera* chez Martha's Vineyard.

COMMONWEALTH WINERY
Plymouth, MA 02360

Cette entreprise achète son raisin dans l'État et à l'extérieur.

☆ Riesling

MICHIGAN

BOSKYDEL VINEYARD
Lake Leelanau, MI 49653

Premier vignoble créé sur la péninsule de Leelanau.

BRIARWOOD
Voir Fenn Valley Vineyards.

BRONTE WINERY
Voir Tabor Hill Bronte Wines.

CHATEAU GRAND TRAVERS
12239 Center Road
Traverse City, MI 49684

Seul vignoble du Michigan encépagé à 100 % de *vinifera*.

☆ Chardonnay, Johannisberg Riesling

FENN VALLEY VINEYARDS
6130 122nd Avenue
Fennville, MI 49408

Première entreprise à produire des vins dans l'AVA de Fennville.

☆ Vidal blan
Seconde étiquette : « Briarwood »

LAKESIDE VINEYARD
13581 Red Arrow Highway
Harvert, MI 49115

L'ancienne Molly Pitcher Winery a changé de nom à l'occasion du changement de propriétaire en 1975. Revendue en 1983, cette entreprise est actuellement gérée par Leonard Olson, ancien propriétaire de Tabor Hill Vineyards.

☆ Chardonnay, Johannisberg Riesling
Seconde étiquette : « Molly Pitcher Winery »

LEELANAU WINE CELLARS
Omena, MI 49674

Affaire appréciée pour son Baco noir et pour ses vins de *vinifera*.

☆ Chardonnay

LEMON CREEK WINERY
Lemon Creek Road
Berrien Springs, MI 49103

Cette entreprise qui produit en grandes quantités le Vidal blanc élabore également un assemblage de Riesling-Vidal blanc.

MOLLY PITCHER WINERY
Voir **Lakeside Vineyard.**

ST. JULIAN WINE COMPANY
716 South Kalamazzo Street
Paw Paw, MI 49079

Fondée par un Italien, cette entreprise canadienne, Meconi Wine Cellars, devint américaine en déménageant à Detroit et prit alors le nom d'Italian Wine Company. En 1938, elle prit son nom et son adresse actuels. Ses vins mousseux sont appréciés.

TABOR HILL BRONTE WINES
82807 Country Road 687
Hartford, MI 49057

Cette entreprise, créée à Detroit sous le nom de Bronte Winery, est la première à avoir commercialisé le « Cold Duck », une décoction de Concord gazéifiée, qui connut une vogue extraordinaire dans les années 60. Avec un tel passé, il n'est guère surprenant qu'elle ait changé d'adresse et de raison sociale.

TABOR HILL VINEYARDS
Mt. Tabor Road, Buchanan, MI 49107

Propriété de Leonard Olson et Carl Banholzer, cette affaire a été la première du Michigan à faire des *vinifera* et ses vins ont acquis une grande renommée. Olson et Banholzer ont vendu la maison en 1979, mais la qualité n'a pas bougé.

☆ Chardonnay

WARNER VINEYARDS
706 South Kalamazoo Street
Paw Paw, MI 49079

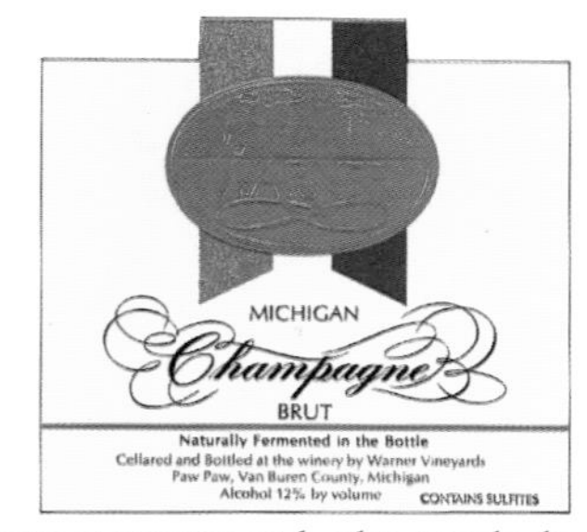

Cette entreprise est la plus grande de l'État. Si Warner conçoit la nécessité commerciale de cultiver des hybrides, il est encourageant de constater que 75 % de ses vignobles sont encépagés en *vinifera*.

NEW JERSEY

BERNARD D'ARCY WINES
Voir **Gross Highland Winery.**

GROSS HIGHLAND WINERY
Absecon Highlands, NJ 08201

Les vins sont vendus sous l'étiquette « Bernard d'Arcy Wines ».

☆ Ronay blanc, Vidal blanc

RENAULT WINERY
Egg Harbor City, NJ 08215

Entreprise créée par Louis Nicholas Renault, représentant du Champagne Montebello de Mareuil-sur-Ay.

TEWKSBURY WINE CELLARS
Lebanon, NJ 08833

☆ Chardonnay

NEW YORK

BENMARL WINE COMPANY LTD
Highland Avenue
Marlboro, NY 12542

Une des meilleures entreprises de l'État de New York. Benmarl est un mot gaélique désignant un sol composé de schistes et de marnes.

☆ Chardonnay, Seyval blanc

THE BRIDGEHAMPTON WINERY
Box 979
Bridgehampton, NY 11932

☆ Chardonnay, Première cuvée blanc, Sauvignon blanc, Johannisberg Riesling

BROTHERHOOD WINERY
35 North Street
Washingtonville, NY 10992

Cette entreprise, qui n'a jamais cessé ses activités, fut créée par un chausseur du nom de Jean Jacques qui, à l'origine, vendait du vin à la First Presbyterian Church. Certains chroniqueurs apprécient fort ses « Porto ».

BULLY HILL VINEYARDS INC.
Greyton H. Taylor Memorial Drive
Hammondsport, NY 14840

Walter Taylor, propriétaire et maître de chai, dit que les hybrides sont « la plus grande invention depuis celle de la bouteille de vin ».

CANANDAIGUA WINE COMPANY
116 Buffalo Street
Canandaigua, NY 14424

Dans la langue des indiens senecas, Canandaigua signifie « terre d'élection ». Cette maison assure une production énorme, de plus de 8 millions de caisses. Elle s'est lancée dernièrement dans la production de vins de cépage de choix et on dit beaucoup de bien de ses vins de Muscat, mousseux et doux.

Autres étiquettes : « Richards », « J. Roget », « Virginia Dare »

CASA LARGA VINEYARDS
2287 Turk Hill Road
Fairport, NY 14450

Cette entreprise prometteuse a remporté quelque succès avec ses vins de *vinifera*.

☆ Chardonnay, Johannisberg Riesling

CHATEAU ESPERANZA WINERY
Bluff Point, NY 14417

Après des débuts difficiles, les vins trouvent leur équilibre. Son Ravat botrytisé de vendange tardive est apprécié.

CLINTON VINEYARDS
Schultzville Road
Clinton Corners, NY 12514

Cette entreprise fait l'un des meilleurs Seyval blanc de l'État.

FINGER LAKES WINE CELLARS
Italy Hill Road
Branchport, NY 14418

Ces chais produisent un bon Chardonnay et un Riesling prometteurs.

☆ Chardonnay

CHARLES FOURNIER
Voir **Gold Seal Vineyards.**

GLENORA WINE CELLARS
Glenora-on-Seneca
Dundee, NY 14837

Cette entreprise, qui a emprunté son nom à une cascade voisine, produit des vins réussis, nerveux et typés.

☆ Chardonnay, Johann blanc, Seyval blanc

GOLD SEAL VINEYARDS
Hammondsport, NY 14840

Cette maison a bâti sa réputation sur le succès de son « New York Champagne ». La qualité de ce mousseux tenait à 100 ans d'expériences en matière de vrai Champagne, en l'occurrence, celles de Charles Le Breton de la maison Louis Roederer, Jules Crance de Moët & Chandon, Charles Fournier de Veuve Clicquot et Guy Davaux, de Marne et Champagne, qui ont tous travaillé dans la maison. C'est Charles Fournier qui a vraiment fait passer Gold Seal à la postérité en lançant les hybrides et en embauchant, contre l'avis des spécialistes régionaux, l'irréductible Konstantin Frank.

☆ Chardonnay, Charles Fournier Blanc de Blancs, Johannisberg Riesling
Seconde étiquette : « Henri Marchant »

GREAT RIVER VINEYARDS
Voir **Windsor Vineyards.**

GREAT WESTERN WINERY
Old Bath Road
Hammondsport, NY 14840

Great Western est maintenant filiale de la société Taylor Wine. Le genre de ses vins évoque plutôt la vieille école malgré son bon mais intermittent *vinifera*.

☆ Johannisberg Riesling, Sweet Gewurztraminer

HARGRAVE VINEYARD
Voir **Long Island Vineyard.**

HERON HILL VINEYARDS
Middle Road
Hammondsport, NY 14840

Belle qualité, vins radieux.

☆ Chardonnay, Johannisberg Riesling, Seyval blanc
Seconde étiquette : « Otter Springs »

HIGH TOR VINEYARDS
South Mountain Road
New City, NY 10956

La vigne pousse ici depuis le XVIIIe siècle.

PATRICIA & PETER LENZ
Main Road, Peconic, NY 11958

☆ Chardonnay

LONG ISLAND VINEYARD
Route 48, Cutchogue, NY 11935

Après avoir étudié les potentialités des diverses zones viticoles de tout le pays, la famille Hargraves a installé cet établissement sur Long Island et a prouvé, depuis, que l'on peut y produire des vins d'une grande finesse.

☆ Cabernet Sauvignon, Chardonnay, Sauvignon blanc
Seconde étiquette : « Hargrave Vineyard »

HENRI MARCHANT
Voir Gold Seal Vineyards.

MANISCHEWITZ
Voir Monarch Wine Company.

MARLBORO CHAMPAGNE
Voir Windsor Vineyards.

McGREGOR VINEYARDS
5503 Dutch Street
Dundee, NY 14837

☆ Riesling

MONARCH WINE COMPANY
Brooklyn, NY 11232

Produit annuellement 3 millions de caisses de vins kashers.

Autres étiquettes : « Pol d'Argent », « Chateau Laurent », « Manischewitz », « Le Premier Cru »

OTTER SPRINGS
Voir Heron Hill Winery.

PINDAR VINEYARDS
Peconic, NY 11958

Gewurztraminer et Johannisberg Riesling en progrès, entre autres vins.

☆ Chardonnay

PLANE'S CAYUGA VINEYARD
6799 Cayuga Lake Road
Ovid, NY 14521

Robert Plane s'est vite bâti une extraordinaire réputation avec son Chardonnay. Ses hybrides sont également dignes d'intérêt.

☆ Chardonnay

POL D'ARGENT
Voir Monarch Wine Company.

LE PREMIER CRU
Voir Monarch Wine Company.

RICHARDS
Voir Canandaigua Wine Company.

J. ROGET
Voir Canandaigua Wine Comapny.

ROYAL KEDEM WINERY
Milton, NY 12547

Volumes considérables de vins kashers.

SCHAPIRO'S WINERY
New York, NY 10002

Seule entreprise de vins kashers à ne pas avoir quitté Manhattan.

THE TAYLOR WINE COMPANY
Old Bath Road
Hammondsport, NY 14840

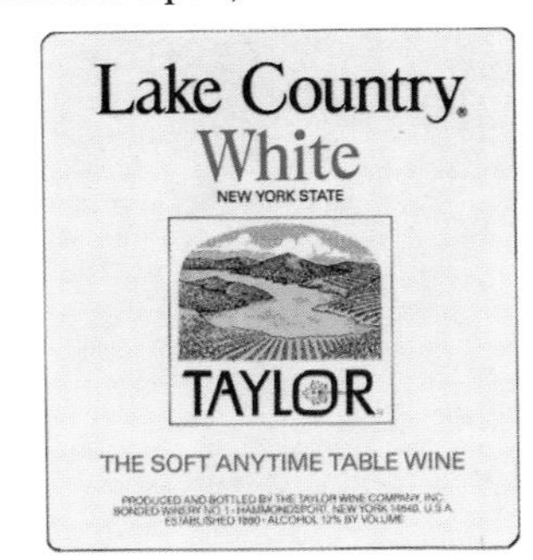

De l'immense réussite de cette maison est née la Taylor California Cellars. Les deux sont maintenant la propriété de Vintners International.

VINIFERA WINE CELLARS
Hammondsport, NY 14846

Gamme fascinante de vins de *vinifera*, impressionnants et souvent passionnants.

☆ Chardonnay, Johannisberg Riesling

VIRGINIA DARE
Voir Canandaigua Wine Company.

WAGNER VINEYARDS
Route 414, Lodi, NY 14860

Vins de qualité sérieuse et élevée.

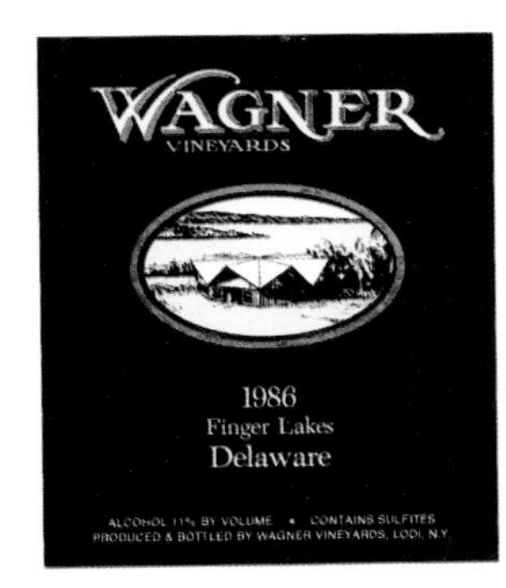

☆ Chardonnay, Gewurztraminer, Riesling, Seyval blanc

WALKER VALLEY VINEYARDS
Oregon Trail Road
Walker Valley, NY 12588

Producteurs d'un intéressant Maréchal Foch et d'un Chardonnay en progrès.

HERMANN J. WEIMER VINEYARD
Dundee, NY 14837

Alors qu'il travaillait pour un viticulteur passionné par les hybrides, Weimer produisit quelques vins de *vinifera* qui furent l'objet de louanges ; leur qualité ne s'est jamais démentie.

☆ Chardonnay, Johannisberg Riesling

WICKHAM VINEYARDS, LTD
Hector, NY 14841

Produit de temps en temps un agréable Johannisberg Riesling.

WINDSOR VINEYARDS
104 Western Avenue
Marlboro, NY 12542

Entreprise appartenant à Rodney Strong Vineyards qui fait elle-même partie de Seagram, la grande société multinationale canadienne. Ses Cabernet Sauvignon, Merlot, Sauvignon blanc et Gewurztraminer sont prometteurs.

☆ Chardonnay
Autres étiquettes : « Great River Vineyards », « Marlboro Champagne »

WOODBURY VINEYARDS
South Roberts Road
Dunkirk, NY 14048

Les Woodbury forment l'une des nombreuses familles de vignerons américains traditionnels que la simple sagesse de Konstantin Frank a convertis.

☆ Chardonnay, Johannisberg Riesling, Seyval blanc

OHIO

CHALET DEBONNÉ
7743 Doty Road
Madison, OH 44057

☆ Chablis, Vidal blanc

GRAND RIVER WINE CO
Madison, OH 44057

☆ Seyval blanc

MARKKO VINEYARD
Ridge Road, Conneaut, OH 44030

Arnulf Esterer est le premier à avoir planté la *vinifera* en Ohio. Ses vins sont les meilleurs de l'État.

☆ Cabernet Sauvignon, Chardonnay

PENNSYLVANIE

ALLEGRO VINEYARDS
Sechrist Road, Brogue, PA 17309

Producteurs d'un Chardonnay admirable et d'un Cabernet Sauvignon prometteur.

☆ Cabernet Sauvignon, Chardonnay

CHADDS FORD WINERY
Chadds Ford, PA 19317

Il est trop tôt pour porter un jugement sur les vins de cette entreprise gérée par Eric Miller, fils des propriétaires de la Benmarl Winery de l'État de New York.

☆ Chardonnay

MAZZA VINEYARDS
North East, PA 16428

☆ Johannisberg Riesling

NAYLOR WINE CELLARS
Stewartstown, PA 17363

Les propriétaires, Robert et Audrey Naylor, font quelques vins très fins.

☆ Cabernet Sauvignon, Johannisberg Riesling

NISSLEY VINEYARDS
Brainbridge, PA 17502

☆ Chardonnay, Johannisberg Riesling

RHODE ISLAND

PRUDENCE ISLAND VINEYARDS
Prudence Island, RI 02872

☆ Chardonnay

SAKONNET VINEYARDS
Little Compton, RI 02837

La première entreprise vinicole de l'État créée après la Prohibition.

☆ America's Cup White, Chardonnay, White Riesling, Vidal blanc

VIRGINIE

MEREDYTH VINEYARDS
Middleburg, VA 22117

☆ Chardonnay

OASIS VINEYARD
Hume, VA 22639

☆ Cabernet Sauvignon

PIEDMONT VINEYARD & WINERY INC.
Middleburg, VA 22117

Mme Furness gère cette excellente entreprise. Son vin le plus fin est un Chardonnay nerveux et typé.

☆ Chardonnay

PRINCE MICHEL VINEYARDS
200 Lovers Lane
Culpeper, VA 22701

☆ White Riesling

VIRGINIE OCCIDENTALE

WEST-WHITEHILL WINERY LTD
Keyser, West VA 26726

☆ Seyval blanc

Autres zones viticoles des États-Unis

Note : Les entreprises citées à la fin de l'article décrivant un État et dont le nom est suivi d'un astérisque cultivent des cépages classiques de *vinifera* d'Europe. Dans quelques États, on a mentionné le nom, l'adresse et les caractéristiques générales de celles qui produisent des vins de belle qualité.

ALABAMA

Les premières vignes de culture commerciale ont été plantées en Alabama dans les années 1830. Pourtant, plus de la moitié des comtés sont restés au régime « sec » jusqu'en 1975. Il a fallu attendre 1978 pour que le législateur autorisât l'ouverture d'entreprises agri-vinicoles.

Entreprises vinicoles de l'Alabama

BRASWELL'S WINERY
PERDIDO VINEYARDS

ARIZONA

Il y a longtemps que l'on cultive avec succès des raisins de table dans les déserts irrigués de l'Arizona. Depuis quelques années, on a implanté des cépages de cuve classiques à 1 220 m d'altitude dans l'AVA isolée de Sonoita, au sud-est de Tucson.

L'AVA de l'Arizona

SONOITA AVA

Date de création : *26 novembre 1984*

Les massifs montagneux de Santa Rita, Huachuca et Whetsone isolent cette AVA de ses environs. Ce bassin comprend les eaux d'amont de trois cours d'eau : la Sonoita Creek s'écoulant vers le sud, la Cienega Creek vers le nord et la Babocamari vers l'est.

Entreprise vinicole de l'Arizona

R. W. WEBB WINERY *

ARKANSAS

Après la Prohibition, plus d'une centaine d'entreprises vinicoles naquirent dans l'Arkansas, mais leurs producteurs connaissaient surtout les techniques de bouilleurs clandestins. Une demi-douzaine d'entreprises seulement ont survécu.

Les AVA de l'Arkansas

ALTUS AVA

Date de création : *29 juin 1984*

Cette appellation, qui couvre à peu près 52 km², s'étend sur quelque 8 km le long d'un plateau situé entre des terrains formant le fond de la rivière Arkansas et les hauts sommets des Boston Mountains qui jouent un rôle protecteur.

ARKANSAS MOUNTAIN AVA

Date de création : *27 octobre 1986*

Cette très grande appellation, située dans la partie montagneuse de l'Arkansas, couvre environ 11 650 km² et englobe quelque 480 ha de vignobles installés au nord et au sud du cours de l'Arkansas. Les monts Arkansas modèrent les températures hivernales et protègent les vignes des violents vents du nord et des sautes de température. Si l'on cultive les cépages européens classiques dans les monts Arkansas, ils ne peuvent survivre dans la proche zone méridionale car ils sont victimes de la maladie de Pierce qui, sous les climats chauds, affecte *Vitis vinifera*.

OZARK MOUNTAIN AVA

Date de création : *1er août 1986*

On compte quelque 36 entreprises vinicoles dans cette appellation de 142 450 km² dont 1 780 ha de vignes. Cinq grands cours d'eau en définissent les limites : le Mississippi, le Missouri, l'Osage, le Neosho et l'Arkansas. L'AVA abrite le mont Magazine, le plus haut de l'Arkansas. Le terrain est vallonné et montagneux. Les sols sont pierreux, bien drainés et contiennent de l'argile issue de roches volcaniques et sédimentaires bien consolidées mais très dégradées. L'AVA couvre aussi des parties du Missouri et de l'Oklahoma.

Entreprise vinicole de l'Arkansas

WIEDERKEHR WINE CELLARS

Altus, AR 72821

Cette entreprise, la plus ancienne de l'État, a pour maître de chai Al Wiederkehr, qui a été formé à l'université Davis (Californie). La production annuelle de 650 000 caisses (58 500 hl), compte de beaux vins.

☆ Cabernet Sauvignon, Moscato

COLORADO

Si la période de végétation est le plus souvent trop courte pour permettre la viticulture dans le Colorado, deux entreprises au moins y possèdent des vignes de *vinifera* cultivées avec succès.

Entreprises vinicoles du Colorado

COLORADO MOUNTAIN VINEYARDS *
PIKES PEAK VINEYARDS *

FLORIDE

Sous le climat semi-tropical de cet État, on fait beaucoup de « vin d'orange ». Pour étrange que soit cette boisson, elle vaut certainement mieux que le vin issu des raisins locaux de Muscadine, capables de résister à l'humidité et à la maladie de Pierce.

Entreprises vinicoles de Floride

ALAQUA VINEYARDS WINERY
FLORIDA HERITAGE WINERY
FRUIT WINES OF FLORIDA
LAFAYETTE VINEYARDS AND WINERY *

GÉORGIE

La vigne est cultivée en Géorgie depuis 1733. De nos jours, la préférence a été donnée à la *vinifera*.

Entreprise de la Géorgie

CHATEAU ELAN LTD

Braselton, GA 30517

☆ Chardonnay

HAWAII

Cet État n'a rien d'un État viticole. Les premières vignes y furent pourtant plantées en 1814.

Entreprise vinicole d'Hawaii

TEDESCHI VINEYARD AND WINERY

Ulupalakua, Maui 96790

Produit un mousseux de méthode champenoise issu d'un vignoble de *vinifera* perché sur les flancs volcaniques de l'île Maui.

☆ Blanc de noirs Brut

ILLINOIS

La David Morgan Corporation y produisait deux millions de caisses, ce qui a contribué à exagérer l'importance vinicole de cet État jusqu'au début des années 80.

Entreprises vinicoles de l'Illinois

GEM CITY VINELAND CO INC.
LYNFRED WINERY *
THOMPSON WINERY CO

INDIANA

Si l'industrie vinicole a été importante dans l'Indiana dès le début du XIXe siècle, la Prohibition l'a anéantie jusqu'en 1971 environ.

Entreprises vinicoles de l'Indiana

THE BLOOMINGTON WINERY INC.
CHATEAU THOMAS WINERY
EASLEY WINERY
HUBER ORCHARD WINERY
OLIVER WINE COMPANY INC.
POSSUM TROT VINEYARDS
ST. WENDEL CELLARS INC.
VILLA MILAN VINEYARD

IOWA

La plupart des vignobles de l'Iowa ont été détruits en 1980 par l'utilisation d'un désherbant sur des cultures du voisinage. Les vignes ont été replantées depuis.

Entreprises vinicoles de l'Iowa

CHRISTINA WINE CELLARS
EHRLE BROTHERS INC.
HERITAGE WINE AND CHEESE HOUSE
OKOBOJI WINERY
OLD STYLE COUNTRY WINERY INC.
OLD WINE CELLAR WINERY
PRIVATE STOCK WINERY
SANDSTONE WINERY INC.
VILLAGE WINERY

KENTUCKY

Une grande part de l'État vit encore à l'heure de la Prohibition et reste au régime « sec ».

Entreprise vinicole du Kentucky

THE COLCORD WINERY

LOUISIANE

Voir **Mississippi Delta AVA, Mississippi.**

MINNESOTA

Dans cet État, les vignobles doivent être enterrés pour leur permettre de survivre aux rigueurs de l'hiver. On y a également limité la culture à celle des hybrides, exception faite pour le Johannisberg d'Alexis Bailly Vineyard.

Entreprises vinicoles du Minnesota

ALEXIS BAILLY VINEYARD *
J. BIRD
LAKE SYLVIA VINEYARD
SCENIC VALLEY WINERY INC.

MISSISSIPPI

La situation de cet État est fort comparable à celle du Kentucky. Néanmoins, 1984 y a vu la réduction des lourdes taxes restrictives et le Delta du Mississippi a obtenu son statut d'AVA.

L'AVA du Mississippi

MISSISSIPPI DELTA AVA

Date de création : *1er octobre 1984*

Cette appellation, qui couvre une plaine fertile de quelque 15 500 km², agrémentée d'escarpements de lœss grimpant à 30 m le long du côté oriental du delta, couvre aussi des parties de la Louisiane et du Tennessee.

Entreprises vinicoles du Mississippi

ALMARLA VINEYARDS
CLAIRBORNE VINEYARDS
OLD SOUTH WINERY
THE WINERY RUSHING

MISSOURI

Les premiers vins du Missouri ont été produits dans les années 1830. On n'y trouve plus guère de beaux vins.

Les AVA du Missouri

Voir aussi Ozark Mountain AVA, Arkansas.

AUGUSTA AVA

Date de création : *20 juin 1980*

La viticulture en Augusta, première des AVA, remonte à 1860. Le cirque que forment les crêtes des collines, à l'ouest, au nord et à l'est, et le cours du Mississippi à l'extrémité sud, engendrent un microclimat.

HERMANN AVA

Date de création : *19 septembre 1983*

En 1904, cette région fournissait 97 % du vin produit dans le Missouri. Les sols bien drainés possèdent un bon pouvoir de rétention hydrique.

OLD MISSION PENINSULA AVA

Date de création : *8 juillet 1987*

Appellation délimitée sur trois côtés par les eaux de la Grant Traverse Bay et par le continent au niveau de la ville de Traverse. Les eaux s'associent aux vents de sud-ouest pour conférer à cette zone un climat unique.

OZARK HIGHLANDS AVA

Date de création : *30 septembre 1987*

Située dans l'AVA de l'Ozark Mountain (*voir* les AVA d'Arkansas), cette appellation recouvre tous les comtés du Missouri. Le climat ne pose pas de gros problèmes quant aux gelées et il est frais au printemps et à l'automne.

Entreprises vinicoles du Missouri

HERMANNHOF WINERY
Nelson, MO 65347

☆ Brut « Champagne »

MT. PLEASANT VINEYARDS
101 Webster, Augusta, MO 63332

☆ Seyval blanc, Villard noir (Private Reserve)

NOUVEAU-MEXIQUE

Seule la Floride peut faire état d'un passé vinicole aussi long que celui du Nouveau-Mexique.

Les AVA du Nouveau-Mexique

Voir aussi Mesilla Valley AVA, Texas.

MIDDLE RIO GRANDE VALLEY AVA

Appellation en cours d'homologation.

MIMBRES VALLEY AVA

Date de création : *23 décembre 1985*

L'appellation couvre 2 577 ha le long du Mimbres.

Entreprises vinicoles du Nouveau-Mexique

ANDERSON VALLEY VINEYARDS
Albuquerque, NM 87107

☆ Chardonnay, Chenin blanc

LA VINA WINERY
Chamberino, NM 88027

☆ Zinfandel

CAROLINE DU NORD

Il n'existe encore aucune AVA en Caroline du Nord. Le climat torride implique le recours au Scuppernong, robuste cépage d'origine indigène. Celui-ci donne de gros raisins dont est issu un vin inhabituel.

BILTMORE ESTATE WINERY
One Biltmore Plaza
Ashville, NC 28803

Je n'ai pas goûté à ces vins produits par le Français Philippe Jourdain, mais j'en ai entendu dire du bien.

OKLAHOMA

Les tarifs grevant les licences exigées pour les entreprises vinicoles nuisent à la viticulture.

Entreprises vinicoles de l'Oklahoma

CIMMARRON CELLARS *
PETE SCHWARZ WINERY

CAROLINE DU SUD

Les débuts de la viticulture remontent à 1764, mais cet État ne s'est pas remis de la Prohibition.

Entreprises vinicoles de la Caroline du Sud

FOXWOOD WINE CELLARS
TENNER BROTHER INC.
TRULUCK VINEYARDS *

TENNESSEE

L'État a récemment adopté une réglementation facilitant la création d'entreprises agro-vinicoles. Les entreprises Tiegs et Smoky Mountain ont, dans leur région, une fidèle clientèle.

Les AVA du Tennessee

Voir Mississippi Delta AVA, Mississippi.

Entreprises vinicoles du Tennessee

HIGHLAND MANOR WINERY *
LAUREL HILL VINEYARD *
SMOKY MOUNTAIN VINEYARD
TENNESSEE VALLEY WINERY *
TIEGS VINEYARDS

TEXAS

Les missions franciscaines faisaient ici du vin 130 ans au moins avant que la Californie cultivât ses premières vignes. La première entreprise vinicole texane, le Val Verde, fut créée en 1881. À mon avis, cet État possède toujours son potentiel vinicole.

Les AVA du Texas

BELL MOUNTAIN AVA

Date de création : *10 novembre 1986*

Située dans le comté de Gillespie, cette AVA compte 18 ha de vignes sur les flancs sud et sud-ouest du mont Bell. Cette zone est plus sèche que la Pedernales Valley au sud et la Llano Valley au nord, elle est également plus fraîche en raison de son altitude et de la brise y soufflant sans cesse. Les sols sont formés de limon sablonneux et le sous-sol d'argiles sableuses.

FREDERICKSBURG AVA

Appellation en cours d'homologation.

MESILLA VALLEY AVA

Date de création : *18 mars 1985*

Cette appellation couvre la Mesilla Valley, depuis un secteur se situant tout au nord de Las Cruces, au Mexique, jusqu'à El Paso, au Texas.

Entreprises vinicoles du Texas

LLANO ESTACADO WINERY
Lubbock, TX 79413

Une entreprise de haut niveau dont les vins pleins de classe méritent d'être mieux connus.

☆ Chardonnay, Gewurztraminer, Cabernet blanc
Seconde étiquette : « Staked Plains »

PHEASANT RIDGE WINERY
Lubbock, TX 79401

Si je n'ai pas goûté à ses vins, j'ai entendu dire du bien de cette entreprise.

SANCHEZ CREEK VINEYARDS
Weatherford, TX 76086

Sous la direction de son fondateur, le journaliste Lyndol Hart, cette entreprise a fondé sa réputation sur sa production d'assemblages dans le style des vins de la vallée du Rhône, dans lesquels prédominent Grenache et Carignan.

☆ Ruby Cabernet

STAKED PLAINS
Voir Llano Estacado Winery.

WISCONSIN

État plus réputé pour ses « vins » de cerise, de pomme et autres fruits que pour ceux de raisins.

Entreprise vinicole du Wisconsin

WOLLERSHEIM WINERY INC.
Prairie du Sac, WI 53578

La famille Kehl a créé cette entreprise en 1858. Celle-ci a été remise sur pied en 1972 par Robert et Joann Wollersheim.

☆ Baco noir, Seyval blanc

Mexique

Ce sont les Espagnols qui introduisirent la viticulture au Mexique et en firent ainsi le premier pays vinicole des Amériques. Dès 1521, un an après l'invasion du Mexique, les conquistadors avaient planté la vigne et n'avaient pas tardé à produire du vin, le premier du continent nord-américain.

En 1524, Hernán Cortés ordonna à tous les Espagnols à qui l'on avait distribué des terres et assigné des contingents d'Indiens pour y travailler de planter annuellement « un millier de ceps par centaine d'Indiens durant 5 ans ». Dès 1595, le pays produisait suffisamment de vin pour surseoir à ses besoins et les importations de vins espagnols s'étaient effondrées au point que les producteurs d'Espagne firent pression sur Philippe II pour interdire toute nouvelle création de vignobles dans le Nouveau Monde.

Les origines de la Tequila

Lorsque les Espagnols goûtèrent un étrange vin de cactus aztèque, blanc laiteux, nommé *pulque*, ils ne furent pas très enthousiastes. Mais pour utiliser la production régionale, ils essayèrent de le distiller. L'alcool qui en résulta, incolore, à la clarté cristalline, se trouva correspondre davantage à leur goût et ils l'appelèrent *tequila*, d'après le nom de la variété de cactus utilisée, *Agave tequilana*. De nos jours, la tequila est l'un des produits les plus exportés du Mexique, une part importante de la production étant également consommée par les Mexicains eux-mêmes.

Le vin mexicain d'aujourd'hui

S'il existe au Mexique près de 60 000 hectares de vignes, presque 40 % de cette superficie produisent du raisin de table ou des raisins secs, et les vins de vrac sont distillés en eaux-de-vie. Seulement 6 % de la récolte annuelle représentant en moyenne 638 000 tonnes de raisin sont transformés en vin, donnant une production d'environ 225 000 hectolitres.

Il y a peu de temps encore, les meilleurs vins de raisin étaient à peine moins mauvais que le *pulque*, mais grâce aux investissements étrangers, leur qualité s'est considérablement améliorée. Aujourd'hui, nombre d'œnologues internationaux fondent sur le Mexique de grands espoirs pour la production de vins de qualité.

COMMENT LIRE LES ÉTIQUETTES DES VINS MEXICAINS

Nombre de termes sont identiques ou analogues à ceux qu'on lit sur les étiquettes espagnoles ; *voir* « Comment lire les étiquettes de vins espagnols », p. 268. Termes courants :

Vino tinto Vin rouge
Vino blanco Vin blanc
Variedad Cépage
Contenido neto Contenu
Heno en Mexico Elaboré au Mexique
Cosechas Seleccionadas Assemblage spécial
Viña Vignoble
Espumoso Mousseux
Seco, Extra Seco Sec, extra-sec
Vino de Mesa Vin de table
Bodega Entreprise vinicole

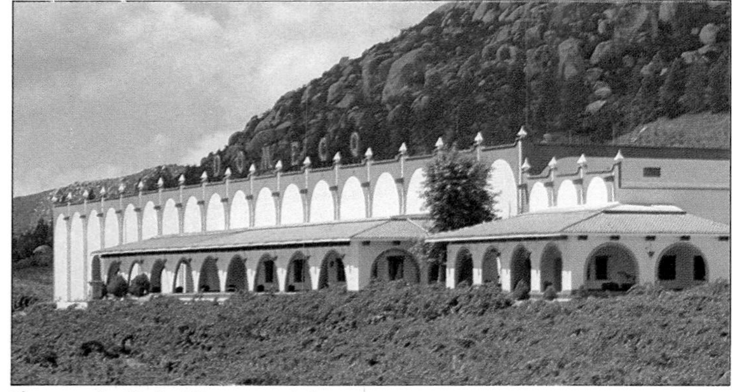

L'entreprise Pedro Domecq, ci-dessus
Cette maison produit des vins rouges, blancs et rosés en faisant appel à des techniques de vinification modernes telles les cuves en acier inoxydable.

FACTEURS AFFECTANT LE GOÛT ET LA QUALITÉ

Situation
Huit États du pays cultivent la vigne, de la basse Californie, dans le nord, à San Juan del Rio, juste au nord de Mexico.

Climat
La moitié du Mexique s'étend au sud du Tropique du Cancer, mais l'altitude modère la température. La plupart des vignobles sont implantés sur les hauts plateaux du centre et certains sont rafraîchis par le voisinage de l'Océan. Cependant, les importantes variations de température entre le jour et la nuit et le fait que bien des régions présentent soit trop, soit trop peu d'humidité, font que la vigne ne jouit pas toujours des conditions idéales.

Site
Dans les États d'Aguascalientes, Querétaro et Zacatecas, on cultive la vigne sur les plateaux et le versant de petites vallées, à des altitudes allant de 1 600 m à 2 100 m. Dans la basse Californie, la vigne est plutôt située dans des vallées et des zones désertiques, à des altitudes allant de 100 et 335 m.

Sol
Les sols des vallées ou des coteaux sont minces et peu fertiles, tandis que ceux des plaines sont de profondeur et de fertilité variables. Dans la basse Californie, on passe des sols sablonneux, alcalins et pauvres de Mexicali, aux sols volcaniques minces et mêlés de graviers, sables et calcaires assurant un excellent drainage. Dans le Sonora, les sols de Caborca sont analogues à ceux que l'on trouve dans la région de Mexicali, mais ceux d'Hermosillo sont très limoneux et d'origine alluviale. Les hautes plaines de l'État de Zacatecas sont formées de sols d'origine volcanique ou argileux. Dans l'État d'Aguascalientes, le sol est rarement profond, mais il est couvert d'une mince couche de calcaire. Les sols volcaniques, calcaires et argilo-siliceux de l'État de Querétaro, assez profonds, sont légèrement alcalins, tandis que les alluvions de limons sableux caractéristiques de La Laguna sont, eux, très alcalins.

Viticulture et vinification
On pratique largement l'irrigation dans les zones arides telles que la basse Californie et la région de Zacatecas. La plupart des entreprises vinicoles sont nouvelles et emploient des œnologues.

Cépages
Barbera, Bola dulce, Cabernet Sauvignon, Cardinal, Carignan, Chenin blanc, French Colombard, Grenache, Malaga, Malbec, Merlot, Mission, Muscat, Nebbiolo, Palomino, Perlette, Petite Sirah, Rosa del Perú, Ruby Cabernet, Sauvignon blanc, Trebbiano, Valdepeñas, Zinfandel

Vignobles dans la vallée de Calafia, en basse Californie, ci-dessus
Domecq cultive quelque 13 cépages dans cette vallée dont les sols d'origine volcanique sont mêlés de graviers, sables et calcaires.

SUPERFICIES ENCÉPAGÉES DU MEXIQUE

États	ha
Sonora	26 200
Querétaro	2 500
Aguascalientes	6 500
Durango	1 700
Coahuila	4 300
Zacatecas	5 800
Baja California Norte	7 500
Chihuahua	3 500
Total	58 000

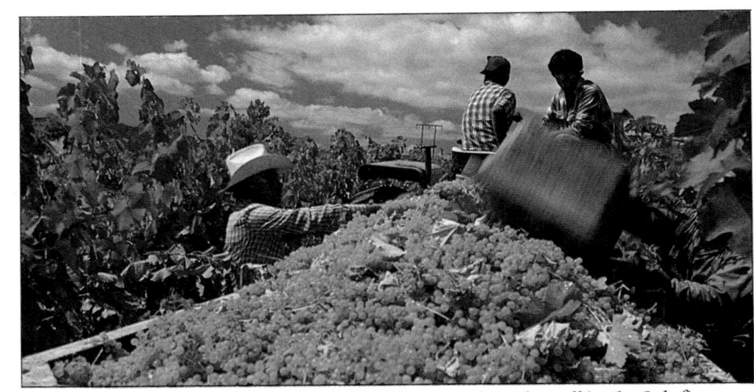

Vendanges *dans le domaine de Pedro Domecq dans la vallée de Calafia*

Les principales entreprises vinicoles du Mexique

ALAMO
Voir Vinicola de Aguascalientes.

BODEGAS DE SANTO TOMÁS S.A.
Lago Alberio No. 424, Col. Anáhuac
Delegación Miguel Hidalgo
C.P. 11320

Date de création : *1888*
Vins : ***Cabernet Sauvignon, Carignan, Chardonnay, Chenin blanc, Grenache, Pinot noir***

Entreprise fondée près des ruines de la mission de Santo Tomás par un exploitant de mine d'or italien qui la vendit en 1920 au général Rodriguez. Celui-ci, devenu président du Mexique, engagea Dimitri Tchelistcheff, fils d'André Tchelistcheff, le doyen de la vallée de la Napa. L'entreprise appartient maintenant à un importateur de Mexico, Elias Pando, mais Tchelistcheff en est encore le maître de chai. La maison étend progressivement la gamme de ses vins de cépages d'origine européenne et quelques-uns d'entre eux sont excellents.

CASA MADERO
Amberes No. 4 P.H.
Delegación Cuauhtémoc
C.P. 06600

Date de création : *1626*
Vins : ***San Lorenzo, Varietales Madero***

Parmi les plus anciennes du continent américain, cette entreprise vinicole compte 400 ha de vignobles.

CASA MARTELL
Av. Río Churubusco No. 213
Col. Granjas México

Vins : ***Clos San José, Chatillón, Martell, Cabernet Sauvignon, Martell Chatillón, Domaine San José, Hammerhaus***

Appartient à la maison française du Cognac Martell qui la gère.

CASA PEDRO DOMECQ
Av. Mexico No. 337
Col. del Carmen Coyoacán
C.P. 04100

Vins : ***Chateau Domecq, Cabernet Sauvignon X-A, Zinfandel X-A, Cariñan X-A, Blanc de blancs X-A, Chenin blanc X-A, Riesling X-A, Calafia, Los Reyes, Padre Kino, Fray Junípero***

Première entreprise du Mexique à avoir été conçue pour l'élaboration de vins de qualité à partir de cépages de choix. On considère que la Maison de Xérès, de Domecq, produit les meilleurs vins du Mexique.

CAVAS DE SAN JUAN (VINOS HIDALGO)
Profesora Eulalia Guzmán No. 185
Col. Atlampa, Delegación
Cuauhtémoc, C.P. 06450

Vins : ***Hidalgo, San Isidro, Blanc de blancs, Riesling Traminer, Cabernet Sauvignon, Pinot noir***

À quelque 1 600 m d'altitude, les Cavas de San Juan possèdent et exploitent près de 250 ha de vignes.

L.A. CETTO
Antonio M. Rivera No. 25
Col. Industrial Tlanepantla
C.P. 54030, Tlanepantla

Vins : ***Fumé Blanc, Cabernet Sauvignon, Petite Sirah, Zinfandel, Chenin blanc, Riesling***

DISTRIBUIDORA VALLE REDONDO
Serapio Rendón No. 125, ler piso
Col. San Rafael, Delegación
Cuauhtémoc, C.P. 06470

ANTONIO FERNANDEZ Y CIA
Av. Progreso No. 190, Col. Industrial
Tlanepantla, C.P. 54030 Tlanepantla

Vins : ***Etiqueta de Oro Semillón, Etiqueta de Oro Riesling, Etiqueta de Oro Chenin blanc, Etiqueta de Oro Rubí Cabernet, Etiqueta de Oro Sauvignon blanc, Etiqueta de Oro Sylvaner***

FORMEX IBARRA
Poniente 146 No. 658, Col. Industrial
Vallejo, Delegación Azcapotzalco
C.P. 02300

Vins : ***Urbinón***

MARQUÉS DE AGUAYO
Ramos Arizpe No. 195, Hacienda el Rosario, Parras, Coahuila
Date de création : *1593*

La plus ancienne de toutes les entreprises du continent américain ne se consacre plus désormais qu'à la distillation d'eaux-de-vie.

PINSON HNOS
Camino del Desierto de los Leones
No. 4152, Col. San Angel Inn
Delegación Alvaro Obregón
C.P. 01060

Vins : ***Don Eugenio, Alcadle, Foylenmilch, Marisquero, Cabernet, Barbera, Chenin blanc, Sauternes, Blanc de blancs***

PRODUCTOS DE UVA
Antonio M. Rivera No. 25
Tlanepantla

Vins : ***Marqués del Valle, Castillo del Rhin, Castillo de Aranjuez, Bacco Nebbiolo, Bacco Moscato, Bacco Cold-Duck, Chambrulé Brut, Chambrulé Blanc de blancs, Chambrulé Reserva Limitada***

VINICOLA DE AGUASCALIENTES
Avenue Copilco No. 164
Col. Oxtopulco

Vins : *Champ d'Or*
Seconde étiquette : *Alamo*

Cette entreprise, la plus grande du Mexique, possède 10 % des vignobles du pays. Sa production consiste essentiellement en eaux-de-vie. La société possède aussi la Vinicola del Vergel.

VINICOLA DEL VERGEL
Calle San Luis Tlatilco No. 19
Parque Industrial Naucalpan

Vins : ***Mesón de la Hacienda, Viña Santiago, Vergel, Verdizo, Noblejo***

Canada

L'industrie vinicole du Canada se trouve actuellement à un tournant de son histoire : jusqu'à présent, elle était marquée par l'utilisation de cépages hybrides, entravée par une législation archaïque sur les alcools et dévalorisée par le recours fallacieux à des noms génériques. Mais quelques producteurs s'efforcent à présent de lui forger une identité.

Le vin est commercialisé au Canada depuis 1860 au moins. Comme les États-Unis, le Canada fut soumis à la Prohibition. L'un et l'autre de ces deux pays conservent d'ailleurs des zones, assujetties au « régime sec » ; mais, contrairement aux États-Unis, le système s'est prolongé au Canada sous la forme d'un contrôle des boissons alcoolisées par l'État.

LE CONTRÔLE DES ALCOOLS

Les Bureaux provinciaux de la Régie des alcools déterminent le choix des alcools mis en vente et leur prix. Ils contrôlent aussi toutes les importations de boissons alcoolisées. Ce système protectionniste affecte non seulement la concurrence étrangère, mais aussi l'expansion des vins nationaux. Le moindre vin canadien ne peut, en effet, être vendu sans la permission de la Régie des alcools. Ces dispositions draconiennes sont absolument inefficaces et confinent le Canada dans une situation bien arriérée par rapport aux États-Unis. Le Canada est également désavantagé par l'utilisation de dénominations fallacieuses prétendument « génériques » ; cette pratique nuit à toute tentative d'identification nationale. De plus, en raison des variantes inhérentes à leurs réglementations, les différentes régies provinciales des alcools divisent la profession, dressant les provinces les unes contre les autres et offrant une médiocre image aux marchés extérieurs en puissance. Cette situation est bien décourageante pour ceux qui s'efforcent de démontrer que le Canada est capable de produire des vins de qualité.

Le nombre des vins produits varie grandement d'une province à l'autre ; cependant même la plus vaste gamme est dérisoire en comparaison de celles qu'on peut trouver sur les marchés libres des États-Unis et de Grande-Bretagne. En France, rien qu'en vins de Bordeaux, le choix peut porter sur 10 000 vins différents. Non sans ironie, la « Déclaration d'intention » du Liquor Control Board de l'Ontario précise : « Le LCBO est tenu de pourvoir la population de cette province en une large gamme de produits de qualité originaires du monde entier. »

ÉVOLUTION DE L'ENCÉPAGEMENT EN ONTARIO

Cépages	1976 ha	1981 ha	1986 ha
Aligoté	–	6	2
Chardonnay	34	79	123
Gamay	25	27	31
Gewürztraminer	–	–	23
Johannisberg Riesling	17	139	256
Pinot noir	–	–	17
(Principaux cépages de *Labrusca*)			
Concord	3 678	2 800	2 412
Niagara	1 186	756	626
Autres (hybrides surtout)	4 195	5 039	5 754
Total	9 134	8 846	9 245

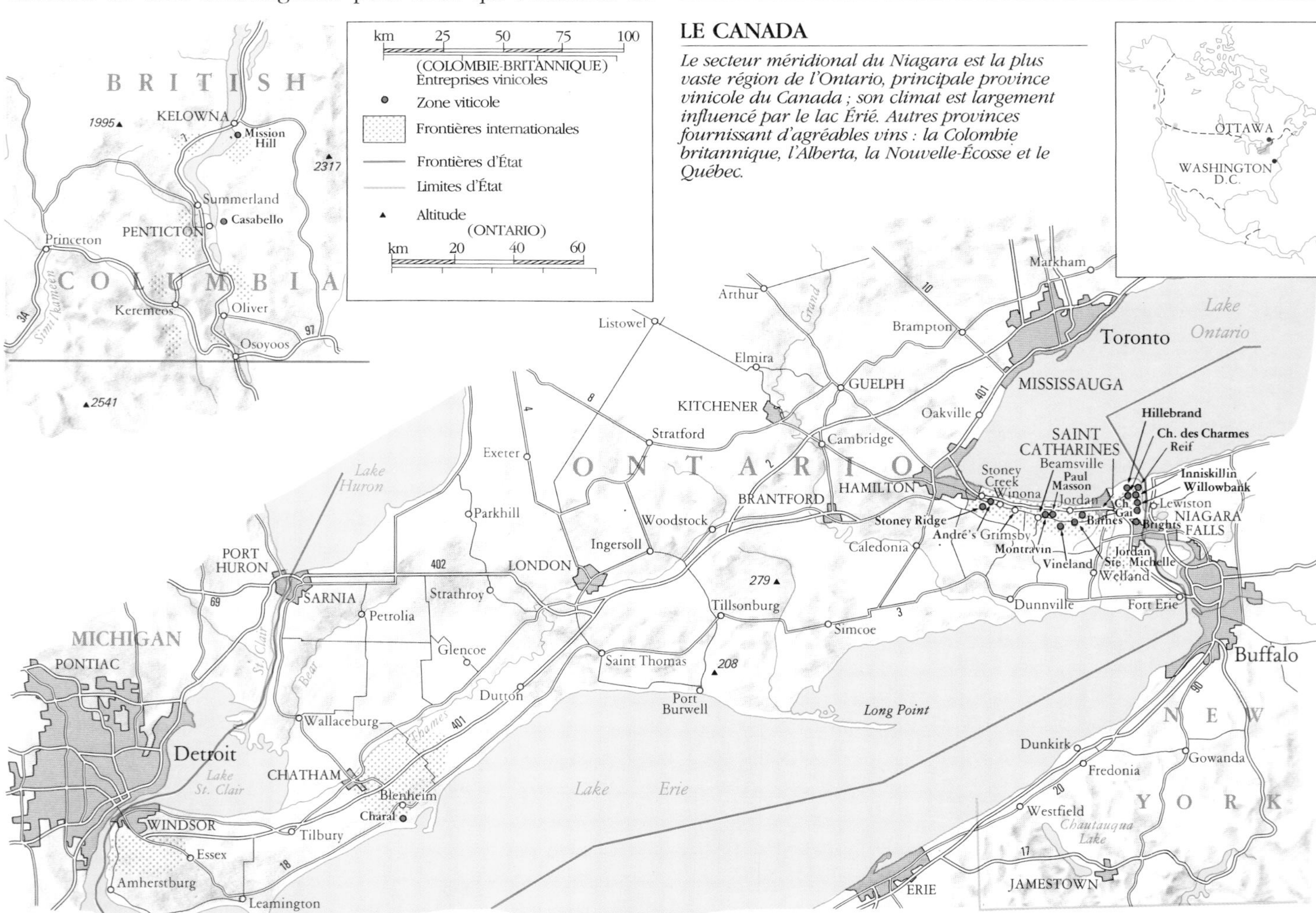

LE CANADA

Le secteur méridional du Niagara est la plus vaste région de l'Ontario, principale province vinicole du Canada ; son climat est largement influencé par le lac Érié. Autres provinces fournissant d'agréables vins : la Colombie britannique, l'Alberta, la Nouvelle-Écosse et le Québec.

LE POTENTIEL QUALITATIF DU CANADA

L'évolution que suit l'industrie vinicole du Canada s'apparente à celle du nord-est atlantique des États-Unis, dont les vignobles de l'Ontario sont le prolongement géographique. Ces deux industries se sont bâties sur des vins issus de cépages indigènes, toutes deux ayant cultivé des hybrides après la Prohibition et toutes deux comptant désormais de beaux succès grâce à des vins de *vinifera* classiques. Mais la réussite des États-Unis l'emporte de beaucoup sur celle du Canada et, même si elles ont encore bien du chemin à parcourir, les succès remportés par les entreprises vinicoles californiennes constituent de fermes encouragements. Le Canada, ne possédant pas de région vinicole phare, ne peut donc se comparer que potentiellement aux États-Unis.

À mon sens, la seule solution pour le Canada consisterait à y abolir les lois archaïques sur les boissons alcoolisées. Il ne serait pas nécessaire pour autant de démanteler les Régies des alcools car ils peuvent remplir de nombreuses fonctions, notamment en matière de promotion. Ils pourraient, par exemple, veiller à l'authenticité des produits indigènes ou étrangers, contribuer à la lutte contre les fraudes, créer un système d'appellations...

L'abrogation de la procédure du listage par province permettrait certes au Canada d'accroître ses importations de vins mais aussi celles de quantités d'autres produits. Les Canadiens pourraient alors se faire une idée plus exacte des rapports qualité/prix et pourraient mieux juger leurs vins. Une législation d'encouragement aux petites entreprises agro-vinicoles compléterait cette mesure en entraînant des progrès marquants dans la gamme et la qualité des vins.

FACTEURS AFFECTANT LE GOÛT ET LA QUALITÉ

Situation
Les principales zones vinicoles se trouvent sur la péninsule du Niagara en Ontario, et dans l'Okanagan Valley en Colombie britannique, à quelque 3 218 km, à l'ouest des montagnes Rocheuses. La vigne pousse aussi en Alberta et en Nouvelle-Écosse.

Climat
Quelque 85 % des vignes du Canada sont cultivées dans l'Ontario sous la même latitude que les vignobles provençaux de la France méridionale et que les collines toscanes du Chianti en Italie. Le microclimat de l'Ontario est particulièrement favorable à la viticulture grâce à l'influence modératrice qu'exercent sur les températures les lacs Érié et Ontario et au rôle de brise-vent que joue l'escarpement du Niagara, mettant les vignes à l'abri des vents et gelées hivernaux.

L'Okanagan Valley de la Colombie britannique se trouve à une latitude plus septentrionale et à peu près en ligne avec la Champagne et le Rheingau ; mais cette région est un désert dont le sud ne reçoit que 150 mm de pluie par an. En été, la chaleur ardente du jour assure une bonne teneur en sucre des raisins, et le froid nocturne leur permet de conserver un taux d'acidité élevé. Le lac glaciaire Okanagan joue, certes, un rôle modérateur, mais l'hiver ne tarde pas à s'installer et les raisins ne mûrissent plus au-delà de la mi-octobre.

Site
Tant en Ontario qu'en Colombie britannique, la vigne se cultive surtout sur les coteaux en bordure des lacs.

Sol
Les sols de l'Ontario sont divers, des limons aux sols sablonneux ou graveleux.

Viticulture et vinification
Les processus d'élaboration du vin varient des méthodes très traditionnelles à celles, plus sophistiquées, de la technologie moderne. Il existe au Canada peu de règlements concernant la qualité ou l'origine des vins, bien qu'au moins 80 % (85 % en Ontario) des raisins utilisés doivent être originaires de la province mentionnée sur l'étiquette. Le restant se compose le plus souvent de raisins californiens transportés en camions réfrigérés, sous forme de raisins, de jus ou de vin.

Cépages
Agawam, Alden, Aligoté, Aurore, Auxerrois, Baco noir, Buffalo, Cabernet franc, Cabernet Sauvignon, Canada muscat, Catawba, Chambourcin, Chancellor, Chardonnay, Chasselas, Chelois, Chenin blanc, Commandant, Concord, De Chaunac, Delaware, Dutchess, Elvira, Fredonia, Gamay, Gewurztraminer, Johannisberg Riesling, Kerner, Léon Millot, Maréchal Foch, Merlot, New York Muscat, Niagara, Okanagan Riesling, Patricia, Petite Sirah, Pinot blanc, Pinot gris, Pinot noir, President, Rosette, Rougeon, Seyval blanc, Siegfried rebe, Seyve Villard, Van Buren, Vee blanc, Veeport, Ventura, Verdelet, Vidal blanc, Villard noir, Vincent, Zinfandel

L'ONTARIO : LA RÉGION VINICOLE LA PLUS IMPORTANTE

L'Ontario représente à peu près 85 pour cent des vignes et vins du pays et son développement est primordial pour l'évolution de l'activité vinicole du Canada. Les cépages de *labrusca* tels les Concord, Agawam, Alden, Buffalo, Catawba, Delaware, Elvira, Niagara et President, sont sur le déclin, bien qu'ils occupent encore 50 pour cent des vignobles et que l'Elvira soit en expansion. La *Vitis labrusca* reste importante pour la production de vins de dessert et de mousseux ; et le Concord, à lui seul, représente encore plus de 20 pour cent de toutes les vignes cultivées. La culture des hybrides se stabilise en faveur de trois cépages : le Vidal blanc, le Seyve Villard et le Vee blanc, dont les superficies se sont accrues respectivement de 470 pour cent, 350 pour cent et 250 pour cent entre 1981 et 1986. Les Baco noir, New York Muscat, Seyval blanc, Ventura et Villard noir, ont tous montré une expansion de 15 à 40 pour cent. Mais la tendance est au déclin pour les Chelois, Himrod, Van Buren, Veeport et Verdelet.

L'arrivée des vins de *vinifera*

Les premiers pieds de *vinifera* connus au Canada – Chardonnay, Johannisberg Riesling et Pinot noir – ont été plantés en 1946 en Ontario par un Français, Adhemar de Chaunac. Avant 1972, il n'existait pas suffisamment de ces vignes pour qu'on puisse les recenser. Elles sont actuellement en expansion, mais on a souvent exagéré leur taux de progression du fait qu'elles sont garantes de la production des meilleurs vins, des plus nouveaux, donc des plus attendus. Compte tenu de la modestie des chiffres initiaux, l'expression en pourcentage n'aurait pas grande signification ; c'est pourquoi le tableau de la page 402 rend compte de l'évolution de la superficie encépagée sur dix ans. Les cépages ne figurant pas dans ce tableau (Auxerrois, Cabernet Sauvignon, Chasselas, Chenin blanc, Merlot, Petite Sirah, Pinot blanc, Pinot gris et Zinfandel) sont cultivés sur une échelle trop petite pour pouvoir être pris en compte.

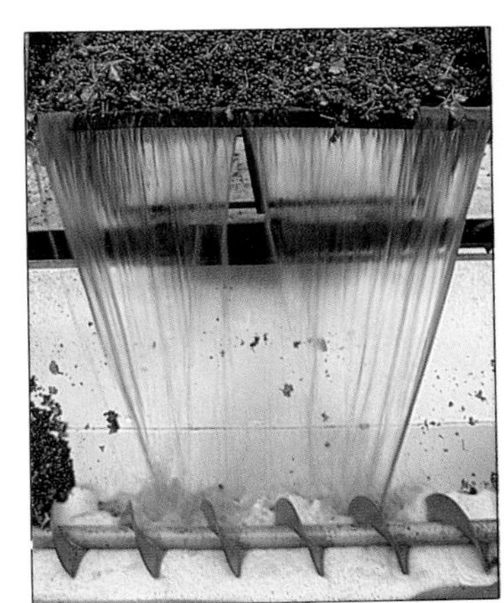

Foulage des raisins, Niagara, à droite
Les méthodes de vinification diffèrent énormément d'un secteur viticole du Canada à un autre. Les cépages de vinifera, *bien qu'en expansion, sont encore moins cultivés que ceux de* labrusca.

Vendanges de nuit, à Inniskillin Wines, ci-dessous
Vendanges mécaniques des raisins destinés à l'élaboration de l'« Ice-wine » d'Inniskillin Wines (Niagara). Les six autres producteurs de ce vin le dénomment « Eisswein ».

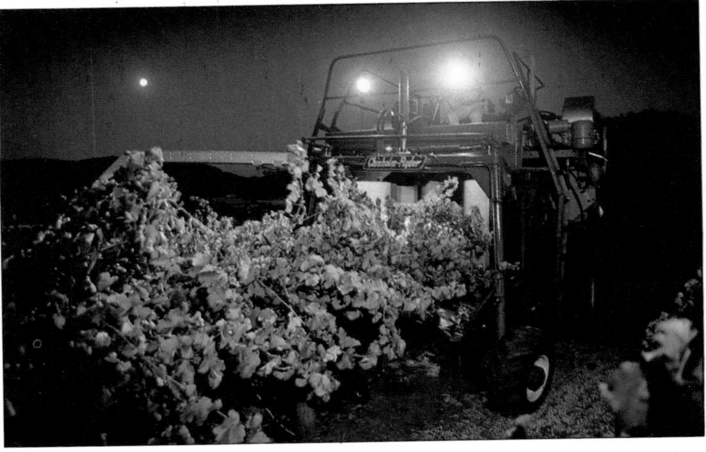

LE SECTEUR VINICOLE DU NIAGARA EN ONTARIO

Il serait profitable à l'Ontario de disposer d'un système d'appellations dans le Niagara, où 94 pour cent des vignes sont cultivées. Ci-dessous figure une analyse sommaire des caractéristiques géographiques, topographiques et climatiques de ce secteur.

Le lac Ontario joue le rôle d'un énorme réservoir de chaleur, qu'il restitue lorsque les températures de la terre et de l'air s'abaissent au-dessous de la sienne. Il arrive que l'air froid dévale les pentes pour s'accumuler sur les terrains plats et dans les dépressions, augmentant les risques de gelées hivernales.

Rives du lac

Meilleurs cépages : ***Chardonnay, Gamay, Gewurztraminer, Johannisberg Riesling, Pinot noir, Seyval blanc, Seyve Villard, Vidal blanc, Villard noir***

Les rives du lac forment une bande de terre d'environ 40 km de long. À mesure que l'air chaud monte du sol, l'air frais de la surface du lac vient le remplacer, ce qui abaisse très lentement la température. Cette brise lacustre retarde la période de végétation, au printemps et en été. En hiver, le phénomène inverse se produit et la convection de la chaleur se fait du lac à la terre, ce qui protège les vignobles du rivage contre les effets des terribles hivers d'Ontario. Cette situation est par ailleurs propice à la culture des cépages de *vinifera*.

Plaine située entre les rives du lac et l'escarpement du Niagara

Meilleurs cépages : ***Baco noir, De Chaunac, Maréchal Foch, Ventura***

Ce vaste secteur géographique s'étend en largeur sur 32 km près du Niagara et s'effile en pointe jusqu'à la ville d'eaux qu'est Beamsville. Le froid y règne tant en hiver qu'au printemps où les gelées se font encore sentir, de sorte que les cépages réussissant le mieux sont les plus robustes et ceux dont la maturation est la plus hâtive.

Base de l'escarpement du Niagara et pentes abruptes à l'est de St. Catharines

Meilleurs cépages : ***Baco noir, De Chaunac, Maréchal Foch, Seyval blanc, Seyve Villard, Vidal blanc, Villard noir***

Ayant jadis tenu lieu de rivage à un lac glaciaire, ces pentes se prêtent à la viticulture mécanique et ne posent aucun problème d'érosion ; néanmoins, leur forte déclivité favorise, lors des nuits claires et fraîches, le flux d'air froid vers la plaine sous-jacente où il s'accumule. Cette zone est celle où se pratique la viticulture la plus intensive.

Pentes abruptes de l'escarpement du Niagara occidental exposées au nord

Meilleurs cépages : ***Chardonnay, Gamay, Gewurztraminer, Johannisberg Riesling, Pinot noir, Seyval blanc, Seyve Villard, Vidal blanc, Villard noir***

Ces pentes du secteur ouest de St. Catharines sont trop abruptes pour la culture mais d'autres, entre Beamsville et Rockway, constituent des emplacements de choix pour les cépages de *vinifera*. La circulation de l'air s'y fait bien et les températures estivales y sont plus élevées que sur les rives du lac.

Pentes douces surplombant l'escarpement du Niagara

Meilleurs cépages : ***De Chaunac, Maréchal Foch, Seyval blanc, Seyve Villard, Ventura, Vidal blanc, Villard noir***

Cette zone s'étend sur toute la crête de l'escarpement du Niagara. Elle est généralement favorable à la viticulture mais les risques de dégâts dus au froid y sont importants.

Terrains plats ou ondulés au sud de l'escarpement

Grand risque de dégâts dus au froid ; seuls les hybrides les plus robustes et les cépages indigènes peuvent s'y adapter.

Le « dos de baleine » de Fonthill

Il s'agit d'une grande colline de gravier et de sable située au milieu des terrains plats, au sud de l'escarpement du Niagara.

Les principales entreprises vinicoles du Canada

Note : Les commentaires qui suivent ne portent que sur les vins typiquement canadiens, bien que nombre d'entreprises coupent et vendent des vins issus de raisins, jus ou concentrés importés. Telles sont les statistiques officielles, par ordre d'importance, des sources d'importations pour 1986 : États-Unis, Chili, Espagne, Italie, Mexique, Afrique du Sud.

ALBERTA

ANDREW WOLF WINE CELLARS
Voir Cochrane.

COLOMBIE BRITANNIQUE

ANDRES WINES
Port Moody
Voir Andres Wines (Ontario).

BRIGHTS HOUSE OF WINE
Oliver
Voir Brights Wines (Ontario).

CALONA WINES LTD
1125 Richter Street
Kelowna, V1Y 2K6
Date de création : *1932*

Ce Schloss Laderheim, de type allemand demi-sec, est devenu, en 1981, le « best-seller » des vins au Canada. On produit dans cette entreprise un bon vin de cépage, le « Winemaster's Selection ».

☆ Maréchal Foch, Chenin blanc

EAGLE RIDGE
Voir Andres Wines (Ontario).

GRAY MONK CELLARS
Okanagan Centre

Vignobles : ***9,5 ha d'Auxerrois, Gewurztraminer, Johannisberg Riesling, Kerner et Pinot gris***
Date de création : *1972 pour les vignobles, 1982 pour l'entreprise.*

Cette petite entreprise, sans prétention, consacre tous ses efforts à la production de vins de qualité.

☆ Pinot Auxerrois

JORDAN & STE. MICHELLE CELLARS
Voir Jordan & Ste. Michelle Cellars (Ontario).

PACIFIC COAST CELLARS
Voir Andres Wines (Ontario).

Autres entreprises

CASABELLO WINES (Labatt's)
DIVINO
GEHRINGER BROTHERS
MISSION HILL VINEYARDS
ST. CLARE WINES
SUMAC RIDGE ESTATE WINERY
UNIACKE ESTATE WINES

NOUVELLE-ÉCOSSE

ANDRES WINES (ATLANTIC)
Voir Andres Wines (Ontario).

GRANDE PRÉ WINES
Grand Pré

Vignobles : ***10 ha de quelque 65 cépages, mais surtout Maréchal Foch, Michurnitz et Severnyi***

Le propriétaire et maître de chai, Roger Dial, a baptisé son meilleur vin « Cuvée d'Amur », par référence au fleuve qui forme la frontière entre la Chine et la Sibérie. La raison en est que ce vin est issu de Michurnitz, robuste cépage appartenant au genre *Vitis amurensis*. D'où le jeu de mots avec « Amour » !

☆ Cuvée d'Amur

ONTARIO

ANDRES WINES
Winona, L0R 2L0

Vignobles : ***121 ha***
Date de création : ***1961 (en Colombie britannique)***

Cette entreprise a fait connaître au Canada le « Baby Duck », vin de *labrusca* pétillant, doux, rosé ou rouge, populaire et fort imité. L'origine de son nom remonte au nom du vin allemand « Kate Enke », « Canard froid », qui était élaboré à partir de lies de vins rouges ou blancs, et vinifié par un peu de Sekt. La société possède néanmoins des vins plus sérieux et soigne son image de marque. Andres gère encore son entreprise d'origine, à Port Moody, et en possède une en Nouvelle-Écosse.

Il produit aussi des vins d'Ontario et de Colombie britannique.

☆ Domaine d'Or, Vidal
Autres vins : Eagle Ridge, Pacific Coast Cellars

BARNES WINES
St. Catharines, L2R 6S4

Date de création : ***1873***

Nommée à l'origine The Ontario Grape Growing and Wine Manufacturing Company, Barnes est la plus ancienne entreprise du Canada. Achetée en 1973 par Reckitt & Colman, elle fut vendue à une société privée, Keewhit, qui en offrit la participation, à 49 %, à Gilbeys, la filiale d'IDV.

☆ Gewurztraminer, Johannisberg Riesling « Limited Edition »

BRIGHTS WINES
4887 Dorchester Road
Niagara Falls, L2E 6V4

Vignobles : ***486 ha***
Date de création : ***1874***

Première entreprise du Canada à produire du vin mousseux fermenté en bouteille, le « Brights President », elle créait, en 1956, le premier vin ce cépage canadien, un Chardonnay. Elle possède une entreprise en Colombie britannique et « Les Vins Brights » du Québec. En 1986, elle a acheté la Jordan & Ste. Michelle Cellars.

☆ Baco noir, Cabernet Sauvignon, « Entre-Lacs Dry White », Pinot « Champagne »

CHÂTEAU DES CHARMES
St. Davids, L0S 1P0

Vignobles : ***28 ha*** **(vinifera *exclusivement*)**
Date de création : ***1978***

Considérée comme la plus belle entreprise vinicole du pays, Château des Charmes produit des vins dont le style est très proche de celui des vins français. Son étiquette noire révèle que son vin est originaire du domaine du Château des Charmes, tandis que l'étiquette blanche indique qu'il s'agit d'un vin de coupage ou d'un produit à base de raisins achetés. Le maître de chai, Paul Bosc, a été qualifié de « meilleur vinificateur du Canada ».

☆ Chardonnay (étiquette noire), « Sentinel Blanc »

CHATEAU-GAI WINES
2625 Stanley Avenue
Niagara Falls, L2E 6T8

Date de création : ***1941***

Autrefois réputée pour ses vins mousseux, cette entreprise fut attaquée en justice par le gouvernement français, en 1967, en raison de l'utilisation abusive du terme Champagne. Les meilleurs produits ont été des vins de cépage issus de *vinifera* élaborés par Paul Bosc avant qu'il ne fondât Château des Charmes. Maintenant, cette entreprise est surtout connue pour ses *coolers*, boissons rafraîchissantes à base de vins et de fruits.

COLIO WINES
Harrow, Essex County

Vignobles : ***121 ha***
Date de création : ***1980***

Cette entreprise fut fondée par un groupe d'hommes d'affaires italiens qui désiraient importer des vins de leur ville d'Udine (Frioul), mais qui trouvèrent finalement plus commode de bâtir une entreprise pour produire leur propre vin.

☆ « Riserva Bianco Secco », Villard noir

HILLEBRAND ESTATES WINES
Niagara-on-the-Lake, L0S 1J0

Vignobles : ***14 ha de Chardonnay, Gewurztraminer, Johannisberg Riesling, Kerner, Morio Muscat, Müller-Thurgau, Baco noir et Seyval blanc***
Date de création : ***1979***

La raison sociale de cette entreprise était Newark mais elle changea en 1983, lors de son rachat par Scholl & Hillebrand de Rüdesheim. Depuis lors, on y élabore des vins de style plutôt allemand à peine secs.

☆ Gewurztraminer Newark, « Schloss Hillebrand », Vidal

INNISKILLIN WINES
Niagara-on-the-Lake, L0S 1J0

Vignobles : ***101 ha de Chardonnay, Gewurztraminer, Johannisberg Riesling, Merlot, Pinot noir, Vidal, De Chaunac, Chancellor et Zweigeltrebe***
Date de création : ***1974***

Cette entreprise appartient en copropriété à Don Ziraldo – agronome et l'un des plus grands chroniqueurs vinicoles du Canada – et au maître de chai, Karl Kaiser, œnologue estimé qui lança récemment un vin de glace qui fit sensation. Les meilleurs vins d'Inniskillin se vendent souvent sous l'étiquette « Limited Edition ».

☆ Cabernet Sauvignon, Chardonnay, Blanc de blancs Brut, Chardonnay « Reserve », Maréchal Foch, Pinot noir, Vidal (notamment les *Icewine* et *Late Harvest Beerenauslese*, originaires du domaine de Brae Burn)

JORDAN & STE. MICHELLE CELLARS
120 Ridley Road
St. Catharines, L2R 7E3

Vignobles : ***65 ha***

En raison d'un passé consternant ne comptant pas moins de sept reprises de contrôle, les dates de fondation varient pour cette entreprise. En 1870, Clark Snure mettait sur pied une entreprise produisant des pommes séchées puis procédait à la fusion de deux entreprises vinicoles, Jordan et Ste. Michelle. Ces dernières prirent le contrôle de Growers' Wine Company, dans le Surrey en Colombie britannique. Ainsi naquit l'une des plus grandes entreprises du Canada, spécialisée dans la production de vins d'assemblage à bon marché à base d'hybrides. Toutefois, ses vignobles expérimentaux fournissent des vins de cépage prometteurs.

LONDON WINERY
560 Wharncliffe Road South
London, N6J 2N5

Date de création : ***1925***

Fondée par deux frères, cette entreprise créée pendant la Prohibition fabriquait du vin pour les besoins médicaux. Mais les deux frères montèrent astucieusement des stocks de vins qu'ils vendirent dès l'annonce de l'abrogation.

☆ Cuvée Supérieure (rouge)

MONTRAVIN CELLARS
1233 Ontario Street
Beamsville, L0R, 1B0

Date de création : ***1973***

D'origine hongroise, Karl Podamer acquit son expérience des vins mousseux en Champagne avant d'émigrer au Canada. La société se lança, en 1983, dans le marché des vins tranquilles ; mais les mousseux sont indiscutablement la spécialité de la maison. Le Chardonnay Brut Blanc de blancs est l'un des meilleurs du Canada.

☆ Brut Blanc de blancs

PELEE ISLAND VINEYARDS & WINERY
Kingsville

Vignobles : ***40 ha de Chardonnay, Gewurztraminer, Johannisberg Riesling et Pinot noir***
Date de création : ***1980***

Propriété dont les vignobles sont situés sur une île du lac Érié.

☆ Riesling, Scheurebe

REIF WINERY INC.
Niagara Parkway
Niagara-on-the-Lake, L0S 1J0

Vignobles : ***53 ha***
Date de création : ***1983***

Vins mis en bouteille au domaine et n'utilisant que les meilleurs raisins.

☆ Riesling

WILLOWBANK ESTATE WINES
15 Henegan Road, Virgil
Niagara-on-the-Lake, L0S 1T0

Vignobles : ***5 ha de Chardonnay et Johannisberg Riesling***

Entreprise très moderne spécialisée dans les vins blancs.

Autres entreprises

CAVE SPRING
CHARAL WINERY & VINEYARDS
CULOTTA
KONZELMANN
PAUL MASSON WINERY LTD
STONEY RIDGE CELLARS
VINELAND ESTATES

QUÉBEC

LES VINS ANDRES DU QUÉBEC LTEE
Voir Andres Wines (Ontario).

LES VINS BRIGHTS
Voir Brights Wines (Ontario).

Autres entreprises

LES ENTREPRISES VERDI
JULAC INC.
LUBEC INC.
LA MAISON SECRESTAT LTEE
LES VIGNOBLES CHANTECLER
LES VIGNOBLES DU QUÉBEC
VIN GELOSO INC.
LES VINS LA SALLE (Brights)
LES VINS CORELLI

Amérique du Sud

Les Espagnols ayant introduit la viticulture au Mexique en 1521, celle-ci se propagea dans les Amériques à la faveur des activités menées par les conquistadors dans les contrées qu'ils exploraient. Des vignobles se créèrent ainsi en 1548 au Chili, en 1551 en Argentine et en 1566 au Pérou. Il semble, en revanche, peu plausible que la production vinicole ait vu le jour en Uruguay avant les années 1870. Il en serait de même pour le Brésil.

Le véritable dessein des conquistadors n'était assurément pas de propager la viticulture dans les Amériques et la mission que leur avait assigné Ferdinand d'Espagne, celle de collecter le plus d'or possible, ne fut réalisée qu'au prix de bien des éxactions. En effet, lorsque les indigènes se lassèrent des verroteries qu'on leur troquait contre leurs trésors, ils furent les victimes de méthodes plus directes et brutales. En représailles, les Indiens versaient de l'or fondu dans la gorge des conquistadors capturés, ce qui étanchait indubitablement leur soif pour le précieux métal, mais tenait aussi bien de réplique sardonique à l'adresse des missionnaires qui les avaient obligés à boire le vin au titre du sacrement.

BRÉSIL

Le Brésil est si grand qu'on pourrait y trouver de quoi planter plusieurs fois l'équivalent de l'ensemble des superficies vinicoles de l'Europe. Ce pays, dont quelques ranchs sont plus grands que certains pays comme la Belgique, ne possède que 64 000 ha de vignes. C'est bien peu, si on compare ce chiffre à sa superficie totale : 8,5 millions de kilomètres carrés. C'est suffisant, toutefois, pour en faire le troisième pays viticole de l'Amérique du Sud.

La région viticole de loin la plus importante se situe à l'extrême sud dans l'État du Rio Grande do Sul, mitoyen avec l'Uruguay. Au sein de la zone de Palomàs, le secteur Santana do Livramento est très prometteur. Les vignobles de la Campanha Gaúcha, en particulier, y portent plus de 20 cépages de *vinifera*, tandis que huit vignes sur dix sont dans le reste du pays des *labrusca*. Les *vinifera* sont représentées par les Cabernet Sauvignon, Chardonnay, Johannisberg Riesling, Merlot, Pinot noir, Sauvignon blanc, Sémillon, Trebbiano et Ugni blanc.

PRINCIPALES ENTREPRISES VINICOLES DU BRÉSIL

COMPANHIA MONACO-VINHEDOS
São Paulo

Date de création : *1908*

C'est une des plus anciennes entreprises du Brésil active sur les marchés extérieurs. Autres étiquettes : « Alfama », « Felecien », « Fraubauen », « Kiedrich », « Renochard » et « Sommerlieder ».

COMPANHIA VINICOLA RIOGRANDENSE
Caxias do Sul

Date de création : *1934*

Cette société produit des *vinifera* depuis les années 30. Les vins se vendent sous l'étiquette « Granja União ». Cépages Merlot, Saint-Émilion, Moscatel Espumante et Riesling.

GEORGES AUBERT
Garibaldi

Date de création : *1915*

Producteur de « Champagne » de types brut, demi-sec et rosé.

HEUBLEIN DO BRASIL
São Paulo

Date de création : *1960*

Une des meilleures entreprises vinicoles du Brésil, produisant les vins « Lejon », « Castel Chatelet », « Marjolet », « Castelet », Riesling et son « Champagne brut » dit « Bratage ».

PALOMAS
Santana do Livramento

Date de création : *1974*

Avec ses 1 200 ha de *vinifera*, plantés dans le secteur de Livramento, cette entreprise d'avant-garde déploie d'énormes efforts pour la qualité des productions vinicoles du pays. Sa gamme est large et comprend des vins de cépage de types divers. Ce sont les meilleurs vins du Brésil.

VINICCIA ARMANDO PETERLONGO
São Paulo

Date de création : *1913*

Le producteur d'avant-garde des « Champagne » du Brésil.

VINICOLA GARIBALDI
Garibaldi

Date de création : *1931*

Coopérative produisant des vins de cépage Merlot, Sémillon et les marques « Precioso », « Acquasantiera », « Machtliebewein », « Leichtwein » et « Raschiatti ».

VINHOS SALTON
São Paulo

Date de création : *1910*

Société spécialisée dans les vins de faible degré.

URUGUAY

Depuis ses débuts dans les années 1870, la production viticole n'a cessé de progresser. La récolte annuelle, pour 22 000 hectares, varie entre 5 et 10 millions de caisses. Les Uruguayens fabriquent des vins dont le style est tout à fait étranger aux Européens. Les vignobles de l'Uruguay se trouvent sur des collines vallonnées d'origine volcanique, dans les secteurs de Montevideo, Canalones, San José, Florida, Soriano, Paysandú et dans le secteur de Maldonado. Le cépage le plus répandu est l'Harriague, qui correspond au Tannat du sud-ouest de la France, mais qui doit son nom local à Pascual Harriagues, l'un des pionniers de la viticulture uruguayenne au XIXe siècle. Le Cabernet Sauvignon et l'obscur Vidiella jouent tous deux un rôle notable, ainsi que le Cabernet franc, le Pinot noir, le Merlot, le Nebbiolo, la Barbera, le Sémillon, le Sauvignon blanc, le Grignolino, le Lambrusco, le Carignan, le Johannisberg Riesling et le Pedro Ximénez.

PÉROU

En 1566, Francesco de Carabantes planta des vignes à Ica. Le Pérou est l'un des plus anciens pays sud-américains viticoles. Les 14 000 hectares de vignobles, surtout situés dans les provinces d'Ica et Moquegua, produisent 18 000 hectolitres.

BOLIVIE

Les 5 000 hectares de vignes de Bolivie sont cultivés autour de Sucre, dans la région de Chuquisaca et de La Paz, à des altitudes variant entre 1 600 et 2 400 m. Le vin est surtout distillé en eau-de-vie, le Pisco, et les six vins de table, légers, se représentent pas plus de 9 000 hectolitres par an. De qualité médiocre, ils ne sont pas du tout exportés.

COLOMBIE

La Colombie compte environ 3 000 hectares de vignes regroupées surtout dans trois zones : vallée du Cauce, Sierra Nevada de Santa Marta et Ocaña. Sur ce total, 2 000 hectares sont encépagés par des raisins de table, encore que nombre d'entreprises vinicoles les utilisent aussi pour faire du vin. La vigne la plus plantée dans le pays est l'Isabella, cépage de *labrusca* couvrant quelque 800 hectares. Les 200 hectares restant se composent de Barbera, Müller-Thurgau, Muscat, Pinot noir, Pedro Ximénez, Johannisberg Riesling et Sylvaner. Ces cépages seraient en expansion, bien qu'il soit presque impossible de trouver un vin colombien de pure *vinifera*. Cela tient à ce que, dans cette production, entrent en compte des « vins » élaborés exclusivement ou en partie à partir d'autres fruits ou de raisins de table, ou encore de jus et concentrés importés de l'étranger. L'entreprise David & Eduardo Puyana, qui utilisait autrefois de purs *vinifera* pour sa marque Señioral, recourt maintenant à l'Isabella. Les Bodegas Añejas, qui utilisaient aussi la

PRINCIPALES ENTREPRISES VINICOLES DE COLOMBIE

Parmi les 112 entreprises de Colombie, les suivantes sont les plus importantes :

Bodegas Andaluzas
Vinicola Andiña
Bodegas Añejas
Vinerias del Castillo
Cinzano
Viños de la Corte
Divinos
Pedro Domecq Colombia
Grajales
Inverca
Martini & Rossi
David & Eduardo Puyana
Rojas
Bodegas Sevillanas
Bodegas Venecians

SUPERFICIES ENCÉPAGÉES DANS LES PAYS SUD-AMÉRICAINS

Pays	Hectares
Argentine	346 000
Chili	116 000
Brésil	64 000
Uruguay	22 000
Pérou	14 000
Bolivie	5 000
Colombie	3 000
Paraguay	Chiffre négligeable

vinifera pour leur Rioja, l'ont également abandonnée. Grajales utilise un coupage de raisins de cuve et de raisins de table, tous de *vinifera,* mais ne produit aucun vin de cépage. Sur toute la production, 10 pour cent sont composés de mousseux, 20 pour cent de Vermouth, 45 pour cent de « Madère » et de « Porto » à base de Moscatel, et 25 pour cent d'apéritifs à base de fruits.

PARAGUAY

La vigne est effectivement cultivée sous le climat subtropical de ce pays, mais le vin présente moins d'importance pour l'économie du Paraguay que le chou palmiste ou le bouillon de bœuf concentré.

AUTRES ENTREPRISES VINICOLES D'AMÉRIQUE DU SUD

On ne produit aucun vin au Venezuela, en Guyane française et en Guyana, pays trop proches de l'Équateur pour permettre à la vigne de survivre et fructifier. Les raisins ne mûrissent pas sous la chaleur intense et il est impossible de les produire sous l'Équateur, mais il existe toujours des exceptions. Ainsi trouve-t-on en Équateur un minuscule lopin de vigne haut perché dans les montagnes.

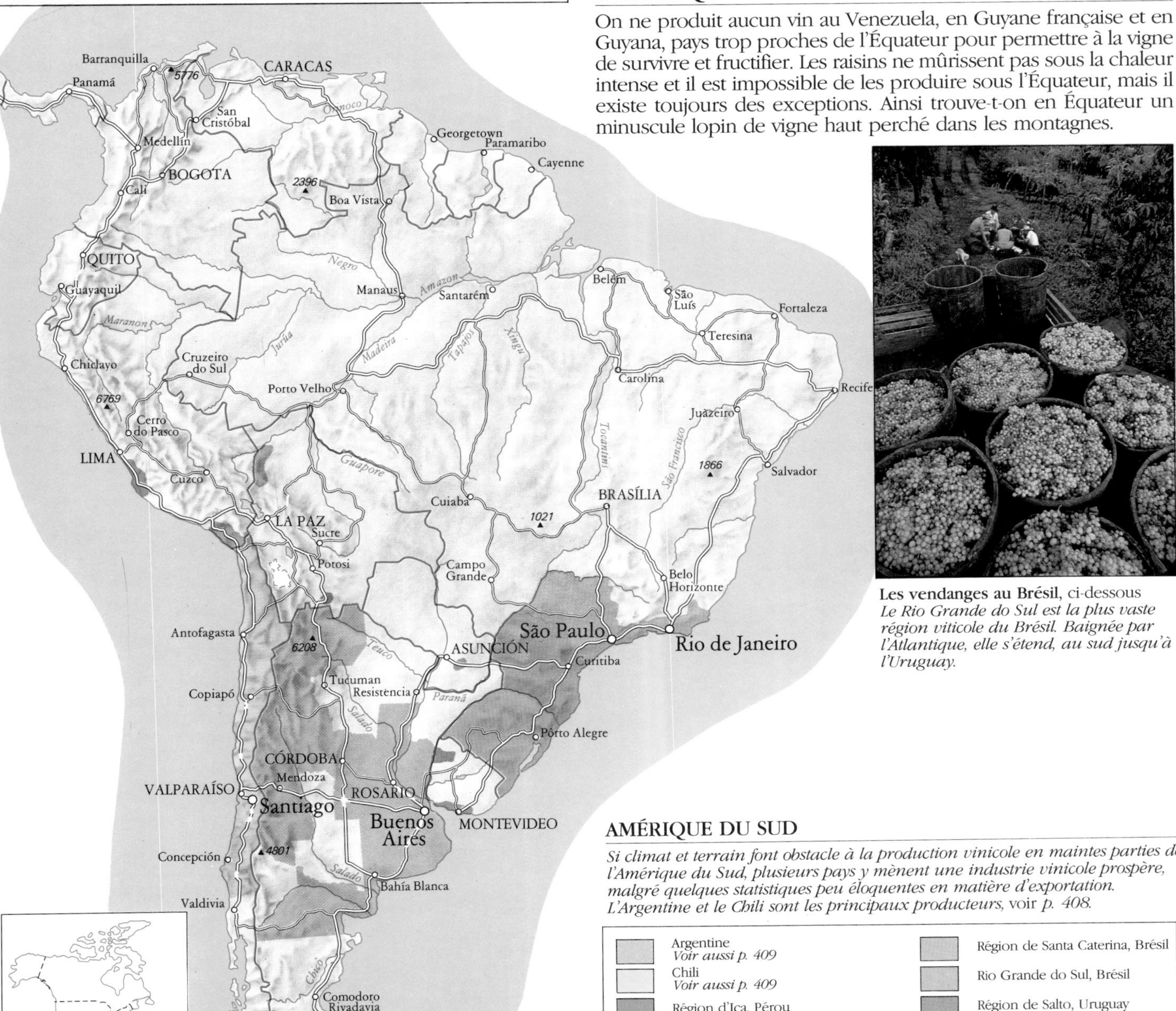

Les vendanges au Brésil, ci-dessous
Le Rio Grande do Sul est la plus vaste région viticole du Brésil. Baignée par l'Atlantique, elle s'étend, au sud jusqu'à l'Uruguay.

AMÉRIQUE DU SUD

Si climat et terrain font obstacle à la production vinicole en maintes parties de l'Amérique du Sud, plusieurs pays y mènent une industrie vinicole prospère, malgré quelques statistiques peu éloquentes en matière d'exportation. L'Argentine et le Chili sont les principaux producteurs, voir *p. 408.*

Argentine
Voir aussi p. 409
Chili
Voir aussi p. 409
Région d'Ica, Pérou
Vallée de Moquegua, Pérou
Le Paz, Bolivie
Région de Tarija, Bolivie
Région de Villa Rica, Paraguay
Région de São Paulo, Brésil
Région de Santa Caterina, Brésil
Rio Grande do Sul, Brésil
Région de Salto, Uruguay
Région de Montevideo, Uruguay
Frontières internationales
▲ Altitude
km 400 800 1200

Chili et Argentine

Le Chili est la vitrine des pays vinicoles de l'Amérique du Sud, mais l'Argentine est sans conteste le pays le plus producteur du sous-continent. Le Chili élabore des Cabernet Sauvignon de classe internationale et possède une gamme de vins dont la valeur intrinsèque n'a pas d'équivalent en Amérique du Sud. L'Argentine, pour sa part, est un formidable gisement de vins à bon marché, mais bien faits et gouleyants.

CHILI

Au Chili 116 000 hectares de vignes sont plantés, dont 60 000 sont irrigués. À peu près 95 pour cent de la production chilienne, de 67 millions de caisses, proviennent des deux principales zones viticoles : la région centrale et, entre cette région et le Pacifique, le Secano. On distingue, dans la région centrale, une région centrale nord, la vallée du Centre, une région centrale sud et une région méridionale. Par ailleurs, le Secano, bande de terre beaucoup plus étroite, s'étend de Valparaiso à Concepción et se divise en deux sous-régions, le Secano central et le Secano du Sud.

Région centrale nord

Cette région couvre 4 125 hectares de vignes, au sein des vastes provinces d'Atacama et Coquimbo, où la pluviosité est pratiquement nulle, la viticulture n'y étant possible qu'en recourant à l'irrigation. Les vignes y constituent des parcelles isolées. Les vins, de fort degré et de faible acidité, sont utilisés surtout pour l'élaboration de Pisco (eau-de-vie).

Vallée centrale

Cette région, la seconde du Chili par ordre de grandeur, couvre quelque 37 150 hectares de vignobles dont ceux de l'Aconagua, cœur et âme de l'industrie vinicole du pays. La pluviosité varie entre 300 mm, au nord, et 730 mm, au sud. Elle englobe la zone viticole la plus célèbre du Chili, la vallée du Maipo, où l'on produit d'excellents vins rouges.

La qualité supérieure qui prévaut sur toute cette région est le fait de l'utilisation des cépages *vinifera* classiques : Cabernet Sauvignon, Cabernet franc, Malbec, Merlot, Petit Verdot, Chardonnay, Sauvignon blanc et Riesling.

Région centrale sud

Située entre la région méridionale et la vallée du Centre, la région centrale sud compte 6 650 hectares de vignes. Le cépage le plus cultivé y est le Pais. Ce raisin noir indigène est sans doute un clone du cépage Mission qui a été à l'origine des vignobles californiens, et donne, comme lui, des vins ordinaires, voire, parfois, grossiers. Quoi qu'il en soit, dans certaines petites zones sont utilisés les Cabernet Sauvignon, Sauvignon blanc et Sémillon qui peuvent donner des vins d'une qualité décente.

Région méridionale

Cette zone se trouve à l'extrême limite de la culture en climat tempéré et il est difficile d'y produire des vins équilibrés de qualité

COMMENT LIRE LES ÉTIQUETTES DES VINS ARGENTINS ET CHILIENS

Nombre des termes des étiquettes de vins sud-américains sont analogues à ceux des étiquettes espagnoles. *Voir* « Comment lire les étiquettes des vins espagnols », p. 268.

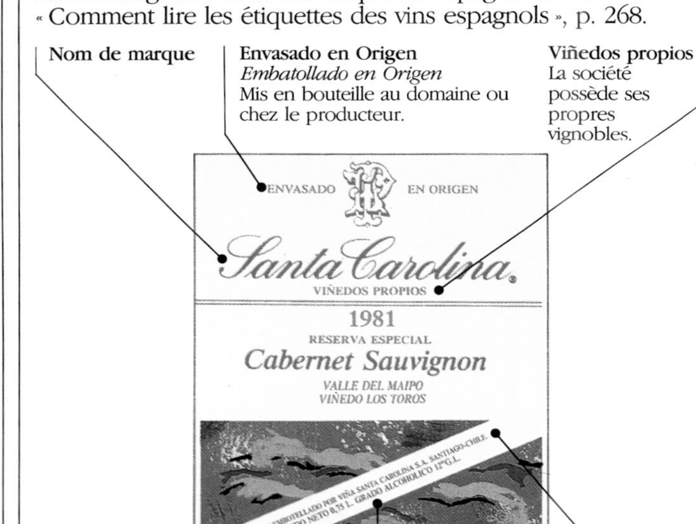

Nom de marque

Envasado en Origen
Embatollado en Origen
Mis en bouteille au domaine ou chez le producteur.

Viñedos propios
La société possède ses propres vignobles.

Grado alcoholico
Teneur alcoolique

Contenido neto
Au Chili, le volume est indiqué en ml, en Argentine en centimètres cubes (1 cm³ = 1 ml)

Nom et adresse du producteur
Dans ce cas : Viña Santa Carolina SA de Santiago

Autres termes pouvant figurer sur les étiquettes :

Viña Vignoble

Industria Argentina Produit d'Argentine

Producido y fraccionado por... Produit et mis en bouteille par...

Vino fino tinto
« Vin rouge fin », le terme *fino* n'a aucune signification officielle. Au Chili, il en va de même du Gran Vino qui n'est ni « Grand » ni « Supérieur ».

FACTEURS AFFECTANT LE GOÛT ET LA QUALITÉ

Situation
Au Chili, la vigne se cultive sur 1 200 km le long de la côte pacifique, mais les plus importants vignobles se trouvent au sud de Santiago. En Argentine, les vignobles se situent surtout dans les provinces de Mendoza et San Juan, à l'est des contreforts des Andes.

Climat
Très variable au Chili, le climat peut être extrêmement chaud au nord et devient très humide au sud. La principale zone viticole entourant Santiago ne reçoit que 380 mm de pluie par an et ne subit aucune gelée printanière. Le voisinage des Andes, favorise l'arrivée massive d'air froid la nuit, ce qui permet aux raisins de préserver une certaine acidité. Dans la vallée du Centre, aux températures diurnes allant de 30 à 55 °C succèdent des températures nocturnes de 12 à 15 °C.

Dans le secteur de culture intensive de Mendoza, en Argentine, au climat continental, semi-désertique, 200 à 250 mm se répartissent sur les mois de végétation estivale. Les températures y passent de 10 °C la nuit à 40 °C le jour.

Site
Dans les deux pays, la plupart des vignes se cultivent sur les plaines de la côte et des vallées s'étendant jusqu'aux contreforts des Andes. Au Chili, les vignobles non irrigués, à flanc de collines, se trouvent dans la zone centrale. On recourt largement à l'irrigation partout ailleurs. En Argentine on nivèle les vignobles à flanc de collines pour obtenir de faibles déclivités permettant une meilleure irrigation.

Sol
La vigne se cultive sur des sols variés. Certaines parties du Chili, aux sols calcaires et profonds, produisent des vins d'assez bonne qualité. En Argentine, les sols contiennent du sable, de l'argile. Les sols profonds et meubles d'origine alluviale ou éolienne prédominent.

Viticulture et vinification
Tandis que le Chili recourt généralement à des méthodes traditionnelles, et souvent à des techniques bordelaises, l'Argentine fait plutôt appel aux méthodes de la production de masse. Mais les méthodes plus traditionnelles y sont également à l'honneur pour la production, en expansion, de ses vins de cépage. Depuis, les mesures économiques prises en 1974 par le gouvernement chilien, nombre d'entreprises vinicoles se sont équipées de cuves en acier inoxydable et ont amélioré leur technologie. Grâce à Miguel Torres Jr., les producteurs de vins fins du Chili pratiquent la fermentation à froid pour obtenir des vins blancs plus frais et plus fruités.

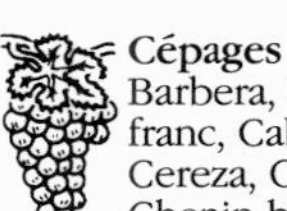

Cépages
Barbera, Bonarda, Cabernet franc, Cabernet Sauvignon, Cereza, Chardonnay, Chenin blanc, Criolla, Ferral, Grenache, Grignolino, Johannisberg Riesling, Lambrusco, Malbec, Malvasia, Merlot, Muscat, Nebbiolo, Pais, Palomino, Pedro Ximénez, Petit Verdot, Pinot blanc, Pinot gris, Pinot noir, Refosco, Renano, Sangiovettoe, Sauvignon blanc, Sémillon, Sylvaner, Syrah, Tempranillo, Torrontes, Ugni blanc

Vignobles de Miguel Torres
Les vignes de ce bon producteur jouxtent les contreforts des Andes.

acceptable. S'il existe encore 8 000 hectares de vignobles, cette superficie est sur le déclin.

Région centrale du Secano

Portant quelque 9 000 hectares de vignobles dans les contreforts de la chaîne côtière, cette région parallèle à la vallée du Centre se trouve bordée par l'océan Pacifique et reçoit plus de 100 centimètres de pluie par an. Le principal cépage qu'on y cultive est un cépage indigène, le Pais, mais, non irrigué, celui-ci produit un vin légèrement plus typé que dans le sud de la vallée du Centre, notamment lorsqu'on le cultive dans la région de Cauquenes, qui présente un microclimat particulièrement indiqué pour ce cépage.

Région du Secano sud

Le prolongement méridional de la ceinture viticole du Secano présente, comme la zone du Nord, des vignobles non irrigués à flanc de colline recevant au moins 1 000 millimètres de pluie par an. Bien que sa superficie soit moindre que celle de la région centrale du Secano, on y pratique une culture plus intensive, sur quelque 45 000 hectares – soit près de 40 pour cent de la zone viticole du Chili. Le Pais prédomine ici encore et il donne, sans irrigation, des vins acceptables ; mais les véritables potentialités de cette région résident, à mon avis, dans la culture des cépages blancs. Sauvignon blanc, Riesling et Muscat y ont réussi de façon exceptionnelle, encore qu'en volumes relativement limités.

Chaîne d'embouteillage à Los Roblos, ci-dessous.

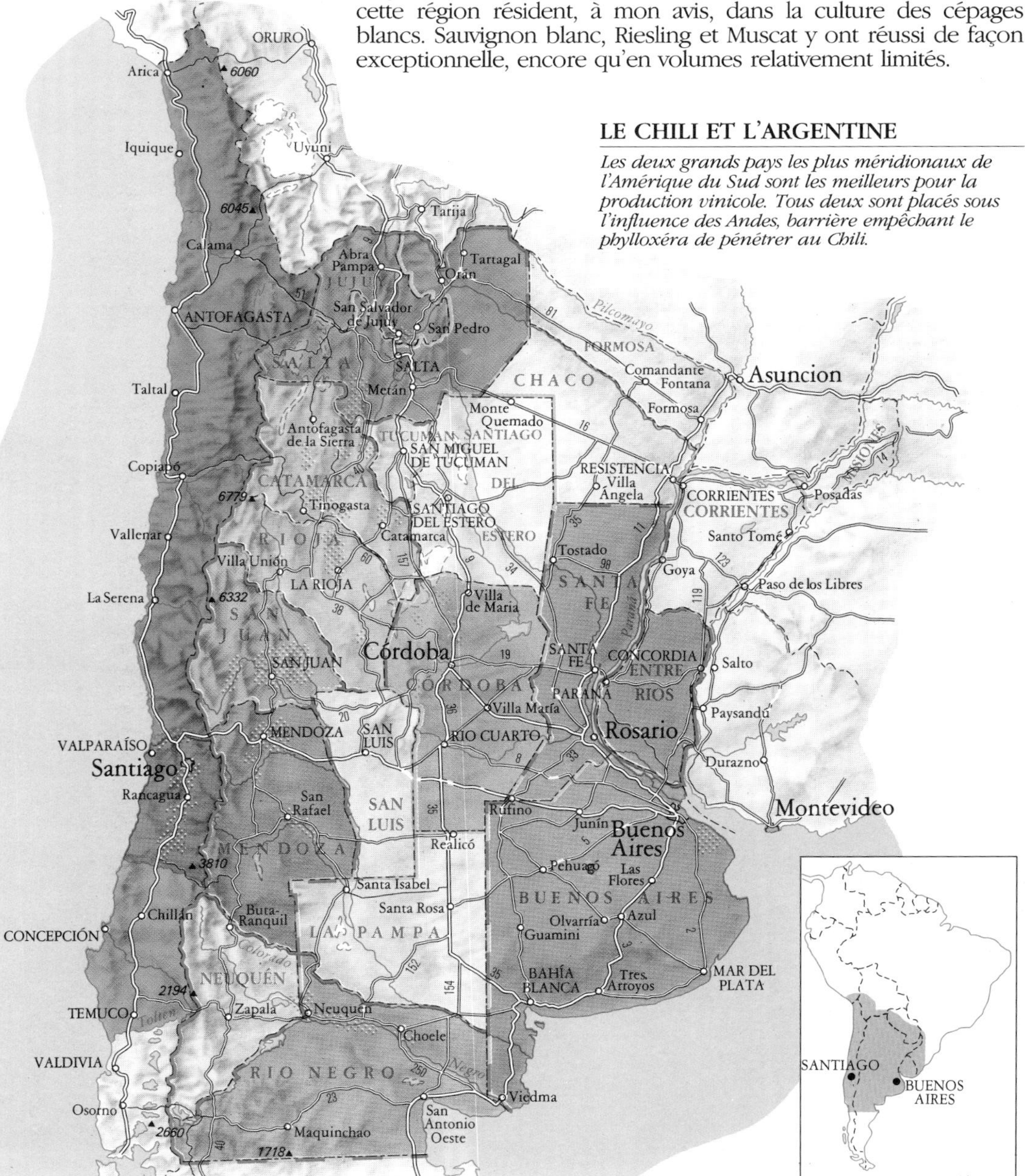

LE CHILI ET L'ARGENTINE
Les deux grands pays les plus méridionaux de l'Amérique du Sud sont les meilleurs pour la production vinicole. Tous deux sont placés sous l'influence des Andes, barrière empêchant le phylloxéra de pénétrer au Chili.

Zone de viticulture intensive

Chili
- Zone septentrionale
- Zone centrale
- Zone méridionale

Argentine
- Norte
- Occidente
- San Juan
- Córdoba
- Littoral
- Entre Rios
- Mendoza
- Rio Negro

Frontières internationales
Limites provinciales
Zone viticole délimitée
Altitude
km 100 200 300 400 500

Des vignobles épargnés par le phylloxéra

Le Chili possède l'inestimable avantage de ne pas avoir été atteint par le phylloxéra. Il ne faut pas en déduire que les vins y sont meilleurs ou différents des autres, mais cet avantage permet à la vigne de perdurer jusqu'à cent ans au lieu de trente ou trente-cinq ailleurs. Dans tous les autres pays viticoles du monde, les vignerons doivent se tenir fermement à un programme de réencépagement régulier, onéreux, et nécessitant une importante main-d'œuvre. Le vigneron chilien peut couler des jours plus tranquilles. En 1851, en effet, Silvestre Ochagavia, bien avant la toute première apparition du phylloxéra en France, importa des boutures de Cabernet Sauvignon, Merlot, Pinot noir, Sauvignon blanc, Sémillon et d'autres cépages classiques des plus pures lignées. La situation géographique exceptionnelle du Chili, bordé, à l'ouest, par le Pacifique, à l'est, par les Andes, au nord par les grands déserts et au sud par l'Antarctique, interdit toute pénétration au phylloxéra et il ne fut plus besoin, par la suite, d'importer d'autres plants.

ARGENTINE

Cinquième plus grand des pays viticoles du monde, l'Argentine peut s'enorgueillir de ses 346 000 hectares de vignes. En raison de la rareté des précipitations, les vignes n'y peuvent survivre qu'avec le secours de l'irrigation. Heureusement, en hiver, les Andes sont abondamment pourvues en eau et en neige. On recueille les pluies et les neiges fondues dans d'immenses réservoirs judicieusement situés pour les redistribuer par un réseau d'irrigation qui est l'un des plus sophistiqués du genre au monde. En outre, on a creusé un réseau de 30 000 puits pour y pomper les eaux des nappes phréatiques.

LES VINS D'ARGENTINE

Mendoza

Comprenant 260 000 hectares de vignes, cette région viticole est la plus vaste de l'Argentine et assure plus des deux tiers de la production en vins du pays.

Il existe plus de 30 000 viticulteurs indépendants dans cette région qui produisent pour la plupart des vins rouges. Le Malbec y prédomine, ainsi que le Cabernet ; on rencontre également les cépages Tempranillo, Pinot noir et Syrah. Parmi les cépages blancs qui couvrent quelque 40 000 hectares, se trouvent les Chardonnay, Chenin blanc, Johannisberg Riesling et Muscat.

San Juan

Plus sèche et chaude que la région de Mendoza, San Juan se consacre essentiellement à la culture de cépages blancs. On y exporte, sous forme de concentrés, une grande part de ses raisins peu acides et fort alcooliques.

Rio Negro

Cette région, qui englobe aussi Neuquén, est celle qui convient le mieux à la viticulture, bien qu'elle ne représente que 5 pour cent des vignobles de l'Argentine. Maintenant que la situation politique y est plus stable, le Rio Negro aurait bien de quoi attirer les compétences étrangères, fort nécessaires pour assurer l'avenir de la production des vins fins d'Argentine.

La Rioja

À la différence de son homonyme d'Espagne, cette région atrocement chaude produit des vins à fort degré, peu acides et, assez souvent oxydés.

Catamarca

Région comprenant une toute petite zone encépagée, où l'on utilise le plus souvent les raisins pour en faire une eau-de-vie.

Salta

Cette région, incluant la province de Juyjuy, couvre moins d'un demi-pour cent de toutes les vignes du pays. La qualité des vins y est néanmoins convenable et pourrait, moyennant le concours de compétences étrangères, réserver des surprises à l'avenir.

L'entreprise Penaflor, à Maipu, près de Mendoza, en Argentine. *Les Andes forment un arrière-plan lointain mais impressionnant.*

Les principales entreprises vinicoles du Chili

JOSÉ CANEPA
Moneda 1040, Suite 1401
Santiago

Vignobles : ***600 ha de Cabernet Sauvignon, Malbec, Muscat, Sauvignon blanc et Sémillon***
Date de création : *1930*

Entreprise de pointe, produisant des vins élégants, francs et fruités, d'une grande finesse.

☆ « Gran Brindis » Cabernet, « Gran Brindis » Sémillon, Gran Vino Chilean Cabernet, Sauvignon blanc

CONCHA Y TORO
Barros Errázuriz Nr. 1968
10th Floor, Santiago

Vignobles : ***1 400 ha de Cabernet Sauvignon, Chardonnay, Chenin blanc, Gewurztraminer, Johannisberg Riesling, Malbec, Merlot, Sauvignon blanc, Sémillon et Petit Verdot***
Date de création : *1883*

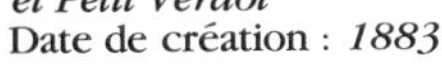

La plus grande des entreprises vinicoles du Chili élabore des vins de qualité francs et corrects, fort fruités.

☆ Cabernet « Marqués de Casa Concha » (Cabernet Sauvignon/Merlot), Merlot

VIÑA COUSIÑO MACUL
Huérfanos 979, Suite 704, Santiago

Vignobles : ***264 ha de Cabernet Sauvignon, Chardonnay, Merlot, Petit Verdot, Riesling, Sauvignon blanc et Sémillon***
Date de création : *1862*

La meilleure des entreprises vinicoles du Chili produit des vins fins, surtout des Cabernet, corsés, à la robe nuancée et aux riches saveurs.

☆ Antigua Reserva Cabernet Sauvignon, « Don Luis » Cabernet Sauvignon, Chardonnay, « Don Matias » Cabernet Sauvignon

VIÑA LINDEROS
Libertador Bernardo O'Higgins Av. 1370, Suite 502, Santiago

Vignobles : ***81 ha de Cabernet Sauvignon, Chardonnay, Riesling, Sauvignon blanc et Sémillon***
Date de création : *1865*

Producteur de quelques Cabernet Sauvignon parmi les plus élégants du Chili. Produit aussi des Sémillon, Riesling et Chardonnay.

☆ Cabernet Sauvignon

VIÑA SANTA RITA
Gertrudis Echeñique 49, Santiago

Vignobles : ***145 ha de Cabernet Sauvignon, Chardonnay, Sauvignon blanc, Sémillon***
Date de création : *1880*

La marque « 120 » évoque la mémoire de Bernardo O'Higgins et des 120 hommes qui se cachèrent dans cette cave après la bataille de Rancagua.

☆ Casa Real, Cabernet 1984 sous la marque « 120 », Gran Vino « Casa Real » (Cabernet Sauvignon), Gran Vino « 120 Medalla Real » (Cabernet Sauvignon), Gran Vino « 120 Tres Medallas » (Cabernet Sauvignon), Gran Vino « 120 Una Medalla » (Cabernet Sauvignon).

MIGUEL TORRES
Panamericana Sur, No. 195, Curicó

Vignobles : ***150 ha de Cabernet Sauvignon, Chardonnay, Merlot, Riesling, Sauvignon blanc et Gewurztraminer***
Date de création : *1979*

Miguel Torres produit d'excellents vins et a changé la perception que l'on avait, au Chili, des potentialités du pays en matière de vins blancs.

☆ « Santa Digna » (Cabernet Sauvignon Rosado), « Don Miguel » (Cabernet Sauvignon/Merlot), « Belaterra » Sauvignon blanc Roble, Chardonnay, Riesling

UNDURRAGA
Agustinas 972, Suite 513, Santiago

Vignobles : ***195 ha de Cabernet Sauvignon, Chardonnay, Pinot noir, Riesling et Sauvignon blanc***
Date de création : *1885*

Première entreprise à exporter aux États-Unis, mais je n'ai pas trouvé des vins passionnants.

AGRICOLA VIÑA LOS VASCOS
Isidora Goyenechea Av. 3156
Santiago

Vignobles : ***170 ha de Cabernet Sauvignon, Chardonnay, Sauvignon blanc et Sémillon***
Date de création : *1982*

Cette entreprise, fondée par une famille basque d'Espagne, produit des vins francs et fermes, gorgés de fruit.

☆ Sauvignon/Sémillon « Chevrier », Cabernet

Les meilleures autres entreprises

CASONA
Agustinas 972, Suite 513, Santiago

Date de création : *1980*

CHAMPAGNE ALBERTO VALDIVIESO
Celia Solar 55, Santiago

Vignobles : ***85 ha de Cabernet Sauvignon, Chardonnay, Pinot blanc, Pinot noir, Sauvignon blanc et Sémillon***
Date de création : *1879*

CHAMPAGNE SUBERCASEAUX
Fernando Lazcano 1220, Santiago

Date de création : *1967*

COOPERATIVA AGRICOLA VITIVINICOLA DE CURICÓ
Balmaceda Av. 565, Curicó

Vignobles : ***1 414 ha de Cabernet Sauvignon, Chardonnay, Malbec, Merlot, Pinot noir, Riesling, Sauvignon blanc et Sémillon***
Date de création : *1939*

COOPERATIVA AGRICOLA VITIVINICOLA DE TALCA
San Miguel Av. 2631, Talca

Vignobles : ***1 160 ha de Cabernet franc, Cabernet Sauvignon, Malbec, Merlot, Pinot noir, Sauvignon blanc et Sémillon***
Date de création : *1944*

SOCIEDAD AGRICOLA SANTA ELISA
Fernando Lazcano 1220, Santiago

Vignobles : ***281 ha de Cabernet Sauvignon, Chardonnay, Malbec, Pinot noir et Sémillon***
Date de création : *1978*

SOCIEDAD VIÑA CARMEN
Villaseca s/n, Buin

Vignobles : ***113 ha de Cabernet Sauvignon, Malbec, Pinot noir, Riesling et Sauvignon blanc***
Date de création : *1850*

TARAPACÁ EX ZAVALA
Tobalaba Av. Nr. 9092, La Florida
Santiago

Vignobles : ***70 ha de Cabernet Sauvignon, Pinot noir et Sauvignon blanc***
Date de création : *1874*

Petite entreprise produisant des vins entièrement mis en bouteille sur le domaine.

VIÑA ERRAZURIZ-PANQUEHUE
Bandera 206, Suite 601
Santiago

Vignobles : ***150 ha de Cabernet Sauvignon, Sauvignon blanc et Sémillon***
Date de création : *1879*

VIÑA MANQUEHUE
Vicuña Mackenna 2289
Santiago

Vignobles : ***171 ha de Cabernet Sauvignon, Chardonnay, Riesling, Sauvignon blanc et Sémillon***
Date de création : *1927*

VIÑA OCHAGAVIA
Til Til 2228, Santiago

Date de création : *1851*

VIÑA SAN PEDRO
Aysén Nr. 115, Santiago

Vignobles : ***330 ha de Cabernet Sauvignon et Sauvignon blanc***
Date de création : *1865*

VIÑA SANTA CAROLINA
Rodrigo de Araya 1431, Santiago

Date de création : *1875*

VINOS DE CHILE S.A. « VINEX »
Aysén 115, Santiago

Date de création : *1942*

VITIVINICOLA Y COMERCIAL MILLAHUE
Camino El Arpa s/n, Alto Jahuel Buin

Vignobles : ***35 ha de Cabernet Sauvignon, Sauvignon blanc et Sémillon***
Date de création : *1970*

Les principales entreprises vinicoles d'Argentine

ANDEAN VINEYARDS
Voir Bodegas Trapiche.

BIANCHI
San Rafael, Mendoza

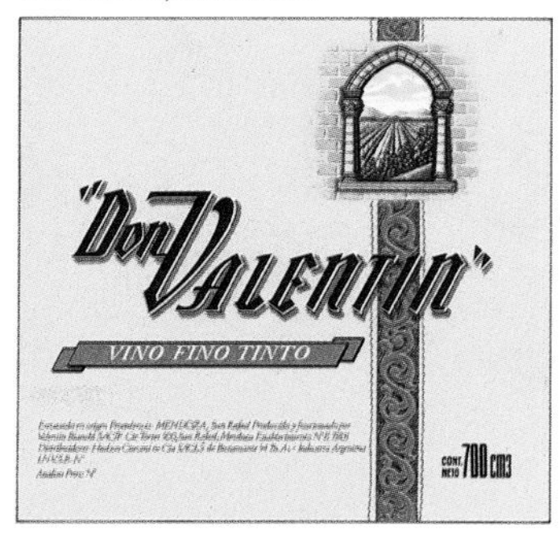

Cette entreprise appartient à Seagram, l'énorme trust de boissons canadien.

☆ Cabernet Particular, Bianchi Borgogña

CAUTIVO
Voir José Orfila.

CRILLON
Sanchez de Bustamante 54
1173 Buenos Aires

Autre filiale de Seagram.

Autres étiquettes : « Embajador », « Monitor »

EMBAJADOR
Étiquette de vin tranquille appartenant à Crillon.
Voir Crillon.

MONITOR
Voir Crillon.

JOSÉ ORFILA
J. Salguero 1244, 1177 Buenos Aires

Vignobles : *275 ha de Cabernet Sauvignon, Chardonnay*

Les meilleurs vins sont vendus sous l'étiquette Cautivo.

☆ Cabernet

PROVIAR
Florida 378, 5° Piso
1351 Buenos Aires

Branche de Moët & Chandon élaborant surtout des vins mousseux et quelques vins de cépage.

☆ Champania « M. Chandon »

SAN TELMO
Je ne connais pas bien cette entreprise qui a bonne réputation.

☆ Cabernet, Chardonnay, Malbec, Merlot, Traminer

BODEGAS TRAPICHE
Av. Juan C. Justo 5735
1416 Buenos Aires

Cette importante entreprise offre un large choix de vins frais.

Seconde étiquette : « Andean Vineyards »

☆ « Medella », Fond de Cave (Cabernet), Malbec

Les meilleures autres entreprises

BODEGAS ARIZU
Warnes 2280, 1427 Buenos Aires

BODEGAS ESMERALDA
Guatemala 4555, 1425 Buenos Aires

Vignobles : *Cabernet Sauvignon, Malbec, Sauvignon blanc et Sylvaner*

☆ « St. Felicien » Cabernet

BODEGAS GARGANTINI
Av. San Martín 3379
1416 Buenos Aires

BODEGAS LOPEZ
Godoy Cruz 2000
1414 Buenos Aires

Vignobles : *1 000 ha*

☆ « Château Montchenot » (« Don Federico » sur quelques marchés extérieurs)

BODEGAS LA RURAL
Belgrano 271 – Piso 4°
1092 Buenos Aires

Vignobles : *250 ha*

☆ Riesling

HUMBERTO CANALE
Martín García 320
1165 Buenos Aires

Vignobles : *Cabernet Sauvignon, Merlot et Lambrusco*

☆ Cabernet Sauvignon

COPERCO SACIA
Emilio Civit 757, 5500 Mendoza

EST. VITIVIN. ESCORIHUELA
Av. San Martín 3499
1416 Buenos Aires

ESTORNELL EXPORTA
Av. Centenario 1868, 1643 Beccar Buenos Aires

ARNALDO ETCHART
Nicaragua 4994, 1414 Buenos Aires

☆ « Cafayate », « Reservo Blanc », Riesling, « Torrontes »

FINCA FLICHMAN
Cerrito 866 – Piso 10°
1336 Buenos Aires

☆ « Caballero de la Cepa », Chardonnay

FLORIO
Av. Juan B. Justo 951, 1425 Buenos Aires

ANGEL FURLOTTI
Av. Juan B. Justo 1207
1414 Buenos Aires

Vignobles : *1 000 ha de Cabernet Sauvignon, Lambrusco et Merlot*

GOYENECHEA
Alsina 1970/74, 1090 Buenos Aires

Vignobles : *300 ha*

☆ « Aberdeen Angus » (Cabernet Sauvignon et Syrah)

SANTIAGO GRAFFIGNA
Warnes 2208, 1427 Buenos Aires

GRECO
Punta Arenas 1612
1416 Buenos Aires

GERARDO IGLESIAS
C.A. López 3548, 1419 Buenos Aires

J. E. NAVARRO CORREAS
Olazábal 3710, 1430 Buenos Aires

☆ Sauvignon blanc, Syrah

B. F. NAZAR ANCHORENA
Vélez Sarsfield 3180, 1640 Martinez Buenos Aires

E. J. P. NORTON
Suárez 2857, 1284 Buenos Aires

Vignobles : *500 ha*

☆ « Perdriel » Cabernet, Chardonnay, Riesling

CASA PALMERO
Belgrano 634 – Piso 12°
1092 Buenos Aires

☆ Merlot

RECOARO
Av. Argentina 5671
1439 Buenos Aires

RESERO
Godoy Cruz 2562
1425 Buenos Aires

EL RIVERO
Cangallo 61, 1704 Buenos Aires

SAINT REMY
Charcas 4040, 1425 Buenos Aires

SANTA ANA
San Martin 579 – Piso 1°
1004 Buenos Aires

Vignobles : *40 ha de Barbera, Bonarda et Syrah*

☆ Chenin

SUTER
San Rafael, Mendoza

☆ Etiqueta Maron « Pinot blanc », Etiqueta Blanca (rouge)

SAINTE SYLVIE
Lafayette 575, 1284 Buenos Aires

PASCUAL TOSO
Alberdi 808, 5519 San José, Mendoza

LA SUPERIORA VIÑEDOS Y BODEGA
Godoy Cruz 2200
1414 Buenos Aires

MICHEL TORINO
Chacabuco 314 – Piso 9°
1069 Buenos Aires

VINOS RODAS
Cangallo 2933, 1198 Buenos Aires

WEINERT
Parana 720, 1017 Buenos Aires

☆ Chardonnay

LES VINS
D'AUSTRALIE ET DE NOUVELLE ZÉLANDE

Australie

Le premier vignoble australien a été implanté en 1788, à Farm Cove, dans la Nouvelle-Galles du Sud ; il se composait alors de cépages, originaires de Rio de Janeiro et du Cap de Bonne-Espérance, recueillis par le premier gouverneur du pays, le capitaine Arthur Phillip, lorsqu'il faisait route pour Sydney à bord de son bâtiment, le *HMS Sirius*.

Le sol riche de Farm Cove et son climat humide se révélèrent favorables au développement de la vigne mais Phillip rencontra de nombreuses difficultés lors de la vinification. Il ne se découragea cependant pas et implanta un autre vignoble dans le jardin de la résidence du gouverneur, à Parramatta, au nord de Sydney. Le sol et le climat convenaient mieux à la viticulture et le succès obtenu alors favorisa les demandes d'aide technique que le capitaine Phillip ne cessait de formuler.

L'EXPANSION DE L'INDUSTRIE VINICOLE

Après des débuts quelque peu hasardeux, l'activité vinicole prit son essor en Australie mais l'influence britannique ne fut pas des plus bénéfiques. En effet, l'industrie vinicole de l'Australie, accaparée et modulée par les besoins de l'Empire britannique et ceux du Commonwealth, se lança dans la production de vins vinés à bas prix au mépris des potentialités de ses terroirs, de son climat et de ses cépages.

Les Australiens prirent également goût à ces vins de qualité médiocre. Pourtant, l'Australie élaborait – et élabore encore – quelques-uns des plus beaux vins de dessert du monde. Mais, jusqu'à ces dernières années, ces vins étaient dans l'ensemble très sucrés et indigestes, alors que partout ailleurs dans le monde, on appréciait les vins légers et fins. Ainsi, jusqu'aux années 60, l'Australie exporta de petites quantités de véritables vins fins de table et une majorité de vins médiocres ne présentant guère de différences entre eux, quels que fussent les cépages dont ils étaient issus ou leurs terroirs d'origine.

Aujourd'hui, les Australiens axent davantage leurs efforts sur la production des vins fins et ils élaborent certains des plus grands et plus passionnants vins du monde, qu'ils proposent de plus à des prix très avantageux.

COMMENT LIRE LES ÉTIQUETTES DES VINS AUSTRALIENS

Bien que l'application sommaire d'appellations contrôlées n'ait encore concerné qu'une minorité des zones viticoles, les étiquettes des vins de cépages sont les plus explicites qui soient. Elles indiquent clairement les caractéristiques principales et essentielles du vin et spécifient le nom du vinificateur et le lieu d'élaboration. Des précisions sur la vendange, la vinification, l'élevage, les notes de dégustation, figurent souvent sur la contre-étiquette.

« Show » ou « Show Reserve »
Les termes sont utilisés exclusivement pour les vins ayant obtenu des distinctions nationales, gages qu'il s'agit de vins supérieurs, car les concours sont très sérieux. De plus, les termes de « show » ou « show reserve » ne peuvent s'appliquer qu'aux vins qui proviennent d'une même cuve, voire d'une même barrique. Ainsi, les producteurs se voient-ils empêchés d'utiliser la même étiquette pour une tête de cuvée et pour des assemblages avec des vins plus modestes.

Nom de marque ou de société
« Rosemount Estate » figurant sur cet échantillon est le nom de marque des domaines Rosemount dont le nom et l'adresse figurent au bas de l'étiquette.

Millésime
Le millésime est fiable, bien qu'il n'existe aucune réglementation excepté lorsque le vin est exporté dans un pays dont la législation est contraignante.

Cépages
La plupart des plus grands vins d'Australie sont des *varietals* purs, c'est-à-dire d'authentiques vins de cépage. Ils sont issus de cépages classiques tels que Chardonnay, Sémillon ou Shiraz. On rencontre quelques noms de cépages plus obscurs, dont nombre sont les synonymes d'autres plus connus (*voir* p. 416). Lorsque plusieurs cépages figurent sur une étiquette, ils sont cités par ordre d'importance. Ainsi, un Sémillon-Chardonnay contient plus de Sémillon que de Chardonnay et un Shiraz-Malbec-Cabernet contient plus de Shiraz que de Malbec et plus de Malbec que de Cabernet.

« Wood Matured »
Cette expression signifie habituellement qu'on fait vieillir le vin dans du chêne neuf.

Secteur, région ou état d'origine
Les vinificateurs australiens indiquent volontiers l'origine de leurs vins, ici Hunter Valley. Si l'on ne connaît pas certains secteurs ou régions, le nom de l'un des cinq États du continent ou de la Tasmanie figure toujours sur la bouteille. En réalité, nombre de vins ne mentionnent pour origine qu'un État, même s'ils font l'objet de coupages avec d'autres vins de diverses zones. Par ailleurs, l'intensif camionnage du raisin d'État à État en Australie sème souvent le doute sur l'origine des vins concernés. Les secteurs viticoles australiens qui possèdent un système d'appellations déclarées sont peu nombreux et ils ne bénéficient pas d'un organisme national de régularisation (*voir* p. 416).

Titre d'alcool
Le titre est exprimé en pourcentage du volume. Cette indication revêt une importance particulière dans les pays où règle une chaleur torride. Dans les zones très chaudes, le titre alcoolique donne une première idée sur le style de vin. En effet, plus le titre est élevé, plus le vin est grand. Une teneur en alcool élevée dénote invariablement un vin de facture traditionnelle, tandis qu'une teneur basse est la marque d'un vin léger. Une teneur très basse est le fait d'un produit issu d'une vinification conduite selon des méthodes très modernes.

« Produce of Australia »
Tous les vins d'exportation portent la mention « Produce of Australia » ou « Product of Australia ».

Autres renseignements fournis sur les étiquettes de vins australiens :

« Bin number/code », « Private Bin » ou « Reserve Bin »
Ces termes correspondent à une hiérarchie croissante dans la gamme de vins d'une entreprise vinicole. Il s'agit de la sélection d'une cuvée ou de la qualité d'une « réserve ».

Type de vin
L'abondance de vins prétendument « génériques », tels que Bourgogne, Chablis ou Champagne, plus répandue en Australie qu'en Nouvelle-Zélande, pose moins de problèmes qu'aux États-Unis. Il existe toutefois des génériques indigènes tels que le succulent Liqueur Muscat dont l'Australie a fait sa spécialité.

Vin d'appellation déclarée
Garantie d'origine que l'on trouve sur quelques rares vins australiens, tels ceux provenant de Mudgee.

Auslese
Expression allemande utilisée pour des vins doux résultant de vendanges tardives, qui peuvent évoquer des vins botrytisés.

Beerenauslese
Expression allemande utilisée pour des vins manifestement botrytisés.

Spätlese
Expression allemande utilisée pour des vins issus de vendanges tardives, de douceur moyenne mais ayant rarement subi l'influence du *botrytis*.

PRODUCTION VINICOLE RÉGION PAR RÉGION

La production de l'Australie méridionale fournit 55 pour cent des vins australiens. La Nouvelle-Galles du Sud vient ensuite avec 27 pour cent de la production globale. Bien que les vins de l'Australie occidentale suscitent souvent des louanges à travers le monde, ils représentent, avec 4,6 pour cent de surface encépagée, la plus petite proportion des vignobles du pays. De plus, le rendement y est très faible, ce qui met en valeur les possibilités qualitatives plutôt que quantitatives de ses vins.

RÉGION	SURFACE ENCÉPAGÉE ha	PRODUCTION hl (caisses)
Nouvelle-Galles du Sud	9 000	1 093 500 (12 150 999)
Victoria	2 500	526 500 (5 850 000)
Australie méridionale	27 000	2 227 500 (24 750 000)
Australie occidentale	2 000	60 750 (675 000)
Autres	3 350	141 750 (1 575 000)
Total national	43 850	4 050 000 (45 000 000)

Vignobles et paysage de l'Australie du Sud
Vignes de Coriole Vineyards produisant des vins rouges à McLaren Vale. L'Australie méridionale abrite plus de 60 % des vignobles du pays.

AUSTRALIE

Chacun des États produit du vin, mais la plupart des vignobles sont disposés en un demi-cercle allant de Sydney, en Nouvelle-Galles du Sud, à Adélaïde, en Australie méridionale. Il n'existe pas, jusqu'à présent, de système d'appellation national se rapportant à des zones de production vinicole officiellement délimitées.

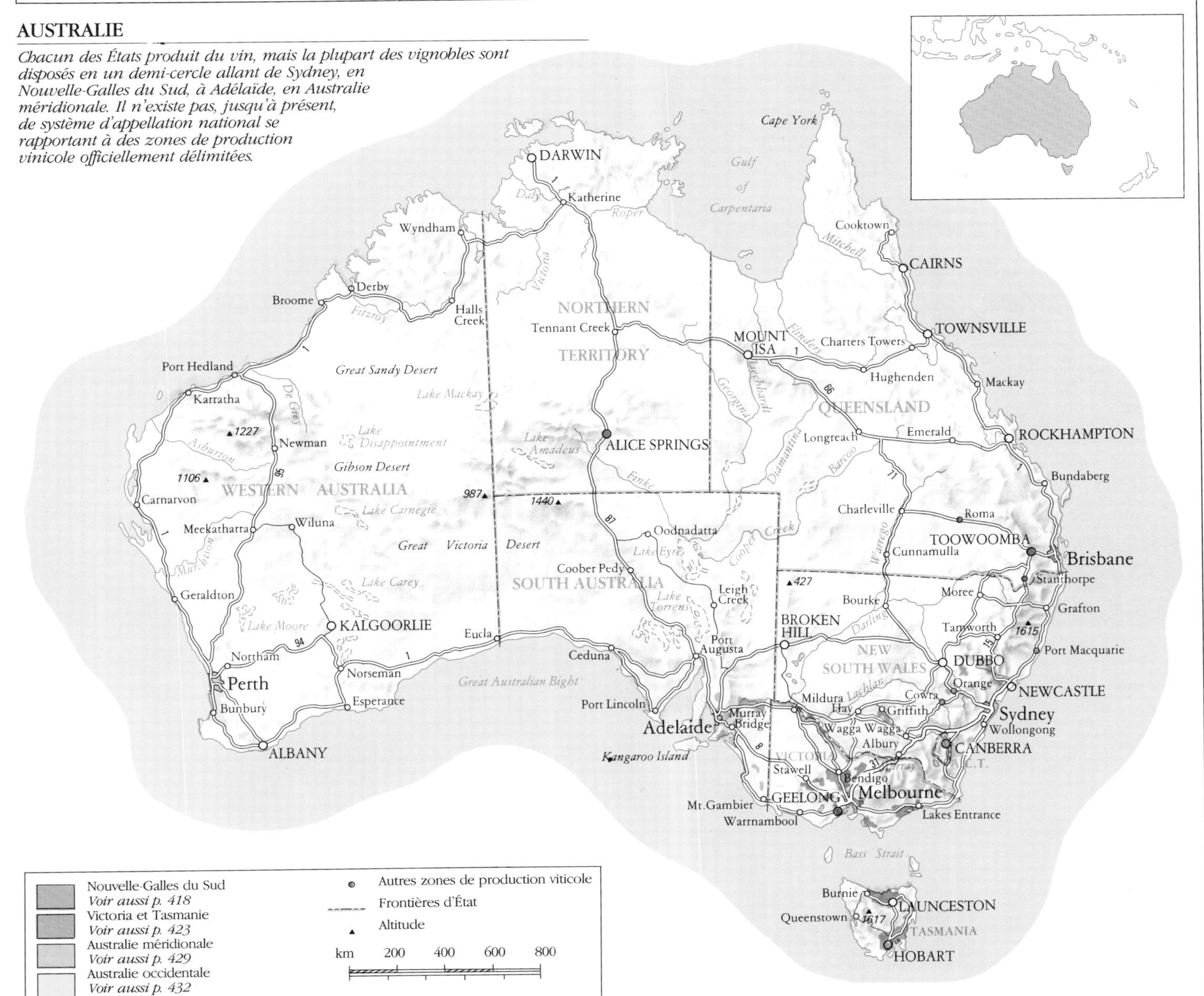

Les caves de Lindman's dans la Hunter Valley, ci-dessus
La plus grande entreprise vinicole d'Australie vinifie les raisins de ses propres vignobles. Ceux-ci sont situés en Nouvelle-Galles du Sud et en Australie méridionale.

LA RENAISSANCE DES VINS AUSTRALIENS

Durant les vingt dernières années, la production des vins australiens a pris un essor considérable tant en volume qu'en qualité. Mais l'amélioration de la qualité n'est pas uniquement redevable aux progrès techniques car il faut non seulement posséder un équipement moderne mais aussi savoir exploiter les possibilités qu'offrent les sols et les cépages. Il arrive souvent que la technique amenuise des caractéristiques essentielles, mais les Australiens ne sont pas tombés dans ce piège. Une fois engagés dans la « lutte internationale pour les vins fins », ils ont fait des progrès si rapides que leurs vins ont désormais atteint le degré le plus élevé sur l'échelle des qualités, prenant de vitesse tous les autres producteurs étrangers. L'Australie est maintenant sur un pied d'égalité avec la France et pourrait la concurrencer dans bien des catégories de vins classiques. Tant que les Français n'avaient pas encore amélioré leurs vins de pays, les vins australiens élevés en fût éclipsaient complètement leurs homologues français. Pour leurs vins rouges, les Australiens s'intéressent moins à la Syrah qu'au Cabernet Sauvignon, les Cabernet franc, Merlot et Malbec étant de plus en plus utilisés pour équilibrer les assemblages. Si le Chardonnay est probablement le roi des cépages à l'exportation, la place en est fortement disputée par le Sémillon, et même par d'obscurs cépages, telle la Marsanne.

La pratique de la fermentation à froid n'a pas encore été totalement explorée et la recherche s'est plutôt intéressée à la qualité de la matière première. Il est vrai que la vinification peut gâcher la qualité du raisin ou, au contraire, en masquer les défauts ; mais il est impossible de faire un excellent vin sans d'excellents raisins. On a donc mis en culture des zones plus fraîches, la teneur des raisins en alcool a baissé et le taux d'acidité s'est élevé. De plus, on a confié l'élevage des vins au chêne neuf. Les caractéristiques régionales ont été mises en valeur : le Cabernet Sauvignon, cultivé dans le Victoria, par exemple, évoque la menthe, tandis que dans le Coonawarra sa saveur évoque le mûrier et le cake. L'Australie est un si vaste pays, si actif et riche en équipements de pointe, que j'ai peine à croire que sa production globale, en moyenne de 45 millions de caisses, représente seulement les trois quarts de la production annuelle de E. & J. Gallo, l'énorme entreprise de Californie !

LE SYSTÈME D'APPELLATIONS AUSTRALIEN

Depuis que la France a mis au point, en 1935, son système d'appellations, chaque pays vinicole s'est interrogé, à un moment ou à un autre, sur l'opportunité d'un dispositif analogue. Les secteurs de la Margaret River, en Australie occidentale, et de Mudgee, en Nouvelle-Galles du Sud, ont été les premiers à inaugurer un système d'appellations avant d'être suivis par la Tasmanie, le Victoria ainsi que, plus récemment, par le ceinture granitique du Queensland et la Hunter Valley, dans la Nouvelle-Galles du Sud. Néanmoins, les appellations ne sont réellement entrées en application que dans le Mudgee et en Tasmanie. L'opportunité de l'instauration d'un système de délimitation des zones viticoles et d'appellations contrôlées suscite encore bien des controverses. Pour ma part, je crois qu'il est vital, pour tout pays vinicole sérieux, de disposer d'un bon système d'appellations. Non seulement celui-ci garantit au consommateur l'authenticité d'un produit, mais encore il protège les producteurs contre la concurrence malhonnête ou frauduleuse et les aide à s'assurer d'une bonne image de marque pour la promotion de leurs vins.

Un système d'appellations : une garantie de qualité

D'aucuns arguent souvent que le système d'appellations, s'il peut offrir une garantie d'origine, voire de cépage, est néanmoins

VENTES MONDIALES DES VINS AUSTRALIENS

Ce tableau présente les ventes réalisées sur le marché intérieur et à l'exportation. À l'heure actuelle, l'Australie a tendance à produire moins de vins fortifiés au profit des vins légers.

Types de vins	Ventes Nombre de caisses	Proportions
Rouges	4 500 000	13 %
Rosés	800 000	2 %
Blancs secs	19 500 000	56 %
Doux	3 800 000	11 %
Fortifiés	2 200 000	6 %
Mousseux	3 500 000	10 %
Aromatisés	700 00	2 %
Total	35 000 000	100 %

MEILLEURES EXPORTATIONS 1986-1987 DE VINS AUSTRALIENS

Jusqu'au début des années 80, pas moins de 99 % des vins australiens étaient consommés sur le marché intérieur. Les producteurs se sont tournés vers les marchés extérieurs. Les exportations australiennes représentent maintenant plus de 10 % des ventes mondiales de vin et cette expansion se poursuit.

Pays	Nombre de caisses 1986	1987	Écarts
Suède	350 000	865 000	+ 147 %
États-Unis	190 000	545 000	+ 187 %
Royaume-Uni	210 000	540 000	+ 157 %
Japon	135 000	235 000	+ 74 %
Canada	175 000	295 000	+ 69 %
Nouvelle-Zélande	155 000	270 000	+ 74 %
Autres pays	585 000	930 000	+ 59 %
Totaux	1 800 000	3 680 000	+ 104 %

incapable d'assurer la qualité d'un vin. J'ai entendu plus d'un Français se plaindre de la « garantie de médiocrité » liée à l'AOC, mais il est possible de fixer au plus haut les normes de qualité. De plus, dans un système d'appellations, la qualité, pour être importante, n'est pas à mon avis la principale priorité. Il suffit d'assurer un *niveau de qualité minimal* pour confirmer la réputation de l'appellation concernée.

Les Français éludent le problème de la qualité en valorisant la typicité des vins. Mais quel intérêt y a-t-il pour le consommateur à savoir qu'un petit Pinot noir maigre, bruni et acide d'un affreux millésime de Bourgogne est typique ? Aucun Bourgogne ne devrait être mince, brun ni acide, de même qu'aucun Sémillon de la Hunter Valley ne devrait être foncé, avachi et emphatique. Les méfaits du mauvais temps ne devraient pas entrer en jeu. Si le vin concerné n'atteint pas le niveau de qualité exigé, il faut lui refuser le droit à l'appellation.

L'expérience des autres pays

Certains soutiennent que les appellations correspondent à des réalités en Allemagne et en France, où les secteurs géographiques et les cépages s'y adaptant sont définis depuis un bon millier d'années, alors qu'ailleurs, les systèmes, récents, sont plus artificiels. En fait, on embellit la situation de l'Allemagne et de la France. Ces deux pays bénéficient certes de siècles d'évolution naturelle, mais leurs systèmes présentent néanmoins des défauts. À mon sens, les arguments allant à l'encontre d'un système d'appellations n'ont pas grand poids au vu des erreurs commises dans les autres pays.

Les vins d'assemblage et de coupage

Quelques spécialistes estiment que la notion d'origine contrôlée implique le dénigrement des assemblages régionaux, *a fortiori* de ceux qu'effectuent les grandes entreprises australiennes avec des raisins cultivés dans des zones que séparent des milliers de kilomètres. Mais un système d'appellations ne signifie pas qu'il faut refuser le droit de faire des assemblages, mais seulement empêcher d'étiqueter fallacieusement un vin lorsque seule une maigre proportion des raisins utilisés pour le faire proviennent du secteur mentionné.

Panneaux indicateurs d'entreprises vinicoles, en Nouvelle-Galles du Sud
Le secteur de Mudgee jouit d'un système d'appellations unanimement adopté. Cette profusion de panneaux rappelle un peu le Médoc.

La solution idéale

Jusqu'à présent, les systèmes d'appellations régionales indépendants ont été, pour la plupart, voués à l'échec. Les raisins voyageant d'État à État, l'Australie aurait intérêt à fonder un système officiel d'appellations contrôlées. La jeunesse de ce pays lui permettrait sans doute de mettre au point un dispositif d'appellations très progressiste. Rien n'empêche l'Australie de monter un organisme indépendant, regroupant des professionnels de la viticulture, des œnologues et des juristes ; celui-ci, financé par des taxes payées par les vignerons et les entreprises vinicoles, disposerait des pleins pouvoirs que lui conféreraient les législateurs du pays et des États. Son objectif ne se bornerait pas à la création et au contrôle d'appellations, mais consisterait aussi à favoriser et à orienter le développement de l'industrie vinicole.

MODES DE DÉSIGNATION DES CÉPAGES AUSTRALIENS

Les cépages d'Australie portent des noms qui prêtent largement à confusion. Il fallut attendre le milieu des années 70 pour dissiper la plupart des malentendus. Mais quelques synonymes persistent encore. Leur utilisation se limite parfois à des vignobles isolés. Certains, tels le Tokay, synonyme australien de la Muscadelle, ne sont pas prêts de disparaître, notamment lorsqu'ils désignent un vin générique. C'est le cas, par exemple, du « Liqueur Tokay » australien.

Albillo Synonyme du Chenin blanc.

Belzac *Voir* Mataro.

Cabernet gros Synonyme du Bastardo, utilisé pour l'élaboration du « Porto » australien.

Carignan Synonyme du Bonvedro, cépage secondaire du Portugal.

Clare Riesling Synonyme d'un cépage secondaire, ie Crouchen.

Esparte *Voir* Mataro.

Frontignac Synonyme du Muscat blanc à petits grains. Connu aussi sous le nom de White Frontignan.

Fruity gordo *Voir* Gordo.

Gordo Dans diverses expressions : Gordo blanco, Muscat gordo. Muscat gordo blanco, et, sur les foudres de Berri Estates, Fruity gordo, ce nom est un synonyme du Muscat d'Alexandrie, souvent utilisé pour l'élaboration de vins frais, semi-doux, fermentés à froid.

Hermitage Synonyme de la Syrah.

Hunter Riesling *Voir* Hunter River Riesling.

Hunter River Riesling Synonyme du Sémillon, dont l'utilisation se perd maintenant en raison de la renommée du cépage sous son véritable nom. Également appelé à tort Hunter Riesling ou simplement Riesling.

Irvine's white Synonyme, en Victoria, de l'Ondenc, cépage secondaire de Bergerac (France), que l'on peut utiliser pour les vins blancs mousseux, compte tenu de sa forte acidité naturelle.

Jacquez Synonyme du Black Spanish, hybride teinturier originaire de Madère, également nommé Troya ou Uva de Troia. On soutient que Jacquez et Rubired sont les deux seuls hybrides cultivés en Australie.

Lexia Synonyme du Muscat d'Alexandrie figurant parfois sur les étiquettes du Liqueur Muscat.

Mataro Synonyme du Mourvèdre, tout comme Belzac et Esparte.

Muscat gordo *Voir* Gordo.

Muscat gordo blanco *Voir* Gordo.

Paulo Synonyme du Palomino de Jerez (Espagne).

Petite Sirah Synonyme du Durif, modeste cépage français, brillant à l'occasion dans des pays du Nouveau Monde.

Rhine Riesling Le véritable Riesling.

Riesling *Voir* Hunter River Riesling.

Sémillon Tandis que le Sémillon est connu sous le nom de Hunter River Riesling dans la Nouvelle-Galles du Sud, le Chenin blanc s'appelle Sémillon en Australie occidentale.

Sercial Synonyme, en Australie méridionale, de l'Ondenc, cépage secondaire de Bergerac (France).

Shiraz Nom de la Syrah en Australie.

Tokay Synonyme de la Muscadelle du Bordelais.

Touriga Synonyme du Bastardo, utilisé pour l'élaboration du « Porto » australien.

Traminer Synonyme du Gewurztraminer.

Trebbiano Synonyme de l'Ugni blanc.

Troya *Voir* Jacquez.

Uva de Troia *Voir* Jacquez.

White Frontignan *Voir* Frontignac.

White Grenache Synonyme d'un cépage secondaire de la Méditerranée, nommé Biancone.

White Hermitage Synonyme de l'Ugni blanc.

White Shiraz Synonyme de l'Ugni blanc.

Nouvelle-Galles du Sud

De l'imposant Hermitage de la Hunter Valley au moelleux et sensuel Sémillon botrytisé du Murrumbidgee, les vins de l'État vinicole le plus célèbre sont meilleurs et plus variés que jamais, et ce malgré la concurrence qu'exercent d'autres régions réputées. C'est pourquoi il ne faut pas laisser la Nouvelle-Galles du Sud tomber dans l'oubli.

À notre époque de vins francs et nets, on a du mal à imaginer les vins sur lesquels la Hunter Valley a fondé sa réputation : des Shiraz rouges, massifs et corpulents, exhalant une fort odeur de venaison, de cuir imprégné de « sueur », et sentant la terre, voire la vase. On les mâchait alors plutôt qu'on ne les buvait. La vallée ne cultiva aucun autre cépage noir jusqu'en 1963. Cet arôme particulier proviendrait, croit-on, du sol de basalte volcanique. Pourtant, dans certaines régions, l'alliance entre Shiraz et basalte n'a rien donné d'autre que de purs Shiraz de cépage au goût certes poivré mais ne recelant absolument aucune trace de cette odeur de transpiration fort caractéristique.

Pour ma part, j'attribue ce phénomène au climat torride, à de mauvaises pratiques culturales et à une vinification négligée, toutes conditions qui régnaient à l'époque, alors que, de nos jours, les techniques de pointe, les installations immaculées et l'excellence des compétences vinicoles ont changé les caractères et critères organoleptiques. Et ce n'est pas parce que quelques Shiraz très doux ont magnifiquement évolué en bouteille qu'il faut en conclure que, pour être grand, un Shiraz doit nécessairement sentir la « transpiration ». Certes, cette odeur est encore perceptible, mais elle est modérée et le vin a su garder sa particularité et mérite donc toujours d'être apprécié.

FACTEURS AFFECTANT LE GOÛT ET LA QUALITÉ

Situation
Partie méridionale de la côte orientale de l'Australie, entre le Victoria et le Queensland.

Climat
La nébulosité, dans la Hunter Valley, peut modérer la chaleur, mais les pluies concomitantes y engendrent souvent la pourriture. La période de végétation est plus tardive et le climat plus ensoleillé dans la région de Mudgee, tandis qu'il fait plus chaud et sec dans la zone du Murrumbidgee.

Site
La vigne se cultive généralement à faible altitude sur des emplacements plats ou vallonnés, mais aussi sur des pentes relativement abruptes jusqu'à 500 m d'altitude. De même, sur les versants ouest de la Great Dividing Range on rencontre des vignobles à 800 m d'altitude.

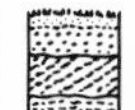

Sol
Les sols sont à base de limons sableux ou argileux. D'autres types de sols, tels les limons rouge-brun d'origine volcanique, sont éparpillés dans la région de la basse vallée de la Hunter. On rencontre aussi, au fond des vallées, des sables et limons fins bien drainés.

Viticulture et vinification
L'irrigation se pratique partout, notamment dans la zone du Murrumbidgee, qui produit essentiellement des vins vendus en vrac. La gamme des cépages s'étoffe et les vendanges ont lieu plus tôt. Des cuves en acier inoxydable remplacent celles de bois et de béton et assurent la fermentation dans de bonnes conditions de fraîcheur. Enfin, on utilise le chêne neuf.

Cépages
Cabernet Sauvignon, Chardonnay, Chasselas, Clairette, Colombard, Crouchen, Doradillo, Frontignan, Grenache, Marsanne, Mataro, Muscat d'Alexandrie, Palomino, Pedro Ximénez, Pinot noir, Rhine Riesling, Sauvignon blanc, Sémillon, Shiraz, Muscadelle, Gewurztraminer, Trebbiano, Verdelho

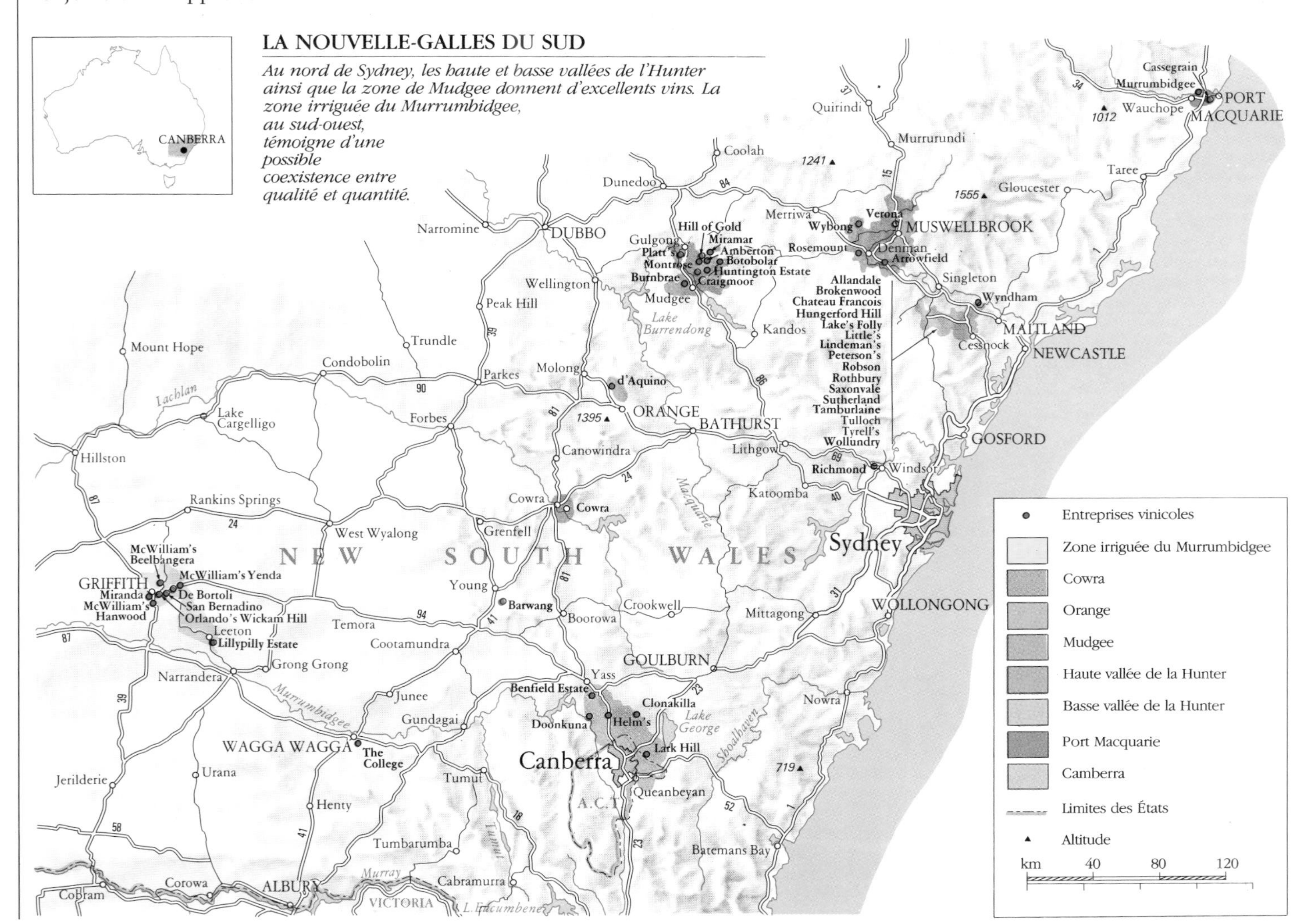

Le Sémillon est un cépage classique de la Hunter Valley où les raisins blancs l'emportent sur les rouges. Dans la haute vallée, l'encépagement en Sémillon est même supérieur de 40 pour cent à celui du Shiraz. Traditionnellement appelé Hunter Riesling, ce cépage donne des vins riches, ronds et suaves, d'assez longue garde, qui gagnent beaucoup à vieillir sous bois de chêne. La vinification moderne tend à produire des vins plus légers, frais et nerveux, aux saveurs délicates mais qui ont encore de la bouche. L'analyse révèle d'ailleurs que cette délicate richesse est souvent mise en valeur par un ou deux grammes de sucre. Ces vins sont cependant secs au goût et l'on a tendance à attribuer leur douceur à l'onctuosité du chêne – ce qui montre avec quelle compétence le vinificateur sait intégrer le sucre résiduel à la personnalité du vin.

Parmi les cépages mis en culture depuis peu, se trouvent tout d'abord le Chardonnay puis le Cabernet Sauvignon. Tous deux ont essaimé dans tout l'État et donnent quelques-uns des meilleurs vins d'Australie, qu'ils soient purs ou assemblés. Les entreprises de la zone de Mudgee qui ont créé leur appellation sont en train de se forger une nouvelle réputation sur le savoureux Chardonnay, au bouquet et à la saveur du citron doux et de fruits tropicaux, ainsi que sur le délicat Pinot noir à la saveur de fraise. Le Rhine Riesling et le Gewurztraminer sont largement cultivés en Nouvelle-Galles du Sud mais ils n'excellent qu'occasionnellement. En revanche, le Pinot noir, bien que largement surpassé en quantité par le Rhine Riesling et le Gewurztraminer, à raison de quinze pieds de vigne contre un, a fait preuve d'une remarquable réussite.

Élevage sous bois de chêne, au domaine Rosemount
Rosemount est l'un des plus hauts lieux de la vinification au monde.

Vignobles, dans la région de Mudgee, à droite
Fait assez rare pour cette région, les vignobles occupent un terrain plat.

Les vins de Nouvelle-Galles du Sud

CANBERRA

Plus souvent désignée sous le nom de Canberra, cette zone est également dénommée Yass Valley.

À la fin du XIXe siècle, il existait autour de Yass une prospère industrie vinicole, mais ses vignobles ne pouvaient rivaliser avec ceux des régions plus chaudes pour l'élaboration des vins fortifiés, très en vogue alors. La dernière entreprise vinicole de cette région cessa son activité en 1908. En 1971, on redécouvrit les aptitudes viticoles de Canberra et le Dr Edgar Riek fonda alors la Cullarin Winery. À cette même époque, le Dr John Kirk mettait en culture le vignoble de Clonakilla à Murrambateman. Il y existe actuellement douze entreprises en activité.

Bien que son déclin prématuré ait été dû à son incapacité de concurrencer des régions plus chaudes, il serait erroné de penser que la zone de Canberra est fraîche. Les étés y sont chauds et secs et la nouvelle génération de vignerons ne commence qu'à admettre la nécessité absolue de l'irrigation.

ROUGE : 1983, 1984, 1985, 1986, 1987

BLANC : 1982, 1983, 1985, 1986, 1987

CENTRAL NORTH WEST

Cette dénomination s'applique à la zone de Forbes-Wellington, à l'ouest de Sydney.

CENTRAL WEST

Voir Cowra.

COROWA

Cette zone viticole, la plus méridionale de la Nouvelle-Galles du Sud, est située à l'est du lac Mulwala. On peut la considérer comme un prolongement de la zone de Rutherglen dans le nord-est du Victoria. Lindeman's a commercialisé, dans les années 1872, le produit des vignobles éparpillés de Touriga, mais a quitté le secteur depuis lors. Le Corowa, essentiellement spécialisé dans la production de vins de dessert, est actuellement en déclin.

COWRA

Cette zone viticole, de modeste importance mais en expansion, parfois qualifiée de secteur centre-ouest, se situe dans l'arrière-pays de Sydney, au nord de Canberra. L'entreprise Cowra Wines y possède 40 ha. À Rothbury, le vignoble Lachlan couvre 90 ha. Cabernet Sauvignon, Gewurztraminer et Chardonnay y prédominent, mais on y cultive également les Rhine Riesling, Pinot noir, Shiraz, Sémillon et Sauvignon blanc.

FORBES-COWRA

Nom parfois donné aux vignobles du triangle Forbes-Cowra-Wellington.

HUNTER VALLEY

Voir Basse vallée de la Hunter.

LOWER HUNTER VALLEY OU BASSE VALLÉE DE LA HUNTER

C'est dans cette région que furent complantés les premiers vignobles de la Hunter Valley dans les années 1820. On exploita ces vignobles durant 130 années avant l'avènement de la Upper Hunter, la haute vallée. Longtemps renommée pour ses riches Sémillon appelés à tort « Hunter Riesling », cette zone a aussi donné le jour à de puissants Shiraz et à des Hermitage réputés. On prétend que la fameuse odeur de « sueur » du Shiraz a été communiquée par le sous-sol basaltique de la Hunter, ce dont je doute. Le véritable style du Shiraz de la Hunter Valley tient dans sa personnalité tranchée, son goût de terroir et de cépage dont on élabore maintenant de belles versions fruitées.

On s'intéresse aussi de plus en plus aux Chardonnay et Cabernet Sauvignon.

La basse vallée de la Hunter n'est pas une contrée idéale pour la vigne car elle est trop chaude et humide, encore que la ventilation nocturne liée à la présence des monts Brokenback rafraîchisse les vignes et assure un certain taux d'acidité aux raisins. Contrairement à bien des vignobles d'Australie, il n'est pas nécessaire d'irriguer. Lindeman's, la plus grande entreprise du pays, a presque abandonné cette région en faveur de secteurs plus verdoyants d'Australie méridionale. Bien qu'une ou deux entreprises aient fait leur apparition, la véritable ruée dont témoignèrent les années 60 et 70 ne semble pas devoir se reproduire.

ROUGE : 1980, 1983, 1985, 1986, 1987

BLANC : 1982, 1983, 1985, 1986, 1987

MUDGEE

On connaît surtout ce secteur parce qu'il a établi, en 1979, sa propre appellation. Celle-ci a été proposée et homologuée par les seuls vignerons. Le statut de ce secteur est donc quelque peu différent de celui de la Margaret River, en Australie occidentale, dont le système d'appellations d'origine fut le premier à avoir été mis en place avec l'aide de l'État. La zone de Mudgee est la plus sous-cotée de l'Australie. Pourtant, situés à 260 km au nord-ouest de Sydney, entre 450 et 650 m d'altitude, les vignobles y sont plus frais que ceux de la Hunter Valley et les récoltes beaucoup plus tardives, si bien que le rapport acidité/sucre des raisins est plus satisfaisant.

Les meilleurs vins sont élaborés à partir de Cabernet Sauvignon, Cabernet-Shiraz, Chardonnay, Sémillon, Sémillon-Chardonnay et Shiraz, sans compter quelques très bons Pinot noir, Traminer et Marsanne, et d'intéressants assemblages de Barbera, Nebbiolo et Pinot noir-Shiraz. Les entreprises Botobolar et Miramar font quelques vins de qualité, mais les plus remarquables sont élaborés par Craigmoor, Huntington et Montrose.

ROUGE : 1981, 1982, 1983, 1985, 1986, 1987

BLANC : 1982, 1983, 1985, 1986, 1987

ZONE IRRIGUÉE DE MURRUMBIDGEE

On irrigue ce secteur en pompant et redistribuant les eaux du Murrumbidgee tout comme on le fait avec le Murray pour irriguer le Riverland de l'Australie méridionale (*voir* p. 432). Autrefois inculte, ce terroir accueille maintenant des rizières et toutes sortes de cultures fruitières, dont des vignes permettant d'assurer le dixième de la production viticole australienne. Outre les vins ordinaires à bon marché, on rencontre des vins miraculeusement vineux tel, par exemple, le Sauternes à base de Sémillon de De Bortoli. Les Riesling et Traminer de vendange tardive sont parfois extraordinaires.

ROUGE : 1980, 1982, 1984, 1986, 1987

BLANC : 1982, 1984, 1986, 1987

MILLÉSIMES BOTRYTISÉS : 1982, 1984, 1985

ORANGE

Au nord de Cowra, la zone d'Orange s'est étoffée de deux nouveaux vignobles.

PORT MACQUARIE

À Port Macquarie, la Hastings Valley couvre une zone viticole peu importante mais en expansion. Très développée dans les années 1860, la production s'y éteignit aux environs de 1930 jusqu'à ce que John Cassegrain y créât un vignoble en 1980.

RIVERINA

Voir Zone irriguée du Murrumbidgee

UPPER HUNTER VALLEY OU HAUTE VALLÉE DE LA HUNTER

La Penfolds a fait œuvre de pionnier, dans les années 60, dans la Upper Hunter qu'elle a placée sur la scène internationale par les performances sensationnelles du domaine de Rosemount. Son Show Reserve Chardonnay prit littéralement d'assaut les marchés d'exportation au début des années 80. Par la suite, elle assit sa réputation avec un Chardonnay très concentré, riche et complexe, originaire de Roxburgh, vignoble réputé. Ainsi, le domaine de Rosemount attire-t-il l'attention du monde, non seulement sur les vins de la Upper Hunter, mais aussi sur ceux de l'Australie en général.

Le climat est sec et les vignobles ont besoin d'être irrigués. Malgré la fertilité des sols alluviaux et l'importance des rendements, on y fait quelques vins très fins. Chardonnay et Pinot noir y sont en expansion et l'on utilise de plus en plus le Merlot pour l'assembler avec le Cabernet Sauvignon.

ROUGE : 1982, 1983, 1984, 1985, 1986, 1987

BLANC : 1982, 1983, 1984, 1985, 1986, 1987

YASS VALLEY

Voir Canberra.

Les principales entreprises vinicoles de Nouvelle-Galles du Sud

THE ALLANDALE WINERY
Lovedale Road
Pokolbin via Maitland, NSW 2321

Production : ***72 000 caisses***
Vignobles : ***7 ha de Pinot noir, Sémillon et Chardonnay***
Date de création : ***1977***

Edward Jouault se spécialise dans les vins fins issus de vignobles vendangés à la main exclusivement. Cette initiative est digne d'attention.

☆ Cabernet Sauvignon (Leonard Vineyard), Chardonnay (Dawson Vineyard, Trevena Vineyard), Sémillon (Leonard Vineyard), Shiraz (Leonard Vineyard)

ARROWFIELD WINES
Highway 213, Jerrys Plains
NSW 2330

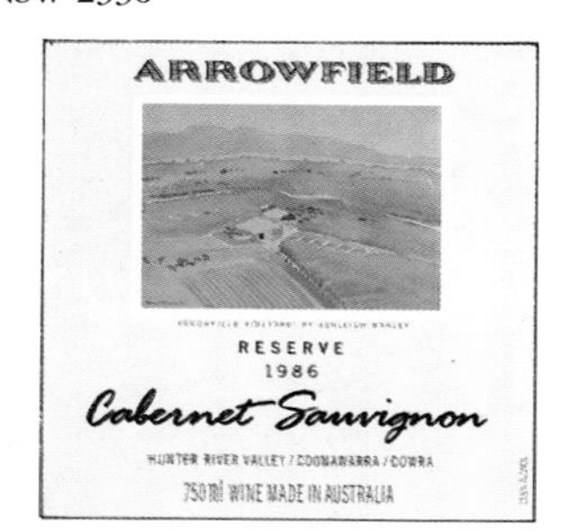

Production : ***10 000 caisses***
Vignobles : ***300 ha de Chardonnay, Sémillon et Cabernet Sauvignon***
Date de création : ***1962***

L'existence de ce domaine remonte à 1824, époque à laquelle le gouverneur Macquarie concéda cette terre à un certain George Bowman. Les terres furent ensuite rachetées par un holding qui encépagea 460 ha entre 1969 et 1974, chacun des pieds de vigne bénéficiant d'un dispositif d'irrigation au goutte à goutte. La superficie encépagée fut peu à peu réduite et l'on rationna l'irrigation pour améliorer la qualité des vins produits.

☆ Hunter Valley Chardonnay, Hunter Valley Sémillon, Fumé Blanc

BOTOBOLAR VINEYARD
Mudgee, NSW 2850

Production : ***9 000 caisses***
Vignobles : ***23 ha de Syrah, Cabernet Sauvignon, Mataro, Crouchen, Chardonnay, Marsanne, Rhine Riesling et Gewurztraminer***
Date de création : ***1971***

Vins de culture biologique intéressants, provenant du secteur de Mudgee.

☆ Marsanne, « St. Gilbert », Shiraz

BROKENWOOD
McDonalds Road
Pokolbin, NSW 2321

Production : ***6 000 caisses***
Vignobles : ***20 ha de Cabernet Sauvignon, Hermitage et Chardonnay***
Date de création : ***1970***

1986
BROKENWOOD
cabernet sauvignon
'graveyard vineyard'
750 ml WINE OF AUSTRALIA 12.5% ALC/VOL

L'un des propriétaires de cette affaire produisant des vins régulièrement primés est l'écrivain James Halliday.

☆ Chardonnay (vignoble de Graveyard), Sémillon Wood Matured, Cabernet Sauvignon (Cabernet Sauvignon-Hermitage, en voie d'abandon).

CHATEAU FRANÇOIS
Broke Road
Pokolbin, NSW 2321

Production : ***900 caisses***
Vignobles : ***2,4 ha de Syrah, Pinot noir, Sémillon et Chardonnay***
Date de création : ***1969***

Les Sémillon et Shiraz ont autrefois gagné des médailles. Ses meilleurs vins sont actuellement ses Bourgogne de cépage.

☆ Chardonnay, Pinot noir

CRAIGMOOR WINERY
Craigmoor Road
Mudgee, NSW 2850

Production : ***12 000 caisses***
Vignobles : ***30 ha de Chardonnay, Sémillon, Gewurztraminer, Rhine Riesling, Cabernet Sauvignon, Syrah et Pinot noir***
Date de création : ***1858***

Depuis 1985 environ, ces vins montrent une finesse en progrès. En 1988, le domaine Wyndham a racheté Craigmoor.

☆ Chablis, Sémillon Chardonnay, Chardonnay, Cabernet Sauvignon, Cabernet Shiraz

DE BORTOLI WINES
De Bortoli Road
Bilbul, NSW 2680

Production : ***500 000 caisses***
Vignobles : ***60 ha de Muscat de Hamburg, Syrah, Colombard, Merlot, Muscat d'Alexandrie, Palomino, Pedro Ximénez et Sémillon***
Date de création : ***1928***

Cette entreprise offre une production massive de vins modestes, mais elle peut également produire quelques vins excellents, notamment dans la catégorie des blancs. Le Sauternes de Sémillon de 1982, très typé, aurait pu rivaliser avec un Sauternes de grand château d'un grand millésime.

☆ Fumé Blanc, Traminer *Beerenauslese*, Riesling *Beerenauslese*, Sémillon, Sauternes, Vittorio Spumante

HUNGERFORD HILL VINEYARDS
Broke Road
Pokolbin, NSW 2321

Production : ***50 000 caisses***
Vignobles : ***143 ha de Chardonnay, Verdelho, Cabernet Sauvignon, Rhine Riesling, Merlot, Pinot, Gewurztraminer, Syrah et Sémillon***
Date de création : ***1967***

Hungerford Hill assemble des vins originaires de deux vignobles lui appartenant distants de quelque 1 130 km. C'est à peu près comme si on assemblait un vin de la Rioja avec un autre de la grande plaine hongroise ! Curieusement, les résultats sont très bons, sans doute parce que chacun des produits est excellent.

☆ « Pokolbin Collection » (Chardonnay, Cabernet Sauvignon), « Coonawarra Collection » (Rhine Riesling, Shiraz, Cabernet Sauvignon), Chardonnay, Pinot noir Méthode champenoise

HUNTINGTON ESTATE
Cassilis Road
Mudgee, NSW 2850

Production : ***18 000 caisses***
Vignobles : ***42 ha de Cabernet Sauvignon, Syrah, Merlot, Pinot noir, Sémillon, Chardonnay et Sauvignon blanc***
Date de création : ***1969***

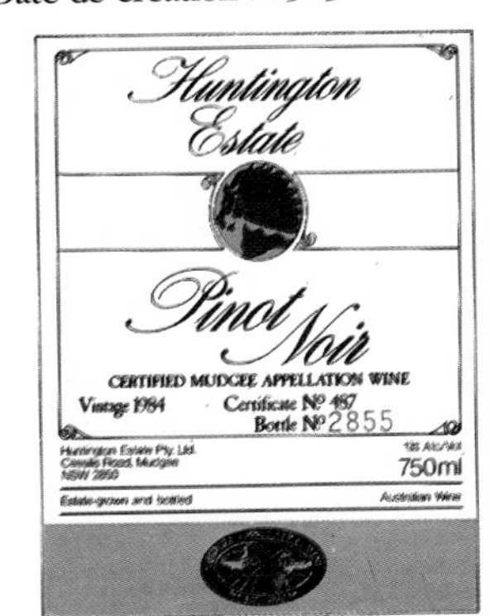

Bob Roberts a appris la vinification grâce à des cours par correspondance. Malgré ce curieux apprentissage, il réussit à produire des vins francs, charnus, bien équilibrés et typés éclipsant régulièrement certains vins élaborés par des professionnels chevronnés.

☆ Sémillon Medium Dry, Pinot noir Shiraz, Cabernet Sauvignon « Bin FB 13 », Cabernet Merlot « Bin FB 12 », Shiraz « Bin FB 16 »

LAKE'S FOLLY
Broke Road
Pokolbin, NSW 2321

Production : ***4 200 caisses***
Vignobles : ***15 ha de Cabernet Sauvignon et Chardonnay***
Date de création : ***1963***

Cette entreprise est la passion de Max Lake, chirurgien de Sydney qui a introduit les Chardonnay et Cabernet Sauvignon dans une zone traditionnellement dévolue au Shiraz. Il a aussi introduit la méthode d'élevage sous chêne neuf. Ses vins sont tous vifs, radieux et typés.

☆ Cabernet Sauvignon, Chardonnay

LILLYPILLY ESTATE
Lillypilly Road
Leeton, NSW 2705

Production : ***6 000 caisses***
Date de création : ***1982***

Le domaine de Lillypilly produit de meilleurs vins blancs que rouges. Ses Chardonnay et Sémillon de cépage exercent un attrait immédiat, mais le *spätlese* Lexia, consistant, fruité, aromatique, de texture riche, est régulièrement son meilleur vin.

☆ *Spätlese* « Lexia »

LINDEMAN'S WINES
31 Nyrang Street
Lidcombe, NSW 2141

Production : ***3,4 millions de caisses***
Vignobles : ***900 ha de Cabernet Sauvignon, Chardonnay, Chasselas, Clairette, Colombard, Crouchen, Doradillo, Frontignan, Grenache, Marsanne, Mataro, Muscat d'Alexandrie, Palomino, Pedro Ximénez, Pinot noir, Rhine Riesling, Sauvignon blanc, Sémillon, Shiraz, Muscadelle, Gewurztraminer, Trebbiano et Verdelho***
Date de création : ***1843***

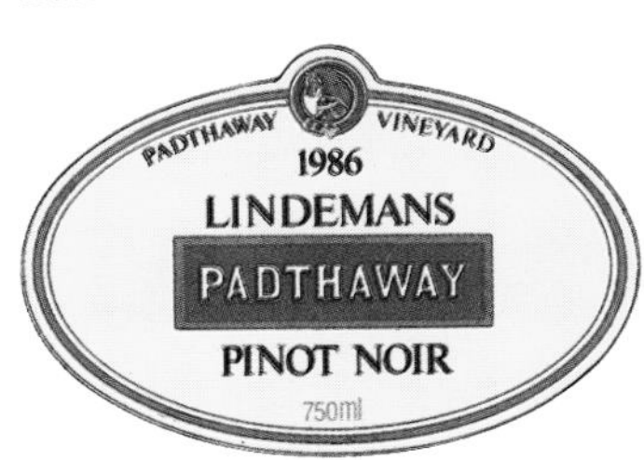

Cette entreprise vinicole produit chaque année près de quatre millions de caisses et quelque 400 vins différents. Elle est néanmoins aussi capable de produire des vins vraiment superbes, et son Limestone Ridge 1981 à base de Shiraz Cabernet de Coonawarra est l'un des plus grands vins d'Australie que j'aie goûté. Parmi les récentes acquisitions vinicoles de Lindeman's Wines, citons Rouge Homme à Coonawarra et Leo Buring à Tanunda.

☆ Hunter River Sémillon « Bin 4976 », Lindeman's Limestone Ridge Coonawarra Cabernet « Bin 5330 », « Bin 77 » South Australian Sémillon, « Bin 23 » South Australian Rhine Riesling, Padthaway Chardonnay, Limestone Ridge Coonawarra Shiraz Cabernet, White Burgundy Reserve « Bin 6470 », Burgundy Reserve « Bin 4000 »

McWILLIAM'S WINES
100-132 Bulwara Road
Pyrmont, NSW 2009

Production : ***2,3 millions de caisses***
Vignobles : ***202 ha de Chardonnay, Sémillon, Hermitage, Rhine Riesling, Malbec, Pinot noir, Syrah et Cabernet Sauvignon***
Date de création : ***1877***

Production massive d'entreprises situées à Beelbangera, Hanwood, Yenda, Mount Pleasant et Robinvale.

☆ Mount Pleasant Vintage Port

MIRAMAR WINES
Henry Lawson Drive
Mudgee, NSW 2850

Production : ***9 000 caisses***
Vignobles : ***20 ha de Chardonnay, Rhine Riesling, Sémillon, Cabernet Syrah***
Date de création : ***1974***

Vins de belle qualité dans le véritable style du Mudgee.

☆ Sémillon, Sémillon Chardonnay, Chardonnay, Cabernet Sauvignon

MONTROSE WINES
Henry Lawson Drive
Mudgee, NSW 2850

Production : ***54 000 caisses***
Vignobles : ***72 ha de Chardonnay, Sémillon, Rhine Riesling, Gewurztraminer, Pinot noir, Cabernet Sauvignon, Syrah, Barbera, Nebbiolo, Sangiovese, Merlot et Sauvignon blanc***
Date de création : ***1974***

La qualité de ces vins s'améliore constamment. Montrose et son entreprise Craigmoor Winery appartiennent maintenant à Wyndham Estate.

☆ Wood Matured Sémillon, Stoney Creek Chardonnay, Poets Corner Chardonnay, Sauternes, Barbera Nebbiolo

THE ROBSON VINEYARD
Mount View, NSW 2325

Production : ***6 000 caisses***
Vignobles : ***10 ha de Gewurztraminer, Sauvignon blanc, Merlot, Sémillon, Malbec, Hermitage, Pinot noir, Cabernet Sauvignon et Black Muscat***
Date de création : ***1972***

La qualité générale est bonne mais les rouges sont excellents et parfois exceptionnels.

☆ Traditional Sémillon, Malbec, Cabernet Sauvignon

ROSEMOUNT ESTATE
Rosemount Road
Denman, NSW 2328

Vignobles : ***400 ha de Chardonnay, Pinot noir, Sémillon, Gewurztraminer, Sauvignon blanc, Cabernet Sauvignon et Syrah***
Date de création : ***1968***

Le domaine de Rosemount fait preuve d'une compétence exigeante, met en œuvre des méthodes de vinification de haut niveau et pratique une politique agressive à l'exportation.

☆ Fumé Blanc, Chardonnay (notamment « Show Reserve » et « Roxburgh »), Sémillon, Sémillon Sauternes, Shiraz, Cabernet Sauvignon « Roxburgh », Chardonnay Brut (méthode champenoise)

SAXONVALE WINES
Fordwich Estate
Broke Road
Broke, NSW 2330

Production : ***50 000 caisses***
Vignobles : ***123,04 ha de Sémillon, Chardonnay, Gewurztraminer, Sauvignon blanc, Pinot noir, Syrah et Cabernet Sauvignon***
Date de création : ***1974***

Entreprise de pointe produisant une belle gamme de vins, excellant surtout en vins blancs.

☆ Limousin Oak Chardonnay « Bin 1 », Sémillon

J. Y. TULLOCK & SONS
Glen Elgin Estate
De Beyer's Road
Pokolbin, NSW 2321

Production : ***21 000 caisses***
Vignobles : ***16 ha de Chardonnay, Verdelho, Sémillon, Syrah et Cabernet Sauvignon***
Date de création : ***1893***

Vins généralement de bonne qualité, certains se distinguant occasionnellement.

☆ « Glen Elgin Private Bin » Hunter River Riesling, Private Bin Dry Red Hermitage

TYRRELL'S VINEYARDS
« Ashmans », Broke Road
Pokolbin, NSW 2321

Production : ***120 000 caisses***
Vignobles : ***240 ha de Sémillon, Chardonnay, Gewurztraminer, Blanquette, Trebbiano, Sauvignon blanc, Syrah***

Cette entreprise ancienne possède une gamme très vaste. Ses meilleurs vins montrent une richesse et une complexité indiscutables.

☆ « Anniversary » Hermitage, Chardonnay « Vat 47 », « Long Flat Red », « Old Winery » Pinot Chardonnay, Pinot noir (méthode champenoise), « Vat 1 » Riesling, « Vat 11 » Hermitage

WYNDHAM ESTATE WINES
Dalwood via Branxton, NSW 2335
Production : *360 000 caisses*
Vignobles : ***450 ha de Chardonnay, Gewurztraminer, Sémillon, Rhine Riesling, Verdelho, Sylvaner, Muscadelle, Sauvignon blanc, Muscat, Malbec, Hermitage, Cabernet Sauvignon, Ruby Cabernet, Pinot noir et Matara***

Date de création : *1970*

Vaste source de vins avantageux. On estime généralement que ses étiquettes Hunter Estate et Richmond Grove sont les meilleures, mais le « Wyndham Estate » de base est souvent tout aussi bon.

☆ Cabernet Sauvignon « Wyndham Estate Bin 444 »

Les meilleures autres entreprises

AMBERTON WINES
Henry Lawson Drive
Mudgee, NSW 2850
Production : *6 000 caisses*
Vignobles : ***30 ha de Chardonnay et Sauvignon blanc***
Date de création : *1975*

Appartient maintenant à Wyndham Estate.

☆ Traminer, Lowes Peak Sauvignon blanc, Chardonnay, Cabernet Sauvignon, Syrah

BARWANG VINEYARDS
Barwang Road
Young, NSW 2594
Production : *2 700 caisses*
Vignobles : ***10 ha de Sémillon, Rhine Riesling, Chardonnay, Cabernet Sauvignon, Syrah, Cabernet franc, Merlot, Pinot noir et Muscat***

☆ Late-Picked Sémillon

BENFIELD ESTATE
Fairy Hole Road
Yass, NSW 2582
Production : *3 500 caisses*
Vignobles : ***11 ha de Chardonnay, Rhine Riesling, Sémillon, Gewurztraminer, Cabernet Sauvignon, Cabernet franc, Merlot, Malbec et Frontignan***

☆ Cabernet Sauvignon, Sémillon « Vat 1 »

BURNBRAE
Hargraves Road
Mudgee, NSW 2850
Production : *1 800 caisses*
Vignobles : ***10 ha***
Date de création : *1976*

☆ Cabernet Shiraz, Cabernet Sauvignon Vintage Port

CASSEGRAIN VINEYARDS
Pacific Highway
Port Macquarie, NSW
Production : *12 000 caisses*
Vignobles : ***16 ha de Pinot noir, Merlot, Chardonnay, Cabernet Sauvignon, Chamboucin, Sauvignon blanc et Gewurztraminer***
Date de création : *1980*

☆ Coonawarra Cabernet Sauvignon

« THE COLLEGE » WINERY
Boorooma Street
Wagga Wagga, NSW 2650
Production : *6 000 caisses*
Vignobles : ***15 ha de Rhine Riesling, Chardonnay, Pinot gris, Gewurztraminer, Cabernet Sauvignon, Cabernet franc, Merlot et Touriga***
Date de création : *1977*

☆ Cabernet Sauvignon Merlot

DOONKUNA ESTATE
Barton Highway
Murrumbateman, NSW 2582
Production : *900 caisses*
Vignobles : ***5,5 ha de Chardonnay, Rhine Riesling, Sauvignon blanc, Sémillon, Cabernet Sauvignon, Pinot noir et Syrah***
Date de création : *1974*

☆ Cabernet Sauvignon, Pinot noir

HILL OF GOLD
Henry Lawson Drive
Mudgee, NSW 2850
Production : *2 400 caisses*
Vignobles : ***12 ha***
Date de création : *1974*

☆ « Gold Medal » Port

LARK HILL
Gundaroo Road
Bungendore, NSW 2621
Production : *1 300 caisses*
Vignobles : ***6 ha de Chardonnay, Rhine Riesling, Sémillon, Cabernet Sauvignon et Pinot noir***
Date de création : *1978*

☆ Carbonic Maceration Shiraz

LITTLE'S WINERY
Palmers Lane
Pokolbin, NSW 2321
Production : *3 000 caisses*
Vignobles : ***14 ha de Chardonnay, Pinot noir, Sémillon, Gewurztraminer, Blanquette, Cabernet et Syrah***
Date de création : *1984*

☆ Honeytree Sémillon, Chardonnay (vieilli sous chêne)

PETERSONS WINES
Mount View Road
Mount View, NSW 2325
Production : *6 000 caisses*
Vignobles : ***12 ha de Chardonnay, Sémillon, Hermitage, Cabernet Sauvignon et Pinot noir***
Date de création : *1971*

☆ Chardonnay, Sauternes, Hermitage

PLATT'S
Mudgee Road
Gulgong, NSW 2852
Production : *6 000 caisses*
Vignobles : ***10,2 ha de Chardonnay, Sauvignon blanc, Sémillon, Cabernet, Pinot noir et Gewurztraminer***
Date de création : *1979*

☆ Mudgee Pinot noir

RICHMOND ESTATE
Gadds Road
North Richmond, NSW 2754
Production : *500 caisses*
Vignobles : ***6,5 ha de Malbec, Syrah et Cabernet***
Date de création : *1967*

Tout petit vignoble produisant en petites quantités des vins de bonne qualité. Son Shiraz est le meilleur et le plus suivi.

☆ Shiraz

THE ROTHBURY ESTATE
Broke Road
Pokolblin, NSW 2321
Production : *100 000 caisses*
Vignobles : ***170 ha de Chardonnay, Sémillon, Sauvignon blanc, Gewurztraminer, Pinot noir, Cabernet Sauvignon et Hermitage***
Date de création : *1968*

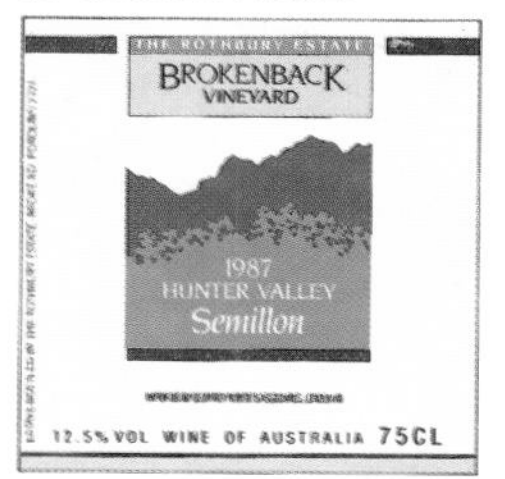

☆ Rothbury Estate Marsanne, « Black Label » Wood Matured Sémillon, Len Evans Sémillon Chardonnay, « Black Label » Chardonnay, « White Label » Homestead Hill Hermitage, « Black Label » I. P. Hermitage (Rothbury Vineyard)

SUTHERLAND WINES
Deasey's Road
Pokolbin, NSW 2321
Production : *6 000 caisses*
Vignobles : ***22 ha de Chardonnay, Sémillon, Chenin blanc, Syrah, Cabernet Sauvignon et Pinot noir***
Date de création : *1979*

☆ Sémillon, Oak Matured Sémillon Chardonnay

TAMBURLAINE
McDonalds Road
Pokolbin, NSW 2321
Production : *3 000 caisses*
Vignobles : ***10 ha de Syrah, Cabernet Sauvignon et Sémillon***
Date de création : *1966*

☆ Pokolbin Sémillon Oak Matured

VERONA VINEYARD
New England Highway
Muswellbrook, NSW 2333
Production : *1 600 caisses*
Vignobles : ***27 ha de Chardonnay, Rhine Riesling, Sémillon, Gewurztraminer, Sauvignon blanc, Cabernet Sauvignon et Syrah***
Date de création : *1972*

☆ Premium Chardonnay

WOLLUNDRY WINES
(Now Calais Estate)
Palmers Lane, Pikolbin, NSW 2321
Vignobles : ***24 ha de Chardonnay, Sémillon, Gewurztraminer, Hermitage et Cabernet Sauvignon***
Date de création : *1971*

☆ Chardonnay

WYBONG ESTATE
(Horderns')
Yarraman Road
Wybong, NSW 2333
Production : *6 000 caisses*
Vignobles : ***20 ha de Chardonnay, Sémillon, Syrah, Gewurztraminer et Rhine Riesling***
Date de création : *1969*

☆ Sémillon (vieilli sous bois)

Victoria et Tasmanie

L'État du Victoria est la plus ancienne et la plus traditionnelle de ces deux régions viticoles. La gamme de leurs vins passe des muscats de liqueur et autres vins de dessert à leurs Rhine Riesling racés et délicats, Traminer épicés, Chardonnay et Sémillon marqués par le chêne, jusqu'aux mousseux de premier ordre, en passant par des Cabernet Sauvignon à la robe soutenue et à la saveur de cassis.

VICTORIA

John Batman fonda Melbourne en 1834 et, dans les quatre années qui suivirent, un éleveur de bétail, William Ryrie, planta le premier vignoble de la Yarra Valley, en un lieu connu aujourd'hui sous le nom de Yering. En 1839, Charles La Trobe, Suisse de naissance, fut nommé au poste de préfet de Melbourne ; dès lors, de nombreux Suisses émigrèrent vers l'Australie. En 1846, débarquèrent onze vignerons du canton de Neuchâtel, dont La Trobe était originaire. Ils s'installèrent dans le secteur de Geelong et plantèrent des vignobles autour de leurs demeures. Ce faisant, ils établissaient les fondations de la future industrie vinicole du Victoria.

TASMANIE

Bien qu'il s'agisse réellement d'une région viticole jeune, c'est en 1823 que furent plantés, en Tasmanie, les premières vignes, à Prospect Farm, par Bartholomew Broughton. Ce singulier bagnard,

FACTEURS AFFECTANT LE GOÛT ET LA QUALITÉ

Situation
Le Victoria s'étend à l'extrémité sud-est du continent. À 160 km au sud de ses côtes émerge la Tasmanie.

Climat
À la chaleur continentale du nord-ouest du Victoria, autour de Mildura, succède, à l'approche des côtes, le climat tempéré de la Yarra Valley. La Tasmanie connaît un climat plus frais.

Site
La vigne est cultivée sur toutes sortes de terrains, depuis les basses plaines des vallées, dévolues à la production de masse, jusqu'aux sites escarpés, berceau des vins fins, où les vignobles sont plantés à une altitude de 500 m et plus.

Sol
Sur le limon rouge du Nord-Est naissent les fameux vins vinés, tandis que les alluvions sablonneuses du Bassin de la Murray produisent surtout des vins de consommation courante. Dans les Pyrenees, région de vins fins, un sol graveleux mêlé de quartz et de schiste recouvre un sous-sol argileux. Les sols de Geelong sont riches et peu drainés ; ceux de la Tasmanie sont argileux.

Viticulture et vinification
Les vins de l'État du Victoria sont produits généralement à l'aide de techniques très performantes. Le Nord-Est est traditionnellement une contrée de vins de dessert, mais ici comme ailleurs en Australie, les vinificateurs recherchent des zones jouissant d'un climat frais, afin de développer l'industrie des vins de cépage. Le Great Western, berceau des mousseux de méthode champenoise, a bien peiné en regard de nouvelles zones productrices de vins mousseux tel, à l'est, le secteur de Bendigo.

La Tasmanie s'est lancée à son tour dans la production des mousseux, et son climat frais a autorisé la culture de cépages classiques variés. La viticulture et les méthodes de vinification évoluent constamment et de jeunes firmes imposent leur style.

Cépages
Cabernet Franc, Cabernet Sauvignon, Chardonnay, Chasselas, Chenin blanc, Cinsault, Dolcetto, Folle blanche, Frontignan, Gewurztraminer, Malbec, Marsanne, Mataro, Merlot, Müller-Thurgau, Muscat d'Alexandrie, Pinot meunier, Pinot noir, Rhine Riesling, Rubired, Sauvignon blanc, Shiraz, Sémillon, Tokay, Traminer, Troia

VICTORIA ET TASMANIE

Le Victoria est borné au nord par la Nouvelle-Galles du Sud et à l'ouest par l'Australie méridionale. La Tasmanie est à la même latitude que la Nouvelle-Zélande. Ces deux États présentent un large éventail de climats, de terrains et de vins.

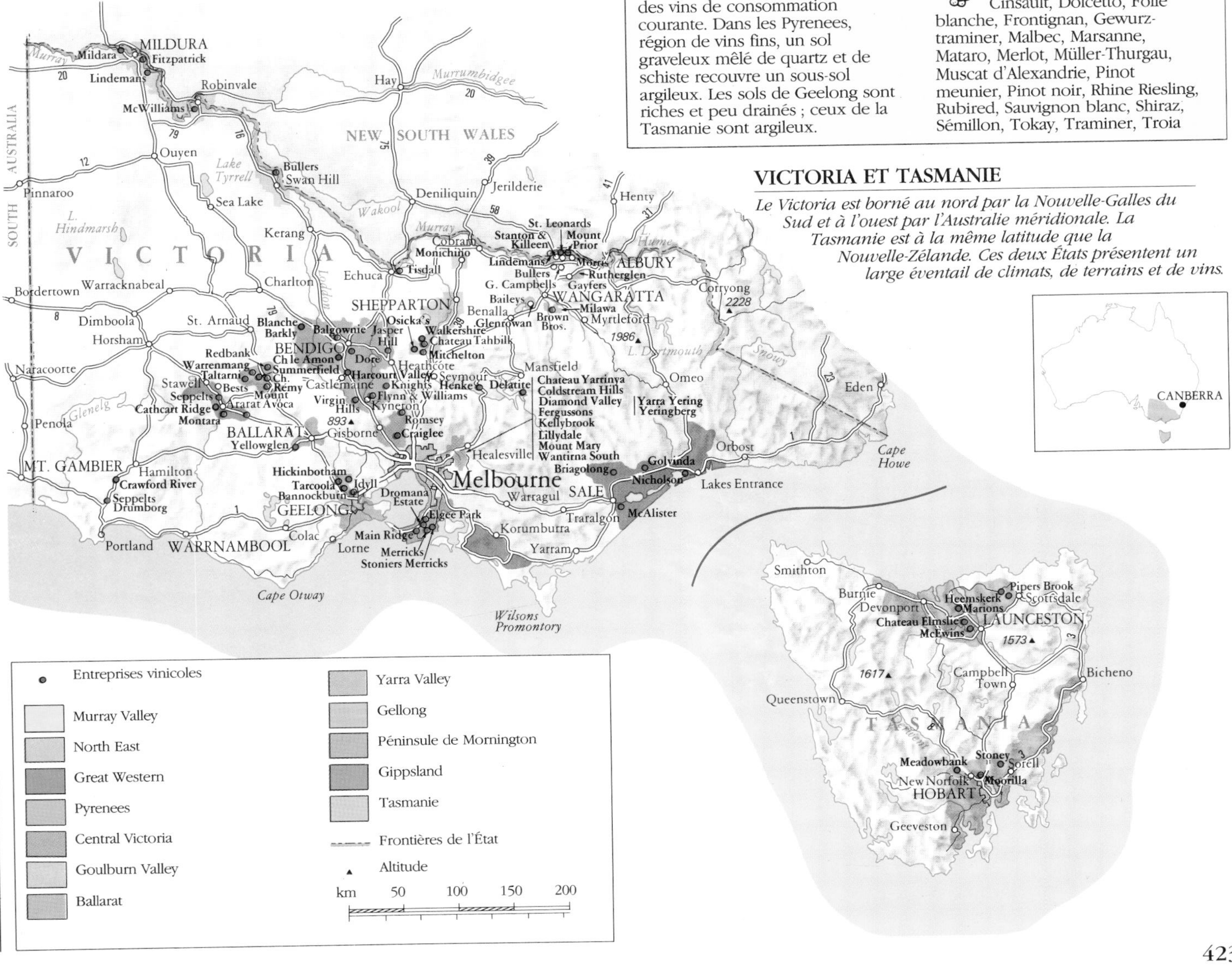

- Entreprises vinicoles
- Murray Valley
- North East
- Great Western
- Pyrenees
- Central Victoria
- Goulburn Valley
- Ballarat
- Yarra Valley
- Gellong
- Péninsule de Mornington
- Gippsland
- Tasmanie
- Frontières de l'État
- Altitude

km 50 100 150 200

dès lors qu'il fut gracié, bâtit petit à petit une jolie fortune. Avant 1827, la qualité de ses vins incita le *Colonial Times* à les confronter à ceux de Gregory Blaxland, dont le vignoble de Parramatta River, près de Sidney, avait produit le premier vin australien vendu à l'étranger et primé. L'article rapporte que le Dr Shewin, qui avait dégusté le fameux vin de Blaxland, déclara que celui de Broughton lui était supérieur « autant qu'un beau porto est supérieur à un vin ordinaire ». Le régime pénitentiaire était si brutal dans les colonies britanniques qu'il abrégea la vie de Broughton. Il s'éteignit en 1828, à l'âge de 32 ans.

Le capitaine Charles Swanston acquit la propriété de Broughton et continua d'y produire du vin. Dès 1865, quelque 45 cépages différents prospéraient en divers points de l'île. Néanmoins, avant la fin de la décennie, pratiquement tous ces vignobles avaient disparu. Le successeur de Swanston ne s'intéressait pas à la viticulture et la ruine de ses biens personnels, s'ajoutant à la fièvre de la Ruée vers l'or, fit le reste. Si l'on excepte une reprise éphémère dans les années 1880, l'industrie du vin en Tasmanie connut une longue éclipse jusqu'à sa renaissance dans les années 1950, sous l'impulsion d'un Français : Jean Miguet.

Miguet n'était pas vigneron de profession ; il s'était rendu en Tasmanie pour participer à la mise en œuvre d'un programme hydro-électrique. Mais son nouveau lieu de résidence, La Provence, au nord de Launceston, lui rappelait sa Haute-Savoie natale ; de plus, des arbres protégeaient le site des vents océaniques. Convaincu que le raisin pourrait y mûrir, Miguet défricha sa terre couverte de ronces pour y planter de la vigne. Le succès de son entreprise incita un autre Européen, Claudio Alcorso, à créer un vignoble le long de la Derwent en 1958. Le domaine Moorilla d'Alcorso continue de prospérer ; en revanche, après quinze ans consacrés à la viticulture, la maladie obligea Miguet à abandonner son vignoble et à regagner la France où il mourut en 1974.

Aujourd'hui, l'industrie vinicole tasmanienne est encore peu développée mais très performante. Elle produit les vins blancs les plus parfumés et aromatiques d'Australie et, probablement, quelques-uns de ses plus beaux mousseux de méthode champenoise.

Vignoble de Pipers Brook, ci-dessus
L'une des deux principales entreprises vinicoles qui dominent Pipers Brook, le secteur le plus prospère de la Tasmanie.

Château Tahbilk, Goulburn Valley, à gauche
La production, selon des méthodes traditionnelles, de cette célèbre entreprise victorienne est énorme. Le Cabernet, très tannique, doit vieillir en bouteille.

Les vins du Victoria et de Tasmanie

AVOCA

Ancien nom donné aux vignobles autour de Redbank, Moonambel et Mount Avoca. *Voir* Pyrenees.

BALLARAT

Ce secteur s'étend dans Central Victoria au nord-ouest de Melbourne. À Scarsdale, Creswick et Ballan, certains vignobles sont cultivés à une altitude de 430 m. Le climat est plus frais qu'à Bendigo. Ballarat pourrait devenir l'une des meilleures zones pour les vins mousseux.

MOUSSEUX : 1980, 1984, 1985

BAROOGA

Voir Murray River.

BENDIGO

Au nord de Ballarat, à 160 km au nord-ouest de Melbourne, cette partie du Victoria Central possède un climat sec. Pourtant, quelques vignes seulement sont irriguées. La viticulture y a vu le jour dans les années 1850. Les principales aires de production sont à Baynton, Big Hill, Bridgewater, Harcourt, Heathcote, Kingower, Maiden Gully, Mandurang et Mount Ida. Dans ce secteur, connu surtout pour ses vins rouges au goût de menthol et d'eucalyptus, le sol, composé d'argiles rouges, de quartz et de minerais de fer, convient à la production de beaux Shiraz. Cabernet Sauvignon et Chardonnay peuvent également y exceller, et les millions de dollars récemment investis à Bendigo par Moët & Chandon indiquent que les conditions naturelles sont favorables à la production de vins mousseux de qualité.

ROUGE : 1980, 1982, 1983, 1984, 1985, 1986, 1987

BLANC : 1980, 1982, 1984, 1985, 1986, 1987

BEVERFORD

Voir Murray River.

VICTORIA CENTRAL

Cette région abrite plusieurs secteurs viticoles, dont les plus importants sont Bendigo, Ballarat et Macedon. *Voir* Ballarat, Bendigo et Macedon.

COASTAL VICTORIA

Cette région isolée, qui englobe East Gippsland et South Gippsland, a repris vie dans les années 70 quand Dacre Stubbs planta le vignoble de Lulgra. Hormis quelques beaux Cabernet Sauvignon, Pinot noir ou Chardonnay que proposent de petites entreprises, cette région viticole ne s'est guère distinguée jusqu'à présent.

DRUMBORG

Zone à l'écart, située dans le sud-ouest du Victoria, connue surtout pour son entreprise vinicole Seppelts Drumborg, qui fut fondée dans les années 60 quand la maison était en quête d'un surplus de raisin pour alimenter sa production croissante de vins mousseux. Le sol est volcanique et le climat si froid que certains cépages n'y mûrissent pas. Il est donc surprenant que le Cabernet Sauvignon s'y épanouisse jusqu'à produire d'excellents vins. Les Rhine Riesling et Traminer sont également très bons. D'autres entreprises se sont établies dans ce secteur, comme Crawford River Wines, qui produit un superbe Rhine Riesling entre Condah et Hotspur, et Cherrita Wines.

ROUGE : 1980, 1982, 1984, 1985, 1986, 1987

BLANC : 1981, 1984, 1985, 1986, 1987

EAST GIPPSLAND

Voir Coastal Victoria.

GEELONG

Au sud de Ballarat, les vignobles longent la côte et se déploient dans l'arrière-pays de Corio Bay. À l'origine, soit au milieu du XVIIIe siècle, ces terres furent cultivées par des vignerons suisses. Après une période de déclin, Geelong a connu un renouveau en 1966, lorsque les Sefton plantèrent le vignoble d'Idyll. L'association d'un climat frais et d'un sol volcanique donne des vins joliment acides, doués d'un caractère variétal très marqué. Les firmes Idyll et Hickinbotham produisent les meilleurs vins.

ROUGE : 1982, 1984, 1985, 1986, 1987

BLANC : 1980, 1982, 1984, 1985, 1986, 1987

GIPPSLAND

Voir Coastal Victoria.

GLENROWAN

Cette région est plus connue hors d'Australie sous le nom de Milawa. Les vins de Brown Brothers, largement exportés, sont vendus sous cette étiquette, mais les autres producteurs utilisent plus fréquemment l'appellation Glenrowan. Si la récolte se compose principalement de vins de dessert classiques, des vignobles particuliers, comme ceux de Kombakla et Meadow Creek, produisent des Cabernet Sauvignon et d'autres beaux vins de cépage.

ROUGE : 1980, 1982, 1983, 1984, 1985, 1986, 1987

BLANC : 1982, 1983, 1984, 1985, 1986, 1987

GOULBURN VALLEY

Durant des années, l'excellent Château Tahbilk fut le seul vin fin de cette aire viticole traditionnelle située à 120 km au nord de Melbourne. Bon nombre de nouvelles entreprises méritent maintenant l'attention. Le Cabernet Sauvignon est le vin le plus réussi ; il est issu uniquement de ce cépage ou assemblé avec du Shiraz. Les Chardonnay et Rhine Riesling sont parfois excellents.

La maison Tisdall fait des vins de Sémillon et de Merlot, ainsi qu'un Pinot noir qui progresse rapidement.

ROUGE : 1980, 1982, 1983, 1984, 1985, 1986, 1987

BLANC : 1980, 1982, 1983, 1984, 1985, 1986, 1987

GREAT WESTERN

L'arrivée récente de firmes audacieuses a donné un second souffle à cette région viticole spécialisée dans les mousseux. Les meilleurs vins sont le Chardonnay délicat et nerveux et le Rhine Riesling épicé et plein d'allant. Montara, Mount Chalambar et Seppelt Great Western sont les entreprises les plus performantes.

ROUGE : 1980, 1982, 1984, 1985, 1986, 1987

BLANC : 1980, 1982, 1984, 1985, 1986, 1987

IRYMPLE

Voir Murray River.

KARADOC

Voir Murray River.

LAKE BOGA

Voir Murray River.

LINDSAY POINT

Voir Murray River.

MACEDON

Secteur en expansion au sein du Victoria Central, le Macedon compte environ 90 ha de vignobles répartis à Mount Macedon, Sunbury, Romsey, Lancefield et Kyneton. Les sols et la topographie sont très divers et le seul facteur climatique commun est la violence des vents. Les cépages Cabernet Sauvignon, Chardonnay et Rhine Riesling ont donné jusqu'à présent les meilleurs résultats. Les entreprises les plus performantes sont Flynn & Williams, Craiglee Vineyards, Knight's Wines et Virgin Hills.

ROUGE : 1982, 1983, 1984, 1985, 1986, 1987

BLANC : 1982, 1983, 1984, 1985, 1986, 1987

MERBEIN

Voir Murray River.

MID-MURREY

Cette sous-région du vignoble de Murray River comprend les secteurs de Swan Hill, Lake Boga et Mystic Park. *Voir* Murray River.

MILAWA

Souvent, les noms Milawa et Glenrowan désignent indifféremment la même région viticole, mais en réalité, la zone de Milawa se limite au voisinage immédiat de Milawa même, tandis que celle de Glenrowan s'étend sur la rive est du lac Mokoan. *Voir* Glenrowan.

MILDURA

Cette importante région, au sein du Murray River, est irriguée et les rendements sont élevés. *Voir* Murray River.

MORNINGTON PENINSULA

Cette aire viticole qui surplombe la baie de Port Phillip, au sud de Melbourne, a connu un démarrage précoce, mais infructueux dans les années 50. Depuis, un certain nombre de viticulteurs ont planté des vignobles. Le Shiraz de Merricks Estate est l'un des meilleurs d'Australie ; ce vin absolument magnifique, plein d'épices, franc et savoureux, livre toutes les qualités du raisin dont il est issu. Les firmes Dromana Estate, Elgee Park, Main Ridge Estate et Merricks sont capables également d'élaborer d'autres vins enthousiasmants, issus de cépages noirs ou blancs variés. Quand les vignobles sont convenablement protégés contre les violents vents marins de la baie, le climat frais et souvent humide de la péninsule de Mornington est particulièrement propice à la naissance de vins de premier ordre.

ROUGE : 1982, 1983, 1984, 1985, 1986, 1987

BLANC : 1982, 1983, 1984, 1985, 1986, 1987

MURRAY RIVER

Cette région porte le nom d'un des grands fleuves « vinicoles » d'Australie. En amont, se trouve la zone de Rutherglen, tandis qu'en aval s'étend le Riverland. La région de Murray River regroupe plusieurs aires de production dont les vignobles, irrigués pour la plupart, s'étirent le long du fleuve. Le regroupement de plusieurs secteurs compose deux sous-régions : la Sunraysia, qui comprend Mildura, Robinvale, Merbein, Irymple et Karadoc, et le Mid-Murray, avec Swan Hill, Lake Boga et Mystic Park. Dans l'ensemble, les entreprises sont relativement jeunes et produisent des vins de qualité convenable vendus en cubitainers, ainsi qu'une gamme de Chardonnay et de Sauvignon blanc. À mesure que s'épanouissent les vignobles, la qualité progresse et nombre de producteurs seront amenés à produire des vins de haut de gamme.

ROUGE : 1982, 1983, 1985, 1986, 1987

BLANC : 1983, 1984, 1985, 1986, 1987

MYSTIC PARK

Voir Murray River.

THE NORTH EAST

Les secteurs de Rutherglen et Milawa/Glenrowan sont surtout réputés pour leurs vins de liqueur. Les zones de production se déplacent fréquemment, car beaucoup d'entreprises gagnent les collines afin d'y trouver un climat frais favorable à l'élaboration de beaux vins de cépage. Les grands vins de dessert, cependant, sont toujours aussi fabuleux. *Voir* Rutherglen et Glenrowan.

PYRENEES

Auparavant connus sous le nom de leur secteur, Avoca, les vignobles des environs du mont Avoca, de Redbank et Moonambel s'appellent maintenant Pyrenees, mais un certain temps encore s'écoulera avant que l'on ait oublié leur appellation initiale. Le nom de Pyrenees a été choisi par les producteurs vinicoles de la région pour son caractère accrocheur facilitant la commercialisation de leurs vins. Cette zone était considérée, à l'origine, comme une contrée à vins rouges francs et attrayants. En raison des efforts déployés par Taltami et Château Rémy, les Pyrenees ont acquis sans tarder une réputation de secteur à vins blancs parmi lesquels se distinguent les Rhine Riesling, Sauvignon blanc, mousseux et Chardonnay.

ROUGE : 1982, 1983, 1984, 1985 (sauf pour l'aire d'Avoca), 1986, 1987

BLANC : 1982, 1983, 1984, 1985, 1986, 1987

ROBINVALE

Voir Murray River.

RUTHERGLEN

La zone de Rutherglen, appelée aussi Milawa, est le centre des activités viticoles de tout l'État. Un grand nombre d'entreprises et de vignobles sont regroupés sur la rive gauche de la Murray, entre le lac Mulwala et Albury, de part et d'autre de la route principale qui traverse la vallée. La rive droite, également cultivée, fait partie de la Nouvelle-Galles du Sud, bien que les deux rives soient associées dans l'esprit de bien des gens. Cet état de fait serait officiellement reconnu si on créait en Australie un système d'appellations. La zone de Rutherglen possède une industrie vinicole jeune dans la mesure où des vignerons innovateurs exploitent les ressources des zones les plus fraîches du secteur. Le Chardonnay et le Sémillon sont francs, frais et radieux, le Gewurztraminer réussit bien et les Durif, Carignan, Shiraz, ainsi que les Cabernet Sauvignon sont prometteurs, à divers degrés. Il n'empêche que cette zone demeure celle des plus grands vins de dessert d'Australie. Ses Tokay et Muscat de liqueur n'ont pas leurs pareils.

ROUGE : 1982, 1983, 1984, 1985, 1986, 1987

BLANC : 1982, 1983, 1984, 1985, 1986, 1987

SOUTH GIPPSLAND

Voir Coastal Victoria.

SUNRAYSIA

Sous-région de Murray River qui comprend les secteurs de Mildura, Robinvale, Merbein, Irymple et Karadoc. *Voir* Murray River.

SWAN HILL

Voir Murray River.

TASMANIE

La Tasmanie est le lieu le plus frais de toute l'Australie. Les premiers ceps de vigne y ont été plantés en 1823 par Bartholomew Broughton ; mais la viticulture n'y a pas persisté longtemps. Elle a repris vie, progressivement, dans les années 50. Si aucune grosse entreprise ne s'y est établie jusqu'à présent, la maison Roederer s'y est associée avec Hemmskerk. D'autres spécialistes des vins mousseux seraient sur le point de gagner cette région pour exploiter les possibilités qu'y présente son climat de type européen.

La Tasmanie est surtout réputée pour ses Cabernet Sauvignon, Chardonnay et Rhine Riesling pleins de saveur et de fruit, produits par des entreprises de premier ordre telles que Château Elmsie, Hemmskerk, Marion's Vineyards, Meadowbank, Moorilla Estate – *voir* les rubriques ci-dessous.

Le 1er janvier 1986, le gouvernement tasmanien a emboîté le pas au secteur de Mudgee en instituant un système officiel d'appellations. Aucun vin ne peut, désormais, porter une étiquette d'origine tasmanienne s'il n'est pas issu, à 100 %, de raisins cultivés dans le pays. Les entreprises vinicoles sont soumises à de sévères contrôles du ministère de l'Agriculture et de la commission de délivrance des licences. Les vins doivent faire l'objet d'analyses et de dégustations techniques. Bien que toutes ne soient pas encore délimitées par le système des appellations de Tasmanie, cinq zones principales existent. La plus importante est celle de Pipers Brook, comptant la moitié des vignobles de l'île. Les meilleures entreprises sont Pipers Brook et Heemskerk. La seconde en taille est la Tamar Valley, représentant un quart des superficies encépagées dont les meilleures entreprises sont : Château Elmslie, Marion's Vineyard, McEwins. Puis suivent la côte est, représentant 10 % des surfaces encépagées, la Coal River, 8 %, devant la zone sud de la Hobart Derwent Valley, représentant 5 % de la surface. Les 2 % restants se trouvent dans les zones reculées, sur des parcelles minuscules.

ROUGE : 1982, 1983, 1984, 1985, 1986, 1987

BLANC : 1982, 1983, 1984, 1985, 1986, 1987

YARRA VALLEY

Dans cette zone, les vignobles bénéficient de l'amendement apporté autrefois par l'élevage bovin et du climat le plus frais de toute l'Australie. La pluviosité y est en effet de 810 mm par an et la période de végétation est très longue. À ces facteurs favorables s'ajoutent des rendements faibles. Ainsi, certains vinificateurs talentueux obtiennent quelques Chardonnay et Cabernet Sauvignon étonnants, des Rhine Riesling et Gewurztraminer frais et fermes, ainsi qu'un Pinot noir prometteur.

ROUGE : 1982, 1983, 1984, 1986, 1987

BLANC : 1980, 1982, 1983, 1984, 1985, 1986, 1987

Principales entreprises vinicoles du Victoria et de Tasmanie

BAILEYS OF GLENROWAN
Taminick Gap Road
Glenrowan, Vic. 3675

Production : ***12 000 caisses***
Vignobles : ***104 ha de Muscat, Muscadelle, Cabernet Sauvignon, Syrah, Rhine Riesling et Chardonnay***
Date de création : ***1870***

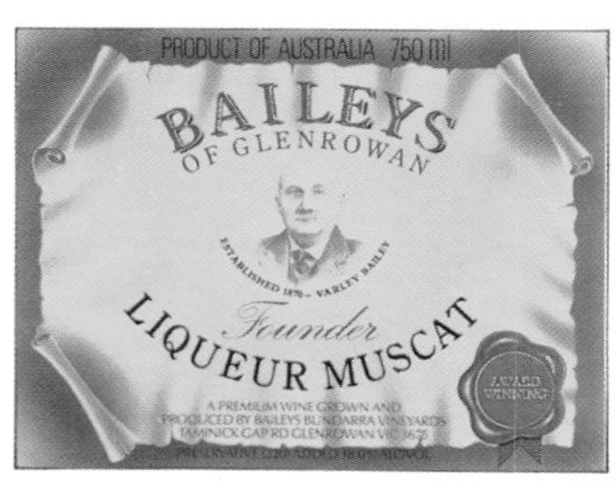

Des vins de dessert sensationnels.

☆ Late Harvest Lexia, « Founder's » Liqueur Muscat, « Gold Label » et « HJT » Liqueur Muscats, Hermitage « Classic Selection », Show Tokay

BALGOWNIE VINEYARD
Hermitage Road
Maiden Gully, Vic. 3551

Production : ***7 000 caisses***
Vignobles : ***13 ha de Cabernet Sauvignon, Syrah, Pinot noir, Chardonnay et Riesling***
Date de création : ***1969***

Un Cabernet Sauvignon ferme et des vins de cépage de type bourguignon en progrès.

☆ Chardonnay, Pinot noir, Cabernet Sauvignon

BEST'S WINES
Great Western, Vic. 3377

Production : ***48 000 caisses***
Vignobles : ***50 ha***
Date de création : ***1866***

Quelques vins intéressants.

☆ Chardonnay « Bin No. 0 », Hermitage « Bin No. 0 », Chardonnay (méthode champenoise)

BROWN BROTHERS
Millawa, Vic. 3678

Production : ***200 000 caisses de vins de choix vendus en bouteilles, plus vins vendus en vrac***
Vignobles : ***145 ha de Cabernet Sauvignon, Chardonnay, Pinot noir, Rhine Riesling et Syrah***
Date de création : ***1889***

Longtemps, cette entreprise fut la seule à tenter de convaincre les marchés étrangers des immenses possibilités de l'Australie. Brown Brothers enrichit régulièrement sa superbe production, avec notamment son stupéfiant Cabernet Sauvignon Koombahla 1978.

☆ Chardonnay Koombahla (Cabernet Sauvignon, Chardonnay, Late Harvest Rhine Riesling, Pinot noir), Late Harvest Orange Muscat, Meadow Creek Cabernet Shiraz, Milawa Estate (Chardonnay, Noble Riesling, Shiraz-Mondeuse-Cabernet), Muscat blanc (Late Harvest, Liqueur), Noble Riesling, Sémillon, Very Old Tokay

CAMPBELL'S WINERY
Murray Valley Highway
Rutherglen, Vic. 3685

Production : ***36 000 caisses***
Vignobles : ***70 ha***
Date de création : ***1870***

Cette firme se diversifie à présent dans les vins de cépage.

☆ « Bobbie Burns » Shiraz, Liqueur Muscat, Rutherglen Muscat

CHÂTEAU LE AMON
Calder Highway, Big Hill
Bendigo, Vic. 3550

Production : ***2 000 caisses***
Vignobles : ***4 ha de Rhine Riesling, Sémillon, Syrah et Cabernet Sauvignon***
Date de création : ***1973***

Cette entreprise appartient à Ian Leamon.

☆ « Marong » Shiraz, Cabernet Sauvignon, Hermitage-Cabernet Sauvignon

CHÂTEAU REMY
Vinoca Road, Avoca, Vic. 3467

Production : ***20 000 caisses***
Date de création : ***1963***

Surtout connue pour son bon vin de méthode champenoise, cette firme produit aussi un très beau vin rouge à base de Cabernet.

☆ « Blue Pyrenees Estate », Cuvée Speciale Brut

CHÂTEAU TAHBILK
Tahbilk, Vic. 3607

Production : ***30 000 caisses***
Vignobles : ***80 ha de Cabernet Sauvignon, Syrah, Cabernet franc, Marsanne, Sauvignon blanc, Chardonnay, Sémillon, Rhine Riesling, Chenin blanc et Hermitage blanc***
Date de création : ***1860***

Cette entreprise vinicole offre des vins très traditionnels qui se bonifient en bouteille.

☆ Cabernet Sauvignon (surtout « Private Bin »), « Gold Label » (Chardonnay, Marsanne), Shiraz

CHÂTEAU YARRINYA
Pinnacle Lane
Dixons Creek, Vic. 3775

Production : ***5 000 caisses***
Vignobles : ***16 ha de Cabernet Sauvignon, Syrah, Pinot noir, Malbec, Merlot, Gewurztraminer, Chardonnay, Rhine Riesling et Sauvignon blanc***
Date de création : ***1971***

Petite entreprise dont les vins, notamment les rouges, sont de très grande qualité.

☆ Shiraz, Cabernet Sauvignon

COLDSTREAM HILLS
Maddens Lane
Gruyere via Coldstream, Vic. 3770

Production : ***3 600 caisses***
Vignobles : ***4,5 ha de Pinot noir, Chardonnay, Sauvignon blanc, Merlot et Cabernet franc***
Date de création : ***1985***

Cette jeune entreprise est l'œuvre de James Halliday, doyen des critiques vinicoles d'Australie. Ses vins de cépage classiques suscitent bien des commentaires, parfois contradictoires.

☆ Cabernet Sauvignon, Chardonnay, Pinot noir, Show Chardonnay

ELGEE PARK
Wallaces Road
Merricks North, Vic. 3926

Production : ***100 caisses***
Date de création : ***1972***

Les vins, élaborés autrefois dans l'entreprise d'Anakie, sont produits à Elgee Park depuis 1980, où une nouvelle installation de vinification a été construite en 1984.

☆ Rhine Riesling, Chardonnay, Cabernet Sauvignon

THE HEEMSKERK VINEYARD
« Heemskerk »
Pipers Brook, Tas. 7254

Production : ***8 000 caisses***
Vignobles : ***30 ha de Cabernet Sauvignon, Chardonnay et Pinot noir***
Date de création : ***1974***

La maison de Champagne Roederer a pris des parts dans l'affaire. Le premier vin de Tasmanie, élaboré selon la méthode champenoise, est très encourageant.

☆ Cabernet Sauvignon, Chardonnay, Rhine Riesling

THE HEATHCOTE WINERY

183-185 High Street
Heathcote, Vic. 3523

Production : *3 600 caisses*
Vignobles : ***14 ha de Chardonnay, Pinot noir, Chenin blanc et Gewurztraminer***
Date de création : *1982*

Le sol de Heathcote est renommé pour son caractère favorable à la production des Shiraz, mais ici, tous les vins sont très bons et le Chardonnay offre de tendres saveurs de pamplemousse mûr.

☆ Chardonnay, Shiraz

HICKINBOTHAM WINEMAKERS

2 Ferguson Street
Williamstown, Vic. 3016

Production : *16 000 caisses*
Vignobles : ***15 ha de Cabernet Sauvignon, Cabernet franc, Riesling, Chardonnay et Merlot***
Date de création : *1980*

Alan Hickinbotham a créé le cours d'œnologie, désormais célèbre, du collège agricole de Roseworthy. Son fils Ian, chroniqueur vinicole bien connu, reprit le vignoble d'Anakie pour satisfaire le désir qu'il avait de faire son propre vin. Le fils de Ian, Stephen, diplômé de l'université de Bordeaux, commençait juste à se faire connaître comme un des plus talentueux vinificateur du pays lorsqu'il trouva la mort dans un accident d'avion. Son frère, Ian, qui a établi son propre vignoble dans la péninsule de Mornington, aide à présent son père, et le vignoble ne cesse de prospérer.

☆ Anakie Chardonnay, Anakie Cabernet, Anakie Shiraz, « Ultima Thuley »

MERRICKS

Thompsons Lane
Merricks, Vic. 3916

Production : *250 caisses*
Vignobles : ***5 ha de Cabernet Sauvignon, Pinot noir et Chardonnay***
Date de création : *1984*

Deux firmes portent le nom de Merricks dans une même rue. Celle-ci appartient à Brian Stonier et ses excellents vins sont élaborés par l'entreprise Hickinbotham.

☆ Cabernet Sauvignon

MERRICKS ESTATE

62 Thompsons Lane
Merricks, Vic. 3916

Production : *300 caisses*
Vignobles : ***7 ha de Cabernet Sauvignon, Chardonnay, Rhine Riesling, Pinot noir et Syrah***
Date de création : *1978*

Après un départ difficile au cours duquel George Kefford admet avoir commis certaines erreurs, la qualité de la production a considérablement progressé.

☆ Shiraz, Cabernet Sauvignon

MILDARA WINES

Wentworth Road
Merbein, Vic. 3505

Production : *1 080 000 caisses*
Vignobles : ***254 ha de Cabernet franc, Cabernet Sauvignon, Merlot, Malbec, Pinot noir, Chardonnay, Rhine Riesling, Sauvignon blanc, Gewurztraminer et Syrah***
Date de création : *1888*

En 1988, l'entreprise Mildara a célébré le centenaire de sa naissance. Jusqu'aux années 70, sa réputation fut fondée presque entièrement sur ses vins vinés, mais le style assez élégant de ses vins de cépage a trouvé, depuis, des amateurs fidèles.

☆ « Bin 47 » Cabernet Shiraz, Sauvignon blanc, Hermitage, Cabernet Merlot, « J.W. Classic » Cabernet Shiraz

MITCHELTON VINTNERS

Mitchellstown
Via Nagambie, Vic. 3608

Production : *70 000 caisses*
Vignobles : ***110 ha de Chardonnay, Marsanne, Rhine Riesling, Sémillon, Ugni blanc, Cabernet Sauvignon, Cabernet franc, Syrah et Merlot***
Date de création : *1969*

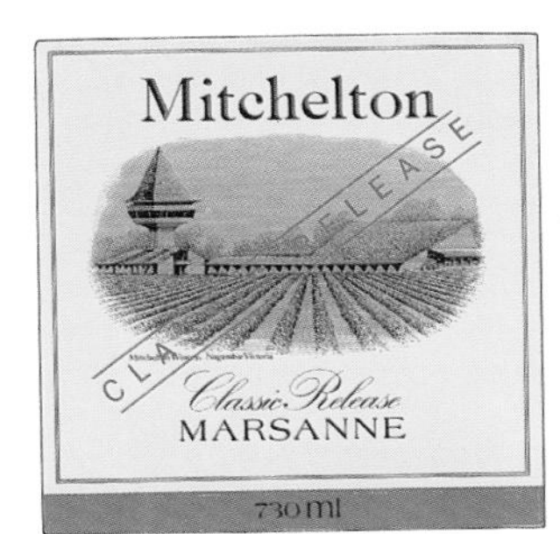

Des vins de qualité supérieure, originaires d'autres régions (habituellement Coonawarra et Mount Barker), sont vendus sous l'étiquette « Winemakers Selection ». L'étiquette Mitchelton proprement dite est réservée aux vins issus de la Goulburn Valley. Les « Classic Release » méritent toujours l'attention et les « Thomas Mitchell » sont parfois d'un bon rapport qualité/prix.

☆ Rhine Riesling (« Winemakers Selection » et le même en version botrytisé), « Classic Release » Marsanne, Sémillon Wood Matured, « Thomas Mitchell » Chablis Wood Matured

MOORILLA ESTATE

655 Main Road
Berriedale, Tas. 7011

Production : *3 000 caisses*
Vignobles : ***15 ha de Pinot noir, Riesling, Cabernet Sauvignon et Gewurztraminer***
Date de création : *1958*

En trente ans d'existence, cette entreprise a prouvé que la Tasmanie est capable de produire de grands vins de cépages de climat frais, comme le Chardonnay, le Pinot noir et le Riesling.

☆ Pinot noir, Botrytis Rhine Riesling, Chardonnay

MORRIS WINES

Rutherglen, Vic. 3685

Production : *55 000 caisses*
Vignobles : ***80 ha de Syrah, Durif, Cabernet Sauvignon, Muscadelle, Muscat brun, Sémillon et Blue imperial***
Date de création : *1859*

Cette ancienne entreprise produit d'excellents Muscat et Tokay de liqueur traditionnels.

☆ Sémillon, Chardonnay, « Old Premium » Tokay, « Old Premium » Muscat

PIPERS BROOK VINEYARD

Pipers Brook, Tas. 7254

Production : *4 500 caisses*
Vignobles : ***11 ha de Riesling, Chardonnay, Gewurztraminer, Cabernet Sauvignon et Pinot noir***
Date de création : *1972*

Cette entreprise élabore des vins typés de première qualité qui portent en outre une très belle étiquette.

☆ Pinot noir, Cabernet Sauvignon, Cabernet Blend, Chardonnay, Rhine Riesling

SEVILLE ESTATE

Linwood Road
Seville, Vic. 3139

Production : *1 200 caisses*
Vignobles : ***3,6 ha de Cabernet Sauvignon, Merlot, Cabernet franc, Pinot noir, Syrah, Chardonnay et Rhine Riesling***
Date de création : *1970*

Hormis quelques rares accidents, la qualité des vins est exceptionnelle. On ne peut leur donner un style si voluptueux qu'en produisant de petits volumes. Ce domaine élabore parfois un *Trockenbeerenauslese*, mais il m'est inconnu.

☆ Rhine Riesling *Beerenauslese*, Pinot noir, Cabernet Sauvignon

ST. HUBERTS

St. Huberts Road
Coldstream, Vic. 3770

Production : *18 000 caisses*
Vignobles : ***20 ha de Cabernet Sauvignon, Syrah, Pinot noir, Merlot, Chardonnay, Rhine Riesling et Sauvignon blanc***
Date de création : *1968*

Il arrive que les vins soient tout à fait exceptionnels.

☆ Cabernet Sauvignon, Chardonnay, Rhine Riesling *Beerenauslese*

ST. LEONARDS VINEYARD

Wahgunyah, Vic. 3687

Production : *12 000 caisses*
Vignobles : ***40 ha de Cabernet Sauvignon, Merlot, Malbec, Syrah, Chardonnay, Chenin blanc, Sauvignon blanc, Sémillon, Gewurztraminer et Orange Muscat***
Date de création : *1975*

Depuis 1980, Brown Brothers, le propriétaire de cette entreprise, s'est associé avec un syndicat viticole. Il élabore et vend maintenant les vins sous sa propre étiquette.

☆ Cabernet Sauvignon, Chardonnay, Gewurztraminer, Late Bottled Port, Orange Muscat

TALTARNI VINEYARDS

Moonambel, Vic. 3478

Production : *42 000 caisses*
Vignobles : ***110 ha de Rhine Riesling, Ugni blanc, Chenin blanc, Sauvignon blanc, Chardonnay, Cabernet Sauvignon, Malbec, Syrah et Merlot***
Date de création : *1972*

En langue aborigène « taltarni » signifie « terre rouge » ; le sol est composé, en effet, d'une argile siliceuse et riche en fer de couleur rouge. Ce sont les fils d'André Portet, directeur technique de Château Lafite-Rothschild, de 1955 à 1975, qui ont choisi et encépagé ce site. Le mélange des influences française et australienne est magique : les vins ont été excellents dès le début et s'améliorent d'année en année.

☆ Blanc des Pyrenees Chablis Style, Brut Blanc de Blancs, Cabernet Sauvignon, French Syrah, Fumé Blanc, Rhine Riesling

TISDALL WINES

19 Cornelia Creek Road
Echuca, Vic. 3564

Production : *72 000 caisses*
Vignobles : ***130 ha de Chardonnay, Sauvignon blanc, Rhine Riesling, Sémillon, Chenin blanc, Colombard, Ugni blanc, Gewurztraminer, Pinot noir, Cabernet Sauvignon, Merlot, Syrah, Ruby Cabernet et Malbec***
Date de création : *1979*

Création récente ambitieuse mais réussie.

☆ « Mount Helen » Chardonnay, « Selected Series » Sémillon, Tisdall Cabernet Merlot, « Mount Helen » Cabernet Sauvignon

VIRGIN HILLS VINEYARDS
Kyneton, Vic. 3444

Production : *2 000 caisses*
Vignobles : ***13,5 ha de Cabernet Sauvignon, Syrah, Malbec, Merlot, Chardonnay, Gewurztraminer et Rhine Riesling***
Date de création : *1968*

Œuvre de Tom Lazar, restaurateur à Melbourne né en Hongrie, cette entreprise doit être la seule en Australie à ne produire qu'un seul vin. Sur l'étiquette « Virgin Hills » ne figure aucune indication de cépage, mais le vin contient environ 75 % de Cabernet Sauvignon auquel s'ajoute de la Syrah et un peu de Malbec. Lazar se contenta de lire un livre sur la vinification, créa un vignoble et fit son vin. Quand il prit sa retraite, Mark Sheppard lui succéda. Les méthodes de production sont inchangées et le vin reste l'un des meilleurs du pays. La présence de pieds de Chardonnay, Gewurztraminer et Rhine Riesling suggère que de bons vins blancs naîtront bientôt.

☆ Virgin Hills

WANTIRNA ESTATE
Bushy Park Lane
Wantina South, Vic. 3152

Production : *1 200 caisses*
Vignobles : ***4 ha de Cabernet Sauvignon, Merlot, Pinot noir et Chardonnay***
Date de création : *1963*

Reg Egan, avoué à Melbourne, produit de beaux vins durant ses loisirs.

☆ Pinot noir, Cabernet Sauvignon, Merlot

YARRA YERING
Briarty Road
Gruyere via Coldstream, Vic. 3770

Production : *3 500 caisses*
Vignobles : ***12 ha de Cabernet Sauvignon, Malbec, Merlot, Pinot noir, Chardonnay, Sémillon et Syrah***
Date de création : *1969*

Le Dr Bailey Carrodus, premier producteur de vins de la Yarra Valley, élabore des vins de cépage dont la qualité est imprévisible, mais le Pinot noir est parfois délicieux. Carrodus excelle dans la production de vins d'assemblages : le Dry Red « No. 1 » est un assemblage de type bordelais de Cabernet Sauvignon, Malbec et Merlot ; le « No. 2 », dans le style Côtes-du-Rhône, contient 85 % de Syrah.

☆ Dry Red « No. 1 », Dry Red « No. 2 »

YELLOWGLEN VINEYARDS
White's Road
Smythesdale, Vic. 3351

Production : *12 000 caisses*
Vignobles : ***18 ha de Pinot noir, Chardonnay et Cabernet Sauvignon***
Date de création : *1971*

Cette petite entreprise s'est lancée récemment dans les vins mousseux. Fondée par un Australien, Ian Home, et un Champenois, Dominique Landragin, elle appartient à Mildara. Les vins gagneraient à vieillir un peu plus longtemps avant le dégorgement. Ils pourraient surpasser bientôt les vins de Château Remy situé dans les Pyrenees.

☆ Home and Landragin (Chardonnay méthode champenoise, Crémant brut Extra, Blanc de Noirs)

Les meilleures parmi les autres

BANNOCKBURN VINEYARDS
Midland Highway
Bannockburn, Vic. 3331

Production : *6 000 caisses*
Vignobles : ***16 ha de Pinot noir, Chardonnay, Cabernet Sauvignon, Sauvignon blanc et Syrah***
Date de création : *1973*

☆ Shiraz

BLANCHE BARKLY WINES
Rheola Road
Kingower, Vic. 3517

Production : *5 000 caisses*
Date de création : *1972*

☆ Hermitage nouveau, « Johanne » Cabernet Sauvignon

BRIAGOLONG ESTATE
Valencia-Briagolong Roads
Briagolong, Vic. 3860

Production : *100 caisses*
Vignobles : ***2 ha de Pinot noir, Chardonnay et Sauvignon blanc***
Date de création : *1979*

☆ Pinot noir

BULLERS
Three Chain Road
Rutherglen, Vic. 3685

Production : *3 000 caisses*
Date de création : *1955*

☆ Vintage Port

CATHCART RIDGE ESTATE
Cathcart via Ararat, Vic. 3377

Production : *2 000 caisses*
Vignobles : ***13,5 ha de Cabernet Sauvignon, Merlot, Chardonnay, Rhine Riesling et Syrah***
Date de création : *1977*

☆ Shiraz

CHÂTEAU ELMSLIE
McEwins Road
Legana, Tas. 7251

Production : *55 caisses*

☆ Cabernet Sauvignon

CRAIGLEE
Sunbury Road
Sunbury, Vic. 3429

Production : *2 000 caisses*
Vignobles : ***Syrah, Cabernet, Chardonnay et Pinot noir***
Date de création : *1976*

☆ « Craiglee » (rouge)

CRAWFORD RIVER
Crawford
via Condah, Vic. 3303

Production : *600 caisses*
Vignobles : ***7 ha de Rhine Riesling, Cabernet Sauvignon et Merlot***
Date de création : *1975*

☆ Rhine Riesling *Beerenauslese*

DELATITE WINERY
Pollards Road
Mansfield, Vic. 3722

Production : *7 500 caisses*
Vignobles : ***20 ha de Rhine Riesling, Gewurztraminer, Sylvaner, Chardonnay, Sauvignon blanc, Cabernet Sauvignon, Syrah, Pinot noir, Malbec et Merlot***
Date de création : *1969*

☆ Cabernet Sauvignon Merlot

DIAMOND VALLEY VINEYARDS
Kinglake Road
St. Andrews, Vic. 3761

Production : *1 500 caisses*
Vignobles : ***2,8 ha de Rhine Riesling, Cabernet Sauvignon, Merlot, Malbec, Cabernet franc et Pinot noir***
Date de création : *1976*

☆ Cabernet, Pinot noir

DROMANA ESTATE
Harrisons Road
Dromana, Vic. 3936

Production : *550 caisses*
Vignobles : ***5 ha de Pinot noir, Cabernet Sauvignon, Chardonnay, Cabernet franc et Merlot***
Date de création : *1981*

☆ Cabernet Sauvignon

FERGUSSON'S WINERY
Wills Road
Yarra Glen, Vic. 3775

Production : *5 400 caisses*
Vignobles : ***16 ha de Riesling, Chardonnay, Chenin blanc, Syrah, Cabernet Sauvignon et Cabernet franc***
Date de création : *1968*

☆ Cabernet Sauvignon

GOLVINDA WINES
Lindenow Road
Lindenow South, Vic. 3865

Date de création : *1972*

☆ Cabernet Sauvignon

HARCOURT VALLEY VINEYARDS
Calder Highway
Harcourt, Vic. 3453

Production : *1 200 caisses*
Vignobles : ***4 ha de Cabernet Sauvignon, Syrah, Rhine Riesling et Chardonnay***
Date de création : *1976*

☆ Cabernet Sauvignon

THE HENKE WINERY
Henke's Lane
Yarck, Vic. 3719

Production : *1 200 caisses*
Vignobles : ***5 ha de Syrah, Cabernet Sauvignon, Sémillon et Crouchen***
Date de création : *1970*

☆ Shiraz Cabernet

IDYLL VINEYARD
265 Ballan Road
Moorabool, Vic. 3221

Production : *6 000 caisses*
Vignobles : ***20 ha de Cabernet Sauvignon, Syrah et Gewurztraminer***
Date de création : *1966*

☆ Gewurztraminer Wood Matured, Gewurztraminer, Cabernet Shiraz

JASPER HILL VINEYARD
Drummonds Lane
Heathcote, Vic. 3523

Production : *1 100 caisses*
Vignobles : ***15 ha de Cabernet franc, Riesling, Sauvignon blanc et Pinot noir***
Date de création : *1976*

☆ « Emily's Paddock » Shiraz, « Georgia's Paddock » Shiraz

KELLYBROOK WINERY
Fulford Road
Wonga Park, Vic. 3115

Production : *3 600 caisses*
Vignobles : ***13 ha de Chardonnay, Rhine Riesling, Gewurztraminer, Pinot noir, Cabernet Sauvignon et Syrah***
Date de création : *1960*

☆ Shiraz, Cabernet Sauvignon

KNIGHT'S WINES
R.S.D. 83
Baynton via Kyneton, Vic. 3444

Production : *3 000 caisses*
Vignobles : ***8 ha***
Date de création : *1971*

☆ Rhine Riesling

LILLYDALE VINEYARDS
Davross Court
Seville, Vic. 3139

Production : *3 000 caisses*
Vignobles : *7,8 ha de Chardonnay, Gewurztraminer, Rhine Riesling, Sauvignon blanc, Cabernet Sauvignon et Merlot*
Date de création : *1976*

☆ Chardonnay

LONGLEAT
Old Weir Road
Murchison, Vic. 3610

Production : *2 500 caisses*
Vignobles : *30 ha de Cabernet Sauvignon, Syrah, Pinot noir, Sémillon, Rhine Riesling et Chardonnay*
Date de création : *1975*

☆ Cabernet Shiraz

MAIN RIDGE ESTATE
William Road
Red Hill, Vic. 3937

Production : *800 caisses*
Vignobles : *2,5 ha de Cabernet Sauvignon, Cabernet franc, Pinot meunier, Pinot noir, Chardonnay et Gewurztraminer*
Date de création : *1975*

☆ Gewurztraminer, Chardonnay, Pinot meunier, Pinot noir

MARION'S VINEYARD
Foreshore Road
Deviot, Tas. 7251

Production : *1 000 caisses*
Vignobles : *4,5 ha de Müller-Thurgau, Pinot noir, Cabernet Sauvignon et Chardonnay*
Date de création : *1980*

☆ Pinot noir

McEWINS VINEYARD
Loop Road
Glengarry, Tas. 7251

Production : *500 caisses*

☆ Cabernet Sauvignon

MEADOWBANK VINEYARD
Glenora, Tas. 7150

Production : *600 caisses*
Vignobles : *3 ha*
Date de création : *1974*

☆ Cabernet Sauvignon

MONICHINO WINES
Berry's Road
Katunga, Vic. 3640

Production : *8 000 caisses*
Vignobles : *25 ha de Chardonnay, Sémillon, Sauvignon blanc, Cabernet Sauvignon, Syrah, Malbec, Gewurztraminer, Rhine Riesling, Orange Muscat et Muscat*
Date de création : *1962*

☆ Chardonnay

MONTARA
Chalambar Road
Ararat, Vic. 3377

Production : *5 000 caisses*
Vignobles : *17 ha de Pinot noir, Cabernet Syrah, Rhine Riesling, Chardonnay et Ondenc*
Date de création : *1970*

Connue aussi sous le nom de McRae's Montara.

☆ Ondenc, Pinot noir

MOUNT AVOCA VINEYARD
Moates Lane, Avoca, Vic. 3467

Production : *9 000 caisses*
Vignobles : *20 ha de Cabernet Sauvignon, Syrah, Chardonnay, Sauvignon blanc, Ugni blanc et Sémillon*
Date de création : *1978*

☆ Sémillon, Cabernet Sauvignon

MOUNT MARY VINEYARD
Coldstream West Road
Lilydale, Vic. 3140

Production : *2 400 caisses*
Vignobles : *7,5 ha de Cabernet Sauvignon, Cabernet franc, Merlot, Malbec, Petit Verdot, Pinot noir, Chardonnay, Sauvignon blanc, Sémillon et Muscadelle*
Date de création : *1971*

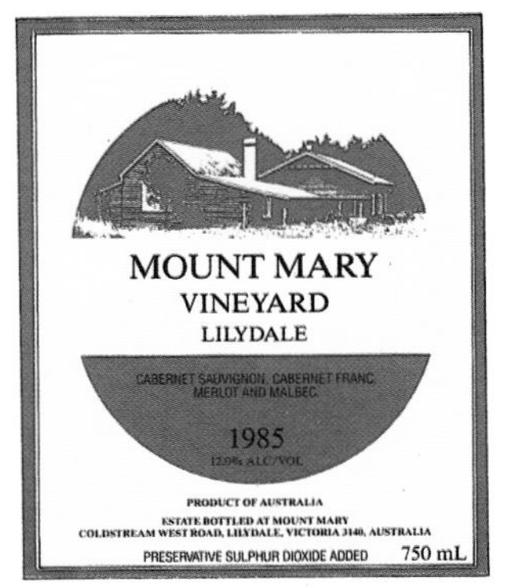

Vins blancs convenables et vins rouges exceptionnels.

☆ Pinot noir, Cabernet

MOUNT PRIOR VINEYARD
Howlong Road
Rutherglen, Vic. 3685

Production : *12 000 caisses*
Vignobles : *50 ha de Chardonnay, Gewurztraminer, Chenin blanc, Sauvignon blanc, Cabernet Sauvignon, Syrah, Malbec, Durif, Cabernet franc, Grenache et Carignan*
Date de création : *1974*

☆ Chardonnay, Gewurztraminer

NICHOLSON RIVER WINERY
Liddell's Road
Nicholson, Vic. 3882

Production : *150 caisses*
Vignobles : *8 ha de Cabernet, Merlot et Chardonnay*
Date de création : *1978*

☆ Pinot noir

OAKRIDGE ESTATE
Aitken Road
Seville, Vic. 3139

Production : *1 300 caisses*
Vignobles : *7 ha de Cabernet Sauvignon, Merlot, Syrah, Rhine Riesling, Crouchen et Cabernet franc*
Date de création : *1982*

☆ Cabernet Shiraz

OSICKA'S VINEYARD
Major's Creek Vineyard
Graytown, Vic. 3608

Production : *7 000 caisses*
Date de création : *1955*

☆ Cabernet Sauvignon

REDBANK
Redbank, Vic. 3478

Production : *2 000 caisses*
Vignobles : *10 ha de Cabernet Sauvignon, Cabernet franc, Malbec, Merlot, Syrah et Pinot noir*
Date de création : *1973*

☆ « Sally's Paddock »

STANTON & KILLEEN
Murray Valley Highway
Rutherglen, Vic. 3685

Production : *6 000 caisses*
Vignobles : *22 ha de Cabernet Sauvignon, Syrah, Durif, Touriga, Muscat et Muscadelle*
Date de création : *1875*

☆ « Moodemere » Shiraz, Vintage Port

STONEY VINEYARD
Campania, Tas. 7202

Production : *200 caisses*
Vignobles : *0,5 ha*
Date de création : *1975*

☆ Cabernet Sauvignon, Zinfandel, Rhine Riesling

SUMMERFIELD WINES
Moonambel, Vic. 3478

Production : *1 500 caisses*
Date de création : *1970*

☆ Hermitage

TARCOOLA VINEYARDS
Maude Road, Lethbridge, Vic. 3332

Production : *2 400 caisses*
Vignobles : *7,2 ha de Cabernet Sauvignon, Syrah, Rhine Riesling, Chasselas et Müller-Thurgau*
Date de création : *1972*

☆ Shiraz

WALKERSHIRE WINES
Rushworth Road
Bailieston, Vic. 3608

Production : *1 200 caisses*
Vignobles : *2,5 ha de Cabernet Sauvignon, Syrah et Merlot*
Date de création : *1976*

☆ Cabernet Shiraz, Cabernet Sauvignon

WARRAMATE
4 Maddens Lane
Gruyere, Vic. 3770

Production : *700 caisses*
Vignobles : *2 ha de Cabernet Sauvignon, Syrah et Rhine Riesling*
Date de création : *1970*

☆ Cabernet Sauvignon, Shiraz Cabernet

WARRENMANG VINEYARD
Mountain Creek Road
Moonambel, Vic. 3478

Production : *2 000 caisses*
Vignobles : *10,5 ha de Cabernet Sauvignon, Syrah, Merlot, Chardonnay et Sauvignon blanc*
Date de création : *1974*

☆ Shiraz, Cabernet Sauvignon

YARRA BURN VINEYARDS
Settlement Road
Yarra Junction, Vic. 3797

Production : *2 000 caisses*
Vignobles : *4 ha*
Date de création : *1976*

☆ Cabernet Sauvignon, Pinot noir, Chardonnay

YERINGBERG
Maroondale Highway
Coldstream, Vic. 3770

Production : *1 200 caisses*
Vignobles : *2 ha de Chardonnay, Marsanne, Roussanne, Pinot noir, Merlot, Malbec, Cabernet Sauvignon et Cabernet franc*
Date de création : *1969*

Petite production de vins fins, voire exceptionnels.

☆ Pinot noir, Marsanne

Australie méridionale

L'Australie méridionale, la plus importante des régions viticoles du pays, produit quelques 60 % des vins de l'Australie. Ceux-ci sont des vins en cubitainers, vins de cépage de moyenne gamme, produits en macération carbonique, sans oublier les vins de vendange tardive et botrytisés, ceux des genres « Porto » ou « Xérès », et les muscat de liqueur.

On peut faire remonter les origines de cet éden de la vigne à Barton Hack qui, en 1837, établit un vignoble à Launceston, dans les bas quartiers d'Adélaïde nord. L'année suivante, un dénommé George Stevenson lui emboîtait le pas dans le nord d'Adélaïde. Les vignes de Hack disparurent en 1840 pour laisser place à l'urbanisation, premier stade d'un syndrome galopant. Depuis lors, pratiquement tous les vignobles de la métropole ont été arrachés. Seul a subsisté l'un d'entre eux, l'historique Magill de Penfolds. Ce vignoble est représentatif de la production de l'État puisqu'il produit à la fois le Grange Hermitage, le vin le meilleur et le plus cher d'Australie, et des vins de cubitainers extrêmement bon marché et tout à fait inconnus. C'est en Australie méridionale que l'on use et abuse des dénominations européennes classiques, telles que « Burgundy », « Claret » (Bordeaux rouge) ou « Chablis ».

Le remuage à la Kaiser Stuhl, ci-dessus
La taille gigantesque des gyropalettes donne une idée du travail dans cette coopérative de la Barossa Valley qui appartient à Penfolds.

AUSTRALIE MÉRIDIONALE

Cet État s'étire le long de la moitié orientale de la Grande Baie d'Australie, dont les effets climatiques s'atténuent à mesure que l'on s'enfonce dans l'arrière-pays.

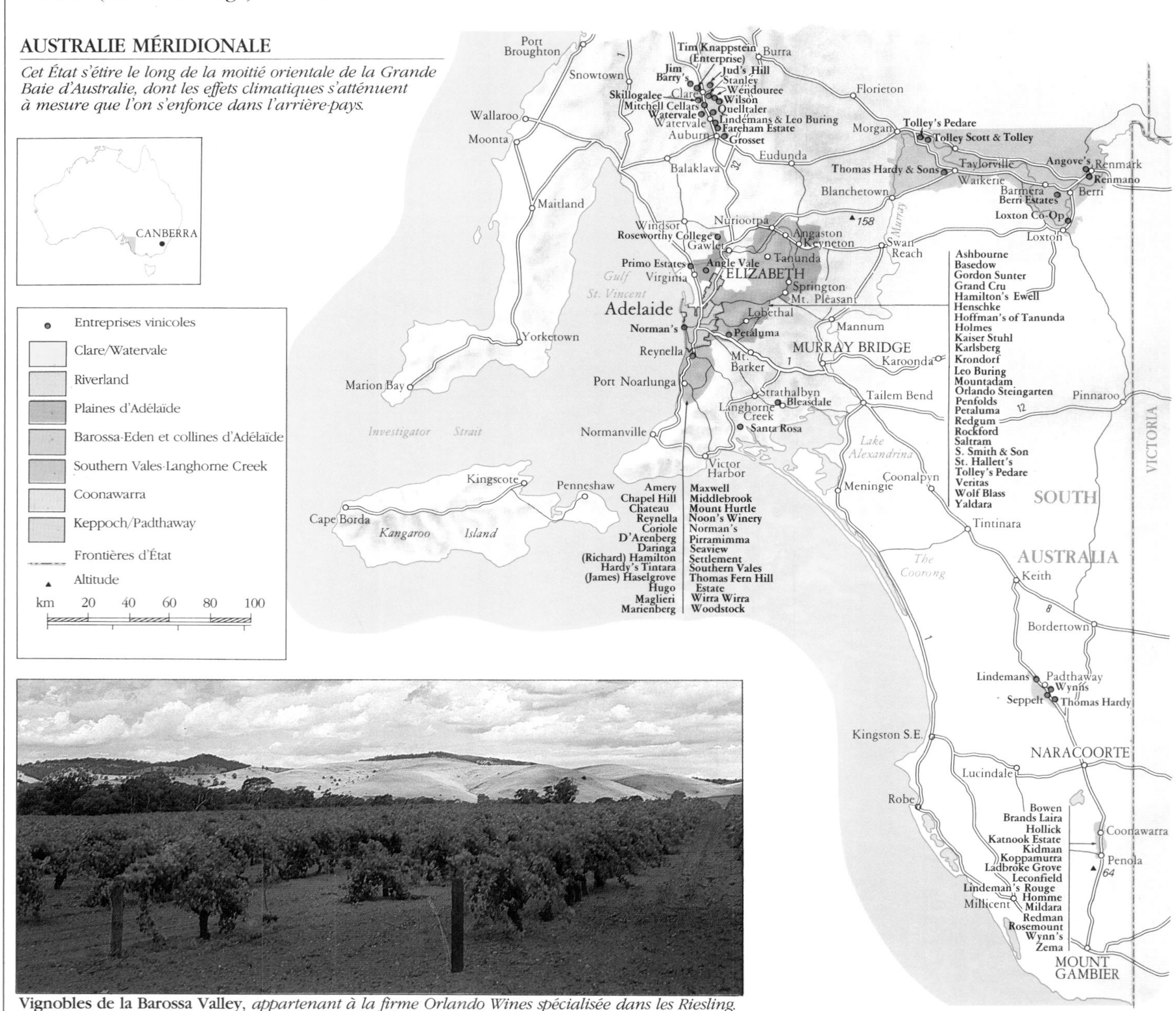

Vignobles de la Barossa Valley, *appartenant à la firme Orlando Wines spécialisée dans les Riesling.*

FACTEURS AFFECTANT LE GOÛT ET LA QUALITÉ

Situation
Partie centrale du sud du pays, que bordent cinq autres États, tandis que la moitié de la Grande Baie d'Australie en dessine la côte.

Climat
Le climat est fort variable, des chaleurs extrêmes du Riverland, où l'on produit une grande quantité de vins en cubitainers, à la fraîcheur relative du Coonawarra, en passant par les grandes chaleurs de la Barossa Valley. Cette région reçoit peu de pluie et la brise marine en réduit encore l'humidité, particulièrement aux alentours d'Adélaïde.

Site
La vigne est installée sur toutes sortes de terrains, de la plaine côtière des alentours d'Adélaïde – et du plat secteur du Riverland intérieur – aux sites divers de la Barossa Valley, où l'on cultive la vigne de 250 mètres à 600 mètres d'altitude.

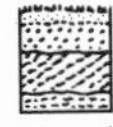

Sol
Les sols sont variés. D'un côté, dans l'Adélaïde et la Riverland, on trouve du limon sablonneux couvert de terre rouge (le *terra rossa*) sur un sous-sol de marne calcaire. De l'autre, dans le Coonawarra, on rencontre une mince couche de calcaire désagrégé couvrant un épais sous-sol de calcaire. Entre ces deux régions s'étendent des couches superficielles de sable, limon et argile sur des sous-sols d'argile et de limon.

Viticulture et vinification
Les méthodes diffèrent selon qu'il s'agit de la production de masse ou de vins de cépage. De grandes entreprises élaborent en grandes quantités les vins francs, bien faits et bon marché, à partir des raisins cultivés dans les vignobles irrigués, à hauts rendements, du Riverland. Certains domaines de la Barossa Valley et des secteurs de Padthaway et Keppoch recourent au chêne neuf pour leurs vins parmi les plus beaux d'Australie.

Cépages
Cabernet Sauvignon, Chardonnay, Crouchen, Doradillo, Frontignan, Grenache, Malbec, Mataro, Merlot, Muscat d'Alexandrie, Palomino, Pedro Ximénez, Pinot noir, Rhine Riesling, Sémillon, Shiraz, Sauvignon blanc, Gewurztraminer, Ugni blanc

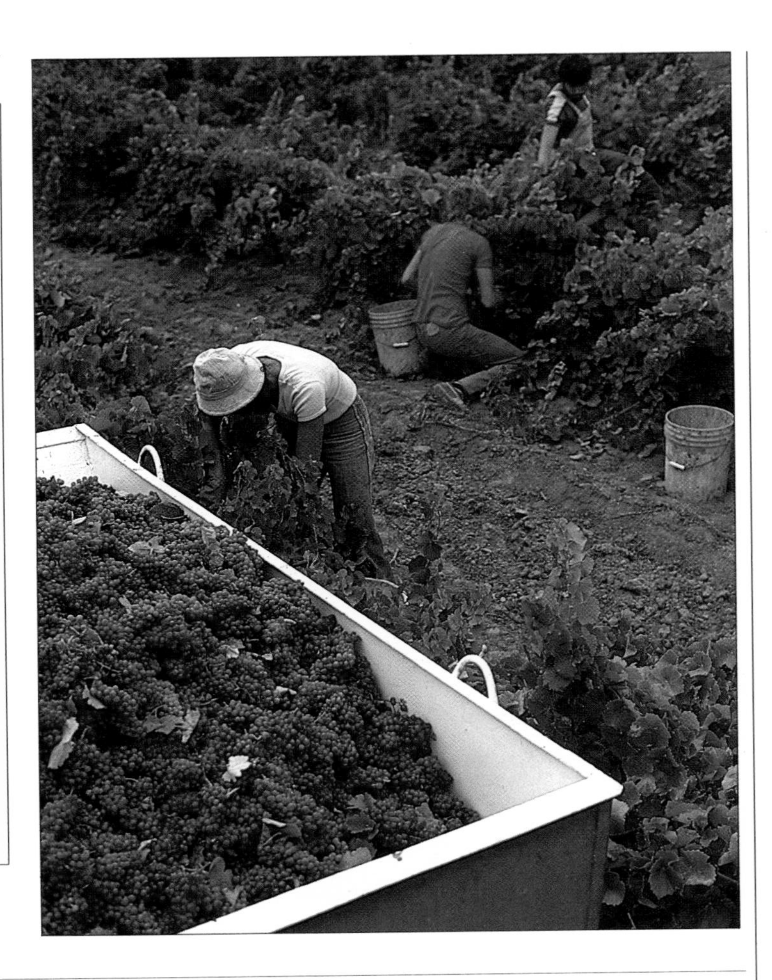

La vendange, dans la Barossa Valley, à droite
Nombre des meilleurs producteurs de vins de cépage ont des intérêts dans la Barossa Valley, la zone viticole la plus importante de l'État.

Les vins d'Australie méridionale

COLLINES D'ADÉLAÏDE

Ce secteur occupe à la fois les collines surplombant Adélaïde, les plaines d'Adélaïde et le McLaren Vale. Il s'inscrit dans la région de Barossa-Eden et des collines d'Adélaïde. Cette région viticole est sans doute l'une de celles qui, au monde, change le plus rapidement, car elle est animée par des vinificateurs inspirés et talentueux. Chardonnay, Rhine Riesling et Cabernet Sauvignon sont les vins de cépage actuellement en expansion, et Petaluma produit des mousseux de méthode champenoise.

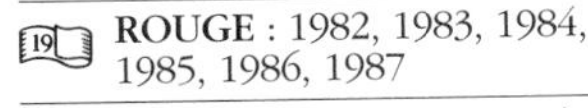

ROUGE : 1982, 1983, 1984, 1985, 1986, 1987

BLANC : 1982, 1983, 1984, 1986, 1987

FAUBOURGS D'ADÉLAÏDE

Cette zone s'est urbanisée au point qu'il n'y reste de vignes que les quelques-unes appartenant à Penfolds. *Voir* Plaines d'Adélaïde.

PLAINES D'ADÉLAÏDE

Les plaines d'Adélaïde (Adelaide Plains) comptent le célèbre vignoble de Magill, source en son temps du fameux « Grande Hermitage ». Les vins exclusivement issus de ses raisins se vendent sous l'étiquette « The Magill Estate ». Par ailleurs, le Cabernet Sauvignon de Gordon Sunter est généralement apprécié.

ROUGE : 1982, 1983, 1984, 1986, 1987

BLANC : 1982, 1983, 1984, 1986, 1987

BAROSSA VALLEY

Ce secteur, compris dans la région de Barossa-Eden et des collines d'Adélaïde, assure la plus importante production de vins de cépage de qualité de l'Australie méridionale. Sous un climat torride et sec, la vigne se cultive surtout sur des terrains plats, entre 240 et 300 m d'altitude. Les vins sont élaborés dans le style australien le plus traditionnel. Aussi est-il étonnant qu'on y plante plus de cépages blancs, notamment de Rhine Riesling, que de noirs. Très large, la gamme des vins blancs s'étend des plus corsés aux plus délicats. Les vignes que l'on trouve à l'altitude de 550 m peuvent donner des vins vivaces, frais et fermes.

ROUGE : 1980, 1982, 1984, 1985, 1986, 1987

BLANC : 1980, 1982, 1984, 1985, 1986, 1987

RÉGION DE BAROSSA-EDEN ET COLLINES D'ADÉLAÏDE

Cette région englobe les secteurs de la Barossa Valley, Keyneton, Springton, de l'Eden Valley et des Collines d'Adélaïde.

CLARE VALLEY

Ce secteur viticole est le plus septentrional de l'Australie méridionale, et il y règne le climat le plus chaud et le plus sec. Nombre de vignobles n'y sont pas irrigués, ce qui explique la faiblesse des rendements. Le Rhine Riesling est le plus important des vins produits par la vallée. Les vins botrytisés ont de la bouche, de la finesse et une douceur de miel. Les Cabernet Sauvignon, souvent en assemblage avec Malbec ou Shiraz, Sémillon et Chardonnay, sont également plaisants.

Les grandes sociétés continuent à produire des vins excellents mais de nouvelles entreprises du style des « boutiques » américaines fleurissent un peu partout.

ROUGE : 1980, 1982, 1984, 1985, 1986, 1987

BLANC : 1980, 1982, 1984, 1985, 1986, 1987

CLARE-WATERVALE

Située à quelque 65 km au nord de Barossa, cette région englobe les secteurs de la Clare Valley et de Watervale. *Voir* rubriques correspondantes.

COONAWARRA

Ce secteur, le plus méridional de l'Australie méridionale, donne aussi son nom à la plus vaste région du Coonawarra, qui englobe la région du Padthaway ou Keppoch dans le nord. Coonawarra, dans la langue des aborigènes, signifie « chèvrefeuille sauvage ». Ce nom, facile à prononcer par des Anglo-Saxons, a donc été choisi par les producteurs lorsqu'ils eurent à commercialiser leurs vins dans d'autres pays anglophones. Les vignes du Coonawarra poussent sur de la terre rouge, la *terra rossa,* couvrant un sous-sol calcaire où le niveau de la nappe phréatique est élevé. La conjugaison entre ce facteur et un climat unique en son genre – la sommation des températures, de 1 205 degrés-jours, est en effet la plus basse du continent australien – donne quelques-uns des Cabernet Sauvignon exceptionnels de l'Australie. Néanmoins, sous la pression des exigences du marché, certaines des grandes sociétés ont tenté d'avancer la cueillette des raisins pour obtenir des vins plus légers.

ROUGE : 1980, 1982, 1984, 1985, 1986, 1987

BLANC : 1980, 1982, 1984, 1985, 1986, 1987

RÉGION DU COONAWARRA

Cette région englobe le Coonawarra et les secteurs de Padthaway/ Keppoch. *Voir* les rubriques Padthaway et Keppoch.

EDEN VALLEY

L'Eden Valley, qui fait partie de la région de Barossa-Eden et des collines d'Adélaïde, possède un sol et un climat analogues à ceux de la Barossa Valley ; on la considère souvent comme partie intégrante de ce secteur parce qu'elle se trouve dans la chaîne dite « Barossa Range ».

KEPPOCH

Keppoch aurait dû être une ville, à quelque 16 km au nord de Padthaway, mais on n'a jamais posé la première pierre ! Le nom de Padthaway est maintenant interchangeable avec celui de Keppoch ; le premier figure plus souvent que le second sur les bouteilles. *Voir* Padthaway.

KEYNETON

Ce secteur est considéré comme appartenant à la Barossa Valley. *Voir* Barossa Valley.

LANGHORNE CREEK

Cette minuscule zone traditionnelle est située sur la Bremer River, à 40 km au sud-est d'Adélaïde, et au nord-ouest, dans l'arrière-pays du lac Alexandrina. Compte tenu d'une maigre pluviosité annuelle de 350 mm, les vignobles y sont irrigués. Cette région viticole est surtout réputée pour ses rouges charnus et ses vins de dessert.

ROUGE : 1980, 1984, 1985 (Cabernet Sauvignon seul, pur ou assemblé avec le Malbec), 1986, 1987

BLANC : 1980, 1982, 1984, 1985, 1986, 1987

McLAREN VALE

Ce secteur, le plus important de la région du Southern Vales-Langhorne Creek, s'étire du sud d'Adélaïde jusqu'au sud du Morphett Vale.

Compte tenu d'une forte pluviosité annuelle de 560 mm, d'une large gamme de sols, dont des sables, limons sablonneux, calcaires, argiles rouges et sols alluviaux divers et de la variété des cépages, on trouve là de fortes potentialités qualitatives dans une gamme très étendue. Il faut sans doute y trouver la raison de la versatilité de ce secteur dont les entreprises vinicoles changent constamment de mains.

Le McLaren Vale produit de robustes rouges à base de Shiraz et Cabernet Sauvignon, souvent en assemblage avec du Merlot, ainsi que quelques vins blancs frais et vivaces, à base de Chardonnay, Sémillon, Sauvignon blanc et Rhine Riesling. On y produit également de beaux vins de dessert.

ROUGE : 1980, 1984, 1985 (Cabernet Sauvignon seul, pur ou assemblé avec du Malbec), 1986, 1987

BLANC : 1980, 1984, 1985, 1986, 1987

PADTHAWAY

Ce secteur de la région du Coonawarra est également connu sous le nom de Keppoch. Il doit presque exclusivement son développement à de grandes sociétés mettant en œuvre de vigoureuses méthodes de marketing. Il serait cependant regrettable qu'elles en viennent à empêcher l'achat de terres par des maisons plus modestes dont les productions de qualité ne manqueront pas, à plus ou moins long terme, de conforter la réputation de la zone dont elles assurent la promotion. À en juger par les étonnants Chardonnay de Lindman et de Hardy, il existe manifestement une affinité entre le Chardonnay et le Padthaway. Sauvignon blanc et Rhine Riesling y sont également excellents, et le Pinot noir s'est montré prometteur, quoi qu'il soit moins régulier.

ROUGE : 1980, 1981, 1982, 1984, 1985 (Cabernet Sauvignon seul, pur ou assemblé avec du Malbec), 1986, 1987

BLANC : 1980, 1982, 1984, 1985, 1986, 1987

POLISH HILL RIVER

Appellation qu'utilisent quelques entreprises vinicoles de la région du Clare Watervale.

RIVERLAND

Les zones viticoles regroupées autour du Murray, en Victoria, ont leur prolongement en Australie méridionale, dans le Riverland. Bien que l'on élabore au Riverland des vins à bon marché, il est rare d'en trouver qui soient mauvais. Cabernet Sauvignon, assemblé ou non avec du Malbec, Chardonnay et Rhine Riesling se comportent bien, pour la production de quelques vins peu chers sous les étiquettes de Berri Estates : « Angove's » et « Renmano ».

ROUGE : 1980, 1981, 1982, 1984, 1985 (Cabernet Sauvignon seul, pur ou assemblé avec du Malbec), 1986, 1987

BLANC : 1980, 1982, 1984, 1985, 1986, 1987

SOUTHERN VALES

Voir McLaren Vale.

SOUTHERN VALES-LANGHORNE CREEK

Cette région englobe les secteurs des McLaren Vale et Langhorne Creek. *Voir* les rubriques concernant chacun d'eux.

SPRINGTON

Ce secteur de la région de Barossa-Eden et des collines d'Adélaïde est situé juste au sud de l'Eden Valley. Certains le placeraient volontiers dans les collines d'Adélaïde, ce qui souligne la nécessité d'un système d'appellation. Les vins produits sont de bonne qualité, particulièrement les Shiraz.

WATERVALE

Formant la moitié méridionale du Clare-Watervale, ce secteur est connu pour ses Shiraz et Cabernet Sauvignon. Lindeman et Jim Barry commercialisent certains de leurs vins sous l'étiquette Watervale, et Mount Horrocks y élabore un excellent Rhine Riesling.

ROUGE : 1980, 1982, 1984, 1985, 1986, 1987

BLANC : 1980, 1982, 1984, 1985, 1986, 1987

Principales entreprises vinicoles d'Australie méridionale

ANGOVE'S

Bookmark Avenue
Renmark, SA 5341

Date de création : *1886*

Angove's est essentiellement réputé pour deux vins : son « Tregrehan Claret », du nom d'un domaine de Cornouailles ayant appartenu à un ancêtre de la famille Angove, et le « Bookmark Riesling ». Ce sont de bons vins commerciaux, mais l'entreprise en produit de bien meilleurs, avec un vaste choix de rouges solides et ayant de la bouche, et de blancs très frais et légers.

☆ Chardonnay, Cabernet Sauvignon

JIM BARRY'S WINES

Main North Road, Clare, SA 5453

Production : *24 000 caisses*
Vignobles : *45 ha de Chardonnay, Sauvignon blanc, Rhine Riesling, Cabernet Sauvignon, Malbec et Merlot*
Date de création : *1974*

Selon Jim Barry, les méthodes de vinification utilisées dans son entreprise par ses fils Mark et Peter et lui-même sont « un passionnant amalgame entre sa sagesse d'homme mûr et l'enthousiasme novateur de ses fils ».

☆ Rhine Riesling de Lodge Hill, Porto Vintage « Sentimental Bloke »

BASEDOW WINES

161-165 Murray Street
Tanunda, SA 5352

Production : *30 000 caisses*
Date de création : *1896*

Cette petite propriété produisant quelques vins fins est en progrès.

☆ Chardonnay, Cabernet Sauvignon, Merlot, Cabernet franc

BERRI ESTATES

Sturt Highway
Glossop, SA 5344

Production : *2,4 millions de caisses*
Vignobles : *2 100 ha de Muscadelle, Cabernet Sauvignon, Mataro, Grenache, Rhine Riesling, Pedro Ximénez, Chardonnay, Palomino, Doradillo, Syrah, Colombard, Crouchen et Muscat*
Date de création : *1922*

Groupe de coopératives produisant des vins d'une qualité surprenante compte tenu de leur prix modique. Confronté à des vins deux à trois fois plus chers, le Cabernet Sauvignon a triomphé.

☆ Cabernet Sauvignon, Cabernet Shiraz, Porto « Fine Old Tawny », vins en vrac

WOLF BLASS WINES

Sturt Highway, Nuriootpa, SA 5355

Production : *330 000 caisses*
Vignobles : *57 ha de Cabernet Sauvignon, Syrah, Merlot et Rhine Riesling*
Date de création : *1980*

Cette entreprise produit une large gamme de vins et remporte un grand nombre de médailles.

☆ Rhine Riesling *Spätlese* « Grey Label », Cabernet Sauvignon « Grey Label », Hermitage « Yellow Label », Cabernet Shiraz « Shareholders » Reserve, Cabernet Sauvignon Shiraz « Black Label »

BLEASDALE VINEYARDS
Langhorne Creek, SA 5255

Production : ***42 000 caisses***
Vignobles : ***50 ha de Cabernet Sauvignon, Syrah, Malbec, Merlot, Grenache, Verdelho, Palomino, Rhine Riesling, Doradillo et Chardonnay***
Date de création : ***1850***

Producteur traditionnel élaborant des vins avantageux. Sur l'étiquette de son Porto figure le pressoir qu'avait fabriqué le fondateur, Frank Potts, et sur celle du Shiraz-Cabernet Sauvignon, on peut voir le navire sur lequel il arriva en Australie.

☆ Cabernet Sauvignon, Shiraz-Cabernet Sauvignon

BOWEN ESTATE
Penola-Naracoorte Road
Coonawarra, SA 5263

Production : ***4 000 caisses***
Vignobles : ***12 ha de Cabernet Sauvignon, Syrah, Rhine Riesling, Merlot et Chardonnay***
Date de création : ***1975***

Vins exceptionnels élaborés par Doug Bowen.

☆ Cabernet Sauvignon, Shiraz

BRANDS LAIRA
Main Highway
Coonawarra, SA 5263

Production : ***10 500 caisses***
Vignobles : ***28 ha de Cabernet Sauvignon, Syrah, Merlot, Malbec, Chardonnay, Rhine Riesling et Cabernet franc***
Date de création : ***1965***

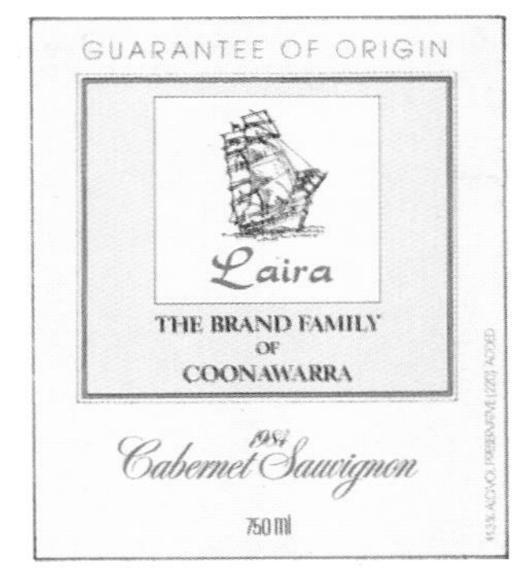

Spécialiste de vins rouges produisant régulièrement des vins de charpente classique, vieillissant bien.

☆ Shiraz, Cabernet Sauvignon, Original Vineyard Shiraz, Cabernet Malbec

CHÂTEAU REYNELLA
Reynell Road
Reynella, SA 5161

Production : ***45 000 caisses***
Vignobles : ***54 ha***
Date de création : ***1838***

Cette maison ancienne est également connue sous le nom de « Reynella Winery ». On y élabore et stocke séparément les vins, qui sont fort beaux. Le Porto Vintage est exceptionnel.

☆ Cabernet Sauvignon, Vintage Port, Vintage Reserve Chablis

CORIOLE
Chaffeys Road
McLaren Vale, SA 5171

Production : ***9 000 caisses***
Vignobles : ***22 ha de Cabernet Sauvignon, Syrah, Chenin blanc, Rhine Riesling, Grenache et Pinot noir***
Date de création : ***1968***

Petite gamme de vins généralement de belle qualité. On y favorise plutôt la production des vins rouges.

☆ French Oak Shiraz Cabernet « Special » Burgundy

D'ARENBERG WINES
Osborn Road
McLaren Vale, SA 5171

Production : ***60 000 caisses***
Vignobles : ***78 ha de Cabernet Sauvignon, Syrah, Mataro, Grenache, Palomino, Chenin blanc, Chardonnay, Sauvignon blanc, Doradillo et Rhine Riesling***
Date de création : ***1928***

Entreprise sérieuse et bien installée, produisant une gamme très traditionnelle.

☆ Shiraz, Selected Port, White Muscat of Alexandria

RICHARD HAMILTON
Willunga Vineyards
Main South Road
Willunga, SA 5172

Production : ***17 000 caisses***
Vignobles : ***45 ha de Cabernet franc, Cabernet Sauvignon, Chardonnay, Rhine Riesling, Sauvignon blanc et Sémillon***
Date de création : ***1971***

Le Dr Richard Hamilton produit une gamme éclectique mais intéressante de vins blancs. Son Fumé Blanc est de loin le meilleur.

☆ Fumé Blanc

HARDY'S
Thomas Hardy & Sons
Reynell Road
Reynella, SA 5161

Production : ***2 millions de caisses***
Vignobles : ***440 ha de Cabernet Sauvignon, Chardonnay, Gewurztraminer, Malbec, Pinot noir, Rhine Riesling et Syrah***
Date de création : ***1853***

Cette importante société, propriétaire de Houghton et du Château Reynella, a acheté, en 1987, la Stanley Wine Company. Elle produit, en volumes considérables, une large gamme de vins de tous styles et qualités, et notamment d'exceptionnels vins élevés en fût. Son rachat de la Stanley Wine Company, ainsi que sa réussite commerciale pour les vins élevés en fût lui assurent maintenant une partie significative du marché. La série des vins vendus sous l'étiquette « Hardy Collection » est celle qui remporte le plus de succès. Les « Nottage Hill Claret » et « Vintage Port », de facture traditionnelle, sont exceptionnels.

☆ « The Hardy Collection » (Padthaway Chardonnay, Padthaway Fumé Blanc, Padthaway Rhine Riesling *Beerenauslese*), « Early Bird White », Nottage Hill Claret, « Reserve Bin » Show Port, Siegersdorf Rhine Riesling, Vintage Port

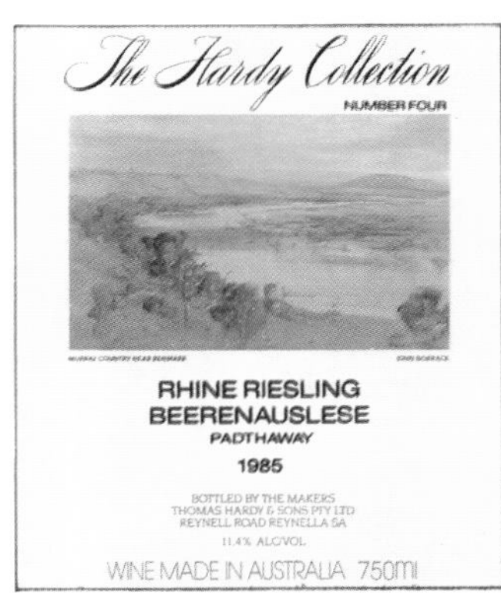

HEGGIES
Voir S. Smith & Son.

HENSCHKE CELLARS
Moculta Road
Keyneton, SA 5353

Production : ***30 000 caisses***
Vignobles : ***80 ha***
Date de création : ***1868***

Une des plus anciennes entreprises d'Australie, dont les vins fermes et bien charpentés sont généralement de très haute qualité.

☆ Cyril Henschke Cabernet Sauvignon, Hill of Grace, Mount Edelstone, Sémillon Wood-Matured, Gewurztraminer, Rhine Riesling *Auslese*

KATNOOK ESTATE
Penola Road
Coonawarra, SA 5263

Production : ***83 000 caisses***
Vignobles : ***560 ha de Cabernet Sauvignon, Syrah, Pinot noir, Merlot, Rhine Riesling, Chardonnay et Sauvignon***
Date de création : ***1979***

Sur la production de ce grand domaine, seules 15 000 caisses sont étiquetées « Katnook Estate » ou « Riddoch Estate ». Les meilleurs d'entre les vins produits sont commercialisés sous la première étiquette. Leur qualité est élevée, parfois exceptionnelle.

☆ Sauvignon blanc, Rhine Riesling, Chardonnay, Pinot noir, Cabernet Sauvignon

TIM KNAPPSTEIN ENTERPRISE WINES
2 Pioneer Avenue
Clare, SA 5453

Production : ***20 000 caisses***
Vignobles : ***42 ha de Rhine Riesling, Gewurztraminer, Sauvignon blanc, Chardonnay, Cabernet Sauvignon, Cabernet franc, Merlot et Pinot noir***
Date de création : ***1976***

Tim Knappstein remporta une médaille d'or en 1964, en fin d'études œnologiques au collège vinicole de Roseworthy. Il fut maître de chai pour la Stanley Wine Company lorsque celle-ci appartenait à sa famille. À l'époque, il ne reçut pas moins de 500 distinctions pour la gamme « Leasingham ». Son entreprise élabore des vins de haute qualité.

☆ Cabernet Sauvignon, Cabernet Shiraz, Rhine Riesling.

KRONDORF WINERY
Krondorf Road
Tanunda, SA 5352

Production : ***200 000 caisses***
Vignobles : ***72 ha de Cabernet Sauvignon, Chardonnay, Crouchen, Gewurztraminer, Muscat, Rhine Riesling, Sauvignon blanc, Sémillon et Syrah***
Date de création : ***1978***

Large gamme de vins d'une extrême finesse, dont la meilleure étiquette est sans conteste « Burge and Wilson », d'après les noms des deux fondateurs qui ont fait la réputation de cette entreprise avant de la vendre en 1986.

☆ « Burge and Wilson » (Chardonnay, Eden Valley Rhine Riesling, Barossa Valley Cabernet Sauvignon), Chardonnay, Cabernet Sauvignon et Cabernet franc

MARIENBERG WINERY
Black Road
Coromandel Valley, SA 5051

Production : ***15 000 caisses***
Vignobles : ***18 ha de Cabernet Sauvignon, Pinot noir, Sémillon, Rhine Riesling, Sauvignon blanc, Syrah et Chenin blanc***
Date de création : ***1968***

Les vins sont élaborés par Ursula Pridham, l'éminent vinificateur australien, dont le portrait figure sur toutes les étiquettes. Elle se spécialise surtout dans la production de petites quantités de vins rouges, ses meilleurs vins.

☆ Limited Release Shiraz

NORMAN'S WINE ESTATE
Grants Gully Road
Clarendon, SA 5157

Production : ***60 000 caisses***
Vignobles : ***60 ha de Pinot noir, Chardonnay, Sauvignon blanc, Cabernet Sauvignon, Merlot, Rhine Riesling, Chenin blanc et Syrah***
Date de création : ***1851***

La famille Norman produit une large gamme de vins, régulièrement bons, issus de ses vignobles. Ceux-ci se trouvent dans les plaines d'Adélaïde et à Clarendon, dans les collines d'Adélaïde. Ses vins sont occasionnellement issus de raisins achetés dans diverses zones.

☆ Adelaide Plains Pinot noir, Coonawarra Cabernet Sauvignon, Evanston Estate - Barossa Chardonnay, Barossa Valley Sauvignon Blanc Fumé, « Norman's Conquest » Brut

ORLANDO WINES
Barossa Valley Highway
Rowland Flat, SA 5352

Production : ***3 millions de caisses***
Vignobles : ***50 ha de Sémillon, Syrah, Rhine Riesling, Gewurztraminer et Chardonnay***
Date de création : ***1847***

Cette entreprise est la propriété de la multinationale Reckitt & Colman. Ses installations de Wickham Hill, en Nouvelle-Galles du Sud, sont conçues pour la production en vrac de vins ordinaires. Néanmoins, la maison commercialise en quantités limitées des versions plus fines de Sémillon et de Shiraz. Si les Rhine Riesling Orlando proviennent du vignoble de Steingarten, la plupart sont fournis par l'entreprise de Rowland Flat.

☆ Steingarten Rhine Riesling, Jacobs Creek Rhine Riesling, « St. Helga » Rhine Riesling, « RF » Chardonnay, « RF » Cabernet Sauvignon, « St. Hugo » Cabernet Sauvignon

PENFOLDS WINES
Tanunda Road
Nuriootpa, SA 5355

Production : ***1,8 million de caisses***
Vignobles : ***600 ha de Syrah, Cabernet Sauvignon, Chardonnay, Riesling et Gewurztraminer***
Date de création : ***1844***

Nombreux sont ceux qui considèrent le superbe Grange Hermitage de Penfolds comme le vin le plus fin d'Australie. C'est du moins le plus célèbre.

En théorie, le Grange était issu de Magill, un petit vignoble situé aux confins orientaux d'Adélaïde, mais la quantité de Shiraz utilisée pour élaborer ce vin ayant varié entre 15 et 70 %, des raisins complémentaires provenaient de Kalimna, Clare et Koonunga. En 1982, une grande partie du vignoble de Magill a été vendue pour laisser place à l'urbanisation. Le Grange Hermitage n'est donc plus depuis élaboré avec ses raisins et le vignoble ne produit plus que des vins sous l'étiquette « Magill Estate ».

Le Grange Hermitage n'en reste pas moins l'un des plus grands vins d'Australie. Il s'agit d'un assemblage remarquablement équilibré, à base de Shiraz, dans lequel on ajoute, certaines années, un peu de Cabernet Sauvignon. Ce vin, de fait, a plus un goût de Cabernet Sauvignon que de Shiraz. Son caractère puissant, ample et néanmoins réservé, s'allie à une grande finesse.

Le vin étiqueté « The Magill Estate » fait montre d'un autre style. Il offre une robe soutenue et un palais intense, mais il est plus facile d'accès que le Grange Hermitage. Malgré son prix relativement élevé pour un vin australien, il faut le considérer comme une affaire intéressante car il coûte moitié moins cher que le Grange Hermitage.

Les deux autres vins classés en tête de la gamme Penfolds sont le St. Henri Claret, à base de Shiraz et Cabernet Sauvignon – et dont il arrive, à mon goût, qu'il manque un peu de générosité –, et l'étonnant « Cabernet Sauvignon Bin 707 ».

☆ Bin 128 Coonawarra Shiraz, Cabernet Sauvignon Bin 707, Kalimna Shiraz Bin 28, Grange Hermitage, The Magill Estate

PETALUMA
Crafers, SA 5152

Production : ***26 000 caisses***
Vignobles : ***125 ha de Rhine Riesling, Chardonnay, Sauvignon blanc, Sémillon, Pinot, Cabernet Merlot, Malbec et Cabernet franc***
Date de création : ***1979***

Si le vin d'assemblage à base de Shiraz Grange Hermitage de Penfolds est généralement apprécié comme le plus fin des vins australiens, l'entreprise vinicole la mieux considérée d'Australie est sans doute Petaluma. La raison tient probablement au fait que le « plus petit » de ses vins est proche de la perfection.

☆ Croser méthode champenoise, Rhine Riesling, Botrytis Rhine Riesling, Chardonnay, Coonawarra

PEWSEY VALE
Voir S. Smith & Son.

PIRRAMIMMA
Johnston Road
McLaren Vale, SA 5171

Production : ***36 000 caisses***
Vignobles : ***55 ha de Rhine Riesling, Pedro Ximénez, Palomino, Cabernet Sauvignon, Cabernet franc, Merlot, Syrah et Grenache***
Date de création : ***1892***

Entreprise vinicole ancienne effectuant néanmoins des progrès rapides.

☆ Cabernet Sauvignon, Vintage Port

QUELLTALER WINES
Watervale, SA 5452

Production : ***90 000 caisses***
Vignobles : ***180 ha de Rhine Riesling, Sémillon, Sauvignon blanc, Chenin blanc, Chardonnay, Syrah et Cabernet franc***
Date de création : ***1910***

Devenue la propriété de Rémy Martin, cette affaire est devenue moins importante, mais le vinificateur alsacien Michel Dietrich élabore des vins superbes.

☆ Quelltaler Estate (Rhine Riesling, Cachet Blanc, Noble Rhine Riesling, Noble Sémillon), Wood-Aged Sémillon

RENMANO WINES
Renmark Avenue
Renmark, SA 5341

Production : ***1,2 million de caisses***
Vignobles : ***900 ha de Chenin blanc, Malbec, Cabernet Sauvignon, Rhine Riesling, Chardonnay, Palomino, Syrah, Colombard, Crouchen, Gordo, Sauvignon blanc, Sémillon, Ugni blanc, Merlot et Ruby Cabernet***
Date de création : ***1914***

Les vins de Renmano, appartenant à la firme Berri Estates, sont extraordinairement avantageux, notamment ceux qui portent l'étiquette « Chairman's Selection » et les vins élevés en fût.

☆ « Chairman's Selection » (Cabernet Sauvignon, Rhine Riesling), Old Tawny Port, Wine Casks

ROUGE HOMME
Coonawarra, SA 5263

Vignobles : ***60 ha de Cabernet Sauvignon, Chardonnay, Malbec, Pinot noir, Rhine Riesling et Syrah***
Date de création : ***1908***

Bien que cette affaire appartienne depuis 1965 au trust Lindeman's, on y a préservé l'intégrité des vins. L'étiquette, qui peut paraître désuète et voyante, s'applique aux plus beaux vins du Coonawarra.

☆ *Auslese* Rhine Riesling, Coonawarra Claret, Coonawarra Cabernet Sauvignon, Coonawarra Chardonnay

SALTRAM WINERY
Angaston Road
Angaston, SA 5353

Production : ***500 000 caisses***
Vignobles : ***25 ha de Cabernet Sauvignon, Chardonnay, Malbec, Merlot, Rhine Riesling et Sémillon***
Date de création : ***1859***

Cette importante entreprise, fondée par l'Anglais William Salter, a été rachetée en 1979 par le groupe géant Seagram du Canada.

☆ Pinnacle (Gewurztraminer, Coonawarra *Auslese* Rhine Riesling, Show Tawny Port, Amontillado Sherry, Old Liqueur Muscat)

SEAVIEW WINERY
Chaffeys Road
McLaren Vale, SA 5171

Vignobles : ***190 ha de Cabernet Sauvignon, Rhine Riesling, Syrah, Sémillon et Sauvignon blanc***
Date de création : ***1850***

Fait partie du groupe de sociétés Penfolds.

☆ Cabernet Sauvignon, « Edmond Mazure »

SEPPELT
181 Flinders Street
Adelaide, SA 5000

Production : ***2,5 millions de caisses***
Vignobles : ***2 000 ha de Cabernet Sauvignon, Chardonnay, Chasselas, Doradillo, Gewurztraminer, Grenache, Muscadelle, Odenc, Palomino, Pinot noir, Syrah, Sylvaner, Rhine Riesling et Touriga***
Date de création : ***1852***

Les vins sont produits en énormes quantités et l'entreprise présente une gamme ahurissante d'étiquettes. Comme tant de gros producteurs d'Australie, cette maison s'adjuge plus que sa part de vins médaillés.

☆ Chardonnay, Chardonnay/Sauvignon blanc, DP117 Show Fino Flor Sherry, DP90 Tawny Port, *Auslese* Rhine Riesling, Late Harvest Rhine Riesling *Beerenauslese*, Great Western Show Champagne.

S. SMITH & SON
Yalumba Winery, Eden Valley Road
Angaston, SA 5353

Production : ***720 000 caisses***
Vignobles : ***565 ha de Rhine Riesling, Sémillon, Chardonnay, Pinot noir, Viognier, Cabernet franc, Merlot, Pinot meunier, Malbec, Syrah, Gewurztraminer, Sauvignon blanc et Cabernet Sauvignon***
Date de création : ***1849***

La gamme offre des vins de styles différents, classés en quatre catégories : vins étiquetés « Yalumba » élaborés hors domaine, mais comprenant quelques spécimens de qualité ; vins originaires du domaine familial ; « Pewsey Vale » et « Heggies » pour les vins issus de raisins cultivés en altitude sous climat frais.

☆ Heggies (Rhine Riesling, Botrytis Affected Late Harvest) Pewsey Vale (Rhine Riesling), Cabernet Sauvignon LDR, Hill Smith Estate (Wood Matured Sémillon, Autumn Harvest Botrytis Affected Sémillon) Yalumba (« Angus » Brut, « Carte d'Or » Rhine Riesling, « Thoroughbred Series » Vintage Port)

SOUTHERN VALES WINERY
151 Main Road
McLaren Vale, SA 5171

Production : ***24 000 caisses***
Date de création : ***1901***

The Southern Vales Cooperative Winery, l'entreprise d'origine, fut touchée par des difficultés financières. Le milliardaire George Lau, de Hong Kong, racheta l'affaire en 1982. Les vins de qualité convenable ne se sont pas, jusqu'à présent, montrés exceptionnels. Le Cabernet Sauvignon et le Tatachilla Fine Old Tawny Port sont les plus réussis.

STANLEY WINE COMPANY
7 Dominic Street
Clare, SA 5453

Production : *2 millions de caisses*
Vignobles : *230 ha de Rhine Riesling, Cabernet Sauvignon, Malbec, Syrah, Gewurztraminer, Sauvignon blanc, Chardonnay, Muscadelle, Crouchen et Pedro Ximénez*
Date de création : *1893*

La plupart de ces vins se vendent sous l'étiquette « Leasingham ». C'est au temps de la famille Knappstein, alors propriétaire, qu'a été créée cette gamme. Sous la conduite du maître de chai, Tim Knappstein, ces vins ont remporté 500 distinctions, dont 120 médailles d'or. Les meilleurs d'entre eux se commercialisent dans le cadre de la « Winemakers Selection », sélection des maîtres de chai. Hardy's a racheté la maison en décembre 1987.

☆ Gewurztraminer « Winemakers Selection », Leasingham (Cabernet « Bin 49 », Cabernet-Malbec « Bin 56 »), Rhine Riesling « Bin 7 », Watervale-Coonawarra Shiraz-Cabernet

TOLLANA WINES/ TOLLEY SCOTT & TOLLEY
Tanunda Road
Nuriootpa, SA 5355

Production : *750 000 caisses*
Vignobles : *560 ha*
Date de création : *1888*

Jadis produits sur le domaine, nombre des vins sont maintenant issus de raisins provenant de divers endroits. Leur qualité en reste très bonne.

☆ McLaren Vale Chardonnay, *Beerenauslese*, Eden Valley Rhine Riesling

TOLLEY'S PEDARE WINES
30 Barracks Road
Hope Valley, SA 5090

Production : *250 000 caisses*
Vignobles : *177 ha de Cabernet Sauvignon, Pinot noir, Merlot, Malbec, Gewurztraminer, Chardonnay, Sémillon, Rhine Riesling, Chenin blanc, Sauvignon blanc, Muscadelle, Muscat et Sylvaner*
Date de création : *1893*

Cette grande entreprise privée élabore des vins élégants et bénéficie des conseils de Tony Jordan et Brian Crose.

☆ Chablis, Fumé Blanc, Pinot noir

WYNNS
Memorial Drive
Coonawarra, SA 5263

Production : *450 000 caisses*
Vignobles : *600 ha de Touriga, Syrah et Rhine Riesling*
Date de création : *1891*

Autrefois très apprécié, le Cabernet Sauvignon de Coonawarra n'a plus le même succès depuis que cette entreprise a adopté, au début des années 70, un style plus herbacé. Cependant, elle élabore encore de beaux vins, notamment un Hermitage et un Chardonnay.

☆ Coonawarra (Cabernet Sauvignon, Chardonnay, Hermitage), High Eden (Rhine Riesling), « John Riddoch » Cabernet Sauvignon

YALUMBA
Voir S. Smith & Son.

Les meilleures autres entreprises

AMERY VINEYARDS (KAY BROS.)
Kays Road
McLaren Vale, SA 5171

Production : *12 000 caisses*
Vignobles : *7 ha de Gewurztraminer, Pinot noir et Sauvignon blanc*
Date de création : *1890*

☆ Liqueur Muscat

ASHBOURNE WINE CO.
2 Gilpin Lane
Mitcham, SA 5062

Production : *1 500 caisses*
Vignobles : *6 ha de Cabernet, Merlot, Chardonnay et Riesling*
Date de création : *1980*

☆ Coonawarra Cabernet Sauvignon, Coonawarra Rhine Riesling

CHAPEL HILL WINERY
Chapel Hill Road
McLaren Vale, SA 5171

Production : *2 000 caisses*
Vignobles : *8 ha de Rhine Riesling, Chardonnay, Cabernet Sauvignon, Syrah et Grenache*
Date de création : *1979*

☆ Chapel Hill Shiraz, Muscat de Fleurieu

DENNIS DARINGA CELLARS
McLaren Vale, SA 5171

Production : *6 000 caisses*
Vignobles : *20 ha de Syrah, Cabernet Sauvignon, Sauvignon blanc, Chardonnay et Muscat*
Date de création : *1972*

☆ Sauvignon Blanc, Chardonnay, Cabernet Sauvignon

FAREHAM ESTATE
Main North Road, Watervale, SA 5452

Production : *2 000 caisses*
Date de création : *1976*

☆ Sauvignon blanc, Cabernet Sauvignon

GORDON SUNTER WINES
P.O. Box 658
Gawler, SA 5118

Production : *3 000 caisses*
Date de création : *1982*

☆ Cabernet Sauvignon

JEFFREY GROSSET WINES
King Street
Auburn, SA 5451

Production : *3 500 caisses*
Date de création : *1981*

☆ Polish Hill Rhine Riesling, Watervale Rhine Riesling, Cabernet Sauvignon/Cabernet franc blend

JAMES HASELGROVE WINES
Foggo Road
McLaren Flat, SA 5171
(Caves à Coonawarra et McLaren Flat)

Production : *7 000 caisses*
Vignobles : *16 ha de Rhine Riesling, Gewurztraminer, Chardonnay, Cabernet Sauvignon, Syrah et Malbec*
Date de création : *1981*

☆ Rhine Riesling, Traminer Riesling, *Auslese* Rhine Riesling, Coonawarra Cabernet Sauvignon, Méthode champenoise Brut

HOFFMANS OF TANUNDA
Para Road, North Para
Via Tanunda, SA 5352

Production : *30 000 caisses*
Vignobles : *Cabernet Sauvignon, Rhine Riesling, Syrah et Muscat*
Date de création : *1847*

☆ Sternagel *Auslese* Rhine Riesling, Old Tawny Port

HOLLICK WINES
Racecourse Road
Coonawarra, SA 5263

Production : *6 000 caisses*
Vignobles : *10 ha de Cabernet Sauvignon, Cabernet franc, Merlot, Pinot noir, Rhine Riesling et Chardonnay*
Date de création : *1983*

☆ Rhine Riesling, Cabernet Sauvignon

HOLMES
Main Street
Springton, SA 5235

Production : *1 500 caisses*
Vignobles : *15 ha de Rhine Riesling, Cabernet Sauvignon, Syrah et Pinot noir*
Date de création : *1976*

☆ Shiraz

HUGO WINERY
Elliott Road
McLaren Flat, SA 5171

Production : *1 200 caisses*
Vignobles : *15 ha*
Date de création : *1980*

☆ Muscat of Alexandria

JUD'S HILL
P.O. Box 128
Stepney, SA 5069

Production : *12 000 caisses*
Vignobles : *33 ha de Cabernet Sauvignon, Cabernet franc, Merlot, Rhine Riesling et Malbec*
Date de création : *1977*

☆ Clare Rhine Riesling, Clare Cabernet Sauvignon, Clare/Keppoch Cabernet Malbec

KAISER STUHL WINES
Sturt Highway
Nuriootpa, SA 5355

Production : *1,8 million de caisses*
Vignobles : *600 ha de Syrah, Rhine Riesling et Cabernet Sauvignon*
Date de création : *1912*

☆ « Green Ribbon » Rhine Riesling, « Red Ribbon » Shiraz

KARLSBURG ESTATE
Gomersal Road
Lyndoch, SA 5351

Production : *7 000 caisses*
Vignobles : *32 ha de Chardonnay, Sauvignon blanc, Syrah et Cabernet Sauvignon*
Date de création : *1972*

☆ Pinot noir

KIDMAN WINERY
Coonawarra, SA 5263

Production : *4 000 caisses*
Vignobles : *52 ha de Cabernet Sauvignon, Syrah et Rhine Riesling*
Date de création : *1971*

☆ Rhine Riesling

KOPPAMURRA
Joanna via Naracoorte, SA 5271

Production : *2 000 caisses*
Vignobles : *11 ha*
Date de création : *1974*

☆ Cabernet Merlot, Cabernet Sauvignon

LADBROKE GROVE WINES
Millicent Road
Penola, SA 5277

Production : *1 200 caisses*
Date de création : *1982*

☆ Rhine Riesling, Late Picked Rhine Riesling, Cabernet Sauvignon

LECONFIELD
Penola-Naracoorte Road
Coonawarra, SA 5263

Production : *5 000 caisses*
Vignobles : *30 ha de Cabernet Sauvignon, Merlot, Riesling, Chardonnay et Cabernet franc*
Date de création : *1974*

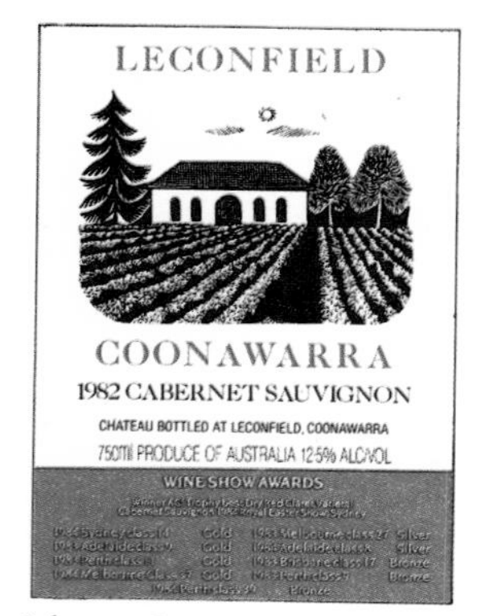

☆ Cabernet Sauvignon

MAGLIERI WINES
13 Douglas Gully Road
McLaren Flat, SA 5171

Production : *36 000 caisses*
Vignobles : *36 ha de Cabernet Sauvignon, Rhine Riesling, Syrah et Grenache*
Date de création : *1972*

☆ Rhine Riesling

MAXWELL WINES
24 Kangarilla Road
McLaren Vale, SA 5171

Production : *5 000 caisses*
Date de création : *1979*

☆ Cabernet Shiraz

MIDDLEBROOK WINERY
Sand Road
McLaren Vale, SA 5171

Production : *36 000 caisses*
Date de création : *1880*

☆ Chardonnay Highcrest Shiraz

MOUNT HURTLE (GEOFF MERRILL)
Cnr. Pimpala & Byards Road
Reynella, SA 5171

Production : *18 000 caisses*
Date de création : *1983*

☆ Sémillon, Cabernet Sauvignon

MOUNTADAM VINEYARD
High Eden Road, High Eden Ridge
Eden Valley, SA 5235

Production : *12 000 caisses*
Vignobles : *40 ha de Chardonnay, Cabernet, Rhine Riesling et Pinot noir*
Date de création : *1970*

☆ Chardonnay

NOON'S WINERY
Rifle Range Road
McLaren Vale, SA 5171

Production : *1 500 caisses*
Vignobles : *3 ha de Grenache*
Date de création : *1976*

☆ Shiraz Grenache, Shiraz Cabernet, Burgundy, Claret

PRIMO ESTATE WINES
Old Port Wakefield Road
Virginia, SA 5120

Production : *12 000 caisses*
Vignobles : *21 ha de Cabernet Sauvignon, Syrah, Rhine Riesling, French Colombard, Sauvignon blanc, Chardonnay et Sémillon*
Date de création : *1979*

☆ Sauvignon Blanc Fumé Style, Chardonnay, Botrytis Riesling *Auslese*, Double Pruned Cabernet Sauvignon

THE REDGUM VINEYARD
Barossa Valley Highway
Lyndoch, SA 5351

Production : *27 000 caisses*
Vignobles : *60 ha de Chardonnay, Sauvignon blanc, Sémillon, Rhine Riesling, Gewurztraminer, Muscadelle, Sercial, Pedro Ximénez, Cabernet Sauvignon, Cabernet franc, Syrah et Grenache*
Date de création : *1969*

☆ Kies Lyndoch Hills Rhine Riesling *Auslese*

ROCKFORD WINES
Krondorf Road
Tanunda, SA 5352

Production : *3 000 caisses*
Vignobles : *Rhine Riesling*
Date de création : *1984*

☆ Sauvignon blanc, *Spatlese* White Frontignan

ROSEWORTHY COLLEGE CELLARS
Roseworthy, SA 5371

Production : *8 500 caisses*
Vignobles : *8 ha de Syrah, Pedro Ximénez, Sauvignon blanc, Rhine Riesling, Colombard, Chenin blanc, Chardonnay, Sultana, Ruby Cabernet, Mondeuse, Cabernet Sauvignon, Carignan, Grenache et Cabernet franc*
Date de création : *1936*

☆ Eden Valley (Rhine Riesling, Chardonnay)

SANTA ROSA WINES
Winery Road
Currency Creek, SA 5214

Production : *15 000 caisses*
Vignobles : *12,5 ha de Sauvignon blanc, Sémillon, Pinot noir, Riesling, Syrah, Cabernet Sauvignon et Chardonnay*
Date de création : *1968*

☆ Wood Aged Sémillon, Sauvignon blanc, Chardonnay Chablis, Deer Park Late Harvest Rhine Riesling

THE SETTLEMENT WINE CO.
Settlement Road
McLaren Flat, SA 5171

Production : *6 000 caisses*
Vignobles : *6 ha*
Date de création : *1971*

☆ Carbonic Maceration

SKILLOGALEE VINEYARDS
Skillogalee Valley Road
Via Sevenhill, SA 5453

Production : *5 000 caisses*
Vignobles : *22 ha de Rhine Riesling, Syrah, Cabernet Sauvignon, Cabernet franc, Malbec, Gewurztraminer et Muscat*
Date de création : *1976*

☆ Rhine Riesling Bin 2

ST. HALLETT'S WINES
St. Hallett's Road
Tanunda, SA 5352

Production : *30 000 caisses*
Vignobles : *Cabernet Sauvignon, Grenache, Syrah, Touriga, Tinta amarella, Merlot, Chardonnay, Pedro Ximénez, Rhine Riesling, Sauvignon blanc, Sémillon*
Date de création : *1944*

☆ Old Rock Shiraz, Frangos Trophy Vintage Port

THOMAS FERN HILL ESTATE
Ingoldby Road
McLaren Flat, SA 5171

Production : *3 500 caisses*
Vignobles : *1 ha de Cabernet Sauvignon*
Date de création : *1975*

☆ Chardonnay

VERITAS WINERY
94 Langmeil Road
Tanunda, SA 5352

Production : *12 000 caisses*
Vignobles : *Rhine Riesling, Gewurztraminer, Sémillon, Chardonnay, Sauvignon blanc, Cabernet Sauvignon, Cabernet franc, Syrah, Merlot et Malbec*
Date de création : *1951*

☆ Chri-ro Estate Late Picked Rhine Riesling

WATERVALE CELLARS
North Terrace
Watervale, SA 5452

Production : *2 500 caisses*
Vignobles : *12 ha de Cabernet Sauvignon, Syrah, Rhine Riesling, Grenache, Pedro Ximénez et Cabernet franc*
Date de création : *1977*

☆ Shiraz Cabernet, Cabernet Shiraz

WENDOUREE
Wendouree Road
Clare, SA 5453

Production : *3 600 caisses*
Vignobles : *10 ha de Syrah, Cabernet Sauvignon, Malbec et Rhine Riesling*
Date de création : *1892*

☆ Cabernet Sauvignon, Cabernet Malbec, Malbec Cabernet, Shiraz

THE WILSON VINEYARD
Polish Hill River Road
Sevenhill, SA 5453

Production : *2 500 caisses*
Vignobles : *7 ha de Cabernet, Merlot, Malbec, Pinot noir, Zinfandel et Rhine Riesling*
Date de création : *1974*

☆ Cabernet Sauvignon Malbec

WIRRA WIRRA VINEYARDS
McMurtrie Road
McLaren Vale, SA 5171

Production : *20 000 caisses*
Vignobles : *51 ha*
Date de création : *1968*

☆ Sauvignon blanc, Hand Picked Rhine Riesling, Chardonnay, Church Block Cabernet Merlot Shiraz

WOODSTOCK WINE CELLARS
Douglas Gully Road
McLaren Flat, SA 5171

Production : *12 000 caisses*
Vignobles : *6 ha*
Date de création : *1974*

☆ Botrytis Sweet White, Cabernet Sauvignon, Vintage Port

ZEMA ESTATE
Penola-Naracoorte Road
Coonawarra, SA 5263

Production : *3 000 caisses*
Vignobles : *8 ha*
Date de création : *1982*

☆ Rhine Riesling, Late Harvest Rhine Riesling, Shiraz

Australie occidentale

Il y a vingt ans, la Margaret River n'avait aucun rapport avec le vin. Aujourd'hui, elle produit les meilleurs vins de l'Australie occidentale, mais aussi les plus grands de toute l'Australie et plus de grands vins que tout autre secteur.

S'il existe en Australie occidentale d'autres zones à bons vins, celle de Margaret River s'en distingue par ses vignobles totalement complantés en cépages classiques, par son climat et son sol donnant des raisins d'une maturité et d'un équilibre biologique sans pareils, sans parler de ses excellents vinificateurs.

LES ORIGINES DE L'INDUSTRIE VINICOLE LOCALE

Cet État a vu le jour quelques années avant le Victoria et l'Australie méridionale, et les vignobles y ont été créés en 1829 sur l'initiative soit de Thomas Waters, soit du capitaine John Septimus Roe. Nous penchons plutôt pour la première hypothèse car les vignes de ce dernier ne produisaient que des raisins de table ou des raisins secs. Waters, lui, acheta 8 hectares de ce qui allait devenir Olive Farm.

Waters était un botaniste qui avait hérité ses compétences vinicoles des Boers, en Afrique du Sud. Arrivé en Australie avec quantité de semences et de plants, il élaborait et commercialisait son vin dès 1842. En 1835, le roi Guillaume IV concéda plus de 3 000 hectares de la Swan Valley à un certain Henry Revett Bland, qui ne tarda pas à les revendre à un trio d'officiers britanniques. Ces nouveaux propriétaires, MM. Lowis, Yule et Houghton, étaient en poste en Inde. Un seul d'entre eux, Yule, fut délégué par le colonel Houghton pour gérer la propriété. Aussi Houghton Wines, la première entreprise vinicole commerciale de l'Australie occidentale, porte le nom d'un homme qui n'a jamais mis les pieds dans le pays.

La Swan Valley est restée le berceau de l'industrie vinicole de l'État et, compte tenu de l'immigration européenne, notamment de Dalmates, celle-ci bénéficia d'un apport de connaissances techniques. Ensuite, le secteur du mont Barker se développa progressivement, puis le Frankland et enfin, la zone de Margaret River, la plus appréciée des amateurs de vin.

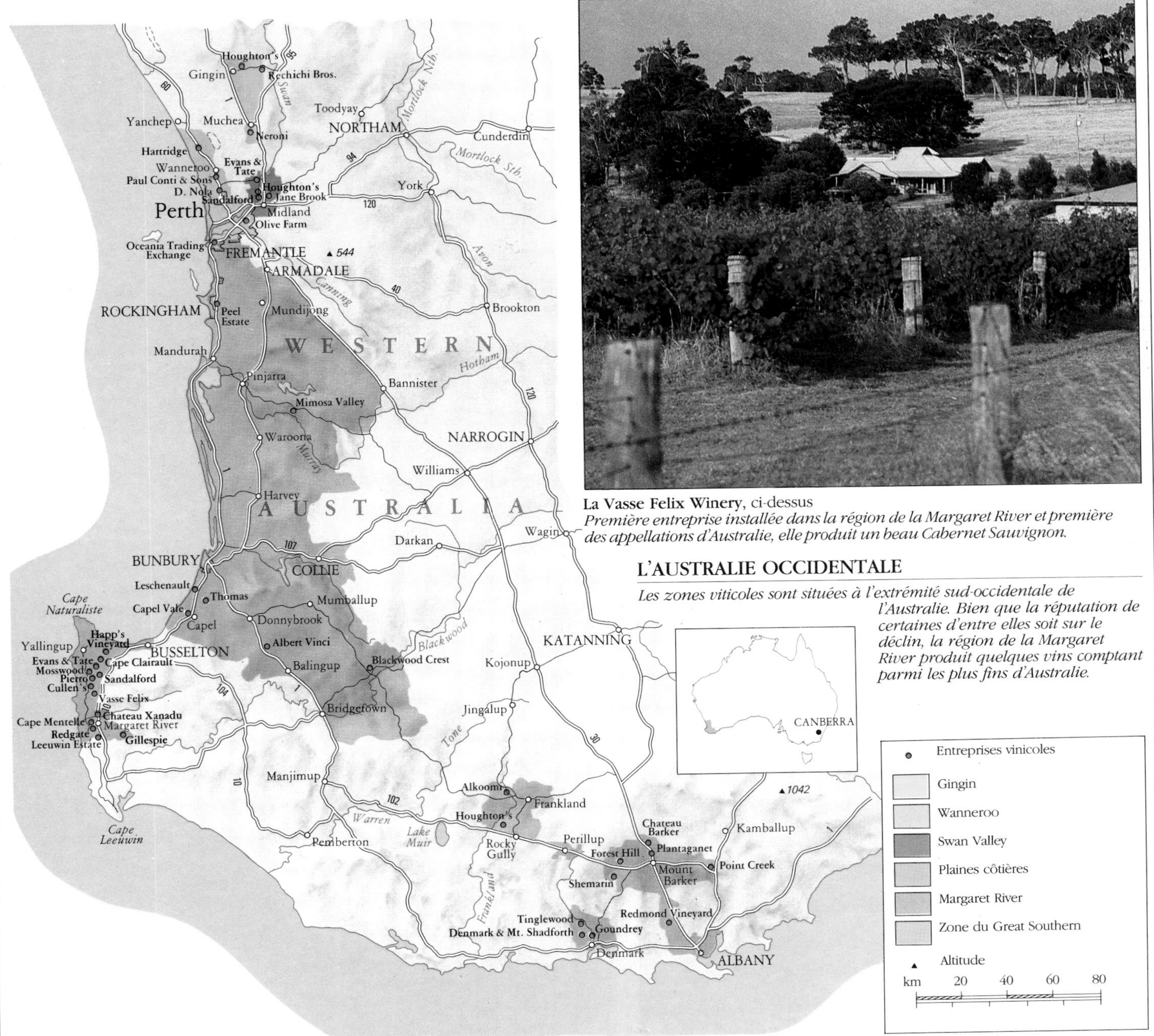

La Vasse Felix Winery, ci-dessus
Première entreprise installée dans la région de la Margaret River et première des appellations d'Australie, elle produit un beau Cabernet Sauvignon.

L'AUSTRALIE OCCIDENTALE

Les zones viticoles sont situées à l'extrémité sud-occidentale de l'Australie. Bien que la réputation de certaines d'entre elles soit sur le déclin, la région de la Margaret River produit quelques vins comptant parmi les plus fins d'Australie.

LE SYSTÈME D'APPELLATIONS

Faisant suite aux initiatives de viticulteurs de la Margaret River, de Mount Barker et Frankland River, le gouvernement de l'Australie occidentale lança, en 1978, un programme de quatre ans destiné à garantir les vins au niveau régional. Il ne s'agissait pas d'un véritable système d'appellations et il n'emporta qu'un succès relatif. Les entreprises exportatrices n'hésitèrent cependant pas à l'approuver, sans doute en raison des problèmes que leur posaient l'éloignement des grands centres démographiques et de leur manque d'identité en matière de vin, à l'exception des plus prospères des entreprises de la Margaret River.

FACTEURS AFFECTANT LE GOÛT ET LA QUALITÉ

Situation
Les zones viticoles de l'Australie occidentale comprennent la Swan Valley, adossée à Perth, la plaine côtière, la vallée de la Margaret River, ainsi que les zones du Low Great Southern proches de la côte, à l'est et au sud jusqu'à Albany.

Climat
Longs étés secs et torrides et courts hivers humides dans la Swan Valley. Dans la zone de la Margaret River, le climat est de type méditerranéen avec de fortes pluies hivernales et des chaleurs estivales atténuées par la brise océanique. La fraîcheur est plus prononcée dans le Low Great Southern, qui reçoit aussi quelques précipitations en été. La forte humidité de la côte favorise les attaques de botrytis.

Site
La plupart des vignes sont installées sur les plaines côtières ainsi que dans les vallées, mais aussi dans des endroits vallonnés.

Sol
Les sols, surtout profonds et bien drainés, sont composés de limons argileux et d'origine alluviale, couvrant un sous-sol d'argile. Dans la zone côtière du Sud-Ouest, le sol présente une fine couche superficielle de *tuart*.

Viticulture et vinification
L'irrigation au goutte à goutte est très répandue, en raison du manque général de pluies en été et de la nature drainante du sol, bien que la stagnation des eaux hivernales pose aussi un problème. Les plantations en larges interlignes, la mécanisation des vendanges, et l'utilisation de techniques de vinification de pointe, caractérisent la région qui s'intéresse maintenant au développement des zones plus fraîches.

Cépages
Cabernet franc, Cabernet Sauvignon, Chardonnay, Chenin blanc, Pinot noir, Malbec, Merlot, Riesling, Sauvignon blanc, Sémillon, Shiraz, Verdelho, Zinfandel

Vignobles dans la Swan Valley, ci-dessus
Cette plaine, située dans l'une des régions viticoles les plus brûlantes du monde, est le premier secteur vinicole établi en Australie occidentale.

Les vins d'Australie occidentale

Note : Certains des meilleurs millésimes récents portent un astérisque indiquant qu'ils exigent une sélection minutieuse du fait que quelques-uns sont d'une qualité excellente, voire exceptionnelle.

FRANKLAND

À la lisière occidentale du Great Southern, le Frankland est connu pour l'entreprise Houghton élaborant de bons Cabernet Sauvignon et Rhine Riesling.

 **ROUGE** : 1981, 1983*, 1984, 1985, 1986, 1987

 **BLANC** : 1981, 1983*, 1984, 1985, 1986, 1987

GINGIN

Petite zone située juste au nord de Perth. *Voir* Plaine côtière du sud-ouest.

ZONE DU GREAT SOUTHERN

Région englobant les secteurs de Mount Barker et du Frankland, parfois évoquée sous le nom de zone de Mount Barker/Frankland River. Cette zone est la plus fraîche de celles d'Australie occidentale, encore que les facteurs climatiques y soient généralement les mêmes que dans le Margaret River, hormis la pluviosité, plus faible, de l'ordre de 350 mm par an environ. Elle couvre 250 ha de vignes, la plupart encépagées de Riesling, Cabernet Sauvignon, Shiraz, Malbec, Pinot noir et d'un peu de Chardonnay. Le nombre des entreprises y est en baisse. *Voir* Frankland et Mount Barker.

MARGARET RIVER

Ce secteur, situé à 320 km au sud de Perth, attira l'attention sur lui lorsque, en 1978, il créa le premier système d'appellations d'origine d'Australie.

Bien que cette région soit réputée être une zone vinicole neuve, le premier vignoble fut implanté dans le secteur de la Margaret River dès 1890, à Bunbury. Néanmoins, elle ne développa vraiment ses activités viticoles qu'à partir de 1967, date à laquelle le Dr Tom Cullity, cardiologue de Perth, créa un vignoble à Vasse Felix. Sa décision était motivée par un exposé convaincant du Dr John Gladstone selon lequel le climat y était particulièrement favorable à la vigne et présentait des avantages qui l'emportaient sur ceux de « tous les autres secteurs viticoles d'Australie ».

En plantant son vignoble, Cullity fut à l'origine de toute une série de chirurgiens vinificateurs : le Dr Bill Pannel à Moss Wood en 1969, le Dr Kevin Cullen à Cullen en 1971, dont le grand-père, Ephraïm Clark, planta les premiers ceps à Bunbury en 1890, les Drs John Lagan and Eithne Sheridan, au Château Xanadu en 1977, et le Dr Michael Peterkin à Pierro en 1980. À en juger d'après la quantité et la qualité des vins produits par ce secteur, les conclusions du Dr Gladstone étaient pour le moins judicieuses.

La région, quoique propice, connaît cependant quelques problèmes de culture. L'oïdium, les perroquets et le vent causent des ravages mais l'ennemi le plus redouté est sans doute la sécheresse estivale. L'oïdium semble être maîtrisé, quant aux perroquets, on les détourne des raisins en plantant des tournesols. Le vent, pour sa part, est arrêté par le rye-grass qui sert de brise-vent. Mais quantité de vignes souffrent du manque d'eau, non tant en raison de la chaleur que de la sécheresse des étés, qu'aggrave encore le vent. Dans la saison 1985-1986, par exemple, le secteur de la Margaret River reçut des précipitations de l'ordre de 1 500 mm, mais l'évaporation due au dessèchement par le vent en fit perdre le tiers. Aussi, même si l'on met en place un système d'irrigation dans cette zone, les producteurs feraient bien de suivre les méthodes de culture intensive de Miguel Torres en Catalogne.

On ne peut contester la grandeur des vins de cette région. Elle tient à la qualité du fruit, meilleur qu'ailleurs en Australie. Mais, indépendamment des potentialités intrinsèques du secteur en matière de qualité, il faut admettre que son succès phénoménal est également dû à la politique réfléchie qu'ont adoptée de nombreux vinificateurs en faveur de la culture exclusive de cépages classiques. Dédaignant le marché des vins ordinaires, ils ont préféré produire des vins de qualité. Le cépage le mieux exploité est sans conteste le Cabernet Sauvignon. Il existe également quelques vins fabuleux issus de Chardonnay, Sémillon, Sauvignon blanc, Syrah, Pinot noir et même Zinfandel. Les meilleurs vins sont élaborés par une pléiade de grands noms : Cape Mentelle, Château Xanadu, Cape Clairault, Cullens, Happs, Pierro et Redgate. Leeuwin Estate pour son Chardonnay et Vasse Felix méritent de leur être associés.

ROUGE : 1982, 1985, 1986, 1987

BLANC : 1982, 1985, 1986, 1987

MOUNT BARKER

L'appellation de ce secteur vinicole faisant partie du Great Southern a été homologuée après la zone de la Margaret River. Les Rhine Riesling et Cabernet Sauvignon y sont réputés.

ROUGE : 1981, 1983*, 1984, 1985, 1986

BLANC : 1981, 1983*, 1984, 1985, 1986, 1987

MOUNT BARKER/ FRANKLAND RIVER

Voir Great Southern.

PLAINE CÔTIÈRE DU SUD-OUEST

Les vignobles sont tous implantés sur du *tuart*, sable très fin, blanc ou gris clair, recouvrant un sol où la nappe phréatique est très haute. Seul fait exception le vignoble Capel Vale, dont le sol est composé d'un limon fertile d'origine alluviale. La région jouit d'un climat tempéré par les vents marins, exempt de gelées, et l'époque des vendanges n'a pas à souffrir des précipitations. Les Chardonnay, Chenin blanc, Gewurztraminer, Rhine Riesling, Sauvignon blanc, Sémillon et Shiraz s'y comportent bien.

ROUGE : 1980, 1982, 1986, 1987

BLANC : 1981, 1982, 1985, 1986, 1987

SWAN VALLEY

Située dans la banlieue est de Perth, la Swan Valley présente la particularité d'être la plus torride des régions viticoles du monde. En partie pour cette raison, en partie en réaction au succès fulgurant de la zone de la Margaret River, plusieurs entreprises vinicoles l'ont désertée. Cette vallée, qui fut en son temps le centre traditionnel de l'industrie vinicole en Australie occidentale, est désormais sur le déclin. Les précipitations annuelles, de l'ordre de 860 mm, conviendraient parfaitement à la viticulture si elles ne tombaient en hiver et au printemps. Ce facteur, s'associant à celui d'un sol profond, fertile et sablonneux, ainsi qu'à des températures atteignant 40 °C, engendre des vins d'un style très traditionnel.

Bien que l'on ait foré quelques puits tubulaires, le système d'irrigation le plus répandu est le branchement direct à travers la couche superficielle du sol sur la nappe phréatique, située en moyenne à quelque 6 m de profondeur. Néanmoins, font exception au bon vieux style de la région, les producteurs d'Evans & Tate et de Houghton, ainsi que, avec moins de régularité, celles de Jane Brook et Sandalford. Les cépages réussissant le mieux sont les Cabernet Sauvignon, Chenin blanc et Shiraz.

ROUGE : 1980, 1982, 1984*, 1986, 1987

BLANC : 1981, 1982, 1984, 1985, 1986

WANEROO

Petite région située juste au nord de Perth dans la plaine côtière du Sud-Ouest. *Voir* Plaine côtière du Sud-Ouest.

Principales entreprises vinicoles d'Australie occidentale

ALKOOMI WINES

Manjimup Road
Frankland, WA 6396

Production : ***12 000 caisses***
Vignobles : ***13 ha de Cabernet Sauvignon, Rhine Riesling, Syrah, Malbec et Sémillon***

Éleveur de moutons, Mervyn et Judy Lange se sont reconvertis dans la viticulture. Leurs vins frais, fruités et savoureux donnent une excellente idée des potentialités de la zone, en plein essor, du Frankland.

☆ Cabernet Sauvignon, Malbec, Shiraz

CAPEL VALE WINES

Lot 5 Stirling Estate
Capel, WA 6271

Production : ***7 000 caisses***
Vignobles : ***9,5 ha de Cabernet Sauvignon, Syrah, Merlot, Rhine Riesling, Gewurztraminer, Chardonnay et Sauvignon blanc***
Date de création : ***1975***

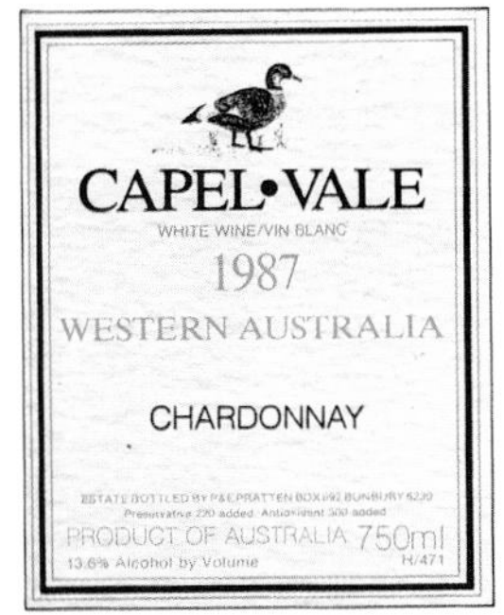

Cette entreprise de la nouvelle génération est un bel exemple d'une « winery » montée par des autodidactes passionnés. En effet, le Dr Peter Pratten, cardiologue de Bunbury, ignorait tout de la viticulture et de la vinification lorsqu'il se mit à élaborer son vin. Aujourd'hui, ce vin superbement fruité compte au nombre des plus fins d'Australie.

☆ Shiraz, Chardonnay, Rhine Riesling, Sémillon Sauvignon blanc, Gewurztraminer

CULLENS

Caves Road
Cowaramup, WA 6284

Production : ***9 000 caisses***
Vignobles : ***22 ha de Chardonnay, Sauvignon blanc, Sémillon, Rhine Riesling, Cabernet Sauvignon, Cabernet franc, Merlot et Pinot noir***
Date de création : ***1971***

Diana Cullen produit une large gamme de bons vins originaires du secteur de la Margaret River. Ils manifestent, dans leur jeunesse, un fruité vif se développant en une grande complexité.

☆ Cabernet Merlot, Sauvignon blanc, Sauternes Style, Chardonnay

EVANS & TATE

Swan Street
Henley Brook, WA 6055

Production : ***10 000 caisses***
Vignobles : ***29 ha de Cabernet Sauvignon, Sauvignon blanc, Sémillon, Syrah, Chardonnay, Merlot et Cabernet franc***
Date de création : ***1971***

Cette entreprise possède des vignobles tant dans la Swan Valley que dans le secteur de la Margaret River et produit de surprenants vins.

☆ Vins sous la marque « Redbrook », Gnangara Shiraz, Three Vineyards Cabernet Sauvignon

HOUGHTON WINES

Date Road
Middle Swan, WA 6056

Production : ***300 000 caisses***
Vignobles : ***283 ha de Rhine Riesling, Chardonnay, Sémillon, Verdelho, Sauvignon blanc, Chenin blanc, Muscadelle, Cabernet Sauvignon, Syrah, Pinot noir et Malbec***
Date de création : ***1836***

Cette entreprise, appartenant maintenant à Hardy's, possède aussi des vignobles dans le secteur de la Frankland River. Elle continue à produire régulièrement des vins exceptionnels, mais qui sont loin d'être statiques. Son « Burgundy » blanc, par exemple, a changé de style en 1985 : les millésimes antérieurs possédaient une agréable saveur acidulée d'agrume. Aujourd'hui, ce vin est plus tendre et présente presque le caractère du Chardonnay, malgré le respect de l'assemblage d'origine, constitué de Chenin blanc et Muscadelle. Ainsi, un produit au demeurant délicieux est-il devenu excellent.

☆ Cabernet Sauvignon, Moondah Brook (Cabernet Sauvignon, « Estate » Verdelho, « Estate » Chenin blanc), Houghton (Cabernet Sauvignon, Autumn Harvest Sémillon, White Burgundy)

LEEUWIN ESTATE

Gnarawary Road
Margaret River, WA 6285

Production : ***24 000 caisses***
Vignobles : ***92 ha de Rhine Riesling, Cabernet Sauvignon, Chardonnay, Pinot noir, Sauvignon blanc et Gewurztraminer***
Date de création : ***1978***

Cette entreprise technologiquement très avancée s'est créée sur les conseils et avec l'aide du Californien Robert Mondavi. Son éblouissant Chardonnay est en passe de devenir l'un des plus beaux vins d'Australie.

☆ Chardonnay, Pinot noir

PEEL ESTATE

Fletcher Road
Baldivis, WA 6171

Production : *5 000 caisses*
Vignobles : ***12 ha de Chenin blanc, Sauvignon blanc, Chardonnay, Sémillon, Verdelho, Cabernet, Syrah, Zinfandel et Merlot***
Date de création : *1980*

Le délicieux Chenin blanc donne ici la preuve que ce cépage réussit mieux en Australie qu'en France.

☆ Chenin blanc Wood Matured

PLANTAGENET WINES

46 Albany Highway
Mount Barker, WA 6324

Production : *15 000 caisses*
Vignobles : ***28 ha de Rhine Riesling, Chardonnay, Chenin blanc, Muscat, Syrah, Cabernet Sauvignon, Pinot noir, Malbec et Merlot***
Date de création : *1974*

Cette entreprise a adopté le nom du comté dans lequel elle se trouve. Ce fut la première entreprise fondée dans le secteur vinicole de Mount Barker.

☆ « Fleur de Cabernet », Cabernet Hermitage, Cabernet Sauvignon, Frontignac (Bindoon), Wyjup Rhine Riesling, « Kings Reserve » Chardonnay

Les meilleures autres entreprises vinicoles

CAPE CLAIRAULT

CMB Carbunup River, WA 6280

Production : *2 500 caisses*
Vignobles : ***6 ha de Cabernet Sauvignon, Rhine Riesling, Sémillon, Sauvignon blanc, Merlot et Cabernet franc***
Date de création : *1977*

☆ Cabernet Sauvignon, Cabernet Sauvignon Port

CAPE MENTELLE VINEYARDS

Walcliffe Road
Margaret River, WA 6285

Production : *12 000 caisses*
Vignobles : ***17 ha***
Date de création : *1977*

☆ Cabernet Sauvignon, Hermitage, Zinfandel

CHÂTEAU XANADU

Off Walcliffe Road
Margaret River, WA 6285

Production : *5 000 caisses*
Vignobles : ***16 ha de Cabernet Sauvignon, Cabernet franc, Sémillon, Chardonnay et Sauvignon blanc***
Date de création : *1977*

☆ Sémillon (élevé sous bois), Chardonnay, Cabernet Sauvignon

PAUL CONTI

529 Wanneroo Road
Wanneroo, WA 6065

Production : *10 000 caisses*
Vignobles : ***9 ha de Syrah, Chardonnay, Sauvignon blanc et Muscat***
Date de création : *1948*

☆ Marginiup Hermitage, Wanneroo (Chardonnay, Chenin blanc), *Spatlese* White Frontignac, Late Bottled White Frontignac

FOREST HILL VINEYARD

Muir Highway, Forest Hill
via Mount Barker, WA 6324

Production : *2 500 caisses*
Vignobles : ***24 ha de Rhine Riesling, Gewurztraminer, Chardonnay, Sauvignon blanc et Cabernet Sauvignon***
Date de création : *1966*

☆ Rhine Riesling, Chardonnay

GILLESPIE VINEYARDS

Davis Road
Witchcliffe, WA 6286

Production : *3 000 caisses*
Vignobles : ***10 ha de Sémillon, Sauvignon blanc, Rhine Riesling et Cabernet Sauvignon***
Date de création : *1976*

☆ Cabernet Sauvignon

HAPP'S VINEYARD

Commonage Road
Yallingup, WA 6282

Production : *2 500 caisses*
Vignobles : ***6 ha de Cabernet Sauvignon, Syrah, Merlot, Verdelho, Chardonnay, Touriga, Muscat, Tina Cao et Souzao***
Date de création : *1978*

☆ Cabernet Sauvignon, Shiraz, Vintage Port, Merlot

GOUNDREY WINES

11 North Street
Denmark, WA 6333

Production : *4 500 caisses*
Vignobles : ***12 ha de Cabernet Sauvignon, Rhine Riesling, Chardonnay, Sauvignon blanc et Gewurztraminer***
Date de création : *1975*

☆ Rhine Riesling, Cabernet Sauvignon

HARTRIDGE WINES

1964 Wanneroo Road
Wanneroo, WA 6065

Vignobles : ***Cabernet Sauvignon, Chenin blanc, Chardonnay, Malbec et Pinot noir***
Date de création : *1970*

☆ Chenin blanc

JANE BROOK ESTATE WINES

Toodyay Road
Middle Swan, WA 6056

Production : *6 000 caisses*
Vignobles : ***12 ha de Chenin blanc, Sauvignon blanc, Cabernet Sauvignon, Syrah, Rhine Riesling, Verdelho, Muscadelle, Taminga et Merlot***
Date de création : *1972*

☆ Jane Brook Cabernet Sauvignon

LESCHENAULT

Minnimup Road
Gelarup, WA 6230

Production : *3 000 caisses*
Vignobles : ***16 ha de Gewurztraminer, Chardonnay, Sémillon, Pinot noir, Syrah et Cabernet***
Date de création : *1973*

☆ Kempston Vintage Port

PIERRO

Caves Road
Willyabrup, WA 6284

Production : *1 200 caisses*
Vignobles : ***5 ha de Chardonnay, Sauvignon blanc et Pinot noir***
Date de création : *1980*

☆ Cabernet Sauvignon, Pinot noir, *Spatlese* Riesling

REDGATE WINES

Boodjidup Road
Margaret River, WA 6285

Production : *4 200 caisses*
Vignobles : ***16 ha de Rhine Riesling, Sémillon, Chenin blanc, Sauvignon blanc, Chardonnay, Cabernet Sauvignon, Pinot noir, Merlot, Syrah, Cabernet franc***
Date de création : *1981*

☆ Cabernet Sauvignon, Rhine Riesling

REDMOND VINEYARD

Albany, WA 6330

Production : *1 200 caisses*
Vignobles : ***45 ha de Rhine Riesling, Cabernet Sauvignon, Gewurztraminer et Sauvignon blanc***
Date de création : *1974*

SANDALFORD WINES

West Swan Road
Caversham, WA 6055

Production : *70 000 caisses*
Vignobles : ***180 ha de Chenin, Verdelho, Cabernet, Zinfandel, Riesling, Syrah, Sémillon et Gewurztraminer***
Date de création : *1840*

☆ Verdelho, « Matilde » Rosé

SHEMARIN WINES

18 Muir Street
Mount Barker, WA 6324

Production : *4 200 caisses*
Vignobles : ***Chardonnay et Sauvignon blanc***
Date de création : *1980*

☆ Zinfandel

TINGLEWOOD WINES

Glenrowan Road
Denmark, WA 6333

Vignobles : ***4 ha de Syrah, Riesling, Cabernet et Gewurztraminer***
Date de création : *1981*

☆ Rhine Riesling

VASSE FELIX

Harmans South Road
Cowaramup, WA 6284

Production : *6 600 caisses*
Vignobles : ***8,5 ha de Cabernet Sauvignon, Riesling, Hermitage et Malbec***
Date de création : *1967*

☆ Cabernet Sauvignon

Queensland et Territoire du Nord

Bien que couvrant presque la moitié de l'Australie, le Queensland et le Territoire du Nord abritent à peine 15 % de sa population. Celle-ci est concentrée dans la cité de Brisbane tandis que le reste des terres est presque désert. Du point de vue viti-vinicole, cette région est à la traîne des autres et seule la zone se situant dans la ceinture granitique du Queensland développe sérieusement son vignoble.

QUEENSLAND

Le Queensland compte actuellement quinze entreprises vinicoles et l'implantation des premières vignes remonte aux années 1850. Les étés y sont plus frais qu'en Riverland, en Australie du Sud, ou dans le Mudgee et la Hunter Valley, en Nouvelle-Galles du Sud. Le temps relativement humide qui règne durant la période allant de la véraison à la vendange favorise la vulnérabilité de la vigne aux attaques du *Botrytis*. Depuis que les viticulteurs de la ceinture granitique ont lancé leur « Ballandean Nouveau » de Shiraz – vin de macération carbonique au même titre que le Beaujolais –, je me demande pourquoi ils n'essaient pas d'implanter du Gamay. En effet, le climat n'est pas incompatible avec la culture de ce cépage et le granite est, à mon avis, le seul sol où le Gamay puisse trouver valablement son expression.

TERRITOIRE DU NORD

Il est difficile d'imaginer un endroit moins propice que le Territoire du Nord. Il y règne un peu partout une chaleur torride, sauf dans les zones marécageuses infestées de crocodiles ! L'office du tourisme régional conseille d'ailleurs fort aimablement aux visiteurs de courir en zigzag en cas de poursuite par ces charmants animaux. Curieusement, il y est interdit de boire de l'alcool dans un lieu public situé dans un rayon de 2 km autour d'un bar pourvu d'une licence. Peut-être faut-il y voir une manifestation du « machisme » local qui attribue la consommation de vin aux personnes raffinées voire efféminées et considère certaines bières australiennes comme bien plus rafraîchissantes ? Pourtant, la ville d'Alice Springs abrite Château Hornsby et ses trois hectares de vignobles.

FACTEURS AFFECTANT LE GOÛT ET LA QUALITÉ

Situation
Le Queensland se situe dans l'angle nord-oriental de l'Australie, la mer de Corail se trouvant à l'est et le Territoire du Nord à l'ouest.

Climat
La ceinture granitique reçoit, principalement à l'époque de la vendange, quelque 790 mm de précipitations annuelles, et celle de Rome 510 mm. Les températures sont élevées, analogues à celles du secteur de la Margaret River, en Australie occidentale, mais heureusement atténuées par l'effet modérateur de l'altitude. À Alice Springs, le climat plus continental est sec et très chaud.

Site
Les vignobles sont installés entre 750 et 900 m d'altitude aux alentours d'Alice Springs et de Stanthorpe, de sorte qu'ils n'ont pas trop à souffrir de la chaleur estivale. Autour de Stanthorpe, la vigne colonise des terrains assez pentus.

Sol
Les sols du Queensland ont été épargnés par le phylloxéra. La région de Stanthorpe est entourée d'une ceinture granitique tandis que celle d'Alice Springs est constituée de sols rouges et infertiles.

Viticulture et vinification
L'irrigation est nécessaire près d'Alice Springs et de Rome. On recourt, dans ces deux régions, aux techniques les plus modernes de lutte contre les problèmes liés à la chaleur. Moyennant quoi, on y produit de fort bons vins. Pour éviter le phylloxéra, le Queensland contrôle strictement les importations de porte-greffe. Le développement des vins s'en trouve freiné.

Cépages
Cabernet Sauvignon, Chardonnay, Chenin blanc, Emeral Riesling, Malbec, Mataro, Muscat, Riesling, Sémillon, Servante, Shiraz, Sylvaner, Traminer

Station vinicole dans la région d'Alice Springs, *où le climat chaud et sec rend nécessaire l'irrigation du sol rouge et sablonneux de la région.*

Les vins du Queensland et du Territoire du Nord

ALICE SPRINGS

Seule entreprise vinicole du Territoire du Nord, Château Hornsby se trouve à Alice Springs. Cultivée sur des crêtes de sable rouge, la vigne y est représentée par les Cabernet Sauvignon, Rhine Riesling, Sémillon et Syrah.

BALLANDEAN

Cette zone doit son nom à la ville située à l'épicentre du secteur de la ceinture granitique du Queensland. Elle possède sa propre appellation, délibérément et librement adoptée par toute la profession vinicole locale et s'applique à un vin générique de type Beaujolais, que l'on commercialise chaque année à la même date sous l'étiquette « Ballandean Nouveau ». *Voir* Granite Belt.

GRANITE BELT
(Ceinture granitique)

La vigne se cultive sur un plateau élevé et granitique, à 240 km à l'ouest de Brisbane. L'altitude de ce secteur, comprise entre 790 et 940 m, procure un climat suffisamment frais propice aux raisins de cuve. L'industrie des bons vins de cépage de la ceinture granitique du Queensland eut longtemps un caractère confidentiel, et la région ne se créa véritablement un nom qu'en 1985 quand toutes les entreprises lancèrent, à la même date, un vin de macération carbonique de type Beaujolais à base de Shiraz. Il était revêtu d'une étiquette générique « Ballandean Nouveau » rose et pourpre, où seul le nom de chaque entreprise concernée, figurant en petits caractères, différait. Le caractère spécifique du vin n'avait alors pas grande importance en regard de l'éclatante réussite de la démarche commerciale qui permit d'initier le grand public aux plus beaux vins du secteur. Les cépages les plus expressifs dans cette région sont les Cabernet Sauvignon, Rhine Riesling et Sémillon. Les entreprises Old Caves, Robinsons Family et Rumbalara, élaborent les meilleurs vins.

19 **ROUGE** : 1985, 1986, 1987

19 **BLANC** : 1984, 1985, 1986, 1987

ROMA

Exception faite de la région d'Alice Springs, cette petite zone du Queensland, chaude et sèche, est plus impropre que toute autre à la viticulture. Elle abrite cependant quelque 25 ha de vignes cultivées sur de riches limons sablonneux d'origine alluviale.

19 **ROUGE** : 1984, 1985, 1986, 1987

19 **BLANC** : 1984, 1985, 1986, 1987

Principales entreprises vinicoles - Queensland et Territoire du Nord

BASSETTS ROMAVILLA WINERY
Northern Road
Roma, Qld. 4455

Production : ***3 000 caisses***
Vignobles : ***20 ha de Riesling, Chenin blanc, Crouchen, Syrah, Muscat, Syrian, Durif et Mataro***
Date de création : *1975*

Importante production – pour le Queensland – de quelque vingt vins différents.

BUNGAWARRA
Marshall's Crossing Road
Ballandean, Qld. 4382

Production : ***3 500 caisses***
Date de création : ***11,5 ha***

Fondée, dans les années 20, par Angelo Barbagello, cette entreprise fut recréée en 1979 par Alan Dorr et Philip Christensen, qui remportèrent une médaille d'or pour leur premier vin.

☆ Light Dry Red (LDR)

CHÂTEAU HORNSBY
Petrick Road
Alice Springs, NT 5750

Production : ***1 500 caisses***
Vignobles : ***3 ha de Rhine Riesling, Sémillon, Syrah et Cabernet Sauvignon***
Date de création : *1976*

Qui croirait qu'une entreprise vinicole puisse tirer quoi que ce soit de buvable de raisins cultivés à Alice Springs, au cœur torride de l'Australie ? La production quasi inexistante de blancs témoigne assez de cette inaptitude bien qu'il s'y élabore des Riesling Sémillon ornés d'une étiquette représentant une assez jolie vue d'Alice Springs. En revanche, les rouges y ont leur place et le Shiraz-Cabernet de Château Hornsby est très convenable.

☆ Alice Springs Shiraz-Cabernet

ELSINORE WINES
Back Creek Road
Glen Aplin, Qld. 4381

Vignobles : ***18 ha de Syrah, Cabernet Sauvignon, Palomino, Rhine Riesling et Sémillon***
Date de création : *1982*

Une des plus prospères entreprises du Queensland, Elsinore, a gagné plusieurs médailles d'or pour ses vins rouges légers. Son Porto Vintage est également apprécié.

☆ Cabernet Sauvignon, Cabernet-Shiraz

FELSBERG VINEYARDS WINERY
Townsends Road
Glen Aplin, Qld. 4381

Vignobles : ***4,5 ha de Chardonnay, Gewurztraminer, Rhine Riesling, Cabernet Sauvignon, Pinot noir, Syrah, Merlot et Malbec***
Date de création : *1983*

KÓMINOS WINES
Accommodation Creek Road
Lyra, Qld.

Production : ***1 500 caisses***
Vignobles : ***6 ha de Syrah, Cabernet Sauvignon, Sémillon, Rhine Riesling, Chenin blanc, Pinot noir et Chardonnay***
Date de création : *1976*

Entreprise élaborant un Ballandean Nouveau de macération carbonique très apprécié.

MOUNT MAGNUS
Donnelly's Castle Road
Pozieres via Stanthorpe
Qld. 4352

Production : ***3 500 caisses***
Vignobles : ***12 ha de Syrah, Cabernet et Chardonnay***
Date de création : *1933*

Les divers vins produits dans cette entreprise comptent un Shiraz de qualité surprenante.

☆ Shiraz

OLD CAVES WINERY
Stanthorpe, Qld. 4380

Production : ***3 000 caisses***
Date de création : *1980*

Les vins de cépage sont vraiment fort bons et le Riesling est l'un des meilleurs vins actuellement produits au Queensland.

☆ Riesling, Shiraz

ROBINSONS FAMILY
Lyra Church Road
Ballandean, Qld. 4382

Production : ***5 500 caisses***
Vignobles : ***18 ha***
Date de création : *1969*

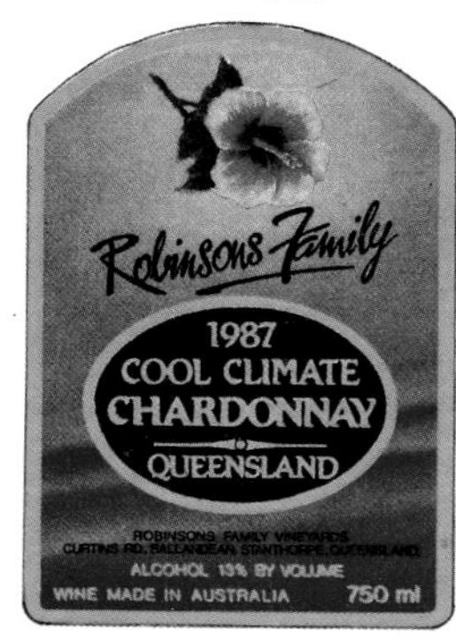

En séjournant en France, non loin du Beaujolais, John Robinson s'est pris de passion pour les vins. Il en vint à étudier l'œnologie au Riverina College, sous la direction de Brian Croser, devenu l'un des éminents consultants du pays. Une branche de la famille, les Salters, a fondé la société Saltrams Wines, dans la Barossa Valley, une des entreprises conseillées par Croser. La conjugaison de ces intérêts a conduit à la formation de ce qu'il faut appeler la « winery » maîtresse du Queensland.

☆ Cabernet Sauvignon, Chardonnay

RUMBALARA VINEYARDS
Fletcher Road
Fletcher, Qld. 4381

Production : ***5 000 caisses***
Vignobles : ***20 ha de Sémillon, Chardonnay, Riesling, Sylvaner, Cabernet Sauvignon, Syrah, Pinot noir, Merlot et Muscat***
Date de création : *1974*

Si l'ensemble de la production ne présente pas la même qualité que celle de la Robinsons Family, le Sémillon, en revanche, est le meilleur du Queensland.

☆ Sémillon

AUTRES ENTREPRISES VINICOLES DU QUEENSLAND ET DU TERRITOIRE DU NORD

FOSTER & COMPANY
Kalunga via Herberton, Qld. 4872

Production : ***2 500 caisses***
Vignobles : ***25 ha***
Date de création : *1971*

SYNDOWN VALLEY VINEYARDS
Sundown Valley Road
Ballandean, Qld. 4380

Production : ***10 000 caisses***
Vignobles : ***30 ha de Syrah, Cabernet Sauvignon, Sylvaner et Rhine Riesling***
Date de création : *1970*

Nouvelle-Zélande

Dans ce pays, la plus passionnante des régions viticoles neuves, le Sauvignon blanc rivalise à armes égales avec les Sancerre et Pouilly fumé de la vallée de la Loire. Mais la Nouvelle-Zélande offre, par rapport à cette région de France, l'avantage d'une production plus régulière et nettement moins onéreuse. Ses vins de Chardonnay et de Sémillon sont également de premier ordre.

La réputation de ce pays s'est bâtie avec une rapidité déconcertante. Je dégustais pour la première fois les vins néo-zélandais à Londres, en février 1982, dans l'appartement du haut-commissaire de ce pays, tout en haut de la maison de la Nouvelle-Zélande. Le soleil brillait au travers des baies, transformait cette froide journée hivernale en un de ces jours extraordinairement frais et ensoleillés du Pacifique et, avant même que la première goutte de vin eût touché mes lèvres, je me trouvais en Nouvelle-Zélande. Jusqu'alors, mes connaissances sur les vins de ce pays se bornaient à la dégustation d'un Müller-Thurgau semi-doux, de style germanique, et au nom de deux producteurs seulement : Cooks et Montana.

LE SYNDROME « LIEBFRAUMILCH »

Mes idées fausses sur ce pays étaient dues à l'intelligente stratégie commerciale que l'entreprise Cooks et Montana avait mise en œuvre dans les années 70. Elle avait alors attaqué le marché britannique au moment propice, avec le produit qu'il fallait. En effet, bien qu'ils puissent disposer de la plus large gamme de vins fins du monde, les Britanniques consomment plus de Liebfraumilch que n'importe quel autre pays. Il sont certes capables d'apprécier le concept de vin sec, mais leur palais est généralement davantage flatté par la douceur.

Au milieu des années 70, apogée du « Lieb-boom », l'astucieuse équipe de Cooks et Montana s'empressa de lancer, sur le marché britannique, des vins à base de Müller-Thurgau sur lesquels il était bien mentionné que le cépage dominant n'était autre que celui de leur vin préféré, le Liebfraumilch. Elle révéla également à la presse vinicole, alors véritablement « entichée » de Lieb, que l'alliance entre le climat de type européen de la Nouvelle-Zélande et la pratique du *back-blending* permettait d'obtenir des vins très proches des vins allemands semi-doux. Ce *back-blending* est, semble-t-il, une pratique très analogue à celle de la *Süssreserve* (*voir* p. 206) des Allemands. C'est un apport de jus de raisin non fermenté à un vin sec ayant achevé sa fermentation. Ce faisant, on ajoute du sucre, mais la douceur est masquée par la fraîcheur et l'acidité du jus, d'autant plus perceptible que se forme une légère « moustille » parfois signalée au consommateur sur l'étiquette.

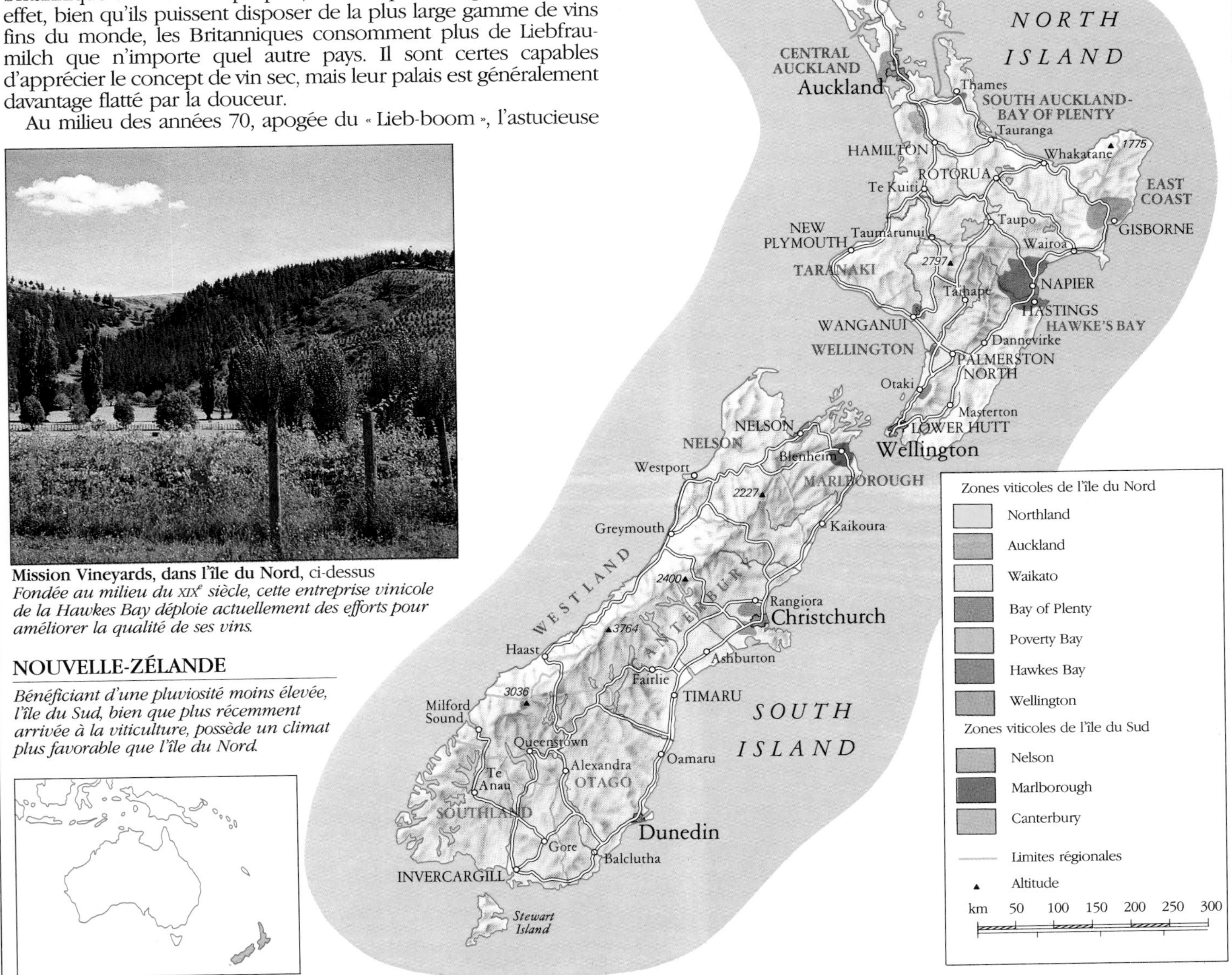

Mission Vineyards, dans l'île du Nord, ci-dessus
Fondée au milieu du XIXe siècle, cette entreprise vinicole de la Hawkes Bay déploie actuellement des efforts pour améliorer la qualité de ses vins.

NOUVELLE-ZÉLANDE

Bénéficiant d'une pluviosité moins élevée, l'île du Sud, bien que plus récemment arrivée à la viticulture, possède un climat plus favorable que l'île du Nord.

MA PREMIÈRE DÉGUSTATION

Nombre d'auteurs, et moi notamment, ont réservé un accueil enthousiaste aux vins de Müller-Thurgau. Nous les avons recommandés en tant qu'homologues les plus honnêtes du Liebfraumilch dans la mesure où ils ne sont pas des coupages anonymes de divers cépages originaires de diverses régions, mais des vins issus d'un cépage unique cultivé dans une région donnée. Mais je m'aperçois, à présent, que je n'avais à l'époque qu'une vision pour le moins incomplète de l'industrie vinicole de la Nouvelle-Zélande. Aussi, lorsque je participai à la dégustation des vins à la Maison de la Nouvelle-Zélande fis-je la rencontre de quelques personnes ayant une vue plus complète sur ces vins que la mienne. Quelques-unes avaient récemment visité la Nouvelle-Zélande, dégustant à l'envi dans les petites « wineries » des bords de route. Mais pour la plupart des personnes conviées, cette dégustation allait être une révélation et marquer un tournant dans leur compréhension de ces vins.

Parmi les cinquante vins présentés ce jour-là, se trouvaient des Chardonnay, Chenin blanc, Furmint, Riesling, Sauvignon blanc, Sémillon et Pinot gris. Il y avait aussi des Gewurztraminer présentés soit en vin de cépage pur, soit en assemblage avec du Riesling, ce qui était plutôt une nouveauté à l'époque. Les styles représentés allaient des vins secs à ceux de vendange tardive, en passant par les demi-secs et semi-doux. On trouvait aussi quelques vins plus ou moins marqués par le chêne, fermentés en fût ou élevés sous bois, et même quelques « vins de glace » artificiels, élaborés avec du jus de raisin surgelé, de façon à concentrer les sucres et acides avant la fermentation. Les vins rouges étaient représentés par les Cabernet Sauvignon, Pinotage et Pinot noir, dont certains élevés sous bois de chêne neuf.

Chacun fut véritablement impressionné, tant par le niveau élevé que par le style attrayant et intéressant des vins. Le Chardonnay semblait être le plus prometteur, mais la dégustation ne comprenait qu'un seul Sauvignon blanc, et il était alors impossible de prévoir la réussite qu'allait remporter ce cépage dans les années suivantes.

Certains prétendent que la Nouvelle-Zélande pourrait devenir la seule autre région au monde après la Bourgogne où le Pinot noir pourrait réussir. Nous n'en sommes pas encore là, mais le temps pourrait bien confirmer cette opinion et un grand nombre de vinificateurs de ce pays sont fermement convaincus d'être sur la bonne voie. D'ores et déjà, le Chardonnay a atteint un seuil de qualité lui permettant de rivaliser sérieusement avec le Sauvignon.

Depuis cette première dégustation, le progrès des vins néo-zélandais a été saisissant, car la compétence des vinificateurs s'améliore considérablement d'une année à l'autre. Ils ont donné la preuve de leur capacité à s'adapter aux caprices d'un climat instable et aux techniques de vinification les plus modernes.

L'ARRACHAGE DES PLANTS DE MÜLLER-THURGAU

L'industrie vinicole de la Nouvelle-Zélande n'a pas toujours connu le succès. Ainsi, par une curieuse ironie du sort, le Müller-Thurgau est à l'origine de la crise de surproduction du milieu des années 80.

La valeur commerciale de ce cépage s'était révélée dans les années 60, époque à laquelle on l'appréciait surtout pour son rendement et son pouvoir de maturation hâtive. La consommation de vin *per capita* passant de 1,74 litre en 1960 à 3,08 litres en 1965, les entreprises vinicoles se mirent à planter du Müller-Thurgau à qui mieux mieux. Dès 1980, le Néo-Zélandais moyen consommait 11,9 litres par an de vins de table légers, dont plus de la moitié de Müller-Thurgau. À l'époque, cinq grosses entreprises vinicoles se distinguaient en Nouvelle-Zélande : Cooks, Corbans, McWilliams, Montana et Penfolds. Leurs équipes de vente s'avisèrent alors que la Nouvelle-Zélande en était au stade où s'était trouvée sa grande voisine, l'Australie, quelque dix ans auparavant, et que, depuis, sa consommation avait doublé. Elles envisagèrent alors d'axer leurs productions de vrac presque exclusivement sur des coupages de Müller-Thurgau à bon marché.

Dès 1985, le fruité Müller-Thurgau n'obtenait plus les faveurs des consommateurs qui préféraient porter leur intérêt sur des vins de cépage de meilleure qualité, tels que Chardonnay et Sauvignon blanc. Le pays mit alors sur pied une réforme de circonstance pour accorder plus de place à ces meilleurs cépages, mais 40 % des vignobles produisaient encore des raisins tombés en disgrâce. Ce choc économique subi par l'industrie vinicole s'aggrava encore par une multiplication sans précédent et imprévisible des taxes sur les vins entraînant un ralentissement soudain et presque total de la consommation *per capita*.

Pour faire place à la suproduction, le gouvernement lança alors un programme de réduction de 30 % des vignobles et offrit aux producteurs une subvention de 6 175 dollars néo-zélandais pour chaque hectare arraché. En quatre mois, 1 583 hectares de vigno-

ÉVOLUTION DE L'ENCÉPAGEMENT

Entre 1970 et 1983, les vignobles néo-zélandais dépassèrent l'objectif de production fixé pour 1986. Depuis, à la suite de l'arrachage des vignes, les vignobles ont été réencépagés en variétés classiques, telles que Sauvignon blanc, Chardonnay, Cabernet Sauvignon et Pinot noir. Malgré tout, ce programme d'arrachage a eu pour effet de faire baisser l'ensemble des chiffres relatifs à ces cépages.

ÉVOLUTION DE L'ENCÉPAGEMENT DE 1970 à 1987 (EN HECTARES)

Cépages	Années d'enquête 1970	1983	1987	Différences 1970-1983	1983-1987
Müller-Thurgau	194	1 873	1 360	+ 865%	− 27%
Cabernet Sauvignon	39	414	352	+ 906%	− 15%
Chardonnay	35	402	351	+ 915%	− 13%
Chenin blanc	–	372	274	–	− 26%
Muscat divers	–	331	274	–	− 17%
Palomino	243	408	272	+ 68%	− 33%
Chasselas	129	236	183	+ 83%	− 22%
Gewurztraminer	–	284	176	–	− 38%
Sauvignon blanc	–	200	170	–	− 15%
Gamay	–	157	141	–	− 10%
Pinot noir	21	139	120	+ 562%	− 14%
Pinotage	61	100	74	+ 56%	− 26%
Sémillon	–	86	73	–	− 15%
Hybrides	631	256	184	− 60%	− 28%
Autres	115	618	411	+ 437%	− 33%
Superficies plantées	1 468	5 876	4 415	+ 300%	− 25%

La Coopers Creek Winery, dans l'île du Nord, ci-dessus
Cette entreprise de la Huapai Valley produit des vins pleins d'élégance selon des méthodes traditionnelles ou des techniques de pointe.

bles étaient arrachés. Mais, contrairement aux dispositions d'un programme analogue institué en Australie, il n'était pas interdit aux Néo-Zélandais de replanter. Bien des terres devinrent le théâtre de nouvelles activités, mais un bon nombre des anciens vignobles se virent complantés en cépages classiques destinés à une production de qualité.

LA GUERRE DES PRIX

Les cinq grosses entreprises vinicoles de Nouvelle-Zélande savaient qu'elles s'étaient trop développées pour correspondre aux véritables besoins du marché, et que à long terme, une seule d'entre elles, à la rigueur deux, survivraient. Elles s'engagèrent alors dans une guerre des prix pour agrandir leurs parts du marché, sans presque tenir compte de leurs frais de production. Finalement, Cooks avala McWilliams, avant de passer sous le contrôle de Corbans, et Montana acheta Penfolds. Cooks/Corbans et Montana contrôlent maintenant 85 % de tout le marché et la situation semble s'être définitivement stabilisée, de sorte qu'il est probable que les deux entreprises vont progressivement remonter leur prix.

LA NÉCESSITÉ D'UN SYSTÈME D'APPELLATIONS

La Nouvelle-Zélande possède une gamme extraordinaire de régions viticoles différant de par leur situation géographique, leur climat et leur constitution géologique. Ces facteurs déterminent des frontières naturelles entre de vastes régions, telles que la Power Bay et le Marlborough, subdivisées en plus petits secteurs. Ainsi, le Gisborne fait-il partie de la Power Bay et le Blenheim du Marlborough. À l'intérieur de ces secteurs, on distingue des terroirs particuliers qui, à partir d'un même cépage et régis par des pratiques viticoles et de vinification analogues produisent des vins différents. Si les limites d'un secteur, même bien connu tel le Malborough, sont contestables, le terroir, lui, mérite d'accéder à l'honneur d'une appellation spécifique. Alors que nombre de pays producteurs de vins médiocres ont institué des systèmes d'appellations de faible intérêt, fondées sur des réputations parfois douteuses, il est étonnant que l'industrie vinicole néo-zélandaise n'ait pas jugé utile la création, pourtant fort nécessaire, d'un système de son cru.

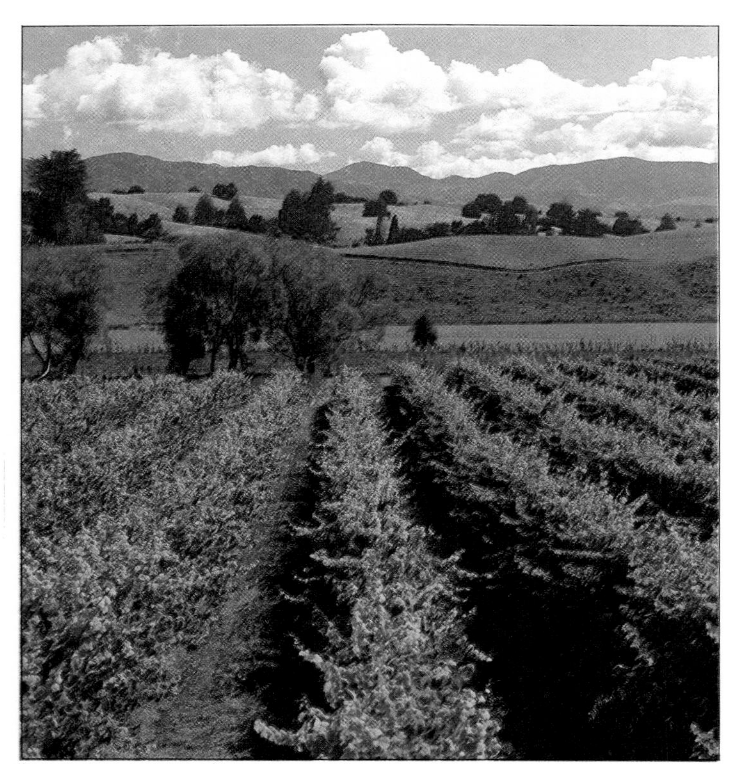

Neudorf Vineyards, dans l'île du Sud, ci-dessus
La zone de Nelson offre un climat propice à la production des vins fins. Ce vignoble de 4,5 hectares produit annuellement 2 000 caisses de vins.

FACTEURS AFFECTANT LE GOÛT ET LA QUALITÉ (ÎLE DU NORD)

Situation
L'île du Nord est située à 2 575 kilomètres à l'est de Melbourne.

Climat
Le climat frais est analogue à celui du Bordelais pour ce qui a trait aux températures. La pluviosité est toutefois beaucoup plus forte, allant de 760 mm dans la Hawkes Bay, à 1 600 mm dans le Northland. Les automnes sont rarement secs et la forte humidité régnant à l'automne cause des dégâts sur le raisin et favorise le développement des pourritures.
Selon la méthode de sommation des chaleurs, les zones vinicoles les plus importantes se situent en région I, à moins de 2 500 jours-degrés Celsius.

Site
La plupart des vignes occupent des terrains relativement plats. Certaines pentes exposées au nord offrent un meilleur drainage et davantage d'heures d'ensoleillement.

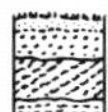

Sol
La gamme de sols est constituée, au Northland, d'argile superficielle sur un sous-sol argilo-siliceux ; en Waikato, de limons couvrant un sous-sol argileux ; dans la Poverty Bay, de limons sur un sous-sol sableux ou d'origine volcanique ; enfin, en Hawkes Bay, de limons argileux et de sables portés par des sous-sols graveleux ou d'origine volcanique.

Viticulture et vinification
Les vendanges débutent en mars et avril. Si on s'intéresse maintenant aux cépages de qualité supérieure tels que Chardonnay, Sauvignon blanc, Cabernet Sauvignon et Pinot noir, le Müller-Thurgau prédomine encore, malgré les arrachages massifs. On en fait un vin de type à peine sec, par l'adjonction d'un jus de raisin doux non fermenté et stérilisé. La plupart des entreprises vinicoles, du genre « boutique », disposent de locaux très petits mais bien équipés. Elles possèdent souvent des barriques de chêne neuf et limitent leur production à des éditions à petit tirage de vins de cépage de haute qualité. Il existe néanmoins deux grandes sociétés vinicoles dont la production représente quelque 85 % des vins néo-zélandais. Leur Müller-Thurgau de type allemand est produit en masse et souvent conditionné en grandes bouteilles de 1 litre et demi ou en cubitainers. Quelques entreprises de taille moyenne produisent à la fois des vins de vrac et des vins de choix.

Cépages
Albany Surprise, Baco blanc, Baco noir, Cabernet Sauvignon, Chardonnay, Chasselas, Chenin blanc, Gamay teinturier, Gewurztraminer Iona, Müller-Thurgau, Palomino, Pinotage, Pinot gris, Pinot meunier, Pinot noir, Sémillon, Siebels, Sauvignon blanc, Trousseau gris

FACTEURS AFFECTANT LE GOÛT ET LA QUALITÉ (ÎLE DU SUD)

Situation
L'île du Sud se situe à 16 900 kilomètres de l'Antarctique.

Climat
Les températures moyennes durant la période de végétation sont le plus élevé dans la zone de Marlborough qui jouit également du plus grand nombre d'heures d'ensoleillement. La température moyenne s'abaisse à mesure qu'on se dirige vers le sud. La pluviosité est variable, mais généralement plus faible que dans l'île du Nord, passant des 610 à 760 mm annuels en Marlborough aux 990 à 1 240 mm de la zone de Nelson. Les vents de nord-ouest persistants, chauds et secs, posent des problèmes de sécheresse.

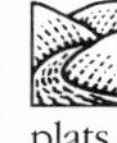

Site
La plupart des vignes sont plantées sur des terrains plats ou en pente douce. Les collines et montagnes constituant l'épine dorsale de l'île protègent les vignobles situés du côté est des plus abondantes pluies d'automne.

Sol
Les sols vont des limons argileux en zone de Nelson, aux limons boueux surmontant un sous-sol graveleux dans celle de Marlborough et certaines parties de Canterbury, en passant par les sols d'origine volcanique, lœss et limons en d'autres parties de cette zone.

Viticulture et vinification
Les vendanges débutent en mars-avril, soit avec six mois d'avance sur celles de l'hémisphère boréal. La viticulture a vraiment pris son essor dans les années 70. Les vignes y sont plantées en larges interlignes permettant la mécanisation de la culture comme de la cueillette. *Voir* la rubrique « Viticulture et vinification de l'île du Nord », pour les méthodes et les styles.

Cépages
Cabernet Sauvignon, Chardonnay, Gewurztraminer, Müller-Thurgau, Muscat, Pinotage, Pinot blanc, Pinot gris, Pinot noir, Refosco, Riesling, Sauvignon blanc, Sylvaner

Les vins de la Nouvelle-Zélande

ÎLE DU NORD

La renaissance des vins néo-zélandais dans les années 60 prit son essor à Auckland et dans la Hawkes Bay, près des grands centres démographiques.

AUCKLAND

Vignobles : ***802 ha***
Appellations : ***Henderson (West Auckland), Humeu, Huapai Valley, Waimauku, Riverhead, Ihumatao (South Auckland), Waiheke***

Aux abords ouest d'Auckland se trouve la plus vaste des zones viticoles, celle d'Auckland, qui contient les entreprises les plus actives du pays. Dans les années 60 et au début des années 70, les prix de la terre s'y envolèrent ; on n'y trouve plus maintenant que la moitié des vignobles, contre 80 % en 1960. De nouvelles zones se sont créées autour de Waimuku où le climat est plus sec et frais, ainsi que sur la péninsule d'Ihumatao.

Cabernet Sauvignon et, dans certaines zones, Pinot noir, Sauvignon blanc, Gewurztraminer et Chardonnay (dans le secteur de Waimuku) ; Cabernet Sauvignon et Pinotage et, dans certaines zones, Chardonnay, Gewurztraminer et Müller-Thurgau (dans la zone de Henderson) ; Cabernet Sauvignon et Merlot (à Waiheke) ; Gewurztraminer et Rhine Riesling (sur Ihumatao).

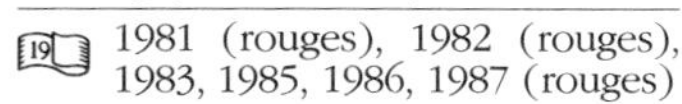
1981 (rouges), 1982 (rouges), 1983, 1985, 1986, 1987 (rouges)

BAY OF PLENTY

Vignobles : ***10 ha***
Appellation : ***Bay of Plenty***

L'excellent vignoble de Morton a donné à cette zone une certaine importance si bien qu'il est peu vraisemblable qu'il reste longtemps encore le seul du secteur.

Chardonnay, Sauvignon blanc

1983, 1985, 1986

HAWKES BAY

Vignobles : ***1 870 ha***
Appellations : ***Hawkes Bay, Esk Valley***

Tant du point de vue géographique que de celui de la production, la Hawkes Bay suit la Power Bay, première région viticole du pays. Ces deux régions produisent, à elles deux, les deux tiers des vins de toute la Nouvelle-Zélande. Les sols de la Hawkes Bay y sont néanmoins plus légers et bien que la moitié des vignes y soient constituées de Müller-Thurgau à gros rendement, les productions de vendange tardive y sont plus répandues, et les vins y sont, en général, plus sérieux. Le Cabernet Sauvignon y prospère depuis le milieu des années 60.

Cabernet Sauvignon, Müller-Thurgau

1981 (rouges), 1982 (rouges), 1983, 1985, 1986, 1987 (rouges)

NORTHLAND

Vignobles : ***14 ha***
Appellation : ***Aucune***

C'est ici que Samuel Marsden a planté, en 1819, les premiers ceps de vigne du pays. James Busby y élabora les premiers vins en 1832 mais il n'existe plus beaucoup de vignes ici.

Aucun

Aucun recommandé

POVERTY BAY

Vignobles : ***1 782 ha***
Appellations : ***Poverty Bay, Gisborne, East Cape, Tolaga Bay, Tikitiki***

Cette région a été qualifiée de « pays des vins de carafe » en raison du rendement énorme du Müller-Thurgau sur son sol très fertile, mais on y fait aussi d'autres vins de cépage qui ont été primés. Les vins rouges n'y ont pas tellement réussi. La Poverty Bay était, dès 1982, la plus importante des régions viticoles de Nouvelle-Zélande. Cette expansion a cessé lors de l'apparition du phylloxéra. J'y classe les zones de la Tolaga Bay et de Tikitiki.

Chardonnay, Gewurztraminer, Müller-Thurgau

1983, 1985, 1986

WAIKATO

Vignobles : ***200 ha***
Appellations : ***Waikato, Te Kauwhata, Mangatawhiri Valley, Waihou***

Situé au sud-est d'Auckland sur la rive nord du lac Waikere, ce secteur englobe la zone de Te Kauwhata. Les rendements y sont relativement bas et la pluviosité, l'ensoleillement et les températures moyennes élevés. J'y classe la Mangatawhiri Valley et l'estuaire du Waihou.

Cabernet Sauvignon, Chenin blanc, Müller-Thurgau (dans le Waikato), Sémillon (dans la Mangatawhiri Valley), Chenin blanc (estuaire de Waihou)

1983, 1985, 1986

WELLINGTON

Vignobles : ***18 ha***
Appellations : ***Wellington, Wairarapa, Waikanae, Manawatu***

Cette région porte des vignes à Waikanae et à Martinborough.

À définir encore

Aucun

ÎLE DU SUD

Moins peuplée que l'île du Nord, l'île du Sud a été mise en culture bien plus tard, mais elle témoigne de fortes potentialités pour la production de vins « de cépage » de choix.

CANTERBURY

Vignobles : ***40 ha***
Appellation : ***Canterbury***

Bien que les étés puissent être plus chauds que près de Marlborough, l'automne y est plus frais et les températures y sont plus basses.

Le Pinot noir et d'autres cépages paraissent prometteurs, mais ils n'ont pas encore fait leurs preuves

1983, 1985, 1986, 1987

MARLBOROUGH

Vignobles : ***1 000 ha***
Appellations : ***Renwick, Marlborough***

Ce n'est qu'en 1973 qu'ont été plantés les premières vignes dans la zone de Marlborough. Depuis, c'est elle qui s'est développée le plus rapidement. Cette région convient aux vins blancs ; il lui reste à prouver qu'elle peut devenir la région du « Champagne ».

Chardonnay, Rhine Riesling, Sauvignon blanc

1981 (rouges), 1982 (rouges), 1983, 1985, 1986, 1987 (rouges)

NELSON

Vignobles : ***42 ha***
Appellation : ***Nelson***

Nuits glaciales, étés chauds et longs, ensoleillement maximal pour la Nouvelle-Zélande, topographie accidentée empêchant la culture mécanisée : autant de facteurs concourant à faire de cette zone l'une des meilleures du pays pour les petites entreprises de style « boutique ».

Cabernet Sauvignon, Gewurztraminer

1981 (rouges), 1982 (rouges), 1983, 1985, 1986, 1987 (rouges)

AUTRES ZONES VITICOLES

De nombreux vignobles sont en cours d'expérimentation, à mi-chemin de la côte orientale de l'île, ainsi que sur la péninsule d'Otago. Les résultats de la station de recherches de Te Kauwhata sont encourageants.

Principales entreprises vinicoles de Nouvelle-Zélande

BABICH WINES
Babich Road
Henderson, Auckland

Production : ***42 000 caisses***
Vignobles : ***30 ha de Chardonnay, Sauvignon blanc, Cabernet Sauvignon, Pinot noir, Pinotage, Merlot et Palomino***
Date de création : ***1916***

Cette entreprise solide fait actuellement ses preuves sur les marchés extérieurs. Le maître de chai, Joe Babich, ex-président du concours national des vins de Nouvelle-Zélande, est un des meilleurs protagonistes du Pinot noir et son Porto Reserve mérite grandement d'être goûté.

☆ Chardonnay (« Irongate »), Pinot noir, Cabernet Sauvignon, Sémillon-Chardonnay, Reserve Port

BROOKFIELDS VINEYARDS
Brookfields Road, RD 3
Meeanee, Napier

Vignobles : ***10 ha de Cabernet Sauvignon, Sauvignon blanc, Chardonnay, Gewurztraminer, Pinot gris, Merlot et Cabernet franc***
Date de création : ***1937***

Depuis que son fondateur Richard Ellis a racheté en 1977 cette affaire qui produisait surtout du Xérès, on l'a reconvertie pour la production de vins de table légers, notamment d'un Pinot gris, achevé et fort convenable.

☆ Cabernet Sauvignon, Chardonnay, Pinot gris

CLOUDY BAY
Jacksons Road
Blenheim

Production : ***15 000 caisses***
Vignobles : ***25 ha de Sauvignon blanc, Sémillon et Chardonnay***
Date de création : ***1985***

Propriété de la firme Cape Mantelle, cette entreprise toute nouvelle se distingue par son Sauvignon blanc. J'attends avec intérêt ses cuvées de Chardonnay et de Sémillon.

☆ Sauvignon blanc

COLLARD BROTHERS
303 Lincoln Road
Henderson, Auckland

Vignobles : ***21 ha de Riesling, Cabernet franc, Gewurztraminer, Cabernet Sauvignon, Merlot, Chardonnay et Sauvignon blanc***
Date de création : *1910*

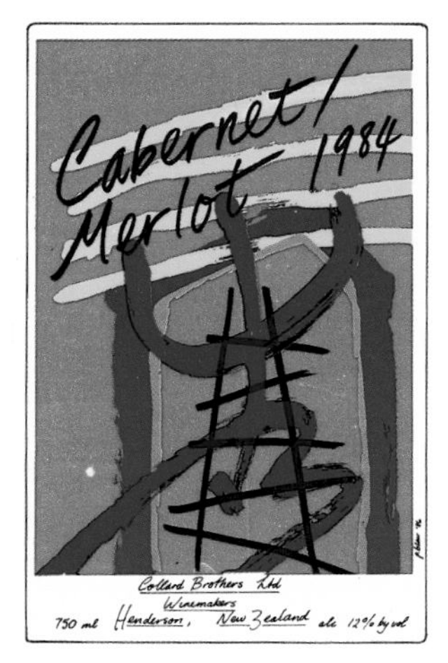

Cette entreprise, fondée par l'horticulteur J. W. Collard, appartient encore à sa famille. Bruce et Geoffrey Collard s'y partagent les responsabilités.

☆ Riesling, Gewurztraminer, Cabernet Sauvignon-Merlot, « Rothesay » Sauvignon blanc

COOKS
Paddy's Road
Te Kauwhata

Production : ***1 million de caisses***
Vignobles : ***110 ha de Cabernet Sauvignon, Pinot noir, Chardonnay, Sauvignon blanc, Chenin blanc, Müller-Thurgau et Sylvaner***
Date de création : *1969*

La raison sociale complète en est : Cooks McWilliams Ltd, Cooks ayant pris le contrôle en 1984 de son concurrent McWilliams. En 1987, le vent tourna pour Cooks, qui fut racheté par Corbans. Au moment où j'écris ces lignes, Corbans a l'intention de conserver la raison sociale de Cooks. Les vins, à bon marché, sont bien faits, parfois exceptionnels.

☆ Chardonnay (notamment Premium Varietal), Cabernet Sauvignon, Gewurztraminer, Chenin blanc, Müller-Thurgau (Late Pick)

COOPERS CREEK VINEYARDS
Main Road (Highway 16)
Huapai, Auckland

Vignobles : ***4 ha de Cabernet Sauvignon, Merlot, Sauvignon blanc, Chardonnay et Gewurztraminer***
Date de création : *1981*

Le Californien Randy Weaver fait de beaux vins secs et fermes.

☆ Gewurztraminer, Chardonnay (notamment « Swamp Road »), Cabernet-Merlot, Fumé Blanc

CORBANS WINES
Great North Road
Henderson, Auckland

Production : ***480 000 caisses***
Vignobles : ***385 ha de Chardonnay, Sauvignon blanc, Rhine Riesling, Gewurztraminer, Sémillon, Müller-Thurgau, Chenin blanc, Cabernet Sauvignon, Merlot et Pinot noir***
Date de création : *1902*

Il y a de cela quarante ans, un Libanais, Assid Abraham Corban s'embarquait pour la Nouvelle-Zélande. À l'époque, il ne pouvait pas s'imaginer que le vin allait changer son destin : il n'était en effet qu'un humble maçon. Arrivé en Nouvelle-Zélande, il tenta d'exercer son métier, changea plusieurs fois d'emploi et décida, au bout de dix pénibles années, de se « recycler » dans le vin. Il acheta donc, en 1902, un terrain dans la baie de Henderson pour créer un vignoble. Cette nouvelle activité lui convenait à merveille, son affaire prospéra et devint sans retard l'une des plus grandes entreprises vinicoles de la Nouvelle-Zélande. En 1987, Corbans acquérait la Cooks McWilliams Ltd.

☆ Marlborough Rhine Riesling, « Stoneleigh » (Sauvignon blanc, Chardonnay), Private Bin (Chardonnay, Fumé Blanc), Select Dry Gewurztraminer, Gewurztraminer, Sauvignon blanc-Sémillon

DELEGAT'S VINEYARD
Hepburn Road
Henderson, Auckland

Vignobles : ***Chardonnay, Sauvignon blanc, Cabernet Sauvignon, Rhine Riesling, Gewurztraminer, Müller-Thurgau et Sémillon***
Date de création : *1947*

Affaire gérée avec sagesse et produisant une belle gamme de vins souvent primés.

☆ Chardonnay, Pinot gris, Late Harvest Selected Vintage Müller-Thurgau, « Huapai » Cabernet Sauvignon, Rhine Riesling, Sauvignon blanc

DE REDCLIFFE ESTATES
Lyons Road
Mangatawhiri Valley

Production : ***6 000 caisses***
Vignobles : ***16 ha de Chardonnay, Cabernet Sauvignon, Merlot, Sémillon et Pinot noir***
Date de création : *1976*

Cet attrayant vignoble situé au bord de l'eau a été créé par Chris Canning dont l'apprentissage dura 20 ans à l'étranger, notamment en France et en Toscane.

☆ Sémillon

GLENVALE VINEYARDS
Main State Highway 2
Hawkes Bay

Production : ***120 000 caisses***
Vignobles : ***75 ha de Chardonnay, Cabernet Sauvignon, Gewurztraminer et Pinot noir***
Date de création : *1933*

Jadis spécialiste des vins vinés, cette entreprise s'est reconvertie avec bonheur dans les vins de cépage. Avec tant de bonheur qu'elle a été reprise par Fistonich, le propriétaire de Vidal et Villa Maria.

☆ Esk Valley Sauvignon blanc, Chardonnay, Cabernet/Merlot

GOLDWATER ESTATE
Putiki Bay
Waiheke Island, Nr. Auckland

Vignobles : ***6 ha de Cabernet Sauvignon, Cabernet franc, Merlot et Sauvignon blanc***

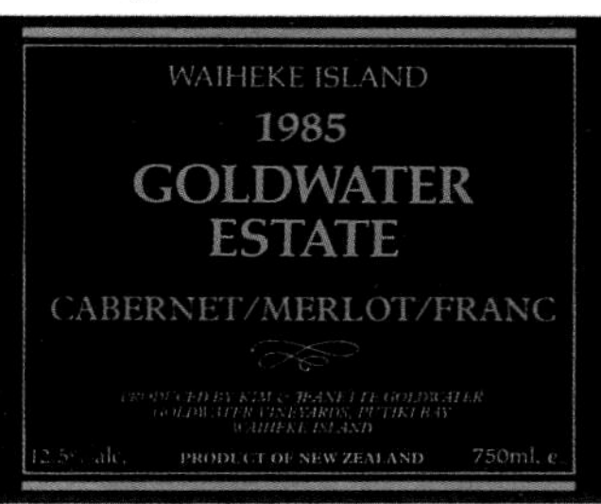

Ce petit vignoble insulaire jouit d'un microclimat privilégié.

☆ Cabernet-Merlot, Sauvignon blanc

HUNTER'S WINES
Rapaura Road
Blenheim

Production : ***20 000 caisses***
Vignobles : ***27 ha de Chardonnay, Sauvignon blanc, Riesling, Müller-Thurgau, Gewurztraminer, Pinot gris et Cabernet Sauvignon***
Date de création : *1982*

Cette entreprise dut ses premiers succès aux compétences d'Almuth Lorenz, une remarquable vinificatrice d'origine allemande qui produisit des vins primés au moyen d'un matériel de fortune. Ernie Hunter, Irlandais de naissance, fut son élève et élabore maintenant ses excellents vins lui-même, encore que conseillé par l'expert australien Tony Jordan. Hunter possède maintenant l'une des entreprises de style « boutique » parmi les plus modernes de l'île du Sud ; son succès est garanti.

☆ Chardonnay, Sauvignon blanc, Fumé Blanc

KUMEU RIVER WINES
2 Highway 16
Kumeu, Auckland

Vignobles : ***32 ha de Chardonnay, Pinot noir, Cabernet Sauvignon, Cabernet franc, Merlot et Sauvignon blanc***

Après avoir suivi des études d'œnologie en Australie, Michael Brajkovich se rendit en Californie, Italie et France. C'est du dernier cité de ces séjours qu'il tient ses compétences de maître de chai. À la Kumeu River Wines, il s'occupe notamment des assemblages de type bordelais.

☆ Cabernet-Merlot, Pinot noir

LINCOLN VINEYARDS
130 Lincoln Road
Henderson, Auckland

Vignobles : ***32,5 ha***
Date de création : *1937*

Cette entreprise, fondée par Peter Fredatovich, est maintenant dirigée par son fils. Je ne suis pas un enthousiaste des vins vinés mais je recommande le « Old Tawny ».

☆ « Old Tawny »

MATAWHERO WINES
Riverpoint Road, RD 1
Gisborne

Production : ***15 000 caisses***
Vignobles : ***32 ha de Chardonnay, Gewurztraminer, Sauvignon blanc, Chenin blanc, Cabernet Sauvignon, Merlot, Malbec et Pinot noir***
Date de création : *1975*

Ces vins souvent fumés, de style quelque peu allemand, sont difficiles à trouver, même en Nouvelle-Zélande où les clients les achètent par correspondance.

☆ Cabernet-Merlot, Chardonnay, Gewurztraminer

MATUA VALLEY WINES LIMITED
Waikoukou Valley Road
Waimauku, Auckland

Production : ***39 000 caisses***
Vignobles : ***23 ha de Cabernet Sauvignon, Sauvignon blanc, Pinot noir, Müller-Thurgau, Chardonnay et Gewurztraminer***
Date de création : *1974*

Cette entreprise de pointe produit de beaux vins très expressifs. Parmi eux, un excellent blanc de Pinot noir.

☆ Chardonnay, Cabernet Sauvignon, Pinot noir blanc

MISSION VINEYARDS
Church Road
Greenmeadows, Napier

Production : ***26 000 caisses***
Vignobles : ***43 ha de Cabernet Sauvignon, Sémillon, Sauvignon blanc, Merlot, Gewurztraminer, Müller-Thurgau, Pinot gris, Chasselas, Chardonnay, Pinot noir et Dr Hogg Muscat***
Date de création : *1851*

Cette entreprise a fait un effort pour améliorer ses vins.

☆ Sémillon/Sauvignon blanc

MONTANA WINES
171 Pilkington Road
Glen Innes, Auckland

Production : ***1,5 million de caisses***
Vignobles : ***950 ha de Sauvignon blanc, Chardonnay, Pinot noir, Müller-Thurgau, Rhine Riesling, Cabernet Sauvignon, Pinotage, Sémillon et Gewurztraminer***
Date de création : ***1964***

À l'instar de Cooks, son concurrent sur les marchés extérieurs, Montana s'arrange pour appâter les palais étrangers par de délicieux vins vendus à bas prix, ce qui conduit naturellement les consommateurs à approfondir leurs recherches en faveur des vins néo-zélandais. Cette entreprise vinicole, la plus importante de Nouvelle-Zélande, possède deux installations ultramodernes, l'une à Blenheim, l'autre à Gisborne. Parmi les vins effervescents néo-zélandais, je recommande son mousseux. J'ai le sentiment que le meilleur est encore à venir.

☆ Marlborough (Sauvignon blanc, Sauvignon blanc-Sémillon, Cabernet Sauvignon Wairau Valley, Rhine Riesling), Gisborne Chardonnay-Sémillon, Lindauer Brut

MORTON ESTATE
Kati Kati
Bay of Plenty

Production : ***27 000 caisses***
Vignobles : ***40,5 ha de Chardonnay, Sauvignon blanc, Pinot noir et Cabernet Sauvignon***
Date de création : ***1979***

Spécialiste des vins blancs, utilisant le chêne pour la fermentation des meilleurs d'entre eux, et pour l'élevage de la plupart des autres. Produit aussi des vins mousseux.

☆ Chardonnay (notamment « Black Label »), Gewurztraminer, Fumé Blanc (« Black Label »)

NGATARAWA WINES
Ngatarawa Road
Bridge Pa, Hastings

Production : ***3 300 caisses***
Vignobles : ***11 ha de Chardonnay, Sauvignon blanc, Rhine Riesling, Cabernet Sauvignon et Merlot***
Date de création : ***1981***

Entreprise axée sur la qualité remarquée pour ses vins distingués.

☆ Hawkes Bay Sauvignon blanc, « Stables Red »

NOBILO'S
Station Road
Huapai, Auckland

Production : ***90 000 caisses***
Vignobles : ***145 ha de Cabernet Sauvignon, Pinotage, Pinot noir, Merlot et Malbec***
Date de création : ***1943***

Ces vins riches et typés manquent parfois de légèreté, sans nul doute par excès de zèle dans la recherche de la qualité ; mais un bon Nibolo est un grand Nobilo.

☆ Dixon Estate Chardonnay, Pinot noir, Pinotage

PENFOLDS WINES
Pilkington Road
Glen Innes, Auckland

Date de création : ***1963***

Fondée à l'origine par la famille Abel, reprise par la firme Penfolds, Penfolds Wines est maintenant une filiale de Montana. Elle ne possède aucun vignoble, mais elle s'approvisionne auprès de vignerons possédant au total environ 1 000 ha.

☆ Private Bin Chenin blanc, Private Bin Chardonnay, Private Bin Gewurztraminer

SELAK WINES
Old North Road
Kumeu, Auckland

Production : ***27 000 caisses***
Vignobles : ***28 ha de Chardonnay, Sauvignon blanc, Sémillon et Pinot noir***
Date de création : ***1934***

Comme tant de familles néo-zélandaises, les Selak sont d'origine yougoslave. Cette entreprise produit des vins bien faits et francs.

☆ Chapelle Brut, Chardonnay (notamment Founder's Reserve), Sauvignon blanc, Sauvignon blanc-Sémillon

ST. HELENA WINE ESTATE
Coutts Island RD 4
Christchurch

Vignobles : ***24 ha de Rhine Riesling, Gewurztraminer, Pinot blanc, Pinot gris, Müller-Thurgau, Pinot noir, Cabernet Sauvignon et Chardonnay***
Date de création : ***1978***

Cette affaire élabore le meilleur Pinot noir de Nouvelle-Zélande dans lequel la pureté du cépage s'associe à un agréable fruit – fait rare dans cette contrée du Pinot d'avant-garde.

☆ Pinot noir

TE MATA ESTATE
Te Mata Road, Havelock North
Hawkes Bay

Production : ***13 000 caisses***
Vignobles : ***25 ha de Cabernet Sauvignon, Merlot, Sauvignon blanc et Chardonnay***
Date de création : ***1896***

Te Mata Estate, la plus ancienne entreprise vinicole de la Nouvelle-Zélande, fut achetée en 1978 par John Bick. Malgré son approche du marché de bas de gamme, il est difficile d'ignorer la qualité intrinsèque et la personnalité exceptionnelle de ses vins.

☆ « Coleraine » Cabernet-Merlot, « Awatea » Cabernet-Merlot, « Elston » Chardonnay

TOTARA VINEYARDS
Main Road
Totara, Thames

Vignobles : ***14 ha***
Date de création : ***1950***

Sous l'étiquette Jade Cow, on peut trouver quelques délicieux vins de cépage produits par cette entreprise, propriété de Chinois.

☆ Chenin blanc, Müller-Thurgau, Chasselas

VIDAL WINERY
St. Aubin Street
Hastings

Production : ***90 000 caisses***
Vignobles : ***70 ha de Chardonnay, Gewurztraminer, Sauvignon blanc, Cabernet Sauvignon, Pinot noir, Merlot et Cabernet franc***
Date de création : ***1905***

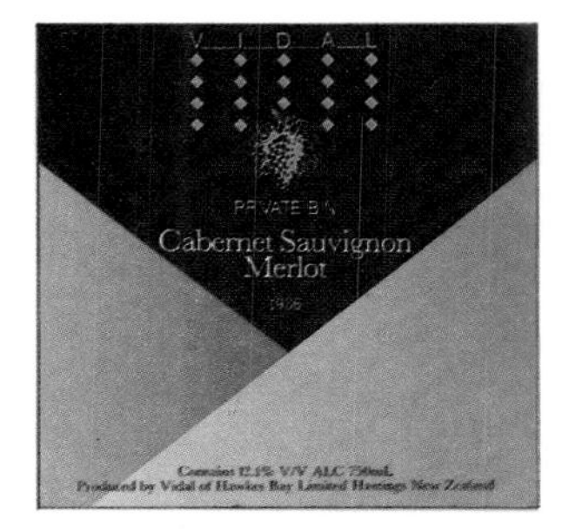

Appartenant à George Fistonich de Villa Maria, cette entreprise produit certains des plus passionnants vins de la Hawkes Bay, notamment un excellent vin de méthode champenoise et l'un des meilleurs Pinot noir du pays.

☆ Vidal Brut, Chardonnay Reserve, « Private Bin » Fumé Blanc, « Private Bin » Cabernet Sauvignon, « Private Bin » Pinot noir

VILLA MARIA ESTATE
Mangere, Auckland

Production : ***210 000 caisses***
Vignobles : ***180 ha de Chardonnay, Gewurztraminer, Sauvignon blanc, Cabernet Sauvignon, Pinot noir, Müller-Thurgau, Chenin blanc, Merlot et Cabernet franc***
Date de création : ***1961***

Les vins de Villa Maria sont produits selon des techniques modernes destinées à exalter leur fraîcheur et leur fruité. Lorsqu'on y utilise le chêne, la nuance boisée reste légère et l'équilibre parfait.

☆ Gewurztraminer, Chardonnay (notamment Reserve et Gisborne Reserve), Pinot noir, Sauvignon blanc

Autres entreprises vinicoles de Nouvelle-Zélande

AMBERLEY ESTATE VINEYARD
Reserve Road
Amberley

ASPENRIDGE ESTATE WINES
Waerenga Road
Te Kauwhata

BALIC ESTATE WINES
Sturges Road
Henderson, Auckland

CELLIER LE BRUN
Terrace Road
Renwick, Marlborough

CHIFNEY WINES
Huangarua Road
Martinborough

DRY RIVER
Purautanga Road
Martinborough

HOLLY LODGE ESTATE WINERY
Papaiti Road
Wanganui

KARAMEA WINES
Pirongia Road
Frankton

KOREPO WINES
Korepo Road RD 1
Upper Moutere, Mapua

LOMBARDI WINES
Te Mata Road
Havelock North, Hawkes Bay

MARTINBOROUGH VINEYARD
Princess Street
Martinborough

THE MILLTON VINEYARD
Papatu Road
Manutuke, Gisborne

NEUDORF VINEYARDS
Neudorf Road, RD 2
Upper Moutere, Nelson

PIERRE
Elizabeth Street
Waikanae

RANZAU WINES
Patons Road, RD 1
Richmond

SAN MARINO VINEYARDS
2 Highway 16
Kumeu, Auckland

SOLJANS WINES
263 Lincoln Road
Henderson, Auckland

TE WHARE RA WINES
Anglesea Street
Renwich, Blenheim

VICTORY GRAPE WINES
Main Road South
Stoke, Nelson

LES VINS

D'EXTRÊME-ORIENT

Extrême-Orient

Du point de vue viticole, il est malaisé d'établir un parallèle entre des pays aussi divers que l'Inde, la Chine et le Japon. On peut néanmoins affirmer que les Orientaux accordent généralement leurs préférences aux vins doux.

Malgré le goût prononcé des Orientaux pour le vin doux, il existe en Inde un mousseux de méthode champenoise dénommé « Omar Khayyam », à la personnalité extraordinairement « européenne ». La Chine a, jusqu'à présent, été décevante malgré l'assistance technique de la France ; elle est désormais sous la conduite de Charles Whish, maître de chai australien. Quant aux vins japonais, ils sont généralement de qualité honnête bien que « Produce of Japan » ne signifie pas que tel ou tel vin soit nécessairement issu de raisins cultivés au Japon. Le Château Lumière y est exceptionnel.

Séchage des raisins en Chine occidentale, ci-dessus
Au milieu d'une véritable jungle de vignes et autres frondaisons, on fait sécher les raisins sur le toit d'un bâtiment.

INDE

On fait du vin depuis 2 000 ans, de façon sporadique, en certaines parties de l'Inde, mais la production actuelle est très faible, de sorte qu'aucune statistique officielle n'y fait référence. Le pays possède quelque 12 500 hectares de vignes. Jusqu'au début des années 70, le vin indien était épais, doux et peu agréable. C'est encore souvent le cas, mais, en 1972, une société franco-indienne du nom de Vinedale fut montée et se mit à commercialiser des vins rouges sous l'étiquette « Shah-Eh-Shah ».

L'EXTRÊME-ORIENT

Nous avons procédé à un regroupement de circonstance de pays comme l'Inde, la Chine et le Japon, n'ayant guère de points communs si ce n'est celui de faire partie de l'Asie. Tous possèdent des industries vinicoles dont les produits présentent divers degrés de raffinement.

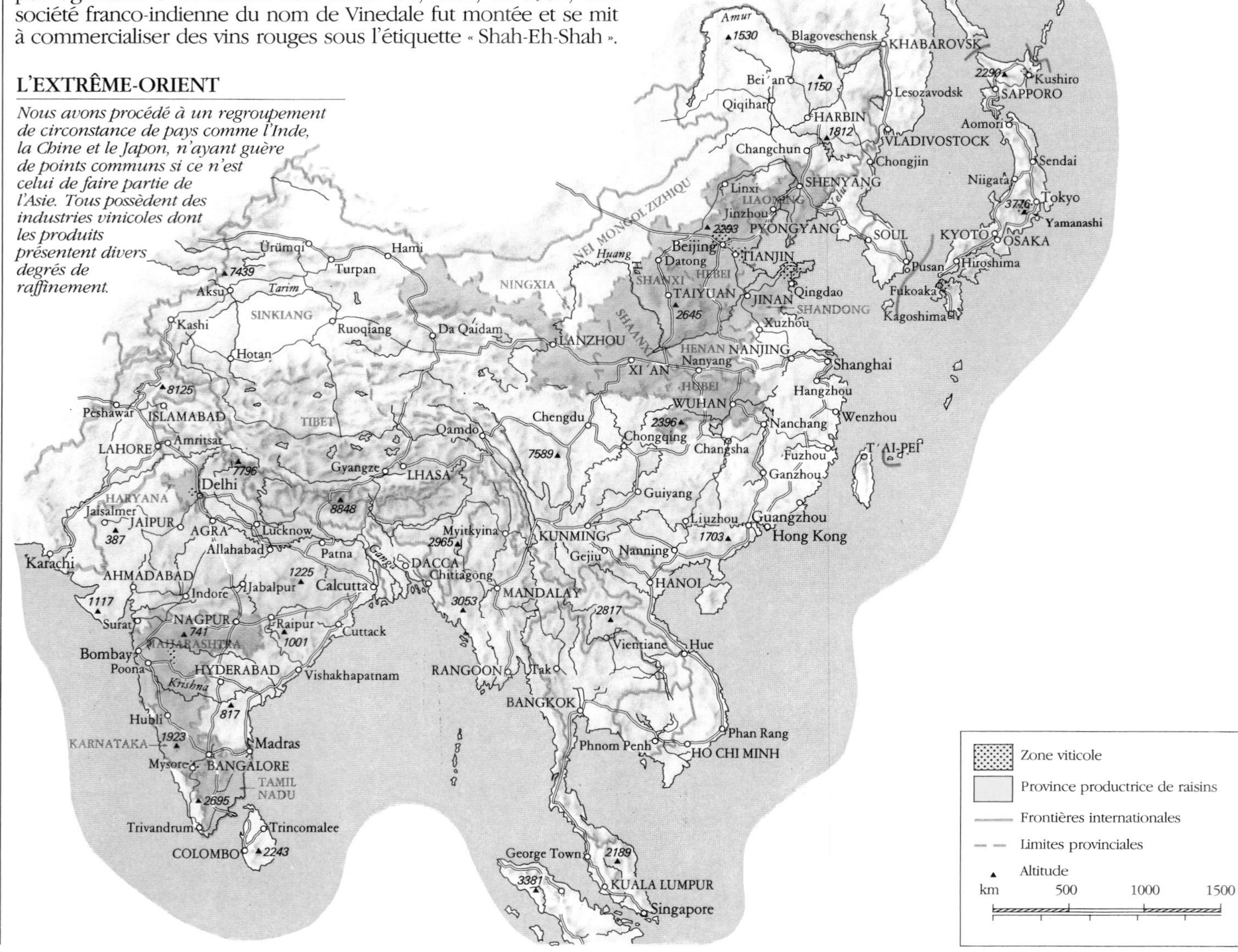

FACTEURS AFFECTANT LE GOÛT ET LA QUALITÉ

Situation
« Région » de circonstance, englobant les principales zones viticoles de l'Inde (État du Maharashtra), de la Chine (septentrionale) et du Japon.

Climat
L'Inde est fort chaude pendant toute l'année, elle ne connaît pas de véritable hiver et reçoit peu de pluie en période de végétation. Les vignobles de Chine jouissent d'un climat frais et humide, analogue à ceux du Michigan, de l'Ontario, de l'Autriche et de la Hongrie. Les caractéristiques continentales y sont fortement influencées par l'existence de grandes masses d'eau. Le Japon subit des conditions climatiques extrêmes : gel sous les vents sibériens d'hiver, moussons de printemps et d'automne, typhons en été.

Site
Inde
Les vignobles du Maharashtra se situent sur les pentes exposées à l'est des montagnes Sahyadri, à l'altitude de 750 m.

Chine
Des plantations récentes ont pris place sur des pentes bien drainées, pour éviter le problème que posent les nappes phréatiques de niveau élevé.

Japon
Dans l'île de Honshu, les meilleurs vignobles sont plantés sur des pentes exposées au sud, dans la vallée des environs de Kofu.

Sol
En Inde, les vignobles sont plantés sur des sols très calcaires. En Chine, il s'agit en général d'alluvions, et au Japon prédominent des sols acides, impropres à la viticulture, sauf aux environs de Kofu.

Viticulture et vinification
En Inde, dans le Maharashtra, les vignes sont conduites en taille haute dite « de Lenz Moser » (*voir* p. 104) et l'on recourt à la méthode champenoise de vinification. Au Japon, on s'intéresse depuis peu à la culture des grands cépages classiques européens et on expérimente les Riesling et Sémillon botrytisés. La Chine ne possède pas encore une industrie vinicole cohérente, mais il n'est pas douteux qu'elle se développera. Par ailleurs, l'intégration de Hong Kong en 1997 au territoire chinois pourrait faire de ce pays un fort intéressant centre vinicole au XXIe siècle.

Cépages
Inde
Principaux
Anab-e-shahi, Arkavti, Arka Kanchan, Arka Shyam, Bangalore blue, Chardonnay, Ruby red, Ugni blanc
Secondaires
Cabernet Sauvignon, Karachi gulabi, Pinot noir

Chine
Principaux
Beichun, « Œil du Dragon »
Secondaires
Cabernet Sauvignon, Cabernet franc, Carignan « Cœur de coq », Gamay, Gewurztraminer, Muscat à petits grains, Muscat de Hambourg, Merlot, Pinot noir, « Pis de vache », Rkatsiteli, Saperavi, Welschriesling

Japon
Principaux
Campbell's early, Delaware, Muscat Bailey, Koshu
Secondaires
Cabernet Sauvignon, Chardonnay, Merlot, Müller-Thurgau, Riesling, Sémillon

Dix ans plus tard, une autre affaire franco-indienne vint littéralement secouer les milieux vinicoles de l'Inde. Elle vit le jour grâce au milliardaire de Bombay, Sham Chougule, qui demanda à Piper-Heidsieck son concours technique pour mener à bien un projet concernant la production de vins mousseux de qualité, indiens, élaborés selon la méthode champenoise. Piper-Heidsieck envoya en Inde un jeune œnologue, Jean Brisbois, attaché à l'époque à la filiale de la maison Champagne Technologie. Brisbois choisit un emplacement à Narayangaon, dans l'État du Maharashtra. On bâtit alors une ambitieuse entreprise de pointe au flanc des montagnes Sahyadri.

Les vignobles sont implantés sur le sol très calcaire des environs, et les pentes sont exposées à l'est, à une altitude de quelque 750 mètres. On utilise le Chardonnay en assemblage avec de l'Ugni blanc et la production est d'un niveau technique équivalent à celui de la Champagne. Le vin, vendu sous l'étiquette « Omar Khayyam » est beau à tous égards. Il montre une ravissante mousse aux bulles petites, sa saveur agréablement neutre s'enrichit d'arômes délicats, évanescents, qui se développent lors du vieillissement, jusqu'à deux ans après l'achat. Sec, d'une bonne acidité, il témoigne également d'une certaine finesse. Les vignobles sont encore très jeunes, si bien que le vin ne peut que s'améliorer. Ma seule critique porte sur le prix, mais peut-être serait-ce trop demander d'un vin aussi miraculeux qu'il soit également avantageux !

CHINE

Secteurs vinicoles : ***péninsule du Shantung (Shandong), Jungsu (Kiangsu), Shaanxi (Shensi), Shanxi (Shansi), Hebei, Liaoning***

La viticulture a débuté 100 ans avant J.-C. près de Pékin mais elle n'a guère évolué jusqu'à l'arrivée de négociants allemands et français aux alentours de 1900. Ceux-ci créèrent une industrie vinicole rudimentaire dans la péninsule du Shantung. Plus récemment, Rémy Martin, la société française de Cognac, y a apporté son aide technique pour lancer le « Dynasty », un vin prétendûment de classe internationale, mais qui n'a pas contribué à la bonne réputation de la Chine en matière vinicole. Une autre marque, fruit également d'une collaboration avec l'étranger, le « Tsingta », n'est pas beaucoup plus intéressant. Quant aux vins typiquement chinois, ils sont encores pires, tels le « Grande Muraille » et le « Palace céleste ». Néanmoins, on commence à parler d'un Cabernet, franc, léger et sec, dénommé « Cabernet d'Est » produit par un consortium sino-japonais à Yantai, sur la péninsule du Shantung. Je n'y ai pas goûté.

Les vins de la province du Shantung sont les plus honnêtes du pays, notamment ceux des environs de Quingdao, ville située sur la côte de la mer Jaune. Par ailleurs, une firme sino-britannique de Hong Kong a produit un bon Riesling de Quingdao, sous les auspices d'un vinificateur australien, Charles Whish. Ce vin, manifestement, est le premier d'une série très prometteuse de vins de cépage.

JAPON

Secteurs viticoles de Honshu : ***Yamanashi, Kofu Valley, Yamagata, Okayama, Nagano, Tokay, Osaka***
Secteurs viticoles de Hokkaido : ***Sapporo, Kushiro***
Secteur viticole de Kyushu : ***Fukuoka***

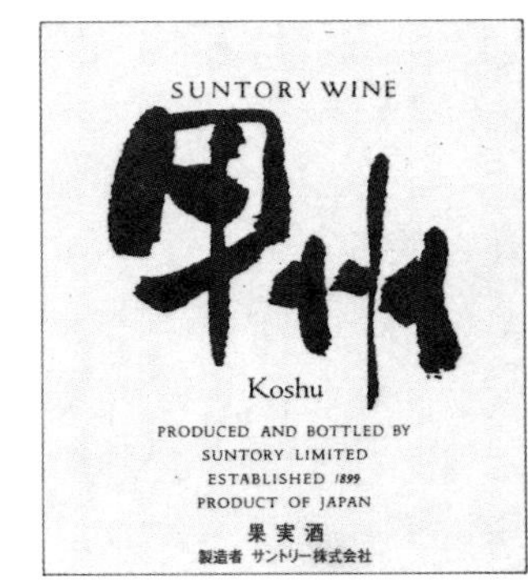

Les Japonais cultivent la vigne depuis aussi longtemps que les Chinois et possèdent une législation vinicole hermétique permettant d'apposer sur les étiquettes de vins étrangers la mention « Produit au Japon ». Les plus grandes sociétés sont Suntory, Mercian et Mann's. Leur technologie de haut niveau permet d'élaborer des vins de qualité, qu'il s'agisse de vins d'origine japonaise ou de coupages originaires de plusieurs pays. On fait de bons vins japonais, authentiques, au Château Lumière, propriété de la vieille famille Toshihiko Tsukamoto. Fortement marqué par l'influence du Bordelais, le rouge est issu de Cabernet Sauvignon, Cabernet franc et Merlot. Le blanc est élaboré à partir de Sémillon et Sauvignon blanc botrytisés.

Les vendanges, ci-dessus
Les cueilleurs de Suntory offrent une belle image de leur entreprise.

Conservation et service du vin

Le maintien d'une température à peu près constante doit être une des préoccupations principales pour la conservation du vin. Mais il ne faut pas en déduire qu'il existe une température idéale au-delà ou en deçà de laquelle toute la cave serait impropre à la conservation du vin.

TEMPÉRATURE DE CONSERVATION

S'il est admis que 11 °C est une température parfaite, en réalité, toute température comprise entre 5 et 18° fait parfaitement l'affaire, à condition qu'elle ne subisse aucune grande variation sur une période relativement courte. Les températures élevées favorisent l'oxydation du vin, à telle enseigne qu'une bouteille de vin conservée à 18 °C vieillit plus vite que le même vin conservé à 11°. Mais une température constante de 18 °C est bien plus favorable au vin que des températures irrégulières.

L'effet de la lumière

Nous savons que les ultraviolets sont responsables de l'altération du vin, et qu'il faut donc éviter au vin aussi bien le soleil que la lumière artificielle. Les bouteilles de verre brun offrent une meilleure protection que le verre de couleur verte ; une partie des effets photochimiques des ultraviolets peut s'inverser par le séjour de quelques mois en cave, à l'obscurité, d'un vin altéré. Ces phénomènes sont encore à l'étude, mais l'on peut d'ores et déjà considérer que l'obscurité est un facteur au moins aussi important que la température pour la conservation des vins.

La conservation en bouteille

Les bouteilles doivent être entreposées à l'horizontale et les caisses empilées de champ afin de conserver aux bouchons leur humidité. Si l'on place une bouteille en position verticale, il en résulte un certain dessèchement du bouchon pouvant exposer le vin à l'air et causer son oxydation. Pour la conservation de longue durée, une bonne hygrométrie du local est préférable, faute de quoi la partie extérieure du bouchon pourrait se dessécher.

LA TEMPÉRATURE DE SERVICE

Traditionnellement, on sert les vins blancs rafraîchis et les rouges chambrés, c'est-à-dire à la température de la pièce. Les arômes des vins sont, en effet, plus volatils à température élevée. C'est la raison pour laquelle on y soumet plutôt les vins corsés pour mieux dégager leur bouquet. Le fait de rafraîchir les vins blancs a pour principal effet de conserver au vin davantage de gaz carbonique. Cela exalte sa fraîcheur et sa nervosité, et tend à vivifier l'impression de fruit communiquée au palais. Un vin mousseux doit être servi frais. Cela lui permet de garder ses bulles plus longtemps. Mais au-delà de ces considérations générales, on peut regretter l'usage actuellement généralisé du réfrigérateur et du chauffage central ayant pour effet que les vins blancs sont souvent servis trop froids et les rouges trop chauds.

La controverse à ce sujet continue d'aller bon train. L'excès de rafraîchissement tue l'arôme et la saveur du vin, tout en rendant le bouchon difficile à retirer. Le vin trop chaud, en revanche, est suave au palais, l'alcool se volatilisant dans l'air ambiant. Pour ces différentes raisons, je préfère employer, de préférence aux expressions, servir « glacé » ou « chambré » celles de « vin rafraîchi » ou « non rafraîchi ».

Les thermomètres à vin et autres tableaux de températures font partie des aberrations modernes qu'il me paraît sage d'éviter. Le vin est fait avant tout pour être aimé, et le buveur incapable de discerner si tel vin est rafraîchi ou non ne sera pas plus en mesure d'apprécier la température exacte d'un troisième. Les quelques indications données ci-dessous suffisent plus que largement.

Types de vin	Températures du service
Mousseux (rouge, blanc et rosé)	4,5 à 7 °C
Blancs	7 à 10 °C
Rosés ou rouges légers	10 à 12,5 °C
Rouges moyennement corsés	12,5 à 15,5 °C
Rouges corsés	15,5 à 18°C

RAFRAÎCHISSEMENT RAPIDE ET CHAMBRAGE INSTANTANÉ

S'il est possible de rafraîchir un vin au réfrigérateur en quelques heures, ne tentez pas de l'y laisser plus longtemps, car vous pourriez avoir du mal à en retirer le bouchon. En outre, la réfrigération entraîne le dessèchement de ce dernier.

Pour donner un « petit coup de fraîcheur » à un vin ou, au contraire, le remettre à température, n'hésitez pas à utiliser le congélateur et le four à micro-ondes ! 10 à 15 minutes passées dans le compartiment le plus froid du congélateur n'ont jamais nui au vin. De même, le passage rapide d'un vin dans un four à micro-ondes de 750 watts, à moyenne puissance, est le meilleur moyen de le réchauffer uniformément. Les méthodes traditionnelles qui consistent à laisser la bouteille debout devant le feu, ou à la placer sous le filet d'eau chaude d'un robinet, risquent de ne la réchauffer que partiellement.

SERVICE DU VIN : LA DÉCANTATION

Avec l'âge, nombre de vins, particulièrement les rouges, présentent, au fond de la bouteille, un dépôt de tanins et de pigments colorants. Blancs et rouges, notamment les blancs, peuvent être le lieu d'une précipitation de tartrates. Bien que ces dépôts n'altèrent en rien la qualité du vin, leur aspect est peu agréable et la décantation est nécessaire pour les éliminer.

Préparation de la bouteille et versage du vin

Plusieurs heures avant la décantation, mettre la bouteille en position verticale afin que les dépôts tombent au fond. Couper proprement la capsule à 0,5 centimètre, à peu près, du haut. À ce moment peut se révéler l'existence d'une flore de pénicilline ou, dans le cas d'un millésime ancien, d'un fin dépôt noir. Aucun de ces dépôts n'a été au contact du vin, mais pour éviter toute contamination involontaire au moment du débouchage, il est prudent de nettoyer le bord du goulot et la surface du bouchon au moyen d'un linge humide et propre.

Introduire le tire-bouchon et extraire délicatement le bouchon. Avant de décanter, s'assurer en passant un doigt dans le goulot que nul morceau de bouchon ou cristal de tartrate n'adhère à l'intérieur. Essuyer les bords du goulot avec un linge propre et sec.

Élever lentement la bouteille dans une main et la carafe à décanter dans l'autre, puis les exposer toutes les deux à une source de lumière, telle qu'une chandelle ou une lampe électrique pour bien suivre la progression du dépôt au moment où l'on verse le vin.

Veiller à verser le vin lentement et progressivement en évitant tout mouvement brusque qui perturberait le dépôt et menacerait de troubler le vin déjà décanté.

FILTRAGE DE LA LIE

Personnellement, je ne respecte pas la tradition qui consiste à jeter le vin contenant la lie, car je verse le dépôt sur un papier filtrant de bonne qualité, après avoir procédé à une décantation maximale. Je n'ai, pour ma part, pu déceler de différence entre un vin simplement décanté et un autre complété par un peu de filtrage. Mes amis et collègues spécialistes ayant mis en doute mon affirmation, aucun n'a été capable, une fois sur deux, de distinguer cette différence dans une dégustation à l'aveugle.

Laisser le vin respirer

Lorsque vous ouvrez une bouteille de vin, celui-ci, exposé à l'air, « respire ». Lorsqu'il est bouché, le vin « se nourrit » du petit volume d'air emprisonné dans la bouteille, entre le bouchon et lui, mais aussi de l'oxygène qu'il contient naturellement. Lors de cette lente oxydation, divers éléments et composés se forment ou évoluent grâce à un processus chimique complexe, connu sous le nom de maturation. Aussi, le fait de laisser le vin respirer crée-t-il, de fait, les conditions d'une maturation rapide, mais moins complexe.

Les avis sont partagés sur l'effet de cette « respiration » favorable à certains vins tranquilles et moins à d'autres pour des raisons encore obscures. Il semble néanmoins qu'elle soit capable d'améliorer les vins rouges jeunes, corsés et tanniques.

L'alliance des mets et des vins

Bien qu'en la matière il n'existe pas de règle particulière, il en est au moins une d'ordre général, à considérer comme une règle d'or : plus un mets est délicat, plus doit l'être le vin. Les plats de saveur forte seront de préférence accompagnés de vins solides et corsés. Mais l'on veillera toujours, lors de la composition d'un menu, à choisir à l'avance des vins qui soient en harmonie avec chacun des mets.

Cette règle peut être légèrement assouplie en fonction de la sensibilité de chacun. Nous avons tous une appréciation différente des goûts et des odeurs. De ce fait, on peut être indifférent ou particulièrement sensible à certaines caractéristiques organoleptiques telles que l'acidité, la douceur ou l'amertume. La perception de la délicatesse, ou de la force, de tel ou tel mets ou vin, pourra donc différer quelque peu selon les individus.

Lorsque vous utiliserez, pour établir vos menus, les alliances mets/vins que je vous propose, veillez toujours à respecter un certain ordre. Servez les vins blancs avant les rouges, les secs avant les doux, les légers avant les corsés et les jeunes avant les vieux. Cela pour deux raisons. D'une part, parce que toute rétrogradation de la qualité se fait remarquer. D'autre part, parce que si l'on va directement à un vin fin sans avoir goûté préalablement un vin plus modeste, on a toutes les chances de ne pas percevoir toutes les subtilités du meilleur.

Il convient, par ailleurs, de s'efforcer de proposer des vins s'inscrivant dans une suite logique ou répondant à un thème. On peut, par exemple, consacrer son repas aux vins et aux mets d'une même région, d'une même zone ou d'un même pays, ou encore choisir pour thème les vins issus d'un même cépage. Le thème peut aussi porter sur des vins de même type ou style, tels peut-être des Champagne ou des Sauternes. Il peut même s'appliquer à des sujets plus précis comme les divers millésimes d'un même vignoble, d'un producteur ou se fonder sur la comparaison entre des vins élaborés par divers vignerons.

APÉRITIFS

Quel que soit le type de repas, il comprend toujours un apéritif. Mais les mets les plus délicats, les premiers à être servis, ne pourront être appréciés si les palais sont saturés par des spiritueux forts. Il convient donc de préparer pour ses hôtes un apéritif s'accordant au repas sans leur accorder d'autre choix.

Apéritifs et spiritueux de propriété

Les apéritifs aromatisés tels les Vermouths, présentent tous le même défaut : ils possèdent trop d'alcool et de goût. D'une façon générale, les spiritueux sont trop agressifs pour permettre au palais d'apprécier la plupart des hors-d'œuvre.

Vins

Il est habituel dans quelques pays, notamment en France, de servir à l'apéritif un vin doux tel du Sauternes. La plupart du temps, ce n'est pas ce qu'il faudrait, mais quelquefois l'expérience est satisfaisante.

Les vins blancs légers, secs ou presque secs, tranquilles ou mousseux, constituent des apéritifs parfaits. Les rosés peuvent également convenir si le premier vin servi au repas est aussi un rosé ou un rouge léger. Pour un apéritif à base de vin blanc, je recommande les vins suivants : Mâcon blanc ou Mâcon Villages, bon Muscadet, vins d'Alsace légers, tels que Sylvaner ou Pinot blanc, Rioja de style nouveau, blancs secs aromatiques du nord-est de l'Italie, vins anglais, jeunes Moselle jusqu'au stade du *Spätlese* ou vins du Rhin jusqu'au rang de *Kabinett*, Chardonnay léger, Sauvignon, Chenin ou Colombard de Californie, d'Australie, de Nouvelle-Zélande ou d'Afrique du Sud. Mais, à mon avis, l'apéritif par excellence, en toute circonstance, est le Champagne, auquel peuvent être substitués les excellents Crémant de Bourgogne ou Crémant d'Alsace.

☆ **Choix économique** : Cava brut

Xérès

Le Xérès *fino* est un apéritif traditionnel dont on a quelque peu abusé. Cependant, si le premier plat est suffisamment assaisonné, ou s'il contient du Xérès, ou si ce vin est le premier à être servi, ce choix peut être judicieux. Le plus souvent, néanmoins, les *finos* possèdent trop d'alcool et de goût.

ENTRÉES

L'association entre vins et mets est primordiale à chaque étape du repas. Elle doit faire suite à l'expérience gustative précédente et mener sans heurts à la suivante.

Asperges

Un Champagne ou un Muscat d'Alsace jeune accompagnent les asperges à merveille. Un Chardonnay de Bourgogne, de Californie ou du nord-ouest pacifique convient aussi très bien.

☆ **Choix économique** : le Chardonnay Blanc de blancs brut de Raimat

Artichaut

Si on le sert au beurre, le mieux est un Sauvignon blanc de la Loire, léger, mais ayant un peu de caractère. Ce vin pourrait accompagner également des artichauts agrémentés d'une sauce hollandaise. Un rosé sec du Val de Loire conviendrait aussi, de même qu'un Arbois rosé du Jura, ou un Schilder d'Autriche.

☆ **Choix économique** : Sauvignon du Haut-Poitou

Avocat

Bien que nombre de vins acides, tels Champagne ou Chablis, constituent des accompagnements réussis, le Gewurztraminer, dont l'acidité naturelle est faible, correspond au meilleur choix.

☆ **Choix économique** : Muscadet

Beurre d'ail

Choisir un vin courant se mariant au principal ingrédient, mais possédant du corps, un goût très affirmé ou une acidité marquée.

Caviar

Le Champagne en est le partenaire classique.

☆ **Choix économique** : eau minérale

Escargots

Je recommande les modestes Bourgogne des villages de la Côte-d'Or, rouges ou blancs.

☆ **Choix économique** : Côtes du Roussillon

Pâtés

Qu'il soit de poisson ou de volaille, le pâté doit être accompagné d'un vin s'accordant au principal élément qui le compose. Le foie gras, mets exquis s'il en est, est fabuleux quand on le sert avec un beau Champagne millésimé ou un Sauternes épanoui mais, bien qu'ils établissent avec lui un contraste, le Gewurztraminer ou le Tokay d'Alsace peuvent être parfaits.

Potages

Le Champagne ou tout bon mousseux s'associe aimablement à la plupart des potages, veloutés, crèmes ou purées. Ce choix est pratiquement inévitable lorsqu'on se trouve en présence d'un potage rafraîchi : un consommé en gelée ou une soupe froide de légumes passés, telle une Vichyssoise. Nombre de vins mousseux peuvent s'accorder avec les bisques de crustacés, mais un Champagne rosé est particulièrement mis en valeur à leur contact. Les potages relevés acceptent des vins plus corsés. Un bon potage au gibier, par exemple, peut s'harmoniser avec des Côtes-du-Rhône rouges, des Bordeaux, Bourgogne ou rouges de la Rioja.

Un Lambrusco tranchera agréablement avec un *minestrone* authentique. Le goût suave de cerise de ce vin s'accorde également avec la saveur riche et acidulée de la tomate de ce potage.

☆ **Choix économique** : Blanquette de Limoux

Salades

Les salades vertes ne demandent guère qu'un blanc sec et léger, tel un Muscadet, à moins qu'elles contiennent des feuilles amères. Dans ce cas, il faut choisir un vin plus affirmé tel un petit Sauvignon de Loire. Un Champagne ferme est le meilleur accompagnement des salades comprenant des ingrédients chauds.

☆ **Choix économique** : Cava brut

Terrines

Les terrines de poisson, fruits de mer ou viande seront accompagnées en fonction de leurs ingrédients principaux ou de leur saveur. La plupart des terrines de légumes vont bien avec les vins blancs, secs ou demi-secs, légers, tranquilles ou mousseux, de Loire, d'Alsace, d'Allemagne, d'Autriche, ou d'Italie du Nord-Est.

☆ **Choix économique** : Crémant d'Alsace

Vinaigrette

Bien que d'aucuns s'accordent à dire qu'il vaut mieux ne rien servir avec de la vinaigrette, on peut suggérer, non sans sagesse, un Xérès fino, un Manzanilla ou un Montilla. Il m'est apparu également qu'un Gewurztraminer d'Alsace pouvait la supporter sans dommages.

☆ **Choix économique** : Gewurztraminer de supermarché

ŒUFS, RIZ ET PÂTES

Le Champagne est le parfait faire-valoir de tout plat aux œufs, son effervescence tranchant sur la relative neutralité du plat. Mais toute solution de rechange pour le Champagne conviendra. Qu'elles soient froides ou chaudes, de poisson ou de volaille, les mousses ou mousselines salées doivent être accompagnées de vins correspondant à leur goût ou à leur principal ingrédient, de préférence, assez acides.

Les bons vins mousseux sont également valables pour les plats au riz ou aux pâtes, notamment ceux de goût particulièrement délicat. S'ils sont relevés, ils doivent être accompagnés d'un vin leur convenant.

☆ **Choix économique** : Saumur brut

POISSONS ET FRUITS DE MER

La plupart des poissons et fruits de mer se marient bien avec les vins blancs secs. Mais les rouges et rosés mousseux ou doux sont valables dans certaines occasions.

Coquillages

Avec un plateau de fruits de mer, choisissez un bon Muscadet de propriété, un Bourgogne Aligoté d'une année bien ensoleillée, un Sauvignon de Loire ou un Moselle. Avec les écrevisses, optez pour des Sancerre ou Pouilly fumé. Avec crabes, homards, huîtres ou coquilles Saint-Jacques, un Chablis Grand Cru ou un bon Champagne s'imposent. Lorsque le plat contient de la crème, je recommande un vin plus acide.

☆ **Choix économique** : Crémant de Bourgogne

Maquereaux

Un Sauvignon de Loire, au caractère assez affirmé, mais modeste, s'impose pour le maquereau, encore que le maquereau fumé demande de préférence un Sauvignon ayant plus de bouche.

☆ **Choix économique** : Sauvignon de Touraine

Poissons blancs

On veillera à ne pas tuer les délicates saveurs des poissons blancs par des vins dominateurs. Sole grillée, raie et mulet sont valorisés par un blanc de blancs de Champagne en pleine jeunesse, un bon Muscadet de propriété, un Savennières, un Pinot blanc d'Alsace, un Pinot Grigio d'Italie du Nord-Est ou un beau Vinho Verde de propriété. Haddock, colin, flétan, turbot, dorade et morue se marient agréablement avec ces vins, mais peuvent aussi admettre des blancs secs ayant légèrement plus de bouche.

☆ **Choix économique** : Crémant d'Alsace

Poissons en casserole

Bien que l'association entre poisson et vin rouge puisse ne pas être appréciée, il existe de nombreuses recettes traditionnelles de poissons cuits dans le vin rouge, telles les matelotes.

Poissons en sauce ou frits

Les poissons poêlés, en sauce, au beurre ou à la crème, exigent des vins plus acides ou plus mousseux que la normale. Si la sauce est très riche ou le poisson fumé, envisager des vins très corsés.

☆ **Choix économique** : Crémant de Loire

Poissons de rivière

La plupart des poissons de rivière s'accordent bien avec les rosés assez typés, mais les blancs au caractère affirmé, tels les Sancerre, font aussi bien l'affaire. Sancerre, Graves blanc et Champagne sont particulièrement indiqués avec le brochet. Champagne et Montrachet sont de classiques accompagnateurs du saumon ou de la truite saumonée, que ceux-ci soient cuisinés au four, à la poêle, grillés, pochés ou fumés. Cependant, tout mousseux sec de bonne qualité ou tout Bourgogne blanc s'avère excellent en compagnie de ces poissons, de même que les Chardonnay de belle qualité. Le Riesling, d'Alsace ou d'Allemagne, est presque indispensable sur la truite, notamment lorsqu'elle est cuite au bleu.

☆ **Choix économique** : Cava rosé brut

Sardines

Le Vinho Verde est idéal avec les sardines, surtout lorsque celles-ci sont fraîches.

☆ **Choix économique** : Vinho Verde

PLATS DE VIANDE

On dit : « Vin rouge à viande rouge, vin blanc à viande blanche », mais il est parfaitement admissible de boire du vin blanc sur la viande rouge ou du rouge sur la blanche, pourvu que la règle d'or évoquée au début de ce chapitre soit respectée.

Abats

Les rognons se font valoir par des vins rouges pleins et ronds, tels les Châteauneuf-du-Pape blancs ou rouges, mûrs ou les Rioja. Mais tout dépend de la nature des rognons et de leur préparation. Un ragoût de rognons d'agneau, par exemple, exige un vin d'une grande finesse comme un cru classé du Médoc mûr.

Le choix du vin devant accompagner le foie varie extrêmement selon le type de foie. Les foies les plus fins, ceux de veau et d'agneau, s'accordent bien aux bons Shiraz tel un Côte Rôtie ou un Hermitage mûrs. Les foies de poulet très forts demandent un vin à la saveur pénétrante tels un Gigondas, un Fitou ou un Zinfandel. Foies de porc ou de bœuf, de texture et saveur assez grossières, exigent un rouge ayant de la bouche, mais point trop recherché – peut-être un vin de pays des Pyrénées-Orientales.

Avec les ris, mets riches et néanmoins délicats, on peut servir du vin rouge ou blanc, sec ou demi-sec. Les ris d'agneau s'harmonisent bien aux Saint-Émilion ou Saint-Julien lorsqu'ils sont en sauce ou avec un bon Bourgogne blanc s'ils ont été poêlés.

☆ **Choix économique** : Crémant de Bourgogne

Agneau

Le Bordeaux rouge est traditionnellement servi avec l'agneau ; néanmoins le Bourgogne le vaut au moins, surtout quand la viande est rosée. Il est bien connu des professionnels du vin que la saveur de l'agneau fait ressortir les nuances du vin. Ainsi sert-on l'agneau plus que toute autre viande quand on veut faire valoir un vin donné. Le carré d'agneau à la boulangère semble être une préparation très appréciée. Il est possible de boire avec ce plat à peu près n'importe quel vin rouge, encore que celui-ci doive être assez léger.

☆ **Choix économique** : Bourgogne rouge (Buxy)

Bœuf

Le Bordeaux rouge est le complément classique du bœuf rôti. On le choisit plus jeune, léger et vivace, pour le service de la viande froide. Conviennent généralement bien tous les Cabernet Sauvignon quelle que soit leur provenance. Lorsque les steaks sont grillés à l'extérieur et roses à l'intérieur, on les choisira bien charpentés. Pour les hamburgers de pur bœuf, l'idéal est un jeune Côtes-du-Rhône rouge sans prétention, trapu et poivré. Mais je pense sincèrement que tout vin rouge honnête, plus ou moins léger ou corsé, quelle que soit son origine, peut accompagner valablement le bœuf. Il en va de même pour la plupart des blancs corsés et ayant de la bouche.

☆ **Choix économique** : Cabernet Sauvignon bulgare

Canard

Le canard est très accommodant mais ses meilleurs compléments doivent être recherchés parmi certains crus du Beaujolais, tels que Morgon ou Moulin-à-Vent, les beaux Bourgogne rouges ou blancs de la Côte-de-Nuits, ou un Médoc. Avec le canard froid, on peut envisager un cru de Beaujolais plus léger, tel le Fleurie. Le canard à l'orange se marie à merveille avec un Bourgogne, rouge ou blanc, de style tendre ou avec les Châteauneuf-du-Pape.

☆ **Choix économique** : Quinta da Bacalhôa

Chili con carne

S'il s'agit d'un bon chili, mieux vaut oublier le vin au profit d'eau ou d'une bière allemande, type Lager, glacée.

☆ **Choix économique** : eau fraîche

Curries

Certains affirment que le Gewurztraminer sied à la saveur des curry. Je n'en suis pas très sûr et préfère conseiller une bière bien fraîche ou de l'eau pour ce type de plat.

Gibier

Pour le gibier à plumes légèrement faisandé, les vins les plus recommandés sont ceux qui s'associent bien à la volaille. S'il s'agit d'un oiseau moyennement faisandé, mieux vaut essayer un cru de Beaujolais assez corsé. Les viandes plus faisandées exigent un bon Bordeaux tel un Pomerol ou un Bourgogne rouge et bien corsé. On traite le gibier à pattes légèrement faisandé de la même façon que l'agneau, la viande moyennement faisandée comme le bœuf. Le gibier très faisandé supporte les Hermitage, Côte Rôtie, Cornas ou Châteauneuf-du-Pape. Les amateurs de vins blancs doivent opter pour des vieux millésimes du Rhône ou encore un Tokay d'Alsace de vendange tardive vinifié en sec.

☆ **Choix économique** : Shiraz australien

Goulash

Lorsqu'il est de belle qualité, le « Bull's Blood », sang de taureau, est le vin à choisir. Autrement, n'importe quel vin rouge corsé convient.

☆ **Choix économique** : Kadarka bulgare

Jambon, bacon

Le jambon, lorsqu'il est associé au vin rouge, peut susciter au palais des réactions désagréables. Cependant, un Beaujolais, un Gamay de Loire jeunes, et un Chianti sont généralement des choix sûrs. Un blanc mousseux peut être agréable bien qu'il puisse parfois occasionner des réactions étranges. Le Champagne sur les œufs au bacon est un luxe que je m'offre quelquefois.

☆ **Choix économique** : Cava brut

Moussaka

Pour ce plat typique, je conseille les meilleurs rouges moyennement ou très corsés de Grèce, tels les Naoussa, Goumenissa ou Côtes-de-Méliton. Les amateurs de vins blancs choisissent un vin étoffé sans être trop riche ni sensible à l'oxydation. Si quelques vins grecs font l'affaire, tel le « Lac des Roches » de Boutari, certains d'Espagne pourraient être encore mieux indiqués, tels les Rioja blancs.

☆ **Choix économique** : Merlot bulgare

Oie

Le choix me paraît difficile entre Chinon, Bourgueil, Anjou rouge, et parfois Chianti, dans les rouges ; Vouvray, tranquille ou mousseux, Riesling, de préférence d'Alsace et Champagne dans les blancs. Leur caractéristique commune est une forte acidité, qui convient bien à ce volatile gras. Si l'oie est servie dans une sauce aux fruits, je recommande particulièrement un vin blanc légèrement doux.

☆ **Choix économique** : Chenin blanc d'Afrique du sud

Porc, volailles, veau

Ces viandes assez neutres peuvent s'accorder avec une vaste gamme de vins. Celle-ci s'étend des modestes vins de méthode champenoise blancs, moyennement ou bien corsés, secs ou semi-doux, aux rouges moyennement corsés de Beaujolais, Champagne, Alsace ou Allemagne, sans parler de nombreux autres vins bien corsés. La qualité du vin à la discrétion de chacun ira des plus modestes, mais bien faits, aux plus grands et sera à l'unisson du plat. Pour les côtelettes ou escalopes, grillées, poêlées ou à la crème, il vaut mieux choisir un vin acide ou mousseux. Le Beaujolais est peut-être le meilleur choix dans l'ensemble, il va particulièrement bien avec le porc rôti, notamment servi froid.

☆ **Choix économique** : Gamay de Touraine

Pot-au-feu

Pour ce plat rustique où se mêlent les saveurs variées des légumes et de la viande, je recommande un bon vin de terroir du sud-ouest de la France.

☆ **Choix économique** : Côtes-de-Duras

Stroganoff

Un Stroganoff authentique exige un vin complet, solide et profond, mais non dénué de finesse et de la rondeur que confère l'âge. Je propose un Médoc modeste, un bon Cahors ou un bon Bergerac.

☆ **Choix économique** : Merlot-Cabernet Sauvignon bulgare (Oriahovica)

Viandes blanches cuisinées en cocotte

Les viandes blanches ainsi préparées sont valorisées par des Beaujolais jeunes, les rouges de Loire, notamment les Chinon et Bourgueil, divers rouges moyennement corsés du sud-ouest de la France ou des Coteaux du Languedoc et le Pinot noir d'Alsace. L'amateur de vins blancs essaiera un Rioja de style nouveau, un Mâcon blanc, un Tokay d'Alsace, ou des Colombard et Chenin blanc de Californie.

☆ **Choix économique** : Blanc de carafe sec de Californie

Viandes en croûte

Pour les pâtés chauds, procéder comme pour les viandes rouges ou blanches préparées en cocotte, selon leur composition. Les pâtés froids de porc, veau et jambon, ou jambon et dinde, demandent un rouge peu ou moyennement corsé, d'acidité ferme, tels un Chinon ou un Bourgueil, tandis que les pâtés de volaille froids exigent un vin plus tendre.

☆ **Choix économique** : Saumur brut

Viandes rouges cuites en cocotte

Les viandes rouges préparées de cette façon exigent des vins rouges particulièrement étoffés du Bordelais, de Bourgogne, du Rhône ou de la Rioja. Château Musar, du Liban, et Château Carras, de Grèce, répondent aussi aux critères requis. On peut en dire autant de bien des vins italiens, des Niebbolo du Piémont aux Montepulciano des Abbruzes et Aglianico del Vulture, en passant par les corsés Sangiovese de Chianti, Carmignano et Montalcino et les vins en barrique très appréciés en Toscane et en Italie du Nord-Est.

☆ **Choix économique** : Zinfandel bon marché

FROMAGES

Selon une école relativement nouvelle, il n'existe pas de mariage harmonieux entre vins et fromages. Je n'en suis pas, et j'estime au contraire que la plupart des fromages sont mis en valeur par les vins. Toutefois, je reconnais que cette association est délicate et demande mûre réflexion.

Fondue au fromage

Sur la fondue, il est possible de boire une large gamme de vins rouges, blancs secs ou mousseux, mais il est indiqué de servir un vin originaire de la région du mets. Par exemple : un Fendant du Valais pour une fondue suisse, un Crépy ou un Apremont pour la fondue savoyarde.

Fromages de chèvre

Ces fromages exigent un blanc sec de caractère, tels que Sancerre ou Gewurztraminer, bien qu'un cru du Beaujolais, ferme mais léger, convienne bien aussi.

☆ **Choix économique** : Sauvignon du Haut-Poitou

Fromages doux à pâte molle ou demi-molle

Un Beaujolais nouveau léger ou un élégant Pinot noir d'Alsace s'accordent avec la plupart des fromages à pâte molle ou demi-molle du type doux. Néanmoins, pour les double et triple crème, il faut envisager des vins plus délicats, tels qu'un des nombreux vins blancs secs et aromatiques de l'Italie du Nord-Est, ou un tendre crémant de Champagne.

☆ **Choix économique** : Blanquette de Limoux

Fromages forts à pâte molle ou demi-molle

Le Munster appelle un fort Gewurztraminer et certains, raffinés et fortunés, associent aux bries de Meaux ou de Melun mûrs un Champagne de 20 ans millésimé. Les fromages ayant macéré dans la saumure ou dans l'alcool exigent un Bourgogne rouge au caractère affirmé ou un robuste Bordeaux rouge.

☆ **Choix économique** : Côtes-du-Rhône jeune

Fromages à pâte dure

Ces fromages demandent, selon les cas, des vins blancs secs ou demi-secs lorsque leur saveur est ténue. Le Cheddar mûr et autres fromages à pâte dure relevée demandent plutôt des rouges ayant de la bouche, tels les Bordeaux ou même les Châteauneuf-du-Pape ou Château Musar. Les vins à base de Sangiovese mettent en valeur la suavité du Parmesan frais. Gewurztraminer et Tokay d'Alsace sont parfaits sur le Gruyère, bien qu'avec l'Emmental conviennent mieux les vins plus acides, tels les Sauvignon blanc de Californie.

☆ **Choix économique** : Un vin de macération carbonique du Nouveau Monde

Fromages persillés (Bleus)

Le meilleur accompagnement pour un bon bleu est un vin doux. Nombre de vins de dessert conviennent et leur choix dépend souvent des goûts personnels. Il m'apparaît cependant que les bleus forts, tels le Stilton et le Cheshire bleu s'accordent bien avec le Porto, tandis que les bleus tendres sont mis en valeur par les vins blancs doux. Pour les Bleus de Bresse et autres apparentés, il faut de légers Barsac, Coteaux du Layon, *Beerenauslesen* allemands, ou un mûr Sélection de grains nobles d'Alsace. Le Roquefort et le Gorgonzola, plus forts, nécessitent des vins plus riches tels que Sauternes, Tokay ou Gewurztraminer *trockenbeerenauslese* d'Autriche.

☆ **Choix économique** : Moscatel de Valencia

Soufflé au fromage

Un soufflé au fromage s'apprécie en compagnie d'un bon vin mousseux, de préférence un Champagne. S'il s'agit d'un soufflé très épicé, tel un soufflé au Roquefort, le vin doit montrer de la puissance – un « Vieilles Vignes » de Bollinger serait superbe en l'occurrence.

☆ **Choix économique** : Blanquette de Limoux

DESSERTS

Les vins de dessert peuvent être dégustés seuls, certains pensent même qu'ils risquent d'être masqués par le sucre. Je ne partage pas cet avis et crois que ce risque n'est possible que si l'on ne suit pas la règle de l'harmonisation entre les vins et les mets.

Crème brûlée, Crème au caramel

Une crème brûlée demande à être accompagnée par un vin riche, doux et sensuel. Un Sauternes de premier ordre ou un Barsac constitueraient un excellent choix, mais le meilleur serait un Tokay d'Alsace, en sélection de grains nobles.

Glaces

Lorsque la glace accompagne un dessert, il faut accorder le vin à l'ingrédient principal de ce dessert. Mais si la crème glacée est servie seule, elle ne demande généralement aucun accompagnement. Cependant, l'on peut procéder à des associations parfaites entre certaines glaces et un Muscat de Beaumes-de-Venise.

☆ **Choix économique** : Moscatel de Valencia

Entremets, gâteaux et autres pâtisseries

Nombre d'entremets et gâteaux n'exigent pas de vin, mais il m'est apparu que le Tokay exalte la saveur de ceux qui sont parfumés au café ou à la vanille. Les Moscatel sont délicieux au contact des amandes ou des noix. Quant aux vins doux de Loire, Vouvray mousseux doux ou Coteaux du Layon, ils s'accordent bien avec les gâteaux aux fruits, à la crème fraîche et aux bavaroises. Les Moscatel ibériques sont superbes en compagnie des clafoutis ou tartes aux pommes ; l'Asti Spumante est idéal avec les tourtes aux fruits. Le mariage avec le chocolat est plus difficile. Certains estiment possible de l'accompagner de Sauternes, d'un Champagne brut ou d'un Banyuls.

☆ **Choix économique** : eau fraîche

Fruits

Une pêche fraîche, charnue et juteuse, se fondra à merveille avec un Riesling du Rheingau, *auslese* ou *beerenauslese*, de même qu'avec un Riesling botrytisé de vendange tardive. L'Asti Spumante et la Clairette de Die s'accordent à divers degrés avec tous les fruits. Les plus légers des Sauternes et Barsac, les Coteaux du Layon ou les Vouvray mousseux doux sont indiqués avec les salades de fruits. Ils représentent le meilleur choix pour pies, tartes et flans aux pommes, poires et pêches. Sur des fraises nature, un Grüner Veltiner d'Autriche ou un Gewurztraminer *auslese* sont une révélation. Certains apprécient de boire un Bordeaux rouge ou un Bourgogne en dégustant des framboises fraîches ayant macéré dans le même vin. De même, un Moselle *auslese* de très haute qualité se révélera sur une compote de fraises et de framboises fraîches nature. L'*Apfel Strudel*, la tourte hollandaise aux pommes et les autres desserts de fruits aromatiques exigent un Tokay, un Moscatel ibérique ou un Gewurztraminer *beerenauslese* d'Autriche. Les flans aux fruits rouges et noirs exigent des Sauternes, Bonnezeaux ou Quarts de Chaume ayant plus de bouche.

☆ **Choix économique** : Moscato Spumante

Meringue

Pour une meringue faisant partie d'un vacherin ou d'un « Pavlova », mon choix se porterait sur un Moscato tranquille ou mousseux, un Muscat Canelli de Californie, un Riesling botrytisé de vendange tardive, un *Beerenauslese* de Mosel, un Vouvray doux ou un bon Sauternes. Pour des desserts meringués, composés de biscuit à la noisette, ou à la noix de coco, on préférera un Tokay Essencia, un Tokay d'Alsace en sélection de grains nobles, un Torcolato de Vénétie ou un Madère de Malvoisie. La meringue destinée à être servie en compagnie d'œufs à la neige ou d'une île flottante demande un vin doux plus léger, du type Tokay d'Alsace de vendange tardive, peut-être.

☆ **Choix économique** : Moscatel ibérique

Glossaire de la dégustation et des termes

1. La plupart des termes faisant l'objet d'une définition dans la rubrique « Le sol des vignobles » (voir p. 14) ne figurent pas ici.

2. Les termes faisant l'objet d'explications plus complètes dans le corps de cet ouvrage sont accompagnés d'un renvoi à la page appropriée.

3. Les mots composés en italiques gras font l'objet d'une définition dans le glossaire.

Abréviations : (All.) Allemand ; (Angl.) Anglais ; (Esp.) Espagnol ; (É.-U.) États-Unis ; (It.) Italien ; (Port.) Portugais.

Acétaldéhyde. Il s'agit du principal **aldéhyde** de tous les vins, mais on le trouve en quantités beaucoup plus fortes dans les Xérès. Dans les vins de table légers et non vinés, un faible volume d'acétaldéhyde met en valeur leur **bouquet**. En excès, il est indésirable, instable et cause d'une certaine oxydation (à mi-chemin de l'oxydation complète) et d'un **parfum de Xérès**.

Acétification. Production d'**acide acétique** dans le vin.

Accroche. Presque synonyme de ***mordant***. L'accroche d'un vin est due à son **amertume** ou à son **tanin**. L'accroche implique une capacité à se développer. Le mordant peut s'appliquer à tout stade du développement d'un vin, y compris sa maturité.

Accrocheur. Synonyme de **nerveux**.

Acerbe. **Acidité** notable, se situant entre les qualificatifs « **incisif** » et « **piquant** ».

Acétobacter (bactérie acétique). Nom générique de la bactérie présente dans le vinaigre et responsable de l'**acétification**.

Acide acétique. Le plus important des **acides volatils** qu'on trouve dans le vin, si l'on excepte l'**acide carbonique**. Si de faibles proportions augmentent l'attrait gustatif d'un vin, sa présence en grandes quantités communique à celui-ci un goût de vinaigre.

Acide carbonique (CO_3H_2). Désignation du **gaz carbonique** (CO_2) lorsqu'il est dissous dans l'eau (H_2O), laquelle est l'élément principal du vin. On le qualifie parfois d'**acide volatil**.

Acide éthanoïque. Synonyme d'**acide acétique**.

Acide gras. Terme parfois utilisé pour désigner les **acides volatils**.

Acide lactique. Acide qui apparaît dans le vin au cours de sa **fermentation malolactique**.

Acide malique. Acide au goût très fort qui persiste dans les raisins mûrs ainsi que dans le vin, bien que son taux diminue au moment de la fermentation. On le dégrade souvent, surtout dans les vins rouges, en acide lactique et gaz carbonique par des bactéries lactiques, ce qui désacidifie le vin et le rend plus souple à la dégustation. *Voir* Fermentation malolactique, p. 18.

Acide tartrique. Acide de la maturité des **raisins**, dont le taux augmente à mesure que s'alève le taux de sucre des raisins au cours de la **véraison**.

Acides volatils. Ces acides, parfois dits **acides gras**, sont capables de s'évaporer à basses températures. Si un excès d'acidité volatile est un signe d'instabilité, en petite proportion, cette acidité joue un rôle non négligeable dans le **goût** et l'**arôme** du vin. Si les acides formique, butyrique et proprionique sont autant d'acides volatils qu'on trouve dans le vin, les acides **acétique** et **carbonique** sont les plus importants.

Acidité. Qualité essentielle pour la durée et la vitalité d'un vin. Une insuffisance dans l'acidité naturelle du fruit rend le vin terne, **plat** et **court** ; un excès d'acidité lui donne du **mordant**, le rend agressif. Dans le cas de l'**équilibre** convenable, le **fruité** du vin ressort et sa saveur s'attarde en bouche. *Voir* **Acides volatils** et **pH**.

Acidité active. Le vin est riche en acides organiques qui contiennent des ions hydrogène de charge positive, dont la concentration détermine l'acidité totale d'un vin. Le **pH** est la mesure des protons libres d'une solution donnée et représente l'acidité réelle du vin. Ainsi le **pH** est-il un moyen de mesure de l'acidité active.

Acidité fixe. Résultat de la soustraction par laquelle on déduit le chiffre correspondant à l'acidité volatile de celui correspondant à l'**acidité totale**.

Acidité totale. La valeur quantitative de l'**acidité** d'un vin se mesure d'habitude en grammes par litre, car chacun des acides en jeu est d'une force différente de celle des autres.

Adega (Port.). Cave, chai ou entreprise vinicole. Terme figurant souvent dans la raison sociale d'une maison.

Aérobique. En présence d'air.

Agressif. Le contraire de **tendre** ou de **souple**. Des vins qui semblent agressifs peuvent s'arrondir (devenir **ronds**) après un peu de temps passé en bouteille.

Agrumes, goût d'. Expression subjective concernant le goût picotant des agrumes qu'on trouve dans certains vins blancs et qui, plus **racé** que **citronné**, suggère une certaine **finesse**. Il s'associe étroitement à l'arôme d'**essence** caractérisant un fin Riesling mûr.

Albariza (Esp.). Sol blanc en surface et formé de dépôts de diatomées, que l'on trouve dans la région espagnole productrice du Xérès. *Voir* p. 282.

Alcool, alcoolique. L'alcool du vin est l'**alcool éthylique**, liquide incolore et inflammable.

Alcool éthylique. Le principal **alcool** du vin. Lorsque l'on parle de l'alcool d'un vin, on mentionne implicitement l'alcool éthylique.

Aldéhyde. Composé intermédiaire entre un **alcool** et un **acide**, formé pendant l'**oxydation** d'un alcool. L'**acétaldéhyde** est le plus important des aldéhydes couramment contenus dans le vin.

Allonger. Diluer ou couper un vin avec de l'eau, ce qui est illégal.

Amertume. (1) Aspect désagréable d'un vin médiocrement élaboré. (2) Caractéristique de certains vins italiens. (3) Conséquence du manque de développement des saveurs d'un vin jeune qui, à sa maturité, doit devenir riche et délicieux. Une pointe d'amertume peut provenir d'un **tanin** agressif.

Ampélographe. Spécialiste de l'étude des différentes espèces de vignes et de cépages.

Anaérobique. En l'absence d'air.

Anbaugebiet (All.). Région viticole d'Allemagne, telle que le Palatinat rhénan ou celle de Moselle-Sarre-Ruwer, divisée en secteurs dits **Bereich**. Tout Anbaugebiet d'origine d'un vin **QbA** ou **QmP** doit figurer sur l'étiquette.

Anhydride sulfureux. *Voir* **SO_2**.

AOC. Abréviation courante pour **Appellation d'origine contrôlée**.

Apogée. Terme indiquant que le vin est parvenu à son plein développement.

Appellation d'origine contrôlée. Dans le cadre du premier système national d'appellations d'origine vinicoles qui ait été jamais mis en application pratique, l'appellation d'origine contrôlée est garante des contrôles de qualité effectués à ce titre. Les AOC représentent 20 à 25 % de la production française.

Âpre. Plus péjoratif que « **grossier** ».

Aqueux. (1) Qualificatif renchérissant sur celui de « maigre », à propos d'un vin. (2) Se dit d'un vin présentant, à la dégustation, les caractères d'un vin mouillé (**allongé**).

Aromatique, cépage. Les plus aromatiques des cépages classiques sont les Gewurztraminer, Muscat, Riesling et Sauvignon blanc. S'il existe des exceptions à la règle, les cépages aromatiques, en général, donnent les meilleurs résultats lorsque leur vinification se déroule à basses températures, en **anaérobie**, et qu'on les boit frais et jeunes.

Aromatisés, vins. Habituellement **fortifiés** (dits aussi **vinés**), ces vins peuvent contenir de une à cinquante substances aromatiques, allant de la saveur du **vermouth** doux-amer à celle du ***retsina***. Herbes, fruits, fleurs, fraises, zestes d'orange, fleurs de sureau, armoise, quinine et résine de pin sont quelques-uns des ingrédients habituellement utilisés.

Arôme. Plutôt qu'à la vinosité et à la complexité qu'implique le vieillissement, ce terme devrait être réservé aux parfums **frais** et **fruités** évoquant les raisins. L'usage le considère parfois comme synonyme de **bouquet**.

Arrière-goût, arrière-bouche. Saveur et **arôme** d'un vin qui persiste en bouche.

Assemblage. Mélange des vins d'une même qualité et d'une même origine.

Atmosphère. La pression interne d'une bouteille de Champagne est en moyenne de 6 atmosphères (1 atmosphère = 1 kg par cm^2).

Attaque. Le fait, pour un vin, de posséder une bonne attaque, montre que celui-ci est **complet** et présente d'emblée au palais toute la gamme de ses caractéristiques gustatives. Le terme s'applique plus à un vin plein de jeunesse qu'à un vin **mûr**, et son attaque augure bien de son avenir.

Attardant (s'). S'applique normalement à la **finale** d'un vin, un **arrière-goût** qui s'attarde.

Auslese (All.). Catégorie de vins allemands **QmP** (supérieure à celle d'un ***Spätlese***, mais inférieure à celle d'un ***Beerenauslese***), très doux, issus de raisins de vendange tardive pouvant contenir quelques grains attaqués par le **botrytis**.

Austère. Caractéristique d'un vin manquant de **fruité** et dominé par l'âpreté de l'**acidité** et/ou des **tanins**.

Autolyse. Dégradation enzymatique des cellules de levure, augmentant les risques de pollution bactérienne ; les effets de l'autolyse sur les lies du vin, au cours de son élevage, sont donc indésirables dans la plupart des cas, exception faite des vins embouteillés sur lie : le Muscadet surtout et les vins mousseux.

AVA (É.-U.). Abréviation pour *Approved Viticultural Area*, équivalent de l'AOC française.

Avare. Qualification renchérissant sur celle d'**ingrat**.

Back-blend (Angl.). Opération consistant à mélanger du jus de raisin frais, non fermenté, avec un vin **fermenté**, dans le but d'apporter à ce dernier une certaine douceur fraîche et fruitée, couramment présente dans les vins allemands. Terme souvent utilisé en Nouvelle-Zélande à propos de la production des vins de Müller-Thurgau et qualifiant aussi bien la pratique allemande consistant à ajouter au vin une ***Süssreserve***.

Ban des vendanges. Date du début des vendanges pour les AOC, fixée dans chaque département par le commissaire de la République.

Barrique. La barrique désigne un fût en bois contenant environ 225 litres, selon la région d'origine, dans lequel on peut faire **fermenter** les vins blancs et élever les vins rouges ou les vins blancs.

Baumé. Échelle de mesure utilisée pour indiquer le taux de sucre du **moût**.

techniques

Beerenauslese (All.). Catégorie de vins allemands **QmP**, se situant au-dessus de ceux dits ***Auslesen*** mais au-dessous des ***Trockenbeerenauslesen,*** et issus de grains **botrytisés**. À l'exception de l'***Eiswein*** (vin « de glace »), ils possèdent plus de **finesse** et d'**élégance** que tout autre vin très doux.

Bentonite. Fine argile contenant un dérivé des cendres volcaniques dit montromillonite, silicate de magnésium hydraté qui provoque un précipité dans le vin, où on l'utilise comme agent de **collage**. *Voir* collage, p. 20.

Bereich (All.). Secteur viticole d'Allemagne regroupant des ***Grosslagen,*** et s'inscrivant lui-même au sein d'un ensemble, l'***Anbaugebiet***.

Biologiques, vins. Terme générique désignant des vins élaborés en utilisant le minimum de **SO_2**, et dont les raisins dont ils sont issus ont été cultivés sans engrais chimiques, pesticides ou désherbants.

Biscuity (Angl.). Vocable sans équivalent en France. Qualifie un aspect du **bouquet** que l'on trouve dans certains vins mousseux de qualité, et lié à la prépondérance de l'**acétaldéhyde** due au vieillissement en bouteille ou à la méthode de vinification.

Blackstrap (Angl.). Terme péjoratif autrefois appliqué aux portos grossiers colorés par des baies de sureau.

Blanc de blancs. Vin blanc issu exclusivement de raisins blancs. Ce terme est souvent employé pour les vins effervescents. Comme l'emploi de ce terme n'est pas réglementé, celui-ci est couramment utilisé pour des **vins de table** à bon marché. *Voir* p. 141.

Blanc de noirs. Vin blanc issu exclusivement de raisins noirs. *Voir* p. 141.

Blush wine (Angl.). Vin rosé clair (pelure d'oignon, œil de perdrix, gris...).

Bodega (Esp.). Équivalent espagnol du portugais **Adega**, c'est-à-dire cave, chai ou entreprise vinicole.

Botrytis. Terme générique pour désigner la pourriture. Il est souvent synonyme de ***Botrytis cinerea***.

Botrytis cinerea. Nom proprement dit de la **pourriture noble,** qui fait les plus grands vins doux du monde. *Voir* Sauternes, p. 20.

Botrytisés, raisins. Raisins « pourris » atteints par le **botrytis cinerea.**

Bouche. Synonyme de **palais**.

Bouchonné. On peut parfois confondre cette caractéristique avec celle d'un vin de Cabernet franc jeune. Le goût de bouchon, qui provient d'une infection de liège, se manifeste par un goût et une odeur de liège altéré et moisi.

Bouquet. Terme devant s'appliquer en réalité à la conjugaison des odeurs directement dues à la **maturité** atteinte en bouteille par le vin. Il se manifeste par l'odeur lorsque l'on hume le vin et les **arômes** lorsqu'on le goûte.

Bouteille, mûrissement en. Durée du temps passé en bouteille par le vin, avant qu'il ne soit consommé. Un vin doit passer suffisamment de temps en bouteille pour **mûrir** convenablement. L'évolution du vin en bouteille est plus **réductrice** qu'**oxydante**.

Brûlé. Synonyme de cuit, dans un sens peu flatteur. Ce terme évoque également l'odeur de substances ayant subi un début de calcination.

Brut. Terme normalement réservé aux vins effervescents. L'**acidité** nécessairement élevée des vins effervescents (pour permettre aux bulles de communiquer leur goût au **palais**) exige, pour un brut, au moins 10 ans de vieillissement ou son édulcoration, à raison de 15 g/l au maximum de sucre.

Cantina (It.). Entreprise vinicole.

Cantina sociale (It.). Coopérative de producteurs.

Caséine. Protéine du lait, parfois utilisée pour le **collage**. *Voir* Collage, p. 20.

Centrifugation. Procédé de clarification dans lequel on utilise la force centrifuge pour éliminer les particules indésirables du vin ou du jus de raisin. *Voir* Filtration, p. 18.

Cépage. Variété de vigne ou de raisin. Certains vins sont désignés par le nom de cépage dont ils sont issus comme les vins d'Alsace ou les vins dits de cépage, les « **varietals** » américains.

Cépage, vins de. Au sens français, vin issu **exclusivement** d'un seul cépage (ex. : Muscadet, vins d'Alsace). Dans le Nouveau Monde et notamment aux États-Unis, les **varietals** sont le plus souvent des vins dans lesquels on trouve un cépage largement majoritaire.

Cépages neutres. Ce terme s'applique à tous les cépages mineurs et difficiles à classer, qui donnent des vins de basse qualité, suaves au palais ; mais il recouvre aussi des cépages plus connus tels que Melon de Bourgogne, Aligoté, Pinot blanc, Pinot meunier et même des classiques, tels le Chardonnay et le Sémillon. Contrairement aux **cépages aromatiques**, ceux-ci représentent l'idéal pour la **maturation sous bois de chêne**, la mise en bouteille **sur lie** et l'élaboration de vins mousseux fins, toutes opérations qui mettent en valeur leurs caractéristiques plutôt que de les masquer.

Chaleur. Évoque le caractère chaleureux d'un vin rouge de bonne saveur et de fort degré **alcoolique**, éventuellement assez mûr et vraisemblablement de **style méridional**.

Chapeau. L'ensemble des pellicules (peaux), pépins et autres matières solides du raisin qui montent à la surface du **moût** pendant la **cuvaison**.

Chaptalisation. Adjonction de sucre au jus de raisin frais pour élever le potentiel **alcoolique** d'un vin. Il faut, en théorie, 1,7 kg de sucre par hl de vin pour élever le titre alcoolique de un pour cent, mais les vins rouges, en réalité, en exigent 2 kg pour tenir compte de l'évaporation au cours du **remontage**.

Charnu. Ce qualificatif suggère qu'un vin est si corsé et si **riche** en extrait sec que l'on se sent presque capable de le **mâcher**. Les vins riches en **tanins** sont souvent charnus. On dit aussi qu'ils ont de la **mâche**.

Château. Nombre de vins « mis en bouteille au château » proviennent d'édifices méritant véritablement ce nom. Il peut tout aussi bien s'agir, dans bien des cas, de modestes villas, et parfois de **cuveries** bâties pour l'occasion ou de simples hangars en fer-blanc ! Le terme a la même valeur légale que celle attachée à tout vin « mis en bouteille au domaine ».

Chêne, marqué par le chêne, vieilli dans le chêne, maturation sous bois de chêne. On utilise les fûts de chêne pour la maturation des vins et, moins fréquemment, pour leur **fermentation**. Les vins mûris sous bois de chêne dégagent une odeur de **vanille** due à l'**aldéhyde** vanillique naturellement présent dans le chêne. Nombre de facteurs interviennent dans la typicité, la force, la subtilité et la **complexité** que le chêne confère au **bouquet** et à la saveur d'un vin : le genre de chêne (du Limousin, de Nevers...), son mode de séchage, sa patine, son débitage, le façonnage et le chauffage du tonneau au cours de la fabrication, la taille de celui-ci, son usage plus au moins long, l'adjonction ou non de vin déjà vieilli dans le chêne. Les vins réagissent différemment à la même **fermentation en tonneau**, et aux mêmes circonstances de vieillissement dans le chêne, selon leurs taux d'**acidité**, de **tanins** et d'**alcool**. C'est l'ensemble de tous ces facteurs qui détermine non seulement la puissance du chêne marquant tel ou tel vin, mais aussi le caractère du chêne utilisé tel qu'on le détecte à la dégustation. Dans mon vocabulaire existent cinq qualificatifs d'arômes et saveurs fondamentaux que le chêne peut communiquer au vin : **vanillé**, **crémeux**, **fumé**, **épicé**, **herbacé**. Un vin peut appartenir à l'une ou l'autre de ces tonalités, comme à deux, trois ou quatre, voire les cinq. Le résultat de ces combinaisons conduit à l'usage d'autres et nombreux vocables subjectifs, tels **bois de cèdre**, **boîte de cigares** et, pour des vins de **pH** élevé, **boîte de chocolats**... *Voir* p. 19.

Chlorose. Affection de la vigne due à un déséquilibre minéral (trop de calcaire, pas assez de fer ou de magnésium).

Chocolaté. Terme subjectif qu'on utilise souvent pour décrire l'odeur et la saveur des vins à base de Cabernet Sauvignon et de Pinot noir. L'expression « sentant la boîte de chocolats » s'applique parfois au **bouquet** d'un Bordeaux assez mûr. Le caractère **fruité** d'un vin peut devenir « chocolaté » dans les vins dont le **pH** dépasse 3,6.

Cigares, boîte de. Terme subjectif, souvent appliqué à un certain **bouquet** complexe, que l'on trouve dans des vins qui ont été élevés sous bois de chêne, habituellement des Bordeaux rouges, et qui ont mûri longtemps **en bouteille**.

Citronné. Nombre de vins secs ou demi-secs présentent une **acidité** fruitée et picotante à la langue, qui évoque le citron.

Clairet. Vin dont la robe se situe entre celle d'un rosé foncé et d'un rouge léger.

Claret (Angl.). Terme anglais désignant un Bordeaux rouge et qui a la même origine étymologique que **clairet**.

Classique. Terme s'appliquant aux vins possédant les caractères convenables de leurs types et origines.

Classic, classey (Angl.). Même sens que le terme français **classique**. En outre, pour les anglophones, s'y ajoute une connotation de qualité manifeste, notamment celle de la **finesse** et du **style** des vins de premier ordre.

Climat. Parcelle de terrain isolée et seule de son nom au sein d'un vignoble particulier. Ce terme s'utilise essentiellement en Bourgogne.

Clone. Variété de vigne qui a évolué par l'effet de la sélection, soit naturelle (comme dans le cas d'une vigne s'adaptant à l'environnement local), soit artificielle, par l'intervention de l'homme. *Voir* Clones et clonages, p. 24.

Clos. Synonyme de **climat**. Mais la parcelle de terrain concernée est entourée de murs, ou le fut à une époque.

CO_2. Formule chimique du **gaz carbonique**. Ce gaz se dégage du vin en cours de **fermentation**, lorsque le sucre se transforme en parties presque égales d'**alcool** et de CO_2. On laisse le gaz s'échapper, mais il en reste une toute petite partie sous la forme d'acide dissous (**acide carbonique**, CO_3H_2) dans tout vin, même tranquille, qui, autrement, deviendrait terne, **plat** et sans vie. Si le gaz n'est pas en mesure de s'échapper, le vin devient mousseux.

CO_3H_2. *Voir* **Acide carbonique**.

Collage. On accélère souvent la clarification du vin ou du jus de raisin frais en utilisant des « colles » agissant par réaction électrolytique sur des matières de charge électrique opposée. *Voir* Collage, p. 20.

Collage bleu. Clarification des vins à l'aide du ferrocyanure de potassium, qui précipite des métaux lourds tels que le fer et le cuivre, en un dépôt bleu vif. Parmi les agents spéciaux de collage, en nombre relativement faible, celui-ci est le plus utilisé. Son emploi a baissé de façon spectaculaire depuis l'usage généralisé des cuves en acier inoxydable qui empêche la contamination par les métaux lourds. Surtout utilisé en Allemagne, le ferrocyanure est interdit dans d'autres pays. *Voir* Collage, p. 20.

Colle de poisson. Agent de **clarification** fourni par la vessie natatoire de poissons d'eau douce et qu'on utilise pour clarifier les vins troubles à faibles teneurs de tanin. *Voir* Collage, p. 20.

Complet. Caractère indiquant que le vin montre en bouche toutes les qualités de **fruité**, de **tanin**, d'**acidité**, de **profondeur**, de **longueur** voulues et qui atteint à la plénitude.

Complexité. Un vin complexe offre nombre de nuances différentes de goût et de parfum. Si de grands vins peuvent faire preuve d'une certaine complexité dans leur jeunesse, ce n'est qu'à sa maturité qu'un vin développe toutes ses nuances.

Corps. Le tanin, le moelleux, le fruité et une certaine richesse alcoolique donnent ensemble une impression de poids dans la bouche.

Correct. Qualificatif pour un vin qui, sans être nécessairement grand, présente des caractéristiques correspondant bien à son type et à ses origines.

Coulant. Le contraire d'**agressif** ; ce terme renchérit sur celui de « **rond** ». Presque synonyme de « glissant », voire « **souple** ».

Coulure. Maladie physiologique de la vigne résultant de l'alternance de périodes chaudes et froides, sèches et humides. La maladie atteint son apogée à la floraison, lorsque la sève s'élance jusqu'au bout des rameaux et néglige les grappes embryonnaires, ce qui provoque un développement vigoureux du feuillage, mais prive les grappes d'éléments nutritifs essentiels. Les baies à peine formées se dessèchent et tombent au sol.

Coupage. Opération consistant à mélanger des vins d'origine ou de cépages différents afin d'obtenir un produit mieux équilibré, aux caractéristiques stables.

Court en bouche. Se dit d'un vin pouvant avoir un bon **nez** et un bon goût mais qui pêche par défaut à la **finale**, son goût s'évanouissant rapidement.

Crémant. Selon la tradition, ce terme s'applique aux vins de Champagne dont la pression est moins forte que celle du Champagne. Il désigne aussi maintenant des vins mousseux provenant d'autres régions (Alsace, Bourgogne, Loire).

Crémeux. Version plus subtile, mais moins noble, du terme **vanillé** caractérisant fort probablement un vin marqué par les **lactones du bois** au cours de son élevage en petits tonneaux de **chêne**.

Creux. Qualifie un vin manquant de réelle saveur en bouche. Selon les auteurs français, cette définition se borne à cette sensation de « vide » due à l'inconsistance d'un vin. Pour certains auteurs anglophones, elle se complète par la comparaison de la simple sapidité de ce vin avec son **nez**, paru prometteur au départ.

Croisement. Mode de multiplication végétative de la vigne consistant à hybrider deux ou plusieurs variétés de la même espèce, *Vitis vinifera*, par exemple. Un **hybride** résulte d'un croisement entre deux ou plusieurs variétés appartenant à des espèces différentes.

Cru. Zone délimitée sur laquelle on produit un vin particulier. Désigne un vignoble particulier appartenant, par exemple, à un château du Bordelais.

Cru bourgeois. Cru non classé du Médoc.

Cru classé. Vins d'AOC provenant d'un vignoble officiellement classé.

Cru premier. *Voir* **Premier cru.**

Cryptogamique. Qualifie les maladies, telles que la pourriture noble, dues à des champignons.

Cuit. (1) Se dit d'un **moût** concentré dans des appareils à feu direct (ou d'un vin obtenu à partir d'un moût cuit). Se dit aussi d'un vin produit par chauffage pendant quelques mois de 49 à 54 °C (ex. : certains vins de Californie et de Madère). (2) Qualificatif désignant des vins de haut degré **alcoolique** donnant la perception sensorielle de raisins vendangés par une grande chaleur, due soit au climat du pays, soit à des conditions climatiques exceptionnelles. On peut combattre ce phénomène dans une certaine mesure par une vendange hâtive, la vendange de nuit, la rapidité du transport des raisins à l'entreprise vinicole et la **fermentation sous froid**. (3) Pour certains, le « goût de rôti » est assimilé à celui des vins cuits.

Cuvaison. Phase de la **fermentation** des vins rouges durant laquelle le jus est maintenu au contact des peaux et des pépins du raisin. *Voir* Fermentation, p. 21.

Cuve close. Méthode d'élaboration utilisée dans la production en vrac des vins mousseux à bon marché, au moyen d'une seconde **fermentation** naturelle se déroulant dans une cuve scellée. *Voir* Cuve close, p. 23.

Cuvée. (1) Contenu d'une cuve à vin. (2) **Assemblage** de Champagne, ou lot spécial de vin.

Cuverie, Cuvier. Salle ou bâtiment abritant les cuves de **fermentation.**

Dégorgement. Opération consistant à éliminer par expulsion au travers du goulot le dépôt qui s'est formé pendant la seconde fermentation du Champagne ou d'un vin mousseux élaboré selon la **méthode champenoise.**

Degré Oeschsle. Système d'évaluation du taux de sucre présent dans les raisins, pour les catégories de vins existant en Allemagne et en Autriche. *Voir* p. 204.

Degrés-jours. *Voir* **Sommation des températures.**

Dégustation à l'aveugle. Dégustation dans laquelle les dégustateurs ignorent l'identité des vins présentés. Toutes les dégustations de concours se déroulent à l'aveugle.

Délicat. Désigne les caractéristiques d'un vin plein de charme, aux structures tranquilles.

Délimité de qualité supérieure, vin. *Voir* **VDQS.**

Départ cave. Les vins proposés **en primeur** s'achètent habituellement « départ cave ». À leur coût doit s'ajouter celui du transport ainsi que celui des taxes.

DO (Esp.). Abréviation pour « **Denominación de Origen** », l'équivalent espagnol de l'AOC française.

Doble pasta (Esp.). Qualifie des vins rouges issus d'une macération de peaux de raisins se trouvant dans le jus fermentant, en proportion double de la normale. *Voir* « Comment lire les étiquettes de vins espagnols », p. 268.

DOC (It.). Abréviation pour ***Denominazione di Origine Controllata,*** équivalent de l'AOC français.

DOCG (It.). Abréviation pour ***Denominazione di Origine Controllata e Garantita,*** la plus haute catégorie de vins classés en Italie.

Dosage. Sucre ajouté dans un vin mousseux après son **dégorgement** et dont le taux est soumis à la terminologie en usage sur l'étiquette : **brut**, demi-sec...

Doux. Vin qui présente un caractère sucré.

Dur. Indique une certaine sévérité, souvent due à un excès de **tanin** et d'**acidité**.

Échelle Winkler. Synonyme du système de **totalisation des chaleurs.**

Écœurant. Caractère étiolé et visqueux d'un vin doux médiocre, dont la **finale** est lourde et manque souvent de franchise.

Edelfaule (All.). **Pourriture noble.**

Edelkeur (Afrique du Sud). **Pourriture noble.** *Voir* **Botrytis cinerea.**

Einzellage (All.). Zone viticole isolée, la plus petite des unités géographiques reconnue par la législation vinicole allemande.

Eiswein (All.). De conception allemande à l'origine, ce vin rare est dû à la tradition consistant à laisser des raisins sur le cep dans l'espoir de les faire attaquer par le ***Botrytis cinerea.*** Les raisins sont cueillis, gelés et pressurés. La glace remonte alors en haut de la cuve et laisse un jus concentré qui donne un vin dont la douceur, l'**acidité** et l'**extrait sec total** s'harmonisent de façon unique.

Élégant, élégance. Propriété d'un vin possédant de la **finesse** et un certain **style.**

Élevé sous bois. Qualifie normalement un vin qu'on a fait vieillir dans du **chêne** neuf.

Éleveur, élevage. Les deux termes s'appliquent à la fonction traditionnelle du négociant – qui a vu le jour en France – qui consiste notamment à acheter des vins élaborés et à les élever jusqu'à ce qu'ils soient prêts pour la mise en bouteille et la vente. Cette tâche comprend le **soutirage** des vins et leur **assemblage** jusqu'à la naissance d'un produit conforme aux idéaux de la maison de négoce.

Emphatique. Ce terme décrit un **arôme** exagérément **fruité** qu'on attribue souvent aux vins de base californiens. Les spécialistes considèrent ce caractère comme vulgaire, tandis que nombre de consommateurs le trouvent agréable.

Encépagement. (1) Ensemble des cépages peuplant un vignoble. (2) Implantation d'un vignoble.

Encépager. Implanter un vignoble et, surtout, en déterminer l'encépagement.

Encre, encré. Se rapporte soit à une opacité particulière de la robe du vin, soit à sa saveur profonde révélant un fort volume de **tanin souple.**

Enzymes de levure. Chaque enzyme agit à la façon d'un catalyseur dans une réaction unique et son rôle est spécifique dans le processus de la **fermentation.**

Épicé. (1) Caractéristique de tel ou tel cépage (ex. : Gewurztraminer, Scheurebe...). (2) Apparence d'un **bouquet** ou d'une **bouche** complexes, tenant parfois au temps **de bouteille** atteint par un vin ayant été élevé sous bois. Parmi les traces d'épices habituellement détectés, de tendance crémeuse, on notera la cannelle et la noix de muscade.

Épuisement. Un vin qui a perdu une certaine partie de sa **fraîcheur** et de son **fruit** en vieillissant en bouteille.

Équilibre. Harmonie entre l'astringence des tanins (pour les vins rouges), l'acidité, le moelleux et les autres éléments naturels du vin.

Essence. Avec un certain temps de bouteille, les plus beaux Riesling possèdent un **bouquet vif** et **zesté** qui s'apparente, selon certains, à l'odeur d'essence. S'il existe une relation entre l'essence et les odeurs de **zeste** et d'**agrumes**, nombre de senteurs citronnées, de **zeste** ou d'**agrumes** sont totalement différentes les unes des autres. L'arôme d'essence du Riesling est unique et ne peut être confondu avec un autre.

Esters. Composés d'odeur douce, contribuant à l'**arôme** et au **bouquet** d'un vin, formés pendant la **fermentation** et tout au long de la **maturation.**

Estufagem (Port.). Procédé par lequel on fait chauffer le Madère dans des fours dits « estufas » avant de le refroidir. *Voir* Madère, p. 305.

Éthanol. Synonyme d'**alcool éthylique**.

Expressif. Qualifie un vin à l'image de son cépage et de son **terroir**.

Extrait sec total. Matières solides exemptes de sucre qui donnent du **corps** à un vin. Ce terme s'applique à tous ses composants, des protéines et des vitamines aux **tanins**, au fer et au calcium.

Fabriqué, vin. Vin fait avec des jus de raisin ou, plus couramment, avec des concentrés de raisin importés. Les *British wines* sont des vins fabriqués, tandis que les vins anglais *(English wines)* sont des vins naturels, élaborés en partant de raisins récemment cultivés, de production locale.

Facile. Qualité simple et agréable d'un vin probablement **tendre** et bon marché.

Féminin. Terme subjectif qu'on utilise pour décrire un vin dans lequel prédominent des qualités de délicatesse, opposées au **poids** ou à la force. Vin d'une beauté, d'une grâce et d'une **finesse** frappantes, à la texture de satin, au style exquis.

Fer. Cet élément existe sous forme d'oligo-élément dans les raisins frais obtenus sur des sols renfermant des dépôts ferreux d'une certaine importance. Les vins originaires de tels emplacements peuvent contenir naturellement un tout petit volume de fer directement perceptible au **palais**. S'ils en contiennent plus, leur saveur devient « médicale ». À plus de 7 mg/l pour les blancs, de 10 mg/l pour les rouges, le vin risque de devenir trouble. Les vins contenant de tels niveaux de fer doivent être clarifiés au moyen d'un **collage bleu** avant leur mise en bouteille. *Voir* p. 20.

Ferme. Terme évoquant un certain **mordant**. Un vin ferme est un vin de bonne constitution soutenue par son **acidité** et ses **tanins**.

Fermé. Ce terme qualifie un vin dont le bouquet ne s'extériorise ni au **nez** ni au **palais** et qui implique que ses qualités, actuellement « cachées », doivent se développer en bouteille.

Fermentation. Processus biochimique au cours duquel des enzymes secrétés par les cellules de **levure** convertissent les molécules de sucre en deux parties presque égales d'**alcool** et de **gaz carbonique**. *Voir* Fermentation, p. 18.

Fermentation, arrêt naturel de la. Il est toujours difficile de ranimer une fermentation qui s'est arrêtée. Et, même si l'on y parvient, il arrive que le vin acquière un goût bizarrement amer. La fermentation peut s'arrêter pour différentes raisons : la température s'est élevée à 35° C ou plus ; les cellules de **levure** meurent par manque d'éléments nutritifs ; un taux de sucre élevé entraîne la mort des cellules de **levure** sous l'action de la **pression osmotique**.

Fermentation en tonneau. On fait encore fermenter les vins blancs selon la méthode traditionnelle dans des tonneaux, en **chêne** neuf pour les grands Bordeaux et Bourgogne, comme pour les vins de cépage de première qualité, et dans des tonneaux ayant déjà servi pour les grands Champagne mais aussi pour les vins de qualité moyenne. Les tonneaux neufs communiquent des caractères propres au **chêne**. Plus ils vieillissent, plus ils favorisent l'**oxydation**. Les vins fermentés en tonneau possèdent plus d'**arômes** que ceux simplement élevés sous bois. *Voir* Chêne et Acier inoxydable, p. 19.

Fermentation sous froid. Fermentation de vins blancs à des températures de 18° C au plus, dans des cuves en acier inoxydable équipées d'un contrôle efficace de la température. Si l'opération est conduite convenablement, les vins obtenus doivent être plus frais, plus légers et aromatiques. *Voir* Vins blancs, p. 22.

Fermenté à fond. Se dit d'un vin dont on laisse s'achever la **fermentation** pour qu'il devienne totalement sec.

Filtration, filtres. Il existe trois méthodes fondamentales de filtration : la **filtration sur terre d'infusoires ou diatomées**, la **filtration sur plaques** et la **filtration sur membrane**. La **centrifugation** n'est pas réellement une filtration mais elle répond au même objectif d'élimination des particules indésirables en suspension dans le vin ou le jus de raisin. *Voir* Filtration, p. 18.

Filtration de finition, ou filtre polisseur. Nouvelle méthode de **filtration** du vin, ultra-fine.

Filtration sur plaques. Procédé de filtrage utilisant une série de feuilles de cellulose, d'amiante ou de papier au travers desquelles passe le vin.

Filtration sur terre d'infusoires ou de diatomées. Ce genre de filtration, qui utilise des **terres à diatomées** ou à infusoires grâce auxquelles les particules indésirables sont retenues, donne un vin clair.

Filtration tangentielle. Nouvelle méthode de microfiltration. Le vin circule rapidement en circuit fermé évitant le colmatage des membranes utilisées.

Filtre microporeux. Synonyme de **membrane filtrante**.

Finale. Qualité de l'**arrière-bouche** d'un vin et appréciation de sa persistance en bouche.

Finesse. Qualité qui distingue les **vins fins** par rapport à d'autres vins plus ordinaires.

Fins, vins. Vins de qualité ne représentant qu'un faible pourcentage de tous les vins produits, et parmi lesquels les grands vins constituent la véritable élite.

Flash-pasteurisation. Technique de stérilisation à ne pas confondre avec la pasteurisation proprement dite. Elle implique l'exposition du vin à une température d'environ 80° C durant 30 secondes à une minute.

Foudre. Fût ou cuve en bois de grande capacité.

Foxé. Caractère très particulier, très parfumé, de certains cépages indigènes d'Amérique et même de leurs hybrides, à la saveur peu appréciée par les consommateurs européens ou des antipodes.

Frais, fraîcheur. (1) Qualité de vins qui sont jeunes, légers, pleins d'arômes fluides. (2) Désigne un vin **franc** dont l'**acidité** se manifeste en **finale** par un **arrière-goût** agréable.

Franc. Terme s'appliquant à un vin dépourvu de toute **nuance sous-jacente** indésirable ou artificielle dans son **arôme** ou son goût.

Frizzante (It.). Semi-mousseux.

Frizzantino (It.). Très légèrement mousseux, à la limite entre vin tranquille et semi-mousseux.

Fromage, odeur de. Caractéristique du **bouquet** d'un Champagne très vieux, bien que cela puisse arriver à d'autres vins ayant eu un contact prolongé avec leur **lies**, éventuellement ceux que l'on n'a pas **filtrés** ou **soutirés**. Le phénomène est probablement dû à la production, pendant la **fermentation**, d'un peu d'acide butyrique pouvant se transformer en un **ester** dit butyrate d'éthyle.

Fruit. Issu de raisins, le vin doit donc être fruité à 100 % ; néanmoins, il n'a pas cette saveur si les raisins concourant à son élaboration ne présentent pas l'harmonie souhaitable entre leur **maturité** et leur **acidité**.

Fruité. (1) Vin dominé par les caractères de fruits frais. On retrouve ce bouquet dans différents vins rouges jeunes. (2) Terme pouvant s'appliquer à l'**arôme** et à la saveur d'un vin qui rappellent le raisin, plutôt qu'au vin même, cette caractéristique étant spécifique aux vins allemands. Les vins issus de certains cépages tels que le Muscat, Morio-muskat et Gewurztraminer peuvent aussi communiquer un caractère fruité.

Fumé, goût de fumé, odeur de fumé, marque du chêne fumé. Certains cépages ont un caractère « de fumé », notamment la Syrah et le Sauvignon blanc. Ce caractère peut aussi provenir des fûts de **chêne** bien chauffé, ou se manifester dans un vin non **filtré**. Certains vinificateurs doués ne **soutirent** pas leurs vins et parfois ne les **filtrent** pas. C'est un jeu déchaînant les passions auquel on se livre pour conserver au vin le maximum de sa personnalité et créer ainsi un vin particulier et **expressif**.

Garde, vin de. Vin capable de s'améliorer considérablement lorsqu'on lui permet de vieillir.

Gaz carbonique. Voir CO_2.

Gazéification. Introduction de **gaz carbonique** dans un vin avant l'embouteillage. *Voir* p. 23.

Gélatine. Agent de clarification servant à l'élimination dans le vin de matières en suspension, notamment des **tanins** en excès. *Voir* Collage, p. 20.

Généreux. Terme tombant plus ou moins en désuétude, s'appliquant à des vins de haut degré alcoolique. Au Portugal, il désigne un vin à appellation d'origine de grande qualité.

Générique. Qualificatif désignant une appellation d'origine à l'exclusion d'une autre plus spécifique, plus restrictive, bref moins générale, ce dernier terme étant préféré, d'ailleurs, par maints professionnels.

Genre. La famille botanique des ampélidacées se décline en dix genres, dont un, *Vitis,* par le sous-genre *Euvites,* contient l'espèce *Vitis vinifera,* à laquelle appartiennent tous les cépages produisant des raisins dits de cuve.

Glace, vin de. Équivalent français de « **Eiswein** ».

Gobelet. Mode de conduite et de taille de la vigne. *Voir* p. 15.

Gonflé. S'applique à un vin qu'on a coupé avec quelque chose de plus **riche** ou de plus **robuste**. Un vin peut être légalement gonflé en tout légitimité, sinon il s'agit d'un vin trafiqué. Ce vin peut encore être buvable sans être pour autant **correct**.

Gouleyant. Vin sans prétention, **facile** à boire.

Goutte, vin de. Jus s'écoulant librement avant le pressurage. *Voir* p. 21. Selon certains professionnels et milieux officiels, il faudrait distinguer entre le vin de goutte – dit aussi Vin de tête : le vin issu d'un premier pressurage modéré de la vendange – et Vin d'égouttage : le vin obtenu à partir du jus qui s'est égoutté des raisins sans qu'on le presse.

Grand vin. Vin **charpenté** à la saveur exceptionnellement riche.

Greffage. Méthode de propagation de la vigne par laquelle on insère un greffon dans un **porte-greffe** porteur de son système radiculaire.

Greffe. Assemblage entre le **porte-greffe** et le **scion** du **cep producteur**.

Greffon. (1) Partie de la greffe appartenant au **cep producteur** et porteuse de feuilles et de fruits, à l'exclusion du **porte-greffe**. (2) Les vignes sont habituellement **greffées** sur des **porte-greffe** résistant au ***phylloxéra,*** mais les raisins récoltés présentent des caractéristiques du greffon qui appartiennent le plus souvent à l'espèce *Vitis vinifera*.

Grillé. Désigne l'allure de raisins ayant été soumis au recroquevillement ou au grillage dus à la **pourriture noble**.

Grossier. Terme appliqué à un vin rouge rugueux, pas nécessairement désagréable, mais certainement pas fin.

Grosslage (All.). Zone viticole, en Allemagne, faisant partie d'un secteur plus vaste, le **Bereich**.

H_2S. *Voir* Anhydride sulfurique.

Harmonique, note. Élément prédominant dans le

nez ou le **palais** d'un vin et qui n'est pas directement attribuable aux caractères du cépage.

Herbacé. (1) Désigne souvent certains vins à base de Gewurztraminer, Scheurebe et Sauvignon. (2) S'applique à certains vins qui ont été élevés en fûts mais, contrairement aux caractères portant la marque du chêne sous les formes **vanillée, crémeuse, fumée** ou **épicée**, le caractère herbacé est d'origine inconnue.

Hybride. Croisement entre deux ou plusieurs cépages appartenant à plus d'une espèce.

Hydrogène sulfuré. La combinaison de l'hydrogène avec l'**anhydride** sulfureux dégage une odeur d'œufs punais. Si cela se produit avant la mise en bouteille, on peut y remédier à condition d'intervenir immédiatement. Si on permet au phénomène de se développer, l'hydrogène sulfuré peut se transformer en **mercaptan**.

Incisif. Terme lié à l'**acidité** d'un vin, tandis que son **amertume** l'est à son **tanin**. Un vin n'ayant pas atteint sa maturité peut se permettre d'être incisif, mais le terme est habituellement dépréciateur dans le langage des dégustateurs professionnels.

Ingrat. Désigne un vin présentant peu de **fruit** et beaucoup trop de **tanin** et d'**acidité**.

Kabinett (All.). Premier échelon de la gamme des vins **QmP** d'Allemagne, se situant au-dessous des ***Spätlese*** et souvent plus secs que les **QbA**.

Lactones du bois. Esters divers issus du **chêne** neuf et pouvant communiquer certaines caractéristiques « **crémeuses** ».

Laid-back (Angl.). Terme en usage depuis l'apparition des vins californiens sur la scène internationale, au début des années 80. Il désigne habituellement un vin sans prétention **facile** à boire, de bonne qualité.

Landwein (All.). Équivalent de **vin de pays**.

Levure. Champignons microscopiques d'importance vitale en vinification. Les cellules de levure sécrètent un certain nombre d'enzymes dont 22 sont indispensables pour mener à bien la **fermentation** alcoolique. *Voir* p. 19.

Levuré. Si ce vocable n'a rien de flatteur pour la plupart des vins, un **bouquet** de levure peut être souhaitable pour un vin mousseux de bonne qualité, particulièrement lorsqu'il est jeune.

Levures à Xérès, levures à vin jaune. Il s'agit de la flore de levures, sous forme d'écume flottant à la surface d'un Xérès *fino* ou d'un vin jaune du Jura, mûrissant dans des tonneaux non pleins. C'est à une souche particulière de levures dite *Saccharomyces betticus* que le vin doit son caractère inimitable.

Lie. Cette expression s'applique aux vins – habituellement les Muscadet – qu'on a laissé reposer sur leur **lie**, sans les **soutirer** ni les **filtrer** avant leur mise en bouteille, malgré les risques d'infection bactérienne que cette pratique engendre. Dans le cas du Muscadet, cette pratique met en valeur le **fruit** du cépage naturellement douceâtre qu'est le Melon de Bourgogne, et ajoute au vin une nouvelle dimension, la complexité d'un goût de **levure**, qui lui confère le goût d'un modeste Bourgogne blanc. Le vin laissé sur lie n'a pas été exposé à l'air et il est saturé de **gaz carbonique**, ce qui lui donne un certain **vivacité** et de la **fraîcheur**.

Lies. Dépôt restant dans le fût ou la cuve en cours de **fermentation**, et consistant surtout en cellules mortes de levures. Ces cellules de levures étant soumises à une **autolyse**, source éventuelle d'infection bactérienne, on **soutire** la plupart des vins plusieurs fois avant leur mise en bouteille. Un vin « **sur lie** » a été maintenu sur ses lies sans avoir été soutiré jusqu'à la mise en bouteille afin d'en augmenter la saveur. C'est le cas du Muscadet ou des vins effervescents.

Linalol $C_{10}H_{18}O$. On trouve cet alcool dans certains **cépages**, notamment dans le Muscat. Il contribue à l'exhalation florale de pêche (ou de muguet, selon certains) qui caractérise les vins à base de Muscat.

Liqueur, vin de. *Voir* **VDL**.

Liqueur de tirage. Sirop de sucre de canne fermenté par les levures que l'on ajoute au Champagne encore tranquille pour provoquer la prise de **mousse**.

Liquoreux. Terme s'appliquant souvent aux vins de dessert onctueux.

Long, longueur. S'applique à un vin dont la saveur s'**attarde** longtemps en bouche.

Loyal. S'applique à tout vin qui, d'assez belle qualité de base, est de caractère fidèle à ses type et origine et ne se révèle pas comme « **gonflé** » ni coupé par tout moyen illégal. Ce terme est plus flatteur que celui de **typique**.

Macération. Phase de la vinification en rouge où, en cours de la **cuvaison**, le jus **fermentant** est au contact des pellicules et des pépins du raisin. On l'utilise de plus en plus pour les vins blancs, en recourant à des méthodes de **macération avant fermentation**.

Macération avant fermentation. Méthode de macération très à la mode, dans laquelle le jus de raisins blancs reste au contact des peaux avant de fermenter. Ce procédé met en valeur les caractères d'un **cépage** donné, la peau renfermant la plupart des propriétés aromatiques du raisin. *Voir* p. 22.

Macération carbonique. Terme générique qui recouvre plusieurs techniques analogues de vinification sous pression de **gaz carbonique**. Ces techniques donnent des vins **frais**, à boire tôt, de bonne robe, au **fruité tendre** et dont l'arôme révèle un soupçon de **poire**. *Voir* Macération carbonique, p. 21.

Mâche (vin ayant de la). Expression renchérissant sur **charnu**. Cette qualité s'allie en esprit tantôt à celle d'un vin **riche** (ayant « de la bouche »), tantôt à une certaine astringence (nécessitant quelque mastication).

Madérisé. Les vins de Madère sont élaborés par le procédé de l'***estufagem*** qui consiste à les chauffer lentement dans des fours avant de les rafraîchir. La madérisation est habituellement reconnue comme un défaut à l'exception des vins de style *rancio*. L'entreposage à la lumière et un excès de chaleur peuvent déclencher un phénomène de madérisation dans tous les types de vins.

Maigre. Se dit d'un vin décharné, manquant de **corps** et de **fruit**.

Malique. Terme parfois utilisé pour décrire l'**arôme** et la saveur de pomme verte qu'on trouve chez certains vins jeunes, dus à la présence d'**acide malique**.

Malolactique. On qualifie souvent la fermentation malolactique de **fermentation secondaire**. Il s'agit en fait d'un processus biochimique qui convertit l'**acide malique**, dur, des raisins immatures en **acide lactique**, plus simple, et en gaz carbonique. *Voir* **Fermentation malolactique**, p. 18.

Marc. (1) Résidu de pépins, rafles et pellicules de raisins résultant du pressurage. (2) Nom donné en Champagne à un chargement de 4 000 kg de raisins. (3) Eau-de-vie grossière obtenue par la distillation du résidu de peaux, pépins et rafles fourni par le pressurage.

Membrane filtrante. Mince écran de matériau biologiquement inerte, perforé de pores microscopiques occupant 80 % de la membrane, utilisé pour filtrer le vin.

Mercaptan. Les **alcools éthylique** et méthylique réagissent avec l'**hydrogène sulfuré** pour former des mercaptans, d'odeur fétide, qu'il est souvent impossible d'éliminer et qui anéantissent un vin. Les mercaptans peuvent sentir l'ail, l'oignon, le catouchouc brûlé, le chou éventé, l'œuf punais, le gaz d'éclairage, le caoutchouc vulcanisé.

Méthode champenoise. Procédé dans lequel une effervescence se produit à la faveur d'une **seconde fermentation** en bouteille, et qui est utilisé pour le Champagne et les autres vins effervescents de bonne qualité.

Méthode gaillacoise. Variante de la **méthode rurale**, impliquant un **dégorgement**.

Méthode rurale. Précurseur de la **méthode champenoise**, elle n'implique aucune **seconde fermentation**. On met le vin en bouteille avant la fin de la première fermentation alcoolique et du **gaz carbonique** se dégage durant la poursuite de celle-ci dans la bouteille. Elle ne comprend pas de **dégorgement**.

Microclimat. Ensemble de conditions climatiques et topographiques particulières à une zone donnée grâce auxquelles un vignoble jouit d'une situation privilégiée et qui lui est propre.

Millerandage. Trouble physiologique de la vigne qui se manifeste au moment de la floraison après un hiver froid ou humide. Il rend la fécondation très difficile et, de ce fait, nombre de baies ne parviennent pas à leur plein développement. Elles restent petites et sans pépins même si le restant de la grappe est mûr et de taille normale.

Millésime. Année de récolte d'un vin. Le vin millésimé est issu de la récolte d'une année donnée ou, tout au moins, à 85 % selon la réglementation de la CEE. En dehors de ses qualités organoleptiques et physiques propres, le vin est le reflet des conditions climatiques qui ont prévalu dans l'année.

Millésime hors cote, année hors cote. Année ayant donné nombre de vins médiocres en raison des facteurs climatiques.

Millésime grand, grande année. Termes désignant habituellement des années où le temps exceptionnel a permis la production de vins plus **riches**, plus **pleins** que la normale. Ils peuvent aussi qualifier une année de récoltes abondantes.

Millésime petit, année petite. Année où l'on récolte des vins relativement légers qui n'en sont pas pour autant mauvais.

Minéral. Certains vins peuvent avoir une **arrière-bouche** minérale, parfois désagréable. Le Vinho Verde possède une **arrière-bouche** attrayante bien que minérale, presque métallique, lorsqu'il est issu de certains cépages.

Mistelle. Jus de raisin frais qu'on a **muté** à l'**alcool** avant que sa fermentation ait pu se produire.

Moelleux. Rond et à son **apogée**.

Mordant. Terme s'appliquant à un vin **ferme** et à la **finale** agréable, avec une légère dominante acide ou tannique pour les vins rouges.

Mou. Désigne un vin manquant d'**acidité**, terne, faible et **court** en bouche.

Mousse. Effervescence caractérisant tout vin mousseux et qu'on apprécie surtout en bouche. Les bulles d'une bonne mousse doivent être petites et persistantes, la vigueur de son effervescence dépendant du style du vin.

Moût. Jus libéré par les raisins dont les éléments seront transformés au cours de la **fermentation**.

Mutage. Adjonction d'**alcool** pur au vin ou au jus de raisin frais soit avant la **fermentation** (cas des **vins de liqueur**), soit au cours de la **fermentation** (cas des **vins doux naturels**). *Voir* **Mutage**, p. 23.

Négociant-éleveur. Négociant ou maison achetant des vins élaborés pour assurer leur **élevage**. Ces vins sont alors assemblés et embouteillés sous l'étiquette du négociant.

Nerveux. (1) Terme subjectif s'appliquant habituellement à des vins blancs secs qui sont **fermes** et vigoureux, mais n'ayant pas encore atteint leur équilibre. (2) Il arrive qu'il désigne aussi des vins **fermes et frais**.

Nez. Odeur ou parfum du vin comprenant l'**arôme** et le **bouquet**.

Noble Late Harvest (Angl.). *Voir* Sélection de grains nobles.

Nuance sous-jacente. Nuance **subtile**, concourant à la qualité d'un vin, sans la dominer, à la façon d'une **harmonique**. Dans un vin fin, par exemple, le vieillissement sous bois de **chêne** se fait remarquer comme une **harmonique** relativement forte dans ses années de formation ; lorsque ce même vin est achevé, mûr, le vieillissement sous chêne représente une délicate nuance sous-jacente, complémentaire de bien d'autres nuances qui lui confèrent sa **complexité**.

Œnologie. Science du vin et de la vinification.

Œuf, blanc d'. Agent de clarification servant au **collage** des matières porteuses d'une charge électrique négative. *Voir* Collage, p. 20.

Oïdium. Maladie cryptogamique de la vigne qui apparaît sous forme d'un duvet blanchâtre et déshydrate les raisins.

Oloroso (Esp.). Style de Xérès, sec mais édulcoré, pour l'exportation.

Onctueux. Caractérise des vins **riches** et **gras**, notamment certains Chardonnay produits en grande année ou dans une région chaude.

Opulent. Suggère un **arôme** de **cépage** assez somptueux, très **riche**, ayant beaucoup de bouche sans être **emphatique**.

Organoleptique. Qui peut être saisi par un organe des sens, la vue, l'odorat et le goût.

Ouillage. Remplissage d'un fût dont le vin s'est évaporé afin d'empêcher l'oxydation.

Ouverture serrée. Se dit du **nez** et du **palais** d'un vin, généralement modeste, qui n'est pas susceptible de beaucoup se développer.

Oxydation, oxydé. Dès le moment où les raisins ont été pressés ou foulés, l'oxydation se manifeste et le jus ou le vin sont oxydés à divers degrés. L'oxydation représente une partie essentielle et inévitable de la **fermentation** et, en conjugaison avec la **réduction**, c'est le processus grâce auquel le vin mûrit dans sa bouteille. Tout vin est donc oxydé jusqu'à un certain point. Un vin oxydé, dans son sens péjoratif, se trouve à un stade avancé et prématuré d'oxydation. Un vin de ce genre peut présenter une odeur de Xérès.

Oxydo-réduction. Le vieillissement du vin a été considéré à l'origine comme un processus d'**oxydation**, mais on découvrit par la suite qu'une substance du vin s'oxydait (s'oxygénait) pendant qu'une autre se **réduisait** (perdait de l'oxygène). Néanmoins, sur le plan **organoleptique**, les vins se révèlent comme un milieu soit **oxydant** soit **réducteur**. En présence d'air, un vin tend à **s'oxyder**, mais, en vase clos et privé d'oxygène, ses caractéristiques **réductrices** se mettent à dominer ; ainsi le **bouquet** d'une bouteille âgée se manifeste comme du type **réducteur** et l'**arôme** d'un vin jeune et **frais** est du type plus **oxydant** que **réducteur**. Le processus oxydant se détecte à des indices si subtils qu'ils se trouvent à la limite séparant la simple odeur de la **fermentation** de l'**arôme** dégagé par le vin jeune ; en résultent des caractères variés, tels l'**onctuosité** ou le style **épicé**, lesquels contribuent, tout au long du processus, à la **richesse** et à la **complexité** d'un vin.

Paille, vin de. Vin doux, complexe, produit en laissant des raisins de vendange tardive se dessécher et se rabougrir au soleil ou sur des paillons. *Voir* Jura, p. 181.

Palais. Saveur ou goût d'un vin.

Passerillage. Les raisins non atteints par la **pourriture noble** et restés sur les ceps sont exclus du métabolisme général des pieds de vigne, la sève se retirant dans les racines. Sous l'action de la chaleur diurne, puis du froid nocturne, les raisins se déshydratent et se concentrent. Certaines régions font grand cas des vins doux fournis par ces raisins. Un vin de passerillage résultant d'un automne chaud est totalement différent d'un autre obtenu par un automne froid. Le passerillage artificiel s'effectue sous abri dans des locaux où l'on fait sécher les raisins.

Passerillé. Caractère aromatique souvent détecté dans les Monbazillac, mais que l'on peut aussi bien retrouver dans tout vin doux **riche**, à la concentration des raisins passerillés plutôt qu'à la **pourriture noble**. Il différencie, par exemple, la puissance du Sauternes 1976 de l'**élégance** du Sauternes 1975, le premier ayant été considérablement concentré sous l'influence de la chaleur avant de l'avoir été par l'attaque du **botrytis cinerea**.

Passito (It.). Équivalent du **passerillage**. Les raisins de passito sont à demi desséchés, soit à l'extérieur sur leurs ceps, soit dans un bâtiment chaud sur des nattes. Le processus concentre la pulpe des raisins et donne des vins forts, souvent doux.

Pasteurisation. Terme générique désignant diverses techniques de stabilisation et de stérilisation. *Voir* p. 18.

Pays, vin de. Vin de table réglementé ne pouvant faire l'objet d'un coupage et bénéficiant d'une indication géographique de provenance. *Voir* Vins de Pays, p. 197.

Perlant. Caractéristique d'un vin très légèrement mousseux mais qui l'est moins que le **crémant** ou le **pétillant**.

Perlite. Substance fine, pulvérulente, légère et lustrée, d'origine volcanique, utilisée en **filtration**, dont les propriétés sont analogues à celles de la **terre à diatomées**.

Pétillant, pétillement. Ces termes s'appliquent à un vin possédant assez de **gaz carbonique** pour y engendrer une mousse légère.

pH. Abréviation courante en chimie pour désigner la concentration en ions hydrogène d'un liquide, et servant à la mesure de l'alcalinité ou de l'**acidité réelle** d'un liquide. Le pH ne donne aucune indication sur l'**acidité totale** d'un vin, pas plus que le palais humain. Lorsque nous percevons l'acidité d'un vin en le dégustant, cette perception relève nettement plus du pH que de l'**acidité totale**.

Phylloxéra. Puceron parasite de la vigne qui, venu d'Amérique, a contaminé pratiquement toutes les régions viticoles, détruisant à la fin du XIXe siècle nombre de vignobles. Pour reconstituer les vignobles, il a fallu – et il faut encore – **greffer** les vignes sur des **porte-greffes** américains résistant au phylloxéra.

Picotant. Qualificatif appliqué à un vin possédant un résidu de **gaz carbonique** mais en moindre quantité que dans un **pétillant** léger. Si ce picotement peut être souhaitable dans certains vins blancs **frais**, il révèle l'existence d'une **fermentation secondaire** indésirable dans les vins rouges, encore qu'on provoque celle-ci, délibérément, dans certains vins rouges d'Afrique du Sud.

Piquant. Qualificatif appliqué habituellement à un vin blanc agréable montrant du **fruité** et de l'**acidité**.

Plat. (1) Caractéristique d'un vin mousseux ayant perdu toute sa mousse. (2) On utilise aussi ce terme à la place de **mou**, notamment lorsqu'il s'agit d'un manque d'**acidité** dans la **finale**. Le vin paraît alors sans caractère, sans fraîcheur.

Plein. Se dit souvent d'un vin corsé, de son corps. Mais un vin peut être léger de corps tout en « ayant de la **bouche** », c'est-à-dire de la saveur et un bon goût. Se dit aussi d'un vin dont la composition est bien équilibrée, riche en tous ses éléments.

Poire, parfum de. *Arôme* que l'on note souvent dans le Beaujolais nouveau et d'autres vins ayant été fortement marqués par la **macération carbonique**. L'**arôme** de la poire est dû au niveau élevé d'acétate d'éthyle qu'engendre la **macération carbonique**, et on le confond souvent avec le caractère de **cépage** du Gamay.

Poivré. (1) Qualificatif désignant des vins jeunes dont les divers composants sont bruts, manquent encore d'harmonie et se montrent parfois agressifs et picotants au **nez**. (2) Senteur et saveur caractéristiques des vins du midi de la France, notamment de ceux à base de Grenache.

Porte-greffe. Partie inférieure d'un cep greffé, habituellement résistant au **phylloxéra**. *Voir* p. 11.

Pourriture noble. Maladie cryptogamique causée par le **Botrytis cinerea** dans certaines circonstances. *Voir* **Botrytis cinerea**.

Premier cru. Cette expression n'a de sens que dans les régions où il fait l'objet d'un contrôle officiel comme en Bourgogne.

Presse, vin de. Vin rouge très foncé et **tannique**, extrait par pressurage du **chapeau** après qu'on a laissé s'écouler le **vin de goutte**. *Voir* p. 21.

Pression osmotique. Lorsque deux solutions aqueuses sont séparées par une membrane semi-perméable, l'eau de la solution la moins concentrée passe dans l'autre pour rétablir un équilibre de concentration. Ce phénomène se produit fort fréquemment dans les opérations de vinification : les cellules de **levure** sont destinées à travailler dans du jus de raisin au taux de sucre exceptionnellement élevé. Comme une cellule de levure se compose à 65 % d'eau, la pression osmotique force celle-ci à s'en échapper. La cellule s'affaisse et la levure se dessèche.

Pressurage, premier. Le premier pressurage, souvent appelé « première presse », fournit le jus le plus clair, le plus franc, le plus doux.

Primeur. Des vins classiques tels que les Bordeaux sont proposés à la vente en primeur, c'est-à-dire dans l'année des vendanges, avant l'assemblage final et la mise en bouteille. Les acheteurs expérimentés prennent un risque calculé qui se reflète ultérieurement dans le prix du vin.

Profondeur. Désigne tout d'abord une profondeur de goût et, en second lieu, l'intérêt même présenté par un vin, ainsi que la tonalité appuyée de sa robe.

PVPP (polyvinyle de pyrrolidol). Agent de **collage** utilisé pour éliminer les composants d'un vin blanc sensibles au brunissement. *Voir* Collage, p. 20.

QbA (All.). Abréviation courante de ***Qualitätswein bestimmter Anbaugebiet***, littéralement « Vin de qualité originaire d'une zone particulière ». On utilise cette expression en parlant de vins dont le niveau est supérieur à celui des ***Landwein***, mais inférieur à celui des ***Kabinett***.

Quinta (Port.). Domaine viticole.

QmP (All.). Abréviation courante de ***Qualitätswein mit Prädikat***, littéralement « Vin de qualité affirmée ». Cette expression s'utilise pour tout vin allemand de niveau supérieur à celui de **QbA**. La qualité impliquée pour la mention « QmP » dépend du niveau de maturité atteint par les raisins utilisés.

Race. La **finesse** d'un vin est due à l'heureuse harmonie résultant de la qualité intrinsèque du raisin, de celle du **terroir**, de la compétence et de l'expérience d'un grand vinificateur.

Rafle, goût de. (1) Caractéristique du **cépage** Cabernet. (2) Désigne des vins dont le moût a été pressé avec les rafles. (3) Indication d'un vin **bouchonné**.

Rancio. Caractère d'un **vin doux naturel** entreposé au moins deux ans en fût de chêne, souvent exposé directement à la lumière du jour.

Qualifie également une saveur bien particulière qui est fort appréciée en France, dans le Roussillon.

Ratafia. Vin de liqueur obtenu par adjonction d'eau-de-vie de marc à un moût de jus de raisin frais.

Recioto (It.). Vin fort et doux issu de raisin passerillé.

Réduction. Moins un vin a été exposé à l'air, plus il est réducteur. Si différents qu'en soient leurs caractères de base, le Champagne, le Muscadet **sur lie** et le Beaujolais nouveau sont des exemples de vins réducteurs. À l'inverse, sont **oxydants**, le Champagne ayant passé le stade de l'**autolyse**, le Muscadet **sur lie** pour peu qu'il révèle aussi un soupçon d'**autolyse**, ou encore le Beaujolais nouveau à l'arôme de poire.

Réfractomètre. Instrument d'optique qu'on utilise pour déterminer le taux de sucre du raisin.

Remontage. Pompage du vin pour le ramener au-dessus du **chapeau** formé des peaux de raisin au cours de la **cuvaison**. *Voir* p. 18.

Remuage. Opération faisant typiquement partie de la **méthode champenoise** ; elle sert à faciliter, au moment du **dégorgement**, l'expulsion des dépôts engendrés par la **seconde fermentation** en les rassemblant au niveau du goulot des bouteilles.

Réticent. Ce terme suggère qu'un vin ne s'exprime guère au double niveau du **nez** et du **palais.** Il s'agit peut-être d'un défaut de jeunesse, ce vin pouvant bien s'épanouir avec un peu plus de **maturité**.

Riche, richesse. Ces termes traduisent l'**équilibre** plein atteint par le vin entre son **fruit** et sa **profondeur** qui se manifeste au niveau du **palais** et de la **finale**.

Ripasso (It.). Refermentation, sur ses **lies**, d'un vin ***recioto***.

Robuste. Forme atténuée du terme **agressif**, qu'on applique souvent à un vin **mûr**, ce qui laisse entendre que celui-ci est robuste de nature et non pas **agressif** comme il le serait dans sa jeunesse.

Rond, arrondi. Vin dans lequel tous les angles dus au **tanin**, à l'**acidité**, aux **extraits secs** se sont arrondis grâce à sa **maturité** acquise en bouteille.

Saccharomètre. Instrument de laboratoire servant à mesurer le taux de sucre d'un jus de raisin.

Saignée. Procédé consistant à extraire l'excédent liquide de la cuve de **fermentation** pour obtenir un vin rosé. Dans les régions viticoles particulièrement fraîches, la masse restante des pulpes de raisin peut servir à faire un vin rouge plus foncé qu'il ne le serait d'habitude, grâce au rapport élevé entre les matières solides et liquides du moût, libérant plus de pigments colorants.

Sec. (1) Ce terme, qui désigne un vin ne comportant aucune douceur, n'exclut pas le **fruité**. Les vins aux saveurs de **fruit** très mûr peuvent paraître si **riches** qu'ils donnent parfois l'impression d'avoir quelque douceur. (2) Vin tranquille ne comportant pas de sucre.

Seconde fermentation, fermentation secondaire. Au sens propre, il s'agit de la **fermentation** qui s'effectue en bouteille, dans la **méthode champenoise** ; mais on la confond souvent, par erreur, avec la **fermentation malolactique**.

Sekt (All.). Vin mousseux.

Sélection de grains nobles. Terminologie utilisée en Alsace, entre autres régions, pour désigner un vin rare **botrytisé** et extrêmement doux.

Semi-doux (Semi-Sweet). Qualificatif rarement utilisé, quasi synonyme de « Demi-sec ».

Sensuel. Terme utilisé pour décrire un vin blanc doux et onctueux plutôt qu'un vin rouge d'une succulente richesse.

Serré. Se dit d'un vin **ferme**, au bon taux d'extrait sec et éventuellement de **tanin**, tendu à la façon d'un ressort ne demandant qu'à se détendre. Ses possibilités d'évolution sont meilleures que celles d'un vin **réticent** ou **fermé**.

SO_2. Formule chimique de l'anhydride sulfureux, un antioxydant aux qualités antiseptiques utilisé en vinification. S'il ne doit pas être perceptible dans les produits finis, il arrive qu'on puisse le déceler dans un vin récemment mis en bouteille : une vigoureuse décantation palliera cet inconvénient ; quelques mois de bouteille devraient faire disparaître ce défaut. L'odeur âcre du soufre présent dans un vin doit, si on la décèle, être similaire à celle d'une allumette qu'on vient d'éteindre. Si le vin a une odeur d'œufs pourris, c'est que le soufre a été réduit à l'état d'**hydrogène sulfuré**, et que ce vin a engendré des **mercaptans** impossibles à éliminer. *Voir* p. 20.

Solera. Système de renouvellement permanent qu'on applique à un assemblage fixe en y apportant une petite proportion de vin frais qui permet de lui assurer un style et une qualité suivis. *Voir* Xérès, p. 285.

Sommation des températures. Système de mesure des potentialités offertes par une région particulière pour la culture de la vigne, fondé sur l'évaluation, en degrés-jours, des températures ambiantes. Le cycle végétatif de la vigne n'est activé que par des températures dépassant 10 °C. Le temps durant lequel persistent ces températures correspond à la période de végétation de la vigne. Pour calculer un nombre de degrés-jours, on multiplie la part de la température moyenne diurne valable pour la croissance de la vigne – soit la moyenne diurne diminuée des 10 °C non valables – par le nombre de jours correspondant à la période de végétation. Exemple : une période de végétation de 200 jours à la température moyenne de 15 °C représente un total de chaleurs valant 1 000 degrés-jours : (15-10) x 200 = 1 000.

Soufre fixe. On ajoute de l'anhydride sulfureux **(SO_2)** au jus de raisin et au vin pour empêcher l'**oxydation**.

Soufre libre. Partie active du **SO_2** contenu dans le vin. Le soufre libre se combine avec l'oxygène en excès.

Souple. Ce qualificatif s'applique à un vin **facile** à boire, pas nécessairement **tendre**, mais évoquant plus la facilité que la simple **rondeur**. Avec l'âge, le **tanin** vinique s'assouplit, en particulier dans les vins de Californie.

Soutirage. Opération consistant à séparer un vin de ses **lies** en le transvasant dans un fût (ou une cuve) neuf. *Voir* p. 20.

Spätlese (All.). Vin **QmP**, supérieur aux ***Kabinett,*** mais inférieur aux ***Auslesen,*** assez doux et issu de raisins cueillis tardivement.

Spritz, spritzing (All.). Synonyme de **pétillant**.

Spumante (It.). Mousseux.

Style, vins de. Vins possédant toutes les qualités subjectives du **charme**, de l'**élégance** et de la **finesse**.

Style méridional. Caractérise un vin originaire du midi de la France. Pour les vins rouges, il peut fort bien s'agir d'une mention élogieuse, pour autant qu'ils soient **honnêtes**. L'expression indique qu'ils sont **corsés**, pleins de saveur et plus ou moins **poivrés**. Quant aux vins blancs, il peut s'agir, à l'inverse, d'un vin plat, ayant trop d'alcool et pas assez d'**acidité** ni de **fraîcheur**.

Subtil. Qualificatif décrivant un vin doté d'une personnalité indéniable bien que parfois sous-estimée.

Süssreserve (All.). Jus de raisin frais, non fermenté, qu'on utilise couramment pour édulcorer les vins allemands de catégorie au plus égale à celle des ***Spätlesen.*** On l'ajoute aussi dans les ***Auslesen,*** moins onéreux. Cette pratique est de loin supérieure à la traditionnelle méthode française d'édulcoration qui recourt à l'emploi de concentrés de raisin ; elle confère le caractère **frais** et **fruité** qui doit caractériser les vins demi-secs à bon marché.

Tabac. Terme subjectif en matière de goût et de **bouquet** et s'appliquant souvent aux vins **élevés sous bois de chêne.** Ces effluves de tabac se retrouvent parfois dans les Bordeaux de grande classe.

Tafelwein (All.). Équivalent de **Vin de table**.

Tanin, tannique. Termes génériques désignant divers polyphénols contenus dans le vin et provenant de la pellicule du raisin (les plus **souples**), de ses pépins et de sa rafle (les plus **âcres**). Ils peuvent aussi provenir du bois neuf des fûts ; dans ce cas, le type de **chêne** utilisé joue un rôle dans la **dureté** plus ou moins forte des tanins. Le tanin peut prédominer, par son astringence, sa sécheresse altérante, dans un vin rouge jeune ; mais, aussi bien, il peut **attendrir** un vin **encré** et favoriser le mûrissement du vin en bouteille.

Tanin souple. Si le **tanin** vinique est responsable d'une sensation **dure** en bouche, on peut le qualifier de **souple** lorsqu'il s'agit d'un vin **mûr**, dans lequel il s'est **arrondi.** Les **tanins** hydrolysés issus des raisins très mûrs aux premiers stades de leur **macération** sont les plus souples. Nombre de **tanins** extraits du chêne neuf sont hydrolysés.

Tartrates, cristaux de tartrate. Dépôts engendrés par l'acide tartrique qui ressemblent à des cristaux de sucre au fond de la bouteille, et dont la précipitation est parfois provoquée par des températures basses. Un fin dépôt de cristaux étincelants peut se former sur la base du bouchon si celui-ci a trempé dans une solution stérilisante de métabisulfate avant la mise en bouteille. Ces deux types de dépôt sont, l'un comme l'autre, inoffensifs. *Voir* p. 20.

Tastevin. Petite tasse d'argent que l'on utilise pour la dégustation, surtout en Bourgogne.

TbA (All.). Abréviation courante du terme ***Trockenbeerenauslese.*** Un des **QmP**, produit par cueillette du raisin, baie par baie, ceux-ci étant **botrytisés** et laissés sur le cep où ils se rabougrissent. Ce vin très complexe, onctueux, à la robe dorée à ambre, est aussi différent des ***Beerenauslesen*** que ceux-ci le sont des ***Kabinett.***

Teinturier. Cépage à jus rouge naturel. Les autres cépages noirs donnent un jus incolore.

Tendre. Équivalent de **coulant**, voire **souple**, encore que ce terme se réfère habituellement au **fruit** d'un vin perçu sur le **palais**, tandis que le caractère **coulant** évoque plus la **finale**. Si la tendreté est un caractère souhaitable, son excès va de pair avec la faiblesse, la **platitude** d'un vin.

Terre à diatomées. Connue aussi sous le nom de ***Kieselguhr ;*** terre fine, pulvérulente, silicieuse, résultant de la décomposition d'algues dites diatomées fossilisées. *Voir* **Perlite, Filtration sur terre d'infusoires** et **Filtration de finissage**.

Terreux. Correspond à une impression d'assèchement en bouche. Si certains vins donnant cette impression peuvent être agréables, ce n'est pas le cas des vins les plus fins qui doivent être francs.

Terroir. Si ce terme évoque d'abord la terre, sa définition met en jeu tout l'environnement : le sol cultivé, le site, l'altitude, le climat et tout autre facteur pouvant affecter la vie de la vigne.

Terroir, goût de. Expression faisant valoir, dans un vin, la saveur particulière que communiquent certains sols, et non pas le goût du sol même.

Tête de cuvée. Premier jus s'écoulant au cours du pressurage, le meilleur de la **cuvée**. C'est le plus facile à extraire, celui de la meilleure qualité, le plus équilibré en **acides**, sucre et composants minéraux.

Transvasage. Méthode selon laquelle les vins mousseux autres que ceux de **méthode champenoise** subissent une **fermentation secondaire** en bouteille, avant d'être décantés, **filtrés** et remis en bouteille sous pression pour conserver leur **mousse**.

Tries. Vendanges au cours desquelles on cueille individuellement, en plusieurs fois, les raisins **botrytisés** ou surmûris.

Trockenbeerenauslese (All.). *Voir* **TbA**.

Trouble protéinique. Il existe des protéines dans tous les vins. Un excès de protéines peut réagir sur le **tanin** pour provoquer un trouble qu'on élimine en utilisant d'habitude de la **bentonite**, agent de **collage**. *Voir* Collage, p. 20.

Typique. Terme dont on abuse comme synonyme du qualificatif plus honnête « **loyal** ».

Up-front (Angl.). Qualificatif évoquant une qualité attrayante dans sa simplicité, immédiatement reconnaissable, grâce à laquelle on a fait « le tour » d'un vin donné. Les vins californiens à bon marché sont souvent « up-front » et « **laid-back** ».

Uvaggio (It.). Vin à base de cépages divers.

Vanille, vanillé. Termes désignant souvent le **nez** et la **bouche** d'un vin vieilli sous bois de **chêne**, notamment d'un Rioja. Il s'agit de la plus manifeste des caractéristiques conférées par le chêne. *Voir* **Chêne**.

Vanilline. *Aldéhyde* aromatique présent à l'état naturel dans les gousses de **vanille** comme dans le **chêne**.

Varietal (Angl.). (1) Qualifie les caractéristiques qu'un vin a directement tiré du cépage dont il est issu, ainsi que celles de ce cépage même. Exemple : l'**arôme** de cassis du Cabernet Sauvignon. (2) Désigne, dans le Nouveau Monde, un vin essentiellement (mais non exclusivement) élaboré à base d'un cépage donné. *Voir* **Cépage, vin de**.

VDL. Abréviation pour **Vin de liqueur**, un vin **viné** normalement **muté** à l'alcool avant le début de la fermentation.

VDN. Abréviation pour **Vin doux naturel**, vin **viné**, tel le Muscat de Beaumes-de-Venise, qui n'a pas été **muté** en cours de **fermentation**, mais qu'on a fortifié, c'est-à-dire **viné** après qu'il ait atteint 5 à 8° d'**alcool**.

VDQS. Abréviation pour **Vin délimité de qualité supérieure**. Dans l'échelle des appellations contrôlées françaises, un VDQS est inférieur à un vin d'**AOC**, mais supérieur à un **Vin de pays**.

Végétal. Vins dotés d'une certaine **maturité**, souvent des Chardonnay ou des Pinot qui, bien **ronds**, ont acquis un **bouquet** agréable rappelant des senteurs végétales plutôt que de fruits.

Velouté. Terme subjectif utilisé pour caractériser un vin dans lequel le moelleux l'emporte de façon à évoquer, en bouche, le contact du velours. Cette qualité peut être révélatrice du cépage ou de la méthode de vinification. Les vins de Saint-Émilion sont souvent veloutés.

Véraison. Stade de maturation des raisins, au cours duquel ils ne changent pas de taille, mais de couleur, dans le cas des raisins noirs, et acquièrent plus de sucre et d'**acide tartrique**, tandis que diminue leur taux d'**acide malique**.

Vermouth. Vin de liqueur aromatisé. L'allemand **wermut**, dont vient ce mot, signifie absinthe, le principal constituant de ce vin. Les premiers vermouths ont été élaborés en Allemagne, au XVIe siècle. Le premier vermouth commercial, le Punt-é-Mes a été créé par Antonio Carpano à Turin, en 1786. Le vermouth italien est rouge et doux tandis que le vermouth français est blanc et sec. Très douceâtres, les vins de base, âgés de 2 ou 3 ans et originaires des Pouilles et de la Sicile pour l'Italie, du Languedoc-Roussillon pour la France, sont coupés d'un extrait d'ingrédients aromatiques, puis édulcorés au sucre et **vinés** à l'**alcool** pur. Le Chambéry, vin clair finement aromatisé, élaboré en Savoie, est le seul vermouth doté d'une appellation officielle.

Vert. Vin jeune et acerbe, tel le Vinho Verde. Ce terme est péjoratif mais il peut aussi indiquer qu'un vin est jeune et peut s'améliorer.

Verve. Ce terme s'applique souvent à des vins issus du Riesling. Il évoque précisément la vitalité, la **vivacité** et l'**acidité** de ce cépage.

Vidange. Espace libre entre la surface du vin et le haut de la bouteille ou du fût. Une bouteille dont la vidange descend au-dessous de son épaulement ne présage rien de bon.

Vin de carafe. **Vin de table** produit en grande quantité en Californie.

Vin de glace. *Voir* **Eiswein**.

Vin de primeur. Vin jeune à boire dans l'année. « Beaujolais Primeur » est le nom officiel du plus célèbre des vins de primeur, mais il est le plus souvent étiqueté « Beaujolais nouveau ».

Vin doux naturel. *Voir* **VDN**.

Viné. Le vinage au moyen d'alcool pur – habituellement une eau-de-vie très forte, de 77 à 98° – peut intervenir soit avant la fermentation (Ratafia de Champagne ou Pineau des Charentes), en cours de fermentation (Porto et Muscat de Beaumes-de-Venise) ou après la fermentation (Xérès).

Vineux. (1) Se dit généralement d'un vin dont la saveur recèle une richesse alcoolique importante. (2) S'applique aux qualités fondamentales d'un vin, notamment l'odeur et la saveur.

Vin gris. Vin rosé clair, délicat.

Vinification. Ensemble des opérations effectuées pour élaborer un vin, de la cueillette des raisins à la mise en bouteille.

Vinimatic. Cuve fermée de **fermentation** intermittente, équipée de lames fixées à ses parois internes, fonctionnant sur le principe de la bétonneuse. Utilisé à l'origine pour extraire des peaux de raisins, le maximum de couleur pour un minimum d'**oxydation**, cet appareil est maintenant employé pour la **macération avant fermentation**.

Vin jaune. Ce vin, originaire du Jura, tient son nom de sa robe à l'or de miel, résultant d'une **oxydation** volontairement provoquée sous un voile de **levures** analogues à celles utilisées pour le Xérès. Le vin jaune, par opposition aux Xérès, n'est pas viné.

Vin nouveau. Synonyme jusqu'à un certain point de **Vin de primeur** mais les vins nouveaux ne sont pas des **vins de primeur**.

Vin ordinaire. Désigne un vin de consommation courante. Ce terme peut aussi s'utiliser dans le sens dépréciatif à propos de tout vin, y compris un vin d'AOC.

Vino de Mesa (Esp.). **Vin de table**.

Vino novello (It.). **Vin nouveau**.

Vino de tavola (It.). **Vin de table**.

Vin d'une nuit. Vin rosé ou rouge très clair, dans lequel le **chapeau** est resté immergé pendant une nuit.

Vin de qualité produit dans une région délimitée. *Voir* **VQPRD**.

Vin de table. Vin ne bénéficiant d'aucune classification mais auquel la réglementation impose des normes précises d'encépagement, de degré alcoolique et d'acidité.

Vitis vinifera. Espèce englobant toutes les variétés classiques porteuses de raisins de cuve.

VQPRD. Abréviation pour **Vin de qualité produit dans une région délimitée**.

Vivacité. Se rapporte habituellement à la **fraîcheur** pleine de jeunesse du **fruit** d'un vin et due à sa bonne **acidité**, ainsi qu'à sa teneur en **gaz carbonique** supérieure à la moyenne.

Weissherlest (All.). (1) Vin rosé de cépage et exclusivement issu de raisins noirs.

Xérès, caractère de. Odeur d'un vin à un stade avancé d'**oxydation**, et indésirable dans d'autres vins que le Xérès ou les vins jaunes.

Zeste. Caractère vif suggérant une sensation tactile s'associant éventuellement avec une pointe d'arôme d'**agrumes**.

Guide des millésimes

Ce tableau présente les valeurs comparatives de plus de 850 récoltes dans 28 catégories différentes de vin. Les notes attribuées ne sont qu'une indication des probabilités qu'un vin donné sera à son image et présentera les qualités de son style dans le millésime concerné. Elles ne peuvent, en aucun cas, servir de guide à l'usage de l'acheteur pour rechercher tel ou tel vin. Aucun classement d'ailleurs ne peut rendre compte des nombreuses exceptions se produisant chaque année. Toutefois, plus la cote est élevée, plus les exceptions sont rares, la qualité et la constance allant de pair.

APPRÉCIATION DES VINS

100*	Si aucun millésime ne peut être donné pour parfait, ceux dont la note confine à l'excellence sont réellement de grands millésimes.
90-99*	Excellent à superbe
80-89	Bon à très bon
70-79	Moyen à bon
60-69	Décevant
40-59	Très mauvais
0-39	Désastreux

Millésimes	1987	1986	1985	1984	1983	1982	1981	1980	1979	1978	1977	1976	1975	1974
BORDEAUX : Médoc/Graves	70	90	90	80	88	98	82	78	85	90	45	80	90	60
BORDEAUX : St-Émilion/Pomerol	75	85	90	65	85	98	82	75	85	80	45	80	90	60
BORDEAUX : Sauternes/Barsac	60	90	85	60	100	70	70	80	80	65	50	85	90	50
BOURGOGNE : Côte-d'Or - Rouges	70	78	100	70	88	80	75	60	75	85	40	88	20	70
BOURGOGNE : Côte-d'Or - Blancs	80	92	90	80	88	86	85	72	80	88	50	80	80	75
BOURGOGNE : Beaujolais - Rouges	78	85	90	70	90	72	74	55	60	90	55	90	50	55
CHAMPAGNE	–	–	–	–	90	88	90	70	90	80	–	85	85	60
ALSACE	78	88	94	75	100	80	89	60	85	40	33	10	92	50
LOIRE : Blancs doux	60	85	87	65	90	85	70	65	55	75	30	92	90	20
LOIRE : Rouges	40	85	90	75	85	85	80	70	60	80	45	90	92	85
RHÔNE : Nord - Rouges	88	86	95	70	98	92	75	78	81	100	50	85	72	78
RHÔNE : Sud - Rouges	70	88	90	70	92	88	87	83	78	98	72	85	68	80
ALLEMAGNE : Moselle-Sarre-Ruwer	75	93	95	50	100	70	75	50	85	55	50	100	98	45
ALLEMAGNE : Rhin	78	93	95	50	98	73	75	50	88	55	50	98	100	40
ITALIE : Barolo	88	82	95	55	90	95	80	60	85	100	40	80	70	83
ITALIE : Chianti	83	80	93	60	85	90	80	70	85	88	75	40	85	75
ESPAGNE : Rioja	80	80	80	75	100	100	85	80	60	80	25	85	85	84
PORTUGAL : Portos Vintage	–	–	90	–	95	85	–	85	–	75	100	–	80	–
É.-U. : Californie - Rouges	90	88	98	92	90	88	85	88	80	88	80	88	86	95
É.-U. : Californie - Blancs	90	88	84	95	86	86	88	90	80	88	85	80	88	90
É.-U. : Nord-Ouest Pacifique - Rouges	85	86	96	50	95	84	88	88	80	88	80	88	90	88
É.-U. : Nord-Ouest Pacifique - Blancs	85	90	96	70	95	83	80	87	80	88	80	88	88	88
AUSTRALIE : Hunter Valley - Rouges	88	95	90	80	90	80	80	90	98	80	80	70	100	45
AUSTRALIE : Hunter Valley - Blancs	90	95	90	80	90	80	85	98	90	70	70	80	70	80
AUSTRALIE : Barossa Valley - Rouges	80	88	95	95	70	90	85	80	92	70	80	90	80	20
AUSTRALIE : Barossa Valley - Blancs	80	90	95	95	85	90	70	80	92	90	70	90	70	20
AUSTRALIE : Margaret River - Rouges	88	88	90	80	80	90	85	80	80	70	90	45	30	45
AUSTRALIE : Margaret River - Blancs	88	88	90	80	80	90	85	90	80	45	70	65	30	45

Vins de cotes basses. S'il faut user de prudence extrême à l'égard des millésimes les moins cotés, il ne faut pas pour autant les dédaigner. Si la plupart des gens n'investissent que dans les grands millésimes, qui représentent des valeurs sûres, l'amateur avisé recherche dans les millésimes les moins réputés les exceptions à la règle. Et comme le millésime est modeste, le vin d'année moyenne sera relativement peu onéreux.

Vins de cotes voisines. Plus l'écart entre deux notes est faible, moins les vins concernés présenteront de différence de qualité. On pourrait même penser qu'un point de différence n'a guère de signification dans l'appréciation d'un vin, si ce n'est qu'au moment du choix, tout bien considéré, ce petit point peut faire pencher la balance.

* **Attention.** Même dans les plus grandes années, certains vins, y compris de haut niveau, ne sont pas tellement agréables. Il s'agit des vins blancs aromatiques, normalement peu corsés, qu'on boit au mieux de leur forme lorsqu'ils sont jeunes, frais et fruités (Muscat d'Alsace, vins allemands *QbA* ou *Kabinett*...) pour lesquels on accordera une préférence aux millésimes notés de 70 à 85, voire moins.

1973	1972	1972	1970	1969	1968	1967	1966	1965	1964	1963	1962	1961	1960	Grands millésimes antérieurs
80	40	83	90	62	25	65	92	20	80	15	78	100	73	1953, 1949, 1945, 1929, 1928, 1900
78	40	83	87	60	25	70	90	20	87	15	78	99	73	1953, 1949, 1945, 1929, 1928, 1900
65	55	85	85	60	30	88	86	40	72	15	90	88	82	1959, 1955, 1949, 1947, 1945, 1937
65	85	90	80	98	10	75	89	10	87	20	87	94	40	1959, 1949, 1945, 1929, 1919, 1915
72	80	85	80	90	20	82	86	10	90	25	90	87	15	1928, 1921
80	70	85	75	88	45	70	80	55	75	55	80	90	70	1959, 1957, 1949, 1945, 1929
88	–	88	90	90	–	–	90	–	100	–	87	85	70	1959, 1947, 1945, 1928, 1921, 1914
85	40	90	84	90	40	70	90	30	80	35	80	90	65	1959, 1953, 1949, 1945, 1937, 1921
85	10	90	84	90	10	65	85	–	85	–	85	90	–	1959, 1949, 1945, 1921
80	10	85	85	90	10	70	88	10	85	10	83	95	80	
85	90	86	93	87	30	88	88	60	90	50	87	100	70	
86	90	85	90	87	45	95	88	60	90	35	88	99	73	
90	40	98	85	90	40	85	85	40	94	60	65	75	60	1959, 1953, 1949, 1945, 1921
88	40	100	85	92	40	88	85	40	94	60	65	75	60	1959, 1953, 1949, 1945, 1921
50	20	90	85	80	82	88	70	75	90	30	70	88	30	1958, 1947, 1931, 1922
70	65	98	86	85	85	60	40	30	60	30	85	40	30	1947, 1931, 1928, 1911
75	30	45	95	75	95	45	45	75	100	88	90	45	75	1942, 1934, 1924, 1920, 1916
–	78	–	98	–	–	75	85	–	–	100	–	–	75	1945, 1935, 1931, 1927, 1908
88	80	70	90	79	90	80	78	88	94	70	75	85	84	1951, 1946
88	65	85	92	78	80	90	78	89	92	72	74	82	84	
–	–	–	–	–	–	–	–	–	–	–	–	–	–	
–	–	–	–	–	–	–	–	–	–	–	–	–	–	
80	45	25	70	80	45	80	80	100	75	50	50	50	50	
88	80	20	80	80	80	92	–	–	–	–	–	–	–	
20	–	–	–	–	–	–	–	–	–	–	–	–	–	
25	–	–	–	–	–	–	–	–	–	–	–	–	–	
–	–	–	–	–	–	–	–	–	–	–	–	–	–	
–	–	–	–	–	–	–	–	–	–	–	–	–	–	

Index

Les chiffres en *italiques* renvoient aux illustrations.

A

B

C

D

E-F

I-J

K

L

M

N-O

P

Q

R

S

T

U

V

W

X-Y

Z

Crédits photographiques

2 John Sims ; 8/9 Ian O'Leary ; 11 Sonia Halliday/F.H.C. Birch ; 12 Cephas/Mick Rock ; 13 gauche, Zefa/W.H. Mueller ; droite, Patrick Eagar ; 16 haut gauche, Harry Baker ; haut droite et bas gauche, Scope/Michel Guillard ; bas droite, Champagne Bureau ; 17 haut gauche, Champagne Bureau ; haut droite, Scope/Jean-Daniel Sudres ; bas gauche, Scope/Michel Guillard ; centre droite, Denis Hughes-Gilbey ; bas droite, Vin et Cuisine de France ; 18 Scope/Jacques Guillard ; 19 haut, Scope/Michel Guillard ; bas, Cephas/Mick Rock ; 21 haut, Janet Price ; bas, Scope/Michel Guillard ; 22 gauche, Scope/Michel Guillard ; droite, Zefa/F. Damm ; 23 Cephas/Mick Rock ; 33 Scope/Jacques Guillard ; 36 haut, Scope/Michel Guillard ; centre, Jerrican/Ivaldi ; bas, Scope/Michel Guillard ; 44 Visionbank/Colin Maher ; 45 Tom Stevenson ; 51 Scope/Michel Guillard ; 54 Scope/Michel Guillard ; 55 haut gauche et droite, Scope/Michel Guillard ; bas, Visionbank/Colin Maher ; 59 Scope/Michel Guillard ; 60 gauche et droite, Scope/Michel Guillard ; 63 Michael Busselle ; 64 haut, centre et bas gauche, Scope/Michel Guillard ; bas droite, Janet Price ; 69 haut, Scope/Michel Guillard ; bas, Château Haut-Brion ; 70 haut, Scope/Michel Guillard ; bas gauche et droite, Tom Stevenson ; 71 gauche, Scope/Michel Guillard ; droite, Tom Stevenson ; 72 gauche, Visionbank/Colin Maher ; droite, Janet Price ; 81 Visionbank/Colin Maher ; 83 haut gauche, Scope/Michel Guillard ; haut droite, Visionbank/Colin Maher ; bas, Janet Price ; 93 Anthony Blake ; 94 haut et bas droite, Scope/Michel Guillard ; bas gauche, Anthony Blake ; 103 haut, Janet Price ; bas, Patrice Eagar ; 104 haut, Patrick Eagar ; bas, Scope/Michel Guillard ; 109 Scope/Jean-Luc Barde ; 114 Scope/Jacques Guillard ; 116 Janet Price ; 121 haut, Janet Price ; bas, Claude Bouchard (Bouchard Père et Fils) ; 128 Scope/Jean-Luc Barde ; 130 Michael Busselle ; 133 Scope/Jean-Luc Barde ; 136 haut, CIVC Épernay ; bas, Champagne Bureau ; 137 Champagne Pommery ; 138 de haut en bas, Laurent Perrier ; Laurent Perrier ; CIVC Épernay ; Krug ; bas gauche, Champagne Deutz ; bas droite, Champagne Bureau ; 139 de haut en bas, Louis Roederer ; Louis Roederer, Champagne Bureau ; 140 haut, Champagne Bureau ; bas, Visionbank/Colin Maher ; 149 haut, Scope/Jacques Guillard ; bas, Tom Stevenson ; 150 gauche, Janet Price ; droite, Michael Busselle ; 151 Scope/Jacques Guillard ; 156 gauche, Picture Index/Guy Gravett ; droite, Patrick Eagar ; 157 de haut en bas gauche, Patrick Eagar ; bas droite, Landscape Only/Charlie Waite ; 161 haut, Scope/Jacques Guillard ; bas, Anthony Blake ; 163 Cuisine et Vins de France ; 164 haut, Anthony Blake ; bas gauche, Scope/Jacques Guillard ; bas droite, Denis Hughes-Gilbey ; 167 Scope/Jean-Daniel Sudres ; 174 haut, Janet Price ; bas, Yapp Brothers ; 181 Ministère français du tourisme ; 185 haut, Zefa/Dr Baer ; milieu et bas, Scope/Jean-Luc Barde ; 189 Scope/Jacques Sierpinski ; 193 gauche, Janet Price ; droite, Scope/Michel Guillard ; 201 Bildagentur Mauritius/Vidler ; 202 Zefa/F. Damm ; 206 Bildagentur Mauritius/Rossenbach ; 207 Bildagentur Mauritius/E. Gebhardt ; 214 Zefa/Til ; 215 Zefa/W. Rötzel ; 217 Zefa/K. Oster ; 224 Bildagentur Mauritius/Rossenbach ; 225 Anthony Blake ; 227 Jon Wyand ; 228 Bildagentur Mauritius/Koch ; 230 Bildagentur Mauritius/Vidler ; 238 Bildagentur Mauritius/Grimm ; 239 Zefa/Eigen ; 241 Janet Price ; 242 Cephas/Mick Rock ; 246 Jon Wyand ; 251 Cephas/Mick Rock ; 256 gauche et droite, Landscape Only/Charlie Waite ; 263 Cephas/Mick Rock ; 267 Jon Wyand ; 270 haut, Cephas/Mick Rock ; bas gauche, Michael Busselle ; bas droite, Anthony Blake/G. Buntrock ; 273 Cephas/Mick Rock ; 278 haut et bas, Cephas/Mick Rock ; 282 Michael Busselle ; 293 Cephas/Mick Rock ; 294 Anthony Blake ; 295 Cephas/Mick Rock ; 298 Bruce Coleman/Herbert Kranwetter ; 303 haut et bas, Cephas/Mick Rock ; 304 gauche et droite, Cephas/Mick Rock ; 305 gauche, Susan Griggs Agency/John Kegan ; droite, Stéphanie Colasanti ; 306 Stéphanie Colasanti ; 309 Susan Griggs Agency/Adam Woolfitt ; 310 Janet Price ; 316 Zefa/Justitz ; 317 Bruce Coleman/Mark Boulton ; 320 Susan Griggs Agency/Adam Woolfitt ; 321 Zefa/Harlicek ; 326 Bulgarian Wine Company ; 328 John Lipitch Associates ; 330 Zefa/Fotostudio ; 331 Zefa/Fotostudio ; 335 Agence Tass ; 337 Zefa/Conrad Helbig ; 338 Sonia Halliday/F.H.C. Birch ; 342 Sonia Halliday ; 343 Bruce Coleman/Gerald Cubitt ; 344 Zefa/Haro Schumacher ; 345 Bruce Coleman/Sandro Prato ; 348 Bruce Coleman/Gerald Cubitt ; 355 Click Chicago/Peter Fronk ; 356 Click Chicago/Peter Fronk ; 358 gauche, Click Chicago/John Lawlor ; droite, Jon Wyand ; 361 haut, Click Chicago/Chuck O'Rear ; bas, Visionbank/Michael Freeman ; 368 haut, Jon Wyand ; bas, Visionbank/Michael Freeman ; 370 Jon Wyand ; 374 Zefa/Armstrong ; 379 Jon Wyand ; 385 Jon Wyand ; 390 Click Chicago/Peter Fronk ; 392 Ohio Wine Institute ; 393 Click Chicago/Peter Fronk ; 400 gauche et droite, Pedro Domecq ; 401 Pedro Domecq ; 403 haut, Image Bank/Gary Cralle ; bas, Tom Stevenson ; 407 Image Bank/S. Barbosa ; 409 haut et bas, Janet Price ; 413 Janet Price ; 415 Janet Price ; 416 Janet Price ; 417 Janet Price ; 419 gauche, Rosemount Estate ; droite, Janet Price ; 424 gauche, Janet Price ; droite, Pipers Brook Vineyard ; 430 haut et bas, Janet Price ; 431 Horizon/Milton Wordley ; 437 Patrick Eagar ; 438 Tony Stone ; 441 Tony Stone/Fritz Prenzl ; 443 Margaret Harvey ; 444 Impact/Pamla Toler ; 445 Impact/Pamla Toler ; 448 Robert Harding/G.P. Corrigan ; 450 Robert Harding ; 451 Suntory Limited/Keiichi Kimura

---

Direction artistique
Derek Coombes

Illustrations
Sandra Fernandez et Kuo Kang Chen

Suivi éditorial de l'édition française
Pierre Anglade

Cartes
Lovell Johns Ltd, Londres

Iconographie
Lesley Davy

Maquette de couverture
Arbook International

Dépôt légal : septembre 1989
Imprimé en Espagne par Artes Gráficas Toledo, S.A.
D.L.TO:1136-1989